令和7年版
土地家屋調査士
六法

東京法経学院

Ⓡ〈日本複製権センター委託出版物〉
　本書（誌）を無断で複写複製（電子化を含む）することは，著作権法上での例外を除き，禁じられています．本書（誌）をコピーされる場合は，事前に日本複製権センター(JRRC) の許諾を受けてください．
　また本書を代行業者等の第三者に依頼してスキャンやデジタル化することは，たとえ個人や家庭内での利用であっても一切認められておりません．
JRRC〈http：//www.jrrc.or.jp　e メール：info@jrrc.or.jp　電話：03-3401-2382〉

はしがき

　不動産の表示に関する登記（表示登記）の制度は，国民の基本的財産である土地・建物の物理的状況を公示するためのもので，不動産取引の安全と円滑化の一端を担っているものです。

　この表示登記の制度を支えているのが，土地家屋調査士と登記所（登記官）ですが，本書は，土地家屋調査士の実務及び受験に必要な法令，重要な判例・先例を網羅したもので，実務にとって重要な判例・先例等を充実させてきており，実務にも役立つ内容となっています。

　本書が，従来の読者である受験生の方はもとより，実務に携われる方にとっても必携の書となるものと確信しております。

東京法経学院編集部

凡　例

収録法令等	土地家屋調査士の実務と受験において必要となる法令，先例・判例等を厳選して収録しました。収録法令は，基本的に令和6年9月1日（編集基準日）現在の条文を収録していますが，令和7年4月1日までに施行される改正は，改正後の条文に変更して掲載しています。また，編集基準日以降，令和7年4月1日までに施行される法令改正があった場合には，「追録」で対応させていただきます。
（抄）収録	上記法令のうち，重要な条文のみを厳選して収録した法令は，その法令名の末尾に（抄）と表記してあります。
表示・表記	①　公布年月日・最終改正日 　　各法令名の下に公布年月日と最終改正日が示されています。改正の途中経過は省略し，最終改正の公布年月日付と法令番号を「最終改正　令和○○年○月○日法（政令，○○省令）○○号」のように表示しました。 ②　附則 　　基本的な法令を除き，原則は（略）です。 ③　条数・数字 　　横組みにした関係上，条数の表示は十を10に，百を100としてあります。条文中②，③は項を，一，二は号を示しています。また，条文中の漢数字は適宜算用数字に換えてあります。 ④　判例・先例等（先例及び実例） 　　※印で判例を，✢印で先例等を示しました。

総目次

第1部 法令編

■ 実体法関係

- ○日本国憲法（抄）／10
- ○民法／11
- ○建物の区分所有等に関する法律（抄）／240
- ○任意後見契約に関する法律／252
- ○後見登記等に関する法律（抄）／255
- ○法務局における遺言書の保管等に関する法律／258
- ○借地借家法（抄）／263
- ○立木ニ関スル法律／272
- ○立木登記規則（抄）／275
- ○工場抵当法（抄）／280
- ○工場抵当登記規則／287
- ○会社法（抄）／295
- ○刑法（抄）／316
- ○所有者不明土地の利用の円滑化等に関する特別措置法（抄）／326
- ○表題部所有者不明土地の登記及び管理の適正化に関する法律（抄）／331

■ 訴訟法関係

- ○行政手続法（抄）／340
- ○行政手続法施行令（抄）／346
- ○行政不服審査法／347
- ○行政事件訴訟法（抄）／368
- ○民事訴訟法（抄）／370
- ○民事訴訟規則（抄）／384
- ○仲裁法（抄）／415
- ○破産法（抄）／418
- ○裁判外紛争解決手続の利用の促進に関する法律（抄）／426
- ○裁判外紛争解決手続の利用の促進に関する法律施行令（抄）／430
- ○裁判外紛争解決手続の利用の促進に関する法律施行規則（抄）／431

■ 不動産登記法関係

- ○不動産登記法／434
- ○不動産登記令／476
- ○不動産登記規則／512
- ○不動産登記事務取扱手続準則／622
- ○不動産の管轄登記所等の指定に関する省令／669
- ○電気通信回線による登記情報の提供に関する法律／671
- ○電気通信回線による登記情報の提供に関する法律施行令／674
- ○電気通信回線による登記情報の提供に関する法律施行規則／675
- ○登記手数料令／678
- ○筆界特定申請手数料規則／686

■ 不動産登記関連法関係

- ○商業登記法（抄）／688
- ○商業登記規則（抄）／695
- ○商業登記等事務取扱手続準則（抄）／698
- ○独立行政法人等登記令（抄）／699
- ○組合等登記令（抄）／702
- ○各種法人等登記規則（抄）／708
- ○国土調査法（抄）／709
- ○国土調査法施行令（抄）／715
- ○国土調査法による不動産登記に関する政令／719
- ○農地法（抄）／721
- ○農地法施行令（抄）／732
- ○農地法施行規則（抄）／735
- ○土地改良法（抄）／737

- ○土地改良登記規則（抄）／747
- ○土地区画整理法（抄）／750
- ○土地区画整理登記令（抄）／765
- ○土地区画整理登記規則（抄）／769
- ○都市再開発法（抄）／775
- ○都市再開発法による不動産登記に関する政令／783
- ○新住宅市街地開発法（抄）／786
- ○新住宅市街地開発法等による不動産登記に関する政令（抄）／790
- ○新都市基盤整備法（抄）／793
- ○新都市基盤整備法施行令（抄）／798
- ○新都市基盤整備法施行規則（抄）／799
- ○流通業務市街地の整備に関する法律(抄)／801

■ 規制法関係

- ○国有財産法（抄）／808
- ○国有財産法施行令（抄）／813
- ○地方自治法（抄）／814
- ○地方自治法施行令（抄）／821
- ○住居表示に関する法律（抄）／822
- ○公有水面埋立法（抄）／823
- ○海岸法（抄）／825
- ○砂防法（抄）／827
- ○砂防法施行規程（抄）／828
- ○運河法（抄）／829
- ○河川法（抄）／830
- ○河川法施行法（抄）／837
- ○河川法施行令（抄）／838
- ○港湾法（抄）／839
- ○自然公園法（抄）／841
- ○都市公園法（抄）／843
- ○森林法（抄）／845
- ○自然環境保全法（抄）／848
- ○宗教法人法（抄）／850
- ○土地収用法（抄）／853
- ○都市計画法（抄）／859
- ○建築基準法（抄）／865
- ○建築基準法施行令（抄）／875
- ○宅地造成及び特定盛土等規制法（抄）／879
- ○宅地造成及び特定盛土等規制法施行令（抄）／883
- ○道路法（抄）／884

■ 土地家屋調査士法関係

- ○土地家屋調査士法／890
- ○土地家屋調査士法施行規則／912
- ○測量法（抄）／923
- ○測量法施行令（抄）／932
- ○平面直角座標系／934

■ 税法関係

- ○登録免許税法（抄）／938
- ○登録免許税法施行令（抄）／949
- ○国税通則法（抄）／954
- ○地方税法（抄）／957
- ○印紙税法（抄）／963

第 2 部　不動産登記法(表示)及び先例・判例等

- ○不動産登記法（表示）・先例・判例等／967
- ○境界確定に関する主要判例／1119

第 3 部　重要先例集

- ○不動産表示登記関係先例
  - ・1 表示登記／1129
  - ・2 法令改正／1182

第 4 部　資料編

- ・申請書様式〔筆界特定申請書〕／1330
- ・筆界点間距離及び地積測定の公差早見表（抄）／1335　・事項索引／1342
- ・先例等索引／1365
- ・判例索引／1377

第一部 法令編

- 実体法関係 ——— 9
- 訴訟法関係 ——— 339
- 不動産登記法関係 ——— 433
- 不動産登記関連法関係 - 687
- 規制法関係 ——— 807
- 土地家屋調査士法関係 - 889
- 税法関係 ——— 937

◆実体法関係◆

- ○日本国憲法（抄）
- ○民法
- ○建物の区分所有等に関する法律（抄）
- ○任意後見契約に関する法律
- ○後見登記等に関する法律（抄）
- ○法務局における遺言書の保管等に関する法律
- ○借地借家法（抄）
- ○立木ニ関スル法律
- ○立木登記規則（抄）
- ○工場抵当法（抄）
- ○工場抵当登記規則
- ○会社法（抄）
- ○刑法（抄）
- ○所有者不明土地の利用の円滑化等に関する特別措置法（抄）
- ○表題部所有者不明土地の登記及び管理の適正化に関する法律（抄）

日本国憲法(抄)

● 昭和21年11月3日 ●

第14条 (法の下の平等 貴族の禁止,栄典)
① すべて国民は,法の下に平等であつて,人種,信条,性別,社会的身分又は門地により,政治的,経済的又は社会的関係において,差別されない。
② 華族その他の貴族の制度は,これを認めない。
③ 栄誉,勲章その他の栄典の授与は,いかなる特権も伴はない。栄典の授与は,現にこれを有し,又は将来これを受ける者の一代に限り,その効力を有する。

第20条 (信教の自由)
① 信教の自由は,何人に対してもこれを保障する。いかなる宗教団体も,国から特権を受け,又は政治上の権力を行使してはならない。
② 何人も,宗教上の行為,祝典,儀式又は行事に参加することを強制されない。
③ 国及びその機関は,宗教教育その他いかなる宗教的活動もしてはならない。

第29条 (財産権)
① 財産権は,これを侵してはならない。
② 財産権の内容は,公共の福祉に適合するやうに,法律でこれを定める。
③ 私有財産は,正当な補償の下に,これを公共のために用ひることができる。

第31条 (法定の手続の保障)
何人も,法律の定める手続によらなければ,その生命若しくは自由を奪はれ,又はその他の刑罰を科せられない。

第35条 (住居の不可侵)
① 何人も,その住居,書類及び所持品について,侵入,捜索及び押収を受けることのない権利は,第33条の場合を除いては,正当な理由に基いて発せられ,且つ捜索する場所及び押収する物を明示する令状がなければ,侵されない。
② 捜索又は押収は,権限を有する司法官憲が発する各別の令状により,これを行ふ。

第39条 (遡及処罰の禁止・一事不再理)
何人も,実行の時に適法であつた行為又は既に無罪とされた行為については,刑事上の責任を問はれない。又,同一の犯罪について,重ねて刑事上の責任を問はれない。

民法

●明治29年4月27日法律第89号●　最終改正　令和4年12月16日法102号

実体法

第1編　総則

第1章　通則

第1条（基本原則）

① 私権は，公共の福祉に適合しなければならない。

② 権利の行使及び義務の履行は，信義に従い誠実に行わなければならない。

③ 権利の濫用は，これを許さない。

★判例

【信義則一般】

1※割賦販売法30条の4（抗弁接続）が新設される前の個人割賦購入あっせん契約において，購入者と販売業者（加盟店）との売買契約が販売業者の債務不履行を理由に合意解除された場合であっても，購入者とあっせん業者（信販会社）との間の立替払いにおいて，右不履行の結果をあっせん業者に帰せしめるのを信義則上相当とする特段の事情があるときでない限り，購入者は，右合意解除をもってあっせん業者の履行請求を拒むことはできない。（最判平成2・2・20判時1354・76）

2※いわゆるダイヤルQ2事業における有料情報サービスにつき，一般家庭にある加入電話から一般的に利用可能であったこと，第1種電気通信事業者甲が，右サービスの内容やその利用に係る通話料の高額化の危険性等につき具体的かつ十分な周知を図る等の責務を十分に果たしていなかったこと，その結果，加入電話契約者乙が右内容や危険性等につき具体的な認識を有していなかったことなどの事情の下では，乙の未成年の子が無断利用した右サービスに係る通話料の金額の5割を超える部分につき，甲が乙に対してその支払を請求することは，信義則ないし衡平の観念に照らして許されない。（最判平成13・3・27民集55・2・434）

3※信義誠実の原則は，権利の行使，義務の履行だけではなく，当事者のした契約の趣旨を解釈するにもその基準となる。（最判昭和32・7・5民集11・7・1193）

【契約締結段階における信義則】

4※契約法を支配する信義誠実の原則は，契約締結の準備段階においても妥当し，当事者の一方が右準備段階において信義誠実の原則上要求される注意義務に違反し，相手方に損害を与えた場合には，その損害を賠償する責任を負う。Yの映画製作の入札発注にあたって，随意契約によるものと誤信したXが既に一部の撮影に着手し，Yがそのことを知った以上，信義則に照らし，Yには，XとYの関係はいまだ白紙状態にあることを警告すべき注意義務があり，Yがそれを懈怠したときは，Xに対して損害賠償義務を負う。（東京地判昭和53・5・29判時925・81）

5※Xが4階建分譲マンションの着工と同時に買受人を募集し，Yと交渉を始めたところ，Yは結論を留保し，1月後に10万円を支払ったが，その間もYはXに対して，スペースについて注文を出したり，レイアウト図を交付するなどしており，その後，Xが受水槽を変電室に変更し，電気容量の変更に伴う出費分の上乗せをYに通知しても，Yは特に異議を述べず，その後，YはXに対し見積書の作成を依頼したが，毎月の支払額が多額であることを理由に買取りを断ったという場合，Yは，契約準備段階における信義則上の注意義務違反を理由とする損害賠償責任を負う。（最判昭和59・9・18判時1137・51）

6※本件の事実関係を前提にすると，マンションの各居室の売買契約において，売主は，信義則上，隣の空地に右マンションの日照・眺望・通風に影響を与えるおそれのある高層マンションが建設されることを知っていた場合，あるいは，簡単な調査によりそれを容易に知りえた場合（明らかな認識可能性がある場合）には，これを調査・説明すべき売買契約上の附随的義務があり，右義務を怠ったことにより買主に損害を生じさせたときは，その損害を賠償すべき債務不履行責任を負う。

民法（1条）

(札幌地判昭和63・6・28判時1294・110)
7 ※フランチャイズシステムにおいては，店舗経営の知識や経験に乏しく，資金力も十分でない個人が，本部による指導や援助を期待してフランチャイズ契約を締結することが予定されているから，本部は，加盟店の募集に当たって，契約締結に当たっての客観的な判断材料になる正確な情報を提供する信義則上の義務を負う。特に，本部が加盟店の募集に際して市場調査を実施し，これを加盟店となろうとする個人等に開示する場合には，本部は，加盟店となろうとする個人等に対して，適正な情報を提供する信義則上の義務を負うと解すべきである。(京都地判平成3・10・1判時1413・102)
8 ※売主から委託を受けてマンションの専有部分の販売に関する一切の事務を行っていた宅地建物取引業者は，専有部分内に設置された防火戸の操作方法等につき買主に対して説明すべき信義則上の義務がある。(最判平成17・9・16判時1912・8)
9 ※貸金業者において，特約に基づき借主が期限の利益を喪失した旨主張することが，信義則に反し許されない。(最判平成21・9・11判時2059・55, 金判1331・34)
10 ※土地の賃貸人及び転貸人が，転借人所有の地上建物の根抵当権者に対し，借地権の消滅を来すおそれのある事実が生じたときは通知する旨の条項を含む念書を差し入れた場合において，次の(1)〜(3)など判示の事実関係の下では，賃貸人及び転貸人は，上記念書の内容等につき根抵当権者から直接説明を受けておらず，上記念書を差し入れるに当たり根抵当権者から対価の支払を受けていなかったとしても，地代不払の事実を土地の転貸借契約の解除に先立ち根抵当権者に通知する義務を負い，その不履行を理由とする根抵当権者の損害賠償請求が信義則に反するとはいえない。
(1)上記念書には，地代不払など借地権の消滅を来すおそれのある事実が生じた場合には，賃貸人及び転貸人が根抵当権者にこれを通知し，借地権の保全に努める旨が明記されていた。(2)賃貸人及び転貸人は，事前に上記念書の内容を十分に検討する機会を与えられてこれに署名押印又は記名押印をした。(3)転貸人は不動産の賃貸借を目的とする会社であり，賃貸人は転貸人の代表者及びその子である。(最判平成22・9・9金判1355・26)

【権利の濫用】
11 ※所有権に対する侵害またはその危険がある場合には，所有者はその妨害排除を請求することができるのが原則であるが，その侵害による損失が言うに足らない程度のものであり，しかもその侵害を除去することが著しく困難で，莫大な費用を要する場合に，第三者が不当な利得を得ることを目的に，当該物件を買収した上で妨害排除請求をする一方，当該物件を含む自己所有物件を不相当な巨額で買取るよう要求し，その他の協調に応じないような場合には，当該妨害排除請求は，外観上は所有権の行使であっても，社会観念上所有権の目的に反し，その機能として許される範囲を超えるものであって，権利の濫用に当たる。(大判昭和10・10・5民集14・1965)
12 ※X所有の本件土地について，国が占領中を期間とする賃貸借契約をXと締結し，占領軍の空軍基地として使用されていたが，占領終了により，Xが賃貸借契約の終了を主張して，本件土地の明渡しを求めることは，駐留軍に対する土地の提供という条約上の国の義務についてはXらも協力すべき立場にあること，本件土地がガソリンの地下貯蔵設備の用地として使用されていること，本件土地の明渡しによってXが受ける利益に比して国の被る被害はより大きいことなどに鑑みると，私権の本質である社会性，公共性を無視した過当な請求であって，認容できない。(最判昭和40・3・9民集19・2・233)
13 ※父Aの遺産を家督相続により長男Yが相続した後，調停により母Xに対し，その老後の生活の保障と幼い子女の扶養及び婚姻費用に充てる目的で本件農地を贈与した場合において，Xが20数年にわたって本件農地を耕作し，子女の扶養・婚姻等の諸費用も負担しており，またXがYに対し農地法3条所定の許可申請手続に協力を求めなかったのも，農地の引渡しを既に終え，かつ贈与が母子間でなされたものであることによるという事案において，YがXの所有権移転許可申請協力請求権につき消滅時効を援用することは，信義則に反し，権利の濫用として許されない。(最判昭51・5・25民集30・4・554)

【事情変更の原則】
14 ※不動産の売買契約締結後，その履行期前に宅地建物等価格統制令が施行されたため，契約所定の代金額では所定の履行期に契約を履行することができず，長期間その履行を延期せざるを得ないばかりか，最終的に右契約が失効するかもしれない事態を生じた場合は，右契約の当事者は長期にわたる不安定な契約の拘束から免れることができないとすることは信義則に反するから，当事者は，その一方的

な意思表示により契約を解除することができる。(大判昭和19・12・6民集23・613)

15※土地の買戻特約付売買において，その後の地価の高騰により，所定の買戻代金額に従い買主にその履行を強制することが著しく信義に反する場合は，右買戻特約についていわゆる事情変更の原則の適用があるが，その場合でも，当然に買戻権が消滅するものではなく，また，買主は，売主に対して右買戻特約の内容の修正，すなわち買戻代金額の増額を要求していない限り，右買戻特約を解除することができない。(東京地判昭和34・8・19判時200・22)

16※期間を20年とする土地の賃貸借契約を締結した時に，両当事者間において，契約期間中に賃借人が土地の買取りを申し入れたときは賃貸人は所定の金額でこれを売り渡す旨の覚書を締結した場合に，賃借人が契約期間の満了前に土地の買取りを申し入れたところ，その時点において右土地の価格が20倍以上に騰貴しており，ここまで高騰することを右両当事者を含む当時の一般人は予測し得なかった等の事実関係の下では，本件売買予約自体は存続するが，その内容となっている売買代金額については，事情変更の原則の適用により，これを適正な価額に変更する権利が賃貸人に認められる。(神戸地伊丹支判昭和63・12・26判時1319・139)

17※事情変更の原則を適用するためには，契約締結後の事情の変更が，当事者にとって予見することができず，かつ，当事者の責めに帰することのできない事由によって生じたものであることが必要であり，かつ，その予見可能性や帰責事由の存否は，契約上の地位の譲渡があった場合においても，契約締結当時の契約当事者についてこれを判断すべきである。一般に，事情変更の原則の適用に関して，自然の地形を変更しゴルフ場を造成するゴルフ場経営会社は，特段の事情のない限り，ゴルフ場ののり面に崩壊が生じ得ることについて予見不可能であったとはいえず，帰責事由がなかったともいえない。(最判平成9・7・1民集51・6・2452)

【権利失効の原則】

18※解除権を有する者が，長期間にわたりこれを行使せず，相手方においてその権利はもはや行使されないものと信頼すべき正当の事由を有するに至ったため，その後にこれを行使することが信義誠実に反すると認められるような特段の事由がある場合には，解除は許されない。賃借権の無断譲渡を理由とする解除権が久しく行使されなかったとしても，右特段の事由が認められない場合は，解除は有効である。(最判昭和30・11・22民集9・12・1781)

第2条　(解釈の基準)

この法律は，個人の尊厳と両性の本質的平等を旨として，解釈しなければならない。

第2章 ❂ 人

第1節／権利能力

第3条

① 私権の享有は，出生に始まる。
② 外国人は，法令又は条約の規定により禁止される場合を除き，私権を享有する。

第2節／意思能力

第3条の2

法律行為の当事者が意思表示をした時に意思能力を有しなかったときは，その法律行為は，無効とする。

★判例

1※法律行為の要素として，その当事者は意思能力を有していることが必要であり，意思能力を有しない者の法律行為は当然に無効である。行為無能力者制度(現行の制限能力者制度)は，行為無能力者の利益を保護するための制度であって，行為無能力者でない者の行為を絶対に有効とする趣旨ではないから，たとえ禁治産宣告(現行の成年後見開始の審判)の前になされた法律行為であっても，その当時に意思能力を有していなかった場合は，当該法律行為は無効である。(大判明治38・5・11民録11・706)

第3節／行為能力

第4条　(成年)

年齢18歳をもって，成年とする。

第5条　(未成年者の法律行為)

① 未成年者が法律行為をするには，その法定代理人の同意を得なければならない。

ただし，単に権利を得，又は義務を免れる法律行為については，この限りでない。
② 前項の規定に反する法律行為は，取り消すことができる。
③ 第1項の規定にかかわらず，法定代理人が目的を定めて処分を許した財産は，その目的の範囲内において，未成年者が自由に処分することができる。目的を定めないで処分を許した財産を処分するときも，同様とする。

第6条 （未成年者の営業の許可）
① 一種又は数種の営業を許された未成年者は，その営業に関しては，成年者と同一の行為能力を有する。
② 前項の場合において，未成年者がその営業に堪えることができない事由があるときは，その法定代理人は，第4編（親族）の規定に従い，その許可を取り消し，又はこれを制限することができる。

第7条 （後見開始の審判）
精神上の障害により事理を弁識する能力を欠く常況にある者については，家庭裁判所は，本人，配偶者，4親等内の親族，未成年後見人，未成年後見監督人，保佐人，保佐監督人，補助人，補助監督人又は検察官の請求により，後見開始の審判をすることができる。

第8条 （成年被後見人及び成年後見人）
後見開始の審判を受けた者は，成年被後見人とし，これに成年後見人を付する。

第9条 （成年被後見人の法律行為）
成年被後見人の法律行為は，取り消すことができる。ただし，日用品の購入その他日常生活に関する行為については，この限りでない。

第10条 （後見開始の審判の取消し）
第7条に規定する原因が消滅したときは，家庭裁判所は，本人，配偶者，4親等内の親族，後見人（未成年後見人及び成年後見人をいう。以下同じ。），後見監督人（未成年後見監督人及び成年後見監督人をいう。以下同じ。）又は検察官の請求により，後見開始の審判を取り消さなければならない。

第11条 （保佐開始の審判）
精神上の障害により事理を弁識する能力が著しく不十分である者については，家庭裁判所は，本人，配偶者，4親等内の親族，後見人，後見監督人，補助人，補助監督人又は検察官の請求により，保佐開始の審判をすることができる。ただし，第7条に規定する原因がある者については，この限りでない。

第12条 （被保佐人及び保佐人）
保佐開始の審判を受けた者は，被保佐人とし，これに保佐人を付する。

第13条 （保佐人の同意を要する行為等）
① 被保佐人が次に掲げる行為をするには，その保佐人の同意を得なければならない。ただし，第9条ただし書に規定する行為については，この限りでない。
一 元本を領収し，又は利用すること。
二 借財又は保証をすること。
三 不動産その他重要な財産に関する権利の得喪を目的とする行為をすること。
四 訴訟行為をすること。
五 贈与，和解又は仲裁合意（仲裁法（平成15年法律第138号）第2条第1項に規定する仲裁合意をいう。）をすること。
六 相続の承認若しくは放棄又は遺産の分割をすること。
七 贈与の申込みを拒絶し，遺贈を放棄し，負担付贈与の申込みを承諾し，又は負担付遺贈を承認すること。
八 新築，改築，増築又は大修繕をする

こと。
九　第602条に定める期間を超える賃貸借をすること。
十　前各号に掲げる行為を制限行為能力者（未成年者，成年被後見人，被保佐人及び第17条第1項の審判を受けた被補助人をいう。以下同じ。）の法定代理人としてすること。
② 家庭裁判所は，第11条本文に規定する者又は保佐人若しくは保佐監督人の請求により，被保佐人が前項各号に掲げる行為以外の行為をする場合であってもその保佐人の同意を得なければならない旨の審判をすることができる。ただし，第9条ただし書に規定する行為については，この限りでない。
③ 保佐人の同意を得なければならない行為について，保佐人が被保佐人の利益を害するおそれがないにもかかわらず同意をしないときは，家庭裁判所は，被保佐人の請求により，保佐人の同意に代わる許可を与えることができる。
④ 保佐人の同意を得なければならない行為であって，その同意又はこれに代わる許可を得ないでしたものは，取り消すことができる。

第14条　（保佐開始の審判等の取消し）
① 第11条本文に規定する原因が消滅したときは，家庭裁判所は，本人，配偶者，4親等内の親族，未成年後見人，未成年後見監督人，保佐人，保佐監督人又は検察官の請求により，保佐開始の審判を取り消さなければならない。
② 家庭裁判所は，前項に規定する者の請求により，前条第2項の審判の全部又は一部を取り消すことができる。

第15条　（補助開始の審判）
① 精神上の障害により事理を弁識する能力が不十分である者については，家庭裁判所は，本人，配偶者，4親等内の親族，後見人，後見監督人，保佐人，保佐監督人又は検察官の請求により，補助開始の審判をすることができる。ただし，第7条又は第11条本文に規定する原因がある者については，この限りでない。
② 本人以外の者の請求により補助開始の審判をするには，本人の同意がなければならない。
③ 補助開始の審判は，第17条第1項の審判又は第876条の9第1項の審判とともにしなければならない。

第16条　（被補助人及び補助人）
補助開始の審判を受けた者は，被補助人とし，これに補助人を付する。

第17条　（補助人の同意を要する旨の審判等）
① 家庭裁判所は，第15条第1項本文に規定する者又は補助人若しくは補助監督人の請求により，被補助人が特定の法律行為をするにはその補助人の同意を得なければならない旨の審判をすることができる。ただし，その審判によりその同意を得なければならないものとすることができる行為は，第13条第1項に規定する行為の一部に限る。
② 本人以外の者の請求により前項の審判をするには，本人の同意がなければならない。
③ 補助人の同意を得なければならない行為について，補助人が被補助人の利益を害するおそれがないにもかかわらず同意をしないときは，家庭裁判所は，被補助人の請求により，補助人の同意に代わる許可を与えることができる。
④ 補助人の同意を得なければならない行為であって，その同意又はこれに代わる許可を得ないでしたものは，取り消すことができる。

第18条　（補助開始の審判等の取消し）
① 第15条第1項本文に規定する原因が消

滅したときは，家庭裁判所は，本人，配偶者，4親等内の親族，未成年後見人，未成年後見監督人，補助人，補助監督人又は検察官の請求により，補助開始の審判を取り消さなければならない。
② 家庭裁判所は，前項に規定する者の請求により，前条第1項の審判の全部又は一部を取り消すことができる。
③ 前条第1項の審判及び第876条の9第1項の審判をすべて取り消す場合には，家庭裁判所は，補助開始の審判を取り消さなければならない。

第19条（審判相互の関係）
① 後見開始の審判をする場合において，本人が被保佐人又は被補助人であるときは，家庭裁判所は，その本人に係る保佐開始又は補助開始の審判を取り消さなければならない。
② 前項の規定は，保佐開始の審判をする場合において本人が成年被後見人若しくは被補助人であるとき，又は補助開始の審判をする場合において本人が成年被後見人若しくは被保佐人であるときについて準用する。

第20条（制限行為能力者の相手方の催告権）
① 制限行為能力者の相手方は，その制限行為能力者が行為能力者（行為能力の制限を受けない者をいう。以下同じ。）となった後，その者に対し，1箇月以上の期間を定めて，その期間内にその取り消すことができる行為を追認するかどうかを確答すべき旨の催告をすることができる。この場合において，その者がその期間内に確答を発しないときは，その行為を追認したものとみなす。
② 制限行為能力者の相手方が，制限行為能力者が行為能力者とならない間に，その法定代理人，保佐人又は補助人に対し，その権限内の行為について前項に規定する催告をした場合において，これらの者が同項の期間内に確答を発しないときも，同項後段と同様とする。
③ 特別の方式を要する行為については，前二項の期間内にその方式を具備した旨の通知を発しないときは，その行為を取り消したものとみなす。
④ 制限行為能力者の相手方は，被保佐人又は第17条第1項の審判を受けた被補助人に対しては，第1項の期間内にその保佐人又は補助人の追認を得るべき旨の催告をすることができる。この場合において，その被保佐人又は被補助人がその期間内にその追認を得た旨の通知を発しないときは，その行為を取り消したものとみなす。

第21条（制限行為能力者の詐術）
制限行為能力者が行為能力者であることを信じさせるため詐術を用いたときは，その行為を取り消すことができない。

★判例
1 ※準禁治産者（平成2年法改正により「被保佐人」）が，無能力者であることを隠蔽する目的で，相手方に対し，自分は相当の資産信用を有するので安心して取引してほしい旨を陳述した場合，その陳述は，自己が取引の相手方として完全なる資格を有するものであることを意味し，これにより相手方がそのように信ずるに至るという点においては，自己が能力者であると確言し，又は無能力者でないと陳述する場合と変わらないから，詐術を用いた場合に当たる。（大判昭和8・1・31民集12・24）
2 ※民法20条（現21条）の詐術とは，相手方に能力者であることを誤信させるための積極的術策を用いた場合に限るものではなく，無能力者が，無能力者であることを黙秘していた場合であっても，他の言動などと相まって相手方を誤信させ，又は誤信を強めたと認められる場合には，なお詐術に当たるが，単に無能力者であることを黙秘していただけでは詐術に当たらない。また，詐術に当たるとするためには，無能力者が能力者であることを信じさせる目的をもってしたことを要する。（最判昭和44・2・13民集23・2・291）

第4節／住所

第22条　（住所）
　各人の生活の本拠をその者の住所とする。

★判例
1　※法令で人の住所につき法律上の効果を定めている場合，反対すべき特別の事情がない限り，住所は生活の本拠を指すのであり，大学の学生が郷里を離れ修学のため大学の寮で生活をしているときは，選挙人名簿登録の要件としての住所は，寮の所在地にある。（最大判昭和29・10・20民集8・10・1907）
2　※都市公園内に不法に設置されたキャンプ用テントを起居の場所としている者は，同テントの所在地に住所を有するとはいえない。（最判平成20・10・3民集229・1）

第23条　（居所）
①　住所が知れない場合には，居所を住所とみなす。
②　日本に住所を有しない者は，その者が日本人又は外国人のいずれであるかを問わず，日本における居所をその者の住所とみなす。ただし，準拠法を定める法律に従いその者の住所地法によるべき場合は，この限りでない。

第24条　（仮住所）
　ある行為について仮住所を選定したときは，その行為に関しては，その仮住所を住所とみなす。

第5節／不在者の財産の管理及び失踪の宣告

第25条　（不在者の財産の管理）
①　従来の住所又は居所を去った者（以下「不在者」という。）がその財産の管理人（以下この節において単に「管理人」という。）を置かなかったときは，家庭裁判所は，利害関係人又は検察官の請求により，その財産の管理について必要な処分を命ずることができる。本人の不在中に管理人の権限が消滅したときも，同様とする。
②　前項の規定による命令後，本人が管理人を置いたときは，家庭裁判所は，その管理人，利害関係人又は検察官の請求により，その命令を取り消さなければならない。

第26条　（管理人の改任）
　不在者が管理人を置いた場合において，その不在者の生死が明らかでないときは，家庭裁判所は，利害関係人又は検察官の請求により，管理人を改任することができる。

第27条　（管理人の職務）
①　前二条の規定により家庭裁判所が選任した管理人は，その管理すべき財産の目録を作成しなければならない。この場合において，その費用は，不在者の財産の中から支弁する。
②　不在者の生死が明らかでない場合において，利害関係人又は検察官の請求があるときは，家庭裁判所は，不在者が置いた管理人にも，前項の目録の作成を命ずることができる。
③　前二項に定めるもののほか，家庭裁判所は，管理人に対し，不在者の財産の保存に必要と認める処分を命ずることができる。

第28条　（管理人の権限）
　管理人は，第103条に規定する権限を超える行為を必要とするときは，家庭裁判所の許可を得て，その行為をすることができる。不在者の生死が明らかでない場合において，その管理人が不在者が定めた権限を超える行為を必要とするときも，同様とする。

第29条　（管理人の担保提供及び報酬）
①　家庭裁判所は，管理人に財産の管理及び返還について相当の担保を立てさせることができる。

② 家庭裁判所は，管理人と不在者との関係その他の事情により，不在者の財産の中から，相当な報酬を管理人に与えることができる。

第30条 （失踪(そう)の宣告）
① 不在者の生死が7年間明らかでないときは，家庭裁判所は，利害関係人の請求により，失踪の宣告をすることができる。
② 戦地に臨んだ者，沈没した船舶の中に在った者その他死亡の原因となるべき危難に遭遇した者の生死が，それぞれ，戦争が止んだ後，船舶が沈没した後又はその他の危難が去った後1年間明らかでないときも，前項と同様とする。

第31条 （失踪の宣告の効力）
前条第1項の規定により失踪の宣告を受けた者は同項の期間が満了した時に，同条第2項の規定により失踪の宣告を受けた者はその危難が去った時に，死亡したものとみなす。

第32条 （失踪の宣告の取消し）
① 失踪者が生存すること又は前条に規定する時と異なる時に死亡したことの証明があったときは，家庭裁判所は，本人又は利害関係人の請求により，失踪の宣告を取り消さなければならない。この場合において，その取消しは，失踪の宣告後その取消し前に善意でした行為の効力に影響を及ぼさない。
② 失踪の宣告によって財産を得た者は，その取消しによって権利を失う。ただし，現に利益を受けている限度においてのみ，その財産を返還する義務を負う。

★判例
1※民法32条1項但書は，善意の行為者の保護を目的とするものであるが，それによって失踪者は，失踪宣告が取り消されたにもかかわらず，本来の権利状態を回復することができないという不利益を受けるから，その行為が契約である場合，右但書が適用されるためには

当事者双方が善意であることを要する。（大判昭和13・2・7民集17・59）

第6節／同時死亡の推定

第32条の2
数人の者が死亡した場合において，そのうちの1人が他の者の死亡後になお生存していたことが明らかでないときは，これらの者は，同時に死亡したものと推定する。

第3章◉法人

第33条 （法人の成立等）
① 法人は，この法律その他の法律の規定によらなければ，成立しない。
② 学術，技芸，慈善，祭祀，宗教その他の公益を目的とする法人，営利事業を営むことを目的とする法人その他の法人の設立，組織，運営及び管理については，この法律その他の法律の定めるところによる。

★判例
【権利能力なき社団・財団に関する判例】
1※（法人格の否認）法人格が全くの形骸にすぎない場合，又はそれが法律の適用を回避するために濫用されるような場合においては，法人格を認めることはその本来の目的に照らして許すべきではなく，法人格を否認すべきである。株式会社が実質的には個人企業と認められる場合に，取引の相手方において，その取引が会社としてなされたか，個人としてなされたか判然としないようなときは，会社名義の取引であっても，相手方は会社の法人格を否認して，背後者である個人の責任を追求することができる。（最判昭和44・2・27民集23・2・511）
2※権利能力なき社団の財産は，実質的には社団を構成する総社員のいわゆる総有に属するものであり，総社員の同意をもって，総有の廃止その他右財産の処分に関する定めがなされない限り，権利能力なき社団の社員は，当然に右財産に関し共有持分権又は分割請求権を有するものではない。（最判昭和32・11・14民集11・12・1943）
3※権利能力のない社団といううるためには，団

体としての組織を備え，そこには多数決の原則が行われ，構成員の変更にもかかわらず団体そのものが存続し，その組織によって代表の方法，総会の運営，財産の管理その他団体としての主要な点が確定しているものでなければならない。このような権利能力のない社団の資産は構成員に総有的に帰属し，代表者によってその社団の名において構成員全体のため権利を取得し，義務を負担する。（最判昭和39・10・15民集18・8・1671）
4 ※財団法人の設立認可を受けていない財団であっても，個人財産から分離独立した基本財産を有し，かつ，その運営のための組織を有しているものは，いわゆる権利能力なき財団として，社会生活において独立した実体を有する。当該財団の代表者が振り出した手形は，当該権利能力なき財団の代表者として振り出したものと解するのが相当であり，代表者個人は本件手形の振出人としての責任を負わない。（最判昭和44・11・4民集23・11・1951）
5 ※権利能力なき社団の資産たる不動産は構成員全員の総有に属するが，社団代表者は，構成員全員のために信託的に，自己の名義で登記をすることができ，右代表者がその地位を失い，新しく代表者が選任されたときは，新代表者は旧代表者に対し自己の名義に所有権移転登記手続をすることを請求できる。一方，社団名義の登記及び社団の代表者である旨の肩書を付した代表者個人名義の登記をすることは，権利者として登記される者を実体法上権利能力を有する者に限定する不動産登記法の建前に反することになり許されない。（最判昭和47・6・2民集26・5・957）
6 ※権利能力なき社団の代表者が社団の名においてした取引上の債務は，その社団の構成員全員に，1個の義務として総有的に帰属するとともに，社団の総有財産だけがその責任財産となり，構成員各自は，取引の相手方に対し，直接には個人的債務ないし責任を負わない。（最判昭和48・10・9民集27・9・1129）
7 ※権利能力のない社団の構成員の資格要件に関する規約の規定が改正された場合には，特段の事情がない限り，改正決議に承諾をしていなかった者を含めてすべての構成員に適用されると解すべきである。（最判平成12・10・20判時1730・26）
8 ※権利能力のない社団である県営住宅の自治会の会員は，いつでも，当該自治会に対して一方的な意思表示により退会することができる。（最判平成17・4・26判時1897・10）

第34条 （法人の能力）
　法人は，法令の規定に従い，定款その他の基本約款で定められた目的の範囲内において，権利を有し，義務を負う。

第35条 （外国法人）
① 外国法人は，国，国の行政区画及び外国会社を除き，その成立を認許しない。ただし，法律又は条約の規定により認許された外国法人は，この限りでない。
② 前項の規定により認許された外国法人は，日本において成立する同種の法人と同一の私権を有する。ただし，外国人が享有することのできない権利及び法律又は条約中に特別の規定がある権利については，この限りでない。

第36条 （登記）
　法人及び外国法人は，この法律その他の法令の定めるところにより，登記をするものとする。

第37条 （外国法人の登記）
① 外国法人（第35条第1項ただし書に規定する外国法人に限る。以下この条において同じ。）が日本に事務所を設けたときは，3週間以内に，その事務所の所在地において，次に掲げる事項を登記しなければならない。
一　外国法人の設立の準拠法
二　目的
三　名称
四　事務所の所在場所
五　存続期間を定めたときは，その定め
六　代表者の氏名及び住所
② 前項各号に掲げる事項に変更を生じたときは，3週間以内に，変更の登記をしなければならない。この場合において，登記前にあっては，その変更をもって第三者に対抗することができない。
③ 代表者の職務の執行を停止し，若しくはその職務を代行する者を選任する仮処

分命令又はその仮処分命令を変更し，若しくは取り消す決定がされたときは，その登記をしなければならない。この場合においては，前項後段の規定を準用する。
④　前二項の規定により登記すべき事項が外国において生じたときは，登記の期間は，その通知が到達した日から起算する。
⑤　外国法人が初めて日本に事務所を設けたときは，その事務所の所在地において登記するまでは，第三者は，その法人の成立を否認することができる。
⑥　外国法人が事務所を移転したときは，旧所在地においては3週間以内に移転の登記をし，新所在地においては4週間以内に第1項各号に掲げる事項を登記しなければならない。
⑦　同一の登記所の管轄区域内において事務所を移転したときは，その移転を登記すれば足りる。
⑧　外国法人の代表者が，この条に規定する登記を怠ったときは，50万円以下の過料に処する。

第38条から第84条まで　削除

第4章　⊛物

第85条　(定義)
この法律において「物」とは，有体物をいう。

第86条　(不動産及び動産)
①　土地及びその定着物は，不動産とする。
②　不動産以外の物は，すべて動産とする。

★判例

1⊛土地及びその定着物以外の物は，すべて動産とすべきであり，土地の定着物とは，一時の用に供するためでなく，土地に付着する物をいうから，一時的に土地に付着させられている仮植中の草木（桑苗）は，土地の定着物ではなく動産である。（大判大正10・8・10民録27・1480）
2⊛建物を新築する場合，建物がその目的とする使用に適当な構成部分を具備する程度に達していない限り，いまだ完成した建物ということはできないが，建物として不動産登記法により登記をすることができるためには，それが完成した建物である必要はなく，工事中の建物であっても，既に屋根と周壁を有し，土地に定着した1個の建造物として存在すれば足りるのであって，床や天井を備えている必要はない。（大判昭和10・10・1民集14・1671）
3⊛一筆の土地といえども，これを区分して，その土地の一部を売買の目的とすることができ，その土地の一部が，売買の当事者間において具体的に特定している限り，分筆手続未了前であっても，買主は，右売買により，その土地の一部につき所有権を取得することができる。（最判昭和30・6・24民集9・7・919）
4⊛海は公共用物であって，そのままの状態では所有権の客体たる土地に当たらないが，性質上当然に私法上の所有権の客体となりえないというものではなく，国が一定範囲を区画し，排他的支配を可能とした上で公用を廃止して私人の所有に帰属させる場合には，所有権の客体たる土地に当たる。しかし本件係争地は，昔から海のままの状態にあるものであって海没地ではなく，国が過去において本件係争地を他の海面から区別して区画し私人の所有に帰属させたという事実も認められない以上，本件係争地は所有権の客体たる土地としての性格を取得しているとはいえない。（最判昭和61・12・16民集40・7・1236）
5⊛一筆の土地の一部は，分筆の手続をしなくても占有が可能であるから，時効による所有権取得の対象となる。（大連判大正13・10・7民集3・509）
6⊛一筆の土地の一部であっても，当事者間において契約当時その範囲が特定していたのであれば，分筆登記が未了であっても，買主は，その所有権を取得することができる。（最判昭和40・2・23判時403・31，最判昭和30・6・24民集9・7・919）
7⊛木材を組み立てて地上に定着させ屋根を葺きあげただけではまだ法律上の建物とはいえない。（大判大正15・2・22民集5・99）
8⊛建築中の建物が，屋根及び周壁を有し，1個の建造物として存在するに至れば，まだ床・天井を備えてなくても，建物として表示の登記をすることができる。（大判昭和10・10・1民集14・1671）
9⊛（未分離の果実と明認方法）未分離の果実の売買において，その果実を樹木にあるままでその所有権を買主に移転する旨の意思表示があれば，買主はその果実の所有権を取得する

が，この所有権の取得を第三者に対抗するためには，樹木の売買の場合と同じく明認方法を施すことを要する。（大判大正5・9・20民録22・1440）

第87条　（主物及び従物）
① 物の所有者が，その物の常用に供するため，自己の所有に属する他の物をこれに附属させたときは，その附属させた物を従物とする。
② 従物は，主物の処分に従う。

第88条　（天然果実及び法定果実）
① 物の用法に従い収取する産出物を天然果実とする。
② 物の使用の対価として受けるべき金銭その他の物を法定果実とする。

第89条　（果実の帰属）
① 天然果実は，その元物から分離する時に，これを収取する権利を有する者に帰属する。
② 法定果実は，これを収取する権利の存続期間に応じて，日割計算によりこれを取得する。

第5章❖法律行為

第1節／総則

第90条　（公序良俗）
公の秩序又は善良の風俗に反する法律行為は，無効とする。

★判例
1❖他人の窮迫，軽率若しくは無経験を利用し，著しく過当なる利益の獲得を目的とする法律行為は，善良の風俗に反する事項を目的とするものであり無効である。貸金債権の担保とする保険解約返戻金が貸金の約2倍の額であることを貸主は知りながら，それを借主に秘して，特に短期間の弁済期を定め，借主が貸金の返還をしないときには右返戻金を返済に充てた後の剰余金の支払は借主は請求できない旨を定める特約は，民法90条により無効である。（大判昭和9・5・1民集13・875）

2❖借主が，賭博に負けたために負担している債務を弁済する目的であることを貸主に開示して金員を借り受けた場合，そのような金銭消費貸借契約を締結することは，借主が将来もまたその資金の融通を受けることができると信頼して賭博を繰り返すという弊害を生じさせるおそれがないとはいえないから，本件金銭消費貸借契約は公序良俗に反し無効である。（大判昭和13・3・30民集17・578）

3❖Y1がXから金員を借り受け，Y2がこの債務について連帯保証をしたが，その際，当該債務について，Y1の娘AがX方で酌婦として働き，その報酬の半額を弁済に充てる旨の約定がなされた場合，酌婦稼働による弁済特約は公序良俗に反し無効であり，Y1の金員受領はAの酌婦稼働と密接不可分の関係にあるから，本件消費貸借契約及び連帯保証契約も無効である。（最判昭和30・10・7民集9・11・1616）

4❖男子の定年年齢を60歳，女子の定年年齢を55歳と規定する就業規則について，当該会社の企業経営上の観点からは，定年年齢において女子を差別しなければならない合理的理由が認められない場合，本件規定は専ら女子であることのみを理由として差別するものとして，性別のみによる不合理な差別を定めたものとして，民法90条に反し無効である。（最判昭和56・3・24民集35・2・300）

5❖本件のいわゆるネズミ講は，限界と行き詰まりが生ずるのが必然であり，多数者の犠牲により少数者及び運営者が不当に利得するという非生産的で射倖的な性質を有しているにもかかわらず，運営者は欺罔的・誇大的な説明・宣伝をし，一般大衆の射倖心と無思慮に乗じ，労せずして高額の金員を受けられるかのように期待させて入会させ，その結果自己は不当に利得しながら，一方で多数の被害者を出し，種々の社会悪と混乱を惹起しているものであるから，本件各講の入会契約はいずれも公序良俗に反し，民法90条により無効である。（長野地判昭和52・3・30判時849・33）

6❖先物取引によって金地金の売買を行う会社の社員が，家庭の主婦で商品取引の知識のない者に対し，この取引が投機性を有することなどを説明せず，安全かつ有利な取引であることを強調して，3時間以上にわたり執拗に勧誘したうえ，本件取引を行わせた場合，その取引は著しく不公正な方法によって行われたものであるから，商品取引所法に違反するかどうかについて論ずるまでもなく，公序良俗

民法（90条）

に反し無効である。（最判昭和61・5・29判時1196・102）

7 ※クラブのホステスが顧客の飲食代金債務を保証する契約は、自己独自の客としての関係の維持継続を図ることにより、クラブから支給される報酬以外の特別の利益を得るために、任意に、クラブに対して顧客に対する掛売りを求めるとともに本件保証契約を締結したものであり、いまだ公序良俗に反するものとはいえない。（最判昭和61・11・20判時1220・61）

8 ※Aが不倫関係にあったY女に全遺産の3分の1を遺贈する旨の遺言について、AはYと死亡時まで約7年間半同棲の関係にあり、他方Aと妻Xはその以前から別居するなど、夫婦としての実体がある程度喪失しており、また、本件遺言の作成前後でAとYの親密度が特段増減したという事情もない等の事実関係の下では、本件遺言は不倫関係の維持継続を目的とするものではなく、もっぱら生計をAに頼っていたYの生活を保全するためになされたものであり、また、右遺言の内容はXらの生活の基盤を脅かすものでもないから、本件遺言は民法90条に反するものとはいえない。（最判昭和61・11・20民集40・7・1167）

9 ※ユニオン・ショップ協定のうち、締結組合以外の他の組合に加入している者及び締結組合から脱退し又は除名されたが、他の労働組合に加入し又は新たな労働組合を結成した者について、使用者の解雇義務を定める部分は、労働者の組合選択の自由及び他の労働組合の団結権を侵害するものであって、民法90条により無効である。（最判平成元・12・14民集43・12・2051）

10 ※損失保証は、元来、証券市場における価格形成機能をゆがめ、証券取引の公正及び証券市場に対する信頼を損なわせる反社会性の強い行為であり、ただかつては、違法ではないが私法上は有効であると解されていたが、後に証券会社による損失補てんが大きな社会問題となり、遅くとも、本件損失保証契約が締結された平成2年当時には、損失保証が証券取引秩序において許容されない反社会性の強い行為であるとの社会的認識が存在していたから、本件損失保証契約は（平成3年の証券取引法改正前であっても）公序良俗に反し無効である。（最判平成9・9・4民集51・8・3619）

11 ※法律行為が公序に反することを目的とするものであるとして無効になるかどうかは、法律行為がされた時点の公序に照らして判断すべきである。（最判平成15・4・18民集57・4・336）

12 ※両親が離婚したあと、成年の子がその母と同居するときは、父に対して違約金を支払う旨を約した場合は、公の秩序に反して無効となる。（大判明治32・3・25民録5・3・37）

13 ※配偶者のある男性が女性と婚姻予約をし婚姻するまで扶養料を与えるという契約は、善良の風俗に反して無効である。（大判大正9・5・28民録26・773、大判昭和4・1・25評論18・民234）

14 ※牛乳販売会社が牛乳配達人を雇い入れるにあたって、期間、区域を限定してなされた解雇後牛乳販売を営業しない旨の競業禁止特約は、牛乳配達人の自由を過当に制限するものとは認められず、公序良俗にも反しない。（大判大正7・5・10民録24・830、大判昭和7・10・29民集11・1947）

15 ※賭博で負けた債務の弁済にあてることを知って金銭を貸す行為は、公序良俗に反し無効である。（大判昭和13・3・30民集17・578）

16 ※鉱業法による鉱物採掘権のない者に採掘させるいわゆる斤先堀契約は、鉱業法に反して無効であり、第三者がその契約に基づく採掘を前提としてその採掘量に応じて金員を支払う旨の合意は、公序良俗に反して無効である。（大判昭和19・10・24民集23・608）

17 ※BがAから山林を買い受けその引渡しを受けて20数年を経た後に、Cが、Bに対するうらみから、Bの所有権取得登記が未了なのを奇貨としてAから買い受けた場合、A・C間の売買契約は第三者Bを害する契約であって、A・C間の契約は公序良俗に反し無効である。（最判昭和36・4・27民集15・4・901）

18 ※食品衛生法によって禁止されている有毒性物質を含むアラレを、そのことを知りながらあえて製造・販売した場合は、その取引は本条により無効である。（最判昭和39・1・23民集17・37）

19 ※貸与の目的が賭博の用に供されることを知ってする金銭消費貸借契約は、公序良俗に反し無効である。（最判昭和61・9・4判時1215・47）

20 ※大学の入学試験に合格し、大学に納入する入学金は、その額が不相当に高額であるなど他の性質を有するものと認められる特段の事情のない限り、学生が当該大学に入学し得る地位を取得するための対価としての性質を有するものであり、当該大学が合格した者を学生として受け入れるための事務手続等に要する

費用にも充てられることが予定されているものというべきである。そして，在学契約等を締結するにあたってそのような入学金の納付を義務付けていることは，学生の著しい不利益において大学が過大な利益を得ることになるような著しく合理性を欠くと認められるものでない限り，公序良俗に反するものとはいえない。（最判平成18・11・27民集60・9・3437）
21＊認定司法書士が委任者を代理して裁判外の和解契約を締結したことが弁護士法72条に違反する場合であっても，当該和解契約は，その内容及び締結に至る経緯等に照らし，公序良俗違反の性質を帯びるに至るような特段の事情がない限り，無効とはならない。（最判平成29・7・24民集71・6・969））

第91条 （任意規定と異なる意思表示）

法律行為の当事者が法令中の公の秩序に関しない規定と異なる意思を表示したときは，その意思に従う。

★判例

1＊食品衛生法は単なる取締法規にすぎないものと解するのが相当であるから，XがYに対して精肉を売却したが，Yが食肉販売業の許可を受けていないとしても，右法律により本件売買が無効となるものではない。（最判昭和35・3・18民集14・4・483）
2＊自家用自動車保険普通保険約款において，対人事故の場合に，保険者が保険契約者又は被保険者から事故通知を受けないまま，事故発生から60日を経過したときは，原則として保険者は損害を填補しない旨の規定があっても，その範囲や法的効果については，通知義務の目的及び法的性質から来る制限がある。保険契約者・被保険者が保険契約における信義誠実の原則上許されない目的で通知を懈怠した場合でない限り，保険者は，事故通知を受けなかったことにより自己が損害を被ったときに限り，これにより取得する損害賠償請求権の限度でのみ損害填補責任を免れる。（最判昭和62・2・20民集41・1・159）
3＊動産の譲渡担保は質権の脱法行為にあたらず有効である。（大判大正5・9・20民録22・1821〔民法345条との関係について〕，大判大正8・7・9民録25・1373〔民法349条との関係について〕）
4＊農地価格統制令に定める最高価格を超える価格での農地売買契約は無効である。（最判昭和29・8・24民集8・8・1534，最判昭和31・

5・18民集10・5・532）
5＊いわゆるフルペイアウト方式によるファイナンス・リース契約中の，ユーザーについて民事再生手続開始の申立てがあったことを契約の解除事由とする旨の特約は，無効である。（最判平成20・12・10金判1308・40）
6＊死亡給付金の指定受取人と当該指定受取人が先に死亡したとすればその相続人となるべき者とが同時に死亡した場合において，その者は，年金共済約款（普通約款）33条3項にいう「死亡給付金受取人の死亡時の法定代理人」に当たらず，その者の相続人が，同項にいう「その順次の法定相続人」として，死亡給付金受取人になることはない。（最判平成21・6・2金判1337・9）
7＊店舗総合保険契約に適用される普通保険約款中に，洪水等の水害によって保険の目的が受けた損害に対して支払われる水害保険金の支払額につき，上記損害に対して保険金を支払うべき他の保険契約があるときには同保険契約に基づく保険給付と調整する旨の条項がある場合において，同条項にいう「他の保険契約」とは，上記店舗総合保険契約と保険の目的を同じくする保険契約を指す。（最判平成21・6・4民集63・5・30，金判1334・7）
8＊医療法人の定款に当該法人の解散時にはその残余財産を払込出資額に応じて分配する旨の規定がある場合において，同定款中の退社した社員はその出資額に応じて返還を請求することができる旨の規定は，出資した社員は，退社時に，当該法人に対し，同時点における当該法人の財産の評価額に，同時点における総出資額中の当該社員の出資額が占める割合を乗じて算定される額の返還を請求することができることを規定したものと解すべきである。（最判平成22・4・8判タ1327・75，判時2085・90，金法1909・72，金判1351・48）

第92条 （任意規定と異なる慣習）

法令中の公の秩序に関しない規定と異なる慣習がある場合において，法律行為の当事者がその慣習による意思を有しているものと認められるときは，その慣習に従う。

★判例

1＊意思解釈の資料となる事実上の慣習が存在する場合には，当事者がその慣習の存在を知りながら特に反対の意思を表示しなかった場合には，この慣習による意思を有するものと推

定される。大豆粕売買において，契約文言に「塩釜レール入」とある場合は，まず売主が売買の目的物を送付し，塩釜駅に到着して初めて代金を請求し得るという商慣習があり，その慣習の存在を主張する者は特に立証することを要しない。(大判大正10・6・2民録27・1038)

2※本条における慣習は，法的効力を有しない慣行の事実で，法律行為の当事者の意思を補充するものである。(大判大正5・1・21民録22・25)

第2節／意思表示

第93条 （心裡留保）

① 意思表示は，表意者がその真意ではないことを知ってしたときであっても，そのためにその効力を妨げられない。ただし，相手方がその意思表示が表意者の真意ではないことを知り，又は知ることができたときは，その意思表示は，無効とする。

② 前項ただし書の規定による意思表示の無効は，善意の第三者に対抗することができない。

★判例
【代理権の濫用】
1※本条は養子縁組のような当事者の真意を絶対の要件とする身分上の行為には適用されない。(最判昭和23・12・23民集2・14・493)

第94条 （虚偽表示）

① 相手方と通じてした虚偽の意思表示は，無効とする。

② 前項の規定による意思表示の無効は，善意の第三者に対抗することができない。

★判例
【虚偽表示とされた場合】
1※不動産の保全のためにその所有名義を変更する場合において，当事者間にその目的のために所有権を移転する意思があるときは，一種の信託行為として有効であるが，そのような意思がなく，通謀の上，所有権の移転の意思があるかのように仮装し，登記簿上の所有名義のみを変更する場合は，虚偽表示に当たり，その登記は抹消すべきである。(大判昭和16・8・30新聞4747・15)

2※民法94条2項は，外形を信頼した第三者の権利を保護し，取引の安全を図る趣旨であるから，仮装行為者は，第三者の登記の欠缺を主張することができず，このことは，民法94条2項が類推適用される場合においても同様である。Y名義で本件土地を競落したXは，Yから本件土地を譲り受けたZに対して，その登記の欠缺を主張してZの所有権取得を否定することができない。(最判昭和44・5・27民集23・6・998)

3※第三者の善意・悪意は，適用の対象となるべき法律関係ごとに，当該法律関係につき第三者が利害関係を有するに至った時期を基準として決すべきである。虚偽表示による原抵当権につき第三者が転抵当権の設定を受けた場合に，その第三者が，転抵当権を行使するのではなく，原抵当権の被担保債権について差押命令を得て，それによる取立権を行使したときは，善意・悪意の基準時は，転抵当権の設定を受けた時ではなく，差押命令を得た時である。(最判昭和55・9・11民集34・5・683)

4※（単独行為への〔類推〕適用）財団法人設立のための寄附行為の一環をなす財産の出捐行為が，財団法人設立関係者の通謀に基づいてなされた虚偽仮装のものであるときは，当該寄附行為は，本条1項を類推適用して無効とするのが相当である。(最判昭和56・4・28民集35・3・696)

【第三者の善意・悪意・過失】
5※第三者の善意については無過失であることを要しない。(大判昭和12・8・10新聞4181・9)

6※不動産について売買の予約を仮装して所有権移転請求権保全の仮登記をした後，外観上の仮登記権利者が，無断で売買を原因とする所有権移転の本登記手続をしたときは，民法94条2項，110条の法意に照らし，外観上の仮登記義務者は，その本登記の無効を善意・無過失の第三者に対抗することができない。(最判昭和43・10・17民集22・10・2188)

7※土地を買い受けた者が，所有権保全のための仮登記手続をせずに，売主に対する貸金を担保するための抵当権と停止条件付代物弁済契約上の権利を有するかのように仮装し，抵当権設定登記及び停止条件付代物弁済契約に基づく所有権移転請求権保全の仮登記を経由した場合，その者は，自らが仮登記を経た所有権者であり，抵当権者ないし停止条件付代物弁済契約上の権利者ではないことを，善意・

民法（94条）

無過失の第三者に対して主張することができない。（最判昭和45・11・19民集24・12・1916）

8※虚偽表示に基づく仮装債権の譲渡の場合，民法94条2項によって，債務者は虚偽表示をもって善意の第三者には対抗することが出来ないから，この者に対する関係では，虚偽表示は，「譲渡人に対して生じたる事由」には該当しない。（大判大正4・7・10民録21・11等）

9※乙は地目変更等のためと偽って，不動産の所有者甲から交付を受けた登記済証，白紙委任状，印鑑登録証明書等を利用して当該不動産につき自己名義への不実の所有権移転登記を了した場合，所有者甲は虚偽の権利の帰属を示すような外観の作出につき何ら積極的な関与をしておらず，右の不実の登記の存在を知りながら放置していたとみることもできないなどの事情の下においては，本条2項及び民法110条の法意に照らし，当該不動産を取得した第三者が善意・無過失であっても対抗することができる。（最判平成15・6・13判時1831・99）

【第三者】

10※民法第94条2項にいわゆる第三者とは，虚偽の意思表示の当事者またはその一般承継人以外の者であつて，その表示の目的につき法律上利害関係を有するに至つた者をいう。（最判昭和42・6・29集87・1397）

11※虚偽表示によって，仮装譲渡された目的物に対し差押をした仮装譲受人の一般債権者も，本条2項の第三者に該当する。（大判昭和12・2・9判決全集4・4・4，最判昭和48・6・28民集27・6・724）

12※虚偽表示に基づき発生した仮装の債権を善意で譲り受けた者は，本条2項の第三者に該当する。（大判昭和13・12・17民集17・2651）

13※債権の仮装譲渡人が債権はなお自己にあると主張・立証して弁済を請求する場合の，いまだ弁済行為などをなさずに単に債務者たる地位を保有するにすぎない者は，本条2項の第三者には該当しない。（大判昭和8・6・16民集12・1506）

14※虚偽表示をした当事者と直接取引をした者が虚偽表示の事実について悪意であっても，この者からの転得者が善意であれば，当該転得者は本条2項にいう第三者に該当する。（最判昭和50・4・25判時781・67）

15※土地の仮装譲受人が右土地上に建物を建築してこれを他人に賃貸した場合，右建物賃借人は，仮装譲渡された土地については法律上の利害関係を有するものとは認められないから，

本条2項所定の第三者には該当しない。（最判昭和57・6・8判時1049・36）

16※代理人が虚偽表示をした場合の本人は第三者とはいえない。（大判大正3・3・16民録20・210）

【第三者の対抗要件具備】

17※（転得者の地位〔絶対的構成〕）仮装売買の買主から目的物を譲り受けた第三者が善意であれば，その第三者から転得した者が悪意であっても，当初の売主は，その転得者に対して虚偽表示を理由に売買契約の無効を主張することはできない。（大判大正3・7・9刑録20・1475，大判昭和6・10・24新聞3334・4号）

18※みずから仮装行為をした者が，かような外形を除去しない間に，善意の第三者がその外形を信頼して取引関係に入った場合においては，その取引関係から生ずる物権変動について，登記が第三者に対する対抗要件とされているときでも，仮装行為者としては，第三者の登記の欠缺を主張して，この物権変動の効果を否定することはできない。この理は，民法94条2項を類推適用すべき場合においても同様である。（最判昭和44・5・27民集23・6・998）

19※甲が乙に不動産を仮装譲渡し，丙が善意でこの不動産を譲り受けた場合であっても，丙が所有権取得登記をする前に，甲から右不動産を譲り受けた丁が登記名義人である乙を債務者とする処分禁止の仮処分決定を得てその登記を経たときは，丙はその不動産取得を丁に対抗できない。（最判昭和42・10・31民集21・8・2232）

【94条2項の類推適用】

20※XはAの懇請により，Yに使用させるためにBから本件家屋を買い受けたが，AとYの協議により，Bから直接Y名義に所有権移転登記がなされた場合に，Xがそれを承認したときは，民法94条2項を類推して，Xは，Yが実体上所有権を取得していないことを，善意の第三者に対抗することができない。（最判昭和29・8・20民集8・8・1505）

21※不動産の所有者が，他人にその所有権を帰せしめる意思がないのに，その他人の所有名義の登記を経由した場合には，右登記について登記名義人の承諾のないときであっても，不実の登記の存在が真実の所有者の意思に基づくものである以上，民法94条2項の類推適用により，登記名義人に右不動産の所有権が移転していないことを，善意の第三者に対抗することができない。（最判昭和45・7・24民集

― 25 ―

民法（95条）

24・7・1116）
22※所有者の不実登記に対する承認が登記経由の事前か事後かによって，登記の外形を信頼した第三者の保護に差異を設けるべき理由はないから，不実の所有権移転登記が所有者の不知の間に他人の専断によってされた場合でも，所有者が不実の登記をされていることを知りながら，これを存続させることを明示又は黙示に承認していたときは，民法94条2項を類推適用し，所有権者は，登記名義人が所有権を取得していないことを，善意の第三者に対抗することができない。（最判昭和45・9・22民集24・10・1424）
23※（94条2項の類推適用）不動産の所有者が，所有権移転登記を任せていた者に対し，本件不動産の登記済証を合理的な理由もなく数か月にわたって預けたまま放置したり，売却する意思がないのに本件売買契約書に署名捺印したり，自己の面前で登記申請書に押印されたにもかかわらず内容を確認せずに漫然と見ていた場合に，不動産の不実の登記がなされたという虚偽の外観が作出されたことにつき，所有者の帰責性の程度は虚偽の外観を知りながら放置した場合と同視しうるほど重く，94条2項を類推適用し，所有者は善意・無過失の不動産取得者が本件不動産の所有権を取得していないことを主張できない。（最判平成18・2・23民集60・2・546）

【その他】
24※（2項適用に関連した問題）本条2項は取引の安全を図ろうとするもので財産上の行為に限るべきものである。したがって，身分上の行為には本条は適用されない。身分上の虚偽行為は法律行為の一般論理上当然無効であって，善意の第三者に対する関係においても例外はない。（大判明治44・6・6民録17・36・2〔養子縁組について〕，大判大正11・2・25民集1・69〔離婚について〕）
25※（単独行為への〔類推〕適用）通謀による虚偽表示は双方行為に限らず，契約解除のような相手方のある単独行為についても成立し得る。（最判昭和31・12・28民集10・12・1613）
26※（第三者の善意であることの主張・立証）第三者が民法94条2項の保護をうけるためには，自己が善意であったことを立証しなければならないものと解するのが相当である。（最判昭和35・2・2民集14・1・36，最判昭和41・12・22民集20・10・2168）

第95条　（錯誤）
① 意思表示は，次に掲げる錯誤に基づくものであって，その錯誤が法律行為の目的及び取引上の社会通念に照らして重要なものであるときは，取り消すことができる。
一　意思表示に対応する意思を欠く錯誤
二　表意者が法律行為の基礎とした事情についてのその認識が真実に反する錯誤
② 前項第2号の規定による意思表示の取消しは，その事情が法律行為の基礎とされていることが表示されていたときに限り，することができる。
③ 錯誤が表意者の重大な過失によるものであった場合には，次に掲げる場合を除き，第1項の規定による意思表示の取消しをすることができない。
一　相手方が表意者に錯誤があることを知り，又は重大な過失によって知らなかったとき。
二　相手方が表意者と同一の錯誤に陥っていたとき。
④ 第1項の規定による意思表示の取消しは，善意でかつ過失がない第三者に対抗することができない。

★判例
【旧法時の判例】
1※物の性状は通常法律行為の縁由にすぎないが，表意者が特に意思表示の内容とし，取引の観念や事物の状況からみて意思表示の主要部分をなす程度のものと認められるときは，法律行為の要素となる。馬の売買において，売主が，その馬が年齢13歳で受胎している旨を述べた場合は，馬の年齢及び受胎能力が法律行為の要素となっており，その点について買主に錯誤があるときは，その意思表示は無効となる。（大判大正6・2・24民録23・284）
2※法律行為の要素とは，法律行為の主要部分を指し，法律行為の主要部分とは，各法律行為において表意者が意思表示の内容の要部となし，もしこの点につき錯誤がなかったならば意思表示をしなかったであろう場合であり，かつ表示しないことが一般取引上の通念に照らして妥当と認められるものをいう。（大判

大正7・10・3民録24・1852）
3 ※戦時中，軍部から保安林及び防風林をなしている林野の買収を申し込まれ，所有者はやむなくこれに応じたが，終戦後，買主は国ではなく財団法人であることが判明した場合には，買主が国であるかどうかは重要な事項に属することであるから，右誤信は要素の錯誤でありその売買は無効である。（最判昭和29・2・12民集8・2・465）
4 ※保証契約は，保証人と債権者との間に成立する契約であって，他に連帯保証人があるかどうかは，通常は保証契約をなす単なる縁由にすぎず，当然にはその保証契約の内容となるものではない。したがって，保証人が特に債権者に対し当該縁由の実在を保証契約の要件としない限り，他に連帯保証人がいなかったとしても，その要素の錯誤があったということはできず，本件保証契約は錯誤無効とならない。（最判昭和32・12・19民集11・13・2299）
5 ※離婚に伴う財産分与の際，分与者が，同人に譲渡所得が生じたものとして課税されることを知らず，むしろ，被分与者に課税されることを心配してこれを気遣う発言をし，被分与者も自己に課税されるものと理解していたという事情の下では，分与者においては，自己に課税されないことを当然の前提とし，その旨を黙示的に表示していたと解され，課税が極めて高額にのぼることからすると，その錯誤がなければ本件財産分与の意思表示をしなかったものと認められるから，分与者は本件財産分与について錯誤無効を主張することができる。（最判平成元・9・14家月41・11・75）
6 ※相続放棄は，家庭裁判所がその申述を受理することで効力を生ずるが，その性質は私法上の財産上の法律行為であるから，民法95条の適用がある。（最判昭和40・5・27家月17・6・251）
7 ※和解によって止めることを約した争いの目的となった事項については，錯誤による無効を主張し得ない。（最判昭和43・7・9判時529・54）

【表意者の重大な過失】
8 ※表意者の重大な過失の有無は，普通の知慮を有する者のなすべき注意の程度を標準として定めるべきものである。株式売買を業とする者が，ある会社の実権をその手中におさめようとして株式を買収する場合に，会社の定款を調査するかあるいは直接問い合わせれば分かる株式の譲渡制限を知らなかったのは，重大な過失がある。（大判大正6・11・8民録23・158）
9 ※実用新案権の売買につき，実物と称してニセ物を示した場合，相手方が特許公報等により精査しなくても重大な過失があるとはいえない。（大判大正10・6・7民録27・1074）

第96条 （詐欺又は強迫）

① 詐欺又は強迫による意思表示は，取り消すことができる。
② 相手方に対する意思表示について第三者が詐欺を行った場合においては，相手方がその事実を知り，又は知ることができたときに限り，その意思表示を取り消すことができる。
③ 前二項の規定による詐欺による意思表示の取消しは，善意でかつ過失がない第三者に対抗することができない。

★判例
【詐欺による意思表示】
1 ※民法96条3項にいう第三者とは，取消の遡及効の影響を受ける第三者，即ち，取消前にその行為の効力につき利害関係を有するに至った第三者に限る。取消後に利害関係を有するに至た第三者は同条項の適用を受けず，売主がその所有権を取消後の第三者に対抗するためには，登記を具備しなければならない。（大判昭和17・9・30民集21・911）
2 ※民法96条3項は，詐欺被害者の救済を図るとともに，当該意思表示の有効なことを信頼して新たに利害関係を有するに至った者を保護する趣旨であるから，同項の第三者の範囲は，右趣旨に照らして合理的に画定されるべきであり，必ずしも所有権その他の物権の転得者で，かつ，対抗要件を備えた者に限らない。所有者を欺いて農地を買い受け，農地法5条の許可を条件とする所有権移転仮登記を得た者から，売渡担保として当該権利を譲り受け，仮登記移転の附記登記を経由した者は，農地法5条の許可があれば所有権を正当に転得しうるから，本件売買契約から発生した法律関係について新たに利害関係を有しており，民法96条3項の第三者に当たる。（最判昭和49・9・26民集28・6・1213）
3 ※同一不動産に関する1番抵当権が，詐欺によって放棄された場合の2番抵当権者は，詐欺による意思表示の結果，反射的に利益を取得した者であるから，本条3項の「第三者」

には該当しない。(大判明治33・5・7民録6の5・15)

【強迫による意思表示】
4 ※民法96条にいう「強迫ニ因ル意思表示」の要件である強迫ないし畏怖については，明示若しくは暗黙に告知される害悪が客観的に重大であるか軽微であるかを問わず，これによって表意者が畏怖した事実があり，畏怖の結果意思表示をしたという関係が主観的に存在すれば足り，表意者が完全に意思の自由を失ったことを要するものではない（そのような場合は，むしろその意思表示は当然無効であり，同条が適用される余地はない）。(最判昭和33・7・1民集12・11・1601)
5 ※強迫によって抵当権を放棄しその登記を抹消した者が後日その放棄行為を取り消したときは，回復登記をする前であっても，右の抹消登記後に抵当権を取得した第三者に対し，その善意・悪意を問わず対抗することができる。(大判昭和4・2・20民集8・59)
6 ※不正行為をしている会社の取締役を告発すると強迫して，自分が持っているその会社の株式を不当に高く買い取らせるように，その強迫によって得ようとする利益が不当なものである場合には，違法な強迫となる。(大判大正6・9・20民録23・1360)
7 ※詐欺をした者から被害者が損害賠償を請求するにあたって，警察に依頼し，不当にも尋問・強要・威嚇させたというような場合には，たといその得た賠償の額が不当でなくとも，違法な強迫となる。(大判大正14・11・9民集4・5・45)

第97条　（意思表示の効力発生時期等）
① 意思表示は，その通知が相手方に到達した時からその効力を生ずる。
② 相手方が正当な理由なく意思表示の通知が到達することを妨げたときは，その通知は，通常到達すべきであった時に到達したものとみなす。
③ 意思表示は，表意者が通知を発した後に死亡し，意思能力を喪失し，又は行為能力の制限を受けたときであっても，そのためにその効力を妨げられない。

★判例
1 ※「到達」とは，意思表示を記載した書面が相手方によって直接受領され，又は了知されることを要するものではなく，これが相手方の了知可能な状態に置かれることをもって足りる。不在配達通知書の記載により，本件内容証明郵便の内容が遺留分減殺の意思表示であることを十分に推知することが可能であり，かつ受取方法を指定することにより容易に受領することができたという事案の下では，当該意思表示は，社会通念上，了知可能な状態に置かれ，遅くとも留置期間が満了した時点で到達したものと認められる。(最判平成10・6・11民集52・4・1034)
2 ※X会社の使用人Aが，Y会社の事務室において，Y会社の代表取締役Bの娘Cに催告書を手交し，CがAの持参した送達簿にBの机上にあったBの印を押して受取り，これをその机の引出しに入れた場合，Cがたまたま事務室に居合わせた者で，右催告書を受領する権限がなく，その内容も知らず，かつY会社の社員らに何ら告げることがなかったとしても，右催告書はBの勢力範囲に入り，Bが了知可能な状態におかれたものであるから，民法97条にいう到達がある。(最判昭和36・4・20民集15・4・774)

第98条　（公示による意思表示）
① 意思表示は，表意者が相手方を知ることができず，又はその所在を知ることができないときは，公示の方法によってすることができる。
② 前項の公示は，公示送達に関する民事訴訟法（平成8年法律第109号）の規定に従い，裁判所の掲示場に掲示し，かつ，その掲示があったことを官報に少なくとも1回掲載して行う。ただし，裁判所は，相当と認めるときは，官報への掲載に代えて，市役所，区役所，町村役場又はこれらに準ずる施設の掲示場に掲示すべきことを命ずることができる。
③ 公示による意思表示は，最後に官報に掲載した日又はその掲載に代わる掲示を始めた日から2週間を経過した時に，相手方に到達したものとみなす。ただし，表意者が相手方を知らないこと又はその所在を知らないことについて過失があったときは，到達の効力を生じない。
④ 公示に関する手続は，相手方を知ることができない場合には表意者の住所地の，

相手方の所在を知ることができない場合には相手方の最後の住所地の簡易裁判所の管轄に属する。
⑤ 裁判所は，表意者に，公示に関する費用を予納させなければならない。

第98条の2 （意思表示の受領能力）
意思表示の相手方がその意思表示を受けた時に意思能力を有しなかったとき又は未成年者若しくは成年被後見人であったときは，その意思表示をもってその相手方に対抗することができない。ただし，次に掲げる者がその意思表示を知った後は，この限りでない。
一　相手方の法定代理人
二　意思能力を回復し，又は行為能力者となった相手方

第3節／代理

第99条 （代理行為の要件及び効果）
① 代理人がその権限内において本人のためにすることを示してした意思表示は，本人に対して直接にその効力を生ずる。
② 前項の規定は，第三者が代理人に対してした意思表示について準用する。

> ★判例
> 1※意思能力のない未成年者の名義でなされた法律行為は適法に代理人によってなされたものと推定される。（大判大正9・6・5民録26・812）
> 2※代理人が不正に自己または第三者の利益を図るために，その地位の権限を濫用して代理権を行使した場合でも，その行為が代理人の権限内の事項に属するものである限り，『本人のためにする』行為となる。（大判大正6・7・21民録23・1168）
> 3※代理人が手形行為をなすにあたって直接に本人の名を署しまたはこれに代わる記名捺印をしても有効であって，本人に対して効力を生ずる。（大判大正9・4・27民録26・606）

第100条 （本人のためにすることを示さない意思表示）
代理人が本人のためにすることを示さないでした意思表示は，自己のためにしたものとみなす。ただし，相手方が，代理人が本人のためにすることを知り，又は知ることができたときは，前条第1項の規定を準用する。

第101条 （代理行為の瑕疵（かし））
① 代理人が相手方に対してした意思表示の効力が意思の不存在，錯誤，詐欺，強迫又はある事情を知っていたこと若しくは知らなかったことにつき過失があったことによって影響を受けるべき場合には，その事実の有無は，代理人について決するものとする。
② 相手方が代理人に対してした意思表示の効力が意思表示を受けた者がある事情を知っていたこと又は知らなかったことにつき過失があったことによって影響を受けるべき場合には，その事実の有無は，代理人について決するものとする。
③ 特定の法律行為をすることを委託された代理人がその行為をしたときは，本人は，自ら知っていた事情について代理人が知らなかったことを主張することができない。本人が過失によって知らなかった事情についても，同様とする。

> ★判例
> 1※民法192条における善意・無過失の有無は，法人については，第一次的にはその代表機関について決するべきであるが，その代表機関が代理人により取引をしたときは，その代理人について判断すべきである。動産の譲受人である会社の代表取締役が善意・無過失であっても，会社の代理人として行動した専務取締役が悪意又は過失のあるときは，右会社は当該動産の所有権を即時取得することができない。（最判昭和47・11・21民集26・9・1657）

第102条 （代理人の行為能力）
制限行為能力者が代理人としてした行為は，行為能力の制限によっては取り消すことができない。ただし，制限行為能力者が他の制限行為能力者の法定代理人としてした行為については，この限りで

ない。

第103条 （権限の定めのない代理人の権限）
権限の定めのない代理人は、次に掲げる行為のみをする権限を有する。
一　保存行為
二　代理の目的である物又は権利の性質を変えない範囲内において、その利用又は改良を目的とする行為

第104条 （任意代理人による復代理人の選任）
委任による代理人は、本人の許諾を得たとき、又はやむを得ない事由があるときでなければ、復代理人を選任することができない。

第105条 （法定代理人による復代理人の選任）
法定代理人は、自己の責任で復代理人を選任することができる。この場合において、やむを得ない事由があるときは、本人に対してその選任及び監督についての責任のみを負う。

第106条 （復代理人の権限等）
① 復代理人は、その権限内の行為について、本人を代表する。
② 復代理人は、本人及び第三者に対して、その権限の範囲内において、代理人と同一の権利を有し、義務を負う。

★判例
1※復代理人の選任により代理人は代理権を失わない。訴訟代理人が復代理人を選任しても、代理人と復代理人の双方が代理して訴訟行為ができる。（大判明治44・4・28民録17・243、大判大正10・12・6民録27・2121）
2※復代理人が委任事務を処理するにあたり金銭等を受領したときは、復代理人は、特別の事情がない限り、本人に受領物を引き渡す義務を負うほか、代理人に対してもこれを引き渡す義務を負う、もし復代理人が代理人にこれを引き渡したときは、代理人に対する受領物引渡義務とともに、本人に対する受領物引渡義務も消滅する。（最判昭51・4・9民集30・3・208）

第107条 （代理権の濫用）
代理人が自己又は第三者の利益を図る目的で代理権の範囲内の行為をした場合において、相手方がその目的を知り、又は知ることができたときは、その行為は、代理権を有しない者がした行為とみなす。

第108条 （自己契約及び双方代理等）
① 同一の法律行為について、相手方の代理人として、又は当事者双方の代理人としてした行為は、代理権を有しない者がした行為とみなす。ただし、債務の履行及び本人があらかじめ許諾した行為については、この限りでない。
② 前項本文に規定するもののほか、代理人と本人との利益が相反する行為については、代理権を有しない者がした行為とみなす。ただし、本人があらかじめ許諾した行為については、この限りでない。

★判例
1※本条は、本人の利益を保護するために代理権を制限した規定なので、本人があらかじめ許諾をしていた場合には、代理人が自ら相手方となり又は相手方の代理人になってした行為は有権代理行為として有効である。（大判大正4・4・7民録21・451、大判大正8・12・26民録25・2429等）
2※登記の申請について、同一人が登記権利者および登記義務者の双方の代理人となっても、本条ないしその法意に違反しない。（最判昭和43・3・8民集22・3・540）
3※普通地方公共団体の長が当該普通地方公共団体を代表して行う契約の締結には民法108条が類推適用されるが、長が同条に違反して双方代理行為をした場合には、議会は、同法116条の適用により、右双方代理行為を追認することができる。（最判平成16・7・13民集58・5・1368）

第109条 （代理権授与の表示による表見代理等）
① 第三者に対して他人に代理権を与えた旨を表示した者は、その代理権の範囲内においてその他人が第三者との間でした

行為について，その責任を負う。ただし，第三者が，その他人が代理権を与えられていないことを知り，又は過失によって知らなかったときは，この限りでない。
② 第三者に対して他人に代理権を与えた旨を表示した者は，その代理権の範囲内においてその他人が第三者との間で行為をしたとすれば前項の規定によりその責任を負うべき場合において，その他人が第三者との間でその代理権の範囲外の行為をしたときは，第三者がその行為についてその他人の代理権があると信ずべき正当な理由があるときに限り，その行為についての責任を負う。

★判例
1※東京地方裁判所の庁舎内に，裁判所職員の福利厚生のために生活物資の購買配給活動をする「東京地方裁判所厚生部」と呼ばれる組織体が存在し，右裁判所当局が「厚生部」の事業の継続を認めてきた場合は，「厚生部」のする取引が自己の取引であるかのような外形を作り出したものであるから，民法109条，商法14条（改正前商法23条）等の法理に照らし，右裁判所（国）は，この外形を信頼して取引した第三者に対し，本人として責任を負う。（最判昭和35・10・21民集14・12・2661）
2※民法109条にいう代理権授与表示者は，代理行為の相手方の悪意または過失を主張，立証することにより，同条所定の責任を免れることができる。直接本人に代理権の有無を確かめるべき取引上の義務が債権者に認められる場合には，このような措置をとることなく，漫然と契約締結の代理権があると信じるに至った債権者には過失が認められるから，民法109条所定の表見代理は成立しない。（最判昭和41・4・22民集20・4・752）
3※XはAからの依頼を受け，AがBを通じて他から融資を得るについて保証人となることを承諾し，Bに代理権を与える目的で白紙委任状等をBに交付したが，その融資が不成功に終わったところ，Bから右委任状等の返還を受けたAが，Yから金員を借り受けるにあたり，Yに対して右Xの委任状等を交付し，自らXの代理人として連帯保証契約を締結した場合，XはYに対してAにその代理権を与えた旨を表示したものと解される。（最判昭和42・11・10民集21・9・2417）
4※不動産所有者が，その不動産の抵当権設定の登記手続に必要な白紙委任状等の登記書類を特定人に交付した場合において，その交付を受けた者が更に第三者に交付し，その第三者が右書類を利用して，所有者の代理人として他の第三者と不動産処分に関する契約を締結したときは，右書類が何人において行使しても差し支えない趣旨で交付されたものでない限り，民法109条は適用されず，所有者は責任を負わない。（最判昭和39・5・23民集18・4・621）
5※会社が，会社の支店名義を使用することを許諾した場合には，普通に支店として有する範囲の代理権を与えた旨を一般人に対して表示したことになる。（大判昭和4・5・3民集8・447）
6※取引行為と異なる訴訟手続において会社を代表する権限を有する者を定めるについては，本条および会社法354条（改正前商法262条）は適用されない。（最判昭和45・12・15民集24・13・2072）

第110条　（権限外の行為の表見代理）
前条第1項本文の規定は，代理人がその権限外の行為をした場合において，第三者が代理人の権限があると信ずべき正当な理由があるときについて準用する。

★判例
【基本代理権】
1※一般人を勧誘して金員の借り入れをしていた会社の勧誘員Yが，事実上長男Aに勧誘をさせてきた場合の勧誘行為は，事実行為であって法律行為ではないから，他に特段の事由の認められない限り，これを民法110条の基本代理権とすることができず，AがYの代理人として貸主Xと保証契約を締結したとしても，Yは責任を負わない。（最判昭和35・2・19民集14・2・250）
2※取引の安全を目的とする表見代理制度の本旨に照らせば，民法110条の基本代理権は私法上の行為についての代理権であることを要し，公法上の行為についての代理権はこれに当たらない。印鑑証明書下付申請行為は公法上の行為であるから，その代理権を基本代理権として抵当権設定契約に表見代理が成立するものと解することはできない。（最判昭和39・4・2民集18・4・497）
3※単なる公法上の行為についての代理権は，民法110条の表見代理の成立要件である基本代理権に当たらないが，その行為が特定の私法上の取引行為の一環としてなされるものであ

るときは，同条の基本代理権たり得る。本人が登記申請行為を他人に委任してこれにその権限を与えたが，その他人が権限を超えて第三者との間に行為をした場合において，その登記申請行為が私法上の契約による義務の履行のためになされるものであるときは，その権限を基本代理権として，第三者との間の行為につき，民法110条による表見代理の成立を認めることができる。(最判昭和46・6・3民集25・4・455)

4❖会社の経理担当者が，同会社取締役から同人名義のゴム印および，取締役として使用するため届け出てあった印を預かり，会社のために職務を行う権限を有していても，取締役個人について本条の基本代理権とはならない。(最判昭和34・7・24民集13・8・1176)

5❖本条の基本代理権の存否の判断については，学校法人（私立大学）の事業運営の機構につき，制度上のたてまえからのみ判断すべきではなく，その事業の実状の運営状況に即して判断すべきである。(最判昭和35・6・9民集14・7・1304)

【本人の過失の有無】

6❖民法110条による本人の責任は，本人に過失があることを要件とするものではないが，本人は無過失であってもその責任を免れない。XがAに銀行から金融を受けるべき代理権を付与したが，Aはその権限を越えて，金融会社YからX名義で金員を借り入れ，X所有の土地建物につき抵当権設定登記等を経た場合，これらの登記がXの不知の間になされたものであったとしても，Xは責任を免れない。(最判昭和34・2・5民集13・1・67)

【正当理由】

7❖連帯根保証契約において，保証人の代理人と称する者が，本人の保証意思の確認のための印鑑証明書を持参したとしても，その者の実父に保証人になってもらえなかったこと，その者が本件契約の締結によって利益を受ける立場にあること，本件契約について保証期間や限度額が定められておらず，連帯保証人の責任が比較的重いこと等の事情の下では，本人に直接照会するなどによってその保証意思の存否を確認すべきであり，そのような手段を講ずることなく権限があると信じたとしても，いまだ正当の理由があるとはいえない。(最判昭和51・6・25民集30・6・665)

8❖約束手形が代理人によりその権限を超えて振り出された場合，民法110条によりこれを有効とするには，受入人が代理人に振出の権限があるものと信ずべき正当の事由のあるときに限る。その後の手形所持人が，代理人にその権限があるものと信ずべき正当の理由を有していたとしても，同条は適用されず，振出人は責任を負わない。(最判昭和36・12・12民集15・11・2756)

9❖夫の不在中，妻が実印を使用して，夫の代理人として不動産を売却した場合には，権限があると信ずるにつき正当な理由があるとはいえない。(最判昭和27・1・29民集6・1・49，最判昭和28・12・28民集7・13・1683)

10❖代理権ありと信ずべき正当の理由は，必ずしも本人の作為または不作為に基づくものであることを要しない。(最判昭和28・12・3民集7・12・1311)

11❖本人から実印の交付を受けた者が，これを使用して権限踰越の代理行為をした場合には，特別の事情がない限り，相手方にはその者に代理権ありと信ずべき正当の理由がある。(最判昭和35・10・18民集14・12・2764)

【本条の適用・類推適用】

12❖夫婦の一方が日常の家事に関する代理権の範囲を超えて第三者と法律行為をした場合において，その代理権の存在を基礎として一般的に民法110条所定の表見代理の成立を肯定することは，夫婦の財産的独立を損なうおそれがあり相当でない。夫婦の一方が他方に対しそのほかの何らかの代理権を授与していない以上，法律行為の相手方において，その行為が当該夫婦の日常の家事に関する法律行為の範囲内に属すると信ずるにつき正当の理由のあるときに限り，民法110条の趣旨を類推適用することにより，相手方は保護される。(最判昭和44・12・18民集23・12・2476)

13❖代理人が本人の名において権限外の行為をした場合において，相手方がその行為を本人自身の行為と信じたときは，代理人の代理権を信じたものではないが，その信頼が取引上保護に値する点においては，代理人の代理権限を信頼した場合と異なるところはないから，本人の行為であると信じたことについて正当な理由がある場合にかぎり，民法110条の規定を類推適用して，本人がその責に任ずるものと解するのが相当である。(最判昭和44・12・19民集23・12・2539)

14❖本条は法定代理にも適用されると解するのが相当である。(大連判昭和17・5・20民集21・571)

【旧法時の判例】

15❖本件山林の売主が，所有権移転登記手続のため，買主の代理人に白紙委任状等の登記関係書類を交付したが，当該代理人がさらに買主

から他の第三者との間に交換契約を締結することを依頼された場合に，売主から何ら代理権を授与されていないにもかかわらず，この書類を濫用し，売主の代理人のごとく装って，売主と第三者との間で交換契約を締結したときは，売主は第三者に対して本件山林売渡の代理権を与えた旨を表示したものというべきであり，第三者が，代理権があると信じ，そう信ずべき正当の事由があるならば，民法109条，110条によって，売主は第三者に対し責任を負う。(最判昭和45・7・28民集24・7・1203)

16❋代理権の消滅後，従前の代理人がなお代理人であると称して，従前の代理権の範囲に属しない行為をした場合，当該行為の相手方において，代理権の消滅について善意・無過失であり，かつ自称代理人の行為につきその権限があると信ずべき正当の理由があるときは，民法110条，112条が類推適用され，当該行為について本人が責任を負う。(大連判昭和19・12・22民集23・626)

17❋水洗炭業者Yの代理人Aは，Bと石炭売買契約を締結し，前渡金を受領したことによりその代理権が消滅したが，なおも代理権の存続を装い，X会社との間で，従前の代理権の範囲を超えて石炭売買契約を締結した場合に，X会社の代表取締役CがAの代理権の消滅につき善意無過失であり，かつAの行為につきその権限があると信ずべき正当の理由があるときは，AX間の売買契約につきYが責任を負う。(最判昭和32・11・29民集11・12・1994)

18❋無権代理人が締結した根抵当権設定契約を本人が追認した後，さらに無権代理人が他の第三者との間に根抵当権設定契約を締結した場合には，右の追認は第三者に対する関係においては代理権付与の外観を与えたものと解され，第三者に正当な理由があるときは，本条および民法112条が類推適用され，本人はその責任を負う。(最判昭和45・12・24民集24・13・2230)

第111条（代理権の消滅事由）

① 代理権は，次に掲げる事由によって消滅する。
　一　本人の死亡
　二　代理人の死亡又は代理人が破産手続開始の決定若しくは後見開始の審判を受けたこと。

② 委任による代理権は，前項各号に掲げる事由のほか，委任の終了によって消滅する。

第112条（代理権消滅後の表見代理等）

① 他人に代理権を与えた者は，代理権の消滅後にその代理権の範囲内においてその他人が第三者との間でした行為について，代理権の消滅の事実を知らなかった第三者に対してその責任を負う。ただし，第三者が過失によってその事実を知らなかったときは，この限りでない。

② 他人に代理権を与えた者は，代理権の消滅後に，その代理権の範囲内においてその他人が第三者との間で行為をしたとすれば前項の規定によりその責任を負うべき場合において，その他人が第三者との間でその代理権の範囲外の行為をしたときは，第三者がその行為についてその他人の代理権があると信ずべき正当な理由があるときに限り，その行為についての責任を負う。

★判例

1❋（過去における代理権の存在）本条の表見代理が成立するためには，相手方が代理権の消滅する前に代理人と取引をしたことがあることを要するものではなく，かような事実は，同条所定の相手方の善意・無過失に関する認定のための一資料となるにとどまるものと解すべきものである。(最判昭和44・7・25判時574・26)

2❋（本条の類推適用）社会福祉法人の理事の退任は登記事項であり，その登記がされた場合には，その後その者が右法人の代表者として第三者と取引をした場合，客観的な障害のため，第三者が登記簿を閲覧することが不可能ないし著しく困難であるような特段の事情がない限り，本条の適用ないし類推適用されない。(最判平成6・4・19民集48・3・922)

第113条（無権代理）

① 代理権を有しない者が他人の代理人としてした契約は，本人がその追認をしなければ，本人に対してその効力を生じな

② 追認又はその拒絶は，相手方に対してしなければ，その相手方に対抗することができない。ただし，相手方がその事実を知ったときは，この限りでない。

★判例
【無権代理と相続】
1 ※本人が無権代理人を相続した場合は，無権代理人が本人を相続した場合と異なり，相続人たる本人が被相続人の無権代理行為の追認を拒絶しても，何ら信義に反するところはないから，被相続人の無権代理行為は，一般に本人の相続により当然に有効となるものではない。(最判昭和37・4・20民集16・4・955)
2 ※無権代理人が本人を相続し，本人と代理人との資格が同一人に帰するに至った場合には，本人が自ら法律行為をしたのと同様な法律上の地位を生じたものと解されるから，無権代理人が本人所有の土地を担保に他から金融を受けることを第三者に依頼した後に本人を相続した場合，金融依頼を受けた者は本人を代理する権限を付与されていたものと解すべきである。(最判昭和40・6・18民集19・4・986)
3 ※民法117条による無権代理人の債務が相続の対象になることは，本人が無権代理人を相続した場合でも異ならないから，本人が無権代理人を相続した場合，本人は，民法117条により無権代理人が相手方に対して負担する債務を承継するのであって，本人として無権代理行為の追認を拒絶できる地位にあったからといって当該債務を免れることはできない。(最判昭和48・7・3民集27・7・751)
4 ※無権代理人を本人とともに相続した者が，その後更に本人を相続した場合においては，無権代理人を相続した者は無権代理人の法律上の地位を包括的に承継するのであり，その後本人を相続したとしてもそのことに変わりはないから，当該相続人は本人の資格で無権代理行為の追認を拒絶する余地はなく，本人が自ら法律行為をしたと同様の法律上の地位ないし効果を生ずる。(最判昭和63・3・1家月41・10・104)
5 ※無権代理人が本人を他の相続人と共に共同相続した場合，共同相続人全員が共同して無権代理行為を追認しない限り，その無権代理行為は有効となるものではないから，他の共同相続人全員が無権代理行為を追認しているときに無権代理人が追認を拒絶することは信義則上許されないとしても，他の共同相続人全員の追認がない限り，無権代理行為は，無権代理人の相続分に相当する部分においても当然に有効となるものではない。(最判平成5・1・21民集47・1・265)
6 ※本人が無権代理行為の追認を拒絶した場合，その時点で無権代理行為の効力が本人に及ばないことが確定し，以後は本人であっても追認によって無権代理行為を有効とすることができないから，追認拒絶後に無権代理人が本人を相続したとしても，無権代理行為は有効になるものではない。相続した無権代理人が本人の追認拒絶の効果を主張することは，それ自体信義則に反するということはできない。(最判平成10・7・17民集52・5・1296)

【無権代理と後見人就職】
7 ※無権代理行為をした者が後に後見人となった場合には，追認されるべき行為をなした者とその行為を追認すべき者とが同一人になったものにほかならないから，未成年者の後見人が，後見人に就職する以前に，自らを後見人と称して未成年者の所有する建物を売却した場合，後に後見人に就職したからといって，その無権代理行為の追認を拒絶することは，信義則上許されない。(最判昭和47・2・18民集26・1・46)
8 ※禁治産者（現行の成年被後見人。以下同じ）の後見人が，その就職前に禁治産者の無権代理人によって締結された契約の追認を拒絶することが信義則に反するか否かは，①右契約の締結に至るまでの交渉経緯及び無権代理人が右契約の締結前に相手方との間でした法律行為の内容と性質，②右契約の追認により禁治産者が被る経済的不利益と追認の拒絶により相手方が被る経済的不利益，③後見人が就職するまでの間の右契約の履行等についての交渉経緯，④無権代理人と後見人との人的関係及び後見人がその就職前に右契約の締結に関与した行為の程度，⑤本人の意思能力について相手方が認識し又は認識し得た事実，など諸般の事情を勘案して決定すべきである。(最判平成6・9・13民集48・6・1263)

第114条（無権代理の相手方の催告権）

前条の場合において，相手方は，本人に対し，相当の期間を定めて，その期間内に追認をするかどうかを確答すべき旨の催告をすることができる。この場合において，本人がその期間内に確答をしないときは，追認を拒絶したものとみなす。

第115条 （無権代理の相手方の取消権）
　代理権を有しない者がした契約は，本人が追認をしない間は，相手方が取り消すことができる。ただし，契約の時において代理権を有しないことを相手方が知っていたときは，この限りでない。

第116条 （無権代理行為の追認）
　追認は，別段の意思表示がないときは，契約の時にさかのぼってその効力を生ずる。ただし，第三者の権利を害することはできない。

> ★判例
> 1※ある物件につき何らの権利を有しない者が，これを自己の権利に属するものとして処分した場合に，真実の権利者が後日これを追認したときは，民法116条の類推適用により，処分の時に遡って効力を生ずる。Xの子AがX所有の本件不動産につき，無断でAへの所有権移転登記を行い，Y銀行のために抵当権を設定したが，後にXがその抵当権の設定を承認した場合は，以後，本件抵当権設定契約は有効である。（最判昭和37・8・10民集16・8・1700）
> 2※民法125条の法定追認ついて定めてある規定は，無権代理行為の追認には類推適用されない。（最判昭和54・12・14判時953・56）

第117条 （無権代理人の責任）
① 他人の代理人として契約をした者は，自己の代理権を証明したとき，又は本人の追認を得たときを除き，相手方の選択に従い，相手方に対して履行又は損害賠償の責任を負う。
② 前項の規定は，次に掲げる場合には，適用しない。
　一　他人の代理人として契約をした者が代理権を有しないことを相手方が知っていたとき。
　二　他人の代理人として契約をした者が代理権を有しないことを相手方が過失によって知らなかったとき。ただし，他人の代理人として契約をした者が自己に代理権がないことを知っていたときは，この限りでない。
　三　他人の代理人として契約をした者が行為能力の制限を受けていたとき。

> ★判例
> 1※民法117条による無権代理人の責任は，相手方の保護と取引の安全並びに代理制度の信用保持のために，法が特別に認めた無過失責任である。第2項は，代理権のないことを知っていた又は知らなかったことにつき過失がある相手方は同条の保護に値しないとする趣旨であるから，同項の『過失』は重大な過失に限定されない。また，表見代理と無権代理人の責任は互いに独立した制度であるから，相手方は表見代理の主張をせずに，直ちに無権代理人の責任を問うことが可能であり，無権代理人は表見代理の成立を主張して自己の責任を免れることができない。（最判昭和62・7・7民集41・5・1133）

第118条 （単独行為の無権代理）
　単独行為については，その行為の時において，相手方が，代理人と称する者が代理権を有しないで行為をすることに同意し，又はその代理権を争わなかったときに限り，第113条から前条までの規定を準用する。代理権を有しない者に対しその同意を得て単独行為をしたときも，同様とする。

第4節／無効及び取消し

第119条 （無効な行為の追認）
　無効な行為は，追認によっても，その効力を生じない。ただし，当事者がその行為の無効であることを知って追認をしたときは，新たな行為をしたものとみなす。

> ★判例
> 1※（無効行為の転換）養子縁組をする意思で他人の子を嫡出子として届け出た虚偽の出生届に養子縁組届出としての効力を認め縁組の効力を肯定することは，たとえ戸籍上の親と子との間に出生届出以来親子的共同生活が継続したという要件を具備した場合に限るとしても，まずは縁組届出の有無により養親子関係の成否を決すべきであるから，養子縁組とし

ての効力は認められない。(最判昭和49・12・23民集28・10・2098)

第120条　(取消権者)
① 行為能力の制限によって取り消すことができる行為は，制限行為能力者（他の制限行為能力者の法定代理人としてした行為にあっては，当該他の制限行為能力者を含む。）又はその代理人，承継人若しくは同意をすることができる者に限り，取り消すことができる。
② 錯誤，詐欺又は強迫によって取り消すことができる行為は，瑕疵ある意思表示をした者又はその代理人若しくは承継人に限り，取り消すことができる。

第121条　(取消しの効果)
取り消された行為は，初めから無効であったものとみなす。

第121条の2　(原状回復の義務)
① 無効な行為に基づく債務の履行として給付を受けた者は，相手方を原状に復させる義務を負う。
② 前項の規定にかかわらず，無効な無償行為に基づく債務の履行として給付を受けた者は，給付を受けた当時その行為が無効であること（給付を受けた後に前条の規定により初めから無効であったものとみなされた行為にあっては，給付を受けた当時その行為が取り消すことができるものであること）を知らなかったときは，その行為によって現に利益を受けている限度において，返還の義務を負う。
③ 第1項の規定にかかわらず，行為の時に意思能力を有しなかった者は，その行為によって現に利益を受けている限度において，返還の義務を負う。行為の時に制限行為能力者であった者についても，同様とする。

★判例
1※行為無能力者（現行の制限能力者）が取消し得べき法律行為によって相手方から受領した金員で債務を弁済し，生活費に支弁したときは，その範囲において，自己の財産から支出されるべきであった資金がなお自己の財産中に存在しているから，無能力者は『現に利益を受』けているものとして，当該法律行為が取り消された場合，弁済・支弁に充てた金員を相手方に償還しなければならない。(大判昭和7・10・26民集11・1920)
2※（民法旧11条により）浪費を理由とする準禁治産宣告（現行の保佐開始の審判）を受けた者が，保佐人の承諾なくして金銭消費貸借契約を締結し，契約後もその同意を得ることができず，後にその契約を取り消した場合に，準禁治産者（現行の被保佐人。以下同じ）が本件金銭消費貸借契約に基づいて得た金銭を賭博に浪費していたときは，その利益は現存しないものであるから，準禁治産者はその返還義務を負わない。(最判昭和50・6・27金商485・20)
3※（金銭の消費と現存利益）浪費者である準禁治産者（現行の被保佐人。以下同じ。）のなした貸借によってその者に交付された金員は，一応無益なことに消費し，その相続人が現存の利益を受けないものとすることが常理に適する。浪費者である準禁治産者またはその相続人に対し利得返還請求をなすには，貸与金が浪費に供せられなかった事実を主張・立証することを要する。[平成11年法149による改正前の事案]。(大判昭和14・10・26民集18・1157)

第122条　(取り消すことができる行為の追認)
取り消すことができる行為は，第120条に規定する者が追認したときは，以後，取り消すことができない。

第123条　(取消し及び追認の方法)
取り消すことができる行為の相手方が確定している場合には，その取消し又は追認は，相手方に対する意思表示によってする。

第124条　(追認の要件)
① 取り消すことができる行為の追認は，取消しの原因となっていた状況が消滅し，かつ，取消権を有することを知った後にしなければ，その効力を生じない。

② 次に掲げる場合には，前項の追認は，取消しの原因となっていた状況が消滅した後にすることを要しない。
　一　法定代理人又は制限行為能力者の保佐人若しくは補助人が追認をするとき。
　二　制限行為能力者（成年被後見人を除く。）が法定代理人，保佐人又は補助人の同意を得て追認をするとき。

第125条 （法定追認）

追認をすることができる時以後に，取り消すことができる行為について次に掲げる事実があったときは，追認をしたものとみなす。ただし，異議をとどめたときは，この限りでない。
一　全部又は一部の履行
二　履行の請求
三　更改
四　担保の供与
五　取り消すことができる行為によって取得した権利の全部又は一部の譲渡
六　強制執行

★判例
1※本条の適用にあたっては，追認をなすことをうるという客観的事実が備わっていることが必要であるが，行為に際しての取消権者の意思，取消原因の知不知を問わない。（大判大正12・6・11民集2・396）

第126条 （取消権の期間の制限）

取消権は，追認をすることができる時から5年間行使しないときは，時効によって消滅する。行為の時から20年を経過したときも，同様とする。

第5節／条件及び期限

第127条 （条件が成就した場合の効果）

① 停止条件付法律行為は，停止条件が成就した時からその効力を生ずる。
② 解除条件付法律行為は，解除条件が成就した時からその効力を失う。
③ 当事者が条件が成就した場合の効果をその成就した時以前にさかのぼらせる意思を表示したときは，その意思に従う。

★判例
1※消費貸借の弁済期を『借主の立身出世の時』とするのは，不確定期限を付したものである。（大判明治43・10・31民録16・739）
2※請負人の製造した目的物が，注文者から別会社を介してユーザーとリース契約を締結したリース会社に転売されることを予定して請負契約が締結され，目的物がユーザーに引き渡された場合において，注文書に「ユーザーがリース会社と契約完了し入金後払い」等の記載があったとしても，上記請負契約は上記リース契約の締結を停止条件とするものとはいえず，上記リース契約が締結されないこととなった時点で請負代金の支払期限が到来する。（最判平成22・7・20最高裁ホームページ）
3※数社を介在させて順次発注された工事の最終の受注者XとXに対する発注者Yとの間におけるYが請負代金の支払を受けた後にXに対して請負代金を支払う旨の合意が，Xに対する請負代金の支払につき，Yが請負代金の支払を受けることを停止条件とする旨を定めたものとはいえず，Yが上記支払を受けた時点又はその見込みがなくなった時点で支払期限が到来する旨を定めたものと解される。（最判平成22・10・14最高裁ホームページ）

第128条 （条件の成否未定の間における相手方の利益の侵害の禁止）

条件付法律行為の各当事者は，条件の成否が未定である間は，条件が成就した場合にその法律行為から生ずべき相手方の利益を害することができない。

第129条 （条件の成否未定の間における権利の処分等）

条件の成否が未定である間における当事者の権利義務は，一般の規定に従い，処分し，相続し，若しくは保存し，又はそのために担保を供することができる。

第130条 （条件の成就の妨害等）

① 条件が成就することによって不利益を受ける当事者が故意にその条件の成就を妨げたときは，相手方は，その条件が成就したものとみなすことができる。

② 条件が成就することによって利益を受ける当事者が不正にその条件を成就させたときは，相手方は，その条件が成就しなかったものとみなすことができる。

>★判例
>1※土地の買受人が，宅地建物取引業者に対して土地の所有権等の譲渡について仲介を依頼し，その取得契約の成立を停止条件として報酬の支払を約した場合，売買契約当事者が，業者の仲介によって間もなく契約の成立に至るべきことを熟知しながら，業者を排除して，直接当事者間で契約を成立させたものと認められるときは，業者の仲介による売買契約の成立を妨げる故意があり，業者は停止条件が成立したものとみなして報酬を請求することができる。（最判昭和45・10・22民集24・11・1599）
>2※条件の成就によって利益を受ける当事者が故意に条件を成就させた場合は，相手方は条件が成就していないものとみなすことができる。XY間の和解条項第1項に違反する行為をXがしたとしても，Yは，単にその和解条項違反行為の有無を調査ないし確認する範囲を超えて，Aを介して積極的にXをその和解条項に違反する行為をするよう誘引したものである場合は，Xは，違約金について定める和解条項第2項の条件は成就していないものとみなすことができる。（最判平成6・5・31民集48・4・1029）
>3※山林の売却あっせんを依頼し，停止条件付き報酬請求権を付与した場合に，委任者が受任者を介さないで第三者に売却したときは，委任者は報酬支払義務を免れない。（最判昭和39・1・23民集18・1・99）

第131条 （既成条件）

① 条件が法律行為の時に既に成就していた場合において，その条件が停止条件であるときはその法律行為は無条件とし，その条件が解除条件であるときはその法律行為は無効とする。

② 条件が成就しないことが法律行為の時に既に確定していた場合において，その条件が停止条件であるときはその法律行為は無効とし，その条件が解除条件であるときはその法律行為は無条件とする。

③ 前二項に規定する場合において，当事者が条件が成就したこと又は成就しなかったことを知らない間は，第128条及び第129条の規定を準用する。

第132条 （不法条件）

不法な条件を付した法律行為は，無効とする。不法な行為をしないことを条件とするものも，同様とする。

第133条 （不能条件）

① 不能の停止条件を付した法律行為は，無効とする。

② 不能の解除条件を付した法律行為は，無条件とする。

第134条 （随意条件）

停止条件付法律行為は，その条件が単に債務者の意思のみに係るときは，無効とする。

>★判例
>1※解除条件付法律行為において，条件が単に債務者の意思のみにかかるものであっても，その法律行為は無効とはならない。（最判昭和35・5・19民集14・7・1145）

第135条 （期限の到来の効果）

① 法律行為に始期を付したときは，その法律行為の履行は，期限が到来するまで，これを請求することができない。

② 法律行為に終期を付したときは，その法律行為の効力は，期限が到来した時に消滅する。

>★判例
>1※金銭消費貸借契約において，借主が出世した時に貸金を返還する旨の約定がある場合，出世の事実の到来によって債務が発生するのではなく，既に発生している債務を債務者が出世した時に履行すべきとするものであり，それは不確定期限であって停止条件ではないから，その債務の消滅時効は，出世の事実が到来した時から進行し，貸主がその事実を知っているかどうかを問わない。（大判大正4・3・24民録21・439）

第136条　（期限の利益及びその放棄）
① 期限は，債務者の利益のために定めたものと推定する。
② 期限の利益は，放棄することができる。ただし，これによって相手方の利益を害することはできない。

> ★判例
> 1※定期預金の返還時期が当事者双方の利益のために定められた場合であっても，債務者である銀行は，その返還時期までの利息を支払うなど，預金者が返還時期の未到来によって受くべき利益の喪失を填補すれば，その返還時期について自己が有する期限の利益を一方的に放棄することができる（したがって，銀行は，弁済期が既に到来している預金者に対する貸金債権と，返還時期未到来の預金債権とを相殺することができる）。（大判昭和9・9・15民集13・1839）
> 2※利息制限法（以下「法」という。）1条1項及び2条の規定は，金銭消費貸借上の貸主には，借主が実際に利用することが可能な貸付額とその利用期間とを基礎とする法所定の制限内の利息のみを認め，上記各規定が適用される限りにおいては，民法第136条2項ただし書の規定の適用を排除する趣旨と解すべきであるから，過払金が充当されるほかの借入金債務についての貸主の期限の利益は保護されるものではなく，充当されるべき元本に対する期限までの利息の発生を認めることはできない。したがって，同一の貸主と借主との間で基本契約に基づき継続的に貸付けが繰り返される金銭消費貸借取引において，借主がそのうち1つの借入債務につき法所定の制限を超える利息を任意に支払い，この制限超過部分を元本に充当してもなお過払金が存する場合，この過払金は，当事者間に充当に関する特約が存在するなどの特段の事情のない限り，民法489条及び491条の規定に従って，弁済当時存在する他の借入金債務に充当され，当該他の借入金債務の利率が法所定の制限を超える場合には，貸主は充当されるべき元本に対する約定の期限までの利息を取得することができないと解するのが相当である。（最判平成15・7・18民集57・7・895）

第137条　（期限の利益の喪失）
次に掲げる場合には，債務者は，期限の利益を主張することができない。

一　債務者が破産手続開始の決定を受けたとき。
二　債務者が担保を滅失させ，損傷させ，又は減少させたとき。
三　債務者が担保を供する義務を負う場合において，これを供しないとき。

> ★判例
> 1※未登記抵当権または質権の目的物たる不動産を債務者が他に移転して登記したときは，この担保権者は譲受人に対抗することができなくなるから，本条2号に該当する。（東京地判昭和11・10・21新聞4092・10）

第6章　期間の計算

第138条　（期間の計算の通則）
期間の計算方法は，法令若しくは裁判上の命令に特別の定めがある場合又は法律行為に別段の定めがある場合を除き，この章の規定に従う。

> ★判例
> 1※消滅時効の起算点は，初日を算入しない。（大判昭和6・6・9新聞3292・14）

第139条　（期間の起算）
時間によって期間を定めたときは，その期間は，即時から起算する。

第140条
日，週，月又は年によって期間を定めたときは，期間の初日は，算入しない。ただし，その期間が午前零時から始まるときは，この限りでない。

> ★判例
> 1※民法724条所定の3年の時効期間の計算についても，被害者又はその法定代理人が損害及び加害者を知った時が午前零時でない限り，時効期間の初日はこれに算入すべきではない。（最判昭和57・10・19民集36・10・2163）

第141条　（期間の満了）
前条の場合には，期間は，その末日の終了をもって満了する。

民法（142条―145条）

第142条
　期間の末日が日曜日，国民の祝日に関する法律（昭和23年法律第178号）に規定する休日その他の休日に当たるときは，その日に取引をしない慣習がある場合に限り，期間は，その翌日に満了する。

第143条　（暦による期間の計算）
① 　週，月又は年によって期間を定めたときは，その期間は，暦に従って計算する。
② 　週，月又は年の初めから期間を起算しないときは，その期間は，最後の週，月又は年においてその起算日に応当する日の前日に満了する。ただし，月又は年によって期間を定めた場合において，最後の月に応当する日がないときは，その月の末日に満了する。

第7章❋時効

第1節／総則

第144条　（時効の効力）
　時効の効力は，その起算日にさかのぼる。

★判例
1❋取得時効が完成してもその登記がなければ，その後に登記を経由した第三者に対抗し得ないのに対し，第三者のなした登記後に取得時効が完成した場合においては，登記なくしてその第三者に対抗し得ることとなるから，取得時効完成の時期を定めるにあたっては，取得時効の基礎たる事実が法定の時効期間以上に継続した場合においても，必ず時効の基礎たる事実の開始した時を起算点として時効完成の時期を決定すべきものであり，取得時効を援用する者がその起算点を選択し，時効完成の時期を早めたり遅らせたりすることはできない。（最判昭和35・7・27民集14・10・1871）
2❋消滅時効により債務を免れた者は，起算日以後の利息を支払う債務も免れる。（大判大正9・5・25民録26・759）

第145条　（時効の援用）
　時効は，当事者（消滅時効にあっては，保証人，物上保証人，第三取得者その他権利の消滅について正当な利益を有する者を含む。）が援用しなければ，裁判所がこれによって裁判をすることができない。

★判例
【援用の意義】
1❋民法145条の趣旨は，当事者の意思に反して強制的に時効の利益を受けさせるべきではないとすることにあり，その当事者の意思を無視しない範囲においては，できる限り実質的権利関係と裁判の結果との不一致を避け，時効制度の趣旨を没却させないようにすべきであるから，直接時効の利益を受ける者は，裁判上と裁判外とを問わず，いつでも時効を援用することができ，いったんその援用があれば，時効による権利の取得は確定不動のものになると解すべきである。（大判昭和10・12・24民集14・2096）
2❋時効による債権消滅の効果は，時効期間の経過とともに確定的に生ずるものではなく，時効が援用されたときに初めて確定的に生ずる。農地の買主が売主に対して有する県知事に対する許可申請協力請求権について，売主がその消滅時効を援用しない間に，本件農地が非農地化したときは，その時点において右農地の売買契約は当然に効力を生じ，土地の所有権は買主に移転するのであるから，その後に許可申請協力請求権の消滅時効を問題とする余地はない。（最判昭和61・3・17民集40・2・420）
3❋債権は消滅時効の完成とともに消滅し，当事者が時効を援用することによって初めて消滅するものではない。当事者が援用しないと裁判所はこれによって裁判をすることができないにすぎない。（大判大正8・7・4民録25・1215〔旧判例〕）

【時効援用権者】
4❋他人の債務のために自己の所有物件につき質権又は抵当権を設定した物上保証人も，被担保権の消滅によって直接利益を受ける者であり，民法145条にいう当事者に当たる。そして，他人の債務のため自己の所有物件をいわゆる弱い譲渡担保に供した者も，他人の債務のためにその所有物件を担保に供し，被担保債権の消滅によって利益を受ける点で，物上保証人と異ならないから，当事者として被担保債権の消滅時効を援用することができる。（最判昭和42・10・27民集21・8・2110）
5❋民法145条の規定により消滅時効を援用しう

る者は，権利の消滅により直接利益を受ける者に限定される。抵当不動産の第三取得者は，当該抵当権の被担保債権が消滅すれば抵当権の消滅を主張しうる関係にあるから，被担保債権の消滅により直接利益を受ける者に当たると解され，同条により抵当権の被担保債権の消滅時効を援用することができる。（最判昭和48・12・14民集27・11・1586）

6※売買予約に基づく所有権移転登記請求権保全仮登記の経由された不動産につき，所有権を取得してその旨の所有権移転登記を経由した者は，予約完結権が行使されると，仮登記の順位保全効によって自己の所有権移転登記が抹消される関係にあり，その反面，予約完結権が消滅すれば所有権を全うすることができる地位にあるから，予約完結権の消滅によって直接利益を受ける者に当たり，その消滅時効を援用することができる。（最判平成4・3・19民集46・3・222）

7※詐害行為の受益者は，詐害行為取消権行使の直接の相手方とされている上，これが行使されると取消債権者との間で詐害行為が取り消され，同行為によって得ていた利益を失う関係にあり，その反面，詐害行為取消権を行使する債権者の債権が消滅すればその利益の喪失を免れることができる地位にあるから，詐害行為の受益者は，取消債権者の債権の消滅によって直接利益を受ける者に該当し，その債権について消滅時効を援用することができる。（最判平成10・6・22民集52・4・1195）

8※譲渡担保権者から被担保債権の弁済期後に譲渡担保権の目的物を譲り受けた第三者は，譲渡担保権設定者が譲渡担保権者に対して有する清算金支払請求権が消滅することにより，右債権を被担保債権とする留置権による制約を免れる地位にあり，清算金支払請求権の消滅によって直接利益を受ける者に当たるということができるから，譲渡担保権者から目的不動産を譲り受けた第三者は，譲渡担保権設定者が有する清算金支払請求権の消滅時効を援用することができる。（最判平成11・2・26判時1671・67）

9※後順位抵当権者は，目的不動産の価格から先順位抵当権によって担保される債権額を控除した価額についてのみ優先して弁済を受ける地位を有するにすぎず，先順位抵当権者の被担保債権が消滅することにより後順位抵当権者の順位が上昇し，被担保債権に対する配当額が増加することがあり得るとしても，この配当額の増加に対する期待は抵当権の順位の上昇によってもたらされる反射的利益にすぎ

ないから，後順位抵当権者は，先順位抵当権者の被担保債権の消滅により直接利益を受ける者に該当せず，先順位抵当権者の被担保債権の消滅時効を援用することができない。（最判平成11・10・21民集53・7・1190）

10※被相続人の占有により取得時効が完成した場合において，その共同相続人の1人は，全部を自己が取得する旨の遺産分割協議が成立した事情などがない限り，自己の相続分の限度においてのみ取得時効を援用することができるにすぎない。（最判平成13・7・10家月54・2・134，判時1766・42）

11※他人の債務のため自己所有の不動産に抵当権を設定した物上保証人は，右債務の消滅時効を援用することができる。（最判昭和43・9・26民集27・11・1586）

12※主たる債務が時効によって消滅すれば保証債務も消滅する関係にあるから，保証人は主たる債務の時効によって直接利益を受ける者として，主たる債務の消滅時効を援用することができる。（大判大正4・7・13民録21・1387）

13※土地所有権の時効取得者から，その土地上に同人の所有する建物を賃借しているにすぎない者は，右土地の取得時効の完成によって直接利益を受ける者には当らないから，右土地取得時効を援用することはできない。（最判昭和44・7・15民集23・8・1520）

14※仮登記担保権の設定された不動産を取得した第三者は，その被担保債権の消滅時効を援用することができる。（最判昭和60・11・26民集39・7・1701）

15※売買予約に基づく所有権移転請求権保全仮登記の経由された不動産につき抵当権の設定を受け，その登記を経由した者は，その予約完結権の消滅によって直接利益を受ける者として，その消滅時効を援用することができる。（最判平成2・6・5民集44・4・599）

16※（援用権の喪失）会社が破産宣告を受けた後破産終結決定がされて会社の法人格が消滅した場合には，これにより会社の負担していた債務も消滅するものと解すべきものであり，この場合，もはや存在しない債務について時効による消滅を観念する余地はない。この理は，同債務について保証人のある場合においても変わらない。したがって，破産終結決定がされて消滅した会社を主債務者とする保証人は，主債務についての消滅時効が会社の法人格の消滅後に完成したことを主張して時効の援用をすることはできないものと解するのが相当である。（最判平成15・3・14民集

57・3・286）
17※（時効援用権者）本条のいわゆる『当事者』とは，時効により直接に利益を受ける者，すなわち取得時効により権利を取得し，消滅時効により権利を制限または義務を免れる者をいい，間接に利益を受ける者は，当事者ではない。（大判明治43・1・25民録16・22）
18※（時効援用権者）一般債権者は，執行の場合における配当額が増加する可能性を有するに過ぎず，他の債権者の債権の消滅により，直接に利益を受ける者には該当するとはいえない。（大決昭和12・6・30民集16・1037）

第146条　（時効の利益の放棄）

時効の利益は，あらかじめ放棄することができない。

★判例

1※債務者が消滅時効の完成した後に債務の承認をする場合には，債務者がその時効完成の事実を知っているのはむしろ異例で，知らないのが通常であるといえるから，債務者が商人の場合でも，消滅時効完成後に当該債務の承認をした事実から，承認は時効が完成したことを知ってされたものであると推定することは許されない。しかしその場合，相手方においては，債務者はもはや時効の援用をしない趣旨であると考えるであろうから，債務者は，時効完成の事実を知らなかったときでも，以後その債務についてその完成した消滅時効の援用をすることは，信義則に照らし許されない。（最大判昭和41・4・20民集20・4・702）
2※債務者が消滅時効の完成後に債権者に対し当該債務を承認した場合には，時効完成の事実を知らなかったときでも，その後に右時効を援用することは許されないが，右承認以後，再び時効期間が進行することは否定されない。（最判昭和45・5・21民集24・5・393）
3※時効利益の放棄は相対的効力を有するにすぎないから，主たる債務者がなした時効利益の放棄は，保証人に対してはその効力は及ばず，保証人は，なお消滅時効を援用することができる。（大判大正5・12・25民録22・2494）
4※時効利益の放棄は相対的効力を有するにすぎないから，債務者の放棄はその債務につき設定された抵当不動産の第三取得者に影響しない。（大判大正13・12・25民集3・576）

第147条　（裁判上の請求等による時効の完成猶予及び更新）

① 次に掲げる事由がある場合には，その事由が終了する（確定判決又は確定判決と同一の効力を有するものによって権利が確定することなくその事由が終了した場合にあっては，その終了の時から6箇月を経過する）までの間は，時効は，完成しない。

一　裁判上の請求
二　支払督促
三　民事訴訟法第275条第1項の和解又は民事調停法（昭和26年法律第222号）若しくは家事事件手続法（平成23年法律第52号）による調停
四　破産手続参加，再生手続参加又は更生手続参加

② 前項の場合において，確定判決又は確定判決と同一の効力を有するものによって権利が確定したときは，時効は，同項各号に掲げる事由が終了した時から新たにその進行を始める。

第148条　（強制執行等による時効の完成猶予及び更新）

① 次に掲げる事由がある場合には，その事由が終了する（申立ての取下げ又は法律の規定に従わないことによる取消しによってその事由が終了した場合にあっては，その終了の時から6箇月を経過する）までの間は，時効は，完成しない。

一　強制執行
二　担保権の実行
三　民事執行法（昭和54年法律第4号）第195条に規定する担保権の実行としての競売の例による競売
四　民事執行法第196条に規定する財産開示手続又は同法第204条に規定する第三者からの情報取得手続

② 前項の場合には，時効は，同項各号に掲げる事由が終了した時から新たにその進行を始める。ただし，申立ての取下げ

又は法律の規定に従わないことによる取消しによってその事由が終了した場合は，この限りでない。

第149条 （仮差押え等による時効の完成猶予）

次に掲げる事由がある場合には，その事由が終了した時から6箇月を経過するまでの間は，時効は，完成しない。
一　仮差押え
二　仮処分

第150条 （催告による時効の完成猶予）

① 催告があったときは，その時から6箇月を経過するまでの間は，時効は，完成しない。
② 催告によって時効の完成が猶予されている間にされた再度の催告は，前項の規定による時効の完成猶予の効力を有しない。

第151条 （協議を行う旨の合意による時効の完成猶予）

① 権利についての協議を行う旨の合意が書面でされたときは，次に掲げる時のいずれか早い時までの間は，時効は，完成しない。
一　その合意があった時から1年を経過した時
二　その合意において当事者が協議を行う期間（1年に満たないものに限る。）を定めたときは，その期間を経過した時
三　当事者の一方から相手方に対して協議の続行を拒絶する旨の通知が書面でされたときは，その通知の時から6箇月を経過した時
② 前項の規定により時効の完成が猶予されている間にされた再度の同項の合意は，同項の規定による時効の完成猶予の効力を有する。ただし，その効力は，時効の完成が猶予されなかったとすれば時効が完成すべき時から通じて5年を超えることができない。
③ 催告によって時効の完成が猶予されている間にされた第1項の合意は，同項の規定による時効の完成猶予の効力を有しない。同項の規定により時効の完成が猶予されている間にされた催告についても，同様とする。
④ 第1項の合意がその内容を記録した電磁的記録（電子的方式，磁気的方式その他人の知覚によっては認識することができない方式で作られる記録であって，電子計算機による情報処理の用に供されるものをいう。以下同じ。）によってされたときは，その合意は，書面によってされたものとみなして，前三項の規定を適用する。
⑤ 前項の規定は，第1項第3号の通知について準用する。

第152条 （承認による時効の更新）

① 時効は，権利の承認があったときは，その時から新たにその進行を始める。
② 前項の承認をするには，相手方の権利についての処分につき行為能力の制限を受けていないこと又は権限があることを要しない。

第153条 （時効の完成猶予又は更新の効力が及ぶ者の範囲）

① 第147条又は第148条の規定による時効の完成猶予又は更新は，完成猶予又は更新の事由が生じた当事者及びその承継人の間においてのみ，その効力を有する。
② 第149条から第151条までの規定による時効の完成猶予は，完成猶予の事由が生じた当事者及びその承継人の間においてのみ，その効力を有する。
③ 前条の規定による時効の更新は，更新の事由が生じた当事者及びその承継人の間においてのみ，その効力を有する。

第154条
第148条第1項各号又は第149条各号に掲げる事由に係る手続は，時効の利益を受ける者に対してしないときは，その者に通知をした後でなければ，第148条又は第149条の規定による時効の完成猶予又は更新の効力を生じない。

第155条から第157条まで　削除

第158条　（未成年者又は成年被後見人と時効の完成猶予）
① 時効の期間の満了前6箇月以内の間に未成年者又は成年被後見人に法定代理人がないときは，その未成年者若しくは成年被後見人が行為能力者となった時又は法定代理人が就職した時から6箇月を経過するまでの間は，その未成年者又は成年被後見人に対して，時効は，完成しない。
② 未成年者又は成年被後見人がその財産を管理する父，母又は後見人に対して権利を有するときは，その未成年者若しくは成年被後見人が行為能力者となった時又は後任の法定代理人が就職した時から6箇月を経過するまでの間は，その権利について，時効は，完成しない。

第159条　（夫婦間の権利の時効の完成猶予）
夫婦の一方が他の一方に対して有する権利については，婚姻の解消の時から6箇月を経過するまでの間は，時効は，完成しない。

第160条　（相続財産に関する時効の完成猶予）
相続財産に関しては，相続人が確定した時，管理人が選任された時又は破産手続開始の決定があった時から6箇月を経過するまでの間は，時効は，完成しない。

★判例
1※被害者を殺害した加害者が，被害者の相続人において被害者の死亡の事実を知り得ない状況を殊更に作出し，そのために相続人はその事実を知ることができず，相続人が確定しないまま右殺害の時から20年が経過した場合，その後，相続人が確定した時から6か月内に相続人が右殺害に係る不法行為に基づく損害賠償請求権を行使したなど特段の事情があるときは，民法160条の法意に照らし，同法724条後段（現行法724条2号）の効果は生じない。（最判平成21・4・28民集63・4・853）

第161条　（天災等による時効の完成猶予）
時効の期間の満了の時に当たり，天災その他避けることのできない事変のため第147条第1項各号又は第148条第1項各号に掲げる事由に係る手続を行うことができないときは，その障害が消滅した時から3箇月を経過するまでの間は，時効は，完成しない。

第2節／取得時効

第162条　（所有権の取得時効）
① 20年間，所有の意思をもって，平穏に，かつ，公然と他人の物を占有した者は，その所有権を取得する。
② 10年間，所有の意思をもって，平穏に，かつ，公然と他人の物を占有した者は，その占有の開始の時に，善意であり，かつ，過失がなかったときは，その所有権を取得する。

★判例
1※所有権に基づいて不動産を占有する者であっても，登記を経由していないため所有権取得の立証が困難であったり，所有権の取得を第三者に対抗できない等の場合においては，取得時効による権利取得を主張できると解することが時効制度の趣旨にも合致するものであり，民法162条が時効取得の対象物を他人のものとしているのも，通常は自己のものについて取得時効を援用することは無意味であるからにすぎない。したがって，民法162条所定の占有者には，権利なくして占有をした者のほか，所有権に基づいて占有をした者を含む。（最判昭和42・7・21民集21・6・1643）

2 ※不動産の買主が，売主からその不動産の引渡しを受けて，所有の意思をもって占有を取得し，民法162条所定の期間を占有したときは，売買契約当事者の間においても，物件を永続して占有するという事実状態を権利関係にまで高めようとする同条の適用を否定すべき理由はないから，買主は売主に対する関係でも，時効による所有権の取得を主張することができる。（最判昭和44・12・18民集23・12・2467）

3 ※不動産の二重譲渡の場合，第2の買主は所有権移転登記を備えたときに完全に所有権を取得するが，その所有権は売主から直接第2の買主に移転するのであって，第1の買主は当初から全く所有権を取得しなかったことになるから，第1の買主がその買受後不動産の占有を取得し，その時から民法162条に定める時効期間を経過したときは，同条により当該不動産を時効によって取得することができる。（最判昭和46・11・5民集25・8・1087）

4 ※農地を農地以外のものにするために買い受けた者が，農地法5条所定の許可を得るための手続が執られなかったとしても，特段の事情のない限り，代金を支払い農地の引渡しを受けた時に，所有の意思をもって農地の占有を始めたものと解するのが相当であり，右の時から20年間その農地の占有を継続することにより，右農地の所有権を時効取得する。（最判平成13・10・26民集55・6・1001）

5 ※取得時効完成の時期を定めるにあたっては，取得時効の基礎たる事実が法律に定めた時効期間以上に継続した場合においても，必ず時効の基礎たる事実の開始した時を起算点として時効完成の時期を決定すべきであって，取得時効を援用する者において，任意にその起算点を選択し，時効の完成時期を早めたり遅らせたりすることはできない。（最判昭和35・7・27民集14・10・1871）

6 ※他人の所有地に無権原で自己所有の樹木を植え付けた者でも，右植付けの時から所有の意思をもって平穏かつ公然に20年間占有したときは，その立木の所有権を時効により取得する。（最判昭和38・12・13民集17・12・1696）

7 ※公共用財産が，長年の間事実上公の目的に供用されることなく放置され，公共用財産としての形態・機能を全く喪失し，その物の上に他人の平穏かつ公然の占有が継続していたが，そのため実際上公の目的が害されることもなく，もはやその物を公共用財産として維持すべき理由がなくなった場合には，右公共用財産については，黙示的に公用が廃止されたものとして，取得時効の成立を妨げない。（最判昭和51・12・24民集30・11・1104）

8 ※公有水面埋立法に基づく埋立免許を受けて埋立工事が完成した後，竣功認可を受けていない埋立地であっても，同法35条1項に定める原状回復義務の対象とならなくなった場合には，土地として私法上所有権の客体となり，取得時効の対象となる。（最判平成17・12・16民集59・10・2931）

第163条　（所有権以外の財産権の取得時効）
所有権以外の財産権を，自己のためにする意思をもって，平穏に，かつ，公然と行使する者は，前条の区別に従い20年又は10年を経過した後，その権利を取得する。

★判例

1 ※他人の土地の継続的な用益という外形的事実が存在し，かつ，その用益が賃借の意思に基づくものであることが客観的に表現されているときは，民法163条により，土地賃借権を時効取得することができる。他人の土地について，所有者と称する者から右土地上の建物を買い受けると同時にその敷地を賃借し，この者に20年以上賃料を支払ってきた場合は，本件土地の継続的な用益が賃借の意思に基づくものであることが客観的に表現されていると認められるから，土地の所有者に対する関係において，当該土地の賃借権を時効取得する。（最判昭和62・6・5判時1260・7，最判昭和43・10・8民集22・10・2145）

2 ※時効による農地の賃借権の取得については，農地法3条の規定の適用はなく，同条1項所定の許可がない場合であっても，賃借権の時効取得が認められると解するのが相当である。（最判平成16・7・13判時1871・76）

3 ※不動産賃借権は，目的物の継続的な用益という外形的事実が存在し，かつ，それが賃借の意思に基づくことが客観的に表現されているときは，本条によって時効取得が認められる。（最判昭和43・10・8民集22・10・2145）

4 ※地上権について同趣旨（最判昭和46・11・26）

第164条　（占有の中止等による取得時効の中断）
第162条の規定による時効は，占有者が任意にその占有を中止し，又は他人によってその占有を奪われたときは，中断する。

第165条
前条の規定は，第163条の場合について準用する。

第3節／消滅時効

第166条（債権等の消滅時効）
① 債権は，次に掲げる場合には，時効によって消滅する。
一　債権者が権利を行使することができることを知った時から5年間行使しないとき。
二　権利を行使することができる時から10年間行使しないとき。
② 債権又は所有権以外の財産権は，権利を行使することができる時から20年間行使しないときは，時効によって消滅する。
③ 前二項の規定は，始期付権利又は停止条件付権利の目的物を占有する第三者のために，その占有の開始の時から取得時効が進行することを妨げない。ただし，権利者は，その時効を更新するため，いつでも占有者の承認を求めることができる。

★判例
【旧法時の判例】
1※割賦金弁済契約において，割賦払の約定に違反したときは債務者は債権者の請求により償還期限にかかわらず直ちに残債務全額を弁済すべき旨の約定が存する場合には，1回の不履行があっても，各割賦金額につき約定弁済期の到来ごとに順次消滅時効が進行し，債権者が特に残債務全額の弁済を求める旨の意思表示をした場合に限り，その時から右金額について消滅時効が進行する。(最判昭和42・6・23民集21・6・1492)
2※土地の賃貸借契約において，賃貸人が，長期間の地代支払債務の不履行を一括して1個の解除原因にあたるものとして解除権を行使している場合に，1回でも地代の不払があったときは催告を要せず直ちに契約を解除することができる旨の特約があったとしても，長期間の地代支払債務の不履行を原因とする解除権については，最終支払期日が経過した時から消滅時効が進行する。(最判昭和56・6・16民集35・4・763)
3※賃貸土地の無断転貸を理由とする賃貸借契約の解除権は，債権に準ずるものとして，民法167条1項により，その権利を行使することができる時から10年を経過したときに時効によって消滅する。右解除権は，転借人が，賃借人(転貸人)との間で締結した転貸借契約に基づき，当該土地について使用収益を開始した時から，その権利行使が可能となるから，右解除権の消滅時効は，転借人の使用収益開始時から進行する。(最判昭和62・10・8民集41・7・1445)
4※じん肺に罹患した事実は，その旨の行政上の決定がなければ通常認め難いものであり，また，最初の軽い行政上の決定を受けた時点で，その後の重い決定に相当する病状に基づく損害を含む全損害が発生していたと見ることは，じん肺という疾病の実態に反するものとして是認できないから，雇用者の安全配慮義務違反によりじん肺に罹患したことを理由とする損害賠償請求権の消滅時効は，最終の行政上の決定を受けた時から進行する。(最判平成6・2・22民集48・2・441)
5※会社が破産宣告を受けた後破産終結決定がされて会社の法人格が消滅した場合には，これにより会社の負担していた債務も消滅すると解すべきものであり，この場合，もはや存在しない債務について時効による消滅を観念する余地はない。この理は，同債務について保証人のある場合においても変わらない。したがって，破産終結決定がされて消滅した会社を主債務者とする保証人は，主債務についての消滅時効が会社の法人格の消滅後に完成したことを主張して時効の援用をすることはできないものと解するのが相当である。(最判平成15・3・14判時1821・31)
6※特定物の寄託において，寄託期間の定めのない場合は，寄託者はいつでも寄託物の返還を請求できるから，消滅時効は寄託の時から進行を開始する。(大判大正9・11・27民録26・1797)
7※特定物の寄託において，寄託期間の定めのある場合については，期間満了の時から消滅時効は進行を開始する。(大判昭和5・7・2評論19・1016)
8※債務不履行による損害賠償請求権は本来の債権の変形物にすぎず別個の債権とは考えられないから，その消滅時効の進行は本来の債権の履行を請求できる時からその進行を開始する。(最判昭和35・11・1民集14・13・2781，最判平成10・4・24判時1661・66)
9※(消滅時効の起算点)契約の解除による原状回復の請求権の消滅時効は，契約の解除が

あった時から進行する。（大判大正7・4・13民録24・669）
10❖（消滅時効の起算点）権利者が権利の存在あるいは権利を行使しうることを知らなくてもそれは事実上の障害にすぎないから，消滅時効は進行する。（大判昭和12・9・17民集16・1435）
11❖（消滅時効の起算点）預託会員制ゴルフクラブの施設利用権の消滅時効は，ゴルフ場経営会社が会員に対してその資格を否定して施設の利用を拒絶し，あるいは会員の利用を不可能な状態にしたような時から進行する。（最判平成7・9・5民集49・8・2733）
12❖（消滅時効の起算点）本条1項は，消滅時効の起算点を『権利ヲ行使スルコトヲ得ル時』と定めており，単にその権利の行使について法律上の障害がないというだけではなく，さらに権利の性質上，その権利行使が現実に期待することができるようになった時から消滅時効が進行するというのがその趣旨であることに鑑みると，生命保険契約の保険約款において被保険者の死亡の日の翌日を死亡保険金請求権の消滅時効の起算点と定めている場合であっても，消滅時効は，被保険者の遺体が発見されるまでの間は進行しないと解するのが相当である。（最判平成15・12・11判時1846・106）
13❖自動継続特約付きの定期預金契約における預金払戻請求権の消滅時効は，預金者による解約の申入れがされたことなどにより，それ以降自動継続の取扱いがされることのなくなった満期日が到来した時から進行する。（最判平成19・4・24金判1267・17）
14❖保険契約に適用される約款に基づく履行期が合意によって延期された場合，保険金請求権の消滅時効の起算点は，その翌日となる。（最判平成20・2・28金判1292・60）
15❖継続的な金銭消費貸借取引に関する基本契約が，借入金債務につき利息制限法1条1項所定の制限を超える利息の弁済により過払金が発生したときには，弁済当時他の借入債務が存在しなければ上記過払金をその後発生する新たな借入金債務に充当する旨の合意を含む場合には，上記取引により生じた過払金返還請求権の消滅時効は，特段の事情がない限り，上記取引が終了した時から進行する。（最判平成21・3・6民集63・1・247）
16❖農地の売買において，売主が第三者にその農地を売却をし移転登記をしたことによって，買主への所有権移転登記義務が債務不履行になった場合，これによって生じる損害賠償請求権の消滅時効は，所有権移転許可申請義務の履行を請求することができる時，売買契約締結時から進行する。（最判平成10・4・24判時1661・66）

第167条　（人の生命又は身体の侵害による損害賠償請求権の消滅時効）

人の生命又は身体の侵害による損害賠償請求権の消滅時効についての前条第1項第2号の規定の適用については，同号中「10年間」とあるのは，「20年間」とする。

第168条　（定期金債権の消滅時効）

① 定期金の債権は，次に掲げる場合には，時効によって消滅する。
　一　債権者が定期金の債権から生ずる金銭その他の物の給付を目的とする各債権を行使することができることを知った時から10年間行使しないとき。
　二　前号に規定する各債権を行使することができる時から20年間行使しないとき。
② 定期金の債権者は，時効の更新の証拠を得るため，いつでも，その債務者に対して承認書の交付を求めることができる。

第169条　（判決で確定した権利の消滅時効）

① 確定判決又は確定判決と同一の効力を有するものによって確定した権利については，10年より短い時効期間の定めがあるものであっても，その時効期間は，10年とする。
② 前項の規定は，確定の時に弁済期の到来していない債権については，適用しない。

第170条から第174条の2まで　削除

民法（175条—177条）

第2編　物権

第1章　総則

第175条　（物権の創設）

物権は，この法律その他の法律に定めるもののほか，創設することができない。

★判例

1 ※水利権とは，流水を使用しうる権利であり，慣習上の物権的権利として認められているが，登記することはできない。（大判明治33・2・26民録2・90）
2 ※他人の土地の上に建物を所有するため，その土地を使用する権利は地上権であって，所有権以外の「上土権」なる地表のみの所有権を認めることはできない。（大判大正6・2・10民録23・138）
3 ※湯口権（温泉専用権）は，慣習法上一種の物権的権利に属し，通常温泉の湧出地から引湯して利用する権利は，湧出地そのものから独立した経済価値を有するので，独立の権利として処分できる。だが，その権利の変動を第三者に対抗するためには，その権利の変動を明認せしむるに足りる特殊の公示方法を施すことが必要である。（大判昭和15・9・18民集19・16・11）

第176条　（物権の設定及び移転）

物権の設定及び移転は，当事者の意思表示のみによって，その効力を生ずる。

★判例

1 ※売主の所有に属する特定物を目的とする売買においては，所有権の移転が将来なされるべき約旨に出たものでない限り，買主に対し直ちに所有権移転の効力を生ずる。売主の目的物引渡義務と買主の代金支払義務とが同時履行の関係にある場合でも，目的物の所有権自体の移転が代金の支払又は登記と同時になされるべき約旨でないときは同様である。（最判昭和33・6・20民集12・10・1585）
2 ※特段の事情が認められない限り，倉庫に寄託したハンカチーフの売買契約において，特約により，指定の日時までに代金を支払わないときは契約が当然に失効するという解除条件が付されていた場合は，目的物の所有権は売買契約により当然に買主に移転することはないのであって，当該売買契約によって所有権が当然買主に移転した上で，解除条件の成就により売主に復帰するということではない。（最判昭和35・3・22民集14・4・501）
3 ※不特定物の売買においては，原則として目的物が特定した時に所有権は当然に買主に移転する。AがYからの注文を受け，Xから亜鉛華5トンを買い受け，これをYに売り渡し，亜鉛華5トンがXからYに直接送られた場合，特に売主（X）にその所有権を留保するという特約が存しない以上，特定の時をもって所有権は買主に移転する。（最判昭和35・6・24民集14・8・1528）
4 ※売主が，第三者の所有物について買主と売買契約を締結し，以後買主のために右目的物を占有する旨を約した場合に，後に売主がその所有権を取得したときは，所有者から買主への所有権及び占有移転の時期，方法につき特段の約定ないし意思表示のない限り，売主の所有権取得と同時に，買主は売主よりその所有権を取得し，また，売主の占有取得と同時に，買主は前記約定に基づき占有改定の方法によりその占有を取得する。（最判昭和40・11・19民集19・8・2003）
5 ※動産の割賦払約款付売買契約において，代金完済に至るまで目的物の所有権が売主に留保され，買主に対する所有権の移転は右代金完済を停止条件とする旨の合意がなされているときは，代金完済に至るまでの間に買主の債権者が目的物に対して強制執行に及んだとしても，売主または右売主から目的物を買い受けた第三者は，所有権に基づいて第三者異議の訴えを提起し，その執行の排除を求めることができる。（最判昭和49・7・18民集28・5・743）
6 ※AB間にA所有の立木を目的とする売買契約が成立し，ついでBが同立木を伐採して生じた木材をCに売却したが，引渡しをしないいまに，AB間の売買契約が解除されて，その木材の占有がAに移転して，Aは所有権を完全に回復できる。（大判大正10・5・17民録27・929）

第177条　（不動産に関する物権の変動の対抗要件）

不動産に関する物権の得喪及び変更は，不動産登記法（平成16年法律第123号）その他の登記に関する法律の定めるところに従いその登記をしなければ，第三者に対抗することができない。

民法（177条）

★判例
【登記を必要とする物権変動】
1 ※他人の所有する不動産につき、取得時効に要する期間の占有が継続し、取得時効が完成した場合であっても、その登記を経ないうちに、旧所有者から所有権を取得した第三者が登記を経由したときは、時効による所有権の取得をその第三者に対抗することができないが、それから更に取得時効に要する期間の占有を継続した場合は、登記を経由しなくても、時効による所有権の取得を右第三者に対抗することができる。（最判昭和36・7・20民集15・7・1903）

2 ※時効が完成しても、その登記がなければ、その後に登記を経由した第三者に対しては、時効による権利の取得を対抗することができないのに反し、第三者のなした登記後に時効が完成した場合においては、その第三者に対しては、登記を経由しなくても時効取得をもってこれに対抗することができる。（最判昭和41・11・22民集20・9・1901）

3 ※民法96条3項は取消の遡及効を制限する趣旨であるから、同項にいう第三者とは遡及効の影響を受ける第三者、即ち取消前にその行為の効力につき利害関係を有するに至った第三者に限定され、取消後に利害関係を有するに至った第三者は同条項の適用を受けない。土地売買が詐欺によって取り消された場合は、土地所有権は売主に復帰し、初めから買主に移転しなかったことになるが、この取消による物権変動は、177条により登記をしなければ取消後の第三者に対抗することができない。（大判昭和17・9・30民集21・911）

4 ※不動産を目的とする売買契約に基づき買主のために所有権移転登記がなされた後、不動産売買契約が解除され、その所有権が売主に復帰した場合、売主はその旨の登記を経由しなければ、たまたま右不動産に予告登記（予告登記制度廃止）がなされていたとしても、契約解除後に買主から不動産を取得した第三者に対し、所有権の復帰を対抗することができない。（最判昭和35・11・29民集14・13・2869）

5 ※相続財産に属する不動産につき、共同相続人中の乙が単独所有権移転の登記を経由し、さらに第三者丙に移転登記をした場合でも、乙の登記は他の共同相続人甲の持分に関する限り無権利の登記であり、登記に公信力のない結果、丙も甲の持分に関する限りその権利を取得することはできないから、甲は自分の持分を登記なくして乙及び丙に対抗することができる。（最判昭和38・2・22民集17・1・235）

6 ※相続放棄の効力は絶対的であり、何人に対しても、登記等なくしてその効力を生ずると解すべきである。Aの共同相続人中、Bを含む一部の者が相続を放棄した場合に、Bの債権者Yが、Bを含むすべての共同相続人が本件未登記不動産を共同相続したとして、Bの持分につき、Bに代位して所有権保存登記をし、その持分について仮差押登記をしたとしても、その登記は実体に合わない無効のものであり、その持分についてなされた仮差押及びその登記も無効である。（最判昭和42・1・20民集21・1・16）

7 ※不動産の譲渡契約が、制限行為能力・強迫を理由として取り消されたときは、譲渡人はその不動産を譲受人から取消前に善意で買い受けた転得者に対しても自己の所有権を主張し、転得者のためになされた所有権移転登記の抹消を請求することができる。（大判昭和4・2・20民集8・59、大判昭和10・11・14新聞3922・8）

8 ※不動産売買の解除により売主Aに所有権が復帰した場合に、買主Bからその不動産を譲り受けたCは、Aの所有権復帰による登記の欠缺を主張する利益がある。（大判昭和14・7・7民集18・748）

9 ※時効期間進行の中途に、AからCへ不動産が譲渡され、Cは登記を具備した。その後にBの時効期間が満了した場合には、Cは時効による権利変動の当事者であるから、BはCに対し登記なくして時効を主張することができる。（最判昭和42・7・21民集21・6・1653）

10 ※合意解除についても民法545条1項但書の適用があり、第三者はこの保護を受けるためには登記を要し、仮登記を経由しても、第三者として保護されない。（最判昭和58・7・5判時1089・41）

11 ※（登記を必要とする物権変動「国税滞納処分」）国税滞納処分における不動産の公売が取り消された場合に、その所有権の回復について登記を回復しなかった所有者は、公売処分取消しの後に、登記名義人（落札者）から不動産を譲り受け、登記を経由した第三者に対し、権利の復帰を対抗することはできない。（最判昭和32・6・7集11・6・999）

12 ※（登記を必要とする物権変動）第三者が善意であると悪意であるとを問わず、登記をしない物権変動は、これをもって第三者に対抗することができない。（最判昭和32・9・19民集11・9・1574）

【第三者の範囲】

13❖民法177条にいわゆる第三者とは、当事者若しくはその包括承継人以外の者であって、不動産に関する物権の得喪および変更の登記欠缺を主張する正当の利益を有する者を指称する。同一の不動産について所有権・抵当権等の物権又は賃借権を正当の権原によって取得した者か、同一の不動産を差し押さえた債権者又はその差押について配当加入を申し立てた債権者は、本条の第三者に当る。（大連判明治41・12・15民録14・1276）

14❖不動産の二重売買において、第2の買主は、自らがその登記を備えていないとしても、第1の買主の登記の欠缺を主張するにつき正当の利益を有する第三者に該当するから、第1の買主は、第2の買主より先に譲渡を受けていたとしても、その所有権移転登記を経ていない限り、所有権の取得を第2の買主に対抗することができない。（大判昭和9・5・1民集13・734）

15❖被相続人Aがその所有する土地をBに贈与したが、その旨の登記をしない間に、Aと法律上同一の地位にあるものといえる相続人Cから本件土地を買い受けその旨の登記を得たXは、民法177条にいわゆる第三者に該当し、Bから更に本件土地の贈与を受けたYは、その登記がない以上、所有権の取得をXに対抗することができない。（最判昭和33・10・14民集12・14・3111）

16❖賃借地上に登記ある建物を所有する土地賃借人は、本件土地の所有権の得喪につき利害関係を有する第三者であるから、民法177条の規定上、土地の譲受人は、本件土地の所有権の移転につき、その登記を経由しなければこれを土地賃借人に対抗することができず、したがって、賃貸人たる地位を主張することもできない。（最判昭和49・3・19民集28・2・325）

17❖本件土地がY（国）からAに払い下げられ、その後AからBに、BからXに贈与された場合、Yは本件土地の前所有者であるにすぎず、Aに払下げ後は右土地について何等の権利を主張するものでないから、民法177条にいわゆる第三者に該当せず、本件土地につきXの登記の欠缺を理由としてその所有権取得を否認する正当な利益を有しない。（最判昭和39・2・13判タ160・71）

18❖民法177条にいわゆる第三者というためには、係争土地に対して何らかの正当な権利を有することを要し、該土地をすでに他に有効に譲渡した前所有者のごとく該土地につきなんらの正当な権利を有しない者は、登記の欠缺を主張するについて正当な利益を有するものとはいえないものと解するのを相当とする。（最判昭和43・11・19民集22・12・2692）

19❖無権限で他人の不動産を占有する者は、民法177条にいう「第三者」に該当せず、所有権者は、不法占有者に対して登記がなくても所有権の取得を対抗することができる。Aがその所有する本件家屋をYに賃貸し、Yが本件家屋に居住していたが、Xが本件家屋を買受け、Yとの賃貸借契約を承継した後、その賃貸借を合意解除した場合、Yは何らの権限なくしてX所有の本件家屋を占有する不法占拠者であるから、Xは登記がなくても、Yに所有権の取得を対抗し得る。（最判昭和25・12・19民集4・12・660）

20❖ある不動産につき実質上所有権を有せず、登記簿上所有者として表示されているにすぎない架空の権利者は、実体上の権利を取得した者に対しては、その登記の欠缺を主張することができず、その一方で、真正の所有者に対し、その所有権の公示に協力すべき義務を有するから、真正の所有者は、所有権に基づき所有名義人に対し所有権移転登記の請求をすることができる。（最判昭和34・2・12民集13・2・91）

21❖賃貸借の目的たる家屋を買い受けた者は、所有権取得の登記をしなければ、賃借人に対し所有権の取得を対抗することができない。もっとも、この理が認められるためには、賃借人が所有権移転のときにも引き続いて同家屋に適法な賃借権を有することを要する。けだし、そうでなければ、賃借人は不法占拠者となり、登記の欠缺を主張する正当の利益はないとされるからである。（大判昭和6・3・31新聞3261・16）

22❖第2の買主が第1の買主に対する害意をもって、積極的に売主を教唆して自己に同一不動産を売却させたときは、第2の売買は民法90条の公序良俗に違反し無効であり、第2の買主は本条の第三者には該当しない。（最判昭和36・4・27民集15・4・901）

23❖不動産の共有者の一員が自己の持分を譲渡した場合における譲受人以外の他の共有者は本条にいう第三者に該当する。（最判昭和46・6・18民集25・4・550）

24❖実体上物権変動があった事実を知る者において、右物権変動についての登記の欠缺を主張することが信義に反するものと認められる事情がある場合には、かかる背信的悪意者は、登記の欠缺を主張するについて正当な利益を

有しないものであって，民法177条にいう第三者に当たらない。YがAから本件土地を買い受け，20年以上にわたって占有していることを知ったXが，登記がされていないことに乗じ，Yに高値で売りつけて利益を得る目的で，Aから本件土地を買い受けた等の事実関係の下では，Xは背信的悪意者であり，Yは登記なくして所有権の取得をXに対抗することができる。（最判昭和43・8・2民集22・8・1571）

25❖所有者甲から乙が不動産を買受けたが，その登記が未了の間に，背信的悪意者丙が当該不動産を甲から二重に買受け，さらに丙から転得者丁が買受けて登記を完了した場合には，丙は背信的悪意者といえども全くの無権利者というわけではなく，また，背信的悪意者として「第三者」から排除されるかどうかはその者と第1譲受人との間で相対的に判断されるべき事柄であるから，丁は，乙に対する関係で丁自身が背信的悪意者と評価されるのでない限り，当該不動産の所有権取得をもって乙に対抗することができる。（最判平成8・10・29民集50・9・2506）

26❖甲が乙に不動産を贈与したが，その後紛争が生じ，乙を所有者と確認し，甲が乙に登記を移転する旨の和解契約が成立し，そこに自ら立会人として署名した丙が，別の件で甲に対して訴えを提起し勝訴して，この不動産を差し押さえたとの事情の下では，丙は，いわゆる背信的悪意者として，正当な利益を有する第三者にはあたらない。（最判昭和43・11・15民集22・12・2671）

27❖根抵当権者甲が目的物の譲受人乙に対して，根抵当権を放棄する旨の意思表示をしておきながら，被担保債権とともに根抵当権を丙に譲渡した場合に，丙はその被担保債権の債務者である協同組合の代表であり，甲との間の交渉には根抵当権設定者である会社の代表丁も関与したが，丁は乙を代理してその放棄の意思表示を受領したもので，丙は右意思表示がされた事実を知っていたとの事情の下では，他に特段の事情がない限り，丙は，いわゆる背信的悪意者として，根抵当権の放棄による消滅についての登記の欠缺を主張する正当な利益を有する第三者にはあたらない。（最判昭和44・1・16民集23・1・18）

28❖不動産の贈与を受けた乙が贈与者甲に対し，処分禁止の仮処分をしている間に，甲が乙を欺罔して仮処分の執行を取り消させ乙の登記経由を妨げるのに丙が協力したうえ，丙が右不動産を甲から譲り受けた場合は，丙は，登記の欠缺を主張することができない背信的悪意者にあたる。（最判昭和44・4・25民集23・4・904）

29❖通行地役権の承役地が譲渡された場合において，譲渡の時に，右承役地が要役地の所有者によって継続的に通路として使用されていることがその位置，形状，構造等の物理的状況から客観的に明らかであり，かつ，譲受人がそのことを認識していたか又は認識することが可能であったときは，譲受人は，通行地役権が設定されていることを知らなかったとしても，特段の事情がない限り，地役権設定登記の欠缺を主張するについて正当な利益を有する第三者に当たらない。（最判平成10・2・13民集52・1・65）

30❖通行地役権の承役地の譲受人が地役権設定登記の欠缺を主張するについて正当な利益を有する第三者に当たらない場合には，地役権者は，譲受人に対し，同権利に基づいて地役権設定登記手続を請求することができる。（最判平成10・12・18民集52・9・1975）

31❖通行地役権の承役地が担保不動産競売により売却された場合において，最先順位の抵当権の設定時に，既に設定されている通行地役権に係る承役地が要役地の所有者によって継続的に通路として使用されていることがその位置，形状，構造等の物理的状況から客観的に明らかであり，かつ，上記抵当権の抵当権者がそのことを認識していたか又は認識することが可能であったときは，通行地役権者は，特段の事情がない限り，登記がなくとも，買受人に対し，当該通行地役権を主張することができる。（最判平成25・2・26）

32❖（第三者の範囲）甲が時効取得した不動産について，その取得時効完成後に乙が当該不動産の譲渡を受けて所有権移転登記を完了した場合において，乙が当該不動産の譲渡を受けた時点で，甲が多年にわたって当該不動産を占有している事実を認識しており，甲の登記の欠缺を主張することが信義則に反すると認められる事情が存在するときは，乙は背信的悪意者に該当すると解すべきである。なお，取得時効の成否については，その要件の充足の有無が容易に認識・判断することができないものであることにかんがみると，乙において，甲が取得時効の成立要件を充足していることをすべて具体的に認識していなくても，背信的悪意者と認められる場合があるというべきであるが，その場合であっても，少なくとも，乙が甲による多年にわたる占有継続の事実を認識している必要がある。（最判平成

民法（177条）

18・1・17民集60・1・27）

【登記】

33※不動産の登記簿上の所有名義人は，真正の所有者に対しその所有権の公示に協力すべき義務を有するものであるから，真正の所有者は，所有権に基づき所有名義人に対して所有権移転登記の請求をすることができる。Aから不動産を譲り受けたXが，Y名義で所有権移転登記をした場合，XはYに対して所有権移転登記手続を請求することができる。（最判昭和30・7・5民集9・9・1002）

34※登記簿上の所有名義人は，その不動産の所有者であると推定される。BはAから本件土地を買い受けたが，AからYに所有権移転登記がなされた場合，XのYに対する本件所有権移転登記の抹消登記手続請求訴訟において，本件土地の所有者は登記名義人Yであると推定されるから，Xの請求が認められるためには，Xが自己の主張事実を立証して右推定を覆す責任を負う。（最判昭和34・1・8民集13・1・1）

35※未登記建物が順次譲渡された後，最初の所有者が保存登記を行い，その者から最後の買主へ直接所有権移転登記がなされたが，中間者の明示の同意がない場合であっても，登記の現状が実質上の権利関係と一致しており，中間者の名義を登記に登載する利益もない等の事情の下では，中間者には本件登記の抹消を請求する法律上の利益がなく，その請求は失当である。（最判昭和35・4・21民集14・6・946）

36※実体的な権利変動の過程と異なる移転登記を請求する権利は，当然には発生しないと解すべきであるから，甲乙丙と順次所有権が移転したが登記名義は依然として甲にある場合には，現に所有権を有する丙が甲に対し直接自己に移転登記すべき旨を請求することは許されないが，登記名義人及び中間者の同意があるときは，中間省略登記請求も可能である。登記名義人や中間者の同意がないときは，債権者代位権によってまず中間者への移転登記を訴求し，その後中間者から現所有者への移転登記を履践しなければならない。（最判昭和40・9・21民集19・6・1560）

37※不動産の時効取得者は，取得時効の進行中に原所有者から所有権を取得して移転登記を経由した第三者に対しては，登記がなくても，時効による所有権の取得を対抗することができる。（最判昭和41・11・22民集20・9・1901）

38※取得時効による不動産の所有権の取得について，登記を経ない者は，時効完成後に原所有者から所有権を取得し登記を経由した第三者に対しては，その善意であると否とを問わず，時効による所有権の取得を対抗することができない。（大連判大正14・7・8民集4・412，最判昭和33・8・28民集12・12・1936）

39※抵当権が被担保債権の消滅によって消滅した場合には，その抹消登記がなくても，抵当権の消滅をもって対抗することができる。（大決昭和8・8・18民集12・2105）

40※甲からその所有する不動産の遺贈を受けた乙がその旨の移転登記を経由しない間に，甲の相続人の1人である丙に対する債権者丁が，丙に代位して相続による持分取得の登記をなし，これについて丁の申立てによる強制競売開始決定が登記簿に記入された場合においては，乙は丁に対し遺贈による権利取得を対抗することができない。（最判昭和39・3・6民集18・3・437）

41※未登記不動産の譲渡人Aと譲受人Bの両方が保存登記をした場合，譲受人Bが先に登記をするときは，後になされた譲渡人Aの登記は無効であり，したがって，これに基づいて移転登記などを受けた第三者も，その登記に基づいて登記を取得した者に対抗することができない。（大判明治38・6・7民録11・906）

42※登記が第三者の不法行為や登記官の過誤によって不法に抹消された場合には，本来の登記によって生じた対抗力は消滅しない。（大連判大正12・7・7民集2・448）

43※抵当権が債務の弁済によって消滅したにもかかわらず抵当権の登記を抹消しないでそのまま存続させ，これを後に発生した債権のために流用することは，流用後に現れた第三者に対して有効であるが，流用前に現れた第三者に対する関係では無効である。（大判昭和11・1・14民集15・89）

44※建物が登記された後，移築・改造などによって構造・坪数などに変更を生じ，そのため登記簿上の表示と符合しなくなった場合でも，その同一性が認められるときは，有効な登記と認められるから，登記の流用と区別されるべきである。（最判昭和31・7・20民集10・8・1045）

45※同一建物につき，名義人の異なる保存登記が二重に存在する場合，所有権者でない者の登記は，所有権者の登記より先になされていたとしても，その登記は実質的有効要件を欠いており無効である。（最判昭和34・4・9民集13・4・526）

46❖不動産の取得時効の完成後、所有権移転登記がされることのないまま、第三者が原所有者から抵当権の設定を受けて抵当権設定登記を了した場合において、上記不動産の時効取得者である占有者が、その後引き続き時効取得に必要な期間占有を継続したときは、上記占有者が上記抵当権の存在を容認していたなど抵当権の消滅を妨げる特段の事情がない限り、上記占有者は、上記不動産を時効取得し、その結果、上記抵当権は消滅すると解するのが相当である。

　その理由は、次の三点にある。①長期間の継続的な占有を保護するという時効制度の趣旨に鑑みると、時効完成後に抵当権が設定された場合、占有者がその後いかに長期間占有を継続しても抵当権の負担のない所有権を取得することができないと解することは、是認しがたい。②時効完成後所有権移転登記前に、第三者の抵当権設定登記がされ、その後、抵当権が実行されると、占有者は買受人に対抗できない。そのため、抵当権設定登記時から、占有者と抵当権者との間で権利の対立関係が生じている。この事態は、時効完成後所有権移転登記前に、第三者に不動産が譲渡された場合、占有者は第三者に対し登記なくして時効取得を対抗できるとする昭和36年判決の場合と比肩しうる。③取得時効の完成後に所有権を得た第三者は、占有者が引き続き占有を継続した場合に、所有権を失うことがある（昭和36年判決）にもかかわらず、取得時効の完成後に抵当権を得た第三者は、抵当権を失うことはないとすることは不均衡である。

　本件については、Xが本件抵当権の存在を容認していたなどの特段の事情がうかがわれないため、Xは、本件抵当権の設定登記時を起算点として、本件土地を時効取得し、その結果、本件抵当権は消滅した。（最判平成24・3・16民集66巻5号2321頁）

【登記請求権】
47❖不動産の買主は、その不動産をさらに第三者に譲渡してその所有権を喪失した場合でも、売主に対する登記請求権を失わない。（大判大正5・4・1民録22・674）
48❖未登記不動産につき不法に保存登記がなされた場合、真正の権利者は登記名義人に対し其の登記の抹消を請求できる。（大判昭和16・3・4民集20・385）
49❖登記簿上真正な権利関係と一致していない登記があるときは、その登記の当事者の一方は他の当事者に対し、いずれも真正な登記に一致せしめることを内容とする登記請求権を有する。（最判昭和36・11・24民集15・10・2573）
50❖所有者でない者のした無効の所有権保存登記が登記簿上存在する場合は、真正な所有者は無権利者である登記名義人に対し所有権移転登記を請求できる。（最判昭和32・5・30民集11・5・843）
51❖わが不動産登記法は、不動産について登記簿上、現在の権利関係を明らかにすると共に、これに先行する権利変動の過程をも、登記簿上如実に表現することを目的とするのであるから、その権利変動の当事者となった者が、その権利変動の過程において真実と符合しない無効の登記あるときは、たとえ既にその物権を他に移転し、従って、現在においては、不動産の実質的権利者ではないとしても、その登記の是正に関し利害関係を有するかぎり、現在の実質的権利者と同じく登記名義人に対し抹消登記請求権を有する。（最判昭和36・4・28民集15・4・1230）
52❖不動産が転売され不動産の登記名義が依然として最初の売主にとどまっている場合であっても、転得者は、中間者たる売主に対して所有権移転登記を請求することができる。（大判明治37・3・2民録10・29）
53❖未登記不動産につき不法に保存登記がなされた場合、真正の権利者は登記名義人に対しその登記抹消を請求することができる。（大判明治43・5・24民録16・422）
54❖当事者間の特約に基づき中間者を省略してなした登記は、当事者全員の同意、殊に中間者の同意がある場合にのみその契約は有効であり、中間者は中間省略の登記請求権を有する。（大判大正10・4・12民録27・130、大判大正11・3・25民集1・13）
55❖（登記請求権）登記抹消義務者が不動産を他に譲渡したため所有権を失っても、原所有者はこの者に抹消を請求する権利を有し、右不動産の譲受人に対しては、別訴を提起しその裁判の判決を得て、登記抹消の申請をすることができる。（大判明治40・3・1民録13・203）
56❖（登記請求権）登記抹消の請求は、法律行為取消の請求と異なり、登記原因である法律行為の取消変更を求めるものではなく、ただ登記の形式とその効力との消滅を目的とするものであるから、登記名義人に対してその請求をすれば足りる。（大連判明治41・3・17民録14・303）

【明認方法】
57❖土地所有権の移転にあたり、当事者間の合意

により立木所有権を売主に留保した場合，売主は，立木ニ関スル法律による登記又は明認方法を施さない限り，立木所有権の留保をもって，その地盤である土地の権利を取得した第三者に対抗することができない。（最判昭和34・8・7民集13・10・1223）

58❈明認方法は，立木に関する法律の適用を受けない立木の物権変動の公示方法であるから，登記に代わるものとして，第三者が容易に所有権を認識することができる手段で，しかも，第三者が利害関係を取得する当時にもそれだけの効果をもって存在するものでなければならない。したがって，権利の変動の際にいったん明認方法が行われたとしても，消失その他の事由により公示として働きをなさなくなっている場合は，明認方法として当該第三者に対抗することができない。（最判昭和36・5・4民集15・5・1253）

59❈立木法の適用を受けない立木でも，同一の所有者が数回の譲渡をしたときは，立木の所有権は最初に公示方法を具備した者に帰属し，何人もこれを対抗し得ない。（大判大正10・4・14民録27・732）

60❈立木の生育する土地と立木をともに譲り受け，立木のみに明認方法を施しても，土地について移転登記を具備していなければ，その後の立木の二重譲受人に対しては，立木所有権の取得を対抗することはできない。（大判昭和9・12・28民集17・2427，大判昭和14・3・31法学8・1051）

61❈立木の譲受人が明認方法を施した場合には，その後に地盤である土地所有者から立木及び土地を譲り受け所有権移転登記を具備した者に対して，立木の所有権を対抗することができる。（大判昭和9・10・30民集13・2024）

62❈山林内に製炭設備を作り，伐採に着手した場合は，明認方法として認められる。（大判大正4・12・8民録21・2028）

63❈明認方法は，立木に自己の氏名を表示した極印を打ちこみ，現場には自己の所有に属する旨の標札を立てるなどの方法でなされるのが一般的であるが，この場合，権利取得などの原因を明示する必要はない。（大判大正9・2・19民録26・142）

64❈立木についての明認方法は，登記のような法定の制度ではなく，その公示力は弱いから，第三者が権利関係を取得する当時に存することが必要である。（大判昭和6・7・22民集10・593）

65❈（立木の物権変動）伐採期間を限定し，その期間が過ぎたときは，伐採されないで残存する立木があれば，その所有権は売主に復帰する旨を約しておいた場合は，期間の経過とともに立木所有権は売主に復帰するが，売主が明認方法を施さない前に買主が伐採残りの立木を第三者に譲渡してこの者が明認方法を施せば，売主は所有権の復帰をもってこの第三者には対抗することができない。（大判昭和8・6・20民集12・1543）

66❈（立木の物権変動）伐採木の所有権は『いわば，その（立木所有権）延長に過ぎず，したがって立木の所有権取得を以て対抗し得ない第三者に対しては，これを以てもまた対抗できない筋合』である，と解する。その結果，立木の二重譲渡において，両譲受人がともに明認方法を施さない場合に，一方が伐採に着手しても，そのことは明認方法とはならないから，伐採木の所有権取得をもって他方に対抗することはできない。（最判昭和33・7・29民集12・12・1879）

【その他】

67❈（国税滞納処分）国の国税滞納処分による差押えについても，本条の適用がある。（最判昭和31・4・24民集10・4・417）

68❈（中間省略登記）当事者の特約によって中間省略登記をしても無効ではなく，現在の権利状態に公示が真実であれば登記の立法上の目的は達せられるから，この契約は有効と解するのが相当である。（大判大正5・9・12民集22・1702）

69❈（予告登記）予告登記は，訴訟が提起されたことについては悪意を推定させるが，登記原因そのものの無効の善意・悪意については，各場合における具体的な事実問題として審理すべきであって，予告登記に推定力を持たせることはできない。（大判大正5・11・11民録22・2224）

70❈（物権変動の態様に符合しない登記）贈与と売買とはその内容を異にし，別個の法律行為であることはもちろんであるが，権利移転の効果を生ずる法律行為である点では，異ならないから，贈与であるにかかわらず登記原因を売買として登記した場合には，登記原因が異なるということだけでその無効を主張できない。（大判大正5・12・13民録22・2411）

71❈（中間省略登記）中間省略登記が中間者の同意なしに経由された場合でも，その登記が現実の実体的権利関係に合致するときには，右登記の抹消登記を求める正当の利益を有する中間取得者以外の者は，その無効を主張して抹消登記手続を求めることはできない。（最

(判昭和44・5・2民集23・6・951)

第178条（動産に関する物権の譲渡の対抗要件）
　動産に関する物権の譲渡は，その動産の引渡しがなければ，第三者に対抗することができない。

★判例
1 ※動産について売渡担保契約がなされ，債務者が引き続き担保物件を占有している場合は，債務者は占有改定により以後債権者のために占有するものであり，債権者はこれによって間接占有権を取得し，その動産の引渡しを受けたことになるから，債権者は，その所有権の取得を第三者に対抗することができる。（最判昭和30・6・2民集9・7・855）
2 ※Aがその所有する動産をYに売却した後，これをBに寄託したが，この動産について，Aの債権者Cの申立てにより執行吏保管の仮処分がなされた場合，Aの占有代理人であるBはその占有権を喪失しないから，その後にAがXに本件動産を売り渡し，Bに対し以後Xのために本件動産を占有すべき旨を命じ，Xがこれを承諾したときは，Xは指図による占有移転の方法によりその引渡しを受けたものであり，その引渡は，仮処分債権者Cには対抗できないが，Yに対する関係においては有効である。（最判昭和34・8・28民集13・10・1311）
3 ※（第三者の範囲〔賃借人〕）動産につき賃借権を主張し，これを占有する者は，正当な法律上の利害関係を有する第三者である。（大判大正4・4・27民録21・590）
4 ※（第三者の範囲〔受寄者〕）動産の寄託を受け一時これを保管しているにすぎない者は，その動産の譲渡につき正当の利害関係を有しないから，本条にいう第三者にあたらない。（最判昭和29・8・31民集8・8・1567）
5 ※（明認方法〔未分離果実〕）果実（みかん）は樹木に定着したまま売買できるが，この所有権の取得を第三者に対抗しうるためには，果実の定着する地盤または樹木の引渡しを受け，いつでも果実を収去しうる事実状態を作出すると同時に外部からその状態を明認されうる手段方法を講じなければならない。（大判大正5・9・20民録22・1440）
6 ※（明認方法〔未分離果実〕）桑葉は，樹枝から分離する前でも一種の動産として売買の目的となりうるが，その所有権を取得した買主が，これを第三者に対抗するには，引渡しだけでは足りず，引渡しのあったことを明認

せるに足る方法を講じなければならない。（大判大正9・5・5民録26・622）
7 ※（明認方法〔未分離果実〕）刈り取り前の立稲でも，地盤とは別個に譲渡して引渡すことができ，譲受人は，その引渡しがあったことを外部から明認できる方法を講じれば，その所有権を第三者に対抗することができる。（大判昭和13・9・28民集17・19・27）

第179条（混同）
① 同一物について所有権及び他の物権が同一人に帰属したときは，当該他の物権は，消滅する。ただし，その物又は当該他の物権が第三者の権利の目的であるときは，この限りでない。
② 所有権以外の物権及びこれを目的とする他の権利が同一人に帰属したときは，当該他の権利は，消滅する。この場合においては，前項ただし書の規定を準用する。
③ 前二項の規定は，占有権については，適用しない。

★判例
1 ※1番，2番の抵当権だけが設定されている場合に，2番抵当権者が抵当物件を取得したときは，2番抵当権は消滅し，2番抵当権者は抵当権実行のための競売の申立をすることができない。（大判昭和4・1・30民集8・41）
2 ※抵当権と所有権が同一人に帰属した場合でも，他に次順位の抵当権を有する者がいる場合は，本条1項ただし書によって抵当権は消滅しない。（大判昭和8・3・18民集12・987）
3 ※特定の土地につき所有権と賃借権とが1人に帰属するに至っても，その賃借権が対抗要件を具備したものであり，かつ，その対抗要件を具備した後に右土地に抵当権が設定されていたときは，本条1項但書の準用により，その賃借権は消滅しない。（最判昭和46・10・14民集25・7・933）

第2章●占有権

第1節／占有権の取得

第180条（占有権の取得）
　占有権は，自己のためにする意思を

もって物を所持することによって取得する。

★判例
1 ※建物賃貸人が建物を所持している場合、同人に自己のためにする意思がないとはいえないから、建物賃貸人にも建物の占有が認められるのであって、賃借人のためにする意思をもって所持しているものと解すべきではない（したがって建物賃貸人も占有訴権に基づき、建物の不法占有者に対してその明渡を求めることができる）。（最判昭和27・2・19民集6・2・95）
2 ※株式会社の代表取締役が会社の代表者として土地を占有している場合は、土地の直接占有者は会社であって、当該取締役は会社の機関としてこれを所持するにとどまるのであって、単に会社の機関として所持するにとどまらず、取締役個人のためにも所持するものと認めるべき特別の事情のない限り、当該取締役は直接占有者ではない。（最判昭和32・2・15民集11・2・270）
3 ※建物賃借人の使用人がその家屋に同居する場合、使用人が雇主と対等の地位において、共同してその居住家屋を占有しているものといえるためには、他に特段の事情があることを要し、ただ単に使用人としてその家屋に居住するにすぎない場合は、独立の占有をなすものではなく、家屋の不法占有について、雇主と共同して不法行為責任を負うものではない。（最判昭和35・4・7民集14・5・751）
4 ※（占有権の相続）被相続人が相続開始の当時占有していたものは当然に相続人の占有に承継し、したがって、占有権もその効果として承継される。（最判昭和28・4・24民集7・4・414）
5 ※（占有補助者）甲の家族として同居していた丙は、甲死亡後はその相続人乙の家族として、甲及び乙の占有補助者にすぎず、独立の占有を認めることはできない。（最判昭和28・4・24民集7・4・414）
6 ※社会通念上管理の内容・態様により本件道路が地方公共団体の事実的支配に属するとの客観的関係にあると認められる場合には、道路法上の道路管理権を有するか否かにかかわらず、本件地方公共団体は当該道路を自己占有することができ、当該道路を構成する敷地についても占有権を有する。（最判平成18・2・21民集60・3・508）

第181条（代理占有）
占有権は、代理人によって取得することができる。

第182条（現実の引渡し及び簡易の引渡し）
① 占有権の譲渡は、占有物の引渡しによってする。
② 譲受人又はその代理人が現に占有物を所持する場合には、占有権の譲渡は、当事者の意思表示のみによってすることができる。

第183条（占有改定）
代理人が自己の占有物を以後本人のために占有する意思を表示したときは、本人は、これによって占有権を取得する。

第184条（指図による占有移転）
代理人によって占有をする場合において、本人がその代理人に対して以後第三者のためにその物を占有することを命じ、その第三者がこれを承諾したときは、その第三者は、占有権を取得する。

★判例
1 ※質権設定者である賃貸人が賃借人に対し、以後質権者のために当該不動産を占有すべきことを命じ、賃借人がこれを承諾することによって質権は適法に設定されたことになり、かつ反対の事情がない限り賃貸借は質権者との間にその効力を生ずる。（大判昭和9・6・2民集15・931）

第185条（占有の性質の変更）
権原の性質上占有者に所有の意思がないものとされる場合には、その占有者が、自己に占有をさせた者に対して所有の意思があることを表示し、又は新たな権原により更に所有の意思をもって占有を始めるのでなければ、占有の性質は、変わらない。

★判例
1 ※所有者から土地建物の管理を委託され、建物の南半分に居住し、北半分の賃料を受領して

いた者が死亡した後，その相続人が建物の南半分に居住し，北半分の賃料を受領してこれを取得していた等という事実関係においては，相続人は，土地建物に対する被相続人の占有を相続により承継しただけでなく，新たに土地建物を事実上支配することによりこれに対する占有を開始したものであり，相続人に所有の意思があるとみられる場合には，被相続人の死亡後新権原により土地建物の自主占有をするに至ったものと解される。しかし，相続人が一時期賃料を支払っていた本件では，相続人に所有の意思は認められない。(最判昭和46・11・30民集25・8・1437)

2※他主占有者の相続人が独自の占有に基づく取得時効の成立を主張する場合には，相続人が新たな事実的支配を開始したことによって，従来の占有の性質が変更されたものであるから，その占有が所有の意思に基づくものであるといい得るためには，取得時効の成立を争う相手方ではなく，占有者である当該相続人において，その事実的支配が外形的客観的にみて独自の所有の意思に基づくものと解される事情を，自ら証明しなければならない。(最判平成8・11・12民集50・10・2591)

3※共同相続人の1人が，単独に相続したものと信じて疑わず，相続開始とともに相続財産を現実に占有し，その管理・使用を専行してその収益を独占し，公租公課も自己の名でその負担において納付してきたなどの事情がある場合は，当該相続人はその相続の時から自主占有を取得したものと解される。(最判昭和47・9・8民集26・7・1348)

4※占有における『所有の意思』の有無は，占有取得の原因たる事実(ないし権原)によって外形的客観的に定められる。たとえば，物の買受人や盗人はそのことだけで自主占有者となり，賃借人や受寄者などの占有代理人は当然に他主占有者となるのである。仮に，売買や賃貸借が法律上効力を生じない場合であっても同様である。(最判昭和45・6・18判時600・83，最判昭和45・10・29判時612・52)

5※『新権原によりさらに所有の意思をもって占有を始める』とは，たとえば，賃借人が賃借物を買い受けた場合などである。なお，この譲渡契約が無権代理によるものであったり，無効であっても，譲受人は，以後，所有者として占有するのであるから，その時から自主占有者となる。(最判昭和51・12・2民集30・11・1021，最判昭和52・3・3民集31・2・157)

第186条 （占有の態様等に関する推定）

① 占有者は，所有の意思をもって，善意で，平穏に，かつ，公然と占有をするものと推定する。
② 前後の両時点において占有をした証拠があるときは，占有は，その間継続したものと推定する。

★判例

1※占有者がその性質上所有の意思のないものとされる権原に基づき占有を取得した事実が証明されるか，または占有者が占有中，真の所有者であれば通常はとらない態度を示し，もしくは所有者であれば当然とるべき行動に出なかったなど，外形的・客観的に見て，占有者が他人の所有権を排斥して占有する意思を有していなかったものと解される事情が証明されるときは，占有者の内心の意思いかんを問わず，その所有の意思は否定され，時効による所有権の取得は認められない。(最判昭和58・3・24民集37・2・131)

2※解除条件付売買契約に基づく買主の占有は自主占有であり，解除条件が成就したときでも，当然に買主の占有が他主占有に変わるものではない。(最判昭和60・3・28判時1168・56)

3※他人の土地に建物を建て居住していた者が，土地所有者に所有権移転登記手続を求めてなかったこと及び固定資産税を負担しなかったことだけでは，他主占有事情としては十分であるとはいえない。(最判平成7・12・15民集49・10・3088)

第187条 （占有の承継）

① 占有者の承継人は，その選択に従い，自己の占有のみを主張し，又は自己の占有に前の占有者の占有を併せて主張することができる。
② 前の占有者の占有を併せて主張する場合には，その瑕疵をも承継する。

★判例

1※占有承継人が前主の占有をあわせて主張するときに，占有者の意思の善悪過失の有無はその前主の占有の時を標準とする。(大判明治44・4・7民録17・187)

2※前主が数人ある場合には，特定の前主以下の前主の占有を併せて主張することができ，また，一度すべての前主の占有を併せて主張した場合でも，これを変更できることはもちろ

ん，自己の占有のみを主張することができる。
(大判大正6・11・8民録23・1772)
3※10年の取得時効の要件としての占有者の善意・無過失の存否については占有開始の時点においてこれを判定すべきものとする民法162条2項の規定は，時効期間を通じて占有主体に変更がなく同一人により継続された占有が主張される場合について適用されるだけではなく，占有主体に変更があって承継された2個以上の占有が併せて主張される場合についてもまた適用されるものであり，後者の場合には，その主張にかかる最初の占有につきその占有開始の時点においてこれを判定すれば足りる。(最判昭和53・3・6民集32・2・135)
4※民法187条1項は，相続のような包括承継の場合にも適用され，相続人は必ずしも被相続人の占有についての善意・悪意の地位をそのまま承継するものではなく，その選択に従い自己の占有のみを主張し又は被相続人の占有に自己の占有を併せて主張することができる。先々代(悪意)から先代(善意)を経て土地の占有を承継した占有者は，先代の占有に自己の占有を併せてこれを主張することができる。(最判昭和37・5・18民集16・5・1073)
5※被相続人の事実的支配の中にあった物は，原則として，当然に相続人の支配の中に承継され，その結果占有権も承継されるから，被相続人が死亡して相続が開始するときは，特段の事情のない限り，従前その占有に属したものは，当然相続人の占有に移る。(最判昭和44・10・30民集23・10・1881)
6※本条1項の規定は，権利能力なき社団が不動産を占有し，法人格を取得した以後も当該法人が引き継いで占有を継続している場合にも適用があり，その不動産の時効取得について，法人格取得の日を起算点とすることができる。
(最判平成元・12・22判時1344・129)

第2節／占有権の効力

第188条 (占有物について行使する権利の適法の推定)
占有者が占有物について行使する権利は，適法に有するものと推定する。

第189条 (善意の占有者による果実の取得等)
① 善意の占有者は，占有物から生ずる果実を取得する。
② 善意の占有者が本権の訴えにおいて敗訴したときは，その訴えの提起の時から悪意の占有者とみなす。

★判例
1※(適用範囲)本条の『果実』には，天然果実と法定果実のほか，占有物を利用したことによる利得も含み，自己に所有権があると誤信して他人の所有する家屋に居住している者は，その使用利益を所有者に返還する必要はない。
(大判大正14・1・20民集4・1)

第190条 (悪意の占有者による果実の返還等)
① 悪意の占有者は，果実を返還し，かつ，既に消費し，過失によって損傷し，又は収取を怠った果実の代価を償還する義務を負う。
② 前項の規定は，暴行若しくは強迫又は隠匿によって占有をしている者について準用する。

第191条 (占有者による損害賠償)
占有物が占有者の責めに帰すべき事由によって滅失し，又は損傷したときは，その回復者に対し，悪意の占有者はその損害の全部の賠償をする義務を負い，善意の占有者はその滅失又は損傷によって現に利益を受けている限度において賠償をする義務を負う。ただし，所有の意思のない占有者は，善意であるときであっても，全部の賠償をしなければならない。

第192条 (即時取得)
取引行為によって，平穏に，かつ，公然と動産の占有を始めた者は，善意であり，かつ，過失がないときは，即時にその動産について行使する権利を取得する。

★判例
【即時取得の対象となる動産】
1※民法192条は，現に動産であるものを占有し，又は権原上動産たるべき性質を有するものをその権原に基づき占有している場合について適用される規定であって，本来不動産の一部を組成するものを事実上の行為により動産にして占有している場合には適用されない。本来不動産の一部を組成する立木を伐採して動

民法（192条）

産とした場合には，伐採した立木については同条の適用はなく，それを即時取得することはできない。（大判昭和7・5・18民集11・1963）
2 ※（登録制度のある動産「自動車」）道路運送車両法により登録を受けた自動車については，本条の適用はない。（最判昭和62・4・24判時1243・24）
3 ※（登録制度のある動産「自動車」）道路運送車両法による登録を受けた自動車について，登録が抹消された場合には，本条の適用がある。（最判昭和45・12・4民集24・13・1987）

【善意・無過失】

4 ※民法192条にいう善意無過失とは，動産の占有を始めた者において，取引の相手方がその動産につき無権利者でないと誤信し，かつそのように信ずるにつき過失のなかったことを意味し，その動産が盗品である場合においても，それ以上の要件を必要とするものではない。（最判昭和26・11・27民集5・13・775）
5 ※民法192条にいう無過失の証明責任については，同法188条により占有者が占有物の上に行使する権利はこれを適法に有するものと推定される以上，譲渡人にその外観に対応する権利があると信じた譲受人（占有取得者）は無過失であると推定されるから，占有取得者自身が過失のないことを立証する必要はない。（最判昭和41・6・9民集20・5・1011）
6 ※本条における善意・無過失の有無は，法人については，第一次的にはその代表機関について決すべきであるが，代表機関が代理人によって取引をしたときは，その代理人について決すべきである。（最判昭和47・11・21民集26・9・1657）

【占有取得の方法】

7 ※無権利者から動産の譲渡を受けた場合において，譲受人が民法192条によりその所有権を取得しうるためには，一般外観上従来の占有状態に変更を生ずるがごとき占有を取得することを要し，かかる状態に一般外観上変更を来たさないいわゆる占有改定の方法による取得をもっては足らない。AがYから動産を買い受けてそれを占有していたが，その売買契約が無効となった後，Aからその動産を買い受けて占有改定による引渡しを受けたXは，その動産を即時取得することができない。（最判昭和35・2・11民集14・2・168）
8 ※XはAから土地を庭石などの動産とともに買い受け，その所有権移転登記を経由したが，Aの債権者Yがその動産を競落し，その引渡しを受けた場合は，本件動産は右土地に設営

された庭園設備の一部であり，執行吏はこれを現状のまま差し押さえて競売に付し，Yに対してもこれを現状のまま引き渡したものであって，その引渡しは特段の事情のないかぎり占有改定によるものであると解されるから，Yはその動産を即時取得することができない。（最判昭和32・12・27民集11・14・2485）
9 ※動産の寄託者がその動産を第三者に売り渡した場合に，その引渡しの手段として，右動産を買受人に引渡すことを依頼する旨を記載した荷渡指図書を受寄者宛てに発行し，受寄者が寄託者の意思を確認するなどして，その寄託者台帳上の寄託者名義を右荷渡指図書記載の被指図人（買受人）に変更した場合は，買受人は，寄託者から右動産につき受寄者を占有代理人とする指図による占有移転を受けたものであり，これにより民法192条にいう占有を取得する。（最判昭和57・9・7民集36・8・1527）
10 ※本条の「占有を始めた」とは，外観上従来の占有状態に変化をきたすような占有を取得することが必要で，占有状態に変化のない占有改定では足りない。（大判昭和8・2・13新聞3520・11）
11 ※他人の山林を自己のものと誤信し立木を伐採した場合には，取引行為によりその立木を承継取得したわけではないから，本条の適用は認められない。（大判大正4・5・20民録21・730）

【本条の適用範囲】

12 ※本条は，目的物が当初より動産であった場合に適用され，当初は不動産であった立木を伐採したような場合には適用されない。（大判明治35・10・14刑録8・54，大判昭和7・5・18民集11・1963）
13 ※執行債務者の所有に属さない動産が強制競売に付された場合にも，競落人が本条の要件を具備すれば，その動産の所有権を取得できる。（大判昭和2・5・20民集21・4・1011）
14 ※無権利者から代物弁済によって動産の譲渡を受けた場合であっても，本条の他の要件を具備すれば，その動産の所有権を所得できる。（大判昭和5・5・10新聞3145・12）
15 ※買主の債権者が目的物を差し押えた場合，所有権留保付の売主は第三者異議の訴えによってこれを排除することができるので，買主から目的物を買い受けた者は，善意取得によらない限り，所有権を取得することはできない。（最判昭和42・4・27判時492・55）
16 ※所有権留保付動産売買の買主の場合であっても，本条の要件を具備するときは，右動産の

実体法

所有権を取得することができる。(最判昭和47・11・21民集26・9・1657)
17※道路運送車両法により登録された自動車には，本条は適用されない。(最判昭和62・4・24判時1243・24)

第193条　(盗品又は遺失物の回復)

前条の場合において，占有物が盗品又は遺失物であるときは，被害者又は遺失者は，盗難又は遺失の時から2年間，占有者に対してその物の回復を請求することができる。

★判例

1 ※株券の受寄者がその株券を窃取された場合において，右株券の所持人がその取得につき悪意又は重大な過失があるために商法229条，小切手法21条の規定によりこれを善意取得し得ないときは，当該株券の受寄者は，所持人に対し，民法193条の規定の趣旨に基づき，盗品の被害者として右株券の返還を求めることができる。(最判昭和59・4・20判時1122・113)

2 ※本条は，占有者が，盗難又は遺失のときから2年内に被害者又は遺失主より回復の請求を受けないときに限り，初めてその物の上に行使する権利を取得するという趣旨である。したがって，回復というのは占有者がいったんその物につき即時取得した所有権その他の本権を回復するということではない。(大判大正10・7・8民録27・1317)

第194条

占有者が，盗品又は遺失物を，競売若しくは公の市場において，又はその物と同種の物を販売する商人から，善意で買い受けたときは，被害者又は遺失者は，占有者が支払った代価を弁償しなければ，その物を回復することができない。

★判例

1 ※盗品等の被害者が盗品等の占有者に対してその物の回復を求めたのに対し，占有者が民法194条に基づき，支払った代価の弁償があるまで盗品等の引渡しを拒むことができる場合には，占有者は，弁償の提供があるまで盗品等の使用収益を行う権限を有する。また，占有者は，盗品等を被害者に返還した後においても，なお同条に基づき，被害者に対して代価の弁償を請求することができる。(最判平成12・6・27民集54・5・1737))

第195条　(動物の占有による権利の取得)

家畜以外の動物で他人が飼育していたものを占有する者は，その占有の開始の時に善意であり，かつ，その動物が飼主の占有を離れた時から1箇月以内に飼主から回復の請求を受けなかったときは，その動物について行使する権利を取得する。

第196条　(占有者による費用の償還請求)

① 占有者が占有物を返還する場合には，その物の保存のために支出した金額その他の必要費を回復者から償還させることができる。ただし，占有者が果実を取得したときは，通常の必要費は，占有者の負担に帰する。

② 占有者が占有物の改良のために支出した金額その他の有益費については，その価格の増加が現存する場合に限り，回復者の選択に従い，その支出した金額又は増価額を償還させることができる。ただし，悪意の占有者に対しては，裁判所は，回復者の請求により，その償還について相当の期限を許与することができる。

★判例

1 ※民法608条2項，196条2項の法意は，賃借人による有益費の支出により賃借物の価値が増加したときには，賃借物の返還を受けた賃貸人は，賃借人の損失において増加価値を不当に利得することになるので，現存する増加価値を償還させることにあると解されるから，増・新築部分が返還以前に滅失した場合は，賃貸人が利得すべき増加価値も既に消滅しているから，たとえ賃借人が有益費償還請求権を行使した後に消滅した場合であっても，特段の事情のないかぎり，有益費償還請求権も消滅する。(最判昭和48・7・17民集27・7・798)

第197条　(占有の訴え)

占有者は，次条から第202条までの規

定に従い，占有の訴えを提起することができる。他人のために占有をする者も，同様とする。

★判例

1※（占有訴権と自力救済）私力の行使は，原則として法の禁止するところであるが，法律の定める手続によったのでは違法な侵害の除去が不可能または著しく困難となるような緊急やむを得ない特別の事情が存する場合においてのみ，その必要の限度を超えない範囲で，本権者（占有者）による自力救済は許容される。（最判昭和40・12・7民集19・9・2101）

第198条 （占有保持の訴え）

占有者がその占有を妨害されたときは，占有保持の訴えにより，その妨害の停止及び損害の賠償を請求することができる。

★判例

1※占有保持の訴えによる損害賠償請求は，故意・過失を要件とする一般の不法行為の原則に従う。（大判昭和9・10・19民集13・1940）

第199条 （占有保全の訴え）

占有者がその占有を妨害されるおそれがあるときは，占有保全の訴えにより，その妨害の予防又は損害賠償の担保を請求することができる。

第200条 （占有回収の訴え）

① 占有者がその占有を奪われたときは，占有回収の訴えにより，その物の返還及び損害の賠償を請求することができる。

② 占有回収の訴えは，占有を侵奪した者の特定承継人に対して提起することができない。ただし，その承継人が侵奪の事実を知っていたときは，この限りでない。

★判例

1※民法200条1項の「占有者がその占有を奪われたとき」とは占有者がその意思によらずに物の所持を失った場合を指し，占有侵奪の事実があるといえるためには，占有者自ら占有の意思を失ったものではないことを要するから，占有者が他人に任意に物の占有を移転したときは，移転の意思が他人の欺罔によって生じた場合であっても，占有侵奪の事実があったとはいえない。（大判大正11・11・27民集1・692）

2※民法200条1項にいう占有者についてはその善意・悪意を問わないから，悪意の占有者であっても，占有回収の訴えにより，占有の侵奪によって目的物を使用することができなかったために占有者が被った損害の賠償を，占有侵奪者に対して請求することができる。（大判大正13・5・22民集3・224）

3※民法200条2項の「承継人が侵奪の事実を知っていたとき」とは，少なくとも何らかの形での侵奪があったことについての認識を有していたことが必要であり，占有の侵奪の可能性を認識していたにすぎない場合はこれに当たらない。株券の引渡しを受けた者が，その株券が他人から盗取し，横領し又は騙取してきたものであることを察知しながら，そのいずれの方法であっても構わないと認識していた場合は，いまだ侵奪の事実を知っていたということはできない。（最判昭和56・3・19民集35・2・171）

4※賃借人が占有中の建物の一部を転貸して任意に転借人に引き渡したのち，転借人が転貸人の入室するのを実力をもって拒絶したとしても占有を侵奪したことにはならない。（最判昭和34・1・8民集13・1・17）

5※賃貸借終了後も賃借人が占有を継続する場合には，本条は適用されないが，賃借人の占有補助者が自ら独自の占有を始めたときは占有の侵奪が成立する。（最判昭和57・3・30判時1039・61）

6※（占有訴権の当事者）占有侵害者からその事情を知らないで占有を取得した善意の特定承継人から，その後，悪意の特定承継人に移転しても，もはや占有回収の訴えを提起することはできないと解すべきである。（大判昭和13・12・26民集17・2835）

第201条 （占有の訴えの提起期間）

① 占有保持の訴えは，妨害の存する間又はその消滅した後1年以内に提起しなければならない。ただし，工事により占有物に損害を生じた場合において，その工事に着手した時から1年を経過し，又はその工事が完成したときは，これを提起することができない。

② 占有保全の訴えは，妨害の危険の存する間は，提起することができる。この場合において，工事により占有物に損害を

生ずるおそれがあるときは，前項ただし書の規定を準用する。
③ 占有回収の訴えは，占有を奪われた時から1年以内に提起しなければならない。

第202条　（本権の訴えとの関係）
① 占有の訴えは本権の訴えを妨げず，また，本権の訴えは占有の訴えを妨げない。
② 占有の訴えについては，本権に関する理由に基づいて裁判をすることができない。

★判例
1※民法202条2項は，占有の訴において本権に関する理由に基づいて裁判することを禁ずるものであり，したがって，占有の訴に対し防御方法として本権の主張をすることは許されないが，本権に基づく反訴を提起することについては，同条の禁ずるところではなく，本訴である占有の訴との牽連性も認めることができるから，当該反訴は適法である。（最判昭和40・3・4民集19・2・197）

第3節／占有権の消滅

第203条　（占有権の消滅事由）
占有権は，占有者が占有の意思を放棄し，又は占有物の所持を失うことによって消滅する。ただし，占有者が占有回収の訴えを提起したときは，この限りでない。

★判例
1※占有者が本条但書により占有回収の訴えを提起して勝訴して，現実にその物の占有を回復した場合は，現実には占有しなかった間も占有を失わず占有が継続していたものと擬制する趣旨の規定であり，右訴えを提起したという事実のみでは足りない。（最判昭和44・12・2民集23・12・2333）

第204条　（代理占有権の消滅事由）
① 代理人によって占有をする場合には，占有権は，次に掲げる事由によって消滅する。
一　本人が代理人に占有をさせる意思を放棄したこと。
二　代理人が本人に対して以後自己又は第三者のために占有物を所持する意思を表示したこと。
三　代理人が占有物の所持を失ったこと。
② 占有権は，代理権の消滅のみによっては，消滅しない。

第4節／準占有

第205条
この章の規定は，自己のためにする意思をもって財産権の行使をする場合について準用する。

第3章✱所有権

第1節／所有権の限界

第1款／所有権の内容及び範囲

第206条　（所有権の内容）
所有者は，法令の制限内において，自由にその所有物の使用，収益及び処分をする権利を有する。

★判例
1※金銭は，特別の場合を除いては，物としての個性を有せず，単なる価値そのものと考えるべきであり，価値は金銭の所在に随伴するものであるから，金銭の所有者は，特段の事情のないかぎり，その占有者と一致すると解すべきであり，また金銭を現実に支配して占有する者は，それをいかなる理由によって取得したか，またその占有を正当づける権利を有するか否かにかかわりなく，価値の帰属者即ち金銭の所有者とみるべきものである。（最判昭和39・1・24判時365・26）

第207条　（土地所有権の範囲）
土地の所有権は，法令の制限内において，その土地の上下に及ぶ。

第208条　削除

第2款／相隣関係

第209条　（隣地の使用）
① 土地の所有者は，次に掲げる目的のた

め必要な範囲内で，隣地を使用することができる。ただし，住家については，その居住者の承諾がなければ，立ち入ることはできない。
一　境界又はその付近における障壁，建物その他の工作物の築造，収去又は修繕
二　境界標の調査又は境界に関する測量
三　第233条第3項の規定による枝の切取り
② 前項の場合には，使用の日時，場所及び方法は，隣地の所有者及び隣地を現に使用している者（以下この条において「隣地使用者」という。）のために損害が最も少ないものを選ばなければならない。
③ 第1項の規定により隣地を使用する者は，あらかじめ，その目的，日時，場所及び方法を隣地の所有者及び隣地使用者に通知しなければならない。ただし，あらかじめ通知することが困難なときは，使用を開始した後，遅滞なく，通知することをもって足りる。
④ 第1項の場合において，隣地の所有者又は隣地使用者が損害を受けたときは，その償金を請求することができる。

★判例
1※（私道の法律関係）建築基準法による位置の指定を受けた道路（私道）を通行するについて日常生活上不可欠の利益を有する者は，特段の事情のない限り，通行を妨害するその敷地所有者に対して，妨害排除と将来の妨害行為の禁止を求める権利（人格的権利）を有する。（最判平成9・12・18民集51・10・4241）

第210条　（公道に至るための他の土地の通行権）
① 他の土地に囲まれて公道に通じない土地の所有者は，公道に至るため，その土地を囲んでいる他の土地を通行することができる。
② 池沼，河川，水路若しくは海を通らなければ公道に至ることができないとき，又は崖があって土地と公道とに著しい高低差があるときも，前項と同様とする。

★判例
1※路地状部分によって公路に通じる土地を所有する者が，その土地上にある建物の増築を計画し，建築確認を申請したが，路地状部分が東京都建築安全条例に定める幅員に欠けるため，建築確認が得られなかった場合に，その土地が袋地であるとして，当該路地状部分に接して公路に面する他者の土地の一部に囲繞地通行権を有すると主張することは，それは土地利用についての従来通行に必要不可欠だからではなく，条例との関係上そのような通路を必要とするにすぎず，通行権そのものの問題ではないから，そのような主張は認められない。（最判昭和37・3・15民集16・3・556）
2※民法210条において袋地の所有者が囲繞地を通行することができるとされているのは，相隣関係にある所有権共存の一態様として，囲繞地の所有者に一定の範囲の通行受忍義務を課し，袋地の効用を全うさせるためであり，このような趣旨は不動産取引の安全保護を図るための公示制度とは関係がないから，実体上袋地の所有権を取得した者は，対抗要件を具備することなく，囲繞地所有者らに対し囲繞地通行権を主張しうる。（最判昭和47・4・14民集26・3・483）
3※囲繞地通行権は，ひろく何人にも対抗することができる一種の物権であるから，この権利を妨害する者に対しては囲繞地の所有者であろうとそれ以外の者であっても，自己に通行権があることを認めさせかつ妨害行為を禁止させる権利がある。（東京控判明治41・6・16新聞526・14）
4※土地から公道までに急坂があって石材の搬出にはなはだしく不便である場合にも本条の通行権を認める余地がある。（大判昭和13・6・7民集17・1331）
5※建物の増築・建替えを希望する袋地所有者が，避難又は通行の安全の目的で建築物の敷地に一定の幅員の広い通路を求める建築基準法等の要件を充足させるために，新たな囲繞地通行権又は通路の拡張を主張することは当然に認められるというわけではない。（最判平成11・7・13判時1687・75）
6※自動車による通行を前提とする本条1項所定の通行権の成否及びその具体的内容は，公道に至るため他の土地について自動車による通行を認める必要性，周辺の土地の状況，右通行権が認められることにより他の土地の所有者が被る不利益等の諸事情を総合考慮して判断すべきである。（最判平成18・3・16民集

第211条

① 前条の場合には，通行の場所及び方法は，同条の規定による通行権を有する者のために必要であり，かつ，他の土地のために損害が最も少ないものを選ばなければならない。

② 前条の規定による通行権を有する者は，必要があるときは，通路を開設することができる。

第212条

第210条の規定による通行権を有する者は，その通行する他の土地の損害に対して償金を支払わなければならない。ただし，通路の開設のために生じた損害に対するものを除き，1年ごとにその償金を支払うことができる。

第213条

① 分割によって公道に通じない土地が生じたときは，その土地の所有者は，公道に至るため，他の分割者の所有地のみを通行することができる。この場合においては，償金を支払うことを要しない。

② 前項の規定は，土地の所有者がその土地の一部を譲り渡した場合について準用する。

★判例

1 ※土地の所有者が一筆の土地を分筆の上，そのそれぞれを全部同時に数人に譲渡し，よって袋地を生じた場合においては，民法213条2項の趣旨に徴し，袋地の取得者は，右分筆前一筆であった残余の土地についてのみ囲繞地通行権を取得するにすぎない。（最判昭和37・10・30民集16・10・2182）

2 ※共有物の分割又は土地の一部譲渡によって袋地を生じた場合には，袋地の所有者は，民法213条に基づき，これを囲繞する土地のうち，他の分割者の所有地又は土地の一部の譲渡人若しくは譲受人の所有地（残余地）についてのみ通行権を有し，残余地について特定承継が生じたときも，残余地自体に課せられた物権的負担として，当該囲繞地通行権は消滅し

ない。しかし，同法210条に基づいて残余地以外の囲繞地を通行することは，その囲繞地の所有者に不測の不利益を及ぼすことになり許されない。（最判平成2・11・20民集44・8・1037）

3 ※同一人の所有に属する数筆の土地の一部が担保権の実行として競売により袋地となった場合にも囲繞地通行権が成立する。（最判平成5・12・17判時1480・69）

4 ※本条は，農地の引渡しを受けて現に賃借権を有する者には準用され，他の分筆地を無償で通行することができるが，単なる占有者に対しては準用することは許されない。（最判昭和36・3・24民集15・3・542）

5 ※公道に面する一筆の土地の所有者が，その土地のうち公道に面しない部分を他に賃貸し，その残余地を自から使用している場合には，所有者と賃借人との間において通行に関する別段の特約をしていなかったときでも，所有者は賃借人に対し賃貸借契約に基づく賃貸義務の一内容として右残余地を通行させる義務があり，その賃借地は袋地とはいえない。（最判昭和44・11・13判時582・65）

第213条の2　（継続的給付を受けるための設備の設置権等）

① 土地の所有者は，他の土地に設備を設置し，又は他人が所有する設備を使用しなければ電気，ガス又は水道水の供給その他これらに類する継続的給付（以下この項及び次条第1項において「継続的給付」という。）を受けることができないときは，継続的給付を受けるため必要な範囲内で，他の土地に設備を設置し，又は他人が所有する設備を使用することができる。

② 前項の場合には，設備の設置又は使用の場所及び方法は，他の土地又は他人が所有する設備（次項において「他の土地等」という。）のために損害が最も少ないものを選ばなければならない。

③ 第1項の規定により他の土地に設備を設置し，又は他人が所有する設備を使用する者は，あらかじめ，その目的，場所及び方法を他の土地等の所有者及び他の土地を現に使用している者に通知しなけ

ればならない。
④　第1項の規定による権利を有する者は、同項の規定により他の土地に設備を設置し、又は他人が所有する設備を使用するために当該他の土地又は当該他人が所有する設備がある土地を使用することができる。この場合においては、第209条第1項ただし書及び第2項から第4項までの規定を準用する。
⑤　第1項の規定により他の土地に設備を設置する者は、その土地の損害（前項において準用する第209条第4項に規定する損害を除く。）に対して償金を支払わなければならない。ただし、1年ごとにその償金を支払うことができる。
⑥　第1項の規定により他人が所有する設備を使用する者は、その設備の使用を開始するために生じた損害に対して償金を支払わなければならない。
⑦　第1項の規定により他人が所有する設備を使用する者は、その利益を受ける割合に応じて、その設置、改築、修繕及び維持に要する費用を負担しなければならない。

第213条の3
①　分割によって他の土地に設備を設置しなければ継続的給付を受けることができない土地が生じたときは、その土地の所有者は、継続的給付を受けるため、他の分割者の所有地のみに設備を設置することができる。この場合においては、前条第5項の規定は、適用しない。
②　前項の規定は、土地の所有者がその土地の一部を譲り渡した場合について準用する。

第214条　（自然水流に対する妨害の禁止）
土地の所有者は、隣地から水が自然に流れて来るのを妨げてはならない。

第215条　（水流の障害の除去）
水流が天災その他避けることのできない事変により低地において閉塞したときは、高地の所有者は、自己の費用で、水流の障害を除去するため必要な工事をすることができる。

第216条　（水流に関する工作物の修繕等）
他の土地に貯水、排水又は引水のために設けられた工作物の破壊又は閉塞により、自己の土地に損害が及び、又は及ぶおそれがある場合には、その土地の所有者は、当該他の土地の所有者に、工作物の修繕若しくは障害の除去をさせ、又は必要があるときは予防工事をさせることができる。

第217条　（費用の負担についての慣習）
前二条の場合において、費用の負担について別段の慣習があるときは、その慣習に従う。

第218条　（雨水を隣地に注ぐ工作物の設置の禁止）
土地の所有者は、直接に雨水を隣地に注ぐ構造の屋根その他の工作物を設けてはならない。

第219条　（水流の変更）
①　溝、堀その他の水流地の所有者は、対岸の土地が他人の所有に属するときは、その水路又は幅員を変更してはならない。
②　両岸の土地が水流地の所有者に属するときは、その所有者は、水路及び幅員を変更することができる。ただし、水流が隣地と交わる地点において、自然の水路に戻さなければならない。
③　前二項の規定と異なる慣習があるときは、その慣習に従う。

第220条　（排水のための低地の通水）
高地の所有者は、その高地が浸水した

場合にこれを乾かすため，又は自家用若しくは農工業用の余水を排出するため，公の水流又は下水道に至るまで，低地に水を通過させることができる。この場合においては，低地のために損害が最も少ない場所及び方法を選ばなければならない。

第221条 （通水用工作物の使用）
① 土地の所有者は，その所有地の水を通過させるため，高地又は低地の所有者が設けた工作物を使用することができる。
② 前項の場合には，他人の工作物を使用する者は，その利益を受ける割合に応じて，工作物の設置及び保存の費用を分担しなければならない。

★判例
1※宅地の所有者は，他の土地を経由しなければ，水道事業者の敷設した配水管から当該宅地に給水を受け，その下水を公流又は下水道等まで排出することができない場合において，他人の設置した給排水設備をその給排水のため使用することが他の方法に比べて合理的であるときは，その使用により当該給排水設備に予定される効用を著しく害するなどの特段の事情のない限り，民法220条及び221条の類推適用により，当該給排水設備を使用することができるものと解するのが相当である。その理由は，次のとおりである。
　民法220条は，土地の所有者が，浸水地を乾かし，又は余水を排出することは，当該土地を利用する上で基本的な利益に属することから，高地の所有者にこのような目的による低地での通水を認めたものである。同法221条は，高地又は低地の所有者が通水設備を設置した場合に，土地の所有者に当該設備を使用する権利を認めた。その趣旨とするところは，土地の所有者が既存の通水設備を使用することができるのであれば，新たに設備を設けるための無益な費用の支出を避けることができるし，その使用を認めたとしても設備を設置した者には特に不利益がないということにあるものと解される。ところで，現代の社会生活において，いわゆるライフラインである水道により給水を受けることは，衛生的で

快適な居住環境を確保する上で不可欠な利益に属するものであり，また，下水の適切な排出が求められる現代社会においては，適切な排水設備がある場合には，相隣関係にある土地の高低差あるいは排水設備の所有者が相隣地の所有者であるか否かにかかわらず，これを使用することが合理的である。したがって，宅地の所有者が，他の土地を経由しなければ，水道事業者の敷設した配水管から当該宅地に給水を受け，その下水を公流又は下水道等まで排出することができない場合において，他人の設置した給排水設備をその給排水のため使用することが他の方法に比べて合理的であるときは，宅地所有者に当該給排水設備の使用を認めるのが相当であり，二重の費用の支出を避けることができ有益である。そして，その使用により当該給排水設備に予定される効用を著しく害するなどの特段の事情のない限り，当該給排水設備の所有者には特に不利益がないし，宅地の所有者に対し別途設備の設置及び保存の費用の分担を求めることができる（民法221条2項）とすれば，当該給排水設備の所有者にも便宜であるといえる。（最判平成14・10・15民集56・8・1791）

第222条 （堰の設置及び使用）
① 水流地の所有者は，堰を設ける必要がある場合には，対岸の土地が他人の所有に属するときであっても，その堰を対岸に付着させて設けることができる。ただし，これによって生じた損害に対して償金を支払わなければならない。
② 対岸の土地の所有者は，水流地の一部がその所有に属するときは，前項の堰を使用することができる。
③ 前条第2項の規定は，前項の場合について準用する。

第223条 （境界標の設置）
　土地の所有者は，隣地の所有者と共同の費用で，境界標を設けることができる。

★判例
1※相隣者との間で境界を定めた合意があっても，これによって，その一筆の土地の境界自体は変動せず，これのみによって境界を確定する

ことは許されない。(最判昭和42・12・26民集21・10・2627)

第224条　（境界標の設置及び保存の費用）
境界標の設置及び保存の費用は，相隣者が等しい割合で負担する。ただし，測量の費用は，その土地の広狭に応じて分担する。

第225条　（囲障の設置）
① 2棟の建物がその所有者を異にし，かつ，その間に空地があるときは，各所有者は，他の所有者と共同の費用で，その境界に囲障を設けることができる。
② 当事者間に協議が調わないときは，前項の囲障は，板塀又は竹垣その他これらに類する材料のものであって，かつ，高さ2メートルのものでなければならない。

第226条　（囲障の設置及び保存の費用）
前条の囲障の設置及び保存の費用は，相隣者が等しい割合で負担する。

第227条　（相隣者の1人による囲障の設置）
相隣者の1人は，第225条第2項に規定する材料より良好なものを用い，又は同項に規定する高さを増して囲障を設けることができる。ただし，これによって生ずる費用の増加額を負担しなければならない。

第228条　（囲障の設置等に関する慣習）
前三条の規定と異なる慣習があるときは，その慣習に従う。

第229条　（境界標等の共有の推定）
境界線上に設けた境界標，囲障，障壁，溝及び堀は，相隣者の共有に属するものと推定する。

第230条
① 1棟の建物の一部を構成する境界線上の障壁については，前条の規定は，適用しない。
② 高さの異なる2棟の隣接する建物を隔てる障壁の高さが，低い建物の高さを超えるときは，その障壁のうち低い建物を超える部分についても，前項と同様とする。ただし，防火障壁については，この限りでない。

第231条　（共有の障壁の高さを増す工事）
① 相隣者の1人は，共有の障壁の高さを増すことができる。ただし，その障壁がその工事に耐えないときは，自己の費用で，必要な工作を加え，又はその障壁を改築しなければならない。
② 前項の規定により障壁の高さを増したときは，その高さを増した部分は，その工事をした者の単独の所有に属する。

第232条
前条の場合において，隣人が損害を受けたときは，その償金を請求することができる。

第233条　（竹木の枝の切除及び根の切取り）
① 土地の所有者は，隣地の竹木の枝が境界線を越えるときは，その竹木の所有者に，その枝を切除させることができる。
② 前項の場合において，竹木が数人の共有に属するときは，各共有者は，その枝を切り取ることができる。
③ 第1項の場合において，次に掲げるときは，土地の所有者は，その枝を切り取ることができる。
　一　竹木の所有者に枝を切除するよう催告したにもかかわらず，竹木の所有者が相当の期間内に切除しないとき。
　二　竹木の所有者を知ることができず，又はその所在を知ることができないとき。
　三　急迫の事情があるとき。
④ 隣地の竹木の根が境界線を越えるとき

は，その根を切り取ることができる。

第234条　（境界線付近の建築の制限）
① 建物を築造するには，境界線から50センチメートル以上の距離を保たなければならない。
② 前項の規定に違反して建築をしようとする者があるときは，隣地の所有者は，その建築を中止させ，又は変更させることができる。ただし，建築に着手した時から1年を経過し，又はその建物が完成した後は，損害賠償の請求のみをすることができる。

> ★判例
> 1※防火地域又は準防火地域内にある外壁が耐火構造である建築物につき，その外壁を隣地境界線に接して設けることができる旨規定する建築基準法65条の規定は，耐火構造の外壁を設けることが防火上望ましいという見地や，防火地域又は準防火地域における土地の合理的・効率的な利用を図るという見地に基づいて相隣関係を規律する趣旨であるから，同法条所定の建築物については，その建築について民法234条1項は適用されない。(最判平成元・9・19民集43・8・955)

第235条
① 境界線から1メートル未満の距離において他人の宅地を見通すことのできる窓又は縁側（ベランダを含む。次項において同じ。）を設ける者は，目隠しを付けなければならない。
② 前項の距離は，窓又は縁側の最も隣地に近い点から垂直線によって境界線に至るまでを測定して算出する。

第236条　（境界線付近の建築に関する慣習）
前二条の規定と異なる慣習があるときは，その慣習に従う。

第237条　（境界線付近の掘削の制限）
① 井戸，用水だめ，下水だめ又は肥料だめを掘るには境界線から2メートル以上，池，穴蔵又はし尿だめを掘るには境界線から1メートル以上の距離を保たなければならない。
② 導水管を埋め，又は溝若しくは堀を掘るには，境界線からその深さの2分の1以上の距離を保たなければならない。ただし，1メートルを超えることを要しない。

第238条　（境界線付近の掘削に関する注意義務）
境界線の付近において前条の工事をするときは，土砂の崩壊又は水若しくは汚液の漏出を防ぐため必要な注意をしなければならない。

第2節／所有権の取得

第239条　（無主物の帰属）
① 所有者のない動産は，所有の意思をもって占有することによって，その所有権を取得する。
② 所有者のない不動産は，国庫に帰属する。

> ★判例
> 1※野生のたぬきを追跡して狭い岩穴のなかに追いこみ，石塊でその入口をふさぎ，逃げることのできないようにした場合には，それを確実に先占したものである。(大判大正14・6・9刑集4・378)
> 2※表題部所有者の登記も所有権の登記もない土地を時効取得したと主張する者が，当該土地は所有者が不明であるから国庫に帰属していたとして，国に対し当該土地の所有権を有することの確認を求める訴えは，次の(1)～(3)の事情の下では，確認の利益を欠く。
> (1) 国は，当該土地が国の所有に属していないことを自認している。
> (2) 国は，上記の者が主張する所得時効の起算点よりも前に当該土地の所有権を失った。
> (3) 上記の者において，当該土地につき自己を表題部所有者とする登記の申請をした上で保存登記の申請をする手続を尽くしたにもかかわらず所有名義を取得することができなかったなどの事情もうかがわれない。(最判平成23・6・3)

第240条　（遺失物の拾得）
遺失物は，遺失物法（平成18年法第73号）の定めるところに従い公告をした後

3箇月以内にその所有者が判明しないときは，それを拾得した者がその所有権を取得する。

第241条　（埋蔵物の発見）
埋蔵物は，遺失物法の定めるところに従い公告をした後6箇月以内にその所有者が判明しないときは，これを発見した者がその所有権を取得する。ただし，他人の所有する物の中から発見された埋蔵物については，これを発見した者及びその他人が等しい割合でその所有権を取得する。

第242条　（不動産の付合）
不動産の所有者は，その不動産に従として付合した物の所有権を取得する。ただし，権原によってその物を附属させた他人の権利を妨げない。

★判例

1※他人の土地に播種し生育した苗が播種した者の所有であるためには，播種が同人の権原に基づくものでなければならず，その権原を有しない者が播種した場合には，民法242条但書により苗の所有権を留保することはできず，同条本文により，その苗は附合によって土地所有者の所有に帰する。（最判昭和31・6・19民集10・6・678）

2※山林の買主がその山林に立木を植栽したが，売主が当該山林を第三者に対し二重に譲渡し，移転登記を経由した場合，第1の買主は山林所有権を第2の買主に対抗することができないが，本件立木は第1の買主が権原に基づいて植栽したものであるから，民法242条但書を類推して，立木の地盤への附合は遡って否定される。しかし，この立木の所有権を第三者に対抗するためには，立木の所有権を公示する対抗要件を必要とする。（最判昭和35・3・1民集14・3・307）

3※本件建物の1階の一部を賃借している者が，賃貸人の承諾を得て賃借部分を取り壊し，その跡に自らの負担で店舗を作った場合は，その一部に建物の2階が重なっており，既存の柱や天井の梁を利用している事実があってもなお，賃借人が権原によって本件建物に付属させた独立の建物であって，他に特別の事情が存しないかぎり，その者の区分所有権の対

象となる。（最判昭和38・10・29民集17・9・1236）

4※建物賃借人が，賃借建物の上に新たな建物を自己の費用で増築した場合に，当該増築部分から外部への出入りが，賃借建物の中にある梯子段を使用するほか方法がないときは，当該増築部分は当該賃借建物の構造の一部を成し，それ自体は取引上の独立性を有せず，建物の区分所有権の対象たる部分には当たらないから，増築について賃貸人から承諾を受けていたとしても，民法242条ただし書の適用はなく，その増築部分の所有権は構造当初から賃借建物の所有者に属する。（最判昭和44・7・25民集23・8・1627）

5※増築部分が当該建物と別個独立の存在を有せず，その構成部分となっている場合には，増築部分は，当該建物の所有者に帰属する。（最判昭和38・5・31民集17・4・588）

6※播種された麦，植え付けられた稲は，当初は土地所有権の一部を構成しているが，収穫期が近づけば，独立の所有権の客体となり，権原ある植栽者がその所有権を保留する。（大判昭和2・6・14刑集6・304）

7※土地の譲受人が移転登記をしていない場合であっても，耕作して得た稲立毛の所有権は，それを差し押えた土地の譲受人の債権者に対抗することができる。（大判昭和17・2・24民集21・151）

8※付合物は従来の不動産と一体となって，従来の不動産の所有権の目的となるのであって，付合物に対する所有権が別個のものとして不動産の所有者に属するものではない。（最判昭和28・1・23民集7・1・78）

9※新たに建築された部分が従前の建物である主屋部分と構造的に接合していない場合であっても，新たに建築された部分が主屋部分に接して築造され，構造上建物としての独立性を欠き，主屋部分と一体となって利用され，取引されるべき状態にあるときは，その新たに建築された部分は主屋部分に付合したものと解される。（最判昭和43・6・13民集22・6・1183）

10※権原のない者が植栽した樹木または苗木は，本条本文により，土地所有者がその所有権を取得するし，植栽した者は右の所有権を有しないから，収去義務もない。（最判昭和46・11・16判時654・56）

第243条　（動産の付合）
所有者を異にする数個の動産が，付合

により，損傷しなければ分離することができなくなったときは，その合成物の所有権は，主たる動産の所有者に帰属する。分離するのに過分の費用を要するときも，同様とする。

第244条

付合した動産について主従の区別をすることができないときは，各動産の所有者は，その付合の時における価格の割合に応じてその合成物を共有する。

第245条　（混和）

前二条の規定は，所有者を異にする物が混和して識別することができなくなった場合について準用する。

第246条　（加工）

① 他人の動産に工作を加えた者（以下この条において「加工者」という。）があるときは，その加工物の所有権は，材料の所有者に帰属する。ただし，工作によって生じた価格が材料の価格を著しく超えるときは，加工者がその加工物の所有権を取得する。

② 前項に規定する場合において，加工者が材料の一部を供したときは，その価格に工作によって生じた価格を加えたものが他人の材料の価格を超えるときに限り，加工者がその加工物の所有権を取得する。

★判例

1※建物の建築工事請負人が建築途上において未だ独立の不動産に至らない「建前」を築造したままの状態で放置し，第三者がこれに材料を供して工事を施し，独立の不動産である建物に仕上げた場合，その建物所有権の帰属については，材料に対して施される工作が特段の価値を有し，仕上げられた建物の価格が原材料のそれよりも相当程度増加するのであるから，民法243条ではなく，同法246条2項の加工の規定により決定される。その場合の比較の基準時は，当該建前が独立の不動産たる要件を具備した時点ではなく，建物として仕上げられた時点である。（最判昭和54・1・25民集33・1・26）

第247条　（付合，混和又は加工の効果）

① 第242条から前条までの規定により物の所有権が消滅したときは，その物について存する他の権利も，消滅する。

② 前項に規定する場合において，物の所有者が，合成物，混和物又は加工物（以下この項において「合成物等」という。）の単独所有者となったときは，その物について存する他の権利は以後その合成物等について存し，物の所有者が合成物等の共有者となったときは，その物について存する他の権利は以後その持分について存する。

★判例

1※互いに主従関係のない甲乙2棟の建物が，その間の隔壁を除去する等の工事により1棟の丙建物となった場合においても，これをもって，甲建物あるいは乙建物を目的として設定されていた抵当権が消滅することはなく，その抵当権は，丙建物のうちの甲建物あるいは乙建物の価格の割合に応じた持分を目的とするものとして存続する。（最判平成6・1・25民集48・1・18）

第248条　（付合，混和又は加工に伴う償金の請求）

第242条から前条までの規定の適用によって損失を受けた者は，第703条及び第704条の規定に従い，その償金を請求することができる。

第3節／共有

第249条　（共有物の使用）

① 各共有者は，共有物の全部について，その持分に応じた使用をすることができる。

② 共有物を使用する共有者は，別段の合意がある場合を除き，他の共有者に対し，自己の持分を超える使用の対価を償還する義務を負う。

③ 共有者は，善良な管理者の注意をもっ

て，共有物の使用をしなければならない。

★判例
1 ※共有地が不法に占有されている場合に，共有者全員又はその一部の者が，不法占有者に対して損害賠償を請求する場合には，各共有者は，それぞれの共有持分の割合に応じて請求すべきであって，その割合を超えて請求することは許されない。（最判昭和51・9・7判時831・35）
2 ※共有持分の価格が過半数に満たない者（少数持分権者）が共有物を単独で占有する場合であっても，少数持分権者も自己の持分によって共有物を使用収益する権原を有し，これに基づいて共有物を占有することができる以上，共有持分の価格が過半数を超える者（多数持分権者）は，右少数持分権者に対して当然に共有物の明渡を請求することができるものではなく，多数持分権者において，その明渡を求める理由を主張・立証しなければならない。（最判昭和41・5・19民集20・5・947）
3 ※内縁の夫婦がその共有不動産を共同使用してきたときは，特段の事情がない限り，一方が死亡した後は他方がその不動産を単独で使用する旨の合意が成立していたものとされる。（最判平成10・2・26民集52・1・255）
4 ※共有者の協議に基づかないで，一部の共有者から占有使用を承認された第三者は，その占有を承認した共有者の持分に基づくと認められる限度で共有物の占有使用する権限を有するから，これを承認しない他の共有者は，右第三者に対して当然には明渡しを請求することはできない。（最判昭和63・5・20家月40・9・57，判時1277・116）

【損害賠償請求】
5 ※最判昭和51・9・7判時831・35と同旨。（最判昭和41・3・3判時443・32）

【時効中断】
6 ※各共有者は，自己の持分権につき，単独で，第三者の取得時効を中断することができる。（大判大正8・5・31民録25・946）

【共有の法律関係】
7 ※共有者の1人が権限なくして，共有物を自己の単独所有に属するものとして売り渡した場合でも，売買契約は有効に成立し，自己の持分を超える部分については，他人の権利の売買としての法律関係を生じ，自己の持分の範囲内では約旨にしたがった履行義務を負う。（最判昭和43・4・4判時521・47）
8 ※持分権は1個の所有権であるから対内的にも対外的にも持分権者はその権利を主張しうる。すなわち，自己の持分を否認する者に対し，単独で持分確認の訴を提起することができる。（大判大正13・5・19民集3・211，大判昭和3・12・17民集7・1095）
9 ※不動産の共有者の1人が，単独で占有していることにより他の共有者が持分に応じた使用を妨げられる場合には，占有している者に対して，他の共有者は持分割合に応じた不当利得金ないし損害賠償金の支払いを請求できる。（最判平成12・4・7判時1713・50）

第250条　（共有持分の割合の推定）
　各共有者の持分は，相等しいものと推定する。

第251条　（共有物の変更）
① 各共有者は，他の共有者の同意を得なければ，共有物に変更（その形状又は効用の著しい変更を伴わないものを除く。次項において同じ。）を加えることができない。
② 共有者が他の共有者を知ることができず，又はその所在を知ることができないときは，裁判所は，共有者の請求により，当該他の共有者以外の他の共有者の同意を得て共有物に変更を加えることができる旨の裁判をすることができる。

★判例
1 ※共有者の一部が他の共有者の同意を得ないで，共有物を物理的に損傷したり改変するなどの変更を加えている場合には，他の共有者は，各自の共有持分権に基づいて，その行為の禁止を求めることだけでなく，行為により生じた結果を除去して共有物を原状に復させることを求めることができる。（最判平成10・3・24判時1641・80）
2 ※土地及びその上にある建物が甲乙の共有に属する場合，土地についての甲の持分が強制競売によって売却され，丙がその持分を取得しても，民事執行法81条により地上権は，丙には成立しない。（最判平成6・4・7民集48・3・889）

第252条　（共有物の管理）
① 共有物の管理に関する事項（次条第1項に規定する共有物の管理者の選任及び

解任を含み，共有物に前条第1項に規定する変更を加えるものを除く。次項において同じ。）は，各共有者の持分の価格に従い，その過半数で決する。共有物を使用する共有者があるときも，同様とする。
② 裁判所は，次の各号に掲げるときは，当該各号に規定する他の共有者以外の共有者の請求により，当該他の共有者以外の共有者の持分の価格に従い，その過半数で共有物の管理に関する事項を決することができる旨の裁判をすることができる。
一 共有者が他の共有者を知ることができず，又はその所在を知ることができないとき。
二 共有者が他の共有者に対し相当の期間を定めて共有物の管理に関する事項を決することについて賛否を明らかにすべき旨を催告した場合において，当該他の共有者がその期間内に賛否を明らかにしないとき。
③ 前二項の規定による決定が，共有者間の決定に基づいて共有物を使用する共有者に特別の影響を及ぼすべきときは，その承諾を得なければならない。
④ 共有者は，前三項の規定により，共有物に，次の各号に掲げる賃借権その他の使用及び収益を目的とする権利（以下この項において「賃借権等」という。）であって，当該各号に定める期間を超えないものを設定することができる。
一 樹木の栽植又は伐採を目的とする山林の賃借権等　10年
二 前号に掲げる賃借権等以外の土地の賃借権等　5年
三 建物の賃借権等　3年
四 動産の賃借権等　6箇月
⑤ 各共有者は，前各項の規定にかかわらず，保存行為をすることができる。

★判例
1※共有者が共有物を目的とする貸借契約（賃貸借・使用貸借）を解除することは，民法252条の管理行為に当たり，この場合は同法544条1項の規定の適用が排除される（したがって，過半数の共有持分を有する者は，単独で，共有物を目的とする貸借契約を解除することができる）。（最判昭和39・2・25民集18・2・329）
2※ある不動産の共有者の1人が，その持分に基づき，当該不動産につき登記簿上所有名義者である者に対してその登記の抹消を求めることは，妨害排除の請求にほかならず，いわゆる保存行為に属する。被相続人が土地を買い受けてその所有権を取得したが，第三者名義への所有権移転登記を行った場合，共同相続人の1人は単独で，登記簿上の所有名義人に対して右所有権移転登記の抹消を求めることができる。（最判昭和31・5・10民集10・5・487）
3※不動産の共有者の1人は，その持分権に基づき，共有不動産に対して加えられた妨害を排除することができるところ，不実の持分移転登記がされている場合には，その登記によって共有不動産に対する妨害状態が生じているということができるから，共有不動産について全く実体上の権利を有しないのに持分移転登記を経由している者に対し，その持分権に基づく保存行為として，単独でその持分移転登記の抹消登記手続を請求することができる。（最判平成15・7・11民集57・7・787）
4※各共有者は単独で，共有土地を不法に占有している者に対して，民法428条の不可分債権の規定を類推適用し，自己に目的物を返還するよう請求できる。（大判大正10・3・18民録27・547）
5※共有土地の不法占拠者に対する所有権に基づく土地明渡請求は，各共有者は単独で目的物を自己に返還するよう請求できる。これは，保存行為といえるからである。（大判大正10・6・13民録27・1155）
6※共有物に対し妨害をなすものがあれば，それが第三者であろうと，共有者の1人であろうと，各共有者は，単独でその排除を請求することができる。（大判大正7・4・19民録24・731，大判大正10・7・18民録27・1392）
7※第三者が共有物の占有を奪った場合には，各共有者は，自分に目的物全部の返還をなすべきことを請求できる。この場合の引渡し請求権は不可分債権に類するからである。（大判大正10・3・18民録27・547，大判大正

12・2・23民集2・1・27)
8 ※共有者が共有関係にあることを第三者に対して主張するには，いわゆる固有必要的共同訴訟として，共有者全員が原告になることを要する。(最判昭和46・10・7民集25・7・885)

第252条の2 (共有物の管理者)
① 共有物の管理者は，共有物の管理に関する行為をすることができる。ただし，共有者の全員の同意を得なければ，共有物に変更（その形状又は効用の著しい変更を伴わないものを除く。次項において同じ。）を加えることができない。
② 共有物の管理者が共有者を知ることができず，又はその所在を知ることができないときは，裁判所は，共有物の管理者の請求により，当該共有者以外の共有者の同意を得て共有物に変更を加えることができる旨の裁判をすることができる。
③ 共有物の管理者は，共有者が共有物の管理に関する事項を決した場合には，これに従ってその職務を行わなければならない。
④ 前項の規定に違反して行った共有物の管理者の行為は，共有者に対してその効力を生じない。ただし，共有者は，これをもって善意の第三者に対抗することができない。

第253条 (共有物に関する負担)
① 各共有者は，その持分に応じ，管理の費用を支払い，その他共有物に関する負担を負う。
② 共有者が1年以内に前項の義務を履行しないときは，他の共有者は，相当の償金を支払ってその者の持分を取得することができる。

第254条 (共有物についての債権)
共有者の1人が共有物について他の共有者に対して有する債権は，その特定承継人に対しても行使することができる。

★判例
1 ※土地の共有者により持分の一部を譲り受けた甲が，他の共有者と，共有者間の内部において，その土地の一部を分割し，その部分を右譲受人の単独所有者として独占的に使用しうること及び後に分筆登記が可能となったときは，その後同土地につき共有持分を譲り受けた乙に対して，右契約上の債権を行うことができる。(最判昭和34・11・26民集13・12・1550)

第255条 (持分の放棄及び共有者の死亡)
共有者の1人が，その持分を放棄したとき，又は死亡して相続人がないときは，その持分は，他の共有者に帰属する。

第256条 (共有物の分割請求)
① 各共有者は，いつでも共有物の分割を請求することができる。ただし，5年を超えない期間内は分割をしない旨の契約をすることを妨げない。
② 前項ただし書の契約は，更新することができる。ただし，その期間は，更新の時から5年を超えることができない。

★判例
1 ※共有物である土地の分割の結果，その一部について単独所有権を取得した者は，分筆登記を経由した上で，他の共有者と共同して共有物分割を原因とする持分の移転登記手続を申請すべきである。(最判昭和42・8・25民集21・7・1729)

第257条
前条の規定は，第229条に規定する共有物については，適用しない。

第258条 (裁判による共有物の分割)
① 共有物の分割について共有者間に協議が調わないとき，又は協議をすることができないときは，その分割を裁判所に請求することができる。
② 裁判所は，次に掲げる方法により，共有物の分割を命ずることができる。
一 共有物の現物を分割する方法

二　共有者に債務を負担させて，他の共有者の持分の全部又は一部を取得させる方法
③　前項に規定する方法により共有物を分割することができないとき，又は分割によってその価格を著しく減少させるおそれがあるときは，裁判所は，その競売を命ずることができる。
④　裁判所は，共有物の分割の裁判において，当事者に対して，金銭の支払，物の引渡し，登記義務の履行その他の給付を命ずることができる。

★判例
1 ※民法258条による共有物分割の方法につき，現物分割をするに当たっては，①持分の価格以上の現物を取得する共有者に当該超過分の対価を支払わせ，過不足の調整をする方法，②分割の対象となる共有物が多数の不動産である場合は，これらの不動産が外形上一団とみられるときはもとより，数か所に分かれて存在するときも，右不動産を一括して分割の対象とし，分割後の各部分を各共有者の単独所有とする方法，③共有者が多数である場合，分割請求をする者に対してのみ，その持分の限度で現物を分割し，その余は他の者の共有として残す方法によることも許される。（最大判昭和62・4・22民集41・3・408）
2 ※民法258条の共有物の分割については，共有物の性質・形状，共有関係の発生原因，共有者の数や持分割合，共有物の利用状況や分割された場合の経済的価値，分割方法に関する共有者の希望とその合理性等の事情を総合的に考慮し，当該共有物を特定の共有者に取得させるのが相当であり，かつ，その価格が適正に評価され，当該取得者に支払能力があって，他の共有者には当該共有者の持分の価格を取得させても実質的公平を害しないと認められる特段の事情があるときは，共有物を共有者中の1人の単独所有又は数人の共有とし，これらの者から他の共有者に対して持分の価格を賠償させる方法（全面的価格賠償）によることも許される。（最判平成8・10・31民集50・9・2563）
3 ※㈠本条1項に定められている「共有者ノ協議調ハサルトキ」とは，共有者の一部に共有物分割の協議に応ずる意思がないため共有者全員において協議をなし得ない場合を含み，現実に協議をした上で不調に終わった場合に限るものではない。㈡不動産の共有者間に持分の譲渡があっても，その旨の登記をしなければ，譲受人は右持分の取得をもって他の共有者には対抗することができず，この場合には，共有者全員に対する関係において，右持分がなお譲渡人に帰属するものとして共有物分割の裁判をなすべきである。（最判昭和46・6・18民集25・4・550）
4 ※遺産相続により相続人の共有となった財産の分割については，家庭裁判所が審判によってこれをなすべきであって，民法258条による共有物分割請求の訴えは不適法である。（最判昭和62・9・4判時1251・101）
5 ※共有物の分割をなす場合においては，各共有者はその当事者としていずれも直接利害関係を有するから，共有者の中のある者を除外して，分割の手続を遂行することができない。したがって，共有物分割の訴えを提起する者は，他の共有者の全員を被告とすることを要する。（大判明治41・9・25民録14・931）

第258条の2

①　共有物の全部又はその持分が相続財産に属する場合において，共同相続人間で当該共有物の全部又はその持分について遺産の分割をすべきときは，当該共有物又はその持分について前条の規定による分割をすることができない。
②　共有物の持分が相続財産に属する場合において，相続開始の時から10年を経過したときは，前項の規定にかかわらず，相続財産に属する共有物の持分について前条の規定による分割をすることができる。ただし，当該共有物の持分について遺産の分割の請求があった場合において，相続人が当該共有物の持分について同条の規定による分割をすることに異議の申出をしたときは，この限りでない。
③　相続人が前項ただし書の申出をする場合には，当該申出は，当該相続人が前条第1項の規定による請求を受けた裁判所から当該請求があった旨の通知を受けた日から2箇月以内に当該裁判所にしなければならない。

第259条 (共有に関する債権の弁済)
① 共有者の1人が他の共有者に対して共有に関する債権を有するときは,分割に際し,債務者に帰属すべき共有物の部分をもって,その弁済に充てることができる。
② 債権者は,前項の弁済を受けるため債務者に帰属すべき共有物の部分を売却する必要があるときは,その売却を請求することができる。

第260条 (共有物の分割への参加)
① 共有物について権利を有する者及び各共有者の債権者は,自己の費用で,分割に参加することができる。
② 前項の規定による参加の請求があったにもかかわらず,その請求をした者を参加させないで分割をしたときは,その分割は,その請求をした者に対抗することができない。

> ★判例
> 1※本条第2項は,本条の参加をした者に分割を対抗しえない旨を定めたにとどまり,共有物の分割前共有者の1人がその持分につき設定した抵当権が抵当権設定者の取得部分に集中するかどうかを定めたものではなく,たとい分割に抵当権者が参加したとしても抵当権設定者の取得した部分に抵当権が集中するものではない。(大判昭和17・4・24民集21・449)

第261条 (分割における共有者の担保責任)
各共有者は,他の共有者が分割によって取得した物について,売主と同じく,その持分に応じて担保の責任を負う。

第262条 (共有物に関する証書)
① 分割が完了したときは,各分割者は,その取得した物に関する証書を保存しなければならない。
② 共有者の全員又はそのうちの数人に分割した物に関する証書は,その物の最大の部分を取得した者が保存しなければならない。
③ 前項の場合において,最大の部分を取得した者がないときは,分割者間の協議で証書の保存者を定める。協議が調わないときは,裁判所が,これを指定する。
④ 証書の保存者は,他の分割者の請求に応じて,その証書を使用させなければならない。

第262条の2 (所在等不明共有者の持分の取得)
① 不動産が数人の共有に属する場合において,共有者が他の共有者を知ることができず,又はその所在を知ることができないときは,裁判所は,共有者の請求により,その共有者に,当該他の共有者(以下この条において「所在等不明共有者」という。)の持分を取得させる旨の裁判をすることができる。この場合において,請求をした共有者が2人以上あるときは,請求をした各共有者に,所在等不明共有者の持分を,請求をした各共有者の持分の割合で按分してそれぞれ取得させる。
② 前項の請求があった持分に係る不動産について第258条第1項の規定による請求又は遺産の分割の請求があり,かつ,所在等不明共有者以外の共有者が前項の請求を受けた裁判所に同項の裁判をすることについて異議がある旨の届出をしたときは,裁判所は,同項の裁判をすることができない。
③ 所在等不明共有者の持分が相続財産に属する場合(共同相続人間で遺産の分割をすべき場合に限る。)において,相続開始の時から10年を経過していないときは,裁判所は,第1項の裁判をすることができない。
④ 第1項の規定により共有者が所在等不明共有者の持分を取得したときは,所在等不明共有者は,当該共有者に対し,当該共有者が取得した持分の時価相当額の支払を請求することができる。

⑤　前各項の規定は，不動産の使用又は収益をする権利（所有権を除く。）が数人の共有に属する場合について準用する。

第262条の3　（所在等不明共有者の持分の譲渡）

①　不動産が数人の共有に属する場合において，共有者が他の共有者を知ることができず，又はその所在を知ることができないときは，裁判所は，共有者の請求により，その共有者に，当該他の共有者（以下この条において「所在等不明共有者」という。）以外の共有者の全員が特定の者に対してその有する持分の全部を譲渡することを停止条件として所在等不明共有者の持分を当該特定の者に譲渡する権限を付与する旨の裁判をすることができる。

②　所在等不明共有者の持分が相続財産に属する場合（共同相続人間で遺産の分割をすべき場合に限る。）において，相続開始の時から10年を経過していないときは，裁判所は，前項の裁判をすることができない。

③　第１項の裁判により付与された権限に基づき共有者が所在等不明共有者の持分を第三者に譲渡したときは，所在等不明共有者は，当該譲渡をした共有者に対し，不動産の時価相当額を所在等不明共有者の持分に応じて按分して得た額の支払を請求することができる。

④　前三項の規定は，不動産の使用又は収益をする権利（所有権を除く。）が数人の共有に属する場合について準用する。

第263条　（共有の性質を有する入会権）

共有の性質を有する入会権については，各地方の慣習に従うほか，この節の規定を適用する。

★判例
【入会権】
1※入会権が認められていた共有林の一部が村落民に「分け地」として配分されたとしても，柴草の採取のためには分け地の制限はなく，村落民は自由に立ち入ることができたこと，村落民が村落外に転出したときは当該共有林に対する一切の権利を喪失し，反対に他の村落から転入し又は新たに分家して村落に１戸を構えた者は，当該共有林について平等の権利を与えられていたこと等の事情が認められるから，分け地によって入会権の性格を失ったとはいえない。（最判昭和40・5・20民集19・4・822）

2※入会権は権利者である一定の村落民に総有的に帰属するものであるから，入会権の確認を求める訴えは，権利者全員が共同してのみ提起しうる固有必要的共同訴訟であるから，その訴えが村落民の一部の者によって提起されている場合は，右訴訟は当事者適格を欠き不適法である。（最判昭和41・11・25民集20・9・1921）

3※明治初年の山林原野等官民有区分処分によって官有地に編入された土地について，村民が従前慣行による入会権を有していたときは，民有地に編入された土地については従前慣行による入会権は存続するのが当然の前提とされていたこと，村民の官有地への立入りを制限する等により従前の入会権が事実上消滅した地域がある一方で，官有地に編入されても従前の入会慣行が尊重，容認されていた地域もあったこと等が認められるから，官有地上の従前入会権は当該処分によって当然には消滅しなかったものと解すべきである。（最判昭和48・3・13民集27・2・271）

4※入会村落の構成員が有する使用収益権を争い又はその行使を妨害する者がある場合には，その者が入会村落の構成員であるかどうかを問わず，各自が単独で，その者を相手方として自己の使用収益権の確認又は妨害の排除を請求することができる。しかし，村落民が各自有する使用収益権を根拠に，入会地について経由された地上権設定仮登記の抹消登記手続を請求することはできない。（最判昭和57・7・1民集36・6・891）

5※村落住民が入会団体を形成し，それが権利能力のない社団に当たる場合には，その入会団体は，構成員全員の総有に属する不動産につき，これを争う者を被告とする総有権確認請求訴訟を追行する原告適格を有する。そして，権利能力のない社団である入会団体の代表者が構成員全員の総有に属する不動産について総有権確認請求訴訟を原告の代表者として追行するには，その入会団体の規約等において

当該不動産を処分するのに必要とされる総会の議決等の手続による授権を必要とする。(最判平成6・5・31民集48・4・1065)
6 ※共有の性質を有する入会権と共有の性質を有しない入会権を区別する標準は、入会権者の権利がその共有を目的とする地盤を目的とするか、他人の所有に属する地盤を目的とするかにある。(大民連判大正9・6・26民録26・933)
7 ※公有地上にも私権としての入会権は存立する。(大判昭和11・1・21新聞3941・10)
8 ※入会権者各自の個別的な利用を差し止め、入会集団が一括して造林等の利用・管理を行う団体直轄利用「留山」の協定は入会行使方法に関するもので、入会権の消滅をきたすものではない。(最判昭和36・6・11裁判集民26・881)
9 ※共有の性質を有する入会権の存在する土地の一部分が、慣行上、「分け地」として部落民のうち特定の個人に分配され、その者がこれを独占的に使用・収益し、譲渡することが許されているような場合には特段の事情がない限り、右「分け地」については、他の部落民は入会権を有しない。(最判昭和32・9・13民集11・9・1518)
10 ※共有の性質を有する入会権の目的である土地の売却代金債権は、入会権者らに総有的に帰属する。(最判平成15・4・11判時1823・55)

第264条 （準共有）

この節（第262条の2及び第262条の3を除く。）の規定は、数人で所有権以外の財産権を有する場合について準用する。ただし、法令に特別の定めがあるときは、この限りでない。

★判例
1 ※土地の売買契約が、仮換地につきその一部分を特定して締結され、従前の土地そのものにつき買受部分を特定してされたものでないときは、特段の事情のない限り、仮換地全体の地積に対する当該特定部分の地積の比率に応じた従前の土地の共有持分について売買契約が締結され、買主と売主とは従前の土地の共有者となり、売買の効力が生ずるにともない、仮換地上にいわゆる準共有関係として従前の土地に対する持分の割合に応じた使用収益権を取得する。(最判昭和44・11・4民集23・11・1968)

第4節／所有者不明土地管理命令及び所有者不明建物管理命令

第264条の2 （所有者不明土地管理命令）

① 裁判所は、所有者を知ることができず、又はその所在を知ることができない土地（土地が数人の共有に属する場合にあっては、共有者を知ることができず、又はその所在を知ることができない土地の共有持分）について、必要があると認めるときは、利害関係人の請求により、その請求に係る土地又は共有持分を対象として、所有者不明土地管理人（第4項に規定する所有者不明土地管理人をいう。以下同じ。）による管理を命ずる処分（以下「所有者不明土地管理命令」という。）をすることができる。

② 所有者不明土地管理命令の効力は、当該所有者不明土地管理命令の対象とされた土地（共有持分を対象として所有者不明土地管理命令が発せられた場合にあっては、共有物である土地）にある動産（当該所有者不明土地管理命令の対象とされた土地の所有者又は共有持分を有する者が所有するものに限る。）に及ぶ。

③ 所有者不明土地管理命令は、所有者不明土地管理命令が発せられた後に当該所有者不明土地管理命令が取り消された場合において、当該所有者不明土地管理命令の対象とされた土地又は共有持分及び当該所有者不明土地管理命令の効力が及ぶ動産の管理、処分その他の事由により所有者不明土地管理人が得た財産について、必要があると認めるときも、することができる。

④ 裁判所は、所有者不明土地管理命令をする場合には、当該所有者不明土地管理命令において、所有者不明土地管理人を選任しなければならない。

第264条の3　（所有者不明土地管理人の権限）
① 前条第4項の規定により所有者不明土地管理人が選任された場合には，所有者不明土地管理命令の対象とされた土地又は共有持分及び所有者不明土地管理命令の効力が及ぶ動産並びにその管理，処分その他の事由により所有者不明土地管理人が得た財産（以下「所有者不明土地等」という。）の管理及び処分をする権利は，所有者不明土地管理人に専属する。
② 所有者不明土地管理人が次に掲げる行為の範囲を超える行為をするには，裁判所の許可を得なければならない。ただし，この許可がないことをもって善意の第三者に対抗することはできない。
一　保存行為
二　所有者不明土地等の性質を変えない範囲内において，その利用又は改良を目的とする行為

第264条の4　（所有者不明土地等に関する訴えの取扱い）
所有者不明土地管理命令が発せられた場合には，所有者不明土地等に関する訴えについては，所有者不明土地管理人を原告又は被告とする。

第264条の5　（所有者不明土地管理人の義務）
① 所有者不明土地管理人は，所有者不明土地等の所有者（その共有持分を有する者を含む。）のために，善良な管理者の注意をもって，その権限を行使しなければならない。
② 数人の者の共有持分を対象として所有者不明土地管理命令が発せられたときは，所有者不明土地管理人は，当該所有者不明土地管理命令の対象とされた共有持分を有する者全員のために，誠実かつ公平にその権限を行使しなければならない。

第264条の6　（所有者不明土地管理人の解任及び辞任）
① 所有者不明土地管理人がその任務に違反して所有者不明土地等に著しい損害を与えたことその他重要な事由があるときは，裁判所は，利害関係人の請求により，所有者不明土地管理人を解任することができる。
② 所有者不明土地管理人は，正当な事由があるときは，裁判所の許可を得て，辞任することができる。

第264条の7　（所有者不明土地管理人の報酬等）
① 所有者不明土地管理人は，所有者不明土地等から裁判所が定める額の費用の前払及び報酬を受けることができる。
② 所有者不明土地管理人による所有者不明土地等の管理に必要な費用及び報酬は，所有者不明土地等の所有者（その共有持分を有する者を含む。）の負担とする。

第264条の8　（所有者不明建物管理命令）
① 裁判所は，所有者を知ることができず，又はその所在を知ることができない建物（建物が数人の共有に属する場合にあっては，共有者を知ることができず，又はその所在を知ることができない建物の共有持分）について，必要があると認めるときは，利害関係人の請求により，その請求に係る建物又は共有持分を対象として，所有者不明建物管理人（第4項に規定する所有者不明建物管理人をいう。以下この条において同じ。）による管理を命ずる処分（以下この条において「所有者不明建物管理命令」という。）をすることができる。
② 所有者不明建物管理命令の効力は，当該所有者不明建物管理命令の対象とされた建物（共有持分を対象として所有者不明建物管理命令が発せられた場合にあっ

ては，共有物である建物）にある動産（当該所有者不明建物管理命令の対象とされた建物の所有者又は共有持分を有する者が所有するものに限る。）及び当該建物を所有し，又は当該建物の共有持分を有するための建物の敷地に関する権利（賃借権その他の使用及び収益を目的とする権利（所有権を除く。）であって，当該所有者不明建物管理命令の対象とされた建物の所有者又は共有持分を有する者が有するものに限る。）に及ぶ。
③　所有者不明建物管理命令は，所有者不明建物管理命令が発せられた後に当該所有者不明建物管理命令が取り消された場合において，当該所有者不明建物管理命令の対象とされた建物又は共有持分並びに当該所有者不明建物管理命令の効力が及ぶ動産及び建物の敷地に関する権利の管理，処分その他の事由により所有者不明建物管理人が得た財産について，必要があると認めるときも，することができる。
④　裁判所は，所有者不明建物管理命令をする場合には，当該所有者不明建物管理命令において，所有者不明建物管理人を選任しなければならない。
⑤　第264条の3から前条までの規定は，所有者不明建物管理命令及び所有者不明建物管理人について準用する。

第5節／管理不全土地管理命令及び管理不全建物管理命令

第264条の9　（管理不全土地管理命令）

①　裁判所は，所有者による土地の管理が不適当であることによって他人の権利又は法律上保護される利益が侵害され，又は侵害されるおそれがある場合において，必要があると認めるときは，利害関係人の請求により，当該土地を対象として，管理不全土地管理人（第3項に規定する管理不全土地管理人をいう。以下同じ。）による管理を命ずる処分（以下「管理不全土地管理命令」という。）をすることができる。
②　管理不全土地管理命令の効力は，当該管理不全土地管理命令の対象とされた土地にある動産（当該管理不全土地管理命令の対象とされた土地の所有者又はその共有持分を有する者が所有するものに限る。）に及ぶ。
③　裁判所は，管理不全土地管理命令をする場合には，当該管理不全土地管理命令において，管理不全土地管理人を選任しなければならない。

第264条の10　（管理不全土地管理人の権限）

①　管理不全土地管理人は，管理不全土地管理命令の対象とされた土地及び管理不全土地管理命令の効力が及ぶ動産並びにその管理，処分その他の事由により管理不全土地管理人が得た財産（以下「管理不全土地等」という。）の管理及び処分をする権限を有する。
②　管理不全土地管理人が次に掲げる行為の範囲を超える行為をするには，裁判所の許可を得なければならない。ただし，この許可がないことをもって善意でかつ過失がない第三者に対抗することはできない。
一　保存行為
二　管理不全土地等の性質を変えない範囲内において，その利用又は改良を目的とする行為
③　管理不全土地管理命令の対象とされた土地の処分についての前項の許可をするには，その所有者の同意がなければならない。

第264条の11　（管理不全土地管理人の義務）

①　管理不全土地管理人は，管理不全土地等の所有者のために，善良な管理者の注意をもって，その権限を行使しなければ

ならない。
② 管理不全土地等が数人の共有に属する場合には，管理不全土地管理人は，その共有持分を有する者全員のために，誠実かつ公平にその権限を行使しなければならない。

第264条の12 （管理不全土地管理人の解任及び辞任）
① 管理不全土地管理人がその任務に違反して管理不全土地等に著しい損害を与えたことその他重要な事由があるときは，裁判所は，利害関係人の請求により，管理不全土地管理人を解任することができる。
② 管理不全土地管理人は，正当な事由があるときは，裁判所の許可を得て，辞任することができる。

第264条の13 （管理不全土地管理人の報酬等）
① 管理不全土地管理人は，管理不全土地等から裁判所が定める額の費用の前払及び報酬を受けることができる。
② 管理不全土地管理人による管理不全土地等の管理に必要な費用及び報酬は，管理不全土地等の所有者の負担とする。

第264条の14 （管理不全建物管理命令）
① 裁判所は，所有者による建物の管理が不適当であることによって他人の権利又は法律上保護される利益が侵害され，又は侵害されるおそれがある場合において，必要があると認めるときは，利害関係人の請求により，当該建物を対象として，管理不全建物管理人（第3項に規定する管理不全建物管理人をいう。第4項において同じ。）による管理を命ずる処分（以下この条において「管理不全建物管理命令」という。）をすることができる。
② 管理不全建物管理命令は，当該管理不全建物管理命令の対象とされた建物にある動産（当該管理不全建物管理命令の対象とされた建物の所有者又はその共有持分を有する者が所有するものに限る。）及び当該建物を所有するための建物の敷地に関する権利（賃借権その他の使用及び収益を目的とする権利（所有権を除く。）であって，当該管理不全建物管理命令の対象とされた建物の所有者又はその共有持分を有する者が有するものに限る。）に及ぶ。
③ 裁判所は，管理不全建物管理命令をする場合には，当該管理不全建物管理命令において，管理不全建物管理人を選任しなければならない。
④ 第264条の10から前条までの規定は，管理不全建物管理命令及び管理不全建物管理人について準用する。

第4章 地上権

第265条 （地上権の内容）
地上権者は，他人の土地において工作物又は竹木を所有するため，その土地を使用する権利を有する。

★判例
1 ※地上権者がその工作物を第三者に移転した場合には，反対の意思表示のない限り，地上権は工作物の所有権と共に第三者に移転したものと推定すべきである。（大判明治37・12・13民録10・1600，大判大正10・11・28民録27・2070）

第266条 （地代）
① 第274条から第276条までの規定は，地上権者が土地の所有者に定期の地代を支払わなければならない場合について準用する。
② 地代については，前項に規定するもののほか，その性質に反しない限り，賃貸借に関する規定を準用する。

★判例
1 ※土地所有権の譲受人が地上権者に地代の支払いを請求する場合には，地代の登記の有無は問題とならない。この場合の地上権者は，地代特約の存否を争いうる第三者ではないからである。(大判大正5・6・12民録22・1189)
2 ※土地所有者が地代の受領を拒絶しまたは地上権の存在を否定するなど弁済を受領しない意思が明確であるため，地上権者が言語上の提供をするまでもなく地代債務の不履行の責を免れるという事情がある場合には，土地所有者は，自ら受領拒絶の態度を改め，以後，地代を提供されればこれを確実に受領すべき旨を明らかにした後相当期間を経過したか，または相当期間を定めて催告をしたにもかかわらず地上権者が右期間を徒過したなど，自己の受領遅滞またはこれに準ずる事態を解消させる措置を講じた後でなければ，本条1項・276条に基づく地上権の消滅請求をすることはできない。(最判昭和56・3・20民集35・2・219)

第267条 （相隣関係の規定の準用）

前章第1節第2款（相隣関係）の規定は，地上権者間又は地上権者と土地の所有者との間について準用する。ただし，第229条の規定は，境界線上の工作物が地上権の設定後に設けられた場合に限り，地上権者について準用する。

第268条 （地上権の存続期間）

① 設定行為で地上権の存続期間を定めなかった場合において，別段の慣習がないときは，地上権者は，いつでもその権利を放棄することができる。ただし，地代を支払うべきときは，1年前に予告をし，又は期限の到来していない1年分の地代を支払わなければならない。
② 地上権者が前項の規定によりその権利を放棄しないときは，裁判所は，当事者の請求により，20年以上50年以下の範囲内において，工作物又は竹木の種類及び状況その他地上権の設定当時の事情を考慮して，その存続期間を定める。

★判例
1 ※地代を支払わない地上権は，期間の定めの有無を問わず，地上権者において，これを自由に放棄することができる。(大判明治44・4・26民録17・234)
2 ※地上権の存続期間は，永久と定めることもできる。(大判明治36・11・16民録9124，大判大正14・4・14新聞2413・17)
3 ※『無期限』と登記された地上権の存続期間は，『永久』の趣旨に解すべきではなく，反証のない限り，『期間の定めのない地上権』と解すべきである。(大判昭和15・6・26民集19・1033)
4 ※『無期限』と登記された地上権の存続期間は，土地使用の目的に応じた『不確定期限を付された地上権』と解すべきである。(大判昭和16・8・14民集20・1074)

第269条 （工作物等の収去等）

① 地上権者は，その権利が消滅した時に，土地を原状に復してその工作物及び竹木を収去することができる。ただし，土地の所有者が時価相当額を提供してこれを買い取る旨を通知したときは，地上権者は，正当な理由がなければ，これを拒むことができない。
② 前項の規定と異なる慣習があるときは，その慣習に従う。

第269条の2 （地下又は空間を目的とする地上権）

① 地下又は空間は，工作物を所有するため，上下の範囲を定めて地上権の目的とすることができる。この場合においては，設定行為で，地上権の行使のためにその土地の使用に制限を加えることができる。
② 前項の地上権は，第三者がその土地の使用又は収益をする権利を有する場合においても，その権利又はこれを目的とする権利を有するすべての者の承諾があるときは，設定することができる。この場合において，土地の使用又は収益をする権利を有する者は，その地上権の行使を妨げることができない。

第5章 永小作権

第270条 (永小作権の内容)
永小作人は，小作料を支払って他人の土地において耕作又は牧畜をする権利を有する。

★判例
1※存続期間の定めがなく，地主も鍬先権を買収しなければ自ら耕作することができず，権利の譲渡性があるというだけでは，永小作を認めるには十分とはいえない。(大判昭和11・4・24民集15・790)

第271条 (永小作人による土地の変更の制限)
永小作人は，土地に対して，回復することのできない損害を生ずべき変更を加えることができない。

第272条 (永小作権の譲渡又は土地の賃貸)
永小作人は，その権利を他人に譲り渡し，又はその権利の存続期間内において耕作若しくは牧畜のため土地を賃貸することができる。ただし，設定行為で禁じたときは，この限りでない。

第273条 (賃貸借に関する規定の準用)
永小作人の義務については，この章の規定及び設定行為で定めるもののほか，その性質に反しない限り，賃貸借に関する規定を準用する。

★判例
1※永小作人が権利設定の目的外に土地を使用した場合には，地主はその停止を催告した上で解除できる。(大判大正9・5・8民録26・636)
2※農地法の法定更新および更新拒絶に関する規定は永小作権には適用または準用されない。(最判昭和34・12・18民集13・13・1647)

第274条 (小作料の減免)
永小作人は，不可抗力により収益について損失を受けたときであっても，小作料の免除又は減額を請求することができない。

第275条 (永小作権の放棄)
永小作人は，不可抗力によって，引き続き3年以上全く収益を得ず，又は5年以上小作料より少ない収益を得たときは，その権利を放棄することができる。

第276条 (永小作権の消滅請求)
永小作人が引き続き2年以上小作料の支払を怠ったときは，土地の所有者は，永小作権の消滅を請求することができる。

第277条 (永小作権に関する慣習)
第271条から前条までの規定と異なる慣習があるときは，その慣習に従う。

第278条 (永小作権の存続期間)
① 永小作権の存続期間は，20年以上50年以下とする。設定行為で50年より長い期間を定めたときであっても，その期間は，50年とする。
② 永小作権の設定は，更新することができる。ただし，その存続期間は，更新の時から50年を超えることができない。
③ 設定行為で永小作権の存続期間を定めなかったときは，その期間は，別段の慣習がある場合を除き，30年とする。

第279条 (工作物等の収去等)
第269条の規定は，永小作権について準用する。

第6章 地役権

第280条 (地役権の内容)
地役権者は，設定行為で定めた目的に従い，他人の土地を自己の土地の便益に供する権利を有する。ただし，第3章第1節 (所有権の限界) の規定 (公の秩序に関するものに限る。) に違反しないものでなければならない。

★判例
1※地役権は承役地を無償で要役地の便益に供す

る土地使用権であるから，地役権者としては，土地使用の対価として承役地の所有者に対し定期の地代その他報酬の支払いをすることを要するものではない。したがって，たとえ設定行為と同時に当事者がかかる報酬支払いの特約をしても，その特約は地役権の内容を構成することなく，単に債権的効力を有するにすぎないものと解すべきものである。(大判昭和12・3・10民集16・255)

2※時効完成後に承役地を譲り受けた者には，登記なしには対抗しえない。(大判昭和14・7・19民集18・856)

3※車両を通路土地に恒常的に駐車させる行為は，道路の残余の幅が3メートル余りあったとしても，土地の一部を独占的に使用している以上，通行の目的で通路土地全体を自由に使用できるという内容を有する地役権の侵害となり，地役権者は，地役権に基づく妨害排除請求権あるいは妨害予防請求権に基づいて駐車による通行の妨害の禁止を請求できる。(最判平成17・3・29判時1895・56)

第281条　（地役権の付従性）

① 地役権は，要役地（地役権者の土地であって，他人の土地から便益を受けるものをいう。以下同じ。）の所有権に従たるものとして，その所有権とともに移転し，又は要役地について存する他の権利の目的となるものとする。ただし，設定行為に別段の定めがあるときは，この限りでない。

② 地役権は，要役地から分離して譲り渡し，又は他の権利の目的とすることができない。

第282条　（地役権の不可分性）

① 土地の共有者の1人は，その持分につき，その土地のために又はその土地について存する地役権を消滅させることができない。

② 土地の分割又はその一部の譲渡の場合には，地役権は，その各部のために又はその各部について存する。ただし，地役権がその性質により土地の一部のみに関するときは，この限りでない。

★判例

1※要役地の共有者の1人が承役地の所有者に対して地役権の設定の登記手続を請求することは，各共有者の保存行為に該当するから，各共有者は，単独ですることができる。(最判平成7・7・18民集49・7・2684)

第283条　（地役権の時効取得）

地役権は，継続的に行使され，かつ，外形上認識することができるものに限り，時効によって取得することができる。

★判例

1※本条にいう『継続』とは，承役地たるべき土地の上に通路を開設することを要し，その開設が要役地所有者によってなされたことを要する。(最判昭和30・12・26民集9・14・2097，最判昭和33・2・14民集12・2・268)

2※要役地の所有者が，道路拡張のため他人にも土地の提供をはたらきかけ，自らも所有土地の一部を提供した場合には，要役地の所有者によって通路が開設されたということができる。(最判平成6・12・16判時1521・37)

第284条

① 土地の共有者の1人が時効によって地役権を取得したときは，他の共有者も，これを取得する。

② 共有者に対する時効の更新は，地役権を行使する各共有者に対してしなければ，その効力を生じない。

③ 地役権を行使する共有者が数人ある場合には，その1人について時効の完成猶予の事由があっても，時効は，各共有者のために進行する。

第285条　（用水地役権）

① 用水地役権の承役地（地役権者以外の者の土地であって，要役地の便益に供されるものをいう。以下同じ。）において，水が要役地及び承役地の需要に比して不足するときは，その各土地の需要に応じて，まずこれを生活用に供し，その残余を他の用途に供するものとする。ただし，設定行為に別段の定めがあるときは，こ

の限りでない。
② 同一の承役地について数個の用水地役権を設定したときは，後の地役権者は，前の地役権者の水の使用を妨げてはならない。

第286条　（承役地の所有者の工作物の設置義務等）

設定行為又は設定後の契約により，承役地の所有者が自己の費用で地役権の行使のために工作物を設け，又はその修繕をする義務を負担したときは，承役地の所有者の特定承継人も，その義務を負担する。

第287条

承役地の所有者は，いつでも，地役権に必要な土地の部分の所有権を放棄して地役権者に移転し，これにより前条の義務を免れることができる。

第288条　（承役地の所有者の工作物の使用）

① 承役地の所有者は，地役権の行使を妨げない範囲内において，その行使のために承役地の上に設けられた工作物を使用することができる。
② 前項の場合には，承役地の所有者は，その利益を受ける割合に応じて，工作物の設置及び保存の費用を分担しなければならない。

第289条　（承役地の時効取得による地役権の消滅）

承役地の占有者が取得時効に必要な要件を具備する占有をしたときは，地役権は，これによって消滅する。

★判例
1※取得時効の基礎となった占有が地役権の存在を排斥されることがなくこれを認容したものである場合は時効取得される所有権は地役権に制限された所有権であり，この場合本条は適用されない。（大判大正9・7・16民録26・1108）

第290条

前条の規定による地役権の消滅時効は，地役権者がその権利を行使することによって中断する。

第291条　（地役権の消滅時効）

第166条第2項に規定する消滅時効の期間は，継続的でなく行使される地役権については最後の行使の時から起算し，継続的に行使される地役権についてはその行使を妨げる事実が生じた時から起算する。

第292条

要役地が数人の共有に属する場合において，その1人のために時効の完成猶予又は更新があるときは，その完成猶予又は更新は，他の共有者のためにも，その効力を生ずる。

第293条

地役権者がその権利の一部を行使しないときは，その部分のみが時効によって消滅する。

第294条　（共有の性質を有しない入会権）

共有の性質を有しない入会権については，各地方の慣習に従うほか，この章の規定を準用する。

第7章　留置権

第295条　（留置権の内容）

① 他人の物の占有者は，その物に関して生じた債権を有するときは，その債権の弁済を受けるまで，その物を留置することができる。ただし，その債権が弁済期にないときは，この限りでない。
② 前項の規定は，占有が不法行為によって始まった場合には，適用しない。

★判例
【物と債権との牽連性】
1※不動産が売渡担保に供された場合において，

民法（295条）

担保権者が債務の弁済期前に担保不動産を他に譲渡したときは，担保権設定者は，担保権者に対して担保物返還義務の不履行による損害賠償請求権を取得するが，担保不動産の所有権を取得した者に対してはそれを対抗することができないから，右取得者からの明渡請求に対し，右損害賠償請求権をもって留置権を行使することは許されない。（最判昭和34・9・3民集13・11・1357）

2※不動産の二重売買の場合において，第2の買主が先に所有権移転登記を経由し，第1の買主による所有権の取得が不可能となったことによって，第1の買主が売主に対して取得した履行不能による損害賠償請求権は，その物自体を目的とする債権がその態様を変じたものにすぎず，その物に関し生じた債権であるとはいえないから，その債権を根拠に当該不動産について留置権を行使することは許されない。（最判昭和43・11・21民集22・12・2765）

3※不動産の買主が売主に売買代金を支払わないままこれを第三者に譲渡した場合には，その第三者が右売主に対し不動産の引渡しを請求したことに対し，売主は未払い代金債権を被担保債権とする留置権の抗弁を主張することができる。（最判昭和47・11・16民集26・9・1619）

4※借家法5条（借地借家法33条）による造作買取代金債権は，造作に関して生じた債権であって，建物に関して生じた債権ではないから，賃借人は，これに基づいて建物に対する留置権は認められない。（最判昭和29・1・14民集8・1・16，最判昭29・7・22民集8・7・1425）

5※賃借物を使用・収益する賃借人の債権は，『物自体を目的とする債権』であってそれは権利の実行によって弁済を受ければよく，留置権の発生原因とはならない。（大判大正11・8・21民集1・498）

6※修繕費等の償還請求権は建物に関して生じた債権であって，土地に関して生じた債権ではないから，建物に対する修繕費等の支払による償還請求権については，留置権の成立は認められない。（大判昭和9・6・30民集13・1247）

7※建物買取請求権（借地借家法13条・14条）の行使の結果として，建物代金債権に基づき建物を留置する者は，建物だけではなく敷地も占有することができるが，それは反射的効果であるので，賃料相当分は不当利得となる。（大判昭和18・2・18民集22・91）

8※（留置権の効力）被告の留置権が認められる場合であっても，原告の建物引渡請求権を全面的に棄却すべきではなく，その物に関して生じた債権の弁済と引換えに建物の引渡しを命ずるべきである。（最判昭和33・3・13民集12・3・524，最判昭和33・6・6民集12・9・138）

9※賃借建物の賃借人は，賃貸借契約の解除前に支出した修繕費等の必要費に基づいて，建物について留置権を行使することができる。（大判昭和14・4・28民集18・484）

10※建物賃借人は，建物の譲受人に対しても，民法196条に基づく必要費・有益費の償還請求権をもっているから，その債権に基づいて建物の上の留置権を主張できる。（大判昭和9・10・23裁判例(八)民249）

11※甲所有の建物を乙が競落したのち，甲乙間で買戻契約が締結されたが，甲が買戻代金の一部を支払ったままでいたところ，その建物を乙が丙に売却し，丙が移転登記をしてしまったという場合に，甲は，乙に対する買戻契約の履行不能を理由とする損害賠償債権，既払代金の不当利得返還請求権に基づく留置権を主張しても，いずれの債権も家屋に関して生じた債権とはいえないから，留置権は認められない。（最判昭和43・11・21民集22・12・2765）

12※甲所有の物を買受けた乙が，売買代金を支払わないままこれを丙に譲渡した場合には，甲は，丙からの物の引渡請求に対して，未払代金債権を被担保債権とする留置権の抗弁権を主張することができる。（最判昭47・11・16民集26・9・1619）

【本条2項の類推適用】

13※建物賃借人が賃料不払により賃貸借契約を解除された後，その建物を占有すべき権原のないことを知りながらこれを占有する間に有益費を支出した場合，民法295条2項の類推適用により，賃借人はその有益費の償還請求権に基づき，右建物に対して留置権を主張することはできない。（最判昭和46・7・16民集25・5・749）

14※国が自作農創設特別措置法に基づき農地として買収したうえ売渡した土地を，被売渡人から買受けその引渡しを受けた者が，土地の被買収者から買収・売渡処分の無効を主張され所有権に基づく土地返還請求訴訟を提起された後に，その土地につき有益費を支出した場合に，その後当該買収・売渡処分が買収計画取消判決の確定により当初に遡って無効とされ，かつ，買主が有益費を支出した当時に買収・売渡処分が無効になるかもしれないこと

実体法

を疑わなかったことに過失があるときは，その買主は，民法295条2項の類推適用により，有益費償還請求権に基づき土地の留置権を主張することができない。(最判昭和51・6・17民集30・6・616)
15※民法295条2項の趣旨は，占有者はその占有が不法なためこれを保護するに値しないとしたものにほかならないので，占有が不法行為によって始まったのでない場合でも，占有すべき権利がないことを知りながら他人の物を占有する者の占有は同じく不法だから，類推解釈上からかかる占有者も本条により留置権を有しないものとしなければならない。(大判大正10・12・23民録27・2175)

第296条 （留置権の不可分性）

留置権者は，債権の全部の弁済を受けるまでは，留置物の全部についてその権利を行使することができる。

★判例

1※留置権者が留置物の一部を債務者に引渡しその占有を喪失した場合であっても，その引渡しに伴い債権の一部につき留置権による担保を失うことを承認した等の特段の事情のない限り，留置権者は，債権の全部の弁済を受けるまで，留置物の残部につき留置権を行使することができる。(最判平成3・7・16民集45・6・1101)

第297条 （留置権者による果実の収取）

① 留置権者は，留置物から生ずる果実を収取し，他の債権者に先立って，これを自己の債権の弁済に充当することができる。
② 前項の果実は，まず債権の利息に充当し，なお残余があるときは元本に充当しなければならない。

第298条 （留置権者による留置物の保管等）

① 留置権者は，善良な管理者の注意をもって，留置物を占有しなければならない。
② 留置権者は，債務者の承諾を得なければ，留置物を使用し，賃貸し，又は担保に供することができない。ただし，その物の保存に必要な使用をすることは，この限りでない。
③ 留置権者が前二項の規定に違反したときは，債務者は，留置権の消滅を請求することができる。

★判例

1※木造帆船の売買契約の解除後，買主が自ら支出した修理費に基づき留置権を行使している場合に，売主の承諾なく，右船舶を遠方まで航行させて貨物の運送業務に使用することは，それが契約解除前と同じ使用形態であったとしても，その航行の危険性等からみて，留置権者に許された留置物の保存に必要な限度を逸脱しているから，売主は留置権の消滅を請求することができる。(最判昭和30・3・4民集9・3・229)
2※留置物の所有権が譲渡等により第三者に移転した場合において，右譲渡等につき対抗要件を具備するよりも前に，留置権者が民法298条2項所定の留置物の使用又は賃貸についての承諾を受けていたときには，留置権者は右承諾の効果を新所有者に対し対抗することができ，新所有者は右使用等を理由に同条3項による留置権の消滅請求をすることができない。(最判平成9・7・3民集51・6・2500)
3※建物の賃借人が，賃貸借継続中にその建物に対して費やした修繕費の償還請求権に基づいて，賃貸借契約終了後留置権を行使し，その建物を継続使用することによって使用利益を得た場合には，その利益は，不当利得として目的物の所有者に償還しなければならない。(大判昭和13・12・17新聞4377・14)
4※留置権者が本条1項及び2項の規定に違反した場合には，その留置物の第三取得者である所有者も，本条3項により留置権消滅を請求することができる。(最判昭和40・7・15民集19・5・1275)
5※家屋の賃借人がその賃貸中に支出した必要費もしくは有益費の償還請求権に基づき，留置権の行使としてその家屋に居住を続けることは，他に特殊の事情がない限り，本条2項但書にいう留置物の保存に必要な使用ということができる。(大判昭和10・5・13民集14・876)
6※家屋の賃借人が，その家屋に対し必要費または有益費を支出した場合には，賃借人は，現在の建物の所有者に対しても留置権を行使することができる。(大判大正14・4・28民集484)
7※売買契約が，取消または解除後に，買主が本条第1項・第2項の違反行為をすれば，売主からの消滅請求によって，買主は目的物に対する留置権を失うことになるが，依然として同時履行の抗弁権によって目的物の返還を拒否できる，と解すべきである。(東京高判昭

和24・7・14高民集2・2・124)
8 ※留置権者が本条1項および2項の規定に違反したときは，留置物の所有者は当該違反行為が終了したかどうか，またこれによって損害を受けたかどうか問わず，留置権の消滅を請求することができる。(最判昭38・5・31民集17・4・570)
9 ※家屋の賃借人は，必要費もしくは有益費の償還が得られない場合，賃貸借契約解除後も，その償還を受けるまで従前のごとく当該家屋に居住するのは，他に特殊の事情がない限り，本条2項但書のいわゆる留置物の保存に必要なものと解するのを相当とする。(大判大正10・12・23民録27・2175)

第299条　(留置権者による費用の償還請求)
① 留置権者は，留置物について必要費を支出したときは，所有者にその償還をさせることができる。
② 留置権者は，留置物について有益費を支出したときは，これによる価格の増加が現存する場合に限り，所有者の選択に従い，その支出した金額又は増価額を償還させることができる。ただし，裁判所は，所有者の請求により，その償還について相当の期限を許与することができる。

★判例
1 ※留置権者が，必要費償還請求権を被担保債権として建物を留置中，その建物のためにさらに必要費を支出した場合には，既に生じている必要費償還請求権と共に，その建物について留置権を行使することができる。(最判昭和33・1・17民集12・1・55)

第300条　(留置権の行使と債権の消滅時効)
留置権の行使は，債権の消滅時効の進行を妨げない。

第301条　(担保の供与による留置権の消滅)
債務者は，相当の担保を供して，留置権の消滅を請求することができる。

第302条　(占有の喪失による留置権の消滅)
留置権は，留置権者が留置物の占有を失うことによって，消滅する。ただし，第298条第2項の規定により留置物を賃貸し，又は質権の目的としたときは，この限りでない。

第8章　先取特権

第1節／総則

第303条　(先取特権の内容)
先取特権者は，この法律その他の法律の規定に従い，その債務者の財産について，他の債権者に先立って自己の債権の弁済を受ける権利を有する。

第304条　(物上代位)
① 先取特権は，その目的物の売却，賃貸，滅失又は損傷によって債務者が受けるべき金銭その他の物に対しても，行使することができる。ただし，先取特権者は，その払渡し又は引渡しの前に差押えをしなければならない。
② 債務者が先取特権の目的物につき設定した物権の対価についても，前項と同様とする。

★判例
1 ※民法304条1項但書の趣旨は，先取特権者の差押によって物上代位の対象である債権の特定性を保持し，物上代位権の効力を保全するとともに，第三者が不測の損害を被ることを防止することにあるから，債務者が破産宣告を受けた場合であっても，これにより破産者の財産の所有権が破産財団又は破産管財人に譲渡されるものではないから，先取特権者は，右破産宣告の決定後も転売代金債権につき物上代位権を行使することができる。(最判昭和59・2・2民集38・3・431)
2 ※民法304条1項ただし書の趣旨は，先取特権者による差押により，第三債務者から債務者への金銭等の払渡・引渡，および債務者による第三債務者に対する債権の取立てや第三者への譲渡が禁止される結果，物上代位の目的となる債権の特定性が保持され，物上代位権の効力が保全されるとともに，債権を弁済した第三債務者やそれを譲受又はそれにつき転付命令を得た第三者等が不測の損害を被ることを防止することにある。したがって，物

上代位の目的たる債権について，一般債権者が差押又は仮差押の執行をしたにすぎないときは，その後に先取特権者がその債権に対し物上代位権を行使することを妨げられない。(最判昭和60・7・19民集39・5・1326)
3 ※請負工事に用いられた動産の売主は，原則として，請負人が注文者に対して有する請負代金債権に対して動産売買の先取特権に基づく物上代位権を行使することができないが，請負代金全体に占める当該動産の価額の割合や請負契約における請負人の債務の内容等に照らして，請負代金債権の全部又は一部をその動産の転売による代金債権と同視するに足りる特段の事情がある場合には，その部分の請負代金債権に対して物上代位権を行使することができる。(最決平成10・12・18民集52・9・2024)
4 ※請負人が建築材料を供給した場合における請負代金のなかには，その材料に対する売買代金の実質を有する部分も認められるが，もちろんそれだけのものではないから，請負代金を建築材料の代位物ということはできない。(大判大正2・7・5民録19・609)
5 ※先取特権に基づく物上代位権を有する債権者は，その差押命令が配当要求の終期までに第三債務者に送達されない限り，先取特権者は優先弁済を受けることができない。(最判昭和62・4・2判時1248・61，最判平成5・3・30民集47・4・3300)
6 ※本条1項ただし書は，先取特権者が物上代位権を行使するには払渡し又は引渡しの前に差押えをすることを要する旨を規定しているところ，この規定は，抵当権と異なり公示方法が存在しない動産の先取特権については，物上代位の目的債権の譲受人等の第三者の利益を保護する趣旨を含むものというべきであるから，動産売買の先取特権者は，物上代位の目的債権が譲渡され，第三者に対する対抗要件が備えられた後においては，目的債権を差押さえて物上代位権を行使することはできないものと解するのが相当である。(最判平成17・2・22民集59・2・314)

第305条　（先取特権の不可分性）

第296条の規定は，先取特権について準用する。

第2節／先取特権の種類

第1款／一般の先取特権

第306条　（一般の先取特権）

次に掲げる原因によって生じた債権を有する者は，債務者の総財産について先取特権を有する。
一　共益の費用
二　雇用関係
三　葬式の費用
四　日用品の供給

第307条　（共益費用の先取特権）

① 共益の費用の先取特権は，各債権者の共同の利益のためにされた債務者の財産の保存，清算又は配当に関する費用について存在する。

② 前項の費用のうちすべての債権者に有益でなかったものについては，先取特権は，その費用によって利益を受けた債権者に対してのみ存在する。

第308条　（雇用関係の先取特権）

雇用関係の先取特権は，給料その他債務者と使用人との間の雇用関係に基づいて生じた債権について存在する。

★判例
1 ※給料の後払いとして賃金の性格をもつ退職金債権については，一般の先取特権が成立する。(最判昭和44・9・2民集23・9・1641)
2 ※民法306条2号，本条にいう『使用人』とは，ひろく雇傭契約によって労務を提供する者を指し，日雇の労務者もこれに含まれる。(最判昭和47・9・7民集26・7・1314)

第309条　（葬式費用の先取特権）

① 葬式の費用の先取特権は，債務者のためにされた葬式の費用のうち相当な額について存在する。

② 前項の先取特権は，債務者がその扶養すべき親族のためにした葬式の費用のうち相当な額についても存在する。

第310条 （日用品供給の先取特権）
日用品の供給の先取特権は，債務者又はその扶養すべき同居の親族及びその家事使用人の生活に必要な最後の6箇月間の飲食料品，燃料及び電気の供給について存在する。

★判例
1 ※『同居の親族』には，内縁の妻も含まれる。（大判大正11・6・3民集1・280）
2 ※民法310条は債務者の生活の保護に由来するので，同条の債務者は自然人にかぎられ，法人はこれに含まれない。（最判昭和46・10・21民集25・7・969）

第2款／動産の先取特権

第311条 （動産の先取特権）
次に掲げる原因によって生じた債権を有する者は，債務者の特定の動産について先取特権を有する。
一　不動産の賃貸借
二　旅館の宿泊
三　旅客又は荷物の運輸
四　動産の保存
五　動産の売買
六　種苗又は肥料（蚕種又は蚕の飼養に供した桑葉を含む。以下同じ。）の供給
七　農業の労務
八　工業の労務

第312条 （不動産賃貸の先取特権）
不動産の賃貸の先取特権は，その不動産の賃料その他の賃貸借関係から生じた賃借人の債務に関し，賃借人の動産について存在する。

第313条 （不動産賃貸の先取特権の目的物の範囲）
① 土地の賃貸人の先取特権は，その土地又はその利用のための建物に備え付けられた動産，その土地の利用に供された動産及び賃借人が占有するその土地の果実について存在する。
② 建物の賃貸人の先取特権は，賃借人がその建物に備え付けた動産について存在する。

★判例
1 ※民法313条2項の「建物に備え付けられた動産」とは，賃借人がその建物内にある期間継続して存置するために持ち込んだ動産であれば足り，その建物の常用に供するために建物内に存置された動産であることを要しないから，金銭や有価証券，賃借人やその家族の一身の使用に供する懐中時計・宝石類などにも，建物賃貸人の先取特権が及ぶ。（大判大正3・7・4民録20・587）

第314条
賃借権の譲渡又は転貸の場合には，賃貸人の先取特権は，譲受人又は転借人の動産にも及ぶ。譲渡人又は転貸人が受けるべき金銭についても，同様とする。

第315条 （不動産賃貸の先取特権の被担保債権の範囲）
賃借人の財産のすべてを清算する場合には，賃貸人の先取特権は，前期，当期及び次期の賃料その他の債務並びに前期及び当期に生じた損害の賠償債務についてのみ存在する。

第316条
賃貸人は，第622条の2第1項に規定する敷金を受け取っている場合には，その敷金で弁済を受けない債権の部分についてのみ先取特権を有する。

第317条 （旅館宿泊の先取特権）
旅館の宿泊の先取特権は，宿泊客が負担すべき宿泊料及び飲食料に関し，その旅館に在るその宿泊客の手荷物について存在する。

第318条 （運輸の先取特権）
運輸の先取特権は，旅客又は荷物の運

送賃及び付随の費用に関し，運送人の占有する荷物について存在する。

第319条 （即時取得の規定の準用）
第192条から第195条までの規定は，第312条から前条までの規定による先取特権について準用する。

第320条 （動産保存の先取特権）
動産の保存の先取特権は，動産の保存のために要した費用又は動産に関する権利の保存，承認若しくは実行のために要した費用に関し，その動産について存在する。

第321条 （動産売買の先取特権）
動産の売買の先取特権は，動産の代価及びその利息に関し，その動産について存在する。

第322条 （種苗又は肥料の供給の先取特権）
種苗又は肥料の供給の先取特権は，種苗又は肥料の代価及びその利息に関し，その種苗又は肥料を用いた後1年以内にこれを用いた土地から生じた果実（蚕種又は蚕の飼養に供した桑葉の使用によって生じた物を含む。）について存在する。

第323条 （農業労務の先取特権）
農業の労務の先取特権は，その労務に従事する者の最後の1年間の賃金に関し，その労務によって生じた果実について存在する。

第324条 （工業労務の先取特権）
工業の労務の先取特権は，その労務に従事する者の最後の3箇月間の賃金に関し，その労務によって生じた製作物について存在する。

第3款／不動産の先取特権

第325条 （不動産の先取特権）
次に掲げる原因によって生じた債権を有する者は，債務者の特定の不動産について先取特権を有する。
一　不動産の保存
二　不動産の工事
三　不動産の売買

第326条 （不動産保存の先取特権）
不動産の保存の先取特権は，不動産の保存のために要した費用又は不動産に関する権利の保存，承認若しくは実行のために要した費用に関し，その不動産について存在する。

第327条 （不動産工事の先取特権）
① 不動産の工事の先取特権は，工事の設計，施工又は監理をする者が債務者の不動産に関してした工事の費用に関し，その不動産について存在する。
② 前項の先取特権は，工事によって生じた不動産の価格の増加が現存する場合に限り，その増価額についてのみ存在する。

第328条 （不動産売買の先取特権）
不動産の売買の先取特権は，不動産の代価及びその利息に関し，その不動産について存在する。

第3節／先取特権の順位

第329条 （一般の先取特権の順位）
① 一般の先取特権が互いに競合する場合には，その優先権の順位は，第306条各号に掲げる順序に従う。
② 一般の先取特権と特別の先取特権とが競合する場合には，特別の先取特権は，一般の先取特権に優先する。ただし，共益の費用の先取特権は，その利益を受けたすべての債権者に対して優先する効力を有する。

第330条 （動産の先取特権の順位）
① 同一の動産について特別の先取特権が互いに競合する場合には，その優先権の順位は，次に掲げる順序に従う。この場合において，第2号に掲げる動産の保存の先取特権について数人の保存者があるときは，後の保存者が前の保存者に優先する。
一　不動産の賃貸，旅館の宿泊及び運輸の先取特権
二　動産の保存の先取特権
三　動産の売買，種苗又は肥料の供給，農業の労務及び工業の労務の先取特権
② 前項の場合において，第1順位の先取特権者は，その債権取得の時において第2順位又は第3順位の先取特権者があることを知っていたときは，これらの者に対して優先権を行使することができない。第1順位の先取特権者のために物を保存した者に対しても，同様とする。
③ 果実に関しては，第1の順位は農業の労務に従事する者に，第2の順位は種苗又は肥料の供給者に，第3の順位は土地の賃貸人に属する。

第331条 （不動産の先取特権の順位）
① 同一の不動産について特別の先取特権が互いに競合する場合には，その優先権の順位は，第325条各号に掲げる順序に従う。
② 同一の不動産について売買が順次された場合には，売主相互間における不動産売買の先取特権の優先権の順位は，売買の前後による。

第332条 （同一順位の先取特権）
同一の目的物について同一順位の先取特権者が数人あるときは，各先取特権者は，その債権額の割合に応じて弁済を受ける。

第4節／先取特権の効力

第333条 （先取特権と第三取得者）
先取特権は，債務者がその目的である動産をその第三取得者に引き渡した後は，その動産について行使することができない。

> ★判例
> 1 ※動産売買の先取特権の存在する動産が，集合物譲渡担保権の目的である集合物の構成部分となった場合においては，譲渡担保権者は，右動産についても引渡を受けたものとして譲渡担保権を主張することができ，当該先取特権者が右先取特権に基づいて動産競売の申立てをしたときは，特段の事情のない限り，民法333条所定の第三取得者に該当するものとして，第三者異議の訴えにより競売の不許を求めることができる。(最判昭和62・11・10民集41・8・1559)
> 2 ※第三取得者が目的動産につき対抗力ある所有権を取得した以上は，先取特権の追及力を制限するのが本条の趣旨であると解されるから，本条の「引渡」には民法183条の占有改定の場合も包含する。(大判大正6・7・26民録23・1203，最判昭和62・11・10民集41・1559)
> 3 ※動産の売買における先取特権の目的物が買主から第三取得者に引き渡された後に，債務者がそれを取り戻して債権者に代物弁済を供する行為は，実質的には新たな担保権の設定と同視することができ，破産法による否認の対象となる。(最判平成9・12・18民集51・10・4210)

第334条 （先取特権と動産質権との競合）
先取特権と動産質権とが競合する場合には，動産質権者は，第330条の規定による第1順位の先取特権者と同一の権利を有する。

第335条 （一般の先取特権の効力）
① 一般の先取特権者は，まず不動産以外の財産から弁済を受け，なお不足があるのでなければ，不動産から弁済を受けることができない。
② 一般の先取特権者は，不動産については，まず特別担保の目的とされていない

ものから弁済を受けなければならない。
③　一般の先取特権者は，前二項の規定に従って配当に加入することを怠ったときは，その配当加入をしたならば弁済を受けることができた額については，登記をした第三者に対してその先取特権を行使することができない。
④　前三項の規定は，不動産以外の財産の代価に先立って不動産の代価を配当し，又は他の不動産の代価に先立って特別担保の目的である不動産の代価を配当する場合には，適用しない。

第336条　（一般の先取特権の対抗力）

　一般の先取特権は，不動産について登記をしなくても，特別担保を有しない債権者に対抗することができる。ただし，登記をした第三者に対しては，この限りでない。

第337条　（不動産保存の先取特権の登記）

　不動産の保存の先取特権の効力を保存するためには，保存行為が完了した後直ちに登記をしなければならない。

第338条　（不動産工事の先取特権の登記）

①　不動産の工事の先取特権の効力を保存するためには，工事を始める前にその費用の予算額を登記しなければならない。この場合において，工事の費用が予算額を超えるときは，先取特権は，その超過額については存在しない。
②　工事によって生じた不動産の増価額は，配当加入の時に，裁判所が選任した鑑定人に評価させなければならない。

★判例
1※工事着手後に登記した不動産工事の先取特権は無効と解するのが相当である。たとえ不動産の譲受人が先取特権の存在を承認しても，本条に反するような意思表示は無効と解せざるを得ない。（大判大正6・2・9民録23・244）
2※不動産工事の先取特権の対象となるべき不動産の増価額が不動産競売手続における評価人の評価または最低売却価額の決定に反映されていないことは，同先取特権の被担保債権が優先弁済を受けるべき実体的権利に影響を与えない。（最判平成14・1・22判時1776・54）

第339条　（登記をした不動産保存又は不動産工事の先取特権）

　前二条の規定に従って登記をした先取特権は，抵当権に先立って行使することができる。

第340条　（不動産売買の先取特権の登記）

　不動産の売買の先取特権の効力を保存するためには，売買契約と同時に，不動産の代価又はその利息の弁済がされていない旨を登記しなければならない。

第341条　（抵当権に関する規定の準用）

　先取特権の効力については，この節に定めるもののほか，その性質に反しない限り，抵当権に関する規定を準用する。

第9章●質権

第1節／総則

第342条　（質権の内容）

　質権者は，その債権の担保として債務者又は第三者から受け取った物を占有し，かつ，その物について他の債権者に先立って自己の債権の弁済を受ける権利を有する。

★判例
1※動産根質権は，根抵当とは異なり，被担保債権の最高額を決定することは必要ではない。（大判大正6・10・3民録23・1369）

第343条　（質権の目的）

　質権は，譲り渡すことができない物をその目的とすることができない。

第344条　（質権の設定）

　質権の設定は，債権者にその目的物を

引き渡すことによって，その効力を生ずる。

第345条　（質権設定者による代理占有の禁止）
　質権者は，質権設定者に，自己に代わって質物の占有をさせることができない。

★判例
1※質権者がいったん有効に質権を設定した後に，設定者に質物を占有させた場合は，代理占有の効力を生じないだけであって，質権が消滅することはなく，動産質においては，質権を第三者に対抗することができなくなるが，不動産質においては，質物の占有は第三者に対する対抗要件ではないから，その質権の効力には何等の影響がない。（大判大正5・12・25民録22・2509）
2※質権設定契約における目的物の引渡しは，質権の留置的作用を確保するためのものであるから，占有改定による引渡しだけでは充足されない。（東京高判昭和35・7・27東京高民時報11・728）

第346条　（質権の被担保債権の範囲）
　質権は，元本，利息，違約金，質権の実行の費用，質物の保存の費用及び債務の不履行又は質物の隠れた瑕疵によって生じた損害の賠償を担保する。ただし，設定行為に別段の定めがあるときは，この限りでない。

第347条　（質物の留置）
　質権者は，前条に規定する債権の弁済を受けるまでは，質物を留置することができる。ただし，この権利は，自己に対して優先権を有する債権者に対抗することができない。

★判例
1※債務者が債務を弁済しないままで担保物返還の訴えを提起した場合には，債務の弁済が先給付義務であるから，原告敗訴の判決をなすべきである。（大判大正9・3・29民録26・411）
2※第三者が金銭債権に基づき，質入された電話加入権に対し強制執行をしてその換価手続が完了した場合には，右質権は当然に消滅し，質権者はその売得金から，優先弁済を受けることができるものと解するのが相当である。（最大判昭和40・7・14民集19・5・1263）

第348条　（転質）
　質権者は，その権利の存続期間内において，自己の責任で，質物について，転質をすることができる。この場合において，転質をしたことによって生じた損失については，不可抗力によるものであっても，その責任を負う。

★判例
1※本条により質権者は，その権利の範囲内で自己の責任において質物を転質することができる。故に，質権者は，質権設定者の承諾がなくても，自己の債務につき，その質物の上にその権利の範囲を超えない質権を設定することは，民法上許容された行為であるから，横領罪とはならない。（大連決大正14・7・14刑集4・484）
2※転質が原質権の範囲を超えたとき，すなわち債権額，存続期間など，転質の内容が質権設定者に不利な結果を生ずる場合のみ，その行為は横領罪が成立する。（最判昭和45・3・27刑集24・3・76）

第349条　（契約による質物の処分の禁止）
　質権設定者は，設定行為又は債務の弁済期前の契約において，質権者に弁済として質物の所有権を取得させ，その他法律に定める方法によらないで質物を処分させることを約することができない。

★判例
1※弁済期前であっても，質権設定者が，債務の弁済に代え，任意にその質物の所有権を質権者に移付しうるという契約には，本条は適用されない。（大判明治37・4・5民録10・431）

第350条　（留置権及び先取特権の規定の準用）
　第296条から第300条まで及び第304条の規定は，質権について準用する。

第351条　（物上保証人の求償権）
　他人の債務を担保するため質権を設定した者は，その債務を弁済し，又は質権の実行によって質物の所有権を失ったと

きは，保証債務に関する規定に従い，債務者に対して求償権を有する。

> ★判例
> 1 ※債務者の委託を受けてその債務を担保するため自己の不動産に抵当権を設定した物上保証人は，被担保債務の弁済期が到来しても，債務者に対してあらかじめ求償権を行使することはできない。(最判平成2・12・18民集44・9・1686)

第2節／動産質

第352条　(動産質の対抗要件)
動産質権者は，継続して質物を占有しなければ，その質権をもって第三者に対抗することができない。

> ★判例
> 1 ※質権者が，他人に質権を詐取され質物の占有を失った場合は，その質権は第三者には対抗しえないものとなり，質権の実質は無にひとしくなったといえる。したがって，質権者は債務者が無資力であった場合には，質権によって弁済を受けられたはずの限度において損害をこうむったものと解するのが相当である。(東京高判昭和28・9・21高民6・633)

第353条　(質物の占有の回復)
動産質権者は，質物の占有を奪われたときは，占有回収の訴えによってのみ，その質物を回復することができる。

第354条　(動産質権の実行)
動産質権者は，その債権の弁済を受けないときは，正当な理由がある場合に限り，鑑定人の評価に従い質物をもって直ちに弁済に充てることを裁判所に請求することができる。この場合において，動産質権者は，あらかじめ，その請求をする旨を債務者に通知しなければならない。

第355条　(動産質権の順位)
同一の動産について数個の質権が設定されたときは，その質権の順位は，設定の前後による。

第3節／不動産質

第356条　(不動産質権者による使用及び収益)
不動産質権者は，質権の目的である不動産の用法に従い，その使用及び収益をすることができる。

第357条　(不動産質権者による管理の費用等の負担)
不動産質権者は，管理の費用を支払い，その他不動産に関する負担を負う。

第358条　(不動産質権者による利息の請求の禁止)
不動産質権者は，その債権の利息を請求することができない。

第359条　(設定行為に別段の定めがある場合等)
前三条の規定は，設定行為に別段の定めがあるとき，又は担保不動産収益執行(民事執行法第180条第2号に規定する担保不動産収益執行をいう。以下同じ。)の開始があったときは，適用しない。

第360条　(不動産質権の存続期間)
① 不動産質権の存続期間は，10年を超えることができない。設定行為でこれより長い期間を定めたときであっても，その期間は，10年とする。
② 不動産質権の設定は，更新することができる。ただし，その存続期間は，更新の時から10年を超えることができない。

> ★判例
> 1 ※不動産質権の存続期間が10年ということは，質権者の使用収益権だけでなく，質権そのものが期間満了により消滅することを意味する。(大決大正7・1・18民録24・1)

第361条　(抵当権の規定の準用)
不動産質権については，この節に定めるもののほか，その性質に反しない限り，

次章（抵当権）の規定を準用する。

★判例
1※不動産質権の設定契約は要物契約であり，目的不動産の占有移転を必要とする。したがって，たとえ登記を具備していても，目的物の引渡がなければ質権の効力は発生せず，後に引渡をしても登記の時に遡って効力を生ずるものではない。（大判明治42・11・8民録15・867）

第4節／権利質

第362条　（権利質の目的等）
① 質権は，財産権をその目的とすることができる。
② 前項の質権については，この節に定めるもののほか，その性質に反しない限り，前三節（総則，動産質及び不動産質）の規定を準用する。

★判例
1※質権が設定されている金銭債権であっても，債権として現に存在していることはいうまでもなく，また，弁済に充てられる金額を確定することもできるのであるから，右債権は，民事執行法159条にいう券面額を有するというべきである。したがって，質権が設定されている金銭債権であっても，転付命令の対象となる。（最判平成12・4・7民集54・4・1355）

第363条　削除

第364条　（債権を目的とする質権の対抗要件）
債権を目的とする質権の設定（現に発生していない債権を目的とするものを含む。）は，第467条の規定に従い，第三債務者にその質権の設定を通知し，又は第三債務者がこれを承諾しなければ，これをもって第三債務者その他の第三者に対抗することができない。

★判例
1※指名債権に対する質権の対抗要件の制度は，第三債務者以外の第三者に対する関係では，第三債務者をして，右第三者に対して質権設定の有無及び質権者が誰であるかを告知・公示させることにより第三者が不利益を被るのを防止しようとする趣旨であるから，第三債務者に対する通知又はその承諾は，具体的に特定された者に対する質権設定についての通知又は承諾であることを要する。（最判昭和58・6・30民集37・5・835）
2※指名債権が質権の目的となり，第三債務者がその通知を受けまたはこれを承諾したときは，以後，質権者の取立権能を害する行為をなしえなくなるのであり，したがって，質権設定者に対して取得した債権をもって質権者に相殺を主張することはできない。（大判大正5・9・5民録22・1670）
3※債権の債務者は，みずからその債権に対しても質権の設定をすることができる。（大判昭和11・2・25新聞3959・12，最判昭和40・10・7民集19・7・1705）
4※（担保のための代理受領契約）(1)甲の債権担保のため債務者乙の有する債権について代理受領契約が締結され，乙の債権の債務者丙がこれを承諾した場合であっても，丙は債権者甲に対して直接支払うべき義務を負わない。(2)しかし，丙が乙へ弁済してしまったために甲が担保的利益を失ったときは，甲に対して不法行為による損害賠償義務を負う。(3)この損害は，甲が代理受領権のほかに保証人などの人的担保を有していても発生する。（最判昭和61・11・20判時1219・63）
5※本条の質権設定の通知は，質権設定者からしなければならないのであって，代位弁済をした者からの通知は効力を生じない。（大判大正11・6・17民集1・332）
6※信用組合の定期預金について，組合長の承認がなければ譲渡または買入ができない旨の特約がある場合において，組合支店長の買入承諾があり，それにより質権者が組合から適法な承認を得たと信じて質権を設定したとしても，この質権設定は無効である。（東京高判昭和31・9・29下級民集7・9・2744）

第365条　削除

第366条　（質権者による債権の取立て等）
① 質権者は，質権の目的である債権を直接に取り立てることができる。
② 債権の目的物が金銭であるときは，質権者は，自己の債権額に対応する部分に限り，これを取り立てることができる。
③ 前項の債権の弁済期が質権者の債権の

弁済期前に到来したときは，質権者は，第三債務者にその弁済をすべき金額を供託させることができる。この場合において，質権は，その供託金について存在する。
④ 債権の目的物が金銭でないときは，質権者は，弁済として受けた物について質権を有する。

> ★判例
> 1※債権質権の設定者は，質権者の同意があるなどの特段の事情がない限り，質入債権に基づきその債務者に対して破産の申立をすることができない。（最決平成11・4・16民集53・4・740）

第367条及び第368条　削除

第10章❋抵当権

第1節／総則

第369条（抵当権の内容）
① 抵当権者は，債務者又は第三者が占有を移転しないで債務の担保に供した不動産について，他の債権者に先立って自己の債権の弁済を受ける権利を有する。
② 地上権及び永小作権も，抵当権の目的とすることができる。この場合においては，この章の規定を準用する。

> ★判例
> 1※債務者が滅失毀損等，事実上の行為によって抵当権の目的物に対する侵害をしようとする場合においては，その侵害行為が抵当権の被担保債権の弁済期後であるか否か，あるいは抵当権の実行に着手した後であるか否かを問わず，抵当権者は，物権たる抵当権の効力として，その妨害の排除を請求することができる。（大判昭和6・10・21民集10・913）
> 2※工場抵当法2条の規定により工場に属する土地又は建物とともに抵当権の目的とされた動産が，抵当権者の同意を得ないで，備え付けられた工場から搬出された場合には，第三者において即時取得をしない限り，いまだ当該動産には抵当権の効力が及んでいるから，その抵当権の担保価値を保全するため，抵当権者は，搬出された目的動産をもとの備付場所である工場に戻すことを求めることができる。（最判昭57・3・12民集36・3・349）
> 3※第三者が抵当不動産を不法占有することにより，競売手続の進行が害され適正な価額よりも売却価額が下落するおそれがあるなど，抵当不動産の交換価値の実現が妨げられ抵当権者の優先弁済請求権の行使が困難となるような状態があるときは，抵当権者は，抵当不動産の所有者に対し，その状態を是正し抵当不動産を適切に維持・保存するよう求める請求権を有し，右請求権を保全するため，所有者の不法占有者に対する妨害排除請求権を代位行使することができ，また，抵当権に基づく妨害排除請求として，抵当権者が右状態の排除を求めることも許される。（最大判平成11・11・24民集53・8・1899）
> 4※抵当権が被担保債権の消滅によって消滅した場合には，その抹消登記がなくても，抵当権の消滅をもって対抗することができる。（大決昭和8・8・18民集12・2105）
> 5※抵当権侵害による損害額は，不法行為の当時を標準とするのではなく，抵当権実行の時または賠償請求権行使の時（したがって，事実審における口頭弁論終了時）を標準として算定すべきである。（大判昭和7・5・27民集11・1289）
> 6※将来取得すべき不動産についてあらかじめ抵当権設定契約を締結することは可能であって，抵当権は設定者が所有権を取得したときに成立する。（大決大正4・10・23民録21・1755）
> 7※抵当権設定と金銭の授受が数ヶ月離れている場合であっても抵当権は有効に成立する。（大判昭和6・2・27新聞3246・13）
> 8※（対抗要件〔登記の流用〕）弁済によって被担保債権が消滅した抵当権の設定登記が残存している場合に，その設定登記を本来の優先順位のままで他の債権を担保する他の抵当権のために流用することは許されない。（大判昭和6・8・7民集10・875，大判昭和8・11・7民集12・2691）
> 9※（対抗要件〔登記の流用〕）消滅した抵当権の登記を他の債権者のために流用して抵当権移転の付記登記をした場合には，適法な抵当権設定登記がなされたとはいえないが，このような登記のある不動産を譲り受けた第三者は登記欠缺を主張するにつき正当な利益を有するものではない。（大判昭和11・1・14民集15・89，最判昭和49・12・24民集28・10・2117）
> 10※抵当権に基づく競売開始後，抵当権設定者が抵当権の目的物である山林の流木を第三者に

売却して伐採させても、抵当権者が完全に債権の満足を得た以上、損害はない。（大判昭和3・8・1民集7・671）
11※（抵当権の侵害）抵当権の実行が、抵当不動産の第三取得者の行為により抵当不動産の交換価値が減少したときは、抵当権者は被害を被ったものとして、競売以前においても賠償を請求することができる。（大判昭和7・5・27民集11・1289、大判昭和11・4・13民集15・630）
12※抵当権設定契約において被担保債権として定められた債権が存在しないものと認定された場合、あるいは無効・取消などの理由によって初めから成立しなかったものとされた場合には、抵当権も存在目的を有しないことになるから効力を生じない。そのような抵当権の設定登記を請求することはできない。（大判昭和5・12・27評論20・民法127、大判昭和11・6・11新聞4009・17、最判昭和30・7・15民集9・9・1058）
13※（被担保債権）条件付債権を既存の貸金債権としてなした抵当権設定登記も、事実と登記との間に不一致はあるが、当事者が真実その設定した抵当権を登記する意思で登記手続を終えていた以上、登記は当然に無効ではなく、抵当権設定者は登記の抹消を請求できない。（最判昭和33・5・9民集12・7・989）
14※（抵当権者の登記請求権）甲建物について滅失の事実がないのに、滅失の登記がされて登記用紙が閉鎖された後、別の乙建物として表示登記および所有権保存登記がされた場合には、甲建物上の根抵当権者は、妨害排除請求として乙建物の所有名義人に対して乙建物の表示登記および所有権保存登記の抹消登記手続を、甲建物の所有名義人であった者に対して甲建物の滅失の登記の抹消を請求することができる。（最判平成6・5・12民集48・4・1005）
15※抵当権に基づく妨害請求権の行使に当たり、抵当不動産の所有者において抵当権に対する侵害が生じないように抵当不動産を適切に維持管理することが期待できない場合には、抵当権者は、占有者に対し、直接自己への抵当不動産の明渡しを求めることができる。（最判平成17・3・10民集59・2・356）
16※動産の購入代金を立替払した者が、立替金債務の担保として当該動産の所有権を留保する場合において、買主との契約上、期限の利益喪失による残債務全額の弁済期の到来前は当該動産を占有、使用する権原を有せず、その経過後は買主から当該動産の引渡しを受け、

これを売却してその代金を残債務の弁済に充当することができるとされているときは、所有権を留保した者は、第三者の土地上に存在してその土地所有権の行使を妨害している当該動産について、右弁済期が到来するまでは、特段の事情がない限り、撤去義務や不法行為責任を負うことがないが、右弁済期が経過した後は、留保された所有権が担保権の性質を有するからといって、撤去義務や不法行為責任を免れることはない。（最判平成21・3・10民集63・3・385）
17※自動車の購入者から委託されて販売会社に売買代金の立替払をした者が、購入者及び販売会社との間で、販売会社に留保されている自動車の所有権につき、これが、上記立替払により自己に移転し、購入者が立替金及び手数料の支払債務を完済するまで留保される旨の合意をしていた場合に、購入者に係る再生手続が開始した時点で上記自動車につき上記立替払をした者を所有者とする登録がされていない限り、販売会社を所有者とする登録がされていても、上記立替払をした者が上記の合意に基づき留保した所有権を別除権として行使することは許されない。（最判平成22・6・4判タ1332・60、判時2092・93、金法1910・68、金判1353・31）

第370条　（抵当権の効力の及ぶ範囲）

抵当権は、抵当地の上に存する建物を除き、その目的である不動産（以下「抵当不動産」という。）に付加して一体となっている物に及ぶ。ただし、設定行為に別段の定めがある場合及び債務者の行為について第424条第3項に規定する詐害行為取消請求をすることができる場合は、この限りでない。

★判例

1※畳建具一般は、建物に備え付けられても独立の動産としての性質を失わないが、雨戸や建物入口の戸扉といった建物の内外を遮断する建具類は、建物の取引上の効用に照らすと、壁や羽目と異なるものではないから、建物から容易に取り外すことができるかどうかを問わず、いったん建物に備え付けられた場合は建物の一部を構成するし、建物に附加して一体となるものであるから、建物に対する抵当権の設定後に備え付けられたとしても、これらの物にも抵当権の効力が及ぶ。（大判昭和5・12・18民集9・1147）

民法（371条）

2 ※土地賃借人の所有する地上建物に設定された抵当権の実行により，競落人がその建物の所有権を取得した場合には，従前の建物所有者との間においては，右建物が取壊しを前提とする価格で競落された等特段の事情がない限り，右建物の所有に必要な敷地の賃借権も競落人に移転する。したがって，賃借人たる土地所有者が右賃借権の移転を承諾しないとしても，既に賃借権を競落人に移転した従前の建物所有者は，土地所有者に代位して競落人に対する敷地の明渡を請求することができない。（最判昭和40・5・4民集19・4・811）
3 ※根抵当権が設定された宅地上にその設定前に付設された石灯篭及び取外しのできる庭石等は宅地の従物として，植木及び取外しの困難な庭石等は宅地の構成部分として，それぞれ宅地の根抵当権の効力が及び，宅地に対する根抵当権設定登記により右各物件についても対抗力を有するから，根抵当権者は，他の債権者による右物件についての強制執行の排除を求めることができる。（最判昭和44・3・28民集23・3・699）
4 ※ガソリンスタンド用建物に根抵当権が設定された場合に，その当時既に右建物が存する賃借地上又は地下に近接して設置されていた地下タンク，ノンスペース型計量機，洗車機などの諸設備は右建物の従物であるから，ガソリンスタンド用建物に設定された根抵当権の効力は，これらの設備に対しても及ぶ。（最判平成2・4・19判時1354・80）
5 ※抵当権が設定されている甲乙2棟の建物が，工事により合体して，1棟の丙建物となっても，甲建物又は乙建物を目的として設定されていた抵当権は消滅することなく，丙建物のうちの甲建物又は乙建物の価格の割合に応じた持分を目的とするものとして存続する。（最判平成6・1・25民集48・1・18）
6 ※抵当権が設定された山林の立木が伐採されたとしても，伐採された木材については，抵当権の効力は消滅せず，抵当権者はその木材の搬出の禁止を請求できる。（大判昭和7・4・20新聞3407・15）
7 ※土地に設定されていた抵当権が実行され，差押えの効力が生じた後は，抵当権者は土地の立木の伐採を差し止め，あるいはすでに伐採されてなおその土地上にある木材について搬出を拒むことができる。（大判大正5・5・31民録22・1083）
8 ※抵当建物が天災のため崩壊し動産となったときは，抵当権は消滅し，動産上に抵当権の効力が及ぶことはない。（大判大正5・6・28民録22・1281）
9 ※抵当権者と抵当権設定者との間で，将来設定者が抵当地上に建物を建築したときは地上権を設定したものとみなすとの合意は，設定者はそのことを競落人に対抗することはできない。（大判大正7・12・6民録24・2302）
10 ※(1)抵当権の効力は，反対の意思表示のない限り，抵当権設定当時建物の常用に供するために取り付けられていた畳・建具には，従物として及ぶ。(2)民法370条は抵当権の効力が，抵当不動産のほか，物理上抵当不動産に付加してこれと一体をなすものに及ぶ旨を規定したものだから，経済上の用法にしたがい物の主従を定め主物従物とを同一の法律関係に服従させることを目的とする民法87条2項と相妨げるものではない。(3)いかなる物を抵当権の効力の及ぶべき従物と認めるべきかは，一般取引上の観念により定まる客観的標準にのっとってこれを決定すべきである。（大連判大正8・3・15民録25・473）
11 ※土地の賃借人が地上に所有する建物に抵当権を設定しその登記を得た後に，賃貸人の承諾を得て賃借人から土地の賃借権のみを譲り受けた者は，抵当権の実行により競落人が建物の所有権とともに土地の賃借権を取得したときに，競落人との関係において賃借権を失い，競落人が右賃借権の取得につき賃貸人の承諾を得たときは，賃貸人との関係においても賃借人の地位を失う。（最判昭和52・3・11民集31・2・171）

第371条

抵当権は，その担保する債権について不履行があったときは，その後に生じた抵当不動産の果実に及ぶ。

★判例

1 ※(1)担保不動産収益執行の管理人は，担保不動産の収益に係る給付を求める権利を行使する権限を取得するにとどまり，同権利自体は，担保不動産収益執行の開始決定の効力が生じた後に弁済期の到来するものであっても，所有者に帰属しているものと解するのが相当である。(2)抵当不動産の賃借人は，抵当権に基づく担保不動産収益執行の効力が生じた後においても，抵当権設定登記の前に取得した賃貸人に対する債権を自働債権とし，賃料債権を自働債権とする相殺をもって管理人に対抗することができる。（最判平成21・7・3民集63・6・1）

第372条 （留置権等の規定の準用）
第296条，第304条及び第351条の規定は，抵当権について準用する。

★判例
【抵当権に基づく物上代位】

1 ※物上代位の要件である差押えは，抵当権者自身がこれを行う必要があるから，抵当権者が右差押えをしない間に，他の債権者が自己の債権を保全するために当該目的債権を差押え，転付命令を受けた場合は，たとえ第三債務者がいまだ差押債権者に払渡しをしていないとしても，その後に抵当権者が目的債権を差し押えてその優先権を保全することはできない。（大連判大正12・4・7民集2・209）

2 ※抵当権は，抵当権設定者が目的物を自ら使用し又は第三者に使用させることを許す性質の担保権であるが，抵当権設定者が目的物を第三者に使用させることによって得た対価について抵当権を行使することができるものと解したとしても，抵当権設定者の目的物に対する使用を妨げることにはならないから，抵当権の目的物が賃貸された場合においては，抵当権者は，物上代位により目的物の賃料（賃料が供託された場合は，供託賃料の還付請求権）について抵当権を行使することができる。（最判平成元・10・27民集43・9・1070）

3 ※一般債権者による債権の差押えの処分禁止効は，差押命令の第三債務者への送達によって生ずるものであり，他方，抵当権者が抵当権を第三者に対抗するためには抵当権設定登記を経由することが必要であるから，債権について一般債権者の差押と抵当権者の物上代位権に基づく差押が競合した場合には，両者の優劣は一般債権者の申立てによる差押命令の第三債務者への送達と抵当権設定登記の先後によって決せられ，その差押命令の第三債務者への送達が抵当権者の抵当権設定登記より先であれば，抵当権者は配当を受けることができない。（最判平成10・3・26民集52・2・483）

4 ※買戻特約の登記に遅れて目的不動産に設定された抵当権は，買戻権の行使に伴い消滅するが，抵当権設定者である買主等との関係においては，買戻権行使時まで抵当権が有効に存在していたことによって生じた法的効果は買戻しによって覆滅されないと解すべきであり，また，買戻代金は，実質的には買戻権の行使による目的不動産の所有権の復帰についての対価とみることができ，目的不動産の価値変形物として，民法304条にいう目的物の売却又は滅失によって債務者が受けるべき金銭に当たるから，買戻特約付売買の買主から目的不動産につき抵当権の設定を受けた者は，買戻権の行使により買主が取得した買戻代金債権に物上代位することができる。（最判平成11・11・30民集53・8・1965）

5 ※抵当不動産の賃借人がその不動産を第三者に転貸している場合において，右賃借人は，所有者と異なり，被担保債権の履行について物的責任を負担するものではなく，自己に属する債権を被担保債権の弁済に供されるべき立場にはないから，抵当権者は，法人格を濫用し又は賃貸借を仮装した上で転貸借関係を作出したものであるなど，抵当不動産の賃借人を所有者と同視することを相当とする場合でない限り，抵当不動産の賃借人が取得すべき転貸賃料債権に対して，抵当権に基づく物上代位権を行使することができない。（最決平成12・4・14民集54・4・1552）

6 ※物上代位により抵当権の効力が賃料債権に及ぶことは抵当権設定登記により公示されているから，抵当権設定登記の後に取得した賃貸人に対する債権を自働債権とする賃料債権との相殺に対する賃借人の期待を物上代位権の行使により賃料債権に及んでいる抵当権の効力に優先させる理由はない。したがって，抵当権者が物上代位権を行使して賃料債権の差押えをした後は，抵当不動産の賃借人は，抵当権設定登記の後に賃貸人に対して取得した債権を自働債権とする賃料債権との相殺をもって，抵当権者に対抗することができない。（最判平成13・3・13民集55・2・363）

7 ※民法372条において準用する同法304条1項但書の「差押」に配当要求を含むものと解することはできず，また，民事執行法154条及び同法193条1項は抵当権に基づき物上代位権を行使する債権者が配当要求をすることを予定していないから，抵当権に基づき物上代位権を行使する債権者は，他の債権者による債権差押事件に配当要求をすることによって優先弁済を受けることはできない。（最判平成13・10・25民集55・6・975）

8 ※転付命令に係る金銭債権が抵当権の物上代位の目的となり得る場合においても，転付命令が第三債務者に送達される時までに抵当権者が被転付債権の差押えをしなかったときは，転付命令の効力を妨げることはできず，差押命令及び転付命令が確定したときには，転付命令が第三債務者に送達された時に被転付債権は差押債権者の債権及び執行費用の弁済に

充当されたものとみなされ，抵当権者が被転付債権について抵当権の効力を主張することはできない。(最判平成14・3・12民集56・3・555)
9※抵当権者が物上代位権を行使して賃料債権を差し押さえる前に敷金契約が締結された場合は，賃料債権が敷金の充当を予定した債権であることを抵当権者に主張することができるから，敷金が授受された賃貸借契約に係る賃料債権につき抵当権者が物上代位権を行使してこれを差し押さえた場合において，当該賃貸借契約が終了し，目的物が明け渡されたときは，賃料債権は，敷金の充当によりその限度で消滅する。(最判平成14・3・28民集56・3・689)
10※(1)抵当権者が物上代位権を行使するには，払渡し又は引渡の前に差押えを必要とする趣旨は，主として，第三債務者が抵当権設定者に弁済しても弁済による目的債権の消滅の効果を抵当権者に対抗できなくなるという不安定な地位におかれている可能性があり，第三債務者の二重弁済の危険を防止する点にある。(2)このような趣旨からは，債権譲渡されても，第三債務者の現実の弁済がない以上，払渡し又は引渡しには債権譲渡は含まれず，抵当権者は，目的債権が譲渡され第三者に対する対抗要件が具備された後であっても，自ら目的債権を差し押さえて物上代位権を行使できる。この理は物上代位による差押えの時点で債権譲渡に係る目的債権の弁済期が到来しているか否かにはかかわりはない。(最判平成10・1・30民集52・1・1)
11※抵当権者が被担保債権を被保全利益として抵当不動産の仮差押えをした場合に，仮差押債務者が仮差押解放金を供託して仮差押執行の取消しを得たときに，抵当権の効力は物上代位の規定の趣旨により，右仮差押解放金の取戻請求権に及ぶ。そしてこの場合，抵当権者は抵当権を実行するか，供託金返還請求権に対する執行に際し優先権を主張するか，いずれか一方を選択して行使することができる。(最判昭和45・7・16民集24・7・965)

第2節／抵当権の効力

第373条　(抵当権の順位)
同一の不動産について数個の抵当権が設定されたときは，その抵当権の順位は，登記の前後による。

第374条　(抵当権の順位の変更)
① 抵当権の順位は，各抵当権者の合意によって変更することができる。ただし，利害関係を有する者があるときは，その承諾を得なければならない。
② 前項の規定による順位の変更は，その登記をしなければ，その効力を生じない。

第375条　(抵当権の被担保債権の範囲)
① 抵当権者は，利息その他の定期金を請求する権利を有するときは，その満期となった最後の2年分についてのみ，その抵当権を行使することができる。ただし，それ以前の定期金についても，満期後に特別の登記をしたときは，その登記の時からその抵当権を行使することを妨げない。
② 前項の規定は，抵当権者が債務の不履行によって生じた損害の賠償を請求する権利を有する場合におけるその最後の2年分についても適用する。ただし，利息その他の定期金と通算して2年分を超えることができない。

★判例
1※抵当権設定者の地位を承継した第三取得者も，元本債権と満期となった定期金の全額の代位弁済をしなければ，抵当権者に対し抵当権消滅を原因として抵当権登記抹消を訴求すべき権利がないことは明らかである。(大判大正4・9・15民録21・1469)
2※抵当権者は，債務者に対し最後の2年分のみではなくその全額につき競売の申立をすることができ，この申立に基づき競売開始決定があると元本，利息その他の定期金および損害金の全部につき時効中断（新法で「時効の完成猶予」）の効力を生ずる。(大判大正9・6・29民録26・9・49)
3※本条は，債務者が被担保債権を弁済して抵当権を消滅させる場合には適用されない。(大判昭和9・3・10裁判例(八)・民53)
4※本条は，他の債権者との関係で抵当権者の優先弁済権を制限したものであり，債務者又は抵当権設定者が任意に弁済することによって抵当権を消滅させるためには，元本債権のほか，満期となった利息・損害金等の全額を弁済しなければならない。(大判昭和15・9・

28新聞4627・9）

第376条 （抵当権の処分）
① 抵当権者は，その抵当権を他の債権の担保とし，又は同一の債務者に対する他の債権者の利益のためにその抵当権若しくはその順位を譲渡し，若しくは放棄することができる。
② 前項の場合において，抵当権者が数人のためにその抵当権の処分をしたときは，その処分の利益を受ける者の権利の順位は，抵当権の登記にした付記の前後による。

★判例
1※転抵当権者は自己の債権の弁済を受けるため，原抵当権者の被担保債権額の範囲内で原抵当権を行使することができるが，原抵当権者の債権額が転抵当権者の債権額を超えるときは，原抵当権者は，その差額につき配当を受けることができ，またそのような差額を生ずべき場合には，自ら抵当権を実行して，右差額に相当する弁済を受けることができる。しかし，転抵当権者の債権額が原抵当権者の債権額と同額かこれを超えるときは，原抵当権者は抵当権を実行することができない。（大決昭和7・8・29民集11・1729）
2※将来の発生の可能性が全く蓋然的なものにすぎない債権を担保する抵当権も有効である。（大判昭和7・6・1新聞3445・16）

第377条 （抵当権の処分の対抗要件）
① 前条の場合には，第467条の規定に従い，主たる債務者に抵当権の処分を通知し，又は主たる債務者がこれを承諾しなければ，これをもって主たる債務者，保証人，抵当権設定者及びこれらの者の承継人に対抗することができない。
② 主たる債務者が前項の規定により通知を受け，又は承諾をしたときは，抵当権の処分の利益を受ける者の承諾を得ないでした弁済は，その受益者に対抗することができない。

第378条 （代価弁済）
抵当不動産について所有権又は地上権を買い受けた第三者が，抵当権者の請求に応じてその抵当権者にその代価を弁済したときは，抵当権は，その第三者のために消滅する。

第379条 （抵当権消滅請求）
抵当不動産の第三取得者は，第383条の定めるところにより，抵当権消滅請求をすることができる。

★判例
【平成15年法134による改正前の滌除に関する判例】
1※担保権実行前の譲渡担保権者は，民法378条（現379条）所定の第三者には該当しない。（最判平成7・11・10民集49・9・2953）
2※1個の不動産の全体を目的とする抵当権が設定されている場合において，右抵当不動産の共有持分を取得した第三者による滌除が許されるとすれば，抵当権者が1個の不動産の全体について一体として把握している交換価値が分断され，分断された交換価値を合算しても一体として把握された交換価値に及ばず，抵当権者を害することとなるのが通常であって，滌除制度の趣旨に反する結果となるから，右の場合において共有持分の第三取得者が抵当権の滌除をすることは許されない。（最判平成9・6・5民集51・5・2096）

第380条
主たる債務者，保証人及びこれらの者の承継人は，抵当権消滅請求をすることができない。

第381条
抵当不動産の停止条件付第三取得者は，その停止条件の成否が未定である間は，抵当権消滅請求をすることができない。

第382条 （抵当権消滅請求の時期）
抵当不動産の第三取得者は，抵当権の実行としての競売による差押えの効力が発生する前に，抵当権消滅請求をしなければならない。

第383条 （抵当権消滅請求の手続）

抵当不動産の第三取得者は，抵当権消滅請求をするときは，登記をした各債権者に対し，次に掲げる書面を送付しなければならない。

一　取得の原因及び年月日，譲渡人及び取得者の氏名及び住所並びに抵当不動産の性質，所在及び代価その他取得者の負担を記載した書面

二　抵当不動産に関する登記事項証明書（現に効力を有する登記事項のすべてを証明したものに限る。）

三　債権者が2箇月以内に抵当権を実行して競売の申立てをしないときは，抵当不動産の第三取得者が第1号に規定する代価又は特に指定した金額を債権の順位に従って弁済し又は供託すべき旨を記載した書面

★判例

1 ※一部の債権者に対して抵当権消滅請求をしても，その請求は無効であり，この請求を受けた他の債権者に対しても何らその効力を生じない。（大決昭和2・4・2新聞2686・15）

第384条 （債権者のみなし承諾）

次に掲げる場合には，前条各号に掲げる書面の送付を受けた債権者は，抵当不動産の第三取得者が同条第3号に掲げる書面に記載したところにより提供した同号の代価又は金額を承諾したものとみなす。

一　その債権者が前条各号に掲げる書面の送付を受けた後2箇月以内に抵当権を実行して競売の申立てをしないとき。

二　その債権者が前号の申立てを取り下げたとき。

三　第1号の申立てを却下する旨の決定が確定したとき。

四　第1号の申立てに基づく競売の手続を取り消す旨の決定（民事執行法第188条において準用する同法第63条第3項若しくは第68条の3第3項の規定又は同法第183条第1項第5号の謄本が提出された場合における同条第2項の規定による決定を除く。）が確定したとき。

第385条 （競売の申立ての通知）

第383条各号に掲げる書面の送付を受けた債権者は，前条第1号の申立てをするときは，同号の期間内に，債務者及び抵当不動産の譲渡人にその旨を通知しなければならない。

第386条 （抵当権消滅請求の効果）

登記をしたすべての債権者が抵当不動産の第三取得者の提供した代価又は金額を承諾し，かつ，抵当不動産の第三取得者がその承諾を得た代価又は金額を払い渡し又は供託したときは，抵当権は，消滅する。

第387条 （抵当権者の同意の登記がある場合の賃貸借の対抗力）

① 登記をした賃貸借は，その登記前に登記をした抵当権を有するすべての者が同意をし，かつ，その同意の登記があるときは，その同意をした抵当権者に対抗することができる。

② 抵当権者が前項の同意をするには，その抵当権を目的とする権利を有する者その他抵当権者の同意によって不利益を受けるべき者の承諾を得なければならない。

第388条 （法定地上権）

土地及びその上に存する建物が同一の所有者に属する場合において，その土地又は建物につき抵当権が設定され，その実行により所有者を異にするに至ったときは，その建物について，地上権が設定されたものとみなす。この場合において，地代は，当事者の請求により，裁判所が定める。

★判例
【法定地上権の成立要件】
1 ※建物が存在しない土地（更地）に抵当権を設定し，その後にその土地の所有者がその上に建物を建築した場合には，本条は適用されない。（大判大正4・7・1民録21・1313）
2 ※土地と建物があわせて抵当権が設定されその土地のみが競売された場合にも，本条は適用される。（大判昭和6・10・29民集10・931）
3 ※建物は，抵当権設定当時実際に存在しておればよく，所有権保存登記がなくても法定地上権の成立を妨げない。（大判昭和14・12・19民集18・1583）
4 ※抵当権設定時において土地と建物の所有者が異なる以上，抵当権の実行による競売の際に，たまたま，右土地及び建物の所有者が同一人の所有に帰属することになっていたとしても，本条の適用又は準用はない。（最判昭和44・2・14民集23・2・357）
5 ※同一人の所有に属する土地及び建物が同時に抵当権の目的とされた場合にも，本条の適用がある。（最判昭和37・9・4民集16・9・1854）
6 ※土地と建物を所有する者が土地に抵当権設定後，その建物を第三者に譲渡した場合にも，本条の適用がある。（大連判大正12・12・14民集2・676）
7 ※土地の上に抵当権が設定された当時において建物が存在すれば，後にその建物が同一土地内において移転された場合であっても，この移転が従前の建物の利用において必要な範囲であれば，その範囲内において，法定地上権は成立する。（最判昭和44・4・18判時556・43）
8 ※民法388条により法定地上権が成立するためには，抵当権設定当時において地上に建物が存することを要し，土地につき抵当権を設定した後に，その土地の上に建物を築造した場合は，原則として同条の適用がない。土地に対する抵当権設定時に建物が完成していない場合に，抵当権者が建物の築造を承認していたとしても，その抵当権が土地を更地として評価して設定されたときは，法定地上権は成立しない。（最判昭和36・2・10民集15・2・219）
9 ※土地とその地上建物が同一所有者に属する場合において，土地に抵当権が設定された当時，建物の登記が前主の所有名義のままで，土地所有者への所有権移転登記がされていなかったとしても，現に存立している建物を保護することを趣旨とする法定地上権制度において

は，建物所有者が対抗力ある所有権を有している必要はないと解されるから，土地抵当権が実行されたときは，建物所有者のために法定地上権が成立する。（最判昭和48・9・18民集27・8・1066，最判昭和53・9・29民集32・6・1210）
10 ※土地について1番抵当権が設定された当時土地と地上建物の所有者が異なり，法定地上権の成立要件が充足されていなかった場合には，1番抵当権者は法定地上権の負担のないものとして，土地の担保価値を把握しているから，土地と地上建物を同一人が所有するに至った後に後順位抵当権が設定されたとしても，その後に抵当権が実行され，土地が競落されたことにより1番抵当権が消滅するときには，地上建物のための法定地上権は成立しない。（最判平成2・1・22民集44・1・314）
11 ※甲と乙が共有する土地の上に甲が建物を所有していたところ，甲が土地に対する自己の共有持分に抵当権を設定した場合は，右土地に対する乙の共有持分につき何ら処分権を有しない甲は，その持分につき乙の同意なくして地上権設定等の処分をすることができない以上，甲の土地持分に対する抵当権が実行されても，建物所有者甲のために法定地上権は成立しない。（最判昭和29・12・23民集8・12・2235）
12 ※甲が単独で所有する土地の上に甲と乙が建物を共有していたところ，甲が右土地に抵当権を設定した場合，建物の所有について甲は，自己のみならず乙のためにも右土地の利用を認めているものというべきであるから，抵当権が実行されて第三者が右土地を競落したときは，その土地に法定地上権が成立する。（最判昭和46・12・21民集25・9・1610）
13 ※数名の建物共有者のうちの1名にすぎない土地共有者の債務につき，土地共有者全員が共同して土地の各持分につき抵当権を設定した場合であっても，債務者以外の土地共有者が法定地上権の発生をあらかじめ容認していたものとみることはできないから，土地に対する抵当権が実行されても，その土地について法定地上権は成立しない。（最判平成6・12・20民集48・8・1470）
14 ※土地・建物がともに抵当権の目的となり，一方だけが競売された場合にも，本条の適用がある。（大判明治38・9・22民録11・1197，大判明治39・2・16民集12・220）
15 ※法定地上権が成立した場合は，地上権の範囲は，必ずしもその建物の敷地のみに限定されず，建物として利用するのに必要な限度では，

民法（388条）

敷地以外にも及ぶ。（大判大正9・5・5民録26・1005）

16 ※建物への1番抵当権設定当時には土地と建物の所有者が同一でなかったが、2番抵当権の設定当時にはその所有が同一となった場合には、1番抵当権者の申立による競売が行われたときでも法定地上権の成立が認められる。（大判昭和14・7・26民集18・772）

17 ※土地および建物の所有者が、建物に抵当権を設定した当時、土地につき仮差押登記がなされた場合でも、抵当権実行による建物の競落人は法定地上権を取得するが、仮差押が本執行に移行してなされた強制競売手続により土地を競落取得した者に対しては法定地上権を対抗しえない。（最判昭和47・4・7民集26・3・471）

18 ※土地と地上建物の所有者が異なるときは、たとえその間に親子・夫婦の関係があったとしても、法定地上権は成立しない。（最判昭和51・10・8判時834・57）

19 ※本条による法定地上権の成立後に建物の競落があり、建物を競落して法定地上権を承継した者は、その建物所有権を取得した後の地代義務を負担すべきであるが、それ以前の未払い地代については、その債務の引受けをしない限り、これを当然には負担しない。（最判平成3・10・1判時1404・79）

20 ※同一所有者に属する土地および建物についてそれぞれ別の抵当権者のために抵当権が設定され、まず建物について抵当権が実行された後に土地について抵当権が実行された場合には、土地についての競売により、その建物について法定地上権が成立する。（最判平成11・4・23金法15・55・53）

21 ※土地に先順位の抵当権が設定された当時その地上に建物が存在しなければ、後順位の抵当権が設定された当時に建物が建築されており、かつ、後順位抵当権者の申立てにより土地の競売が行われた場合でも、右建物のため法定地上権は成立しない。（最判昭和47・11・2判時690・42）

22 ※抵当権の順位の変更は、同一不動産に設定された複数の抵当権相互間において優先弁済の順位を変更するものであり、抵当権の設定された時点を変更するものではないから、抵当権の順位の変更によって、地上に建物が存在する状態で土地に設定された抵当権の順位が地上に建物が存在しない状態で土地に設定された抵当権の順位より優先することとなっても、建物のための法定地上権は成立しない。（最判平成4・4・7金法1339・36）

23 ※（法定地上権の成立要件）土地に対する抵当権設定の当時、建物はまだ完成しておらず、抵当権が目的土地を更地として評価して設定されたことが明らかであるときは、抵当権者が建物の築造をあらかじめ承認していた場合であっても、法定地上権は成立しない。（最判昭36・2・10民集15・2・219）

24 ※本条は、公益上の理由に基づき法律で地上権の設定を強制するものであるから、当事者間の特約でこれを排除することはできない。（大判明治41・5・11民録14・677）

25 ※土地を目的とする先順位の甲抵当権が消滅した後に、後順位の乙抵当権が実行された場合において、土地と地上建物が甲抵当権の設定時には同一の所有者に属していなかったとしても、乙抵当権の設定時に同一の所有者に属していたときは法定地上権が成立する。（最判平成19・7・6民集61・5・1940）

【抵当権設定後の建物の築造】

26 ※土地とその地上の建物が同一の所有者に属する場合に、土地に抵当権を設定したときは、建物所有者は、土地の競売の際には地上権者として土地の利用を継続することができる地位を取得したものと解されるから、建物が競売前に既に朽廃していたときは格別として、建物の所有者がこれを取り壊して、新建物を再築した場合には、土地の抵当権が実行されても、旧建物と同一の範囲で法定地上権が成立する。（大判昭和10・8・10民集14・1549）

27 ※同一の所有者に属する土地と地上建物のうち土地のみについて抵当権が設定され、その後右建物が滅失して新建物が再築された場合であっても、抵当権者の利益を害しないと認められる特段の事情がある場合には、再築後の新建物を規準とする法定地上権が成立する。土地の抵当権者が、その設定当時において、近く旧建物が取り壊されて堅固建物が建築されることを予定して土地の担保価値を算定したような場合には、土地抵当権が実行されたときには再築後の堅固建物の所有を目的とする法定地上権が成立する。（最判昭和52・10・11民集31・6・785）

28 ※所有者が土地及び地上建物に共同抵当権を設定した後、建物が取り壊され、その土地上に新たに建物が建築された場合には、抵当権設定当事者の合理的意思としては、建物が取り壊されたときは土地について法定地上権の制約のない更地としての担保価値を把握しようとするのであり、法定地上権の成立を認めればその担保価値が法定地上権の価額分だけ減少し、その合理的意思に反することになるか

ら，新建物の所有者が土地の所有者と同一であり，かつ，新建物が建築された時点での土地の抵当権者が新建物について土地の抵当権と同順位の共同抵当権の設定を受けた等特段の事情のない限り，新建物のために法定地上権は成立しない。(最判平成9・2・14民集51・2・375，最判平成10・7・3判時1652・69)

29※新建物の所有者が土地の所有者と同一であり，かつ，新建物が建築された時点での土地の抵当権者が新建物について土地の抵当権と同順位の共同抵当権の設定を受けた場合であっても，新建物に設定した抵当権の被担保債権に法律上優先する債権が存在するときは，最判平成9・2・14の特段の事情がある場合には当たらず，新建物のために法定地上権は成立しない。(最判平成9・6・5民集51・5・2116)

30※更地に1番抵当権が設定された後に建物が築造され，その後土地に2番抵当権が設定され，2番抵当権が実行された場合も，右建物のため法定地上権は成立しない。(最判昭和47・11・2判時690・42，最判昭和51・2・27判時809・42)

31※更地に抵当権の設定を受けた抵当権者が建物築造を承諾していた場合でも，右建物のために法定地上権は成立しない。(最判昭和47・11・2判時690・42，最判昭和51・2・27判時809・42)

第389条 (抵当地の上の建物の競売)

① 抵当権の設定後に抵当地に建物が築造されたときは，抵当権者は，土地とともにその建物を競売することができる。ただし，その優先権は，土地の代価についてのみ行使することができる。

② 前項の規定は，その建物の所有者が抵当地を占有するについて抵当権者に対抗することができる権利を有する場合には，適用しない。

第390条 (抵当不動産の第三取得者による買受け)

抵当不動産の第三取得者は，その競売において買受人となることができる。

第391条 (抵当不動産の第三取得者による費用の償還請求)

抵当不動産の第三取得者は，抵当不動産について必要費又は有益費を支出したときは，第196条の区別に従い，抵当不動産の代価から，他の債権者より先にその償還を受けることができる。

第392条 (共同抵当における代価の配当)

① 債権者が同一の債権の担保として数個の不動産につき抵当権を有する場合において，同時にその代価を配当すべきときは，その各不動産の価額に応じて，その債権の負担を按分する。

② 債権者が同一の債権の担保として数個の不動産につき抵当権を有する場合において，ある不動産の代価のみを配当すべきときは，抵当権者は，その代価から債権の全部の弁済を受けることができる。この場合において，次順位の抵当権者は，その弁済を受ける抵当権者が前項の規定に従い他の不動産の代価から弁済を受けるべき金額を限度として，その抵当権者に代位して抵当権を行使することができる。

★判例

1※債務者所有の甲不動産と物上保証人所有の乙不動産とが共同抵当とされ，その後甲不動産に次順位抵当権が設定された場合，次順位抵当権者は，乙不動産が競売されたときは物上保証人の民法500条による代位に優先され，甲不動産が競売されたときは乙不動産について代位できない以上，乙不動産の抵当権が放棄されても何ら不利益を被る地位にはないから，共同抵当権者は，乙不動産の抵当権を放棄した後に甲不動産の抵当権を実行したときであっても，その代価から自己の債権の全額について満足を受けることができる。このことは，保証人など弁済により当然甲不動産の抵当権に代位できる者が右抵当権を実行した場合でも同様である。(最判昭和44・7・3民集23・8・1297)

2※債務者所有の甲不動産と物上保証人所有の乙不動産とを共同抵当の目的として順位を異にする数個の抵当権が設定されている場合にお

いて，乙不動産について先に競売がなされ，その代金により1番抵当権者が弁済を受けたときは，物上保証人は債務者に対する求償権とともに，代位により甲不動産に対する1番抵当権を取得するが，後順位抵当権者は，物上保証人に移転した右抵当権から優先して弁済を受けることができる。この場合，後順位抵当権者が右優先弁済権を第三者に対して主張するには，登記を必要とせず，物上保証人等との関係においても，右優先弁済権を保全する要件として差押を必要としない。(最判昭和53・7・4民集32・5・785)

3 ※共同抵当の目的である債務者所有の不動産と物上保証人所有の不動産に，それぞれ債権者を異にする後順位抵当権者が設定されている場合において，物上保証人所有の不動産について先に競売がなされ，その競落代金の交付により1番抵当権者が弁済を受けたときは，物上保証人は，債務者に対して求償権を有するとともに，代位により債務者所有の不動産に対する1番抵当権を取得するが，物上保証人所有の不動産についての後順位抵当権者は，物上保証人に移転したその抵当権から，債務者所有の不動産についての後順位抵当権者に優先して弁済を受ける。(最判昭和60・5・23民集39・4・940)

4 ※共同抵当権の目的たる甲・乙不動産が同一の物上保証人の所有に属し，甲不動産に後順位抵当権が設定されている場合に，甲不動産の代価のみが配当されるときは，後順位抵当権者は，民法392条2項後段により，先順位の共同抵当権者に代位して，乙不動産に対する抵当権を行使することができる。このとき，先順位の共同抵当権者が，乙不動産に対する抵当権を放棄した場合は，後順位抵当権者が乙不動産上の先順位抵当権者に代位し得る限度で，甲不動産について後順位抵当権者に優先することができない。(最判平成4・11・6民集46・8・2625)

5 ※共同抵当の目的となった数個の不動産の代価を同時に配当すべき場合に，1個の不動産上にその共同抵当に係る抵当権と同順位の他の抵当権が存するときは，まず，当該1個の不動産の不動産価額を同順位の各抵当権の被担保債権額の割合に従って案分し，各抵当権により優先弁済請求権を主張することのできる不動産の価額(各抵当権者が把握した担保価値)を算定し，次に，民法392条1項に従い，共同抵当権者への案分額及びその余の不動産の価額に準じて共同抵当の被担保債権の負担を分けるべきである。(最判平成14・10・22判時1804・34)

6 ※本条2項は，第三者所有の不動産が債務者所有の不動産とともに同一債権の担保として抵当権の目的である場合の関係を定めたものではない。もしそうでないと代位弁済をした第三者の代位権は，常に債務者所有の不動産に対する後順位抵当権者の設定により不当に害されるにいたる結果を生ずるからである。(大判昭和4・1・30新聞2945・12)

7 ※共同抵当権の放棄は自由だが，抵当権を実行し競売金の配当をするにあたり，民法392条・504条の類推により，放棄する抵当の目的である抵当物件の価格に準じ，次順位抵当権者に対し優先弁済を受けることができない。つまり放棄をしなければ次順位抵当権者が代位できた限度で先順位共同抵当者は優先弁済をうけられなくなる。(大判昭和11・7・14民集15・1409)

8 ※(1)共同抵当における異時配当の場合においては，先順位共同抵当権が全部の弁済を受けた場合と一部の弁済を受けた場合とを問わず，後順位抵当権者間の不公平をさけるため，その弁済をえた額が，その不動産の分担額を超過する以上は，その超過部分の範囲内においては他の抵当不動産につきその抵当権を消滅させることなく，後順位抵当権者は代位して抵当権を行うことができる。(2)代位によって抵当権を行う者は，代位権の発生前に代位付記の仮登記をすることができる。(大連判大正15・4・8民集5・575)

9 ※共同抵当における同時配当の場合，後順位抵当権者が存しない場合であっても，本条1項の規定は適用される。(大判昭和10・4・23民集14・601)

10 ※共同抵当である甲・乙不動産がいずれも物上保証人の所有する土地である場合，後順位抵当権者がいる甲不動産が実行されたときは，甲不動産の物上保証人が乙不動産の抵当権に対し民法500条により取得した権利について，甲不動産の後順位抵当権者は物上代位をしたと同様に，後順位抵当権者は優先弁済を受けることができる。(大判昭和11・12・9民集15・2172)

11 ※共同抵当権者が，次順位抵当権者の代位権が発生する前に共同抵当の目的たる他の物件に対する抵当権を放棄しても，次順位抵当権者の権利を侵害したことにはならない。(大判昭和7・11・29民集11・2297)

第393条　（共同抵当における代位の付記登記）
　前条第2項後段の規定により代位によって抵当権を行使する者は，その抵当権の登記にその代位を付記することができる。

★判例
1※代位されるべき抵当権の登記を被代位者が抹消してしまったときには，代位者は代位権を第三者に対抗できない。（大判昭和5・9・23新聞3193・13）

第394条　（抵当不動産以外の財産からの弁済）
① 抵当権者は，抵当不動産の代価から弁済を受けない債権の部分についてのみ，他の財産から弁済を受けることができる。
② 前項の規定は，抵当不動産の代価に先立って他の財産の代価を配当すべき場合には，適用しない。この場合において，他の各債権者は，抵当権者に同項の規定による弁済を受けさせるため，抵当権者に配当すべき金額の供託を請求することができる。

★判例
1※本条1項の規定は，普通債権者に対し異議権を与えたにとどまり，債務者に対する義務を定めたものではないので，債務者は執行を拒否する権利はない。（大判大正15・10・26民集5・741）

第395条　（抵当建物使用者の引渡しの猶予）
① 抵当権者に対抗することができない賃貸借により抵当権の目的である建物の使用又は収益をする者であって次に掲げるもの（次項において「抵当建物使用者」という。）は，その建物の競売における買受人の買受けの時から6箇月を経過するまでは，その建物を買受人に引き渡すことを要しない。
一　競売手続の開始前から使用又は収益をする者
二　強制管理又は担保不動産収益執行の管理人が競売手続の開始後にした賃貸借により使用又は収益をする者

② 前項の規定は，買受人の買受けの時より後に同項の建物の使用をしたことの対価について，買受人が抵当建物使用者に対し相当の期間を定めてその1箇月分以上の支払の催告をし，その相当の期間内に履行がない場合には，適用しない。

★判例
1※抵当権者に対抗することができない賃借権が設定された建物が担保不動産競売により売却された場合において，その競売手続の開始前から当該賃借権により建物の使用又は収益をする者は，当該賃借権が滞納処分による差押えがされた後に設定されたときであっても，民法395条1項1号に掲げる「競売手続の開始前から使用又は収益をする者」に当たる。（最判平成30・4・17）

第3節／抵当権の消滅

第396条　（抵当権の消滅時効）
　抵当権は，債務者及び抵当権設定者に対しては，その担保する債権と同時でなければ，時効によって消滅しない。

★判例
1※抵当権は債務者及び設定者との関係では，その担保する債権と同時でなければ時効により消滅することはないが，それ以外の後順位抵当権者や第三取得者との関係では，被担保債権と離れて，民法167条2項（現行民法166条2項）によって，20年の消滅時効により単独で消滅する。（大判昭和15・11・26民集19・2100）

第397条　（抵当不動産の時効取得による抵当権の消滅）
　債務者又は抵当権設定者でない者が抵当不動産について取得時効に必要な要件を具備する占有をしたときは，抵当権は，これによって消滅する。

★判例
1※不動産の取得時効完成後，所有権移転登記がされない間に，第三者が原所有者から抵当権の設定を受けてその登記を了した場合，占有者が抵当権の存在を容認していたなど特段の事情がない限り，（抵当権の設定登記の日を起算点として，）再度の取得時効により抵当

権は消滅する。(最判平成24・3・16民集66巻5号2321頁)

第398条 （抵当権の目的である地上権等の放棄）

地上権又は永小作権を抵当権の目的とした地上権者又は永小作人は，その権利を放棄しても，これをもって抵当権者に対抗することができない

★判例

1※抵当建物の所有者が借地権を放棄しても，本条の類推適用により，これをもって抵当権者及びその実行により競落人となった者に対抗できない。(大判大正11・11・24民集1・738)

第4節／根抵当

第398条の2 （根抵当権）

① 抵当権は，設定行為で定めるところにより，一定の範囲に属する不特定の債権を極度額の限度において担保するためにも設定することができる。
② 前項の規定による抵当権（以下「根抵当権」という。）の担保すべき不特定の債権の範囲は，債務者との特定の継続的取引契約によって生ずるものその他債務者との一定の種類の取引によって生ずるものに限定して，定めなければならない。
③ 特定の原因に基づいて債務者との間に継続して生ずる債権，手形上若しくは小切手上の請求権又は電子記録債権（電子記録債権法（平成19年法律第102号）第2条第1項に規定する電子記録債権をいう。次条第2項において同じ。）は，前項の規定にかかわらず，根抵当権の担保すべき債権とすることができる。

★判例

1※継続的取引契約の名称が登記簿上たまたま『手形取引契約』または『手形割引契約』であるからといって，担保される債権が手形上の債権にのみ限定されるということにはならず，その特定の契約において担保されるべきものと合意された債権がすべて担保されるものと判断されなければならない。(最判昭和50・8・6民集29・7・1187)
2※被担保債権の範囲が『信用金庫取引による債権』とされた場合，信用金庫の根抵当債務者に対する保証債権も被担保債権に含まれる。(最判平成5・1・19民集47・1・41)
3※複数の債務者の債務を担保すべき根抵当権が実行されて配当金が被担保債権のすべてを消滅させるに足りない場合においては，まず，配当金を各債務者に対する債権を担保するための部分に被担保債権に応じて案分した上で，さらに右案分額を民法489条ないし民法491条の規定によって充当すべきである。(最判平成9・1・20民集51・1・1)
4※信用保証協会を債権者とし，被担保債権の範囲を『保証委託取引により生じた債権』として設定された根抵当権の被担保債権には，信用保証協会の根抵当債務者に対する保証債権は含まれない。(最判平成19・7・5判時1985・58)

第398条の3 （根抵当権の被担保債権の範囲）

① 根抵当権者は，確定した元本並びに利息その他の定期金及び債務の不履行によって生じた損害の賠償の全部について，極度額を限度として，その根抵当権を行使することができる。
② 債務者との取引によらないで取得する手形上若しくは小切手上の請求権又は電子記録債権を根抵当権の担保すべき債権とした場合において，次に掲げる事由があったときは，その前に取得したものについてのみ，その根抵当権を行使することができる。ただし，その後に取得したものであっても，その事由を知らないで取得したものについては，これを行使することを妨げない。
一 債務者の支払の停止
二 債務者についての破産手続開始，再生手続開始，更生手続開始又は特別清算開始の申立て
三 抵当不動産に対する競売の申立て又は滞納処分による差押え

★判例

1※根抵当権者は，競売代金に余剰が生じ，後順位の抵当権者等の他の債権者がいない場合であっても，極度額を超える部分については，当該競売手続においては配当を受けることが

できない〔旧根抵当権〕。(最判昭和48・10・4 判時723・42)

第398条の4 (根抵当権の被担保債権の範囲及び債務者の変更)

① 元本の確定前においては，根抵当権の担保すべき債権の範囲の変更をすることができる。債務者の変更についても，同様とする。
② 前項の変更をするには，後順位の抵当権者その他の第三者の承諾を得ることを要しない。
③ 第1項の変更について元本の確定前に登記をしなかったときは，その変更をしなかったものとみなす。

第398条の5 (根抵当権の極度額の変更)

根抵当権の極度額の変更は，利害関係を有する者の承諾を得なければ，することができない。

第398条の6 (根抵当権の元本確定期日の定め)

① 根抵当権の担保すべき元本については，その確定すべき期日を定め又は変更することができる。
② 第398条の4第2項の規定は，前項の場合について準用する。
③ 第1項の期日は，これを定め又は変更した日から5年以内でなければならない。
④ 第1項の期日の変更についてその変更前の期日より前に登記をしなかったときは，担保すべき元本は，その変更前の期日に確定する。

第398条の7 (根抵当権の被担保債権の譲渡等)

① 元本の確定前に根抵当権者から債権を取得した者は，その債権について根抵当権を行使することができない。元本の確定前に債務者のために又は債務者に代わって弁済をした者も，同様とする。
② 元本の確定前に債務の引受けがあった

ときは，根抵当権者は，引受人の債務について，その根抵当権を行使することができない。
③ 元本の確定前に免責的債務引受があった場合における債権者は，第472条の4第1項の規定にかかわらず，根抵当権を引受人が負担する債務に移すことができない。
④ 元本の確定前に債権者の交替による更改があった場合における更改前の債権者は，第518条第1項の規定にかかわらず，根抵当権を更改後の債務に移すことができない。元本の確定前に債務者の交替による更改があった場合における債権者も，同様とする。

第398条の8 (根抵当権者又は債務者の相続)

① 元本の確定前に根抵当権者について相続が開始したときは，根抵当権は，相続開始の時に存する債権のほか，相続人と根抵当権設定者との合意により定めた相続人が相続の開始後に取得する債権を担保する。
② 元本の確定前にその債務者について相続が開始したときは，根抵当権は，相続開始の時に存する債務のほか，根抵当権者と根抵当権設定者との合意により定めた相続人が相続の開始後に負担する債務を担保する。
③ 第398条の4第2項の規定は，前二項の合意をする場合について準用する。
④ 第1項及び第2項の合意について相続の開始後6箇月以内に登記をしないときは，担保すべき元本は，相続開始の時に確定したものとみなす。

第398条の9 (根抵当権者又は債務者の合併)

① 元本の確定前に根抵当権者について合併があったときは，根抵当権は，合併の時に存する債権のほか，合併後存続する法人又は合併によって設立された法人が合併後に取得する債権を担保する。

② 元本の確定前にその債務者について合併があったときは，根抵当権は，合併の時に存する債務のほか，合併後存続する法人又は合併によって設立された法人が合併後に負担する債務を担保する。
③ 前二項の場合には，根抵当権設定者は，担保すべき元本の確定を請求することができる。ただし，前項の場合において，その債務者が根抵当権設定者であるときは，この限りでない。
④ 前項の規定による請求があったときは，担保すべき元本は，合併の時に確定したものとみなす。
⑤ 第3項の規定による請求は，根抵当権設定者が合併のあったことを知った日から2週間を経過したときは，することができない。合併の日から1箇月を経過したときも，同様とする。

第398条の10　（根抵当権者又は債務者の会社分割）

① 元本の確定前に根抵当権者を分割をする会社とする分割があったときは，根抵当権は，分割の時に存する債権のほか，分割をした会社及び分割により設立された会社又は当該分割をした会社がその事業に関して有する権利義務の全部又は一部を当該会社から承継した会社が分割後に取得する債権を担保する。
② 元本の確定前にその債務者を分割をする会社とする分割があったときは，根抵当権は，分割の時に存する債務のほか，分割をした会社及び分割により設立された会社又は当該分割をした会社がその事業に関して有する権利義務の全部又は一部を当該会社から承継した会社が分割後に負担する債務を担保する。
③ 前条第3項から第5項までの規定は，前二項の場合について準用する。

第398条の11　（根抵当権の処分）

① 元本の確定前においては，根抵当権者は，第376条第1項の規定による根抵当権の処分をすることができない。ただし，その根抵当権を他の債権の担保とすることを妨げない。
② 第377条第2項の規定は，前項ただし書の場合において元本の確定前にした弁済については，適用しない。

第398条の12　（根抵当権の譲渡）

① 元本の確定前においては，根抵当権者は，根抵当権設定者の承諾を得て，その根抵当権を譲り渡すことができる。
② 根抵当権者は，その根抵当権を2個の根抵当権に分割して，その一方を前項の規定により譲り渡すことができる。この場合において，その根抵当権を目的とする権利は，譲り渡した根抵当権について消滅する。
③ 前項の規定による譲渡をするには，その根抵当権を目的とする権利を有する者の承諾を得なければならない。

第398条の13　（根抵当権の一部譲渡）

元本の確定前においては，根抵当権者は，根抵当権設定者の承諾を得て，その根抵当権の一部譲渡（譲渡人が譲受人と根抵当権を共有するため，これを分割しないで譲り渡すことをいう。以下この節において同じ。）をすることができる。

第398条の14　（根抵当権の共有）

① 根抵当権の共有者は，それぞれその債権額の割合に応じて弁済を受ける。ただし，元本の確定前に，これと異なる割合を定め，又はある者が他の者に先立って弁済を受けるべきことを定めたときは，その定めに従う。
② 根抵当権の共有者は，他の共有者の同意を得て，第398条の12第1項の規定によりその権利を譲り渡すことができる。

第398条の15 （抵当権の順位の譲渡又は放棄と根抵当権の譲渡又は一部譲渡）
　抵当権の順位の譲渡又は放棄を受けた根抵当権者が，その根抵当権の譲渡又は一部譲渡をしたときは，譲受人は，その順位の譲渡又は放棄の利益を受ける。

第398条の16 （共同根抵当）
　第392条及び第393条の規定は，根抵当権については，その設定と同時に同一の債権の担保として数個の不動産につき根抵当権が設定された旨の登記をした場合に限り，適用する。

第398条の17 （共同根抵当の変更等）
① 前条の登記がされている根抵当権の担保すべき債権の範囲，債務者若しくは極度額の変更又はその譲渡若しくは一部譲渡は，その根抵当権が設定されているすべての不動産について登記をしなければ，その効力を生じない。
② 前条の登記がされている根抵当権の担保すべき元本は，1個の不動産についてのみ確定すべき事由が生じた場合においても，確定する。

第398条の18 （累積根抵当）
　数個の不動産につき根抵当権を有する者は，第398条の16の場合を除き，各不動産の代価について，各極度額に至るまで優先権を行使することができる。

第398条の19 （根抵当権の元本の確定請求）
① 根抵当権設定者は，根抵当権の設定の時から3年を経過したときは，担保すべき元本の確定を請求することができる。この場合において，担保すべき元本は，その請求の時から2週間を経過することによって確定する。
② 根抵当権者は，いつでも，担保すべき元本の確定を請求することができる。この場合において，担保すべき元本は，その請求の時に確定する。
③ 前二項の規定は，担保すべき元本の確定すべき期日の定めがあるときは，適用しない。

第398条の20 （根抵当権の元本の確定事由）
① 次に掲げる場合には，根抵当権の担保すべき元本は，確定する。
　一　根抵当権者が抵当不動産について競売若しくは担保不動産収益執行又は第372条において準用する第304条の規定による差押えを申し立てたとき。ただし，競売手続若しくは担保不動産収益執行手続の開始又は差押えがあったときに限る。
　二　根抵当権者が抵当不動産に対して滞納処分による差押えをしたとき。
　三　根抵当権者が抵当不動産に対する競売手続の開始又は滞納処分による差押えがあったことを知った時から2週間を経過したとき。
　四　債務者又は根抵当権設定者が破産手続開始の決定を受けたとき。
② 前項第3号の競売手続の開始若しくは差押え又は同項第4号の破産手続開始の決定の効力が消滅したときは，担保すべき元本は，確定しなかったものとみなす。ただし，元本が確定したものとしてその根抵当権又はこれを目的とする権利を取得した者があるときは，この限りでない。

第398条の21 （根抵当権の極度額の減額請求）
① 元本の確定後においては，根抵当権設定者は，その根抵当権の極度額を，現に存する債務の額と以後2年間に生ずべき利息その他の定期金及び債務の不履行による損害賠償の額とを加えた額に減額することを請求することができる。
② 第398条の16の登記がされている根抵当権の極度額の減額については，前項の規定による請求は，そのうちの1個の不動産についてすれば足りる。

第398条の22 （根抵当権の消滅請求）

① 元本の確定後において現に存する債務の額が根抵当権の極度額を超えるときは，他人の債務を担保するためその根抵当権を設定した者又は抵当不動産について所有権，地上権，永小作権若しくは第三者に対抗することができる賃借権を取得した第三者は，その極度額に相当する金額を払い渡し又は供託して，その根抵当権の消滅請求をすることができる。この場合において，その払渡し又は供託は，弁済の効力を有する。

② 第398条の16の登記がされている根抵当権は，1個の不動産について前項の消滅請求があったときは，消滅する。

③ 第380条及び第381条の規定は，第1項の消滅請求について準用する。

第3編　債権

第1章　総則

第1節／債権の目的

第399条 （債権の目的）

債権は，金銭に見積もることができないものであっても，その目的とすることができる。

> ★判例
> 【債権侵害】
> 1 ※債権は，特定の債務者に対してのみその行為を要求することができ，債務者以外の第三者はその要求に応ずる義務はないが，およそ権利は何人によっても侵害することができないという対世的効力を有するものであり，債権のみがこの例外となるわけではないから，第三者が債務者を教唆し，もしくは債務者と共同して，その債務の全部又は一部の履行を不能にして，債権者の権利行使を妨げ，よって債権者に損害が発生した場合には，債権者は，その第三者に対して不法行為による損害賠償請求をすることができる。（大判大正4・3・10刑録21・279）

第400条 （特定物の引渡しの場合の注意義務）

債権の目的が特定物の引渡しであるときは，債務者は，その引渡しをするまで，契約その他の債権の発生原因及び取引上の社会通念に照らして定まる善良な管理者の注意をもって，その物を保存しなければならない。

第401条 （種類債権）

① 債権の目的物を種類のみで指定した場合において，法律行為の性質又は当事者の意思によってその品質を定めることができないときは，債務者は，中等の品質を有する物を給付しなければならない。

② 前項の場合において，債務者が物の給付をするのに必要な行為を完了し，又は債権者の同意を得てその給付すべき物を指定したときは，以後その物を債権の目

的物とする。

第402条　（金銭債権）
① 債権の目的物が金銭であるときは，債務者は，その選択に従い，各種の通貨で弁済をすることができる。ただし，特定の種類の通貨の給付を債権の目的としたときは，この限りでない。
② 債権の目的物である特定の種類の通貨が弁済期に強制通用の効力を失っているときは，債務者は，他の通貨で弁済をしなければならない。
③ 前二項の規定は，外国の通貨の給付を債権の目的とした場合について準用する。

第403条
外国の通貨で債権額を指定したときは，債務者は，履行地における為替相場により，日本の通貨で弁済をすることができる。

第404条　（法定利率）
① 利息を生ずべき債権について別段の意思表示がないときは，その利率は，その利息が生じた最初の時点における法定利率による。
② 法定利率は，年3パーセントとする。
③ 前項の規定にかかわらず，法定利率は，法務省令で定めるところにより，3年を1期とし，1期ごとに，次項の規定により変動するものとする。
④ 各期における法定利率は，この項の規定により法定利率に変動があった期のうち直近のもの（以下この項において「直近変動期」という。）における基準割合と当期における基準割合との差に相当する割合（その割合に1パーセント未満の端数があるときは，これを切り捨てる。）を直近変動期における法定利率に加算し，又は減算した割合とする。
⑤ 前項に規定する「基準割合」とは，法務省令で定めるところにより，各期の初日の属する年の6年前の年の1月から前々年の12月までの各月における短期貸付けの平均利率（当該各月において銀行が新たに行った貸付け（貸付期間が1年未満のものに限る。）に係る利率の平均をいう。）の合計を60で除して計算した割合（その割合に0.1パーセント未満の端数があるときは，これを切り捨てる。）として法務大臣が告示するものをいう。

第405条　（利息の元本への組入れ）
利息の支払が1年分以上延滞した場合において，債権者が催告をしても，債務者がその利息を支払わないときは，債権者は，これを元本に組み入れることができる。

第406条　（選択債権における選択権の帰属）
債権の目的が数個の給付の中から選択によって定まるときは，その選択権は，債務者に属する。

第407条　（選択権の行使）
① 前条の選択権は，相手方に対する意思表示によって行使する。
② 前項の意思表示は，相手方の承諾を得なければ，撤回することができない。

第408条　（選択権の移転）
債権が弁済期にある場合において，相手方から相当の期間を定めて催告をしても，選択権を有する当事者がその期間内に選択をしないときは，その選択権は，相手方に移転する。

第409条　（第三者の選択権）
① 第三者が選択をすべき場合には，その選択は，債権者又は債務者に対する意思表示によってする。
② 前項に規定する場合において，第三者が選択をすることができず，又は選択をする意思を有しないときは，選択権は，債務者に移転する。

第410条　(不能による選択債権の特定)

債権の目的である給付の中に不能のものがある場合において，その不能が選択権を有する者の過失によるものであるときは，債権は，その残存するものについて存在する。

第411条　(選択の効力)

選択は，債権の発生の時にさかのぼってその効力を生ずる。ただし，第三者の権利を害することはできない。

第2節／債権の効力

第1款／債務不履行の責任等

第412条　(履行期と履行遅滞)

① 債務の履行について確定期限があるときは，債務者は，その期限の到来した時から遅滞の責任を負う。
② 債務の履行について不確定期限があるときは，債務者は，その期限の到来した後に履行の請求を受けた時又はその期限の到来したことを知った時のいずれか早い時から遅滞の責任を負う。
③ 債務の履行について期限を定めなかったときは，債務者は，履行の請求を受けた時から遅滞の責任を負う。

★判例
1 ※出世払いなどの不確定期限付債務において，当該事実の発生又はその不確実な事実の発生不能が確定した場合であっても，債務者が遅滞に陥るのは，その事実を知った時からである。(大判大正4・12・1民集21・1953)
2 ※不法行為に基づく損害賠償債務は，催告を要することなく，損害発生と同時に遅滞に陥る。(最判昭和37・9・4民集16・9・1834)
3 ※請負人の報酬債権に対し，注文者がこれと同時履行の関係にある目的物の瑕疵修補に代わる損害賠償請求権を自働債権として相殺の意思表示をした場合，注文者は，請負人に対する相殺後の報酬残債務について，相殺の意思表示をした日の翌日から，履行遅滞の責任を負う。(最判平成9・7・15民集51・6・2581)
4 ※民法910条に基づく他の共同相続人の価額の支払債務は，履行の請求を受けた時に遅滞に

陥る。(最判平成28・2・26民集70・2・195)

第412条の2　(履行不能)

① 債務の履行が契約その他の債務の発生原因及び取引上の社会通念に照らして不能であるときは，債権者は，その債務の履行を請求することができない。
② 契約に基づく債務の履行がその契約の成立の時に不能であったことは，第415条の規定によりその履行の不能によって生じた損害の賠償を請求することを妨げない。

第413条　(受領遅滞)

① 債権者が債務の履行を受けることを拒み，又は受けることができない場合において，その債務の目的が特定物の引渡しであるときは，債務者は，履行の提供をした時からその引渡しをするまで，自己の財産に対するのと同一の注意をもって，その物を保存すれば足りる。
② 債権者が債務の履行を受けることを拒み，又は受けることができないことによって，その履行の費用が増加したときは，その増加額は，債権者の負担とする。

第413条の2　(履行遅滞中又は受領遅滞中の履行不能と帰責事由)

① 債務者がその債務について遅滞の責任を負っている間に当事者双方の責めに帰することができない事由によってその債務の履行が不能となったときは，その履行の不能は，債務者の責めに帰すべき事由によるものとみなす。
② 債権者が債務の履行を受けることを拒み，又は受けることができない場合において，履行の提供があった時以後に当事者双方の責めに帰することができない事由によってその債務の履行が不能となったときは，その履行の不能は，債権者の責めに帰すべき事由によるものとみなす。

第414条　(履行の強制)

① 債務者が任意に債務の履行をしないときは、債権者は、民事執行法その他強制執行の手続に関する法令の規定に従い、直接強制、代替執行、間接強制その他の方法による履行の強制を裁判所に請求することができる。ただし、債務の性質がこれを許さないときは、この限りでない。
② 前項の規定は、損害賠償の請求を妨げない。

★判例

1 ※夫婦間における同居義務の履行は、債務者が任意に履行をするのでなければ債権の目的を達することができないから、その債務は性質上強制履行を許されない(したがって間接強制によることも許されない)。(大決昭和5・9・30民集9・926)
2 ※債務者に対し謝罪広告をすべきことを命ずる判決が確定しただけでは、債務者が謝罪広告を掲載するのと同一の効力は生じないから、その判決執行の目的を達成するためには、旧民事訴訟法733条(現在の民事執行法171条)による代替執行の方法によるべきである。(大決昭和10・12・16民集14・2044)
3 ※カフェーの客が女給に対して多額の独立資金を与える旨を諾約したとしても、両者はカフェーにおいて短時間遊興した関係にすぎず、その客が一時の興に乗じて、女給の歓心を買うために右諾約をした場合には、客が自ら進んでこれを履行するときは、女給は債務の弁済を受けることができるが、その履行を強制することはできないという特殊の債務関係を生ずる。(大判昭和10・4・25新聞3835・5)
4 ※婚姻の予約は、将来において適法な婚姻をなすことを目的とする契約であって、かかる契約も適法かつ有効である。よって、当事者の一方が正当な理由なく違約した場合には、相手方はその予約を信じたため被った有形無形の損害を賠償する責任はあるが、当事者に対し法律上の婚姻を強制することはできない。(大連判大正4・1・26民録21・49)
5 ※代替執行は、直接強制が許される与える債務について許されない。代替執行が許される場合には、間接強制は許されない。(大決大正10・7・25民録27・1354)
6 ※直接強制を許す債務については、代替執行または間接強制は許されない。けだし、直接強制は、債務者の人格・意思を尊重する理想に適するのみでなく、強制履行の方法としては最も効果的であるから、これが可能な場合に他の強制履行の手段を認めることは訴訟経済上はなはだしく不当だからである。(大決昭和5・10・23民集9・982)

第415条　(債務不履行による損害賠償)

① 債務者がその債務の本旨に従った履行をしないとき又は債務の履行が不能であるときは、債権者は、これによって生じた損害の賠償を請求することができる。ただし、その債務の不履行が契約その他の債務の発生原因及び取引上の社会通念に照らして債務者の責めに帰することができない事由によるものであるときは、この限りでない。
② 前項の規定により損害賠償の請求をすることができる場合において、債権者は、次に掲げるときは、債務の履行に代わる損害賠償の請求をすることができる。
一　債務の履行が不能であるとき。
二　債務者がその債務の履行を拒絶する意思を明確に表示したとき。
三　債務が契約によって生じたものである場合において、その契約が解除され、又は債務の不履行による契約の解除権が発生したとき。

★判例
【債務不履行】

1 ※不動産の二重売買の場合において、売主の一方の買主に対する債務は、特段の事情のないかぎり、他の買主に対する所有権移転登記が完了した時に履行不能になる(したがって、損害賠償額の算定にあたっては、右他方の買主に仮登記がなされた時ではなく、本登記がなされた時を基準時とする)。(最判昭和35・4・21民集14・6・930)
2 ※家屋の賃借人が失火によって家屋を焼失して、その返還義務を履行することができなくなった場合には、本条により損害賠償の責任を負う。(大判明治45・3・23民録18・315)
3 ※家屋の転貸借において、履行補助者の故意または過失によって其の家屋を滅失毀損したときは、転貸借につき賃貸人の承諾があっても賃借人は責任を負う。(大判昭和4・6・19民集8・675)

4 ※不動産の譲渡後，登記義務の履行期前に，同不動産につき第三者から処分禁止の仮処分をうけたからといって，右移転登記義務が履行不能になったものということはできない。（最判昭和32・9・19民集11・9・1565）
5 ※金銭債務以外の債務においては，債務者が責を免れるためには，履行不能が自己の責に帰することのできない事由によって生じたことを立証することを要する。（最判昭和34・9・17民集13・11・1412）
6 ※購入した新築建物に構造耐力上の安全にかかわる重大な瑕疵があり，倒壊の具体的なおそれがあるなど建物自体が社会経済的価値を有しない場合，買主から工事施工者等に対する建て替え費用相当額の損害賠償請求においてその居住利益を損害額から控除することはできない。（最判平成22・6・17民集64・4・1197）
7 ※土地の賃貸人および転貸人が，転借人所有の地上建物の根抵当権者に対し，借地権の消滅を来たすおそれのある事実が生じたときは通知する旨の条項を含む念書を差し入れた場合において，賃貸人および転貸人が地代不払いの事実を土地の転貸借契約の解除に先立ち根抵当権者に通知する義務を負い，その不履行を理由とする根抵当権者の損害賠償請求は信義則に反するとはいえない。（最判平成22・9・9金判1355・26）

【履行補助者の過失】
8 ※債務者が債務の履行のため他人を使用する場合において，債務者は，その選任監督につき過失のないことを要するだけでなく，債務の履行をさせる範囲において，被用者に履行に伴って必要な注意を尽くさせる責任を負うから，使用者たる債務者は，その履行につき被用者の不注意によって生じた結果に対し，債務の履行に関する一切の責任を回避できない。（大判昭和4・3・30民集8・363）

第416条　（損害賠償の範囲）

① 債務の不履行に対する損害賠償の請求は，これによって通常生ずべき損害の賠償をさせることをその目的とする。
② 特別の事情によって生じた損害であっても，当事者がその事情を予見すべきであったときは，債権者は，その賠償を請求することができる。

★判例
【旧法時の判例】
1 ※民法416条が，特別事情を予見していた債務者にその特別事情によって生じた損害の賠償責任を負わせる根拠は，特別事情を予見していたのであれば，これにより損害が発生することも予知できたのであり，このことを予知しながら債務を履行せず，もしくはその履行を不能にした債務者に損害を賠償させても過酷ではないからである。したがって，特別事情の予見とは，債務の履行期までに履行期後の事情を前もって知るという意味であり，予見の時期は，債務の履行期までであると解すべきである。（大判大正7・8・27民録24・1658）
2 ※XがA所有の土地について対抗力ある借地権を有していたところ，YがAから右土地を買い受けて建物を建築したことによりXの借地権が侵害された場合，借地権者Xがその借地上に新たに建物を建てて営業を営むことにより得べかりし利益の喪失による損害は，特別事情による損害であると解されるから，その特別事情について債務者Yに予見可能性があるときは，Yは右営業利益の損害について賠償責任を負う。（最判昭和32・1・22民集11・1・34）
3 ※本条の規定は相当因果関係の範囲を明らかにしたものであって，不法行為に基づく損害賠償の範囲にも類推される。（大連判大正15・5・22民集5・368）

第417条　（損害賠償の方法）

損害賠償は，別段の意思表示がないときは，金銭をもってその額を定める。

第417条の2　（中間利息の控除）

① 将来において取得すべき利益についての損害賠償の額を定める場合において，その利益を取得すべき時までの利息相当額を控除するときは，その損害賠償の請求権が生じた時点における法定利率により，これをする。
② 将来において負担すべき費用についての損害賠償の額を定める場合において，その費用を負担すべき時までの利息相当額を控除するときも，前項と同様とする。

第418条　（過失相殺）
　債務の不履行又はこれによる損害の発生若しくは拡大に関して債権者に過失があったときは，裁判所は，これを考慮して，損害賠償の責任及びその額を定める。

第419条　（金銭債務の特則）
① 　金銭の給付を目的とする債務の不履行については，その損害賠償の額は，債務者が遅滞の責任を負った最初の時点における法定利率によって定める。ただし，約定利率が法定利率を超えるときは，約定利率による。
② 　前項の損害賠償については，債権者は，損害の証明をすることを要しない。
③ 　第１項の損害賠償については，債務者は，不可抗力をもって抗弁とすることができない。

第420条　（賠償額の予定）
① 　当事者は，債務の不履行について損害賠償の額を予定することができる。
② 　賠償額の予定は，履行の請求又は解除権の行使を妨げない。
③ 　違約金は，賠償額の予定と推定する。

第421条
　前条の規定は，当事者が金銭でないものを損害の賠償に充てるべき旨を予定した場合について準用する。

第422条　（損害賠償による代位）
　債権者が，損害賠償として，その債権の目的である物又は権利の価額の全部の支払を受けたときは，債務者は，その物又は権利について当然に債権者に代位する。

第422条の２　（代償請求権）
　債務者が，その債務の履行が不能となったのと同一の原因により債務の目的物の代償である権利又は利益を取得したときは，債権者は，その受けた損害の額の限度において，債務者に対し，その権利の移転又はその利益の償還を請求することができる。

★判例
1※履行不能を生じさせたのと同一の原因によって，債務者が履行の目的物の代償と考えられる利益を取得した場合には，公平の観念に基づき，債権者は債務者に対して，履行不能により債権者が被った損害の限度において，その利益の償還を請求する権利を有する。賃貸借の目的物たる建物が賃借人の過失なくして焼失した場合に，賃借人が火災保険金を受領したときは，賃貸人は自己の損害額の限度で，右火災保険金に対して代償請求権を有する。（最判昭和41・12・23民集20・10・2211）

第２款／債権者代位権

第423条　（債権者代位権の要件）
① 　債権者は，自己の債権を保全するため必要があるときは，債務者に属する権利（以下「被代位権利」という。）を行使することができる。ただし，債務者の一身に専属する権利及び差押えを禁じられた権利は，この限りでない。
② 　債権者は，その債権の期限が到来しない間は，被代位権利を行使することができない。ただし，保存行為は，この限りでない。
③ 　債権者は，その債権が強制執行により実現することのできないものであるときは，被代位権利を行使することができない。

★判例
【要件　債務者が無資力であることの要否】
1※他人の債務のために自己の所有物件につき抵当権を設定した物上保証人は，右債務の消滅時効を援用することができるが，物上保証人に対し金銭債権を有する債権者は，物上保証人が被担保債権について消滅時効を援用しないときは，債務者の資力が自己の債権の弁済を受けるについて十分でない場合に限り，その債権を保全するに必要な限度で，民法423条１項本文により，債務者である物上保証人に代位して，被担保債権の消滅時効を援用することができる。（最判昭和43・9・26民集

2※被相続人が生前に土地を売却し，数人の共同相続人が買主に対する所有権移転登記義務を相続した場合に，共同相続人の一人がその登記義務の履行を拒絶しているときは，買主は，登記義務の履行を提供する他の相続人に対しても代金支払を拒絶することができるが，これに対して，相続人は，買主の同時履行の抗弁権を失わせて自己の代金債権を保全するため，債務者たる買主の資力の有無を問わず，民法423条1項本文により，買主に代位して，登記に応じない相続人に対する買主の所有権移転登記手続請求権を行使することができる。（最判昭50・3・6民集29・3・203）

3※金銭債権を有する債権者が，債務者の権利を代位行使できるのは，債務者の資力が債務を弁済するのに十分でないことを要し，この点について立証責任は債権者が負う。（大判明治39・11・21民録12・1537，最判昭40・10・12民集19・7・1777）

4※金銭債務を有する債権者が債務者の権利を代位行使できるのは，債務者の資力不十分な場合でなければ代位訴権を行使できない。（大判明治39・11・21民録12・1537）

5※債権者は，債務者に代位してその債務者に属する登記抹消請求権を代位行使することができる。（最判昭39・4・17民集18・529）

【要件　債務者の一身専属権に当らない場合】

6※名誉毀損による慰謝料請求権は，本来は行使上の一身専属性を有するものであるが，その金額を定める合意もしくは債務名義が成立するなど，当事者間においてその内容が客観的に確定したとき，または，被害者がそれ以前の段階において死亡したときは，行使上の一身専属性を失い，被害者の債権者による差押えまたは債権者代位権の目的となり得る。（最判昭58・10・6民集37・8・1041）

7※遺留分減殺請求権（現行法の遺留分侵害額請求権）は，行使上の一身専属性を有するから，遺留分権利者が，これを第三者に譲渡するなど，権利行使の確定的意思を有することを外部に表明したと認められる特段の事情がある場合を除き，債権者代位の目的とすることはできない。（最判平成13・11・22民集55・6・1033）

【代位権行使の効果】

8※債権者が債務者に代位して給付の訴えを提起し勝訴の確定判決を得た場合には，その判決の既判力は債務者にも及ぶから，債権者の第三債務者に対する債権を代位行使することによって，当該債権の消滅時効は更新される。（大判昭和15・3・15民集19・586）

9※離婚によって生ずる可能性のある財産分与請求権は，協議ないし審判によって，その具体的な内容が形成される前に，この請求権を保全するため，分与をすべき者に属する権利を代位行使することはできない。（最判昭和55・7・11民集34・4・628）

10※債権者が債務者の有する買戻権を代位行使した場合には，買主である相手方は，売主（債務者）に対する抗弁を対抗することができる。（大判明治43・7・6民録16・546，大判昭和18・12・22民集22・1263）

11※第三者が抵当不動産を不法占有することにより，抵当不動産の交換価値の実現が妨げられ抵当権者の優先弁済請求権の行使が困難となるような状態が生じているような事情の下においては，抵当権者は，建物所有者の不法占有者に対する妨害排除請求権を代位行使し，所有者のために当該建物を管理することを目的として，不法占有者に対し，直接自己に建物を明け渡すよう請求することができる。（最大判平成11・11・24民集53・8・1899，この判決は，傍論で，抵当権自体に基づく妨害排除請求権の行使を肯定した。）

第423条の2（代位行使の範囲）

債権者は，被代位権利を行使する場合において，被代位権利の目的が可分であるときは，自己の債権の額の限度においてのみ，被代位権利を行使することができる。

★判例

【代位権行使の範囲】

1※債権者代位権は，債権者の債権を保全するために認められた制度であるから，これを行使し得る範囲は，右債権の保全に必要な限度に限られるべきであり，債権者が債務者に対する金銭債権に基づいて，債務者の第三債務者に対する金銭債権を代位行使する場合においては，債権者は自己の債権額の範囲においてのみ，債権者の債権を行使することができる。（最判昭和44・6・24民集23・7・1079）

2※借地上の建物賃借人は，その賃借権を保全するために，建物賃貸人（借地人）の有する借地法10条による建物買取請求権を行使することはできない。（最判昭和38・4・23民集17・3・536）

第423条の3　（債権者への支払又は引渡し）
　債権者は，被代位権利を行使する場合において，被代位権利が金銭の支払又は動産の引渡しを目的とするものであるときは，相手方に対し，その支払又は引渡しを自己に対してすることを求めることができる。この場合において，相手方が債権者に対してその支払又は引渡しをしたときは，被代位権利は，これによって消滅する。

第423条の4　（相手方の抗弁）
　債権者が被代位権利を行使したときは，相手方は，債務者に対して主張することができる抗弁をもって，債権者に対抗することができる。

第423条の5　（債務者の取立てその他の処分の権限等）
　債権者が被代位権利を行使した場合であっても，債務者は，被代位権利について，自ら取立てその他の処分をすることを妨げられない。この場合においては，相手方も，被代位権利について，債務者に対して履行をすることを妨げられない。

第423条の6　（被代位権利の行使に係る訴えを提起した場合の訴訟告知）
　債権者は，被代位権利の行使に係る訴えを提起したときは，遅滞なく，債務者に対し，訴訟告知をしなければならない。

第423条の7　（登記又は登録の請求権を保全するための債権者代位権）
　登記又は登録をしなければ権利の得喪及び変更を第三者に対抗することができない財産を譲り受けた者は，その譲渡人が第三者に対して有する登記手続又は登録手続をすべきことを請求する権利を行使しないときは，その権利を行使することができる。この場合においては，前三条の規定を準用する。

★判例
1 ※民法423条の適用を受けるべき債権者の債権は，債務者の権利行使がその債権の保全に適切かつ必要であればよく，債務者の資力の有無に関係するものである必要はなく，また，債務者の資力の有無と関係のない場合には，債務者が無資力であることは代位行使の要件にはならない。不動産の売買において，売主の登記名義人に対する移転登記請求権は，売主の資力の有無にかかわらず，買主の売主に対する移転登記請求権を保全するために適切かつ必要であるから，買主は，売主の登記名義人に対する移転登記請求権を代位行使することができる。（大判明治43・7・6民録16・537）
2 ※民法423条において，債権者が行使すべき債務者の権利は，その一身に専属するもののほかに制限はなく，一方，保全されるべき債権者の債権は必ずしも金銭上の債権であることを要せず，特定債権を保全する場合においても同条の適用が可能である。土地賃借人が賃貸人に対しその土地の使用収益をさせる債権を有する場合に，第三者がその土地を不法に占拠し賃借人の使用収益を妨げているときは，土地賃借人はその債権を保全するため，同条により，賃貸人が有する土地妨害排除請求権を代位行使することができる。（大判昭和4・12・16民集8・944）

第3款　詐害行為取消権

第1目／詐害行為取消権の要件

第424条　（詐害行為取消請求）
① 債権者は，債務者が債権者を害することを知ってした行為の取消しを裁判所に請求することができる。ただし，その行為によって利益を受けた者（以下この款において「受益者」という。）がその行為の時において債権者を害することを知らなかったときは，この限りでない。
② 前項の規定は，財産権を目的としない行為については，適用しない。
③ 債権者は，その債権が第1項に規定する行為の前の原因に基づいて生じたものである場合に限り，同項の規定による請

求（以下「詐害行為取消請求」という。）をすることができる。
④ 債権者は、その債権が強制執行により実現することのできないものであるときは、詐害行為取消請求をすることができない。

★判例
【詐害行為の要件】
1 ※債務者の行為が詐害行為として債権者による取消しの対象となるためには、その行為が右債権者の債権の発生後にされたものであることを必要とする。不動産物権の譲渡行為とこれについての登記は別個の行為であり、登記自体は物権の移転を第三者に対抗し得る効果を生じさせるにすぎないから、不動産物権の譲渡行為が債権者の債権成立前にされたものである場合には、たとえ右登記が債権成立後にされたときでも、その債権者は詐害行為取消権を行使することができない。（最判昭和55・1・24民集34・1・110）
2 ※共同相続人の間で成立した遺産分割協議は、相続の開始によって共同相続人の共有となった相続財産について、その全部又は一部を、各相続人の単独所有とし、又は新たな共有関係に移行させることによって、相続財産の帰属を確定させるものであり、その性質上、財産権を目的とする法律行為であるということができるから、詐害行為取消権の対象となり得る。（最判平成11・6・11民集53・5・898）
3 ※離婚に伴う慰謝料を支払う旨の合意は、配偶者の一方が、その有責行為及びこれによって離婚のやむなきに至ったことを理由として発生した損害賠償債務の存在を確認し、賠償額を確定してその支払を約する行為であって、新たに創設的に債務を負担するものとはいえないから、詐害行為とはならないが、当該配偶者が負担すべき損害賠償債務の額を超えた金額の慰謝料を支払う旨の合意がされたときは、その合意のうち右損害賠償債務の額を超えた部分については、慰謝料支払の名を借りた金銭の贈与契約ないし対価を欠いた新たな債務負担行為というべきであるから、詐害行為取消権の対象となり得る。（最判平成12・3・9民集54・3・1013）
4 ※調停又は審判によって決定された毎月一定額の支払を受けることを定められた将来の婚姻費用の分担に関する債権を取得した配偶者は、調停又は審判の前提となる事実関係の存続がかなりの蓋然性を予測される限度においては、右債権の被保全債権として詐害行為取消権を行使することができる。（最判昭和46・9・21民集25・6・823）
5 ※相続の放棄は、詐害行為取消権行使の対象とはならない。（最判昭和49・9・20民集28・6・1202）

第424条の2 （相当の対価を得てした財産の処分行為の特則）

　債務者が、その有する財産を処分する行為をした場合において、受益者から相当の対価を取得しているときは、債権者は、次に掲げる要件のいずれにも該当する場合に限り、その行為について、詐害行為取消請求をすることができる。
一　その行為が、不動産の金銭への換価その他の当該処分による財産の種類の変更により、債務者において隠匿、無償の供与その他の債権者を害することとなる処分（以下この条において「隠匿等の処分」という。）をするおそれを現に生じさせるものであること。
二　債務者が、その行為の当時、対価として取得した金銭その他の財産について、隠匿等の処分をする意思を有していたこと。
三　受益者が、その行為の当時、債務者が隠匿等の処分をする意思を有していたことを知っていたこと。

第424条の3 （特定の債権者に対する担保の供与等の特則）

① 債務者がした既存の債務についての担保の供与又は債務の消滅に関する行為について、債権者は、次に掲げる要件のいずれにも該当する場合に限り、詐害行為取消請求をすることができる。
一　その行為が、債務者が支払不能（債務者が、支払能力を欠くために、その債務のうち弁済期にあるものにつき、一般的かつ継続的に弁済することができない状態をいう。次項第一号において同じ。）の時に行われたものである

民法（424条の4―424条の8）

こと。
二　その行為が，債務者と受益者とが通謀して他の債権者を害する意図をもって行われたものであること。
② 前項に規定する行為が，債務者の義務に属せず，又はその時期が債務者の義務に属しないものである場合において，次に掲げる要件のいずれにも該当するときは，債権者は，同項の規定にかかわらず，その行為について，詐害行為取消請求をすることができる。
一　その行為が，債務者が支払不能になる前30日以内に行われたものであること。
二　その行為が，債務者と受益者とが通謀して他の債権者を害する意図をもって行われたものであること。

第424条の4　（過大な代物弁済等の特則）
債務者がした債務の消滅に関する行為であって，受益者の受けた給付の価額がその行為によって消滅した債務の額より過大であるものについて，第424条に規定する要件に該当するときは，債権者は，前条第1項の規定にかかわらず，その消滅した債務の額に相当する部分以外の部分については，詐害行為取消請求をすることができる。

第424条の5　（転得者に対する詐害行為取消請求）
債権者は，受益者に対して詐害行為取消請求をすることができる場合において，受益者に移転した財産を転得した者があるときは，次の各号に掲げる区分に応じ，それぞれ当該各号に定める場合に限り，その転得者に対しても，詐害行為取消請求をすることができる。
一　その転得者が受益者から転得した者である場合　その転得者が，転得の当時，債務者がした行為が債権者を害することを知っていたとき。
二　その転得者が他の転得者から転得した者である場合　その転得者及びその前に転得した全ての転得者が，それぞれの転得の当時，債務者がした行為が債権者を害することを知っていたとき。

第2目／詐害行為取消権の行使の方法等

第424条の6　（財産の返還又は価額の償還の請求）
① 債権者は，受益者に対する詐害行為取消請求において，債務者がした行為の取消しとともに，その行為によって受益者に移転した財産の返還を請求することができる。受益者がその財産の返還をすることが困難であるときは，債権者は，その価額の償還を請求することができる。
② 債権者は，転得者に対する詐害行為取消請求において，債務者がした行為の取消しとともに，転得者が転得した財産の返還を請求することができる。転得者がその財産の返還をすることが困難であるときは，債権者は，その価額の償還を請求することができる。

第424条の7　（被告及び訴訟告知）
① 詐害行為取消請求に係る訴えについては，次の各号に掲げる区分に応じ，それぞれ当該各号に定める者を被告とする。
一　受益者に対する詐害行為取消請求に係る訴え　受益者
二　転得者に対する詐害行為取消請求に係る訴え　その詐害行為取消請求の相手方である転得者
② 債権者は，詐害行為取消請求に係る訴えを提起したときは，遅滞なく，債務者に対し，訴訟告知をしなければならない。

第424条の8　（詐害行為の取消しの範囲）
① 債権者は，詐害行為取消請求をする場合において，債務者がした行為の目的が可分であるときは，自己の債権の額の限度においてのみ，その行為の取消しを請

実体法

求することができる。
② 債権者が第424条の6第1項後段又は第2項後段の規定により価額の償還を請求する場合についても，前項と同様とする。

第424条の9　（債権者への支払又は引渡し）
① 債権者は，第424条の6第1項前段又は第2項前段の規定により受益者又は転得者に対して財産の返還を請求する場合において，その返還の請求が金銭の支払又は動産の引渡しを求めるものであるときは，受益者に対してその支払又は引渡しを，転得者に対してその引渡しを，自己に対してすることを求めることができる。この場合において，受益者又は転得者は，債権者に対してその支払又は引渡しをしたときは，債務者に対してその支払又は引渡しをすることを要しない。
② 債権者が第424条の6第1項後段又は第2項後段の規定により受益者又は転得者に対して価額の償還を請求する場合についても，前項と同様とする。

第3目／詐害行為取消権の行使の効果

第425条　（認容判決の効力が及ぶ者の範囲）
詐害行為取消請求を認容する確定判決は，債務者及びその全ての債権者に対してもその効力を有する。

第425条の2　（債務者の受けた反対給付に関する受益者の権利）
債務者がした財産の処分に関する行為（債務の消滅に関する行為を除く。）が取り消されたときは，受益者は，債務者に対し，その財産を取得するためにした反対給付の返還を請求することができる。債務者がその反対給付の返還をすることが困難であるときは，受益者は，その価額の償還を請求することができる。

第425条の3　（受益者の債権の回復）
債務者がした債務の消滅に関する行為が取り消された場合（第424条の4の規定により取り消された場合を除く。）において，受益者が債務者から受けた給付を返還し，又はその価額を償還したときは，受益者の債務者に対する債権は，これによって原状に復する。

第425条の4　（詐害行為取消請求を受けた転得者の権利）
債務者がした行為が転得者に対する詐害行為取消請求によって取り消されたときは，その転得者は，次の各号に掲げる区分に応じ，それぞれ当該各号に定める権利を行使することができる。ただし，その転得者がその前者から財産を取得するためにした反対給付又はその前者から財産を取得することによって消滅した債権の価額を限度とする。
一　第425条の2に規定する行為が取り消された場合　その行為が受益者に対する詐害行為取消請求によって取り消されたとすれば同条の規定により生ずべき受益者の債務者に対する反対給付の返還請求権又はその価額の償還請求権
二　前条に規定する行為が取り消された場合（第424条の4の規定により取り消された場合を除く。）　その行為が受益者に対する詐害行為取消請求によって取り消されたとすれば前条の規定により回復すべき受益者の債務者に対する債権

第4目／詐害行為取消権の期間の制限

第426条
詐害行為取消請求に係る訴えは，債務者が債権者を害することを知って行為をしたことを債権者が知った時から2年を経過したときは，提起することができない。行為の時から10年を経過したとき

も，同様とする。

第3節／多数当事者の債権及び債務

第1款／総則

第427条　（分割債権及び分割債務）
　数人の債権者又は債務者がある場合において，別段の意思表示がないときは，各債権者又は各債務者は，それぞれ等しい割合で権利を有し，又は義務を負う。

★判例
1※数人で共同でした売買契約による代金債務は分割債務であり，契約書に買主として連記しても連帯の推定をなすべきではない。（大判大正4・9・21民録21・1486）
2※相続人のうちの1人に対して財産の全部を相続させる旨の遺言がされた場合には，遺言の趣旨等から相続債務については当該相続人にすべてを相続させる意思のないことが明らかであるなどの特段の事情のない限り，相続人間においては当該相続人が相続債務もすべて承継したと解され，遺留分の侵害額の算定にあたり，遺留分権利者の法定相続分に応じた相続債務の額を遺留分額に加算することは許されない。（最判平成21・3・24民集63・3・427）
3※共同相続された普通預金債権，通常貯金債権及び定期貯金債権は，いずれも，相続開始と同時に当然に相続分に応じて分割されることはないものというべきである。（最大判平成28・12・19民集70巻8号2121頁）

第2款／不可分債権及び不可分債務

第428条　（不可分債権）
　次款（連帯債権）の規定（第433条及び第435条の規定を除く。）は，債権の目的がその性質上不可分である場合において，数人の債権者があるときについて準用する。

★判例
1※各共有者は単独で，共有土地を不法に占有している者に対して，民法428条の不可分債権の規定を類推適用し，自己に目的物を返還するよう請求できる。（大判大正10・3・18民録27・547）
2※共同相続財産に属する建物の使用貸借契約の終了を原因とする明渡請求権は，性質上不可分給付を求める権利である。したがって，貸主が数名あるときは，各自が全員のために建物全部の明渡しを請求することができる。（最判昭和42・8・25民集21・7・1740）

第429条　（不可分債権者の1人との間の更改又は免除）
　不可分債権者の1人と債務者との間に更改又は免除があった場合においても，他の不可分債権者は，債務の全部の履行を請求することができる。この場合においては，その1人の不可分債権者がその権利を失わなければ分与されるべき利益を債務者に償還しなければならない。

第430条　（不可分債務）
　第4款（連帯債務）の規定（第440条の規定を除く。）は，債務の目的がその性質上不可分である場合において，数人の債務者があるときについて準用する。

★判例
1※共同賃借人の賃貸借終了後における賃貸人に対する目的物返還義務は不可分債務である。（大判大正7・3・19民録24・445）
2※賃借権を共同相続した場合の賃料支払義務は，反対の事情がない限り，不可分債務である。（大判大正11・11・24民集1・670）

第431条　（可分債権又は可分債務への変更）
　不可分債権が可分債権となったときは，各債権者は自己が権利を有する部分についてのみ履行を請求することができ，不可分債務が可分債務となったときは，各債務者はその負担部分についてのみ履行の責任を負う。

第3款／連帯債権

第432条　（連帯債権者による履行の請求等）
　債権の目的がその性質上可分である場合において，法令の規定又は当事者の意思表示によって数人が連帯して債権を有

するときは，各債権者は，全ての債権者のために全部又は一部の履行を請求することができ，債務者は，全ての債権者のために各債権者に対して履行をすることができる。

第433条　（連帯債権者の1人との間の更改又は免除）

連帯債権者の1人と債務者との間に更改又は免除があったときは，その連帯債権者がその権利を失わなければ分与されるべき利益に係る部分については，他の連帯債権者は，履行を請求することができない。

第434条　（連帯債権者の1人との間の相殺）

債務者が連帯債権者の1人に対して債権を有する場合において，その債務者が相殺を援用したときは，その相殺は，他の連帯債権者に対しても，その効力を生ずる。

第435条　（連帯債権者の1人との間の混同）

連帯債権者の1人と債務者との間に混同があったときは，債務者は，弁済をしたものとみなす。

第435条の2　（相対的効力の原則）

第432条から前条までに規定する場合を除き，連帯債権者の1人の行為又は1人について生じた事由は，他の連帯債権者に対してその効力を生じない。ただし，他の連帯債権者の1人及び債務者が別段の意思を表示したときは，当該他の連帯債権者に対する効力は，その意思に従う。

第4款／連帯債務

第436条　（連帯債務者に対する履行の請求）

債務の目的がその性質上可分である場合において，法令の規定又は当事者の意思表示によって数人が連帯して債務を負担するときは，債権者は，その連帯債務者の1人に対し，又は同時に若しくは順次に全ての連帯債務者に対し，全部又は一部の履行を請求することができる。

> ★判例
> 1※連帯債務は，各債務が債権の確保及び満足という共同の目的を達成する手段として相互に関連結合しているが，なお通常の金銭債務と同様に可分であり，また，金銭債務その他の可分債務を数人で相続する場合は，法律上当然分割され，各共同相続人がその相続分に応じてこれを承継するから，連帯債務者の1人が死亡し，その者に相続人が数人ある場合は，その相続人は被相続人の債務の分割されたものを承継し，各自の承継した範囲において，本来の債務者とともに連帯債務者となる。
> （最判昭和34・6・19民集13・6・757）

第437条　（連帯債務者の1人についての法律行為の無効等）

連帯債務者の1人について法律行為の無効又は取消しの原因があっても，他の連帯債務者の債務は，その効力を妨げられない。

第438条　（連帯債務者の1人との間の更改）

連帯債務者の1人と債権者との間に更改があったときは，債権は，全ての連帯債務者の利益のために消滅する。

第439条　（連帯債務者の1人による相殺等）

① 連帯債務者の1人が債権者に対して債権を有する場合において，その連帯債務者が相殺を援用したときは，債権は，全ての連帯債務者の利益のために消滅する。
② 前項の債権を有する連帯債務者が相殺を援用しない間は，その連帯債務者の負担部分の限度において，他の連帯債務者は，債権者に対して債務の履行を拒むことができる。

第440条　（連帯債務者の1人との間の混同）

連帯債務者の1人と債権者との間に混同があったときは，その連帯債務者は，

弁済をしたものとみなす。

第441条　（相対的効力の原則）
　第438条，第439条第1項及び前条に規定する場合を除き，連帯債務者の1人について生じた事由は，他の連帯債務者に対してその効力を生じない。ただし，債権者及び他の連帯債務者の1人が別段の意思を表示したときは，当該他の連帯債務者に対する効力は，その意思に従う。

第442条　（連帯債務者間の求償権）
① 　連帯債務者の1人が弁済をし，その他自己の財産をもって共同の免責を得たときは，その連帯債務者は，その免責を得た額が自己の負担部分を超えるかどうかにかかわらず，他の連帯債務者に対し，その免責を得るために支出した財産の額（その財産の額が共同の免責を得た額を超える場合にあっては，その免責を得た額）のうち各自の負担部分に応じた額の求償権を有する。
② 　前項の規定による求償は，弁済その他免責があった日以後の法定利息及び避けることができなかった費用その他の損害の賠償を包含する。

第443条　（通知を怠った連帯債務者の求償の制限）
① 　他の連帯債務者があることを知りながら，連帯債務者の1人が共同の免責を得ることを他の連帯債務者に通知しないで弁済をし，その他自己の財産をもって共同の免責を得た場合において，他の連帯債務者は，債権者に対抗することができる事由を有していたときは，その負担部分について，その事由をもってその免責を得た連帯債務者に対抗することができる。この場合において，相殺をもってその免責を得た連帯債務者に対抗したときは，その連帯債務者は，債権者に対し，相殺によって消滅すべきであった債務の履行を請求することができる。
② 　弁済をし，その他自己の財産をもって共同の免責を得た連帯債務者が，他の連帯債務者があることを知りながらその免責を得たことを他の連帯債務者に通知することを怠ったため，他の連帯債務者が善意で弁済その他自己の財産をもって免責を得るための行為をしたときは，当該他の連帯債務者は，その免責を得るための行為を有効であったものとみなすことができる。

第444条　（償還をする資力のない者の負担部分の分担）
① 　連帯債務者の中に償還をする資力のない者があるときは，その償還をすることができない部分は，求償者及び他の資力のある者の間で，各自の負担部分に応じて分割して負担する。
② 　前項に規定する場合において，求償者及び他の資力のある者がいずれも負担部分を有しない者であるときは，その償還をすることができない部分は，求償者及び他の資力のある者の間で，等しい割合で分割して負担する。
③ 　前二項の規定にかかわらず，償還を受けることができないことについて求償者に過失があるときは，他の連帯債務者に対して分担を請求することができない。

第445条　（連帯債務者の1人との間の免除等と求償権）
　連帯債務者の1人に対して債務の免除がされ，又は連帯債務者の1人のために時効が完成した場合においても，他の連帯債務者は，その1人の連帯債務者に対し，第442条第1項の求償権を行使することができる。

第5款／保証債務

第1目／総則

第446条 （保証人の責任等）
① 保証人は，主たる債務者がその債務を履行しないときに，その履行をする責任を負う。
② 保証契約は，書面でしなければ，その効力を生じない。
③ 保証契約がその内容を記録した電磁的記録によってされたときは，その保証契約は，書面によってされたものとみなして，前項の規定を適用する。

> ★判例
> 1※会社が破産宣告を受けた後破産終結決定がされて会社の法人格が消滅した場合には，これにより会社の負担していた債務も消滅すると解すべきものであり，この場合，もはや存在しない債務について時効による消滅を観念する余地はない。この理は，同債務について保証人のある場合においても変わらない。したがって，破産終結決定がされて消滅した会社を主債務者とする保証人は，主債務についての消滅時効が会社の法人格の消滅後に完成したことを主張して時効の援用をすることはできないものと解するのが相当である。（最判平成15・3・14判時1821・31）
> 2※主たる債務者に生じた事由の効力は，保証債務の附従性から，連帯保証人にも及ぶ。（最判昭和40・9・21民集19・6・1542）
> 3※主たる債務を消滅させた行為が取消し・否認によって復活したときは，一旦消滅した保証債務は当然に復活する。（最判昭和48・11・22民集27・10・1435）
> 4※期間の定めのない継続的保証契約は，保証人の主債務者に対する信頼関係が害されるに至った等保証人として解約申入れをするにつき相当の理由がある場合においては，解約によって相手方が信義則上看過しえない損害を被るなどの特段の事情がある場合を除いて，一方的にこれを解約することができる。（最判昭和39・12・18民集18・10・2179）
> 5※身元保証契約に基づく身元保証人の義務は，専属的な性質を有するから，特別な事由のない限り，相続人はこれを承継しない。（大判昭和2・7・4民集6・436）
> 6※保証人の相続人は，相続開始後に生じた賃料債務についても，保証債務を負担する。（大判昭和9・1・30民集13・103）
> 7※借地・借家関係のように，特別法によって期間の更新が原則的に認められている場合には，反対の趣旨をうかがわせる特段の事情がない限り，賃借人のための保証人は，更新後の賃借債務についても保証責任を負わなければならない。（最判平成9・11・13判時1633・81）

第447条 （保証債務の範囲）
① 保証債務は，主たる債務に関する利息，違約金，損害賠償その他その債務に従たるすべてのものを包含する。
② 保証人は，その保証債務についてのみ，違約金又は損害賠償の額を約定することができる。

第448条 （保証人の負担と主たる債務の目的又は態様）
① 保証人の負担が債務の目的又は態様において主たる債務より重いときは，これを主たる債務の限度に減縮する。
② 主たる債務の目的又は態様が保証契約の締結後に加重されたときであっても，保証人の負担は加重されない。

> ★判例
> 1※保証人に債権譲渡の通知をしても，主債務者及び保証人に対して債権譲渡を対抗できない。（大判昭和9・3・29民集13・328）
> 2※主たる債務者が時効利益を放棄しても，保証人に対してはその効力を生じない。（大判昭和6・6・4民集10・401）
> 3※主たる債務者である破産者が免責決定を受けた場合，免責決定の効力の及ぶ債務の保証人は，その債権についての消滅時効を援用することができない。（最判平成11・11・9民集53・8・1403）

第449条 （取り消すことができる債務の保証）
行為能力の制限によって取り消すことができる債務を保証した者は，保証契約の時においてその取消しの原因を知っていたときは，主たる債務の不履行の場合又はその債務の取消しの場合においてこれと同一の目的を有する独立の債務を負

担したものと推定する。

> ★判例
> 1※無能力者の債務の保証人は無能力者の行為を取り消すことができない。（〔平成11法149による改正前の事案〕大判昭和7・10・26民集11・1920）

第450条　（保証人の要件）
① 債務者が保証人を立てる義務を負う場合には，その保証人は，次に掲げる要件を具備する者でなければならない。
　一　行為能力者であること。
　二　弁済をする資力を有すること。
② 保証人が前項第2号に掲げる要件を欠くに至ったときは，債権者は，同項各号に掲げる要件を具備する者をもってこれに代えることを請求することができる。
③ 前二項の規定は，債権者が保証人を指名した場合には，適用しない。

第451条　（他の担保の供与）
　債務者は，前条第1項各号に掲げる要件を具備する保証人を立てることができないときは，他の担保を供してこれに代えることができる。

第452条　（催告の抗弁）
　債権者が保証人に債務の履行を請求したときは，保証人は，まず主たる債務者に催告をすべき旨を請求することができる。ただし，主たる債務者が破産手続開始の決定を受けたとき，又はその行方が知れないときは，この限りでない。

第453条　（検索の抗弁）
　債権者が前条の規定に従い主たる債務者に催告をした後であっても，保証人が主たる債務者に弁済をする資力があり，かつ，執行が容易であることを証明したときは，債権者は，まず主たる債務者の財産について執行をしなければならない。

第454条　（連帯保証の場合の特則）
　保証人は，主たる債務者と連帯して債務を負担したときは，前二条の権利を有しない。

第455条　（催告の抗弁及び検索の抗弁の効果）
　第452条又は第453条の規定により保証人の請求又は証明があったにもかかわらず，債権者が催告又は執行をすることを怠ったために主たる債務者から全部の弁済を得られなかったときは，保証人は，債権者が直ちに催告又は執行をすれば弁済を得ることができた限度において，その義務を免れる。

第456条　（数人の保証人がある場合）
　数人の保証人がある場合には，それらの保証人が各別の行為により債務を負担したときであっても，第427条の規定を適用する。

第457条　（主たる債務者について生じた事由の効力）
① 主たる債務者に対する履行の請求その他の事由による時効の完成猶予及び更新は，保証人に対しても，その効力を生ずる。
② 保証人は，主たる債務者が主張することができる抗弁をもって債権者に対抗することができる。
③ 主たる債務者が債権者に対して相殺権，取消権又は解除権を有するときは，これらの権利の行使によって主たる債務者がその債務を免れるべき限度において，保証人は，債権者に対して債務の履行を拒むことができる。

第458条　（連帯保証人について生じた事由の効力）
　第438条，第439条第1項，第440条及び第441条の規定は，主たる債務者と連帯して債務を負担する保証人について生

じた事由について準用する。

第458条の2　（主たる債務の履行状況に関する情報の提供義務）
　保証人が主たる債務者の委託を受けて保証をした場合において，保証人の請求があったときは，債権者は，保証人に対し，遅滞なく，主たる債務の元本及び主たる債務に関する利息，違約金，損害賠償その他その債務に従たる全てのものについての不履行の有無並びにこれらの残額及びそのうち弁済期が到来しているものの額に関する情報を提供しなければならない。

第458条の3　（主たる債務者が期限の利益を喪失した場合における情報の提供義務）
① 　主たる債務者が期限の利益を有する場合において，その利益を喪失したときは，債権者は，保証人に対し，その利益の喪失を知った時から2箇月以内に，その旨を通知しなければならない。
② 　前項の期間内に同項の通知をしなかったときは，債権者は，保証人に対し，主たる債務者が期限の利益を喪失した時から同項の通知を現にするまでに生じた遅延損害金（期限の利益を喪失しなかったとしても生ずべきものを除く。）に係る保証債務の履行を請求することができない。
③ 　前二項の規定は，保証人が法人である場合には，適用しない。

第459条　（委託を受けた保証人の求償権）
① 　保証人が主たる債務者の委託を受けて保証をした場合において，主たる債務者に代わって弁済その他自己の財産をもって債務を消滅させる行為（以下「債務の消滅行為」という。）をしたときは，その保証人は，主たる債務者に対し，そのために支出した財産の額（その財産の額がその債務の消滅行為によって消滅した主たる債務の額を超える場合にあっては，その消滅した額）の求償権を有する。
② 　第442条第2項の規定は，前項の場合について準用する。

第459条の2　（委託を受けた保証人が弁済期前に弁済等をした場合の求償権）
① 　保証人が主たる債務者の委託を受けて保証をした場合において，主たる債務の弁済期前に債務の消滅行為をしたときは，その保証人は，主たる債務者に対し，主たる債務者がその当時利益を受けた限度において求償権を有する。この場合において，主たる債務者が債務の消滅行為の日以前に相殺の原因を有していたことを主張するときは，保証人は，債権者に対し，その相殺によって消滅すべきであった債務の履行を請求することができる。
② 　前項の規定による求償は，主たる債務の弁済期以後の法定利息及びその弁済期以後に債務の消滅行為をしたとしても避けることができなかった費用その他の損害の賠償を包含する。
③ 　第1項の求償権は，主たる債務の弁済期以後でなければ，これを行使することができない。

第460条　（委託を受けた保証人の事前の求償権）
　保証人は，主たる債務者の委託を受けて保証をした場合において，次に掲げるときは，主たる債務者に対して，あらかじめ，求償権を行使することができる。
一　主たる債務者が破産手続開始の決定を受け，かつ，債権者がその破産財団の配当に加入しないとき。
二　債務が弁済期にあるとき。ただし，保証契約の後に債権者が主たる債務者に許与した期限は，保証人に対抗することができない。

三　保証人が過失なく債権者に弁済をすべき旨の裁判の言渡しを受けたとき。

第461条　（主たる債務者が保証人に対して償還をする場合）

① 前条の規定により主たる債務者が保証人に対して償還をする場合において，債権者が全部の弁済を受けない間は，主たる債務者は，保証人に担保を供させ，又は保証人に対して自己に免責を得させることを請求することができる。

② 前項に規定する場合において，主たる債務者は，供託をし，担保を供し，又は保証人に免責を得させて，その償還の義務を免れることができる。

第462条　（委託を受けない保証人の求償権）

① 第459条の2第1項の規定は，主たる債務者の委託を受けないで保証をした者が債務の消滅行為をした場合について準用する。

② 主たる債務者の意思に反して保証をした者は，主たる債務者が現に利益を受けている限度においてのみ求償権を有する。この場合において，主たる債務者が求償の日以前に相殺の原因を有していたことを主張するときは，保証人は，債権者に対し，その相殺によって消滅すべきであった債務の履行を請求することができる。

③ 第459条の2第3項の規定は，前二項に規定する保証人が主たる債務の弁済期前に債務の消滅行為をした場合における求償権の行使について準用する。

第463条　（通知を怠った保証人の求償の制限等）

① 保証人が主たる債務者の委託を受けて保証をした場合において，主たる債務者にあらかじめ通知しないで債務の消滅行為をしたときは，主たる債務者は，債権者に対抗することができた事由をもってその保証人に対抗することができる。この場合において，相殺をもってその保証人に対抗したときは，その保証人は，債権者に対し，相殺によって消滅すべきであった債務の履行を請求することができる。

② 保証人が主たる債務者の委託を受けて保証をした場合において，主たる債務者が債務の消滅行為をしたことを保証人に通知することを怠ったため，その保証人が善意で債務の消滅行為をしたときは，その保証人は，その債務の消滅行為を有効であったものとみなすことができる。

③ 保証人が債務の消滅行為をした後に主たる債務者が債務の消滅行為をした場合においては，保証人が主たる債務者の意思に反して保証をしたときのほか，保証人が債務の消滅行為をしたことを主たる債務者に通知することを怠ったため，主たる債務者が善意で債務の消滅行為をしたときも，主たる債務者は，その債務の消滅行為を有効であったものとみなすことができる。

第464条　（連帯債務又は不可分債務の保証人の求償権）

連帯債務又は不可分債務者の1人のために保証をした者は，他の債務者に対し，その負担部分のみについて求償権を有する。

第465条　（共同保証人間の求償権）

① 第442条から第444条までの規定は，数人の保証人がある場合において，そのうちの1人の保証人が，主たる債務が不可分であるため又は各保証人が全額を弁済すべき旨の特約があるため，その全額又は自己の負担部分を超える額を弁済したときについて準用する。

② 第462条の規定は，前項に規定する場合を除き，互いに連帯しない保証人の1人が全額又は自己の負担部分を超える額

を弁済したときについて準用する。

第2目/個人根保証契約

第465条の2 （個人根保証契約の保証人の責任等）

① 一定の範囲に属する不特定の債務を主たる債務とする保証契約（以下「根保証契約」という。）であって保証人が法人でないもの（以下「個人根保証契約」という。）の保証人は，主たる債務の元本，主たる債務に関する利息，違約金，損害賠償その他その債務に従たる全てのもの及びその保証債務について約定された違約金又は損害賠償の額について，その全部に係る極度額を限度として，その履行をする責任を負う。

② 個人根保証契約は，前項に規定する極度額を定めなければ，その効力を生じない。

③ 第446条第2項及び第3項の規定は，個人根保証契約における第1項に規定する極度額の定めについて準用する。

第465条の3 （個人貸金等根保証契約の元本確定期日）

① 個人根保証契約であってその主たる債務の範囲に金銭の貸渡し又は手形の割引を受けることによって負担する債務（以下「貸金等債務」という。）が含まれるもの（以下「個人貸金等根保証契約」という。）において主たる債務の元本の確定すべき期日（以下「元本確定期日」という。）の定めがある場合において，その元本確定期日がその個人貸金等根保証契約の締結の日から5年を経過する日より後の日と定められているときは，その元本確定期日の定めは，その効力を生じない。

② 個人貸金等根保証契約において元本確定期日の定めがない場合（前項の規定により元本確定期日の定めがその効力を生じない場合を含む。）には，その元本確定期日は，その個人貸金等根保証契約の締結の日から3年を経過する日とする。

③ 個人貸金等根保証契約における元本確定期日の変更をする場合において，変更後の元本確定期日がその変更をした日から5年を経過する日より後の日となるときは，その元本確定期日の変更は，その効力を生じない。ただし，元本確定期日の前2箇月以内に元本確定期日の変更をする場合において，変更後の元本確定期日が変更前の元本確定期日から5年以内の日となるときは，この限りでない。

④ 第446条第2項及び第3項の規定は，個人貸金等根保証契約における元本確定期日の定め及びその変更（その個人貸金等根保証契約の締結の日から3年以内の日を元本確定期日とする旨の定め及び元本確定期日より前の日を変更後の元本確定期日とする変更を除く。）について準用する。

第465条の4 （個人根保証契約の元本の確定事由）

① 次に掲げる場合には，個人根保証契約における主たる債務の元本は，確定する。ただし，第1号に掲げる場合にあっては，強制執行又は担保権の実行の手続の開始があったときに限る。
一 債権者が，保証人の財産について，金銭の支払を目的とする債権についての強制執行又は担保権の実行を申し立てたとき。
二 保証人が破産手続開始の決定を受けたとき。
三 主たる債務者又は保証人が死亡したとき。

② 前項に規定する場合のほか，個人貸金等根保証契約における主たる債務の元本は，次に掲げる場合にも確定する。ただし，第1号に掲げる場合にあっては，強制執行又は担保権の実行の手続の開始があったときに限る。

一　債権者が，主たる債務者の財産について，金銭の支払を目的とする債権についての強制執行又は担保権の実行を申し立てたとき。
二　主たる債務者が破産手続開始の決定を受けたとき。

第465条の5　（保証人が法人である根保証契約の求償権）

① 保証人が法人である根保証契約において，第465条の2第1項に規定する極度額の定めがないときは，その根保証契約の保証人の主たる債務者に対する求償権に係る債務を主たる債務とする保証契約は，その効力を生じない。
② 保証人が法人である根保証契約であってその主たる債務の範囲に貸金等債務が含まれるものにおいて，元本確定期日の定めがないとき，又は元本確定期日の定め若しくはその変更が第465条の3第1項若しくは第3項の規定を適用するとすればその効力を生じないものであるときは，その根保証契約の保証人の主たる債務者に対する求償権に係る債務を主たる債務とする保証契約は，その効力を生じない。主たる債務の範囲にその求償権に係る債務が含まれる根保証契約も，同様とする。
③ 前二項の規定は，求償権に係る債務を主たる債務とする保証契約又は主たる債務の範囲に求償権に係る債務が含まれる根保証契約の保証人が法人である場合には，適用しない。

第3目／事業に係る債務についての保証契約の特則

第465条の6　（公正証書の作成と保証の効力）

① 事業のために負担した貸金等債務を主たる債務とする保証契約又は主たる債務の範囲に事業のために負担する貸金等債務が含まれる根保証契約は，その契約の締結に先立ち，その締結の日前1箇月以内に作成された公正証書で保証人になろうとする者が保証債務を履行する意思を表示していなければ，その効力を生じない。
② 前項の公正証書を作成するには，次に掲げる方式に従わなければならない。
一　保証人になろうとする者が，次のイ又はロに掲げる契約の区分に応じ，それぞれ当該イ又はロに定める事項を公証人に口授すること。
　　イ　保証契約（ロに掲げるものを除く。）　主たる債務の債権者及び債務者，主たる債務の元本，主たる債務に関する利息，違約金，損害賠償その他その債務に従たる全てのものの定めの有無及びその内容並びに主たる債務者がその債務を履行しないときには，その債務の全額について履行する意思（保証人になろうとする者が主たる債務者と連帯して債務を負担しようとするものである場合には，債権者が主たる債務者に対して催告をしたかどうか，主たる債務者がその債務を履行することができるかどうか，又は他に保証人があるかどうかにかかわらず，その全額について履行する意思）を有していること。
　　ロ　根保証契約　主たる債務の債権者及び債務者，主たる債務の範囲，根保証契約における極度額，元本確定期日の定めの有無及びその内容並びに主たる債務者がその債務を履行しないときには，極度額の限度において元本確定期日又は第465条の4第1項各号若しくは第2項各号に掲げる事由その他の元本を確定すべき事由が生ずる時までに生ずべき主たる債務の元本及び主たる債務に関する利息，違約金，損害賠償その他その債務に従たる全てのものの全額につ

いて履行する意思（保証人になろうとする者が主たる債務者と連帯して債務を負担しようとするものである場合には、債権者が主たる債務者に対して催告をしたかどうか、主たる債務者がその債務を履行することができるかどうか、又は他に保証人があるかどうかにかかわらず、その全額について履行する意思）を有していること。
二　公証人が、保証人になろうとする者の口述を筆記し、これを保証人になろうとする者に読み聞かせ、又は閲覧させること。
三　保証人になろうとする者が、筆記の正確なことを承認した後、署名し、印を押すこと。ただし、保証人になろうとする者が署名することができない場合は、公証人がその事由を付記して、署名に代えることができる。
四　公証人が、その証書は前三号に掲げる方式に従って作ったものである旨を付記して、これに署名し、印を押すこと。
③　前二項の規定は、保証人になろうとする者が法人である場合には、適用しない。

第465条の7　（保証に係る公正証書の方式の特則）

①　前条第1項の保証契約又は根保証契約の保証人になろうとする者が口がきけない者である場合には、公証人の前で、同条第2項第1号イ又はロに掲げる契約の区分に応じ、それぞれ当該イ又はロに定める事項を通訳人の通訳により申述し、又は自書して、同号の口授に代えなければならない。この場合における同項第2号の規定の適用については、同号中「口述」とあるのは、「通訳人の通訳による申述又は自書」とする。
②　前条第1項の保証契約又は根保証契約の保証人になろうとする者が耳が聞こえない者である場合には、公証人は、同条第2項第2号に規定する筆記した内容を通訳人の通訳により保証人になろうとする者に伝えて、同号の読み聞かせに代えることができる。
③　公証人は、前二項に定める方式に従って公正証書を作ったときは、その旨をその証書に付記しなければならない。

第465条の8　（公正証書の作成と求償権についての保証の効力）

①　第465条の6第1項及び第2項並びに前条の規定は、事業のために負担した貸金等債務を主たる債務とする保証契約又は主たる債務の範囲に事業のために負担する貸金等債務が含まれる根保証契約の保証人の主たる債務者に対する求償権に係る債務を主たる債務とする保証契約について準用する。主たる債務の範囲にその求償権に係る債務が含まれる根保証契約も、同様とする。
②　前項の規定は、保証人になろうとする者が法人である場合には、適用しない。

第465条の9　（公正証書の作成と保証の効力に関する規定の適用除外）

前三条の規定は、保証人になろうとする者が次に掲げる者である保証契約については、適用しない。
一　主たる債務者が法人である場合のその理事、取締役、執行役又はこれらに準ずる者
二　主たる債務者が法人である場合の次に掲げる者
　イ　主たる債務者の総株主の議決権（株主総会において決議をすることができる事項の全部につき議決権を行使することができない株式についての議決権を除く。以下この号において同じ。）の過半数を有する者
　ロ　主たる債務者の総株主の議決権の

過半数を他の株式会社が有する場合における当該他の株式会社の総株主の議決権の過半数を有する者
　　ハ　主たる債務者の総株主の議決権の過半数を他の株式会社及び当該他の株式会社の総株主の議決権の過半数を有する者が有する場合における当該他の株式会社の総株主の議決権の過半数を有する者
　　ニ　株式会社以外の法人が主たる債務者である場合におけるイ、ロ又はハに掲げる者に準ずる者
　三　主たる債務者（法人であるものを除く。以下この号において同じ。）と共同して事業を行う者又は主たる債務者が行う事業に現に従事している主たる債務者の配偶者

第465条の10　（契約締結時の情報の提供義務）
①　主たる債務者は、事業のために負担する債務を主たる債務とする保証又は主たる債務の範囲に事業のために負担する債務が含まれる根保証の委託をするときは、委託を受ける者に対し、次に掲げる事項に関する情報を提供しなければならない。
　一　財産及び収支の状況
　二　主たる債務以外に負担している債務の有無並びにその額及び履行状況
　三　主たる債務の担保として他に提供し、又は提供しようとするものがあるときは、その旨及びその内容
②　主たる債務者が前項各号に掲げる事項に関して情報を提供せず、又は事実と異なる情報を提供したために委託を受けた者がその事項について誤認をし、それによって保証契約の申込み又はその承諾の意思表示をした場合において、主たる債務者がその事項に関して情報を提供せず又は事実と異なる情報を提供したことを債権者が知り又は知ることができたときは、保証人は、保証契約を取り消すことができる。
③　前二項の規定は、保証をする者が法人である場合には、適用しない。

第4節／債権の譲渡

第466条　（債権の譲渡性）
①　債権は、譲り渡すことができる。ただし、その性質がこれを許さないときは、この限りでない。
②　当事者が債権の譲渡を禁止し、又は制限する旨の意思表示（以下「譲渡制限の意思表示」という。）をしたときであっても、債権の譲渡は、その効力を妨げられない。
③　前項に規定する場合には、譲渡制限の意思表示がされたことを知り、又は重大な過失によって知らなかった譲受人その他の第三者に対しては、債務者は、その債務の履行を拒むことができ、かつ、譲渡人に対する弁済その他の債務を消滅させる事由をもってその第三者に対抗することができる。
④　前項の規定は、債務者が債務を履行しない場合において、同項に規定する第三者が相当の期間を定めて譲渡人への履行の催告をし、その期間内に履行がないときは、その債務者については、適用しない。

第466条の2　（譲渡制限の意思表示がされた債権に係る債務者の供託）
①　債務者は、譲渡制限の意思表示がされた金銭の給付を目的とする債権が譲渡されたときは、その債権の全額に相当する金銭を債務の履行地（債務の履行地が債権者の現在の住所により定まる場合にあっては、譲渡人の現在の住所を含む。次条において同じ。）の供託所に供託することができる。
②　前項の規定により供託をした債務者は、遅滞なく、譲渡人及び譲受人に供託

の通知をしなければならない。
③　第１項の規定により供託をした金銭は，譲受人に限り，還付を請求することができる。

第466条の3
前条第１項に規定する場合において，譲渡人について破産手続開始の決定があったときは，譲受人（同項の債権の全額を譲り受けた者であって，その債権の譲渡を債務者その他の第三者に対抗することができるものに限る。）は，譲渡制限の意思表示がされたことを知り，又は重大な過失によって知らなかったときであっても，債務者にその債権の全額に相当する金銭を債務の履行地の供託所に供託させることができる。この場合においては，同条第２項及び第３項の規定を準用する。

第466条の4　（譲渡制限の意思表示がされた債権の差押え）
①　第466条第３項の規定は，譲渡制限の意思表示がされた債権に対する強制執行をした差押債権者に対しては，適用しない。
②　前項の規定にかかわらず，譲受人その他の第三者が譲渡制限の意思表示がされたことを知り，又は重大な過失によって知らなかった場合において，その債権者が同項の債権に対する強制執行をしたときは，債務者は，その債務の履行を拒むことができ，かつ，譲渡人に対する弁済その他の債務を消滅させる事由をもって差押債権者に対抗することができる。

第466条の5　（預金債権又は貯金債権に係る譲渡制限の意思表示の効力）
①　預金口座又は貯金口座に係る預金又は貯金に係る債権（以下「預貯金債権」という。）について当事者がした譲渡制限の意思表示は，第466条第２項の規定にかかわらず，その譲渡制限の意思表示がされたことを知り，又は重大な過失によって知らなかった譲受人その他の第三者に対抗することができる。
②　前項の規定は，譲渡制限の意思表示がされた預貯金債権に対する強制執行をした差押債権者に対しては，適用しない。

第466条の6　（将来債権の譲渡性）
①　債権の譲渡は，その意思表示の時に債権が現に発生していることを要しない。
②　債権が譲渡された場合において，その意思表示の時に債権が現に発生していないときは，譲受人は，発生した債権を当然に取得する。
③　前項に規定する場合において，譲渡人が次条の規定による通知をし，又は債務者が同条の規定による承諾をした時（以下「対抗要件具備時」という。）までに譲渡制限の意思表示がされたときは，譲受人その他の第三者がそのことを知っていたものとみなして，第466条第３項（譲渡制限の意思表示がされた債権が預貯金債権の場合にあっては，前条第１項）の規定を適用する。

第467条　（債権の譲渡の対抗要件）
①　債権の譲渡（現に発生していない債権の譲渡を含む。）は，譲渡人が債務者に通知をし，又は債務者が承諾をしなければ，債務者その他の第三者に対抗することができない。
②　前項の通知又は承諾は，確定日付のある証書によってしなければ，債務者以外の第三者に対抗することができない。

第468条　（債権の譲渡における債務者の抗弁）
①　債務者は，対抗要件具備時までに譲渡人に対して生じた事由をもって譲受人に対抗することができる。

② 第466条第4項の場合における前項の規定の適用については，同項中「対抗要件具備時」とあるのは，「第466条第4項の相当の期間を経過した時」とし，第466条の3の場合における同項の規定の適用については，同項中「対抗要件具備時」とあるのは，「第466条の3の規定により同条の譲受人から供託の請求を受けた時」とする。

第469条 （債権の譲渡における相殺権）
① 債務者は，対抗要件具備時より前に取得した譲渡人に対する債権による相殺をもって譲受人に対抗することができる。
② 債務者が対抗要件具備時より後に取得した譲渡人に対する債権であっても，その債権が次に掲げるものであるときは，前項と同様とする。ただし，債務者が対抗要件具備時より後に他人の債権を取得したときは，この限りでない。
　一　対抗要件具備時より前の原因に基づいて生じた債権
　二　前号に掲げるもののほか，譲受人の取得した債権の発生原因である契約に基づいて生じた債権
③ 第466条第4項の場合における前二項の規定の適用については，これらの規定中「対抗要件具備時」とあるのは，「第466条第4項の相当の期間を経過した時」とし，第466条の3の場合におけるこれらの規定の適用については，これらの規定中「対抗要件具備時」とあるのは，「第466条の3の規定により同条の譲受人から供託の請求を受けた時」とする。

第5節／債務の引受け

第1款／併存的債務引受

第470条 （併存的債務引受の要件及び効果）
① 併存的債務引受の引受人は，債務者と連帯して，債務者が債権者に対して負担する債務と同一の内容の債務を負担する。
② 併存的債務引受は，債権者と引受人となる者との契約によってすることができる。
③ 併存的債務引受は，債務者と引受人となる者との契約によってもすることができる。この場合において，併存的債務引受は，債権者が引受人となる者に対して承諾をした時に，その効力を生ずる。
④ 前項の規定によってする併存的債務引受は，第三者のためにする契約に関する規定に従う。

第471条 （併存的債務引受における引受人の抗弁等）
① 引受人は，併存的債務引受により負担した自己の債務について，その効力が生じた時に債務者が主張することができた抗弁をもって債権者に対抗することができる。
② 債務者が債権者に対して取消権又は解除権を有するときは，引受人は，これらの権利の行使によって債務者がその債務を免れるべき限度において，債権者に対して債務の履行を拒むことができる。

第2款／免責的債務引受

第472条 （免責的債務引受の要件及び効果）
① 免責的債務引受の引受人は債務者が債権者に対して負担する債務と同一の内容の債務を負担し，債務者は自己の債務を免れる。
② 免責的債務引受は，債権者と引受人となる者との契約によってすることができる。この場合において，免責的債務引受は，債権者が債務者に対してその契約をした旨を通知した時に，その効力を生ずる。
③ 免責的債務引受は，債務者と引受人となる者が契約をし，債権者が引受人となる者に対して承諾をすることによってもすることができる。

第472条の2 （免責的債務引受における引受人の抗弁等）

① 引受人は，免責的債務引受により負担した自己の債務について，その効力が生じた時に債務者が主張することができた抗弁をもって債権者に対抗することができる。

② 債務者が債権者に対して取消権又は解除権を有するときは，引受人は，免責的債務引受がなければこれらの権利の行使によって債務者がその債務を免れることができた限度において，債権者に対して債務の履行を拒むことができる。

第472条の3 （免責的債務引受における引受人の求償権）

免責的債務引受の引受人は，債務者に対して求償権を取得しない。

第472条の4 （免責的債務引受による担保の移転）

① 債権者は，第472条第1項の規定により債務者が免れる債務の担保として設定された担保権を引受人が負担する債務に移すことができる。ただし，引受人以外の者がこれを設定した場合には，その承諾を得なければならない。

② 前項の規定による担保権の移転は，あらかじめ又は同時に引受人に対してする意思表示によってしなければならない。

③ 前二項の規定は，第472条第1項の規定により債務者が免れる債務の保証をした者があるときについて準用する。

④ 前項の場合において，同項において準用する第1項の承諾は，書面でしなければ，その効力を生じない。

⑤ 前項の承諾がその内容を記録した電磁的記録によってされたときは，その承諾は，書面によってされたものとみなして，同項の規定を適用する。

第6節／債権の消滅

第1款／弁済

第1目／総則

第473条 （弁済）

債務者が債権者に対して債務の弁済をしたときは，その債権は，消滅する。

第474条 （第三者の弁済）

① 債務の弁済は，第三者もすることができる。

② 弁済をするについて正当な利益を有する者でない第三者は，債務者の意思に反して弁済をすることができない。ただし，債務者の意思に反することを債権者が知らなかったときは，この限りでない。

③ 前項に規定する第三者は，債権者の意思に反して弁済をすることができない。ただし，その第三者が債務者の委託を受けて弁済をする場合において，そのことを債権者が知っていたときは，この限りでない。

④ 前三項の規定は，その債務の性質が第三者の弁済を許さないとき，又は当事者が第三者の弁済を禁止し，若しくは制限する旨の意思表示をしたときは，適用しない。

★判例

1※土地の賃借人が賃貸人に対して地代を支払わない場合，その借地上の建物の賃借人は，土地賃貸人との間には直接の契約関係がないものの，土地賃借権が消滅するときは，建物賃借人は土地賃貸人に対して賃借建物から退去して土地を明渡すべき義務を負う法律関係にあり，敷地の地代の弁済によって敷地の賃借権が消滅するのを防止することに法律上の利益を有するから，建物賃借人はその敷地の地代の弁済について正当な利益を有する。（最判昭和63・7・1判時1287・63

第475条 (弁済として引き渡した物の取戻し)
弁済をした者が弁済として他人の物を引き渡したときは，その弁済をした者は，更に有効な弁済をしなければ，その物を取り戻すことができない。

第476条 (弁済として引き渡した物の消費又は譲渡がされた場合の弁済の効力等)
前条の場合において，債権者が弁済として受領した物を善意で消費し，又は譲り渡したときは，その弁済は，有効とする。この場合において，債権者が第三者から賠償の請求を受けたときは，弁済をした者に対して求償をすることを妨げない。

第477条 (預金又は貯金の口座に対する払込みによる弁済)
債権者の預金又は貯金の口座に対する払込みによってする弁済は，債権者がその預金又は貯金に係る債権の債務者に対してその払込みに係る金額の払戻しを請求する権利を取得した時に，その効力を生ずる。

第478条 (受領権者としての外観を有する者に対する弁済)
受領権者(債権者及び法令の規定又は当事者の意思表示によって弁済を受領する権限を付与された第三者をいう。以下同じ。)以外の者であって取引上の社会通念に照らして受領権者としての外観を有するものに対してした弁済は，その弁済をした者が善意であり，かつ，過失がなかったときに限り，その効力を有する。

第479条 (受領権者以外の者に対する弁済)
前条の場合を除き，受領権限者以外の者に対してした弁済は，債権者がこれによって利益を受けた限度においてのみ，その効力を有する。

第480条　削除

第481条 (差押えを受けた債権の第三債務者の弁済)
① 差押えを受けた債権の第三債務者が自己の債権者に弁済をしたときは，差押債権者は，その受けた損害の限度において更に弁済をすべき旨を第三債務者に請求することができる。
② 前項の規定は，第三債務者からその債権者に対する求償権の行使を妨げない。

第482条 (代物弁済)
弁済をすることができる者(以下「弁済者」という。)が，債権者との間で，債務者の負担した給付に代えて他の給付をすることにより債務を消滅させる旨の契約をした場合において，その弁済者が当該他の給付をしたときは，その給付は，弁済と同一の効力を有する。

★判例
1※代物弁済としてなされる他の給付は，本来の給付と同価値であることは必ずしも必要ではない。(大判大正10・11・24民録27・2164)

第483条 (特定物の現状による引渡し)
債権の目的が特定物の引渡しである場合において，契約その他の債権の発生原因及び取引上の社会通念に照らしてその引渡しをすべき時の品質を定めることができないときは，弁済をする者は，その引渡しをすべき時の現状でその物を引き渡さなければならない。

第484条 (弁済の場所及び時間)
① 弁済をすべき場所について別段の意思表示がないときは，特定物の引渡しは債権発生の時にその物が存在した場所において，その他の弁済は債権者の現在の住所において，それぞれしなければならない。
② 法令又は慣習により取引時間の定めが

実体法

あるときは、その取引時間内に限り、弁済をし、又は弁済の請求をすることができる。

第485条　（弁済の費用）
弁済の費用について別段の意思表示がないときは、その費用は、債務者の負担とする。ただし、債権者が住所の移転その他の行為によって弁済の費用を増加させたときは、その増加額は、債権者の負担とする。

第486条　（受取証書の交付請求等）
① 弁済をする者は、弁済と引換えに、弁済を受領する者に対して受取証書の交付を請求することができる。
② 弁済をする者は、前項の受取証書の交付に代えて、その内容を記録した電磁的記録の提供を請求することができる。ただし、弁済を受領する者に不相当な負担を課するものであるときは、この限りでない。

第487条　（債権証書の返還請求）
債権に関する証書がある場合において、弁済をした者が全部の弁済をしたときは、その証書の返還を請求することができる。

第488条　（同種の給付を目的とする数個の債務がある場合の充当）
① 債務者が同一の債権者に対して同種の給付を目的とする数個の債務を負担する場合において、弁済として提供した給付が全ての債務を消滅させるのに足りないとき（次条第1項に規定する場合を除く。）は、弁済をする者は、給付の時に、その弁済を充当すべき債務を指定することができる。
② 弁済をする者が前項の規定による指定をしないときは、弁済を受領する者は、その受領の時に、その弁済を充当すべき債務を指定することができる。ただし、弁済をする者がその充当に対して直ちに異議を述べたときは、この限りでない。
③ 前二項の場合における弁済の充当の指定は、相手方に対する意思表示によってする。
④ 弁済をする者及び弁済を受領する者がいずれも第1項又は第2項の規定による指定をしないときは、次の各号の定めるところに従い、その弁済を充当する。
一　債務の中に弁済期にあるものと弁済期にないものとがあるときは、弁済期にあるものに先に充当する。
二　全ての債務が弁済期にあるとき、又は弁済期にないときは、債務者のために弁済の利益が多いものに先に充当する。
三　債務者のために弁済の利益が相等しいときは、弁済期が先に到来したもの又は先に到来すべきものに先に充当する。
四　前二号に掲げる事項が相等しい債務の弁済は、各債務の額に応じて充当する。

第489条　（元本、利息及び費用を支払うべき場合の充当）
① 債務者が1個又は数個の債務について元本のほか利息及び費用を支払うべき場合（債務者が数個の債務を負担する場合にあっては、同一の債権者に対して同種の給付を目的とする数個の債務を負担するときに限る。）において、弁済をする者がその債務の全部を消滅させるのに足りない給付をしたときは、これを順次に費用、利息及び元本に充当しなければならない。
② 前条の規定は、前項の場合において、費用、利息又は元本のいずれかの全てを消滅させるのに足りない給付をしたときについて準用する。

第490条 （合意による弁済の充当）
前二条の規定にかかわらず，弁済をする者と弁済を受領する者との間に弁済の充当の順序に関する合意があるときは，その順序に従い，その弁済を充当する。

第491条 （数個の給付をすべき場合の充当）
1個の債務の弁済として数個の給付をすべき場合において，弁済をする者がその債務の全部を消滅させるのに足りない給付をしたときは，前三条の規定を準用する。

第492条 （弁済の提供の効果）
債務者は，弁済の提供の時から，債務を履行しないことによって生ずべき責任を免れる。

★判例
1※弁済の準備ができるだけの経済状態にないために，言語上の提供もできない債務者は，債権者が弁済を受領しない意思を明確にしたときでも，弁済の提供をしない限り，債務不履行の責を免れない。（最判昭和44・5・1民集23・6・935）

第493条 （弁済の提供の方法）
弁済の提供は，債務の本旨に従って現実にしなければならない。ただし，債権者があらかじめその受領を拒み，又は債務の履行について債権者の行為を要するときは，弁済の準備をしたことを通知してその受領の催告をすれば足りる。

★判例
1※債権者が契約そのものの存在を否定する等弁済を受領しない意思が明確と認められる場合においては，債務者は口頭の提供をしなくても債務不履行責任を免れる。建物賃貸人が，賃借人の契約条項違反を理由に契約の解除を主張していた場合は，賃貸人は賃貸借契約そのものの存在を否定して弁済を受領しない意思が明確であるから，その後，賃借人が賃料を支払わず，口頭の提供すらしなかったとしても，賃借人は履行遅滞の責めを負わず，したがって，賃貸人は賃借人の賃料不払を理由に契約の解除をすることができない。（最大判昭和32・6・5民集11・6・915）

2※同一の賃貸借関係から生ずる賃料債務につき，ある時点において提供された賃料の受領を賃貸人が拒絶したときは，特段の事情がない限り，その後において提供されるべき賃料についても，受領拒絶の意思を明確にしたものと解されるから，受領遅滞に陥った賃貸人が賃料の支払を催告するにあたっては，賃料の受領拒絶の態度を改め，以後賃借人から賃料を提供されれば確実にこれを受領すべき旨を表示する等，自己の受領遅滞を解消させるための措置を講じたうえでなければ，賃借人の債務不履行責任を問うことができない。（最判昭和45・8・20民集24・9・1243）

第2目／弁済の目的物の供託

第494条 （供託）
① 弁済者は，次に掲げる場合には，債権者のために弁済の目的物を供託することができる。この場合においては，弁済者が供託をした時に，その債権は，消滅する。
一　弁済の提供をした場合において，債権者がその受領を拒んだとき。
二　債権者が弁済を受領することができないとき。
② 弁済者が債権者を確知することができないときも，前項と同様とする。ただし，弁済者に過失があるときは，この限りでない。

第495条 （供託の方法）
① 前条の規定による供託は，債務の履行地の供託所にしなければならない。
② 供託所について法令に特別の定めがない場合には，裁判所は，弁済者の請求により，供託所の指定及び供託物の保管者の選任をしなければならない。
③ 前条の規定により供託をした者は，遅滞なく，債権者に供託の通知をしなければならない。

第496条 （供託物の取戻し）
① 債権者が供託を受諾せず，又は供託を

有効と宣告した判決が確定しない間は，弁済者は，供託物を取り戻すことができる。この場合においては，供託をしなかったものとみなす。
② 前項の規定は，供託によって質権又は抵当権が消滅した場合には，適用しない。

第497条　（供託に適しない物等）
弁済者は，次に掲げる場合には，裁判所の許可を得て，弁済の目的物を競売に付し，その代金を供託することができる。
一　その物が供託に適しないとき。
二　その物について滅失，損傷その他の事由による価格の低落のおそれがあるとき。
三　その物の保存について過分の費用を要するとき。
四　前三号に掲げる場合のほか，その物を供託することが困難な事情があるとき。

第498条　（供託物の還付請求等）
① 弁済の目的物又は前条の代金が供託された場合には，債権者は，供託物の還付を請求することができる。
② 債務者が債権者の給付に対して弁済をすべき場合には，債権者は，その給付をしなければ，供託物を受け取ることができない。

第3目／弁済による代位

第499条　（弁済による代位の要件）
　　債務者のために弁済をした者は，債権者に代位する。

第500条
　　第467条の規定は，前条の場合（弁済をするについて正当な利益を有する者が債権者に代位する場合を除く。）について準用する。

第501条　（弁済による代位の効果）
① 前二条の規定により債権者に代位した者は，債権の効力及び担保としてその債権者が有していた一切の権利を行使することができる。
② 前項の規定による権利の行使は，債権者に代位した者が自己の権利に基づいて債務者に対して求償をすることができる範囲内（保証人の1人が他の保証人に対して債権者に代位する場合には，自己の権利に基づいて当該他の保証人に対して求償をすることができる範囲内）に限り，することができる。
③ 第1項の場合には，前項の規定によるほか，次に掲げるところによる。
一　第三取得者（債務者から担保の目的となっている財産を譲り受けた者をいう。以下この項において同じ。）は，保証人及び物上保証人に対して債権者に代位しない。
二　第三取得者の1人は，各財産の価格に応じて，他の第三取得者に対して債権者に代位する。
三　前号の規定は，物上保証人の1人が他の物上保証人に対して債権者に代位する場合について準用する。
四　保証人と物上保証人との間においては，その数に応じて，債権者に代位する。ただし，物上保証人が数人あるときは，保証人の負担部分を除いた残額について，各財産の価格に応じて，債権者に代位する。
五　第三取得者から担保の目的となっている財産を譲り受けた者は，第三取得者とみなして第1号及び第2号の規定を適用し，物上保証人から担保の目的となっている財産を譲り受けた者は，物上保証人とみなして第1号，第3号及び前号の規定を適用する。

第502条　（一部弁済による代位）
① 債権の一部について代位弁済があったときは，代位者は，債権者の同意を得て，その弁済をした価額に応じて，債権者と

ともにその権利を行使することができる。
② 前項の場合であっても、債権者は、単独でその権利を行使することができる。
③ 前二項の場合に債権者が行使する権利は、その債権の担保の目的となっている財産の売却代金その他の当該権利の行使によって得られる金銭について、代位者が行使する権利に優先する。
④ 第1項の場合において、債務の不履行による契約の解除は、債権者のみがすることができる。この場合においては、代位者に対し、その弁済をした価額及びその利息を償還しなければならない。

第503条 （債権者による債権証書の交付等）
① 代位弁済によって全部の弁済を受けた債権者は、債権に関する証書及び自己の占有する担保物を代位者に交付しなければならない。
② 債権の一部について代位弁済があった場合には、債権者は、債権に関する証書にその代位を記入し、かつ、自己の占有する担保物の保存を代位者に監督させなければならない。

第504条 （債権者による担保の喪失等）
① 弁済をするについて正当な利益を有する者（以下この項において「代位権者」という。）がある場合において、債権者が故意又は過失によってその担保を喪失し、又は減少させたときは、その代位権者は、代位をするに当たって担保の喪失又は減少によって償還を受けることができなくなる限度において、その責任を免れる。その代位権者が物上保証人である場合において、その代位権者から担保の目的となっている財産を譲り受けた第三者及びその特定承継人についても、同様とする。
② 前項の規定は、債権者が担保を喪失し、又は減少させたことについて取引上の社会通念に照らして合理的な理由があると認められるときは、適用しない。

第2款／相殺

第505条 （相殺の要件等）
① 2人が互いに同種の目的を有する債務を負担する場合において、双方の債務が弁済期にあるときは、各債務者は、その対当額について相殺によってその債務を免れることができる。ただし、債務の性質がこれを許さないときは、この限りでない。
② 前項の規定にかかわらず、当事者が相殺を禁止し、又は制限する旨の意思表示をした場合には、その意思表示は、第三者がこれを知り、又は重大な過失によって知らなかったときに限り、その第三者に対抗することができる。

第506条 （相殺の方法及び効力）
① 相殺は、当事者の一方から相手方に対する意思表示によってする。この場合において、その意思表示には、条件又は期限を付することができない。
② 前項の意思表示は、双方の債務が互いに相殺に適するようになった時にさかのぼってその効力を生ずる。

★判例
1※賃貸借契約が、賃料不払を理由として適法に解除された後に、賃借人が解除前から賃貸人に対して有していた金銭債権をもって賃料債務と相殺をしても、解除の効力には影響がない。この理は、賃借人が解除当時自己が反対債権を有する事実を知らなかったため、相殺の時期を失した場合であっても、異ならない。（最判昭和32・3・8民集11・3・513）

第507条 （履行地の異なる債務の相殺）
相殺は、双方の債務の履行地が異なるときであっても、することができる。この場合において、相殺をする当事者は、相手方に対し、これによって生じた損害を賠償しなければならない。

第508条 (時効により消滅した債権を自働債権とする相殺)

時効によって消滅した債権がその消滅以前に相殺に適するようになっていた場合には、その債権者は、相殺をすることができる。

第509条 (不法行為により生じた債権を受働債権とする相殺の禁止)

次に掲げる債務の債務者は、相殺をもって債権者に対抗することができない。ただし、その債権者がその債務に係る債権を他人から譲り受けたときは、この限りでない。
一　悪意による不法行為に基づく損害賠償の債務
二　人の生命又は身体の侵害による損害賠償の債務（前号に掲げるものを除く。）

第510条 (差押禁止債権を受働債権とする相殺の禁止)

債権が差押えを禁じたものであるときは、その債務者は、相殺をもって債権者に対抗することができない。

第511条 (差押えを受けた債権を受働債権とする相殺の禁止)

① 差押えを受けた債権の第三債務者は、差押え後に取得した債権による相殺をもって差押債権者に対抗することはできないが、差押え前に取得した債権による相殺をもって対抗することができる。
② 前項の規定にかかわらず、差押え後に取得した債権が差押え前の原因に基づいて生じたものであるときは、その第三債務者は、その債権による相殺をもって差押債権者に対抗することができる。ただし、第三債務者が差押え後に他人の債権を取得したときは、この限りでない。

第512条 (相殺の充当)

① 債権者が債務者に対して有する1個又は数個の債権と、債権者が債務者に対して負担する1個又は数個の債務について、債権者が相殺の意思表示をした場合において、当事者が別段の合意をしなかったときは、債権者の有する債権とその負担する債務は、相殺に適するようになった時期の順序に従って、その対当額について相殺によって消滅する。
② 前項の場合において、相殺をする債権者の有する債権がその負担する債務の全部を消滅させるのに足りないときであって、当事者が別段の合意をしなかったときは、次に掲げるところによる。
一　債権者が数個の債務を負担するとき（次号に規定する場合を除く。）は、第488条第4項第2号から第4号までの規定を準用する。
二　債権者が負担する1個又は数個の債務について元本のほか利息及び費用を支払うべきときは、第489条の規定を準用する。この場合において、同条第2項中「前条」とあるのは、「前条第4項第2号から第4号まで」と読み替えるものとする。
③ 第1項の場合において、相殺をする債権者の負担する債務がその有する債権の全部を消滅させるのに足りないときは、前項の規定を準用する。

第512条の2

債権者が債務者に対して有する債権に、1個の債務の弁済として数個の給付をすべきものがある場合における相殺については、前条の規定を準用する。債権者が債務者に対して負担する債務に、1個の債務の弁済として数個の給付をすべきものがある場合における相殺についても、同様とする。

第3款／更改

第513条 (更改)

当事者が従前の債務に代えて、新たな

債務であって次に掲げるものを発生させる契約をしたときは，従前の債務は，更改によって消滅する。
一　従前の給付の内容について重要な変更をするもの
二　従前の債務者が第三者と交替するもの
三　従前の債権者が第三者と交替するもの

第514条　（債務者の交替による更改）

① 債務者の交替による更改は，債権者と更改後に債務者となる者との契約によってすることができる。この場合において，更改は，債権者が更改前の債務者に対してその契約をした旨を通知した時に，その効力を生ずる。
② 債務者の交替による更改後の債務者は，更改前の債務者に対して求償権を取得しない。

第515条　（債権者の交替による更改）

① 債権者の交替による更改は，更改前の債権者，更改後に債権者となる者及び債務者の契約によってすることができる。
② 債権者の交替による更改は，確定日付のある証書によってしなければ，第三者に対抗することができない。

第516条及び第517条　削除

第518条　（更改後の債務への担保の移転）

① 債権者（債権者の交替による更改にあっては，更改前の債権者）は，更改前の債務の目的の限度において，その債務の担保として設定された質権又は抵当権を更改後の債務に移すことができる。ただし，第三者がこれを設定した場合には，その承諾を得なければならない。
② 前項の質権又は抵当権の移転は，あらかじめ又は同時に更改の相手方（債権者の交替による更改にあっては，債務者）

に対してする意思表示によってしなければならない。

第4款／免除

第519条

債権者が債務者に対して債務を免除する意思を表示したときは，その債権は，消滅する。

第5款／混同

第520条

債権及び債務が同一人に帰属したときは，その債権は，消滅する。ただし，その債権が第三者の権利の目的であるときは，この限りでない。

★判例
1※不動産の賃借人がその不動産を買い受けた場合において，登記前に第三者が二重に買取りその登記を了したときは，混同によって一旦消滅した賃借権は，第三者の所有権の取得によって，消滅しなかったものと解すべきである。（最判昭和40・12・21民集19・9・2221）

第7節／有価証券

第1款／指図証券

第520条の2　（指図証券の譲渡）

指図証券の譲渡は，その証券に譲渡の裏書をして譲受人に交付しなければ，その効力を生じない。

第520条の3　（指図証券の裏書の方式）

指図証券の譲渡については，その指図証券の性質に応じ，手形法（昭和7年法律第20号）中裏書の方式に関する規定を準用する。

第520条の4　（指図証券の所持人の権利の推定）

指図証券の所持人が裏書の連続によりその権利を証明するときは，その所持人は，証券上の権利を適法に有するものと推定する。

第520条の5 （指図証券の善意取得）

何らかの事由により指図証券の占有を失った者がある場合において，その所持人が前条の規定によりその権利を証明するときは，その所持人は，その証券を返還する義務を負わない。ただし，その所持人が悪意又は重大な過失によりその証券を取得したときは，この限りでない。

第520条の6 （指図証券の譲渡における債務者の抗弁の制限）

指図証券の債務者は，その証券に記載した事項及びその証券の性質から当然に生ずる結果を除き，その証券の譲渡前の債権者に対抗することができた事由をもって善意の譲受人に対抗することができない。

第520条の7 （指図証券の質入れ）

第520条の2から前条までの規定は，指図証券を目的とする質権の設定について準用する。

第520条の8 （指図証券の弁済の場所）

指図証券の弁済は，債務者の現在の住所においてしなければならない。

第520条の9 （指図証券の提示と履行遅滞）

指図証券の債務者は，その債務の履行について期限の定めがあるときであっても，その期限が到来した後に所持人がその証券を提示してその履行の請求をした時から遅滞の責任を負う。

第520条の10 （指図証券の債務者の調査の権利等）

指図証券の債務者は，その証券の所持人並びにその署名及び押印の真偽を調査する権利を有するが，その義務を負わない。ただし，債務者に悪意又は重大な過失があるときは，その弁済は，無効とする。

第520条の11 （指図証券の喪失）

指図証券は，非訟事件手続法（平成23年法律第51号）第100条に規定する公示催告手続によって無効とすることができる。

第520条の12 （指図証券喪失の場合の権利行使方法）

金銭その他の物又は有価証券の給付を目的とする指図証券の所持人がその指図証券を喪失した場合において，非訟事件手続法第114条に規定する公示催告の申立てをしたときは，その債務者に，その債務の目的物を供託させ，又は相当の担保を供してその指図証券の趣旨に従い履行をさせることができる。

第2款／記名式所持人払証券

第520条の13 （記名式所持人払証券の譲渡）

記名式所持人払証券（債権者を指名する記載がされている証券であって，その所持人に弁済をすべき旨が付記されているものをいう。以下同じ。）の譲渡は，その証券を交付しなければ，その効力を生じない。

第520条の14 （記名式所持人払証券の所持人の権利の推定）

記名式所持人払証券の所持人は，証券上の権利を適法に有するものと推定する。

第520条の15 （記名式所持人払証券の善意取得）

何らかの事由により記名式所持人払証券の占有を失った者がある場合において，その所持人が前条の規定によりその権利を証明するときは，その所持人は，その証券を返還する義務を負わない。ただし，その所持人が悪意又は重大な過失によりその証券を取得したときは，この限りでない。

第520条の16　（記名式所持人払証券の譲渡における債務者の抗弁の制限）
　記名式所持人払証券の債務者は，その証券に記載した事項及びその証券の性質から当然に生ずる結果を除き，その証券の譲渡前の債権者に対抗することができた事由をもって善意の譲受人に対抗することができない。

第520条の17　（記名式所持人払証券の質入れ）
　第520条の13から前条までの規定は，記名式所持人払証券を目的とする質権の設定について準用する。

第520条の18　（指図証券の規定の準用）
　第520条の8から第520条の12までの規定は，記名式所持人払証券について準用する。

第3款／その他の記名証券

第520条の19
① 債権者を指名する記載がされている証券であって指図証券及び記名式所持人払証券以外のものは，債権の譲渡又はこれを目的とする質権の設定に関する方式に従い，かつ，その効力をもってのみ，譲渡し，又は質権の目的とすることができる。
② 第520条の11及び第520条の12の規定は，前項の証券について準用する。

第4款／無記名証券

第520条の20
　第2款（記名式所持人払証券）の規定は，無記名証券について準用する。

第2章　契約

第1節／総則

第1款／契約の成立

第521条　（契約の締結及び内容の自由）
① 何人も，法令に特別の定めがある場合を除き，契約をするかどうかを自由に決定することができる。
② 契約の当事者は，法令の制限内において，契約の内容を自由に決定することができる。

第522条　（契約の成立と方式）
① 契約は，契約の内容を示してその締結を申し入れる意思表示（以下「申込み」という。）に対して相手方が承諾をしたときに成立する。
② 契約の成立には，法令に特別の定めがある場合を除き，書面の作成その他の方式を具備することを要しない。

第523条　（承諾の期間の定めのある申込み）
① 承諾の期間を定めてした申込みは，撤回することができない。ただし，申込者が撤回をする権利を留保したときは，この限りでない。
② 申込者が前項の申込みに対して同項の期間内に承諾の通知を受けなかったときは，その申込みは，その効力を失う。

第524条　（遅延した承諾の効力）
　申込者は，遅延した承諾を新たな申込みとみなすことができる。

第525条　（承諾の期間の定めのない申込み）
① 承諾の期間を定めないでした申込みは，申込者が承諾の通知を受けるのに相当な期間を経過するまでは，撤回することができない。ただし，申込者が撤回をする

権利を留保したときは、この限りでない。
② 対話者に対してした前項の申込みは、同項の規定にかかわらず、その対話が継続している間は、いつでも撤回することができる。
③ 対話者に対してした第1項の申込みに対して対話が継続している間に申込者が承諾の通知を受けなかったときは、その申込みは、その効力を失う。ただし、申込者が対話の終了後もその申込みが効力を失わない旨を表示したときは、この限りでない。

第526条　（申込者の死亡等）
　申込者が申込みの通知を発した後に死亡し、意思能力を有しない常況にある者となり、又は行為能力の制限を受けた場合において、申込者がその事実が生じたとすればその申込みは効力を有しない旨の意思を表示していたとき、又はその相手方が承諾の通知を発するまでにその事実が生じたことを知ったときは、その申込みは、その効力を有しない。

第527条　（承諾の通知を必要としない場合における契約の成立時期）
　申込者の意思表示又は取引上の慣習により承諾の通知を必要としない場合には、契約は、承諾の意思表示と認めるべき事実があった時に成立する。

第528条　（申込みに変更を加えた承諾）
　承諾者が、申込みに条件を付し、その他変更を加えてこれを承諾したときは、その申込みの拒絶とともに新たな申込みをしたものとみなす。

第529条　（懸賞広告）
　ある行為をした者に一定の報酬を与える旨を広告した者（以下「懸賞広告者」という。）は、その行為をした者がその広告を知っていたかどうかにかかわらず、その者に対してその報酬を与える義務を負う。

第529条の2　（指定した行為をする期間の定めのある懸賞広告）
① 懸賞広告者は、その指定した行為をする期間を定めてした広告を撤回することができない。ただし、その広告において撤回をする権利を留保したときは、この限りでない。
② 前項の広告は、その期間内に指定した行為を完了する者がないときは、その効力を失う。

第529条の3　（指定した行為をする期間の定めのない懸賞広告）
　懸賞広告者は、その指定した行為を完了する者がない間は、その指定した行為をする期間を定めないでした広告を撤回することができる。ただし、その広告中に撤回をしない旨を表示したときは、この限りでない。

第530条　（懸賞広告の撤回の方法）
① 前の広告と同一の方法による広告の撤回は、これを知らない者に対しても、その効力を有する。
② 広告の撤回は、前の広告と異なる方法によっても、することができる。ただし、その撤回は、これを知った者に対してのみ、その効力を有する。

第531条　（懸賞広告の報酬を受ける権利）
① 広告に定めた行為をした者が数人あるときは、最初にその行為をした者のみが報酬を受ける権利を有する。
② 数人が同時に前項の行為をした場合には、各自が等しい割合で報酬を受ける権利を有する。ただし、報酬がその性質上分割に適しないとき、又は広告において1人のみがこれを受けるものとしたときは、抽選でこれを受ける者を定める。

③ 前二項の規定は，広告中にこれと異なる意思を表示したときは，適用しない。

第532条　（優等懸賞広告）
① 広告に定めた行為をした者が数人ある場合において，その優等者のみに報酬を与えるべきときは，その広告は，応募の期間を定めたときに限り，その効力を有する。
② 前項の場合において，応募者中いずれの者の行為が優等であるかは，広告中に定めた者が判定し，広告中に判定をする者を定めなかったときは懸賞広告者が判定する。
③ 応募者は，前項の判定に対して異議を述べることができない。
④ 前条第2項の規定は，数人の行為が同等と判定された場合について準用する。

第2款／契約の効力

第533条　（同時履行の抗弁）
双務契約の当事者の一方は，相手方がその債務の履行（債務の履行に代わる損害賠償の債務の履行を含む。）を提供するまでは，自己の債務の履行を拒むことができる。ただし，相手方の債務が弁済期にないときは，この限りでない。

★判例
1 ※第三者の詐欺により買主が売買契約を取り消した場合の売主・買主の原状回復義務は，民法533条の類推適用により同時履行の関係にあると解するのが相当である。（最判昭和28・6・16民集7・6・629，最判昭和47・9・7民集26・7・1327）
2 ※(1)同時履行の抗弁権の付着する債権を自働債権として相殺することはできない。(2)相手方は反対債権があっても相殺することができない。（大判昭和13・3・1民集17・317）
3 ※債務者が同時履行の抗弁を有している場合には，弁済期の徒過では履行遅滞にならず，債権者は，自己の負担する債務につきその本旨にしたがった履行の提供をし，債務者の同時履行の抗弁権を失わない限り，契約の解除は無効である。（最判昭和29・7・27民集8・7・1455）

4 ※相手方において，すでに履行拒絶の意思が明確にされている場合には，他方の当事者に履行の提供をなさしめることは相当ではないから，提供がない場合でも相手方は同時履行の抗弁権を主張することはできない。（大判大正10・11・9民録27・1907）
5 ※債務を提供したが相手方により受領を拒絶された場合，相手方の債務不履行を理由として契約を解除するには，催告に際してあらためて履行の提供をする必要はなく，相手方はもはや同時履行の抗弁権を主張することはできない。（大判昭和3・10・30民集7・871）
6 ※未成年者が，建物を売却した代金を受領した後，この売買契約を取り消しその建物の明渡しを請求した場合は，公平の観念上解除の場合と区別すべき理由はなく，民法546条に準じ本条の規定を準用すべきである。（最判昭和28・6・16民集7・6・629）

第534条及び第535条　削除

第536条　（債務者の危険負担等）
① 当事者双方の責めに帰することができない事由によって債務を履行することができなくなったときは，債権者は，反対給付の履行を拒むことができる。
② 債権者の責めに帰すべき事由によって債務を履行することができなくなったときは，債権者は，反対給付の履行を拒むことができない。この場合において債務者は，自己の債務を免れたことによって利益を得たときは，これを債権者に償還しなければならない。

★判例
1 ※請負契約において，仕事が完成しない間に，注文者の責めに帰すべき事由によりその完成が不能となった場合，請負人は，自己の残債務を免れると同時に，民法536条2項によって，注文者に対し請負代金の全額を請求することができるが，自己の債務を免れたことによる利益（請負代金のうち工事の出来高に応じた報酬を超える部分）を注文者に償還しなければならない。（最判昭和52・2・22民集31・1・79）
2 ※債務者が債務を免れたことによって利益を得たときは，本条2項を類推適用し，債権者に償還するべきである。（大判大正15・7・20

民集5・709, 大判昭和2・2・25民集6・236)

第537条 (第三者のためにする契約)
① 契約により当事者の一方が第三者に対してある給付をすることを約したときは, その第三者は, 債務者に対して直接にその給付を請求する権利を有する。
② 前項の契約は, その成立の時に第三者が現に存しない場合又は第三者が特定していない場合であっても, そのためにその効力を妨げられない。
③ 第1項の場合において, 第三者の権利は, その第三者が債務者に対して同項の契約の利益を享受する意思を表示した時に発生する。

第538条 (第三者の権利の確定)
① 前条の規定により第三者の権利が発生した後は, 当事者は, これを変更し, 又は消滅させることができない。
② 前条の規定により第三者の権利が発生した後に, 債務者がその第三者に対する債務を履行しない場合には, 同条第1項の契約の相手方は, その第三者の承諾を得なければ, 契約を解除することができない。

第539条 (債務者の抗弁)
債務者は, 第537条第1項の契約に基づく抗弁をもって, その契約の利益を受ける第三者に対抗することができる。

第3款/契約上の地位の移転

第539条の2
契約の当事者の一方が第三者との間で契約上の地位を譲渡する旨の合意をした場合において, その契約の相手方がその譲渡を承諾したときは, 契約上の地位は, その第三者に移転する。

第4款/契約の解除

第540条 (解除権の行使)
① 契約又は法律の規定により当事者の一方が解除権を有するときは, その解除は, 相手方に対する意思表示によってする。
② 前項の意思表示は, 撤回することができない。

★判例
1※契約解除の意思表示をした者が, 相手方の承諾を得てなした右意思表示の撤回の効力は有効である。(最判昭和51・6・15裁判集民事118・87)
2※いわゆる事情の変更により契約当事者に契約解除権を認めるためには, 事情の変更が信義衡平上当事者を当該契約によって拘束することが, いちじるしく不当と認められる場合であることを要し, 右事情の変更は客観的に観察されなければならない。(最判昭和29・2・12民集8・2・448)
3※事情変更の原則を適用して, 契約当事者に契約解除権を認めるためには, 契約締結後の事情の変更が, 当事者にとって予見することができず, かつ, 当事者の責めに帰すことのできない事由によって生じたものであることが必要である。右の予見可能性や帰責事由の存否は, 契約上の地位の譲渡があった場合においても, 契約締結当時の契約当事者について判断すべきである。(最判平成9・7・1民集51・6・2452)

第541条 (催告による解除)
当事者の一方がその債務を履行しない場合において, 相手方が相当の期間を定めてその履行の催告をし, その期間内に履行がないときは, 相手方は, 契約の解除をすることができる。ただし, その期間を経過した時における債務の不履行がその契約及び取引上の社会通念に照らして軽微であるときは, この限りでない。

★判例
1※債務者に履行の意思がないことが明らかである場合にも, なお催告を必要とする。(大判大正11・11・25民集1・648頁)
2※双務契約の当事者の一方が自己の債務の履行をしない意思が明確な場合には, 相手方が自己の債務の弁済を提供しなくても, 右当事者

の一方は履行遅滞による債務不履行責任を免れない。不動産の売主が，買主に債務不履行があるとして売買契約解除の意思表示をなし（実際には買主に債務不履行はない），その目的不動産を第三者に賃貸した場合は，売主において自己の債務の履行しないことが明確であるから，買主は，売買代金を提供することなく，売主に対し，その債務不履行につき履行遅滞の責任を問うことができる。（最判昭和41・3・22民集20・3・468）

3 ※同一当事者間の債権債務関係が，その形式は甲契約及び乙契約といった2個以上の契約から成る場合であっても，それらの目的とするところが相互に密接に関連付けられていて，社会通念上，甲契約又は乙契約のいずれかが履行されるだけでは，契約を締結した目的が全体としては達成されないと認められる場合には，甲契約（本件リゾートマンションに併設するスポーツクラブの会員権契約）上の債務の不履行を理由に，その債権者は，法定解除権の行使として甲契約と併せて乙契約（本件リゾートマンションの区分所有権の売買契約）をも解除することができる。（最判平成8・11・12民集50・10・2673）

【相当な期間】

4 ※債務者が履行遅滞に陥った場合には，催告に定められた期間が不相当な場合にも，また期間も明示しなかった場合にも，催告としての効果を生じ，その時から相当な期間を経過した後ならば，債権者は，本条によって契約を解除することができる。（大判昭和2・2・2民集6・133，最判昭和29・12・21民集8・2211）

5 ※債務者が履行遅滞に陥った場合，解除の前提としての催告には相当な期間が必要であり，期間を定めなかったときは，催告から相当な期間が経過した時に，債権者は本条によって契約を解除できる。（最判昭和31・12・6民集10・1527）

【解除権の行使】

6 ※延滞賃料の支払を催告し，相当期間が経過したことによって解除権を取得したとしても，それを行使するまでの間に，債務者が延滞賃料及び遅延損害金額の支払があった場合には，解除権を行使することはできない。（大判大正6・7・10民録23・1128）

7 ※履行の催告と同時に，催告期間内に適法な履行のないことを停止条件とする解除の意思表示をすることは有効である。（大判明治43・12・9民録16・910）

8 ※賃貸借契約は，当事者相互の信頼関係を基礎とする継続的契約であるから，一方の当事者に著しい不信行為がある場合には，催告なくして契約を解除（告知）することができる。（最判昭和38・9・27民集17・8・1069）

9 ※土地の売買契約において，付随的約款がある場合に，約款が契約を締結した主たる目的の達成に必須的ではないが，その不履行が契約目的達成に重大な影響があるときは，売主は約款の不履行を理由に売買契約を解除することができる。（最判昭和43・2・23民集22・2・281）

10 ※土地の売買契約において，代金完済まで固定資産税・都市計画税を買主が負担するという特約がある場合に，このような特約の負担は買主の付随的な義務とはいえず，売主は右特約の不履行を理由として売買契約を解除することができる。（最判昭和47・11・28裁判集民107・265）

第542条（催告によらない解除）

① 次に掲げる場合には，債権者は，前条の催告をすることなく，直ちに契約の解除をすることができる。
一 債務の全部の履行が不能であるとき。
二 債務者がその債務の全部の履行を拒絶する意思を明確に表示したとき。
三 債務の一部の履行が不能である場合又は債務者がその債務の一部の履行を拒絶する意思を明確に表示した場合において，残存する部分のみでは契約をした目的を達することができないとき。
四 契約の性質又は当事者の意思表示により，特定の日時又は一定の期間内に履行をしなければ契約をした目的を達することができない場合において，債務者が履行をしないでその時期を経過したとき。
五 前各号に掲げる場合のほか，債務者がその債務の履行をせず，債権者が前条の催告をしても契約をした目的を達するのに足りる履行がされる見込みがないことが明らかであるとき。

② 次に掲げる場合には，債権者は，前条の催告をすることなく，直ちに契約の一部の解除をすることができる。

一　債務の一部の履行が不能であるとき。
二　債務者がその債務の一部の履行を拒絶する意思を明確に表示したとき。

第543条　（債権者の責めに帰すべき事由による場合）

債務の不履行が債権者の責めに帰すべき事由によるものであるときは，債権者は，前二条の規定による契約の解除をすることができない。

第544条　（解除権の不可分性）

① 当事者の一方が数人ある場合には，契約の解除は，その全員から又はその全員に対してのみ，することができる。
② 前項の場合において，解除権が当事者のうちの1人について消滅したときは，他の者についても消滅する。

★判例
1※家屋の賃借人が死亡し，相続人が賃借権を共同相続した場合は，特段の事情のない限り，賃料債務の催告及びその不履行による契約解除の意思表示は共同相続人全員にしなければ効力を生じない。（大判大正11・11・24民集1・670）

第545条　（解除の効果）

① 当事者の一方がその解除権を行使したときは，各当事者は，その相手方を原状に復させる義務を負う。ただし，第三者の権利を害することはできない。
② 前項本文の場合において，金銭を返還するときは，その受領の時から利息を付さなければならない。
③ 第1項本文の場合において，金銭以外の物を返還するときは，その受領の時以後に生じた果実をも返還しなければならない。
④ 解除権の行使は，損害賠償の請求を妨げない。

★判例
【原状回復義務】
1※契約解除によって生ずる原状回復義務は，契約解除によって新たに発生する請求権であるから，その消滅時効は契約解除の時点から進行する。（大判大正7・4・13民録24・669）
2※解除に基づく原状回復義務は，その性質において不当利得返還義務の一種であるが，民法は，703条以下の規定に対して本条の特則を設けたものであって，本条に特則の定めがない限り，703条以下の不当利得返還義務の一般原則によって定められるべきである。（大判大正8・9・15民録25・1633）
3※(1)特定物の売買が解除された場合には，その間買主が所有者としてその物を使用収益した利益は，売主に償還すべきである。(2)上記の償還義務は，原状回復義務に基づく一種の不当利得返還義務であって，不法占有に基づく損害賠償義務ではない。（最判昭和34・9・22民集13・11・1451）

【解除の遡及効と第三者】
4※解除前の第三者は本条1項但書によって善意・悪意を問わず保護されるが，保護要件として登記を具備していることが必要である。（大判大正10・5・17民録27・929）

【合意解除】
5※民法545条1項但書により第三者が保護されるためには，その権利について対抗要件を備えることが必要である。不動産が甲から乙，乙から丙へと転売された後に，甲乙間の売買が合意解約された場合は，丙は登記を経由していなければ第三者として保護されず，丙が乙の甲に対して有する甲乙間の売買契約に基づく所有権移転登記請求権を代位行使するときは，甲は丙に対し，右売買契約が合意解約によって既に消滅したことを主張することができる。（最判昭和33・6・14民集12・9・1449）
6※不動産売買契約を合意解除した場合の遡及効をもつ第三者の権利を害することはできないが，右第三者については民法177条が適用され，その所有権取得については対抗要件としての登記が必要である。したがって，たとえ仮登記を経由していたとしても，右第三者としては保護されない。（最判昭和58・7・5判時1089・41）

第546条　（契約の解除と同時履行）

第533条の規定は，前条の場合について準用する。

第547条　（催告による解除権の消滅）

解除権の行使について期間の定めがな

いときは，相手方は，解除権を有する者に対し，相当の期間を定めて，その期間内に解除をするかどうかを確答すべき旨の催告をすることができる。この場合において，その期間内に解除の通知を受けないときは，解除権は，消滅する。

第548条　（解除権者の故意による目的物の損傷等による解除権の消滅）

　解除権を有する者が故意若しくは過失によって契約の目的物を著しく損傷し，若しくは返還することができなくなったとき，又は加工若しくは改造によってこれを他の種類の物に変えたときは，解除権は，消滅する。ただし，解除権を有する者がその解除権を有することを知らなかったときは，この限りでない。

第5款／定型約款

第548条の2　（定型約款の合意）

① 定型取引（ある特定の者が不特定多数の者を相手方として行う取引であって，その内容の全部又は一部が画一的であることがその双方にとって合理的なものをいう。以下同じ。）を行うことの合意（次条において「定型取引合意」という。）をした者は，次に掲げる場合には，定型約款（定型取引において，契約の内容とすることを目的としてその特定の者により準備された条項の総体をいう。以下同じ。）の個別の条項についても合意をしたものとみなす。

　一　定型約款を契約の内容とする旨の合意をしたとき。
　二　定型約款を準備した者（以下「定型約款準備者」という。）があらかじめその定型約款を契約の内容とする旨を相手方に表示していたとき。

② 前項の規定にかかわらず，同項の条項のうち，相手方の権利を制限し，又は相手方の義務を加重する条項であって，その定型取引の態様及びその実情並びに取引上の社会通念に照らして第1条第2項に規定する基本原則に反して相手方の利益を一方的に害すると認められるものについては，合意をしなかったものとみなす。

第548条の3　（定型約款の内容の表示）

① 定型取引を行い，又は行おうとする定型約款準備者は，定型取引合意の前又は定型取引合意の後相当の期間内に相手方から請求があった場合には，遅滞なく，相当な方法でその定型約款の内容を示さなければならない。ただし，定型約款準備者が既に相手方に対して定型約款を記載した書面を交付し，又はこれを記録した電磁的記録を提供していたときは，この限りでない。

② 定型約款準備者が定型取引合意の前において前項の請求を拒んだときは，前条の規定は，適用しない。ただし，一時的な通信障害が発生した場合その他正当な事由がある場合は，この限りでない。

第548条の4　（定型約款の変更）

① 定型約款準備者は，次に掲げる場合には，定型約款の変更をすることにより，変更後の定型約款の条項について合意があったものとみなし，個別に相手方と合意をすることなく契約の内容を変更することができる。

　一　定型約款の変更が，相手方の一般の利益に適合するとき。
　二　定型約款の変更が，契約をした目的に反せず，かつ，変更の必要性，変更後の内容の相当性，この条の規定により定型約款の変更をすることがある旨の定めの有無及びその内容その他の変更に係る事情に照らして合理的なものであるとき。

② 定型約款準備者は，前項の規定による定型約款の変更をするときは，その効力発生時期を定め，かつ，定型約款を変更

する旨及び変更後の定型約款の内容並びにその効力発生時期をインターネットの利用その他の適切な方法により周知しなければならない。
③　第1項第2号の規定による定型約款の変更は，前項の効力発生時期が到来するまでに同項の規定による周知をしなければ，その効力を生じない。
④　第548条の2第2項の規定は，第1項の規定による定型約款の変更については，適用しない。

第2節／贈与

第549条　（贈与）
贈与は，当事者の一方がある財産を無償で相手方に与える意思を表示し，相手方が受諾をすることによって，その効力を生ずる。

第550条　（書面によらない贈与の解除）
書面によらない贈与は，各当事者が解除をすることができる。ただし，履行の終わった部分については，この限りでない。

★判例

1※書面によらない不動産の贈与契約において，その不動産の所有権移転登記が経由されたときは，その引渡の有無を問わず，贈与の履行が終わったものとして，贈与者はその贈与契約を解除することができない（このとき，当事者間の合意により右移転登記の原因を形式上売買契約としたとしても，履行完了の効果は妨げられない）。（最判昭和40・3・26民集19・2・526）

2※不動産の贈与契約においては，不動産の引渡しにより履行を終わったというべく，所有権移転登記の有無を問わない。（大判明治43・10・10民録16・673）

3※内縁の夫が妻に同棲していた建物とその敷地を贈与した場合に，単に実力的支配を移属せしめる合意をしさえすれば，引渡は完了し妻は自己のために占有するに至り，贈与の履行は終了したとみるべきである。（大判昭和2・12・17新聞2811・15）

4※無償であるということが書面自体に表現されていることは必要ではなく，自己の財産を相手方に取得させる意思が書面自体に表示されていれば足り，売渡証書の授受があったときにも書面による贈与ということができる。（大判大正3・12・25民録20・1178）

5※書面による贈与は，その書面が受贈者に表示されればたり，その書面が受贈者に現実に交付されたことを要しない。（大判昭和16・9・20判決全集8・30・14）

第551条　（贈与者の引渡義務等）
①　贈与者は，贈与の目的である物又は権利を，贈与の目的として特定した時の状態で引き渡し，又は移転することを約したものと推定する。
②　負担付贈与については，贈与者は，その負担の限度において，売主と同じく担保の責任を負う。

第552条　（定期贈与）
定期の給付を目的とする贈与は，贈与者又は受贈者の死亡によって，その効力を失う。

★判例

1※定期贈与は期限の定めの有無にかかわらず，反対の意思表示がない限り，贈与者または受贈者が死亡すれば，その効力を失う。（大判大正6・11・5民録23・1737）

第553条　（負担付贈与）
負担付贈与については，この節に定めるもののほか，その性質に反しない限り，双務契約に関する規定を準用する。

★判例

1※養母がその財産のほとんど全部を占める土地を養子に贈与したのは，両者の特別の情宜関係及び養親子の身分関係に基づき，贈与者の以後の生活に困難を生ぜしめないことを条件とするものであって，受贈者もその趣旨は十分承知していたところであるから，右贈与は，老齢に達した贈与者を扶養し，円満な養親子関係を維持し，同人から受けた恩愛に背かないという受贈者の義務を伴う負担付贈与であると解されるところ，受贈者が右の義務を怠ったときは，民法541条，542条の規定を準用し，贈与者は贈与契約の解除をすることができる。（最判昭和53・2・17判タ360・143）

第554条 （死因贈与）

贈与者の死亡によって効力を生ずる贈与については，その性質に反しない限り，遺贈に関する規定を準用する。

★判例
1※死因贈与の撤回については，贈与者の最終意思を尊重し，民法1022条が，その方式に関する部分を除いて準用される。（最判昭和47・5・25民集26・4・805）
2※負担の履行期が贈与者の生前と定められた負担付死因贈与契約に基づいて，受贈者がその負担の全部又はそれに類する程度の履行をした場合においては，贈与者の最終意思を尊重するために受贈者の利益を犠牲にすることは相当でないから，その贈与契約締結の動機，負担の価値と贈与財産の価値との相関関係，右契約上の利害関係者間の身分関係その他の生活関係等に照らし，右負担の履行状況にもかかわらず負担付死因贈与契約の全部又は一部の撤回をすることがやむを得ないと認められる特段の事情がない限り，遺言の撤回に関する民法1022条，1023条の各規定は準用されない。（最判昭和57・4・30民集36・4・763）
3※死因贈与は，当事者間の契約によって成立し，遺言におけるような方式は必要ではない。（大判大正15・12・9民集5・829，最判昭和32・5・21民集11・5・732）

第3節／売買

第1款／総則

第555条 （売買）

売買は，当事者の一方がある財産権を相手方に移転することを約し，相手方がこれに対してその代金を支払うことを約することによって，その効力を生ずる。

第556条 （売買の一方の予約）

① 売の一方の予約は，相手方が売買を完結する意思を表示した時から，売買の効力を生ずる。
② 前項の意思表示について期間を定めなかったときは，予約者は，相手方に対し，相当の期間を定めて，その期間内に売買を完結するかどうかを確答すべき旨の催告をすることができる。この場合において，相手方がその期間内に確答をしないときは，売買の一方の予約は，その効力を失う。

★判例
1※予約権利者は，予約完結権の行使前であれば，その権利を債権譲渡の規定にしたがって自由に譲渡することができる。（大判大正13・2・29民集3・80）
2※不動産の再売買の予約では，予約上の権利について仮登記された後に目的物の所有権が第三者に譲渡されている場合でも，仮登記上の権利であることを理由に，売買完結の意思表示は，当初の予約義務者に対してすべきである。（大判昭和13・4・22民集17・770）
3※不動産売買予約上の権利を仮登記によって保全した場合には，右予約の権利の譲渡を予約義務者及びその他の第三者に対抗するためには，仮登記に権利移転の付記登記をすれば足りるのであり，債権譲渡の対抗要件を具備する必要はない。（最判昭和35・11・24民集14・13・2853）
4※指名債権譲渡の予約についてされた確定日付ある証書による債務者に対する通知または債務者の承諾がなされても，債務者はこれによって予約完結権の行使により当該債権の帰属が将来変更される可能性を知るにとどまり，この予約の完結による債権譲渡の効力を第三者に対抗することはできない。（最判平成13・11・27民集55・6・1090）

第557条 （手付）

① 買主が売主に手付けを交付したときは，買主はその手付を放棄し，売主はその倍額を現実に提供して，契約の解除をすることができる。ただし，その相手方が契約の履行に着手した後は，この限りでない。
② 第545条第4項の規定は，前項の場合には，適用しない。

★判例
1※民法557条1項にいう履行の着手とは，債務の内容たる給付の実行に着手すること，すなわち，客観的に外部から認識し得るような形で履行行為の一部をなし，又は履行の提供をするために欠くことのできない前提行為をした場合を指すから，他人所有の不動産の売主がその所有権を取得し，買主に譲渡する前提として，自己名義の登記を経由したときは，

履行の着手が認められる。(最大判昭和40・11・24民集19・8・2019)
2※解約手付けが授受された売買契約において，その契約が合意解除された場合は，特に手付けを没収して契約を解除する趣旨でない限り，手付金受領者は，その手付を不当利得として相手方に返還しなくてはならない。(大判昭和11・8・10民集15・1673)
3※債務に履行期の約定がある場合であっても，当事者が，債務の履行期前には履行に着手しない旨の合意をしている場合など格別の事情がない限り，ただちに，右履行期前には，本条1項にいう履行の着手は生じ得ないと解すべきものではない。(最判昭和41・1・21民集20・1・65)
4※不動産売買の際に交付された手付の額が僅少の場合であっても，解除権の留保としての解約手付と解するのが相当である。(大判大正10・6・21民録27・1173)
5※売買における手付けは，反対の証拠がない限り，原則として，本条所定の解約手付と推定される。(最判昭和29・1・21民集8・1・64)

第558条 (売買契約に関する費用)

売買契約に関する費用は，当事者双方が等しい割合で負担する。

第559条 (有償契約への準用)

この節の規定は，売買以外の有償契約について準用する。ただし，その有償契約の性質がこれを許さないときは，この限りでない。

第2款／売買の効力

第560条 (権利移転の対抗要件に係る売主の義務)

売主は，買主に対し，登記，登録その他の売買の目的である権利の移転についての対抗要件を備えさせる義務を負う。

★判例
1※売主は売買契約の内容として登記義務を負担し，その不履行は民法541条の債務不履行に該当する。(大判明治44・11・14民録17・708)
2※賃借地上の建物の売買においては，特別の事情のない限り，その建物の敷地の賃借権をも譲渡したものであって，それに伴い，その賃借権の譲渡につき，売主は，賃貸人の承諾を得る義務を負うものと解すべきである。(最判昭和47・3・9民集26・2・213)

第561条 (他人の権利の売買における売主の義務)

他人の権利 (権利の一部が他人に属する場合におけるその権利の一部を含む。) を売買の目的としたときは，売主は，その権利を取得して買主に移転する義務を負う。

★判例
1※他人の権利 (権利の一部が他人に属する場合におけるその権利の一部を含む。) の売主が死亡し，その権利者において売主を相続した場合，権利者は相続により売主の売買契約上の義務ないし地位を承継するが，そのために権利者自身が売買契約を締結したことにはならず，これによって売買の目的とされた権利が当然に買主に移転するものでもなく，信義則に反すると認められるような特別の事情のない限り，右売買契約上の売主としての履行義務を拒否することができる。このことは，他人の権利を代物弁済に供した債務者を，その権利者が相続した場合においても等しく妥当する。(最大判昭和49・9・4民集28・6・1169)
2※他人の物を自己の物として偽って売買の目的とする場合と他人の物であることを当事者が了承した上で，売主が将来の取得を確約して売買する場合の双方が，民法の定める他人の物売買に該当すると解すべきである。(最判昭和50・12・25金融法務784・34)
3※他人の物の売買は，その目的物の所有者が，売買契約成立時から，他に右目的物を譲渡する意思がなく，したがって売主が買主に移転できない場合でも，その売買契約は有効に成立する。(最判昭和25・10・26民集4・10・497)

第562条 (買主の追完請求権)

① 引き渡された目的物が種類，品質又は数量に関して契約の内容に適合しないものであるときは，買主は，売主に対し，目的物の修補，代替物の引渡し又は不足分の引渡しによる履行の追完を請求することができる。ただし，売主は，買主に

不相当な負担を課するものでないときは，買主が請求した方法と異なる方法による履行の追完をすることができる。
② 前項の不適合が買主の責めに帰すべき事由によるものであるときは，買主は，同項の規定による履行の追完の請求をすることができない。

第563条 （買主の代金減額請求権）
① 前条第1項本文に規定する場合において，買主が相当の期間を定めて履行の追完の催告をし，その期間内に履行の追完がないときは，買主は，その不適合の程度に応じて代金の減額を請求することができる。
② 前項の規定にかかわらず，次に掲げる場合には，買主は，同項の催告をすることなく，直ちに代金の減額を請求することができる。
　一 履行の追完が不能であるとき。
　二 売主が履行の追完を拒絶する意思を明確に表示したとき。
　三 契約の性質又は当事者の意思表示により，特定の日時又は一定の期間内に履行をしなければ契約をした目的を達することができない場合において，売主が履行の追完をしないでその時期を経過したとき。
　四 前三号に掲げる場合のほか，買主が前項の催告をしても履行の追完を受ける見込みがないことが明らかであるとき。
③ 第1項の不適合が買主の責めに帰すべき事由によるものであるときは，買主は，前二項の規定による代金の減額の請求をすることができない。

第564条 （買主の損害賠償請求及び解除権の行使）
前二条の規定は，第415条の規定による損害賠償の請求並びに第541条及び第542条の規定による解除権の行使を妨げない。

第565条 （移転した権利が契約の内容に適合しない場合における売主の担保責任）
前三条の規定は，売主が買主に移転した権利が契約の内容に適合しないものである場合（権利の一部が他人に属する場合においてその権利の一部を移転しないときを含む。）について準用する。

第566条 （目的物の種類又は品質に関する担保責任の期間の制限）
売主が種類又は品質に関して契約の内容に適合しない目的物を買主に引き渡した場合において，買主がその不適合を知った時から1年以内にその旨を売主に通知しないときは，買主は，その不適合を理由として，履行の追完の請求，代金の減額の請求，損害賠償の請求及び契約の解除をすることができない。ただし，売主が引渡しの時にその不適合を知り，又は重大な過失によって知らなかったときは，この限りでない。

第567条 （目的物の滅失等についての危険の移転）
① 売主が買主に目的物（売買の目的として特定したものに限る。以下この条において同じ。）を引き渡した場合において，その引渡しがあった時以後にその目的物が当事者双方の責めに帰することができない事由によって滅失し，又は損傷したときは，買主は，その滅失又は損傷を理由として，履行の追完の請求，代金の減額の請求，損害賠償の請求及び契約の解除をすることができない。この場合において，買主は，代金の支払を拒むことができない。
② 売主が契約の内容に適合する目的物をもって，その引渡しの債務の履行を提供したにもかかわらず，買主がその履行を

受けることを拒み，又は受けることができない場合において，その履行の提供があった時以後に当事者双方の責めに帰することができない事由によってその目的物が滅失し，又は損傷したときも，前項と同様とする。

第568条　（競売における担保責任等）
① 民事執行法その他の法律の規定に基づく競売（以下この条において単に「競売」という。）における買受人は，第541条及び第542条の規定並びに第563条（第565条において準用する場合を含む。）の規定により，債務者に対し，契約の解除をし，又は代金の減額を請求することができる。
② 前項の場合において，債務者が無資力であるときは，買受人は，代金の配当を受けた債権者に対し，その代金の全部又は一部の返還を請求することができる。
③ 前二項の場合において，債務者が物若しくは権利の不存在を知りながら申し出なかったとき，又は債権者がこれを知りながら競売を請求したときは，買受人は，これらの者に対し，損害賠償の請求をすることができる。
④ 前三項の規定は，競売の目的物の種類又は品質に関する不適合については，適用しない。

第569条　（債権の売主の担保責任）
① 債権の売主が債務者の資力を担保したときは，契約の時における資力を担保したものと推定する。
② 弁済期に至らない債権の売主が債務者の将来の資力を担保したときは，弁済期における資力を担保したものと推定する。

第570条　（抵当権等がある場合の買主による費用の償還請求）
買い受けた不動産について契約の内容に適合しない先取特権，質権又は抵当権が存していた場合において，買主が費用を支出してその不動産の所有権を保存したときは，買主は，売主に対し，その費用の償還を請求することができる。

第571条　削除

第572条　（担保責任を負わない旨の特約）
売主は，第562条第1項本文又は第565条に規定する場合における担保の責任を負わない旨の特約をしたときであっても，知りながら告げなかった事実及び自ら第三者のために設定し又は第三者に譲り渡した権利については，その責任を免れることができない。

第573条　（代金の支払期限）
売買の目的物の引渡しについて期限があるときは，代金の支払についても同一の期限を付したものと推定する。

第574条　（代金の支払場所）
売買の目的物の引渡しと同時に代金を支払うべきときは，その引渡しの場所において支払わなければならない。

第575条　（果実の帰属及び代金の利息の支払）
① まだ引き渡されていない売買の目的物が果実を生じたときは，その果実は，売主に帰属する。
② 買主は，引渡しの日から，代金の利息を支払う義務を負う。ただし，代金の支払について期限があるときは，その期限が到来するまでは，利息を支払うことを要しない。

★判例

1※民法575条1項は，その文言上，引渡しをしない事由については特に限定せず，また，売主と買主との間に複雑な関係が生ずることを避けるのが同条の趣旨であることからすれば，目的物の引き渡しにつき期限の定めがある場合に，売主がその引渡しを遅滞したときであっても，引渡しをするまではこれを使用し，

果実を収取することができると同時に，代金の支払につき期限の定めがある場合に買主がその支払を遅滞したとき，あるいは買主が目的物の受領を拒み，遅滞に付せられたときであっても，目的物の引渡しを受けるまでの代金の利息を支払うことを要しない。(大判大正13・9・24民集3・440)

第576条　（権利を取得することができない等のおそれがある場合の買主による代金の支払の拒絶）

売買の目的について権利を主張する者があることその他の事由により，買主がその買い受けた権利の全部若しくは一部を取得することができず，又は失うおそれがあるときは，買主は，その危険の程度に応じて，代金の全部又は一部の支払を拒むことができる。ただし，売主が相当の担保を供したときは，この限りでない。

★判例

1※土地又は建物の賃借人は，賃借物に対する権利に基づき自己に対して明渡しを請求することができる第三者からその明け渡しを求められた場合には，それ以後，賃料の支払を拒絶することができる。(最判昭50・4・25民集29・4・556)

第577条　（抵当権等の登記がある場合の買主による代金の支払の拒絶）

① 買い受けた不動産について契約の内容に適合しない抵当権の登記があるときは，買主は，抵当権消滅請求の手続が終わるまで，その代金の支払を拒むことができる。この場合において，売主は，買主に対し，遅滞なく抵当権消滅請求をすべき旨を請求することができる。
② 前項の規定は，買い受けた不動産について契約の内容に適合しない先取特権又は質権の登記がある場合について準用する。

第578条　（売主による代金の供託の請求）

前二条の場合においては，売主は，買主に対して代金の供託を請求することができる。

第3款／買戻し

第579条　（買戻しの特約）

不動産の売主は，売買契約と同時にした買戻しの特約により，買主が支払った代金（別段の合意をした場合にあっては，その合意により定めた金額。第583条第1項において同じ。）及び契約の費用を返還して，売買の解除をすることができる。この場合において，当事者が別段の意思を表示しなかったときは，不動産の果実と代金の利息とは相殺したものとみなす。

★判例

1※買戻しの特約を登記しなかった場合における不動産の買戻権は，売主の地位と共にのみ譲渡することができ，これを買主に対抗するには，買主に対する通知またはその承諾を必要とし，かつ，これをもって足りる。(最判昭和35・4・26民集14・6・1071)

第580条　（買戻しの期間）

① 買戻しの期間は，10年を超えることができない。特約でこれより長い期間を定めたときは，その期間は，10年とする。
② 買戻しについて期間を定めたときは，その後にこれを伸長することができない。
③ 買戻しについて期間を定めなかったときは，5年以内に買戻しをしなければならない。

第581条　（買戻しの特約の対抗力）

① 売買契約と同時に買戻しの特約を登記したときは，買戻しは，第三者に対抗することができる。
② 前項の登記がされた後に第605条の2第1項に規定する対抗要件を備えた賃借人の権利は，その残存期間中1年を超えない期間に限り，売主に対抗することができる。ただし，売主を害する目的で賃貸借をしたときは，この限りでない。

★判例
1 ※買戻約款付売買により不動産を取得した者が，これを第三者に転売しその登記を経由した場合には，最初の売主は，転得者に対して買戻権を行使すべきである。(最判昭和36・5・30民集15・5・1459)

第582条　(買戻権の代位行使)
売主の債権者が第423条の規定により売主に代わって買戻しをしようとするときは，買主は，裁判所において選任した鑑定人の評価に従い，不動産の現在の価額から売主が返還すべき金額を控除した残額に達するまで売主の債務を弁済し，なお残余があるときはこれを売主に返還して，買戻権を消滅させることができる。

第583条　(買戻しの実行)
① 売主は，第580条に規定する期間内に代金及び契約の費用を提供しなければ，買戻しをすることができない。
② 買主又は転得者が不動産について費用を支出したときは，売主は，第196条の規定に従い，その償還をしなければならない。ただし，有益費については，裁判所は，売主の請求により，その償還について相当の期限を許与することができる。

★判例
1 ※買戻の特約が登記された売買契約により不動産を買い受けた者が，特約所定の買戻期間中に，更にその不動産を第三者に売り渡し，かつ，右売買による所有権移転登記を経由した場合は，その不動産の売主による買戻権の行使は，右転得者に対してなすべきである。(最判昭和36・5・30民集15・5・1459)

第584条　(共有持分の買戻特約付売買)
不動産の共有者の1人が買戻しの特約を付してその持分を売却した後に，その不動産の分割又は競売があったときは，売主は，買主が受け，若しくは受けるべき部分又は代金について，買戻しをすることができる。ただし，売主に通知をしないでした分割及び競売は，売主に対抗することができない。

第585条
① 前条の場合において，買主が不動産の競売における買受人となったときは，売主は，競売の代金及び第583条に規定する費用を支払って買戻しをすることができる。この場合において，売主は，その不動産の全部の所有権を取得する。
② 他の共有者が分割を請求したことにより買主が競売における買受人となったときは，売主は，その持分のみについて買戻しをすることはできない。

第4節／交換

第586条
① 交換は，当事者が互いに金銭の所有権以外の財産権を移転することを約することによって，その効力を生ずる。
② 当事者の一方が他の権利とともに金銭の所有権を移転することを約した場合におけるその金銭については，売買の代金に関する規定を準用する。

第5節／消費貸借

第587条　(消費貸借)
消費貸借は，当事者の一方が種類，品質及び数量の同じ物をもって返還をすることを約して相手方から金銭その他の物を受け取ることによって，その効力を生ずる。

第587条の2　(書面でする消費貸借等)
① 前条の規定にかかわらず，書面でする消費貸借は，当事者の一方が金銭その他の物を引き渡すことを約し，相手方がその受け取った物と種類，品質及び数量の同じ物をもって返還をすることを約することによって，その効力を生ずる。
② 書面でする消費貸借の借主は，貸主から金銭その他の物を受け取るまで，契約の解除をすることができる。この場合に

おいて，貸主は，その契約の解除によって損害を受けたときは，借主に対し，その賠償を請求することができる。
③　書面でする消費貸借は，借主が貸主から金銭その他の物を受け取る前に当事者の一方が破産手続開始の決定を受けたときは，その効力を失う。
④　消費貸借がその内容を記録した電磁的記録によってされたときは，その消費貸借は，書面によってされたものとみなして，前三項の規定を適用する。

第588条　（準消費貸借）
　金銭その他の物を給付する義務を負う者がある場合において，当事者がその物を消費貸借の目的とすることを約したときは，消費貸借は，これによって成立したものとみなす。

第589条　（利息）
①　貸主は，特約がなければ，借主に対して利息を請求することができない。
②　前項の特約があるときは，貸主は，借主が金銭その他の物を受け取った日以後の利息を請求することができる。

第590条　（貸主の引渡義務等）
①　第551条の規定は，前条第1項の特約のない消費貸借について準用する。
②　前条第1項の特約の有無にかかわらず，貸主から引き渡された物が種類又は品質に関して契約の内容に適合しないものであるときは，借主は，その物の価額を返還することができる。

第591条　（返還の時期）
①　当事者が返還の時期を定めなかったときは，貸主は，相当の期間を定めて返還の催告をすることができる。
②　借主は，返還の時期の定めの有無にかかわらず，いつでも返還をすることができる。

③　当事者が返還の時期を定めた場合において，貸主は，借主がその時期の前に返還をしたことによって損害を受けたときは，借主に対し，その賠償を請求することができる。

第592条　（価額の償還）
　借主が貸主から受け取った物と種類，品質及び数量の同じ物をもって返還をすることができなくなったときは，その時における物の価額を償還しなければならない。ただし，第402条第2項に規定する場合は，この限りでない。

第6節／使用貸借

第593条　（使用貸借）
　使用貸借は，当事者の一方がある物を引き渡すことを約し，相手方がその受け取った物について無償で使用及び収益をして契約が終了したときに返還をすることを約することによって，その効力を生ずる。

> ★判例
> 1※家主とその妻の伯父との間の部屋の貸借関係において，賃貸料の相場の1畳分に相当する金員を支払っている場合には，右金員は使用の対価というよりは，貸借当事者間の特殊関係に基づく謝礼の意味のものとみるのが相当であるときは，右使用契約は賃貸借ではなく使用貸借である。（最判昭和35・4・12民集14・5・817）
> 2※共同相続人の1人が相続開始前から被相続人の許諾を得て遺産である建物において被相続人と同居していたときは，特段の事情のない限り，被相続人と右相続人との間において，右建物について，相続開始を始期とし，遺産分割時を終期とする使用貸借契約が成立していたものと推認される。（最判平成8・12・17民集50・10・2778）

第593条の2　（借用物受取り前の貸主による使用貸借の解除）
　貸主は，借主が借用物を受け取るまで，契約の解除をすることができる。ただし，書面による使用貸借については，

この限りでない。

第594条 （借主による使用及び収益）
① 借主は，契約又はその目的物の性質によって定まった用法に従い，その物の使用及び収益をしなければならない。
② 借主は，貸主の承諾を得なければ，第三者に借用物の使用又は収益をさせることができない。
③ 借主が前二項の規定に違反して使用又は収益をしたときは，貸主は，契約の解除をすることができる。

第595条 （借用物の費用の負担）
① 借主は，借用物の通常の必要費を負担する。
② 第583条第2項の規定は，前項の通常の必要費以外の費用について準用する。

第596条 （貸主の引渡義務等）
第551条の規定は，使用貸借について準用する。

第597条 （期間満了等による使用貸借の終了）
① 当事者が使用貸借の期間を定めたときは，使用貸借は，その期間が満了することによって終了する。
② 当事者が使用貸借の期間を定めなかった場合において，使用及び収益の目的を定めたときは，使用貸借は，借主がその目的に従い使用及び収益を終えることによって終了する。
③ 使用貸借は，借主の死亡によって終了する。

第598条 （使用貸借の解除）
① 貸主は，前条第2項に規定する場合において，同項の目的に従い借主が使用及び収益をするのに足りる期間を経過したときは，契約の解除をすることができる。
② 当事者が使用貸借の期間並びに使用及び収益の目的を定めなかったときは，貸主は，いつでも契約の解除をすることができる。
③ 借主は，いつでも契約の解除をすることができる。

第599条 （借主による収去等）
① 借主は，借用物を受け取った後にこれに附属させた物がある場合において，使用貸借が終了したときは，その附属させた物を収去する義務を負う。ただし，借用物から分離することができない物又は分離するのに過分の費用を要する物については，この限りでない。
② 借主は，借用物を受け取った後にこれに附属させた物を収去することができる。
③ 借主は，借用物を受け取った後にこれに生じた損傷がある場合において，使用貸借が終了したときは，その損傷を原状に復する義務を負う。ただし，その損傷が借主の責めに帰することができない事由によるものであるときは，この限りでない。

第600条 （損害賠償及び費用の償還の請求権についての期間の制限）
① 契約の本旨に反する使用又は収益によって生じた損害の賠償及び借主が支出した費用の償還は，貸主が返還を受けた時から1年以内に請求しなければならない。
② 前項の損害賠償の請求権については，貸主が返還を受けた時から1年を経過するまでの間は，時効は，完成しない。

第7節／賃貸借

第1款／総則

第601条 （賃貸借）
賃貸借は，当事者の一方がある物の使用及び収益を相手方にさせることを約し，相手方がこれに対してその賃料を支払う

こと及び引渡しを受けた物を契約が終了したときに返還することを約することによって，その効力を生ずる。

★判例
1 ※内縁の夫である建物賃借人が死亡した場合，賃借人の内縁の妻は，同人の相続人ではないが，相続人の賃借権を援用して，家屋に居住する権利を主張することができる。この場合，その内縁の妻は賃借人となるわけではないから，賃貸人に対して賃料支払義務を負わない。（最判昭和42・2・21民集21・1・155）
2 ※（賃借権の援用）家屋賃借人と同居している事実上の養子が，賃借人の親族一同の了承のもとに，賃借人の遺産を承継し，祖先の祭祀も引き受けているとの事情のもとでは，右事実上の養子は，賃借人の相続人の賃借権を援用して，家屋に居住する権利を賃貸人に対抗することができる。（最判昭37・12・25民集16・12・2455）
3 ※公営住宅の使用関係については，公営住宅法及び条例が特別法として優先して適用されるが，それらに特別の定めがない限り，原則として，一般法である民法及び借家法（現在借地借家法）の適用がある。（最判昭和59・12・13民集38・12・1411）

第602条　（短期賃貸借）
処分の権限を有しない者が賃貸借をする場合には，次の各号に掲げる賃貸借は，それぞれ当該各号に定める期間を超えることができない。契約でこれより長い期間を定めたときであっても，その期間は，当該各号に定める期間とする。
一　樹木の栽植又は伐採を目的とする山林の賃貸借　10年
二　前号に掲げる賃貸借以外の土地の賃貸借　5年
三　建物の賃貸借　3年
四　動産の賃貸借　6箇月

第603条　（短期賃貸借の更新）
前条に定める期間は，更新することができる。ただし，その期間満了前，土地については1年以内，建物については3箇月以内，動産については1箇月以内に，その更新をしなければならない。

第604条　（賃貸借の存続期間）
① 賃貸借の存続期間は，50年を超えることができない。契約でこれより長い期間を定めたときであっても，その期間は，50年とする。
② 賃貸借の存続期間は，更新することができる。ただし，その期間は，更新の時から50年を超えることができない。

★判例
1 ※借家法8条（借地借家法40条）にいわゆる一時使用のための賃貸借といえるためには，必ずしもその期間の長短だけを標準として決せられるべきものではなく，賃貸借の目的，動機，その他諸般の事情から，その賃貸借契約を短期間内に限り存続させる趣旨のものであることが客観的に判断される場合であればよく，その期間が1年未満の場合でなければならないものではない。（最判昭和36・10・10民集15・9・2294）

第2款／賃貸借の効力

第605条　（不動産賃貸借の対抗力）
不動産の賃貸借は，これを登記したときは，その不動産について物権を取得した者その他の第三者に対抗することができる。

★判例
1 ※土地の賃借人が賃借権又は地上建物につき登記を備えていない間に，その土地が所有者である譲渡人からその実子に，更にそれらの者が経営する同族会社に売り渡され，その登記を備えた場合であっても，右会社は譲渡人の個人企業がそのまま移行したものであり，その営業の実態に変わりがなく，また，右実子及び右会社が賃借権の存在を知りながら，賃借人を立ち退かせることを企図して土地を買い受けたものであるなどの事情のあるときは，賃借権に対抗力のないことを主張して建物の収去を求めることは権利の濫用として許されない。（最判昭和38・5・24民集17・5・639）
2 ※借地権のある土地上の建物についてなされた登記が，錯誤又は遺漏により，建物所在の地番の表示において実際と多少相違していても，建物の種類，構造，床面積などの記載と相まって，その登記の表示全体において，当該建物の同一性を認識し得る程度の軽微な誤りであり，殊にたやすく更正登記ができるよう

な場合には，建物保護法1条（借地借家法10条）により，当該借地権は対抗力を有する。
（最大判昭和40・3・17民集19・2・453）
3 ※建物保護法1条（借地借家法10条）は，土地の取引をなす者において，地上建物の登記名義により，その名義者が土地賃借権を有することを推知し得ることを根拠とするから，地上建物を所有する土地賃借人は，自己の名義で登記した建物を有することにより，初めて右賃借権を第三者に対抗することができるのであって，右賃借人が，自らの意思に基づき，他人名義で建物の保存登記をした場合には，たとえそれが長男名義の登記であっても，その賃借権を第三者に対抗することはできない。
（最大判昭和41・4・27民集20・4・870）
4 ※当事者間において賃借権の登記をする旨の特約がない場合には，賃借人は，賃貸人に対して賃借権の登記を請求する権利はもちろん，その仮登記を為す権利をも有していない。
（大判大正10・7・11民録27・1378）

第605条の2　（不動産の賃貸人たる地位の移転）

① 前条，借地借家法（平成3年法律第90号）第10条又は第31条その他の法令の規定による賃貸借の対抗要件を備えた場合において，その不動産が譲渡されたときは，その不動産の賃貸人たる地位は，その譲受人に移転する。

② 前項の規定にかかわらず，不動産の譲渡人及び譲受人が，賃貸人たる地位を譲渡人に留保する旨及びその不動産を譲受人が譲渡人に賃貸する旨の合意をしたときは，賃貸人たる地位は，譲受人に移転しない。この場合において，譲渡人と譲受人又はその承継人との間の賃貸借が終了したときは，譲渡人に留保されていた賃貸人たる地位は，譲受人又はその承継人に移転する。

③ 第1項又は前項後段の規定による賃貸人たる地位の移転は，賃貸物である不動産について所有権の移転の登記をしなければ，賃借人に対抗することができない。

④ 第1項又は第2項後段の規定により賃貸人たる地位が譲受人又はその承継人に移転したときは，第608条の規定による費用の償還に係る債務及び第622条の2第1項の規定による同項に規定する敷金の返還に係る債務は，譲受人又はその承継人が承継する。

第605条の3　（合意による不動産の賃貸人たる地位の移転）

不動産の譲渡人が賃貸人であるときは，その賃貸人たる地位は，賃借人の承諾を要しないで，譲渡人と譲受人との合意により，譲受人に移転させることができる。この場合においては，前条第3項及び第4項の規定を準用する。

第605条の4　（不動産の賃借人による妨害の停止の請求等）

不動産の賃借人は，第605条の2第1項に規定する対抗要件を備えた場合において，次の各号に掲げるときは，それぞれ当該各号に定める請求をすることができる。

一　その不動産の占有を第三者が妨害しているとき　その第三者に対する妨害の停止の請求

二　その不動産を第三者が占有しているとき　その第三者に対する返還の請求

第606条　（賃貸人による修繕等）

① 賃貸人は，賃貸物の使用及び収益に必要な修繕をする義務を負う。ただし，賃借人の責めに帰すべき事由によってその修繕が必要となったときは，この限りでない。

② 賃貸人が賃貸物の保存に必要な行為をしようとするときは，賃借人は，これを拒むことができない。

★判例

1 ※「入居後の大小修繕は賃借人がする」旨の特約条項は，賃貸人が本条1項所定の修繕義務を負わないという趣旨のものにすぎず，賃借人が家屋使用中に生ずる一切の汚損・破損箇所を自己の費用で修繕し，目的家屋を当初と

同一の状態に維持すべき義務を負うという趣旨のものではないと解するのが相当である。
(最判昭和43・1・25判時513・33)

第607条　（賃借人の意思に反する保存行為）
賃貸人が賃借人の意思に反して保存行為をしようとする場合において、そのために賃借人が賃借をした目的を達することができなくなるときは、賃借人は、契約の解除をすることができる。

第607条の2　（賃借人による修繕）
賃借物の修繕が必要である場合において、次に掲げるときは、賃借人は、その修繕をすることができる。
一　賃借人が賃貸人に修繕が必要である旨を通知し、又は賃貸人がその旨を知ったにもかかわらず、賃貸人が相当の期間内に必要な修繕をしないとき。
二　急迫の事情があるとき。

第608条　（賃借人による費用の償還請求）
① 賃借人は、賃借物について賃貸人の負担に属する必要費を支出したときは、賃貸人に対し、直ちにその償還を請求することができる。
② 賃借人が賃借物について有益費を支出したときは、賃貸人は、賃貸借の終了の時に、第196条第2項の規定に従い、その償還をしなければならない。ただし、裁判所は、賃貸人の請求により、その償還について相当の期限を許与することができる。

★判例
1※建物の賃借人が有益費を支出した後に、賃貸人が交替したときは、特段の事情がない限り、新賃貸人が有益費の償還義務者たる地位を承継し、賃借人は旧賃貸人に対して有益費の償還を請求することはできない。(最判昭和46・2・19民集25・1・135)

第609条　（減収による賃料の減額請求）
耕作又は牧畜を目的とする土地の賃借人は、不可抗力によって賃料より少ない収益を得たときは、その収益の額に至るまで、賃料の減額を請求することができる。

第610条　（減収による解除）
前条の場合において、同条の賃借人は、不可抗力によって引き続き2年以上賃料より少ない収益を得たときは、契約の解除をすることができる。

第611条　（賃借物の一部滅失等による賃料の減額等）
① 賃借物の一部が滅失その他の事由により使用及び収益をすることができなくなった場合において、それが賃借人の責めに帰することができない事由によるものであるときは、賃料は、その使用及び収益をすることができなくなった部分の割合に応じて、減額される。
② 賃借物の一部が滅失その他の事由により使用及び収益をすることができなくなった場合において、残存する部分のみでは賃借人が賃借をした目的を達することができないときは、賃借人は、契約の解除をすることができる。

第612条　（賃借権の譲渡及び転貸の制限）
① 賃借人は、賃貸人の承諾を得なければ、その賃借権を譲り渡し、又は賃借物を転貸することができない。
② 賃借人が前項の規定に違反して第三者に賃借物の使用又は収益をさせたときは、賃貸人は、契約の解除をすることができる。

★判例
1※民法612条は、賃貸借が当事者の個人的信頼を基礎とする継続的法律関係であることから、賃借人が賃貸人の承諾なくして第三者に賃借物の使用収益をさせたときは、賃貸借関係を継続するに堪えない背信的行為があったものとして、賃貸人に賃貸借契約の解除権を認めるものであるから、賃借人が賃貸人の承諾な

民法（613条）

くして第三者に賃借物の使用収益をさせた場合であっても，その行為が賃貸人に対する背信的行為と認めるに足りない特段の事情があるときは，同条の解除権は発生しない。（最判昭和28・9・25民集7・9・979）

2 ※賃借人が法人である場合において，右法人の構成員や機関に変動が生じても，法人格の同一性は失われないから，民法612条の賃借権の譲渡には当たらない。特定の個人が経営の実権を握り，社員や役員が右個人及びその家族，知人等によって占められているような小規模で閉鎖的な有限会社が賃借人である場合に，持分の譲渡及び役員の交代により実質的な経営者が交代したとしても，同条にいう賃借権の譲渡には当たらず，賃貸人は賃貸借契約を解除できない。（最判平成8・10・14民集50・9・2431）

3 ※借地人が借地上に所有する建物につき譲渡担保権を設定した場合，譲渡担保権設定者が引き続き建物を使用している限り，その敷地について民法612条にいう賃借権の譲渡又は転貸がされたと解することはできないが，譲渡担保権者が建物の引渡しを受けて使用又は収益をするときは，いまだ担保権が実行されておらず，設定者による受戻権の行使が可能であるとしても，建物の敷地について同条にいう賃借権の譲渡又は転貸がされたと解するのが相当であり，他に特段の事情のない限り，賃貸人は土地賃貸借契約を解除することができる。（最判平成9・7・17民集51・6・2882）

4 ※土地の賃借人が賃借地上に築造した建物を第三者に賃貸しても，土地賃借人は建物使用のために土地を利用しているのであるから，これを土地の転貸借とはいえない。（大判昭和8・12・11裁判例7・民277）

5 ※土地の賃借人が，自己の債務の担保として賃借地上の建物を買戻特約付で債権者に売り渡し移転登記がなされても，その後も引き続き右建物に居住し，2年後には債務の全額を弁済して所有権が回復されている等の事情のもとでは，建物の敷地について賃借権の譲渡または転貸はされなかったものと解するのが相当である。（最判昭和40・12・17民集19・9・2159）

6 ※賃借土地の無断転貸を理由として賃貸人が契約を解除した場合，その転貸が賃貸人に対する背信行為と認めるに足りない特段の事情の存在は，賃借人において主張・立証しなければならない。（最判昭和41・1・27民集20・1・136）

7 ※土地の賃借人が，土地を無断で転貸し，転借人が同土地上に産業廃棄物を不法に投棄した場合，賃借人は，賃貸借契約終了時に原状回復義務として，右産業廃棄物を撤去すべき義務を負う。（最判平成17・3・10判時1895・60）

8 ※(1)賃借人が借地上の建物の建て替えに当たり，新築建物を賃借人とその妻子の共有とすることにつき，賃貸人から承諾を得ていた場合，賃借人が自らは新築建物の共有者とはならないで妻子の共有とすることを容認して借地を無断で行われたことにつき，賃貸人に対する背信行為と認めるに足りない特段の事情があるといえる。(2)賃借人が，借地上の建物の共有者である賃借人の子が，その妻に離婚に伴う財産分与としてその持分を譲渡することを容認して借地を無断で行われたことについても，賃貸人に対する背信行為と認めるに足りない特段の事情があるというべきである。（最判平成21・11・27裁判所時報1496・15）

9 ※土地の賃借権の共同相続人の1人が賃貸人の承諾なく他の共同相続人からその賃借権の共有持分を譲り受けても，賃貸人は，本条により賃貸借契約を解除することができないと解するのが相当である。（最判昭和29・10・7民集8・10・1816）

第613条（転貸の効果）

① 賃借人が適法に賃借物を転貸したときは，転借人は，賃貸人と賃借人との間の賃貸借に基づく賃借人の債務の範囲を限度として，賃貸人に対して転貸借に基づく債務を直接履行する義務を負う。この場合においては，賃料の前払をもって賃貸人に対抗することができない。

② 前項の規定は，賃貸人が賃借人に対してその権利を行使することを妨げない。

③ 賃借人が適法に賃借物を転貸した場合には，賃貸人は，賃借人との間の賃貸借を合意により解除したことをもって転借人に対抗することができない。ただし，その解除の当時，賃貸人が賃借人の債務不履行による解除権を有していたときは，この限りでない。

★判例

1 ※賃貸人の承諾のある転貸借において，賃貸借契約が転貸人の債務不履行を理由とする解除により終了した場合，賃貸人が転借人に直接

目的物の返還を請求するに至れば，転借人が賃貸人に転借権を対抗し得る状態を回復することはもはや期待することができず，転貸人の転借人に対する債務は社会通念上履行不能といえるから，賃貸人の承諾のある転貸借は，原則として，賃貸人が転貸人に対して目的物の返還を請求した時に，転貸人の転借人に対する債務の履行不能により消滅する。(最判平成9・2・25民集51・2・398)

2 ※賃料の延滞を理由として賃貸借契約を解除するには，適法な転貸借であっても，賃貸人は賃借人に対して催告すれば足り，転借人に対して延滞賃料の支払の機会を与える必要はない。(最判昭和37・3・29民集16・3・662)

3 ※土地の賃貸借契約において，賃貸人が賃料の不払いを理由に賃貸借契約を解除するには，適法な転貸借であっても，特段の事情のない限り，転借人に通知等をして賃料の代払いの機会を与えなければならないものではない。(最判平成6・7・18判時1540・38)

4 ※賃貸人と賃借人が賃貸借契約を合意解除しても，転貸借には影響はなく，賃貸人は解除をもって転借人に対抗することはできない。(大判昭和9・3・7民集13・278)

5 ※賃貸借契約が賃借人の債務不履行により解除された場合には，転貸借契約も履行不能により終了し，転借人は賃貸人に対抗することはできない。(最判昭和36・12・21民集15・12・3243)

6 ※土地の賃借人が賃貸人の承諾を得ないでその土地を他に転貸しても，転貸について賃貸人に対する背信行為と認めるに足りない特段の事情があるため，賃貸人が民法612条2項により賃貸借契約を解除することができない場合において，賃貸人が賃借人と賃貸借契約を合意解除しても，これが賃借人の債務不履行を理由として賃貸人に法定解除権の行使ができるときになされたものであるとの事情のない限り，賃貸人は転借人に対し，右合意解除の効力を対抗し，賃貸土地の明渡しを請求することはできない。(最判昭和62・3・24判時1258・61)

7 ※転貸を予定して行われた事業用ビル1棟全体の賃貸借契約が，賃借人の更新拒絶により終了しても，賃貸人は，信義則上，賃貸借契約の終了をもって承諾を与えた再転借人に対抗することはできない。(最判平成14・3・28民集56・3・662)

8 ※賃貸人の地位と転貸人の地位とが同一人に帰した場合であっても，転貸借は，当事者間においてこれを消滅させる特別の合意が成立しない限り，当然には消滅しない。(最判昭和35・6・23民集14・8・1507)

9 ※賃借人が賃借家屋を第三者に転貸し，賃貸人がこれを承諾した場合には，転借人に不信な行為があるなどして，賃貸人と賃借人との間で賃貸借契約を合意解除することが信義誠実の原則に反しないような特段の事由がある場合のほか賃貸人と賃借人とが賃貸借契約解除の合意をしてもそのため転借人の権利は消滅しない。(最判昭和37・2・1裁判集民58・441)

第614条　(賃料の支払時期)
賃料は，動産，建物及び宅地については毎月末に，その他の土地については毎年末に，支払わなければならない。ただし，収穫の季節があるものについては，その季節の後に遅滞なく支払わなければならない。

第615条　(賃借人の通知義務)
賃借物が修繕を要し，又は賃借物について権利を主張する者があるときは，賃借人は，遅滞なくその旨を賃貸人に通知しなければならない。ただし，賃貸人が既にこれを知っているときは，この限りでない。

第616条　(賃借人による使用及び収益)
第594条第1項の規定は，賃貸借について準用する。

★判例
【不動産賃貸借の解除】
1 ※賃貸借は，当事者相互の信頼関係を基礎とする継続的契約であるから，賃貸借の継続中，当事者の一方に，その信頼関係を裏切って，賃貸借関係の継続を著しく困難ならしめるような不信行為のあった場合には，相手方は賃貸借を将来に向かって解除することができるが，この場合，民法541条所定の催告は必要としない。借家人が建具等を破壊したり，燃料代わりに焼却するなど，長年にわたり家屋を乱暴に使用したような場合は，賃貸人は，催告なくして解除することができる。(最判昭和27・4・25民集6・4・451)

2 借家人が催告期間内に延滞賃料額を弁済しなかった場合であっても，その額が少額であっ

て、また、20年近くこの家屋に居住し、今回を除いて今まで賃料を延滞したことがなく、台風により家屋が損壊した際、借家人の修繕要求に家主が応じなかったため、借家人が自己の費用で修繕し、その償還を家主に求めなかったなどの事情があるときは、賃借人に相互の信頼関係を破壊するに至る程度の不誠意があるとはいえないから、賃貸人による解除権の行使は信義則に反し許されない。(最判昭和39・7・28民集18・6・1220)
3 ※建物所有を目的とする土地の賃貸借中に、賃借人が賃貸人の承諾を得ずに借地内の建物の増改築をするときは、賃貸人は催告を要しないで賃貸借を解除することができる旨の特約があるにもかかわらず、賃借人が賃貸人の承諾を得ないで増改築をした場合において、増改築が借地人の土地の通常の利用上相当であり、土地賃貸人に著しい影響を及ぼさないため、賃借人に対する信頼関係を破壊するおそれがあると認めるに足りないときは、賃貸人は、前記特約に基づき、解除権を行使することは信義誠実の原則上許されない。(最判昭和41・4・21民集20・4・720)
4 ※家屋の賃貸借契約において、一般に、賃借人が賃料を1箇月でも滞納したときは催告を要せず契約を解除することができる旨を定めた特約条項は、賃貸借契約が当事者間の信頼関係を基礎とする継続的債権関係であることからすれば、賃料が約定の期日に支払われず、このため契約を解除するに当たり、催告をしなくてもあながち不合理とは認められないような事情が存する場合には、無催告で解除権を行使することが許される旨を定めた約定であると解される。(最判昭和43・11・21民集22・12・2741)
5 ※ショッピングセンターである建物内の店舗の賃借人が、右建物内で、他の賃借人に迷惑をかける商売方法をとって他の賃借人と争い、そのため、賃貸人が他の賃借人から苦情を言われて困却し、そのことにつき右賃借人に注意しても、右賃借人はかえって賃貸人に対して暴言を吐き、あるいは他の者と共に暴行を加えるなどの事情のあるときは、賃貸人と右賃借人との間の信頼関係は破壊されるに至ったものと解されるから、賃貸人は催告なくして、右賃借人との賃貸借契約を解除することができる。(最判昭和50・2・20民集29・2・99)

第3款／賃貸借の終了

第616条の2（賃借物の全部滅失等による賃貸借の終了）

賃借物の全部が滅失その他の事由により使用及び収益をすることができなくなった場合には、賃貸借は、これによって終了する。

第617条（期間の定めのない賃貸借の解約の申入れ）

① 当事者が賃貸借の期間を定めなかったときは、各当事者は、いつでも解約の申入れをすることができる。この場合においては、次の各号に掲げる賃貸借は、解約の申入れの日からそれぞれ当該各号に定める期間を経過することによって終了する。
一 土地の賃貸借　1年
二 建物の賃貸借　3箇月
三 動産及び貸席の賃貸借　1日
② 収穫の季節がある土地の賃貸借については、その季節の後次の耕作に着手する前に、解約の申入れをしなければならない。

★判例

1 ※立退料の提供は、それのみで解約申入れの正当事由（借地借家法28条）の根拠となるものではないが、他の諸般の事情と総合考慮され、相互に補充しあって正当事由の判断の基礎となるものであるから、解約の申入れが金員の提供を伴うことによりはじめて正当事由を有することになるものと判断される場合であっても、右金員が、明渡しによって借家人の被るべき損失のすべてを補償するに足りるものである必要はない。(最判昭和46・11・25民集25・8・1343)
2 ※建物の賃貸人が解約申入れ後に立退料等の金員の提供を申し出た場合、又は解約申入れ時に申し出ていた右金員の増額を申し出た場合においても、右の提供又は増額に係る金員を参酌して、当初の解約申入れの正当事由を判断することができる。したがって、右の提供又は増額により正当事由の具備が認められるときは、その建物賃貸借は、（右の提供又は

増額の申出の時からではなく）当初の解約申入れの時から6か月の経過によって終了する。（最判平成3・3・22民集45・3・293）
3 ※隣家からの出火により，木造の賃貸建物が罹災のままでは風雨をしのぐべくもなく，倒壊の危険さえもあり，完全修復には多額の費用などを要し，建物を全部取り壊して新築する方が経済的であるなどの事実関係のもとでは，その建物は火災により全体として効用を喪失し，滅失し，建物賃貸借契約は終了したと解するのが相当である。（最判昭42・6・22民集21・6・1468）

第618条（期間の定めのある賃貸借の解約をする権利の留保）

当事者が賃貸借の期間を定めた場合であっても，その一方又は双方がその期間内に解約をする権利を留保したときは，前条の規定を準用する。

第619条（賃貸借の更新の推定等）

① 賃貸借の期間が満了した後賃借人が賃借物の使用又は収益を継続する場合において，賃貸人がこれを知りながら異議を述べないときは，従前の賃貸借と同一の条件で更に賃貸借をしたものと推定する。この場合において，各当事者は，第617条の規定により解約の申入れをすることができる。
② 従前の賃貸借について当事者が担保を供していたときは，その担保は，期間の満了によって消滅する。ただし，第622条の2第1項に規定する敷金については，この限りでない。

★判例
【更新拒絶の正当事由】
1 ※借地契約の更新拒絶の要件である借地法4条1項（借地借家法6条）所定の正当の事由があるかどうかを判断するにあたっては，土地所有者側の事情と借地人側の事情を比較考量すべきであるが，その判断に際し，借地人側の事情として，借地上にある建物賃借人の事情をも斟酌することが許されるのは，借地契約が当初から建物賃借人の存在を容認したものであるとか，実質上建物賃借人を借地人と同一視することができるなどの特段の事情が存する場合であり，そのような事情のない場合には，借地人側の事情として建物賃借人の事情を斟酌することは許されない。（最判昭和58・1・20民集37・1・1）
2 ※土地所有者が借地法6条2項（借地借家法5条1項）所定の異議を述べた場合，これに同法4条1項（借地借家法6条）にいう正当の事由があるか否かは，その異議が遅滞なく述べられたことを当然の前提に，その異議が申し出られた時を基準として判断すべきであるが，右正当事由を補足する立退料等金員の提供ないしその増額の申出は，土地所有者が意図的にその申出の時期を遅らせるなど信義に反するような事情がないかぎり，事実審の口頭弁論終結時までにされたものについては，原則としてこれを考慮することができる。（最判平成6・10・25民集48・7・1303）

第620条（賃貸借の解除の効力）

賃貸借の解除をした場合には，その解除は，将来に向かってのみその効力を生ずる。この場合においては，損害賠償の請求を妨げない。

第621条（賃借人の原状回復義務）

賃借人は，賃借物を受け取った後にこれに生じた損傷（通常の使用及び収益によって生じた賃借物の損耗並びに賃借物の経年変化を除く。以下この条において同じ。）がある場合において，賃貸借が終了したときは，その損傷を原状に復する義務を負う。ただし，その損傷が賃借人の責めに帰することができない事由によるものであるときは，この限りでない。

第622条（使用貸借の規定の準用）

第597条第1項，第599条第1項及び第2項並びに第600条の規定は，賃貸借について準用する。

第4款／敷金

第622条の2

① 賃貸人は，敷金（いかなる名目によるかを問わず，賃料債務その他の賃貸借に基づいて生ずる賃借人の賃貸人に対する

金銭の給付を目的とする債務を担保する目的で，賃借人が賃貸人に交付する金銭をいう。以下この条において同じ。）を受け取っている場合において，次に掲げるときは，賃借人に対し，その受け取った敷金の額から賃貸借に基づいて生じた賃借人の賃貸人に対する金銭の給付を目的とする債務の額を控除した残額を返還しなければならない。
一　賃貸借が終了し，かつ，賃貸物の返還を受けたとき。
二　賃借人が適法に賃借権を譲り渡したとき。
②　賃貸人は，賃借人が賃貸借に基づいて生じた金銭の給付を目的とする債務を履行しないときは，敷金をその債務の弁済に充てることができる。この場合において，賃借人は，賃貸人に対し，敷金をその債務の弁済に充てることを請求することができない。

第8節／雇用

第623条　（雇用）
雇用は，当事者の一方が相手方に対して労働に従事することを約し，相手方がこれに対してその報酬を与えることを約することによって，その効力を生ずる。

第624条　（報酬の支払時期）
①　労働者は，その約した労働を終わった後でなければ，報酬を請求することができない。
②　期間によって定めた報酬は，その期間を経過した後に，請求することができる。

第624条の2　（履行の割合に応じた報酬）
労働者は，次に掲げる場合には，既にした履行の割合に応じて報酬を請求することができる。
一　使用者の責めに帰することができない事由によって労働に従事することができなくなったとき。
二　雇用が履行の中途で終了したとき。

第625条　（使用者の権利の譲渡の制限等）
①　使用者は，労働者の承諾を得なければ，その権利を第三者に譲り渡すことができない。
②　労働者は，使用者の承諾を得なければ，自己に代わって第三者を労働に従事させることができない。
③　労働者が前項の規定に違反して第三者を労働に従事させたときは，使用者は，契約の解除をすることができる。

第626条　（期間の定めのある雇用の解除）
①　雇用の期間が5年を超え，又はその終期が不確定であるときは，当事者の一方は，5年を経過した後，いつでも契約の解除をすることができる。
②　前項の規定により契約の解除をしようとする者は，それが使用者であるときは3箇月前，労働者であるときは2週間前に，その予告をしなければならない。

第627条　（期間の定めのない雇用の解約の申入れ）
①　当事者が雇用の期間を定めなかったときは，各当事者は，いつでも解約の申入れをすることができる。この場合において，雇用は，解約の申入れの日から2週間を経過することによって終了する。
②　期間によって報酬を定めた場合には，使用者からの解約の申入れは，次期以後についてすることができる。ただし，その解約の申入れは，当期の前半にしなければならない。
③　6箇月以上の期間によって報酬を定めた場合には，前項の解約の申入れは，3箇月前にしなければならない。

第628条　（やむを得ない事由による雇用の解除）
当事者が雇用の期間を定めた場合で

あっても，やむを得ない事由があるときは，各当事者は，直ちに契約の解除をすることができる。この場合において，その事由が当事者の一方の過失によって生じたものであるときは，相手方に対して損害賠償の責任を負う。

第629条　（雇用の更新の推定等）
① 雇用の期間が満了した後労働者が引き続きその労働に従事する場合において，使用者がこれを知りながら異議を述べないときは，従前の雇用と同一の条件で更に雇用をしたものと推定する。この場合において，各当事者は，第627条の規定により解約の申入れをすることができる。
② 従前の雇用について当事者が担保を供していたときは，その担保は，期間の満了によって消滅する。ただし，身元保証金については，この限りでない。

第630条　（雇用の解除の効力）
第620条の規定は，雇用について準用する。

第631条　（使用者についての破産手続の開始による解約の申入れ）
使用者が破産手続開始の決定を受けた場合には，雇用に期間の定めがあるときであっても，労働者又は破産管財人は，第627条の規定により解約の申入れをすることができる。この場合において，各当事者は，相手方に対し，解約によって生じた損害の賠償を請求することができない。

第9節／請負

第632条　（請負）
請負は，当事者の一方がある仕事を完成することを約し，相手方がその仕事の結果に対してその報酬を支払うことを約することによって，その効力を生ずる。

★判例
【請負建物の所有権の帰属】
1※請負人が材料全部を提供して建物を建築した場合であっても，その請負契約が分譲を目的とする建物6棟の建築につき一括してなされたものであって，そのうち3棟については，入居者に異議なく引渡しを了しており，請負人は請負代金の全額につきその支払のための手形を受領しており，その際に右6棟の建物についての建築確認通知書を注文者に交付したなどの事情があるときは，右6棟の建物につき，その完成と同時に注文者にその所有権を帰属させる旨の合意がなされたものと認められる。（最判昭和46・3・5判時628・48）
2※建物建築工事請負契約において，注文者と請負人との間に，契約が中途で解除された際の出来形部分の所有権は注文者に帰属する旨の約定がある場合に，当該契約が中途で解除されたときは，元請負人から一括して当該工事を請け負った下請負人が自ら材料を提供して出来形部分を築造したとしても，注文者との関係では，下請負人は元請負人のいわば履行補助者的立場に立つにすぎないから，注文者と下請負人との間に格別の合意があるなど特段の事情のないかぎり，当該出来形部分の所有権は注文者に帰属する。（最判平成5・10・19民集47・8・5061）
3※請負人が自己の材料をもって注文者の土地に建物を築造する請負をした場合は，当事者間に別段の意思表示がない限り，その建物の所有権は，請負人がこれを注文者に引き渡した時に，注文者に移転する。（大判大正3・12・26民録20・1208）
4※建物の建築請負人が棟上げの時までに注文者から全工事代金の半額以上を受領し，その後も工事の進行に応じて代金が逐次支払われそれを受領したとの事実関係の下においては，特段の事情がない限り，建築された建物の所有権は，注文者への引渡しを待つまでもなく，完成と同時に原始的に注文者に帰属する。（最判昭和44・9・12判時572・25）

第633条　（報酬の支払時期）
報酬は，仕事の目的物の引渡しと同時に，支払わなければならない。ただし，物の引渡しを要しないときは，第624条第1項の規定を準用する。

第634条　（注文者が受ける利益の割合に応じた報酬）
　次に掲げる場合において，請負人が既にした仕事の結果のうち可分な部分の給付によって注文者が利益を受けるときは，その部分を仕事の完成とみなす。この場合において，請負人は，注文者が受ける利益の割合に応じて報酬を請求することができる。
一　注文者の責めに帰することができない事由によって仕事を完成することができなくなったとき。
二　請負が仕事の完成前に解除されたとき。

第635条　削除

第636条　（請負人の担保責任の制限）
　請負人が種類又は品質に関して契約の内容に適合しない仕事の目的物を注文者に引き渡したとき（その引渡しを要しない場合にあっては，仕事が終了した時に仕事の目的物が種類又は品質に関して契約の内容に適合しないとき）は，注文者は，注文者の供した材料の性質又は注文者の与えた指図によって生じた不適合を理由として，履行の追完の請求，報酬の減額の請求，損害賠償の請求及び契約の解除をすることができない。ただし，請負人がその材料又は指図が不適当であることを知りながら告げなかったときは，この限りでない。

第637条　（目的物の種類又は品質に関する担保責任の期間の制限）
①　前条本文に規定する場合において，注文者がその不適合を知った時から１年以内にその旨を請負人に通知しないときは，注文者は，その不適合を理由として，履行の追完の請求，報酬の減額の請求，損害賠償の請求及び契約の解除をすることができない。

②　前項の規定は，仕事の目的物を注文者に引き渡した時（その引渡しを要しない場合にあっては，仕事が終了した時）において，請負人が同項の不適合を知り，又は重大な過失によって知らなかったときは，適用しない。

第638条から第640条まで　削除

第641条　（注文者による契約の解除）
　請負人が仕事を完成しない間は，注文者は，いつでも損害を賠償して契約の解除をすることができる。

第642条　（注文者についての破産手続の開始による解除）
①　注文者が破産手続開始の決定を受けたときは，請負人又は破産管財人は，契約の解除をすることができる。ただし，請負人による契約の解除については，仕事を完成した後は，この限りでない。
②　前項に規定する場合において，請負人は，既にした仕事の報酬及びその中に含まれていない費用について，破産財団の配当に加入することができる。
③　第１項の場合には，契約の解除によって生じた損害の賠償は，破産管財人が契約の解除をした場合における請負人に限り，請求することができる。この場合において，請負人は，その損害賠償について，破産財団の配当に加入する。

第10節／委任

第643条　（委任）
　委任は，当事者の一方が法律行為をすることを相手方に委託し，相手方がこれを承諾することによって，その効力を生ずる。

第644条　（受任者の注意義務）
　受任者は，委任の本旨に従い，善良な管理者の注意をもって，委任事務を処理

する義務を負う。

★判例
1※不動産の売主である登記義務者と買主である登記権利者の双方から登記手続の委託を受けた司法書士は，登記義務者から交付を受けた登記手続に必要な書類を，登記権利者のためにも保管すべき義務を負う。登記義務者から登記手続に必要な書類の返還を求められたとしても，右の司法書士としては，登記権利者の同意等のない限り，その返還を拒むべき義務があり，それを拒まずに右書類を登記義務者に返還し，登記権利者への登記手続が不能となった場合は，登記権利者との委任契約は履行不能となり，受任者たる司法書士に帰責事由があるから，同人は債務不履行責任を負う。(最判昭和53・7・10民集32・5・868)

第644条の2 （復受任者の選任等）
① 受任者は，委任者の許諾を得たとき，又はやむを得ない事由があるときでなければ，復受任者を選任することができない。
② 代理権を付与する委任において，受任者が代理権を有する復受任者を選任したときは，復受任者は，委任者に対して，その権限の範囲内において，受任者と同一の権利を有し，義務を負う。

第645条 （受任者による報告）
受任者は，委任者の請求があるときは，いつでも委任事務の処理の状況を報告し，委任が終了した後は，遅滞なくその経過及び結果を報告しなければならない。

第646条 （受任者による受取物の引渡し等）
① 受任者は，委任事務を処理するに当たって受け取った金銭その他の物を委任者に引き渡さなければならない。その収取した果実についても，同様とする。
② 受任者は，委任者のために自己の名で取得した権利を委任者に移転しなければならない。

★判例
1※委任者が受任者に特定の不動産の購入を依頼して売買代金を渡した場合には，受任者が売主から不動産を取得すると同時にその所有権を委任者に移転する合意があったと解すべきであり，委任者は受任者に購入した不動産の移転登記を直ちに請求できると解するのが相当である。(大判大正4・10・16民録21・1705)

第647条 （受任者の金銭の消費についての責任）
受任者は，委任者に引き渡すべき金額又はその利益のために用いるべき金額を自己のために消費したときは，その消費した日以後の利息を支払わなければならない。この場合において，なお損害があるときは，その賠償の責任を負う。

第648条 （受任者の報酬）
① 受任者は，特約がなければ，委任者に対して報酬を請求することができない。
② 受任者は，報酬を受けるべき場合には，委任事務を履行した後でなければ，これを請求することができない。ただし，期間によって報酬を定めたときは，第624条第2項の規定を準用する。
③ 受任者は，次に掲げる場合には，既にした履行の割合に応じて報酬を請求することができる。
　一　委任者の責めに帰することができない事由によって委任事務の履行をすることができなくなったとき。
　二　委任が履行の中途で終了したとき。

第648条の2 （成果等に対する報酬）
① 委任事務の履行により得られる成果に対して報酬を支払うことを約した場合において，その成果が引渡しを要するときは，報酬は，その成果の引渡しと同時に，支払わなければならない。
② 第634条の規定は，委任事務の履行により得られる成果に対して報酬を支払うことを約した場合について準用する。

第649条 (受任者による費用の前払請求)
委任事務を処理するについて費用を要するときは,委任者は,受任者の請求により,その前払をしなければならない。

第650条 (受任者による費用等の償還請求等)
① 受任者は,委任事務を処理するのに必要と認められる費用を支出したときは,委任者に対し,その費用及び支出の日以後におけるその利息の償還を請求することができる。
② 受任者は,委任事務を処理するのに必要と認められる債務を負担したときは,委任者に対し,自己に代わってその弁済をすることを請求することができる。この場合において,その債務が弁済期にないときは,委任者に対し,相当の担保を供させることができる。
③ 受任者は,委任事務を処理するため自己に過失なく損害を受けたときは,委任者に対し,その賠償を請求することができる。

第651条 (委任の解除)
① 委任は,各当事者がいつでもその解除をすることができる。
② 前項の規定により委任の解除をした者は,次に掲げる場合には,相手方の損害を賠償しなければならない。ただし,やむを得ない事由があったときは,この限りでない。
　一 相手方に不利な時期に委任を解除したとき。
　二 委任者が受任者の利益(専ら報酬を得ることによるものを除く。)をも目的とする委任を解除したとき。

★判例
1※受任者のためにも委任がなされた場合であっても,受任者が不誠実な行動に出る等やむを得ない事由があるときは,委任者において委任契約を解除できるが,そのような事由がない場合であっても,委任者が委任契約の解除権自体を放棄したものとは解されない事情があるときは,委任者は,民法651条により委任契約を解除することができ,受任者がこれによって不利益を受けるときは,委任者から損害の賠償を受けることによって,その不利益を填補されれば足りる。(最判昭和56・1・19民集35・1・1)
2※委任契約が受任者の利益のために締結されたものであっても,受任者が著しい不誠実な行動にでたなどやむを得ない事由がある場合には,委任者は,本条により委任契約を解除することができる。(最判昭和43・9・20判時536・51)

第652条 (委任の解除の効力)
第620条の規定は,委任について準用する。

第653条 (委任の終了事由)
委任は,次に掲げる事由によって終了する。
　一 委任者又は受任者の死亡
　二 委任者又は受任者が破産手続開始の決定を受けたこと。
　三 受任者が後見開始の審判を受けたこと。

★判例
1※自己の死後の事務を含めた法律行為等の委任契約が成立した場合は,当然に,委任者の死亡によっても右契約を終了させない旨の合意を包含する趣旨であり,民法653条もこのような合意の効力を否定するものではないから,この場合は,同条を適用して委任者の死亡により当該契約も当然に終了するものとすべきではない。(最判平成4・9・22金法1358・55)
2※民法653条は,受任者が破産手続開始の決定を受けたことを委任の終了事由として規定するが,これは,破産手続開始により委任者が自らすることができなくなった財産の管理又は処分に関する行為は,受任者もまたこれをすることができないため,委任者の財産に関する行為を内容とする通常の委任は目的を達し得ず終了することによるものと解される。会社が破産手続開始の決定を受けた場合,破産財団についての管理処分権限は破産管財人に帰属するが,役員の選任又は解任のような破産財団に関する管理処分権限と無関係な会社組織に係る行為等は,破産管財人の権限に属するものではなく,破産者たる会社が自ら行うことがで

> きるというべきである。そうすると，同条の趣旨に照らし，会社につき破産手続開始の決定がされても直ちには会社と取締役又は監査役との委任関係は終了するものではないから，破産手続開始当時の取締役らは，破産手続開始によりその地位を当然には失わず，会社組織に係る行為等については取締役らとしての権限を行使し得ると解するのが相当である。(最判平成21・4・17集民230号395頁)

第654条 （委任の終了後の処分）
委任が終了した場合において，急迫の事情があるときは，受任者又はその相続人若しくは法定代理人は，委任者又はその相続人若しくは法定代理人が委任事務を処理することができるに至るまで，必要な処分をしなければならない。

第655条 （委任の終了の対抗要件）
委任の終了事由は，これを相手方に通知したとき，又は相手方がこれを知っていたときでなければ，これをもってその相手方に対抗することができない。

第656条 （準委任）
この節の規定は，法律行為でない事務の委託について準用する。

第11節／寄託

第657条 （寄託）
寄託は，当事者の一方がある物を保管することを相手方に委託し，相手方がこれを承諾することによって，その効力を生ずる。

第657条の2 （寄託物受取り前の寄託者による寄託の解除等）
① 寄託者は，受寄者が寄託物を受け取るまで，契約の解除をすることができる。この場合において，受寄者は，その契約の解除によって損害を受けたときは，寄託者に対し，その賠償を請求することができる。
② 無報酬の受寄者は，寄託物を受け取るまで，契約の解除をすることができる。ただし，書面による寄託については，この限りでない。
③ 受寄者（無報酬で寄託を受けた場合にあっては，書面による寄託の受寄者に限る。）は，寄託物を受け取るべき時期を経過したにもかかわらず，寄託者が寄託物を引き渡さない場合において，相当の期間を定めてその引渡しの催告をし，その期間内に引渡しがないときは，契約の解除をすることができる。

第658条 （寄託物の使用及び第三者による保管）
① 受寄者は，寄託者の承諾を得なければ，寄託物を使用することができない。
② 受寄者は，寄託者の承諾を得たとき，又はやむを得ない事由があるときでなければ，寄託物を第三者に保管させることができない。
③ 再受寄者は，寄託者に対して，その権限の範囲内において，受寄者と同一の権利を有し，義務を負う。

第659条 （無報酬の受寄者の注意義務）
無報酬の受寄者は，自己の財産に対するのと同一の注意をもって，寄託物を保管する義務を負う。

第660条 （受寄者の通知義務等）
① 寄託物について権利を主張する第三者が受寄者に対して訴えを提起し，又は差押え，仮差押え若しくは仮処分をしたときは，受寄者は，遅滞なくその事実を寄託者に通知しなければならない。ただし，寄託者が既にこれを知っているときは，この限りでない。
② 第三者が寄託物について権利を主張する場合であっても，受寄者は，寄託者の指図がない限り，寄託者に対しその寄託物を返還しなければならない。ただし，受寄者が前項の通知をした場合又は同項ただし書の規定によりその通知を要しな

い場合において，その寄託物をその第三者に引き渡すべき旨を命ずる確定判決（確定判決と同一の効力を有するものを含む。）があったときであって，その第三者にその寄託物を引き渡したときは，この限りでない。
③ 受寄者は，前項の規定により寄託者に対して寄託物を返還しなければならない場合には，寄託者にその寄託物を引き渡したことによって第三者に損害が生じたときであっても，その賠償の責任を負わない。

第661条 （寄託者による損害賠償）
寄託者は，寄託物の性質又は瑕疵によって生じた損害を受寄者に賠償しなければならない。ただし，寄託者が過失なくその性質若しくは瑕疵を知らなかったとき，又は受寄者がこれを知っていたときは，この限りでない。

第662条 （寄託者による返還請求等）
① 当事者が寄託物の返還の時期を定めたときであっても，寄託者は，いつでもその返還を請求することができる。
② 前項に規定する場合において，受寄者は，寄託者がその時期の前に返還を請求したことによって損害を受けたときは，寄託者に対し，その賠償を請求することができる。

第663条 （寄託物の返還の時期）
① 当事者が寄託物の返還の時期を定めなかったときは，受寄者は，いつでもその返還をすることができる。
② 返還の時期の定めがあるときは，受寄者は，やむを得ない事由がなければ，その期限前に返還をすることができない。

第664条 （寄託物の返還の場所）
寄託物の返還は，その保管をすべき場所でしなければならない。ただし，受寄者が正当な事由によってその物を保管する場所を変更したときは，その現在の場所で返還をすることができる。

第664条の2 （損害賠償及び費用の償還の請求権についての期間の制限）
① 寄託物の一部滅失又は損傷によって生じた損害の賠償及び受寄者が支出した費用の償還は，寄託者が返還を受けた時から1年以内に請求しなければならない。
② 前項の損害賠償の請求権については，寄託者が返還を受けた時から1年を経過するまでの間は，時効は，完成しない。

第665条 （委任の規定の準用）
第646条から第648条まで，第649条並びに第650条第1項及び第2項の規定は，寄託について準用する。

第665条の2 （混合寄託）
① 複数の者が寄託した物の種類及び品質が同一である場合には，受寄者は，各寄託者の承諾を得たときに限り，これらを混合して保管することができる。
② 前項の規定に基づき受寄者が複数の寄託者からの寄託物を混合して保管したときは，寄託者は，その寄託した物と同じ数量の物の返還を請求することができる。
③ 前項に規定する場合において，寄託物の一部が滅失したときは，寄託者は，混合して保管されている総寄託物に対するその寄託した物の割合に応じた数量の物の返還を請求することができる。この場合においては，損害賠償の請求を妨げない。

第666条 （消費寄託）
① 受寄者が契約により寄託物を消費することができる場合には，受寄者は，寄託された物と種類，品質及び数量の同じ物をもって返還しなければならない。

② 第590条及び第592条の規定は，前項に規定する場合について準用する。
③ 第591条第2項及び第3項の規定は，預金又は貯金に係る契約により金銭を寄託した場合について準用する。

第12節／組合

第667条　（組合契約）
① 組合契約は，各当事者が出資をして共同の事業を営むことを約することによって，その効力を生ずる。
② 出資は，労務をその目的とすることができる。

★判例
1※被相続人が営んでいた商店の営業を実質上その子夫婦に承継させ，専ら子夫婦の経営努力によって営業が維持されていた場合，その利益により当該商店に造成された財産は，その一部の所有名義が被相続人であっても，実質的には被相続人及び子夫婦がその商店を営むことを目的として一種の組合契約をし，子夫婦が組合の事業執行として店舗の経営をした結果得られた財産と解されるから，被相続人が死亡し他に共同相続人がいるときは，組合の解散に準じ，その出資の割合に応じて残余財産を清算し，その清算の結果子夫婦の各取得する分は，その財産形成の寄与分として被相続人の遺産から除外される。（東京高判昭和51・5・27判時827・58）

第667条の2　（他の組合員の債務不履行）
① 第533条及び第536条の規定は，組合契約については，適用しない。
② 組合員は，他の組合員が組合契約に基づく債務の履行をしないことを理由として，組合契約を解除することができない。

第667条の3　（組合員の1人についての意思表示の無効等）
組合員の1人について意思表示の無効又は取消しの原因があっても，他の組合員の間においては，組合契約は，その効力を妨げられない。

第668条　（組合財産の共有）
各組合員の出資その他の組合財産は，総組合員の共有に属する。

★判例
1※組合財産についても，民法666条以下に特別の規定のない限り，民法249条以下の共有の規定が適用される。（最判昭和33・7・22民集12・12・1805）

第669条　（金銭出資の不履行の責任）
金銭を出資の目的とした場合において，組合員がその出資をすることを怠ったときは，その利息を支払うほか，損害の賠償をしなければならない。

第670条　（業務の決定及び執行の方法）
① 組合の業務は，組合員の過半数をもって決定し，各組合員がこれを執行する。
② 組合の業務の決定及び執行は，組合契約の定めるところにより，1人又は数人の組合員又は第三者に委任することができる。
③ 前項の委任を受けた者（以下「業務執行者」という。）は，組合の業務を決定し，これを執行する。この場合において，業務執行者が数人あるときは，組合の業務は，業務執行者の過半数をもって決定し，各業務執行者がこれを執行する。
④ 前項の規定にかかわらず，組合の業務については，総組合員の同意によって決定し，又は総組合員が執行することを妨げない。
⑤ 組合の常務は，前各項の規定にかかわらず，各組合員又は各業務執行者が単独で行うことができる。ただし，その完了前に他の組合員又は業務執行者が異議を述べたときは，この限りでない。

★判例
1※組合規約等で内部的に業務執行者の代理権限を制限しても，その制限は善意・無過失の第三者には対抗できない。（最判昭和38・5・31民集17・4・600）

第670条の2　（組合の代理）
① 各組合員は，組合の業務を執行する場合において，組合員の過半数の同意を得たときは，他の組合員を代理することができる。
② 前項の規定にかかわらず，業務執行者があるときは，業務執行者のみが組合員を代理することができる。この場合において，業務執行者が数人あるときは，各業務執行者は，業務執行者の過半数の同意を得たときに限り，組合員を代理することができる。
③ 前二項の規定にかかわらず，各組合員又は各業務執行者は，組合の常務を行うときは，単独で組合員を代理することができる。

第671条　（委任の規定の準用）
　　第644条から第650条までの規定は，組合の業務を決定し，又は執行する組合員について準用する。

第672条　（業務執行組合員の辞任及び解任）
① 組合契約の定めるところにより1人又は数人の組合員に業務の決定及び執行を委任したときは，その組合員は，正当な事由がなければ，辞任することができない。
② 前項の組合員は，正当な事由がある場合に限り，他の組合員の一致によって解任することができる。

第673条　（組合員の組合の業務及び財産状況に関する検査）
　　各組合員は，組合の業務の決定及び執行をする権利を有しないときであっても，その業務及び組合財産の状況を検査することができる。

第674条　（組合員の損益分配の割合）
① 当事者が損益分配の割合を定めなかったときは，その割合は，各組合員の出資の価額に応じて定める。
② 利益又は損失についてのみ分配の割合を定めたときは，その割合は，利益及び損失に共通であるものと推定する。

第675条　（組合の債権者の権利の行使）
① 組合の債権者は，組合財産についてその権利を行使することができる。
② 組合の債権者は，その選択に従い，各組合員に対して損失分担の割合又は等しい割合でその権利を行使することができる。ただし，組合の債権者がその債権の発生の時に各組合員の損失分担の割合を知っていたときは，その割合による。

第676条　（組合員の持分の処分及び組合財産の分割）
① 組合員は，組合財産についてその持分を処分したときは，その処分をもって組合及び組合と取引をした第三者に対抗することができない。
② 組合員は，組合財産である債権について，その持分についての権利を単独で行使することができない。
③ 組合員は，清算前に組合財産の分割を求めることができない。

第677条　（組合財産に対する組合員の債権者の権利の行使の禁止）
　　組合員の債権者は，組合財産についてその権利を行使することができない。

第677条の2　（組合員の加入）
① 組合員は，その全員の同意によって，又は組合契約の定めるところにより，新たに組合員を加入させることができる。
② 前項の規定により組合の成立後に加入した組合員は，その加入前に生じた組合の債務については，これを弁済する責任を負わない。

第678条 （組合員の脱退）
① 組合契約で組合の存続期間を定めなかったとき，又はある組合員の終身の間組合が存続すべきことを定めたときは，各組合員は，いつでも脱退することができる。ただし，やむを得ない事由がある場合を除き，組合に不利な時期に脱退することができない。
② 組合の存続期間を定めた場合であっても，各組合員は，やむを得ない事由があるときは，脱退することができる。

第679条
前条の場合のほか，組合員は，次に掲げる事由によって脱退する。
一　死亡
二　破産手続開始の決定を受けたこと。
三　後見開始の審判を受けたこと。
四　除名

第680条 （組合員の除名）
組合員の除名は，正当な事由がある場合に限り，他の組合員の一致によってすることができる。ただし，除名した組合員にその旨を通知しなければ，これをもってその組合員に対抗することができない。

第680条の2 （脱退した組合員の責任等）
① 脱退した組合員は，その脱退前に生じた組合の債務について，従前の責任の範囲内でこれを弁済する責任を負う。この場合において，債権者が全部の弁済を受けない間は，脱退した組合員は，組合に担保を供させ，又は組合に対して自己に免責を得させることを請求することができる。
② 脱退した組合員は，前項に規定する組合の債務を弁済したときは，組合に対して求償権を有する。

第681条 （脱退した組合員の持分の払戻し）
① 脱退した組合員と他の組合員との間の計算は，脱退の時における組合財産の状況に従ってしなければならない。
② 脱退した組合員の持分は，その出資の種類を問わず，金銭で払い戻すことができる。
③ 脱退の時にまだ完了していない事項については，その完了後に計算をすることができる。

第682条 （組合の解散事由）
組合は，次に掲げる事由によって解散する。
一　組合の目的である事業の成功又はその成功の不能
二　組合契約で定めた存続期間の満了
三　組合契約で定めた解散の事由の発生
四　総組合員の同意

第683条 （組合の解散の請求）
やむを得ない事由があるときは，各組合員は，組合の解散を請求することができる。

第684条 （組合契約の解除の効力）
第620条の規定は，組合契約について準用する。

第685条 （組合の清算及び清算人の選任）
① 組合が解散したときは，清算は，総組合員が共同して，又はその選任した清算人がこれをする。
② 清算人の選任は，組合員の過半数で決する。

第686条 （清算人の業務の決定及び執行の方法）
第670条第3項から第5項まで並びに第670条の2第2項及び第3項の規定は，清算人について準用する。

第687条 （組合員である清算人の辞任及び解任）
　第672条の規定は，組合契約の定めるところにより組合員の中から清算人を選任した場合について準用する。

第688条 （清算人の職務及び権限並びに残余財産の分割方法）
① 清算人の職務は，次のとおりとする。
　一　現務の結了
　二　債権の取立て及び債務の弁済
　三　残余財産の引渡し
② 清算人は，前項各号に掲げる職務を行うために必要な一切の行為をすることができる。
③ 残余財産は，各組合員の出資の価額に応じて分割する。

第13節／終身定期金

第689条 （終身定期金契約）
　終身定期金契約は，当事者の一方が，自己，相手方又は第三者の死亡に至るまで，定期に金銭その他の物を相手方又は第三者に給付することを約することによって，その効力を生ずる。

第690条 （終身定期金の計算）
　終身定期金は，日割りで計算する。

第691条 （終身定期金契約の解除）
① 終身定期金債務者が終身定期金の元本を受領した場合において，その終身定期金の給付を怠り，又はその他の義務を履行しないときは，相手方は，元本の返還を請求することができる。この場合において，相手方は，既に受け取った終身定期金の中からその元本の利息を控除した残額を終身定期金債務者に返還しなければならない。
② 前項の規定は，損害賠償の請求を妨げない。

第692条 （終身定期金契約の解除と同時履行）
　第533条の規定は，前条の場合について準用する。

第693条 （終身定期金債権の存続の宣告）
① 終身定期金債務者の責めに帰すべき事由によって第689条に規定する死亡が生じたときは，裁判所は，終身定期金債権者又はその相続人の請求により，終身定期金債権が相当の期間存続することを宣告することができる。
② 前項の規定は，第691条の権利の行使を妨げない。

第694条 （終身定期金の遺贈）
　この節の規定は，終身定期金の遺贈について準用する。

第14節／和解

第695条 （和解）
　和解は，当事者が互いに譲歩をしてその間に存する争いをやめることを約することによって，その効力を生ずる。

第696条 （和解の効力）
　当事者の一方が和解によって争いの目的である権利を有するものと認められ，又は相手方がこれを有しないものと認められた場合において，その当事者の一方が従来その権利を有していなかった旨の確証又は相手方がこれを有していた旨の確証が得られたときは，その権利は，和解によってその当事者の一方に移転し，又は消滅したものとする。

★判例
1※民法696条の規定は，当事者が和解によってやめることを約した紛争の目的たる権利につき錯誤がある場合に限り適用があり，紛争の目的とならなかった事項にして和解の要素をなすものについて錯誤がある場合には，同条の適用はない。債権者による債権の差押と転付命令の送達がなされる前に右債権が譲渡され，確定日付のある通知が第三債務者になさ

れた場合に，第三債務者において右債権者が債権を取得したものと誤信し，両者間において弁済方法につき訴訟上の和解をしたときは，その和解は民法95条により無効となる。（大判大正6・9・18民録23・1342）

第3章❋事務管理

第697条　（事務管理）
① 義務なく他人のために事務の管理を始めた者（以下この章において「管理者」という。）は，その事務の性質に従い，最も本人の利益に適合する方法によって，その事務の管理（以下「事務管理」という。）をしなければならない。
② 管理者は，本人の意思を知っているとき，又はこれを推知することができるときは，その意思に従って事務管理をしなければならない。

★判例
1❋事務管理は，事務管理者と本人との間の法律関係をいうのであって，管理者が第三者となした法律行為の効果が本人に及ぶ関係は事務管理関係の問題ではない。したがって，事務管理者が本人の名で第三者との間に法律行為をしても，その行為の効果は，当然には本人に及ぶものではなく，そのような効果が発生するためには，代理その他別個の法律関係が伴うことを必要とするものである。（最判昭和36・11・30民集15・10・2692）
2❋共同買主の1人が無断で他を代理して解除の意思表示を行った場合にも，代理行為について他の買主の追認があると解除の効果が発生する。（大判大正7・7・10民録24・1432）
3❋追認された無権代理人の法律行為の結果が，本人の利益に帰した場合には，事務管理としての性質を有する。（大判昭和17・8・6民集21・850）
4❋同順位の共同扶養義務者の中の1人による扶養が，自己の義務の内的範囲を超えた部分については，他の義務者との関係で事務管理になる。（最判昭和26・2・13民集5・3・47）

第698条　（緊急事務管理）
管理者は，本人の身体，名誉又は財産に対する急迫の危害を免れさせるために事務管理をしたときは，悪意又は重大な過失があるのでなければ，これによって生じた損害を賠償する責任を負わない。

第699条　（管理者の通知義務）
管理者は，事務管理を始めたことを遅滞なく本人に通知しなければならない。ただし，本人が既にこれを知っているときは，この限りでない。

第700条　（管理者による事務管理の継続）
管理者は，本人又はその相続人若しくは法定代理人が管理をすることができるに至るまで，事務管理を継続しなければならない。ただし，事務管理の継続が本人の意思に反し，又は本人に不利であることが明らかであるときは，この限りでない。

第701条　（委任の規定の準用）
第645条から第647条までの規定は，事務管理について準用する。

第702条　（管理者による費用の償還請求等）
① 管理者は，本人のために有益な費用を支出したときは，本人に対し，その償還を請求することができる。
② 第650条第2項の規定は，管理者が本人のために有益な債務を負担した場合について準用する。
③ 管理者が本人の意思に反して事務管理をしたときは，本人が現に利益を受けている限度においてのみ，前二項の規定を適用する。

第4章❋不当利得

第703条　（不当利得の返還義務）
法律上の原因なく他人の財産又は労務によって利益を受け，そのために他人に損失を及ぼした者（以下この章において「受益者」という。）は，その利益の存す

る限度において，これを返還する義務を負う。

> ★判例
> 【法律上の原因・因果関係】
> 1 ※結納は，後日婚姻が成立することを予定して授受する一種の贈与であって，婚約が後に当事者双方の合意によって解除された場合には，結納を給付した目的を達成することが不可能となり，受益者において，結納を自己に保留すべき法律上の原因を欠くことになるから，結納の給付を受けた者は，その目的物を不当利得として相手方に返還すべき義務を有する。（大判大正6・2・28民録23・292）
> 2 ※甲が建物賃借人乙との間の請負契約に基づき右建物の修繕工事をしたところ，その後乙が無資力になった場合に，右建物の所有者丙が法律上の原因なくして右修繕工事に要した財産及び労務の提供に相当する利益を受けたということができるのは，丙と乙との間の賃貸借契約を全体としてみて，丙が対価関係なしに右利益を受けたときに限られる。本件建物の所有者が請負人のした本件工事により受けた利益は，通常であれば賃借人から得ることのできた権利金の支払を免除したという負担に相応するから，法律上の原因なくして受けたものとはいえない。（最判平成7・9・19民集49・8・2805）

第704条 （悪意の受益者の返還義務等）
悪意の受益者は，その受けた利益に利息を付して返還しなければならない。この場合において，なお損害があるときは，その賠償の責任を負う。

第705条 （債務の不存在を知ってした弁済）
債務の弁済として給付をした者は，その時において債務の存在しないことを知っていたときは，その給付したものの返還を請求することができない。

第706条 （期限前の弁済）
債務者は，弁済期にない債務の弁済として給付をしたときは，その給付したものの返還を請求することができない。ただし，債務者が錯誤によってその給付をしたときは，債権者は，これによって得た利益を返還しなければならない。

第707条 （他人の債務の弁済）
① 債務者でない者が錯誤によって債務の弁済をした場合において，債権者が善意で証書を滅失させ若しくは損傷し，担保を放棄し，又は時効によってその債権を失ったときは，その弁済をした者は，返還の請求をすることができない。
② 前項の規定は，弁済をした者から債務者に対する求償権の行使を妨げない。

第708条 （不法原因給付）
不法な原因のために給付をした者は，その給付したものの返還を請求することができない。ただし，不法な原因が受益者についてのみ存したときは，この限りでない。

第5章 ❖ 不法行為

第709条 （不法行為による損害賠償）
故意又は過失によって他人の権利又は法律上保護される利益を侵害した者は，これによって生じた損害を賠償する責任を負う。

第710条 （財産以外の損害の賠償）
他人の身体，自由若しくは名誉を侵害した場合又は他人の財産権を侵害した場合のいずれであるかを問わず，前条の規定により損害賠償の責任を負う者は，財産以外の損害に対しても，その賠償をしなければならない。

第711条 （近親者に対する損害の賠償）
他人の生命を侵害した者は，被害者の父母，配偶者及び子に対しては，その財産権が侵害されなかった場合においても，損害の賠償をしなければならない。

第712条 （責任能力）
未成年者は，他人に損害を加えた場合において，自己の行為の責任を弁識する

に足りる知能を備えていなかったときは，その行為について賠償の責任を負わない。

第713条
精神上の障害により自己の行為の責任を弁識する能力を欠く状態にある間に他人に損害を加えた者は，その賠償の責任を負わない。ただし，故意又は過失によって一時的にその状態を招いたときは，この限りでない。

第714条　（責任無能力者の監督義務者等の責任）
① 前二条の規定により責任無能力者がその責任を負わない場合において，その責任無能力者を監督する法定の義務を負う者は，その責任無能力者が第三者に加えた損害を賠償する責任を負う。ただし，監督義務者がその義務を怠らなかったとき，又はその義務を怠らなくても損害が生ずべきであったときは，この限りでない。
② 監督義務者に代わって責任無能力者を監督する者も，前項の責任を負う。

★判例
1※精神障害者と同居する配偶者であるからといって，その者が民法714条1項にいう「責任無能力者を監督する法定の義務を負う者」に当たるとすることはできない。
2※法定の監督義務者に該当しない者であっても，責任無能力者との身分関係や日常生活における接触状況に照らし，第三者に対する加害行為の防止に向けてその者が当該責任無能力者の監督を現に行いその態様が単なる事実上の監督を超えているなどその監督義務を引き受けたとみるべき特段の事情が認められる場合には，法定の監督義務者に準ずべき者として，民法714条1項が類推適用される。（最判平成28・3・1民集70・3・681）

第715条　（使用者等の責任）
① ある事業のために他人を使用する者は，被用者がその事業の執行について第三者に加えた損害を賠償する責任を負う。ただし，使用者が被用者の選任及びその事業の監督について相当の注意をしたとき，又は相当の注意をしても損害が生ずべきであったときは，この限りでない。
② 使用者に代わって事業を監督する者も，前項の責任を負う。
③ 前二項の規定は，使用者又は監督者から被用者に対する求償権の行使を妨げない。

★判例
1※『事業ノ執行ニ付キ』とは，広く被用者の行為の外形を捉えて客観的に観察したとき，使用者の事業の態様，規模等からしてそれが被用者の職務行為の範囲内に属するものと認められる場合であれば足りる。会社の被用者が，帰宅のため会社所有のジープを運転中に追突事故を起こした場合，同人が平素の通勤には鉄道を利用しており，ジープは同人が担当する業務の執行のために利用していたものであり，その使用にあたっては上司の許可を得なければならないが，本件ではこれを無断で私用に使ったものであったとしても，本件事故による損害は会社の事業の執行について生じたものと解される。（最判昭和39・2・4民集18・2・252）
2※民法715条の『事業ノ執行ニ付キ』は，被用者の職務執行行為そのものには属しないが，その行為の外形から観察して，あたかも被用者の職務の範囲内の行為に属するものと見られる場合をも含む。被用者が取引行為のかたちでする加害行為については，使用者の事業の施設，機構及び事業運営の実情と被用者の当該行為の内容，手段等とを相関的に斟酌し，当該行為が被用者の分掌する職務と相当の関連性を有し，かつ，被用者が使用者の名で権限外にこれを行うことが客観的に容易である状態に置かれているとみられる場合も，外形上の職務行為に該当する。（最判昭和40・11・30民集19・8・2049）

【求償関係】
3※使用者が，その事業の執行につきなされた被用者の加害行為につき，直接損害を被り又は使用者としての損害賠償責任を負担したことに基づき損害を被った場合には，使用者は，その事業の性格，規模，施設の状況，被用者の業務の内容，労働条件，勤務態度，加害行為の態様，加害行為の予防もしくは損失の分

民法（716条—718条）

散についての使用者の配慮の程度その他諸般の事情に照らし，損害の公平な分担という見地から信義則上相当と認められる限度において，被用者に対し右損害の賠償又は求償の請求をすることができる。(最判昭和51・7・8民集30・7・689)

4 ※民法715条1項の趣旨に照らせば，使用者も被用者と同じ内容の責任を負うべきものであるから，被用者がその使用者の事業の執行につき第三者との共同の不法行為により他人に損害を加えた場合において，右第三者が自己と被用者との過失割合に従って定められるべき自己の負担部分を超えて被害者に損害を賠償したときは，右第三者は，被用者の負担部分について，使用者に対し求償することができる。(最判昭和63・7・1民集42・6・451)

5 ※加害者を指揮監督する複数の使用者がそれぞれ損害賠償責任を負う場合においては，各使用者間の責任の内部的な分担の公平を図るために求償が認められるが，その求償の前提となる各使用者の責任の割合は，被用者である加害者の加害行為の態様及びこれと各使用者の事業の執行との関連性の程度，加害者に対する各使用者の指揮監督の強弱などを考慮して定めるべきであり，使用者の一方は，右の責任の割合に従って定められる自己の負担部分を超えて損害を賠償したときは，その超える部分につき，使用者の他方に対し，右の責任の割合に従って定められる負担部分の限度で求償することが出来る。(最判平成3・10・25民集45・7・1173)

【使用者の免責】

6 ※被用者のなした取引行為が，その行為の外形からみて，使用者の事業の範囲内に属するものと認められる場合においても，その行為が被用者の職務権限内において適法に行われたものでなく，かつ，その行為の相手方が右の事情を知りながら，または，少なくとも重大な過失により右の事情を知らないで，当該取引をしたと認められるときは，その行為に基づく損害は民法715条の『被用者カ其事業ノ執行ニ付キ第三者ニ加ヘタル損害』とはいえず，したがって，その取引の相手方である被害者は，使用者に対してその損害の賠償を請求することができない。(最判昭和42・11・2民集21・9・2278)

7 ※失火ノ責任ニ関スル法律は，失火者その者の責任条件を規定したものであって，失火者を使用していた使用者の帰責条件を規定したものではないから，被用者が重大な過失によって火を失したときは，使用者は，被用者の選任又は監督について重大な過失がなくても，民法715条1項によって賠償責任を負うのであって，選任監督について重大な過失がある場合に限定されるものではない。(最判昭和42・6・30民集21・6・1526)

8 ※使用者である法人の代表者は，現実に被用者の選任・監督を担当している場合に限り，被用者の行為について本条2項の責任を負う。(最判昭和42・5・30民集21・4・961)

【その他】

9 ※使用者が使用者責任を負い，被用者が不法行為責任を負う場合，この両者の損害賠償責任の関係は，いわゆる不真正連帯債務の関係にあり，よって被用者が第三者に対して負担する損害賠償債務が消滅時効にかかったからといって，使用者が負担する損害賠償債務は，当然には消滅しない。(大判昭和12・6・30民集16・1285)

第716条　（注文者の責任）

注文者は，請負人がその仕事について第三者に加えた損害を賠償する責任を負わない。ただし，注文又は指図についてその注文者に過失があったときは，この限りでない。

第717条　（土地の工作物等の占有者及び所有者の責任）

① 土地の工作物の設置又は保存に瑕疵があることによって他人に損害を生じたときは，その工作物の占有者は，被害者に対してその損害を賠償する責任を負う。ただし，占有者が損害の発生を防止するのに必要な注意をしたときは，所有者がその損害を賠償しなければならない。
② 前項の規定は，竹木の栽植又は支持に瑕疵がある場合について準用する。
③ 前二項の場合において，損害の原因について他にその責任を負う者があるときは，占有者又は所有者は，その者に対して求償権を行使することができる。

第718条　（動物の占有者等の責任）

① 動物の占有者は，その動物が他人に加えた損害を賠償する責任を負う。ただし，

動物の種類及び性質に従い相当の注意をもってその管理をしたときは、この限りでない。
② 占有者に代わって動物を管理する者も、前項の責任を負う。

第719条 （共同不法行為者の責任）
① 数人が共同の不法行為によって他人に損害を加えたときは、各自が連帯してその損害を賠償する責任を負う。共同行為者のうちいずれの者がその損害を加えたかを知ることができないときも、同様とする。
② 行為者を教唆した者及び幇助した者は、共同行為者とみなして、前項の規定を適用する。

第720条 （正当防衛及び緊急避難）
① 他人の不法行為に対し、自己又は第三者の権利又は法律上保護される利益を防衛するため、やむを得ず加害行為をした者は、損害賠償の責任を負わない。ただし、被害者から不法行為をした者に対する損害賠償の請求を妨げない。
② 前項の規定は、他人の物から生じた急迫の危難を避けるためその物を損傷した場合について準用する。

第721条 （損害賠償請求権に関する胎児の権利能力）
胎児は、損害賠償の請求権については、既に生まれたものとみなす。

★判例
1 ※民法上、胎児は損害賠償請求権については既に生まれたものとみなされるが、これは胎児に対して損害賠償請求権を出生前において処分することができる能力を与える趣旨ではない。したがって、胎児の損害賠償請求権について、その親族が胎児のために加害者と和解契約をしたとしても、その和解契約は胎児に対して何らの効力を有しない。（大判昭和7・10・6判集11・2023）
2 ※民法721条により、胎児は、損害賠償の請求権については、既に生まれたものとみなされ

るから、胎児である間に受けた不法行為によって出生後に傷害が生じ、後遺障害が残存した場合には、それらによる損害については、加害者に対して損害賠償請求をすることができる。（最判平成18・3・28民集60・3・875）

第722条 （損害賠償の方法、中間利息の控除及び過失相殺）
① 第417条及び第417条の2の規定は、不法行為による損害賠償について準用する。
② 被害者に過失があったときは、裁判所は、これを考慮して、損害賠償の額を定めることができる。

第723条 （名誉毀損における原状回復）
他人の名誉を毀損した者に対しては、裁判所は、被害者の請求により、損害賠償に代えて、又は損害賠償とともに、名誉を回復するのに適当な処分を命ずることができる。

第724条 （不法行為による損害賠償請求権の消滅時効）
不法行為による損害賠償の請求権は、次に掲げる場合には、時効によって消滅する。
一 被害者又はその法定代理人が損害及び加害者を知った時から3年間行使しないとき。
二 不法行為の時から20年間行使しないとき。

第724条の2 （人の生命又は身体を害する不法行為による損害賠償請求権の消滅時効）
人の生命又は身体を害する不法行為による損害賠償請求権の消滅時効についての前条第1号の規定の適用については、同号中「3年間」とあるのは、「5年間」とする。

第4編 親族

第1章 総則

第725条（親族の範囲）
　次に掲げる者は，親族とする。
一　6親等内の血族
二　配偶者
三　3親等内の姻族

第726条（親等の計算）
① 親等は，親族間の世代数を数えて，これを定める。
② 傍系親族の親等を定めるには，その1人又はその配偶者から同一の祖先にさかのぼり，その祖先から他の1人に下るまでの世代数による。

第727条（縁組による親族関係の発生）
　養子と養親及びその血族との間においては，養子縁組の日から，血族間におけるのと同一の親族関係を生ずる。

第728条（離婚等による姻族関係の終了）
① 姻族関係は，離婚によって終了する。
② 夫婦の一方が死亡した場合において，生存配偶者が姻族関係を終了させる意思を表示したときも，前項と同様とする。

第729条（離縁による親族関係の終了）
　養子及びその配偶者並びに養子の直系卑属及びその配偶者と養親及びその血族との親族関係は，離縁によって終了する。

第730条（親族間の扶け合い）
　直系血族及び同居の親族は，互いに扶け合わなければならない。

第2章 婚姻

第1節／婚姻の成立

第1款／婚姻の要件

第731条（婚姻適齢）
　婚姻は，18歳にならなければ，することができない。

第732条（重婚の禁止）
　配偶者のある者は，重ねて婚姻をすることができない。

第733条　削除

第734条（近親者間の婚姻の禁止）
① 直系血族又は3親等内の傍系血族の間では，婚姻をすることができない。ただし，養子と養方の傍系血族との間では，この限りでない。
② 第817条の9の規定により親族関係が終了した後も，前項と同様とする。

第735条（直系姻族間の婚姻の禁止）
　直系姻族の間では，婚姻をすることができない。第728条又は第817条の9の規定により姻族関係が終了した後も，同様とする。

第736条（養親子等の間の婚姻の禁止）
　養子若しくはその配偶者又は養子の直系卑属若しくはその配偶者と養親又はその直系尊属との間では，第729条の規定により親族関係が終了した後でも，婚姻をすることができない。

第737条　削除

第738条（成年被後見人の婚姻）
　成年被後見人が婚姻をするには，その成年後見人の同意を要しない。

第739条　（婚姻の届出）
① 婚姻は，戸籍法（昭和22年法律第224号）の定めるところにより届け出ることによって，その効力を生ずる。
② 前項の届出は，当事者双方及び成年の証人2人以上が署名した書面で，又はこれらの者から口頭で，しなければならない。

第740条　（婚姻の届出の受理）
婚姻の届出は，その婚姻が第731条，第732条，第734条から第736条まで及び前条第2項の規定その他の法令の規定に違反しないことを認めた後でなければ，受理することができない。

第741条　（外国に在る日本人間の婚姻の方式）
外国に在る日本人間で婚姻をしようとするときは，その国に駐在する日本の大使，公使又は領事にその届出をすることができる。この場合においては，前二条の規定を準用する。

第2款／婚姻の無効及び取消し

第742条　（婚姻の無効）
婚姻は，次に掲げる場合に限り，無効とする。
一　人違いその他の事由によって当事者間に婚姻をする意思がないとき。
二　当事者が婚姻の届出をしないとき。ただし，その届出が第739条第2項に定める方式を欠くだけであるときは，婚姻は，そのためにその効力を妨げられない。

第743条　（婚姻の取消し）
婚姻は，次条，第745条及び第747条の規定によらなければ，取り消すことができない。

第744条　（不適法な婚姻の取消し）
① 第731条，第732条及び第734条から第736条までの規定に違反した婚姻は，各当事者，その親族又は検察官から，その取消しを家庭裁判所に請求することができる。ただし，検察官は，当事者の一方が死亡した後は，これを請求することができない。
② 第732条の規定に違反した婚姻については，前婚の配偶者も，その取消しを請求することができる。

第745条　（不適齢者の婚姻の取消し）
① 第731条の規定に違反した婚姻は，不適齢者が適齢に達したときは，その取消しを請求することができない。
② 不適齢者は，適齢に達した後，なお3箇月間は，その婚姻の取消しを請求することができる。ただし，適齢に達した後に追認をしたときは，この限りでない。

第746条　　削除

第747条　（詐欺又は強迫による婚姻の取消し）
① 詐欺又は強迫によって婚姻をした者は，その婚姻の取消しを家庭裁判所に請求することができる。
② 前項の規定による取消権は，当事者が，詐欺を発見し，若しくは強迫を免れた後3箇月を経過し，又は追認をしたときは，消滅する。

第748条　（婚姻の取消しの効力）
① 婚姻の取消しは，将来に向かってのみその効力を生ずる。
② 婚姻の時においてその取消しの原因があることを知らなかった当事者が，婚姻によって財産を得たときは，現に利益を受けている限度において，その返還をしなければならない。
③ 婚姻の時においてその取消しの原因があることを知っていた当事者は，婚姻によって得た利益の全部を返還しなければならない。この場合において，相手方が

善意であったときは，これに対して損害を賠償する責任を負う。

第749条　（離婚の規定の準用）
第728条第1項，第766条から第769条まで，第790条第1項ただし書並びに第819条第2項，第3項，第5項及び第6項の規定は，婚姻の取消しについて準用する。

第2節／婚姻の効力

第750条　（夫婦の氏）
夫婦は，婚姻の際に定めるところに従い，夫又は妻の氏を称する。

第751条　（生存配偶者の復氏等）
① 夫婦の一方が死亡したときは，生存配偶者は，婚姻前の氏に復することができる。
② 第769条の規定は，前項及び第728条第2項の場合について準用する。

第752条　（同居，協力及び扶助の義務）
夫婦は同居し，互いに協力し扶助しなければならない。

第753条　削除
第754条　（夫婦間の契約の取消権）
夫婦間でした契約は，婚姻中，いつでも，夫婦の一方からこれを取り消すことができる。ただし，第三者の権利を害することはできない。

第3節／夫婦財産制

第1款／総則

第755条　（夫婦の財産関係）
夫婦が，婚姻の届出前に，その財産について別段の契約をしなかったときは，その財産関係は，次款に定めるところによる。

第756条　（夫婦財産契約の対抗要件）
夫婦が法定財産制と異なる契約をしたときは，婚姻の届出までにその登記をしなければ，これを夫婦の承継人及び第三者に対抗することができない。

第757条　削除

第758条　（夫婦の財産関係の変更の制限等）
① 夫婦の財産関係は，婚姻の届出後は，変更することができない。
② 夫婦の一方が，他の一方の財産を管理する場合において，管理が失当であったことによってその財産を危うくしたときは，他の一方は，自らその管理をすることを家庭裁判所に請求することができる。
③ 共有財産については，前項の請求とともに，その分割を請求することができる。

第759条　（財産の管理者の変更及び共有財産の分割の対抗要件）
前条の規定又は第755条の契約の結果により，財産の管理者を変更し，又は共有財産の分割をしたときは，その登記をしなければ，これを夫婦の承継人及び第三者に対抗することができない。

第2款／法定財産制

第760条　（婚姻費用の分担）
夫婦は，その資産，収入その他一切の事情を考慮して，婚姻から生ずる費用を分担する。

第761条　（日常の家事に関する債務の連帯責任）
夫婦の一方が日常の家事に関して第三者と法律行為をしたときは，他の一方は，これによって生じた債務について，連帯してその責任を負う。ただし，第三者に対し責任を負わない旨を予告した場合は，この限りでない。

第762条　(夫婦間における財産の帰属)
① 夫婦の一方が婚姻前から有する財産及び婚姻中自己の名で得た財産は，その特有財産（夫婦の一方が単独で有する財産をいう。）とする。
② 夫婦のいずれに属するか明らかでない財産は，その共有に属するものと推定する。

第4節／離婚

第1款／協議上の離婚

第763条　(協議上の離婚)
夫婦は，その協議で，離婚をすることができる。

第764条　(婚姻の規定の準用)
第738条，第739条及び第747条の規定は，協議上の離婚について準用する。

第765条　(離婚の届出の受理)
① 離婚の届出は，その離婚が前条において準用する第739条第2項の規定及び第819条第1項の規定その他の法令の規定に違反しないことを認めた後でなければ，受理することができない。
② 離婚の届出が前項の規定に違反して受理されたときであっても，離婚は，そのためにその効力を妨げられない。

第766条　(離婚後の子の監護に関する事項の定め等)
① 父母が協議上の離婚をするときは，子の監護をすべき者，父又は母と子との面会及びその他の交流，子の監護に要する費用の分担その他の子の監護について必要な事項は，その協議で定める。この場合においては，子の利益を最も優先して考慮しなければならない。
② 前項の協議が調わないとき，又は協議をすることができないときは，家庭裁判所が，同項の事項を定める。
③ 家庭裁判所は，必要があると認めるときは，前二項の規定による定めを変更し，その他子の監護について相当の処分を命ずることができる。
④ 前三項の規定によっては，監護の範囲外では，父母の権利義務に変更を生じない。

第767条　(離婚による復氏等)
① 婚姻によって氏を改めた夫又は妻は，協議上の離婚によって婚姻前の氏に復する。
② 前項の規定により婚姻前の氏に復した夫又は妻は，離婚の日から3箇月以内に戸籍法の定めるところにより届け出ることによって，離婚の際に称していた氏を称することができる。

第768条　(財産分与)
① 協議上の離婚をした者の一方は，相手方に対して財産の分与を請求することができる。
② 前項の規定による財産の分与について，当事者間に協議が調わないとき，又は協議をすることができないときは，当事者は，家庭裁判所に対して協議に代わる処分を請求することができる。ただし，離婚の時から2年を経過したときは，この限りでない。
③ 前項の場合には，家庭裁判所は，当事者双方がその協力によって得た財産の額その他一切の事情を考慮して，分与をさせるべきかどうか並びに分与の額及び方法を定める。

第769条　(離婚による復氏の際の権利の承継)
① 婚姻によって氏を改めた夫又は妻が，第897条第1項の権利を承継した後，協議上の離婚をしたときは，当事者その他の関係人の協議で，その権利を承継すべき者を定めなければならない。
② 前項の協議が調わないとき，又は協議をすることができないときは，同項の権

第2款／裁判上の離婚

第770条　（裁判上の離婚）
① 夫婦の一方は，次に掲げる場合に限り，離婚の訴えを提起することができる。
　一　配偶者に不貞な行為があったとき。
　二　配偶者から悪意で遺棄されたとき。
　三　配偶者の生死が3年以上明らかでないとき。
　四　配偶者が強度の精神病にかかり，回復の見込みがないとき。
　五　その他婚姻を継続し難い重大な事由があるとき。
② 裁判所は，前項第1号から第4号までに掲げる事由がある場合であっても，一切の事情を考慮して婚姻の継続を相当と認めるときは，離婚の請求を棄却することができる。

第771条　（協議上の離婚の規定の準用）
　　第766条から第769条までの規定は，裁判上の離婚について準用する。

第3章　親子

第1節／実子

第772条　（嫡出の推定）
① 妻が婚姻中に懐胎した子は，当該婚姻における夫の子と推定する。女が婚姻前に懐胎した子であって，婚姻が成立した後に生まれたものも，同様とする。
② 前項の場合において，婚姻の成立の日から200日以内に生まれた子は，婚姻前に懐胎したものと推定し，婚姻の成立の日から200日を経過した後又は婚姻の解消若しくは取消しの日から300日以内に生まれた子は，婚姻中に懐胎したものと推定する。
③ 第1項の場合において，女が子を懐胎した時から子の出生の時までの間に2以上の婚姻をしていたときは，その子は，その出生の直近の婚姻における夫の子と推定する。
④ 前三項の規定により父が定められた子について，第774条の規定によりその父の嫡出であることが否認された場合における前項の規定の適用については，同項中「直近の婚姻」とあるのは，「直近の婚姻（第774条の規定により子がその嫡出であることが否認された夫との間の婚姻を除く。）」とする。

第773条　（父を定めることを目的とする訴え）
　　第732条の規定に違反して婚姻をした女が出産した場合において，前条の規定によりその子の父を定めることができないときは，裁判所が，これを定める。

第774条　（嫡出の否認）
① 第772条の規定により子の父が定められる場合において，父又は子は，子が嫡出であることを否認することができる。
② 前項の規定による子の否認権は，親権を行う母，親権を行う養親又は未成年後

見人が，子のために行使することができる。
③　第1項に規定する場合において，母は，子が嫡出であることを否認することができる。ただし，その否認権の行使が子の利益を害することが明らかなときは，この限りでない。
④　第772条第3項の規定により子の父が定められる場合において，子の懐胎の時から出生の時までの間に母と婚姻していた者であって，子の父以外のもの（以下「前夫」という。）は，子が嫡出であることを否認することができる。ただし，その否認権の行使が子の利益を害することが明らかなときは，この限りでない。
⑤　前項の規定による否認権を行使し，第772条第4項の規定により読み替えられた同条第3項の規定により新たに子の父と定められた者は，第1項の規定にかかわらず，子が自らの嫡出であることを否認することができない。

第775条　（嫡出否認の訴え）
①　次の各号に掲げる否認権は，それぞれ当該各号に定める者に対する嫡出否認の訴えによって行う。
一　父の否認権　子又は親権を行う母
二　子の否認権　父
三　母の否認権　父
四　前夫の否認権　父及び子又は親権を行う母
②　前項第1号又は第4号に掲げる否認権を親権を行う母に対し行使しようとする場合において，親権を行う母がないときは，家庭裁判所は，特別代理人を選任しなければならない。

第776条　（嫡出の承認）
　父又は母は，子の出生後において，その嫡出であることを承認したときは，それぞれその否認権を失う。

第777条　（嫡出否認の訴えの出訴期間）
　次の各号に掲げる否認権の行使に係る嫡出否認の訴えは，それぞれ当該各号に定める時から3年以内に提起しなければならない。
一　父の否認権　父が子の出生を知った時
二　子の否認権　その出生の時
三　母の否認権　子の出生の時
四　前夫の否認権　前夫が子の出生を知った時

第778条
　第772条第3項の規定により父が定められた子について第774条の規定により嫡出であることが否認されたときは，次の各号に掲げる否認権の行使に係る嫡出否認の訴えは，前条の規定にかかわらず，それぞれ当該各号に定める時から1年以内に提起しなければならない。
一　第772条第4項の規定により読み替えられた同条第3項の規定により新たに子の父と定められた者の否認権　新たに子の父と定められた者が当該子に係る嫡出否認の裁判が確定したことを知った時
二　子の否認権　子が前号の裁判が確定したことを知った時
三　母の否認権　母が第1号の裁判が確定したことを知った時
四　前夫の否認権　前夫が第1号の裁判が確定したことを知った時

第778条の2
①　第777条（第2号に係る部分に限る。）又は前条（第2号に係る部分に限る。）の期間の満了前6箇月以内の間に親権を行う母，親権を行う養親及び未成年後見人がないときは，子は，母若しくは養親の親権停止の期間が満了し，親権喪失若しくは親権停止の審判の取消しの審判が確定し，若しくは親権が回復された時，

新たに養子縁組が成立した時又は未成年後見人が就職した時から6箇月を経過するまでの間は、嫡出否認の訴えを提起することができる。
② 子は、その父と継続して同居した期間（当該期間が2以上あるときは、そのうち最も長い期間）が3年を下回るときは、第777条（第2号に係る部分に限る。）及び前条（第2号に係る部分に限る。）の規定にかかわらず、21歳に達するまでの間、嫡出否認の訴えを提起することができる。ただし、子の否認権の行使が父による養育の状況に照らして父の利益を著しく害するときは、この限りでない。
③ 第774条第2項の規定は、前項の場合には、適用しない。
④ 第777条（第4号に係る部分に限る。）及び前条（第4号に係る部分に限る。）に掲げる否認権の行使に係る嫡出否認の訴えは、子が成年に達した後は、提起することができない。

第778条の3 （子の監護に要した費用の償還の制限）

第774条の規定により嫡出であることが否認された場合であっても、子は、父であった者が支出した子の監護に要した費用を償還する義務を負わない。

第778条の4 （相続の開始後に新たに子と推定された者の価額の支払請求権）

相続の開始後、第774条の規定により否認権が行使され、第772条第4項の規定により読み替えられた同条第3項の規定により新たに被相続人がその父と定められた者が相続人として遺産の分割を請求しようとする場合において、他の共同相続人が既にその分割その他の処分をしていたときは、当該相続人の遺産分割の請求は、価額のみによる支払の請求により行うものとする。

第779条 （認知）

嫡出でない子は、その父又は母がこれを認知することができる。

第780条 （認知能力）

認知をするには、父又は母が未成年者又は成年被後見人であるときであっても、その法定代理人の同意を要しない。

第781条 （認知の方式）

① 認知は、戸籍法の定めるところにより届け出ることによってする。
② 認知は、遺言によっても、することができる。

第782条 （成年の子の認知）

成年の子は、その承諾がなければ、これを認知することができない。

第783条 （胎児又は死亡した子の認知）

① 父は、胎内に在る子でも、認知することができる。この場合においては、母の承諾を得なければならない。
② 前項の子が出生した場合において、第772条の規定によりその子の父が定められるときは、同項の規定による認知は、その効力を生じない。
③ 父又は母は、死亡した子でも、その直系卑属があるときに限り、認知することができる。この場合において、その直系卑属が成年者であるときは、その承諾を得なければならない。

第784条 （認知の効力）

認知は、出生の時にさかのぼってその効力を生ずる。ただし、第三者が既に取得した権利を害することはできない。

第785条 （認知の取消しの禁止）

認知をした父又は母は、その認知を取り消すことができない。

第786条（認知の無効の訴え）

① 次の各号に掲げる者は，それぞれ当該各号に定める時（第783条第1項の規定による認知がされた場合にあっては，子の出生の時）から7年以内に限り，認知について反対の事実があることを理由として，認知の無効の訴えを提起することができる。ただし，第3号に掲げる者について，その認知の無効の主張が子の利益を害することが明らかなときは，この限りでない。
一　子又はその法定代理人　子又はその法定代理人が認知を知った時
二　認知をした者　認知の時
三　子の母　子の母が認知を知った時

② 子は，その子を認知した者と認知後に継続して同居した期間（当該期間が2以上あるときは，そのうち最も長い期間）が3年を下回るときは，前項（第1号に係る部分に限る。）の規定にかかわらず，21歳に達するまでの間，認知の無効の訴えを提起することができる。ただし，子による認知の無効の主張が認知をした者による養育の状況に照らして認知をした者の利益を著しく害するときは，この限りでない。

③ 前項の規定は，同項に規定する子の法定代理人が第1項の認知の無効の訴えを提起する場合には，適用しない。

④ 第1項及び第2項の規定により認知が無効とされた場合であっても，子は，認知をした者が支出した子の監護に要した費用を償還する義務を負わない。

第787条（認知の訴え）

子，その直系卑属又はこれらの者の法定代理人は，認知の訴えを提起することができる。ただし，父又は母の死亡の日から3年を経過したときは，この限りでない。

第788条（認知後の子の監護に関する事項の定め等）

第766条の規定は，父が認知する場合について準用する。

第789条（準正）

① 父が認知した子は，その父母の婚姻によって嫡出子の身分を取得する。

② 婚姻中父母が認知した子は，その認知の時から，嫡出子の身分を取得する。

③ 前二項の規定は，子が既に死亡していた場合について準用する。

第790条（子の氏）

① 嫡出である子は，父母の氏を称する。ただし，子の出生前に父母が離婚したときは，離婚の際における父母の氏を称する。

② 嫡出でない子は，母の氏を称する。

第791条（子の氏の変更）

① 子が父又は母と氏を異にする場合には，子は，家庭裁判所の許可を得て，戸籍法の定めるところにより届け出ることによって，その父又は母の氏を称することができる。

② 父又は母が氏を改めたことにより子が父母と氏を異にする場合には，子は，父母の婚姻中に限り，前項の許可を得ないで，戸籍法の定めるところにより届け出ることによって，その父母の氏を称することができる。

③ 子が15歳未満であるときは，その法定代理人が，これに代わって，前二項の行為をすることができる。

④ 前三項の規定により氏を改めた未成年の子は，成年に達した時から1年以内に戸籍法の定めるところにより届け出ることによって，従前の氏に復することができる。

第2節／養子

第1款／縁組の要件

第792条 （養親となる者の年齢）
　20歳に達した者は，養子をすることができる。

第793条 （尊属又は年長者を養子とすることの禁止）
　尊属又は年長者は，これを養子とすることができない。

第794条 （後見人が被後見人を養子とする縁組）
　後見人が被後見人（未成年被後見人及び成年被後見人をいう。以下同じ。）を養子とするには，家庭裁判所の許可を得なければならない。後見人の任務が終了した後，まだその管理の計算が終わらない間も，同様とする。

第795条 （配偶者のある者が未成年者を養子とする縁組）
　配偶者のある者が未成年者を養子とするには，配偶者とともにしなければならない。ただし，配偶者の嫡出である子を養子とする場合又は配偶者がその意思を表示することができない場合は，この限りでない。

第796条 （配偶者のある者の縁組）
　配偶者のある者が縁組をするには，その配偶者の同意を得なければならない。ただし，配偶者とともに縁組をする場合又は配偶者がその意思を表示することができない場合は，この限りでない。

第797条 （15歳未満の者を養子とする縁組）
① 　養子となる者が15歳未満であるときは，その法定代理人が，これに代わって，縁組の承諾をすることができる。
② 　法定代理人が前項の承諾をするには，養子となる者の父母でその監護をすべき者であるものが他にあるときは，その同意を得なければならない。養子となる者の父母で親権を停止されているものがあるときも，同様とする。

第798条 （未成年者を養子とする縁組）
　未成年者を養子とするには，家庭裁判所の許可を得なければならない。ただし，自己又は配偶者の直系卑属を養子とする場合は，この限りでない。

第799条 （婚姻の規定の準用）
　第738条及び第739条の規定は，縁組について準用する。

第800条 （縁組の届出の受理）
　縁組の届出は，その縁組が第792条から前条までの規定その他の法令の規定に違反しないことを認めた後でなければ，受理することができない。

第801条 （外国に在る日本人間の縁組の方式）
　外国に在る日本人間で縁組をしようとするときは，その国に駐在する日本の大使，公使又は領事にその届出をすることができる。この場合においては，第799条において準用する第739条の規定及び前条の規定を準用する。

第2款／縁組の無効及び取消し

第802条 （縁組の無効）
　縁組は，次に掲げる場合に限り，無効とする。
一　人違いその他の事由によって当事者間に縁組をする意思がないとき。
二　当事者が縁組の届出をしないとき。ただし，その届出が第799条において準用する第739条第2項に定める方式を欠くだけであるときは，縁組は，そのためにその効力を妨げられない。

★判例
1 ※専ら相続税の節税のために養子縁組をする場合であっても，直ちに当該養子縁組について民法802条1号にいう「当事者間に縁組をする意思がないとき」に当たるとすることはできない。(最判平成29・1・31民集71・1・48)

第803条 （縁組の取消し）
縁組は，次条から第808条までの規定によらなければ，取り消すことができない。

第804条 （養親が20歳未満の者である場合の縁組の取消し）
第792条の規定に違反した縁組は，養親又はその法定代理人から，その取消しを家庭裁判所に請求することができる。ただし，養親が，20歳に達した後6箇月を経過し，又は追認をしたときは，この限りでない。

第805条 （養子が尊属又は年長者である場合の縁組の取消し）
第793条の規定に違反した縁組は，各当事者又はその親族から，その取消しを家庭裁判所に請求することができる。

第806条 （後見人と被後見人との間の無許可縁組の取消し）
① 第794条の規定に違反した縁組は，養子又はその実方の親族から，その取消しを家庭裁判所に請求することができる。ただし，管理の計算が終わった後，養子が追認をし，又は6箇月を経過したときは，この限りでない。
② 前項ただし書の追認は，養子が，成年に達し，又は行為能力を回復した後にしなければ，その効力を生じない。
③ 養子が，成年に達せず，又は行為能力を回復しない間に，管理の計算が終わった場合には，第1項ただし書の期間は，養子が，成年に達し，又は行為能力を回復した時から起算する。

第806条の2 （配偶者の同意のない縁組等の取消し）
① 第796条の規定に違反した縁組は，縁組の同意をしていない者から，その取消しを家庭裁判所に請求することができる。ただし，その者が，縁組を知った後6箇月を経過し，又は追認をしたときは，この限りでない。
② 詐欺又は強迫によって第796条の同意をした者は，その縁組の取消しを家庭裁判所に請求することができる。ただし，その者が，詐欺を発見し，若しくは強迫を免れた後6箇月を経過し，又は追認をしたときは，この限りでない。

第806条の3 （子の監護をすべき者の同意のない縁組等の取消し）
① 第797条第2項の規定に違反した縁組は，縁組の同意をしていない者から，その取消しを家庭裁判所に請求することができる。ただし，その者が追認をしたとき，又は養子が15歳に達した後6箇月を経過し，若しくは追認をしたときは，この限りでない。
② 前条第2項の規定は，詐欺又は強迫によって第797条第2項の同意をした者について準用する。

第807条 （養子が未成年者である場合の無許可縁組の取消し）
第798条の規定に違反した縁組は，養子，その実方の親族又は養子に代わって縁組の承諾をした者から，その取消しを家庭裁判所に請求することができる。ただし，養子が，成年に達した後6箇月を経過し，又は追認をしたときは，この限りでない。

第808条 （婚姻の取消し等の規定の準用）
① 第747条及び第748条の規定は，縁組について準用する。この場合において，第

747条第2項中「3箇月」とあるのは，「6箇月」と読み替えるものとする。
② 第769条及び第816条の規定は，縁組の取消しについて準用する。

第3款／縁組の効力

第809条 （嫡出子の身分の取得）
養子は，縁組の日から，養親の嫡出子の身分を取得する。

第810条 （養子の氏）
養子は，養親の氏を称する。ただし，婚姻によって氏を改めた者については，婚姻の際に定めた氏を称すべき間は，この限りでない。

第4款／離縁

第811条 （協議上の離縁等）
① 縁組の当事者は，その協議で，離縁をすることができる。
② 養子が15歳未満であるときは，その離縁は，養親と養子の離縁後にその法定代理人となるべき者との協議でこれをする。
③ 前項の場合において，養子の父母が離婚しているときは，その協議で，その一方を養子の離縁後にその親権者となるべき者と定めなければならない。
④ 前項の協議が調わないとき，又は協議をすることができないときは，家庭裁判所は，同項の父若しくは母又は養親の請求によって，協議に代わる審判をすることができる。
⑤ 第2項の法定代理人となるべき者がないときは，家庭裁判所は，養子の親族その他の利害関係人の請求によって，養子の離縁後にその未成年後見人となるべき者を選任する。
⑥ 縁組の当事者の一方が死亡した後に生存当事者が離縁をしようとするときは，家庭裁判所の許可を得て，これをすることができる。

第811条の2 （夫婦である養親と未成年者との離縁）
養親が夫婦である場合において未成年者と離縁をするには，夫婦が共にしなければならない。ただし，夫婦の一方がその意思を表示することができないときは，この限りでない。

第812条 （婚姻の規定の準用）
第738条，第739条及び第747条の規定は，協議上の離縁について準用する。この場合において，同条第2項中「3箇月」とあるのは，「6箇月」と読み替えるものとする。

第813条 （離縁の届出の受理）
① 離縁の届出は，その離縁が前条において準用する第739条第2項の規定並びに第811条及び第811条の2の規定その他の法令の規定に違反しないことを認めた後でなければ，受理することができない。
② 離縁の届出が前項の規定に違反して受理されたときであっても，離縁は，そのためにその効力を妨げられない。

第814条 （裁判上の離縁）
① 縁組の当事者の一方は，次に掲げる場合に限り，離縁の訴えを提起することができる。
一 他の一方から悪意で遺棄されたとき。
二 他の一方の生死が3年以上明らかでないとき。
三 その他縁組を継続し難い重大な事由があるとき。
② 第770条第2項の規定は，前項第1号及び第2号に掲げる場合について準用する。

第815条 （養子が15歳未満である場合の離縁の訴えの当事者）
養子が15歳に達しない間は，第811条の規定により養親と離縁の協議をするこ

とができる者から，又はこれに対して，離縁の訴えを提起することができる。

第816条　（離縁による復氏等）
① 養子は，離縁によって縁組前の氏に復する。ただし，配偶者とともに養子をした養親の一方のみと離縁をした場合は，この限りでない。
② 縁組の日から7年を経過した後に前項の規定により縁組前の氏に復した者は，離縁の日から3箇月以内に戸籍法の定めるところにより届け出ることによって，離縁の際に称していた氏を称することができる。

第817条　（離縁による復氏の際の権利の承継）
第769条の規定は，離縁について準用する。

第5款／特別養子

第817条の2　（特別養子縁組の成立）
① 家庭裁判所は，次条から第817条の7までに定める要件があるときは，養親となる者の請求により，実方の血族との親族関係が終了する縁組（以下この款において「特別養子縁組」という。）を成立させることができる。
② 前項に規定する請求をするには，第794条又は第798条の許可を得ることを要しない。

第817条の3　（養親の夫婦共同縁組）
① 養親となる者は，配偶者のある者でなければならない。
② 夫婦の一方は，他の一方が養親とならないときは，養親となることができない。ただし，夫婦の一方が他の一方の嫡出である子（特別養子縁組以外の縁組による養子を除く。）の養親となる場合は，この限りでない。

第817条の4　（養親となる者の年齢）
25歳に達しない者は，養親となることができない。ただし，養親となる夫婦の一方が25歳に達していない場合においても，その者が20歳に達しているときは，この限りでない。

第817条の5　（養子となる者の年齢）
① 第817条の2に規定する請求の時に15歳に達している者は，養子となることができない。特別養子縁組が成立するまでに18歳に達した者についても，同様とする。
② 前項前段の規定は，養子となる者が15歳に達する前から引き続き養親となる者に監護されている場合において，15歳に達するまでに第817条の2に規定する請求がされなかったことについてやむを得ない事由があるときは，適用しない。
③ 養子となる者が15歳に達している場合においては，特別養子縁組の成立には，その者の同意がなければならない。

第817条の6　（父母の同意）
特別養子縁組の成立には，養子となる者の父母の同意がなければならない。ただし，父母がその意思を表示することができない場合又は父母による虐待，悪意の遺棄その他養子となる者の利益を著しく害する事由がある場合は，この限りでない。

第817条の7　（子の利益のための特別の必要性）
特別養子縁組は，父母による養子となる者の監護が著しく困難又は不適当であることその他特別の事情がある場合において，子の利益のため特に必要があると認めるときに，これを成立させるものとする。

第817条の8 （監護の状況）

① 特別養子縁組を成立させるには，養親となる者が養子となる者を6箇月以上の期間監護した状況を考慮しなければならない。

② 前項の期間は，第817条の2に規定する請求の時から起算する。ただし，その請求前の監護の状況が明らかであるときは，この限りでない。

第817条の9 （実方との親族関係の終了）

養子と実方の父母及びその血族との親族関係は，特別養子縁組によって終了する。ただし，第817条の3第2項ただし書に規定する他の一方及びその血族との親族関係については，この限りでない。

第817条の10 （特別養子縁組の離縁）

① 次の各号のいずれにも該当する場合において，養子の利益のため特に必要があると認めるときは，家庭裁判所は，養子，実父母又は検察官の請求により，特別養子縁組の当事者を離縁させることができる。

一 養親による虐待，悪意の遺棄その他養子の利益を著しく害する事由があること。

二 実父母が相当の監護をすることができること。

② 離縁は，前項の規定による場合のほか，これをすることができない。

第817条の11 （離縁による実方との親族関係の回復）

養子と実父母及びその血族との間においては，離縁の日から，特別養子縁組によって終了した親族関係と同一の親族関係を生ずる。

第4章❊親権

第1節／総則

第818条 （親権者）

① 成年に達しない子は，父母の親権に服する。

② 子が養子であるときは，養親の親権に服する。

③ 親権は，父母の婚姻中は，父母が共同して行う。ただし，父母の一方が親権を行うことができないときは，他の一方が行う。

第819条 （離婚又は認知の場合の親権者）

① 父母が協議上の離婚をするときは，その協議で，その一方を親権者と定めなければならない。

② 裁判上の離婚の場合には，裁判所は，父母の一方を親権者と定める。

③ 子の出生前に父母が離婚した場合には，親権は，母が行う。ただし，子の出生後に，父母の協議で，父を親権者と定めることができる。

④ 父が認知した子に対する親権は，父母の協議で父を親権者と定めたときに限り，父が行う。

⑤ 第1項，第3項又は前項の協議が調わないとき，又は協議をすることができないときは，家庭裁判所は，父又は母の請求によって，協議に代わる審判をすることができる。

⑥ 子の利益のため必要があると認めるときは，家庭裁判所は，子の親族の請求によって，親権者を他の一方に変更することができる。

第2節／親権の効力

第820条 （監護及び教育の権利義務）

親権を行う者は，子の利益のために子の監護及び教育をする権利を有し，義務を負う。

第821条 （子の人格の尊重等）
親権を行う者は，前条の規定による監護及び教育をするに当たっては，子の人格を尊重するとともに，その年齢及び発達の程度に配慮しなければならず，かつ，体罰その他の子の心身の健全な発達に有害な影響を及ぼす言動をしてはならない。

第822条 （居所の指定）
子は，親権を行う者が指定した場所に，その居所を定めなければならない。

第823条 （職業の許可）
① 子は，親権を行う者の許可を得なければ，職業を営むことができない。
② 親権を行う者は，第6条第2項の場合には，前項の許可を取り消し，又はこれを制限することができる。

第824条 （財産の管理及び代表）
親権を行う者は，子の財産を管理し，かつ，その財産に関する法律行為についてその子を代表する。ただし，その子の行為を目的とする債務を生ずべき場合には，本人の同意を得なければならない。

第825条 （父母の一方が共同の名義でした行為の効力）
父母が共同して親権を行う場合において，父母の一方が，共同の名義で，子に代わって法律行為をし又は子がこれをすることに同意したときは，その行為は，他の一方の意思に反したときであっても，そのためにその効力を妨げられない。ただし，相手方が悪意であったときは，この限りでない。

第826条 （利益相反行為）
① 親権を行う父又は母とその子との利益が相反する行為については，親権を行う者は，その子のために特別代理人を選任することを家庭裁判所に請求しなければならない。
② 親権を行う者が数人の子に対して親権を行う場合において，その1人と他の子との利益が相反する行為については，親権を行う者は，その一方のために特別代理人を選任することを家庭裁判所に請求しなければならない。

第827条 （財産の管理における注意義務）
親権を行う者は，自己のためにするのと同一の注意をもって，その管理権を行わなければならない。

第828条 （財産の管理の計算）
子が成年に達したときは，親権を行った者は，遅滞なくその管理の計算をしなければならない。ただし，その子の養育及び財産の管理の費用は，その子の財産の収益と相殺したものとみなす。

第829条
前条ただし書の規定は，無償で子に財産を与える第三者が反対の意思を表示したときは，その財産については，これを適用しない。

第830条 （第三者が無償で子に与えた財産の管理）
① 無償で子に財産を与える第三者が，親権を行う父又は母にこれを管理させない意思を表示したときは，その財産は，父又は母の管理に属しないものとする。
② 前項の財産につき父母が共に管理権を有しない場合において，第三者が管理者を指定しなかったときは，家庭裁判所は，子，その親族又は検察官の請求によって，その管理者を選任する。
③ 第三者が管理者を指定したときであっても，その管理者の権限が消滅し，又はこれを改任する必要がある場合において，第三者が更に管理者を指定しないときも，前項と同様とする。

④ 第27条から第29条までの規定は，前二項の場合について準用する。

第831条　（委任の規定の準用）
第654条及び第655条の規定は，親権を行う者が子の財産を管理する場合及び前条の場合について準用する。

第832条　（財産の管理について生じた親子間の債権の消滅時効）
① 親権を行った者とその子との間に財産の管理について生じた債権は，その管理権が消滅した時から5年間これを行使しないときは，時効によって消滅する。
② 子がまだ成年に達しない間に管理権が消滅した場合において子に法定代理人がないときは，前項の期間は，その子が成年に達し，又は後任の法定代理人が就職した時から起算する。

第833条　（子に代わる親権の行使）
親権を行う者は，その親権に服する子に代わって親権を行う。

第3節／親権の喪失

第834条　（親権喪失の審判）
父又は母による虐待又は悪意の遺棄があるときその他父又は母による親権の行使が著しく困難又は不適当であることにより子の利益を著しく害するときは，家庭裁判所は，子，その親族，未成年後見人，未成年後見監督人又は検察官の請求により，その父又は母について，親権喪失の審判をすることができる。ただし，2年以内にその原因が消滅する見込みがあるときは，この限りでない。

第834条の2　（親権停止の審判）
① 父又は母による親権の行使が困難又は不適当であることにより子の利益を害するときは，家庭裁判所は，子，その親族，未成年後見人，未成年後見監督人又は検察官の請求により，その父又は母について，親権停止の審判をすることができる。
② 家庭裁判所は，親権停止の審判をするときは，その原因が消滅するまでに要すると見込まれる期間，子の心身の状態及び生活の状況その他一切の事情を考慮して，2年を超えない範囲内で，親権を停止する期間を定める。

第835条　（管理権喪失の審判）
父又は母による管理権の行使が困難又は不適当であることにより子の利益を害するときは，家庭裁判所は，子，その親族，未成年後見人，未成年後見監督人又は検察官の請求により，その父又は母について，管理権喪失の審判をすることができる。

第836条　（親権喪失，親権停止又は管理権喪失の審判の取消し）
第834条本文，第834条の2第1項又は前条に規定する原因が消滅したときは，家庭裁判所は，本人又はその親族の請求によって，それぞれ親権喪失，親権停止又は管理権喪失の審判を取り消すことができる。

第837条　（親権又は管理権の辞任及び回復）
① 親権を行う父又は母は，やむを得ない事由があるときは，家庭裁判所の許可を得て，親権又は管理権を辞することができる。
② 前項の事由が消滅したときは，父又は母は，家庭裁判所の許可を得て，親権又は管理権を回復することができる。

第5章　後見

第1節／後見の開始

第838条
後見は，次に掲げる場合に開始する。
一　未成年者に対して親権を行う者がな

いとき，又は親権を行う者が管理権を有しないとき。
二　後見開始の審判があったとき。

第2節／後見の機関

第1款／後見人

第839条　（未成年後見人の指定）
① 未成年者に対して最後に親権を行う者は，遺言で，未成年後見人を指定することができる。ただし，管理権を有しない者は，この限りでない。
② 親権を行う父母の一方が管理権を有しないときは，他の一方は，前項の規定により未成年後見人の指定をすることができる。

第840条　（未成年後見人の選任）
① 前条の規定により未成年後見人となるべき者がないときは，家庭裁判所は，未成年被後見人又はその親族その他の利害関係人の請求によって，未成年後見人を選任する。未成年後見人が欠けたときも，同様とする。
② 未成年後見人がある場合においても，家庭裁判所は，必要があると認めるときは，前項に規定する者若しくは未成年後見人の請求により又は職権で，更に未成年後見人を選任することができる。
③ 未成年後見人を選任するには，未成年被後見人の年齢，心身の状態並びに生活及び財産の状況，未成年後見人となる者の職業及び経歴並びに未成年被後見人との利害関係の有無（未成年後見人となる者が法人であるときは，その事業の種類及び内容並びにその法人及びその代表者と未成年被後見人との利害関係の有無），未成年被後見人の意見その他一切の事情を考慮しなければならない。

第841条　（父母による未成年後見人の選任の請求）
　父若しくは母が親権若しくは管理権を辞し，又は父若しくは母について親権喪失，親権停止若しくは管理権の喪失の審判があったことによって未成年後見人を選任する必要が生じたときは，その父又は母は，遅滞なく未成年後見人の選任を家庭裁判所に請求しなければならない。

第842条　削除

第843条　（成年後見人の選任）
① 家庭裁判所は，後見開始の審判をするときは，職権で，成年後見人を選任する。
② 成年後見人が欠けたときは，家庭裁判所は，成年被後見人若しくはその親族その他の利害関係人の請求により又は職権で，成年後見人を選任する。
③ 成年後見人が選任されている場合においても，家庭裁判所は，必要があると認めるときは，前項に規定する者若しくは成年後見人の請求により又は職権で，更に成年後見人を選任することができる。
④ 成年後見人を選任するには，成年被後見人の心身の状態並びに生活及び財産の状況，成年後見人となる者の職業及び経歴並びに成年被後見人との利害関係の有無（成年後見人となる者が法人であるときは，その事業の種類及び内容並びにその法人及びその代表者と成年被後見人との利害関係の有無），成年被後見人の意見その他一切の事情を考慮しなければならない。

第844条　（後見人の辞任）
　後見人は，正当な事由があるときは，家庭裁判所の許可を得て，その任務を辞することができる。

第845条　（辞任した後見人による新たな後見人の選任の請求）
　後見人がその任務を辞したことによっ

て新たに後見人を選任する必要が生じたときは，その後見人は，遅滞なく新たな後見人の選任を家庭裁判所に請求しなければならない。

第846条　（後見人の解任）
後見人に不正な行為，著しい不行跡その他後見の任務に適しない事由があるときは，家庭裁判所は，後見監督人，被後見人若しくはその親族若しくは検察官の請求により又は職権で，これを解任することができる。

第847条　（後見人の欠格事由）
次に掲げる者は，後見人となることができない。
一　未成年者
二　家庭裁判所で免ぜられた法定代理人，保佐人又は補助人
三　破産者
四　被後見人に対して訴訟をし，又はした者並びにその配偶者及び直系血族
五　行方の知れない者

第2款／後見監督人

第848条　（未成年後見監督人の指定）
未成年後見監督人を指定することができる者は，遺言で，未成年後見監督人を指定することができる。

第849条　（後見監督人の選任）
家庭裁判所は，必要があると認めるときは，被後見人，その親族若しくは後見人の請求により又は職権で，後見監督人を選任することができる。

第850条　（後見監督人の欠格事由）
後見人の配偶者，直系血族及び兄弟姉妹は，後見監督人となることができない。

第851条　（後見監督人の職務）
後見監督人の職務は，次のとおりとする。
一　後見人の事務を監督すること。
二　後見人が欠けた場合に，遅滞なくその選任を家庭裁判所に請求すること。
三　急迫の事情がある場合に，必要な処分をすること。
四　後見人又はその代表する者と被後見人との利益が相反する行為について被後見人を代表すること。

第852条　（委任及び後見人の規定の準用）
第644条，第654条，第655条，第844条，第846条，第847条，第861条第2項及び第862条の規定は後見監督人について，第840条第3項及び第857条の2の規定は未成年後見監督人について，第843条第4項，第859条の2及び第859条の3の規定は成年後見監督人について準用する。

第3節／後見の事務

第853条　（財産の調査及び目録の作成）
① 後見人は，遅滞なく被後見人の財産の調査に着手し，1箇月以内に，その調査を終わり，かつ，その目録を作成しなければならない。ただし，この期間は，家庭裁判所において伸長することができる。
② 財産の調査及びその目録の作成は，後見監督人があるときは，その立会いをもってしなければ，その効力を生じない。

第854条　（財産の目録の作成前の権限）
① 後見人は，財産の目録の作成を終わるまでは，急迫の必要がある行為のみをする権限を有する。ただし，これをもって善意の第三者に対抗することができない。

第855条　（後見人の被後見人に対する債権又は債務の申出義務）
① 後見人が，被後見人に対し，債権を有し，又は債務を負う場合において，後見監督人があるときは，財産の調査に着手する前に，これを後見監督人に申し出な

ければならない。
② 後見人が，被後見人に対し債権を有することを知ってこれを申し出ないときは，その債権を失う。

第856条 （被後見人が包括財産を取得した場合についての準用）
　前三条の規定は，後見人が就職した後被後見人が包括財産を取得した場合について準用する。

第857条 （未成年被後見人の身上の監護に関する権利義務）
　未成年後見人は，第820条から第823条までに規定する事項について，親権を行う者と同一の権利義務を有する。ただし，親権を行う者が定めた教育の方法及び居所を変更し，営業を許可し，その許可を取り消し，又はこれを制限するには，未成年後見監督人があるときは，その同意を得なければならない。

第857条の2 （未成年者が数人ある場合の権限の行使等）
① 未成年後見人が数人あるときは，共同してその権限を行使する。
② 未成年後見人が数人あるときは，家庭裁判所は，職権で，その一部の者について，財産に関する権限のみを行使すべきことを定めることができる。
③ 未成年後見人が数人あるときは，家庭裁判所は，職権で，財産に関する権限について，各未成年後見人が単独で又は数人の未成年後見人が事務を分掌して，その権限を行使すべきことを定めることができる。
④ 家庭裁判所は，職権で，前二項の規定による定めを取り消すことができる。
⑤ 未成年後見人が数人あるときは，第三者の意思表示は，その1人に対してすれば足りる。

第858条 （成年被後見人の意思の尊重及び身上の配慮）
　成年後見人は，成年被後見人の生活，療養看護及び財産の管理に関する事務を行うに当たっては，成年被後見人の意思を尊重し，かつ，その心身の状態及び生活の状況に配慮しなければならない。

第859条 （財産の管理及び代表）
① 後見人は，被後見人の財産を管理し，かつ，その財産に関する法律行為について被後見人を代表する。
② 第824条ただし書の規定は，前項の場合について準用する。

第859条の2 （成年後見人が数人ある場合の権限の行使等）
① 成年後見人が数人あるときは，家庭裁判所は，職権で，数人の成年後見人が，共同して又は事務を分掌して，その権限を行使すべきことを定めることができる。
② 家庭裁判所は，職権で，前項の規定による定めを取り消すことができる。
③ 成年後見人が数人あるときは，第三者の意思表示は，その1人に対してすれば足りる。

第859条の3 （成年被後見人の居住用不動産の処分についての許可）
　成年後見人は，成年被後見人に代わって，その居住の用に供する建物又はその敷地について，売却，賃貸，賃貸借の解除又は抵当権の設定その他これらに準ずる処分をするには，家庭裁判所の許可を得なければならない。

第860条 （利益相反行為）
　第826条の規定は，後見人について準用する。ただし，後見監督人がある場合は，この限りでない。

第860条の2 （成年後見人による郵便物等の管理）

① 家庭裁判所は，成年後見人がその事務を行うに当たって必要があると認めるときは，成年後見人の請求により，信書の送達の事業を行う者に対し，期間を定めて，成年被後見人に宛てた郵便物又は民間事業者による信書の送達に関する法律（平成14年法律第99号）第2条第3項に規定する信書便物（次条において「郵便物等」という。）を成年後見人に配達すべき旨を嘱託することができる。
② 前項に規定する嘱託の期間は，6箇月を超えることができない。
③ 家庭裁判所は，第1項の規定による審判があった後事情に変更を生じたときは，成年被後見人，成年後見人若しくは成年後見監督人の請求により又は職権で，同項に規定する嘱託を取り消し，又は変更することができる。ただし，その変更の審判においては，同項の規定による審判において定められた期間を伸長することができない。
④ 成年後見人の任務が終了したときは，家庭裁判所は，第1項に規定する嘱託を取り消さなければならない。

第860条の3

① 成年後見人は，成年被後見人に宛てた郵便物等を受け取ったときは，これを開いて見ることができる。
② 成年後見人は，その受け取った前項の郵便物等で成年後見人の事務に関しないものは，速やかに成年被後見人に交付しなければならない。
③ 成年被後見人は，成年後見人に対し，成年後見人が受け取った第1項の郵便物等（前項の規定により成年被後見人に交付されたものを除く。）の閲覧を求めることができる。

第861条 （支出金額の予定及び後見の事務の費用）

① 後見人は，その就職の初めにおいて，被後見人の生活，教育又は療養看護及び財産の管理のために毎年支出すべき金額を予定しなければならない。
② 後見人が後見の事務を行うために必要な費用は，被後見人の財産の中から支弁する。

第862条 （後見人の報酬）

家庭裁判所は，後見人及び被後見人の資力その他の事情によって，被後見人の財産の中から，相当な報酬を後見人に与えることができる。

第863条 （後見の事務の監督）

① 後見監督人又は家庭裁判所は，いつでも，後見人に対し後見の事務の報告若しくは財産の目録の提出を求め，又は後見の事務若しくは被後見人の財産の状況を調査することができる。
② 家庭裁判所は，後見監督人，被後見人若しくはその親族その他の利害関係人の請求により又は職権で，被後見人の財産の管理その他後見の事務について必要な処分を命ずることができる。

第864条 （後見監督人の同意を要する行為）

後見人が，被後見人に代わって営業若しくは第13条第1項各号に掲げる行為をし，又は未成年被後見人がこれをすることに同意するには，後見監督人があるときは，その同意を得なければならない。ただし，同項第1号に掲げる元本の領収については，この限りでない。

第865条

① 後見人が，前条の規定に違反してし又は同意を与えた行為は，被後見人又は後見人が取り消すことができる。この場合においては，第20条の規定を準用する。

② 前項の規定は，第121条から第126条までの規定の適用を妨げない。

第866条 （被後見人の財産等の譲受けの取消し）
① 後見人が被後見人の財産又は被後見人に対する第三者の権利を譲り受けたときは，被後見人は，これを取り消すことができる。この場合においては，第20条の規定を準用する。
② 前項の規定は，第121条から第126条までの規定の適用を妨げない。

第867条 （未成年被後見人に代わる親権の行使）
① 未成年後見人は，未成年被後見人に代わって親権を行う。
② 第853条から第857条まで及び第861条から前条までの規定は，前項の場合について準用する。

第868条 （財産に関する権限のみを有する未成年後見人）
親権を行う者が管理権を有しない場合には，未成年後見人は，財産に関する権限のみを有する。

第869条 （委任及び親権の規定の準用）
第644条及び第830条の規定は，後見について準用する。

第4節／後見の終了

第870条 （後見の計算）
後見人の任務が終了したときは，後見人又はその相続人は，2箇月以内にその管理の計算（以下「後見の計算」という。）をしなければならない。ただし，この期間は，家庭裁判所において伸長することができる。

第871条
後見の計算は，後見監督人があるときは，その立会いをもってしなければならない。

第872条 （未成年被後見人と未成年後見人等との間の契約等の取消し）
① 未成年被後見人が成年に達した後後見の計算の終了前に，その者と未成年後見人又はその相続人との間でした契約は，その者が取り消すことができる。その者が未成年被後見人又はその相続人に対してした単独行為も，同様とする。
② 第20条及び第121条から第126条までの規定は，前項の場合について準用する。

第873条 （返還金に対する利息の支払等）
① 後見人が被後見人に返還すべき金額及び被後見人が後見人に返還すべき金額には，後見の計算が終了した時から，利息を付さなければならない。
② 後見人は，自己のために被後見人の金銭を消費したときは，その消費の時から，これに利息を付さなければならない。この場合において，なお損害があるときは，その賠償の責任を負う。

第873条の2 （成年被後見人の死亡後の成年後見人の権限）
成年後見人は，成年被後見人が死亡した場合において，必要があるときは，成年被後見人の相続人の意思に反することが明らかなときを除き，相続人が相続財産を管理することができるに至るまで，次に掲げる行為をすることができる。ただし，第3号に掲げる行為をするには，家庭裁判所の許可を得なければならない。
一 相続財産に属する特定の財産の保存に必要な行為
二 相続財産に属する債務（弁済期が到来しているものに限る。）の弁済
三 その死体の火葬又は埋葬に関する契約の締結その他相続財産の保存に必要な行為（前二号に掲げる行為を除く。）

第874条　（委任の規定の準用）
　　第654条及び第655条の規定は，後見について準用する。

第875条　（後見に関して生じた債権の消滅時効）
① 　第832条の規定は，後見人又は後見監督人と被後見人との間において後見に関して生じた債権の消滅時効について準用する。
② 　前項の消滅時効は，第872条の規定により法律行為を取り消した場合には，その取消しの時から起算する。

第6章　保佐及び補助

第1節／保佐

第876条　（保佐の開始）
　　保佐は，保佐開始の審判によって開始する。

第876条の2　（保佐人及び臨時保佐人の選任等）
① 　家庭裁判所は，保佐開始の審判をするときは，職権で，保佐人を選任する。
② 　第843条第2項から第4項まで及び第844条から第847条までの規定は，保佐人について準用する。
③ 　保佐人又はその代表する者と被保佐人との利益が相反する行為については，保佐人は，臨時保佐人の選任を家庭裁判所に請求しなければならない。ただし，保佐監督人がある場合は，この限りでない。

第876条の3　（保佐監督人）
① 　家庭裁判所は，必要があると認めるときは，被保佐人，その親族若しくは保佐人の請求により又は職権で，保佐監督人を選任することができる。
② 　第644条，第654条，第655条，第843条第4項，第844条，第846条，第847条，第850条，第851条，第859条の2，第859条の3，第861条第2項及び第862条の規定は，保佐監督人について準用する。この場合において，第851条第4号中「被後見人を代表する」とあるのは，「被保佐人を代表し，又は被保佐人がこれをすることに同意する」と読み替えるものとする。

第876条の4　（保佐人に代理権を付与する旨の審判）
① 　家庭裁判所は，第11条本文に規定する者又は保佐人若しくは保佐監督人の請求によって，被保佐人のために特定の法律行為について保佐人に代理権を付与する旨の審判をすることができる。
② 　本人以外の者の請求によって前項の審判をするには，本人の同意がなければならない。
③ 　家庭裁判所は，第1項に規定する者の請求によって，同項の審判の全部又は一部を取り消すことができる。

第876条の5　（保佐の事務及び保佐人の任務の終了等）
① 　保佐人は，保佐の事務を行うに当たっては，被保佐人の意思を尊重し，かつ，その心身の状態及び生活の状況に配慮しなければならない。
② 　第644条，第859条の2，第859条の3，第861条第2項，第862条及び第863条の規定は保佐の事務について，第824条ただし書の規定は保佐人が前条第1項の代理権を付与する旨の審判に基づき被保佐人を代表する場合について準用する。
③ 　第654条，第655条，第870条，第871条及び第873条の規定は保佐人の任務が終了した場合について，第832条の規定は保佐人又は保佐監督人と被保佐人との間において保佐に関して生じた債権について準用する。

第2節／補助

第876条の6（補助の開始）
　補助は，補助開始の審判によって開始する。

第876条の7（補助人及び臨時補助人の選任等）
① 家庭裁判所は，補助開始の審判をするときは，職権で，補助人を選任する。
② 第843条第2項から第4項まで及び第844条から第847条までの規定は，補助人について準用する。
③ 補助人又はその代表する者と被補助人との利益が相反する行為については，補助人は，臨時補助人の選任を家庭裁判所に請求しなければならない。ただし，補助監督人がある場合は，この限りでない。

第876条の8（補助監督人）
① 家庭裁判所は，必要があると認めるときは，被補助人，その親族若しくは補助人の請求により又は職権で，補助監督人を選任することができる。
② 第644条，第654条，第655条，第843条第4項，第844条，第846条，第847条，第850条，第851条，第859条の2，第859条の3，第861条第2項及び第862条の規定は，補助監督人について準用する。この場合において，第851条第4号中「被後見人を代表する」とあるのは，「被補助人を代表し，又は被補助人がこれをすることに同意する」と読み替えるものとする。

第876条の9（補助人に代理権を付与する旨の審判）
① 家庭裁判所は，第15条第1項本文に規定する者又は補助人若しくは補助監督人の請求によって，被補助人のために特定の法律行為について補助人に代理権を付与する旨の審判をすることができる。
② 第876条の4第2項及び第3項の規定は，前項の審判について準用する。

第876条の10（補助の事務及び補助人の任務の終了等）
① 第644条，第859条の2，第859条の3，第861条第2項，第862条，第863条及び第876条の5第1項の規定は補助の事務について，第824条ただし書の規定は補助人が前条第1項の代理権を付与する旨の審判に基づき被補助人を代表する場合について準用する。
② 第654条，第655条，第870条，第871条及び第873条の規定は補助人の任務が終了した場合について，第832条の規定は補助人又は補助監督人と被補助人との間において補助に関して生じた債権について準用する。

第7章 扶養

第877条（扶養義務者）
① 直系血族及び兄弟姉妹は，互いに扶養をする義務がある。
② 家庭裁判所は，特別の事情があるときは，前項に規定する場合のほか，三親等内の親族間においても扶養の義務を負わせることができる。
③ 前項の規定による審判があった後事情に変更を生じたときは，家庭裁判所は，その審判を取り消すことができる。

第878条（扶養の順位）
　扶養をする義務のある者が数人ある場合において，扶養をすべき者の順序について，当事者間に協議が調わないとき，又は協議をすることができないときは，家庭裁判所が，これを定める。扶養を受ける権利のある者が数人ある場合において，扶養義務者の資力がその全員を扶養するのに足りないときの扶養を受けるべき者の順序についても，同様とする。

第879条 （扶養の程度又は方法）
扶養の程度又は方法について，当事者間に協議が調わないとき，又は協議をすることができないときは，扶養権利者の需要，扶養義務者の資力その他一切の事情を考慮して，家庭裁判所が，これを定める。

第880条 （扶養に関する協議又は審判の変更又は取消し）
扶養をすべき者若しくは扶養を受けるべき者の順序又は扶養の程度若しくは方法について協議又は審判があった後事情に変更を生じたときは，家庭裁判所は，その協議又は審判の変更又は取消しをすることができる。

第881条 （扶養請求権の処分の禁止）
扶養を受ける権利は，処分することができない。

第5編 相続

第1章 ❀ 総則

第882条 （相続開始の原因）
相続は，死亡によって開始する。

★判例
1 ❀ 推定相続人は，単に，将来相続開始の際に被相続人の権利義務を包括的に承継すべき期待権を有するだけであって，現在においては，いまだ当然には，被相続人の個々の財産に対し権利を有するものではないから，たとえ被相続人が所有財産を他に仮装売買したとしても，単にその推定相続人であるというだけでは，右売買の無効の確認を求めることはできず，また，被相続人の権利（仮装譲受人への所有権移転登記抹消請求権）を代位行使することもできない。（最判昭和30・12・26民集9・14・2082）

第883条 （相続開始の場所）
相続は，被相続人の住所において開始する。

第884条 （相続回復請求権）
相続回復の請求権は，相続人又はその法定代理人が相続権を侵害された事実を知った時から5年間行使しないときは，時効によって消滅する。相続開始の時から20年を経過したときも，同様とする。

★判例
1 ❀ 共同相続人の1人又は数人が，相続財産のうち自己の本来の相続持分を超える部分について，自己の相続持分であると主張してこれを占有管理し，真正共同相続人の相続権を侵害している場合につき，民法884条の適用を特に否定すべき理由はないが，当該部分が他の共同相続人の持分に属することを知りながら，又はその部分について自分に相続持分があると信ずべき合理的な事由がないのに，その部分もまた自己の持分に属するものであると称して，これを占有管理している場合には，その者は相続回復請求制度の対象となる者ではなく，相続回復請求権の消滅時効を援用することができない。（最大判昭和53・12・20民集32・9・1674）

2 ※相続回復請求権の5年の短期消滅時効の起算時である『相続権を侵害された事実を知る』とは，たんに相続開始の事実を知るだけでなく，自分が，あるいは自分も真正相続人であることを知り，しかも，自分が相続から除外されていることを知ることである。（大判明治38・9・19民録11・1210）
3 ※本条の『相続権を侵害された事実を知った時』とは，単に相続開始の事実を知るだけではなく，自己が真正相続人であることを認識し，しかも自己が相続から除外されていることを認識した時である。（東京高判昭和45・3・17高民23・2・92）
4 ※(1)相続回復請求権の20年の時効は，相続権侵害の有無にかかわらず相続開始から進行すると解すべきことは，当裁判所の判例（最判昭和23・11・6民集2・12・397）とするところである。(2)Aの相続人Bの相続権はその相続の当初よりCに侵害され，その侵害の状態が引き続き後の相続人に及んでいると認定されているので，後の各相続人の相続権に対する新たな侵害が存在するわけではなく，Bの相続人Xに至るまでの相続人らの相続回復請求権の消滅時効期間の起算点は，Aの死亡の時である。（最判昭和39・2・27民集18・2・383）

第885条　（相続財産に関する費用）

相続財産に関する費用は，その財産の中から支弁する。ただし，相続人の過失によるものは，この限りでない。

第2章 ❀ 相続人

第886条　（相続に関する胎児の権利能力）
① 胎児は，相続については，既に生まれたものとみなす。
② 前項の規定は，胎児が死体で生まれたときは，適用しない。

第887条　（子及びその代襲者等の相続権）
① 被相続人の子は，相続人となる。
② 被相続人の子が，相続の開始以前に死亡したとき，又は第891条の規定に該当し，若しくは廃除によって，その相続権を失ったときは，その者の子がこれを代襲して相続人となる。ただし，被相続人の直系卑属でない者は，この限りでない。
③ 前項の規定は，代襲者が，相続の開始以前に死亡し，又は第891条の規定に該当し，若しくは廃除によって，その代襲相続権を失った場合について準用する。

第888条　削除

第889条　（直系尊属及び兄弟姉妹の相続権）
① 次に掲げる者は，第887条の規定により相続人となるべき者がない場合には，次に掲げる順序の順位に従って相続人となる。
　一　被相続人の直系尊属。ただし，親等の異なる者の間では，その近い者を先にする。
　二　被相続人の兄弟姉妹
② 第887条第2項の規定は，前項第2号の場合について準用する。

第890条　（配偶者の相続権）

被相続人の配偶者は，常に相続人となる。この場合において，第887条又は前条の規定により相続人となるべき者があるときは，その者と同順位とする。

第891条　（相続人の欠格事由）

次に掲げる者は，相続人となることができない。
　一　故意に被相続人又は相続について先順位若しくは同順位にある者を死亡するに至らせ，又は至らせようとしたために，刑に処せられた者
　二　被相続人の殺害されたことを知って，これを告発せず，又は告訴しなかった者。ただし，その者に是非の弁別がないとき，又は殺害者が自己の配偶者若しくは直系血族であったときは，この限りでない。
　三　詐欺又は強迫によって，被相続人が相続に関する遺言をし，撤回し，取り消し，又は変更することを妨げた者

四　詐欺又は強迫によって，被相続人に相続に関する遺言をさせ，撤回させ，取り消させ，又は変更させた者

五　相続に関する被相続人の遺言書を偽造し，変造し，破棄し，又は隠匿した者

★判例

1※民法891条5号の趣旨は，遺言に関し著しく不当な干渉行為をした相続人に対して，相続人となる資格を失わせるという民事上の制裁を課すことにあるが，相続人が相続に関する被相続人の遺言書を破棄又は隠匿した場合において，その行為が相続に関して不当な利益を目的とするものでなかったときは，これを遺言に関する著しく不当な干渉行為ということはできず，このような行為をした者に相続人資格の喪失という厳しい制裁を課することは同号の趣旨に沿わないから，その相続人は，民法891条5号所定の相続欠格者に当たらない。（最判平成9・1・28民集51・1・184）

第892条　（推定相続人の廃除）

遺留分を有する推定相続人（相続が開始した場合に相続人となるべき者をいう。以下同じ。）が，被相続人に対して虐待をし，若しくはこれに重大な侮辱を加えたとき，又は推定相続人にその他の著しい非行があったときは，被相続人は，その推定相続人の廃除を家庭裁判所に請求することができる。

★判例

1※民法892条にいう虐待又は重大な侮辱は，被相続人に対し精神的苦痛を与え，又はその名誉を毀損する行為であって，それにより被相続人と当該相続人との家族的協同生活関係が破壊され，その修復を著しく困難にするものをも含む。子Yが家族と価値観を共有せず，むしろ反社会的集団への帰属感を強め，かかる集団である暴力団の一員であった者と婚姻し，しかもそのことを親Xの知人にも知れ渡るような方法で公表したなどという事情の下では，Xは多大な精神的苦痛を受け，名誉が毀損され，XとYとの家族的協同生活関係は全く破壊され，今後もその修復が著しく困難な状況にあるといえる。（東京高決平成4・12・11判時1448・130）

第893条　（遺言による推定相続人の廃除）

被相続人が遺言で推定相続人を廃除する意思を表示したときは，遺言執行者は，その遺言が効力を生じた後，遅滞なく，その推定相続人の廃除を家庭裁判所に請求しなければならない。この場合において，その推定相続人の廃除は，被相続人の死亡の時にさかのぼってその効力を生ずる。

第894条　（推定相続人の廃除の取消し）

① 被相続人は，いつでも，推定相続人の廃除の取消しを家庭裁判所に請求することができる。

② 前条の規定は，推定相続人の廃除の取消しについて準用する。

第895条　（推定相続人の廃除に関する審判確定前の遺産の管理）

① 推定相続人の廃除又はその取消しの請求があった後その審判が確定する前に相続が開始したときは，家庭裁判所は，親族，利害関係人又は検察官の請求によって，遺産の管理について必要な処分を命ずることができる。推定相続人の廃除の遺言があったときも，同様とする。

② 第27条から第29条までの規定は，前項の規定により家庭裁判所が遺産の管理人を選任した場合について準用する。

第3章❀相続の効力

第1節／総則

第896条　（相続の一般的効力）

相続人は，相続開始の時から，被相続人の財産に属した一切の権利義務を承継する。ただし，被相続人の一身に専属したものは，この限りでない。

★判例

【相続財産の範囲】

1※継続的取引について将来負担することのあるべき債務についてした責任の限度額ならびに

期間について定めのない連帯保証契約においては，特定の債務についてした通常の連帯保証の場合と異なり，その責任の及ぶ範囲が極めて広汎となり，それは専ら契約締結の当事者の人的信用関係を基礎とするものであるから，かかる保証人たる地位は，特段の事由のないかぎり，当事者その人と終始するものであって，保証人の死亡後生じた債務については，その相続人がこの保証債務を負担するものではない。(最判昭37・11・9民集16・11・2270)

2 ※保険契約約款上の『保険金受取人の指定のないときは，保険金を被保険者の相続人に支払う』旨の条項は，被保険者が死亡した場合において，保険金請求権の帰属を明確にするため，被保険者の相続人に保険金を取得させることを定めたものと解するのが相当であり，保険金受取人を相続人と指定したのと何ら異ならず，保険金受取人を相続人と指定した保険契約は，特段の事情のない限り，被保険者死亡の時におけるその相続人たるべき者のための契約であり，その保険金請求権は，保険契約の効力発生と同時に，相続人たるべき者の固有財産となり，被保険者の遺産から離脱する。(最判昭48・6・29民集27・6・737)

3 ※Yの夫AはB財団法人を設立し，理事長を務めていたが，Aの死亡当時，Bには退職金支給規程ないし死亡功労金支給規程がなかったところ，Aの死亡後，BはAに対する死亡退職金として2千万円を支給する旨の決定をし，Yにこれを支払ったとき，その死亡退職金は，Aの相続財産として相続人の代表者としてのYに支給されたものではなく，相続という関係を離れて，Aの配偶者であったY個人に対して支給されたものであるから，Aの子Xは，Yに対してその分割を請求することができない。(最判昭62・3・3家月39・10・61)

4 ※預託金会員制ゴルフクラブにおいて，会則等に正会員が死亡した場合におけるその地位の相続に関する定めがない場合であっても，右地位の譲渡に関する定めがあるときは，正会員としての地位の変動という点では譲渡による場合と会員の死亡に伴う相続による場合とで特に異なるところはないから，会員の死亡によりその相続人は，右地位の譲渡に準ずる手続を踏んで正会員としての地位を取得することができる。(最判平9・3・25民集51・3・1609)

5 ※身元保証債務は一身専属性をもつが，身元保証人の補償すべき損害がすでに発生して，具体的の賠償債務となってしまった後に，身元保証人が死亡した場合には，その補償義務は相続される。(大判昭10・11・29民集11・1934)

6 ※扶養請求権そのものは一身専属的な権利であって相続の対象とならないが，扶養料の請求によってその範囲が具体化し，さらに審判などによって金額などが形成された場合には，金銭債権化され，一身専属性は失われて相続の対象となる。(東京高決昭52・10・25家月30・5・168)

7 ※公営住宅の入居者が死亡した場合に，その相続人は，公営住宅を使用する権利を当然に取得すると解する余地はない。(最判平2・10・18民集44・7・1021)

第897条 （祭祀に関する権利の承継）

① 系譜，祭具及び墳墓の所有権は，前条の規定にかかわらず，慣習に従って祖先の祭祀を主宰すべき者が承継する。ただし，被相続人の指定に従って祖先の祭祀を主宰すべき者があるときは，その者が承継する。

② 前項本文の場合において慣習が明らかでないときは，同項の権利を承継すべき者は，家庭裁判所が定める。

★判例

1 ※夫の死亡後，その生存配偶者が原始的にその祭祀を主宰することは，婚姻夫婦をもって家族関係形成の一つの原初形態としている民法の法意及び近時の我が国の慣習に徴し，法的にも承認されていると解され，その場合，亡夫の遺体ないし遺骨が右祭祀財産に属すべきものであることは条理上当然であるから，配偶者の遺体ないし遺骨の所有権は，通常の遺産相続によることなく，その祭祀を主宰する生存配偶者に原始的に帰属し，次いでその子によって承継される。(東京高判昭62・10・8民集40・3・45)

第897条の2 （相続財産の保存）

① 家庭裁判所は，利害関係人又は検察官の請求によって，いつでも，相続財産の管理人の選任その他の相続財産の保存に必要な処分を命ずることができる。ただし，相続人が1人である場合においてその相続人が相続の単純承認をしたとき，

相続人が数人ある場合において遺産の全部の分割がされたとき，又は第952条第1項の規定により相続財産の清算人が選任されているときは，この限りでない。
② 第27条から第29条までの規定は，前項の規定により家庭裁判所が相続財産の管理人を選任した場合について準用する。

第898条 （共同相続の効力）

① 相続人が数人あるときは，相続財産は，その共有に属する。
② 相続財産について共有に関する規定を適用するときは，第900条から第902条までの規定により算定した相続分をもって各相続人の共有持分とする。

★判例
1※共同相続人の1人が相続開始前から被相続人の許諾を得て，遺産である建物において被相続人と同居してきたときは，特段の事情のない限り，被相続人と右同居の相続人との間において，被相続人が死亡し相続が開始した後も，遺産分割により右建物の所有関係が最終的に確定するまでの間は，引き続き右同居の相続人にこれを無償で使用させる旨の合意があったものと推認され，被相続人の地位を承継した他の相続人等を貸主，右同居の相続人を借主とする右建物の使用貸借契約関係が存続することになるから，占有使用していない他の相続人は，同居の相続人に対して不当利得返還請求をすることができない。（最判平成8・12・17民集50・10・2778）
2※相続財産の共有（民法898条）は，民法改正の前後を通じ，民法249条以下に規定する『共有』とその性質を異にするものではないと解すべきである。したがって，遺産の共有及び分割に関しては，共有に関する民法256条以下の規定が第一次的に適用され，遺産の分割は現物分割を原則とし，分割によって著しくその価格を損するおそれがあるときは，その競売を命じて価格分割を行うことになるのであって，民法906条は，その場合にとるべき方針を明らかにしたものである。（最判昭和30・5・31民集9・6・793）
3※被相続人の遺産につき特定の共同相続人が相続人の地位を有するか否かの点は，遺産分割をすべき当事者の範囲，相続分及び遺留分の算定等の相続関係の処理における基本的な事項の前提となる事柄である。そして，共同相続人が，他の共同相続人に対し，その者が被相続人の遺産につき相続人の地位を有しないことの確認を求める訴えは，共同相続人全員が当事者として関与し，その間で合一にのみ確定することを要するものというべきであり，いわゆる固有必要的共同訴訟と解するのが相当である。（最判平成16・7・6民集58・5・1319）
4※共同相続人が，全員の合意により，遺産分割前に遺産を構成する特定不動産を第三者に売却したときは，その不動産は遺産分割の対象から逸脱し，各相続人は第三者に対し相続分に応じた代金債権を取得し，これを個々に請求することができる。（最判昭和52・9・19判時868・29）
5※預金者の共同相続人は，共同相続人全員に帰属する預金契約上の地位に基づき，被相続人名義の預金口座の取引経過の開示を求める権利を単独で行使することができる。（最判平成21・1・22民集63・1・228）
6※共同相続された普通預金債権，通常貯金債権及び定期貯金債権は，いずれも，相続開始と同時に当然に相続分に応じて分割されることはなく，遺産分割の対象となるものと解するのが相当である。（最大判平成28・12・19民集70巻・8・2121）

第899条

各共同相続人は，その相続分に応じて被相続人の権利義務を承継する。

★判例
1※連帯債務は，各債務が債権の確保及び満足という共同の目的を達成する手段として相互に関連結合しているが，なお通常の金銭債務と同様に可分であるから，連帯債務者の1人が死亡し，その者に相続人が数人ある場合は，その相続人は被相続人の債務の分割されたものを承継し，各自の承継した範囲において，本来の債務者とともに連帯債務者となる。（最判昭和34・6・19民集13・6・757）
2※相続人は，遺産の分割までの間は，相続開始時に存した金銭を相続財産として保管している他の相続人に対して，自己の相続分に相当する金銭の支払を求めることができない。Aが現金6千万円以上を保有したまま死亡し，X1〜X4とYがこれを共同で相続し，Yはその現金を「A遺産管理人Y」名義で銀行に預金したが，X1〜X4及びYの間ではいまだ遺産分割協議が成立していない場合，X1らは，その現金について，それぞれの法定相

続分に応じた金銭の支払を，Yに対して請求することができない。（最判平成4・4・10家月44・8・16）
3 ※相続人が数人ある場合に，相続財産中に金銭その他の可分債権があるときは，債権は法律上当然に分割され，各共同相続人がその相続分に応じ権利を承継する。（最判昭和29・4・8民集8・4・819）
4 ※共同相続された定期預金債権及び定期積金債権は，いずれも，相続開始と同時に当然に相続分に応じて分割されることはない。（最判平成29・4・6 集民255・129）

第899条の2 （共同相続における権利の承継の対抗要件）

① 相続による権利の承継は，遺産の分割によるものかどうかにかかわらず，次条及び第901条の規定により算定した相続分を超える部分については，登記，登録その他の対抗要件を備えなければ，第三者に対抗することができない。

② 前項の権利が債権である場合において，次条及び第901条の規定により算定した相続分を超えて当該債権を承継した共同相続人が当該債権に係る遺言の内容（遺産の分割により当該債権を承継した場合にあっては，当該債権に係る遺産の分割の内容）を明らかにして債務者にその承継の通知をしたときは，共同相続人の全員が債務者に通知をしたものとみなして，同項の規定を適用する。

★判例
1 ※遺産の分割は，相続開始の時にさかのぼってその効力を生ずるが，第三者に対する関係においては，相続人が相続により一旦取得した権利につき分割時に新たな変更を生ずるのと実質上異ならないものであるから，不動産に対する相続人の共有持分の遺産分割による得喪変更については，民法177条の適用があり，分割により相続分と異なる権利を取得した相続人は，その旨の登記を経なければ，分割後に当該不動産につき権利を取得した第三者に対し，自己の権利の取得を対抗することができない。（最判昭和46・1・26民集25・1・90）

第2節／相続分

第900条 （法定相続分）

同順位の相続人が数人あるときは，その相続分は，次の各号の定めるところによる。
一 子及び配偶者が相続人であるときは，子の相続分及び配偶者の相続分は，各2分の1とする。
二 配偶者及び直系尊属が相続人であるときは，配偶者の相続分は，3分の2とし，直系尊属の相続分は，3分の1とする。
三 配偶者及び兄弟姉妹が相続人であるときは，配偶者の相続分は，4分の3とし，兄弟姉妹の相続分は，4分の1とする。
四 子，直系尊属又は兄弟姉妹が数人あるときは，各自の相続分は，相等しいものとする。ただし，父母の一方のみを同じくする兄弟姉妹の相続分は，父母の双方を同じくする兄弟姉妹の相続分の2分の1とする。

★判例
1 ※相続制度を定めるにあたっては，国の伝統，社会事情，国民感情等を考慮する必要がある。また，その国の婚姻・親子関係に対する規律や国民意識なしには定めることができない。これらを総合的に考慮したうえで，いかに定めるかは立法府の合理的な裁量に委ねられている。しかし，社会動向，家族形態の多様化や，これに伴う国民の意識の変化等を総合的に考察すれば，嫡出でない子の相続分を嫡出である子の相続分の2分の1とする本件規定（民法第900条第4号ただし書前段）は，遅くとも相続が開始した平成13年7月当時においては立法府の裁量権を考慮しても，合理的な根拠がうしなわれていたというべきであり，憲法14条1項に違反して無効である。（最大判平成25・9・4）

第901条 （代襲相続人の相続分）

① 第887条第2項又は第3項の規定により相続人となる直系卑属の相続分は，その直系尊属が受けるべきであったものと

同じとする。ただし，直系卑属が数人あるときは，その各自の直系尊属が受けるべきであった部分について，前条の規定に従ってその相続分を定める。
② 前項の規定は，第889条第2項の規定により兄弟姉妹の子が相続人となる場合について準用する。

第902条 （遺言による相続分の指定）
① 被相続人は，前二条の規定にかかわらず，遺言で，共同相続人の相続分を定め，又はこれを定めることを第三者に委託することができる。
② 被相続人が，共同相続人中の1人若しくは数人の相続分のみを定め，又はこれを第三者に定めさせたときは，他の共同相続人の相続分は，前二条の規定により定める。

第902条の2 （相続分の指定がある場合の債権者の権利の行使）
　被相続人が相続開始の時において有した債務の債権者は，前条の規定による相続分の指定がされた場合であっても，各共同相続人に対し，第900条及び第901条の規定により算定した相続分に応じてその権利を行使することができる。ただし，その債権者が共同相続人の1人に対してその指定された相続分に応じた債務の承継を承認したときは，この限りでない。

第903条 （特別受益者の相続分）
① 共同相続人中に，被相続人から，遺贈を受け，又は婚姻若しくは養子縁組のため若しくは生計の資本として贈与を受けた者があるときは，被相続人が相続開始の時において有した財産の価額にその贈与の価額を加えたものを相続財産とみなし，第900条から第902条までの規定により算定した相続分の中からその遺贈又は贈与の価額を控除した残額をもってその

者の相続分とする。
② 遺贈又は贈与の価額が，相続分の価額に等しく，又はこれを超えるときは，受遺者又は受贈者は，その相続分を受けることができない。
③ 被相続人が前二項の規定と異なった意思を表示したときは，その意思に従う。
④ 婚姻期間が20年以上の夫婦の一方である被相続人が，他の一方に対し，その居住の用に供する建物又はその敷地について遺贈又は贈与をしたときは，当該被相続人は，その遺贈又は贈与について第1項の規定を適用しない旨の意思を表示したものと推定する。

★判例
1※民法903条1項によって定められる具体的相続分は，遺産分割手続における分配の前提となるべき計算上の価額又はその価額の遺産の総額に対する割合を意味するものであり，それ自体は実体法上の権利関係ではなく，遺産分割審判事件における遺産の分割や遺留分減殺請求に関する訴訟事件における遺留分の確定等のための前提問題として審理判断される事項であって，これのみを別個独立に判決によって確認することが，紛争の直接かつ抜本的解決のため適切かつ必要であるとはいえないから，共同相続人間において具体的相続分の価額又は割合の確認を求める訴えは，確認の訴えの利益を欠き不適法である。（最判平成12・2・24民集54・2・523）
2※養老保険契約に基づき保険金受取人とされた相続人が取得する死亡保険金請求権は，本条1項に規定する遺贈又は贈与に係る財産には当たらない。もっとも，死亡保険金請求権の取得のための費用である保険料は，被相続人が生前保険者に支払ったものであり，保険契約者である被相続人の死亡により保険金受取人である相続人に死亡保険金請求権が発生するなどにかんがみると，保険金受取人である相続人とその他の共同相続人との間に生ずる不公平が本条の趣旨に照らし到底是認することができないほどに著しいものであると評価すべき特段の事情が存する場合には，本条の類推適用により，当該死亡保険金請求権は特別受益に準じて持戻しの対象となる。（最決平成16・10・29民集58・7・1979）
3※相続が開始して遺産分割が未了の間に相続人が死亡した場合において，第二次被相続人が

取得した第一次被相続人の遺産についての相続分に応じた共有持分権は，実体上の権利であり，第二次被相続人の遺産として遺産分割の対象となり，第二次被相続人から特別受益を受けた者があるときは，その持戻しをして具体的相続分を算定しなければならない。
（最決平成17・10・11判時1914・80）

第904条
前条に規定する贈与の価額は，受贈者の行為によって，その目的である財産が滅失し，又はその価格の増減があったときであっても，相続開始の時においてなお原状のままであるものとみなしてこれを定める。

第904条の2（寄与分）
① 共同相続人中に，被相続人の事業に関する労務の提供又は財産上の給付，被相続人の療養看護その他の方法により被相続人の財産の維持又は増加について特別の寄与をした者があるときは，被相続人が相続開始の時において有した財産の価額から共同相続人の協議で定めたその者の寄与分を控除したものを相続財産とみなし，第900条から第902条までの規定により算定した相続分に寄与分を加えた額をもってその者の相続分とする。
② 前項の協議が調わないとき，又は協議をすることができないときは，家庭裁判所は，同項に規定する寄与をした者の請求により，寄与の時期，方法及び程度，相続財産の額その他一切の事情を考慮して，寄与分を定める。
③ 寄与分は，被相続人が相続開始の時において有した財産の価額から遺贈の価額を控除した残額を超えることができない。
④ 第2項の請求は，第907条第2項の規定による請求があった場合又は第910条に規定する場合にすることができる。

★判例
1※民法が遺留分の制度を設け，これを侵害する遺贈及び生前贈与については遺留分権利者及びその承継人に減殺請求権を認めている一方，寄与分については，家庭裁判所は寄与の時期，方法及び程度，相続財産の額その他一切の事情を考慮して定める旨規定していることからすれば，裁判所が寄与分を定めるにあたっては，他の相続人の遺留分を侵害しないかどうかについても考慮すべきである。相続人たる子4名のうち1名について，家業である農業を続け，遺産である農地等の維持管理に務めたり，被相続人の療養看護に当たったというだけでは，その相続人に7割の寄与分を認めるのは相当でない。（東京高決平成3・12・24判タ794・215）

第904条の3（期間経過後の遺産の分割における相続分）
前三条の規定は，相続開始の時から10年を経過した後にする遺産の分割については，適用しない。ただし，次の各号のいずれかに該当するときは，この限りでない。
一 相続開始の時から10年を経過する前に，相続人が家庭裁判所に遺産の分割の請求をしたとき。
二 相続開始の時から始まる10年の期間の満了前6箇月以内の間に，遺産の分割を請求することができないやむを得ない事由が相続人にあった場合において，その事由が消滅した時から6箇月を経過する前に，当該相続人が家庭裁判所に遺産の分割の請求をしたとき。

第905条（相続分の取戻権）
① 共同相続人の1人が遺産の分割前にその相続分を第三者に譲り渡したときは，他の共同相続人は，その価額及び費用を償還して，その相続分を譲り受けることができる。
② 前項の権利は，1箇月以内に行使しなければならない。

★判例
1※共同相続人の1人が，遺産に属する特定の不動産についてその者が有していた共有持分権を第三者に譲り渡した場合は，民法905条を適用又は類推適用することができず，共同相続人による協議又は家庭裁判所の審判手続に

民法（906条—907条）

よる遺産分割前に，譲受人が譲渡人以外の共同相続人に対して提起する共有物分割の訴えは適法である。(最判昭和53・7・13判時908・41)

第3節／遺産の分割

第906条　（遺産の分割の基準）

遺産の分割は，遺産に属する物又は権利の種類及び性質，各相続人の年齢，職業，心身の状態及び生活の状況その他一切の事情を考慮してこれをする。

★判例
1 ※共有持分権を有する共同相続人全員によって他に売却された土地は，遺産分割の対象たる相続財産から逸出するとともに，その売却代金は，これを一括して共同相続人の1人に保管させて遺産分割の対象に含める合意をするなどの特別の事情のない限り，相続財産には加えられず，共同相続人が各持分に応じて個々にこれを分割取得する。共同相続人の一部は自ら売買代金を受領し，共同相続人の1人に代金受領を委任した共同相続人の一部は受任者から代金の交付を受けているなどの事情の下では，右特別の事情はなく，共同相続人は代金債権を相続財産としてではなく，固有の権利として取得する。(最判昭54・2・22家月32・1・149)
2 ※遺産分割の協議においてどのような分割の方法をとるかは相続人の自由であり，たとえ，その協議によって，ある相続人が実質上相続放棄と同様の結果になったとしても，その協議を無効とする理由はない。本条は遺産分割の基準を定めているが，それは原則的な訓示規定たるにとどまり，自由な意思に基づく合意である限り，同条の定める基準に従わないからといって分割の協議が無効であると解することはできない。(熊本地判昭30・1・11下民集6・1・11)

第906条の2　（遺産の分割前に遺産に属する財産が処分された場合の遺産の範囲）

① 遺産の分割前に遺産に属する財産が処分された場合であっても，共同相続人は，その全員の同意により，当該処分された財産が遺産の分割時に遺産として存在するものとみなすことができる。

② 前項の規定にかかわらず，共同相続人の1人又は数人により同項の財産が処分されたときは，当該共同相続人については，同項の同意を得ることを要しない。

第907条　（遺産の分割の協議又は審判）

① 共同相続人は，次条第1項の規定により被相続人が遺言で禁じた場合又は同条第2項の規定により分割をしない旨の契約をした場合を除き，いつでも，その協議で，遺産の全部又は一部の分割をすることができる。

② 遺産の分割について，共同相続人間に協議が調わないとき，又は協議をすることができないときは，各共同相続人は，その全部又は一部の分割を家庭裁判所に請求することができる。ただし，遺産の一部を分割することにより他の共同相続人の利益を害するおそれがある場合におけるその一部の分割については，この限りでない。

★判例
1 ※共同相続人間において遺産分割協議が成立した場合，相続人の1人が他の相続人に対して右協議において負担した債務を履行しないときであっても，遺産分割はその性質上協議の成立とともに終了し，その後は右協議において右債務を負担した相続人とその債権を取得した相続人との間の債権債務関係が残るだけであり，また，遺産分割の解除を認めると，遡及効を有する遺産の再分割を余儀なくされ，法的安定性が著しく害されることになるから，他の相続人は，民法541条によって右遺産分割協議を解除することができない。(最判平成元・2・9民集43・2・1)
2 ※共同相続人の全員が，既に成立している遺産分割協議の全部又は一部を合意により解除した上，改めて遺産分割協議をすることは，法律上，当然には妨げられるものではなく，遺産分割協議の修正も，右のような共同相続人全員による遺産分割協議の合意解除と再分割協議を指すものと解されるから，許されないものではない。(最判平成2・9・27民集44・6・995)
3 ※亡Aには子BXC3名の相続人がいたが，Bが死亡した後，その子Yが，Aの相続につ

いて，XCから相続分不存在証明書と印鑑証明書の交付を受け，Bの相続についても，他の共同相続人から相続分不存在証明書と印鑑証明書の交付を受けて，それにより本件遺産につきY単独名義の相続登記をした場合は，本件遺産を亡Bが単独相続したこととする旨の分割協議が亡Aの相続人らの間で成立し，亡Bの相続人らの間においても，亡B所有の本件遺産をYが全部取得する旨の分割協議が成立したものと認められる。（東京高判昭59・9・25家月37・10・83）

4※相続財産の共有（民法898条）は，民法改正の前後を通じ，民法249条以下に規定する『共有』とその性質を異にするものではないと解すべきである。したがって，遺産の共有及び分割に関しては，共有に関する民法256条以下の規定が第一次的に適用され，遺産の分割は現物分割を原則とし，分割によって著しくその価格を損するおそれがあるときは，その競売を命じて価格分割を行うことになるのであって，民法906条は，その場合にとるべき方針を明らかにしたものである。（最判昭和30・5・31民集9・6・793）

5※共同相続人とその1人から特定財産の持分権を譲り受けた第三者とが共同所有する関係の解消を求める方法として裁判上とるべき手続は，民法907条に基づく遺産分割審判ではなく，民法258条に基づく共有物分割訴訟であると解するのが相当である。（最判昭和50・11・7民集29・10・1525）

6※遺産相続により相続人の共有となった財産の分割については，家庭裁判所が審判によってこれをなすべきであって，民法258条による共有物分割請求の訴えは不適法である。（最判昭和62・9・4判時1251・101）

7※法人も権利能力を有するものとして，受遺者となることができる。そして，包括受遺者は相続人と同一の権利義務を有するものとされている。したがって，包括遺贈を受けた法人は，他の包括受遺者や共同相続人とともに遺産分割協議に参加することができる。（東京家審昭40・5・20家月17・10・121）

8※(1)国税の滞納者を含む共同相続人の間で成立した遺産分割協議は，滞納者である相続人にその相続分に満たない財産を取得させ，他の相続人にその相続分を超える財産を取得させるものであるときは，国税徴収法39条にいう第三者に利益を与える処分に当たり得る。(2)滞納者に詐害の意思のあることは，国税徴収法39条所定の第二次納税義務の成立要件ではない。（最判平成21・12・10民集63・10・234，

判タ1315・76，判時2066・14）

第908条　（遺産の分割の方法の指定及び遺産の分割の禁止）

① 被相続人は，遺言で，遺産の分割の方法を定め，若しくはこれを定めることを第三者に委託し，又は相続開始の時から5年を超えない期間を定めて，遺産の分割を禁ずることができる。

② 共同相続人は，5年以内の期間を定めて，遺産の全部又は一部について，その分割をしない旨の契約をすることができる。ただし，その期間の終期は，相続開始の時から10年を超えることができない。

③ 前項の契約は，5年以内の期間を定めて更新することができる。ただし，その期間の終期は，相続開始の時から10年を超えることができない。

④ 前条第2項本文の場合において特別の事由があるときは，家庭裁判所は，5年以内の期間を定めて，遺産の全部又は一部について，その分割を禁ずることができる。ただし，その期間の終期は，相続開始の時から10年を超えることができない。

⑤ 家庭裁判所は，5年以内の期間を定めて前項の期間を更新することができる。ただし，その期間の終期は，相続開始の時から10年を超えることができない。

★判例

1※特定の遺産を特定の相続人に『相続させる』趣旨の遺言は，遺言書の記載から，その趣旨が遺贈であることが明らかであるか又は遺贈と解すべき特段の事情がない限り，民法908条にいう遺産の分割の方法を定めたものである。この場合，当該遺言において，相続による承継を当該相続人の受諾の意思表示にかからせたなどの特段の事情のない限り，何らの行為を要せずして，被相続人の死亡の時に，直ちに当該遺産が当該相続人に相続により承継され，その遺産については遺産分割の協議又は審判を経る余地はない。（最判平成3・4・19民集45・4・477）

実体法

民法（908条）

第909条 (遺産の分割の効力)

遺産の分割は，相続開始の時にさかのぼってその効力を生ずる。ただし，第三者の権利を害することはできない。

★判例

1 ※不動産に対する相続人の共有持分の遺産分割による得喪変更については民法177条の適用があり，分割により相続分と異なる権利を取得した相続人は，その旨の登記を経なければ，分割後に当該不動産につき権利を取得した第三者に対し，自己の権利の取得を対抗することができない。(最判昭和46・1・26民集25・1・90)

2 ※遺産は，相続人が数人ある場合において，相続開始から遺産分割までの間，共同相続人の共有に属するものであるから，この間に遺産である賃貸不動産を使用管理した結果生ずる金銭債権たる賃料債権は，遺産とは別個の財産というべきであって，右共同相続人がその相続分に応じて分割相続債権として確定的に取得するものと解するのが相当である。遺産分割は，相続開始のときにさかのぼってその効力を生ずるものであるが，右共同相続人がその相続分に応じて分割単独債権として確定的に取得した右賃料債権の帰属は，後にされた遺産分割の影響を受けない。(最判平成17・9・8判時1913・62)

3 ※共同相続人間において遺産分割協議が成立した場合に，相続人の一人が他の相続人に対して右協議において負担した債務を履行しないときであっても，他の相続人は民法541条によって右遺産分割協議を解除することができないと解するのが相当である。けだし，遺産分割はその性質上協議の成立とともに終了し，その後は右協議において右債務を負担した相続人とその債権を取得した相続人間の債権債務関係が残るだけと解すべきであり，しかも，このように解さなければ民法909条本文により遡及効を有する遺産の再分割を余儀なくされ，法的安定性が著しく害されることになるからである。(最判平成元・2・9民集43・2・1)

第909条の2 (遺産の分割前における預貯金債権の行使)

各共同相続人は，遺産に属する預貯金債権のうち相続開始の時の債権額の3分の1に第900条及び第901条の規定により算定した当該共同相続人の相続分を乗じた額(標準的な当面の必要生計費，平均的な葬式の費用の額その他の事情を勘案して預貯金債権の債務者ごとに法務省令で定める額を限度とする。)については，単独でその権利を行使することができる。この場合において，当該権利の行使をした預貯金債権については，当該共同相続人が遺産の一部の分割によりこれを取得したものとみなす。

第910条 (相続の開始後に認知された者の価額の支払請求権)

相続の開始後認知によって相続人となった者が遺産の分割を請求しようとする場合において，他の共同相続人が既にその分割その他の処分をしたときは，価額のみによる支払の請求権を有する。

★判例

1 ※母と子の間の親子関係は，原則として，母の認知をまたず分娩の事実により当然に発生するから，母子関係が存在する場合には，認知によって形成される父子関係に関する民法784条但書を類推適用するまでもなく，また，同法910条は，遺産分割その他の処分のなされたときに当該相続人の他に共同相続人が存在しなかった場合における当該相続人の保護をはかるところに主眼があり，第三取得者は右相続人が保護される結果として保護されるのにすぎないから，母の死亡による遺産分割その他の処分後に相続人の存在が明らかになった場合は，同条を類推適用することができない。(最判昭和54・3・23民集33・2・294)

2 ※相続の開始後認知によって相続人となった者が他の共同相続人に対して民法910条に基づき価額の支払を請求する場合における遺産の価額算定の基準時は，価額の支払を請求した時である。(最判平成28・2・26民集70・2・195)

3 ※相続の開始後認知によって相続人となった者が遺産の分割を請求しようとする場合において，他の共同相続人が既に当該遺産の分割をしていたときは，民法910条に基づき支払われるべき価額の算定の基礎となる遺産の価額は，当該分割の対象とされた積極財産の価額である。(最判令和元・8・27民集73・3・374)

第911条（共同相続人間の担保責任）
　各共同相続人は，他の共同相続人に対して，売主と同じく，その相続分に応じて担保の責任を負う。

第912条（遺産の分割によって受けた債権についての担保責任）
① 各共同相続人は，その相続分に応じ，他の共同相続人が遺産の分割によって受けた債権について，その分割の時における債務者の資力を担保する。
② 弁済期に至らない債権及び停止条件付きの債権については，各共同相続人は，弁済をすべき時における債務者の資力を担保する。

第913条（資力のない共同相続人がある場合の担保責任の分担）
　担保の責任を負う共同相続人中に償還をする資力のない者があるときは，その償還することができない部分は，求償者及び他の資力のある者が，それぞれその相続分に応じて分担する。ただし，求償者に過失があるときは，他の共同相続人に対して分担を請求することができない。

第914条（遺言による担保責任の定め）
　前三条の規定は，被相続人が遺言で別段の意思を表示したときは，適用しない。

第4章　相続の承認及び放棄

第1節／総則

第915条（相続の承認又は放棄をすべき期間）
① 相続人は，自己のために相続の開始があったことを知った時から3箇月以内に，相続について，単純若しくは限定の承認又は放棄をしなければならない。ただし，この期間は，利害関係人又は検察官の請求によって，家庭裁判所において伸長することができる。
② 相続人は，相続の承認又は放棄をする前に，相続財産の調査をすることができる。

> ★判例
> 1※相続人が相続開始の原因たる事実及びこれにより自己が法律上相続人となった事実を知ったときから3ヶ月以内に限定承認又は相続放棄をしなかったのが，被相続人に相続財産が全く存在しないと信じたためであり，かつ，被相続人の生活歴，被相続人と相続人との間の交際状態その他諸般の状況からみて，当該相続人に対し相続財産の有無の調査を期待することが著しく困難な事情があって，相続人において右のように信ずるにつき相当な理由があると認められるときは，民法915条1項の熟慮期間は，相続人が相続財産の全部又は一部の存在を認識した時又は通常これを認識しうべき時から起算する。(最判昭和59・4・27民集38・6・698)
> 2※相続人が数人いる場合には，本条1項が定める3ヶ月の期間は，相続人がそれぞれ自己のために相続の開始があったことを知ったときから各別に進行する。右期間を徒過した相続人は，もはや相続の放棄をすることはできない。(最判昭和51・7・1家月29・2・91)
> 3※『自己のために相続の開始があったことを知った時』とは，相続人が相続開始の原因たる事実の発生を知り，かつ，そのために自己が相続人となったことを覚知した時を指す。(大決大正15・8・3民集5・679)

第916条
　相続人が相続の承認又は放棄をしないで死亡したときは，前条第1項の期間は，その者の相続人が自己のために相続の開始があったことを知った時から起算する。

> ★判例
> 1※甲の相続につきその法定相続人乙が承認又は放棄をしないで死亡した場合，乙の法定相続人丙が乙の相続を放棄したときは，丙は，乙が有していた甲の相続についての承認又は放棄の選択権を失うことになるから，もはや甲の相続につき承認又は放棄をすることができないが，丙が乙の相続につき放棄をしていないときは，甲の相続につき放棄をすることができ，かつ，甲の相続につき放棄をしても，別に乙の相続につき承認又は放棄をすることが可能であり，また，その後に丙が乙の相続

につき放棄をしても，丙が先に再転相続人たる地位に基づいて甲の相続につきした放棄の効力がさかのぼって無効になることはない。
（最判昭和63・6・21家月41・9・101）
2 ※民法916条にいう「その者の相続人が自己のために相続の開始があったことを知った時」とは，相続の承認又は放棄をしないで死亡した者の相続人が，当該死亡した者からの相続により，当該死亡した者が承認又は放棄をしなかった相続における相続人としての地位を，自己が承継した事実を知った時をいう。
（最判令和元・8・9民集73・3・293）

第917条

相続人が未成年者又は成年被後見人であるときは，第915条第1項の期間は，その法定代理人が未成年者又は成年被後見人のために相続の開始があったことを知った時から起算する。

第918条　（相続による管理）

相続人は，その固有財産におけるのと同一の注意をもって，相続財産を管理しなければならない。ただし，相続の承認又は放棄をしたときは，この限りでない。

第919条　（相続の承認及び放棄の撤回及び取消し）

① 相続の承認及び放棄は，第915条第1項の期間内でも，撤回することができない。
② 前項の規定は，第1編（総則）及び前編（親族）の規定により相続の承認又は放棄の取消しをすることを妨げない。
③ 前項の取消権は，追認をすることができる時から6箇月間行使しないときは，時効によって消滅する。相続の承認又は放棄の時から10年を経過したときも，同様とする。
④ 第2項の規定により限定承認又は相続の放棄の取消しをしようとする者は，その旨を家庭裁判所に申述しなければならない。

★判例
1 ※相続放棄の申述が家庭裁判所に受理された場合でも，相続放棄に法律上の無効原因が存在するときは，後日訴訟でこれを主張することは妨げない。（最判昭和29・12・24民集8・12・2310）

第2節／相続の承認

第1款／単純承認

第920条　（単純承認の効力）

相続人は，単純承認をしたときは，無限に被相続人の権利義務を承継する。

第921条　（法定単純承認）

次に掲げる場合には，相続人は，単純承認をしたものとみなす。
一　相続人が相続財産の全部又は一部を処分したとき。ただし，保存行為及び第602条に定める期間を超えない賃貸をすることは，この限りでない。
二　相続人が第915条第1項の期間内に限定承認又は相続の放棄をしなかったとき。
三　相続人が，限定承認又は相続の放棄をした後であっても，相続財産の全部若しくは一部を隠匿し，私にこれを消費し，又は悪意でこれを相続財産の目録中に記載しなかったとき。ただし，その相続人が相続の放棄をしたことによって相続人となった者が相続の承認をした後は，この限りでない。

★判例
1 ※民法921条1号本文が相続財産の処分行為があった事実をもって当然に相続の単純承認があったものとみなしている主たる理由は，本来，かかる行為は相続人が単純承認をしない限りしてはならないところであるから，これにより黙示の単純承認があるものと推認しうるのみならず，第三者から見ても単純承認があったと信ずるのが当然であると認められることにあるから，右規定が適用されるためには，相続人が自己のために相続が開始した事実を知り，又は被相続人の死亡した事実を確

実に予想しながらあえてその処分をしたことが必要である。(最判昭和42・4・27民集21・3・741)
2 ※相続人がいったん有効に限定承認又は放棄をした後には，本条1号は適用されない。(大判昭和5・4・26民集9・427)
3 ※相続人が未成年者である場合，その法定代理人である親権者が遺産を処分した場合でも，同条1号により，相続人においても単純承認をしたものとみなされる。(大判大正9・12・17民録26・2043)

第2款／限定承認

第922条　(限定承認)
　相続人は，相続によって得た財産の限度においてのみ被相続人の債務及び遺贈を弁済すべきことを留保して，相続の承認をすることができる。

★判例
1 ※不動産の死因贈与の受贈者が贈与者の相続人である場合において，限定承認がなされたときは，死因贈与に基づく限定承認者への所有権移転登記が，相続債権者による差押登記より先にされたとしても，被相続人の財産の限度で相続債務を弁済すれば免責される限定承認者が，その不動産の所有権の取得を相続債権者に対抗することができるとすれば，限定承認者と相続債権者との間の公平を欠く結果になるから，信義則に照らして，限定承認者は相続債権者に対して不動産の所有権取得を対抗することができない。(最判平成10・2・13民集52・1・38)
2 ※限定承認をした相続人に，裁判所は債務の全額につき給付判決をすることができるが，この判決には相続財産の限度で執行すべき旨の留保を付けなければならない。(大判昭和7・6・2民集11・1099)
3 ※被相続人が設定した抵当権が限定承認の当時未登記であった場合，抵当権者は相続人に対しその設定登記を請求する利益を有せず，登記を請求できない。(大判昭和14・12・21民集18・1621)
4 ※相続開始以後に生じた賃料及び損害金の債務は，相続債務に属しないから，相続人は限定承認をしても，これを固有の債務とし弁済しなければならない。(大判昭和10・12・18民集14・2084)

第923条　(共同相続人の限定承認)
　相続人が数人あるときは，限定承認は，共同相続人の全員が共同してのみこれをすることができる。

第924条　(限定承認の方式)
　相続人は，限定承認をしようとするときは，第915条第1項の期間内に，相続財産の目録を作成して家庭裁判所に提出し，限定承認をする旨を申述しなければならない。

第925条　(限定承認をしたときの権利義務)
　相続人が限定承認をしたときは，その被相続人に対して有した権利義務は，消滅しなかったものとみなす。

第926条　(限定承認者による管理)
① 限定承認者は，その固有財産におけるのと同一の注意をもって，相続財産の管理を継続しなければならない。
② 第645条，第646条並びに第650条第1項及び第2項の規定は，前項の場合について準用する。

第927条　(相続債権者及び受遺者に対する公告及び催告)
① 限定承認者は，限定承認をした後5日以内に，すべての相続債権者(相続財産に属する債務の債権者をいう。以下同じ。)及び受遺者に対し，限定承認をしたこと及び一定の期間内にその請求の申出をすべき旨を公告しなければならない。この場合において，その期間は，2箇月を下ることができない。
② 前項の規定による公告には，相続債権者及び受遺者がその期間内に申出をしないときは弁済から除斥されるべき旨を付記しなければならない。ただし，限定承認者は，知れている相続債権者及び受遺者を除斥することができない。
③ 限定承認者は，知れている相続債権者

及び受遺者には，各別にその申出の催告をしなければならない。
④ 第1項の規定による公告は，官報に掲載してする。

第928条 （公告期間満了前の弁済の拒絶）
限定承認者は，前条第1項の期間の満了前には，相続債権者及び受遺者に対して弁済を拒むことができる。

第929条 （公告期間満了後の弁済）
第927条第1項の期間が満了した後は，限定承認者は，相続財産をもって，その期間内に同項の申出をした相続債権者その他知れている相続債権者に，それぞれその債権額の割合に応じて弁済をしなければならない。ただし，優先権を有する債権者の権利を害することはできない。

★判例
1 ※対抗要件を必要とする権利が民法929条但書の『優先権を有する債権者の権利』に当たるためには，被相続人の死亡時までに対抗要件を具備していることを要する。相続人が存在しない場合（限定承認の場合を含む。）において，被相続人からその生前に抵当権の設定を受けた相続債権者は，被相続人の死亡の時点でその設定登記がなされていなければ，他の相続債権者及び受遺者に対して，抵当権に基づく優先権を対抗することができないから，相続財産の管理人は，他の相続債権者及び受遺者のために，当該抵当権の設定を受けた者からの設定登記手続請求を拒絶しなければならない。(最判平成11・1・21民集53・1・128)

第930条 （期限前の債務等の弁済）
① 限定承認者は，弁済期に至らない債権であっても，前条の規定に従って弁済をしなければならない。
② 条件付きの債権又は存続期間の不確定な債権は，家庭裁判所が選任した鑑定人の評価に従って弁済をしなければならない。

第931条 （受遺者に対する弁済）
限定承認者は，前二条の規定に従って各相続債権者に弁済をした後でなければ，受遺者に弁済をすることができない。

第932条 （弁済のための相続財産の換価）
前三条の規定に従って弁済をするにつき相続財産を売却する必要があるときは，限定承認者は，これを競売に付さなければならない。ただし，家庭裁判所が選任した鑑定人の評価に従い相続財産の全部又は一部の価額を弁済して，その競売を止めることができる。

第933条 （相続債権者及び受遺者の換価手続への参加）
相続債権者及び受遺者は，自己の費用で，相続財産の競売又は鑑定に参加することができる。この場合においては，第260条第2項の規定を準用する。

第934条 （不当な弁済をした限定承認者の責任等）
① 限定承認者は，第927条の公告若しくは催告をすることを怠り，又は同条第1項の期間内に相続債権者若しくは受遺者に弁済をしたことによって他の相続債権者若しくは受遺者に弁済をすることができなくなったときは，これによって生じた損害を賠償する責任を負う。第929条から第931条までの規定に違反して弁済をしたときも，同様とする。
② 前項の規定は，情を知って不当に弁済を受けた相続債権者又は受遺者に対する他の相続債権者又は受遺者の求償を妨げない。
③ 第724条の規定は，前二項の場合について準用する。

第935条 （公告期間内に申出をしなかった相続債権者及び受遺者）
第927条第1項の期間内に同項の申出をしなかった相続債権者及び受遺者で限定承認者に知れなかったものは，残余財

産についてのみその権利を行使することができる。ただし、相続財産について特別担保を有する者は、この限りでない。

第936条（相続人が数人ある場合の相続財産の清算人）

① 相続人が数人ある場合には、家庭裁判所は、相続人の中から、相続財産の清算人を選任しなければならない。
② 前項の相続財産の清算人は、相続人のために、これに代わって、相続財産の管理及び債務の弁済に必要な一切の行為をする。
③ 第926条から前条までの規定は、第1項の相続財産の清算人について準用する。この場合において、第927条第1項中「限定承認をした後5日以内」とあるのは、「その相続財産の清算人の選任があった後10日以内」と読み替えるものとする。

★判例
1※民法936条1項の規定により相続財産管理人（新法の「清算人」。以下同じ）が選任された場合でも、相続人が相続財産の帰属主体であることは単純承認の場合と異ならず、また、同条2項は、相続財産管理人の管理・清算が『相続人のために、これに代わつて』行われる旨を規定しているのであるから、相続財産管理人は、相続人全員の法定代理人として、相続人につき管理・清算を行うものであって、相続財産に関する訴訟については、相続人が当事者適格を有し、相続財産管理人はその資格では当事者適格を有しない。（最判昭和47・11・9民集26・9・1566）

第937条（法定単純承認の事由がある場合の相続債権者）

限定承認をした共同相続人の1人又は数人について第921条第1号又は第3号に掲げる事由があるときは、相続債権者は、相続財産をもって弁済を受けることができなかった債権額について、当該共同相続人に対し、その相続分に応じて権利を行使することができる。

第3節／相続の放棄

第938条（相続の放棄の方式）

相続の放棄をしようとする者は、その旨を家庭裁判所に申述しなければならない。

第939条（相続の放棄の効力）

相続の放棄をした者は、その相続に関しては、初めから相続人とならなかったものとみなす。

★判例
1※相続人は、相続の放棄をした場合には相続開始時にさかのぼって相続開始がなかったのと同じ地位に立ち、当該相続放棄の効力は、登記等の有無を問わず、何人に対してもその効力を生ずべきものと解すべきであって、相続の放棄をした相続人の債権者が、相続の放棄後に、相続財産たる未登記の不動産について、右相続人も共同相続したものとして、代位による所有権保存登記をしたうえ、持分に対する仮差押登記を経由したとしても、その仮差押登記は無効である。（最判昭和42・1・20民集21・1・16）

第940条（相続の放棄をした者による管理）

① 相続の放棄をした者は、その放棄の時に相続財産に属する財産を現に占有しているときは、相続人又は第952条第1項の相続財産の清算人に対して当該財産を引き渡すまでの間、自己の財産におけるのと同一の注意をもって、その財産を保存しなければならない。
② 第645条、第646条並びに第650条第1項及び第2項の規定は、前項の場合について準用する。

第5章 財産分離

第941条（相続債権者又は受遺者の請求による財産分離）

① 相続債権者又は受遺者は、相続開始の時から3箇月以内に、相続人の財産の中

から相続財産を分離することを家庭裁判所に請求することができる。相続財産が相続人の固有財産と混合しない間は，その期間の満了後も，同様とする。
② 家庭裁判所が前項の請求によって財産分離を命じたときは，その請求をした者は，5日以内に，他の相続債権者及び受遺者に対し，財産分離の命令があったこと及び一定の期間内に配当加入の申出をすべき旨を公告しなければならない。この場合において，その期間は，2箇月を下ることができない。
③ 前項の規定による公告は，官報に掲載してする。

> ★判例
> 1※家庭裁判所は，相続人がその固有財産について債務超過の状態にあり又はそのような状態に陥るおそれがあることなどから，相続財産と相続人の固有財産とが混合することによって相続債権者又は受遺者がその債権の全部又は一部の弁済を受けることが困難となるおそれがあると認められる場合に，民法941条1項の規定に基づき，財産分離を命ずることができる。(最判平成29・11・28　集民257・23)

第942条　（財産分離の効力）
財産分離の請求をした者及び前条第2項の規定により配当加入の申出をした者は，相続財産について，相続人の債権者に先立って弁済を受ける。

第943条　（財産分離の請求後の相続財産の管理）
① 財産分離の請求があったときは，家庭裁判所は，相続財産の管理について必要な処分を命ずることができる。
② 第27条から第29条までの規定は，前項の規定により家庭裁判所が相続財産の管理人を選任した場合について準用する。

第944条　（財産分離の請求後の相続人による管理）
① 相続人は，単純承認をした後でも，財産分離の請求があったときは，以後，その固有財産におけるのと同一の注意をもって，相続財産の管理をしなければならない。ただし，家庭裁判所が相続財産の管理人を選任したときは，この限りでない。
② 第645条から第647条まで並びに第650条第1項及び第2項の規定は，前項の場合について準用する。

第945条　（不動産についての財産分離の対抗要件）
財産分離は，不動産については，その登記をしなければ，第三者に対抗することができない。

第946条　（物上代位の規定の準用）
第304条の規定は，財産分離の場合について準用する。

第947条　（相続債権者及び受遺者に対する弁済）
① 相続人は，第941条第1項及び第2項の期間の満了前には，相続債権者及び受遺者に対して弁済を拒むことができる。
② 財産分離の請求があったときは，相続人は，第941条第2項の期間の満了後に，相続財産をもって，財産分離の請求又は配当加入の申出をした相続債権者及び受遺者に，それぞれその債権額の割合に応じて弁済をしなければならない。ただし，優先権を有する債権者の権利を害することはできない。
③ 第930条から第934条までの規定は，前項の場合について準用する。

第948条　（相続人の固有財産からの弁済）
財産分離の請求をした者及び配当加入の申出をした者は，相続財産をもって全部の弁済を受けることができなかった場

合に限り，相続人の固有財産についてその権利を行使することができる。この場合においては，相続人の債権者は，その者に先立って弁済を受けることができる。

第949条　（財産分離の請求の防止等）
相続人は，その固有財産をもって相続債権者若しくは受遺者に弁済をし，又はこれに相当の担保を供して，財産分離の請求を防止し，又はその効力を消滅させることができる。ただし，相続人の債権者が，これによって損害を受けるべきことを証明して，異議を述べたときは，この限りでない。

第950条　（相続人の債権者の請求による財産分離）
① 相続人が限定承認をすることができる間又は相続財産が相続人の固有財産と混合しない間は，相続人の債権者は，家庭裁判所に対して財産分離の請求をすることができる。
② 第304条，第925条，第927条から第934条まで，第943条から第945条まで及び第948条の規定は，前項の場合について準用する。ただし，第927条の公告及び催告は，財産分離の請求をした債権者がしなければならない。

第6章　相続人の不存在

第951条　（相続財産法人の成立）
相続人のあることが明らかでないときは，相続財産は，法人とする。

★判例
1 ※遺言者に相続人は存在しないが相続財産全部の包括受遺者が存在する場合は，民法951条にいう「相続人のあることが明らかでないとき」に当たらない。（最判平成9・9・12民集51巻8号3887頁）

第952条　（相続財産の清算人の選任）
① 前条の場合には，家庭裁判所は，利害関係人又は検察官の請求によって，相続財産の清算人を選任しなければならない。
② 前項の規定により相続財産の清算人を選任したときは，家庭裁判所は，遅滞なく，その旨及び相続人があるならば一定の期間内にその権利を主張すべき旨を公告しなければならない。この場合において，その期間は，6箇月を下ることができない。

第953条　（不在者の財産の管理人に関する規定の準用）
第27条から第29条までの規定は，前条第1項の相続財産の清算人（以下この章において単に「相続財産の清算人」という。）について準用する。

第954条　（相続財産の清算人の報告）
相続財産の清算人は，相続債権者又は受遺者の請求があるときは，その請求をした者に相続財産の状況を報告しなければならない。

第955条　（相続財産法人の不成立）
相続人のあることが明らかになったときは，第951条の法人は，成立しなかったものとみなす。ただし，相続財産の清算人がその権限内でした行為の効力を妨げない。

第956条　（相続財産の清算人の代理権の消滅）
① 相続財産の清算人の代理権は，相続人が相続の承認をした時に消滅する。
② 前項の場合には，相続財産の清算人は，遅滞なく相続人に対して清算に係る計算をしなければならない。

第957条　（相続債権者及び受遺者に対する弁済）
① 第952条第2項の公告があったときは，相続財産の清算人は，全ての相続債権者及び受遺者に対し，2箇月以上の期

間を定めて，その期間内にその請求の申出をすべき旨を公告しなければならない。この場合において，その期間は，同項の規定により相続人が権利を主張すべき期間として家庭裁判所が公告した期間内に満了するものでなければならない。
② 第927条第2項から第4項まで及び第928条から第935条まで（第932条ただし書を除く。）の規定は，前項の場合について準用する。

第958条　（権利を主張する者がない場合）
第952条第2項の期間内に相続人としての権利を主張する者がないときは，相続人並びに相続財産の清算人に知れなかった相続債権者及び受遺者は，その権利を行使することができない。

第958条の2　（特別縁故者に対する相続財産の分与）
① 前条の場合において，相当と認めるときは，家庭裁判所は，被相続人と生計を同じくしていた者，被相続人の療養看護に努めた者その他被相続人と特別の縁故があった者の請求によって，これらの者に，清算後残存すべき相続財産の全部又は一部を与えることができる。
② 前項の請求は，第952条第2項の期間の満了後3箇月以内にしなければならない。

★判例
1❖共有者の1人が死亡し，相続人の不存在が確定し，相続債権者や受遺者に対する清算手続が終了したときは，その共有持分は，他の相続財産とともに，民法958条の2の規定に基づく特別縁故者に対する財産分与の対象となり，その財産分与がされず，当該共有持分が承継すべき者のないまま相続財産として残存することが確定したときに初めて，民法255条により他の共有者に帰属する。（最判平成元・11・24民集43・10・1220）

第959条　（残余財産の国庫への帰属）
前条の規定により処分されなかった相続財産は，国庫に帰属する。この場合においては，第956条第2項の規定を準用する。

★判例
1❖相続人不存在の場合において，民法958条の3により特別縁故者に分与されなかった残余相続財産が国庫に帰属する時期は，特別縁故者から財産分与の申立がないまま同条2項所定の期間が経過した時又は分与の申立がされその却下ないし一部分与の審判が確定した時ではなく，その後相続財産管理人において残余相続財産を国庫に引き継いだ時であり，したがって，残余相続財産の全部の引継ぎが完了するまでは，相続財産法人は消滅することなく，相続財産管理人の代理権もまた，引継未了の相続財産につき存続する。（最判昭和50・10・24民集29・9・1483）

第7章❖遺言

第1節／総則

第960条　（遺言の方式）
遺言は，この法律に定める方式に従わなければ，することができない。

第961条　（遺言能力）
15歳に達した者は，遺言をすることができる。

第962条
第5条，第9条，第13条及び第17条の規定は，遺言については，適用しない。

第963条
遺言者は，遺言をする時においてその能力を有しなければならない。

第964条　（包括遺贈及び特定遺贈）
遺言者は，包括又は特定の名義で，その財産の全部又は一部を処分することができる。

第965条 （相続人に関する規定の準用）
　第886条及び第891条の規定は、受遺者について準用する。

第966条 （被後見人の遺言の制限）
① 　被後見人が、後見の計算の終了前に、後見人又はその配偶者若しくは直系卑属の利益となるべき遺言をしたときは、その遺言は、無効とする。
② 　前項の規定は、直系血族、配偶者又は兄弟姉妹が後見人である場合には、適用しない。

第2節／遺言の方式

第1款／普通の方式

第967条 （普通の方式による遺言の種類）
　遺言は、自筆証書、公正証書又は秘密証書によってしなければならない。ただし、特別の方式によることを許す場合は、この限りでない。

第968条 （自筆証書遺言）
① 　自筆証書によって遺言をするには、遺言者が、その全文、日付及び氏名を自書し、これに印を押さなければならない。
② 　前項の規定にかかわらず、自筆証書にこれと一体のものとして相続財産（第997条第1項に規定する場合における同項に規定する権利を含む。）の全部又は一部の目録を添付する場合には、その目録については、自書することを要しない。この場合において、遺言者は、その目録の毎葉（自書によらない記載がその両面にある場合にあっては、その両面）に署名し、印を押さなければならない。
③ 　自筆証書（前項の目録を含む。）中の加除その他の変更は、遺言者が、その場所を指示し、これを変更した旨を付記して特にこれに署名し、かつ、その変更の場所に印を押さなければ、その効力を生じない。

★判例
1 ※遺言の全文、日付及び氏名をカーボン紙を用いて複写の方法で記載したものであっても、カーボン紙を用いることも自書の方法として許されないものではないから、その遺言書は、民法968条1項の自書の要件に欠けることはない。（最判平成5・10・19家月46・4・27）
2 ※本条1項において、自筆証書遺言の方式として自署のほかに押印を要するとした趣旨は、遺言の全文等の自署とあいまって遺言書の同一性・真意性を確保し、かつ、重要な文書についてその完成を担保することにあると解されるから、その趣旨が損なわれない限り、押印の位置は必ずしも署名の名下であることを要しないと解するのが相当であり、遺言書本文の入れられた封書の封じ目にされた押印をもって、民法968条1項の押印の要件に欠けるところはないとした原審の判断は、正当として是認できる。（最判平成6・6・24家月47・3・60）
3 ※自筆証書遺言書が数葉にわたるときであっても、その数葉が1通の遺言書として作成されたものであることが確認されれば、その一部に日付、署名、捺印が適法になされている限り、右遺言書を有効と認めて差し支えないと解するを相当とする。（最判昭和36・6・22民集15・6・1622）
4 ※作成年月日のない遺言書は無効である。（大決大正5・6・1民録22・1127）
5 ※①自筆証書によって遺言をするには、遺言者は、全文・日附・氏名を自書して押印しなければならないが、右にいう日附は、暦上の特定の日を表示するものといえるように記載されなければならない。②証書の日附として、単に『昭和四拾壱年七月吉日』とのみ記載されているときは、暦上の特定の日を表示するものとはいえず、その遺言書は、本条1項にいう日附の記載を欠くものとして無効である。（最判昭和54・5・31民集33・4・445）
6 ※自筆証書遺言の方式としての押印は、遺言者が印章に代えて拇指その他の指頭に墨や朱肉などをつけて押印すること（『指印』）をもって足りると解するのが相当である。（最判平成元・2・16民集43・2・45）
7 ※①本条1項が氏名の自書を要件としたのは、誰が遺言者であるかを明確にする趣旨であるから、氏名の自書は、遺言者が誰であるかを明らかにするとともに、遺言が遺言者本人の意思に基づくことを明らかにするために要求されていると解すべきである。②通常の場合は、氏名を自書するをもって必要かつ十分と

いいうるが，もし，他人と混同を生じる場合には，住所・通称・芸名などの付記を必要とすることがあり，他人と混同が生じない場合には，氏名を併記せず氏又は名を自書するだけで十分である。（大判大正4・7・3民録21・1176）

8 ※自筆証書遺言における証書の記載自体から見て明らかに誤記の訂正については，たとえ本条2項（新法第3項）所定の違背があっても，遺言者の意思を確認するについては支障はないから，遺言の効力に影響を及ぼさない。（最判昭和56・12・18民集35・9・1337）

9 ※遺言を解釈するに当たっては，遺言書の文言を形式的に判断するだけではなく，遺言者の真意を探求すべきであり，遺言書が複数の条項から成る場合に，そのうちの特定の条項を解釈するに当たっても，単に遺言書の中から当該条項のみを他から切り離して抽出し，その文言を形式的に解釈するだけでは十分ではなく，遺言書の全記載との関連，遺言書作成当時の事情及び遺言者の置かれていた状況などを考慮して，遺言者の真意を探求し，当該条項の趣旨を確定すべきである。（最判平成17・7・22判時1908・128）

10 ※（日付）自筆遺言証書に記載された日付が真実の作成日付と相違しても，その誤記であること及び真実の作成の日が遺言証書の記載その他から容易に判明する場合には，右日付の誤りは遺言を無効としない。（最判昭和52・11・21家月30・4・91）

11 ※証書自体には遺言者の押印がないが，遺言書を入れた封筒の封じ目に封印があれば，自筆証書遺言は有効と認められる。（東京高判平成5・8・30判夕845・302）

12 ※いわゆる花押を書くことは，民法968条1項の押印の要件を満たさない。（最判平成28・6・3）

第969条（公正証書遺言）

公正証書によって遺言をするには，次に掲げる方式に従わなければならない。
一　証人2人以上の立会いがあること。
二　遺言者が遺言の趣旨を公証人に口授すること。
三　公証人が，遺言者の口述を筆記し，これを遺言者及び証人に読み聞かせ，又は閲覧させること。
四　遺言者及び証人が，筆記の正確なことを承認した後，各自これに署名し，印を押すこと。ただし，遺言者が署名することができない場合は，公証人がその事由を付記して，署名に代えることができる。
五　公証人が，その証書は前各号に掲げる方式に従って作ったものである旨を付記して，これに署名し，印を押すこと。

★判例

1 ※公証人が，あらかじめ他人から聴取した遺言の内容を筆記し，公正証書用紙に清書したうえ，その内容を遺言者に読み聞かせたところ，遺言者が右遺言の内容と同趣旨を口授し，これを承認して右書面にみずから署名押印したときは，遺言者の真意を確保し，その正確を期するため遺言の方式を定めた民法969条の法意に反するものではないから，公正証書による遺言の方式に違反しない。（最判昭和43・12・20民集22・13・3017）

2 ※遺言を解釈するにあたっては，遺言者の真意を探求すべきであり，遺言書が複数の条項から成る場合に，そのうちの特定の条項を解釈するにあたっても，単に遺言書の中から当該条項のみを他から切り離して抽出し，その文言を形式的に解釈するだけでは十分ではなく，遺言書の全記載との関連，遺言書作成当時の事情及び遺言者の真意を探求し，当該条項の趣旨を確定すべきである。（最判平成17・7・22判時1908・128）

第969条の2（公正証書遺言の方式の特則）

① 口がきけない者が公正証書によって遺言をする場合には，遺言者は，公証人及び証人の前で，遺言の趣旨を通訳人の通訳により申述し，又は自書して，前条第2号の口授に代えなければならない。この場合における同条第3号の規定の適用については，同号中「口述」とあるのは，「通訳人の通訳による申述又は自書」とする。

② 前条の遺言者又は証人が耳が聞こえない者である場合には，公証人は，同条第3号に規定する筆記した内容を通訳人の通訳により遺言者又は証人に伝えて，同号の読み聞かせに代えることができる。

③ 公証人は，前二項に定める方式に従って公正証書を作ったときは，その旨をその証書に付記しなければならない。

第970条 （秘密証書遺言）
① 秘密証書によって遺言をするには，次に掲げる方式に従わなければならない。
　一　遺言者が，その証書に署名し，印を押すこと。
　二　遺言者が，その証書を封じ，証書に用いた印章をもってこれに封印すること。
　三　遺言者が，公証人1人及び証人2人以上の前に封書を提出して，自己の遺言書である旨並びにその筆者の氏名及び住所を申述すること。
　四　公証人が，その証書を提出した日付及び遺言者の申述を封紙に記載した後，遺言者及び証人とともにこれに署名し，印を押すこと。
② 第968条第3項の規定は，秘密証書による遺言について準用する。

第971条 （方式に欠ける秘密証書遺言の効力）
　秘密証書による遺言は，前条に定める方式に欠けるものがあっても，第968条に定める方式を具備しているときは，自筆証書による遺言としてその効力を有する。

第972条 （秘密証書遺言の方式の特則）
① 口がきけない者が秘密証書によって遺言をする場合には，遺言者は，公証人及び証人の前で，その証書は自己の遺言書である旨並びにその筆者の氏名及び住所を通訳人の通訳により申述し，又は封紙に自書して，第970条第1項第3号の申述に代えなければならない。
② 前項の場合において，遺言者が通訳人の通訳により申述したときは，公証人は，その旨を封紙に記載しなければならない。
③ 第1項の場合において，遺言者が封紙に自書したときは，公証人は，その旨を封紙に記載して，第970条第1項第4号に規定する申述の記載に代えなければならない。

第973条 （成年被後見人の遺言）
① 成年被後見人が事理を弁識する能力を一時回復した時において遺言をするには，医師2人以上の立会いがなければならない。
② 遺言に立ち会った医師は，遺言者が遺言をする時において精神上の障害により事理を弁識する能力を欠く状態になかった旨を遺言書に付記して，これに署名し，印を押さなければならない。ただし，秘密証書による遺言にあっては，その封紙にその旨の記載をし，署名し，印を押さなければならない。

第974条 （証人及び立会人の欠格事由）
　次に掲げる者は，遺言の証人又は立会人となることができない。
　一　未成年者
　二　推定相続人及び受遺者並びにこれらの配偶者及び直系血族
　三　公証人の配偶者，4親等内の親族，書記及び使用人

★判例
1※盲人は，民法974条所定の証人としての欠格者に当たらず，視力に障害があるとの一事をもって直ちに証人としての職責を果たすことができない者であるとしなければならない根拠もないから，事実上の欠格者であるということもできない。公証人による筆記の正確であることの承認は，遺言者の口授したところと公証人の読み聞かせたところとをそれぞれ耳で聞き，両者を対比することによっても可能であるから，盲人にも証人適格が認められる。（最判昭和55・12・4民集34・7・835）

第975条 （共同遺言の禁止）
　遺言は，2人以上の者が同一の証書ですることができない。

★判例

1 ※同一の証書に2人の遺言が記載されている場合は、そのうちの一方に氏名を自書しないといった方式の違背があるときでも、その遺言は、民法975条により禁止された共同遺言に当たり、その遺言全部が無効である。（最判昭和56・9・11民集35・6・1013）

第2款／特別の方式

第976条（死亡の危急に迫った者の遺言）

① 疾病その他の事由によって死亡の危急に迫った者が遺言をしようとするときは、証人3人以上の立会いをもって、その1人に遺言の趣旨を口授して、これをすることができる。この場合においては、その口授を受けた者が、これを筆記して、遺言者及び他の証人に読み聞かせ、又は閲覧させ、各証人がその筆記の正確なことを承認した後、これに署名し、印を押さなければならない。

② 口がきけない者が前項の規定により遺言をする場合には、遺言者は、証人の前で、遺言の趣旨を通訳人の通訳により申述して、同項の口授に代えなければならない。

③ 第1項後段の遺言者又は他の証人が耳が聞こえない者である場合には、遺言の趣旨の口授又は申述を受けた者は、同項後段に規定する筆記した内容を通訳人の通訳によりその遺言者又は他の証人に伝えて、同項後段の読み聞かせに代えることができる。

④ 前三項の規定によりした遺言は、遺言の日から20日以内に、証人の1人又は利害関係人から家庭裁判所に請求してその確認を得なければ、その効力を生じない。

⑤ 家庭裁判所は、前項の遺言が遺言者の真意に出たものであるとの心証を得なければ、これを確認することができない。

★判例

1 ※死亡危急者遺言においては、日付の記載はその有効要件ではない。また、遺言者の現在しない場所で証人が署名捺印した場合であっても、その署名捺印が筆記内容に変改を加えた疑いを挟む余地のない事情の下に、遺言書作成の一連の過程に従って遅滞なくなされたものと認められるときは、いまだ署名捺印によって筆記の正確性を担保しようとする民法976条の趣旨を害するものとはいえないから、その署名捺印は同条の方式に則ったものとして、遺言の効力を認めるに妨げない。（最判昭和47・3・17民集26・2・249）

第977条（伝染病隔離者の遺言）

伝染病のため行政処分によって交通を断たれた場所に在る者は、警察官1人及び証人1人以上の立会いをもって遺言書を作ることができる。

第978条（在船者の遺言）

船舶中に在る者は、船長又は事務員1人及び証人2人以上の立会いをもって遺言書を作ることができる。

第979条（船舶遭難者の遺言）

① 船舶が遭難した場合において、当該船舶中に在って死亡の危急に迫った者は、証人2人以上の立会いをもって口頭で遺言をすることができる。

② 口がきけない者が前項の規定により遺言をする場合には、遺言者は、通訳人の通訳によりこれをしなければならない。

③ 前二項の規定に従ってした遺言は、証人が、その趣旨を筆記して、これに署名し、印を押し、かつ、証人の1人又は利害関係人から遅滞なく家庭裁判所に請求してその確認を得なければ、その効力を生じない。

④ 第976条第5項の規定は、前項の場合について準用する。

第980条（遺言関係者の署名及び押印）

第977条及び第978条の場合には、遺言者、筆者、立会人及び証人は、各自遺言書に署名し、印を押さなければならない。

第981条 （署名又は押印が不能の場合）
第977条から第979条までの場合において，署名又は印を押すことのできない者があるときは，立会人又は証人は，その事由を付記しなければならない。

第982条 （普通の方式による遺言の規定の準用）
第968条第3項及び第973条から第975条までの規定は，第976条から前条までの規定による遺言について準用する。

第983条 （特別の方式による遺言の効力）
第976条から前条までの規定によりした遺言は，遺言者が普通の方式によって遺言をすることができるようになった時から6箇月間生存するときは，その効力を生じない。

第984条 （外国に在る日本人の遺言の方式）
日本の領事の駐在する地に在る日本人が公正証書又は秘密証書によって遺言をしようとするときは，公証人の職務は，領事が行う。この場合においては，第969条第4号又は第970条第1項第4号の規定にかかわらず，遺言者及び証人は，第969条第4号又は第970条第1項第4号の印を押すことを要しない。

第3節／遺言の効力

第985条 （遺言の効力の発生時期）
① 遺言は，遺言者の死亡の時からその効力を生ずる。
② 遺言に停止条件を付した場合において，その条件が遺言者の死亡後に成就したときは，遺言は，条件が成就した時からその効力を生ずる。

★判例
1 ※被相続人が，生前，その所有していた不動産を推定相続人の1人に贈与したが，その登記未了の間に，他の推定相続人にその不動産の特定遺贈をし，その後相続の開始があった場合，右贈与及び遺贈による物権変動の優劣は，対抗要件たる登記の具備の有無をもって決する。この場合，受贈者及び受遺者が，相続人として，被相続人の権利義務を包括的に承継し，受遺者が遺贈の履行義務を，受贈者が贈与契約上の履行義務を承継することがあっても同様である。（最判昭和46・11・16民集25・8・1182）
2 ※指名債権が特定遺贈された場合，遺贈義務者の債務者に対する通知または債務者の承諾がなければ，受遺者は，遺贈による債権の取得を債務者に対抗することができない。（最判昭和49・4・26民集28・3・540）

第986条 （遺贈の放棄）
① 受遺者は，遺言者の死亡後，いつでも，遺贈の放棄をすることができる。
② 遺贈の放棄は，遺言者の死亡の時にさかのぼってその効力を生ずる。

第987条 （受遺者に対する遺贈の承認又は放棄の催告）
遺贈義務者（遺贈の履行をする義務を負う者をいう。以下この節において同じ。）その他の利害関係人は，受遺者に対し，相当の期間を定めて，その期間内に遺贈の承認又は放棄をすべき旨の催告をすることができる。この場合において，受遺者がその期間内に遺贈義務者に対してその意思を表示しないときは，遺贈を承認したものとみなす。

第988条 （受遺者の相続人による遺贈の承認又は放棄）
受遺者が遺贈の承認又は放棄をしないで死亡したときは，その相続人は，自己の相続権の範囲内で，遺贈の承認又は放棄をすることができる。ただし，遺言者がその遺言に別段の意思を表示したときは，その意思に従う。

第989条 （遺贈の承認及び放棄の撤回及び取消し）
① 遺贈の承認及び放棄は，撤回すること

ができない。
② 第919条第2項及び第3項の規定は，遺贈の承認及び放棄について準用する。

第990条 （包括受遺者の権利義務）
包括受遺者は，相続人と同一の権利義務を有する。

> ★判例
> 1 ※包括受遺者は，相続人と同一の権利義務を有するから，相続開始後に受遺者が包括遺贈に係る不動産の一部を売却したときは，単純承継が擬制され，その後の包括遺贈の放棄をすることはできない。（大阪家昭和43・1・17家月20・8・79）

第991条 （受遺者による担保の請求）
受遺者は，遺贈が弁済期に至らない間は，遺贈義務者に対して相当の担保を請求することができる。停止条件付きの遺贈についてその条件の成否が未定である間も，同様とする。

第992条 （受遺者による果実の取得）
受遺者は，遺贈の履行を請求することができる時から果実を取得する。ただし，遺言者がその遺言に別段の意思を表示したときは，その意思に従う。

第993条 （遺贈義務者による費用の償還請求）
① 第299条の規定は，遺贈義務者が遺言者の死亡後に遺贈の目的物について費用を支出した場合について準用する。
② 果実を収取するために支出した通常の必要費は，果実の価格を超えない限度で，その償還を請求することができる。

第994条 （受遺者の死亡による遺贈の失効）
① 遺贈は，遺言者の死亡以前に受遺者が死亡したときは，その効力を生じない。
② 停止条件付きの遺贈については，受遺者がその条件の成就前に死亡したときも，前項と同様とする。ただし，遺言者がその遺言に別段の意思を表示したときは，その意思に従う。

第995条 （遺贈の無効又は失効の場合の財産の帰属）
遺贈が，その効力を生じないとき，又は放棄によってその効力を失ったときは，受遺者が受けるべきであったものは，相続人に帰属する。ただし，遺言者がその遺言に別段の意思を表示したときは，その意思に従う。

第996条 （相続財産に属しない権利の遺贈）
遺贈は，その目的である権利が遺言者の死亡の時において相続財産に属しなかったときは，その効力を生じない。ただし，その権利が相続財産に属するかどうかにかかわらず，これを遺贈の目的としたものと認められるときは，この限りでない。

第997条
① 相続財産に属しない権利を目的とする遺贈が前条ただし書の規定により有効であるときは，遺贈義務者は，その権利を取得して受遺者に移転する義務を負う。
② 前項の場合において，同項に規定する権利を取得することができないとき，又はこれを取得するについて過分の費用を要するときは，遺贈義務者は，その価額を弁償しなければならない。ただし，遺言者がその遺言に別段の意思を表示したときは，その意思に従う。

第998条 （遺贈義務者の引渡義務）
遺贈義務者は，遺贈の目的である物又は権利を，相続開始の時（その後に当該物又は権利について遺贈の目的として特定した場合にあっては，その特定した時）の状態で引き渡し，又は移転する義務を負う。ただし，遺言者がその遺言に別段の意思を表示したときは，その意思に従う。

第999条 （遺贈の物上代位）
① 遺言者が，遺贈の目的物の滅失若しくは変造又はその占有の喪失によって第三者に対して償金を請求する権利を有するときは，その権利を遺贈の目的としたものと推定する。
② 遺贈の目的物が，他の物と付合し，又は混和した場合において，遺言者が第243条から第245条までの規定により合成物又は混和物の単独所有者又は共有者となったときは，その全部の所有権又は持分を遺贈の目的としたものと推定する。

第1000条 削除

第1001条 （債権の遺贈の物上代位）
① 債権を遺贈の目的とした場合において，遺言者が弁済を受け，かつ，その受け取った物がなお相続財産中に在るときは，その物を遺贈の目的としたものと推定する。
② 金銭を目的とする債権を遺贈の目的とした場合においては，相続財産中にその債権額に相当する金銭がないときであっても，その金額を遺贈の目的としたものと推定する。

第1002条 （負担付遺贈）
① 負担付遺贈を受けた者は，遺贈の目的の価額を超えない限度においてのみ，負担した義務を履行する責任を負う。
② 受遺者が遺贈の放棄をしたときは，負担の利益を受けるべき者は，自ら受遺者となることができる。ただし，遺言者がその遺言に別段の意思を表示したときは，その意思に従う。

第1003条 （負担付遺贈の受遺者の免責）
負担付遺贈の目的の価額が相続の限定承認又は遺留分回復の訴えによって減少したときは，受遺者は，その減少の割合に応じて，その負担した義務を免れる。

ただし，遺言者がその遺言に別段の意思を表示したときは，その意思に従う。

第4節／遺言の執行

第1004条 （遺言書の検認）
① 遺言書の保管者は，相続の開始を知った後，遅滞なく，これを家庭裁判所に提出して，その検認を請求しなければならない。遺言書の保管者がない場合において，相続人が遺言書を発見した後も，同様とする。
② 前項の規定は，公正証書による遺言については，適用しない。
③ 封印のある遺言書は，家庭裁判所において相続人又はその代理人の立会いがなければ，開封することができない。

> ★判例
> 1 ※検認は遺言書の外形を検証してその成立・存在を確保するものであって，遺言が死者の真意に出たかどうか，また法律上有効かどうかを判定するものではないから，検認を受けた遺言であっても，有効とは限らない。（大決大正5・6・1民録22・1127，大判大正7・4・18民録24・722）
> 2 ※家庭裁判所の検認は，遺言書の方式その他の状態を調査確認し，後日における偽造・変造を防止し，その保存を確実にすることを目的とする一種の検証手続であるから，遺言内容の真否・有効無効を判定するものではない。（大判大正4・1・16民録21・8）
> 3 ※家庭裁判所の検認手続を経ないからといって，遺言書の効力には何の影響もない。（大判昭和3・2・22新聞2840・16）

第1005条 （過料）
前条の規定により遺言書を提出することを怠り，その検認を経ないで遺言を執行し，又は家庭裁判所外においてその開封をした者は，5万円以下の過料に処する。

第1006条 （遺言執行者の指定）
① 遺言者は，遺言で，1人又は数人の遺言執行者を指定し，又はその指定を第三者に委託することができる。
② 遺言執行者の指定の委託を受けた者は，

遅滞なく，その指定をして，これを相続人に通知しなければならない。
③　遺言執行者の指定の委託を受けた者がその委託を辞そうとするときは，遅滞なくその旨を相続人に通知しなければならない。

★判例

1※遺産の『全部を公共に寄与する』との遺言は，その目的を達成することのできる団体等に，その遺産の全部を包括遺贈する趣旨であると解され，遺言執行者指定の遺言と併せれば，遺言者自らが具体的な受遺者を指定せず，その選定を遺言執行者に委託する内容を含むことになるが，遺産の利用目的が公益目的に限定されている上，被選定者の範囲も前記の団体等に限定され，そのいずれが受遺者として選定されても遺言者の意思と離れることはないから，本件遺言の効力は否定されない。（最判平成5・1・19民集47・1・1）

第1007条　（遺言執行者の任務の開始）

①　遺言執行者が就職を承諾したときは，直ちにその任務を行わなければならない。
②　遺言執行者は，その任務を開始したときは，遅滞なく，遺言の内容を相続人に通知しなければならない。

第1008条　（遺言執行者に対する就職の催告）

相続人その他の利害関係人は，遺言執行者に対し，相当の期間を定めて，その期間内に就職を承諾するかどうかを確答すべき旨の催告をすることができる。この場合において，遺言執行者が，その期間内に相続人に対して確答をしないときは，就職を承諾したものとみなす。

第1009条　（遺言執行者の欠格事由）

未成年者及び破産者は，遺言執行者となることができない。

第1010条　（遺言執行者の選任）

遺言執行者がないとき，又はなくなったときは，家庭裁判所は，利害関係人の請求によって，これを選任することができる。

第1011条　（相続財産の目録の作成）

①　遺言執行者は，遅滞なく，相続財産の目録を作成して，相続人に交付しなければならない。
②　遺言執行者は，相続人の請求があるときは，その立会いをもって相続財産の目録を作成し，又は公証人にこれを作成させなければならない。

第1012条　（遺言執行者の権利義務）

①　遺言執行者は，遺言の内容を実現するため，相続財産の管理その他遺言の執行に必要な一切の行為をする権利義務を有する。
②　遺言執行者がある場合には，遺贈の履行は，遺言執行者のみが行うことができる。
③　第644条，第645条から第647条まで及び第650条の規定は，遺言執行者について準用する。

★判例

1※特定の不動産を特定の相続人に相続させる旨の遺言により，右相続人が被相続人の死亡とともに相続により右不動産の所有権を取得した場合には，右相続人が単独でその旨の所有権移転登記手続をすることが可能であって，遺言執行者は，遺言の執行として右の登記手続をする義務を負うものではない。（最判平成7・1・24判時1523・81）

2※特定の不動産を特定の相続人に相続させる趣旨の遺言がされた場合は，遺言執行者があるときでも，遺言書に当該不動産の管理及び相続人への引渡しを遺言執行者の職務とする旨の記載があるなどの特段の事情のない限り，遺言執行者は，当該不動産を管理する義務やこれを相続人に引き渡す義務を負わない。したがって，遺言によって特定の相続人に相続させるものとされた特定の不動産についての賃借権確認請求訴訟の被告適格を有する者は，遺言執行者があるときであっても，右特段の事情のない限り，遺言執行者ではなく，右の相続人である。（最判平成10・2・27民集52・1・299）

3※特定の不動産を特定の相続人甲に相続させる

趣旨の遺言において，甲に当該不動産の所有権移転登記を取得させることは，民法1012条1項にいう『遺言の執行に必要な行為』に当たり，遺言執行者の職務権限に属する。甲への所有権移転登記がされる前に，他の相続人が当該不動産につき自己名義の所有権移転登記を経由したため，遺言の実現が妨害される状態が出現したような場合には，遺言執行者は，遺言執行の一環として，右の妨害を排除するため，右所有権移転登記の抹消登記手続を求めることができ，さらには，甲への真正な登記名義の回復を原因とする所有権移転登記手続を求めることもできる。（最判平成11・12・16民集53・9・1989）

4 ※遺言執行者が，遺言による寄付行為に基づく寄付財産として管理する相続財産の株式を，設立中の財団法人に帰属させ，その代表機関名義に名義を書き換える行為は，遺言の執行に必要な行為にあたり，これにより，相続人は株式についての権利を喪失する。（最判昭和44・6・26民集23・7・1175）

第1013条 （遺言の執行の妨害行為の禁止）
① 遺言執行者がある場合には，相続人は，相続財産の処分その他遺言の執行を妨げるべき行為をすることができない。
② 前項の規定に違反してした行為は，無効とする。ただし，これをもって善意の第三者に対抗することができない。
③ 前二項の規定は，相続人の債権者（相続債権者を含む。）が相続財産についてその権利を行使することを妨げない。

第1014条 （特定財産に関する遺言の執行）
① 前三条の規定は，遺言が相続財産のうち特定の財産に関する場合には，その財産についてのみ適用する。
② 遺産の分割の方法の指定として遺産に属する特定の財産を共同相続人の1人又は数人に承継させる旨の遺言（以下「特定財産承継遺言」という。）があったときは，遺言執行者は，当該共同相続人が第899条の2第1項に規定する対抗要件を備えるために必要な行為をすることができる。
③ 前項の財産が預貯金債権である場合には，遺言執行者は，同項に規定する行為のほか，その預金又は貯金の払戻しの請求及びその預金又は貯金に係る契約の解約の申入れをすることができる。ただし，解約の申入れについては，その預貯金債権の全部が特定財産承継遺言の目的である場合に限る。
④ 前二項の規定にかかわらず，被相続人が遺言で別段の意思を表示したときは，その意思に従う。

第1015条 （遺言執行者の行為の効果）
遺言執行者がその権限内において遺言執行者であることを示してした行為は，相続人に対して直接にその効力を生ずる。

第1016条 （遺言執行者の復任権）
① 遺言執行者は，自己の責任で第三者にその任務を行わせることができる。ただし，遺言者がその遺言に別段の意思を表示したときは，その意思に従う。
② 前項本文の場合において，第三者に任務を行わせることについてやむを得ない事由があるときは，遺言執行者は，相続人に対してその選任及び監督についての責任のみを負う。

第1017条 （遺言執行者が数人ある場合の任務の執行）
① 遺言執行者が数人ある場合には，その任務の執行は，過半数で決する。ただし，遺言者がその遺言に別段の意思を表示したときは，その意思に従う。
② 各遺言執行者は，前項の規定にかかわらず，保存行為をすることができる。

第1018条 （遺言執行者の報酬）
① 家庭裁判所は，相続財産の状況その他の事情によって遺言執行者の報酬を定めることができる。ただし，遺言者がその遺言に報酬を定めたときは，この限りで

ない。
② 第648条第2項及び第3項並びに第648条の2の規定は，遺言執行者が報酬を受けるべき場合について準用する。

第1019条　（遺言執行者の解任及び辞任）
① 遺言執行者がその任務を怠ったときその他正当な事由があるときは，利害関係人は，その解任を家庭裁判所に請求することができる。
② 遺言執行者は，正当な事由があるときは，家庭裁判所の許可を得て，その任務を辞することができる。

第1020条　（委任の規定の準用）
　第654条及び第655条の規定は，遺言執行者の任務が終了した場合について準用する。

第1021条　（遺言の執行に関する費用の負担）
　遺言の執行に関する費用は，相続財産の負担とする。ただし，これによって遺留分を減ずることができない。

第5節／遺言の撤回及び取消し

第1022条　（遺言の撤回）
　遺言者は，いつでも，遺言の方式に従って，その遺言の全部又は一部を撤回することができる。

第1023条　（前の遺言と後の遺言との抵触等）
① 前の遺言が後の遺言と抵触するときは，その抵触する部分については，後の遺言で前の遺言を撤回したものとみなす。
② 前項の規定は，遺言が遺言後の生前処分その他の法律行為と抵触する場合について準用する。

第1024条　（遺言書又は遺贈の目的物の破棄）
　遺言者が故意に遺言書を破棄したときは，その破棄した部分については，遺言を撤回したものとみなす。遺言者が故意に遺贈の目的物を破棄したときも，同様とする。

★判例
1※遺言者が自筆証書である遺言書に故意に斜線を引く行為は，その斜線を引いた後になお元の文字が判読できる場合であっても，その斜線が赤色ボールペンで上記遺言書の文面全体の左上から右下にかけて引かれているという判示の事実関係の下においては，その行為の一般的な意味に照らして，上記遺言書の全体を不要のものとし，そこに記載された遺言の全ての効力を失わせる意思の表れとみるのが相当であり，民法1024条前段所定の「故意に遺言書を破棄したとき」に該当し，遺言を撤回したものとみなされる。（最判平成27・11・20民集69・7・2021）

第1025条　（撤回された遺言の効力）
　前三条の規定により撤回された遺言は，その撤回の行為が，撤回され，取り消され，又は効力を生じなくなるに至ったときであっても，その効力を回復しない。ただし，その行為が錯誤，詐欺又は強迫による場合は，この限りでない。

★判例
1※原遺言を遺言の方式に従って撤回した遺言者が，更に右撤回遺言を遺言の方式に従って撤回した場合において，遺言書の記載に照らし，遺言者の意思が原遺言の復活を希望するものであることが明らかなときは，民法1025条ただし書の法意にかんがみ，遺言者の真意を尊重して，原遺言の効力の復活を認めるのが相当と解される。（最判平成9・11・13民集51・10・4144）

第1026条　（遺言の撤回権の放棄の禁止）
　遺言者は，その遺言を撤回する権利を放棄することができない。

第1027条　（負担付遺贈に係る遺言の取消し）
　負担付遺贈を受けた者がその負担した義務を履行しないときは，相続人は，相当の期間を定めてその履行の催告をすることができる。この場合において，その期間内に履行がないときは，その負担付遺贈に係る遺言の取消しを家庭裁判所に

請求することができる。

第8章✽配偶者の居住の権利

第1節／配偶者居住権

第1028条　（配偶者居住権）
① 被相続人の配偶者（以下この章において単に「配偶者」という。）は、被相続人の財産に属した建物に相続開始の時に居住していた場合において、次の各号のいずれかに該当するときは、その居住していた建物（以下この節において「居住建物」という。）の全部について無償で使用及び収益をする権利（以下この章において「配偶者居住権」という。）を取得する。ただし、被相続人が相続開始の時に居住建物を配偶者以外の者と共有していた場合にあっては、この限りでない。
一　遺産の分割によって配偶者居住権を取得するものとされたとき。
二　配偶者居住権が遺贈の目的とされたとき。
② 居住建物が配偶者の財産に属することとなった場合であっても、他の者がその共有持分を有するときは、配偶者居住権は、消滅しない。
③ 第903条第4項の規定は、配偶者居住権の遺贈について準用する。

第1029条　（審判による配偶者居住権の取得）
遺産の分割の請求を受けた家庭裁判所は、次に掲げる場合に限り、配偶者が配偶者居住権を取得する旨を定めることができる。
一　共同相続人間に配偶者が配偶者居住権を取得することについて合意が成立しているとき。
二　配偶者が家庭裁判所に対して配偶者居住権の取得を希望する旨を申し出た場合において、居住建物の所有者の受ける不利益の程度を考慮してもなお配偶者の生活を維持するために特に必要があると認めるとき（前号に掲げる場合を除く。）。

第1030条　（配偶者居住権の存続期間）
配偶者居住権の存続期間は、配偶者の終身の間とする。ただし、遺産の分割の協議若しくは遺言に別段の定めがあるとき、又は家庭裁判所が遺産の分割の審判において別段の定めをしたときは、その定めるところによる。

第1031条　（配偶者居住権の登記等）
① 居住建物の所有者は、配偶者（配偶者居住権を取得した配偶者に限る。以下この節において同じ。）に対し、配偶者居住権の設定の登記を備えさせる義務を負う。
② 第605条の規定は配偶者居住権について、第605条の4の規定は配偶者居住権の設定の登記を備えた場合について準用する。

第1032条　（配偶者による使用及び収益）
① 配偶者は、従前の用法に従い、善良な管理者の注意をもって、居住建物の使用及び収益をしなければならない。ただし、従前居住の用に供していなかった部分について、これを居住の用に供することを妨げない。
② 配偶者居住権は、譲渡することができない。
③ 配偶者は、居住建物の所有者の承諾を得なければ、居住建物の改築若しくは増築をし、又は第三者に居住建物の使用若しくは収益をさせることができない。
④ 配偶者が第1項又は前項の規定に違反した場合において、居住建物の所有者が相当の期間を定めてその是正の催告をし、その期間内に是正がされないときは、居住建物の所有者は、当該配偶者に

対する意思表示によって配偶者居住権を消滅させることができる。

第1033条　（居住建物の修繕等）
① 配偶者は，居住建物の使用及び収益に必要な修繕をすることができる。
② 居住建物の修繕が必要である場合において，配偶者が相当の期間内に必要な修繕をしないときは，居住建物の所有者は，その修繕をすることができる。
③ 居住建物が修繕を要するとき（第1項の規定により配偶者が自らその修繕をするときを除く。），又は居住建物について権利を主張する者があるときは，配偶者は，居住建物の所有者に対し，遅滞なくその旨を通知しなければならない。ただし，居住建物の所有者が既にこれを知っているときは，この限りでない。

第1034条　（居住建物の費用の負担）
① 配偶者は，居住建物の通常の必要費を負担する。
② 第583条第2項の規定は，前項の通常の必要費以外の費用について準用する。

第1035条　（居住建物の返還等）
① 配偶者は，配偶者居住権が消滅したときは，居住建物の返還をしなければならない。ただし，配偶者が居住建物について共有持分を有する場合は，居住建物の所有者は，配偶者居住権が消滅したことを理由としては，居住建物の返還を求めることができない。
② 第599条第1項及び第2項並びに第621条の規定は，前項本文の規定により配偶者が相続の開始後に附属させた物がある居住建物又は相続の開始後に生じた損傷がある居住建物の返還をする場合について準用する。

第1036条　（使用貸借及び賃貸借の規定の準用）
第597条第1項及び第3項，第600条，第613条並びに第616条の2の規定は，配偶者居住権について準用する。

第2節／配偶者短期居住権

第1037条　（配偶者短期居住権）
① 配偶者は，被相続人の財産に属した建物に相続開始の時に無償で居住していた場合には，次の各号に掲げる区分に応じてそれぞれ当該各号に定める日までの間，その居住していた建物（以下この節において「居住建物」という。）の所有権を相続又は遺贈により取得した者（以下この節において「居住建物取得者」という。）に対し，居住建物について無償で使用する権利（居住建物の一部のみを無償で使用していた場合にあっては，その部分について無償で使用する権利。以下この節において「配偶者短期居住権」という。）を有する。ただし，配偶者が，相続開始の時において居住建物に係る配偶者居住権を取得したとき，又は第891条の規定に該当し若しくは廃除によってその相続権を失ったときは，この限りでない。
一　居住建物について配偶者を含む共同相続人間で遺産の分割をすべき場合　遺産の分割により居住建物の帰属が確定した日又は相続開始の時から6箇月を経過する日のいずれか遅い日
二　前号に掲げる場合以外の場合　第3項の申入れの日から6箇月を経過する日
② 前項本文の場合においては，居住建物取得者は，第三者に対する居住建物の譲渡その他の方法により配偶者の居住建物の使用を妨げてはならない。
③ 居住建物取得者は，第1項第1号に掲げる場合を除くほか，いつでも配偶者短期居住権の消滅の申入れをすることがで

きる。

第1038条　（配偶者による使用）
① 配偶者（配偶者短期居住権を有する配偶者に限る。以下この節において同じ。）は，従前の用法に従い，善良な管理者の注意をもって，居住建物の使用をしなければならない。
② 配偶者は，居住建物取得者の承諾を得なければ，第三者に居住建物の使用をさせることができない。
③ 配偶者が前二項の規定に違反したときは，居住建物取得者は，当該配偶者に対する意思表示によって配偶者短期居住権を消滅させることができる。

第1039条　（配偶者居住権の取得による配偶者短期居住権の消滅）
配偶者が居住建物に係る配偶者居住権を取得したときは，配偶者短期居住権は，消滅する。

第1040条　（居住建物の返還等）
① 配偶者は，前条に規定する場合を除き，配偶者短期居住権が消滅したときは，居住建物の返還をしなければならない。ただし，配偶者が居住建物について共有持分を有する場合は，居住建物取得者は，配偶者短期居住権が消滅したことを理由としては，居住建物の返還を求めることができない。
② 第599条第1項及び第2項並びに第621条の規定は，前項本文の規定により配偶者が相続の開始後に附属させた物がある居住建物又は相続の開始後に生じた損傷がある居住建物の返還をする場合について準用する。

第1041条　（使用貸借等の規定の準用）
第597条第3項，第600条，第616条の2，第1032条第2項，第1033条及び第1034条の規定は，配偶者短期居住権について準用する。

第9章※遺留分

第1042条　（遺留分の帰属及びその割合）
① 兄弟姉妹以外の相続人は，遺留分として，次条第1項に規定する遺留分を算定するための財産の価額に，次の各号に掲げる区分に応じてそれぞれ当該各号に定める割合を乗じた額を受ける。
一　直系尊属のみが相続人である場合　3分の1
二　前号に掲げる場合以外の場合　2分の1
② 相続人が数人ある場合には，前項各号に定める割合は，これらに第900条及び第901条の規定により算定したその各自の相続分を乗じた割合とする。

第1043条　（遺留分を算定するための財産の価額）
① 遺留分を算定するための財産の価額は，被相続人が相続開始の時において有した財産の価額にその贈与した財産の価額を加えた額から債務の全額を控除した額とする。
② 条件付きの権利又は存続期間の不確定な権利は，家庭裁判所が選任した鑑定人の評価に従って，その価格を定める。

> ★判例
> 1※被相続人が相続人に対し，その生計の資本として贈与した財産の価額を，いわゆる特別受益として遺留分算定の基礎となる財産に加える場合に，その贈与した財産が金銭であるときは，遺留分の算定に当たって共同相続人相互の衡平を維持することを目的とする特別受益持戻の制度の趣旨からすれば，その贈与の時の金額を相続開始の時の貨幣価値に換算した価額をもって評価すべきであると解するのが相当である。（最判昭和51・3・18民集30・2・111）
> 2※相続人のうちの1人に対して財産の全部を相続させる旨の遺言がされた場合には，遺言の趣旨等から相続債務については当該相続人にすべてを相続させる意思のないことが明らか

であるなどの特段の事情のない限り，相続人間においては当該相続人が相続債務もすべて承継したと解され，遺留分の侵害額の算定にあたり，遺留分権利者の法定相続分に応じた相続債務の額を遺留分額に加算することは許されない。(最判平成21・3・24民集63・3・427)

第1044条
① 贈与は，相続開始前の1年間にしたものに限り，前条の規定によりその価額を算入する。当事者双方が遺留分権利者に損害を加えることを知って贈与をしたときは，1年前の日より前にしたものについても，同様とする。
② 第904条の規定は，前項に規定する贈与の価額について準用する。
③ 相続人に対する贈与についての第1項の規定の適用については，同項中「1年」とあるのは「10年」と，「価額」とあるのは「価額（婚姻若しくは養子縁組のため又は生計の資本として受けた贈与の価額に限る。）」とする。

第1045条
① 負担付贈与がされた場合における第1043条第1項に規定する贈与した財産の価額は，その目的の価額から負担の価額を控除した額とする。
② 不相当な対価をもってした有償行為は，当事者双方が遺留分権利者に損害を加えることを知ってしたものに限り，当該対価を負担の価額とする負担付贈与とみなす。

第1046条（遺留分侵害額の請求）
① 遺留分権利者及びその承継人は，受遺者（特定財産承継遺言により財産を承継し又は相続分の指定を受けた相続人を含む。以下この章において同じ。）又は受贈者に対し，遺留分侵害額に相当する金銭の支払を請求することができる。
② 遺留分侵害額は，第1042条の規定による遺留分から第1号及び第2号に掲げる額を控除し，これに第3号に掲げる額を加算して算定する。
一　遺留分権利者が受けた遺贈又は第903条第1項に規定する贈与の価額
二　第900条から第902条まで，第903条及び第904条の規定により算定した相続分に応じて遺留分権利者が取得すべき遺産の価額
三　被相続人が相続開始の時において有した債務のうち，第899条の規定により遺留分権利者が承継する債務（次条第3項において「遺留分権利者承継債務」という。）の額

第1047条（受遺者又は受贈者の負担額）
① 受遺者又は受贈者は，次の各号の定めるところに従い，遺贈（特定財産承継遺言による財産の承継又は相続分の指定による遺産の取得を含む。以下この章において同じ。）又は贈与（遺留分を算定するための財産の価額に算入されるものに限る。以下この章において同じ。）の目的の価額（受遺者又は受贈者が相続人である場合にあっては，当該価額から第1042条の規定による遺留分として当該相続人が受けるべき額を控除した額）を限度として，遺留分侵害額を負担する。
一　受遺者と受贈者とがあるときは，受遺者が先に負担する。
二　受遺者が複数あるとき，又は受贈者が複数ある場合においてその贈与が同時にされたものであるときは，受遺者又は受贈者がその目的の価額の割合に応じて負担する。ただし，遺言者がその遺言に別段の意思を表示したときは，その意思に従う。
三　受贈者が複数あるとき（前号に規定する場合を除く。）は，後の贈与に係る受贈者から順次前の贈与に係る受贈者が負担する。
② 第904条，第1043条第2項及び第1045

条の規定は，前項に規定する遺贈又は贈与の目的の価額について準用する。
③　前条第1項の請求を受けた受遺者又は受贈者は，遺留分権利者承継債務について弁済その他の債務を消滅させる行為をしたときは，消滅した債務の額の限度において，遺留分権利者に対する意思表示によって第1項の規定により負担する債務を消滅させることができる。この場合において，当該行為によって遺留分権利者に対して取得した求償権は，消滅した当該債務の額の限度において消滅する。
④　受遺者又は受贈者の無資力によって生じた損失は，遺留分権利者の負担に帰する。
⑤　裁判所は，受遺者又は受贈者の請求により，第1項の規定により負担する債務の全部又は一部の支払につき相当の期限を許与することができる。

第1048条　（遺留分侵害額請求権の期間の制限）

遺留分侵害額の請求権は，遺留分権利者が，相続の開始及び遺留分を侵害する贈与又は遺贈があったことを知った時から1年間行使しないときは，時効によって消滅する。相続開始の時から10年を経過したときも，同様とする。

第1049条　（遺留分の放棄）

①　相続の開始前における遺留分の放棄は，家庭裁判所の許可を受けたときに限り，その効力を生ずる。
②　共同相続人の1人のした遺留分の放棄は，他の各共同相続人の遺留分に影響を及ぼさない。

第10章　特別の寄与

第1050条

①　被相続人に対して無償で療養看護その他の労務の提供をしたことにより被相続人の財産の維持又は増加について特別の寄与をした被相続人の親族（相続人，相続の放棄をした者及び第891条の規定に該当し又は廃除によってその相続権を失った者を除く。以下この条において「特別寄与者」という。）は，相続の開始後，相続人に対し，特別寄与者の寄与に応じた額の金銭（以下この条において「特別寄与料」という。）の支払を請求することができる。
②　前項の規定による特別寄与料の支払について，当事者間に協議が調わないとき，又は協議をすることができないときは，特別寄与者は，家庭裁判所に対して協議に代わる処分を請求することができる。ただし，特別寄与者が相続の開始及び相続人を知った時から6箇月を経過したとき，又は相続開始の時から1年を経過したときは，この限りでない。
③　前項本文の場合には，家庭裁判所は，寄与の時期，方法及び程度，相続財産の額その他一切の事情を考慮して，特別寄与料の額を定める。
④　特別寄与料の額は，被相続人が相続開始の時において有した財産の価額から遺贈の価額を控除した残額を超えることができない。
⑤　相続人が数人ある場合には，各相続人は，特別寄与料の額に第900条から第902条までの規定により算定した当該相続人の相続分を乗じた額を負担する。

附　則　（略）

建物の区分所有等に関する法律（抄）

●昭和37年4月4日法律第69号●　最終改正　令和3年5月19日法37号

第1章　建物の区分所有

第1節／総則

第1条（建物の区分所有）
　一棟の建物に構造上区分された数個の部分で独立して住居，店舗，事務所又は倉庫その他建物としての用途に供することができるものがあるときは，その各部分は，この法律の定めるところにより，それぞれ所有権の目的とすることができる。

第2条（定義）
① この法律において「区分所有権」とは，前条に規定する建物の部分（第4条第2項の規定により共用部分とされたものを除く。）を目的とする所有権をいう。
② この法律において「区分所有者」とは，区分所有権を有する者をいう。
③ この法律において「専有部分」とは，区分所有権の目的たる建物の部分をいう。
④ この法律において「共用部分」とは，専有部分以外の建物の部分，専有部分に属しない建物の附属物及び第4条第2項の規定により共用部分とされた附属の建物をいう。
⑤ この法律において「建物の敷地」とは，建物が所在する土地及び第5条第1項の規定により建物の敷地とされた土地をいう。
⑥ この法律において「敷地利用権」とは，専有部分を所有するための建物の敷地に関する権利をいう。

第3条（区分所有者の団体）
　区分所有者は，全員で，建物並びにその敷地及び附属施設の管理を行うための団体を構成し，この法律の定めるところにより，集会を開き，規約を定め，及び管理者を置くことができる。一部の区分所有者のみの共用に供されるべきことが明らかな共用部分（以下「一部共用部分」という。）をそれらの区分所有者が管理するときも，同様とする。

第4条（共用部分）
① 数個の専有部分に通ずる廊下又は階段室その他構造上区分所有者の全員又はその一部の共用に供されるべき建物の部分は，区分所有権の目的とならないものとする。
② 第1条に規定する建物の部分及び附属の建物は，規約により共用部分とすることができる。この場合には，その旨の登記をしなければ，これをもつて第三者に対抗することができない。

第5条（規約による建物の敷地）
① 区分所有者が建物及び建物が所在する土地と一体として管理又は使用をする庭，通路その他の土地は，規約により建物の敷地とすることができる。
② 建物が所在する土地が建物の一部の滅

失により建物が所在する土地以外の土地となつたときは，その土地は，前項の規定により規約で建物の敷地と定められたものとみなす。建物が所在する土地の一部が分割により建物が所在する土地以外の土地となつたときも，同様とする。

第6条　（区分所有者の権利義務等）
① 区分所有者は，建物の保存に有害な行為その他建物の管理又は使用に関し区分所有者の共同の利益に反する行為をしてはならない。
② 区分所有者は，その専有部分又は共用部分を保存し，又は改良するため必要な範囲内において，他の区分所有者の専有部分又は自己の所有に属しない共用部分の使用を請求することができる。この場合において，他の区分所有者が損害を受けたときは，その償金を支払わなければならない。
③ 第1項の規定は，区分所有者以外の専有部分の占有者（以下「占有者」という。）に準用する。

第7条　（先取特権）
① 区分所有者は，共用部分，建物の敷地若しくは共用部分以外の建物の附属施設につき他の区分所有者に対して有する債権又は規約若しくは集会の決議に基づき他の区分所有者に対して有する債権について，債務者の区分所有権（共用部分に関する権利及び敷地利用権を含む。）及び建物に備え付けた動産の上に先取特権を有する。管理者又は管理組合法人がその職務又は業務を行うにつき区分所有者に対して有する債権についても，同様とする。
② 前項の先取特権は，優先権の順位及び効力については，共益費用の先取特権とみなす。
③ 民法（明治29年法律第89号）第319条の規定は，第1項の先取特権に準用する。

第8条　（特定承継人の責任）
前条第1項に規定する債権は，債務者たる区分所有者の特定承継人に対しても行うことができる。

第9条　（建物の設置又は保存の瑕疵に関する推定）
建物の設置又は保存に瑕疵があることにより他人に損害を生じたときは，その瑕疵は，共用部分の設置又は保存にあるものと推定する。

第10条　（区分所有権売渡請求権）
敷地利用権を有しない区分所有者があるときは，その専有部分の収去を請求する権利を有する者は，その区分所有者に対し，区分所有権を時価で売り渡すべきことを請求することができる。

第2節／共用部分等

第11条　（共用部分の共有関係）
① 共用部分は，区分所有者全員の共有に属する。ただし，一部共用部分は，これを共用すべき区分所有者の共有に属する。
② 前項の規定は，規約で別段の定めをすることを妨げない。ただし，第27条第1項の場合を除いて，区分所有者以外の者を共用部分の所有者と定めることはできない。
③ 民法第177条の規定は，共用部分には適用しない。

第12条
共用部分が区分所有者の全員又はその一部の共有に属する場合には，その共用部分の共有については，次条から第19条までに定めるところによる。

第13条　（共用部分の使用）
各共有者は，共用部分をその用方に従つて使用することができる。

第14条（共用部分の持分の割合）
① 各共有者の持分は，その有する専有部分の床面積の割合による。
② 前項の場合において，一部共用部分（附属の建物であるものを除く。）で床面積を有するものがあるときは，その一部共用部分の床面積は，これを共用すべき各区分所有者の専有部分の床面積の割合により配分して，それぞれその区分所有者の専有部分の床面積に算入するものとする。
③ 前二項の床面積は，壁その他の区画の内側線で囲まれた部分の水平投影面積による。
④ 前三項の規定は，規約で別段の定めをすることを妨げない。

第15条（共用部分の持分の処分）
① 共有者の持分は，その有する専有部分の処分に従う。
② 共有者は，この法律に別段の定めがある場合を除いて，その有する専有部分と分離して持分を処分することができない。

第16条（一部共用部分の管理）
一部共用部分の管理のうち，区分所有者全員の利害に関係するもの又は第31条第2項の規約に定めがあるものは区分所有者全員で，その他のものはこれを共用すべき区分所有者のみで行う。

第17条（共用部分の変更）
① 共用部分の変更（その形状又は効用の著しい変更を伴わないものを除く。）は，区分所有者及び議決権の各4分の3以上の多数による集会の決議で決する。ただし，この区分所有者の定数は，規約でその過半数まで減ずることができる。
② 前項の場合において，共用部分の変更が専有部分の使用に特別の影響を及ぼすべきときは，その専有部分の所有者の承諾を得なければならない。

第18条（共用部分の管理）
① 共用部分の管理に関する事項は，前条の場合を除いて，集会の決議で決する。ただし，保存行為は，各共有者がすることができる。
② 前項の規定は，規約で別段の定めをすることを妨げない。
③ 前条第2項の規定は，第1項本文の場合に準用する。
④ 共用部分につき損害保険契約をすることは，共用部分の管理に関する事項とみなす。

第19条（共用部分の負担及び利益収取）
各共有者は，規約に別段の定めがない限りその持分に応じて，共用部分の負担に任じ，共用部分から生ずる利益を収取する。

第20条（管理所有者の権限）
① 第11条第2項の規定により規約で共用部分の所有者と定められた区分所有者は，区分所有者全員（一部共用部分については，これを共用すべき区分所有者）のためにその共用部分を管理する義務を負う。この場合には，それらの区分所有者に対し，相当な管理費用を請求することができる。
② 前項の共用部分の所有者は，第17条第1項に規定する共用部分の変更をすることができない。

第21条（共用部分に関する規定の準用）
建物の敷地又は共用部分以外の附属施設（これらに関する権利を含む。）が区分所有者の共有に属する場合には，第17条から第19条までの規定は，その敷地又は附属施設に準用する。

第3節／敷地利用権

第22条（分離処分の禁止）
① 敷地利用権が数人で有する所有権その

他の権利である場合には，区分所有者は，その有する専有部分とその専有部分に係る敷地利用権とを分離して処分することができない。ただし，規約に別段の定めがあるときは，この限りでない。
② 前項本文の場合において，区分所有者が数個の専有部分を所有するときは，各専有部分に係る敷地利用権の割合は，第14条第1項から第3項までに定める割合による。ただし，規約でこの割合と異なる割合が定められているときは，その割合による。
③ 前2項の規定は，建物の専有部分の全部を所有する者の敷地利用権が単独で有する所有権その他の権利である場合に準用する。

第23条　（分離処分の無効の主張の制限）
　前条第1項本文（同条第3項において準用する場合を含む。）の規定に違反する専有部分又は敷地利用権の処分については，その無効を善意の相手方に主張することができない。ただし，不動産登記法（平成16年法律第123号）の定めるところにより分離して処分することができない専有部分及び敷地利用権であることを登記した後に，その処分がされたときは，この限りでない。

第24条　（民法第255条の適用除外）
　第22条第1項本文の場合には，民法第255条（同法第264条において準用する場合を含む。）の規定は，敷地利用権には適用しない。

第4節／管理者

第25条　（選任及び解任）
① 区分所有者は，規約に別段の定めがない限り集会の決議によつて，管理者を選任し，又は解任することができる。
② 管理者に不正な行為その他その職務を行うに適しない事情があるときは，各区分所有者は，その解任を裁判所に請求することができる。

第26条　（権限）
① 管理者は，共用部分並びに第21条に規定する場合における当該建物の敷地及び附属施設（次項及び第47条第6項において「共用部分等」という。）を保存し，集会の決議を実行し，並びに規約で定めた行為をする権利を有し，義務を負う。
② 管理者は，その職務に関し，区分所有者を代理する。第18条第4項（第21条において準用する場合を含む。）の規定による損害保険契約に基づく保険金額並びに共用部分等について生じた損害賠償金及び不当利得による返還金の請求及び受領についても，同様とする。
③ 管理者の代理権に加えた制限は，善意の第三者に対抗することができない。
④ 管理者は，規約又は集会の決議により，その職務（第2項後段に規定する事項を含む。）に関し，区分所有者のために，原告又は被告となることができる。
⑤ 管理者は，前項の規約により原告又は被告となつたときは，遅滞なく，区分所有者にその旨を通知しなければならない。この場合には，第35条第2項から第4項までの規定を準用する。

第27条　（管理所有）
① 管理者は，規約に特別の定めがあるときは，共用部分を所有することができる。
② 第6条第2項及び第20条の規定は，前項の場合に準用する。

第28条　（委任の規定の準用）
　この法律及び規約に定めるもののほか，管理者の権利義務は，委任に関する規定に従う。

第29条　（区分所有者の責任等）
① 管理者がその職務の範囲内において第

三者との間にした行為につき区分所有者がその責めに任ずべき割合は，第14条に定める割合と同一の割合とする。ただし，規約で建物並びにその敷地及び附属施設の管理に要する経費につき負担の割合が定められているときは，その割合による。
② 前項の行為により第三者が区分所有者に対して有する債権は，その特定承継人に対しても行うことができる。

第5節／規約及び集会

第30条 （規約事項）

① 建物又はその敷地若しくは附属施設の管理又は使用に関する区分所有者相互間の事項は，この法律に定めるもののほか，規約で定めることができる。
② 一部共用部分に関する事項で区分所有者全員の利害に関係しないものは，区分所有者全員の規約に定めがある場合を除いて，これを共用すべき区分所有者の規約で定めることができる。
③ 前二項に規定する規約は，専有部分若しくは共用部分又は建物の敷地若しくは附属施設（建物の敷地又は附属施設に関する権利を含む。）につき，これらの形状，面積，位置関係，使用目的及び利用状況並びに区分所有者が支払つた対価その他の事情を総合的に考慮して，区分所有者間の利害の衡平が図られるように定めなければならない。
④ 第1項及び第2項の場合には，区分所有者以外の者の権利を害することができない。
⑤ 規約は，書面又は電磁的記録（電子的方式，磁気的方式その他人の知覚によつては認識することができない方式で作られる記録であつて，電子計算機による情報処理の用に供されるものとして法務省令で定めるものをいう。以下同じ。）により，これを作成しなければならない。

第31条 （規約の設定，変更及び廃止）

① 規約の設定，変更又は廃止は，区分所有者及び議決権の各4分の3以上の多数による集会の決議によつてする。この場合において，規約の設定，変更又は廃止が一部の区分所有者の権利に特別の影響を及ぼすべきときは，その承諾を得なければならない。
② 前条第2項に規定する事項についての区分所有者全員の規約の設定，変更又は廃止は，当該一部共用部分を共用すべき区分所有者の4分の1を超える者又はその議決権の4分の1を超える議決権を有する者が反対したときは，することができない。

第32条 （公正証書による規約の設定）

最初に建物の専有部分の全部を所有する者は，公正証書により，第4条第2項，第5条第1項並びに第22条第1項ただし書及び第2項ただし書（これらの規定を同条第3項において準用する場合を含む。）の規約を設定することができる。

第33条 （規約の保管及び閲覧）

① 規約は，管理者が保管しなければならない。ただし，管理者がないときは，建物を使用している区分所有者又はその代理人で規約又は集会の決議で定めるものが保管しなければならない。
② 前項の規定により規約を保管する者は，利害関係人の請求があつたときは，正当な理由がある場合を除いて，規約の閲覧（規約が電磁的記録で作成されているときは，当該電磁的記録に記録された情報の内容を法務省令で定める方法により表示したものの当該規約の保管場所における閲覧）を拒んではならない。
③ 規約の保管場所は，建物内の見やすい場所に掲示しなければならない。

第34条 （集会の招集）

① 集会は，管理者が招集する。

② 管理者は，少なくとも毎年1回集会を招集しなければならない。
③ 区分所有者の5分の1以上で議決権の5分の1以上を有するものは，管理者に対し，会議の目的たる事項を示して，集会の招集を請求することができる。ただし，この定数は，規約で減ずることができる。
④ 前項の規定による請求がされた場合において，2週間以内にその請求の日から4週間以内の日を会日とする集会の招集の通知が発せられなかつたときは，その請求をした区分所有者は，集会を招集することができる。
⑤ 管理者がないときは，区分所有者の5分の1以上で議決権の5分の1以上を有するものは，集会を招集することができる。ただし，この定数は，規約で減ずることができる。

第35条　（招集の通知）
① 集会の招集の通知は，会日より少なくとも1週間前に，会議の目的たる事項を示して，各区分所有者に発しなければならない。ただし，この期間は，規約で伸縮することができる。
② 専有部分が数人の共有に属するときは，前項の通知は，第40条の規定により定められた議決権を行使すべき者（その者がないときは，共有者の1人）にすれば足りる。
③ 第1項の通知は，区分所有者が管理者に対して通知を受けるべき場所を通知したときはその場所に，これを通知しなかつたときは区分所有者の所有する専有部分が所在する場所にあててすれば足りる。この場合には，同項の通知は，通常それが到達すべき時に到達したものとみなす。
④ 建物内に住所を有する区分所有者又は前項の通知を受けるべき場所を通知しない区分所有者に対する第1項の通知は，規約に特別の定めがあるときは，建物内の見やすい場所に掲示してすることができる。この場合には，同項の通知は，その掲示をした時に到達したものとみなす。
⑤ 第1項の通知をする場合において，会議の目的たる事項が第17条第1項，第31条第1項，第61条第5項，第62条第1項，第68条第1項又は第69条第7項に規定する決議事項であるときは，その議案の要領をも通知しなければならない。

第36条　（招集手続の省略）
　集会は，区分所有者全員の同意があるときは，招集の手続を経ないで開くことができる。

第37条　（決議事項の制限）
① 集会においては，第35条の規定によりあらかじめ通知した事項についてのみ，決議をすることができる。
② 前項の規定は，この法律に集会の決議につき特別の定数が定められている事項を除いて，規約で別段の定めをすることを妨げない。
③ 前二項の規定は，前条の規定による集会には適用しない。

第38条　（議決権）
　各区分所有者の議決権は，規約に別段の定めがない限り，第14条に定める割合による。

第39条　（議事）
① 集会の議事は，この法律又は規約に別段の定めがない限り，区分所有者及び議決権の各過半数で決する。
② 議決権は，書面で，又は代理人によつて行使することができる。
③ 区分所有者は，規約又は集会の決議により，前項の規定による書面による議決権の行使に代えて，電磁的方法（電子情報処理組織を使用する方法その他の情報通信の技術を利用する方法であつて法務

省令で定めるものをいう。以下同じ。）によつて議決権を行使することができる。

第40条　（議決権行使者の指定）
専有部分が数人の共有に属するときは，共有者は，議決権を行使すべき者1人を定めなければならない。

第41条　（議長）
集会においては，規約に別段の定めがある場合及び別段の決議をした場合を除いて，管理者又は集会を招集した区分所有者の1人が議長となる。

第42条　（議事録）
① 集会の議事については，議長は，書面又は電磁的記録により，議事録を作成しなければならない。
② 議事録には，議事の経過の要領及びその結果を記載し，又は記録しなければならない。
③ 前項の場合において，議事録が書面で作成されているときは，議長及び集会に出席した区分所有者の2人がこれに署名しなければならない。
④ 第2項の場合において，議事録が電磁的記録で作成されているときは，当該電磁的記録に記録された情報については，議長及び集会に出席した区分所有者の2人が行う法務省令で定める署名に代わる措置を執らなければならない。
⑤ 第33条の規定は，議事録について準用する。

第43条　（事務の報告）
管理者は，集会において，毎年1回一定の時期に，その事務に関する報告をしなければならない。

第44条　（占有者の意見陳述権）
① 区分所有者の承諾を得て専有部分を占有する者は，会議の目的たる事項につき利害関係を有する場合には，集会に出席して意見を述べることができる。
② 前項に規定する場合には，集会を招集する者は，第35条の規定により招集の通知を発した後遅滞なく，集会の日時，場所及び会議の目的たる事項を建物内の見やすい場所に掲示しなければならない。

第45条　（書面又は電磁的方法による決議）
① この法律又は規約により集会において決議をすべき場合において，区分所有者全員の承諾があるときは，書面又は電磁的方法による決議をすることができる。ただし，電磁的方法による決議に係る区分所有者の承諾については，法務省令で定めるところによらなければならない。
② この法律又は規約により集会において決議すべきものとされた事項については，区分所有者全員の書面又は電磁的方法による合意があつたときは，書面又は電磁的方法による決議があつたものとみなす。
③ この法律又は規約により集会において決議すべきものとされた事項についての書面又は電磁的方法による決議は，集会の決議と同一の効力を有する。
④ 第33条の規定は，書面又は電磁的方法による決議に係る書面並びに第1項及び第2項の電磁的方法が行われる場合に当該電磁的方法により作成される電磁的記録について準用する。
⑤ 集会に関する規定は，書面又は電磁的方法による決議について準用する。

第46条　（規約及び集会の決議の効力）
① 規約及び集会の決議は，区分所有者の特定承継人に対しても，その効力を生ずる。
② 占有者は，建物又はその敷地若しくは附属施設の使用方法につき，区分所有者が規約又は集会の決議に基づいて負う義務と同一の義務を負う。

第6節／管理組合法人

第47条 （成立等）

① 第3条に規定する団体は，区分所有者及び議決権の各4分の3以上の多数による集会の決議で法人となる旨並びにその名称及び事務所を定め，かつ，その主たる事務所の所在地において登記をすることによって法人となる。

② 前項の規定による法人は，管理組合法人と称する。

③ この法律に規定するもののほか，管理組合法人の登記に関して必要な事項は，政令で定める。

④ 管理組合法人に関して登記すべき事項は，登記した後でなければ，第三者に対抗することができない。

⑤ 管理組合法人の成立前の集会の決議，規約及び管理者の職務の範囲内の行為は，管理組合法人につき効力を生ずる。

⑥ 管理組合法人は，その事務に関し，区分所有者を代理する。第18条第4項（第21条において準用する場合を含む。）の規定による損害保険契約に基づく保険金額並びに共用部分等について生じた損害賠償金及び不当利得による返還金の請求及び受領についても，同様とする。

⑦ 管理組合法人の代理権に加えた制限は，善意の第三者に対抗することができない。

⑧ 管理組合法人は，規約又は集会の決議により，その事務（第6項後段に規定する事項を含む。）に関し，区分所有者のために，原告又は被告となることができる。

⑨ 管理組合法人は，前項の規約により原告又は被告となつたときは，遅滞なく，区分所有者にその旨を通知しなければならない。この場合においては，第35条第2項から第4項までの規定を準用する。

⑩ 一般社団法人及び一般財団法人に関する法律（平成18年法律第48号）第4条及び第78条の規定は管理組合法人に，破産法（平成16年法律第75号）第16条第2項の規定は存立中の管理組合法人に準用する。

⑪ 第4節及び第33条第1項ただし書（第42条第5項及び第45条第4項において準用する場合を含む。）の規定は，管理組合法人には，適用しない。

⑫ 管理組合法人について，第33条第1項本文（第42条第5項及び第45条第4項において準用する場合を含む。以下この項において同じ。）の規定を適用する場合には第33条第1項本文中「管理者が」とあるのは「理事が管理組合法人の事務所において」と，第34条第1項から第3項まで及び第5項，第35条第3項，第41条並びに第43条の規定を適用する場合にはこれらの規定中「管理者」とあるのは「理事」とする。

⑬ 管理組合法人は，法人税法（昭和40年法律第34号）その他法人税に関する法令の規定の適用については，同法第2条第6号に規定する公益法人等とみなす。この場合において，同法第37条の規定を適用する場合には同条第4項中「公益法人等（」とあるのは「公益法人等（管理組合法人並びに」と，同法第66条の規定を適用する場合には同条第1項及び第2項中「普通法人」とあるのは「普通法人（管理組合法人を含む。）」と，同条第3項中「公益法人等（」とあるのは「公益法人等（管理組合法人及び」とする。

⑭ 管理組合法人は，消費税法（昭和63年法律第108号）その他消費税に関する法令の規定の適用については，同法別表第3に掲げる法人とみなす。

第48条 （名称）

① 管理組合法人は，その名称中に管理組合法人という文字を用いなければならない。

② 管理組合法人でないものは，その名称中に管理組合法人という文字を用いては

ならない。

第48条の2　（財産目録及び区分所有者名簿）

① 管理組合法人は，設立の時及び毎年1月から3月までの間に財産目録を作成し，常にこれをその主たる事務所に備え置かなければならない。ただし，特に事業年度を設けるものは，設立の時及び毎事業年度の終了の時に財産目録を作成しなければならない。

② 管理組合法人は，区分所有者名簿を備え置き，区分所有者の変更があるごとに必要な変更を加えなければならない。

第49条　（理事）

① 管理組合法人には，理事を置かなければならない。

② 理事が数人ある場合において，規約に別段の定めがないときは，管理組合法人の事務は，理事の過半数で決する。

③ 理事は，管理組合法人を代表する。

④ 理事が数人あるときは，各自管理組合法人を代表する。

⑤ 前項の規定は，規約若しくは集会の決議によつて，管理組合法人を代表すべき理事を定め，若しくは数人の理事が共同して管理組合法人を代表すべきことを定め，又は規約の定めに基づき理事の互選によつて管理組合法人を代表すべき理事を定めることを妨げない。

⑥ 理事の任期は，2年とする。ただし，規約で3年以内において別段の期間を定めたときは，その期間とする。

⑦ 理事が欠けた場合又は規約で定めた理事の員数が欠けた場合には，任期の満了又は辞任により退任した理事は，新たに選任された理事（第49条の4第1項の仮理事を含む。）が就任するまで，なおその職務を行う。

⑧ 第25条の規定は，理事に準用する。

第49条の2　（理事の代理権）

理事の代理権に加えた制限は，善意の第三者に対抗することができない。

第49条の3　（理事の代理行為の委任）

理事は，規約又は集会の決議によつて禁止されていないときに限り，特定の行為の代理を他人に委任することができる。

第49条の4　（仮理事）

① 理事が欠けた場合において，事務が遅滞することにより損害を生ずるおそれがあるときは，裁判所は，利害関係人又は検察官の請求により，仮理事を選任しなければならない。

② 仮理事の選任に関する事件は，管理組合法人の主たる事務所の所在地を管轄する地方裁判所の管轄に属する。

第50条　（監事）

① 管理組合法人には，監事を置かなければならない。

② 監事は，理事又は管理組合法人の使用人と兼ねてはならない。

③ 監事の職務は，次のとおりとする。

　一　管理組合法人の財産の状況を監査すること。

　二　理事の業務の執行の状況を監査すること。

　三　財産の状況又は業務の執行について，法令若しくは規約に違反し，又は著しく不当な事項があると認めるときは，集会に報告をすること。

　四　前号の報告をするため必要があるときは，集会を招集すること。

④ 第25条，第49条第6項及び第7項並びに前条の規定は，監事に準用する。

第51条　（監事の代表権）

管理組合法人と理事との利益が相反する事項については，監事が管理組合法人を代表する。

第52条　（事務の執行）

① 管理組合法人の事務は，この法律に定めるもののほか，すべて集会の決議によつて行う。ただし，この法律に集会の決議につき特別の定数が定められている事項及び第57条第2項に規定する事項を除いて，規約で，理事その他の役員が決するものとすることができる。

② 前項の規定にかかわらず，保存行為は，理事が決することができる。

第53条　（区分所有者の責任）

① 管理組合法人の財産をもつてその債務を完済することができないときは，区分所有者は，第14条に定める割合と同一の割合で，その債務の弁済の責めに任ずる。ただし，第29条第1項ただし書に規定する負担の割合が定められているときは，その割合による。

② 管理組合法人の財産に対する強制執行がその効を奏しなかつたときも，前項と同様とする。

③ 前項の規定は，区分所有者が管理組合法人に資力があり，かつ，執行が容易であることを証明したときは，適用しない。

第54条　（特定承継人の責任）

区分所有者の特定承継人は，その承継前に生じた管理組合法人の債務についても，その区分所有者が前条の規定により負う責任と同一の責任を負う。

第7節／義務違反者に対する措置

第57条　（共同の利益に反する行為の停止等の請求）

① 区分所有者が第6条第1項に規定する行為をした場合又はその行為をするおそれがある場合には，他の区分所有者の全員又は管理組合法人は，区分所有者の共同の利益のため，その行為を停止し，その行為の結果を除去し，又はその行為を予防するため必要な措置を執ることを請求することができる。

② 前項の規定に基づき訴訟を提起するには，集会の決議によらなければならない。

③ 管理者又は集会において指定された区分所有者は，集会の決議により，第1項の他の区分所有者の全員のために，前項に規定する訴訟を提起することができる。

④ 前三項の規定は，占有者が第6条第3項において準用する同条第1項に規定する行為をした場合及びその行為をするおそれがある場合に準用する。

第58条　（使用禁止の請求）

① 前条第1項に規定する場合において，第6条第1項に規定する行為による区分所有者の共同生活上の障害が著しく，前条第1項に規定する請求によつてはその障害を除去して共用部分の利用の確保その他の区分所有者の共同生活の維持を図ることが困難であるときは，他の区分所有者の全員又は管理組合法人は，集会の決議に基づき，訴えをもつて，相当の期間の当該行為に係る区分所有者による専有部分の使用の禁止を請求することができる。

② 前項の決議は，区分所有者及び議決権の各4分の3以上の多数でする。

③ 第1項の決議をするには，あらかじめ，当該区分所有者に対し，弁明する機会を与えなければならない。

④ 前条第3項の規定は，第1項の訴えの提起に準用する。

第59条　（区分所有権の競売の請求）

① 第57条第1項に規定する場合において，第6条第1項に規定する行為による区分所有者の共同生活上の障害が著しく，他の方法によつてはその障害を除去して共用部分の利用の確保その他の区分所有者の共同生活の維持を図ることが困難であるときは，他の区分所有者の全員又は管理組合法人は，集会の決議に基づき，訴

えをもつて，当該行為に係る区分所有者の区分所有権及び敷地利用権の競売を請求することができる。
② 第57条第3項の規定は前項の訴えの提起に，前条第2項及び第3項の規定は前項の決議に準用する。
③ 第1項の規定による判決に基づく競売の申立ては，その判決が確定した日から6月を経過したときは，することができない。
④ 前項の競売においては，競売を申し立てられた区分所有者又はその者の計算において買い受けようとする者は，買受けの申出をすることができない。

第60条　（占有者に対する引渡し請求）
① 第57条第4項に規定する場合において，第6条第3項において準用する同条第1項に規定する行為による区分所有者の共同生活上の障害が著しく，他の方法によつてはその障害を除去して共用部分の利用の確保その他の区分所有者の共同生活の維持を図ることが困難であるときは，区分所有者の全員又は管理組合法人は，集会の決議に基づき，訴えをもつて，当該行為に係る占有者が占有する専有部分の使用又は収益を目的とする契約の解除及びその専有部分の引渡しを請求することができる。
② 第57条第3項の規定は前項の訴えの提起に，第58条第2項及び第3項の規定は前項の決議に準用する。
③ 第1項の規定による判決に基づき専有部分の引渡しを受けた者は，遅滞なく，その専有部分を占有する権原を有する者にこれを引き渡さなければならない。

第2章　団地

第65条　（団地建物所有者の団体）
　一団地内に数棟の建物があつて，その団地内の土地又は附属施設（これらに関する権利を含む。）がそれらの建物の所有者（専有部分のある建物にあつては，区分所有者）の共有に属する場合には，それらの所有者（以下「団地建物所有者」という。）は，全員で，その団地内の土地，附属施設及び専有部分のある建物の管理を行うための団体を構成し，この法律の定めるところにより，集会を開き，規約を定め，及び管理者を置くことができる。

第66条　（建物の区分所有に関する規定の準用）
　第7条，第8条，第17条から第19条まで，第25条，第26条，第28条，第29条，第30条第1項及び第3項から第5項まで，第31条第1項並びに第33条から第56条の7までの規定は，前条の場合について準用する。この場合において，これらの規定（第55条第1項第1号を除く。）中「区分所有者」とあるのは「第65条に規定する団地建物所有者」と，「管理組合法人」とあるのは「団地管理組合法人」と，第7条第1項中「共用部分，建物の敷地若しくは共用部分以外の建物の附属施設」とあるのは「第65条に規定する場合における当該土地若しくは附属施設（以下「土地等」という。）」と，「区分所有権」とあるのは「土地等に関する権利，建物又は区分所有権」と，第17条，第18条第1項及び第4項並びに第19条中「共用部分」とあり，第26条第1項中「共用部分並びに第21条に規定する場合における当該建物の敷地及び附属施設」とあり，並びに第29条第1項中「建物並びにその敷地及び附属施設」とあるのは「土地等並びに第68条の規定による規約により管理すべきものと定められた同条第1項第1号に掲げる土地及び附属施設並びに同項第2号に掲げる建物の共用部分」と，第17条第2項，第35条第2項及び第3項，第40条並びに第44条第1項中「専有部分」とあるのは「建物又は専有部分」と，第29条第1項，第38条，第53条第1項及び第

56条中「第14条に定める」とあるのは「土地等（これらに関する権利を含む。）の持分の」と、第30条第1項及び第46条第2項中「建物又はその敷地若しくは附属施設」とあるのは「土地等又は第68条第1項各号に掲げる物」と、第30条第3項中「専有部分若しくは共用部分又は建物の敷地若しくは附属施設（建物の敷地又は附属施設に関する権利を含む。）」とあるのは「建物若しくは専有部分若しくは土地等（土地等に関する権利を含む。）又は第68条の規定による規約により管理すべきものと定められた同条第1項第1号に掲げる土地若しくは附属施設（これらに関する権利を含む。）若しくは同項第2号に掲げる建物の共用部分」と、第33条第3項、第35条第4項及び第44条第2項中「建物内」とあるのは「団地内」と、第35条第5項中「第61条第5項、第62条第1項、第68条第1項又は第69条第7項」とあるのは「第69条第1項又は第70条第1項」と、第46条第2項中「占有者」とあるのは「建物又は専有部分を占有する者で第65条に規定する団地建物所有者でないもの」と、第47条第1項中「第3条」とあるのは「第65条」と、第55条第1項第1号中「建物（一部共用部分を共用すべき区分所有者で構成する管理組合法人にあつては、その共用部分）」とあるのは「土地等（これらに関する権利を含む。）」と、同項第2号中「建物に専有部分が」とあるのは「土地等（これらに関する権利を含む。）が第65条に規定する団地建物所有者の共有で」と読み替えるものとする。

第67条 （団地共用部分）

① 一団地内の附属施設たる建物（第1条に規定する建物の部分を含む。）は、前条において準用する第30条第1項の規約により団地共用部分とすることができる。この場合においては、その旨の登記をし

なければ、これをもつて第三者に対抗することができない。

② 一団地内の数棟の建物の全部を所有する者は、公正証書により、前項の規約を設定することができる。

③ 第11条第1項本文及び第3項並びに第13条から第15条までの規定は、団地共用部分に準用する。この場合において、第11条第1項本文中「区分所有者」とあるのは「第65条に規定する団地建物所有者」と、第14条第1項及び第15条中「専有部分」とあるのは「建物又は専有部分」と読み替えるものとする。

第68条 （規約の設定の特例）

① 次の物につき第66条において準用する第30条第1項の規約を定めるには、第1号に掲げる土地又は附属施設にあつては当該土地の全部又は附属施設の全部につきそれぞれ共有者の4分の3以上でその持分の4分の3以上を有するものの同意、第2号に掲げる建物にあつてはその全部につきそれぞれ第34条の規定による集会における区分所有者及び議決権の各4分の3以上の多数による決議があることを要する。

一 一団地内の土地又は附属施設（これらに関する権利を含む。）が当該団地内の一部の建物の所有者（専有部分のある建物にあつては、区分所有者）の共有に属する場合における当該土地又は附属施設（専有部分のある建物以外の建物の所有者のみの共有に属するものを除く。）

二 当該団地内の専有部分のある建物

② 第31条第2項の規定は、前項第2号に掲げる建物の一部共用部分に関する事項で区分所有者全員の利害に関係しないものについての同項の集会の決議に準用する。

附　則　（略）

任意後見契約に関する法律

●平成11年12月8日法律第150号●　最終改正　平成23年5月25日法53号

第1条　（趣旨）
　この法律は，任意後見契約の方式，効力等に関し特別の定めをするとともに，任意後見人に対する監督に関し必要な事項を定めるものとする。

第2条　（定義）
　この法律において，次の各号に掲げる用語の意義は，当該各号の定めるところによる。
一　任意後見契約　委任者が，受任者に対し，精神上の障害により事理を弁識する能力が不十分な状況における自己の生活，療養看護及び財産の管理に関する事務の全部又は一部を委託し，その委託に係る事務について代理権を付与する委任契約であって，第4条第1項の規定により任意後見監督人が選任された時からその効力を生ずる旨の定めのあるものをいう。
二　本人　任意後見契約の委任者をいう。
三　任意後見受任者　第4条第1項の規定により任意後見監督人が選任される前における任意後見契約の受任者をいう。
四　任意後見人　第4条第1項の規定により任意後見監督人が選任された後における任意後見契約の受任者をいう。

第3条　（任意後見契約の方式）
　任意後見契約は，法務省令で定める様式の公正証書によってしなければならない。

第4条　（任意後見監督人の選任）
① 任意後見契約が登記されている場合において，精神上の障害により本人の事理を弁識する能力が不十分な状況にあるときは，家庭裁判所は，本人，配偶者，四親等内の親族又は任意後見受任者の請求により，任意後見監督人を選任する。ただし，次に掲げる場合は，この限りでない。
一　本人が未成年者であるとき。
二　本人が成年被後見人，被保佐人又は被補助人である場合において，当該本人に係る後見，保佐又は補助を継続することが本人の利益のため特に必要であると認めるとき。
三　任意後見受任者が次に掲げる者であるとき。
　イ　民法（明治29年法律第89号）第847条各号（第4号を除く。）に掲げる者
　ロ　本人に対して訴訟をし，又はした者及びその配偶者並びに直系血族
　ハ　不正な行為，著しい不行跡その他任意後見人の任務に適しない事由がある者
② 前項の規定により任意後見監督人を選任する場合において，本人が成年被後見人，被保佐人又は被補助人であるときは，家庭裁判所は，当該本人に係る後見開始，保佐開始又は補助開始の審判（以下「後見開始の審判等」と総称する。）を取り消さなければならない。
③ 第1項の規定により本人以外の者の請求により任意後見監督人を選任するには，あらかじめ本人の同意がなければならない。ただし，本人がその意思を表示する

ことができないときは，この限りでない。
④　任意後見監督人が欠けた場合には，家庭裁判所は，本人，その親族若しくは任意後見人の請求により，又は職権で，任意後見監督人を選任する。
⑤　任意後見監督人が選任されている場合においても，家庭裁判所は，必要があると認めるときは，前項に掲げる者の請求により，又は職権で，更に任意後見監督人を選任することができる。

第5条　（任意後見監督人の欠格事由）
　任意後見受任者又は任意後見人の配偶者，直系血族及び兄弟姉妹は，任意後見監督人となることができない。

第6条　（本人の意思の尊重等）
　任意後見人は，第2条第1号に規定する委託に係る事務（以下「任意後見人の事務」という。）を行うに当たっては，本人の意思を尊重し，かつ，その心身の状態及び生活の状況に配慮しなければならない。

第7条　（任意後見監督人の職務等）
①　任意後見監督人の職務は，次のとおりとする。
一　任意後見人の事務を監督すること。
二　任意後見人の事務に関し，家庭裁判所に定期的に報告をすること。
三　急迫の事情がある場合に，任意後見人の代理権の範囲内において，必要な処分をすること。
四　任意後見人又はその代表する者と本人との利益が相反する行為について本人を代表すること。
②　任意後見監督人は，いつでも，任意後見人に対し任意後見人の事務の報告を求め，又は任意後見人の事務若しくは本人の財産の状況を調査することができる。
③　家庭裁判所は，必要があると認めるときは，任意後見監督人に対し，任意後見人の事務に関する報告を求め，任意後見人の事務若しくは本人の財産の状況の調査を命じ，その他任意後見監督人の職務について必要な処分を命ずることができる。
④　民法第644条，第654条，第655条，第843条第4項，第844条，第846条，第847条，第859条の2，第861条第2項及び第862条の規定は，任意後見監督人について準用する。

第8条　（任意後見人の解任）
　任意後見人に不正な行為，著しい不行跡その他その任務に適しない事由があるときは，家庭裁判所は，任意後見監督人，本人，その親族又は検察官の請求により，任意後見人を解任することができる。

第9条　（任意後見契約の解除）
①　第4条第1項の規定により任意後見監督人が選任される前においては，本人又は任意後見受任者は，いつでも，公証人の認証を受けた書面によって，任意後見契約を解除することができる。
②　第4条第1項の規定により任意後見監督人が選任された後においては，本人又は任意後見人は，正当な事由がある場合に限り，家庭裁判所の許可を得て，任意後見契約を解除することができる。

第10条　（後見，保佐及び補助との関係）
①　任意後見契約が登記されている場合には，家庭裁判所は，本人の利益のため特に必要があると認めるときに限り，後見開始の審判等をすることができる。
②　前項の場合における後見開始の審判等の請求は，任意後見受任者，任意後見人又は任意後見監督人もすることができる。
③　第4条第1項の規定により任意後見監督人が選任された後において本人が後見開始の審判等を受けたときは，任意後見契約は終了する。

第11条　(任意後見人の代理権の消滅の対抗要件)
　任意後見人の代理権の消滅は，登記をしなければ，善意の第三者に対抗することができない。

附　則（略）

後見登記等に関する法律(抄)

●平成11年12月8日法律第152号●　最終改正　令和3年5月19日法37号

実体法

第1条　（趣旨）
民法（明治29年法律第89号）に規定する後見（後見開始の審判により開始するものに限る。以下同じ。），保佐及び補助に関する登記並びに任意後見契約に関する法律（平成11年法律第150号）に規定する任意後見契約の登記（以下「後見登記等」と総称する。）については，他の法令に定めるもののほか，この法律の定めるところによる。

第2条　（登記所）
① 後見登記等に関する事務は，法務大臣の指定する法務局若しくは地方法務局若しくはこれらの支局又はこれらの出張所（次条において「指定法務局等」という。）が，登記所としてつかさどる。
② 前項の指定は，告示してしなければならない。

第3条　（登記官）
登記所における事務は，指定法務局等に勤務する法務事務官で，法務局又は地方法務局の長が指定した者が，登記官として取り扱う。

第4条　（後見等の登記等）
① 後見，保佐又は補助（以下「後見等」と総称する。）の登記は，嘱託又は申請により，磁気ディスク（これに準ずる方法により一定の事項を確実に記録することができる物を含む。第9条において同じ。）をもって調製する後見登記等ファイルに，次に掲げる事項を記録することによって行う。

一　後見等の種別，開始の審判をした裁判所，その審判の事件の表示及び確定の年月日
二　成年被後見人，被保佐人又は被補助人（以下「成年被後見人等」と総称する。）の氏名，出生の年月日，住所及び本籍（外国人にあっては，国籍）
三　成年後見人，保佐人又は補助人（以下「成年後見人等」と総称する。）の氏名又は名称及び住所
四　成年後見監督人，保佐監督人又は補助監督人（以下「成年後見監督人等」と総称する。）が選任されたときは，その氏名及び住所（法人にあっては，名称又は商号及び主たる事務所又は本店）
五　保佐人又は補助人の同意を得ることを要する行為が定められたときは，その行為
六　保佐人又は補助人に代理権が付与されたときは，その代理権の範囲
七　数人の成年後見人等又は数人の成年後見監督人等が，共同して又は事務を分掌して，その権限を行使すべきことが定められたときは，その定め
八　後見等が終了したときは，その事由及び年月日
九　家事事件手続法（平成23年法律第52号）第127条第1項（同条第5項並びに同法第135条及び第144条において準用する場合を含む。）の規定により成年後見人等又は成年後見監督人等の職務の執行を停止する審判前の保全処分がされたときは，その旨
十　前号に規定する規定により成年後見

人等又は成年後見監督人等の職務代行者を選任する審判前の保全処分がされたときは、その氏名又は名称及び住所
十一　登記番号
② 家事事件手続法第126条第2項、第134条第2項又は第143条第2項の規定による審判前の保全処分（以下「後見命令等」と総称する。）の登記は、嘱託又は申請により、後見登記等ファイルに、次に定める事項を記録することによって行う。
一　後見命令等の種別、審判前の保全処分をした裁判所、その審判前の保全処分の事件の表示及び発効の年月日
二　財産の管理者の後見、保佐又は補助を受けるべきことを命ぜられた者（以下「後見命令等の本人」と総称する。）の氏名、出生の年月日、住所及び本籍（外国人にあっては、国籍）
三　財産の管理者の氏名又は名称及び住所
四　家事事件手続法第143条第2項の規定による審判前の保全処分において、財産の管理者の同意を得ることを要するものと定められた行為
五　後見命令等が効力を失ったときは、その事由及び年月日
六　登記番号

第5条　（任意後見契約の登記）

任意後見契約の登記は、嘱託又は申請により、後見登記等ファイルに、次に掲げる事項を記録することによって行う。
一　任意後見契約に係る公正証書を作成した公証人の氏名及び所属並びにその証書の番号及び作成の年月日
二　任意後見契約の委任者（以下「任意後見契約の本人」という。）の氏名、出生の年月日、住所及び本籍（外国人にあっては、国籍）
三　任意後見受任者又は任意後見人の氏名又は名称及び住所
四　任意後見受任者又は任意後見人の代理権の範囲
五　数人の任意後見人が共同して代理権を行使すべきことを定めたときは、その定め
六　任意後見監督人が選任されたときは、その氏名又は名称及び住所並びにその選任の審判の確定の年月日
七　数人の任意後見監督人が、共同して又は事務を分掌して、その権限を行使すべきことが定められたときは、その定め
八　任意後見契約が終了したときは、その事由及び年月日
九　家事事件手続法第225条において準用する同法第127条第1項の規定により任意後見人又は任意後見監督人の職務の執行を停止する審判前の保全処分がされたときは、その旨
十　前号に規定する規定により任意後見監督人の職務代行者を選任する審判前の保全処分がされたときは、その氏名又は名称及び住所
十一　登記番号

第10条　（登記事項証明書の交付等）

① 何人も、登記官に対し、次に掲げる登記記録について、後見登記等ファイルに記録されている事項（記録がないときは、その旨）を証明した書面（以下「登記事項証明書」という。）の交付を請求することができる。
一　自己を成年被後見人等又は任意後見契約の本人とする登記記録
二　自己を成年後見人等、成年後見監督人等、任意後見受任者、任意後見人又は任意後見監督人（退任したこれらの者を含む。）とする登記記録
三　自己の配偶者又は四親等内の親族を成年被後見人等又は任意後見契約の本人とする登記記録
四　自己を成年後見人等、成年後見監督

人等又は任意後見監督人の職務代行者（退任したこれらの者を含む。）とする登記記録
五　自己を後見命令等の本人とする登記記録
六　自己を財産の管理者（退任した者を含む。）とする登記記録
七　自己の配偶者又は四親等内の親族を後見命令等の本人とする登記記録
② 次の各号に掲げる者は，登記官に対し，それぞれ当該各号に定める登記記録について，登記事項証明書の交付を請求することができる。
一　未成年後見人又は未成年後見監督人　その未成年被後見人を成年被後見人等，後見命令等の本人又は任意後見契約の本人とする登記記録
二　成年後見人等又は成年後見監督人等　その成年被後見人等を任意後見契約の本人とする登記記録
三　登記された任意後見契約の任意後見受任者　その任意後見契約の本人を成年被後見人等又は後見命令等の本人とする登記記録
③ 何人も，登記官に対し，次に掲げる閉鎖登記記録について，閉鎖登記ファイルに記録されている事項（記録がないときは，その旨）を証明した書面（以下「閉鎖登記事項証明書」という。）の交付を請求することができる。
一　自己が成年被後見人等又は任意後見契約の本人であった閉鎖登記記録
二　自己が成年後見人等，成年後見監督人等，任意後見受任者，任意後見人又は任意後見監督人であった閉鎖登記記録
三　自己が成年後見人等，成年後見監督人等又は任意後見監督人の職務代行者であった閉鎖登記記録
四　自己が後見命令等の本人であった閉鎖登記記録
五　自己が財産の管理者であった閉鎖登記記録
④ 相続人その他の承継人は，登記官に対し，被相続人その他の被承継人が成年被後見人等，後見命令等の本人又は任意後見契約の本人であった閉鎖登記記録について，閉鎖登記事項証明書の交付を請求することができる。
⑤ 国又は地方公共団体の職員は，職務上必要とする場合には，登記官に対し，登記事項証明書又は閉鎖登記事項証明書の交付を請求することができる。

第11条　（手数料）
① 次に掲げる者は，物価の状況，登記に要する実費，登記事項証明書の交付等に要する実費その他一切の事情を考慮して政令で定める額の手数料を納めなければならない。
一　登記を嘱託する者
二　登記を申請する者
三　登記事項証明書又は閉鎖登記事項証明書の交付を請求する者
② 前項の手数料の納付は，収入印紙をもってしなければならない。

第17条　（政令への委任）
　この法律に定めるもののほか，後見登記等に関し必要な事項は，政令で定める。

附　則（略）

法務局における遺言書の保管等に関する法律

●平成30年7月13日法律第73号●　　最終改正　令和3年5月19日法37号

第1条　（趣旨）
　この法律は，法務局（法務局の支局及び出張所，法務局の支局の出張所並びに地方法務局及びその支局並びにこれらの出張所を含む。次条第1項において同じ。）における遺言書（民法（明治29年法律第89号）第968条の自筆証書によってした遺言に係る遺言書をいう。以下同じ。）の保管及び情報の管理に関し必要な事項を定めるとともに，その遺言書の取扱いに関し特別の定めをするものとする。

第2条　（遺言書保管所）
① 遺言書の保管に関する事務は，法務大臣の指定する法務局が，遺言書保管所としてつかさどる。
② 前項の指定は，告示してしなければならない。

第3条　（遺言書保管官）
　遺言書保管所における事務は，遺言書保管官（遺言書保管所に勤務する法務事務官のうちから，法務局又は地方法務局の長が指定する者をいう。以下同じ。）が取り扱う。

第4条　（遺言書の保管の申請）
① 遺言者は，遺言書保管官に対し，遺言書の保管の申請をすることができる。
② 前項の遺言書は，法務省令で定める様式に従って作成した無封のものでなければならない。
③ 第1項の申請は，遺言者の住所地若しくは本籍地又は遺言者が所有する不動産の所在地を管轄する遺言書保管所（遺言者の作成した他の遺言書が現に遺言書保管所に保管されている場合にあっては，当該他の遺言書が保管されている遺言書保管所）の遺言書保管官に対してしなければならない。
④ 第1項の申請をしようとする遺言者は，法務省令で定めるところにより，遺言書に添えて，次に掲げる事項を記載した申請書を遺言書保管官に提出しなければならない。
　一　遺言書に記載されている作成の年月日
　二　遺言者の氏名，出生の年月日，住所及び本籍（外国人にあっては，国籍）
　三　遺言書に次に掲げる者の記載があるときは，その氏名又は名称及び住所
　　イ　受遺者
　　ロ　民法第1006条第1項の規定により指定された遺言執行者
　四　前三号に掲げるもののほか，法務省令で定める事項
⑤ 前項の申請書には，同項第2号に掲げる事項を証明する書類その他法務省令で定める書類を添付しなければならない。
⑥ 遺言者が第1項の申請をするときは，遺言書保管所に自ら出頭して行わなければならない。

第5条　（遺言書保管官による本人確認）
　遺言書保管官は，前条第1項の申請があった場合において，申請人に対し，法務省令で定めるところにより，当該申請人が本人であるかどうかの確認をするため，当該申請人を特定するために必要な氏名その他の法務省令で定める事項を示す書類の提示若しくは提出又はこれらの事項についての説明を求めるものとする。

第6条　（遺言書の保管等）
① 遺言書の保管は，遺言書保管官が遺言書保管所の施設内において行う。
② 遺言者は，その申請に係る遺言書が保管されている遺言書保管所（第4項及び第8条において「特定遺言書保管所」という。）の遺言書保管官に対し，いつでも当該遺言書の閲覧を請求することができる。
③ 前項の請求をしようとする遺言者は，法務省令で定めるところにより，その旨を記載した請求書に法務省令で定める書類を添付して，遺言書保管官に提出しなければならない。
④ 遺言者が第2項の請求をするときは，特定遺言書保管所に自ら出頭して行わなければならない。この場合においては，前条の規定を準用する。
⑤ 遺言書保管官は，第1項の規定による遺言書の保管をする場合において，遺言者の死亡の日（遺言者の生死が明らかでない場合にあっては，これに相当する日として政令で定める日）から相続に関する紛争を防止する必要があると認められる期間として政令で定める期間が経過した後は，これを廃棄することができる。

第7条　（遺言書に係る情報の管理）
① 遺言書保管官は，前条第1項の規定により保管する遺言書について，次項に定めるところにより，当該遺言書に係る情報の管理をしなければならない。
② 遺言書に係る情報の管理は，磁気ディスク（これに準ずる方法により一定の事項を確実に記録することができる物を含む。）をもって調製する遺言書保管ファイルに，次に掲げる事項を記録することによって行う。
一　遺言書の画像情報
二　第4条第4項第1号から第3号までに掲げる事項
三　遺言書の保管を開始した年月日
四　遺言書が保管されている遺言書保管所の名称及び保管番号
③ 前条第5項の規定は，前項の規定による遺言書に係る情報の管理について準用する。この場合において，同条第5項中「廃棄する」とあるのは，「消去する」と読み替えるものとする。

第8条（遺言書の保管の申請の撤回）
① 遺言者は，特定遺言書保管所の遺言書保管官に対し，いつでも，第4条第1項の申請を撤回することができる。
② 前項の撤回をしようとする遺言者は，法務省令で定めるところにより，その旨を記載した撤回書に法務省令で定める書類を添付して，遺言書保管官に提出しなければならない。
③ 遺言者が第1項の撤回をするときは，特定遺言書保管所に自ら出頭して行わなければならない。この場合においては，第5条の規定を準用する。
④ 遺言書保管官は，遺言者が第1項の撤回をしたときは，遅滞なく，当該遺言者に第6条第1項の規定により保管している遺言書を返還するとともに，前条第2項の規定により管理している当該遺言書に係る情報を消去しなければならない。

第9条（遺言書情報証明書の交付等）
① 次に掲げる者（以下この条において「関係相続人等」という。）は，遺言書保管官に対し，遺言書保管所に保管されて

いる遺言書（その遺言者が死亡している場合に限る。）について，遺言書保管ファイルに記録されている事項を証明した書面（第5項及び第12条第1項第3号において「遺言書情報証明書」という。）の交付を請求することができる。
一　当該遺言書の保管を申請した遺言者の相続人（民法第891条の規定に該当し又は廃除によってその相続権を失った者及び相続の放棄をした者を含む。以下この条において同じ。）
二　前号に掲げる者のほか，当該遺言書に記載された次に掲げる者又はその相続人（ロに規定する母の相続人の場合にあっては，ロに規定する胎内に在る子に限る。）
　　イ　第4条第4項第3号イに掲げる者
　　ロ　民法第781条第2項の規定により認知するものとされた子（胎内に在る子にあっては，その母）
　　ハ　民法第893条の規定により廃除する意思を表示された推定相続人（同法第892条に規定する推定相続人をいう。以下このハにおいて同じ。）又は同法第894条第2項において準用する同法第893条の規定により廃除を取り消す意思を表示された推定相続人
　　ニ　民法第897条第1項ただし書の規定により指定された祖先の祭祀を主宰すべき者
　　ホ　国家公務員災害補償法（昭和26年法律第191号）第17条の5第3項の規定により遺族補償一時金を受けることができる遺族のうち特に指定された者又は地方公務員災害補償法（昭和42年法律第121号）第37条第3項の規定により遺族補償一時金を受けることができる遺族のうち特に指定された者
　　ヘ　信託法（平成18年法律第108号）第3条第2号に掲げる方法によって信託がされた場合においてその受益者となるべき者として指定された者若しくは残余財産の帰属すべき者となるべき者として指定された者又は同法第89条第2項の規定による受益者指定権等の行使により受益者となるべき者
　　ト　保険法（平成20年法律第56号）第44条第1項又は第73条第1項の規定による保険金受取人の変更により保険金受取人となるべき者
　　チ　イからトまでに掲げる者のほか，これらに類するものとして政令で定める者
三　前二号に掲げる者のほか，当該遺言書に記載された次に掲げる者
　　イ　第4条第4項第3号ロに掲げる者
　　ロ　民法第830条第1項の財産について指定された管理者
　　ハ　民法第839条第1項の規定により指定された未成年後見人又は同法第848条の規定により指定された未成年後見監督人
　　ニ　民法第902条第1項の規定により共同相続人の相続分を定めることを委託された第三者，同法第908条の規定により遺産の分割の方法を定めることを委託された第三者又は同法第1006条第1項の規定により遺言執行者の指定を委託された第三者
　　ホ　著作権法（昭和45年法律第48号）第75条第2項の規定により同条第1項の登録について指定を受けた者又は同法第116条第3項の規定により同条第1項の請求について指定を受けた者
　　ヘ　信託法第3条第2号に掲げる方法によって信託がされた場合においてその受託者となるべき者，信託管理人となるべき者，信託監督人となるべき者又は受益者代理人となるべき者として指定された者

ト　イからヘまでに掲げる者のほか，これらに類するものとして政令で定める者
②　前項の請求は，自己が関係相続人等に該当する遺言書（以下この条及び次条第1項において「関係遺言書」という。）を現に保管する遺言書保管所以外の遺言書保管所の遺言書保管官に対してもすることができる。
③　関係相続人等は，関係遺言書を保管する遺言書保管所の遺言書保管官に対し，当該関係遺言書の閲覧を請求することができる。
④　第1項又は前項の請求をしようとする者は，法務省令で定めるところにより，その旨を記載した請求書に法務省令で定める書類を添付して，遺言書保管官に提出しなければならない。
⑤　遺言書保管官は，第1項の請求により遺言書情報証明書を交付し又は第3項の請求により関係遺言書の閲覧をさせたときは，法務省令で定めるところにより，速やかに，当該関係遺言書を保管している旨を遺言者の相続人並びに当該関係遺言書に係る第4条第4項第3号イ及びロに掲げる者に通知するものとする。ただし，それらの者が既にこれを知っているときは，この限りでない。

第10条　（遺言書保管事実証明書の交付）
①　何人も，遺言書保管官に対し，遺言書保管所における関係遺言書の保管の有無並びに当該関係遺言書が保管されている場合には遺言書保管ファイルに記録されている第7条第2項第2号（第4条第4項第1号に係る部分に限る。）及び第4号に掲げる事項を証明した書面（第12条第1項第3号において「遺言書保管事実証明書」という。）の交付を請求することができる。
②　前条第2項及び第4項の規定は，前項の請求について準用する。

第11条　（遺言書の検認の適用除外）
民法第1004条第1項の規定は，遺言書保管所に保管されている遺言書については，適用しない。

第12条　（手数料）
①　次の各号に掲げる者は，物価の状況のほか，当該各号に定める事務に要する実費を考慮して政令で定める額の手数料を納めなければならない。
一　遺言書の保管の申請をする者　遺言書の保管及び遺言書に係る情報の管理に関する事務
二　遺言書の閲覧を請求する者　遺言書の閲覧及びそのための体制の整備に関する事務
三　遺言書情報証明書又は遺言書保管事実証明書の交付を請求する者　遺言書情報証明書又は遺言書保管事実証明書の交付及びそのための体制の整備に関する事務
②　前項の手数料の納付は，収入印紙をもってしなければならない。

第13条　（行政手続法の適用除外）
遺言書保管官の処分については，行政手続法（平成5年法律第88号）第2章の規定は，適用しない。

第14条　（行政機関の保有する情報の公開に関する法律の適用除外）
遺言書保管所に保管されている遺言書及び遺言書保管ファイルについては，行政機関の保有する情報の公開に関する法律（平成11年法律第42号）の規定は，適用しない。

第15条　（個人情報の保護に関する法律の適用除外）
遺言書保管所に保管されている遺言書及び遺言書保管ファイルに記録されている保有個人情報（個人情報の保護に関す

る法律（平成15年法律第57号）第60条第1項に規定する保有個人情報をいう。）については、同法第5章第4節の規定は、適用しない。

第16条　（審査請求）

① 遺言書保管官の処分に不服がある者又は遺言書保管官の不作為に係る処分を申請した者は、監督法務局又は地方法務局の長に審査請求をすることができる。

② 審査請求をするには、遺言書保管官に審査請求書を提出しなければならない。

③ 遺言書保管官は、処分についての審査請求を理由があると認め、又は審査請求に係る不作為に係る処分をすべきものと認めるときは、相当の処分をしなければならない。

④ 遺言書保管官は、前項に規定する場合を除き、3日以内に、意見を付して事件を監督法務局又は地方法務局の長に送付しなければならない。この場合において、監督法務局又は地方法務局の長は、当該意見を行政不服審査法（平成26年法律第68号）第11条第2項に規定する審理員に送付するものとする。

⑤ 法務局又は地方法務局の長は、処分についての審査請求を理由があると認め、又は審査請求に係る不作為に係る処分をすべきものと認めるときは、遺言書保管官に相当の処分を命じ、その旨を審査請求人のほか利害関係人に通知しなければならない。

⑥ 法務局又は地方法務局の長は、審査請求に係る不作為に係る処分についての申請を却下すべきものと認めるときは、遺言書保管官に当該申請を却下する処分を命じなければならない。

⑦ 第1項の審査請求に関する行政不服審査法の規定の適用については、同法第29条第5項中「処分庁等」とあるのは「審査庁」と、「弁明書の提出」とあるのは「法務局における遺言書の保管等に関する法律（平成30年法律第73号）第16条第4項に規定する意見の送付」と、同法第30条第1項中「弁明書」とあるのは「法務局における遺言書の保管等に関する法律第16条第4項の意見」とする。

第17条　（行政不服審査法の適用除外）

行政不服審査法第13条、第15条第6項、第18条、第21条、第25条第2項から第7項まで、第29条第1項から第4項まで、第31条、第37条、第45条第3項、第46条、第47条、第49条第3項（審査請求に係る不作為が違法又は不当である旨の宣言に係る部分を除く。）から第5項まで及び第52条の規定は、前条第1項の審査請求については、適用しない。

第18条　（政令への委任）

この法律に定めるもののほか、遺言書保管所における遺言書の保管及び情報の管理に関し必要な事項は、政令で定める。

附　則　（省略）

借地借家法（抄）

●平成3年10月4日法律第90号●　　最終改正　令和4年5月25日法48号

第1章　総則

第1条　（趣旨）

この法律は、建物の所有を目的とする地上権及び土地の賃借権の存続期間、効力等並びに建物の賃貸借の契約の更新、効力等に関し特別の定めをするとともに、借地条件の変更等の裁判手続に関し必要な事項を定めるものとする。

第2条　（定義）

この法律において、次の各号に掲げる用語の意義は、当該各号に定めるところによる。
一　借地権　建物の所有を目的とする地上権又は土地の賃借権をいう。
二　借地権者　借地権を有する者をいう。
三　借地権設定者　借地権者に対して借地権を設定している者をいう。
四　転借地権　建物の所有を目的とする土地の賃借権で借地権者が設定しているものをいう。
五　転借地権者　転借地権を有する者をいう。

第2章　借地

第1節／借地権の存続期間等

第3条　（借地権の存続期間）

借地権の存続期間は、30年とする。ただし、契約でこれより長い期間を定めたときは、その期間とする。

第4条　（借地権の更新後の期間）

当事者が借地契約を更新する場合においては、その期間は、更新の日から10年（借地権の設定後の最初の更新にあっては、20年）とする。ただし、当事者がこれより長い期間を定めたときは、その期間とする。

第5条　（借地契約の更新請求等）

① 借地権の存続期間が満了する場合において、借地権者が契約の更新を請求したときは、建物がある場合に限り、前条の規定によるもののほか、従前の契約と同一の条件で契約を更新したものとみなす。ただし、借地権設定者が遅滞なく異議を述べたときは、この限りでない。
② 借地権の存続期間が満了した後、借地権者が土地の使用を継続するときも、建物がある場合に限り、前項と同様とする。
③ 転借地権が設定されている場合においては、転借地権者がする土地の使用の継続を借地権者がする土地の使用の継続とみなして、借地権者と借地権設定者との間について前項の規定を適用する。

第6条　（借地契約の更新拒絶の要件）

前条の異議は、借地権設定者及び借地権者（転借地権者を含む。以下この条において同じ。）が土地の使用を必要とする事情のほか、借地に関する従前の経過及び土地の利用状況並びに借地権設定者が土地の明渡しの条件として又は土地の明渡しと引換えに借地権者に対して財産上の給付をする旨の申出をした場合におけるその申出を考慮して、正当の事由があると認められる場合でなければ、述べることができない。

第7条　（建物の再築による借地権の期間の延長）

① 借地権の存続期間が満了する前に建物の滅失（借地権者又は転借地権者による取壊しを含む。以下同じ。）があった場合において，借地権者が残存期間を超えて存続すべき建物を築造したときは，その建物を築造するにつき借地権設定者の承諾がある場合に限り，借地権は，承諾があった日又は建物が築造された日のいずれか早い日から20年間存続する。ただし，残存期間がこれより長いとき，又は当事者がこれより長い期間を定めたときは，その期間による。

② 借地権者が借地権設定者に対し残存期間を超えて存続すべき建物を新たに築造する旨を通知した場合において，借地権設定者がその通知を受けた後2月以内に異議を述べなかったときは，その建物を築造するにつき前項の借地権設定者の承諾があったものとみなす。ただし，契約の更新の後（同項の規定により借地権の存続期間が延長された場合にあっては，借地権の当初の存続期間が満了すべき日の後。次条及び第18条において同じ。）に通知があった場合においては，この限りでない。

③ 転借地権が設定されている場合においては，転借地権者がする建物の築造を借地権者がする建物の築造とみなし，借地権者と借地権設定者との間について第1項の規定を適用する。

第8条　（借地契約の更新後の建物の滅失による解約等）

① 契約の更新の後に建物の滅失があった場合においては，借地権者は，地上権の放棄又は土地の賃貸借の解約の申入れをすることができる。

② 前項に規定する場合において，借地権者が借地権設定者の承諾を得ないで残存期間を超えて存続すべき建物を築造したときは，借地権設定者は，地上権の消滅の請求又は土地の賃貸借の解約の申入れをすることができる。

③ 前二項の場合においては，借地権は，地上権の放棄若しくは消滅の請求又は土地の賃貸借の解約の申入れがあった日から3月を経過することによって消滅する。

④ 第1項に規定する地上権の放棄又は土地の賃貸借の解約の申入れをする権利は，第2項に規定する地上権の消滅の請求又は土地の賃貸借の解約の申入れをする権利を制限する場合に限り，制限することができる。

⑤ 転借地権が設定されている場合においては，転借地権者がする建物の築造を借地権者がする建物の築造とみなし，借地権者と借地権設定者との間について第2項の規定を適用する。

第9条　（強行規定）

この節の規定に反する特約で借地権者に不利なものは，無効とする。

第2節／借地権の効力

第10条　（借地権の対抗力）

① 借地権は，その登記がなくても，土地の上に借地権者が登記されている建物を所有するときは，これをもって第三者に対抗することができる。

② 前項の場合において，建物の滅失があっても，借地権者が，その建物を特定するために必要な事項，その滅失があった日及び建物を新たに築造する旨を土地の上の見やすい場所に掲示するときは，借地権は，なお同項の効力を有する。ただし，建物の滅失があった日から2年を経過した後にあっては，その前に建物を新たに築造し，かつ，その建物につき登記した場合に限る。

第11条　（地代等増減請求権）

① 地代又は土地の借賃（以下この条及び

次条において「地代等」という。）が、土地に対する租税その他の公課の増減により、土地の価格の上昇若しくは低下その他の経済事情の変動により、又は近傍類似の土地の地代等に比較して不相当となったときは、契約の条件にかかわらず、当事者は、将来に向かって地代等の額の増減を請求することができる。ただし、一定の期間地代等を増額しない旨の特約がある場合には、その定めに従う。

② 地代等の増額について当事者間に協議が調わないときは、その請求を受けた者は、増額を正当とする裁判が確定するまでは、相当と認める額の地代等を支払うことをもって足りる。ただし、その裁判が確定した場合において、既に支払った額に不足があるときは、その不足額に年1割の割合による支払期後の利息を付してこれを支払わなければならない。

③ 地代等の減額について当事者間に協議が調わないときは、その請求を受けた者は、減額を正当とする裁判が確定するまでは、相当と認める額の地代等の支払を請求することができる。ただし、その裁判が確定した場合において、既に支払を受けた額が正当とされた地代等の額を超えるときは、その超過額に年1割の割合による受領の時からの利息を付してこれを返還しなければならない。

第12条 （借地権設定者の先取特権）

① 借地権設定者は、弁済期の到来した最後の2年分の地代等について、借地権者がその土地において所有する建物の上に先取特権を有する。

② 前項の先取特権は、地上権又は土地の賃貸借の登記をすることによって、その効力を保存する。

③ 第1項の先取特権は、他の権利に対して優先する効力を有する。ただし、共益費用、不動産保存及び不動産工事の先取特権並びに地上権又は土地の賃貸借の登記より前に登記された質権及び抵当権には後れる。

④ 前三項の規定は、転借地権者がその土地において所有する建物について準用する。

第13条 （建物買取請求権）

① 借地権の存続期間が満了した場合において、契約の更新がないときは、借地権者は、借地権設定者に対し、建物その他借地権者が権原により土地に附属させた物を時価で買い取るべきことを請求することができる。

② 前項の場合において、建物が借地権の存続期間が満了する前に借地権設定者の承諾を得ないで残存期間を超えて存続すべきものとして新たに築造されたものであるときは、裁判所は、借地権設定者の請求により、代金の全部又は一部の支払につき相当の期限を許与することができる。

③ 前二項の規定は、借地権の存続期間が満了した場合における転借地権者と借地権設定者との間について準用する。

第14条 （第三者の建物買取請求権）

第三者が賃借権の目的である土地の上の建物その他借地権者が権原によって土地に附属させた物を取得した場合において、借地権設定者が賃借権の譲渡又は転貸を承諾しないときは、その第三者は、借地権設定者に対し、建物その他借地権者が権原によって土地に附属させた物を時価で買い取るべきことを請求することができる。

第15条 （自己借地権）

① 借地権を設定する場合においては、他の者と共に有することとなるときに限り、借地権設定者が自らその借地権を有することを妨げない。

② 借地権が借地権設定者に帰した場合で

あっても、他の者と共にその借地権を有するときは、その借地権は、消滅しない。

第16条　（強行規定）
第10条、第13条及び第14条の規定に反する特約で借地権者又は転借地権者に不利なものは、無効とする。

第3節／借地条件の変更等

第17条　（借地条件の変更及び増改築の許可）
① 建物の種類、構造、規模又は用途を制限する旨の借地条件がある場合において、法令による土地利用の規制の変更、付近の土地の利用状況の変化その他の事情の変更により現に借地権を設定するにおいてはその借地条件と異なる建物の所有を目的とすることが相当であるにもかかわらず、借地条件の変更につき当事者間に協議が調わないときは、裁判所は、当事者の申立てにより、その借地条件を変更することができる。

② 増改築を制限する旨の借地条件がある場合において、土地の通常の利用上相当とすべき増改築につき当事者間に協議が調わないときは、裁判所は、借地権者の申立てにより、その増改築についての借地権設定者の承諾に代わる許可を与えることができる。

③ 裁判所は、前二項の裁判をする場合において、当事者間の利益の衡平を図るため必要があるときは、他の借地条件を変更し、財産上の給付を命じ、その他相当の処分をすることができる。

④ 裁判所は、前三項の裁判をするには、借地権の残存期間、土地の状況、借地に関する従前の経過その他一切の事情を考慮しなければならない。

⑤ 転借地権が設定されている場合において、必要があるときは、裁判所は、転借地権者の申立てにより、転借地権とともに借地権につき第1項から第3項までの裁判をすることができる。

⑥ 裁判所は、特に必要がないと認める場合を除き、第1項から第3項まで又は前項の裁判をする前に鑑定委員会の意見を聴かなければならない。

第18条　（借地契約の更新後の建物の再築の許可）
① 契約の更新の後において、借地権者が残存期間を超えて存続すべき建物を新たに築造することにつきやむを得ない事情があるにもかかわらず、借地権設定者がその建物の築造を承諾しないときは、借地権設定者が地上権の消滅の請求又は土地の賃貸借の解約の申入れをすることができない旨を定めた場合を除き、裁判所は、借地権者の申立てにより、借地権設定者の承諾に代わる許可を与えることができる。この場合において、当事者間の利益の衡平を図るため必要があるときは、延長すべき借地権の期間として第7条第1項の規定による期間と異なる期間を定め、他の借地条件を変更し、財産上の給付を命じ、その他相当の処分をすることができる。

② 裁判所は、前項の裁判をするには、建物の状況、建物の滅失があった場合には滅失に至った事情、借地に関する従前の経過、借地権設定者及び借地権者（転借地権者を含む。）が土地の使用を必要とする事情その他一切の事情を考慮しなければならない。

③ 前条第5項及び第6項の規定は、第1項の裁判をする場合に準用する。

第19条　（土地の賃借権の譲渡又は転貸の許可）
① 借地権者が賃借権の目的である土地の上の建物を第三者に譲渡しようとする場合において、その第三者が賃借権を取得し、又は転借をしても借地権設定者に不利となるおそれがないにもかかわらず、借地権設定者がその賃借権の譲渡又は転貸を承諾しないときは、裁判所は、借地

権者の申立てにより，借地権設定者の承諾に代わる許可を与えることができる。この場合において，当事者間の利益の衡平を図るため必要があるときは，賃借権の譲渡若しくは転貸を条件とする借地条件の変更を命じ，又はその許可を財産上の給付に係らしめることができる。
② 裁判所は，前項の裁判をするには，賃借権の残存期間，借地に関する従前の経過，賃借権の譲渡又は転貸を必要とする事情その他一切の事情を考慮しなければならない。
③ 第1項の申立てがあった場合において，裁判所が定める期間内に借地権設定者が自ら建物の譲渡及び賃借権の譲渡又は転貸を受ける旨の申立てをしたときは，裁判所は，同項の規定にかかわらず，相当の対価及び転貸の条件を定めて，これを命ずることができる。この裁判においては，当事者双方に対し，その義務を同時に履行すべきことを命ずることができる。
④ 前項の申立ては，第1項の申立てが取り下げられたとき，又は不適法として却下されたときは，その効力を失う。
⑤ 第3項の裁判があった後は，第1項又は第3項の申立ては，当事者の合意がある場合でなければ取り下げることができない。
⑥ 裁判所は，特に必要がないと認める場合を除き，第1項又は第3項の裁判をする前に鑑定委員会の意見を聴かなければならない。
⑦ 前各項の規定は，転借地権が設定されている場合における転借地権者と借地権設定者との間について準用する。ただし，借地権設定者が第3項の申立てをするには，借地権者の承諾を得なければならない。

第20条 （建物競売等の場合における土地の賃借権の譲渡の許可）
① 第三者が賃借権の目的である土地の上の建物を競売又は公売により取得した場合において，その第三者が賃借権を取得しても借地権設定者に不利となるおそれがないにもかかわらず，借地権設定者がその賃借権の譲渡を承諾しないときは，裁判所は，その第三者の申立てにより，借地権設定者の承諾に代わる許可を与えることができる。この場合において，当事者間の利益の衡平を図るため必要があるときは，借地条件を変更し，又は財産上の給付を命ずることができる。
② 前条第2項から第6項までの規定は，前項の申立てがあった場合に準用する。
③ 第1項の申立ては，建物の代金を支払った後2月以内に限り，することができる。
④ 民事調停法（昭和26年法律第222号）第19条の規定は，同条に規定する期間内に第1項の申立てをした場合に準用する。
⑤ 前各項の規定は，転借地権者から競売又は公売により建物を取得した第三者と借地権設定者との間について準用する。ただし，借地権設定者が第2項において準用する前条第3項の申立てをするには，借地権者の承諾を得なければならない。

第21条 （強行規定）
　第17条から第19条までの規定に反する特約で借地権者又は転借地権者に不利なものは，無効とする。

第4節／定期借地権等

第22条 （定期借地権）
① 存続期間を50年以上として借地権を設定する場合においては，第9条及び第16条の規定にかかわらず，契約の更新（更新の請求及び土地の使用の継続によるものを含む。次条第1項において同じ。）及び建物の築造による存続期間の延長がなく，並びに第13条の規定による買取りの請求をしないこととする旨を定めることができる。この場合においては，その

特約は，公正証書による等書面によってしなければならない。
② 前項前段の特約がその内容を記録した電磁的記録（電子的方式，磁気的方式その他人の知覚によっては認識することができない方式で作られる記録であって，電子計算機による情報処理の用に供されるものをいう。第38条第2項及び第39条第3項において同じ。）によってされたときは，その特約は，書面によってされたものとみなして，前項後段の規定を適用する。

第23条　（事業用定期借地権等）

① 専ら事業の用に供する建物（居住の用に供するものを除く。次項において同じ。）の所有を目的とし，かつ，存続期間を30年以上50年未満として借地権を設定する場合においては，第9条及び第16条の規定にかかわらず，契約の更新及び建物の築造による存続期間の延長がなく，並びに第13条の規定による買取りの請求をしないこととする旨を定めることができる。
② 専ら事業の用に供する建物の所有を目的とし，かつ，存続期間を10年以上30年未満として借地権を設定する場合には，第3条から第8条まで，第13条及び第18条の規定は，適用しない。
③ 前二項に規定する借地権の設定を目的とする契約は，公正証書によってしなければならない。

第24条　（建物譲渡特約付借地権）

① 借地権を設定する場合（前条第2項に規定する借地権を設定する場合を除く。）においては，第9条の規定にかかわらず，借地権を消滅させるため，その設定後30年以上を経過した日に借地権の目的である土地の上の建物を借地権設定者に相当の対価で譲渡する旨を定めることができる。

② 前項の特約により借地権が消滅した場合において，その借地権者又は建物の賃借人でその消滅後建物の使用を継続しているものが請求をしたときは，請求の時にその建物につきその借地権者又は建物の賃借人と借地権設定者との間で期間の定めのない賃貸借（借地権者が請求をした場合において，借地権の残存期間があるときは，その残存期間を存続期間とする賃貸借）がされたものとみなす。この場合において，建物の借賃は，当事者の請求により，裁判所が定める。
③ 第1項の特約がある場合において，借地権者又は建物の賃借人と借地権設定者との間でその建物につき第38条第1項の規定による賃貸借契約をしたときは，前項の規定にかかわらず，その定めに従う。

第25条　（一時使用目的の借地権）

　第3条から第8条まで，第13条，第17条，第18条及び第22条から前条までの規定は，臨時設備の設置その他一時使用のために借地権を設定したことが明らかな場合には，適用しない。

第3章　借家

第1節／建物賃貸借契約の更新等

第26条　（建物賃貸借契約の更新等）

① 建物の賃貸借について期間の定めがある場合において，当事者が期間の満了の1年前から6月前までの間に相手方に対して更新をしない旨の通知又は条件を変更しなければ更新をしない旨の通知をしなかったときは，従前の契約と同一の条件で契約を更新したものとみなす。ただし，その期間は，定めがないものとする。
② 前項の通知をした場合であっても，建物の賃貸借の期間が満了した後建物の賃借人が使用を継続する場合において，建物の賃貸人が遅滞なく異議を述べなかったときも，同項と同様とする。

③ 建物の転貸借がされている場合においては，建物の転借人がする建物の使用の継続を建物の賃借人がする建物の使用の継続とみなして，建物の賃借人と賃貸人との間について前項の規定を適用する。

第27条 （解約による建物賃貸借の終了）
① 建物の賃貸人が賃貸借の解約の申入れをした場合においては，建物の賃貸借は，解約の申入れの日から6月を経過することによって終了する。
② 前条第2項及び第3項の規定は，建物の賃貸借が解約の申入れによって終了した場合に準用する。

第28条 （建物賃貸借契約の更新拒絶等の要件）
建物の賃貸人による第26条第1項の通知又は建物の賃貸借の解約の申入れは，建物の賃貸人及び賃借人（転借人を含む。以下この条において同じ。）が建物の使用を必要とする事情のほか，建物の賃貸借に関する従前の経過，建物の利用状況及び建物の現況並びに建物の賃貸人が建物の明渡しの条件として又は建物の明渡しと引換えに建物の賃借人に対して財産上の給付をする旨の申出をした場合におけるその申出を考慮して，正当の事由があると認められる場合でなければ，することができない。

第29条 （建物賃貸借の期間）
① 期間を1年未満とする建物の賃貸借は，期間の定めがない建物の賃貸借とみなす。
② 民法（明治29年法律第89号）第604条の規定は，建物の賃貸借については，適用しない。

第30条 （強行規定）
この節の規定に反する特約で建物の賃借人に不利なものは，無効とする。

第2節／建物賃貸借の効力

第31条 （建物賃貸借の対抗力）
建物の賃貸借は，その登記がなくても，建物の引渡しがあったときは，その後その建物について物権を取得した者に対し，その効力を生ずる。

第32条 （借賃増減請求権）
① 建物の借賃が，土地若しくは建物に対する租税その他の負担の増減により，土地若しくは建物の価格の上昇若しくは低下その他の経済事情の変動により，又は近傍同種の建物の借賃に比較して不相当となったときは，契約の条件にかかわらず，当事者は，将来に向かって建物の借賃の額の増減を請求することができる。ただし，一定の期間建物の借賃を増額しない旨の特約がある場合には，その定めに従う。
② 建物の借賃の増額について当事者間に協議が調わないときは，その請求を受けた者は，増額を正当とする裁判が確定するまでは，相当と認める額の建物の借賃を支払うことをもって足りる。ただし，その裁判が確定した場合において，既に支払った額に不足があるときは，その不足額に年1割の割合による支払期後の利息を付してこれを支払わなければならない。
③ 建物の借賃の減額について当事者間に協議が調わないときは，その請求を受けた者は，減額を正当とする裁判が確定するまでは，相当と認める額の建物の借賃の支払を請求することができる。ただし，その裁判が確定した場合において，既に支払を受けた額が正当とされた建物の借賃の額を超えるときは，その超過額に年1割の割合による受領の時からの利息を付してこれを返還しなければならない。

第33条 （造作買取請求権）
① 建物の賃貸人の同意を得て建物に付加した畳，建具その他の造作がある場合には，建物の賃借人は，建物の賃貸借が期間の満了又は解約の申入れによって終了するときに，建物の賃貸人に対し，その造作を時価で買い取るべきことを請求することができる。建物の賃貸人から買い受けた造作についても，同様とする。
② 前項の規定は，建物の賃貸借が期間の満了又は解約の申入れによって終了する場合における建物の転借人と賃貸人との間について準用する。

第34条 （建物賃貸借終了の場合における転借人の保護）
① 建物の転貸借がされている場合において，建物の賃貸借が期間の満了又は解約の申入れによって終了するときは，建物の賃貸人は，建物の転借人にその旨の通知をしなければ，その終了を建物の転借人に対抗することができない。
② 建物の賃貸人が前項の通知をしたときは，建物の転貸借は，その通知がされた日から6月を経過することによって終了する。

第35条 （借地上の建物の賃借人の保護）
① 借地権の目的である土地の上の建物につき賃貸借がされている場合において，借地権の存続期間の満了によって建物の賃借人が土地を明け渡すべきときは，建物の賃借人が借地権の存続期間が満了することをその1年前までに知らなかった場合に限り，裁判所は，建物の賃借人の請求により，建物の賃借人がこれを知った日から1年を超えない範囲内において，土地の明渡しにつき相当の期限を許与することができる。
② 前項の規定により裁判所が期限の許与をしたときは，建物の賃貸借は，その期限が到来することによって終了する。

第36条 （居住用建物の賃貸借の承継）
① 居住の用に供する建物の賃借人が相続人なしに死亡した場合において，その当時婚姻又は縁組の届出をしていないが，建物の賃借人と事実上夫婦又は養親子と同様の関係にあった同居者があるときは，その同居者は，建物の賃借人の権利義務を承継する。ただし，相続人なしに死亡したことを知った後1月以内に建物の賃貸人に反対の意思を表示したときは，この限りでない。
② 前項本文の場合においては，建物の賃貸借関係に基づき生じた債権又は債務は，同項の規定により建物の賃借人の権利義務を承継した者に帰属する。

第37条 （強行規定）
第31条，第34条及び第35条の規定に反する特約で建物の賃借人又は転借人に不利なものは，無効とする。

第3節／定期建物賃貸借等

第38条 （定期建物賃貸借）
① 期間の定めがある建物の賃貸借をする場合においては，公正証書による等書面によって契約をするときに限り，第30条の規定にかかわらず，契約の更新がないこととする旨を定めることができる。この場合には，第29条第1項の規定を適用しない。
② 前項の規定による建物の賃貸借の契約がその内容を記録した電磁的記録によってされたときは，その契約は，書面によってされたものとみなして，同項の規定を適用する。
③ 第1項の規定による建物の賃貸借をしようとするときは，建物の賃貸人は，あらかじめ，建物の賃借人に対し，同項の規定による建物の賃貸借は契約の更新がなく，期間の満了により当該建物の賃貸借は終了することについて，その旨を記載した書面を交付して説明しなければな

らない。
④ 建物の賃貸人は，前項の規定による書面の交付に代えて，政令で定めるところにより，建物の賃借人の承諾を得て，当該書面に記載すべき事項を電磁的方法（電子情報処理組織を使用する方法その他の情報通信の技術を利用する方法であって法務省令で定めるものをいう。）により提供することができる。この場合において，当該建物の賃貸人は，当該書面を交付したものとみなす。
⑤ 建物の賃貸人が第3項の規定による説明をしなかったときは，契約の更新がないこととする旨の定めは，無効とする。
⑥ 第1項の規定による建物の賃貸借において，期間が1年以上である場合には，建物の賃貸人は，期間の満了の1年前から6月前までの間（以下この項において「通知期間」という。）に建物の賃借人に対し期間の満了により建物の賃貸借が終了する旨の通知をしなければ，その終了を建物の賃借人に対抗することができない。ただし，建物の賃貸人が通知期間の経過後建物の賃借人に対しその旨の通知をした場合においては，その通知の日から6月を経過した後は，この限りでない。
⑦ 第1項の規定による居住の用に供する建物の賃貸借（床面積（建物の一部分を賃貸借の目的とする場合にあっては，当該一部分の床面積）が200平方メートル未満の建物に係るものに限る。）において，転勤，療養，親族の介護その他のやむを得ない事情により，建物の賃借人が建物を自己の生活の本拠として使用する

ことが困難となったときは，建物の賃借人は，建物の賃貸借の解約の申入れをすることができる。この場合においては，建物の賃貸借は，解約の申入れの日から1月を経過することによって終了する。
⑧ 前二項の規定に反する特約で建物の賃借人に不利なものは，無効とする。
⑨ 第32条の規定は，第1項の規定による建物の賃貸借において，借賃の改定に係る特約がある場合には，適用しない。

第39条　（取壊し予定の建物の賃貸借）
① 法令又は契約により一定の期間を経過した後に建物を取り壊すべきことが明らかな場合において，建物の賃貸借をするときは，第30条の規定にかかわらず，建物を取り壊すこととなる時に賃貸借が終了する旨を定めることができる。
② 前項の特約は，同項の建物を取り壊すべき事由を記載した書面によってしなければならない。
③ 第1項の特約がその内容及び前項に規定する事由を記録した電磁的記録によってされたときは，その特約は，同項の書面によってされたものとみなして，同項の規定を適用する。

第40条　（一時使用目的の建物の賃貸借）
　この章の規定は，一時使用のために建物の賃貸借をしたことが明らかな場合には，適用しない。

附　則　（略）

立木ニ関スル法律

●明治42年4月5日法律第22号●　　最終改正　平成16年6月18日法124号

第1条　（定義）
① 本法ニ於テ立木ト称スルハ一筆ノ土地又ハ一筆ノ土地ノ一部分ニ生立スル樹木ノ集団ニシテ其ノ所有者カ本法ニ依リ所有権保存ノ登記ヲ受ケタルモノヲ謂フ
② 前項ノ樹木ノ集団ノ範囲ハ勅令ヲ以テ之ヲ定ム

第2条　（独立性）
① 立木ハ之ヲ不動産ト看做ス
② 立木ノ所有者ハ土地ト分離シテ立木ヲ譲渡シ又ハ之ヲ以テ抵当権ノ目的ト為スコトヲ得
③ 土地所有権又ハ地上権ノ処分ノ効力ハ立木ニ及ハス

第3条　（抵当権の効力）
立木ノ所有者ハ立木カ抵当権ノ目的タル場合ニ於テモ当事者ノ協定シタル施業方法ニ依リ其ノ樹木ヲ採取スルコトヲ妨ケス

第4条　（同前）
① 立木ヲ目トスル抵当権ハ前条ノ規定ニ依ル採取ノ場合ヲ除クノ外其ノ樹木カ土地ヨリ分離シタル後ト雖其ノ樹木ニ付之ヲ行フコトヲ得
② 抵当権者ハ債権ノ期限ノ到来前ト雖前項ノ樹木ヲ競売スルコトヲ得但シ其ノ代金ハ之ヲ供託スヘシ
③ 樹木ノ所有者ハ競売ヲ為スヘキ地ノ地方裁判所ニ相当ノ担保ヲ供託シテ競売ノ免除ヲ申立ツルコトヲ得
④ 樹木ノ所有者ハ抵当権者ニ対シテ1箇月以上ノ期間ヲ定メ競売ヲ為スヘキ旨ヲ催告スルコトヲ得若抵当権者カ其ノ期間内ニ競売ヲ為ササルトキハ其ノ樹木ニ付抵当権ヲ行フコトヲ得
⑤ 第1項ノ規定ハ民法第192条乃至第194条ノ規定ノ適用ヲ妨ケス

第5条　（法定地上権）
① 立木カ土地ノ所有者ニ属スル場合ニ於テ其ノ土地又ハ立木ノミカ抵当権ノ目的タルトキハ抵当権設定者ハ競売ノ場合ニ付地上権ヲ設定シタルモノト看做ス但シ其ノ存続期間及地代ハ当事者ノ請求ニ依リ地方ノ慣習ヲ斟酌シテ裁判所之ヲ定ム
② 前項ノ規定ハ土地及其ノ上ニ存スル立木カ債務者ニ属スル場合ニ於テ其ノ土地又ハ立木ニ対シ強制競売ニ係ル差押カアリ売却ニ因リ所有者ヲ異ニスルニ至リタルトキニ之ヲ準用ス

第6条　（法定賃借権）
① 立木カ地上権者ニ属スル場合ニ於テ其ノ地上権又ハ立木ノミカ抵当権ノ目的タルトキハ抵当権設定者ハ競売ノ場合ニ付地上権ノ存続期間内ニ於テ其ノ土地ノ賃貸借ヲ為シタルモノト看做ス但シ其ノ存続期間及借賃ニ付テハ前条第1項但書ノ規定ヲ準用ス
② 前項ノ場合ニ於テ地上権ノ存続期間ノ定ナキトキハ其ノ期間ハ当事者又ハ賃借人ノ請求ニ依リ地方ノ慣習ヲ斟酌シテ裁判所之ヲ定ム
③ 前二項ノ規定ハ地上権及其ノ目的タル土地ノ上ニ存スル立木カ債務者ニ属スル場合ニ於テ其ノ地上権又ハ立木ニ対シ強制競売ニ係ル差押カアリ売却ニ因リ権利

者ヲ異ニスルニ至リタルトキニ之ヲ準用ス

④　民法第604条及第612条ノ規定ハ第1項（前項ニ於テ準用スル場合ヲ含ム）ノ賃貸借ニ之ヲ適用セス

第7条　（同前）

前条ノ規定ハ転貸ヲ為スコトヲ得ル土地ノ賃借人ニ属スル立木カ抵当権ノ目的タルトキ並ニ転貸ヲ為スコトヲ得ル土地ノ賃借権及其ノ土地ノ上ニ存スル立木ガ債務者ニ属スル場合ニ於テ其ノ賃借権又ハ立木ニ対シ強制執行ニ係ル差押ガアリ売却ニ因リ権利者ヲ異ニスルニ至リタルトキニ之ヲ準用ス

第8条　（地上権又は賃借権に対する抵当権の効力）

地上権者又ハ土地ノ賃借人ニ属スル立木カ抵当権ノ目的タル場合ニ於テハ地上権者又ハ賃借人ハ抵当権者ノ承諾アルニ非サレハ其ノ権利ヲ抛棄シ又ハ契約ヲ解除スルコトヲ得ス

第9条　（競落人の土地使用権）

①　立木カ抵当権ノ目的タル場合ニ於テ其ノ所有者カ樹木ノ運搬ノ為土地ヲ使用スル権利ヲ有スルトキハ立木ノ競売ノ買受人ハ其ノ権利ヲ行使スルコトヲ得此ノ場合ニ於テハ相当ノ対価ヲ支払フヘシ

②　前項ノ規定ハ立木ニ対シ強制競売ニ係ル差押ガアリタル場合ニ於テ債務者ガ樹木ノ運搬ノ為土地ヲ使用スル権利ヲ有スルトキニ之ヲ準用ス

③　前二項ノ規定ハ水ノ使用ニ関スル権利ニ之ヲ準用ス

第10条　（先取特権への準用）

第2条第3項、第3条、第4条、第5条第1項、第6条第1項、第2項及第4項、第7条、第8条並ニ第9条第1項及第3項ノ規定ハ先取特権ニ之ヲ準用ス

第11条　（土地の質権の効力）

土地又ハ地上権カ質権ノ目的タル場合ニ於テハ其ノ土地ニ生立スル樹木ニ付所有権保存ノ登記ヲ為スコトヲ得

第12条　（立木登記簿）

各登記所ニ立木登記簿ヲ備フ

第13条　（同前）

立木登記簿ハ1個ノ立木ニ付一登記記録ヲ備フ

第14条　（同前）

①　立木登記簿ハ其ノ一登記記録ヲ表題部及権利部ニ分ツ

②　表題部ニハ立木ノ表示ニ関スル事項ヲ記録ス

③　権利部ニハ所有権，先取特権及抵当権ニ関スル事項ヲ記録ス

第15条　（登記申請書）

①　立木ノ表題部ノ登記事項ハ不動産登記法（平成16年法律第123号）第34条第1項各号ニ掲ゲタル事項ノ外左ノ事項トス

一　樹木カ一筆ノ土地ノ一部分ニ生立スル場合ニ於テハ其ノ部分ノ位置及地積，其ノ部分ヲ表示スヘキ名称又ハ番号アルトキハ其ノ名称又ハ番号

二　樹種，数量及樹齢

②　立木ニ関スル登記ヲ申請スル場合ニ於テハ法務省令ヲ以テ定ムル事項ノ外前項各号ニ掲ゲタル事項ヲ申請情報ノ内容トス

第16条　（所有権保存登記）

①　所有権保存ノ登記ハ左ニ掲ゲタル者ヨリ申請スルコトヲ得

一　立木ノ存スル土地ノ所有権又ハ地上権ノ登記名義人

二　土地ノ登記記録ノ表題部ニ自己又ハ被相続人ガ立木ノ存スル土地ノ所有者トシテ記録セラレタル者

三　第1号ニ掲ゲタル者ノ提供ニ係ル証明情報ニ依リ自己ノ所有権ヲ証スル者
　四　判決ニ依リ自己ノ所有権ヲ証スル者
② 所有権保存ノ登記ヲ申請スル場合ニ於テハ前項各号ノ内何レノ規定ニ依リテ登記ヲ申請スルモノナルカヲ申請情報ノ内容トス此ノ場合ニ於テハ其ノ申請情報ト併セテ登記原因ヲ証明スル情報ヲ提供スルコトヲ要セズ

第17条　（同前）

　所有権保存ノ登記ヲ申請スル場合ニ於テ其ノ保存登記ニ付土地ノ登記簿上利害ノ関係ヲ有スル第三者アルトキハ其ノ申請情報ト併セテ其ノ第三者ノ承諾ヲ証スル情報又ハ之ニ代ルヘキ裁判ガアリタルコトヲ証スル情報ヲ提供スベシ

第18条　（同前）

① 所有権ノ登記アル土地ニ生立スル樹木ニ付所有権保存ノ登記ノ申請アリタル場合ニ於テ土地ノ登記記録中土地又ハ地上権ヲ目的トスル先取特権又ハ抵当権ノ登記アルトキハ立木登記簿ニ其ノ登記ヲ転写スヘシ但シ其ノ登記ニ抵当権カ樹木ニ及ハサル旨ノ記録アルトキハ此ノ限ニ在ラス
② 前項ノ規定ニ依リ先取特権又ハ抵当権ノ登記ヲ転写スル場合ニ於テハ其ノ先取特権又ハ抵当権ノ登記ニ関シ既ニ共同担保目録アルトキヲ除キ登記官ハ共同担保目録ヲ作成スルコトヲ要ス

第19条　（同前）

① 所有権保存ノ登記ヲ為シタルトキハ土地ノ登記記録中表題部ニ立木ノ登記記録ヲ表示シ登記官ヲ明カナラシムル措置ヲ為スベシ立木ノ区分ノ登記ヲ為シタルトキ亦同ジ
② 立木ノ滅失ノ登記ヲシタルトキハ前項ノ規定ニ依ル表示ヲ抹消スル記号ヲ記録シ登記官ヲ明カナラシムル措置ヲ為スベシ

第20条　（変更の登記）

① 立木ノ分割若ハ合併若ハ滅失アリタルトキ又ハ第15条第1項各号ニ掲ケタル事項ニ変更アリタルトキハ所有権ノ登記名義人ハ遅滞ナク其ノ登記ヲ申請スヘシ但シ樹木ノ発生若ハ成長又ハ第3条ノ施業方法ニ依ル変更ニ付テハ此ノ限ニ在ラス
② 立木ノ存スル土地ノ地目，字，地番又ハ地積ニ変更アリタルトキ亦前項ニ同シ
③ 前2項ノ登記ニ関シ必要ナル事項ハ法務省令ヲ以テ之ヲ定ム

第21条

① 立木ヲ目的トスル抵当権設定ノ登記ニ於テハ不動産登記法第59条各号，第83条第1項各号並ニ第88条第1項各号及第2項各号ニ掲ゲタル事項ノ外施業方法ヲ登記事項トス
② 前項ノ登記ニ於テハ法務省令ヲ以テ定ムル事項ノ外同項ニ規定スル事項ヲ申請情報ノ内容トス

附　則　（略）

立木登記規則（抄）

●平成17年2月28日法務省令第26号●　最終改正　令和6年3月1日法務省令7号

第1章　総則

第1条　（立木の登記記録）

① 登記官は，立木について初めて登記をし，又は管轄転属によって移送を受けたときは，立木の登記記録の表題部に，これらの順序に従って不動産登記法第35条に規定する地番区域ごとに登記番号を記録しなければならない。

② 立木の登記記録の権利部は，甲区及び乙区に区分し，甲区には所有権に関する登記の登記事項を記録するものとし，乙区には先取特権及び抵当権に関する登記の登記事項を記録するものとする。

第2条　（不動産登記規則の適用関係）

立木の登記に係る不動産登記規則（平成17年法務省令第18号）の規定の適用については，同令の規定（同令第1条第9号を除く。）中「不動産所在事項」とあり，及び同令第181条第2項第4号中「法第34条第1項各号及び第44条第1項各号（第6号及び第9号を除く。）に掲げる事項」とあるのは，「立木の所在する市，区，郡，町，村，字及び土地の地番並びに樹木が一筆の土地の一部に生立するときは当該部分」とする。

第2章　樹種の記録の方法等

第3条　（調査した年度の記録）

樹種，数量及び樹齢を立木登記簿に記録するときは，それらを調査した年度も記録しなければならない。

第4条　（樹種の記録の方法）

樹種を立木登記簿に記録するときは，平仮名を用いなければならない。

第5条　（樹木の数量の記録等の方法）

① 樹木の数量を立木登記簿に記録するときは，樹木の種類ごとに材積及び本数を記録しなければならない。ただし，30年生以下の樹木にあっては，本数を記録すれば足りる。

② 前項の材積の単位，呼称及び測定方法は，各地方の慣習に従うものとする。

第6条　（樹齢の記録の方法）

樹齢を立木登記簿に記録するときは，樹木の種類ごとに何年生であるかを記録しなければならない。ただし，植栽によって生立させられた樹木の集団でないものにあっては，樹木の種類ごとに何年生以上何年生以下であるかを記録すれば足りる。

第3章　立木の登記手続

第1節／通則

第7条　（申請情報）

① 立木に関する法律（以下「法」という。）第15条第2項の法務省令で定める事項は，この省令に特別の定めがある場合を除き，次に掲げる事項とする。

一　不動産登記令（平成16年政令第379号）第3条各号（第8号並びに第11号ヘ及びトを除く。）に掲げる事項

二　地上権の登記名義人が所有権の保存の登記を申請するときは，地上権の順

位番号
② 立木の登記に係る不動産登記令の規定の適用については，同令本則中「第3条第7号及び第8号に掲げる事項」とあるのは，「立木の所在する市，区，郡，町，村及び字並びに土地の地番，地目及び地積並びに樹木が一筆の土地の一部に生立するときは当該部分」とする。
③ 第3条から前条までの規定は，法第15条第2項の規定により同条第1項第1号に掲げる事項を申請情報の内容とする場合について準用する。

第8条　（登記の更正）
　立木の登記における不動産登記法第67条の規定の適用については，同条第1項中「権利に関する登記」とあるのは，「登記」とする。

第2節／所有権の保存の登記

第9条　（所有権の保存の登記の添付情報）
① 立木について所有権の保存の登記の申請をする場合には，次条に規定する立木図面をその申請情報と併せて登記所に提供しなければならない。
② 樹木の集団の範囲を定める件（昭和7年勅令第12号）別表において掲げられていない樹種又は7種を超える種類の樹木をもって組成される樹木の集団について所有権の保存の登記の申請をする場合には，その集団が植栽によって生立させられた樹木の集団であることを証する主務官庁が作成した情報をその申請情報と併せて登記所に提供しなければならない。
③ 法第16条第1項第2号（土地の登記記録の表題部に自己が立木の所在する土地の所有者として記録されている者に係る部分を除く。），第3号及び第4号に掲げる者が所有権の保存の登記を申請する場合には，当該各号に該当する者であることを証する情報をその申請情報と併せて登記所に提供しなければならない。

第10条　（立木図面）
① 立木図面には，次に掲げる事項を記録するものとする。
　一　立木の所在する市，区，郡，町，村及び字並びに土地の地番，地目及び地積
　二　隣接する土地の地番及び地目並びに所有者の氏名又は名称
　三　樹木が一筆の土地の一部に生立するときは，その部分の位置及び地積並びに当該部分を表示するための名称又は番号があるときは当該名称又は番号並びに他の部分の表示
　四　立木の所在する土地又は土地の部分の境界に道路，河川，湖海，沼池その他境界の目標となるものがあるときは，その名称及び位置
　五　隣接する土地又は土地の部分に生立する樹木の所有者がこれらの土地の所有者と異なるときは，当該樹木の所有者の氏名又は名称
② 不動産登記規則第73条及び第74条第2項の規定は，立木図面について準用する。

第11条　（立木図面の管理）
　登記官は，所有権の保存の登記をするときは，受付番号の順序に従って，立木図面つづり込み帳に立木図面（不動産登記法第18条第1号の方法により提供された立木図面を用紙に出力したものを含む。以下同じ。）をつづり込み，これに申請の受付の年月日及び受付番号並びに登記番号を記載し，かつ，丁数を付すものとする。

第12条　（立木図面つづり込み帳の冊数等の記録）
　登記官は，所有権の保存の登記をするときは，登記記録の表題部に，立木図面つづり込み帳の冊数及び丁数を記録しなければならない。

第4節／表題部の変更の登記等

第18条　（表題部の変更の登記の申請情報等）
① 　不動産登記法第34条第1項各号又は法第15条第1項各号に掲げる登記事項に関する変更の登記又は更正の登記の申請をする場合に登記所に提供しなければならない申請情報の内容は，法第15条第1項各号に掲げる事項及び第7条第1項第1号に掲げる事項のほか，変更後又は更正後の登記事項とする。

② 　法第15条第1項第1号に掲げる事項についての変更の登記又は更正の登記の申請をする場合には，その申請情報と併せて変更後又は更正後の立木図面を登記所に提供しなければならない。

③ 　第11条及び第12条の規定は，前項の登記をする場合について準用する。

第19条　（樹種の変更の登記の添付情報等）
　樹種の変更又は錯誤若しくは遺漏により立木が樹木の集団の範囲を定める件別表において掲げられていない樹種又は7種を超える種類の樹木をもって組成される樹木の集団となった場合において変更の登記又は更正の登記の申請をするときは，変更前又は更正前の立木が植栽によって生立させられた樹木の集団であることを証する主務官庁が作成した情報をその申請情報と併せて登記所に提供しなければならない。

第20条　（分割の登記の申請情報等）
　立木の分割の登記の申請をする場合に登記所に提供しなければならない申請情報の内容は，法第15条第1項各号に掲げる事項及び第7条第1項第1号に掲げる事項のほか，分割後の立木に係る不動産登記法第34条第1項各号に掲げる事項及び法第15条第1項各号に掲げる事項とする。

第21条　（分割の登記における表題部の記録方法）
① 　登記官は，甲立木から乙立木を分割する分割の登記をするときは，乙立木について新たな登記記録を作成し，当該登記記録の表題部に，登記第何号の立木から分割した旨を記録しなければならない。

② 　登記官は，前項の場合には，甲立木の登記記録に，立木の表題部の登記事項，登記第何号の立木を分割した旨及び従前の立木の表題部の登記事項の変更部分を抹消する記号を記録しなければならない。

第22条　（分割の登記における権利部の記録方法等）
① 　登記官は，前条の場合において，乙立木の登記記録の権利部の相当区に甲立木の登記記録から権利に関する登記を転写し，分割の登記に係る申請の受付の年月日及び受付番号を記録しなければならない。この場合において，抵当権又は先取特権（以下「担保権」と総称する。）について既にその担保権についての共同担保目録が作成されているときを除き共同担保目録を作成し，転写した担保権の登記の末尾にその共同担保目録の記号及び目録番号を記録しなければならない。

② 　登記官は，前項の場合において，転写する登記に係る権利が担保権であり，かつ，既に当該担保権についての共同担保目録が作成されているときは，同項の規定により転写された登記に係る乙立木に関する担保権を当該共同担保目録に記録しなければならない。

③ 　登記官は，甲立木の登記記録から乙立木の登記記録に担保権に関する登記を転写したときは，分割後の甲立木の登記記録の当該担保権に関する登記に，既に当該担保権についての共同担保目録が作成されているときを除き第1項の規定により作成した共同担保目録の記号及び目録番号を記録しなければならない。

④ 不動産登記法第40条及び不動産登記規則第104条第1項から第3項までの規定は、立木の分割の登記について準用する。

第23条 （合併の登記の申請情報等）
① 立木の合併の登記の申請をする場合に登記所に提供しなければならない申請情報の内容は、法第15条第1項各号に掲げる事項及び第7条第1項第1号に掲げる事項のほか、合併後の立木に係る不動産登記法第34条第1項各号に掲げる事項及び法第15条第1項各号に掲げる事項とする。
② 所有権の登記以外の権利に関する登記がある立木については、合併の登記は、することができない。

第24条 （合併の登記の添付情報）
第19条の規定は、合併により立木が7種を超える種類の樹木をもって組成される樹木の集団となった場合において合併の登記の申請をするときについて準用する。

第25条 （合併の登記における登記記録の記録方法）
① 登記官は、甲立木を乙立木に合併する合併の登記をするときは、乙立木の登記記録の表題部に、合併後の立木の表題部の登記事項及び登記第何号の立木を合併した旨並びに従前の立木の表題部の登記事項の変更部分を抹消する記号を記録しなければならない。
② 登記官は、前項の場合には、甲立木の登記記録の表題部に登記第何号の立木に合併した旨及び従前の立木の表題部の登記事項を抹消する記号を記録し、当該登記記録を閉鎖しなければならない。
③ 不動産登記規則第107条第1項（第3号を除く。）及び第6項の規定は、第1項の場合について準用する。

第26条 （分割及び合併の登記における登記記録の記録方法）
① 登記官は、甲立木の一部を分割して、これを乙立木に合併する場合において、分割の登記及び合併の登記をするときは、乙立木の登記記録の表題部に、合併後の立木の表題部の登記事項及び登記第何号の立木の一部を合併した旨並びに従前の立木の表題部の登記事項の変更部分を抹消する記号を記録しなければならない。この場合には、前条第1項及び第2項の規定は、適用しない。
② 登記官は、前項に規定する登記をするときは、甲立木の登記記録の表題部に、残余部分の立木の表題部の登記事項、登記第何号の立木に一部を合併した旨及び従前の立木の表題部の登記事項の変更部分を抹消する記号を記録しなければならない。この場合には、第21条の規定は、適用しない。
③ 第22条第4項及び前条第3項の規定は、第1項の場合について準用する。

第27条 （滅失の登記）
不動産登記規則第109条及び第110条の規定は、立木の滅失の登記について準用する。この場合において、これらの規定中「土地」とあるのは「立木」と、同令第110条中「不動産所在事項」とあるのは「立木の所在する市、区、郡、町、村、字及び土地の地番並びに樹木が一筆の土地の一部に生立するときは当該部分」と読み替えるものとする。

第4章　雑則

第28条 （土地の登記記録への記録方法）
① 法第19条第1項の規定により立木の登記記録を表示するには、立木の登記の登記番号を記録する方法によってする。
② 法第19条第1項及び第2項の登記官を明らかにする措置は、登記記録に登記官の識別番号を記録する措置とする。

第29条 （土地の登記記録の転写等）

不動産登記規則第102条及び第168条（第１項を除く。）の規定は，法第18条の場合について準用する。

第30条 （立木図面つづり込み帳等）

登記所には，立木図面つづり込み帳及び施業方法書つづり込み簿を備えるものとする。

第31条 （保存期間）

次の各号に掲げる書面又は情報の保存期間は，当該各号に定めるとおりとする。
一　立木図面　永久
二　施業方法書　立木の登記記録を閉鎖した日から30年間

第32条 （登記識別情報の通知等）

不動産登記法第21条本文の規定により登記識別情報を通知するとき又は不動産登記規則第181条第１項の規定により登記が完了した旨を通知するときは，登記番号も通知するものとする。

第33条 （登記事項証明書の交付の請求情報等）

① 立木の登記記録についての登記事項証明書若しくは登記事項要約書の交付又は登記簿の附属書類の閲覧を請求する場合において，法第15条第１項第１号に規定する名称又は番号が登記されているときは，不動産登記規則第193条第１項各号又は第２項各号に掲げる事項のほか，当該名称又は番号を請求情報の内容としなければならない。

② 立木の登記記録について登記事項証明書の交付の請求をする場合において，施業方法書に記載された事項について証明を求めるときは，不動産登記規則第193条第１項各号に掲げる事項のほか，当該証明を求める旨を請求情報の内容としなければならない。

第34条 （登記事項証明書の作成及び交付）

① 立木の登記記録について作成する登記事項証明書は，次の各号の区分に応じ，当該各号に定める様式によるものとする。ただし，登記記録に記録した事項の一部についての登記事項証明書については適宜の様式によるものとする。
一　立木の登記記録　別記第２号様式
二　施業方法書　別記第１号様式

② 立木の登記記録について登記事項証明書を作成する場合において，施業方法書に記載された事項について証明を求める旨が請求情報の内容とされていないときは，施業方法書に記載された事項の記載を省略するものとする。

第35条 （立木図面の写しの交付）

立木の登記に関する不動産登記法第121条及び不動産登記令第21条第１項の規定の適用については，同項中「土地所在図」とあるのは，「立木図面」とする。

第36条 （登記の嘱託）

この省令中「申請」，「申請人」及び「申請情報」には，それぞれ嘱託，嘱託者及び嘱託情報を含むものとする。

附　則　（略）

工場抵当法（抄）

●明治38年3月13日法律第54号●　　最終改正　平成29年6月2日法45号

第1条　（工場の定義）
① 本法ニ於テ工場ト称スルハ営業ノ為物品ノ製造若ハ加工又ハ印刷若ハ撮影ノ目的ニ使用スル場所ヲ謂フ
② 営業ノ為電気若ハ瓦斯ノ供給又ハ電気通信役務ノ提供ノ目的ニ使用スル場所ハ之ヲ工場ト看做ス営業ノ為放送法（昭和25年法律第132号）ニ謂フ基幹放送又ハ一般放送（有線電気通信設備ヲ用ヒテテレビジョン放送ヲ行フモノニ限ル）ノ目的ニ使用スル場所亦同ジ

第2条　（工場の土地・建物の抵当権の範囲）
① 工場ノ所有者カ工場ニ属スル土地ノ上ニ設定シタル抵当権ハ建物ヲ除クノ外其ノ土地ニ附加シテ之ト一体ヲ成シタル物及其ノ土地ニ備附ケタル機械，器具其ノ他工場ノ用ニ供スル物ニ及フ但シ設定行為ニ別段ノ定アルトキ及債務者ノ行為ニ付キ民法（明治29年法律第89号）第424条第3項ニ規定スル詐害行為取消請求ヲスルコトヲ得ル場合ハ此ノ限ニ在ラス
② 前項ノ規定ハ工場ノ所有者カ工場ニ属スル建物ノ上ニ設定シタル抵当権ニ之ヲ準用ス

第3条　（抵当権の目的物の目録）
① 工場ノ所有者カ工場ニ属スル土地又ハ建物ニ付抵当権ヲ設定スル場合ニ於テハ不動産登記法（平成16年法律第123号）第59条各号，第83条第1項各号並ニ第88条第1項各号及第2項各号ニ掲ゲタル事項ノ外其ノ土地又ハ建物ニ備付ケタル機械，器具其ノ他工場ノ用ニ供スル物ニシテ前条ノ規定ニ依リ抵当権ノ目的タルモノヲ抵当権ノ登記ノ登記事項トス
② 登記官ハ前項ニ規定スル登記事項ヲ明カニスル為法務省令ノ定ムルトコロニ依リ之ヲ記録シタル目録ヲ作成スルコトヲ得
③ 第1項ノ抵当権ヲ設定スル登記ヲ申請スル場合ニ於テハ其ノ申請情報ト併セテ前項ノ目録ニ記録スベキ情報ヲ提供スベシ
④ 第38条乃至第42条ノ規定ハ第2項ノ目録ニ之ヲ準用ス

第4条　（特約の記載）
① 第2条第1項但書ニ掲ケタル別段ノ定アルトキハ之ヲ抵当権ノ登記ノ登記事項トス
② 抵当権設定ノ登記ノ申請ニ於テハ法務省令ヲ以テ定ムル事項ノ外前項ノ別段ノ定ヲ申請情報ノ内容トス

第5条　（抵当権の追及力）
① 抵当権ハ第2条ノ規定ニ依リテ其ノ目的タル物カ第三取得者ニ引渡サレタル後ト雖其ノ物ニ付之ヲ行フコトヲ得
② 前項ノ規定ハ民法第192条乃至第194条ノ適用ヲ妨ケス

第6条　（抵当権の目的物の分離）
① 工場ノ所有者カ抵当権者ノ同意ヲ得テ土地又ハ建物ニ附加シテ之ト一体ヲ成シタル物ヲ土地又ハ建物ト分離シタルトキハ抵当権ハ其ノ物ニ付消滅ス
② 工場ノ所有者カ抵当権者ノ同意ヲ得テ土地又ハ建物ニ備附ケタル機械，器具其ノ他ノ物ノ備附ヲ止メタルトキハ抵当権

ハ其ノ物ニ付消滅ス
③ 工場ノ所有者カ抵当権者ノ為差押，仮差押又ハ仮処分アル前ニ於テ正当ナル事由ニ因リ前二項ノ同意ヲ求メタルトキハ抵当権者ハ其ノ同意ヲ拒ムコトヲ得ス

第7条 （差押等の及ぶ範囲）
① 抵当権ノ目的タル土地又ハ建物ノ差押，仮差押又ハ仮処分ハ第2条ノ規定ニ依リテ抵当権ノ目的タル物ニ及フ
② 第2条ノ規定ニ依リテ抵当権ノ目的タル物ハ土地又ハ建物ト共ニスルニ非サレハ差押，仮差押又ハ仮処分ノ目的ト為スコトヲ得ス

第8条 （工場財団の設定，消滅）
① 工場ノ所有者ハ抵当権ノ目的ト為ス為1箇又ハ数箇ノ工場ニ付工場財団ヲ設クルコトヲ得数箇ノ工場カ各別ノ所有者ニ属スルトキ亦同シ
② 工場財団ニ属スルモノハ同時ニ他ノ財団ニ属スルコトヲ得ス
③ 工場財団ハ抵当権ノ登記ガ全部抹消セラレタル後若ハ抵当権ガ第42条ノ2第2項ノ規定ニ依リ消滅シタル後6箇月内ニ新ナル抵当権ノ設定ノ登記ヲ受ケザルトキ又ハ第44条ノ2ノ規定ニ依ル登記ヲ為シタルトキハ消滅ス

第9条 （工場財団の登記）
工場財団ノ設定ハ工場財団登記簿ニ所有権保存ノ登記ヲ為スニ依リテ之ヲ為ス

第10条 （同前）
工場財団ノ所有権保存ノ登記ハ其ノ登記後6箇月内ニ抵当権設定ノ登記ヲ受ケサルトキハ其ノ効力ヲ失フ

第11条 （財団の組成）
工場財団ハ左ニ掲クルモノノ全部又ハ一部ヲ以テ之ヲ組成スルコトヲ得
一 工場ニ属スル土地及工作物

二 機械，器具，電柱，電線，配置諸管，軌条其ノ他ノ附属物
三 地上権
四 賃貸人ノ承諾アルトキハ物ノ賃借権
五 工業所有権
六 ダム使用権

第12条 （同前）
工場ニ属スル土地又ハ建物ニシテ所有権ノ登記ナキモノアルトキハ工場財団ヲ設クル前其ノ所有権保存ノ登記ヲ受クヘシ

第13条 （他人の権利の目的物等の排除，譲渡の禁止）
① 他人ノ権利ノ目的タルモノ又ハ差押，仮差押若ハ仮処分ノ目的タルモノハ工場財団ニ属セシムルコトヲ得ス
② 工場財団ニ属スルモノハ之ヲ譲渡シ又ハ所有権以外ノ権利，差押，仮差押若ハ仮処分ノ目的ト為スコトヲ得ス但シ抵当権者ノ同意ヲ得テ賃貸ヲ為スハ此ノ限ニ在ラス

第13条ノ2 （自動車の編入）
道路運送車両法（昭和26年法律第185号）ニ依ル自動車ニシテ軽自動車，小型特殊自動車及2輪ノ小型自動車以外ノモノ（以下自動車ト称ス）又ハ小型船舶の登録等に関する法律（平成13年法律第102号以下小型船舶登録法ト称ス）ニ依ル小型船舶（以下小型船舶ト称ス）ハ道路運送車両法又ハ小型船舶登録法ニ依リ登録ヲ受クルニ非ザレバ工場財団ニ属セシムルコトヲ得ズ

第14条 （財団の単一性，財団を目的とする権利）
① 工場財団ハ之ヲ1箇ノ不動産ト看做ス
② 工場財団ハ所有権及抵当権以外ノ権利ノ目的タルコトヲ得ス但シ抵当権者ノ同意ヲ得テ之ヲ賃貸スルハ此ノ限ニ在ラス

第15条　（財団組成物の分離）
① 工場ノ所有者カ抵当権者ノ同意ヲ得テ工場財団ニ属スルモノヲ財団ヨリ分離シタルトキハ抵当権ハ其ノモノニ付消滅ス
② 第6条第3項ノ規定ハ前項ノ場合ニ之ヲ準用ス

第16条　（準用規定）
① 第2条，民法第371条，第388条及第389条ノ規定ハ土地又ハ建物カ抵当権ノ目的タル工場財団ニ属スル場合ニ之ヲ準用ス
② 民法第281条ノ規定ハ要役地カ抵当権ノ目的タル工場財団ニ属スル場合ニ之ヲ準用ス
③ 民法第398条ノ規定ハ地上権カ抵当権ノ目的タル工場財団ニ属スル場合ニ之ヲ準用ス

第17条　（管轄登記所）
① 工場財団ノ登記ニ付テハ工場所在地ノ法務局若ハ地方法務局若ハ此等ノ支局又ハ此等ノ出張所カ管轄登記所トシテ之ヲ掌ル
② 工場カ数箇ノ登記所ノ管轄地ニ跨ガリ又ハ工場財団ヲ組成スル数箇ノ工場カ数箇ノ登記所ノ管轄地内ニ在ルトキハ申請ニ因リ法務省令ノ定ムルトコロニ依リ法務大臣又ハ法務局若ハ地方法務局ノ長ニ於テ管轄登記所ヲ指定ス
③ 前項ノ規定ハ合併セントスル工場財団カ数個ノ登記所ノ管轄ニ属スル場合ニ之ヲ準用ス但シ合併セントスル数個ノ工場財団ノ内既登記ノ抵当権ノ目的タルモノアルトキハ其ノ工場財団ノ登記ヲ管轄スル登記所ヲ以テ管轄登記所トス

第18条　（工場財団登記簿）
各登記所ニ工場財団登記簿ヲ備フ

第19条　（同前）
工場財団登記簿ハ1個ノ工場財団ニ付一登記記録ヲ備フ

第20条　（同前）
① 工場財団登記簿ハ其ノ一登記記録ヲ表題部及権利部ニ分ツ
② 表題部ニハ工場財団ノ表示ニ関スル事項ヲ記録ス
③ 権利部ニハ所有権及抵当権ニ関スル事項ヲ記録ス

第21条　（登記の申請）
① 工場財団ノ表題部ノ登記事項ハ左ノ事項トス
　一　工場ノ名称及位置
　二　主タル営業所
　三　営業ノ種類
　四　工場財団ヲ組成スルモノ
② 登記官ハ前項第4号ニ掲ゲタル事項ヲ明カニスル為法務省令ノ定ムルトコロニ依リ之ヲ記録シタル工場財団目録ヲ作成スルコトヲ得
③ 登記ノ申請ニ於テハ法務省令ヲ以テ定ムル事項ノ外第1項第1号乃至第3号ニ掲ゲタル事項ヲ申請情報ノ内容トス

第22条
工場財団ニ付所有権保存ノ登記ヲ申請スル場合ニ於テハ法務省令ヲ以テ定ムル情報ノ外其ノ申請情報ト併セテ工場財団目録ニ記録スベキ情報ヲ提供スベシ

第23条　（所有権保存登記の申請）
① 所有権保存ノ登記ノ申請アリタルトキハ其ノ財団ニ属スベキモノニシテ登記アルモノニ付テハ登記官ハ職権ヲ以テ其ノ登記記録中権利部ニ工場財団ニ属スベキモノトシテ其ノ財団ニ付所有権保存ノ登記ノ申請アリタル旨，申請ノ受付ノ年月日及受付番号ヲ記録スベシ
② 前項ニ掲ケタルモノカ他ノ登記所ノ管轄ニ属スルトキハ前項ノ規定ニ依リ記録スベキ事項ヲ遅滞ナク管轄登記所ニ通知スベシ
③ 前項ノ通知ヲ受ケタル登記所ハ第1項

ノ手続ヲ為シ其ノ登記事項証明書ヲ通知ヲ為シタル登記所ニ送付スヘシ但シ其ノ登記事項証明書ニハ抹消ニ係ル事項ヲ記載スルコトヲ要セス
④　前三項ノ規定ハ工業所有権，自動車，小型船舶又ハダム使用権カ工場財団ニ属スヘキ場合ニ之ヲ準用ス但シ通知ハ之ヲ特許庁又ハ国土交通大臣（小型船舶登録法第21条第1項ニ規定スル登録測度事務ヲ小型船舶検査機構カ行フ場合ニ於テハ小型船舶ニ関シ小型船舶検査機構以下同ジ）ニ為スヘシ

第24条　（所有権保存登記申請と動産）
① 　前条ノ場合ニ於テ登記官ハ官報ヲ以テ工場財団ニ属スヘキ動産ニ付権利ヲ有スル者又ハ差押，仮差押若ハ仮処分ノ債権者ハ一定ノ期間内ニ其ノ権利ヲ申出ツヘキ旨ヲ公告スヘシ但シ其ノ期間ハ1箇月以上3箇月以下トス
② 　前項ノ公告ハ所有権保存ノ登記ノ申請カ期間ノ満了前ニ却下セラレタルトキハ遅滞ナク之ヲ取消スヘシ

第25条　（利害関係人の権利の申出）
　前条第1項ノ期間内ニ権利ノ申出ナキトキハ其ノ権利ハ存在セサルモノト看做シ差押，仮差押又ハ仮処分ハ其ノ効力ヲ失フ但シ所有権保存ノ登記ノ申請カ却下セラレタルトキ又ハ其ノ登記カ効力ヲ失ヒタルトキハ此ノ限ニ在ラス

第26条　（同前）
　第24条第1項ノ期間内ニ権利ノ申出アリタルトキハ遅滞ナク其ノ旨ヲ所有権保存ノ登記ノ申請人ニ通知スヘシ

第26条ノ2　（登記登録ある動産の特則）
　前三条ノ規定ハ登記又ハ登録アル動産ニ付テハ之ヲ適用セス

第27条　（所有権保存登記の申請却下）
　所有権保存ノ登記ノ申請ハ不動産登記法第25条ニ掲ケタル場合ノ外左ノ場合ニ於テ之ヲ却下スヘシ
一　登記簿若ハ登記事項証明書又ハ登録ニ関スル原簿ノ謄本（道路運送車両法第22条第1項ノ規定ニ依ル登録事項等証明書又ハ小型船舶登録法第14条ノ規定ニ依ル原簿ニシテ磁気ディスクヲ以テ調製シタル部分ニ記録シタル事項ヲ証明シタル書面ヲ含ム以下同ジ）ニ依リ工場財団ニ属スヘキモノカ他人ノ権利ノ目的タルコト又ハ差押，仮差押若ハ仮処分ノ目的タルコト明白ナルトキ
二　工場財団目録ニ記録スヘキ情報トシテ提供シタルモノカ登記簿若ハ登記事項証明書又ハ登録ニ関スル原簿ノ謄本ト抵触スルトキ
三　工場財団ニ属スヘキ動産ニ付権利ヲ有スル者又ハ差押，仮差押若ハ仮処分ノ債権者カ其ノ権利ヲ申出テタル場合ニ於テ遅クトモ第24条第1項ノ期間満了後1週間内ニ其ノ申出ノ取消アラサルトキ又ハ其ノ申出ノ理由ナキコトノ証明アラサルトキ

第28条　（同前）
① 　登記官カ所有権保存ノ登記ノ申請ヲ却下シタルトキハ第23条第1項ノ規定ニ依リテ為シタル記録ヲ抹消スヘシ
② 　他ノ登記所，特許庁又ハ国土交通大臣ニ所有権保存ノ登記ノ申請アリタル旨ヲ通知シタル場合ニ於テハ其ノ申請ヲ却下シタル旨ヲ遅滞ナク通知スヘシ
③ 　前項ノ通知ヲ受ケタル登記所，特許庁又ハ国土交通大臣ハ第23条第3項又ハ第4項ノ規定ニ依リテ為シタル記録又ハ記載ヲ抹消スヘシ

第29条　（個々的処分の禁止）
　工場財団ニ属スヘキモノニシテ登記又ハ登録アルモノハ第23条ノ記録又ハ記載

第30条 （競落の決定の保留）
第23条ノ記録又ハ記載アリタル後差押ノ登記又ハ登録アリタル場合ニ於テハ所有権保存ノ登記ノ申請カ却下セラレサル間及其ノ登記カ効力ヲ失ハサル間ハ売却許可決定ヲ為スコトヲ得ス

第31条 （保存登記申請記載後の差押等）
第23条ノ記録又ハ記載アリタル後ニ為シタル差押, 仮差押若ハ仮処分ノ登記若ハ登録又ハ先取特権ノ保存ノ登記ハ抵当権設定ノ登記アリタルトキハ其ノ効力ヲ失フ

第32条 （同前―差押命令等の取消）
前条ノ規定ニ依リ差押, 仮差押又ハ仮処分ノ登記又ハ登録カ其ノ効力ヲ失ヒタルトキハ裁判所ハ利害関係人ノ申立ニ因リ差押, 仮差押又ハ仮処分ノ命令ヲ取消スヘシ

第33条 （動産処分の禁止）
① 工場財団ニ属スヘキ動産ハ第24条第1項ノ公告アリタル後ハ之ヲ譲渡シ又ハ所有権以外ノ権利ノ目的ト為スコトヲ得ス
② 第24条第1項ノ公告アリタル後差押アリタルトキハ第30条ノ規定ヲ準用ス
③ 第24条第1項ノ公告アリタル後差押, 仮差押又ハ仮処分アリタル場合ニ於テ抵当権設定ノ登記アリタルトキハ差押, 仮差押又ハ仮処分ハ其ノ効力ヲ失フ

第34条 （財団に属した旨の登記）
① 登記官カ所有権保存ノ登記ヲ為シタルトキハ其ノ財団ニ属シタルモノノ登記記録中権利部ニ工場財団ニ属シタル旨ヲ記録スヘシ
② 第23条第2項乃至第4項ノ規定ハ前項ノ場合ニ之ヲ準用ス但シ登記事項証明書又ハ登録ニ関スル原簿ノ謄本ノ送付ヲ要セス

第35条　削除

第36条 （抵当権設定の登記）
工場財団ノ抵当権設定ノ登記ノ申請ハ不動産登記法第25条ニ掲ケタル場合ノ外第10条ノ期間ヲ経過シタル場合ニ於テ之ヲ却下スヘシ

第37条 （同前）
① 登記官カ抵当権設定ノ登記ヲ為シタルトキハ第31条ノ規定ニ依リ効力ヲ失ヒタル登記ヲ抹消スヘシ
② 第23条第2項乃至第4項ノ規定ハ前項ノ場合ニ之ヲ準用ス但シ登記事項証明書又ハ登録ニ関スル原簿ノ謄本ノ送付ヲ要セス

第38条 （変更の登記）
① 工場財団目録ニ掲ケタル事項ニ変更ヲ生シタルトキハ所有者ハ遅滞ナク工場財団目録ノ記録ノ変更ノ登記ヲ申請スヘシ
② 前項ノ登記ノ申請ヲスルニハ其ノ申請情報ト併セテ抵当権者ノ同意ヲ証スル情報又ハ之ニ代ルヘキ裁判カアリタルコトヲ証スル情報ヲ提供スヘシ

第39条 （同前）
工場財団ニ属スルモノニ変更ヲ生シ又ハ新ニ他ノモノヲ財団ニ属セシメタルニ因リ変更ノ登記ヲ申請スルトキハ変更シタルモノ又ハ新ニ属シタルモノヲ工場財団目録ニ記録スル為ノ情報ヲ提供スヘシ

第40条 （同前）
工場財団ニ属スルモノニ変更ヲ生シタルニ因リ変更ノ登記ノ申請アリタルトキハ前目録ニ其ノモノニ変更ヲ生シタル旨, 申請ノ受付ノ年月日及受付番号ヲ記録スヘシ

第41条　（同前）
　　新ニ他ノモノヲ財団ニ属セシメタルニ因リ変更ノ登記ノ申請アリタルトキハ前ノ目録ニ新ニ他ノモノヲ財団ニ属セシメタル旨，申請ノ受付ノ年月日及受付番号ヲ記録スベシ

第42条　（同前）
　　工場財団ニ属シタルモノカ滅失シ又ハ財団ニ属セサルニ至リタルニ因リ変更ノ登記ノ申請アリタルトキハ目録ニ其ノ登記ノ目的タルモノカ滅失シ又ハ財団ニ属セサルニ至リタル旨，申請ノ受付ノ年月日及受付番号ヲ記録シ其ノモノノ表示ヲ抹消スル記号ヲ記録スベシ

第42条ノ2　（財団の分割）
① 工場ノ所有者ハ数箇ノ工場ニ付設定シタル1箇ノ工場財団ヲ分割シテ数箇ノ工場財団ト為スコトヲ得
② 抵当権ノ目的タル甲工場財団ヲ分割シテ其ノ一部ヲ乙工場財団ト為シタルトキハ其ノ抵当権ハ乙工場財団ニ付消滅ス
③ 前項ノ場合ニ於ケル工場財団ノ分割ハ抵当権者ガ乙工場財団ニ付抵当権ノ消滅ヲ承諾スルニ非ザレバ之ヲ為スコトヲ得ズ

第42条ノ3　（財団の合併）
① 工場ノ所有者ハ数個ノ工場財団ヲ合併シテ1個ノ工場財団ト為スコトヲ得但シ合併セントスル工場財団ノ登記記録ニ所有権及抵当権ノ登記以外ノ登記アルトキ又ハ合併セントスル数個ノ工場財団ノ内2個以上ノ工場財団ニ付既登記ノ抵当権アルトキハ此ノ限ニ在ラズ
② 工場財団ヲ合併シタルトキハ抵当権ハ合併後ノ工場財団ノ全部ニ及ブ

第42条ノ4　（財団の分割又は合併の登記）
　　工場財団ノ分割又ハ合併ハ其ノ登記ヲ為スニ依リテ之ヲ為ス

第42条ノ5　（同前）
　　前条ノ登記ヲ申請スル場合ニ於テハ工場財団ノ分割又ハ合併ヲ申請情報ノ内容トシ仍ホ既登記ノ抵当権ノ目的タル工場財団ノ分割ノ登記ヲ申請スル場合ニ於テハ分割後抵当権ノ消滅スル工場財団ヲ表示シ且其ノ申請情報ト併セテ第42条ノ2第3項ノ規定ニ依ル抵当権者ノ承諾アリタルコトヲ証スル情報ヲ提供スベシ

第42条ノ6　（分割の登記）
① 甲工場財団ヲ分割シテ其ノ一部ヲ乙工場財団トヲ為ス場合ニ於テ分割ノ登記ヲ為ストキハ登記記録中表題部ニ分割ニ因リテ甲工場財団ノ登記記録ヨリ移シタル旨ヲ記録スベシ
② 前項ノ場合ニ於テハ甲工場財団ノ目録中乙工場財団ニ属スベキ工場ノ目録ヲ分離シテ之ヲ乙工場財団ノ目録ト為スベシ
③ 前二項ノ手続ヲ為シタルトキハ甲工場財団ノ登記記録中表題部ニ残余工場ノ表示ヲ為シ分割ニ因リテ他ノ工場ヲ乙工場財団ノ登記記録ニ移シタル旨ヲ記録シ前ノ表示ヲ抹消スル記号ヲ記録スベシ
④ 第1項ノ場合ニ於テハ乙工場財団ノ登記記録中権利部ニ甲工場財団ノ登記記録ヨリ所有権ニ関スル登記ヲ転写シ申請ノ受付ノ年月日及受付番号ヲ記録シ登記官ヲ明カナラシムル措置ヲ為スベシ

第42条ノ7　（合併の登記）
① 甲工場財団ト乙工場財団トヲ合併スル場合ニ於テ合併ノ登記ヲ為ストキハ甲工場財団（合併セントスル工場財団ノ内既登記ノ抵当権ノ目的タルモノアルトキハ其ノ工場財団）ノ登記記録中表題部ニ合併ニ因リテ乙工場財団ノ登記記録ヨリ移シタル旨ヲ記録シ前ノ表示ヲ抹消スル記号ヲ記録スベシ
② 前項ノ場合ニ於テハ甲工場財団ノ目録及乙工場財団ノ目録ヲ合併後ノ工場財団ノ目録ト為スベシ

③ 乙工場財団ノ登記記録中表題部ニハ合併ニ因リテ甲工場財団ノ登記記録ニ移シタル旨ヲ記録シ乙工場財団ノ表示ヲ抹消スル記号ヲ記録スベシ

④ 甲工場財団ノ登記記録中権利部ニ乙工場財団ノ登記記録ヨリ所有権ニ関スル登記ヲ移シ其ノ登記ガ乙工場財団タリシ部分ノミニ関スル旨，申請ノ受付ノ年月日及受付番号ヲ記録シ登記官ヲ明カナラシムル措置ヲ為スベシ

第43条 （変更の登記）

第23条乃至第34条及第37条ノ規定ハ新ニ他ノモノヲ財団ニ属セシメタルニ因リ変更ノ登記ノ申請アリタル場合ニ之ヲ準用ス

第44条 （同前）

① 工場財団ニ属シタルモノニシテ登記アルモノカ滅失シ又ハ財団ニ属セサルニ至リタルニ因リ変更ノ登記ノ申請アリタルトキハ其ノモノノ登記記録中権利部ニ其ノ旨ヲ記録シ第23条及第34条ノ記録ヲ抹消スベシ

② 前項ニ掲ケタルモノカ他ノ登記所ノ管轄ニ属スルトキハ其ノモノカ滅失シ又ハ財団ニ属セサルニ至リタル旨ヲ遅滞ナク管轄登記所ニ通知スベシ

③ 前項ノ通知ヲ受ケタル登記所ハ第1項ノ手続ヲ為スベシ

④ 前三項ノ規定ハ工場財団ニ属シタル工業所有権，自動車，小型船舶若ハダム使用権カ消滅シ又ハ財団ニ属セサルニ至リタル場合ニ之ヲ準用ス但シ通知ハ之ヲ特許庁又ハ国土交通大臣ニ為スベシ

第44条ノ2 （財団消滅の登記）

工場財団ニ付抵当権ノ登記ガ全部抹消セラレタルトキ又ハ抵当権ガ第42条ノ2第2項ノ規定ニ依リ消滅シタルトキハ所有者ハ工場財団ノ消滅ノ登記ヲ申請スルコトヲ得但シ其ノ工場財団ノ登記記録ニ所有権ノ登記以外ノ登記アルトキハ此ノ限ニ在ラズ

第44条ノ3 （抵当権抹消登記）

工場財団ヲ目的トスル抵当権ガ消滅シタルトキハ当事者ハ遅滞ナク其ノ登記ノ抹消ヲ申請スベシ

第45条 （財団の差押等の管轄）

① 工場財団ノ差押，仮差押又ハ仮処分ハ工場所在地ノ地方裁判所ノ管轄トス

② 民事訴訟法（平成8年法律第109号）第10条第2項及第3項ノ規定ハ工場カ数箇ノ地方裁判所ノ管轄地ニ跨カリ又ハ工場財団ヲ組成スル数箇ノ工場カ数箇ノ地方裁判所ノ管轄地内ニ在ル場合ニ之ヲ準用ス

第46条 （個々のものの競売又は入札）

裁判所ハ抵当権者ノ申立ニ因リ工場財団ヲ箇箇ノモノトシテ売却ニ付スヘキ旨ヲ命スルコトヲ得

第48条 （財団登記簿の閉鎖）

① 工場財団登記簿ハ所有権保存ノ登記カ其ノ効力ヲ失ヒタルトキ又ハ第8条第3項ノ規定ニ依リ工場財団ガ消滅シタルトキハ其ノ登記記録ニ其ノ旨ヲ記録スベシ

② 第44条ノ規定ハ前項ノ場合ニ之ヲ準用ス

附　則　（略）

工場抵当登記規則

●平成17年2月28日法務省令第23号●　最終改正　令和6年3月1日法務省令7号

第1章　工場に属する土地又は建物についてする抵当権の登記

第1条（工場に属する土地又は建物についてする抵当権の設定の登記の申請情報）
　工場抵当法（以下「法」という。）第4条第2項の法務省令で定める事項は，不動産登記令（平成16年政令第379号）第3条各号（第10号並びに第11号ヘ及びトを除く。）に掲げる事項とする。

第2条（法第3条第2項の目録を作成した旨の記録）
　登記官は，法第3条第3項に規定する申請に基づく抵当権の設定の登記をするときは，当該抵当権の登記の末尾に，同条第2項の目録を作成した旨を記録しなければならない。

第3条（法第3条第2項の目録及びこれに記録すべき情報への工場財団目録に関する規定の準用）
　第8条及び第17条の規定は法第3条第2項の目録について，第8条及び第25条の規定は法第3条第3項に規定する目録に記録すべき情報について，それぞれ準用する。この場合において，第25条第1項中「別記第2号様式」とあるのは，「別記第1号様式」とする。

第4条（保存期間）
　法第3条第2項の目録は，抵当権の登記を抹消した日から20年間保存しなければならない。

第2章　工場財団の登記

第1節／総則

第5条（工場財団の登記記録）
① 登記官は，工場財団について初めて登記をし，又は管轄転属によって移送を受けたときは，工場財団の登記記録の表題部に，これらの順序に従って登記番号を記録しなければならない。
② 工場財団の登記記録の権利部は，甲区及び乙区に区分し，甲区には所有権に関する登記の登記事項を記録するものとし，乙区には抵当権に関する登記の登記事項を記録するものとする。

第6条（不動産登記規則の適用関係）
　工場財団の登記に係る不動産登記規則（平成17年法務省令第18号）の規定の適用については，同令の規定（同令第1条第9号を除く。）中「不動産所在事項」とあり，及び同令第181条第2項第4号中「法第34条第1項各号及び第44条第1項各号（第6号及び第9号を除く。）に掲げる事項」とあるのは，「工場の名称及び位置，主たる営業所並びに営業の種類」とする。

第2節／工場財団目録

第7条（土地等の記録）
① 工場財団目録に土地を記録するときは，当該土地の所在する市，区，郡，町，村及び字並びに当該土地の地番を記録するものとする。
② 工場財団目録に建物を記録するときは，

当該建物の所在する市，区，郡，町，村，字及び土地の地番（区分建物である建物にあっては，当該建物が属する1棟の建物の所在する市，区，郡，町，村，字及び土地の地番）並びに家屋番号を記録するものとする。
③　工場財団目録に建物以外の工作物を記録するときは，次に掲げる事項を記録するものとする。
　一　工作物の所在する市，区，郡，町，村，字及び土地の地番
　二　種類
　三　構造
　四　面積又は延長

第8条　（機械等の記録）
　　工場財団目録に機械，器具，電柱，電線，配置諸管，軌条その他の附属物を記録するときは，次に掲げる事項を記録するものとする。ただし，工場財団目録に軽微な附属物を記録するときは，概括して記録することができる。
　一　種類
　二　構造
　三　個数又は延長
　四　製造者の氏名又は名称，製造の年月，記号，番号その他同種類の他の物と識別することができる情報があるときは，その情報

第9条　（船舶等の記録）
①　工場財団目録に船舶（船舶登記令（平成17年政令第11号）の規定により登記した船舶をいう。以下同じ。）を記録するときは，同令第11条第1号から第5号までに掲げる事項を記録するものとする。
②　工場財団目録に小型船舶の登録等に関する法律（平成13年法律第102号）の規定により登録した小型船舶を記録するときは，同法第6条第2項に規定する船舶番号及び同項第1号から第4号までに掲げる事項を記録するものとする。

第10条　（地上権の記録）
　　工場財団目録に地上権を記録するときは，第7条第1項に規定する事項のほか，その地上権の登記の順位番号を記録するものとする。

第11条　（賃借権の記録）
①　工場財団目録に不動産又は船舶の賃借権を記録するときは，第7条第1項若しくは第2項又は第9条第1項に規定する事項のほか，その賃借権の登記の順位番号を記録するものとする。
②　工場財団目録に不動産及び船舶以外の物に関する賃借権を記録するときは，第7条第3項，第8条，第9条第2項又は第13条に規定する事項のほか，次に掲げる事項を記録するものとする。
　一　賃料
　二　存続期間又は賃料の支払時期の定めがあるときは，その定め
　三　設定の年月日
　四　賃貸人の氏名又は名称及び住所

第12条　（工業所有権の記録）
①　工場財団目録に工業所有権を記録するときは，次に掲げる事項を記録するものとする。
　一　権利の種類
　二　権利の名称
　三　特許番号又は登録番号
　四　登録の年月日
②　工場財団目録に工業所有権についての専用実施権，通常実施権，専用使用権又は通常使用権を記録するときは，次に掲げる事項を記録するものとする。
　一　権利の範囲
　二　本権の種類及び名称
　三　本権の特許番号又は登録番号
　四　登録の年月日
　五　本権の権利者の氏名又は名称及び住所

第13条　（自動車の記録）
　工場財団目録に道路運送車両法（昭和26年法律第185号）第2条第2項の規定による自動車（軽自動車，小型特殊自動車及び2輪の小型自動車を除く。）を記録するときは，次に掲げる事項を記録するものとする。
一　車名及び型式
二　車台番号
三　原動機の型式
四　自動車登録番号
五　使用の本拠の位置

第14条　（ダム使用権の記録）
　工場財団目録にダム使用権を記録するときは，ダム使用権登録令（昭和42年政令第2号）第25条第1項第1号から第4号までに掲げる事項を記録するものとする。

第15条　（工場財団目録の作成単位）
　工場財団目録は，二以上の工場について工場財団を設定するときは，工場ごとに作成するものとする。

第16条　（工場の所有者の氏名等の記録）
　前条の場合において，当該二以上の工場の所有者が異なるときは，当該各工場の工場財団目録には，第7条から第14条までに掲げる事項のほか，当該工場財団目録に記録された工場の所有者の氏名又は名称を記録するものとする。

第17条　（工場財団目録の管理）
　登記官は，工場財団目録を作成したときは，工場財団目録に申請の受付の年月日及び受付番号並びに登記番号を記録しなければならない。ただし，法第39条の規定により提供された工場財団目録に記録するための情報により作成した工場財団目録には，登記番号を記録することを要しない。

第3節／工場財団の登記手続

第1款／通則
第18条　（工場財団の登記の申請情報）
① 法第21条第3項の法務省令で定める事項は，この省令に特別の定めがある場合を除き，不動産登記令第3条各号（第7号，第8号並びに第11号ヘ及びトを除く。）に掲げる事項とする。
② 工場財団の登記の申請に係る不動産登記令の規定の適用については，同令の規定中「第3条第7号及び第8号に掲げる事項」とあるのは，「工場の名称及び位置，主たる営業所並びに営業の種類」とする。

第19条　（管轄登記所の指定があった場合の添付情報）
　法第17条第2項（同条第3項において準用する場合を含む。）の規定により管轄登記所の指定がされた場合において，登記の申請をするときは，管轄登記所の指定があったことを証する情報をその申請情報と併せて登記所に提供しなければならない。

第20条　（登記の更正）
　工場財団の登記における不動産登記法第67条の規定の適用については，同条第1項中「権利に関する登記」とあるのは，「登記」とする。

第2款／所有権の保存の登記
第21条　（所有権の保存の登記の添付情報）
　法第22条の法務省令で定める情報は，不動産登記令第7条第1項第1号から第3号まで，第5号イ及びハ並びに第6号（同令別表の28の項添付情報欄ニに係る部分に限る。）に掲げる情報並びに次条に規定する工場図面とする。

第22条 （工場図面）

① 工場図面には，次に掲げる事項を記録するものとする。
　一　工場に属する土地及び工作物については，それらの方位，形状及び長さ並びに重要な附属物の配置
　二　地上権の目的である土地並びに賃借権の目的である土地及び工作物については，それらの方位，形状及び長さ
② 工場図面は，工場ごとに作成するものとする。
③ 工場の一部について工場財団を設定するときは，工場図面は，工場財団に属する部分とこれに属さない部分とを明確に区分して作成しなければならない。
④ 不動産登記規則第73条及び第74条第2項の規定は，工場図面について準用する。

第23条 （工場図面の管理）

登記官は，所有権の保存の登記をしたときは，工場図面に，申請の受付の年月日及び受付番号並びに登記番号を記録しなければならない。

第24条 （所有者を異にする工場についての所有権の保存の登記）

① 所有者を異にする二以上の工場について工場財団の所有権の保存の登記を申請する場合には，法第21条第1項第1号から第3号までに掲げる事項及び第18条第1項に規定する事項のほか，当該所有者の氏名又は名称を申請情報の内容とする。
② 登記官は，前項に規定する申請に基づく登記をするときは，工場財団の登記記録の表題部に当該所有者の氏名又は名称を記録しなければならない。

第25条 （工場財団目録に記録すべき情報を記載した書面）

① 工場財団の所有権の保存の登記の申請を書面申請によりするときは，申請人は，別記第2号様式による用紙に工場財団目録に記録すべき情報を記載した書面を提出しなければならない。
② 前項の書面には，申請人又はその代表者若しくは代理人（委任による代理人を除く。次項において同じ。）が記名押印しなければならない。
③ 第1項の書面が2枚以上であるときは，申請人又はその代表者若しくは代理人は，各用紙に当該用紙が何枚目であるかを記載し，各用紙のつづり目に契印をしなければならない。ただし，当該申請人又はその代表者若しくは代理人が2人以上あるときは，その1人がすれば足りる。
④ 第15条の規定は，第1項の場合について準用する。

第3款／抵当権に関する登記

第26条 （抵当権に関する登記の申請情報）

工場財団について抵当権に関する登記の申請をする場合には，不動産登記令第3条第13号に掲げる事項（次の各号に掲げる部分に限る。）に代えて，それぞれ当該各号に定める事項を申請情報の内容とする。
　一　不動産登記令別表の55の項申請情報欄ハ　一又は二以上の工場財団に関する権利を目的とする抵当権の設定の登記をした後，同一の債権の担保として他の一又は二以上の工場財団に関する権利を目的とする抵当権の設定の登記を申請する場合は，前の登記に係る登記番号及び順位番号（申請を受ける登記所に当該前の登記に係る共同担保目録がある場合にあっては，共同担保目録の記号及び目録番号）
　二　不動産登記令別表の56の項申請情報欄ニ　一の工場財団に関する権利を目的とする根抵当権の設定の登記又は2以上の工場財団に関する権利を目的とする根抵当権の設定の登記（民法第398条の16の登記をしたものに限る。）をした後，同一の債権の担保として他の一

又は二以上の工場財団に関する権利を目的とする根抵当権の設定の登記及び同条の登記を申請する場合は，前の登記に係る登記番号及び順位番号並びに申請を受ける登記所に当該前の登記に係る共同担保目録があるときは共同担保目録の記号及び目録番号
　三　不動産登記令別表の58の項申請情報欄ハ　一又は二以上の工場財団に関する権利を目的とする抵当権の設定の登記をした後，同一の債権の担保として他の一又は二以上の工場財団に関する権利を目的とする抵当権の処分の登記を申請する場合は，前の登記に係る登記番号及び順位番号（申請を受ける登記所に当該前の登記に係る共同担保目録がある場合にあっては，共同担保目録の記号及び目録番号）
　四　不動産登記令別表の58の項申請情報欄ヘ　一の工場財団に関する権利を目的とする根抵当権の設定の登記又は二以上の工場財団に関する権利を目的とする根抵当権の設定の登記（民法第398条の16の登記をしたものに限る。）をした後，同一の債権の担保として他の一又は二以上の工場財団に関する権利を目的とする根抵当権の処分の登記及び同条の登記を申請する場合は，前の登記に係る登記番号及び順位番号並びに申請を受ける登記所に当該前の登記に係る共同担保目録があるときは共同担保目録の記号及び目録番号

第4款／表題部の変更の登記等

第27条　（表題部の変更の登記の申請情報等）
①　法第21条第1項各号に掲げる登記事項に関する変更の登記又は更正の登記の申請をする場合に登記所に提供しなければならない申請情報の内容は，法第21条第1項第1号から第3号までに掲げる事項及び第18条第1項に規定する事項のほか，変更後又は更正後の登記事項とする。

②　第31条の規定は，法第38条第1項の登記をする場合において，工場財団を組成する工場が申請を受けた登記所の管轄区域内にないこととなったときについて準用する。
③　第25条の規定は，法第39条の登記の申請について準用する。

第28条　（工場財団の分割の場合における抵当権の登記の抹消等）
①　登記官は，甲工場財団を分割してその一部を乙工場財団とする分割の登記をする場合において，法第42条ノ6第1項の記録をするときは，乙工場財団について新たな登記記録を作成しなければならない。
②　前項の場合において，法第42条ノ2第2項の規定により抵当権が消滅するときは，職権で，乙工場財団の登記記録の表題部に，分割により抵当権が消滅した旨及びその年月日を記録しなければならない。
③　登記官は，第1項の場合において，甲工場財団についての抵当権の登記の全部が抹消されているときは，乙工場財団の登記記録の表題部に，その旨及びその年月日を記録しなければならない。

第29条　（工場財団の分割の場合の工場財団目録の記録方法等）
①　登記官は，法第42条ノ6第2項の規定により工場財団目録の分離をするときは，乙工場財団の工場財団目録に，甲工場財団の分割により分離した旨，申請の受付の年月日及び受付番号，乙工場財団の登記番号並びに分離前の登記番号を抹消する記号を記録しなければならない。
②　登記官は，前項の場合には，乙工場財団に属する工場の工場図面に，登記番号及び分離前の登記番号を抹消する記号を記録しなければならない。
③　第1項の場合には，甲工場財団の工場

財団目録に，乙工場財団の工場財団目録を分離した旨を記録しなければならない。
④　法第42条ノ6第4項の登記官を明らかにする措置は，登記記録に登記官の識別番号を記録する措置とする。

第30条　（工場の所有者が異なる工場財団の分割の場合における登記記録の記録方法）
①　登記官は，法第42条ノ6第4項の規定により所有権に関する事項を転写する場合において，甲工場財団を組成する二以上の工場の所有者が異なるときは，乙工場財団の登記記録に，甲工場財団の登記記録のうち乙工場財団を組成する工場の所有者に関する事項を転写し，分割の登記に係る申請の受付の年月日及び受付番号を記録しなければならない。
②　登記官は，前項の場合には，甲工場財団の登記記録に，その旨を当該所有権の登記についてする付記登記によって記録し，かつ，甲工場財団を組成する工場の所有者以外の所有者に関する事項を抹消する記号を記録しなければならない。

第31条　（工場財団の分割の場合における登記記録等の移送）
　甲工場財団を分割してその一部を乙工場財団とする分割の登記をする場合において，乙工場財団を組成する工場が申請を受けた登記所の管轄区域内にないこととなったときは，登記官は，分割の登記をした後，遅滞なく，乙工場財団を管轄する登記所に乙工場財団に関する登記記録及び工場財団登記簿の附属書類（電磁的記録に記録されている工場財団登記簿の附属書類を含む。次条第2項において同じ。）又はその謄本並びに工場財団目録を移送するものとする。

第32条　（合併をしようとする工場財団が二以上の登記所の管轄区域内にある場合）
①　合併をしようとする工場財団が二以上の登記所の管轄区域内にある場合において，合併の登記の申請があったときは，当該申請を受けた登記所の登記官は，当該工場財団を管轄する他の登記所にその旨を通知しなければならない。
②　前項の通知を受けた登記所の登記官は，遅滞なく，合併をする工場財団に関する登記記録及び工場財団登記簿の附属書類又はその謄本並びに工場財団目録を管轄登記所に移送するものとする。ただし，当該工場財団に関する登記であって所有権の登記以外のものがあるときは，この限りではない。
③　前項ただし書に規定する場合には，同項の登記官は，速やかに，その旨を第1項の通知をした登記所に通知するものとする。

第33条　（工場財団の合併の場合における登記記録の記録方法等）
①　登記官は，法第42条ノ7第1項の場合において乙工場財団についての抵当権の登記の全部が抹消されているときは，甲工場財団の登記記録の表題部に，その旨及びその年月日を記録しなければならない。
②　不動産登記規則第107条第1項（第3号を除く。）の規定は，法第42条ノ7第1項の場合における甲工場財団の登記記録の記録方法について準用する。
③　登記官は，法第42条ノ7第2項の規定により甲工場財団の工場財団目録及び乙工場財団の工場財団目録を合併後の工場財団の工場財団目録とするときは，各工場財団目録に，合併により合併後の工場財団目録とした旨，申請の受付の年月日及び受付番号，合併後の登記番号並びに合併前の登記番号を抹消する記号を記録しなければならない。
④　登記官は，前項の場合には，乙工場財団に属した工場の工場図面に，登記番号

及び合併前の登記番号を抹消する記号を記録しなければならない。
⑤　法第42条ノ7第4項の登記官を明らかにする措置は，登記記録に登記官の識別番号を記録する措置とする。

第34条　（変更後の工場図面の提供）
①　工場財団目録の記録の変更の登記を申請する場合において，工場図面に変更があるときは，変更後の工場図面をその申請情報と併せて登記所に提供しなければならない。
②　登記官は，前項の申請（工場図面を添付情報とするものに限る。）に基づき登記をしたときは，当該工場図面に，申請の受付の年月日及び受付番号を記録しなければならない。

第35条　（工場財団の消滅の登記）
登記官は，法第48条第1項の規定により工場財団が消滅した旨を記録するときは，当該工場財団の登記記録の表題部の登記事項を抹消する記号を記録し，当該登記記録を閉鎖しなければならない。

第4節／補則

第36条　（保存期間）
工場財団目録及び工場図面は，工場財団の登記記録を閉鎖した日から20年間保存しなければならない。

第37条　（工場図面の管理）
①　登記所には，工場図面つづり込み帳を備えるものとする。
②　工場図面つづり込み帳には，書面申請において提出された工場図面をつづり込むものとする。

第38条　（登記識別情報の通知等）
不動産登記法第21条本文の規定により登記識別情報を通知するとき又は不動産登記規則第181条第1項の規定により登記が完了した旨を通知するときは，登記番号も通知するものとする。

第3章　雑則

第39条　（登記事項証明書の交付の請求情報等）
①　工場に属する土地又は建物の登記記録について登記事項証明書の交付の請求をする場合において，法第3条第2項の目録に記録された事項について証明を求めるときは，不動産登記規則第193条第1項各号に掲げる事項のほか，当該証明を求める旨も請求情報の内容としなければならない。
②　工場財団の登記記録について登記事項証明書の交付の請求をする場合において，工場財団目録に記録された事項について証明を求めるときは，不動産登記規則第193条第1項各号に掲げる事項のほか，当該証明を求める旨も請求情報の内容としなければならない。

第40条　（登記事項証明書の作成及び交付）
①　工場に属する土地又は建物の登記記録について作成する登記事項証明書のうち法第3条第2項の目録に係る部分は，別記第1号様式によるものとする。
②　工場財団の登記記録について作成する登記事項証明書は，次の各号の区分に応じ，当該各号に定める様式によるものとする。ただし，登記記録に記録した事項の一部についての登記事項証明書については適宜の様式によるものとする。
　一　工場財団の登記記録　別記第3号様式
　二　工場財団目録　別記第2号様式
③　工場に属する土地又は建物の登記記録について登記事項証明書を作成する場合において，法第3条第2項の目録に記録された事項について証明を求める旨が請求情報の内容とされていないときは，法第3条第2項の目録に記録された事項の

記載を省略するものとする。
④　工場財団の登記記録について登記事項証明書を作成する場合において，工場財団目録に記録された事項について証明を求める旨が請求情報の内容とされていないときは，工場財団目録に記録された事項の記載を省略するものとする。

第41条　（工場図面の写しの交付）
　　工場財団の登記に関する不動産登記法第121条及び不動産登記令第21条第1項の規定の適用については，同項中「土地所在図」とあるのは，「工場図面」とする。

第42条　（登記の嘱託）
　　この省令中「申請」，「申請人」及び「申請情報」には，それぞれ嘱託，嘱託者及び嘱託情報を含むものとする。

附　則（略）

会社法（抄）

●平成17年7月26日法律第86号●　最終改正　令和6年5月22日法32号

第1編　総則

第1章　通則

第1条（趣旨）
　会社の設立，組織，運営及び管理については，他の法律に特別の定めがある場合を除くほか，この法律の定めるところによる。

第2条（定義）
　この法律において，次の各号に掲げる用語の意義は，当該各号に定めるところによる。
一　会社　株式会社，合名会社，合資会社又は合同会社をいう。
二　外国会社　外国の法令に準拠して設立された法人その他の外国の団体であって，会社と同種のもの又は会社に類似するものをいう。
三　子会社　会社がその総株主の議決権の過半数を有する株式会社その他の当該会社がその経営を支配している法人として法務省令で定めるものをいう。
三の二　子会社等　次のいずれかに該当する者をいう。
　イ　子会社
　ロ　会社以外の者がその経営を支配している法人として法務省令で定めるもの
四　親会社　株式会社を子会社とする会社その他の当該株式会社の経営を支配している法人として法務省令で定めるものをいう。
四の二　親会社等　次のいずれかに該当する者をいう。
　イ　親会社
　ロ　株式会社の経営を支配している者（法人であるものを除く。）として法務省令で定めるもの
五　公開会社　その発行する全部又は一部の株式の内容として譲渡による当該株式の取得について株式会社の承認を要する旨の定款の定めを設けていない株式会社をいう。
六　大会社　次に掲げる要件のいずれかに該当する株式会社をいう。
　イ　最終事業年度に係る貸借対照表（第439条前段に規定する場合にあっては，同条の規定により定時株主総会に報告された貸借対照表をいい，株式会社の成立後最初の定時株主総会までの間においては，第435条第1項の貸借対照表をいう。ロにおいて同じ。）に資本金として計上した額が5億円以上であること。
　ロ　最終事業年度に係る貸借対照表の負債の部に計上した額の合計額が200億円以上であること。
七　取締役会設置会社　取締役会を置く株式会社又はこの法律の規定により取締役会を置かなければならない株式会社をいう。
八　会計参与設置会社　会計参与を置く株式会社をいう。
九　監査役設置会社　監査役を置く株式会社（その監査役の監査の範囲を会計に関するものに限定する旨の定款の定めがあるものを除く。）又はこの法律の規定により監査役を置かなければな

らない株式会社をいう。
十　監査役会設置会社　監査役会を置く株式会社又はこの法律の規定により監査役会を置かなければならない株式会社をいう。
十一　会計監査人設置会社　会計監査人を置く株式会社又はこの法律の規定により会計監査人を置かなければならない株式会社をいう。
十一の二　監査等委員会設置会社　監査等委員会を置く株式会社をいう。
十二　指名委員会等設置会社　指名委員会，監査委員会及び報酬委員会(以下「指名委員会等」という。)を置く株式会社をいう。
十三　種類株式発行会社　剰余金の配当その他の第108条第1項各号に掲げる事項について内容の異なる二以上の種類の株式を発行する株式会社をいう。
十四　種類株主総会　種類株主(種類株式発行会社におけるある種類の株式の株主をいう。以下同じ。)の総会をいう。
十五　社外取締役　株式会社の取締役であって，次に掲げる要件のいずれにも該当するものをいう。
　イ　当該株式会社又はその子会社の業務執行取締役(株式会社の第363条第1項各号に掲げる取締役及び当該株式会社の業務を執行したその他の取締役をいう。以下同じ。)若しくは執行役又は支配人その他の使用人(以下「業務執行取締役等」という。)でなく，かつ，その就任の前10年間当該株式会社又はその子会社の業務執行取締役等であったことがないこと。
　ロ　その就任の前10年内のいずれかの時において当該株式会社又はその子会社の取締役，会計参与(会計参与が法人であるときは，その職務を行うべき社員)又は監査役であったことがある者(業務執行取締役等であったことがあるものを除く。)にあっては，当該取締役，会計参与又は監査役への就任の前10年間当該株式会社又はその子会社の業務執行取締役等であったことがないこと。
　ハ　当該株式会社の親会社等(自然人であるものに限る。)又は親会社等の取締役若しくは執行役若しくは支配人その他の使用人でないこと。
　ニ　当該株式会社の親会社等の子会社等(当該株式会社及びその子会社を除く。)の業務執行取締役等でないこと。
　ホ　当該株式会社の取締役若しくは執行役若しくは支配人その他の重要な使用人又は親会社等(自然人であるものに限る。)の配偶者又は二親等内の親族でないこと。
十六　社外監査役　株式会社の監査役であって，次に掲げる要件のいずれにも該当するものをいう。
　イ　その就任の前10年間当該株式会社又はその子会社の取締役，会計参与(会計参与が法人であるときは，その職務を行うべき社員。ロにおいて同じ。)若しくは執行役又は支配人その他の使用人であったことがないこと。
　ロ　その就任の前10年内のいずれかの時において当該株式会社又はその子会社の監査役であったことがある者にあっては，当該監査役への就任の前10年間当該株式会社又はその子会社の取締役，会計参与若しくは執行役又は支配人その他の使用人であったことがないこと。
　ハ　当該株式会社の親会社等(自然人であるものに限る。)又は親会社等の取締役，監査役若しくは執行役若しくは支配人その他の使用人でないこと。

ニ　当該株式会社の親会社等の子会社等（当該株式会社及びその子会社を除く。）の業務執行取締役等でないこと。
ホ　当該株式会社の取締役若しくは支配人その他の重要な使用人又は親会社等（自然人であるものに限る。）の配偶者又は二親等内の親族でないこと。

十七～二十五　（略）

二十六　組織変更　次のイ又はロに掲げる会社がその組織を変更することにより当該イ又はロに定める会社となることをいう。
　イ　株式会社　合名会社，合資会社又は合同会社
　ロ　合名会社，合資会社又は合同会社　株式会社

二十七　吸収合併　会社が他の会社とする合併であって，合併により消滅する会社の権利義務の全部を合併後存続する会社に承継させるものをいう。

二十八　新設合併　二以上の会社がする合併であって，合併により消滅する会社の権利義務の全部を合併により設立する会社に承継させるものをいう。

二十九　吸収分割　株式会社又は合同会社がその事業に関して有する権利義務の全部又は一部を分割後他の会社に承継させることをいう。

三十　新設分割　一又は二以上の株式会社又は合同会社がその事業に関して有する権利義務の全部又は一部を分割により設立する会社に承継させることをいう。

三十一～三十二　（略）

三十三　公告方法　会社（外国会社を含む。）が公告（この法律又は他の法律の規定により官報に掲載する方法によりしなければならないものとされているものを除く。）をする方法をいう。

三十四　電子公告　公告方法のうち，電磁的方法（電子情報処理組織を使用する方法その他の情報通信の技術を利用する方法であって法務省令で定めるものをいう。以下同じ。）により不特定多数の者が公告すべき内容である情報の提供を受けることができる状態に置く措置であって法務省令で定めるものをとる方法をいう。

第3条　（法人格）
　　会社は，法人とする。

第4条　（住所）
　　会社の住所は，その本店の所在地にあるものとする。

第5条　（商行為）
　　会社（外国会社を含む。次条第1項，第8条及び第9条において同じ。）がその事業としてする行為及びその事業のためにする行為は，商行為とする。

第2章　会社の商号

第6条　（商号）
① 会社は，その名称を商号とする。
② 会社は，株式会社，合名会社，合資会社又は合同会社の種類に従い，それぞれその商号中に株式会社，合名会社，合資会社又は合同会社という文字を用いなければならない。
③ 会社は，その商号中に，他の種類の会社であると誤認されるおそれのある文字を用いてはならない。

第7条　（会社と誤認させる名称等の使用の禁止）
　　会社でない者は，その名称又は商号中に，会社であると誤認されるおそれのある文字を用いてはならない。

第8条
① 何人も，不正の目的をもって，他の会

社であると誤認されるおそれのある名称又は商号を使用してはならない。
② 前項の規定に違反する名称又は商号の使用によって営業上の利益を侵害され、又は侵害されるおそれがある会社は、その営業上の利益を侵害する者又は侵害するおそれがある者に対し、その侵害の停止又は予防を請求することができる。

第9条 （自己の商号の使用を他人に許諾した会社の責任）
　自己の商号を使用して事業又は営業を行うことを他人に許諾した会社は、当該会社が当該事業を行うものと誤認して当該他人と取引をした者に対し、当該他人と連帯して、当該取引によって生じた債務を弁済する責任を負う。

第3章　会社の使用人等

第1節／会社の使用人

第10条 （支配人）
　会社（外国会社を含む。以下この編において同じ。）は、支配人を選任し、その本店又は支店において、その事業を行わせることができる。

第11条 （支配人の代理権）
① 支配人は、会社に代わってその事業に関する一切の裁判上又は裁判外の行為をする権限を有する。
② 支配人は、他の使用人を選任し、又は解任することができる。
③ 支配人の代理権に加えた制限は、善意の第三者に対抗することができない。

第12条 （支配人の競業の禁止）
① 支配人は、会社の許可を受けなければ、次に掲げる行為をしてはならない。
　一　自ら営業を行うこと。
　二　自己又は第三者のために会社の事業の部類に属する取引をすること。
　三　他の会社又は商人（会社を除く。第24条において同じ。）の使用人となること。
　四　他の会社の取締役、執行役又は業務を執行する社員となること。
② 支配人が前項の規定に違反して同項第2号に掲げる行為をしたときは、当該行為によって支配人又は第三者が得た利益の額は、会社に生じた損害の額と推定する。

第13条 （表見支配人）
　会社の本店又は支店の事業の主任者であることを示す名称を付した使用人は、当該本店又は支店の事業に関し、一切の裁判外の行為をする権限を有するものとみなす。ただし、相手方が悪意であったときは、この限りでない。

第14条 （ある種類又は特定の事項の委任を受けた使用人）
① 事業に関するある種類又は特定の事項の委任を受けた使用人は、当該事項に関する一切の裁判外の行為をする権限を有する。
② 前項に規定する使用人の代理権に加えた制限は、善意の第三者に対抗することができない。

第15条 （物品の販売等を目的とする店舗の使用人）
　物品の販売等（販売、賃貸その他これらに類する行為をいう。以下この条において同じ。）を目的とする店舗の使用人は、その店舗に在る物品の販売等をする権限を有するものとみなす。ただし、相手方が悪意であったときは、この限りでない。

第2編 株式会社

第1章 設立

第1節／総則

第25条
① 株式会社は，次に掲げるいずれかの方法により設立することができる。
一 次節から第8節までに規定するところにより，発起人が設立時発行株式（株式会社の設立に際して発行する株式をいう。以下同じ。）の全部を引き受ける方法
二 次節，第3節，第39条及び第6節から第9節までに規定するところにより，発起人が設立時発行株式を引き受けるほか，設立時発行株式を引き受ける者の募集をする方法
② 各発起人は，株式会社の設立に際し，設立時発行株式を1株以上引き受けなければならない。

第2節／定款の作成

第26条 （定款の作成）
① 株式会社を設立するには，発起人が定款を作成し，その全員がこれに署名し，又は記名押印しなければならない。
② 前項の定款は，電磁的記録（電子的方式，磁気的方式その他人の知覚によっては認識することができない方式で作られる記録であって，電子計算機による情報処理の用に供されるものとして法務省令で定めるものをいう。以下同じ。）をもって作成することができる。この場合において，当該電磁的記録に記録された情報については，法務省令で定める署名又は記名押印に代わる措置をとらなければならない。

第27条 （定款の記載又は記録事項）
株式会社の定款には，次に掲げる事項を記載し，又は記録しなければならない。
一 目的
二 商号
三 本店の所在地
四 設立に際して出資される財産の価額又はその最低額
五 発起人の氏名又は名称及び住所

第28条
株式会社を設立する場合には，次に掲げる事項は，第26条第1項の定款に記載し，又は記録しなければ，その効力を生じない。
一 金銭以外の財産を出資する者の氏名又は名称，当該財産及びその価額並びにその者に対して割り当てる設立時発行株式の数（設立しようとする株式会社が種類株式発行会社である場合にあっては，設立時発行株式の種類及び種類ごとの数。第32条第1項第1号において同じ。）
二 株式会社の成立後に譲り受けることを約した財産及びその価額並びにその譲渡人の氏名又は名称
三 株式会社の成立により発起人が受ける報酬その他の特別の利益及びその発起人の氏名又は名称
四 株式会社の負担する設立に関する費用（定款の認証の手数料その他株式会社に損害を与えるおそれがないものとして法務省令で定めるものを除く。）

第29条
第27条各号及び前条各号に掲げる事項のほか，株式会社の定款には，この法律の規定により定款の定めがなければその効力を生じない事項及びその他の事項でこの法律の規定に違反しないものを記載し，又は記録することができる。

第30条 （定款の認証）
① 第26条第1項の定款は，公証人の認証

を受けなければ，その効力を生じない。
② 前項の公証人の認証を受けた定款は，株式会社の成立前は，第33条第7項若しくは第9項又は第37条第1項若しくは第2項の規定による場合を除き，これを変更することができない。

第31条 （定款の備置き及び閲覧等）
① 発起人（株式会社の成立後にあっては，当該株式会社）は，定款を発起人が定めた場所（株式会社の成立後にあっては，その本店及び支店）に備え置かなければならない。
② 発起人（株式会社の成立後にあっては，その株主及び債権者）は，発起人が定めた時間（株式会社の成立後にあっては，その営業時間）内は，いつでも，次に掲げる請求をすることができる。ただし，第2号又は第4号に掲げる請求をするには，発起人（株式会社の成立後にあっては，当該株式会社）の定めた費用を支払わなければならない。
一　定款が書面をもって作成されているときは，当該書面の閲覧の請求
二　前号の書面の謄本又は抄本の交付の請求
三　定款が電磁的記録をもって作成されているときは，当該電磁的記録に記録された事項を法務省令で定める方法により表示したものの閲覧の請求
四　前号の電磁的記録に記録された事項を電磁的方法であって発起人（株式会社の成立後にあっては，当該株式会社）の定めたものにより提供することの請求又はその事項を記載した書面の交付の請求
③ 株式会社の成立後において，当該株式会社の親会社社員（親会社の株主その他の社員をいう。以下同じ。）がその権利を行使するため必要があるときは，当該親会社社員は，裁判所の許可を得て，当該株式会社の定款について前項各号に掲げる請求をすることができる。ただし，同項第2号又は第4号に掲げる請求をするには，当該株式会社の定めた費用を支払わなければならない。
④ 定款が電磁的記録をもって作成されている場合であって，支店における第2項第3号及び第4号に掲げる請求に応じることを可能とするための措置として法務省令で定めるものをとっている株式会社についての第1項の規定の適用については，同項中「本店及び支店」とあるのは，「本店」とする。

第7節／株式会社の成立

第49条 （株式会社の成立）
　株式会社は，その本店の所在地において設立の登記をすることによって成立する。

第9節／募集による設立

第2款／創立総会等

第65条 （創立総会の招集）
① 第57条第1項の募集をする場合には，発起人は，第58条第1項第3号の期日又は同号の期間の末日のうち最も遅い日以後，遅滞なく，設立時株主（第50条第1項又は第102条第2項の規定により株式会社の株主となる者をいう。以下同じ。）の総会（以下「創立総会」という。）を招集しなければならない。
② 発起人は，前項に規定する場合において，必要があると認めるときは，いつでも，創立総会を招集することができる。

第7款／設立手続等の特則等

第103条 （発起人の責任等）
① 第57条第1項の募集をした場合における第52条第2項の規定の適用については，同項中「次に」とあるのは，「第1号に」とする。
② 第102条第3項に規定する場合には，

払込みを仮装することに関与した発起人又は設立時取締役として法務省令で定める者は，株式会社に対し，前条第１項の引受人と連帯して，同項に規定する支払をする義務を負う。ただし，その者（当該払込みを仮装したものを除く。）がその職務を行うについて注意を怠らなかったことを証明した場合は，この限りでない。
③　前項の規定により発起人又は設立時取締役の負う義務は，総株主の同意がなければ，免除することができない。
④　第57条第１項の募集をした場合において，当該募集の広告その他当該募集に関する書面又は電磁的記録に自己の氏名又は名称及び株式会社の設立を賛助する旨を記載し，又は記録することを承諾した者（発起人を除く。）は，発起人とみなして，前節及び前三項の規定を適用する。

第4章❋機関

第1節／株主総会及び種類株主総会

第1款／株主総会

第308条　（議決権の数）
①　株主（株式会社がその総株主の議決権の４分の１以上を有することその他の事由を通じて株式会社がその経営を実質的に支配することが可能な関係にあるものとして法務省令で定める株主を除く。）は，株主総会において，その有する株式1株につき１個の議決権を有する。ただし，単元株式数を定款で定めている場合には，１単元の株式につき１個の議決権を有する。
②　前項の規定にかかわらず，株式会社は，自己株式については，議決権を有しない。

第309条　（株主総会の決議）
①　株主総会の決議は，定款に別段の定めがある場合を除き，議決権を行使することができる株主の議決権の過半数を有する株主が出席し，出席した当該株主の議決権の過半数をもって行う。
②　前項の規定にかかわらず，次に掲げる株主総会の決議は，当該株主総会において議決権を行使することができる株主の議決権の過半数（３分の１以上の割合を定款で定めた場合にあっては，その割合以上）を有する株主が出席し，出席した当該株主の議決権の３分の２（これを上回る割合を定款で定めた場合にあっては，その割合）以上に当たる多数をもって行わなければならない。この場合においては，当該決議の要件に加えて，一定の数以上の株主の賛成を要する旨その他の要件を定款で定めることを妨げない。
一　第140条第２項及び第５項の株主総会
二　第156条第１項の株主総会（第160条第１項の特定の株主を定める場合に限る。）
三　第171条第１項及び第175条第１項の株主総会
四　第180条第２項の株主総会
五　第199条第２項，第200条第１項，第202条第３項第４号，第204条第２項及び第205条第２項の株主総会
六　第238条第２項，第239条第１項，第241条第３項第４号，第243条第２項及び第244条第３項の株主総会
七　第339条第１項の株主総会（第342条第３項から第５項までの規定により選任された取締役（監査等委員である取締役を除く。）を解任する場合又は監査等委員である取締役若しくは監査役を解任する場合に限る。）
八　第425条第１項の株主総会
九　第447条第１項の株主総会（次のいずれにも該当する場合を除く。）
　イ　定時株主総会において第447条第１項各号に掲げる事項を定めること。
　ロ　第447条第１項第１号の額がイの定時株主総会の日（第439条前段に

会社法（318条）

　　　規定する場合にあっては，第436条第3項の承認があった日）における欠損の額として法務省令で定める方法により算定される額を超えないこと。
　十　第454条第4項の株主総会（配当財産が金銭以外の財産であり，かつ，株主に対して同項第1号に規定する金銭分配請求権を与えないこととする場合に限る。）
　十一　第6章から第8章までの規定により株主総会の決議を要する場合における当該株主総会
　十二　第5編の規定により株主総会の決議を要する場合における当該株主総会
③　前二項の規定にかかわらず，次に掲げる株主総会（種類株式発行会社の株主総会を除く。）の決議は，当該株主総会において議決権を行使することができる株主の半数以上（これを上回る割合を定款で定めた場合にあっては，その割合以上）であって，当該株主の議決権の3分の2（これを上回る割合を定款で定めた場合にあっては，その割合）以上に当たる多数をもって行わなければならない。
　一　その発行する全部の株式の内容として譲渡による当該株式の取得について当該株式会社の承認を要する旨の定款の定めを設ける定款の変更を行う株主総会
　二　第783条第1項の株主総会（合併により消滅する株式会社又は株式交換をする株式会社が公開会社であり，かつ，当該株式会社の株主に対して交付する金銭等の全部又は一部が譲渡制限株式等（同条第3項に規定する譲渡制限株式等をいう。次号において同じ。）である場合における当該株主総会に限る。）
　三　第804条第1項の株主総会（合併又は株式移転をする株式会社が公開会社であり，かつ，当該株式会社の株主に対して交付する金銭等の全部又は一部が譲渡制限株式等である場合における当該株主総会に限る。）
④　前三項の規定にかかわらず，第109条第2項の規定による定款の定めについての定款の変更（当該定款の定めを廃止するものを除く。）を行う株主総会の決議は，総株主の半数以上（これを上回る割合を定款で定めた場合にあっては，その割合以上）であって，総株主の議決権の4分の3（これを上回る割合を定款で定めた場合にあっては，その割合）以上に当たる多数をもって行わなければならない。
⑤　取締役会設置会社においては，株主総会は，第298条第1項第2号に掲げる事項以外の事項については，決議をすることができない。ただし，第316条第1項若しくは第2項に規定する者の選任又は第398条第2項の会計監査人の出席を求めることについては，この限りでない。

第318条　（議事録）

①　株主総会の議事については，法務省令で定めるところにより，議事録を作成しなければならない。
②　株式会社は，株主総会の日から10年間，前項の議事録をその本店に備え置かなければならない。
③　株式会社は，株主総会の日から5年間，第1項の議事録の写しをその支店に備え置かなければならない。ただし，当該議事録が電磁的記録をもって作成されている場合であって，支店における次項第2号に掲げる請求に応じることを可能とするための措置として法務省令で定めるものをとっているときは，この限りでない。
④　株主及び債権者は，株式会社の営業時間内は，いつでも，次に掲げる請求をすることができる。
　一　第1項の議事録が書面をもって作成されているときは，当該書面又は当該

書面の写しの閲覧又は謄写の請求
二　第1項の議事録が電磁的記録をもって作成されているときは，当該電磁的記録に記録された事項を法務省令で定める方法により表示したものの閲覧又は謄写の請求
⑤　株式会社の親会社社員は，その権利を行使するため必要があるときは，裁判所の許可を得て，第1項の議事録について前項各号に掲げる請求をすることができる。

第3節／役員及び会計監査人の選任及び解任

第1款／選任

第329条　（選任）
①　役員（取締役，会計参与及び監査役をいう。以下この節，第371条第4項及び第394条第3項において同じ。）及び会計監査人は，株主総会の決議によって選任する。
②　監査等委員会設置会社においては，前項の規定による取締役の選任は，監査等委員である取締役とそれ以外の取締役とを区別してしなければならない。
③　第1項の決議をする場合には，法務省令で定めるところにより，役員（監査等委員会設置会社にあっては，監査等委員である取締役若しくはそれ以外の取締役又は会計参与。以下この項において同じ。）が欠けた場合又はこの法律若しくは定款で定めた役員の員数を欠くこととなるときに備えて補欠の役員を選任することができる。

第331条　（取締役の資格等）
①　次に掲げる者は，取締役となることができない。
一　法人
二　削除
三　この法律若しくは一般社団法人及び一般財団法人に関する法律（平成18年法律第48号）の規定に違反し，又は金融商品取引法第197条，第197条の2第1項第1号から第10号の3まで若しくは第13号から第15号まで，第198条第1項第8号，第199条，第200条第1号から第12号の2まで，第20号若しくは第21号，第203条第3項若しくは第205条第1号から第6号まで，第19号若しくは第20号の罪，民事再生法（平成11年法律第225号）第255条，第256条，第258条から第260条まで若しくは第262条の罪，外国倒産処理手続の承認援助に関する法律（平成12年法律第129号）第65条，第66条，第68条若しくは第69条の罪，会社更生法（平成14年法律第154号）第266条，第267条，第269条から第271条まで若しくは第273条の罪若しくは破産法（平成16年法律第75号）第265条，第266条，第268条から第272条まで若しくは第274条の罪を犯し，刑に処せられ，その執行を終わり，又はその執行を受けることがなくなった日から2年を経過しない者
四　前号に規定する法律の規定以外の法令の規定に違反し，禁錮以上の刑に処せられ，その執行を終わるまで又はその執行を受けることがなくなるまでの者（刑の執行猶予中の者を除く。）
②　株式会社は，取締役が株主でなければならない旨を定款で定めることができない。ただし，公開会社でない株式会社においては，この限りでない。
③　監査等委員である取締役は，監査等委員会設置会社若しくはその子会社の業務執行取締役若しくは支配人その他の使用人又は当該子会社の会計参与（会計参与が法人であるときは，その職務を行うべき社員）若しくは執行役を兼ねることができない。
④　指名委員会等設置会社の取締役は，当該指名委員会等設置会社の支配人その他

の使用人を兼ねることができない。
⑤　取締役会設置会社においては，取締役は，3人以上でなければならない。
⑥　監査等委員会設置会社においては，監査等委員である取締役は，3人以上で，その過半数は，社外取締役でなければならない。

第331条の2
①　成年被後見人が取締役に就任するには，その成年後見人が，成年被後見人の同意（後見監督人がある場合にあっては，成年被後見人及び後見監督人の同意）を得た上で，成年被後見人に代わって就任の承諾をしなければならない。
②　被保佐人が取締役に就任するには，その保佐人の同意を得なければならない。
③　第1項の規定は，保佐人が民法第876条の4第1項の代理権を付与する旨の審判に基づき被保佐人に代わって就任の承諾をする場合について準用する。この場合において，第1項中「成年被後見人の同意（後見監督人がある場合にあっては，成年被後見人及び後見監督人の同意）」とあるのは，「被保佐人の同意」と読み替えるものとする。
④　成年被後見人又は被保佐人がした取締役の資格に基づく行為は，行為能力の制限によっては取り消すことができない。

第332条（取締役の任期）
①　取締役の任期は，選任後2年以内に終了する事業年度のうち最終のものに関する定時株主総会の終結の時までとする。ただし，定款又は株主総会の決議によって，その任期を短縮することを妨げない。
②　前項の規定は，公開会社でない株式会社（監査等委員会設置会社及び指名委員会等設置会社を除く。）において，定款によって，同項の任期を選任後10年以内に終了する事業年度のうち最終のものに関する定時株主総会の終結の時まで伸長することを妨げない。
③　監査等委員会設置会社の取締役（監査等委員であるものを除く。）についての第1項の規定の適用については，同項中「2年」とあるのは，「1年」とする。
④　監査等委員である取締役の任期については，第1項ただし書の規定は，適用しない。
⑤　第1項本文の規定は，定款によって，任期の満了前に退任した監査等委員である取締役の補欠として選任された監査等委員である取締役の任期を退任した監査等委員である取締役の任期の満了する時までとすることを妨げない。
⑥　指名委員会等設置会社の取締役についての第1項の規定の適用については，同項中「2年」とあるのは，「1年」とする。
⑦　前各項の規定にかかわらず，次に掲げる定款の変更をした場合には，取締役の任期は，当該定款の変更の効力が生じた時に満了する。
　一　監査等委員会又は指名委員会等を置く旨の定款の変更
　二　監査等委員会又は指名委員会等を置く旨の定款の定めを廃止する定款の変更
　三　その発行する株式の全部の内容として譲渡による当該株式の取得について当該株式会社の承認を要する旨の定款の定めを廃止する定款の変更（監査等委員会設置会社及び指名委員会等設置会社がするものを除く。）

第333条（会計参与の資格等）
①　会計参与は，公認会計士若しくは監査法人又は税理士若しくは税理士法人でなければならない。
②　会計参与に選任された監査法人又は税理士法人は，その社員の中から会計参与の職務を行うべき者を選定し，これを株式会社に通知しなければならない。この

場合においては，次項各号に掲げる者を選定することはできない。
③　次に掲げる者は，会計参与となることができない。
一　株式会社又はその子会社の取締役，監査役若しくは執行役又は支配人その他の使用人
二　業務の停止の処分を受け，その停止の期間を経過しない者
三　税理士法（昭和26年法律第237号）第43条の規定により同法第2条第2項に規定する税理士業務を行うことができない者

第334条　（会計参与の任期）
①　第332条（第4項及び第5項を除く。次項において同じ。）の規定は，会計参与の任期について準用する。
②　前項において準用する第332条の規定にかかわらず，会計参与設置会社が会計参与を置く旨の定款の定めを廃止する定款の変更をした場合には，会計参与の任期は，当該定款の変更の効力が生じた時に満了する。

第335条　（監査役の資格等）
①　第331条第1項及び第2項並びに第331条の2の規定は，監査役について準用する。
②　監査役は，株式会社若しくはその子会社の取締役若しくは支配人その他の使用人又は当該子会社の会計参与（会計参与が法人であるときは，その職務を行うべき社員）若しくは執行役を兼ねることができない。
③　監査役会設置会社においては，監査役は，3人以上で，そのうち半数以上は，社外監査役でなければならない。

第336条　（監査役の任期）
①　監査役の任期は，選任後4年以内に終了する事業年度のうち最終のものに関する定時株主総会の終結の時までとする。
②　前項の規定は，公開会社でない株式会社において，定款によって，同項の任期を選任後10年以内に終了する事業年度のうち最終のものに関する定時株主総会の終結の時まで伸長することを妨げない。
③　第1項の規定は，定款によって，任期の満了前に退任した監査役の補欠として選任された監査役の任期を退任した監査役の任期の満了する時までとすることを妨げない。
④　前三項の規定にかかわらず，次に掲げる定款の変更をした場合には，監査役の任期は，当該定款の変更の効力が生じた時に満了する。
一　監査役を置く旨の定款の定めを廃止する定款の変更
二　監査等委員会又は指名委員会等を置く旨の定款の変更
三　監査役の監査の範囲を会計に関するものに限定する旨の定款の定めを廃止する定款の変更
四　その発行する全部の株式の内容として譲渡による当該株式の取得について当該株式会社の承認を要する旨の定款の定めを廃止する定款の変更

第2款／解任

第339条　（解任）
①　役員及び会計監査人は，いつでも，株主総会の決議によって解任することができる。
②　前項の規定により解任された者は，その解任について正当な理由がある場合を除き，株式会社に対し，解任によって生じた損害の賠償を請求することができる。

第4節／取締役

第348条　（業務の執行）
①　取締役は，定款に別段の定めがある場合を除き，株式会社（取締役会設置会社を除く。以下この条において同じ。）の

業務を執行する。
② 取締役が2人以上ある場合には，株式会社の業務は，定款に別段の定めがある場合を除き，取締役の過半数をもって決定する。
③ 前項の場合には，取締役は，次に掲げる事項についての決定を各取締役に委任することができない。
一 支配人の選任及び解任
二 支店の設置，移転及び廃止
三 第298条第1項各号（第325条において準用する場合を含む。）に掲げる事項
四 取締役の職務の執行が法令及び定款に適合することを確保するための体制その他株式会社の業務並びに当該株式会社及びその子会社から成る企業集団の業務の適正を確保するために必要なものとして法務省令で定める体制の整備
五 第426条第1項の規定による定款の定めに基づく第423条第1項の責任の免除
④ 大会社においては，取締役は，前項第4号に掲げる事項を決定しなければならない。

第348条の2　（業務の執行の社外取締役への委託）
① 株式会社（指名委員会等設置会社を除く。）が社外取締役を置いている場合において，当該株式会社と取締役との利益が相反する状況にあるとき，その他取締役が当該株式会社の業務を執行することにより株主の利益を損なうおそれがあるときは，当該株式会社は，その都度，取締役の決定（取締役会設置会社にあっては，取締役会の決議）によって，当該株式会社の業務を執行することを社外取締役に委託することができる。
② 指名委員会等設置会社と執行役との利益が相反する状況にあるとき，その他執行役が指名委員会等設置会社の業務を執行することにより株主の利益を損なうおそれがあるときは，当該指名委員会等設置会社は，その都度，取締役会の決議によって，当該指名委員会等設置会社の業務を執行することを社外取締役に委託することができる。
③ 前二項の規定により委託された業務の執行は，第2条第15号イに規定する株式会社の業務の執行に該当しないものとする。ただし，社外取締役が業務執行取締役（指名委員会等設置会社にあっては，執行役）の指揮命令により当該委託された業務を執行したときは，この限りでない。

第349条　（株式会社の代表）
① 取締役は，株式会社を代表する。ただし，他に代表取締役その他株式会社を代表する者を定めた場合は，この限りでない。
② 前項本文の取締役が2人以上ある場合には，取締役は，各自，株式会社を代表する。
③ 株式会社（取締役会設置会社を除く。）は，定款，定款の定めに基づく取締役の互選又は株主総会の決議によって，取締役の中から代表取締役を定めることができる。
④ 代表取締役は，株式会社の業務に関する一切の裁判上又は裁判外の行為をする権限を有する。
⑤ 前項の権限に加えた制限は，善意の第三者に対抗することができない。

第354条　（表見代表取締役）
株式会社は，代表取締役以外の取締役に社長，副社長その他株式会社を代表する権限を有するものと認められる名称を付した場合には，当該取締役がした行為について，善意の第三者に対してその責任を負う。

第356条 （競業及び利益相反取引の制限）
① 取締役は，次に掲げる場合には，株主総会において，当該取引につき重要な事実を開示し，その承認を受けなければならない。
一 取締役が自己又は第三者のために株式会社の事業の部類に属する取引をしようとするとき。
二 取締役が自己又は第三者のために株式会社と取引をしようとするとき。
三 株式会社が取締役の債務を保証することその他取締役以外の者との間において株式会社と当該取締役との利益が相反する取引をしようとするとき。
② 民法第108条の規定は，前項の承認を受けた同項第2号又は第3号の取引については，適用しない。

第5節／取締役会

第1款／権限等

第362条 （取締役会の権限等）
① 取締役会は，すべての取締役で組織する。
② 取締役会は，次に掲げる職務を行う。
一 取締役会設置会社の業務執行の決定
二 取締役の職務の執行の監督
三 代表取締役の選定及び解職
③ 取締役会は，取締役の中から代表取締役を選定しなければならない。
④ 取締役会は，次に掲げる事項その他の重要な業務執行の決定を取締役に委任することができない。
一 重要な財産の処分及び譲受け
二 多額の借財
三 支配人その他の重要な使用人の選任及び解任
四 支店その他の重要な組織の設置，変更及び廃止
五 第676条第1号に掲げる事項その他の社債を引き受ける者の募集に関する重要な事項として法務省令で定める事項
六 取締役の職務の執行が法令及び定款に適合することを確保するための体制その他株式会社の業務並びに当該株式会社及びその子会社から成る企業集団の業務の適正を確保するために必要なものとして法務省令で定める体制の整備
七 第426条第1項の規定による定款の定めに基づく第423条第1項の責任の免除
⑤ 大会社である取締役会設置会社においては，取締役会は，前項第6号に掲げる事項を決定しなければならない。

第363条 （取締役会設置会社の取締役の権限）
① 次に掲げる取締役は，取締役会設置会社の業務を執行する。
一 代表取締役
二 代表取締役以外の取締役であって，取締役会の決議によって取締役会設置会社の業務を執行する取締役として選定されたもの
② 前項各号に掲げる取締役は，3箇月に1回以上，自己の職務の執行の状況を取締役会に報告しなければならない。

第365条 （競業及び取締役会設置会社との取引等の制限）
① 取締役会設置会社における第356条の規定の適用については，同条第1項中「株主総会」とあるのは，「取締役会」とする。
② 取締役会設置会社においては，第356条第1項各号の取引をした取締役は，当該取引後，遅滞なく，当該取引についての重要な事実を取締役会に報告しなければならない。

第2款／運営

第369条 （取締役会の決議）
① 取締役会の決議は，議決に加わることができる取締役の過半数（これを上回る

会社法（381条—423条）

割合を定款で定めた場合にあっては，その割合以上）が出席し，その過半数（これを上回る割合を定款で定めた場合にあっては，その割合以上）をもって行う。
② 前項の決議について特別の利害関係を有する取締役は，議決に加わることができない。
③ 取締役会の議事については，法務省令で定めるところにより，議事録を作成し，議事録が書面をもって作成されているときは，出席した取締役及び監査役は，これに署名し，又は記名押印しなければならない。
④ 前項の議事録が電磁的記録をもって作成されている場合における当該電磁的記録に記録された事項については，法務省令で定める署名又は記名押印に代わる措置をとらなければならない。
⑤ 取締役会の決議に参加した取締役であって第3項の議事録に異議をとどめないものは，その決議に賛成したものと推定する。

第7節／監査役

第381条　（監査役の権限）
① 監査役は，取締役（会計参与設置会社にあっては，取締役及び会計参与）の職務の執行を監査する。この場合において，監査役は，法務省令で定めるところにより，監査報告を作成しなければならない。
② 監査役は，いつでも，取締役及び会計参与並びに支配人その他の使用人に対して事業の報告を求め，又は監査役設置会社の業務及び財産の状況の調査をすることができる。
③ 監査役は，その職務を行うため必要があるときは，監査役設置会社の子会社に対して事業の報告を求め，又はその子会社の業務及び財産の状況の調査をすることができる。
④ 前項の子会社は，正当な理由があるときは，同項の報告又は調査を拒むことがで

きる。

第11節／役員等の損害賠償責任

第423条　（役員等の株式会社に対する損害賠償責任）
① 取締役，会計参与，監査役，執行役又は会計監査人（以下この章において「役員等」という。）は，その任務を怠ったときは，株式会社に対し，これによって生じた損害を賠償する責任を負う。
② 取締役又は執行役が第356条第1項（第419条第2項において準用する場合を含む。以下この項において同じ。）の規定に違反して第356条第1項第1号の取引をしたときは，当該取引によって取締役，執行役又は第三者が得た利益の額は，前項の損害の額と推定する。
③ 第356条第1項第2号又は第3号（これらの規定を第419条第2項において準用する場合を含む。）の取引によって株式会社に損害が生じたときは，次に掲げる取締役又は執行役は，その任務を怠ったものと推定する。
　一　第356条第1項（第419条第2項において準用する場合を含む。）の取締役又は執行役
　二　株式会社が当該取引をすることを決定した取締役又は執行役
　三　当該取引に関する取締役会の承認の決議に賛成した取締役（指名委員会等設置会社においては，当該取引が指名委員会等設置会社と取締役との間の取引又は指名委員会等設置会社と取締役との利益が相反する取引である場合に限る。）
④ 前項の規定は，第356条第1項第2号又は第3号に掲げる場合において，同項の取締役（監査等委員であるものを除く。）が当該取引につき監査等委員会の承認を受けたときは，適用しない。

第429条　(役員等の第三者に対する損害賠償責任)
① 役員等がその職務を行うについて悪意又は重大な過失があったときは，当該役員等は，これによって第三者に生じた損害を賠償する責任を負う。
② 次の各号に掲げる者が，当該各号に定める行為をしたときも，前項と同様とする。ただし，その者が当該行為をすることについて注意を怠らなかったことを証明したときは，この限りでない。
　一　取締役及び執行役　次に掲げる行為
　　イ　株式，新株予約権，社債若しくは新株予約権付社債を引き受ける者の募集をする際に通知しなければならない重要な事項についての虚偽の通知又は当該募集のための当該株式会社の事業その他の事項に関する説明に用いた資料についての虚偽の記載若しくは記録
　　ロ　計算書類及び事業報告並びにこれらの附属明細書並びに臨時計算書類に記載し，又は記録すべき重要な事項についての虚偽の記載又は記録
　　ハ　虚偽の登記
　　ニ　虚偽の公告(第440条第3項に規定する措置を含む。)
　二　会計参与　計算書類及びその附属明細書，臨時計算書類並びに会計参与報告に記載し，又は記録すべき重要な事項についての虚偽の記載又は記録
　三　監査役，監査等委員及び監査委員　監査報告に記載し，又は記録すべき重要な事項についての虚偽の記載又は記録
　四　会計監査人　会計監査報告に記載し，又は記録すべき重要な事項についての虚偽の記載又は記録

第430条　(役員等の連帯責任)
　役員等が株式会社又は第三者に生じた損害を賠償する責任を負う場合において，他の役員等も当該損害を賠償する責任を負うときは，これらの者は，連帯債務者とする。

第7章　事業の譲渡等

第467条　(事業譲渡等の承認等)
① 株式会社は，次に掲げる行為をする場合には，当該行為がその効力を生ずる日(以下この章において「効力発生日」という。)の前日までに，株主総会の決議によって，当該行為に係る契約の承認を受けなければならない。
　一　事業の全部の譲渡
　二　事業の重要な一部の譲渡(当該譲渡により譲り渡す資産の帳簿価額が当該株式会社の総資産額として法務省令で定める方法により算定される額の5分の1(これを下回る割合を定款で定めた場合にあっては，その割合)を超えないものを除く。)
　二の二　その子会社の株式又は持分の全部又は一部の譲渡(次のいずれにも該当する場合における譲渡に限る。)
　　イ　当該譲渡により譲り渡す株式又は持分の帳簿価額が当該株式会社の総資産額として法務省令で定める方法により算定される額の5分の1(これを下回る割合を定款で定めた場合にあっては，その割合)を超えるとき。
　　ロ　当該株式会社が，効力発生日において当該子会社の議決権の総数の過半数の議決権を有しないとき。
　三　他の会社(外国会社その他の法人を含む。次条において同じ。)の事業の全部の譲受け
　四　事業の全部の賃貸，事業の全部の経営の委任，他人と事業上の損益の全部を共通にする契約その他これらに準ずる契約の締結，変更又は解約
　五　当該株式会社(第25条第1項各号に掲げる方法により設立したものに限る。)

以下この号において同じ。）の成立後2年以内におけるその成立前から存在する財産であってその事業のために継続して使用するものの取得。ただし、イに掲げる額のロに掲げる額に対する割合が5分の1（これを下回る割合を当該株式会社の定款で定めた場合にあっては、その割合）を超えない場合を除く。
　イ　当該財産の対価として交付する財産の帳簿価額の合計額
　ロ　当該株式会社の純資産額として法務省令で定める方法により算定される額
② 　前項第3号に掲げる行為をする場合において、当該行為をする株式会社が譲り受ける資産に当該株式会社の株式が含まれるときは、取締役は、同項の株主総会において、当該株式に関する事項を説明しなければならない。

第8章　解散

第471条　（解散の事由）
　株式会社は、次に掲げる事由によって解散する。
一　定款で定めた存続期間の満了
二　定款で定めた解散の事由の発生
三　株主総会の決議
四　合併（合併により当該株式会社が消滅する場合に限る。）
五　破産手続開始の決定
六　第824条第1項又は第833条第1項の規定による解散を命ずる裁判

第472条　（休眠会社のみなし解散）
① 　休眠会社（株式会社であって、当該株式会社に関する登記が最後にあった日から12年を経過したものをいう。以下この条において同じ。）は、法務大臣が休眠会社に対し2箇月以内に法務省令で定めるところによりその本店の所在地を管轄する登記所に事業を廃止していない旨の届出をすべき旨を官報に公告した場合において、その届出をしないときは、その2箇月の期間の満了の時に、解散したものとみなす。ただし、当該期間内に当該休眠会社に関する登記がされたときは、この限りでない。
② 　登記所は、前項の規定による公告があったときは、休眠会社に対し、その旨の通知を発しなければならない。

第9章　清算

第1節／総則

第1款／清算の開始

第475条　（清算の開始原因）
　株式会社は、次に掲げる場合には、この章の定めるところにより、清算をしなければならない。
一　解散した場合（第471条第4号に掲げる事由によって解散した場合及び破産手続開始の決定により解散した場合であって当該破産手続が終了していない場合を除く。）
二　設立の無効の訴えに係る請求を認容する判決が確定した場合
三　株式移転の無効の訴えに係る請求を認容する判決が確定した場合

第476条　（清算株式会社の能力）
　前条の規定により清算をする株式会社（以下「清算株式会社」という。）は、清算の目的の範囲内において、清算が結了するまではなお存続するものとみなす。

第2款／清算株式会社の機関

第1目／株主総会以外の機関の設置

第477条
① 　清算株式会社には、1人又は2人以上の清算人を置かなければならない。
②〜⑦　（略）

第2目／清算人の就任及び解任並びに監査役の退任

第478条　（清算人の就任）
① 次に掲げる者は，清算株式会社の清算人となる。
　一　取締役（次号又は第3号に掲げる者がある場合を除く。）
　二　定款で定める者
　三　株主総会の決議によって選任された者
② 前項の規定により清算人となる者がないときは，裁判所は，利害関係人の申立てにより，清算人を選任する。
③ 前二項の規定にかかわらず，第471条第6号に掲げる事由によって解散した清算株式会社については，裁判所は，利害関係人若しくは法務大臣の申立てにより又は職権で，清算人を選任する。
④ 第1項及び第2項の規定にかかわらず，第475条第2号又は第3号に掲げる場合に該当することとなった清算株式会社については，裁判所は，利害関係人の申立てにより，清算人を選任する。
⑤ 第475条各号に掲げる場合に該当することとなった時において監査等委員会設置会社であった清算株式会社における第1項第1号の規定の適用については，同号中「取締役」とあるのは，「監査等委員である取締役以外の取締役」とする。
⑥ 第475条各号に掲げる場合に該当することとなった時において指名委員会等設置会社であった清算株式会社における第1項第1号の規定の適用については，同号中「取締役」とあるのは，「監査委員以外の取締役」とする。
⑦ 第335条第3項の規定にかかわらず，第475条各号に掲げる場合に該当することとなった時において監査等委員会設置会社又は指名委員会等設置会社であった清算株式会社である監査役会設置会社においては，監査役は，3人以上で，そのうち半数以上は，次に掲げる要件のいずれにも該当するものでなければならない。
　一　その就任の前10年間当該監査等委員会設置会社若しくは指名委員会等設置会社又はその子会社の取締役（社外取締役を除く。），会計参与（会計参与が法人であるときは，その職務を行うべき社員。次号において同じ。）若しくは執行役又は支配人その他の使用人であったことがないこと。
　二　その就任の前10年内のいずれかの時において当該監査等委員会設置会社若しくは指名委員会等設置会社又はその子会社の社外取締役又は監査役であったことがある者にあっては，当該社外取締役又は監査役への就任の前10年間当該監査等委員会設置会社若しくは指名委員会等設置会社又はその子会社の取締役（社外取締役を除く。），会計参与若しくは執行役又は支配人その他の使用人であったことがないこと。
　三　第2条第16号ハからホまでに掲げる要件
⑧ 第330条，第331条第1項及び第331条の2の規定は清算人について，第331条第5項の規定は清算人会設置会社（清算人会を置く清算株式会社又はこの法律の規定により清算人会を置かなければならない清算株式会社をいう。以下同じ。）について，それぞれ準用する。この場合において，同項中「取締役は」とあるのは，「清算人は」と読み替えるものとする。

第479条　（清算人の解任）
① 清算人（前条第2項から第4項までの規定により裁判所が選任したものを除く。）は，いつでも，株主総会の決議によって解任することができる。
② 重要な事由があるときは，裁判所は，次に掲げる株主の申立てにより，清算人を解任することができる。

一　総株主（次に掲げる株主を除く。）の議決権の100分の3（これを下回る割合を定款で定めた場合にあっては、その割合）以上の議決権を6箇月（これを下回る期間を定款で定めた場合にあっては、その期間）前から引き続き有する株主（次に掲げる株主を除く。）
　　イ　清算人を解任する旨の議案について議決権を行使することができない株主
　　ロ　当該申立てに係る清算人である株主
二　発行済株式（次に掲げる株主の有する株式を除く。）の100分の3（これを下回る割合を定款で定めた場合にあっては、その割合）以上の数の株式を6箇月（これを下回る期間を定款で定めた場合にあっては、その期間）前から引き続き有する株主（次に掲げる株主を除く。）
　　イ　当該清算株式会社である株主
　　ロ　当該申立てに係る清算人である株主
③　公開会社でない清算株式会社における前項各号の規定の適用については、これらの規定中「6箇月（これを下回る期間を定款で定めた場合にあっては、その期間）前から引き続き有する」とあるのは、「有する」とする。
④　第346条第1項から第3項までの規定は、清算人について準用する。

第3目／清算人の職務等

第483条　（清算株式会社の代表）
①　清算人は、清算株式会社を代表する。ただし、他に代表清算人（清算株式会社を代表する清算人をいう。以下同じ。）その他清算株式会社を代表する者を定めた場合は、この限りでない。
②　前項本文の清算人が2人以上ある場合には、清算人は、各自、清算株式会社を代表する。

③　（略）
④　第478条第1項第1号の規定により取締役が清算人となる場合において、代表取締役を定めていたときは、当該代表取締役が代表清算人となる。
⑤・⑥　（略）

第6款／清算事務の終了等

第507条
①　清算株式会社は、清算事務が終了したときは、遅滞なく、法務省令で定めるところにより、決算報告を作成しなければならない。
②　清算人会設置会社においては、決算報告は、清算人会の承認を受けなければならない。
③　清算人は、決算報告（前項の規定の適用がある場合にあっては、同項の承認を受けたもの）を株主総会に提出し、又は提供し、その承認を受けなければならない。
④　前項の承認があったときは、任務を怠ったことによる清算人の損害賠償の責任は、免除されたものとみなす。ただし、清算人の職務の執行に関し不正の行為があったときは、この限りでない。

第2節／特別清算

第1款／特別清算の開始

第510条　（特別清算開始の原因）
　裁判所は、清算株式会社に次に掲げる事由があると認めるときは、第514条の規定に基づき、申立てにより、当該清算株式会社に対し特別清算の開始を命ずる。
一　清算の遂行に著しい支障を来すべき事情があること。
二　債務超過（清算株式会社の財産がその債務を完済するのに足りない状態をいう。次条第2項において同じ。）の疑いがあること。

第5編 組織変更, 合併, 会社分割, 株式交換, 株式移転及び株式交付

第2章 合併

第1節／通則

第748条（合併契約の締結）
会社は，他の会社と合併をすることができる。この場合においては，合併をする会社は，合併契約を締結しなければならない。

第2節／吸収合併

第1款／株式会社が存続する吸収合併

第750条（株式会社が存続する吸収合併の効力の発生等）
① 吸収合併存続株式会社は，効力発生日に，吸収合併消滅会社の権利義務を承継する。
② 吸収合併消滅会社の吸収合併による解散は，吸収合併の登記の後でなければ，これをもって第三者に対抗することができない。
③〜⑥ （省略）

第7編 雑則

第4章 登記

第2節／会社の登記

第911条（株式会社の設立の登記）
① 株式会社の設立の登記は，その本店の所在地において，次に掲げる日のいずれか遅い日から2週間以内にしなければならない。
一 第46条第1項の規定による調査が終了した日（設立しようとする株式会社が指名委員会等設置会社である場合にあっては，設立時代表執行役が同条第3項の規定による通知を受けた日）
二 発起人が定めた日
② 前項の規定にかかわらず，第57条第1項の募集をする場合には，前項の登記は，次に掲げる日のいずれか遅い日から2週間以内にしなければならない。
一 創立総会の終結の日
二 第84条の種類創立総会の決議をしたときは，当該決議の日
三 第97条の創立総会の決議をしたときは，当該決議の日から2週間を経過した日
四 第100条第1項の種類創立総会の決議をしたときは，当該決議の日から2週間を経過した日
五 第101条第1項の種類創立総会の決議をしたときは，当該決議の日
③ 第1項の登記においては，次に掲げる事項を登記しなければならない。
一 目的
二 商号
三 本店及び支店の所在場所
四 株式会社の存続期間又は解散の事由についての定款の定めがあるときは，その定め
五 資本金の額
六 発行可能株式総数
七 発行する株式の内容（種類株式発行会社にあっては，発行可能種類株式総数及び発行する各種類の株式の内容）
八 単元株式数についての定款の定めがあるときは，その単元株式数
九 発行済株式の総数並びにその種類及び種類ごとの数
十 株券発行会社であるときは，その旨
十一 株主名簿管理人を置いたときは，その氏名又は名称及び住所並びに営業所
十二 新株予約権を発行したときは，次に掲げる事項
　イ 新株予約権の数
　ロ 第236条第1項第1号から第4号

まで（ハに規定する場合にあっては、第2号を除く。）に掲げる事項
ハ　第236条第3項各号に掲げる事項を定めたときは、その定め
ニ　ロ及びハに掲げる事項のほか、新株予約権の行使の条件を定めたときは、その条件
ホ　第236条第1項第7号及び第238条第1項第2号に掲げる事項
ヘ　第238条第1項第3号に掲げる事項を定めたときは、募集新株予約権（同項に規定する募集新株予約権をいう。以下ヘにおいて同じ。）の払込金額（同号に規定する払込金額をいう。以下ヘにおいて同じ。）（同号に掲げる事項として募集新株予約権の払込金額の算定方法を定めた場合において、登記の申請の時までに募集新株予約権の払込金額が確定していないときは、当該算定方法）

十二の2　第325条の2の規定による電子提供措置をとる旨の定款の定めがあるときは、その定め

十三　取締役（監査等委員会設置会社の取締役を除く。）の氏名

十四　代表取締役の氏名及び住所（第23号に規定する場合を除く。）

十五　取締役会設置会社であるときは、その旨

十六　会計参与設置会社であるときは、その旨並びに会計参与の氏名又は名称及び第378条第1項の場所

十七　監査役設置会社（監査役の監査の範囲を会計に関するものに限定する旨の定款の定めがある株式会社を含む。）であるときは、その旨及び次に掲げる事項
イ　監査役の監査の範囲を会計に関するものに限定する旨の定款の定めがある株式会社であるときは、その旨
ロ　監査役の氏名

十八　監査役会設置会社であるときは、その旨及び監査役のうち社外監査役であるものについて社外監査役である旨

十九　会計監査人設置会社であるときは、その旨及び会計監査人の氏名又は名称

二十　第346条第4項の規定により選任された一時会計監査人の職務を行うべき者を置いたときは、その氏名又は名称

二十一　第373条第1項の規定による特別取締役による議決の定めがあるときは、次に掲げる事項
イ　第373条第1項の規定による特別取締役による議決の定めがある旨
ロ　特別取締役の氏名
ハ　取締役のうち社外取締役であるものについて、社外取締役である旨

二十二　監査等委員会設置会社であるときは、その旨及び次に掲げる事項
イ　監査等委員である取締役及びそれ以外の取締役の氏名
ロ　取締役のうち社外取締役であるものについて、社外取締役である旨
ハ　第399条の13第6項の規定による重要な業務執行の決定の取締役への委任についての定款の定めがあるときは、その旨

二十三　指名委員会等設置会社であるときは、その旨及び次に掲げる事項
イ　取締役のうち社外取締役であるものについて、社外取締役である旨
ロ　各委員会の委員及び執行役の氏名
ハ　代表執行役の氏名及び住所

二十四　第426条第1項の規定による取締役、会計参与、監査役、執行役又は会計監査人の責任の免除についての定款の定めがあるときは、その定め

二十五　第427条第1項の規定による非業務執行取締役等が負う責任の限度に関する契約の締結についての定款の定めがあるときは、その定め

二十六　第440条第3項の規定による措置をとることとするときは、同条第1

項に規定する貸借対照表の内容である情報について不特定多数の者がその提供を受けるために必要な事項であって法務省令で定めるもの
二十七〜二十九　（省略）

第921条　（吸収合併の登記）
会社が吸収合併をしたときは，その効力が生じた日から2週間以内に，その本店の所在地において，吸収合併により消滅する会社については解散の登記をし，吸収合併後存続する会社については変更の登記をしなければならない。

第926条　（解散の登記）
第471条第1号から第3号まで又は第641条第1号から第4号までの規定により会社が解散したときは，2週間以内に，その本店の所在地において，解散の登記をしなければならない。

第928条　（清算人の登記）
① 第478条第1項第1号に掲げる者が清算株式会社の清算人となったときは，解散の日から2週間以内に，その本店の所在地において，次に掲げる事項を登記しなければならない。
一　清算人の氏名
二　代表清算人の氏名及び住所
三　清算株式会社が清算人会設置会社であるときは，その旨
② 第647条第1項第1号に掲げる者が清算持分会社の清算人となったときは，解散の日から2週間以内に，その本店の所在地において，次に掲げる事項を登記しなければならない。
一　清算人の氏名又は名称及び住所
二　清算持分会社を代表する清算人の氏名又は名称（清算持分会社を代表しない清算人がある場合に限る。）
三　清算持分会社を代表する清算人が法人であるときは，清算人の職務を行うべき者の氏名及び住所
③ 清算人が選任されたときは，2週間以内に，その本店の所在地において，清算株式会社にあっては第1項各号に掲げる事項を，清算持分会社にあっては前項各号に掲げる事項を登記しなければならない。
④ 第915条第1項の規定は前三項の規定による登記について，第917条の規定は清算人，代表清算人又は清算持分会社を代表する清算人について，それぞれ準用する。

第929条　（清算結了の登記）
清算が結了したときは，次の各号に掲げる会社の区分に応じ，当該各号に定める日から2週間以内に，その本店の所在地において，清算結了の登記をしなければならない。
一　清算株式会社　第507条第3項の承認の日
二　清算持分会社（合名会社及び合資会社に限る。）第667条第1項の承認の日（第668条第1項の財産の処分の方法を定めた場合にあっては，その財産の処分を完了した日）
三　清算持分会社（合同会社に限る。）第667条第1項の承認の日

附　則　（略）

刑法（抄）

●明治40年4月24日法律第45号●　最終改正　令和5年6月23日法66号

第1編　総則

第2章　刑

第9条　（刑の種類）
　死刑，懲役，禁錮，罰金，拘留及び科料を主刑とし，没収を付加刑とする。

第10条　（刑の軽重）
① 　主刑の軽重は，前条に規定する順序による。ただし，無期の禁錮と有期の懲役とでは禁錮を重い刑とし，有期の禁錮の長期が有期の懲役の長期の2倍を超えるときも，禁錮を重い刑とする。
② 　同種の刑は，長期の長いもの又は多額の多いものを重い刑とし，長期又は多額が同じであるときは，短期の長いもの又は寡額の多いものを重い刑とする。
③ 　2個以上の死刑又は長期若しくは多額及び短期若しくは寡額が同じである同種の刑は，犯情によってその軽重を定める。

第11条　（死刑）
① 　死刑は，刑事施設内において，絞首して執行する。
② 　死刑の言渡しを受けた者は，その執行に至るまで刑事施設に拘置する。

第12条　（懲役）
① 　懲役は，無期及び有期とし，有期懲役は，1月以上20年以下とする。
② 　懲役は，刑事施設に拘置して所定の作業を行わせる。

第13条　（禁錮）
① 　禁錮は，無期及び有期とし，有期禁錮は，1月以上20年以下とする。
② 　禁錮は，刑事施設に拘置する。

第15条　（罰金）
　罰金は，1万円以上とする。ただし，これを減軽する場合においては，1万円未満に下げることができる。

第16条　（拘留）
　拘留は，1日以上30日未満とし，刑事施設に拘置する。

第17条　（科料）
　科料は，千円以上1万円未満とする。

第4章　刑の執行猶予

第25条　（刑の全部の執行猶予）
① 　次に掲げる者が3年以下の懲役若しくは禁錮又は50万円以下の罰金の言渡しを受けたときは，情状により，裁判が確定した日から1年以上5年以下の期間，その刑の全部の執行を猶予することができる。
　一　前に禁錮以上の刑に処せられたことがない者
　二　前に禁錮以上の刑に処せられたことがあっても，その執行を終わった日又はその執行の免除を得た日から5年以内に禁錮以上の刑に処せられたことがない者
② 　前に禁錮以上の刑に処せられたことがあってもその刑の全部の執行を猶予された者が1年以下の懲役又は禁錮の言渡し

を受け，情状に特に酌量すべきものがあるときも，前項と同様とする。ただし，次条第１項の規定により保護観察に付せられ，その期間内に更に罪を犯した者については，この限りでない。

第27条　（刑の全部の執行猶予の猶予期間経過の効果）

　刑の全部の執行猶予の言渡しを取り消されることなくその猶予の期間を経過したときは，刑の言渡しは，効力を失う。

第27条の７　（刑の一部の執行猶予の猶予期間経過の効果）

　刑の一部の執行猶予の言渡しを取り消されることなくその猶予の期間を経過したときは，その懲役又は禁錮を執行が猶予されなかった部分の期間を刑期とする懲役又は禁錮に減軽する。この場合においては，当該部分の期間の執行を終わった日又はその執行を受けることがなくなった日において，刑の執行を受け終わったものとする。

第６章　刑の時効及び刑の消滅

第31条　（刑の時効）

　刑（死刑を除く。）の言渡しを受けた者は，時効によりその執行の免除を得る。

第32条　（時効の期間）

　時効は，刑の言渡しが確定した後，次の期間その執行を受けないことによって完成する。
一　無期の懲役又は禁錮については30年
二　10年以上の有期の懲役又は禁錮については20年
三　３年以上10年未満の懲役又は禁錮については10年
四　３年未満の懲役又は禁錮については５年
五　罰金については３年
六　拘留，科料及び没収については１年

第33条　（時効の停止）

① 時効は，法令により執行を猶予し，又は停止した期間内は，進行しない。
② 拘禁刑，罰金，拘留及び科料の時効は，刑の言渡しを受けた者が国外にいる場合には，その国外にいる期間は，進行しない。

第34条　（時効の中断）

① 懲役，禁錮及び拘留の時効は，刑の言渡しを受けた者をその執行のために拘束することによって中断する。
② 罰金，科料及び没収の時効は，執行行為をすることによって中断する。

第34条の２　（刑の消滅）

① 禁錮以上の刑の執行を終わり又はその執行の免除を得た者が罰金以上の刑に処せられないで10年を経過したときは，刑の言渡しは，効力を失う。罰金以下の刑の執行を終わり又はその執行の免除を得た者が罰金以上の刑に処せられないで５年を経過したときも，同様とする。
② 刑の免除の言渡しを受けた者が，その言渡しが確定した後，罰金以上の刑に処せられないで２年を経過したときは，刑の免除の言渡しは，効力を失う。

第７章　犯罪の不成立及び刑の減免

第35条　（正当行為）

　法令又は正当な業務による行為は，罰しない。

第36条　（正当防衛）

① 急迫不正の侵害に対して，自己又は他人の権利を防衛するため，やむを得ずにした行為は，罰しない。
② 防衛の程度を超えた行為は，情状により，その刑を減軽し，又は免除することができる。

第37条　(緊急避難)
① 自己又は他人の生命，身体，自由又は財産に対する現在の危難を避けるため，やむを得ずにした行為は，これによって生じた害が避けようとした害の程度を超えなかった場合に限り，罰しない。ただし，その程度を超えた行為は，情状により，その刑を減軽し，又は免除することができる。
② 前項の規定は，業務上特別の義務がある者には，適用しない。

第38条　(故意)
① 罪を犯す意思がない行為は，罰しない。ただし，法律に特別の規定がある場合は，この限りでない。
② 重い罪に当たるべき行為をしたのに，行為の時にその重い罪に当たることとなる事実を知らなかった者は，その重い罪によって処断することはできない。
③ 法律を知らなかったとしても，そのことによって，罪を犯す意思がなかったとすることはできない。ただし，情状により，その刑を減軽することができる。

第39条　(心神喪失及び心神耗弱)
① 心神喪失者の行為は，罰しない。
② 心神耗弱者の行為は，その刑を減軽する。

第41条　(責任年齢)
14歳に満たない者の行為は，罰しない。

第5章 公務の執行を妨害する罪

第95条　(公務執行妨害及び職務強要)
① 公務員が職務を執行するに当たり，これに対して暴行又は脅迫を加えた者は，3年以下の懲役若しくは禁錮又は50万円以下の罰金に処する。
② 公務員に，ある処分をさせ，若しくはさせないため，又はその職を辞させるために，暴行又は脅迫を加えた者も，前項と同様とする。

第96条　(封印等破棄)
公務員が施した封印若しくは差押えの表示を損壊し，又はその他の方法によりその封印若しくは差押えの表示に係る命令若しくは処分を無効にした者は，3年以下の懲役若しくは250万円以下の罰金に処し，又はこれを併科する。

第96条の2　(強制執行妨害目的財産損壊等)
強制執行を妨害する目的で，次の各号のいずれかに該当する行為をした者は，3年以下の懲役若しくは250万円以下の罰金に処し，又はこれを併科する。情を知って，第3号に規定する譲渡又は権利の設定の相手方となった者も，同様とする。
一　強制執行を受け，若しくは受けるべき財産を隠匿し，損壊し，若しくはその譲渡を仮装し，又は債務の負担を仮装する行為
二　強制執行を受け，又は受けるべき財産について，その現状を改変して，価格を減損し，又は強制執行の費用を増大させる行為
三　金銭執行を受けるべき財産について，無償その他の不利益な条件で，譲渡をし，又は権利の設定をする行為

第96条の3　(強制執行行為妨害等)
① 偽計又は威力を用いて，立入り，占有者の確認その他の強制執行の行為を妨害した者は，3年以下の懲役若しくは250万円以下の罰金に処し，又はこれを併科する。
② 強制執行の申立てをさせず又はその申立てを取り下げさせる目的で，申立権者又はその代理人に対して暴行又は脅迫を加えた者も，前項と同様とする。

第96条の4 （強制執行関係売却妨害）

偽計又は威力を用いて，強制執行において行われ，又は行われるべき売却の公正を害すべき行為をした者は，3年以下の懲役若しくは250万円以下の罰金に処し，又はこれを併科する。

第96条の5 （加重封印破棄等）

報酬を得，又は得させる目的で，人の債務に関して，第96条から前条までの罪を犯した者は，5年以下の懲役若しくは500万円以下の罰金に処し，又はこれを併科する。

第96条の6 （公契約関係競売等妨害）

① 偽計又は威力を用いて，公の競売又は入札で契約を締結するためのものの公正を害すべき行為をした者は，3年以下の懲役若しくは250万円以下の罰金に処し，又はこれを併科する。
② 公正な価格を害し又は不正な利益を得る目的で，談合した者も，前項と同様とする。

第7章 犯人蔵匿及び証拠隠滅の罪

第103条 （犯人蔵匿等）

罰金以上の刑に当たる罪を犯した者又は拘禁中に逃走した者を蔵匿し，又は隠避させた者は，3年以下の懲役又は30万円以下の罰金に処する。

第104条 （証拠隠滅等）

他人の刑事事件に関する証拠を隠滅し，偽造し，若しくは変造し，又は偽造若しくは変造の証拠を使用した者は，3年以下の懲役又は30万円以下の罰金に処する。

第105条 （親族による犯罪に関する特例）

前二条の罪については，犯人又は逃走した者の親族がこれらの者の利益のために犯したときは，その刑を免除することができる。

第105条の2 （証人等威迫）

自己若しくは他人の刑事事件の捜査若しくは審判に必要な知識を有すると認められる者又はその親族に対し，当該事件に関して，正当な理由がないのに面会を強請し，又は強談威迫の行為をした者は，2年以下の懲役又は30万円以下の罰金に処する。

第12章 住居を侵す罪

第130条 （住居侵入等）

正当な理由がないのに，人の住居若しくは人の看守する邸宅，建造物若しくは艦船に侵入し，又は要求を受けたにもかかわらずこれらの場所から退去しなかった者は，3年以下の懲役又は10万円以下の罰金に処する。

第132条 （未遂罪）

第130条の罪の未遂は，罰する。

第13章 秘密を侵す罪

第133条 （信書開封）

正当な理由がないのに，封をしてある信書を開けた者は，1年以下の懲役又は20万円以下の罰金に処する。

第134条 （秘密漏示）

① 医師，薬剤師，医薬品販売業者，助産師，弁護士，弁護人，公証人又はこれらの職にあった者が，正当な理由がないのに，その業務上取り扱ったことについて知り得た人の秘密を漏らしたときは，6月以下の懲役又は10万円以下の罰金に処する。
② 宗教，祈祷若しくは祭祀の職にある者又はこれらの職にあった者が，正当な理由がないのに，その業務上取り扱ったことについて知り得た人の秘密を漏らしたときも，前項と同様とする。

第135条　（親告罪）
　この章の罪は，告訴がなければ公訴を提起することができない。

第17章　文書偽造の罪

第155条　（公文書偽造等）
① 　行使の目的で，公務所若しくは公務員の印章若しくは署名を使用して公務所若しくは公務員の作成すべき文書若しくは図画を偽造し，又は偽造した公務所若しくは公務員の印章若しくは署名を使用して公務所若しくは公務員の作成すべき文書若しくは図画を偽造した者は，1年以上10年以下の懲役に処する。
② 　公務所又は公務員が押印し又は署名した文書又は図画を変造した者も，前項と同様とする。
③ 　前二項に規定するもののほか，公務所若しくは公務員の作成すべき文書若しくは図画を偽造し，又は公務所若しくは公務員が作成した文書若しくは図画を変造した者は，3年以下の懲役又は20万円以下の罰金に処する。

第156条　（虚偽公文書作成等）
　公務員が，その職務に関し，行使の目的で，虚偽の文書若しくは図画を作成し，又は文書若しくは図画を変造したときは，印章又は署名の有無により区別して，前二条の例による。

第157条　（公正証書原本不実記載等）
① 　公務員に対し虚偽の申立てをして，登記簿，戸籍簿その他の権利若しくは義務に関する公正証書の原本に不実の記載をさせ，又は権利若しくは義務に関する公正証書の原本として用いられる電磁的記録に不実の記録をさせた者は，5年以下の懲役又は50万円以下の罰金に処する。
② 　公務員に対し虚偽の申立てをして，免状，鑑札又は旅券に不実の記載をさせた者は，1年以下の懲役又は20万円以下の罰金に処する。
③ 　前二項の罪の未遂は，罰する。

第158条　（偽造公文書行使等）
① 　第154条から前条までの文書若しくは図画を行使し，又は前条第1項の電磁的記録を公正証書の原本としての用に供した者は，その文書若しくは図画を偽造し，若しくは変造し，虚偽の文書若しくは図画を作成し，又は不実の記載若しくは記録をさせた者と同一の刑に処する。
② 　前項の罪の未遂は，罰する。

第159条　（私文書偽造等）
① 　行使の目的で，他人の印章若しくは署名を使用して権利，義務若しくは事実証明に関する文書若しくは図画を偽造し，又は偽造した他人の印章若しくは署名を使用して権利，義務若しくは事実証明に関する文書若しくは図画を偽造した者は，3月以上5年以下の懲役に処する。
② 　他人が押印し又は署名した権利，義務又は事実証明に関する文書又は図画を変造した者も，前項と同様とする。
③ 　前二項に規定するもののほか，権利，義務又は事実証明に関する文書又は図画を偽造し，又は変造した者は，1年以下の懲役又は10万円以下の罰金に処する。

第160条　（虚偽診断書等作成）
　医師が公務所に提出すべき診断書，検案書又は死亡証書に虚偽の記載をしたときは，3年以下の禁錮又は30万円以下の罰金に処する。

第161条　（偽造私文書等行使）
① 　前二条の文書又は図画を行使した者は，その文書若しくは図画を偽造し，若しくは変造し，又は虚偽の記載をした者と同一の刑に処する。
② 　前項の罪の未遂は，罰する。

第161条の2　（電磁的記録不正作出及び供用）

① 人の事務処理を誤らせる目的で，その事務処理の用に供する権利，義務又は事実証明に関する電磁的記録を不正に作った者は，5年以下の懲役又は50万円以下の罰金に処する。
② 前項の罪が公務所又は公務員により作られるべき電磁的記録に係るときは，10年以下の懲役又は100万円以下の罰金に処する。
③ 不正に作られた権利，義務又は事実証明に関する電磁的記録を，第1項の目的で，人の事務処理の用に供した者は，その電磁的記録を不正に作った者と同一の刑に処する。
④ 前項の罪の未遂は，罰する。

第18章●有価証券偽造の罪

第162条　（有価証券偽造等）

① 行使の目的で，公債証書，官庁の証券，会社の株券その他の有価証券を偽造し，又は変造した者は，3月以上10年以下の懲役に処する。
② 行使の目的で，有価証券に虚偽の記入をした者も，前項と同様とする。

第163条　（偽造有価証券行使等）

① 偽造若しくは変造の有価証券又は虚偽の記入がある有価証券を行使し，又は行使の目的で人に交付し，若しくは輸入した者は，3月以上10年以下の懲役に処する。
② 前項の罪の未遂は，罰する。

第18章の2●支払用カード電磁的記録に関する罪

第163条の2　（支払用カード電磁的記録不正作出等）

① 人の財産上の事務処理を誤らせる目的で，その事務処理の用に供する電磁的記録であって，クレジットカードその他の代金又は料金の支払用のカードを構成するものを不正に作った者は，10年以下の懲役又は100万円以下の罰金に処する。預貯金の引出用のカードを構成する電磁的記録を不正に作った者も，同様とする。
② 不正に作られた前項の電磁的記録を，同項の目的で，人の財産上の事務処理の用に供した者も，同項と同様とする。
③ 不正に作られた第1項の電磁的記録をその構成部分とするカードを，同項の目的で，譲り渡し，貸し渡し，又は輸入した者も，同項と同様とする。

第163条の3　（不正電磁的記録カード所持）

前条第1項の目的で，同条第3項のカードを所持した者は，5年以下の懲役又は50万円以下の罰金に処する。

第163条の4　（支払用カード電磁的記録不正作出準備）

① 第163条の2第1項の犯罪行為の用に供する目的で，同項の電磁的記録の情報を取得した者は，3年以下の懲役又は50万円以下の罰金に処する。情を知って，その情報を提供した者も，同様とする。
② 不正に取得された第163条の2第1項の電磁的記録の情報を，前項の目的で保管した者も，同項と同様とする。
③ 第1項の目的で，器械又は原料を準備した者も，同項と同様とする。

第163条の5　（未遂罪）

第163条の2及び前条第1項の罪の未遂は，罰する。

第19章●印章偽造の罪

第164条　（御璽偽造及び不正使用等）

① 行使の目的で，御璽，国璽又は御名を偽造した者は，2年以上の有期懲役に処する。
② 御璽，国璽若しくは御名を不正に使用し，又は偽造した御璽，国璽若しくは御名を使用した者も，前項と同様とする。

第165条 （公印偽造及び不正使用等）
① 行使の目的で，公務所又は公務員の印章又は署名を偽造した者は，3月以上5年以下の懲役に処する。
② 公務所若しくは公務員の印章若しくは署名を不正に使用し，又は偽造した公務所若しくは公務員の印章若しくは署名を使用した者も，前項と同様とする。

第166条 （公記号偽造及び不正使用等）
① 行使の目的で，公務所の記号を偽造した者は，3年以下の懲役に処する。
② 公務所の記号を不正に使用し，又は偽造した公務所の記号を使用した者も，前項と同様とする。

第167条 （私印偽造及び不正使用等）
① 行使の目的で，他人の印章又は署名を偽造した者は，3年以下の懲役に処する。
② 他人の印章若しくは署名を不正に使用し，又は偽造した印章若しくは署名を使用した者も，前項と同様とする。

第168条 （未遂罪）
第164条第2項，第165条第2項，第166条第2項及び前条第2項の罪の未遂は，罰する。

第19章の2 ● 不正指令電磁的記録に関する罪

第168条の2 （不正指令電磁的記録作成等）
① 正当な理由がないのに，人の電子計算機における実行の用に供する目的で，次に掲げる電磁的記録その他の記録を作成し，又は提供した者は，3年以下の懲役又は50万円以下の罰金に処する。
　一　人が電子計算機を使用するに際してその意図に沿うべき動作をさせず，又はその意図に反する動作をさせるべき不正な指令を与える電磁的記録
　二　前号に掲げるもののほか，同号の不正な指令を記述した電磁的記録その他の記録
② 正当な理由がないのに，前項第1号に掲げる電磁的記録を人の電子計算機における実行の用に供した者も，同項と同様とする。
③ 前項の罪の未遂は，罰する。

第168条の3 （不正指令電磁的記録取得等）
正当な理由がないのに，前条第1項の目的で，同項各号に掲げる電磁的記録その他の記録を取得し，又は保管した者は，2年以下の懲役又は30万円以下の罰金に処する。

第20章 ● 偽証の罪

第169条 （偽証）
法律により宣誓した証人が虚偽の陳述をしたときは，3月以上10年以下の懲役に処する。

第170条 （自白による刑の減免）
前条の罪を犯した者が，その証言をした事件について，その裁判が確定する前又は懲戒処分が行われる前に自白したときは，その刑を減軽し，又は免除することができる。

第171条 （虚偽鑑定等）
法律により宣誓した鑑定人，通訳人又は翻訳人が虚偽の鑑定，通訳又は翻訳をしたときは，前2条の例による。

第24章 ● 礼拝所及び墳墓に関する罪

第188条 （礼拝所不敬及び説教等妨害）
① 神祠，仏堂，墓所その他の礼拝所に対し，公然と不敬な行為をした者は，6月以下の懲役若しくは禁錮又は10万円以下の罰金に処する。
② 説教，礼拝又は葬式を妨害した者は，1年以下の懲役若しくは禁錮又は10万円以下の罰金に処する。

第189条　（墳墓発掘）
　墳墓を発掘した者は，2年以下の懲役に処する。

第190条　（死体損壊等）
　死体，遺骨，遺髪又は棺に納めてある物を損壊し，遺棄し，又は領得した者は，3年以下の懲役に処する。

第191条　（墳墓発掘死体損壊等）
　第189条の罪を犯して，死体，遺骨，遺髪又は棺に納めてある物を損壊し，遺棄し，又は領得した者は，3月以上5年以下の懲役に処する。

第192条　（変死者密葬）
　検視を経ないで変死者を葬った者は，10万円以下の罰金又は科料に処する。

第31章　逮捕及び監禁の罪

第220条　（逮捕及び監禁）
　不法に人を逮捕し，又は監禁した者は，3月以上7年以下の懲役に処する。

第221条　（逮捕等致死傷）
　前条の罪を犯し，よって人を死傷させた者は，傷害の罪と比較して，重い刑により処断する。

第34章　名誉に対する罪

第230条　（名誉毀損）
① 公然と事実を摘示し，人の名誉を毀損した者は，その事実の有無にかかわらず，3年以下の懲役若しくは禁錮又は50万円以下の罰金に処する。
② 死者の名誉を毀損した者は，虚偽の事実を摘示することによってした場合でなければ，罰しない。

第230条の2　（公共の利害に関する場合の特例）
① 前条第1項の行為が公共の利害に関する事実に係り，かつ，その目的が専ら公益を図ることにあったと認める場合には，事実の真否を判断し，真実であることの証明があったときは，これを罰しない。
② 前項の規定の適用については，公訴が提起されるに至っていない人の犯罪行為に関する事実は，公共の利害に関する事実とみなす。
③ 前条第1項の行為が公務員又は公選による公務員の候補者に関する事実に係る場合には，事実の真否を判断し，真実であることの証明があったときは，これを罰しない。

第231条　（侮辱）
　事実を摘示しなくても，公然と人を侮辱した者は，1年以下の懲役若しくは禁錮若しくは30万円以下の罰金又は拘留若しくは科料に処する。

第232条　（親告罪）
① この章の罪は，告訴がなければ公訴を提起することができない。
② 告訴をすることができる者が天皇，皇后，太皇太后，皇太后又は皇嗣であるときは内閣総理大臣が，外国の君主又は大統領であるときはその国の代表者がそれぞれ代わって告訴を行う。

第35章　信用及び業務に対する罪

第233条　（信用毀損及び業務妨害）
　虚偽の風説を流布し，又は偽計を用いて，人の信用を毀損し，又はその業務を妨害した者は，3年以下の懲役又は50万円以下の罰金に処する。

第234条　（威力業務妨害）
　威力を用いて人の業務を妨害した者も，前条の例による。

第36章　窃盗及び強盗の罪

第235条　（窃盗）
　他人の財物を窃取した者は，窃盗の罪

とし，10年以下の懲役又は50万円以下の罰金に処する。

第235条の2　（不動産侵奪）
　他人の不動産を侵奪した者は，10年以下の懲役に処する。

第236条　（強盗）
① 暴行又は脅迫を用いて他人の財物を強取した者は，強盗の罪とし，5年以上の有期懲役に処する。
② 前項の方法により，財産上不法の利益を得，又は他人にこれを得させた者も，同項と同様とする。

第237条　（強盗予備）
　強盗の罪を犯す目的で，その予備をした者は，2年以下の懲役に処する。

第241条（強盗・不同意性交等及び同致死）
① 強盗の罪若しくはその未遂罪を犯した者が第177条の罪若しくはその未遂罪をも犯したとき，又は同条の罪若しくはその未遂罪を犯した者が強盗の罪若しくはその未遂罪をも犯したときは，無期又は7年以上の懲役に処する。
② 前項の場合のうち，その犯した罪がいずれも未遂罪であるときは，人を死傷させたときを除き，その刑を減軽することができる。ただし，自己の意思によりいずれかの犯罪を中止したときは，その刑を減軽し，又は免除する。
③ 第1項の罪に当たる行為により人を死亡させた者は，死刑又は無期懲役に処する。

第242条　（他人の占有等に係る自己の財物）
　自己の財物であっても，他人が占有し，又は公務所の命令により他人が看守するものであるときは，この章の罪については，他人の財物とみなす。

第243条　（未遂罪）
　第235条から第236条まで，第238条から第240条まで及び第241条第3項の罪の未遂は，罰する。

第244条　（親族間の犯罪に関する特例）
① 配偶者，直系血族又は同居の親族との間で第235条の罪，第235条の2の罪又はこれらの罪の未遂罪を犯した者は，その刑を免除する。
② 前項に規定する親族以外の親族との間で犯した同項に規定する罪は，告訴がなければ公訴を提起することができない。
③ 前二項の規定は，親族でない共犯については，適用しない。

第245条　（電気）
　この章の罪については，電気は，財物とみなす。

第37章❋詐欺及び恐喝の罪

第246条　（詐欺）
① 人を欺いて財物を交付させた者は，10年以下の懲役に処する。
② 前項の方法により，財産上不法の利益を得，又は他人にこれを得させた者も，同項と同様とする。

第246条の2　（電子計算機使用詐欺）
　前条に規定するもののほか，人の事務処理に使用する電子計算機に虚偽の情報若しくは不正な指令を与えて財産権の得喪若しくは変更に係る不実の電磁的記録を作り，又は財産権の得喪若しくは変更に係る虚偽の電磁的記録を人の事務処理の用に供して，財産上不法の利益を得，又は他人にこれを得させた者は，10年以下の懲役に処する。

第248条　（準詐欺）
　未成年者の知慮浅薄又は人の心神耗弱

に乗じて，その財物を交付させ，又は財産上不法の利益を得，若しくは他人にこれを得させた者は，10年以下の懲役に処する。

第249条　（恐喝）
① 人を恐喝して財物を交付させた者は，10年以下の懲役に処する。
② 前項の方法により，財産上不法の利益を得，又は他人にこれを得させた者も，同項と同様とする。

第250条　（未遂罪）
この章の罪の未遂は，罰する。

第251条　（準用）
第242条，第244条及び第245条の規定は，この章の罪について準用する。

第39章　盗品等に関する罪

第256条　（盗品譲受け等）
① 盗品その他財産に対する罪に当たる行為によって領得された物を無償で譲り受けた者は，3年以下の懲役に処する。
② 前項に規定する物を運搬し，保管し，若しくは有償で譲り受け，又はその有償の処分のあっせんをした者は，10年以下の懲役及び50万円以下の罰金に処する。

第257条　（親族等の間の犯罪に関する特例）
① 配偶者との間又は直系血族，同居の親族若しくはこれらの者の配偶者との間で前条の罪を犯した者は，その刑を免除する。
② 前項の規定は，親族でない共犯については，適用しない。

第40章　毀棄及び隠匿の罪

第258条　（公用文書等毀棄）
公務所の用に供する文書又は電磁的記録を毀棄した者は，3月以上7年以下の懲役に処する。

第259条　（私用文書等毀棄）
権利又は義務に関する他人の文書又は電磁的記録を毀棄した者は，5年以下の懲役に処する。

第260条　（建造物等損壊及び同致死傷）
他人の建造物又は艦船を損壊した者は，5年以下の懲役に処する。よって人を死傷させた者は，傷害の罪と比較して，重い刑により処断する。

第261条　（器物損壊等）
前三条に規定するもののほか，他人の物を損壊し，又は傷害した者は，3年以下の懲役又は30万円以下の罰金若しくは科料に処する。

第262条　（自己の物の損壊等）
自己の物であっても，差押えを受け，物権を負担し，賃貸し，又は配偶者居住権が設定されたものを損壊し，又は傷害したときは，前三条の例による。

第262条の2　（境界損壊）
境界標を損壊し，移動し，若しくは除去し，又はその他の方法により，土地の境界を認識することができないようにした者は，5年以下の懲役又は50万円以下の罰金に処する。

第263条　（信書隠匿）
他人の信書を隠匿した者は，6月以下の懲役若しくは禁錮又は10万円以下の罰金若しくは科料に処する。

第264条　（親告罪）
第259条，第261条及び前条の罪は，告訴がなければ公訴を提起することができない。

附　則　（略）

所有者不明土地の利用の円滑化等に関する特別措置法（抄）

● 平成30年6月13日法律第49号　　最終改正　令和4年5月9日法律第38号

第1章　総則

第1条（目的）
　この法律は，社会経済情勢の変化に伴い所有者不明土地が増加していることに鑑み，所有者不明土地の利用の円滑化及び管理の適正化並びに土地の所有者の効果的な探索を図るため，国土交通大臣及び法務大臣による基本方針の策定について定めるとともに，地域福利増進事業の実施のための措置，所有者不明土地の収用又は使用に関する土地収用法（昭和26年法律第219号）の特例，土地の所有者等に関する情報の利用及び提供その他の特別の措置を講じ，もって国土の適正かつ合理的な利用に寄与することを目的とする。

第2条（定義）
① この法律において「所有者不明土地」とは，相当な努力が払われたと認められるものとして政令で定める方法により探索を行ってもなおその所有者の全部又は一部を確知することができない一筆の土地をいう。
② この法律において「特定所有者不明土地」とは，所有者不明土地のうち，現に建築物（物置その他の政令で定める簡易な構造の建築物で政令で定める規模未満のもの又はその利用が困難であり，かつ，引き続き利用されないことが確実であると見込まれる建築物として建築物の損傷，腐食その他の劣化の状況，建築時からの経過年数その他の事情を勘案して政令で定める基準に該当するもの（以下「簡易建築物等」という。）を除く。）が存せず，かつ，業務の用その他の特別の用途に供されていない土地をいう。
③ この法律において「地域福利増進事業」とは，次に掲げる事業であって，地域住民その他の者の共同の福祉又は利便の増進を図るために行われるものをいう。
一　道路法（昭和27年法律第180号）による道路，駐車場法（昭和32年法律第106号）による路外駐車場その他一般交通の用に供する施設の整備に関する事業
二　学校教育法（昭和22年法律第26号）による学校又はこれに準ずるその他の教育のための施設の整備に関する事業
三　社会教育法（昭和24年法律第207号）による公民館（同法第42条に規定する公民館に類似する施設を含む。）又は図書館法（昭和25年法律第118号）による図書館（同法第29条に規定する図書館と同種の施設を含む。）の整備に関する事業
四　社会福祉法（昭和26年法律第45号）による社会福祉事業の用に供する施設の整備に関する事業
五　病院，療養所，診療所又は助産所の整備に関する事業
六　公園，緑地，広場又は運動場の整備に関する事業

七 住宅（被災者の居住の用に供するものに限る。）の整備に関する事業であって，災害（発生した日から起算して3年を経過していないものに限る。次号イにおいて同じ。）に際し災害救助法（昭和22年法律第118号）が適用された同法第2条第1項に規定する災害発生市町村の区域内において行われるもの
八 購買施設，教養文化施設その他の施設で地域住民その他の者の共同の福祉又は利便の増進に資するものとして政令で定めるものの整備に関する事業であって，次に掲げる区域内において行われるもの
　イ 災害に際し災害救助法が適用された同法第2条第1項に規定する災害発生市町村の区域
　ロ その周辺の地域において当該施設と同種の施設が著しく不足している区域
九 備蓄倉庫，非常用電気等供給施設（非常用の電気又は熱の供給施設をいう。）その他の施設で災害対策の実施の用に供するものとして政令で定めるものの整備に関する事業
十 再生可能エネルギー電気の利用の促進に関する特別措置法（平成23年法律第108号）による再生可能エネルギー発電設備のうち，地域住民その他の者の共同の福祉又は利便の増進に資するものとして政令で定める要件に適合するものの整備に関する事業
十一 前各号に掲げる事業のほか，土地収用法第3条各号に掲げるもののうち地域住民その他の者の共同の福祉又は利便の増進に資するものとして政令で定めるものの整備に関する事業
十二 前各号に掲げる事業のために欠くことができない通路，材料置場その他の施設の整備に関する事業
④　この法律において「特定登記未了土地」とは，所有権の登記名義人の死亡後に相続登記等（相続による所有権の移転の登記その他の所有権の登記をいう。以下同じ。）がされていない土地であって，土地収用法第3条各号に掲げるものに関する事業（第27条第1項及び第43条第1項において「収用適格事業」という。）を実施しようとする区域の適切な選定その他の公共の利益となる事業の円滑な遂行を図るため当該土地の所有権の登記名義人となり得る者を探索する必要があるものをいう。

第3章　所有者不明土地の利用の円滑化及び管理の適正化のための特別の措置

第1節／地域福利増進事業の実施のための措置

第6条　（特定所有者不明土地への立入り等）

　地域福利増進事業を実施しようとする者は，その準備のため他人の土地（特定所有者不明土地に限る。次条第1項及び第8条第1項において同じ。）又は当該土地にある簡易建築物等その他の工作物に立ち入って測量又は調査を行う必要があるときは，その必要の限度において，当該土地又は工作物に，自ら立ち入り，又はその命じた者若しくは委任した者に立ち入らせることができる。ただし，地域福利増進事業を実施しようとする者が国及び地方公共団体以外の者であるときは，あらかじめ，国土交通省令で定めるところにより，当該土地の所在地を管轄する都道府県知事の許可を受けた場合に限る。

第7条　（障害物の伐採等）

① 前条の規定により他人の土地又は工作物に立ち入って測量又は調査を行う者は，その測量又は調査を行うに当たり，やむ

を得ない必要があって，障害となる植物又は垣，柵その他の工作物（以下「障害物」という。）の伐採又は除去（以下「伐採等」という。）をしようとするときは，国土交通省令で定めるところにより当該障害物の所在地を管轄する都道府県知事の許可を受けて，伐採等をすることができる。この場合において，都道府県知事は，許可を与えようとするときは，あらかじめ，当該障害物の確知所有者（所有者で知れているものをいう。以下同じ。）に対し，意見を述べる機会を与えなければならない。

② 前項の規定により障害物の伐採等をしようとする者は，国土交通省令で定めるところにより，その旨を，伐採等をしようとする日の15日前までに公告するとともに，伐採等をしようとする日の3日前までに当該障害物の確知所有者に通知しなければならない。

③ 第1項の規定により障害物の伐採等をしようとする者は，その現状を著しく損傷しないときは，前二項の規定にかかわらず，国土交通省令で定めるところにより当該障害物の所在地を管轄する都道府県知事の許可を受けて，直ちに伐採等をすることができる。この場合においては，伐採等をした後遅滞なく，国土交通省令で定めるところにより，その旨を，公告するとともに，当該障害物の確知所有者に通知しなければならない。

第8条　（証明書等の携帯）

① 第6条の規定により他人の土地又は工作物に立ち入ろうとする者は，その身分を示す証明書（国及び地方公共団体以外の者にあっては，その身分を示す証明書及び同条ただし書の許可を受けたことを証する書面）を携帯しなければならない。

② 前条第1項又は第3項の規定により障害物の伐採等をしようとする者は，その身分を示す証明書及び同条第1項又は第3項の許可を受けたことを証する書面を携帯しなければならない。

③ 前二項の証明書又は書面は，関係者の請求があったときは，これを提示しなければならない。

第9条　（損失の補償）

① 地域福利増進事業を実施しようとする者は，第6条又は第7条第1項若しくは第3項の規定による行為により他人に損失を与えたときは，その損失を受けた者に対して，通常生ずべき損失を補償しなければならない。

② 前項の規定による損失の補償については，損失を与えた者と損失を受けた者とが協議しなければならない。

③ 前項の規定による協議が成立しないときは，損失を与えた者又は損失を受けた者は，政令で定めるところにより，収用委員会に土地収用法第94条第2項の規定による裁決を申請することができる。

第4節／所有者不明土地の管理に関する民法の特例

第42条

① 国の行政機関の長又は地方公共団体の長（次項及び第5項並びに次条第2項及び第5項において「国の行政機関の長等」という。）は，所有者不明土地につき，その適切な管理のため特に必要があると認めるときは，家庭裁判所に対し，民法（明治29年法律第89号）第25条第1項の規定による命令又は同法第952条第1項の規定による相続財産の清算人の選任の請求をすることができる。

② 国の行政機関の長等は，所有者不明土地につき，その適切な管理のため特に必要があると認めるときは，地方裁判所に対し，民法第264条の2第1項の規定による命令の請求をすることができる。

③ 市町村長は，管理不全所有者不明土地につき，次に掲げる事態の発生を防止す

るため特に必要があると認めるときは，地方裁判所に対し，民法第264条の9第1項の規定による命令の請求をすることができる。
一　当該管理不全所有者不明土地における土砂の流出又は崩壊その他の事象によりその周辺の土地において災害を発生させること。
二　当該管理不全所有者不明土地の周辺の地域において環境を著しく悪化させること。
④　市町村長は，管理不全隣接土地につき，次に掲げる事態の発生を防止するため特に必要があると認めるときは，地方裁判所に対し，民法第264条の9第1項の規定による命令の請求をすることができる。
一　当該管理不全隣接土地及び当該管理不全隣接土地に係る管理不全所有者不明土地における土砂の流出又は崩壊その他の事象によりその周辺の土地において災害を発生させること。
二　当該管理不全隣接土地及び当該管理不全隣接土地に係る管理不全所有者不明土地の周辺の地域において環境を著しく悪化させること。
⑤　国の行政機関の長等は，第2項（市町村長にあっては，前三項）の規定による請求をする場合において，当該請求に係る土地にある建物につき，その適切な管理のため特に必要があると認めるときは，地方裁判所に対し，当該請求と併せて民法第264条の8第1項又は第264条の14第1項の規定による命令の請求をすることができる。

第4章　土地の所有者の効果的な探索のための特別の措置

第1節／土地所有者等関連情報の利用及び提供

第43条
①　都道府県知事及び市町村長は，地域福利増進事業，収用適格事業又は都市計画事業（以下「地域福利増進事業等」という。）の実施の準備のため当該地域福利増進事業等を実施しようとする区域内の土地の土地所有者等（土地又は当該土地にある物件に関し所有権その他の権利を有する者をいう。以下同じ。）を知る必要があるとき，第38条第1項の規定による勧告を行うため当該勧告に係る土地の土地所有者等を知る必要があるとき又は前条の規定による請求を行うため当該請求に係る土地の土地所有者等を知る必要があるときは，当該土地所有者等の探索に必要な限度で，その保有する土地所有者等関連情報（土地所有者等と思料される者に関する情報のうちその者の氏名又は名称，住所その他国土交通省令で定めるものをいう。以下この条において同じ。）を，その保有に当たって特定された利用の目的以外の目的のために内部で利用することができる。
②　都道府県知事及び市町村長は，地域福利増進事業等を実施しようとする者からその準備のため当該地域福利増進事業等を実施しようとする区域内の土地の土地所有者等を知る必要があるとして，当該市町村長以外の市町村長から第38条第1項の規定による勧告を行うため当該勧告に係る土地の土地所有者等を知る必要があるとして，又は国の行政機関の長等から前条の規定による請求を行うため当該請求に係る土地の土地所有者等を知る必要があるとして，土地所有者等関連情報の提供の求めがあったときは，当該土地所有者等の探索に必要な限度で，当該地域福利増進事業等を実施しようとする者，当該市町村長又は当該国の行政機関の長等に対し，土地所有者等関連情報を提供するものとする。
③　前項の場合において，都道府県知事及び市町村長は，国及び地方公共団体以外の者に対し土地所有者等関連情報を提供

しようとするときは，あらかじめ，当該土地所有者等関連情報を提供することについて本人（当該土地所有者等関連情報によって識別される特定の個人をいう。）の同意を得なければならない。ただし，当該都道府県又は市町村の条例に特別の定めがあるときは，この限りでない。
④　前項の同意は，その所在が判明している者に対して求めれば足りる。
⑤　国の行政機関の長等は，地域福利増進事業等の実施の準備のため当該地域福利増進事業等を実施しようとする区域内の土地の土地所有者等を知る必要があるとき，第38条第1項の規定による勧告を行うため当該勧告に係る土地の土地所有者等を知る必要があるとき又は前条の規定による請求を行うため当該請求に係る土地の土地所有者等を知る必要があるときは，当該土地所有者等の探索に必要な限度で，当該土地に工作物を設置している者その他の者に対し，土地所有者等関連情報の提供を求めることができる。

第2節　特定登記未了土地の相続登記等に関する不動産登記法の特例

第44条

①　登記官は，起業者その他の公共の利益となる事業を実施しようとする者からの求めに応じ，当該事業を実施しようとする区域内の土地につきその所有権の登記名義人に係る死亡の事実の有無を調査した場合において，当該土地が特定登記未了土地に該当し，かつ，当該土地につきその所有権の登記名義人の死亡後10年以上30年以内において政令で定める期間を超えて相続登記等がされていないと認めるときは，当該土地の所有権の登記名義人となり得る者を探索した上，職権で，所有権の登記名義人の死亡後長期間にわたり相続登記等がされていない土地である旨その他当該探索の結果を確認するために必要な事項として法務省令で定めるものをその所有権の登記に付記することができる。
②　登記官は，前項の規定による探索により当該土地の所有権の登記名義人となり得る者を知ったときは，その者に対し，当該土地についての相続登記等の申請を勧告することができる。この場合において，登記官は，相当でないと認めるときを除き，相続登記等を申請するために必要な情報を併せて通知するものとする。
③　登記官は，前二項の規定の施行に必要な限度で，関係地方公共団体の長その他の者に対し，第1項の土地の所有権の登記名義人に係る死亡の事実その他当該土地の所有権の登記名義人となり得る者に関する情報の提供を求めることができる。
④　（略）

表題部所有者不明土地の登記及び管理の適正化に関する法律(抄)

●令和元年5月24日法律第15号●　　最終改正　令和3年4月28日法24号

第1章　総則

第1条　(目的)

　この法律は,表題部所有者不明土地の登記及び管理の適正化を図るため,登記官による表題部所有者不明土地の所有者等の探索及び当該探索の結果に基づく表題部所有者の登記並びに所有者等特定不能土地及び特定社団等帰属土地の管理に関する措置を講ずることにより,表題部所有者不明土地に係る権利関係の明確化及びその適正な利用を促進し,もって国民経済の健全な発展及び国民生活の向上に寄与することを目的とする。

第2条　(定義)

① この法律において「表題部所有者不明土地」とは,所有権(その共有持分を含む。次項において同じ。)の登記がない一筆の土地のうち,表題部に所有者の氏名又は名称及び住所の全部又は一部が登記されていないもの(国,地方公共団体その他法務省令で定める者が所有していることが登記記録上明らかであるものを除く。)をいう。

② この法律において「所有者等」とは,所有権が帰属し,又は帰属していた自然人又は法人(法人でない社団又は財団(以下「法人でない社団等」という。)を含む。)をいう。

③ この法律において「所有者等特定不能土地」とは,第15条第1項第4号イに定める登記がある表題部所有者不明土地(表題部所有者不明土地の共有持分について当該登記がされている場合にあっては,その共有持分)をいう。

④ この法律において「特定社団等帰属土地」とは,第15条第1項第4号ロに定める登記がある表題部所有者不明土地(表題部所有者不明土地の共有持分について当該登記がされている場合にあっては,その共有持分)であって,現に法人でない社団等に属するものをいう。

⑤ この法律において「登記記録」,「表題部」又は「表題部所有者」とは,それぞれ不動産登記法(平成16年法律第123号)第2条第5号,第7号又は第10号に規定する登記記録,表題部又は表題部所有者をいう。

第2章　表題部所有者不明土地の表題部所有者の登記

第1節／登記官による所有者等の探索

第3条　(所有者等の探索の開始)

① 登記官は,表題部所有者不明土地(第15条第1項第4号に定める登記があるものを除く。以下この章において同じ。)について,当該表題部所有者不明土地の利用の現況,当該表題部所有者不明土地の周辺の地域の自然的社会的諸条件及び当該地域における他の表題部所有者不明土地の分布状況その他の事情を考慮して,表題部所有者不明土地の登記の適正化を

図る必要があると認めるときは、職権で、その所有者等の探索を行うものとする。
② 登記官は、前項の探索を行おうとするときは、あらかじめ、法務省令で定めるところにより、その旨その他法務省令で定める事項を公告しなければならない。

第4条 （意見又は資料の提出）
　前条第2項の規定による公告があったときは、利害関係人は、登記官に対し、表題部所有者不明土地の所有者等について、意見又は資料を提出することができる。この場合において、登記官が意見又は資料を提出すべき相当の期間を定め、かつ、法務省令で定めるところによりその旨を公告したときは、その期間内にこれを提出しなければならない。

第5条 （登記官による調査）
　登記官は、第3条第1項の探索のため、表題部所有者不明土地又はその周辺の地域に所在する土地の実地調査をすること、表題部所有者不明土地の所有者、占有者その他の関係者からその知っている事実を聴取し又は資料の提出を求めることその他表題部所有者不明土地の所有者等の探索のために必要な調査をすることができる。

第6条 （立入調査）
① 法務局又は地方法務局の長は、登記官が前条の規定により表題部所有者不明土地又はその周辺の地域に所在する土地の実地調査をする場合において、必要があると認めるときは、その必要の限度において、登記官に、他人の土地に立ち入らせることができる。
② 法務局又は地方法務局の長は、前項の規定により登記官を他人の土地に立ち入らせようとするときは、あらかじめ、その旨並びにその日時及び場所を当該土地の占有者に通知しなければならない。

③ 第1項の規定により宅地又は垣、柵等で囲まれた他人の占有する土地に立ち入ろうとする登記官は、その立入りの際、あらかじめ、その旨を当該土地の占有者に告げなければならない。
④ 日出前及び日没後においては、土地の占有者の承諾があった場合を除き、前項に規定する土地に立ち入ってはならない。
⑤ 土地の占有者は、正当な理由がない限り、第1項の規定による立入りを拒み、又は妨げてはならない。
⑥ 第1項の規定による立入りをする場合には、登記官は、その身分を示す証明書を携帯し、関係者の請求があったときは、これを提示しなければならない。
⑦ 国は、第1項の規定による立入りによって損失を受けた者があるときは、その損失を受けた者に対して、通常生ずべき損失を補償しなければならない。

第7条 （調査の嘱託）
　登記官は、表題部所有者不明土地の関係者が遠隔の地に居住しているとき、その他相当と認めるときは、他の登記所の登記官に第5条の調査を嘱託することができる。

第8条 （情報の提供の求め）
　登記官は、第3条第1項の探索のために必要な限度で、関係地方公共団体の長その他の者に対し、表題部所有者不明土地の所有者等に関する情報の提供を求めることができる。

第2節／所有者等探索委員による調査

第9条 （所有者等探索委員）
① 法務局及び地方法務局に、第3条第1項の探索のために必要な調査をさせ、登記官に意見を提出させるため、所有者等探索委員若干人を置く。
② 所有者等探索委員は、前項の職務を行うのに必要な知識及び経験を有する者の

うちから，法務局又は地方法務局の長が任命する。
③　所有者等探索委員の任期は，2年とする。
④　所有者等探索委員は，再任されることができる。
⑤　所有者等探索委員は，非常勤とする。

第10条　（所有者等探索委員の解任）
　法務局又は地方法務局の長は，所有者等探索委員が次の各号のいずれかに該当するときは，その所有者等探索委員を解任することができる。
一　心身の故障のため職務の執行に堪えないと認められるとき。
二　職務上の義務違反その他所有者等探索委員たるに適しない非行があると認められるとき。

第11条　（所有者等探索委員による調査等）
①　登記官は，第3条第1項の探索を行う場合において，必要があると認めるときは，所有者等探索委員に必要な調査をさせることができる。
②　前項の規定により調査を行うべき所有者等探索委員は，法務局又は地方法務局の長が指定する。
③　法務局又は地方法務局の長は，その職員に，第1項の調査を補助させることができる。

第12条　（所有者等探索委員による調査への準用）
　第5条及び第6条の規定は，所有者等探索委員による前条第1項の調査について準用する。この場合において，第6条第1項中「登記官に」とあるのは「所有者等探索委員又は第11条第3項の職員（以下この条において「所有者等探索委員等」という。）に」と，同条第2項，第3項及び第6項中「登記官」とあるのは「所有者等探索委員等」と読み替えるものとする。

第13条　（所有者等探索委員の意見の提出）
　所有者等探索委員は，第11条第1項の調査を終了したときは，遅滞なく，登記官に対し，その意見を提出しなければならない。

第3節／所有者等の特定及び表題部所有者の登記

第14条　（所有者等の特定）
①　登記官は，前二節の規定による探索（次節において「所有者等の探索」という。）により得られた情報の内容その他の事情を総合的に考慮して，当該探索に係る表題部所有者不明土地が第1号から第3号までのいずれに該当するかの判断（第1号又は第3号にあっては，表題部所有者として登記すべき者（表題部所有者不明土地の所有者等のうち，表題部所有者として登記することが適当である者をいう。以下同じ。）の氏名又は名称及び住所の特定を含む。）をするとともに，第4号に掲げる場合には，その事由が同号イ又はロのいずれに該当するかの判断をするものとする。この場合において，当該表題部所有者不明土地が数人の共有に属し，かつ，その共有持分の特定をすることができるときは，当該共有持分についても特定をするものとする。
一　当該表題部所有者不明土地の表題部所有者として登記すべき者があるとき（当該表題部所有者不明土地が数人の共有に属する場合にあっては，全ての共有持分について表題部所有者として登記すべき者があるとき。）。
二　当該表題部所有者不明土地の表題部所有者として登記すべき者がないとき（当該表題部所有者不明土地が数人の共有に属する場合にあっては，全ての共有持分について表題部所有者として登記すべき者がないとき。）。

三　当該表題部所有者不明土地が数人の共有に属する場合において，表題部所有者として登記すべき者がない共有持分があるとき（前号に掲げる場合を除く。）。
四　前二号のいずれかに該当する場合において，その事由が次のいずれかに該当するとき。
　イ　当該表題部所有者不明土地（当該表題部所有者不明土地が数人の共有に属する場合にあっては，その共有持分。ロにおいて同じ。）の所有者等を特定することができなかったこと。
　ロ　当該表題部所有者不明土地の所有者等を特定することができた場合であって，当該表題部所有者不明土地が法人でない社団等に属するとき又は法人でない社団等に属していたとき（当該法人でない社団等以外の所有者等に属するときを除く。）において，表題部所有者として登記すべき者を特定することができないこと。
② 登記官は，前項の判断（同項の特定を含む。以下この章において「所有者等の特定」という。）をしたときは，その理由その他法務省令で定める事項を記載し，又は記録した書面又は電磁的記録（電子的方式，磁気的方式その他人の知覚によっては認識することができない方式で作られる記録をいう。）を作成しなければならない。

第15条　（表題部所有者の登記）
① 登記官は，所有者等の特定をしたときは，当該所有者等の特定に係る表題部所有者不明土地につき，職権で，遅滞なく，表題部所有者の登記を抹消しなければならない。この場合において，登記官は，不動産登記法第27条第3号の規定にかかわらず，当該表題部所有者不明土地の表題部に，次の各号に掲げる所有者等の特定の区分に応じ，当該各号に定める事項を登記するものとする。
一　前条第1項第1号に掲げる場合　当該表題部所有者不明土地の表題部所有者として登記すべき者の氏名又は名称及び住所（同項後段の特定をした場合にあっては，その共有持分を含む。）
二　前条第1項第2号に掲げる場合　その旨（同項後段の特定をした場合にあっては，その共有持分を含む。）
三　前条第1項第3号に掲げる場合　当該表題部所有者不明土地の表題部所有者として登記すべき者がある共有持分についてはその者の氏名又は名称及び住所（同項後段の特定をした場合にあっては，その共有持分を含む。），表題部所有者として登記すべき者がない共有持分についてはその旨（同項後段の特定をした場合にあっては，その共有持分を含む。）
四　前条第1項第4号に掲げる場合　次のイ又はロに掲げる同号の事由の区分に応じ，当該イ又はロに定める事項
　イ　前条第1項第4号イに掲げる場合　その旨
　ロ　前条第1項第4号ロに掲げる場合　その旨
② 登記官は，前項の規定による登記をしようとするときは，あらかじめ，法務省令で定めるところにより，その旨その他法務省令で定める事項を公告しなければならない。

第16条　（登記後の公告）
登記官は，前条第1項の規定による登記をしたときは，遅滞なく，法務省令で定めるところにより，その旨その他法務省令で定める事項を公告しなければならない。

第4節／雑則

第17条（所有者等の探索の中止）
　登記官は，表題部所有者不明土地に関する権利関係について訴訟が係属しているとき，その他相当でないと認めるときは，前三節の規定にかかわらず，表題部所有者不明土地に係る所有者等の探索，所有者等の特定及び登記に係る手続を中止することができる。この場合においては，法務省令で定めるところにより，その旨その他法務省令で定める事項を公告しなければならない。

第18条（法務省令への委任）
　この章に定めるもののほか，表題部所有者不明土地に係る所有者等の探索，所有者等の特定及び登記に関し必要な事項は，法務省令で定める。

第3章　所有者等特定不能土地の管理

第19条（特定不能土地等管理命令）
① 裁判所は，所有者等特定不能土地について，必要があると認めるときは，利害関係人の申立てにより，その申立てに係る所有者等特定不能土地を対象として，特定不能土地等管理者（次条第1項に規定する特定不能土地等管理者をいう。第5項において同じ。）による管理を命ずる処分（以下「特定不能土地等管理命令」という。）をすることができる。
② 前項の申立てを却下する裁判には，理由を付さなければならない。
③ 裁判所は，特定不能土地等管理命令を変更し，又は取り消すことができる。
④ 特定不能土地等管理命令及び前項の規定による決定に対しては，利害関係人に限り，即時抗告をすることができる。
⑤ 特定不能土地等管理命令は，特定不能土地等管理命令が発令された後に当該特定不能土地等管理命令が取り消された場合において，所有者等特定不能土地の管理，処分その他の事由により特定不能土地等管理者が得た財産について，必要があると認めるときも，することができる。

第20条（特定不能土地等管理者の選任等）
① 裁判所は，特定不能土地等管理命令をする場合には，当該特定不能土地等管理命令において，特定不能土地等管理者を選任しなければならない。
② 前項の規定による特定不能土地等管理者の選任の裁判に対しては，不服を申し立てることができない。
③ 特定不能土地等管理命令があった場合には，裁判所書記官は，職権で，遅滞なく，特定不能土地等管理命令の対象とされた所有者等特定不能土地について，特定不能土地等管理命令の登記を嘱託しなければならない。
④ 特定不能土地等管理命令を取り消す裁判があったときは，裁判所書記官は，職権で，遅滞なく，特定不能土地等管理命令の登記の抹消を嘱託しなければならない。

第21条（特定不能土地等管理者の権限）
① 前条第1項の規定により特定不能土地等管理者が選任された場合には，特定不能土地等管理命令の対象とされた所有者等特定不能土地及びその管理，処分その他の事由により特定不能土地等管理者が得た財産（以下「所有者等特定不能土地等」という。）の管理及び処分をする権利は，特定不能土地等管理者に専属する。
② 特定不能土地等管理者が次に掲げる行為の範囲を超える行為をするには，裁判所の許可を得なければならない。
　一　保存行為
　二　所有者等特定不能土地等の性質を変えない範囲内において，その利用又は改良を目的とする行為
③ 前項の規定に違反して行った特定不能

土地等管理者の行為は，無効とする。ただし，特定不能土地等管理者は，これをもって善意の第三者に対抗することができない。
④ 特定不能土地等管理者は，第2項の許可の申立てをする場合には，その許可を求める理由を疎明しなければならない。
⑤ 第2項の許可の申立てを却下する裁判には，理由を付さなければならない。
⑥ 第2項の規定による許可の裁判に対しては，不服を申し立てることができない。

第22条 （所有者等特定不能土地等の管理）
　特定不能土地等管理者は，就職の後直ちに特定不能土地等管理命令の対象とされた所有者等特定不能土地等の管理に着手しなければならない。

第23条 （特定不能土地等管理命令が発せられた場合の所有者等特定不能土地等に関する訴えの取扱い）
① 特定不能土地等管理命令が発せられた場合には，所有者等特定不能土地等に関する訴えについては，特定不能土地等管理者を原告又は被告とする。
② 特定不能土地等管理命令が発せられた場合には，当該特定不能土地等管理命令の対象とされた所有者等特定不能土地等に関する訴訟手続で当該所有者等特定不能土地等の所有者（所有権（その共有持分を含む。）が帰属する自然人又は法人（法人でない社団等を含む。）をいう。以下この章において同じ。）を当事者とするものは，中断する。
③ 前項の規定により中断した訴訟手続は，特定不能土地等管理者においてこれを受け継ぐことができる。この場合においては，受継の申立ては，相手方もすることができる。
④ 特定不能土地等管理命令が取り消されたときは，特定不能土地等管理者を当事者とする所有者等特定不能土地等に関する訴訟手続は，中断する。
⑤ 所有者等特定不能土地等の所有者は，前項の規定により中断した訴訟手続を受け継がなければならない。この場合においては，受継の申立ては，相手方もすることができる。

第24条 （特定不能土地等管理者の義務）
① 特定不能土地等管理者は，特定不能土地等管理命令の対象とされた所有者等特定不能土地等の所有者のために，善良な管理者の注意をもって，第21条第1項の権限を行使しなければならない。
② 特定不能土地等管理者は，特定不能土地等管理命令の対象とされた所有者等特定不能土地等の所有者のために，誠実かつ公平に第21条第1項の権限を行使しなければならない。

第29条 （特定不能土地等管理命令の取消し）
① 裁判所は，特定不能土地等管理者が管理すべき財産がなくなったとき（特定不能土地等管理者が管理すべき財産の全部が前条第1項の規定により供託されたときを含む。），その他特定不能土地等管理命令の対象とされた所有者等特定不能土地等の管理を継続することが相当でなくなったときは，特定不能土地等管理者若しくは利害関係人の申立てにより又は職権で，特定不能土地等管理命令を取り消さなければならない。
② 特定不能土地等管理命令の対象とされた所有者等特定不能土地等の所有者が当該所有者等特定不能土地等の所有権（その共有持分を含む。）が自己に帰属することを証明したときは，裁判所は，当該所有者の申立てにより，特定不能土地等管理命令を取り消さなければならない。
③ 前項の規定により当該特定不能土地等管理命令が取り消されたときは，特定不能土地等管理者は，当該所有者に対し，

その事務の経過及び結果を報告し、当該所有者等特定不能土地等を引き渡さなければならない。

④　第1項又は第2項の規定による決定に対しては、利害関係人に限り、即時抗告をすることができる。

第4章　特定社団等帰属土地の管理

第30条

①　裁判所は、特定社団等帰属土地について、当該特定社団等帰属土地が帰属する法人でない社団等の代表者又は管理人が選任されておらず、かつ、当該法人でない社団等の全ての構成員を特定することができず、又はその所在が明らかでない場合において、必要があると認めるときは、利害関係人の申立てにより、その申立てに係る特定社団等帰属土地を対象として、特定社団等帰属土地等管理者による管理を命ずる処分（次項において「特定社団等帰属土地等管理命令」という。）をすることができる。

②　前章（第19条第1項を除く。）の規定は、特定社団等帰属土地等管理命令について準用する。この場合において、同条第2項中「前項」とあるのは「第30条第1項」と、第21条第1項及び第2項第2号、第22条、第23条（第3項を除く。）、第24条、第26条第1項、第27条第1項、第28条第1項並びに前条第1項及び第3項中「所有者等特定不能土地等」とあるのは「特定社団等帰属土地等」と、第23条第2項中「自然人又は法人（法人でない社団等を含む。）」とあるのは「法人でない社団等」と、前条第2項中「所有者等特定不能土地等の所有者」とあるのは「特定社団等帰属土地等の所有者」と、「所有者等特定不能土地等の所有権（その共有持分を含む。）が自己に帰属すること」とあるのは「特定社団等帰属土地等が帰属する法人でない社団等の代表者又は管理人が選任されたこと」と読み替えるものとする。

第6章　罰則

第34条

　第6条第5項（第12条において準用する場合を含む。）の規定に違反して、第6条第1項（第12条において準用する場合を含む。）の規定による立入りを拒み、又は妨げた者は、30万円以下の罰金に処する。

第35条

　法人の代表者又は法人若しくは人の代理人、使用人その他の従業者が、その法人又は人の業務に関し、前条の違反行為をしたときは、行為者を罰するほか、その法人又は人に対しても、同条の刑を科する。

附　則　（省略）

◆訴訟法関係◆

- ○行政手続法（抄）
- ○行政手続法施行令（抄）
- ○行政不服審査法
- ○行政事件訴訟法（抄）
- ○民事訴訟法（抄）
- ○民事訴訟規則（抄）
- ○仲裁法（抄）
- ○破産法（抄）
- ○裁判外紛争解決手続の利用の促進に関する法律（抄）
- ○裁判外紛争解決手続の利用の促進に関する法律施行令（抄）
- ○裁判外紛争解決手続の利用の促進に関する法律施行規則（抄）

行政手続法（抄）

●平成5年11月12日法律第88号●　最終改正　令和6年6月26日法65号

第1章　総則

第1条　（目的等）

① この法律は，処分，行政指導及び届出に関する手続並びに命令等を定める手続に関し，共通する事項を定めることによって，行政運営における公正の確保と透明性（行政上の意思決定について，その内容及び過程が国民にとって明らかであることをいう。第46条において同じ。）の向上を図り，もって国民の権利利益の保護に資することを目的とする。

② 処分，行政指導及び届出に関する手続並びに命令等を定める手続に関しこの法律に規定する事項について，他の法律に特別の定めがある場合は，その定めるところによる。

第2条　（定義）

この法律において，次の各号に掲げる用語の意義は，当該各号に定めるところによる。

一　法令　法律，法律に基づく命令（告示を含む。），条例及び地方公共団体の執行機関の規則（規程を含む。以下「規則」という。）をいう。

二　処分　行政庁の処分その他公権力の行使に当たる行為をいう。

三　申請　法令に基づき，行政庁の許可，認可，免許その他の自己に対し何らかの利益を付与する処分（以下「許認可等」という。）を求める行為であって，当該行為に対して行政庁が諾否の応答をすべきこととされているものをいう。

四　不利益処分　行政庁が，法令に基づき，特定の者を名あて人として，直接に，これに義務を課し，又はその権利を制限する処分をいう。ただし，次のいずれかに該当するものを除く。

イ　事実上の行為及び事実上の行為をするに当たりその範囲，時期等を明らかにするために法令上必要とされている手続としての処分

ロ　申請により求められた許認可等を拒否する処分その他申請に基づき当該申請をした者を名あて人としてされる処分

ハ　名あて人となるべき者の同意の下にすることとされている処分

ニ　許認可等の効力を失わせる処分であって，当該許認可等の基礎となった事実が消滅した旨の届出があったことを理由としてされるもの

五～八　（略）

第3章　不利益処分

第1節／通則

第12条　（処分の基準）

① 行政庁は，処分基準を定め，かつ，これを公にしておくよう努めなければならない。

② 行政庁は，処分基準を定めるに当たっては，不利益処分の性質に照らしてできる限り具体的なものとしなければならない。

第13条　（不利益処分をしようとする場合の手続）

① 行政庁は，不利益処分をしようとする場合には，次の各号の区分に従い，この章の定めるところにより，当該不利益処分の名あて人となるべき者について，当該各号に定める意見陳述のための手続を執らなければならない。
　一　次のいずれかに該当するとき　聴聞
　　イ　許認可等を取り消す不利益処分をしようとするとき。
　　ロ　イに規定するもののほか，名あて人の資格又は地位を直接にはく奪する不利益処分をしようとするとき。
　　ハ　名あて人が法人である場合におけるその役員の解任を命ずる不利益処分，名あて人の業務に従事する者の解任を命ずる不利益処分又は名あて人の会員である者の除名を命ずる不利益処分をしようとするとき。
　　ニ　イからハまでに掲げる場合以外の場合であって行政庁が相当と認めるとき。
　二　前号イからニまでのいずれにも該当しないとき　弁明の機会の付与
② 次の各号のいずれかに該当するときは，前項の規定は，適用しない。
　一　公益上，緊急に不利益処分をする必要があるため，前項に規定する意見陳述のための手続を執ることができないとき。
　二　法令上必要とされる資格がなかったこと又は失われるに至ったことが判明した場合に必ずすることとされている不利益処分であって，その資格の不存在又は喪失の事実が裁判所の判決書又は決定書，一定の職に就いたことを証する当該任命権者の書類その他の客観的な資料により直接証明されたものをしようとするとき。
　三　施設若しくは設備の設置，維持若しくは管理又は物の製造，販売その他の取扱いについて遵守すべき事項が法令において技術的な基準をもって明確に

されている場合において，専ら当該基準が充足されていないことを理由として当該基準に従うべきことを命ずる不利益処分であってその不充足の事実が計測，実験その他客観的な認定方法によって確認されたものをしようとするとき。
　四　納付すべき金銭の額を確定し，一定の額の金銭の納付を命じ，又は金銭の給付決定の取消しその他の金銭の給付を制限する不利益処分をしようとするとき。
　五　当該不利益処分の性質上，それによって課される義務の内容が著しく軽微なものであるため名あて人となるべき者の意見をあらかじめ聴くことを要しないものとして政令で定める処分をしようとするとき。

第14条　（不利益処分の理由の提示）
① 行政庁は，不利益処分をする場合には，その名あて人に対し，同時に，当該不利益処分の理由を示さなければならない。ただし，当該理由を示さないで処分をすべき差し迫った必要がある場合は，この限りでない。
② 行政庁は，前項ただし書の場合においては，当該名あて人の所在が判明しなくなったときその他処分後において理由を示すことが困難な事情があるときを除き，処分後相当の期間内に，同項の理由を示さなければならない。
③ 不利益処分を書面でするときは，前二項の理由は，書面により示さなければならない。

第2節／聴聞

第15条　（聴聞の通知の方式）
① 行政庁は，聴聞を行うに当たっては，聴聞を行うべき期日までに相当な期間をおいて，不利益処分の名あて人となるべき者に対し，次に掲げる事項を書面によ

り通知しなければならない。
一　予定される不利益処分の内容及び根拠となる法令の条項
二　不利益処分の原因となる事実
三　聴聞の期日及び場所
四　聴聞に関する事務を所掌する組織の名称及び所在地
② 前項の書面においては，次に掲げる事項を教示しなければならない。
一　聴聞の期日に出頭して意見を述べ，及び証拠書類又は証拠物（以下「証拠書類等」という。）を提出し，又は聴聞の期日への出頭に代えて陳述書及び証拠書類等を提出することができること。
二　聴聞が終結する時までの間，当該不利益処分の原因となる事実を証する資料の閲覧を求めることができること。
③ 行政庁は，不利益処分の名あて人となるべき者の所在が判明しない場合においては，第1項の規定による通知を，その者の氏名，同項第3号及び第4号に掲げる事項並びに当該行政庁が同項各号に掲げる事項を記載した書面をいつでもその者に交付する旨を当該行政庁の事務所の掲示場に掲示することによって行うことができる。この場合においては，掲示を始めた日から2週間を経過したときに，当該通知がその者に到達したものとみなす。

第16条　（代理人）
① 前条第1項の通知を受けた者（同条第3項後段の規定により当該通知が到達したものとみなされる者を含む。以下「当事者」という。）は，代理人を選任することができる。
② 代理人は，各自，当事者のために，聴聞に関する一切の行為をすることができる。
③ 代理人の資格は，書面で証明しなければならない。
④ 代理人がその資格を失ったときは，当該代理人を選任した当事者は，書面でその旨を行政庁に届け出なければならない。

第17条　（参加人）
① 第19条の規定により聴聞を主宰する者（以下「主宰者」という。）は，必要があると認めるときは，当事者以外の者であって当該不利益処分の根拠となる法令に照らし当該不利益処分につき利害関係を有するものと認められる者（同条第2項第6号において「関係人」という。）に対し，当該聴聞に関する手続に参加することを求め，又は当該聴聞に関する手続に参加することを許可することができる。
② 前項の規定により当該聴聞に関する手続に参加する者（以下「参加人」という。）は，代理人を選任することができる。
③ 前条第2項から第4項までの規定は，前項の代理人について準用する。この場合において，同条第2項及び第4項中「当事者」とあるのは，「参加人」と読み替えるものとする。

第18条　（文書等の閲覧）
① 当事者及び当該不利益処分がされた場合に自己の利益を害されることとなる参加人（以下この条及び第24条第3項において「当事者等」という。）は，聴聞の通知があった時から聴聞が終結する時までの間，行政庁に対し，当該事案についてした調査の結果に係る調書その他の当該不利益処分の原因となる事実を証する資料の閲覧を求めることができる。この場合において，行政庁は，第三者の利益を害するおそれがあるときその他正当な理由があるときでなければ，その閲覧を拒むことができない。
② 前項の規定は，当事者等が聴聞の期日における審理の進行に応じて必要となった資料の閲覧を更に求めることを妨げない。

③ 行政庁は，前二項の閲覧について日時及び場所を指定することができる。

第19条 （聴聞の主宰）
① 聴聞は，行政庁が指名する職員その他政令で定める者が主宰する。
② 次の各号のいずれかに該当する者は，聴聞を主宰することができない。
　一　当該聴聞の当事者又は参加人
　二　前号に規定する者の配偶者，四親等内の親族又は同居の親族
　三　第1号に規定する者の代理人又は次条第3項に規定する補佐人
　四　前三号に規定する者であった者
　五　第1号に規定する者の後見人，後見監督人，保佐人，保佐監督人，補助人又は補助監督人
　六　参加人以外の関係人

第20条 （聴聞の期日における審理の方式）
① 主宰者は，最初の聴聞の期日の冒頭において，行政庁の職員に，予定される不利益処分の内容及び根拠となる法令の条項並びにその原因となる事実を聴聞の期日に出頭した者に対し説明させなければならない。
② 当事者又は参加人は，聴聞の期日に出頭して，意見を述べ，及び証拠書類等を提出し，並びに主宰者の許可を得て行政庁の職員に対し質問を発することができる。
③ 前項の場合において，当事者又は参加人は，主宰者の許可を得て，補佐人とともに出頭することができる。
④ 主宰者は，聴聞の期日において必要があると認めるときは，当事者若しくは参加人に対し質問を発し，意見の陳述若しくは証拠書類等の提出を促し，又は行政庁の職員に対し説明を求めることができる。
⑤ 主宰者は，当事者又は参加人の一部が出頭しないときであっても，聴聞の期日における審理を行うことができる。
⑥ 聴聞の期日における審理は，行政庁が公開することを相当と認めるときを除き，公開しない。

第21条 （陳述書等の提出）
① 当事者又は参加人は，聴聞の期日への出頭に代えて，主宰者に対し，聴聞の期日までに陳述書及び証拠書類等を提出することができる。
② 主宰者は，聴聞の期日に出頭した者に対し，その求めに応じて，前項の陳述書及び証拠書類等を示すことができる。

第22条 （続行期日の指定）
① 主宰者は，聴聞の期日における審理の結果，なお聴聞を続行する必要があると認めるときは，さらに新たな期日を定めることができる。
② 前項の場合においては，当事者及び参加人に対し，あらかじめ，次回の聴聞の期日及び場所を書面により通知しなければならない。ただし，聴聞の期日に出頭した当事者及び参加人に対しては，当該聴聞の期日においてこれを告知すれば足りる。
③ 第15条第3項の規定は，前項本文の場合において，当事者又は参加人の所在が判明しないときにおける通知の方法について準用する。この場合において，同条第3項中「不利益処分の名あて人となるべき者」とあるのは「当事者又は参加人」と，「掲示を始めた日から2週間を経過したとき」とあるのは「掲示を始めた日から2週間を経過したとき（同一の当事者又は参加人に対する2回目以降の通知にあっては，掲示を始めた日の翌日）」と読み替えるものとする。

第23条 （当事者の不出頭等の場合における聴聞の終結）
① 主宰者は，当事者の全部若しくは一部

が正当な理由なく聴聞の期日に出頭せず、かつ、第21条第1項に規定する陳述書若しくは証拠書類等を提出しない場合、又は参加人の全部若しくは一部が聴聞の期日に出頭しない場合には、これらの者に対し改めて意見を述べ、及び証拠書類等を提出する機会を与えることなく、聴聞を終結することができる。

② 主宰者は、前項に規定する場合のほか、当事者の全部又は一部が聴聞の期日に出頭せず、かつ、第21条第1項に規定する陳述書又は証拠書類等を提出しない場合において、これらの者の聴聞の期日への出頭が相当期間引き続き見込めないときは、これらの者に対し、期限を定めて陳述書及び証拠書類等の提出を求め、当該期限が到来したときに聴聞を終結することとすることができる。

第24条　（聴聞調書及び報告書）

① 主宰者は、聴聞の審理の経過を記載した調書を作成し、当該調書において、不利益処分の原因となる事実に対する当事者及び参加人の陳述の要旨を明らかにしておかなければならない。

② 前項の調書は、聴聞の期日における審理が行われた場合には各期日ごとに、当該審理が行われなかった場合には聴聞の終結後速やかに作成しなければならない。

③ 主宰者は、聴聞の終結後速やかに、不利益処分の原因となる事実に対する当事者等の主張に理由があるかどうかについての意見を記載した報告書を作成し、第1項の調書とともに行政庁に提出しなければならない。

④ 当事者又は参加人は、第1項の調書及び前項の報告書の閲覧を求めることができる。

第25条　（聴聞の再開）

行政庁は、聴聞の終結後に生じた事情にかんがみ必要があると認めるときは、主宰者に対し、前条第3項の規定により提出された報告書を返戻して聴聞の再開を命ずることができる。第22条第2項本文及び第3項の規定は、この場合について準用する。

第26条　（聴聞を経てされる不利益処分の決定）

行政庁は、不利益処分の決定をするときは、第24条第1項の調書の内容及び同条第3項の報告書に記載された主宰者の意見を十分に参酌してこれをしなければならない。

第27条　（審査請求の制限）

この節の規定に基づく処分又はその不作為については、審査請求をすることができない。

第28条　（役員等の解任等を命ずる不利益処分をしようとする場合の聴聞等の特例）

① 第13条第1項第1号ハに該当する不利益処分に係る聴聞において第15条第1項の通知があった場合におけるこの節の規定の適用については、名あて人である法人の役員、名あて人の業務に従事する者又は名あて人の会員である者（当該処分において解任し又は除名すべきこととされている者に限る。）は、同項の通知を受けた者とみなす。

② 前項の不利益処分のうち名あて人である法人の役員又は名あて人の業務に従事する者（以下この項において「役員等」という。）の解任を命ずるものに係る聴聞が行われた場合においては、当該処分にその名あて人が従わないことを理由として法令の規定によりされる当該役員等を解任する不利益処分については、第13条第1項の規定にかかわらず、行政庁は、当該役員等について聴聞を行うことを要しない。

第3節／弁明の機会の付与

第29条 （弁明の機会の付与の方式）
① 弁明は，行政庁が口頭ですることを認めたときを除き，弁明を記載した書面（以下「弁明書」という。）を提出してするものとする。
② 弁明をするときは，証拠書類等を提出することができる。

第30条 （弁明の機会の付与の通知の方式）
行政庁は，弁明書の提出期限（口頭による弁明の機会の付与を行う場合には，その日時）までに相当な期間をおいて，不利益処分の名あて人となるべき者に対し，次に掲げる事項を書面により通知しなければならない。
一 予定される不利益処分の内容及び根拠となる法令の条項
二 不利益処分の原因となる事実
三 弁明書の提出先及び提出期限（口頭による弁明の機会の付与を行う場合には，その旨並びに出頭すべき日時及び場所）

第31条 （聴聞に関する手続の準用）
第15条第3項及び第16条の規定は，弁明の機会の付与について準用する。この場合において，第15条第3項中「第1項」とあるのは「第30条」と，「同項第3号及び第4号」とあるのは「同条第3号」と，第16条第1項中「前条第1項」とあるのは「第30条」と，「同条第3項後段」とあるのは「第31条において準用する第15条第3項後段」と読み替えるものとする。

附 則 （略）

行政手続法施行令（抄）

●平成6年8月5日政令第265号●　　最終改正　令和4年3月31日政令171号

第1条　（申請に対する処分及び不利益処分に関する規定の適用が除外される法人）

　行政手続法（以下「法」という。）第4条第2項第2号の政令で定める法人は，外国人技能実習機構，危険物保安技術協会，行政書士会，漁業共済組合連合会，軽自動車検査協会，健康保険組合，健康保険組合連合会，原子力損害賠償・廃炉等支援機構，広域的運営推進機関，広域臨海環境整備センター，港務局，小型船舶検査機構，国民健康保険組合，国民健康保険団体連合会，国民年金基金，国民年金基金連合会，国家公務員共済組合，国家公務員共済組合連合会，市街地再開発組合，自動車安全運転センター，司法書士会，社会保険労務士会，住宅街区整備組合，商工会連合会，水害予防組合，水害予防組合連合，税理士会，石炭鉱業年金基金，全国健康保険協会，全国市町村職員共済組合連合会，全国社会保険労務士会連合会，地方公務員共済組合，地方公務員共済組合連合会，地方公務員災害補償基金，地方住宅供給公社，地方道路公社，地方独立行政法人，中央職業能力開発協会，中央労働災害防止協会，中小企業団体中央会，土地開発公社，土地改良区，土地改良区連合，土地家屋調査士会，土地区画整理組合，都道府県職業能力開発協会，日本行政書士会連合会，日本銀行，日本下水道事業団，日本公認会計士協会，日本司法書士会連合会，日本商工会議所，日本税理士会連合会，日本赤十字社，日本土地家屋調査士会連合会，日本弁理士会，日本水先人会連合会，農業共済組合，農業共済組合連合会，農水産業協同組合貯金保険機構，防災街区整備事業組合，水先人会，預金保険機構及び労働災害防止協会とする。

第2条　（不利益処分をしようとする場合の手続を要しない処分）

　法第13条第2項第5号の政令で定める処分は，次に掲げる処分とする。

一　法令の規定により行政庁が交付する書類であって交付を受けた者の資格又は地位を証明するもの（以下この号において「証明書類」という。）について，法令の規定に従い，既に交付した証明書類の記載事項の訂正（追加を含む。以下この号において同じ。）をするためにその提出を命ずる処分及び訂正に代えて新たな証明書類の交付をする場合に既に交付した証明書類の返納を命ずる処分

二　届出をする場合に提出することが義務付けられている書類について，法令の規定に従い，当該書類が法令に定められた要件に適合することとなるようにその訂正を命ずる処分

附　則　（略）

行政不服審査法

●平成29年3月31日法律第4号● 　最終改正　令和3年5月19日法37号

第1章　総則

第1条　（目的等）
① この法律は，行政庁の違法又は不当な処分その他公権力の行使に当たる行為に関し，国民が簡易迅速かつ公正な手続の下で広く行政庁に対する不服申立てをすることができるための制度を定めることにより，国民の権利利益の救済を図るとともに，行政の適正な運営を確保することを目的とする。
② 行政庁の処分その他公権力の行使に当たる行為（以下単に「処分」という。）に関する不服申立てについては，他の法律に特別の定めがある場合を除くほか，この法律の定めるところによる。

第2条　（処分についての審査請求）
　行政庁の処分に不服がある者は，第4条及び第5条第2項の定めるところにより，審査請求をすることができる。

第3条　（不作為についての審査請求）
　法令に基づき行政庁に対して処分についての申請をした者は，当該申請から相当の期間が経過したにもかかわらず，行政庁の不作為（法令に基づく申請に対して何らの処分をもしないことをいう。以下同じ。）がある場合には，次条の定めるところにより，当該不作為についての審査請求をすることができる。

第4条　（審査請求をすべき行政庁）
① 審査請求は，法律（条例に基づく処分については，条例）に特別の定めがある場合を除くほか，次の各号に掲げる場合の区分に応じ，当該各号に定める行政庁に対してするものとする。
一　処分庁等（処分をした行政庁（以下「処分庁」という。）又は不作為に係る行政庁（以下「不作為庁」という。）をいう。以下同じ。）に上級行政庁がない場合又は処分庁等が主任の大臣若しくは宮内庁長官若しくは内閣府設置法（平成11年法律第89号）第49条第1項若しくは第2項若しくは国家行政組織法（昭和23年法律第120号）第3条第2項に規定する庁の長である場合　当該処分庁等
二　宮内庁長官又は内閣府設置法第49条第1項若しくは第2項若しくは国家行政組織法第3条第2項に規定する庁の長が処分庁等の上級行政庁である場合　宮内庁長官又は当該庁の長
三　主任の大臣が処分庁等の上級行政庁である場合（前二号に掲げる場合を除く。）　当該主任の大臣
四　前三号に掲げる場合以外の場合　当該処分庁等の最上級行政庁

第5条　（再調査の請求）
① 行政庁の処分につき処分庁以外の行政庁に対して審査請求をすることができる場合において，法律に再調査の請求をすることができる旨の定めがあるときは，当該処分に不服がある者は，処分庁に対して再調査の請求をすることができる。ただし，当該処分について第2条の規定により審査請求をしたときは，この限りでない。

② 前項本文の規定により再調査の請求をしたときは，当該再調査の請求についての決定を経た後でなければ，審査請求をすることができない。ただし，次の各号のいずれかに該当する場合は，この限りでない。
　一　当該処分につき再調査の請求をした日（第61条において読み替えて準用する第23条の規定により不備を補正すべきことを命じられた場合にあっては，当該不備を補正した日）の翌日から起算して3月を経過しても，処分庁が当該再調査の請求につき決定をしない場合
　二　その他再調査の請求についての決定を経ないことにつき正当な理由がある場合

第6条　（再審査請求）
① 行政庁の処分につき法律に再審査請求をすることができる旨の定めがある場合には，当該処分についての審査請求の裁決に不服がある者は，再審査請求をすることができる。
② 再審査請求は，原裁決（再審査請求をすることができる処分についての審査請求の裁決をいう。以下同じ。）又は当該処分（以下「原裁決等」という。）を対象として，前項の法律に定める行政庁に対してするものとする。

第7条　（適用除外）
① 次に掲げる処分及びその不作為については，第2条及び第3条の規定は，適用しない。
　一　国会の両院若しくは一院又は議会の議決によってされる処分
　二　裁判所若しくは裁判官の裁判により，又は裁判の執行としてされる処分
　三　国会の両院若しくは一院若しくは議会の議決を経て，又はこれらの同意若しくは承認を得た上でされるべきものとされている処分
　四　検査官会議で決すべきものとされている処分
　五　当事者間の法律関係を確認し，又は形成する処分で，法令の規定により当該処分に関する訴えにおいてその法律関係の当事者の一方を被告とすべきものと定められているもの
　六　刑事事件に関する法令に基づいて検察官，検察事務官又は司法警察職員がする処分
　七　国税又は地方税の犯則事件に関する法令（他の法令において準用する場合を含む。）に基づいて国税庁長官，国税局長，税務署長，国税庁，国税局若しくは税務署の当該職員，税関長，税関職員又は徴税吏員（他の法令の規定に基づいてこれらの職員の職務を行う者を含む。）がする処分及び金融商品取引の犯則事件に関する法令（他の法令において準用する場合を含む。）に基づいて証券取引等監視委員会，その職員（当該法令においてその職員とみなされる者を含む。），財務局長又は財務支局長がする処分
　八　学校，講習所，訓練所又は研修所において，教育，講習，訓練又は研修の目的を達成するために，学生，生徒，児童若しくは幼児若しくはこれらの保護者，講習生，訓練生又は研修生に対してされる処分
　九　刑務所，少年刑務所，拘置所，留置施設，海上保安留置施設，少年院又は少年鑑別所において，収容の目的を達成するためにされる処分
　十　外国人の出入国又は帰化に関する処分
　十一　専ら人の学識技能に関する試験又は検定の結果についての処分
　十二　この法律に基づく処分（第5章第1節第1款の規定に基づく処分を除く。）

② 国の機関又は地方公共団体その他の公共団体若しくはその機関に対する処分で，これらの機関又は団体がその固有の資格において当該処分の相手方となるもの及びその不作為については，この法律の規定は，適用しない。

第8条　（特別の不服申立ての制度）

前条の規定は，同条の規定により審査請求をすることができない処分又は不作為につき，別に法令で当該処分又は不作為の性質に応じた不服申立ての制度を設けることを妨げない。

【━━━　第2章　審査請求　━━━】

第1節／審査庁及び審理関係人

第9条　（審理員）

① 第4条又は他の法律若しくは条例の規定により審査請求がされた行政庁（第14条の規定により引継ぎを受けた行政庁を含む。以下「審査庁」という。）は，審査庁に所属する職員（第17条に規定する名簿を作成した場合にあっては，当該名簿に記載されている者）のうちから第3節に規定する審理手続（この節に規定する手続を含む。）を行う者を指名するとともに，その旨を審査請求人及び処分庁等（審査庁以外の処分庁等に限る。）に通知しなければならない。ただし，次の各号のいずれかに掲げる機関が審査庁である場合若しくは条例に基づく処分について条例に特別の定めがある場合又は第24条の規定により当該審査請求を却下する場合は，この限りでない。

一　内閣府設置法第49条第1項若しくは第2項又は国家行政組織法第3条第2項に規定する委員会

二　内閣府設置法第37条若しくは第54条又は国家行政組織法第8条に規定する機関

三　地方自治法（昭和22年法律第67号）第138条の4第1項に規定する委員会若しくは委員又は同条第3項に規定する機関

② 審査庁が前項の規定により指名する者は，次に掲げる者以外の者でなければならない。

一　審査請求に係る処分若しくは当該処分に係る再調査の請求についての決定に関与した者又は審査請求に係る不作為に係る処分に関与し，若しくは関与することとなる者

二　審査請求人

三　審査請求人の配偶者，四親等内の親族又は同居の親族

四　審査請求人の代理人

五　前二号に掲げる者であった者

六　審査請求人の後見人，後見監督人，保佐人，保佐監督人，補助人又は補助監督人

七　第13条第1項に規定する利害関係人

③ 審査庁が第1項各号に掲げる機関である場合又は同項ただし書の特別の定めがある場合においては，別表第1の上欄に掲げる規定の適用については，これらの規定中同表の中欄に掲げる字句は，それぞれ同表の下欄に掲げる字句に読み替えるものとし，第17条，第40条，第42条及び第50条第2項の規定は，適用しない。

④ 前項に規定する場合において，審査庁は，必要があると認めるときは，その職員（第2項各号（第1項各号に掲げる機関の構成員にあっては，第1号を除く。）に掲げる者以外の者に限る。）に，前項において読み替えて適用する第31条第1項の規定による審査請求人若しくは第13条第4項に規定する参加人の意見の陳述を聴かせ，前項において読み替えて適用する第34条の規定による参考人の陳述を聴かせ，同項において読み替えて適用する第35条第1項の規定による検証をさせ，前項において読み替えて適用する第36条の規定による第28条に規定する審

理関係人に対する質問をさせ，又は同項において読み替えて適用する第37条第1項若しくは第2項の規定による意見の聴取を行わせることができる。

第10条　（法人でない社団又は財団の審査請求）

　　法人でない社団又は財団で代表者又は管理人の定めがあるものは，その名で審査請求をすることができる。

第11条　（総代）

① 多数人が共同して審査請求をしようとするときは，3人を超えない総代を互選することができる。

② 共同審査請求人が総代を互選しない場合において，必要があると認めるときは，第9条第1項の規定により指名された者（以下「審理員」という。）は，総代の互選を命ずることができる。

③ 総代は，各自，他の共同審査請求人のために，審査請求の取下げを除き，当該審査請求に関する一切の行為をすることができる。

④ 総代が選任されたときは，共同審査請求人は，総代を通じてのみ，前項の行為をすることができる。

⑤ 共同審査請求人に対する行政庁の通知その他の行為は，2人以上の総代が選任されている場合においても，1人の総代に対してすれば足りる。

⑥ 共同審査請求人は，必要があると認める場合には，総代を解任することができる。

第12条　（代理人による審査請求）

① 審査請求は，代理人によってすることができる。

② 前項の代理人は，各自，審査請求人のために，当該審査請求に関する一切の行為をすることができる。ただし，審査請求の取下げは，特別の委任を受けた場合に限り，することができる。

第13条　（参加人）

① 利害関係人（審査請求人以外の者であって審査請求に係る処分又は不作為に係る処分の根拠となる法令に照らし当該処分につき利害関係を有するものと認められる者をいう。以下同じ。）は，審理員の許可を得て，当該審査請求に参加することができる。

② 審理員は，必要があると認める場合には，利害関係人に対し，当該審査請求に参加することを求めることができる。

③ 審査請求への参加は，代理人によってすることができる。

④ 前項の代理人は，各自，第1項又は第2項の規定により当該審査請求に参加する者（以下「参加人」という。）のために，当該審査請求への参加に関する一切の行為をすることができる。ただし，審査請求への参加の取下げは，特別の委任を受けた場合に限り，することができる。

第14条　（行政庁が裁決をする権限を有しなくなった場合の措置）

　　行政庁が審査請求がされた後法令の改廃により当該審査請求につき裁決をする権限を有しなくなったときは，当該行政庁は，第19条に規定する審査請求書又は第21条第2項に規定する審査請求録取書及び関係書類その他の物件を新たに当該審査請求につき裁決をする権限を有することとなった行政庁に引き継がなければならない。この場合において，その引継ぎを受けた行政庁は，速やかに，その旨を審査請求人及び参加人に通知しなければならない。

第15条　（審理手続の承継）

① 審査請求人が死亡したときは，相続人その他法令により審査請求の目的である処分に係る権利を承継した者は，審査請

求人の地位を承継する。
② 審査請求人について合併又は分割（審査請求の目的である処分に係る権利を承継させるものに限る。）があったときは，合併後存続する法人その他の社団若しくは財団若しくは合併により設立された法人その他の社団若しくは財団又は分割により当該権利を承継した法人は，審査請求人の地位を承継する。
③ 前二項の場合には，審査請求人の地位を承継した相続人その他の者又は法人その他の社団若しくは財団は，書面でその旨を審査庁に届け出なければならない。この場合には，届出書には，死亡若しくは分割による権利の承継又は合併の事実を証する書面を添付しなければならない。
④ 第1項又は第2項の場合において，前項の規定による届出がされるまでの間において，死亡者又は合併前の法人その他の社団若しくは財団若しくは分割をした法人に宛ててされた通知が審査請求人の地位を承継した相続人その他の者又は合併後の法人その他の社団若しくは財団若しくは分割により審査請求人の地位を承継した法人に到達したときは，当該通知は，これらの者に対する通知としての効力を有する。
⑤ 第1項の場合において，審査請求人の地位を承継した相続人その他の者が2人以上あるときは，その1人に対する通知その他の行為は，全員に対してされたものとみなす。
⑥ 審査請求の目的である処分に係る権利を譲り受けた者は，審査庁の許可を得て，審査請求人の地位を承継することができる。

第16条　（標準審理期間）

　第4条又は他の法律若しくは条例の規定により審査庁となるべき行政庁（以下「審査庁となるべき行政庁」という。）は，審査請求がその事務所に到達してから当該審査請求に対する裁決をするまでに通常要すべき標準的な期間を定めるよう努めるとともに，これを定めたときは，当該審査庁となるべき行政庁及び関係処分庁（当該審査請求の対象となるべき処分の権限を有する行政庁であって当該審査庁となるべき行政庁以外のものをいう。次条において同じ。）の事務所における備付けその他の適当な方法により公にしておかなければならない。

第17条　（審理員となるべき者の名簿）

　審査庁となるべき行政庁は，審理員となるべき者の名簿を作成するよう努めるとともに，これを作成したときは，当該審査庁となるべき行政庁及び関係処分庁の事務所における備付けその他の適当な方法により公にしておかなければならない。

第2節／審査請求の手続

第18条　（審査請求期間）

① 処分についての審査請求は，処分があったことを知った日の翌日から起算して3月（当該処分について再調査の請求をしたときは，当該再調査の請求についての決定があったことを知った日の翌日から起算して1月）を経過したときは，することができない。ただし，正当な理由があるときは，この限りでない。
② 処分についての審査請求は，処分（当該処分について再調査の請求をしたときは，当該再調査の請求についての決定）があった日の翌日から起算して1年を経過したときは，することができない。ただし，正当な理由があるときは，この限りでない。
③ 次条に規定する審査請求書を郵便又は民間事業者による信書の送達に関する法律（平成14年法律第99号）第2条第6項に規定する一般信書便事業者若しくは同条第9項に規定する特定信書便事業者に

よる同条第2項に規定する信書便で提出した場合における前二項に規定する期間（以下「審査請求期間」という。）の計算については，送付に要した日数は，算入しない。

第19条　（審査請求書の提出）
① 審査請求は，他の法律（条例に基づく処分については，条例）に口頭ですることができる旨の定めがある場合を除き，政令で定めるところにより，審査請求書を提出してしなければならない。
② 処分についての審査請求書には，次に掲げる事項を記載しなければならない。
一　審査請求人の氏名又は名称及び住所又は居所
二　審査請求に係る処分の内容
三　審査請求に係る処分（当該処分について再調査の請求についての決定を経たときは，当該決定）があったことを知った年月日
四　審査請求の趣旨及び理由
五　処分庁の教示の有無及びその内容
六　審査請求の年月日
③ 不作為についての審査請求書には，次に掲げる事項を記載しなければならない。
一　審査請求人の氏名又は名称及び住所又は居所
二　当該不作為に係る処分についての申請の内容及び年月日
三　審査請求の年月日
④ 審査請求人が，法人その他の社団若しくは財団である場合，総代を互選した場合又は代理人によって審査請求をする場合には，審査請求書には，第2項各号又は前項各号に掲げる事項のほか，その代表者若しくは管理人，総代又は代理人の氏名及び住所又は居所を記載しなければならない。
⑤ 処分についての審査請求書には，第2項及び前項に規定する事項のほか，次の各号に掲げる場合においては，当該各号に定める事項を記載しなければならない。
一　第5条第2項第1号の規定により再調査の請求についての決定を経ないで審査請求をする場合　再調査の請求をした年月日
二　第5条第2項第2号の規定により再調査の請求についての決定を経ないで審査請求をする場合　その決定を経ないことについての正当な理由
三　審査請求期間の経過後において審査請求をする場合　前条第1項ただし書又は第2項ただし書に規定する正当な理由

第20条　（口頭による審査請求）
口頭で審査請求をする場合には，前条第2項から第5項までに規定する事項を陳述しなければならない。この場合において，陳述を受けた行政庁は，その陳述の内容を録取し，これを陳述人に読み聞かせて誤りのないことを確認しなければならない。

第21条　（処分庁等を経由する審査請求）
① 審査請求をすべき行政庁が処分庁等と異なる場合における審査請求は，処分庁等を経由してすることができる。この場合において，審査請求人は，処分庁等に審査請求書を提出し，又は処分庁等に対し第19条第2項から第5項までに規定する事項を陳述するものとする。
② 前項の場合には，処分庁等は，直ちに，審査請求書又は審査請求録取書（前条後段の規定により陳述の内容を録取した書面をいう。第29条第1項及び第55条において同じ。）を審査庁となるべき行政庁に送付しなければならない。
③ 第1項の場合における審査請求期間の計算については，処分庁に審査請求書を提出し，又は処分庁に対し当該事項を陳述した時に，処分についての審査請求があったものとみなす。

第22条　(誤った教示をした場合の救済)

① 請求をすることができる処分につき，処分庁が誤って審査請求をすべき行政庁でない行政庁を審査請求をすべき行政庁として教示した場合において，その教示された行政庁に書面で審査請求がされたときは，当該行政庁は，速やかに，審査請求書を処分庁又は審査庁となるべき行政庁に送付し，かつ，その旨を審査請求人に通知しなければならない。

② 前項の規定により処分庁に審査請求書が送付されたときは，処分庁は，速やかに，これを審査庁となるべき行政庁に送付し，かつ，その旨を審査請求人に通知しなければならない。

③ 第1項の処分のうち，再調査の請求をすることができない処分につき，処分庁が誤って再調査の請求をすることができる旨を教示した場合において，当該処分庁に再調査の請求がされたときは，処分庁は，速やかに，再調査の請求書（第61条において読み替えて準用する第19条に規定する再調査の請求書をいう。以下この条において同じ。）又は再調査の請求録取書（第61条において準用する第20条後段の規定により陳述の内容を録取した書面をいう。以下この条において同じ。）を審査庁となるべき行政庁に送付し，かつ，その旨を再調査の請求人に通知しなければならない。

④ 再調査の請求をすることができる処分につき，処分庁が誤って審査請求をすることができる旨を教示しなかった場合において，当該処分庁に再調査の請求がされた場合であって，再調査の請求人から申立てがあったときは，処分庁は，速やかに，再調査の請求書又は再調査の請求録取書及び関係書類その他の物件を審査庁となるべき行政庁に送付しなければならない。この場合において，その送付を受けた行政庁は，速やかに，その旨を再調査の請求人及び第61条において読み替えて準用する第13条第1項又は第2項の規定により当該再調査の請求に参加する者に通知しなければならない。

⑤ 前各項の規定により審査請求書又は再調査の請求書若しくは再調査の請求録取書が審査庁となるべき行政庁に送付されたときは，初めから審査庁となるべき行政庁に審査請求がされたものとみなす。

第23条　(審査請求書の補正)

審査請求書が第19条の規定に違反する場合には，審査庁は，相当の期間を定め，その期間内に不備を補正すべきことを命じなければならない。

第24条　(審理手続を経ないでする却下裁決)

① 前条の場合において，審査請求人が同条の期間内に不備を補正しないときは，審査庁は，次節に規定する審理手続を経ないで，第45条第1項又は第49条第1項の規定に基づき，裁決で，当該審査請求を却下することができる。

② 審査請求が不適法であって補正することができないことが明らかなときも，前項と同様とする。

第25条　(執行停止)

① 審査請求は，処分の効力，処分の執行又は手続の続行を妨げない。

② 処分庁の上級行政庁又は処分庁である審査庁は，必要があると認める場合には，審査請求人の申立てにより又は職権で，処分の効力，処分の執行又は手続の続行の全部又は一部の停止その他の措置（以下「執行停止」という。）をとることができる。

③ 処分庁の上級行政庁又は処分庁のいずれでもない審査庁は，必要があると認める場合には，審査請求人の申立てにより，処分庁の意見を聴取した上，執行停止をすることができる。ただし，処分の

効力，処分の執行又は手続の続行の全部又は一部の停止以外の措置をとることはできない。
④　前二項の規定による審査請求人の申立てがあった場合において，処分，処分の執行又は手続の続行により生ずる重大な損害を避けるために緊急の必要があると認めるときは，審査庁は，執行停止をしなければならない。ただし，公共の福祉に重大な影響を及ぼすおそれがあるとき，又は本案について理由がないとみえるときは，この限りでない。
⑤　審査庁は，前項に規定する重大な損害を生ずるか否かを判断するに当たっては，損害の回復の困難の程度を考慮するものとし，損害の性質及び程度並びに処分の内容及び性質をも勘案するものとする。
⑥　第2項から第4項までの場合において，処分の効力の停止は，処分の効力の停止以外の措置によって目的を達することができるときは，することができない。
⑦　執行停止の申立てがあったとき，又は審理員から第40条に規定する執行停止をすべき旨の意見書が提出されたときは，審査庁は，速やかに，執行停止をするかどうかを決定しなければならない。

第26条　（執行停止の取消し）
　　執行停止をした後において，執行停止が公共の福祉に重大な影響を及ぼすことが明らかとなったとき，その他事情が変更したときは，審査庁は，その執行停止を取り消すことができる。

第27条　（審査請求の取下げ）
①　審査請求人は，裁決があるまでは，いつでも審査請求を取り下げることができる。
②　審査請求の取下げは，書面でしなければならない。

第3節／審理手続

第28条　（審理手続の計画的進行）
　　審査請求人，参加人及び処分庁等（以下「審理関係人」という。）並びに審理員は，簡易迅速かつ公正な審理の実現のため，審理において，相互に協力するとともに，審理手続の計画的な進行を図らなければならない。

第29条　（弁明書の提出）
①　審理員は，審査庁から指名されたときは，直ちに，審査請求書又は審査請求録取書の写しを処分庁等に送付しなければならない。ただし，処分庁等が審査庁である場合には，この限りでない。
②　審理員は，相当の期間を定めて，処分庁等に対し，弁明書の提出を求めるものとする。
③　処分庁等は，前項の弁明書に，次の各号の区分に応じ，当該各号に定める事項を記載しなければならない。
　一　処分についての審査請求に対する弁明書　処分の内容及び理由
　二　不作為についての審査請求に対する弁明書　処分をしていない理由並びに予定される処分の時期，内容及び理由
④　処分庁が次に掲げる書面を保有する場合には，前項第1号に掲げる弁明書にこれを添付するものとする。
　一　行政手続法（平成5年法律第88号）第24条第1項の調書及び同条第3項の報告書
　二　行政手続法第29条第1項に規定する弁明書
⑤　審理員は，処分庁等から弁明書の提出があったときは，これを審査請求人及び参加人に送付しなければならない。

第30条　（反論書等の提出）
①　審査請求人は，前条第5項の規定により送付された弁明書に記載された事項に

対する反論を記載した書面（以下「反論書」という。）を提出することができる。この場合において、審理員が、反論書を提出すべき相当の期間を定めたときは、その期間内にこれを提出しなければならない。
② 参加人は、審査請求に係る事件に関する意見を記載した書面（第40条及び第42条第1項を除き、以下「意見書」という。）を提出することができる。この場合において、審理員が、意見書を提出すべき相当の期間を定めたときは、その期間内にこれを提出しなければならない。
③ 審理員は、審査請求人から反論書の提出があったときはこれを参加人及び処分庁等に、参加人から意見書の提出があったときはこれを審査請求人及び処分庁等に、それぞれ送付しなければならない。

第31条　（口頭意見陳述）
① 審査請求人又は参加人の申立てがあった場合には、審理員は、当該申立てをした者（以下この条及び第41条第2項第2号において「申立人」という。）に口頭で審査請求に係る事件に関する意見を述べる機会を与えなければならない。ただし、当該申立人の所在その他の事情により当該意見を述べる機会を与えることが困難であると認められる場合には、この限りでない。
② 前項本文の規定による意見の陳述（以下「口頭意見陳述」という。）は、審理員が期日及び場所を指定し、全ての審理関係人を招集してさせるものとする。
③ 口頭意見陳述において、申立人は、審理員の許可を得て、補佐人とともに出頭することができる。
④ 口頭意見陳述において、審理員は、申立人のする陳述が事件に関係のない事項にわたる場合その他相当でない場合には、これを制限することができる。
⑤ 口頭意見陳述に際し、申立人は、審理員の許可を得て、審査請求に係る事件に関して、処分庁等に対して、質問を発することができる。

第32条　（証拠書類等の提出）
① 審査請求人又は参加人は、証拠書類又は証拠物を提出することができる。
② 処分庁等は、当該処分の理由となる事実を証する書類その他の物件を提出することができる。
③ 前二項の場合において、審理員が、証拠書類若しくは証拠物又は書類その他の物件を提出すべき相当の期間を定めたときは、その期間内にこれを提出しなければならない。

第33条　（物件の提出要求）
審理員は、審査請求人若しくは参加人の申立てにより又は職権で、書類その他の物件の所持人に対し、相当の期間を定めて、その物件の提出を求めることができる。この場合において、審理員は、その提出された物件を留め置くことができる。

第34条　（参考人の陳述及び鑑定の要求）
審理員は、審査請求人若しくは参加人の申立てにより又は職権で、適当と認める者に、参考人としてその知っている事実の陳述を求め、又は鑑定を求めることができる。

第35条　（検証）
① 審理員は、審査請求人若しくは参加人の申立てにより又は職権で、必要な場所につき、検証をすることができる。
② 審理員は、審査請求人又は参加人の申立てにより前項の検証をしようとするときは、あらかじめ、その日時及び場所を当該申立てをした者に通知し、これに立ち会う機会を与えなければならない。

第36条 （審理関係人への質問）
　審理員は，審査請求人若しくは参加人の申立てにより又は職権で，審査請求に係る事件に関し，審理関係人に質問することができる。

第37条 （審理手続の計画的遂行）
① 　審理員は，審査請求に係る事件について，審理すべき事項が多数であり又は錯綜しているなど事件が複雑であることその他の事情により，迅速かつ公正な審理を行うため，第31条から前条までに定める審理手続を計画的に遂行する必要があると認める場合には，期日及び場所を指定して，審理関係人を招集し，あらかじめ，これらの審理手続の申立てに関する意見の聴取を行うことができる。
② 　審理員は，審理関係人が遠隔の地に居住している場合その他相当と認める場合には，政令で定めるところにより，審理員及び審理関係人が音声の送受信により通話をすることができる方法によって，前項に規定する意見の聴取を行うことができる。
③ 　審理員は，前二項の規定による意見の聴取を行ったときは，遅滞なく，第31条から前条までに定める審理手続の期日及び場所並びに第41条第1項の規定による審理手続の終結の予定時期を決定し，これらを審理関係人に通知するものとする。当該予定時期を変更したときも，同様とする。

第38条 （審査請求人等による提出書類等の閲覧等）
① 　審査請求人又は参加人は，第41条第1項又は第2項の規定により審理手続が終結するまでの間，審理員に対し，提出書類等（第29条第4項各号に掲げる書面又は第32条第1項若しくは第2項若しくは第33条の規定により提出された書類その他の物件をいう。次項において同じ。）の閲覧（電磁的記録（電子的方式，磁気的方式その他人の知覚によっては認識することができない方式で作られる記録であって，電子計算機による情報処理の用に供されるものをいう。以下同じ。）にあっては，記録された事項を審査庁が定める方法により表示したものの閲覧）又は当該書面若しくは当該書類の写し若しくは当該電磁的記録に記録された事項を記載した書面の交付を求めることができる。この場合において，審理員は，第三者の利益を害するおそれがあると認めるとき，その他正当な理由があるときでなければ，その閲覧又は交付を拒むことができない。
② 　審理員は，前項の規定による閲覧をさせ，又は同項の規定による交付をしようとするときは，当該閲覧又は交付に係る提出書類等の提出人の意見を聴かなければならない。ただし，審理員が，その必要がないと認めるときは，この限りでない。
③ 　審理員は，第1項の規定による閲覧について，日時及び場所を指定することができる。
④ 　第1項の規定による交付を受ける審査請求人又は参加人は，政令で定めるところにより，実費の範囲内において政令で定める額の手数料を納めなければならない。
⑤ 　審理員は，経済的困難その他特別の理由があると認めるときは，政令で定めるところにより，前項の手数料を減額し，又は免除することができる。
⑥ 　地方公共団体（都道府県，市町村及び特別区並びに地方公共団体の組合に限る。以下同じ。）に所属する行政庁が審査庁である場合における前二項の規定の適用については，これらの規定中「政令」とあるのは，「条例」とし，国又は地方公共団体に所属しない行政庁が審査庁である場合におけるこれらの規定の適用につ

いては，これらの規定中「政令で」とあるのは，「審査庁が」とする。

第39条　（審理手続の併合又は分離）
審理員は，必要があると認める場合には，数個の審査請求に係る審理手続を併合し，又は併合された数個の審査請求に係る審理手続を分離することができる。

第40条　（審理員による執行停止の意見書の提出）
審理員は，必要があると認める場合には，審査庁に対し，執行停止をすべき旨の意見書を提出することができる。

第41条　（審理手続の終結）
① 審理員は，必要な審理を終えたと認めるときは，審理手続を終結するものとする。
② 前項に定めるもののほか，審理員は，次の各号のいずれかに該当するときは，審理手続を終結することができる。
　一　次のイからホまでに掲げる規定の相当の期間内に，当該イからホまでに定める物件が提出されない場合において，更に一定の期間を示して，当該物件の提出を求めたにもかかわらず，当該提出期間内に当該物件が提出されなかったとき。
　　イ　第29条第2項　弁明書
　　ロ　第30条第1項後段　反論書
　　ハ　第30条第2項後段　意見書
　　ニ　第32条第3項　証拠書類若しくは証拠物又は書類その他の物件
　　ホ　第33条前段　書類その他の物件
　二　申立人が，正当な理由なく，口頭意見陳述に出頭しないとき。
③ 審理員が前二項の規定により審理手続を終結したときは，速やかに，審理関係人に対し，審理手続を終結した旨並びに次条第1項に規定する審理員意見書及び事件記録（審査請求書，弁明書その他審査請求に係る事件に関する書類その他の物件のうち政令で定めるものをいう。同条第2項及び第43条第2項において同じ。）を審査庁に提出する予定時期を通知するものとする。当該予定時期を変更したときも，同様とする。

第42条　（審理員意見書）
① 審理員は，審理手続を終結したときは，遅滞なく，審査庁がすべき裁決に関する意見書（以下「審理員意見書」という。）を作成しなければならない。
② 審理員は，審理員意見書を作成したときは，速やかに，これを事件記録とともに，審査庁に提出しなければならない。

第4節／行政不服審査会等への諮問

第43条
① 審査庁は，審理員意見書の提出を受けたときは，次の各号のいずれかに該当する場合を除き，審査庁が主任の大臣又は宮内庁長官若しくは内閣府設置法第49条第1項若しくは第2項若しくは国家行政組織法第3条第2項に規定する庁の長である場合にあっては行政不服審査会に，審査庁が地方公共団体の長（地方公共団体の組合にあっては，長，管理者又は理事会）である場合にあっては第81条第1項又は第2項の機関に，それぞれ諮問しなければならない。
　一　審査請求に係る処分をしようとするときに他の法律又は政令（条例に基づく処分については，条例）に第9条第1項各号に掲げる機関若しくは地方公共団体の議会又はこれらの機関に類するものとして政令で定めるもの（以下「審議会等」という。）の議を経るべき旨又は経ることができる旨の定めがあり，かつ，当該議を経て当該処分がされた場合
　二　裁決をしようとするときに他の法律又は政令（条例に基づく処分について

は，条例)に第9条第1項各号に掲げる機関若しくは地方公共団体の議会又はこれらの機関に類するものとして政令で定めるものの議を経るべき旨又は経ることができる旨の定めがあり，かつ，当該議を経て裁決をしようとする場合

三　第46条第3項又は第49条第4項の規定により審議会等の議を経て裁決をしようとする場合

四　審査請求人から，行政不服審査会又は第81条第1項若しくは第2項の機関(以下「行政不服審査会等」という。)への諮問を希望しない旨の申出がされている場合(参加人から，行政不服審査会等に諮問しないことについて反対する旨の申出がされている場合を除く。)

五　審査請求が，行政不服審査会等によって，国民の権利利益及び行政の運営に対する影響の程度その他当該事件の性質を勘案して，諮問を要しないものと認められたものである場合

六　審査請求が不適法であり，却下する場合

七　第46条第1項の規定により審査請求に係る処分(法令に基づく申請を却下し，又は棄却する処分及び事実上の行為を除く。)の全部を取り消し，又は第47条第1号若しくは第2号の規定により審査請求に係る事実上の行為の全部を撤廃すべき旨を命じ，若しくは撤廃することとする場合(当該処分の全部を取り消すこと又は当該事実上の行為の全部を撤廃すべき旨を命じ，若しくは撤廃することについて反対する旨の意見書が提出されている場合及び口頭意見陳述においてその旨の意見が述べられている場合を除く。)

八　第46条第2項各号又は第49条第3項各号に定める措置(法令に基づく申請の全部を認容すべき旨を命じ，又は認容するものに限る。)をとることとする場合(当該申請の全部を認容することについて反対する旨の意見書が提出されている場合及び口頭意見陳述においてその旨の意見が述べられている場合を除く。)

②　前項の規定による諮問は，審理員意見書及び事件記録の写しを添えてしなければならない。

③　第1項の規定により諮問をした審査庁は，審理関係人(処分庁等が審査庁である場合にあっては，審査請求人及び参加人)に対し，当該諮問をした旨を通知するとともに，審理員意見書の写しを送付しなければならない。

第5節／裁決

第44条　(裁決の時期)
　審査庁は，行政不服審査会等から諮問に対する答申を受けたとき(前条第1項の規定による諮問を要しない場合(同項第2号又は第3号に該当する場合を除く。)にあっては審理員意見書が提出されたとき，同項第2号又は第3号に該当する場合にあっては同項第2号又は第3号に規定する議を経たとき)は，遅滞なく，裁決をしなければならない。

第45条　(処分についての審査請求の却下又は棄却)
①　処分についての審査請求が法定の期間経過後にされたものである場合その他不適法である場合には，審査庁は，裁決で，当該審査請求を却下する。
②　処分についての審査請求が理由がない場合には，審査庁は，裁決で，当該審査請求を棄却する。
③　審査請求に係る処分が違法又は不当ではあるが，これを取り消し，又は撤廃することにより公の利益に著しい障害を生ずる場合において，審査請求人の受ける損害の程度，その損害の賠償又は防止の

程度及び方法その他一切の事情を考慮した上，処分を取り消し，又は撤廃することが公共の福祉に適合しないと認めるときは，審査庁は，裁決で，当該審査請求を棄却することができる。この場合には，審査庁は，裁決の主文で，当該処分が違法又は不当であることを宣言しなければならない。

第46条　（処分についての審査請求の認容）
① 処分（事実上の行為を除く。以下この条及び第48条において同じ。）についての審査請求が理由がある場合（前条第3項の規定の適用がある場合を除く。）には，審査庁は，裁決で，当該処分の全部若しくは一部を取り消し，又はこれを変更する。ただし，審査庁が処分庁の上級行政庁又は処分庁のいずれでもない場合には，当該処分を変更することはできない。
② 前項の規定により法令に基づく申請を却下し，又は棄却する処分の全部又は一部を取り消す場合において，次の各号に掲げる審査庁は，当該申請に対して一定の処分をすべきものと認めるときは，当該各号に定める措置をとる。
一　処分庁の上級行政庁である審査庁　当該処分庁に対し，当該処分をすべき旨を命ずること。
二　処分庁である審査庁　当該処分をすること。
③ 前項に規定する一定の処分に関し，第43条第1項第1号に規定する議を経るべき旨の定めがある場合において，審査庁が前項各号に定める措置をとるために必要があると認めるときは，審査庁は，当該定めに係る審議会等の議を経ることができる。
④ 前項に規定する定めがある場合のほか，第2項に規定する一定の処分に関し，他の法令に関係行政機関との協議の実施その他の手続をとるべき旨の定めが

ある場合において，審査庁が同項各号に定める措置をとるために必要があると認めるときは，審査庁は，当該手続をとることができる。

第47条
　事実上の行為についての審査請求が理由がある場合（第45条第3項の規定の適用がある場合を除く。）には，審査庁は，裁決で，当該事実上の行為が違法又は不当である旨を宣言するとともに，次の各号に掲げる審査庁の区分に応じ，当該各号に定める措置をとる。ただし，審査庁が処分庁の上級行政庁以外の審査庁である場合には，当該事実上の行為を変更すべき旨を命ずることはできない。
一　処分庁以外の審査庁　当該処分庁に対し，当該事実上の行為の全部若しくは一部を撤廃し，又はこれを変更すべき旨を命ずること。
二　処分庁である審査庁　当該事実上の行為の全部若しくは一部を撤廃し，又はこれを変更すること。

第48条　（不利益変更の禁止）
　第46条第1項本文又は前条の場合において，審査庁は，審査請求人の不利益に当該処分を変更し，又は当該事実上の行為を変更すべき旨を命じ，若しくはこれを変更することはできない。

第49条　（不作為についての審査請求の裁決）
① 不作為についての審査請求が当該不作為に係る処分についての申請から相当の期間が経過しないでされたものである場合その他不適法である場合には，審査庁は，裁決で，当該審査請求を却下する。
② 不作為についての審査請求が理由がない場合には，審査庁は，裁決で，当該審査請求を棄却する。
③ 不作為についての審査請求が理由があ

る場合には，審査庁は，裁決で，当該不作為が違法又は不当である旨を宣言する。この場合において，次の各号に掲げる審査庁は，当該申請に対して一定の処分をすべきものと認めるときは，当該各号に定める措置をとる。
一　不作為庁の上級行政庁である審査庁　当該不作為庁に対し，当該処分をすべき旨を命ずること。
二　不作為庁である審査庁　当該処分をすること。
④　審査請求に係る不作為に係る処分に関し，第43条第1項第1号に規定する議を経るべき旨の定めがある場合において，審査庁が前項各号に定める措置をとるために必要があると認めるときは，審査庁は，当該定めに係る審議会等の議を経ることができる。
⑤　前項に規定する定めがある場合のほか，審査請求に係る不作為に係る処分に関し，他の法令に関係行政機関との協議の実施その他の手続をとるべき旨の定めがある場合において，審査庁が第3項各号に定める措置をとるために必要があると認めるときは，審査庁は，当該手続をとることができる。

第50条　（裁決の方式）
①　裁決は，次に掲げる事項を記載し，審査庁が記名押印した裁決書によりしなければならない。
一　主文
二　事案の概要
三　審理関係人の主張の要旨
四　理由（第1号の主文が審理員意見書又は行政不服審査会等若しくは審議会等の答申書と異なる内容である場合には，異なることとなった理由を含む。）
②　第43条第1項の規定による行政不服審査会等への諮問を要しない場合には，前項の裁決書には，審理員意見書を添付しなければならない。
③　審査庁は，再審査請求をすることができる裁決をする場合には，裁決書に再審査請求をすることができる旨並びに再審査請求をすべき行政庁及び再審査請求期間（第62条に規定する期間をいう。）を記載して，これらを教示しなければならない。

第51条　（裁決の効力発生）
①　裁決は，審査請求人（当該審査請求が処分の相手方以外の者のしたものである場合における第416条第1項及び第47条の規定による裁決にあっては，審査請求人及び処分の相手方）に送達された時に，その効力を生ずる。
②　裁決の送達は，送達を受けるべき者に裁決書の謄本を送付することによってする。ただし，送達を受けるべき者の所在が知れない場合その他裁決書の謄本を送付することができない場合には，公示の方法によってすることができる。
③　公示の方法による送達は，審査庁が裁決書の謄本を保管し，いつでもその送達を受けるべき者に交付する旨を当該審査庁の掲示場に掲示し，かつ，その旨を官報その他の公報又は新聞紙に少なくとも1回掲載してするものとする。この場合において，その掲示を始めた日の翌日から起算して2週間を経過した時に裁決書の謄本の送付があったものとみなす。
④　審査庁は，裁決書の謄本を参加人及び処分庁等（審査庁以外の処分庁等に限る。）に送付しなければならない。

第52条　（裁決の拘束力）
①　裁決は，関係行政庁を拘束する。
②　申請に基づいてした処分が手続の違法若しくは不当を理由として裁決で取り消され，又は申請を却下し，若しくは棄却した処分が裁決で取り消された場合には，処分庁は，裁決の趣旨に従い，改め

て申請に対する処分をしなければならない。
③　法令の規定により公示された処分が裁決で取り消され，又は変更された場合には，処分庁は，当該処分が取り消され，又は変更された旨を公示しなければならない。
④　法令の規定により処分の相手方以外の利害関係人に通知された処分が裁決で取り消され，又は変更された場合には，処分庁は，その通知を受けた者（審査請求人及び参加人を除く。）に，当該処分が取り消され，又は変更された旨を通知しなければならない。

第53条　（証拠書類等の返還）
　　審査庁は，裁決をしたときは，速やかに，第32条第１項又は第２項の規定により提出された証拠書類若しくは証拠物又は書類その他の物件及び第33条の規定による提出要求に応じて提出された書類その他の物件をその提出人に返還しなければならない。

【── 第３章　再調査の請求 ──】

第54条　（再調査の請求期間）
①　再調査の請求は，処分があったことを知った日の翌日から起算して３月を経過したときは，することができない。ただし，正当な理由があるときは，この限りでない。
②　再調査の請求は，処分があった日の翌日から起算して１年を経過したときは，することができない。ただし，正当な理由があるときは，この限りでない。

第55条　（誤った教示をした場合の救済）
①　再調査の請求をすることができる処分につき，処分庁が誤って再調査の請求をすることができる旨を教示しなかった場合において，審査請求がされた場合であって，審査請求人から申立てがあった

ときは，審査庁は，速やかに，審査請求書又は審査請求録取書を処分庁に送付しなければならない。ただし，審査請求人に対し弁明書が送付された後においては，この限りでない。
②　前項本文の規定により審査請求書又は審査請求録取書の送付を受けた処分庁は，速やかに，その旨を審査請求人及び参加人に通知しなければならない。
③　第１項本文の規定により審査請求書又は審査請求録取書が処分庁に送付されたときは，初めから処分庁に再調査の請求がされたものとみなす。

第56条　（再調査の請求についての決定を経ずに審査請求がされた場合）
　　第５条第２項ただし書の規定により審査請求がされたときは，同項の再調査の請求は，取り下げられたものとみなす。ただし，処分庁において当該審査請求がされた日以前に再調査の請求に係る処分（事実上の行為を除く。）を取り消す旨の第60条第１項の決定書の謄本を発している場合又は再調査の請求に係る事実上の行為を撤廃している場合は，当該審査請求（処分（事実上の行為を除く。）の一部を取り消す旨の第59条第１項の決定がされている場合又は事実上の行為の一部が撤廃されている場合にあっては，その部分に限る。）が取り下げられたものとみなす。

第57条　（３月後の教示）
　　処分庁は，再調査の請求がされた日（第61条において読み替えて準用する第23条の規定により不備を補正すべきことを命じた場合にあっては，当該不備が補正された日）の翌日から起算して３月を経過しても当該再調査の請求が係属しているときは，遅滞なく，当該処分について直ちに審査請求をすることができる旨を書面でその再調査の請求人に教示しな

ければならない。

第58条　（再調査の請求の却下又は棄却の決定）
① 再調査の請求が法定の期間経過後にされたものである場合その他不適法である場合には，処分庁は，決定で，当該再調査の請求を却下する。
② 再調査の請求が理由がない場合には，処分庁は，決定で，当該再調査の請求を棄却する。

第59条　（再調査の請求の認容の決定）
① 処分（事実上の行為を除く。）についての再調査の請求が理由がある場合には，処分庁は，決定で，当該処分の全部若しくは一部を取り消し，又はこれを変更する。
② 事実上の行為についての再調査の請求が理由がある場合には，処分庁は，決定で，当該事実上の行為が違法又は不当である旨を宣言するとともに，当該事実上の行為の全部若しくは一部を撤廃し，又はこれを変更する。
③ 処分庁は，前二項の場合において，再調査の請求人の不利益に当該処分又は当該事実上の行為を変更することはできない。

第60条　（決定の方式）
① 前二条の決定は，主文及び理由を記載し，処分庁が記名押印した決定書によりしなければならない。
② 処分庁は，前項の決定書（再調査の請求に係る処分の全部を取り消し，又は撤廃する決定に係るものを除く。）に，再調査の請求に係る処分につき審査請求をすることができる旨（却下の決定である場合にあっては，当該却下の決定が違法な場合に限り審査請求をすることができる旨）並びに審査請求をすべき行政庁及び審査請求期間を記載して，これらを教示しなければならない。

第61条　（審査請求に関する規定の準用）
第9条第4項，第10条から第16条まで，第18条第3項，第19条（第3項並びに第5項第1号及び第2号を除く。），第20条，第23条，第24条，第25条（第3項を除く。），第26条，第27条，第31条（第5項を除く。），第32条（第2項を除く。），第39条，第51条及び第53条の規定は，再調査の請求について準用する。この場合において，別表第2の上欄に掲げる規定中同表の中欄に掲げる字句は，それぞれ同表の下欄に掲げる字句に読み替えるものとする。

第4章　再審査請求

第62条　（再審査請求期間）
① 再審査請求は，原裁決があったことを知った日の翌日から起算して1月を経過したときは，することができない。ただし，正当な理由があるときは，この限りでない。
② 再審査請求は，原裁決があった日の翌日から起算して1年を経過したときは，することができない。ただし，正当な理由があるときは，この限りでない。

第63条　（裁決書の送付）
第66条第1項において読み替えて準用する第11条第2項に規定する審理員又は第66条第1項において準用する第9条第1項各号に掲げる機関である再審査庁（他の法律の規定により再審査請求がされた行政庁（第66条第1項において読み替えて準用する第14条の規定により引継ぎを受けた行政庁を含む。）をいう。以下同じ。）は，原裁決をした行政庁に対し，原裁決に係る裁決書の送付を求めるものとする。

第64条　(再審査請求の却下又は棄却の裁決)

① 再審査請求が法定の期間経過後にされたものである場合その他不適法である場合には，再審査庁は，裁決で，当該再審査請求を却下する。

② 再審査請求が理由がない場合には，再審査庁は，裁決で，当該再審査請求を棄却する。

③ 再審査請求に係る原裁決（審査請求を却下し，又は棄却したものに限る。）が違法又は不当である場合において，当該審査請求に係る処分が違法又は不当のいずれでもないときは，再審査庁は，裁決で，当該再審査請求を棄却する。

④ 前項に規定する場合のほか，再審査請求に係る原裁決等が違法又は不当ではあるが，これを取り消し，又は撤廃することにより公の利益に著しい障害を生ずる場合において，再審査請求人の受ける損害の程度，その損害の賠償又は防止の程度及び方法その他一切の事情を考慮した上，原裁決等を取り消し，又は撤廃することが公共の福祉に適合しないと認めるときは，再審査庁は，裁決で，当該再審査請求を棄却することができる。この場合には，再審査庁は，裁決の主文で，当該原裁決等が違法又は不当であることを宣言しなければならない。

第65条　(再審査請求の認容の裁決)

① 原裁決等（事実上の行為を除く。）についての再審査請求が理由がある場合（前条第3項に規定する場合及び同条第4項の規定の適用がある場合を除く。）には，再審査庁は，裁決で，当該原裁決等の全部又は一部を取り消す。

② 事実上の行為についての再審査請求が理由がある場合（前条第4項の規定の適用がある場合を除く。）には，裁決で，当該事実上の行為が違法又は不当である旨を宣言するとともに，処分庁に対し，当該事実上の行為の全部又は一部を撤廃すべき旨を命ずる。

第66条　(審査請求に関する規定の準用)

① 第2章（第9条第3項，第18条（第3項を除く。），第19条第3項並びに第5項第1号及び第2号，第22条，第25条第2項，第29条（第1項を除く。），第30条第1項，第41条第2項第1号イ及びロ，第4節，第45条から第49条まで並びに第50条第3項を除く。）の規定は，再審査請求について準用する。この場合において，別表第3の上欄に掲げる規定中同表の中欄に掲げる字句は，それぞれ同表の下欄に掲げる字句に読み替えるものとする。

② 再審査庁が前項において準用する第9条第1項各号に掲げる機関である場合には，前項において準用する第17条，第40条，第42条及び第50条第2項の規定は，適用しない。

第5章　行政不服審査会等

第1節／行政不服審査会

第1款／設置及び組織

第67条　(設置)

① 総務省に，行政不服審査会（以下「審査会」という。）を置く。

② 審査会は，この法律の規定によりその権限に属させられた事項を処理する。

第68条　(組織)

① 審査会は，委員9人をもって組織する。

② 委員は，非常勤とする。ただし，そのうち3人以内は，常勤とすることができる。

第69条　(委員)

① 委員は，審査会の権限に属する事項に関し公正な判断をすることができ，か

つ，法律又は行政に関して優れた識見を有する者のうちから，両議院の同意を得て，総務大臣が任命する。
② 委員の任期が満了し，又は欠員を生じた場合において，国会の閉会又は衆議院の解散のために両議院の同意を得ることができないときは，総務大臣は，前項の規定にかかわらず，同項に定める資格を有する者のうちから，委員を任命することができる。
③ 前項の場合においては，任命後最初の国会で両議院の事後の承認を得なければならない。この場合において，両議院の事後の承認が得られないときは，総務大臣は，直ちにその委員を罷免しなければならない。
④ 委員の任期は，3年とする。ただし，補欠の委員の任期は，前任者の残任期間とする。
⑤ 委員は，再任されることができる。
⑥ 委員の任期が満了したときは，当該委員は，後任者が任命されるまで引き続きその職務を行うものとする。
⑦ 総務大臣は，委員が心身の故障のために職務の執行ができないと認める場合又は委員に職務上の義務違反その他委員たるに適しない非行があると認める場合には，両議院の同意を得て，その委員を罷免することができる。
⑧ 委員は，職務上知ることができた秘密を漏らしてはならない。その職を退いた後も同様とする。
⑨ 委員は，在任中，政党その他の政治的団体の役員となり，又は積極的に政治運動をしてはならない。
⑩ 常勤の委員は，在任中，総務大臣の許可がある場合を除き，報酬を得て他の職務に従事し，又は営利事業を営み，その他金銭上の利益を目的とする業務を行ってはならない。
⑪ 委員の給与は，別に法律で定める。

第70条　（会長）
① 審査会に，会長を置き，委員の互選により選任する。
② 会長は，会務を総理し，審査会を代表する。
③ 会長に事故があるときは，あらかじめその指名する委員が，その職務を代理する。

第71条　（専門委員）
① 審査会に，専門の事項を調査させるため，専門委員を置くことができる。
② 専門委員は，学識経験のある者のうちから，総務大臣が任命する。
③ 専門委員は，その者の任命に係る当該専門の事項に関する調査が終了したときは，解任されるものとする。
④ 専門委員は，非常勤とする。

第72条　（合議体）
① 審査会は，委員のうちから，審査会が指名する者3人をもって構成する合議体で，審査請求に係る事件について調査審議する。
② 前項の規定にかかわらず，審査会が定める場合においては，委員の全員をもって構成する合議体で，審査請求に係る事件について調査審議する。

第73条　（事務局）
① 審査会の事務を処理させるため，審査会に事務局を置く。
② 事務局に，事務局長のほか，所要の職員を置く。
③ 事務局長は，会長の命を受けて，局務を掌理する。

第2款／審査会の調査審議の手続

第74条　（審査会の調査権限）
　審査会は，必要があると認める場合には，審査請求に係る事件に関し，審査請求人，参加人又は第43条第1項の規定に

より審査会に諮問をした審査庁（以下この款において「審査関係人」という。）にその主張を記載した書面（以下この款において「主張書面」という。）又は資料の提出を求めること，適当と認める者にその知っている事実の陳述又は鑑定を求めることその他必要な調査をすることができる。

第75条　（意見の陳述）

① 審査会は，審査関係人の申立てがあった場合には，当該審査関係人に口頭で意見を述べる機会を与えなければならない。ただし，審査会が，その必要がないと認める場合には，この限りでない。
② 前項本文の場合において，審査請求人又は参加人は，審査会の許可を得て，補佐人とともに出頭することができる。

第76条　（主張書面等の提出）

審査関係人は，審査会に対し，主張書面又は資料を提出することができる。この場合において，審査会が，主張書面又は資料を提出すべき相当の期間を定めたときは，その期間内にこれを提出しなければならない。

第77条　（委員による調査手続）

審査会は，必要があると認める場合には，その指名する委員に，第74条の規定による調査をさせ，又は第75条第1項本文の規定による審査関係人の意見の陳述を聴かせることができる。

第78条　（提出資料の閲覧等）

① 審査関係人は，審査会に対し，審査会に提出された主張書面若しくは資料の閲覧（電磁的記録にあっては，記録された事項を審査会が定める方法により表示したものの閲覧）又は当該主張書面若しくは当該資料の写し若しくは当該電磁的記録に記録された事項を記載した書面の交付を求めることができる。この場合において，審査会は，第三者の利益を害するおそれがあると認めるとき，その他正当な理由があるときでなければ，その閲覧又は交付を拒むことができない。
② 審査会は，前項の規定による閲覧をさせ，又は同項の規定による交付をしようとするときは，当該閲覧又は交付に係る主張書面又は資料の提出人の意見を聴かなければならない。ただし，審査会が，その必要がないと認めるときは，この限りでない。
③ 審査会は，第1項の規定による閲覧について，日時及び場所を指定することができる。
④ 第1項の規定による交付を受ける審査請求人又は参加人は，政令で定めるところにより，実費の範囲内において政令で定める額の手数料を納めなければならない。
⑤ 審査会は，経済的困難その他特別の理由があると認めるときは，政令で定めるところにより，前項の手数料を減額し，又は免除することができる。

第79条　（答申書の送付等）

審査会は，諮問に対する答申をしたときは，答申書の写しを審査請求人及び参加人に送付するとともに，答申の内容を公表するものとする。

第3款／雑則

第80条　（政令への委任）

この法律に定めるもののほか，審査会に関し必要な事項は，政令で定める。

第2節／地方公共団体に置かれる機関

第81条

① 地方公共団体に，執行機関の附属機関として，この法律の規定によりその権限に属させられた事項を処理するための機関を置く。

② 前項の規定にかかわらず、地方公共団体は、当該地方公共団体における不服申立ての状況等に鑑み同項の機関を置くことが不適当又は困難であるときは、条例で定めるところにより、事件ごとに、執行機関の附属機関として、この法律の規定によりその権限に属させられた事項を処理するための機関を置くこととすることができる。

③ 前節第2款の規定は、前二項の機関について準用する。この場合において、第78条第4項及び第5項中「政令」とあるのは、「条例」と読み替えるものとする。

④ 前三項に定めるもののほか、第1項又は第2項の機関の組織及び運営に関し必要な事項は、当該機関を置く地方公共団体の条例（地方自治法第252条の7第1項の規定により共同設置する機関にあっては、同項の規約）で定める。

第6章　補則

第82条　（不服申立てをすべき行政庁等の教示）

① 行政庁は、審査請求若しくは再調査の請求又は他の法令に基づく不服申立て（以下この条において「不服申立て」と総称する。）をすることができる処分をする場合には、処分の相手方に対し、当該処分につき不服申立てをすることができる旨並びに不服申立てをすべき行政庁及び不服申立てをすることができる期間を書面で教示しなければならない。ただし、当該処分を口頭でする場合は、この限りでない。

② 行政庁は、利害関係人から、当該処分が不服申立てをすることができる処分であるかどうか並びに当該処分が不服申立てをすることができるものである場合における不服申立てをすべき行政庁及び不服申立てをすることができる期間につき教示を求められたときは、当該事項を教示しなければならない。

③ 前項の場合において、教示を求めた者が書面による教示を求めたときは、当該教示は、書面でしなければならない。

第83条　（教示をしなかった場合の不服申立て）

① 行政庁が前条の規定による教示をしなかった場合には、当該処分について不服がある者は、当該処分庁に不服申立書を提出することができる。

② 第19条（第5項第1号及び第2号を除く。）の規定は、前項の不服申立書について準用する。

③ 第1項の規定により不服申立書の提出があった場合において、当該処分が処分庁以外の行政庁に対し審査請求をすることができる処分であるときは、処分庁は、速やかに、当該不服申立書を当該行政庁に送付しなければならない。当該処分が他の法令に基づき、処分庁以外の行政庁に不服申立てをすることができる処分であるときも、同様とする。

④ 前項の規定により不服申立書が送付されたときは、初めから当該行政庁に審査請求又は当該法令に基づく不服申立てがされたものとみなす。

⑤ 第3項の場合を除くほか、第1項の規定により不服申立書が提出されたときは、初めから当該処分庁審査請求又は当該法令に基づく不服申立てがされたものとみなす。

第84条　（情報の提供）

審査請求、再調査の請求若しくは再審査請求又は他の法令に基づく不服申立て（以下この条及び次条において「不服申立て」と総称する。）につき裁決、決定その他の処分（同条において「裁決等」という。）をする権限を有する行政庁は、不服申立てをしようとする者又は不服申立てをした者の求めに応じ、不服申立書の記載に関する事項その他の不服申

立てに必要な情報の提供に努めなければならない。

第85条　（公表）
不服申立てにつき裁決等をする権限を有する行政庁は，当該行政庁がした裁決等の内容その他当該行政庁における不服申立ての処理状況について公表するよう努めなければならない。

第86条　（政令への委任）
この法律に定めるもののほか，この法律の実施のために必要な事項は，政令で定める。

第87条　（罰則）
第69条第8項の規定に違反して秘密を漏らした者は，1年以下の懲役又は50万円以下の罰金に処する。

附　則

第1条　（施行期日）
この法律は，公布の日から起算して2年を超えない範囲内において政令で定める日から施行する。ただし，次条の規定は，公布の日から施行する。

第2条　（準備行為）
第69条第1項の規定による審査会の委員の任命に関し必要な行為は，この法律の施行の日前においても，同項の規定の例によりすることができる。

第3条　（経過措置）
行政庁の処分又は不作為についての不服申立てであって，この法律の施行前にされた行政庁の処分又はこの法律の施行前にされた申請に係る行政庁の不作為に係るものについては，なお従前の例による。

第4条
① この法律の施行後最初に任命される審査会の委員の任期は，第69条第4項本文の規定にかかわらず，9人のうち，3人は2年，6人は3年とする。
② 前項に規定する各委員の任期は，総務大臣が定める。

第5条　（その他の経過措置の政令への委任）
前二条に定めるもののほか，この法律の施行に関し必要な経過措置は，政令で定める。

第6条　（検討）
政府は，この法律の施行後5年を経過した場合において，この法律の施行の状況について検討を加え，必要があると認めるときは，その結果に基づいて所要の措置を講ずるものとする。

別　表　（略）

行政事件訴訟法（抄）

●昭和37年5月16日法律第139号●　　最終改正　令和4年5月27日法54号

第1章　総則

第1条　（この法律の趣旨）
　行政事件訴訟については，他の法律に特別の定めがある場合を除くほか，この法律の定めるところによる。

第2条　（行政事件訴訟）
　この法律において「行政事件訴訟」とは，抗告訴訟，当事者訴訟，民衆訴訟及び機関訴訟をいう。

第3条　（抗告訴訟）
① この法律において「抗告訴訟」とは，行政庁の公権力の行使に関する不服の訴訟をいう。
② この法律において「処分の取消しの訴え」とは，行政庁の処分その他公権力の行使に当たる行為（次項に規定する裁決，決定その他の行為を除く。以下単に「処分」という。）の取消しを求める訴訟をいう。
③ この法律において「裁決の取消しの訴え」とは，審査請求，その他の不服申立て（以下単に「審査請求」という。）に対する行政庁の裁決，決定その他の行為（以下単に「裁決」という。）の取消しを求める訴訟をいう。
④〜⑦　（略）

第2章　抗告訴訟

第1節／取消訴訟

第8条　（処分の取消しの訴えと審査請求との関係）
① 処分の取消しの訴えは，当該処分につき法令の規定により審査請求をすることができる場合においても，直ちに提起することを妨げない。ただし，法律に当該処分についての審査請求に対する裁決を経た後でなければ処分の取消しの訴えを提起することができない旨の定めがあるときは，この限りでない。
② 前項ただし書の場合においても，次の各号の一に該当するときは，裁決を経ないで，処分の取消しの訴えを提起することができる。
一　審査請求があつた日から3箇月を経過しても裁決がないとき。
二　処分，処分の執行又は手続の続行により生ずる著しい損害を避けるため緊急の必要があるとき。
三　その他裁決を経ないことにつき正当な理由があるとき。
③ 第1項本文の場合において，当該処分につき審査請求がされているときは，裁判所は，その審査請求に対する裁決があるまで（審査請求があつた日から3箇月を経過しても裁決がないときは，その期間を経過するまで），訴訟手続を中止することができる。

第9条　（原告適格）
① 処分の取消しの訴え及び裁決の取消しの訴え（以下「取消訴訟」という。）は，当該処分又は裁決の取消しを求めるにつき法律上の利益を有する者（処分又は裁決の効果が期間の経過その他の理由によりなくなつた後においてもなお処分又は裁決の取消しによつて回復すべき法律上

の利益を有する者を含む。）に限り，提起することができる。
② 裁判所は，処分又は裁決の相手方以外の者について前項に規定する法律上の利益の有無を判断するに当たつては，当該処分又は裁決の根拠となる法令の規定の文言のみによることなく，当該法令の趣旨及び目的並びに当該処分において考慮されるべき利益の内容及び性質を考慮するものとする。この場合において，当該法令の趣旨及び目的を考慮するに当たつては，当該法令と目的を共通にする関係法令があるときはその趣旨及び目的をも参酌するものとし，当該利益の内容及び性質を考慮するに当たつては，当該処分又は裁決がその根拠となる法令に違反してされた場合に害されることとなる利益の内容及び性質並びにこれが害される態様及び程度をも勘案するものとする。

第10条　（取消しの理由の制限）
① 取消訴訟においては，自己の法律上の利益に関係のない違法を理由として取消しを求めることができない。
② 処分の取消しの訴えとその処分についての審査請求を棄却した裁決の取消しの訴えとを提起することができる場合には，裁決の取消しの訴えにおいては，処分の違法を理由として取消しを求めることができない。

第14条　（出訴期間）
① 取消訴訟は，処分又は裁決があつたことを知つた日から6箇月を経過したときは，提起することができない。ただし，正当な理由があるときは，この限りでない。
② 取消訴訟は，処分又は裁決の日から1年を経過したときは，提起することができない。ただし，正当な理由があるときは，この限りでない。
③ 処分又は裁決につき審査請求をすることができる場合又は行政庁が誤つて審査請求をすることができる旨を教示した場合において，審査請求があつたときは，処分又は裁決に係る取消訴訟は，その審査請求をした者については，前2項の規定にかかわらず，これに対する裁決があつたことを知つた日から6箇月を経過したとき又は当該裁決の日から1年を経過したときは，提起することができない。ただし，正当な理由があるときは，この限りでない。

第46条　（取消訴訟等の提起に関する事項の教示）
① 行政庁は，取消訴訟を提起することができる処分又は裁決をする場合には，当該処分又は裁決の相手方に対し，次に掲げる事項を書面で教示しなければならない。ただし，当該処分を口頭でする場合は，この限りでない。
一　当該処分又は裁決に係る取消訴訟の被告とすべき者
二　当該処分又は裁決に係る取消訴訟の出訴期間
三　法律に当該処分についての審査請求に対する裁決を経た後でなければ処分の取消しの訴えを提起することができない旨の定めがあるときは，その旨
②・③　（略）

附　則　（略）

民事訴訟法（抄）

●平成8年6月26日法律第109号●　最終改正　令和4年5月25日法48号

第1編　総則

第1章　通則

第1条（趣旨）
　民事訴訟に関する手続については，他の法令に定めるもののほか，この法律の定めるところによる。

第2条（裁判所及び当事者の責務）
　裁判所は，民事訴訟が公正かつ迅速に行われるように努め，当事者は，信義に従い誠実に民事訴訟を追行しなければならない。

第3条（最高裁判所規則）
　この法律に定めるもののほか，民事訴訟に関する手続に関し必要な事項は，最高裁判所規則で定める。

第2章　裁判所

第2節／管轄

第4条（普通裁判籍による管轄）
① 訴えは，被告の普通裁判籍の所在地を管轄する裁判所の管轄に属する。
② 人の普通裁判籍は，住所により，日本国内に住所がないとき又は住所が知れないときは居所により，日本国内に居所がないとき又は居所が知れないときは最後の住所により定まる。
③ 大使，公使その他外国に在ってその国の裁判権からの免除を享有する日本人が前項の規定により普通裁判籍を有しないときは，その者の普通裁判籍は，最高裁判所規則で定める地にあるものとする。
④ 法人その他の社団又は財団の普通裁判籍は，その主たる事務所又は営業所により，事務所又は営業所がないときは代表者その他の主たる業務担当者の住所により定まる。
⑤ 外国の社団又は財団の普通裁判籍は，前項の規定にかかわらず，日本における主たる事務所又は営業所により，日本国内に事務所又は営業所がないときは日本における代表者その他の主たる業務担当者の住所により定まる。
⑥ 国の普通裁判籍は，訴訟について国を代表する官庁の所在地により定まる。

第5条（財産権上の訴え等についての管轄）
　次の各号に掲げる訴えは，それぞれ当該各号に定める地を管轄する裁判所に提起することができる。
一　財産権上の訴え　義務履行地
二・三　（略）
四　日本国内に住所（法人にあっては，事務所又は営業所。以下この号において同じ。）がない者又は住所が知れない者に対する財産権上の訴え　請求若しくはその担保の目的又は差し押さえることができる被告の財産の所在地
五～八　（略）
九　不法行為に関する訴え　不法行為があった地
十・十一　（略）
十二　不動産に関する訴え　不動産の所在地
十三　登記又は登録に関する訴え　登記又は登録をすべき地

十四　相続権若しくは遺留分に関する訴え又は遺贈その他死亡によって効力を生ずべき行為に関する訴え　相続開始の時における被相続人の普通裁判籍の所在地
十五　（略）

第8条　（訴訟の目的の価額の算定）
① 裁判所法（昭和22年法律第59号）の規定により管轄が訴訟の目的の価額により定まるときは，その価額は，訴えで主張する利益によって算定する。
② 前項の価額を算定することができないとき，又は極めて困難であるときは，その価額は140万円を超えるものとみなす。

第11条　（管轄の合意）
① 当事者は，第1審に限り，合意により管轄裁判所を定めることができる。
② 前項の合意は，一定の法律関係に基づく訴えに関し，かつ，書面でしなければ，その効力を生じない。
③ 第1項の合意がその内容を記録した電磁的記録によってされたときは，その合意は，書面によってされたものとみなして，前項の規定を適用する。

第12条　（応訴管轄）
被告が第1審裁判所において管轄違いの抗弁を提出しないで本案について弁論をし，又は弁論準備手続において申述をしたときは，その裁判所は，管轄権を有する。

第3章　当事者

第1節／当事者能力及び訴訟能力

第28条　（原則）
当事者能力，訴訟能力及び訴訟無能力者の法定代理は，この法律に特別の定めがある場合を除き，民法（明治29年法律第89号）その他の法令に従う。訴訟行為をするのに必要な授権についても，同様とする。

第29条　（法人でない社団等の当事者能力）
法人でない社団又は財団で代表者又は管理人の定めがあるものは，その名において訴え，又は訴えられることができる。

第30条　（選定当事者）
① 共同の利益を有する多数の者で前条の規定に該当しないものは，その中から，全員のために原告又は被告となるべき1人又は数人を選定することができる。
② 訴訟の係属の後，前項の規定により原告又は被告となるべき者を選定したときは，他の当事者は，当然に訴訟から脱退する。
③ 係属中の訴訟の原告又は被告と共同の利益を有する者で当事者でないものは，その原告又は被告を自己のためにも原告又は被告となるべき者として選定することができる。
④ 第1項又は前項の規定により原告又は被告となるべき者を選定した者（以下「選定者」という。）は，その選定を取り消し，又は選定された当事者（以下「選定当事者」という。）を変更することができる。
⑤ 選定当事者のうち死亡その他の事由によりその資格を喪失した者があるときは，他の選定当事者において全員のために訴訟行為をすることができる。

第31条　（未成年者及び成年被後見人の訴訟能力）
未成年者及び成年被後見人は，法定代理人によらなければ，訴訟行為をすることができない。ただし，未成年者が独立して法律行為をすることができる場合は，この限りでない。

第32条　（被保佐人，被補助人及び法定代理人の訴訟行為の特則）

① 被保佐人，被補助人（訴訟行為をすることにつきその補助人の同意を得ることを要するものに限る。次項及び第40条第4項において同じ。）又は後見人その他の法定代理人が相手方の提起した訴え又は上訴について訴訟行為をするには，保佐人若しくは保佐監督人，補助人若しくは補助監督人又は後見監督人の同意その他の授権を要しない。

② 被保佐人，被補助人又は後見人その他の法定代理人が次に掲げる訴訟行為をするには，特別の授権がなければならない。
一　訴えの取下げ，和解，請求の放棄若しくは認諾又は第48条（第50条第3項及び第51条において準用する場合を含む。）の規定による脱退
二　控訴，上告又は第318条第1項の申立ての取下げ
三　第360条（第367条第2項及び第378条第2項において準用する場合を含む。）の規定による異議の取下げ又はその取下げについての同意

第33条　（外国人の訴訟能力の特則）

外国人は，その本国法によれば訴訟能力を有しない場合であっても，日本法によれば訴訟能力を有すべきときは，訴訟能力者とみなす。

第34条　（訴訟能力等を欠く場合の措置等）

① 訴訟能力，法定代理権又は訴訟行為をするのに必要な授権を欠くときは，裁判所は，期間を定めて，その補正を命じなければならない。この場合において，遅滞のため損害を生ずるおそれがあるときは，裁判所は，一時訴訟行為をさせることができる。

② 訴訟能力，法定代理権又は訴訟行為をするのに必要な授権を欠く者がした訴訟行為は，これらを有するに至った当事者又は法定代理人の追認により，行為の時にさかのぼってその効力を生ずる。

③ 前2項の規定は，選定当事者が訴訟行為をする場合について準用する。

第35条　（特別代理人）

① 法定代理人がない場合又は法定代理人が代理権を行うことができない場合において，未成年者又は成年被後見人に対し訴訟行為をしようとする者は，遅滞のため損害を受けるおそれがあることを疎明して，受訴裁判所の裁判長に特別代理人の選任を申し立てることができる。

② 裁判所は，いつでも特別代理人を改任することができる。

③ 特別代理人が訴訟行為をするには，後見人と同一の授権がなければならない。

第36条　（法定代理権の消滅の通知）

① 法定代理権の消滅は，本人又は代理人から相手方に通知しなければ，その効力を生じない。

② 前項の規定は，選定当事者の選定の取消し及び変更について準用する。

第37条　（法人の代表者等への準用）

この法律中法定代理及び法定代理人に関する規定は，法人の代表者及び法人でない社団又は財団でその名において訴え，又は訴えられることができるものの代表者又は管理人について準用する。

第2節／共同訴訟

第38条　（共同訴訟の要件）

訴訟の目的である権利又は義務が数人について共通であるとき，又は同一の事実上及び法律上の原因に基づくときは，その数人は，共同訴訟人として訴え，又は訴えられることができる。訴訟の目的である権利又は義務が同種であって事実上及び法律上同種の原因に基づくときも，同様とする。

第39条（共同訴訟人の地位）
共同訴訟人の1人の訴訟行為，共同訴訟人の1人に対する相手方の訴訟行為及び共同訴訟人の1人について生じた事項は，他の共同訴訟人に影響を及ぼさない。

第40条（必要的共同訴訟）
① 訴訟の目的が共同訴訟人の全員について合一にのみ確定すべき場合には，その1人の訴訟行為は，全員の利益においてのみその効力を生ずる。
② 前項に規定する場合には，共同訴訟人の1人に対する相手方の訴訟行為は，全員に対してその効力を生ずる。
③ 第1項に規定する場合において，共同訴訟人の1人について訴訟手続の中断又は中止の原因があるときは，その中断又は中止は，全員についてその効力を生ずる。
④ 第32条第1項の規定は，第1項に規定する場合において，共同訴訟人の1人が提起した上訴について他の共同訴訟人である被保佐人若しくは被補助人又は他の共同訴訟人の後見人その他の法定代理人のすべき訴訟行為について準用する。

第4節／訴訟代理人及び補佐人

第54条（訴訟代理人の資格）
① 法令により裁判上の行為をすることができる代理人のほか，弁護士でなければ訴訟代理人となることができない。ただし，簡易裁判所においては，その許可を得て，弁護士でない者を訴訟代理人とすることができる。
② 前項の許可は，いつでも取り消すことができる。

第55条（訴訟代理権の範囲）
① 訴訟代理人は，委任を受けた事件について，反訴，参加，強制執行，仮差押え及び仮処分に関する訴訟行為をし，かつ，弁済を受領することができる。
② 訴訟代理人は，次に掲げる事項については，特別の委任を受けなければならない。
一 反訴の提起
二 訴えの取下げ，和解，請求の放棄若しくは認諾又は第48条（第50条第3項及び第51条において準用する場合を含む。）の規定による脱退
三 控訴，上告若しくは第318条第1項の申立て又はこれらの取下げ
四 第360条（第367条第2項及び第378条第2項において準用する場合を含む。）の規定による異議の取下げ又はその取下げについての同意
五 代理人の選任
③ 訴訟代理権は，制限することができない。ただし，弁護士でない訴訟代理人については，この限りでない。
④ 前三項の規定は，法令により裁判上の行為をすることができる代理人の権限を妨げない。

第56条（個別代理）
① 訴訟代理人が数人あるときは，各自当事者を代理する。
② 当事者が前項の規定と異なる定めをしても，その効力を生じない。

第57条（当事者による更正）
訴訟代理人の事実に関する陳述は，当事者が直ちに取り消し，又は更正したときは，その効力を生じない。

第58条（訴訟代理権の不消滅）
① 訴訟代理権は，次に掲げる事由によっては，消滅しない。
一 当事者の死亡又は訴訟能力の喪失
二 当事者である法人の合併による消滅
三 当事者である受託者の信託に関する任務の終了
四 法定代理人の死亡，訴訟能力の喪失又は代理権の消滅若しくは変更

② 一定の資格を有する者で自己の名で他人のために訴訟の当事者となるものの訴訟代理人の代理権は，当事者の死亡その他の事由による資格の喪失によっては，消滅しない。
③ 前項の規定は，選定当事者が死亡その他の事由により資格を喪失した場合について準用する。

第59条（法定代理の規定の準用）
　第34条第1項及び第2項並びに第36条第1項の規定は，訴訟代理について準用する。

第60条（補佐人）
① 当事者又は訴訟代理人は，裁判所の許可を得て，補佐人とともに出頭することができる。
② 前項の許可は，いつでも取り消すことができる。
③ 補佐人の陳述は，当事者又は訴訟代理人が直ちに取り消し，又は更正しないときは，当事者又は訴訟代理人が自らしたものとみなす。

第5章 訴訟手続

第1節／訴訟の審理等

第87条（口頭弁論の必要性）
① 当事者は，訴訟について，裁判所において口頭弁論をしなければならない。ただし，決定で完結すべき事件については，裁判所が，口頭弁論をすべきか否かを定める。
② 前項ただし書の規定により口頭弁論をしない場合には，裁判所は，当事者を審尋することができる。
③ 前二項の規定は，特別の定めがある場合には，適用しない。

第89条（和解の試み等）
① 裁判所は，訴訟がいかなる程度にあるかを問わず，和解を試み，又は受命裁判官若しくは受託裁判官に和解を試みさせることができる。
② 裁判所は，相当と認めるときは，当事者の意見を聴いて，最高裁判所規則で定めるところにより，裁判所及び当事者双方が音声の送受信により同時に通話をすることができる方法によって，和解の期日における手続を行うことができる。
③ 前項の期日に出頭しないで同項の手続に関与した当事者は，その期日に出頭したものとみなす。

第91条（訴訟記録の閲覧等）
① 何人も，裁判所書記官に対し，訴訟記録の閲覧を請求することができる。
② 公開を禁止した口頭弁論に係る訴訟記録については，当事者及び利害関係を疎明した第三者に限り，前項の規定による請求をすることができる。
③ 当事者及び利害関係を疎明した第3者は，裁判所書記官に対し，訴訟記録の謄写，その正本，謄本若しくは抄本の交付又は訴訟に関する事項の証明書の交付を請求することができる。
④ 前項の規定は，訴訟記録中の録音テープ又はビデオテープ（これらに準ずる方法により一定の事項を記録した物を含む。）に関しては，適用しない。この場合において，これらの物について当事者又は利害関係を疎明した第三者の請求があるときは，裁判所書記官は，その複製を許さなければならない。
⑤ 訴訟記録の閲覧，謄写及び複製の請求は，訴訟記録の保存又は裁判所の執務に支障があるときは，することができない。

第92条（秘密保護のための閲覧等の制限）
① 次に掲げる事由につき疎明があった場合には，裁判所は，当該当事者の申立てにより，決定で，当該訴訟記録中当該秘密が記載され，又は記録された部分の閲

覧若しくは謄写，その正本，謄本若しくは抄本の交付又はその複製（以下「秘密記載部分の閲覧等」という。）の請求をすることができる者を当事者に限ることができる。
一　訴訟記録中に当事者の私生活についての重大な秘密が記載され，又は記録されており，かつ，第三者が秘密記載部分の閲覧等を行うことにより，その当事者が社会生活を営むのに著しい支障を生ずるおそれがあること。
二　訴訟記録中に当事者が保有する営業秘密（不正競争防止法第2条第6項に規定する営業秘密をいう。第132条の2第1項第3号及び第2項において同じ。）が記載され，又は記録されていること。
②　前項の申立てがあったときは，その申立てについての裁判が確定するまで，第三者は，秘密記載部分の閲覧等の請求をすることができない。
③　秘密記載部分の閲覧等の請求をしようとする第三者は，訴訟記録の存する裁判所に対し，第1項に規定する要件を欠くこと又はこれを欠くに至ったことを理由として，同項の決定の取消しの申立てをすることができる。
④　第1項の申立てを却下した裁判及び前項の申立てについての裁判に対しては，即時抗告をすることができる。
⑤　第1項の決定を取り消す裁判は，確定しなければその効力を生じない。
⑥　第1項の申立て（同項第1号に掲げる事由があることを理由とするものに限る。次項及び第8項において同じ。）があった場合において，当該申立て後に第三者がその訴訟への参加をしたときは，裁判所書記官は，当該申立てをした当事者に対し，その参加後直ちに，その参加があった旨を通知しなければならない。ただし，当該申立てを却下する裁判が確定したときは，この限りでない。
⑦　前項本文の場合において，裁判所書記官は，同項の規定による通知があった日から2週間を経過する日までの間，その参加をした者に第1項の申立てに係る秘密記載部分の閲覧等をさせてはならない。ただし，第133条の2第2項の申立てがされたときは，この限りでない。
⑧　前2項の規定は，第6項の参加をした者に第1項の申立てに係る秘密記載部分の閲覧等をさせることについて同項の申立てをした当事者の全ての同意があるときは，適用しない。

第5節／裁判

第114条（既判力の範囲）
①　確定判決は，主文に包含するものに限り，既判力を有する。
②　相殺のために主張した請求の成立又は不成立の判断は，相殺をもって対抗した額について既判力を有する。

第115条（確定判決等の効力が及ぶ者の範囲）
①　確定判決は，次に掲げる者に対してその効力を有する。
一　当事者
二　当事者が他人のために原告又は被告となった場合のその他人
三　前二号に掲げる者の口頭弁論終結後の承継人
四　前三号に掲げる者のために請求の目的物を所持する者
②　前項の規定は，仮執行の宣言について準用する。

第116条（判決の確定時期）
①　判決は，控訴若しくは上告（第327条第1項（第380条第2項において準用する場合を含む。）の上告を除く。）の提起，第318条第1項の申立て又は第357条（第367条第2項において準用する場合を含む。）若しくは第378条第1項の規定に

よる異議の申立てについて定めた期間の満了前には，確定しないものとする。
② 判決の確定は，前項の期間内にした控訴の提起，同項の上告の提起又は同項の申立てにより，遮断される。

第2編 第1審の訴訟手続

第1章 訴え

第134条（訴え提起の方式）
① 訴えの提起は，訴状を裁判所に提出してしなければならない。
② 訴状には，次に掲げる事項を記載しなければならない。
　一　当事者及び法定代理人
　二　請求の趣旨及び原因

第134条の2（証書真否確認の訴え）
　確認の訴えは，法律関係を証する書面の成立の真否を確定するためにも提起することができる。

第135条（将来の給付の訴え）
　将来の給付を求める訴えは，あらかじめその請求をする必要がある場合に限り，提起することができる。

第136条（請求の併合）
　数個の請求は，同種の訴訟手続による場合に限り，一の訴えですることができる。

第142条（重複する訴えの提起の禁止）
　裁判所に係属する事件については，当事者は，更に訴えを提起することができない。

第143条（訴えの変更）
① 原告は，請求の基礎に変更がない限り，口頭弁論の終結に至るまで，請求又は請求の原因を変更することができる。ただし，これにより著しく訴訟手続を遅滞させることとなるときは，この限りでない。
② 請求の変更は，書面でしなければならない。
③ 前項の書面は，相手方に送達しなければならない。
④ 裁判所は，請求又は請求の原因の変更を不当であると認めるときは，申立てにより又は職権で，その変更を許さない旨の決定をしなければならない。

第146条（反訴）
① 被告は，本訴の目的である請求又は防御の方法と関連する請求を目的とする場合に限り，口頭弁論の終結に至るまで，本訴の係属する裁判所に反訴を提起することができる。ただし，次に掲げる場合は，この限りでない。
　一　反訴の目的である請求が他の裁判所の専属管轄（当事者が第11条の規定により合意で定めたものを除く。）に属するとき。
　二　反訴の提起により著しく訴訟手続を遅滞させることとなるとき。
② 本訴の係属する裁判所が第6条第1項各号に定める裁判所である場合において，反訴の目的である請求が同項の規定により他の裁判所の専属管轄に属するときは，前項第1号の規定は，適用しない。
③ 日本の裁判所が反訴の目的である請求について管轄権を有しない場合には，被告は，本訴の目的である請求又は防御の方法と密接に関連する請求を目的とする場合に限り，第1項の規定による反訴を提起することができる。ただし，日本の裁判所が管轄権の専属に関する規定により反訴の目的である請求について管轄権を有しないときは，この限りでない。
④ 反訴については，訴えに関する規定による。

第147条（裁判上の請求による時効の完成猶予等）
　訴えが提起されたとき，又は第143条第

2項（第144条第3項及び第145条第4項において準用する場合を含む。）の書面が裁判所に提出されたときは，その時に時効の完成猶予又は法律上の期間の遵守のために必要な裁判上の請求があったものとする。

第3章 ❋ 口頭弁論及びその準備

第1節／口頭弁論

第148条　（裁判長の訴訟指揮権）
① 口頭弁論は，裁判長が指揮する。
② 裁判長は，発言を許し，又はその命令に従わない者の発言を禁ずることができる。

第149条　（釈明権等）
① 裁判長は，口頭弁論の期日又は期日外において，訴訟関係を明瞭にするため，事実上及び法律上の事項に関し，当事者に対して問いを発し，又は立証を促すことができる。
② 陪席裁判官は，裁判長に告げて，前項に規定する処置をすることができる。
③ 当事者は，口頭弁論の期日又は期日外において，裁判長に対して必要な発問を求めることができる。
④ 裁判長又は陪席裁判官が，口頭弁論の期日外において，攻撃又は防御の方法に重要な変更を生じ得る事項について第1項又は第2項の規定による処置をしたときは，その内容を相手方に通知しなければならない。

第150条　（訴訟指揮等に対する異議）
　当事者が，口頭弁論の指揮に関する裁判長の命令又は前条第1項若しくは第2項の規定による裁判長若しくは陪席裁判官の処置に対し，異議を述べたときは，裁判所は，決定で，その異議について裁判をする。

第151条　（釈明処分）
① 裁判所は，訴訟関係を明瞭にするため，次に掲げる処分をすることができる。
　一　当事者本人又はその法定代理人に対し，口頭弁論の期日に出頭することを命ずること。
　二　口頭弁論の期日において，当事者のため事務を処理し，又は補助する者で裁判所が相当と認めるものに陳述をさせること。
　三　訴訟書類又は訴訟において引用した文書その他の物件で当事者の所持するものを提出させること。
　四　当事者又は第三者の提出した文書その他の物件を裁判所に留め置くこと。
　五　検証をし，又は鑑定を命ずること。
　六　調査を嘱託すること。
② 前項に規定する検証，鑑定及び調査の嘱託については，証拠調べに関する規定を準用する。

第159条　（自白の擬制）
① 当事者が口頭弁論において相手方の主張した事実を争うことを明らかにしない場合には，その事実を自白したものとみなす。ただし，弁論の全趣旨により，その事実を争ったものと認めるべきときは，この限りでない。
② 相手方の主張した事実を知らない旨の陳述をした者は，その事実を争ったものと推定する。
③ 第1項の規定は，当事者が口頭弁論の期日に出頭しない場合について準用する。ただし，その当事者が公示送達による呼出しを受けたものであるときは，この限りでない。

第4章 ❋ 証拠

第1節／総則

第179条　（証明することを要しない事実）
　裁判所において当事者が自白した事実

及び顕著な事実は，証明することを要しない。

第185条　（裁判所外における証拠調べ）
① 裁判所は，相当と認めるときは，裁判所外において証拠調べをすることができる。この場合においては，合議体の構成員に命じ，又は地方裁判所若しくは簡易裁判所に嘱託して証拠調べをさせることができる。
② 前項に規定する嘱託により職務を行う受託裁判官は，他の地方裁判所又は簡易裁判所において証拠調べをすることを相当と認めるときは，更に証拠調べの嘱託をすることができる。

第188条　（疎明）
疎明は，即時に取り調べることができる証拠によってしなければならない。

第2節／証人尋問

第190条　（証人義務）
裁判所は，特別の定めがある場合を除き，何人でも証人として尋問することができる。

第191条　（公務員の尋問）
① 公務員又は公務員であった者を証人として職務上の秘密について尋問する場合には，裁判所は，当該監督官庁（衆議院若しくは参議院の議員又はその職にあった者についてはその院，内閣総理大臣その他の国務大臣又はその職にあった者については内閣）の承認を得なければならない。
② 前項の承認は，公共の利益を害し，又は公務の遂行に著しい支障を生ずるおそれがある場合を除き，拒むことができない。

第192条　（不出頭に対する過料等）
① 証人が正当な理由なく出頭しないときは，裁判所は，決定で，これによって生じた訴訟費用の負担を命じ，かつ，10万円以下の過料に処する。
② 前項の決定に対しては，即時抗告をすることができる。

第193条　（不出頭に対する罰金等）
① 証人が正当な理由なく出頭しないときは，10万円以下の罰金又は拘留に処する。
② 前項の罪を犯した者には，情状により，罰金及び拘留を併科することができる。

第194条　（勾引）
① 裁判所は，正当な理由なく出頭しない証人の勾引を命ずることができる。
② 刑事訴訟法中勾引に関する規定は，前項の勾引について準用する。

第196条　（証言拒絶権）
証言が証人又は証人と次に掲げる関係を有する者が刑事訴追を受け，又は有罪判決を受けるおそれがある事項に関するときは，証人は，証言を拒むことができる。証言がこれらの者の名誉を害すべき事項に関するときも，同様とする。
一　配偶者，4親等内の血族若しくは3親等内の姻族の関係にあり，又はあったこと。
二　後見人と被後見人の関係にあること。

第197条
① 次に掲げる場合には，証人は，証言を拒むことができる。
一　第191条第1項の場合
二　医師，歯科医師，薬剤師，医薬品販売業者，助産師，弁護士（外国法事務弁護士を含む。），弁理士，弁護人，公証人，宗教，祈禱若しくは祭祀の職にある者又はこれらの職にあった者が職務上知り得た事実で黙秘すべきものについて尋問を受ける場合
三　技術又は職業の秘密に関する事項に

ついて尋問を受ける場合
② 前項の規定は，証人が黙秘の義務を免除された場合には，適用しない。

第201条　（宣誓）
① 証人には，特別の定めがある場合を除き，宣誓をさせなければならない。
② 16歳未満の者又は宣誓の趣旨を理解することができない者を証人として尋問する場合には，宣誓をさせることができない。
③ 第196条の規定に該当する証人で証言拒絶の権利を行使しないものを尋問する場合には，宣誓をさせないことができる。
④ 証人は，自己又は自己と第196条各号に掲げる関係を有する者に著しい利害関係のある事項について尋問を受けるときは，宣誓を拒むことができる。
⑤ 第198条及び第199条の規定は証人が宣誓を拒む場合について，第192条及び第193条の規定は宣誓拒絶を理由がないとする裁判が確定した後に証人が正当な理由なく宣誓を拒む場合について準用する。

第3節／当事者尋問

第207条　（当事者本人の尋問）
① 裁判所は，申立てにより又は職権で，当事者本人を尋問することができる。この場合においては，その当事者に宣誓をさせることができる。
② 証人及び当事者本人の尋問を行うときは，まず証人の尋問をする。ただし，適当と認めるときは，当事者の意見を聴いて，まず当事者本人の尋問をすることができる。

第208条　（不出頭等の効果）
　当事者本人を尋問する場合において，その当事者が，正当な理由なく，出頭せず，又は宣誓若しくは陳述を拒んだときは，裁判所は，尋問事項に関する相手方の主張を真実と認めることができる。

第4節／鑑定

第212条　（鑑定義務）
① 鑑定に必要な学識経験を有する者は，鑑定をする義務を負う。
② 第196条又は第201条第4項の規定により証言又は宣誓を拒むことができる者と同一の地位にある者及び同条第2項に規定する者は，鑑定人となることができない。

第213条　（鑑定人の指定）
　鑑定人は，受訴裁判所，受命裁判官又は受託裁判官が指定する。

第215条　（鑑定人の陳述の方式等）
① 裁判長は，鑑定人に，書面又は口頭で，意見を述べさせることができる。
② 裁判所は，鑑定人に意見を述べさせた場合において，当該意見の内容を明瞭にし，又はその根拠を確認するため必要があると認めるときは，申立てにより又は職権で，鑑定人に更に意見を述べさせることができる。

第215条の2　（鑑定人質問）
① 裁判所は，鑑定人に口頭で意見を述べさせる場合には，鑑定人が意見の陳述をした後に，鑑定人に対し質問をすることができる。
② 前項の質問は，裁判長，その鑑定の申出をした当事者，他の当事者の順序による。
③ 裁判長は，適当と認めるときは，当事者の意見を聴いて，前項の順序を変更することができる。
④ 当事者が前項の規定による変更について異議を述べたときは，裁判所は，決定で，その異議について裁判をする。

第216条　（証人尋問の規定の準用）
　第191条の規定は公務員又は公務員で

あった者に鑑定人として職務上の秘密について意見を述べさせる場合について，第197条から第199条までの規定は鑑定人が鑑定を拒む場合について，第201条第1項の規定は鑑定人に宣誓をさせる場合について，第192条及び第193条の規定は鑑定人が正当な理由なく出頭しない場合，鑑定人が宣誓を拒む場合及び鑑定拒絶を理由がないとする裁判が確定した後に鑑定人が正当な理由なく鑑定を拒む場合について準用する。

第217条 （鑑定証人）
　特別の学識経験により知り得た事実に関する尋問については，証人尋問に関する規定による。

第218条 （鑑定の嘱託）
① 裁判所は，必要があると認めるときは，官庁若しくは公署，外国の官庁若しくは公署又は相当の設備を有する法人に鑑定を嘱託することができる。この場合においては，宣誓に関する規定を除き，この節の規定を準用する。
② 前項の場合において，裁判所は，必要があると認めるときは，官庁，公署又は法人の指定した者に鑑定書の説明をさせることができる。

第5節／書証

第219条 （書証の申出）
　書証の申出は，文書を提出し，又は文書の所持者にその提出を命ずることを申し立ててしなければならない。

第220条 （文書提出義務）
　次に掲げる場合には，文書の所持者は，その提出を拒むことができない。
一　当事者が訴訟において引用した文書を自ら所持するとき。
二　挙証者が文書の所持者に対しその引渡し又は閲覧を求めることができるとき。
三　文書が挙証者の利益のために作成され，又は挙証者と文書の所持者との間の法律関係について作成されたとき。
四　前3号に掲げる場合のほか，文書が次に掲げるもののいずれにも該当しないとき。
　イ　文書の所持者又は文書の所持者と第196条各号に掲げる関係を有する者についての同条に規定する事項が記載されている文書
　ロ　公務員の職務上の秘密に関する文書でその提出により公共の利益を害し，又は公務の遂行に著しい支障を生ずるおそれがあるもの
　ハ　第197条第1項第2号に規定する事実又は同項第3号に規定する事項で，黙秘の義務が免除されていないものが記載されている文書
　ニ　専ら文書の所持者の利用に供するための文書（国又は地方公共団体が所持する文書にあっては，公務員が組織的に用いるものを除く。）
　ホ　刑事事件に係る訴訟に関する書類若しくは少年の保護事件の記録又はこれらの事件において押収されている文書

第226条 （文書送付の嘱託）
　書証の申出は，第219条の規定にかかわらず，文書の所持者にその文書の送付を嘱託することを申し立ててすることができる。ただし，当事者が法令により文書の正本又は謄本の交付を求めることができる場合は，この限りでない。

第227条 （文書の留置）
　裁判所は，必要があると認めるときは，提出又は送付に係る文書を留め置くことができる。

第228条 （文書の成立）
① 文書は，その成立が真正であることを

証明しなければならない。
② 文書は、その方式及び趣旨により公務員が職務上作成したものと認めるべきときは、真正に成立した公文書と推定する。
③ 公文書の成立の真否について疑いがあるときは、裁判所は、職権で、当該官庁又は公署に照会をすることができる。
④ 私文書は、本人又はその代理人の署名又は押印があるときは、真正に成立したものと推定する。
⑤ 第2項及び第3項の規定は、外国の官庁又は公署の作成に係るものと認めるべき文書について準用する。

第229条 （筆跡等の対照による証明）
① 文書の成立の真否は、筆跡又は印影の対照によっても、証明することができる。
② 第219条、第223条、第224条第1項及び第2項、第226条並びに第227条の規定は、対照の用に供すべき筆跡又は印影を備える文書その他の物件の提出又は送付について準用する。
③ 対照をするのに適当な相手方の筆跡がないときは、裁判所は、対照の用に供すべき文字の筆記を相手方に命ずることができる。
④ 相手方が正当な理由なく前項の規定による決定に従わないときは、裁判所は、文書の成立の真否に関する挙証者の主張を真実と認めることができる。書体を変えて筆記したときも、同様とする。
⑤ 第三者が正当な理由なく第2項において準用する第223条第1項の規定による提出の命令に従わないときは、裁判所は、決定で、10万円以下の過料に処する。
⑥ 前項の決定に対しては、即時抗告をすることができる。

第231条 （文書に準ずる物件への準用）
この節の規定は、図面、写真、録音テープ、ビデオテープその他の情報を表すために作成された物件で文書でないものについて準用する。

第5章●判決

第243条 （終局判決）
① 裁判所は、訴訟が裁判をするのに熟したときは、終局判決をする。
② 裁判所は、訴訟の一部が裁判をするのに熟したときは、その一部について終局判決をすることができる。
③ 前項の規定は、口頭弁論の併合を命じた数個の訴訟中その一が裁判をするのに熟した場合及び本訴又は反訴が裁判をするのに熟した場合について準用する。

第246条 （判決事項）
裁判所は、当事者が申し立てていない事項について、判決をすることができない。

第247条 （自由心証主義）
裁判所は、判決をするに当たり、口頭弁論の全趣旨及び証拠調べの結果をしん酌して、自由な心証により、事実についての主張を真実と認めるべきか否かを判断する。

第250条 （判決の発効）
判決は、言渡しによってその効力を生ずる。

第251条 （言渡期日）
① 判決の言渡しは、口頭弁論の終結の日から2月以内にしなければならない。ただし、事件が複雑であるときその他特別の事情があるときは、この限りでない。
② 判決の言渡しは、当事者が在廷しない場合においても、することができる。

第252条 （言渡しの方式）
判決の言渡しは、判決書の原本に基づいてする。

第253条　（判決書）
① 判決書には，次に掲げる事項を記載しなければならない。
　一　主文
　二　事実
　三　理由
　四　口頭弁論の終結の日
　五　当事者及び法定代理人
　六　裁判所
② 事実の記載においては，請求を明らかにし，かつ，主文が正当であることを示すのに必要な主張を摘示しなければならない。

第254条　（言渡しの方式の特則）
① 次に掲げる場合において，原告の請求を認容するときは，判決の言渡しは，第252条の規定にかかわらず，判決書の原本に基づかないですることができる。
　一　被告が口頭弁論において原告の主張した事実を争わず，その他何らの防御の方法をも提出しない場合
　二　被告が公示送達による呼出しを受けたにもかかわらず口頭弁論の期日に出頭しない場合（被告の提出した準備書面が口頭弁論において陳述されたものとみなされた場合を除く。）
② 前項の規定により判決の言渡しをしたときは，裁判所は，判決書の作成に代えて，裁判所書記官に，当事者及び法定代理人，主文，請求並びに理由の要旨を，判決の言渡しをした口頭弁論期日の調書に記載させなければならない。

第255条　（判決書等の送達）
① 判決書又は前条第2項の調書は，当事者に送達しなければならない。
② 前項に規定する送達は，判決書の正本又は前条第2項の調書の謄本によってする。

第6章　裁判によらない訴訟の完結

第261条　（訴えの取下げ）
① 訴えは，判決が確定するまで，その全部又は一部を取り下げることができる。
② 訴えの取下げは，相手方が本案について準備書面を提出し，弁論準備手続において申述をし，又は口頭弁論をした後にあっては，相手方の同意を得なければ，その効力を生じない。ただし，本訴の取下げがあった場合における反訴の取下げについては，この限りでない。
③ 訴えの取下げは，書面でしなければならない。ただし，口頭弁論，弁論準備手続又は和解の期日（以下この章において「口頭弁論等の期日」という。）においては，口頭ですることを妨げない。
④ 第2項本文の場合において，訴えの取下げが書面でされたときはその書面を，訴えの取下げが口頭弁論等の期日において口頭でされたとき（相手方がその期日に出頭したときを除く。）はその期日の調書の謄本を相手方に送達しなければならない。
⑤ 訴えの取下げの書面の送達を受けた日から2週間以内に相手方が異議を述べないときは，訴えの取下げに同意したものとみなす。訴えの取下げが口頭弁論等の期日において口頭でされた場合において，相手方がその期日に出頭したときは訴えの取下げがあった日から，相手方がその期日に出頭しなかったときは前項の謄本の送達があった日から2週間以内に相手方が異議を述べないときも，同様とする。

第262条　（訴えの取下げの効果）
① 訴訟は，訴えの取下げがあった部分については，初めから係属していなかったものとみなす。
② 本案について終局判決があった後に訴えを取り下げた者は，同一の訴えを提起することができない。

第263条 （訴えの取下げの擬制）
　　当事者双方が，口頭弁論若しくは弁論準備手続の期日に出頭せず，又は弁論若しくは弁論準備手続における申述をしないで退廷若しくは退席をした場合において，1月以内に期日指定の申立てをしないときは，訴えの取下げがあったものとみなす。当事者双方が，連続して2回，口頭弁論若しくは弁論準備手続の期日に出頭せず，又は弁論若しくは弁論準備手続における申述をしないで退廷若しくは退席をしたときも，同様とする。

第264条 （和解条項案の書面による受諾）
　　当事者が遠隔の地に居住していることその他の事由により出頭することが困難であると認められる場合において，その当事者があらかじめ裁判所又は受命裁判官若しくは受託裁判官から提示された和解条項案を受諾する旨の書面を提出し，他の当事者が口頭弁論等の期日に出頭してその和解条項案を受諾したときは，当事者間に和解が調ったものとみなす。

第265条 （裁判所等が定める和解条項）
① 　裁判所又は受命裁判官若しくは受託裁判官は，当事者の共同の申立てがあるときは，事件の解決のために適当な和解条項を定めることができる。
② 　前項の申立ては，書面でしなければならない。この場合においては，その書面に同項の和解条項に服する旨を記載しなければならない。
③ 　第1項の規定による和解条項の定めは，口頭弁論等の期日における告知その他相当と認める方法による告知によってする。
④ 　当事者は，前項の告知前に限り，第1項の申立てを取り下げることができる。この場合においては，相手方の同意を得ることを要しない。
⑤ 　第3項の告知が当事者双方にされたときは，当事者間に和解が調ったものとみなす。

第266条 （請求の放棄又は認諾）
① 　請求の放棄又は認諾は，口頭弁論等の期日においてする。
② 　請求の放棄又は認諾をする旨の書面を提出した当事者が口頭弁論等の期日に出頭しないときは，裁判所又は受命裁判官若しくは受託裁判官は，その旨の陳述をしたものとみなすことができる。

第267条 （和解調書等の効力）
　　和解又は請求の放棄若しくは認諾を調書に記載したときは，その記載は，確定判決と同一の効力を有する。

附　則（略）

民事訴訟規則（抄）

●平成8年12月17日最高裁規則第5号●　最終改正　平成27年6月29日最高裁規則6号

第1編　総則

第1章　通則

第1条（申立て等の方式）
① 申立てその他の申述は、特別の定めがある場合を除き、書面又は口頭ですることができる。
② 口頭で申述をするには、裁判所書記官の面前で陳述をしなければならない。この場合においては、裁判所書記官は、調書を作成し、記名押印しなければならない。

第2条（当事者が裁判所に提出すべき書面の記載事項）
① 訴状、準備書面その他の当事者又は代理人が裁判所に提出すべき書面には、次に掲げる事項を記載し、当事者又は代理人が記名押印するものとする。
　一　当事者の氏名又は名称及び住所並びに代理人の氏名及び住所
　二　事件の表示
　三　附属書類の表示
　四　年月日
　五　裁判所の表示
② 前項の規定にかかわらず、当事者又は代理人からその住所を記載した同項の書面が提出されているときは、以後裁判所に提出する同項の書面については、これを記載することを要しない。

第3条（裁判所に提出すべき書面のファクシミリによる提出）
① 裁判所に提出すべき書面は、次に掲げるものを除き、ファクシミリを利用して送信することにより提出することができる。
　一　民事訴訟費用等に関する法律（昭和46年法律第40号）の規定により手数料を納付しなければならない申立てに係る書面
　二　その提出により訴訟手続の開始、続行、停止又は完結をさせる書面（前号に該当する書面を除く。）
　三　法定代理権、訴訟行為をするのに必要な授権又は訴訟代理人の権限を証明する書面その他の訴訟手続上重要な事項を証明する書面
　四　上告理由書、上告受理申立て理由書その他これらに準ずる理由書
② ファクシミリを利用して書面が提出されたときは、裁判所が受信した時に、当該書面が裁判所に提出されたものとみなす。
③ 裁判所は、前項に規定する場合において、必要があると認めるときは、提出者に対し、送信に使用した書面を提出させることができる。

第3条の2（裁判所に提出する書面に記載した情報の電磁的方法による提供等）
① 裁判所は、判決書の作成に用いる場合その他必要があると認める場合において、書面を裁判所に提出した者又は提出しようとする者が当該書面に記載した情報の内容を記録した電磁的記録（電子的方式、磁気的方式その他人の知覚によっては認識することができない方式で作られる記録であって、電子計算機による情報

処理の用に供されるものをいう。以下この項において同じ。）を有しているときは、その者に対し、当該電磁的記録に記録された情報を電磁的方法（電子情報処理組織を使用する方法その他の情報通信の技術を利用する方法をいう。）であって裁判所の定めるものにより裁判所に提供することを求めることができる。

② 裁判所は、書面を送付しようとするときその他必要があると認めるときは、当該書面を裁判所に提出した者又は提出しようとする者に対し、その写しを提出することを求めることができる。

第4条　（催告及び通知）

① 民事訴訟に関する手続における催告及び通知は、相当と認める方法によることができる。

② 裁判所書記官は、催告又は通知をしたときは、その旨及び催告又は通知の方法を訴訟記録上明らかにしなければならない。

③ 催告は、これを受けるべき者の所在が明らかでないとき、又はその者が外国に在るときは、催告すべき事項を公告してすれば足りる。この場合には、その公告は、催告すべき事項を記載した書面を裁判所の掲示場その他裁判所内の公衆の見やすい場所に掲示して行う。

④ 前項の規定による催告は、公告をした日から1週間を経過した時にその効力を生ずる。

⑤ この規則の規定による通知（第46条（公示送達の方法）第2項の規定による通知を除く。）は、これを受けるべき者の所在が明らかでないとき、又はその者が外国に在るときは、することを要しない。この場合においては、裁判所書記官は、その事由を訴訟記録上明らかにしなければならない。

⑥ 当事者その他の関係人に対する通知は、裁判所書記官にさせることができる。

第5条　（訴訟書類の記載の仕方）

訴訟書類は、簡潔な文章で整然かつ明瞭に記載しなければならない。

第2章　裁判所

第1節／管轄

第6条　（普通裁判籍所在地の指定・法第4条）

民事訴訟法（平成8年法律第109号。以下「法」という。）第4条（普通裁判籍による管轄）第3項の最高裁判所規則で定める地は、東京都千代田区とする。

第6条の2　（管轄裁判所が定まらない場合の裁判籍所在地の指定・法第10条の2）

法第10条の2（管轄裁判所の特例）の最高裁判所規則で定める地は、東京都千代田区とする。

第7条　（移送の申立ての方式・法第16条等）

① 移送の申立ては、期日においてする場合を除き、書面でしなければならない。

② 前項の申立てをするときは、申立ての理由を明らかにしなければならない。

第8条　（裁量移送における取扱い・法第17条等）

① 法第17条（遅滞を避ける等のための移送）、第18条（簡易裁判所の裁量移送）又は第20条の2（特許権等に関する訴え等に係る訴訟の移送）の申立てがあったときは、裁判所は、相手方の意見を聴いて決定をするものとする。

② 裁判所は、職権により法第17条、第18条又は第20条の2の規定による移送の決定をするときは、当事者の意見を聴くことができる。

第9条 (移送による記録の送付・法第22条)

移送の裁判が確定したときは，移送の裁判をした裁判所の裁判所書記官は，移送を受けた裁判所の裁判所書記官に対し，訴訟記録を送付しなければならない。

第2節／裁判所職員の除斥，忌避及び回避

第10条 (除斥又は忌避の申立ての方式等・法第23条等)

① 裁判官に対する除斥又は忌避の申立ては，その原因を明示して，裁判官の所属する裁判所にしなければならない。
② 前項の申立ては，期日においてする場合を除き，書面でしなければならない。
③ 除斥又は忌避の原因は，申立てをした日から3日以内に疎明しなければならない。法第24条（裁判官の忌避）第2項ただし書に規定する事実についても，同様とする。

第11条 (除斥又は忌避についての裁判官の意見陳述・法第25条)

裁判官は，その除斥又は忌避の申立てについて意見を述べることができる。

第12条 (裁判官の回避)

裁判官は，法第23条（裁判官の除斥）第1項又は第24条（裁判官の忌避）第1項に規定する場合には，監督権を有する裁判所の許可を得て，回避することができる。

第13条 (裁判所書記官への準用等・法第27条)

この節の規定は，裁判所書記官について準用する。この場合において，簡易裁判所の裁判所書記官の回避の許可は，その裁判所書記官の所属する裁判所の裁判所法（昭和22年法律第59号）第37条（司法行政事務）に規定する裁判官がする。

第3章 当事者

第1節／当事者能力及び訴訟能力

第14条 (法人でない社団等の当事者能力の判断資料の提出・法第29条)

裁判所は，法人でない社団又は財団で代表者又は管理人の定めがあるものとして訴え，又は訴えられた当事者に対し，定款その他の当該当事者の当事者能力を判断するために必要な資料を提出させることができる。

第15条 (法定代理権等の証明・法第34条)

法定代理権又は訴訟行為をするのに必要な授権は，書面で証明しなければならない。選定当事者の選定及び変更についても，同様とする。

第16条 (特別代理人の選任及び改任の裁判の告知・法第35条)

特別代理人の選任及び改任の裁判は，特別代理人にも告知しなければならない。

第17条 (法定代理権の消滅等の届出・法第36条)

法定代理権の消滅の通知をした者は，その旨を裁判所に書面で届け出なければならない。選定当事者の選定の取消し及び変更の通知をした者についても，同様とする。

第18条 (法人の代表者等への準用・法第37条)

この規則中法定代理及び法定代理人に関する規定は，法人の代表者及び法人でない社団又は財団でその名において訴え，又は訴えられることができるものの代表者又は管理人について準用する。

第2節／共同訴訟

第19条　（同時審判の申出の撤回等・法第41条）

① 法第41条（同時審判の申出がある共同訴訟）第1項の申出は，控訴審の口頭弁論の終結の時までは，いつでも撤回することができる。

② 前項の申出及びその撤回は，期日においてする場合を除き，書面でしなければならない。

第3節／訴訟参加

第20条　（補助参加の申出書の送達等・法第43条等）

① 補助参加の申出書は，当事者双方に送達しなければならない。

② 前項に規定する送達は，補助参加の申出をした者から提出された副本によってする。

③ 前項の規定は，法第47条（独立当事者参加）第1項及び第52条（共同訴訟参加）第1項の規定による参加の申出書の送達について準用する。

第21条　（訴訟引受けの申立ての方式・法第50条等）

訴訟引受けの申立ては，期日においてする場合を除き，書面でしなければならない。

第22条　（訴訟告知書の送達等・法第53条）

① 訴訟告知の書面は，訴訟告知を受けるべき者に送達しなければならない。

② 前項に規定する送達は，訴訟告知をした当事者から提出された副本によってする。

③ 裁判所は，第1項の書面を相手方に送付しなければならない。

第4節／訴訟代理人

第23条　（訴訟代理権の証明等・法第54条等）

① 訴訟代理人の権限は，書面で証明しなければならない。

② 前項の書面が私文書であるときは，裁判所は，公証人その他の認証の権限を有する公務員の認証を受けるべきことを訴訟代理人に命ずることができる。

③ 訴訟代理人の権限の消滅の通知をした者は，その旨を裁判所に書面で届け出なければならない。

第23条の2　（連絡担当訴訟代理人の選任等）

① 当事者の一方につき訴訟代理人が数人あるとき（共同訴訟人間で訴訟代理人を異にするときを含む。）は，訴訟代理人は，その中から，連絡を担当する訴訟代理人（以下この条において「連絡担当訴訟代理人」という。）を選任することができる。

② 連絡担当訴訟代理人は，これを選任した訴訟代理人のために，裁判所及び相手方との間の連絡，争点及び証拠の整理の準備，和解条項案の作成その他審理が円滑に行われるために必要な行為をすることができる。ただし，訴訟行為については，この限りでない。

③ 連絡担当訴訟代理人を選任した訴訟代理人は，その旨を裁判所に書面で届け出るとともに，相手方に通知しなければならない。

第5章　訴訟手続

第1節／訴訟の審理等

第31条　（受命裁判官の指定及び裁判所の嘱託の手続）

① 受命裁判官にその職務を行わせる場合には，裁判長がその裁判官を指定する。

② 裁判所がする嘱託の手続は，特別の定めがある場合を除き，裁判所書記官がする。

第32条 (和解のための処置・法第89条)
① 裁判所又は受命裁判官若しくは受託裁判官は，和解のため，当事者本人又はその法定代理人の出頭を命ずることができる。
② 裁判所又は受命裁判官若しくは受託裁判官は，相当と認めるときは，裁判所外において和解をすることができる。

第33条 (訴訟記録の正本等の様式・法第91条等)
訴訟記録の正本，謄本又は抄本には，正本，謄本又は抄本であることを記載し，裁判所書記官が記名押印しなければならない。

第33条の2 (訴訟記録の閲覧等の請求の方式等・法第91条)
① 訴訟記録の閲覧若しくは謄写，その正本，謄本若しくは抄本の交付，その複製又は訴訟に関する事項の証明書の交付の請求は，書面でしなければならない。
② 前項の請求（訴訟に関する事項の証明書の交付の請求を除く。）は，訴訟記録中の当該請求に係る部分を特定するに足りる事項を明らかにしてしなければならない。
③ 訴訟記録の閲覧又は謄写は，その対象となる書面を提出した者からその写しが提出された場合には，提出された写しによってさせることができる。

第34条 (閲覧等の制限の申立ての方式等・法第92条)
① 秘密記載部分の閲覧等の請求をすることができる者を当事者に限る決定を求める旨の申立ては，書面で，かつ，訴訟記録中の秘密記載部分を特定してしなければならない。
② 前項の決定においては，訴訟記録中の秘密記載部分を特定しなければならない。

第3節／期日及び期間

第35条 (受命裁判官等の期日指定・法第93条)
受命裁判官又は受託裁判官が行う手続の期日は，その裁判官が指定する。

第36条 (期日変更の申立て・法第93条)
期日の変更の申立ては，期日の変更を必要とする事由を明らかにしてしなければならない。

第37条 (期日変更の制限・法第93条)
期日の変更は，次に掲げる事由に基づいては許してはならない。ただし，やむを得ない事由があるときは，この限りでない。
一 当事者の一方につき訴訟代理人が数人ある場合において，その一部の代理人について変更の事由が生じたこと。
二 期日指定後にその期日と同じ日時が他の事件の期日に指定されたこと。

第38条 (裁判長等が定めた期間の伸縮・法第96条)
裁判長，受命裁判官又は受託裁判官は，その定めた期間を伸長し，又は短縮することができる。

第4節／送達等

第39条 (送達に関する事務の取扱いの嘱託・法第98条)
送達に関する事務の取扱いは，送達地を管轄する地方裁判所の裁判所書記官に嘱託することができる。

第40条 (送達すべき書類等・法第101条)
① 送達すべき書類は，特別の定めがある場合を除き，当該書類の謄本又は副本とする。
② 送達すべき書類の提出に代えて調書を作成したときは，その調書の謄本又は抄

本を交付して送達をする。

第41条　（送達場所等の届出の方式・法第104条）
① 送達を受けるべき場所の届出及び送達受取人の届出は，書面でしなければならない。
② 前項の届出は，できる限り，訴状，答弁書又は支払督促に対する督促異議の申立書に記載してしなければならない。
③ 送達を受けるべき場所を届け出る書面には，届出場所が就業場所であることその他の当事者，法定代理人又は訴訟代理人と届出場所との関係を明らかにする事項を記載しなければならない。

第42条　（送達場所等の変更の届出・法第104条）
① 当事者，法定代理人又は訴訟代理人は，送達を受けるべき場所として届け出た場所又は送達受取人として届け出た者を変更する届出をすることができる。
② 前条（送達場所等の届出の方式）第1項及び第3項の規定は，前項に規定する変更の届出について準用する。

第43条　（就業場所における補充送達の通知・法第106条）
法第106条（補充送達及び差置送達）第2項の規定による補充送達がされたときは，裁判所書記官は，その旨を送達を受けた者に通知しなければならない。

第44条　（書留郵便に付する送達の通知・法第107条）
法第107条（書留郵便に付する送達）第1項又は第2項の規定による書留郵便に付する送達をしたときは，裁判所書記官は，その旨及び当該書類について書留郵便に付して発送した時に送達があったものとみなされることを送達を受けた者に通知しなければならない。

第45条　（受命裁判官等の外国における送達の権限・法第108条）
受命裁判官又は受託裁判官が行う手続において外国における送達をすべきときは，その裁判官も法第108条（外国における送達）に規定する嘱託をすることができる。

第46条　（公示送達の方法・法第111条）
① 呼出状の公示送達は，呼出状を掲示場に掲示してする。
② 裁判所書記官は，公示送達があったことを官報又は新聞紙に掲載することができる。外国においてすべき送達については，裁判所書記官は，官報又は新聞紙への掲載に代えて，公示送達があったことを通知することができる。

第47条　（書類の送付）
① 直送（当事者の相手方に対する直接の送付をいう。以下同じ。）その他の送付は，送付すべき書類の写しの交付又はその書類のファクシミリを利用しての送信によってする。
② 裁判所が当事者その他の関係人に対し送付すべき書類の送付に関する事務は，裁判所書記官が取り扱う。
③ 裁判所が当事者の提出に係る書類の相手方への送付をしなければならない場合（送達をしなければならない場合を除く。）において，当事者がその書類について直送をしたときは，その送付は，することを要しない。
④ 当事者が直送をしなければならない書類について，直送を困難とする事由その他相当とする事由があるときは，当該当事者は，裁判所に対し，当該書類の相手方への送付（準備書面については，送達又は送付）を裁判所書記官に行わせるよう申し出ることができる。
⑤ 当事者から前項の書類又は裁判所が当事者に対し送付すべき書類の直送を受け

た相手方は，当該書類を受領した旨を記載した書面について直送をするとともに，当該書面を裁判所に提出しなければならない。ただし，同項の書類又は裁判所が当事者に対し送付すべき書類の直送をした当事者が，受領した旨を相手方が記載した当該書類を裁判所に提出したときは，この限りでない。

第5節／裁判

第48条　（判決確定証明書・法第116条）

① 第1審裁判所の裁判所書記官は，当事者又は利害関係を疎明した第三者の請求により，訴訟記録に基づいて判決の確定についての証明書を交付する。

② 訴訟がなお上訴審に係属中であるときは，前項の規定にかかわらず，上訴裁判所の裁判所書記官が，判決の確定した部分のみについて同項の証明書を交付する。

第49条　（法第117条第1項の訴えの訴状の添付書類）

法第117条（定期金による賠償を命じた確定判決の変更を求める訴え）第1項の訴えの訴状には，変更を求める確定判決の写しを添付しなければならない。

第50条　（決定及び命令の方式等・法第119条等）

① 決定書及び命令書には，決定又は命令をした裁判官が記名押印しなければならない。

② 決定又は命令の告知がされたときは，裁判所書記官は，その旨及び告知の方法を訴訟記録上明らかにしなければならない。

③ 決定及び命令には，前二項に規定するほか，その性質に反しない限り，判決に関する規定を準用する。

第50条の2　（調書決定）

最高裁判所が決定をする場合において，相当と認めるときは，決定書の作成に代えて，決定の内容を調書に記載させることができる。

第6節／訴訟手続の中断

第51条　（訴訟手続の受継の申立ての方式・法第124条等）

① 訴訟手続の受継の申立ては，書面でしなければならない。

② 前項の書面には，訴訟手続を受け継ぐ者が法第124条（訴訟手続の中断及び受継）第1項各号に定める者であることを明らかにする資料を添付しなければならない。

第52条　（訴訟代理人による中断事由の届出・法第124条）

法第124条（訴訟手続の中断及び受継）第1項各号に掲げる事由が生じたときは，訴訟代理人は，その旨を裁判所に書面で届け出なければならない。

第2編　第1審の訴訟手続

第1章　訴え

第53条　（訴状の記載事項・法第133条）

① 訴状には，請求の趣旨及び請求の原因（請求を特定するのに必要な事実をいう。）を記載するほか，請求を理由づける事実を具体的に記載し，かつ，立証を要する事由ごとに，当該事実に関連する事実で重要なもの及び証拠を記載しなければならない。

② 訴状に事実についての主張を記載するには，できる限り，請求を理由づける事実についての主張と当該事実に関連する事実についての主張とを区別して記載しなければならない。

③ 攻撃又は防御の方法を記載した訴状は，準備書面を兼ねるものとする。

④ 訴状には，第1項に規定する事項のほか，原告又はその代理人の郵便番号及び

電話番号(ファクシミリの番号を含む。)を記載しなければならない。

第54条 (訴えの提起前に証拠保全が行われた場合の訴状の記載事項)

訴えの提起前に証拠保全のための証拠調べが行われたときは、訴状には、前条(訴状の記載事項)第1項及び第4項に規定する事項のほか、その証拠調べを行った裁判所及び証拠保全事件の表示を記載しなければならない。

第55条 (訴状の添付書類)

① 次の各号に掲げる事件の訴状には、それぞれ当該各号に定める書類を添付しなければならない。
一 不動産に関する事件 登記事項証明書
二 手形又は小切手に関する事件 手形又は小切手の写し
② 前項に規定するほか、訴状には、立証を要する事由につき、証拠となるべき文書の写し(以下「書証の写し」という。)で重要なものを添付しなければならない。

第56条 (訴状の補正の促し・法第137条)

裁判長は、訴状の記載について必要な補正を促す場合には、裁判所書記官に命じて行わせることができる。

第57条 (訴状却下命令に対する即時抗告・法第137条等)

訴状却下の命令に対し即時抗告をするときは、抗告状には、却下された訴状を添付しなければならない。

第58条 (訴状の送達等・法第138条等)

① 訴状の送達は、原告から提出された副本によってする。
② 前項の規定は、法第143条(訴えの変更)第2項(法第144条(選定者に係る請求の追加)第3項及び法第145条(中間確認の訴え)第4項において準用する場合を含む。)の書面の送達について準用する。

第59条 (反訴・法第146条)

反訴については、訴えに関する規定を適用する。

第2章 口頭弁論及びその準備

第1節/口頭弁論

第60条 (最初の口頭弁論期日の指定・法第139条)

① 訴えが提起されたときは、裁判長は、速やかに、口頭弁論の期日を指定しなければならない。ただし、事件を弁論準備手続に付する場合(付することについて当事者に異議がないときに限る。)又は書面による準備手続に付する場合は、この限りでない。
② 前項の期日は、特別の事由がある場合を除き、訴えが提起された日から30日以内の日に指定しなければならない。

第61条 (最初の口頭弁論期日前における参考事項の聴取)

① 裁判長は、最初にすべき口頭弁論の期日前に、当事者から、訴訟の進行に関する意見その他訴訟の進行について参考とすべき事項の聴取をすることができる。
② 裁判長は、前項の聴取をする場合には、裁判所書記官に命じて行わせることができる。

第62条 (口頭弁論期日の開始)

口頭弁論の期日は、事件の呼上げによって開始する。

第63条 (期日外釈明の方法・法第149条)

① 裁判長又は陪席裁判官は、口頭弁論の期日外において、法第149条(釈明権等)第1項又は第2項の規定による釈明のた

めの処置をする場合には，裁判所書記官に命じて行わせることができる。
② 裁判長又は陪席裁判官が，口頭弁論の期日外において，攻撃又は防御の方法に重要な変更を生じ得る事項について前項の処置をしたときは，裁判所書記官は，その内容を訴訟記録上明らかにしなければならない。

第64条 （口頭弁論期日の変更の制限）

争点及び証拠の整理手続を経た事件についての口頭弁論の期日の変更は，事実及び証拠についての調査が十分に行われていないことを理由としては許してはならない。

第65条 （訴訟代理人の陳述禁止等の通知・法第155条）

裁判所が訴訟代理人の陳述を禁じ，又は弁護士の付添いを命じたときは，裁判所書記官は，その旨を本人に通知しなければならない。

第66条 （口頭弁論調書の形式的記載事項・法第160条）

① 口頭弁論の調書には，次に掲げる事項を記載しなければならない。
一 事件の表示
二 裁判官及び裁判所書記官の氏名
三 立ち会った検察官の氏名
四 出頭した当事者，代理人，補佐人及び通訳人の氏名
五 弁論の日時及び場所
六 弁論を公開したこと又は公開しなかったときはその旨及びその理由
② 前項の調書には，裁判所書記官が記名押印し，裁判長が認印しなければならない。
③ 前項の場合において，裁判長に支障があるときは，陪席裁判官がその事由を付記して認印しなければならない。裁判官に支障があるときは，裁判所書記官がその旨を記載すれば足りる。

第67条 （口頭弁論調書の実質的記載事項・法第160条）

① 口頭弁論の調書には，弁論の要領を記載し，特に，次に掲げる事項を明確にしなければならない。
一 訴えの取下げ，和解，請求の放棄及び認諾並びに自白
二 法第147条の3（審理の計画）第1項の審理の計画が同項の規定により定められ，又は同条第4項の規定により変更されたときは，その定められ，又は変更された内容
三 証人，当事者本人及び鑑定人の陳述
四 証人，当事者本人及び鑑定人の宣誓の有無並びに証人及び鑑定人に宣誓をさせなかった理由
五 検証の結果
六 裁判長が記載を命じた事項及び当事者の請求により記載を許した事項
七 書面を作成しないでした裁判
八 裁判の言渡し
② 前項の規定にかかわらず，訴訟が裁判によらないで完結した場合には，裁判長の許可を得て，証人，当事者本人及び鑑定人の陳述並びに検証の結果の記載を省略することができる。ただし，当事者が訴訟の完結を知った日から1週間以内にその記載をすべき旨の申出をしたときは，この限りでない。
③ 口頭弁論の調書には，弁論の要領のほか，当事者による攻撃又は防御の方法の提出の予定その他訴訟手続の進行に関する事項を記載することができる。

第68条 （調書の記載に代わる録音テープ等への記録）

① 裁判所書記官は，前条（口頭弁論調書の実質的記載事項）第1項の規定にかかわらず，裁判長の許可があったときは，証人，当事者本人又は鑑定人（以下「証

人等」という。）の陳述を録音テープ又はビデオテープ（これらに準ずる方法により一定の事項を記録することができる物を含む。以下「録音テープ等」という。）に記録し、これをもって調書の記載に代えることができる。この場合において、当事者は、裁判長が許可をする際に、意見を述べることができる。

② 前項の場合において、訴訟が完結するまでに当事者の申出があったときは、証人等の陳述を記載した書面を作成しなければならない。訴訟が上訴審に係属中である場合において、上訴裁判所が必要があると認めたときも、同様とする。

第69条 （書面等の引用添付）
　口頭弁論の調書には、書面、写真、録音テープ、ビデオテープその他裁判所において適当と認めるものを引用し、訴訟記録に添付して調書の一部とすることができる。

第70条 （陳述の速記）
　裁判所は、必要があると認めるときは、申立てにより又は職権で、裁判所速記官その他の速記者に口頭弁論における陳述の全部又は一部を速記させることができる。

第71条 （速記録の作成）
　裁判所速記官は、前条（陳述の速記）の規定により速記した場合には、速やかに、速記原本を反訳して速記録を作成しなければならない。ただし、第713条（速記原本の引用添付）の規定により速記原本が調書の一部とされるときその他裁判所が速記録を作成する必要がないと認めるときは、この限りでない。

第72条 （速記録の引用添付）
　裁判所速記官が作成した速記録は、調書に引用し、訴訟記録に添付して調書の一部とするものとする。ただし、裁判所が速記録の引用を適当でないと認めるときは、この限りでない。

第73条 （速記原本の引用添付）
　証人及び当事者本人の尋問並びに鑑定人の口頭による意見の陳述については、裁判所が相当と認め、かつ、当事者が同意したときは、裁判所速記官が作成した速記原本を引用し、訴訟記録に添付して調書の一部とすることができる。

第74条 （速記原本の反訳等）
① 裁判所は、次に掲げる場合には、裁判所速記官に前条（速記原本の引用添付）の規定により調書の一部とされた速記原本を反訳して速記録を作成させなければならない。
一　訴訟記録の閲覧、謄写又はその正本、謄本若しくは抄本の交付を請求する者が反訳を請求したとき。
二　裁判官が代わったとき。
三　上訴の提起又は上告受理の申立てがあったとき。
四　その他必要があると認めるとき。
② 裁判所書記官は、前項の規定により作成された速記録を訴訟記録に添付し、その旨を当事者その他の関係人に通知しなければならない。
③ 前項の規定により訴訟記録に添付された速記録は、前条の規定により調書の一部とされた速記原本に代わるものとする。

第75条 （速記原本の訳読）
　裁判所速記官は、訴訟記録の閲覧を請求する者が調書の一部とされた速記原本の訳読を請求した場合において裁判所書記官の求めがあったときは、その訳読をしなければならない。

第76条 （口頭弁論における陳述の録音）
　裁判所は、必要があると認めるときは、

申立てにより又は職権で，録音装置を使用して口頭弁論における陳述の全部又は一部を録取させることができる。この場合において，裁判所が相当と認めるときは，録音テープを反訳した調書を作成しなければならない。

第77条　（法廷における写真の撮影等の制限）
　法廷における写真の撮影，速記，録音，録画又は放送は，裁判長の許可を得なければすることができない。

第78条　（裁判所の審尋等への準用）
　法第160条（口頭弁論調書）及び第66条から前条まで（口頭弁論調書の形式的記載事項，口頭弁論調書の実質的記載事項，調書の記載に代わる録音テープ等への記録，書面等の引用添付，陳述の速記，速記録の作成，速記録の引用添付，速記原本の引用添付，速記原本の反訳等，速記原本の訳読，口頭弁論における陳述の録音及び法廷における写真の撮影等の制限）の規定は，裁判所の審尋及び口頭弁論の期日外に行う証拠調べ並びに受命裁判官又は受託裁判官が行う手続について準用する。

第2節　準備書面等

第79条　（準備書面・法第161条）
① 答弁書その他の準備書面は，これに記載した事項について相手方が準備をするのに必要な期間をおいて，裁判所に提出しなければならない。
② 準備書面に事実についての主張を記載する場合には，できる限り，請求を理由づける事実，抗弁事実又は再抗弁事実についての主張とこれらに関連する事実についての主張とを区別して記載しなければならない。
③ 準備書面において相手方の主張する事実を否認する場合には，その理由を記載しなければならない。
④ 第2項に規定する場合には，立証を要する事由ごとに，証拠を記載しなければならない。

第80条　（答弁書）
① 答弁書には，請求の趣旨に対する答弁を記載するほか，訴状に記載された事実に対する認否及び抗弁事実を具体的に記載し，かつ，立証を要する事由ごとに，当該事実に関連する事実で重要なもの及び証拠を記載しなければならない。やむを得ない事由によりこれらを記載することができない場合には，答弁書の提出後速やかに，これらを記載した準備書面を提出しなければならない。
② 答弁書には，立証を要する事由につき，重要な書証の写しを添付しなければならない。やむを得ない事由により添付することができない場合には，答弁書の提出後速やかに，これを提出しなければならない。
③ 第53条（訴状の記載事項）第4項の規定は，答弁書について準用する。

第81条　（答弁に対する反論）
　被告の答弁により反論を要することとなった場合には，原告は，速やかに，答弁書に記載された事実に対する認否及び再抗弁事実を具体的に記載し，かつ，立証を要することとなった事由ごとに，当該事実に関連する事実で重要なもの及び証拠を記載した準備書面を提出しなければならない。当該準備書面には，立証を要することとなった事由につき，重要な書証の写しを添付しなければならない。

第82条　（準備書面に引用した文書の取扱い）
① 文書を準備書面に引用した当事者は，裁判所又は相手方の求めがあるときは，その写しを提出しなければならない。

② 前項の当事者は，同項の写しについて直送をしなければならない。

第83条　（準備書面の直送）
当事者は，準備書面について，第79条（準備書面）第1項の期間をおいて，直送をしなければならない。

第84条　（当事者照会・法第163条）
① 法第163条（当事者照会）の規定による照会及びこれに対する回答は，照会書及び回答書を相手方に送付してする。この場合において，相手方に代理人があるときは，照会書は，当該代理人に対し送付するものとする。
② 前項の照会書には，次に掲げる事項を記載し，当事者又は代理人が記名押印するものとする。
一　当事者及び代理人の氏名
二　事件の表示
三　訴訟の係属する裁判所の表示
四　年月日
五　照会をする事項（以下この条において「照会事項」という。）及びその必要性
六　法第163条の規定により照会をする旨
七　回答すべき期間
八　照会をする者の住所，郵便番号及びファクシミリの番号
③ 第1項の回答書には，前項第1号から第4号までに掲げる事項及び照会事項に対する回答を記載し，当事者又は代理人が記名押印するものとする。この場合において，照会事項中に法第163条各号に掲げる照会に該当することを理由としてその回答を拒絶するものがあるときは，その条項をも記載するものとする。
④ 照会事項は，項目を分けて記載するものとし，照会事項に対する回答は，できる限り，照会事項の項目に対応させて，かつ，具体的に記載するものとする。

第85条　（調査の義務）
当事者は，主張及び立証を尽くすため，あらかじめ，証人その他の証拠について事実関係を詳細に調査しなければならない。

第3節／争点及び証拠の整理手続

第1款／準備的口頭弁論

第86条　（証明すべき事実の調書記載等・法第165条）
① 裁判所は，準備的口頭弁論を終了するに当たり，その後の証拠調べによって証明すべき事実が確認された場合において，相当と認めるときは，裁判所書記官に当該事実を準備的口頭弁論の調書に記載させなければならない。
② 裁判長は，準備的口頭弁論を終了するに当たり，当事者に準備的口頭弁論における争点及び証拠の整理の結果を要約した書面を提出させる場合には，その書面の提出をすべき期間を定めることができる。

第87条　（法第167条の規定による当事者の説明の方式）
① 法第167条（準備的口頭弁論終了後の攻撃防御方法の提出）の規定による当事者の説明は，期日において口頭でする場合を除き，書面でしなければならない。
② 前項の説明が期日において口頭でされた場合には，相手方は，説明をした当事者に対し，当該説明の内容を記載した書面を交付するよう求めることができる。

第2款／弁論準備手続

第88条　（弁論準備手続調書等・法第170条等）
① 弁論準備手続の調書には，当事者の陳述に基づき，法第161条（準備書面）第2項に掲げる事項を記載し，特に，証拠については，その申出を明確にしなけれ

ばならない。
② 裁判所及び当事者双方が音声の送受信により同時に通話をすることができる方法によって弁論準備手続の期日における手続を行うときは、裁判所又は受命裁判官は、通話者及び通話先の場所の確認をしなければならない。
③ 前項の手続を行ったときは、その旨及び通話先の電話番号を弁論準備手続の調書に記載しなければならない。この場合においては、通話先の電話番号に加えてその場所を記載することができる。
④ 第1項及び前項に規定するほか、弁論準備手続の調書については、法第160条（口頭弁論調書）及びこの規則中口頭弁論の調書に関する規定を準用する。

第89条（弁論準備手続の結果の陳述・法第173条）

弁論準備手続の終結後に、口頭弁論において弁論準備手続の結果を陳述するときは、その後の証拠調べによって証明すべき事実を明らかにしてしなければならない。

第90条（準備的口頭弁論の規定等の準用・法第170条等）

第63条（期日外釈明の方法）及び第65条（訴訟代理人の陳述禁止等の通知）並びに前款（準備的口頭弁論）の規定は、弁論準備手続について準用する。

第3款／書面による準備手続

第91条（音声の送受信による通話の方法による協議・法第176条）

① 裁判長又は高等裁判所における受命裁判官（以下この条において「裁判長等」という。）は、裁判所及び当事者双方が音声の送受信により同時に通話をすることができる方法によって書面による準備手続における協議をする場合には、その協議の日時を指定することができる。
② 前項の方法による協議をしたときは、裁判長等は、裁判所書記官に当該手続についての調書を作成させ、これに協議の結果を記載させることができる。
③ 第1項の方法による協議をし、かつ、裁判長等がその結果について裁判所書記官に記録をさせたときは、その記録に同項の方法による協議をした旨及び通話先の電話番号を記載させなければならない。この場合においては、通話先の電話番号に加えてその場所を記載させることができる。
④ 第88条（弁論準備手続調書等）第2項の規定は、第1項の方法による協議をする場合について準用する。

第92条（口頭弁論の規定等の準用・法第176条）

第63条（期日外釈明の方法）及び第86条（証明すべき事実の調書記載等）第2項の規定は、書面による準備手続について準用する。

第93条（証明すべき事実の調書記載・法第177条）

書面による準備手続を終結した事件について、口頭弁論の期日において、その後の証拠調べによって証明すべき事実の確認がされたときは、当該事実を口頭弁論の調書に記載しなければならない。

第94条（法第178条の規定による当事者の説明の方式）

① 法第178条（書面による準備手続終結後の攻撃防御方法の提出）の規定による当事者の説明は、期日において口頭でする場合を除き、書面でしなければならない。
② 第87条（法第167条の規定による当事者の説明の方式）第2項の規定は、前項の説明が期日において口頭でされた場合について準用する。

第4節／進行協議期日

第95条　（進行協議期日）
① 裁判所は，口頭弁論の期日外において，その審理を充実させることを目的として，当事者双方が立ち会うことができる進行協議期日を指定することができる。この期日においては，裁判所及び当事者は，口頭弁論における証拠調べと争点との関係の確認その他訴訟の進行に関し必要な事項についての協議を行うものとする。
② 訴えの取下げ並びに請求の放棄及び認諾は，進行協議期日においてもすることができる。
③ 法第261条（訴えの取下げ）第4項及び第5項の規定は，前項の訴えの取下げについて準用する。

第96条　（音声の送受信による通話の方法による進行協議期日）
① 裁判所は，当事者が遠隔の地に居住しているときその他相当と認めるときは，当事者の意見を聴いて，裁判所及び当事者双方が音声の送受信により同時に通話をすることができる方法によって，進行協議期日における手続を行うことができる。ただし，当事者の一方がその期日に出頭した場合に限る。
② 進行協議期日に出頭しないで前項の手続に関与した当事者は，その期日に出頭したものとみなす。
③ 進行協議期日においては，前項の当事者は，前条（進行協議期日）第2項の規定にかかわらず，訴えの取下げ並びに請求の放棄及び認諾をすることができない。
④ 第88条（弁論準備手続調書等）第2項の規定は，第1項の手続を行う場合について準用する。

第97条　（裁判所外における進行協議期日）
裁判所は，相当と認めるときは，裁判所外において進行協議期日における手続を行うことができる。

第98条　（受命裁判官による進行協議期日）
裁判所は，受命裁判官に進行協議期日における手続を行わせることができる。

第3章　証拠

第1節／総則

第99条　（証拠の申出・法第180条）
① 証拠の申出は，証明すべき事実及びこれと証拠との関係を具体的に明示してしなければならない。
② 第83条（準備書面の直送）の規定は，証拠の申出を記載した書面についても適用する。

第100条　（証人及び当事者本人の一括申出・法第182条）
証人及び当事者本人の尋問の申出は，できる限り，一括してしなければならない。

第101条　（証拠調べの準備）
争点及び証拠の整理手続を経た事件については，裁判所は，争点及び証拠の整理手続の終了又は終結後における最初の口頭弁論の期日において，直ちに証拠調べをすることができるようにしなければならない。

第102条　（文書等の提出時期）
証人若しくは当事者本人の尋問又は鑑定人の口頭による意見の陳述において使用する予定の文書は，証人等の陳述の信用性を争うための証拠として使用するものを除き，当該尋問又は意見の陳述を開始する時の相当期間前までに，提出しなければならない。ただし，当該文書を提出することができないときは，その写しを提出すれば足りる。

第103条 （外国における証拠調べの嘱託の手続・法第184条）
　外国においてすべき証拠調べの嘱託の手続は，裁判長がする。

第104条 （証拠調べの再嘱託の通知・法第185条）
　受託裁判官が他の地方裁判所又は簡易裁判所に更に証拠調べの嘱託をしたときは，受託裁判官の所属する裁判所の裁判所書記官は，その旨を受訴裁判所及び当事者に通知しなければならない。

第105条 （嘱託に基づく証拠調べの記録の送付・法第185条）
　受託裁判官の所属する裁判所の裁判所書記官は，受訴裁判所の裁判所書記官に対し，証拠調べに関する記録を送付しなければならない。

第2節／証人尋問

第106条 （証人尋問の申出）
　証人尋問の申出は，証人を指定し，かつ，尋問に要する見込みの時間を明らかにしてしなければならない。

第107条 （尋問事項書）
① 証人尋問の申出をするときは，同時に，尋問事項書（尋問事項を記載した書面をいう。以下同じ。）2通を提出しなければならない。ただし，やむを得ない事由があるときは，裁判長の定める期間内に提出すれば足りる。
② 尋問事項書は，できる限り，個別的かつ具体的に記載しなければならない。
③ 第1項の申出をする当事者は，尋問事項書について直送をしなければならない。

第108条 （呼出状の記載事項等）
　証人の呼出状には，次に掲げる事項を記載し，尋問事項書を添付しなければならない。

一　当事者の表示
二　出頭すべき日時及び場所
三　出頭しない場合における法律上の制裁

第109条 （証人の出頭の確保）
　証人を尋問する旨の決定があったときは，尋問の申出をした当事者は，証人を期日に出頭させるように努めなければならない。

第110条 （不出頭の届出）
　証人は，期日に出頭することができない事由が生じたときは，直ちに，その事由を明らかにして届け出なければならない。

第111条 （勾引・法第194条）
　刑事訴訟規則（昭和23年最高裁判所規則第32号）中勾引に関する規定は，正当な理由なく出頭しない証人の勾引について準用する。

第112条 （宣誓・法第201条）
① 証人の宣誓は，尋問の前にさせなければならない。ただし，特別の事由があるときは，尋問の後にさせることができる。
② 宣誓は，起立して厳粛に行わなければならない。
③ 裁判長は，証人に宣誓書を朗読させ，かつ，これに署名押印させなければならない。証人が宣誓書を朗読することができないときは，裁判長は，裁判所書記官にこれを朗読させなければならない。
④ 前項の宣誓書には，良心に従って真実を述べ，何事も隠さず，また，何事も付け加えないことを誓う旨を記載しなければならない。
⑤ 裁判長は，宣誓の前に，宣誓の趣旨を説明し，かつ，偽証の罰を告げなければならない。

第113条　(尋問の順序・法第202条)

① 当事者による証人の尋問は，次の順序による。
　一　尋問の申出をした当事者の尋問（主尋問）
　二　相手方の尋問（反対尋問）
　三　尋問の申出をした当事者の再度の尋問（再主尋問）
② 当事者は，裁判長の許可を得て，更に尋問をすることができる。
③ 裁判長は，法第202条（尋問の順序）第１項及び第２項の規定によるほか，必要があると認めるときは，いつでも，自ら証人を尋問し，又は当事者の尋問を許すことができる。
④ 陪席裁判官は，裁判長に告げて，証人を尋問することができる。

第114条　(質問の制限)

① 次の各号に掲げる尋問は，それぞれ当該各号に定める事項について行うものとする。
　一　主尋問　立証すべき事項及びこれに関連する事項
　二　反対尋問　主尋問に現れた事項及びこれに関連する事項並びに証言の信用性に関する事項
　三　再主尋問　反対尋問に現れた事項及びこれに関連する事項
② 裁判長は，前項各号に掲げる尋問における質問が同項各号に定める事項以外の事項に関するものであって相当でないと認めるときは，申立てにより又は職権で，これを制限することができる。

第115条

① 質問は，できる限り，個別的かつ具体的にしなければならない。
② 当事者は，次に掲げる質問をしてはならない。ただし，第２号から第６号までに掲げる質問については，正当な理由がある場合は，この限りでない。
　一　証人を侮辱し，又は困惑させる質問
　二　誘導質問
　三　既にした質問と重複する質問
　四　争点に関係のない質問
　五　意見の陳述を求める質問
　六　証人が直接経験しなかった事実についての陳述を求める質問
③ 裁判長は，質問が前項の規定に違反するものであると認めるときは，申立てにより又は職権で，これを制限することができる。

第116条　(文書等の質問への利用)

① 当事者は，裁判長の許可を得て，文書，図面，写真，模型，装置その他の適当な物件（以下この条において「文書等」という。）を利用して証人に質問することができる。
② 前項の場合において，文書等が証拠調べをしていないものであるときは，当該質問の前に，相手方にこれを閲覧する機会を与えなければならない。ただし，相手方に異議がないときは，この限りでない。
③ 裁判長は，調書への添付その他必要があると認めるときは，当事者に対し，文書等の写しの提出を求めることができる。

第117条　(異議・法第202条)

① 当事者は，第113条（尋問の順序）第２項及び第３項，第114条（質問の制限）第２項，第115条（質問の制限）第３項並びに前条（文書等の質問への利用）第１項の規定による裁判長の裁判に対し，異議を述べることができる。
② 前項の異議に対しては，裁判所は，決定で，直ちに裁判をしなければならない。

第118条　(対質)

① 裁判長は，必要があると認めるときは，証人と他の証人との対質を命ずることができる。

② 前項の規定により対質を命じたときは，その旨を調書に記載させなければならない。
③ 対質を行うときは，裁判長がまず証人を尋問することができる。

第119条 （文字の筆記等）
裁判長は，必要があると認めるときは，証人に文字の筆記その他の必要な行為をさせることができる。

第120条 （後に尋問すべき証人の取扱い）
裁判長は，必要があると認めるときは，後に尋問すべき証人に在廷を許すことができる。

第121条 （傍聴人の退廷）
裁判長は，証人が特定の傍聴人の面前（法第203条の3（遮へいの措置）第2項に規定する措置をとる場合及び法第204条（映像等の送受信による通話の方法による尋問）に規定する方法による場合を含む。）においては威圧され十分な陳述をすることができないと認めるときは，当事者の意見を聴いて，その証人が陳述する間，その傍聴人を退廷させることができる。

第122条 （書面による質問又は回答の朗読・法第154条）
耳が聞こえない証人に書面で質問したとき，又は口がきけない証人に書面で答えさせたときは，裁判長は，裁判所書記官に質問又は回答を記載した書面を朗読させることができる。

第122条の2 （付添い・法第203条の2）
① 裁判長は，法第203条の2（付添い）第1項に規定する措置をとるに当たっては，当事者及び証人の意見を聴かなければならない。
② 前項の措置をとったときは，その旨並びに証人に付き添った者の氏名及びその者と証人との関係を調書に記載しなければならない。

第122条の3 （遮へいの措置・法第203条の3）
① 裁判長は，法第203条の3（遮へいの措置）第1項又は第2項に規定する措置をとるに当たっては，当事者及び証人の意見を聴かなければならない。
② 前項の措置をとったときは，その旨を調書に記載しなければならない。

第123条 （映像等の送受信による通話の方法による尋問・法第204条）
① 法第204条（映像等の送受信による通話の方法による尋問）第1号に掲げる場合における同条に規定する方法による尋問は，当事者の意見を聴いて，当事者を受訴裁判所に出頭させ，証人を当該尋問に必要な装置の設置された他の裁判所に出頭させてする。
② 法第204条第2号に掲げる場合における同条に規定する方法による尋問は，当事者及び証人の意見を聴いて，当事者を受訴裁判所に出頭させ，証人を受訴裁判所又は当該尋問に必要な装置の設置された他の裁判所に出頭させてする。この場合において，証人を受訴裁判所に出頭させるときは，裁判長及び当事者が証人を尋問するために在席する場所以外の場所にその証人を在席させるものとする。
③ 前二項の尋問をする場合には，文書の写しを送信してこれを提示することその他の尋問の実施に必要な処置を行うため，ファクシミリを利用することができる。
④ 第1項又は第2項の尋問をしたときは，その旨及び証人が出頭した裁判所（当該裁判所が受訴裁判所である場合を除く。）を調書に記載しなければならない。

第124条 (書面尋問・法第205条)
① 法第205条 (尋問に代わる書面の提出) の規定により証人の尋問に代えて書面の提出をさせる場合には, 裁判所は, 尋問の申出をした当事者の相手方に対し, 当該書面において回答を希望する事項を記載した書面を提出させることができる。
② 裁判長は, 証人が尋問に代わる書面の提出をすべき期間を定めることができる。
③ 証人は, 前項の書面に署名押印しなければならない。

第125条 (受命裁判官等の権限・法第206条)
受命裁判官又は受託裁判官が証人尋問をする場合には, 裁判所及び裁判長の職務は, その裁判官が行う。

第3節／当事者尋問

第126条 (対質)
裁判長は, 必要があると認めるときは, 当事者本人と, 他の当事者本人又は証人との対質を命ずることができる。

第127条 (証人尋問の規定の準用・法第210条)
前節 (証人尋問) の規定は, 特別の定めがある場合を除き, 当事者本人の尋問について準用する。ただし, 第111条 (勾引), 第120条 (後に尋問すべき証人の取扱い) 及び第124条 (書面尋問) の規定は, この限りでない。

第128条 (法定代理人の尋問・法第211条)
この規則中当事者本人の尋問に関する規定は, 訴訟において当事者を代表する法定代理人について準用する。

第4節／鑑定

第129条 (鑑定事項)
① 鑑定の申出をするときは, 同時に, 鑑定を求める事項を記載した書面を提出しなければならない。ただし, やむを得ない事由があるときは, 裁判長の定める期間内に提出すれば足りる。
② 前項の申出をする当事者は, 同項の書面について直送をしなければならない。
③ 相手方は, 第1項の書面について意見があるときは, 意見を記載した書面を裁判所に提出しなければならない。
④ 裁判所は, 第1項の書面に基づき, 前項の意見も考慮して, 鑑定事項を定める。この場合においては, 鑑定事項を記載した書面を鑑定人に送付しなければならない。

第129条の2 (鑑定のために必要な事項についての協議)
裁判所は, 口頭弁論若しくは弁論準備手続の期日又は進行協議期日において, 鑑定事項の内容, 鑑定に必要な資料その他鑑定のために必要な事項について, 当事者及び鑑定人と協議をすることができる。書面による準備手続においても, 同様とする。

第130条 (忌避の申立ての方式・法第214条)
① 鑑定人に対する忌避の申立ては, 期日においてする場合を除き, 書面でしなければならない。
② 忌避の原因は, 疎明しなければならない。

第131条 (宣誓の方式)
① 宣誓書には, 良心に従って誠実に鑑定をすることを誓う旨を記載しなければならない。
② 鑑定人の宣誓は, 宣誓書を裁判所に提出する方式によってもさせることができる。この場合における裁判長による宣誓の趣旨の説明及び虚偽鑑定の罰の告知は, これらの事項を記載した書面を鑑定人に

送付する方法によって行う。

第132条　（鑑定人の陳述の方式・法第215条）
① 　裁判長は，鑑定人に，共同して又は各別に，意見を述べさせることができる。
② 　裁判長は，鑑定人に書面で意見を述べさせる場合には，鑑定人の意見を聴いて，当該書面を提出すべき期間を定めることができる。

第132条の2　（鑑定人に更に意見を求める事項・法第215条）
① 　法第215条（鑑定人の陳述の方式等）第2項の申立てをするときは，同時に，鑑定人に更に意見を求める事項を記載した書面を提出しなければならない。ただし，やむを得ない事由があるときは，裁判長の定める期間内に提出すれば足りる。
② 　裁判所は，職権で鑑定人に更に意見を述べさせるときは，当事者に対し，あらかじめ，鑑定人に更に意見を求める事項を記載した書面を提出させることができる。
③ 　前二項の書面を提出する当事者は，これらの書面について直送をしなければならない。
④ 　相手方は，第1項又は第2項の書面について意見があるときは，意見を記載した書面を裁判所に提出しなければならない。
⑤ 　裁判所は，第1項又は第2項の書面の内容及び前項の意見を考慮して，鑑定人に更に意見を求める事項を定める。この場合においては，当該事項を記載した書面を鑑定人に送付しなければならない。

第132条の3　（質問の順序・法第215条の2）
① 　裁判長は，法第215条の2（鑑定人質問）第2項及び第3項の規定によるほか，必要があると認めるときは，いつでも，自ら鑑定人に対し質問をし，又は当事者の質問を許すことができる。
② 　陪席裁判官は，裁判長に告げて，鑑定人に対し質問をすることができる。
③ 　当事者の鑑定人に対する質問は，次の順序による。ただし，当事者双方が鑑定の申出をした場合における当事者の質問の順序は，裁判長が定める。
一　鑑定の申出をした当事者の質問
二　相手方の質問
三　鑑定の申出をした当事者の再度の質問
④ 　当事者は，裁判長の許可を得て，更に質問をすることができる。

第132条の4　（質問の制限・法第215条の2）
① 　鑑定人に対する質問は，鑑定人の意見の内容を明瞭にし，又はその根拠を確認するために必要な事項について行うものとする。
② 　質問は，できる限り，具体的にしなければならない。
③ 　当事者は，次に掲げる質問をしてはならない。ただし，第2号及び第3号に掲げる質問については，正当な理由がある場合は，この限りでない。
一　鑑定人を侮辱し，又は困惑させる質問
二　誘導質問
三　既にした質問と重複する質問
四　第1項に規定する事項に関係のない質問
④ 　裁判長は，質問が前項の規定に違反するものであると認めるときは，申立てにより又は職権で，これを制限することができる。

第132条の5　（映像等の送受信による通話の方法による陳述・法第215条の3）
① 　法第215条の3（映像等の送受信によ

る通話の方法による陳述）に規定する方法によって鑑定人に意見を述べさせるときは，当事者の意見を聴いて，当事者を受訴裁判所に出頭させ，鑑定人を当該手続に必要な装置の設置された場所であって裁判所が相当と認める場所に出頭させてこれをする。
② 前項の場合には，文書の写しを送信してこれを提示することその他の手続の実施に必要な処置を行うため，ファクシミリを利用することができる。
③ 第１項の方法によって鑑定人に意見を述べさせたときは，その旨及び鑑定人が出頭した場所を調書に記載しなければならない。

第133条　（鑑定人の発問等）
鑑定人は，鑑定のため必要があるときは，審理に立ち会い，裁判長に証人若しくは当事者本人に対する尋問を求め，又は裁判長の許可を得て，これらの者に対し直接に問いを発することができる。

第133条の２　（異議・法第215条の２）
① 当事者は，第132条の３（質問の順序）第１項，第３項ただし書及び第４項，第132条の４（質問の制限）第４項，前条（鑑定人の発問等）並びに第134条（証人尋問の規定の準用）において準用する第116条（文書等の質問への利用）第１項の規定による裁判長の裁判に対し，異議を述べることができる。
② 前項の異議に対しては，裁判所は，決定で，直ちに裁判をしなければならない。

第134条　（証人尋問の規定の準用・法第216条）
第108条（呼出状の記載事項等）の規定は鑑定人の呼出状について，第110条（不出頭の届出）の規定は鑑定人に期日に出頭することができない事由が生じた場合について，第112条（宣誓）第２項，

第３項及び第５項の規定は鑑定人に宣誓をさせる場合について，第116条（文書等の質問への利用），第118条（対質），第119条（文字の筆記等），第121条（傍聴人の退廷）及び第122条（書面による質問又は回答の朗読）の規定は鑑定人に口頭で意見を述べさせる場合について，第125条（受命裁判官等の権限）の規定は受命裁判官又は受託裁判官が鑑定人に意見を述べさせる場合について準用する。

第135条　（鑑定証人・法第217条）
鑑定証人の尋問については，証人尋問に関する規定を適用する。

第136条　（鑑定の嘱託への準用・法第218条）
この節の規定は，宣誓に関する規定を除き，鑑定の嘱託について準用する。

第５節／書証

第137条　（書証の申出等・法第219条）
① 文書を提出して書証の申出をするときは，当該申出をする時までに，その写し２通（当該文書を送付すべき相手方の数が二以上であるときは，その数に一を加えた通数）を提出するとともに，文書の記載から明らかな場合を除き，文書の標目，作成者及び立証趣旨を明らかにした証拠説明書２通（当該書面を送付すべき相手方の数が二以上であるときは，その数に一を加えた通数）を提出しなければならない。ただし，やむを得ない事由があるときは，裁判長の定める期間内に提出すれば足りる。
② 前項の申出をする当事者は，相手方に送付すべき文書の写し及びその文書に係る証拠説明書について直送をすることができる。

第138条　（訳文の添付等）
① 外国語で作成された文書を提出して書

証の申出をするときは，取調べを求める部分についてその文書の訳文を添付しなければならない。この場合において，前条（書証の申出等）第2項の規定による直送をするときは，同時に，その訳文についても直送をしなければならない。

② 相手方は，前項の訳文の正確性について意見があるときは，意見を記載した書面を裁判所に提出しなければならない。

第139条 （書証の写しの提出期間・法第162条）

法第162条（準備書面等の提出期間）の規定により，裁判長が特定の事項に関する書証の申出（文書を提出してするものに限る。）をすべき期間を定めたときは，当事者は，その期間が満了する前に，書証の写しを提出しなければならない。

第140条 （文書提出命令の申立ての方式等・法第221条等）

① 文書提出命令の申立ては，書面でしなければならない。

② 相手方は，前項の申立てについて意見があるときは，意見を記載した書面を裁判所に提出しなければならない。

③ 第99条（証拠の申出）第2項及び前二項の規定は，法第222条（文書の特定のための手続）第1項の規定による申出について準用する。

第141条 （提示文書の保管・法第223条）

裁判所は，必要があると認めるときは，法第223条（文書提出命令等）第6項前段の規定により提示された文書を一時保管することができる。

第142条 （受命裁判官等の証拠調べの調書）

① 受命裁判官又は受託裁判官に文書の証拠調べをさせる場合には，裁判所は，当該証拠調べについての調書に記載すべき事項を定めることができる。

② 受命裁判官又は受託裁判官の所属する裁判所の裁判所書記官は，前項の調書に同項の文書の写しを添付することができる。

第143条 （文書の提出等の方法）

① 文書の提出又は送付は，原本，正本又は認証のある謄本でしなければならない。

② 裁判所は，前項の規定にかかわらず，原本の提出を命じ，又は送付をさせることができる。

第144条 （録音テープ等の反訳文書の書証の申出があった場合の取扱い）

録音テープ等を反訳した文書を提出して書証の申出をした当事者は，相手方がその録音テープ等の複製物の交付を求めたときは，相手方にこれを交付しなければならない。

第145条 （文書の成立を否認する場合における理由の明示）

文書の成立を否認するときは，その理由を明らかにしなければならない。

第146条 （筆跡等の対照の用に供すべき文書等に係る調書等・法第229条）

① 法第229条（筆跡等の対照による証明）第1項に規定する筆跡又は印影の対照の用に供した書類の原本，謄本又は抄本は，調書に添付しなければならない。

② 第141条（提示文書の保管）の規定は，法第229条第2項において準用する法第223条（文書提出命令等）第1項の規定による文書その他の物件の提出について，第142条（受命裁判官等の証拠調べの調書）の規定は，法第229条第2項において準用する法第219条（書証の申出），第223条第1項及び第226条（文書送付の嘱託）の規定により提出され，又は送付された文書その他の物件の取調べを受命裁判官又は受託裁判官にさせる場

合における調書について準用する。

第147条　（文書に準ずる物件への準用・法第231条）

第137条から前条まで（書証の申出等、訳文の添付等、書証の写しの提出期間、文書提出命令の申立ての方式等、提示文書の保管、受命裁判官等の証拠調べの調書、文書の提出等の方法、録音テープ等の反訳文書の書証の申出があった場合の取扱い、文書の成立を否認する場合における理由の明示及び筆跡等の対照の用に供すべき文書等に係る調書等）の規定は、特別の定めがある場合を除き、法第231条（文書に準ずる物件への準用）に規定する物件について準用する。

第148条　（写真等の証拠説明書の記載事項）

写真又は録音テープ等の証拠調べの申出をするときは、その証拠説明書において、撮影、録音、録画等の対象並びにその日時及び場所をも明らかにしなければならない。

第149条　（録音テープ等の内容を説明した書面の提出等）

① 録音テープ等の証拠調べの申出をした当事者は、裁判所又は相手方の求めがあるときは、当該録音テープ等の内容を説明した書面（当該録音テープ等を反訳した書面を含む。）を提出しなければならない。
② 前項の当事者は、同項の書面について直送をしなければならない。
③ 相手方は、第1項の書面における説明の内容について意見があるときは、意見を記載した書面を裁判所に提出しなければならない。

第6節／検証

第150条　（検証の申出の方式）

検証の申出は、検証の目的を表示してしなければならない。

第151条　（検証の目的の提示等・法第232条）

第141条（提示文書の保管）の規定は、検証の目的の提示について、第142条（受命裁判官等の証拠調べの調書）の規定は、提示又は送付に係る検証の目的の検証を受命裁判官又は受託裁判官にさせる場合における調書について準用する。

第7節／証拠保全

第152条　（証拠保全の手続における証拠調べ・法第234条）

証拠保全の手続における証拠調べについては、この章の規定を適用する。

第153条　（証拠保全の申立ての方式・法第235条）

① 証拠保全の申立ては、書面でしなければならない。
② 前項の書面には、次に掲げる事項を記載しなければならない。
一　相手方の表示
二　証明すべき事実
三　証拠
四　証拠保全の事由
③ 証拠保全の事由は、疎明しなければならない。

第154条　（証拠保全の記録の送付）

証拠保全のための証拠調べが行われた場合には、その証拠調べを行った裁判所の裁判所書記官は、本案の訴訟記録の存する裁判所の裁判所書記官に対し、証拠調べに関する記録を送付しなければならない。

第4章　判決

第155条　（言渡しの方式・法第252条等）

① 判決の言渡しは、裁判長が主文を朗読

してする。
② 裁判長は、相当と認めるときは、判決の理由を朗読し、又は口頭でその要領を告げることができる。
③ 前二項の規定にかかわらず、法第254条（言渡しの方式の特則）第1項の規定による判決の言渡しは、裁判長が主文及び理由の要旨を告げてする。

第156条　（言渡期日の通知・法第251条）
　判決の言渡期日の日時は、あらかじめ、裁判所書記官が当事者に通知するものとする。ただし、その日時を期日において告知した場合又はその不備を補正することができない不適法な訴えを口頭弁論を経ないで却下する場合は、この限りでない。

第157条　（判決書・法第253条）
① 判決書には、判決をした裁判官が署名押印しなければならない。
② 合議体の裁判官が判決書に署名押印することに支障があるときは、他の裁判官が判決書にその事由を付記して署名押印しなければならない。

第158条　（裁判所書記官への交付等）
　判決書は、言渡し後遅滞なく、裁判所書記官に交付し、裁判所書記官は、これに言渡し及び交付の日を付記して押印しなければならない。

第159条　（判決書等の送達・法第255条）
① 判決書又は法第254条（言渡しの方式の特則）第2項（法第374条（判決の言渡し）第2項において準用する場合を含む。）の調書（以下「判決書に代わる調書」という。）の送達は、裁判所書記官が判決書の交付を受けた日又は判決言渡しの日から2週間以内にしなければならない。
② 判決書に代わる調書の送達は、その正本によってすることができる。

第160条　（更正決定等の方式・法第257条等）
① 更正決定は、判決書の原本及び正本に付記しなければならない。ただし、裁判所は、相当と認めるときは、判決書の原本及び正本への付記に代えて、決定書を作成し、その正本を当事者に送達することができる。
② 前項の規定は、法第259条（仮執行の宣言）第5項の規定による補充の決定について準用する。

第161条　（法第258条第2項の申立ての方式）
　訴訟費用の負担の裁判を脱漏した場合における訴訟費用の負担の裁判を求める申立ては、書面でしなければならない。

第5章　裁判によらない訴訟の完結

第162条　（訴えの取下げがあった場合の取扱い・法第261条）
① 訴えの取下げの書面の送達は、取下げをした者から提出された副本によってする。
② 訴えの取下げがあった場合において、相手方の同意を要しないときは、裁判所書記官は、訴えの取下げがあった旨を相手方に通知しなければならない。

第163条　（和解条項案の書面による受諾・法第264条）
① 法第264条（和解条項案の書面による受諾）の規定に基づき裁判所又は受命裁判官若しくは受託裁判官（以下この章において「裁判所等」という。）が和解条項案を提示するときは、書面に記載してしなければならない。この書面には、同条に規定する効果を付記するものとする。
② 前項の場合において、和解条項案を受諾する旨の書面の提出があったときは、

裁判所等は，その書面を提出した当事者の真意を確認しなければならない。

③ 法第264条の規定により当事者間に和解が調ったものとみなされたときは，裁判所書記官は，当該和解を調書に記載しなければならない。この場合において，裁判所書記官は，和解条項案を受諾する旨の書面を提出した当事者に対し，遅滞なく，和解が調ったものとみなされた旨を通知しなければならない。

第164条　（裁判所等が定める和解条項・法第265条）

① 裁判所等は，法第265条（裁判所等が定める和解条項）第1項の規定により和解条項を定めようとするときは，当事者の意見を聴かなければならない。

② 法第265条第5項の規定により当事者間に和解が調ったものとみなされたときは，裁判所書記官は，当該和解を調書に記載しなければならない。

③ 前項に規定する場合において，和解条項の定めを期日における告知以外の方法による告知によってしたときは，裁判所等は，裁判所書記官に調書を作成させるものとする。この場合においては，告知がされた旨及び告知の方法をも調書に記載しなければならない。

第7章　簡易裁判所の訴訟手続に関する特則

第168条　（反訴の提起に基づく移送による記録の送付・法第274条）

第9条（移送による記録の送付）の規定は，法第274条（反訴の提起に基づく移送）第1項の規定による移送の裁判が確定した場合について準用する。

第169条　（訴え提起前の和解の調書・法第275条）

訴え提起前の和解が調ったときは，裁判所書記官は，これを調書に記載しなければならない。

第170条　（証人等の陳述の調書記載の省略等）

① 簡易裁判所における口頭弁論の調書については，裁判官の許可を得て，証人等の陳述又は検証の結果の記載を省略することができる。この場合において，当事者は，裁判官が許可をする際に，意見を述べることができる。

② 前項の規定により調書の記載を省略する場合において，裁判官の命令又は当事者の申出があるときは，裁判所書記官は，当事者の裁判上の利用に供するため，録音テープ等に証人等の陳述又は検証の結果を記録しなければならない。この場合において，当事者の申出があるときは，裁判所書記官は，当該録音テープ等の複製を許さなければならない。

第171条　（書面尋問・法第278条）

第124条（書面尋問）の規定は，法第278条（尋問等に代わる書面の提出）の規定により証人若しくは当事者本人の尋問又は鑑定人の意見の陳述に代えて書面の提出をさせる場合について準用する。

第172条　（司法委員の発問）

裁判官は，必要があると認めるときは，司法委員が証人等に対し直接に問いを発することを許すことができる。

第3編　上訴

第1章　控訴

第173条　（控訴権の放棄・法第284条）

① 控訴をする権利の放棄は，控訴の提起前にあっては第1審裁判所，控訴の提起後にあっては訴訟記録の存する裁判所に対する申述によってしなければならない。

② 控訴の提起後における前項の申述は，控訴の取下げとともにしなければならない。

③ 第1項の申述があったときは，裁判所

書記官は，その旨を相手方に通知しなければならない。

第174条 （控訴提起による事件送付）
① 控訴の提起があった場合には，第１審裁判所は，控訴却下の決定をしたときを除き，遅滞なく，事件を控訴裁判所に送付しなければならない。
② 前項の規定による事件の送付は，第１審裁判所の裁判所書記官が，控訴裁判所の裁判所書記官に対し，訴訟記録を送付してしなければならない。

第175条 （攻撃防御方法を記載した控訴状）
攻撃又は防御の方法を記載した控訴状は，準備書面を兼ねるものとする。

第176条 （控訴状却下命令に対する即時抗告・法第288条等）
第57条（訴状却下命令に対する即時抗告）の規定は，控訴状却下の命令に対し即時抗告をする場合について準用する。

第177条 （控訴の取下げ・法第292条）
① 控訴の取下げは，訴訟記録の存する裁判所にしなければならない。
② 控訴の取下げがあったときは，裁判所書記官は，その旨を相手方に通知しなければならない。

第178条 （附帯控訴・法第293条）
附帯控訴については，控訴に関する規定を準用する。

第179条 （第１審の訴訟手続の規定の準用・法第297条）
前編（第１審の訴訟手続）第１章から第５章まで（訴え，口頭弁論及びその準備，証拠，判決並びに裁判によらない訴訟の完結）の規定は，特別の定めがある場合を除き，控訴審の訴訟手続について準用する。

第180条 （法第167条の規定による説明等の規定の準用・法第298条）
第87条（法第167条の規定による当事者の説明の方式）の規定は，法第298条（第１審の訴訟行為の効力等）第２項において準用する法第167条（準備的口頭弁論終了後の攻撃防御方法の提出）の規定による当事者の説明について，第94条（法第178条の規定による当事者の説明の方式）の規定は，法第298条第２項において準用する法第178条（書面による準備手続終結後の攻撃防御方法の提出）の規定による当事者の説明について準用する。

第181条 （攻撃防御方法の提出等の期間・法第301条）
第139条（書証の写しの提出期間）の規定は，法第301条（攻撃防御方法の提出等の期間）第１項の規定により裁判長が書証の申出（文書を提出してするものに限る。）をすべき期間を定めたときについて，第87条（法第167条の規定による当事者の説明の方式）第１項の規定は，法第301条第２項の規定による当事者の説明について準用する。

第182条 （第１審判決の取消し事由等を記載した書面）
控訴状に第１審判決の取消し又は変更を求める事由の具体的な記載がないときは，控訴人は，控訴の提起後50日以内に，これらを記載した書面を控訴裁判所に提出しなければならない。

第183条 （反論書）
裁判長は，被控訴人に対し，相当の期間を定めて，控訴人が主張する第１審判決の取消し又は変更を求める事由に対する被控訴人の主張を記載した書面の提出

を命ずることができる。

第184条　（第1審の判決書等の引用）
　控訴審の判決書又は判決書に代わる調書における事実及び理由の記載は，第1審の判決書又は判決書に代わる調書を引用してすることができる。

第185条　（第1審裁判所への記録の送付）
　控訴審において訴訟が完結したときは，控訴裁判所の裁判所書記官は，第1審裁判所の裁判所書記官に対し，訴訟記録を送付しなければならない。

第2章　上告

第186条　（控訴の規定の準用・法第313条）
　前章（控訴）の規定は，特別の定めがある場合を除き，上告及び上告審の訴訟手続について準用する。

第187条　（上告提起の場合における費用の予納）
　上告を提起するときは，上告状の送達に必要な費用のほか，上告提起通知書，上告理由書及び裁判書の送達並びに上告裁判所が訴訟記録の送付を受けた旨の通知に必要な費用の概算額を予納しなければならない。

第188条　（上告提起と上告受理申立てを1通の書面でする場合の取扱い）
　上告の提起と上告受理の申立てを1通の書面でするときは，その書面が上告状と上告受理申立書を兼ねるものであることを明らかにしなければならない。この場合において，上告の理由及び上告受理の申立ての理由をその書面に記載するときは，これらを区別して記載しなければならない。

第189条　（上告提起通知書の送達等）
① 上告の提起があった場合においては，上告状却下の命令又は法第316条（原裁判所による上告の却下）第1項第1号の規定による上告却下の決定があったときを除き，当事者に上告提起通知書を送達しなければならない。
② 前項の規定により被上告人に上告提起通知書を送達するときは，同時に，上告状を送達しなければならない。
③ 原裁判所の判決書又は判決書に代わる調書の送達前に上告の提起があったときは，第1項の規定による上告提起通知書の送達は，判決書又は判決書に代わる調書とともにしなければならない。

第190条　（法第312条第1項及び第2項の上告理由の記載の方式・法第315条）
① 判決に憲法の解釈の誤りがあることその他憲法の違反があることを理由とする上告の場合における上告の理由の記載は，憲法の条項を掲記し，憲法に違反する事由を示してしなければならない。この場合において，その事由が訴訟手続に関するものであるときは，憲法に違反する事実を掲記しなければならない。
② 法第312条（上告の理由）第2項各号に掲げる事由があることを理由とする上告の場合における上告の理由の記載は，その条項及びこれに該当する事実を示してしなければならない。

第191条　（法第312条第3項の上告理由の記載の方式・法第315条）
① 判決に影響を及ぼすことが明らかな法令の違反があることを理由とする上告の場合における上告の理由の記載は，法令及びこれに違反する事由を示してしなければならない。
② 前項の規定により法令を示すには，その法令の条項又は内容（成文法以外の法令については，その趣旨）を掲記しなければならない。
③ 第1項の規定により法令に違反する事

由を示す場合において，その法令が訴訟手続に関するものであるときは，これに違反する事実を掲記しなければならない。

第192条　（判例の摘示）

前二条（法第312条第1項及び第2項の上告理由の記載の方式並びに法第312条第3項の上告理由の記載の方式）に規定する上告において，判決が最高裁判所の判例（これがない場合にあっては，大審院又は上告裁判所若しくは控訴裁判所である高等裁判所の判例）と相反する判断をしたことを主張するときは，その判例を具体的に示さなければならない。

第193条　（上告理由の記載の仕方）

上告の理由は，具体的に記載しなければならない。

第194条　（上告理由書の提出期間・法第315条）

上告理由書の提出の期間は，上告人が第189条（上告提起通知書の送達等）第1項の規定による上告提起通知書の送達を受けた日から50日とする。

第195条　（上告理由を記載した書面の通数）

上告の理由を記載した書面には，上告裁判所が最高裁判所であるときは被上告人の数に6を加えた数の副本，上告裁判所が高等裁判所であるときは被上告人の数に4を加えた数の副本を添付しなければならない。

第196条　（補正命令・法第316条）

① 上告状又は第194条（上告理由書の提出期間）の期間内に提出した上告理由書における上告のすべての理由の記載が第190条（法第312条第1項及び第2項の上告理由の記載の方式）又は第191条（法第312条第3項の上告理由の記載の方式）の規定に違反することが明らかなときは，原裁判所は，決定で，相当の期間を定め，その期間内に不備を補正すべきことを命じなければならない。

② 法第316条（原裁判所による上告の却下）第1項第2号の規定による上告却下の決定（上告の理由の記載が法第315条（上告の理由の記載）第2項の規定に違反していることが明らかであることを理由とするものに限る。）は，前項の規定により定めた期間内に上告人が不備の補正をしないときにするものとする。

第197条　（上告裁判所への事件送付）

① 原裁判所は，上告状却下の命令又は上告却下の決定があった場合を除き，事件を上告裁判所に送付しなければならない。この場合において，原裁判所は，上告人が上告の理由中に示した訴訟手続に関する事実の有無について意見を付することができる。

② 前項の規定による事件の送付は，原裁判所の裁判所書記官が，上告裁判所の裁判所書記官に対し，訴訟記録を送付してしなければならない。

③ 上告裁判所の裁判所書記官は，前項の規定による訴訟記録の送付を受けたときは，速やかに，その旨を当事者に通知しなければならない。

第198条　（上告理由書の送達）

上告裁判所が原裁判所から事件の送付を受けた場合において，法第317条（上告裁判所による上告の却下等）第1項の規定による上告却下の決定又は同条第2項の規定による上告棄却の決定をしないときは，被上告人に上告理由書の副本を送達しなければならない。ただし，上告裁判所が口頭弁論を経ないで審理及び裁判をする場合において，その必要がないと認めるときは，この限りでない。

第199条　（上告受理の申立て・法第318条）

① 上告受理の申立ての理由の記載は，原判決に最高裁判所の判例（これがない場合にあっては，大審院又は上告裁判所若しくは控訴裁判所である高等裁判所の判例）と相反する判断があることその他の法令の解釈に関する重要な事項を含むことを示してしなければならない。この場合においては，第191条（法第312条第3項の上告理由の記載の方式）第2項及び第3項の規定を準用する。

② 第186条（控訴の規定の準用），第187条（上告提起の場合における費用の予納），第189条（上告提起通知書の送達等）及び第192条から前条まで（判例の摘示，上告理由の記載の仕方，上告理由書の提出期間，上告理由を記載した書面の通数，補正命令，上告裁判所への事件送付及び上告理由書の送達）の規定は，上告受理の申立てについて準用する。この場合において，第187条，第189条及び第194条中「上告提起通知書」とあるのは「上告受理申立て通知書」と，第189条第2項，第195条及び前条中「被上告人」とあるのは「相手方」と，第196条第1項中「第190条（法第312条第1項及び第2項の上告理由の記載の方式）又は第191条（法第312条第3項の上告理由の記載の方式）」とあるのは「第199条（上告受理の申立て）第1項」と読み替えるものとする。

第200条　（上告受理の決定・法第318条）

最高裁判所は，上告審として事件を受理する決定をするときは，当該決定において，上告受理の申立ての理由中法第318条（上告受理の申立て）第3項の規定により排除するものを明らかにしなければならない。

第201条　（答弁書提出命令）

上告裁判所又は上告受理の申立てがあった場合における最高裁判所の裁判長は，相当の期間を定めて，答弁書を提出すべきことを被上告人又は相手方に命ずることができる。

第202条　（差戻し等の判決があった場合の記録の送付・法第325条）

差戻し又は移送の判決があったときは，上告裁判所の裁判所書記官は，差戻し又は移送を受けた裁判所の裁判所書記官に対し，訴訟記録を送付しなければならない。

第203条　（最高裁判所への移送・法第324条）

法第324条（最高裁判所への移送）の規定により，上告裁判所である高等裁判所が事件を最高裁判所に移送する場合は，憲法その他の法令の解釈について，その高等裁判所の意見が最高裁判所の判例（これがない場合にあっては，大審院又は上告裁判所若しくは控訴裁判所である高等裁判所の判例）と相反するときとする。

第204条　（特別上告・法第327条等）

法第327条（特別上告）第1項（法第380条（異議後の判決に対する不服申立て）第2項において準用する場合を含む。）の上告及びその上告審の訴訟手続には，その性質に反しない限り，第2審又は第1審の終局判決に対する上告及びその上告審の訴訟手続に関する規定を準用する。

第3章　抗告

第205条　（控訴又は上告の規定の準用・法第331条）

抗告及び抗告裁判所の訴訟手続には，その性質に反しない限り，第1章（控訴）の規定を準用する。ただし，法第330条（再抗告）の抗告及びこれに関する訴訟手続には，前章（上告）の規定中第2

審又は第１審の終局判決に対する上告及びその上告審の訴訟手続に関する規定を準用する。

第206条　（抗告裁判所への事件送付）

抗告を理由がないと認めるときは，原裁判所は，意見を付して事件を抗告裁判所に送付しなければならない。

第207条　（原裁判の取消し事由等を記載した書面）

法第330条（再抗告）の抗告以外の抗告をする場合において，抗告状に原裁判の取消し又は変更を求める事由の具体的な記載がないときは，抗告人は，抗告の提起後14日以内に，これらを記載した書面を原裁判所に提出しなければならない。

第207条の２　（抗告状の写しの送付等）

① 法第330条（再抗告）の抗告以外の抗告があったときは，抗告裁判所は，相手方に対し，抗告状の写しを送付するものとする。ただし，その抗告が不適法であるとき，抗告に理由がないと認めるとき，又は抗告状の写しを送付することが相当でないと認めるときは，この限りでない。

② 前項の規定により相手方に抗告状の写しを送付するときは，同時に，前条の書面（抗告の提起後14日以内に提出されたものに限る。）の写しを送付するものとする。

第208条　（特別抗告・法第336条）

法第336条（特別抗告）第１項の抗告及びこれに関する訴訟手続には，その性質に反しない限り，法第327条（特別上告）第１項の上告及びその上告審の訴訟手続に関する規定を準用する。

第209条　（許可抗告・法第337条）

第186条（控訴の規定の準用），第187条（上告提起の場合における費用の予納），第189条（上告提起通知書の送達等），第192条（判例の摘示），第193条（上告理由の記載の仕方），第195条（上告理由を記載した書面の通数），第196条（補正命令）及び第199条（上告受理の申立て）第１項の規定は，法第337条（許可抗告）第２項の申立てについて，第200条（上告受理の決定）の規定は，法第337条第２項の規定による許可をする場合について，前条（特別抗告）の規定は，法第337条第２項の規定による許可があった場合について準用する。この場合において，第187条及び第189条中「上告提起通知書」とあるのは，「抗告許可申立て通知書」と読み替えるものとする。

第210条　（再抗告等の抗告理由書の提出期間）

① 法第330条（再抗告）の抗告及び法第336条（特別抗告）第１項の抗告においては，抗告理由書の提出の期間は，抗告人が第205条（控訴又は上告の規定の準用）ただし書及び第208条（特別抗告）において準用する第189条（上告提起通知書の送達等）第１項の規定による抗告提起通知書の送達を受けた日から14日とする。

② 前項の規定は，法第337条（許可抗告）第２項の申立てに係る理由書の提出の期間について準用する。この場合において，前項中「抗告提起通知書」とあるのは，「抗告許可申立て通知書」と読み替えるものとする。

第６編　少額訴訟に関する特則

第222条　（手続の教示）

① 裁判所書記官は，当事者に対し，少額訴訟における最初にすべき口頭弁論の期日の呼出しの際に，少額訴訟による審理及び裁判の手続の内容を説明した書面を交付しなければならない。

② 裁判官は，前項の期日の冒頭において，当事者に対し，次に掲げる事項を説明しなければならない。
　一　証拠調べは，即時に取り調べることができる証拠に限りすることができること。
　二　被告は，訴訟を通常の手続に移行させる旨の申述をすることができるが，被告が最初にすべき口頭弁論の期日において弁論をし，又はその期日が終了した後は，この限りでないこと。
　三　少額訴訟の終局判決に対しては，判決書又は判決書に代わる調書の送達を受けた日から2週間の不変期間内に，その判決をした裁判所に異議を申し立てることができること。

第223条　（少額訴訟を求め得る回数・法第368条）

　法第368条（少額訴訟の要件等）第1項ただし書の最高裁判所規則で定める回数は，10回とする。

第224条　（当事者本人の出頭命令）

　裁判所は，訴訟代理人が選任されている場合であっても，当事者本人又はその法定代理人の出頭を命ずることができる。

第225条　（証人尋問の申出）

　証人尋問の申出をするときは，尋問事項書を提出することを要しない。

第226条　（音声の送受信による通話の方法による証人尋問・法第372条）

① 裁判所及び当事者双方と証人とが音声の送受信により同時に通話をすることができる方法による証人尋問は，当事者の申出があるときにすることができる。
② 前項の申出は，通話先の電話番号及びその場所を明らかにしてしなければならない。
③ 裁判所は，前項の場所が相当でないと認めるときは，第1項の申出をした当事者に対し，その変更を命ずることができる。
④ 第1項の尋問をする場合には，文書の写しを送信してこれを提示することその他の尋問の実施に必要な処置を行うため，ファクシミリを利用することができる。
⑤ 第1項の尋問をしたときは，その旨，通話先の電話番号及びその場所を調書に記載しなければならない。
⑥ 第88条（弁論準備手続調書等）第2項の規定は，第1項の尋問をする場合について準用する。

第227条　（証人等の陳述の調書記載等）

① 調書には，証人等の陳述を記載することを要しない。
② 証人の尋問前又は鑑定人の口頭による意見の陳述前に裁判官の命令又は当事者の申出があるときは，裁判所書記官は，当事者の裁判上の利用に供するため，録音テープ等に証人又は鑑定人の陳述を記録しなければならない。この場合において，当事者の申出があるときは，裁判所書記官は，当該録音テープ等の複製を許さなければならない。

第228条　（通常の手続への移行・法第373条）

① 被告の通常の手続に移行させる旨の申述は，期日においてする場合を除き，書面でしなければならない。
② 前項の申述があったときは，裁判所書記官は，速やかに，その申述により訴訟が通常の手続に移行した旨を原告に通知しなければならない。ただし，その申述が原告の出頭した期日においてされたときは，この限りでない。
③ 裁判所が訴訟を通常の手続により審理及び裁判をする旨の決定をしたときは，裁判所書記官は，速やかに，その旨を当事者に通知しなければならない。

第229条 (判決・法第374条)
① 少額訴訟の判決書又は判決書に代わる調書には，少額訴訟判決と表示しなければならない。
② 第155条（言渡しの方式）第3項の規定は，少額訴訟における原本に基づかないでする判決の言渡しをする場合について準用する。

第230条 (異議申立ての方式等・法第378条)
第217条（異議申立ての方式等）及び第218条（異議申立権の放棄及び異議の取下げ）の規定は，少額訴訟の終局判決に対する異議について準用する。

第231条 (異議後の訴訟の判決書等)
① 異議後の訴訟の判決書又は判決書に代わる調書には，少額異議判決と表示しなければならない。
② 第219条（手形訴訟の判決書等の引用）の規定は，異議後の訴訟の判決書又は判決書に代わる調書における事実及び理由の記載について準用する。

附　則　（略）

仲裁法（抄）

●平成15年8月1日法律第138号●　最終改正　令和5年4月28日法15号

第1章　総則

第1条（趣旨）
　仲裁地が日本国内にある仲裁手続及び仲裁手続に関して裁判所が行う手続については，他の法令に定めるもののほか，この法律の定めるところによる。

第2条（定義）
① この法律において「仲裁合意」とは，既に生じた民事上の紛争又は将来において生ずる一定の法律関係（契約に基づくものであるかどうかを問わない。）に関する民事上の紛争の全部又は一部の解決を1人又は2人以上の仲裁人にゆだね，かつ，その判断（以下「仲裁判断」という。）に服する旨の合意をいう。
② この法律において「仲裁廷」とは，仲裁合意に基づき，その対象となる民事上の紛争について審理し，仲裁判断を行う1人の仲裁人又は2人以上の仲裁人の合議体をいう。
③ この法律において「主張書面」とは，仲裁手続において当事者が作成して仲裁廷に提出する書面であって，当該当事者の主張が記載されているものをいう。

第2章　仲裁合意

第13条（仲裁合意の効力等）
① 仲裁合意は，法令に別段の定めがある場合を除き，当事者が和解をすることができる民事上の紛争（離婚又は離縁の紛争を除く。）を対象とする場合に限り，その効力を有する。
② 仲裁合意は，当事者の全部が署名した文書，当事者が交換した書簡又は電報（ファクシミリ装置その他の隔地者間の通信手段で文字による通信内容の記録が受信者に提供されるものを用いて送信されたものを含む。）その他の書面によってしなければならない。
③ 書面によってされた契約において，仲裁合意を内容とする条項が記載された文書が当該契約の一部を構成するものとして引用されているときは，その仲裁合意は，書面によってされたものとみなす。
④ 仲裁合意がその内容を記録した電磁的記録（電子的方式，磁気的方式その他人の知覚によっては認識することができない方式で作られる記録であって，電子計算機による情報処理の用に供されるものをいう。第6項において同じ。）によってされたときは，その仲裁合意は，書面によってされたものとみなす。
⑤ 仲裁手続において，一方の当事者が提出した主張書面に仲裁合意の内容の記載があり，これに対して他方の当事者が提出した主張書面にこれを争う旨の記載がないときは，その仲裁合意は，書面によってされたものとみなす。
⑥ 書面によらないでされた契約において，仲裁合意を内容とする条項が記載され，又は記録された文書又は電磁的記録が当該契約の一部を構成するものとして引用されているときは，その仲裁合意は，書面によってされたものとみなす。
⑦ 仲裁合意を含む一の契約において，仲裁合意以外の契約条項が無効，取消しその他の事由により効力を有しないものとされる場合においても，仲裁合意は，当

然には，その効力を妨げられない。

第14条　（仲裁合意と本案訴訟）

① 仲裁合意の対象となる民事上の紛争について訴えが提起されたときは，受訴裁判所は，被告の申立てにより，訴えを却下しなければならない。ただし，次に掲げる場合は，この限りでない。
一　仲裁合意が無効，取消しその他の事由により効力を有しないとき。
二　仲裁合意に基づく仲裁手続を行うことができないとき。
三　当該申立てが，本案について，被告が弁論をし，又は弁論準備手続において申述をした後にされたものであるとき。

② 仲裁廷は，前項の訴えに係る訴訟が裁判所に係属する間においても，仲裁手続を開始し，又は続行し，かつ，仲裁判断をすることができる。

第29条　（仲裁手続の開始並びに時効の完成猶予及び更新）

① 仲裁手続は，当事者間に別段の合意がない限り，特定の民事上の紛争について，一方の当事者が他方の当事者に対し，これを仲裁手続に付する旨の通知をした日に開始する。

② 仲裁手続における請求は，時効の完成猶予及び更新の効力を生ずる。ただし，当該仲裁手続が仲裁判断によらずに終了したときは，この限りでない。

第38条　（和解）

① 仲裁廷は，仲裁手続の進行中において，仲裁手続に付された民事上の紛争について当事者間に和解が成立し，かつ，当事者双方の申立てがあるときは，当該和解における合意を内容とする決定をすることができる。

② 前項の決定は，仲裁判断としての効力を有する。

③ 第１項の決定をするには，次条第１項及び第３項の規定に従って決定書を作成し，かつ，これに仲裁判断であることの表示をしなければならない。

④ 当事者双方の承諾がある場合には，仲裁廷又はその選任した１人若しくは２人以上の仲裁人は，仲裁手続に付された民事上の紛争について，和解を試みることができる。

⑤ 前項の承諾又はその撤回は，当事者間に別段の合意がない限り，書面でしなければならない。

第39条　（仲裁判断書）

① 仲裁判断をするには，仲裁判断書を作成し，これに仲裁判断をした仲裁人が署名しなければならない。ただし，仲裁廷が合議体である場合には，仲裁廷を構成する仲裁人の過半数が署名し，かつ，他の仲裁人の署名がないことの理由を記載すれば足りる。

② 仲裁判断書には，理由を記載しなければならない。ただし，当事者間に別段の合意がある場合は，この限りでない。

③ 仲裁判断書には，作成の年月日及び仲裁地を記載しなければならない。

④ 仲裁判断は，仲裁地においてされたものとみなす。

⑤ 仲裁廷は，仲裁判断がされたときは，仲裁人の署名のある仲裁判断書の写しを送付する方法により，仲裁判断を各当事者に通知しなければならない。

⑥ 第１項ただし書の規定は，前項の仲裁判断書の写しについて準用する。

【第８章　仲裁判断の承認及び執行決定等】

第45条　（仲裁判断の承認）

① 仲裁判断（仲裁地が日本国内にあるかどうかを問わない。以下この章において同じ。）は，確定判決と同一の効力を有する。ただし，当該仲裁判断に基づく民事執行をするには，次条の規定による執

行決定がなければならない。

② 前項の規定は、次に掲げる事由のいずれかがある場合（第1号から第7号までに掲げる事由にあっては、当事者のいずれかが当該事由の存在を証明した場合に限る。）には、適用しない。
一 仲裁合意が、当事者の行為能力の制限により、その効力を有しないこと。
二 仲裁合意が、当事者が合意により仲裁合意に適用すべきものとして指定した法令（当該指定がないときは、仲裁地が属する国の法令）によれば、当事者の行為能力の制限以外の事由により、その効力を有しないこと。
三 当事者が、仲裁人の選任手続又は仲裁手続において、仲裁地が属する国の法令の規定（その法令の公の秩序に関しない規定に関する事項について当事者間に合意があるときは、当該合意）により必要とされる通知を受けなかったこと。
四 当事者が、仲裁手続において防御することが不可能であったこと。
五 仲裁判断が、仲裁合意又は仲裁手続における申立ての範囲を超える事項に関する判断を含むものであること。
六 仲裁廷の構成又は仲裁手続が、仲裁地が属する国の法令の規定（その法令の公の秩序に関しない規定に関する事項について当事者間に合意があるときは、当該合意）に違反するものであったこと。
七 仲裁地が属する国（仲裁手続に適用された法令が仲裁地が属する国以外の国の法令である場合にあっては、当該国）の法令によれば、仲裁判断が確定していないこと、又は仲裁判断がその国の裁判機関により取り消され、若しくは効力を停止されたこと。
八 仲裁手続における申立てが、日本の法令によれば、仲裁合意の対象とすることができない紛争に関するものであること。
九 仲裁判断の内容が、日本における公の秩序又は善良の風俗に反すること。
③ （略）

第46条 （仲裁判断の執行決定）

① 仲裁判断に基づいて民事執行をしようとする当事者は、債務者を被申立人として、裁判所に対し、執行決定（仲裁判断に基づく民事執行を許す旨の決定をいう。以下同じ。）を求める申立てをすることができる。

② 前項の申立てをするときは、仲裁判断書の写し、当該写しの内容が仲裁判断書と同一であることを証明する文書及び仲裁判断書（日本語で作成されたものを除く。以下この項において同じ。）の日本語による翻訳文を提出しなければならない。ただし、裁判所は、相当と認めるときは、被申立人の意見を聴いて、仲裁判断書の全部又は一部について日本語による翻訳文を提出することを要しないものとすることができる。

③～⑨ （略）

附　則　（略）

破産法（抄）

●平成16年6月2日法律第75号●　最終改正　令和6年5月24日法38号

第1章　総則

第1条　（目的）
　この法律は，支払不能又は債務超過にある債務者の財産等の清算に関する手続を定めること等により，債権者その他の利害関係人の利害及び債務者と債権者との間の権利関係を適切に調整し，もって債務者の財産等の適正かつ公平な清算を図るとともに，債務者について経済生活の再生の機会の確保を図ることを目的とする。

第2条　（定義）
① この法律において「破産手続」とは，次章以下（第12章を除く。）に定めるところにより，債務者の財産又は相続財産若しくは信託財産を清算する手続をいう。
② この法律において「破産事件」とは，破産手続に係る事件をいう。
③ この法律において「破産裁判所」とは，破産事件が係属している地方裁判所をいう。
④ この法律において「破産者」とは，債務者であって，第30条第1項の規定により破産手続開始の決定がされているものをいう。
⑤～⑪　（略）
⑫ この法律において「破産管財人」とは，破産手続において破産財団に属する財産の管理及び処分をする権利を有する者をいう。
⑬ この法律において「保全管理人」とは，第91条第1項の規定により債務者の財産に関し管理を命じられた者をいう。
⑭ この法律において「破産財団」とは，破産者の財産又は相続財産若しくは信託財産であって，破産手続において破産管財人にその管理及び処分をする権利が専属するものをいう。

第2章　破産手続の開始

第1節／破産手続開始の申立て

第15条　（破産手続開始の原因）
① 債務者が支払不能にあるときは，裁判所は，第30条第1項の規定に基づき，申立てにより，決定で，破産手続を開始する。
② 債務者が支払を停止したときは，支払不能にあるものと推定する。

第16条　（法人の破産手続開始の原因）
① 債務者が法人である場合に関する前条第1項の規定の適用については，同項中「支払不能」とあるのは，「支払不能又は債務超過（債務者が，その債務につき，その財産をもって完済することができない状態をいう。）」とする。
② 前項の規定は，存立中の合名会社及び合資会社には，適用しない。

第18条　（破産手続開始の申立て）
① 債権者又は債務者は，破産手続開始の申立てをすることができる。
② 債権者が破産手続開始の申立てをするときは，その有する債権の存在及び破産手続開始の原因となる事実を疎明しなければならない。

第19条 （法人の破産手続開始の申立て）

① 次の各号に掲げる法人については，それぞれ当該各号に定める者は，破産手続開始の申立てをすることができる。
　一　一般社団法人又は一般財団法人　理事
　二　株式会社又は相互会社（保険業法（平成7年法律第105号）第2条第5項に規定する相互会社をいう。第150条第6項第3号において同じ。）　取締役
　三　合名会社，合資会社又は合同会社　業務を執行する社員
② 前項各号に掲げる法人については，清算人も，破産手続開始の申立てをすることができる。
③ 前二項の規定により第1項各号に掲げる法人について破産手続開始の申立てをする場合には，理事，取締役，業務を執行する社員又は清算人の全員が破産手続開始の申立てをするときを除き，破産手続開始の原因となる事実を疎明しなければならない。
④ 前三項の規定は，第1項各号に掲げる法人以外の法人について準用する。
⑤ 法人については，その解散後であっても，残余財産の引渡し又は分配が終了するまでの間は，破産手続開始の申立てをすることができる。

第2節／破産手続開始の決定

第30条 （破産手続開始の決定）

① 裁判所は，破産手続開始の申立てがあった場合において，破産手続開始の原因となる事実があると認めるときは，次の各号のいずれかに該当する場合を除き，破産手続開始の決定をする。
　一　破産手続の費用の予納がないとき（第23条第1項前段の規定によりその費用を仮に国庫から支弁する場合を除く。）。
　二　不当な目的で破産手続開始の申立てがされたとき，その他申立てが誠実にされたものでないとき。
② 前項の決定は，その決定の時から，効力を生ずる。

第3節／破産手続開始の効果

第1款／通則

第35条 （法人の存続の擬制）

他の法律の規定により破産手続開始の決定によって解散した法人又は解散した法人で破産手続開始の決定を受けたものは，破産手続による清算の目的の範囲内において，破産手続が終了するまで存続するものとみなす。

第36条 （破産者の事業の継続）

破産手続開始の決定がされた後であっても，破産管財人は，裁判所の許可を得て，破産者の事業を継続することができる。

第37条 （破産者の居住に係る制限）

① 破産者は，その申立てにより裁判所の許可を得なければ，その居住地を離れることができない。
② 前項の申立てを却下する決定に対しては，破産者は，即時抗告をすることができる。

第2款／破産手続開始の効果

第47条 （開始後の法律行為の効力）

① 破産者が破産手続開始後に破産財団に属する財産に関してした法律行為は，破産手続の関係においては，その効力を主張することができない。
② 破産者が破産手続開始の日にした法律行為は，破産手続開始後にしたものと推定する。

第48条 （開始後の権利取得の効力）

① 破産手続開始後に破産財団に属する財産に関して破産者の法律行為によらない

で権利を取得しても，その権利の取得は，破産手続の関係においては，その効力を主張することができない。
② 前条第2項の規定は，破産手続開始の日における前項の権利の取得について準用する。

第49条 （開始後の登記及び登録の効力）
① 不動産又は船舶に関し破産手続開始前に生じた登記原因に基づき破産手続開始後にされた登記又は不動産登記法（平成16年法律第123号）第105条第1号の規定による仮登記は，破産手続の関係においては，その効力を主張することができない。ただし，登記権利者が破産手続開始の事実を知らないでした登記又は仮登記については，この限りでない。
② 前項の規定は，権利の設定，移転若しくは変更に関する登録若しくは仮登録又は企業担保権の設定，移転若しくは変更に関する登記について準用する。

第3章　破産手続の機関

第1節／破産管財人

第1款／破産管財人の選任及び監督

第74条 （破産管財人の選任）
① 破産管財人は，裁判所が選任する。
② 法人は，破産管財人となることができる。

第75条 （破産管財人に対する監督等）
① 破産管財人は，裁判所が監督する。
② 裁判所は，破産管財人が破産財団に属する財産の管理及び処分を適切に行っていないとき，その他重要な事由があるときは，利害関係人の申立てにより又は職権で，破産管財人を解任することができる。この場合においては，その破産管財人を審尋しなければならない。

第76条 （数人の破産管財人の職務執行）
① 破産管財人が数人あるときは，共同してその職務を行う。ただし，裁判所の許可を得て，それぞれ単独にその職務を行い，又は職務を分掌することができる。
② 破産管財人が数人あるときは，第三者の意思表示は，その1人に対してすれば足りる。

第77条 （破産管財人代理）
① 破産管財人は，必要があるときは，その職務を行わせるため，自己の責任で1人又は数人の破産管財人代理を選任することができる。
② 前項の破産管財人代理の選任については，裁判所の許可を得なければならない。

第2款／破産管財人の権限等

第78条 （破産管財人の権限）
① 破産手続開始の決定があった場合には，破産財団に属する財産の管理及び処分をする権利は，裁判所が選任した破産管財人に専属する。
② 破産管財人が次に掲げる行為をするには，裁判所の許可を得なければならない。
一　不動産に関する物権，登記すべき日本船舶又は外国船舶の任意売却
二　鉱業権，漁業権，公共施設等運営権，樹木採取権，漁港水面施設運営権，貯留権，試掘権（二酸化炭素の貯留事業に関する法律（令和6年法律第38号）第2条第8項に規定する試掘権をいう。），特許権，実用新案権，意匠権，商標権，回路配置利用権，育成者権，著作権又は著作隣接権の任意売却
三　営業又は事業の譲渡
四　商品の一括売却
五　借財
六　第238条第2項の規定による相続の放棄の承認，第243条において準用する同項の規定による包括遺贈の放棄の承認又は第244条第1項の規定による

特定遺贈の放棄
　七　動産の任意売却
　八　債権又は有価証券の譲渡
　九　第53条第1項の規定による履行の請求
　十　訴えの提起
　十一　和解又は仲裁合意（仲裁法（平成15年法律第138号）第2条第1項に規定する仲裁合意をいう。）
　十二　権利の放棄
　十三　財団債権，取戻権又は別除権の承認
　十四　別除権の目的である財産の受戻し
　十五　その他裁判所の指定する行為
③　前項の規定にかかわらず，同項第7号から第14号までに掲げる行為については，次に掲げる場合には，同項の許可を要しない。
　一　最高裁判所規則で定める額以下の価額を有するものに関するとき。
　二　前号に掲げるもののほか，裁判所が前項の許可を要しないものとしたものに関するとき。
④　裁判所は，第2項第3号の規定により営業又は事業の譲渡につき同項の許可をする場合には，労働組合等の意見を聴かなければならない。
⑤　第2項の許可を得ないでした行為は，無効とする。ただし，これをもって善意の第三者に対抗することができない。
⑥　破産管財人は，第2項各号に掲げる行為をしようとするときは，遅滞を生ずるおそれのある場合又は第3項各号に掲げる場合を除き，破産者の意見を聴かなければならない。

第79条　（破産財団の管理）
　破産管財人は，就職の後直ちに破産財団に属する財産の管理に着手しなければならない。

第80条　（当事者適格）
　破産財団に関する訴えについては，破産管財人を原告又は被告とする。

第85条　（破産管財人の注意義務）
①　破産管財人は，善良な管理者の注意をもって，その職務を行わなければならない。
②　破産管財人が前項の注意を怠ったときは，その破産管財人は，利害関係人に対し，連帯して損害を賠償する義務を負う。

第2節／保全管理人

第91条　（保全管理命令）
①　裁判所は，破産手続開始の申立てがあった場合において，債務者（法人である場合に限る。以下この節，第148条第4項及び第152条第2項において同じ。）の財産の管理及び処分が失当であるとき，その他債務者の財産の確保のために特に必要があると認めるときは，利害関係人の申立てにより又は職権で，破産手続開始の申立てにつき決定があるまでの間，債務者の財産に関し，保全管理人による管理を命ずる処分をすることができる。
②　裁判所は，前項の規定による処分（以下「保全管理命令」という。）をする場合には，当該保全管理命令において，1人又は数人の保全管理人を選任しなければならない。
③　前二項の規定は，破産手続開始の申立てを棄却する決定に対して第33条第1項の即時抗告があった場合について準用する。
④　裁判所は，保全管理命令を変更し，又は取り消すことができる。
⑤　保全管理命令及び前項の規定による決定に対しては，即時抗告をすることができる。
⑥　前項の即時抗告は，執行停止の効力を有しない。

第92条 （保全管理命令に関する公告及び送達）

① 裁判所は，保全管理命令を発したときは，その旨を公告しなければならない。保全管理命令を変更し，又は取り消す旨の決定があった場合も，同様とする。
② 保全管理命令，前条第4項の規定による決定及び同条第5項の即時抗告についての裁判があった場合には，その裁判書を当事者に送達しなければならない。
③ 第10条第4項の規定は，第1項の場合については，適用しない。

第93条 （保全管理人の権限）

① 保全管理命令が発せられたときは，債務者の財産（日本国内にあるかどうかを問わない。）の管理及び処分をする権利は，保全管理人に専属する。ただし，保全管理人が債務者の常務に属しない行為をするには，裁判所の許可を得なければならない。
② 前項ただし書の許可を得ないでした行為は，無効とする。ただし，これをもって善意の第三者に対抗することができない。
③ 第78条第2項から第6項までの規定は，保全管理人について準用する。

第94条 （保全管理人の任務終了の場合の報告義務）

① 保全管理人の任務が終了した場合には，保全管理人は，遅滞なく，裁判所に書面による計算の報告をしなければならない。
② 前項の場合において，保全管理人が欠けたときは，同項の計算の報告は，同項の規定にかかわらず，後任の保全管理人又は破産管財人がしなければならない。

第10章 相続財産の破産等に関する特則

第1節／相続財産の破産

第223条 （相続財産の破産手続開始の原因）

相続財産に対する第30条第1項の規定の適用については，同項中「破産手続開始の原因となる事実があると認めるとき」とあるのは，「相続財産をもって相続債権者及び受遺者に対する債務を完済することができないと認めるとき」とする。

第2節／相続人の破産

第238条 （破産者の単純承認又は相続放棄の効力等）

① 破産手続開始の決定前に破産者のために相続の開始があった場合において，破産者が破産手続開始の決定後にした単純承認は，破産財団に対しては，限定承認の効力を有する。破産者が破産手続開始の決定後にした相続の放棄も，同様とする。
② 破産管財人は，前項後段の規定にかかわらず，相続の放棄の効力を認めることができる。この場合においては，相続の放棄があったことを知った時から3月以内に，その旨を家庭裁判所に申述しなければならない。

第3節／受遺者の破産

第243条 （包括受遺者の破産）

前節の規定は，包括受遺者について破産手続開始の決定があった場合について準用する。

第244条 （特定遺贈の承認又は放棄）

① 破産手続開始の決定前に破産者のために特定遺贈があった場合において，破産者が当該決定の時においてその承認又は放棄をしていなかったときは，破産管財人は，破産者に代わって，その承認又は

放棄をすることができる。
② 民法第987条の規定は，前項の場合について準用する。

第12章 免責及び復権

第2節／復権

第255条（復権）
① 破産者は，次に掲げる事由のいずれかに該当する場合には，復権する。次条第1項の復権の決定が確定したときも，同様とする。
一　免責許可の決定が確定したとき。
二　第218条第1項の規定による破産手続廃止の決定が確定したとき。
三　再生計画認可の決定が確定したとき。
四　破産者が，破産手続開始の決定後，第265条の罪について有罪の確定判決を受けることなく10年を経過したとき。
② 前項の規定による復権の効果は，人の資格に関する法令の定めるところによる。
③ 免責取消しの決定又は再生計画取消しの決定が確定したときは，第1項第1号又は第3号の規定による復権は，将来に向かってその効力を失う。

第13章 雑則

第257条（法人の破産手続に関する登記の嘱託等）
① 法人である債務者について破産手続開始の決定があったときは，裁判所書記官は，職権で，遅滞なく，破産手続開始の登記を当該破産者の本店又は主たる事務所の所在地を管轄する登記所に嘱託しなければならない。ただし，破産者が外国法人であるときは，外国会社にあっては日本における各代表者（日本に住所を有するものに限る。）の住所地（日本に営業所を設けた外国会社にあっては，当該各営業所の所在地），その他の外国法人にあっては各事務所の所在地を管轄する登記所に嘱託しなければならない。

② 前項の登記には，破産管財人の氏名又は名称及び住所，破産管財人がそれぞれ単独にその職務を行うことについて第76条第1項ただし書の許可があったときはその旨並びに破産管財人が職務を分掌することについて同項ただし書の許可があったときはその旨及び各破産管財人が分掌する職務の内容をも登記しなければならない。
③ 第1項の規定は，前項に規定する事項に変更が生じた場合について準用する。
④ 第1項の債務者について保全管理命令が発せられたときは，裁判所書記官は，職権で，遅滞なく，保全管理命令の登記を同項に規定する登記所に嘱託しなければならない。
⑤ 前項の登記には，保全管理人の氏名又は名称及び住所，保全管理人がそれぞれ単独にその職務を行うことについて第96条第1項において準用する第76条第1項ただし書の許可があったときはその旨並びに保全管理人が職務を分掌することについて第96条第1項において準用する第76条第1項ただし書の許可があったときはその旨及び各保全管理人が分掌する職務の内容をも登記しなければならない。
⑥ 第4項の規定は，同項に規定する裁判の変更若しくは取消しがあった場合又は前項に規定する事項に変更が生じた場合について準用する。
⑦ 第1項の規定は，同項の破産者につき，破産手続開始の決定の取消し若しくは破産手続廃止の決定が確定した場合又は破産手続終結の決定があった場合について準用する。
⑧ 前各項の規定は，限定責任信託に係る信託財産について破産手続開始の決定があった場合について準用する。この場合において，第1項中「当該破産者の本店又は主たる事務所の所在地」とあるのは，「当該限定責任信託の事務処理地（信託法第216条第2項第4号に規定する

事務処理地をいう。）」と読み替えるものとする。

第258条　（個人の破産手続に関する登記の嘱託等）

① 個人である債務者について破産手続開始の決定があった場合において，次に掲げるときは，裁判所書記官は，職権で，遅滞なく，破産手続開始の登記を登記所に嘱託しなければならない。
　一　当該破産者に関する登記があることを知ったとき。
　二　破産財団に属する権利で登記がされたものがあることを知ったとき。
② 前項の規定は，当該破産者につき，破産手続開始の決定の取消し若しくは破産手続廃止の決定が確定した場合又は破産手続終結の決定があった場合について準用する。
③ 裁判所書記官は，第1項第2号の規定により破産手続開始の登記がされた権利について，第34条第4項の決定により破産財団に属しないこととされたときは，職権で，遅滞なく，その登記の抹消を嘱託しなければならない。破産管財人がその登記がされた権利を放棄し，その登記の抹消の嘱託の申立てをしたときも，同様とする。
④ 第1項第2号（第2項において準用する場合を含む。）及び前項後段の規定は，相続財産又は信託財産について破産手続開始の決定があった場合について準用する。
⑤ 第1項第2号の規定は，信託財産について保全管理命令があった場合又は当該保全管理命令の変更若しくは取消しがあった場合について準用する。

第259条　（保全処分に関する登記の嘱託）

① 次に掲げる場合には，裁判所書記官は，職権で，遅滞なく，当該保全処分の登記を嘱託しなければならない。

　一　債務者の財産に属する権利で登記されたものに関し第28条第1項（第33条第2項において準用する場合を含む。）の規定による保全処分があったとき。
　二　登記のある権利に関し第171条第1項（同条第7項において準用する場合を含む。）又は第177条第1項若しくは第2項（同条第7項において準用する場合を含む。）の規定による保全処分があったとき。
② 前項の規定は，同項に規定する保全処分の変更若しくは取消しがあった場合又は当該保全処分が効力を失った場合について準用する。

第260条　（否認の登記）

① 登記の原因である行為が否認されたときは，破産管財人は，否認の登記を申請しなければならない。登記が否認されたときも，同様とする。
② 登記官は，前項の否認の登記に係る権利に関する登記をするときは，職権で，次に掲げる登記を抹消しなければならない。
　一　当該否認の登記
　二　否認された行為を登記原因とする登記又は否認された登記
　三　前号の登記に後れる登記があるときは，当該登記
③ 前項に規定する場合において，否認された行為の後否認の登記がされるまでの間に，同項第2号に掲げる登記に係る権利を目的とする第三者の権利に関する登記（破産手続の関係において，その効力を主張することができるものに限る。）がされているときは，同項の規定にかかわらず，登記官は，職権で，当該否認の登記の抹消及び同号に掲げる登記に係る権利の破産者への移転の登記をしなければならない。
④ 裁判所書記官は，第1項の否認の登記がされている場合において，破産者につ

いて，破産手続開始の決定の取消し若しくは破産手続廃止の決定が確定したとき，又は破産手続終結の決定があったときは，職権で，遅滞なく，当該否認の登記の抹消を嘱託しなければならない。破産管財人が，第2項第2号に掲げる登記に係る権利を放棄し，否認の登記の抹消の嘱託の申立てをしたときも，同様とする。

第14章　罰則

第265条　（詐欺破産罪）

① 破産手続開始の前後を問わず，債権者を害する目的で，次の各号のいずれかに該当する行為をした者は，債務者（相続財産の破産にあっては相続財産，信託財産の破産にあっては信託財産。次項において同じ。）について破産手続開始の決定が確定したときは，10年以下の懲役若しくは千万円以下の罰金に処し，又はこれを併科する。情を知って，第4号に掲げる行為の相手方となった者も，破産手続開始の決定が確定したときは，同様とする。

一　債務者の財産（相続財産の破産にあっては相続財産に属する財産，信託財産の破産にあっては信託財産に属する財産。以下この条において同じ。）を隠匿し，又は損壊する行為
二　債務者の財産の譲渡又は債務の負担を仮装する行為
三　債務者の財産の現状を改変して，その価格を減損する行為
四　債務者の財産を債権者の不利益に処分し，又は債権者に不利益な債務を債務者が負担する行為

② 前項に規定するもののほか，債務者について破産手続開始の決定がされ，又は保全管理命令が発せられたことを認識しながら，債権者を害する目的で，破産管財人の承諾その他の正当な理由がなく，その債務者の財産を取得し，又は第三者に取得させた者も，同項と同様とする。

附　則　（略）

裁判外紛争解決手続の利用の促進に関する法律（抄）

●平成16年12月1日法律第151号●　最終改正　令和5年4月28日法17号

第1章　総則

第1条（目的）

　この法律は，内外の社会経済情勢の変化に伴い，裁判外紛争解決手続（訴訟手続によらずに民事上の紛争の解決をしようとする紛争の当事者のため，公正な第三者が関与して，その解決を図る手続をいう。以下同じ。）が，第三者の専門的な知見を反映して紛争の実情に即した迅速な解決を図る手続として重要なものとなっていることに鑑み，裁判外紛争解決手続についての基本理念及び国等の責務を定めるとともに，民間紛争解決手続の業務に関し，認証の制度を設け，併せて時効の完成猶予等に係る特例を定めてその利便の向上を図ること等により，紛争の当事者がその解決を図るのにふさわしい手続を選択することを容易にし，もって国民の権利利益の適切な実現に資することを目的とする。

第2条（定義）

　この法律において，次の各号に掲げる用語の意義は，それぞれ当該各号に定めるところによる。

一　民間紛争解決手続　民間事業者が，紛争の当事者が和解をすることができる民事上の紛争について，紛争の当事者双方からの依頼を受け，当該紛争の当事者との間の契約に基づき，和解の仲介を行う裁判外紛争解決手続をいう。ただし，法律の規定により指定を受けた者が当該法律の規定による紛争の解決の業務として行う裁判外紛争解決手続で政令で定めるものを除く。

二　手続実施者　民間紛争解決手続において和解の仲介を実施する者をいう。

三　認証紛争解決手続　第5条の認証を受けた業務として行う民間紛争解決手続をいう。

四　認証紛争解決事業者　第5条の認証を受け，認証紛争解決手続の業務を行う者をいう。

五　特定和解　認証紛争解決手続において紛争の当事者間に成立した和解であって，当該和解に基づいて民事執行をすることができる旨の合意がされたものをいう。

第3条（基本理念等）

① 　裁判外紛争解決手続は，法による紛争の解決のための手続として，紛争の当事者の自主的な紛争解決の努力を尊重しつつ，公正かつ適正に実施され，かつ，専門的な知見を反映して紛争の実情に即した迅速な解決を図るものでなければならない。

② 　裁判外紛争解決手続を行う者は，前項の基本理念にのっとり，相互に連携を図りながら協力するように努めなければならない。

第4条　（国等の責務）

① 国は，裁判外紛争解決手続の利用の促進を図るため，裁判外紛争解決手続に関する内外の動向，その利用の状況その他の事項についての調査及び分析並びに情報の提供その他の必要な措置を講じ，裁判外紛争解決手続についての国民の理解を増進させるように努めなければならない。

② 地方公共団体は，裁判外紛争解決手続の普及が住民福祉の向上に寄与することにかんがみ，国との適切な役割分担を踏まえつつ，裁判外紛争解決手続に関する情報の提供その他の必要な措置を講ずるように努めなければならない。

第2章　認証紛争解決手続の業務

第1節／民間紛争解決手続の業務の認証

第5条　（民間紛争解決手続の業務の認証）

民間紛争解決手続を業として行う者（法人でない団体で代表者又は管理人の定めのあるものを含む。）は，その業務について，法務大臣の認証を受けることができる。

第11条　（認証の公示等）

① 法務大臣は，第5条の認証をしたときは，認証紛争解決事業者の氏名又は名称及び住所を官報で公示しなければならない。

② 認証紛争解決事業者は，認証紛争解決手続を利用し，又は利用しようとする者に適正な情報を提供するため，法務省令で定めるところにより，認証紛争解決事業者である旨並びにその認証紛争解決手続の業務の内容及びその実施方法に係る事項であって法務省令で定めるものを，認証紛争解決手続の業務を行う事務所において見やすいように掲示し，又はインターネットの利用その他の方法により公表しなければならない。

③ 認証紛争解決事業者でない者は，その名称中に認証紛争解決事業者であると誤認されるおそれのある文字を用い，又はその業務に関し，認証紛争解決事業者であると誤認されるおそれのある表示をしてはならない。

第2節　認証紛争解決事業者の業務

第14条　（説明義務）

認証紛争解決事業者は，認証紛争解決手続を実施する契約の締結に先立ち，紛争の当事者に対し，法務省令で定めるところにより，次に掲げる事項について，これを記載した書面を交付し，又はこれを記録した電磁的記録（電子的方式，磁気的方式その他人の知覚によっては認識することができない方式で作られる記録であって，電子計算機による情報処理の用に供されるものをいう。第27条の2第3項において同じ。）を提供して説明をしなければならない。

一　手続実施者の選任に関する事項
二　紛争の当事者が支払う報酬又は費用に関する事項
三　第6条第7号に規定する認証紛争解決手続の開始から終了に至るまでの標準的な手続の進行
四　前三号に掲げるもののほか，法務省令で定める事項

第15条　（暴力団員等の使用の禁止）

認証紛争解決事業者は，暴力団員等を業務に従事させ，又は業務の補助者として使用してはならない。

第16条　（手続実施記録の作成及び保存）

認証紛争解決事業者は，法務省令で定めるところにより，その実施した認証紛争解決手続に関し，次に掲げる事項を記載した手続実施記録を作成し，保存しなければならない。

一　紛争の当事者との間で認証紛争解決

手続を実施する契約を締結した年月日
二　紛争の当事者及びその代理人の氏名又は名称
三　手続実施者の氏名
四　認証紛争解決手続の実施の経緯
五　認証紛争解決手続の結果（認証紛争解決手続の終了の理由及びその年月日を含む。）
六　前各号に掲げるもののほか、実施した認証紛争解決手続の内容を明らかにするため必要な事項であって法務省令で定めるもの

【─　第3章　認証紛争解決手続の利用に係る特例　─】

第25条　（時効の完成猶予）

① 認証紛争解決手続によっては紛争の当事者間に和解が成立する見込みがないことを理由に手続実施者が当該認証紛争解決手続を終了した場合において、当該認証紛争解決手続の実施の依頼をした当該紛争の当事者がその旨の通知を受けた日から1月以内に当該認証紛争解決手続の目的となった請求について訴えを提起したときは、時効の完成猶予に関しては、当該認証紛争解決手続における請求の時に、訴えの提起があったものとみなす。

② 第19条の規定により第5条の認証がその効力を失い、かつ、当該認証がその効力を失った日に認証紛争解決手続が実施されていた紛争がある場合において、当該認証紛争解決手続の実施の依頼をした当該紛争の当事者が第17条第3項若しくは第18条第2項の規定による通知を受けた日又は第19条各号に規定する事由があったことを知った日のいずれか早い日（認証紛争解決事業者の死亡により第5条の認証がその効力を失った場合にあっては、その死亡の事実を知った日）から1月以内に当該認証紛争解決手続の目的となった請求について訴えを提起したときも、前項と同様とする。

③ 第5条の認証が第23条第1項又は第2項の規定により取り消され、かつ、その取消しの処分の日に認証紛争解決手続が実施されていた紛争がある場合において、当該認証紛争解決手続の実施の依頼をした当該紛争の当事者が同条第5項の規定による通知を受けた日又は当該処分を知った日のいずれか早い日から1月以内に当該認証紛争解決手続の目的となった請求について訴えを提起したときも、第1項と同様とする。

第26条　（訴訟手続の中止）

① 紛争の当事者が和解をすることができる民事上の紛争について当該紛争の当事者間に訴訟が係属する場合において、次の各号のいずれかに掲げる事由があり、かつ、当該紛争の当事者の共同の申立てがあるときは、受訴裁判所は、4月以内の期間を定めて訴訟手続を中止する旨の決定をすることができる。
一　当該紛争について、当該紛争の当事者間において認証紛争解決手続が実施されていること。
二　前号に規定する場合のほか、当該紛争の当事者間に認証紛争解決手続によって当該紛争の解決を図る旨の合意があること。

② 受訴裁判所は、いつでも前項の決定を取り消すことができる。

③ 第1項の申立てを却下する決定及び前項の規定により第1項の決定を取り消す決定に対しては、不服を申し立てることができない。

第27条　（調停の前置に関する特則）

民事調停法（昭和26年法律第252号）第24条の2第1項の事件又は家事事件手続法（平成23年法律第52号）第257条第1項の事件（同法第277条第1項の事件を除く。）について訴えを提起した当事者が当該訴えの提起前に当該事件について認証紛争解決手続の実施の依頼をし、

かつ,当該依頼に基づいて実施された認証紛争解決手続によっては当事者間に和解が成立する見込みがないことを理由に当該認証紛争解決手続が終了した場合においては,民事調停法第24条の2又は家事事件手続法第257条の規定は,適用しない。この場合において,受訴裁判所は,適当であると認めるときは,職権で,事件を調停に付することができる。

第4章 雑則

第31条 (認証紛争解決手続の業務に関する情報の公表)

　法務大臣は,認証紛争解決手続の業務に関する情報を広く国民に提供するため,法務省令で定めるところにより,認証紛争解決事業者の氏名又は名称及び住所,当該業務を行う事務所の所在地並びに当該業務の内容及びその実施方法に係る事項であって法務省令で定めるものについて,インターネットの利用その他の方法により公表することができる。

　附　則　(略)

裁判外紛争解決手続の利用の促進に関する法律施行令（抄）

●平成18年4月28日政令第186号●　　最終改正　平成23年12月21日政令403号

第1条　（民間紛争解決手続に該当しない裁判外紛争解決手続）

　裁判外紛争解決手続の利用の促進に関する法律（以下「法」という。）第2条第1号ただし書の政令で定める裁判外紛争解決手続は，次に掲げるものとする。

一　自動車損害賠償保障法（昭和30年法律第97号）第3章第2節の2の規定により指定紛争処理機関（同法第23条の5第2項に規定する指定紛争処理機関をいう。）が行う調停の手続

二　住宅の品質確保の促進等に関する法律（平成11年法律第81号）第6章第1節の規定により指定住宅紛争処理機関（同法第66条第2項に規定する指定住宅紛争処理機関をいう。）が行うあっせん及び調停の手続

附　則　（略）

裁判外紛争解決手続の利用の促進に関する法律施行規則（抄）

●平成18年4月28日法務省令第52号●　最終改正　令和4年3月15日法務省令10号

第9条　（掲示）
① 法第11条第2項に規定する法務省令で定める事項は，次に掲げる事項とする。
一　認証紛争解決事業者がその専門的な知見を活用して和解の仲介を行う紛争の範囲
二　手続実施者の選任の方法
三　手続実施者の候補者の職業又は身分の概要
四　認証紛争解決手続の実施に際して行う通知の方法
五　認証紛争解決手続の開始から終了に至るまでの標準的な手続の進行
六　紛争の当事者が認証紛争解決事業者に対し認証紛争解決手続の実施の依頼をする場合の要件及び方式
七　認証紛争解決事業者が紛争の一方の当事者から前号の依頼を受けた場合において，紛争の他方の当事者に対し，速やかにその旨を通知するとともに，当該紛争の他方の当事者がこれに応じて認証紛争解決手続の実施を依頼するか否かを確認するための手続
八　認証紛争解決手続において提出された資料の保管，返還その他の取扱いの方法
九　認証紛争解決手続において陳述される意見又は提出され，若しくは提示される資料に含まれる紛争の当事者又は第三者の秘密の取扱いの方法
十　紛争の当事者が認証紛争解決手続を終了させるための要件及び方式
十一　認証紛争解決事業者（手続実施者を含む。）が紛争の当事者から支払を受ける報酬及び費用の額又は算定方法並びに支払方法
十二　認証紛争解決事業者が行う認証紛争解決手続の業務に関する苦情の取扱い
② 法第11条第2項の規定による掲示は，認証紛争解決事業者である旨及び前項各号に規定する事項を認証紛争解決手続の業務を行う事務所に備え置く電子計算機の映像面に表示する方法により行うことができる。

第13条　（紛争の当事者に対する説明）
① 法第14条第4号の法務省令で定める事項は，次に掲げる事項とする。
一　認証紛争解決手続において陳述される意見若しくは提出され若しくは提示される資料に含まれ，又は法第16条に規定する手続実施記録（以下「手続実施記録」という。）に記載されている紛争の当事者又は第三者の秘密の取扱いの方法
二　紛争の当事者が認証紛争解決手続を終了させるための要件及び方式
三　手続実施者が認証紛争解決手続によっては紛争の当事者間に和解が成立する見込みがないと判断したときは，速やかに当該認証紛争解決手続を終了し，その旨を紛争の当事者に通知すること

四 紛争の当事者間に和解が成立した場合に作成される書面の有無及び書面が作成される場合には作成者，通数その他当該書面の作成に係る概要
② 認証紛争解決事業者は，法第14条に規定する説明をするに当たり紛争の当事者から書面の交付を求められたときは，書面を交付して説明をしなければならない。

第14条　（手続実施記録の作成及び保存）
① 法第16条第6号に規定する法務省令で定める事項は，次に掲げる事項とする。
　一　認証紛争解決手続において請求がされた年月日及び当該請求の内容
　二　認証紛争解決手続の結果が和解の成立である場合にあっては，その和解の内容
② 認証紛争解決事業者は，手続実施記録を，その実施した認証紛争解決手続が終了した日から少なくとも10年間保存しなければならない。

第20条　（認証紛争解決手続の業務に関する情報の公表）
　法第31条に規定する法務省令で定める事項は，次に掲げる事項とする。
　一　認証紛争解決事業者の電話番号，電子メールアドレス及びホームページアドレス
　二　認証紛争解決手続の業務を行う事務所の名称，電話番号及び電子メールアドレス
　三　認証紛争解決手続の業務を行う日及び時間
　四　第9条第1項各号に掲げる事項
　五　認証紛争解決事業者及び認証紛争解決手続に関する統計

附　則　（略）

不動産登記法関係

- ○不動産登記法
- ○不動産登記令
- ○不動産登記規則
- ○不動産登記事務取扱手続準則
- ○不動産の管轄登記所等の指定に関する省令
- ○電気通信回線による登記情報の提供に関する法律
- ○電気通信回線による登記情報の提供に関する法律施行令
- ○電気通信回線による登記情報の提供に関する法律施行規則
- ○登記手数料令
- ○筆界特定申請手数料規則

不動産登記法

●平成16年6月18日法律第123号●　　最終改正　令和3年5月19日法37号

【　　　第1章　総則　　　】

第1条　(目的)
　この法律は，不動産の表示及び不動産に関する権利を公示するための登記に関する制度について定めることにより，国民の権利の保全を図り，もって取引の安全と円滑に資することを目的とする。

第2条　(定義)
　この法律において，次の各号に掲げる用語の意義は，それぞれ当該各号に定めるところによる。
一　不動産　土地又は建物をいう。
二　不動産の表示　不動産についての第27条第1号，第3号若しくは第4号，第34条第1項各号，第43条第1項，第44条第1項各号又は第58条第1項各号に規定する登記事項をいう。
三　表示に関する登記　不動産の表示に関する登記をいう。
四　権利に関する登記　不動産についての次条各号に掲げる権利に関する登記をいう。
五　登記記録　表示に関する登記又は権利に関する登記について，一筆の土地又は1個の建物ごとに第12条の規定により作成される電磁的記録(電子的方式，磁気的方式その他人の知覚によっては認識することができない方式で作られる記録であって，電子計算機による情報処理の用に供されるものをいう。以下同じ。)をいう。
六　登記事項　この法律の規定により登記記録として登記すべき事項をいう。
七　表題部　登記記録のうち，表示に関する登記が記録される部分をいう。
八　権利部　登記記録のうち，権利に関する登記が記録される部分をいう。
九　登記簿　登記記録が記録される帳簿であって，磁気ディスク(これに準ずる方法により一定の事項を確実に記録することができる物を含む。以下同じ。)をもって調製するものをいう。
十　表題部所有者　所有権の登記がない不動産の登記記録の表題部に，所有者として記録されている者をいう。
十一　登記名義人　登記記録の権利部に，次条各号に掲げる権利について権利者として記録されている者をいう。
十二　登記権利者　権利に関する登記をすることにより，登記上，直接に利益を受ける者をいい，間接に利益を受ける者を除く。
十三　登記義務者　権利に関する登記をすることにより，登記上，直接に不利益を受ける登記名義人をいい，間接に不利益を受ける登記名義人を除く。
十四　登記識別情報　第22条本文の規定により登記名義人が登記を申請する場合において，当該登記名義人自らが当該登記を申請していることを確認するために用いられる符号その他の情報であって，登記名義人を識別することができるものをいう。
十五　変更の登記　登記事項に変更があった場合に当該登記事項を変更する登記をいう。
十六　更正の登記　登記事項に錯誤又は遺漏があった場合に当該登記事項を訂

正する登記をいう。
十七　地番　第35条の規定により一筆の土地ごとに付す番号をいう。
十八　地目　土地の用途による分類であって、第34条第2項の法務省令で定めるものをいう。
十九　地積　一筆の土地の面積であって、第34条第2項の法務省令で定めるものをいう。
二十　表題登記　表示に関する登記のうち、当該不動産について表題部に最初にされる登記をいう。
二十一　家屋番号　第45条の規定により1個の建物ごとに付す番号をいう。
二十二　区分建物　一棟の建物の構造上区分された部分で独立して住居、店舗、事務所又は倉庫その他建物としての用途に供することができるものであって、建物の区分所有等に関する法律（昭和37年法律第69号。以下「区分所有法」という。）第2条第3項に規定する専有部分であるもの（区分所有法第4条第2項の規定により共用部分とされたものを含む。）をいう。
二十三　附属建物　表題登記がある建物に附属する建物であって、当該表題登記がある建物と一体のものとして1個の建物として登記されるものをいう。
二十四　抵当証券　抵当証券法（昭和6年法律第15号）第1条第1項に規定する抵当証券をいう。

第3条　（登記することができる権利等）

　登記は、不動産の表示又は不動産についての次に掲げる権利の保存等（保存、設定、移転、変更、処分の制限又は消滅をいう。次条第2項及び第105条第1号において同じ。）についてする。
一　所有権
二　地上権
三　永小作権
四　地役権
五　先取特権
六　質権
七　抵当権
八　賃借権
九　配偶者居住権
十　採石権（採石法（昭和25年法律第291号）に規定する採石権をいう。第50条、第70条第2項及び第82条において同じ。）

第4条　（権利の順位）

① 同一の不動産について登記した権利の順位は、法令に別段の定めがある場合を除き、登記の前後による。
② 付記登記（権利に関する登記のうち、既にされた権利に関する登記についてする登記であって、当該既にされた権利に関する登記を変更し、若しくは更正し、又は所有権以外の権利にあってはこれを移転し、若しくはこれを目的とする権利の保存等をするもので当該既にされた権利に関する登記と一体のものとして公示する必要があるものをいう。以下この項及び第66条において同じ。）の順位は主登記（付記登記の対象となる既にされた権利に関する登記をいう。以下この項において同じ。）の順位により、同一の主登記に係る付記登記の順位はその前後による。

第5条　（登記がないことを主張することができない第三者）

① 詐欺又は強迫によって登記の申請を妨げた第三者は、その登記がないことを主張することができない。
② 他人のために登記を申請する義務を負う第三者は、その登記がないことを主張することができない。ただし、その登記の登記原因（登記の原因となる事実又は法律行為をいう。以下同じ。）が自己の登記の登記原因の後に生じたときは、この限りでない。

第2章　登記所及び登記官

第6条（登記所）
① 登記の事務は，不動産の所在地を管轄する法務局若しくは地方法務局若しくはこれらの支局又はこれらの出張所（以下単に「登記所」という。）がつかさどる。
② 不動産が二以上の登記所の管轄区域にまたがる場合は，法務省令で定めるところにより，法務大臣又は法務局若しくは地方法務局の長が，当該不動産に関する登記の事務をつかさどる登記所を指定する。
③ 前項に規定する場合において，同項の指定がされるまでの間，登記の申請は，当該二以上の登記所のうち，一の登記所にすることができる。

第7条（事務の委任）
法務大臣は，一の登記所の管轄に属する事務を他の登記所に委任することができる。

第8条（事務の停止）
法務大臣は，登記所においてその事務を停止しなければならない事由が生じたときは，期間を定めて，その停止を命ずることができる。

第9条（登記官）
登記所における事務は，登記官（登記所に勤務する法務事務官のうちから，法務局又は地方法務局の長が指定する者をいう。以下同じ。）が取り扱う。

第10条（登記官の除斥）
登記官又はその配偶者若しくは四親等内の親族（配偶者又は四親等内の親族であった者を含む。以下この条において同じ。）が登記の申請人であるときは，当該登記官は，当該登記をすることができない。登記官又はその配偶者若しくは四親等内の親族が申請人を代表して申請するときも，同様とする。

第3章　登記記録等

第11条（登記）
登記は，登記官が登記簿に登記事項を記録することによって行う。

第12条（登記記録の作成）
登記記録は，表題部及び権利部に区分して作成する。

第13条（登記記録の滅失と回復）
法務大臣は，登記記録の全部又は一部が滅失したときは，登記官に対し，一定の期間を定めて，当該登記記録の回復に必要な処分を命ずることができる。

第14条（地図等）
① 登記所には，地図及び建物所在図を備え付けるものとする。
② 前項の地図は，一筆又は二筆以上の土地ごとに作成し，各土地の区画を明確にし，地番を表示するものとする。
③ 第1項の建物所在図は，1個又は2個以上の建物ごとに作成し，各建物の位置及び家屋番号を表示するものとする。
④ 第1項の規定にかかわらず，登記所には，同項の規定により地図が備え付けられるまでの間，これに代えて，地図に準ずる図面を備え付けることができる。
⑤ 前項の地図に準ずる図面は，一筆又は二筆以上の土地ごとに土地の位置，形状及び地番を表示するものとする。
⑥ 第1項の地図及び建物所在図並びに第4項の地図に準ずる図面は，電磁的記録に記録することができる。

第15条（法務省令への委任）
この章に定めるもののほか，登記簿及び登記記録並びに地図，建物所在図及び地図に準ずる図面の記録方法その他の登

記の事務に関し必要な事項は，法務省令で定める。

第4章 登記手続

第1節／総則

第16条 （当事者の申請又は嘱託による登記）

① 登記は，法令に別段の定めがある場合を除き，当事者の申請又は官庁若しくは公署の嘱託がなければ，することができない。

② 第2条第14号，第5条，第6条第3項，第10条及びこの章（この条，第27条，第28条，第32条，第34条，第35条，第41条，第43条から第46条まで，第51条第5項及び第6項，第53条第2項，第56条，第58条第1項及び第4項，第59条第1号，第3号から第6号まで及び第8号，第66条，第67条，第71条，第73条第1項第2号から第4号まで，第2項及び第3項，第76条から第76条の4まで，第76条の6，第78条から第86条まで，第88条，第90条から第92条まで，第94条，第95条第1項，第96条，第97条，第98条第2項，第101条，第102条，第106条，第108条，第112条，第114条から第117条まで並びに第118条第2項，第5項及び第6項を除く。）の規定は，官庁又は公署の嘱託による登記の手続について準用する。

第17条 （代理権の不消滅）

登記の申請をする者の委任による代理人の権限は，次に掲げる事由によっては，消滅しない。
一 本人の死亡
二 本人である法人の合併による消滅
三 本人である受託者の信託に関する任務の終了
四 法定代理人の死亡又はその代理権の消滅若しくは変更

第18条 （申請の方法）

登記の申請は，次に掲げる方法のいずれかにより，不動産を識別するために必要な事項，申請人の氏名又は名称，登記の目的その他の登記の申請に必要な事項として政令で定める情報（以下「申請情報」という。）を登記所に提供してしなければならない。
一 法務省令で定めるところにより電子情報処理組織（登記所の使用に係る電子計算機（入出力装置を含む。以下この号において同じ。）と申請人又はその代理人の使用に係る電子計算機とを電気通信回線で接続した電子情報処理組織をいう。）を使用する方法
二 申請情報を記載した書面（法務省令で定めるところにより申請情報の全部又は一部を記録した磁気ディスクを含む。）を提出する方法

第19条 （受付）

① 登記官は，前条の規定により申請情報が登記所に提供されたときは，法務省令で定めるところにより，当該申請情報に係る登記の申請の受付をしなければならない。

② 同一の不動産に関し二以上の申請がされた場合において，その前後が明らかでないときは，これらの申請は，同時にされたものとみなす。

③ 登記官は，申請の受付をしたときは，当該申請に受付番号を付さなければならない。この場合において，同一の不動産に関し同時に二以上の申請がされたとき（前項の規定により同時にされたものとみなされるときを含む。）は，同一の受付番号を付するものとする。

❖【申請の受付】規56，準31

第20条 （登記の順序）

登記官は，同一の不動産に関し権利に関する登記の申請が二以上あったときは，これらの登記を受付番号の順序に従って

しなければならない。

第21条　（登記識別情報の通知）
登記官は，その登記をすることによって申請人自らが登記名義人となる場合において，当該登記を完了したときは，法務省令で定めるところにより，速やかに，当該申請人に対し，当該登記に係る登記識別情報を通知しなければならない。ただし，当該申請人があらかじめ登記識別情報の通知を希望しない旨の申出をした場合その他の法務省令で定める場合は，この限りでない。

第22条　（登記識別情報の提供）
登記権利者及び登記義務者が共同して権利に関する登記の申請をする場合その他登記名義人が政令で定める登記の申請をする場合には，申請人は，その申請情報と併せて登記義務者（政令で定める登記の申請にあっては，登記名義人。次条第1項，第2項及び第4項各号において同じ。）の登記識別情報を提供しなければならない。ただし，前条ただし書の規定により登記識別情報が通知されなかった場合その他の申請人が登記識別情報を提供することができないことにつき正当な理由がある場合は，この限りでない。

第23条　（事前通知等）
① 登記官は，申請人が前条に規定する申請をする場合において，同条ただし書の規定により登記識別情報を提供することができないときは，法務省令で定める方法により，同条に規定する登記義務者に対し，当該申請があった旨及び当該申請の内容が真実であると思料するときは法務省令で定める期間内に法務省令で定めるところによりその旨の申出をすべき旨を通知しなければならない。この場合において，登記官は，当該期間内にあっては，当該申出がない限り，当該申請に係る登記をすることができない。

② 登記官は，前項の登記の申請が所有権に関するものである場合において，同項の登記義務者の住所について変更の登記がされているときは，法務省令で定める場合を除き，同項の申請に基づいて登記をする前に，法務省令で定める方法により，同項の規定による通知のほか，当該登記義務者の登記記録上の前の住所にあてて，当該申請があった旨を通知しなければならない。

③ 前二項の規定は，登記官が第25条（第10号を除く。）の規定により申請を却下すべき場合には，適用しない。

④ 第1項の規定は，同項に規定する場合において，次の各号のいずれかに掲げるときは，適用しない。

一　当該申請が登記の申請の代理を業とすることができる代理人によってされた場合であって，登記官が当該代理人から法務省令で定めるところにより当該申請人が第1項の登記義務者であることを確認するために必要な情報の提供を受け，かつ，その内容を相当と認めるとき。

二　当該申請に係る申請情報（委任による代理人によって申請する場合にあっては，その権限を証する情報）を記載し，又は記録した書面又は電磁的記録について，公証人（公証人法（明治41年法律第53号）第8条の規定により公証人の職務を行う法務事務官を含む。）から当該申請人が第1項の登記義務者であることを確認するために必要な認証がなされ，かつ，登記官がその内容を相当と認めるとき。

第24条　（登記官による本人確認）
① 登記官は，登記の申請があった場合において，申請人となるべき者以外の者が申請していると疑うに足りる相当な理由があると認めるときは，次条の規定によ

り当該申請を却下すべき場合を除き，申請人又はその代表者若しくは代理人に対し，出頭を求め，質問をし，又は文書の提示その他必要な情報の提供を求める方法により，当該申請人の申請の権限の有無を調査しなければならない。
② 登記官は，前項に規定する申請人又はその代表者若しくは代理人が遠隔の地に居住しているとき，その他相当と認めるときは，他の登記所の登記官に同項の調査を嘱託することができる。

第25条　（申請の却下）
　登記官は，次に掲げる場合には，理由を付した決定で，登記の申請を却下しなければならない。ただし，当該申請の不備が補正することができるものである場合において，登記官が定めた相当の期間内に，申請人がこれを補正したときは，この限りでない。
一　申請に係る不動産の所在地が当該申請を受けた登記所の管轄に属しないとき。
二　申請が登記事項（他の法令の規定により登記記録として登記すべき事項を含む。）以外の事項の登記を目的とするとき。
三　申請に係る登記が既に登記されているとき。
四　申請の権限を有しない者の申請によるとき。
五　申請情報又はその提供の方法がこの法律に基づく命令又はその他の法令の規定により定められた方式に適合しないとき。
六　申請情報の内容である不動産又は登記の目的である権利が登記記録と合致しないとき。
七　申請情報の内容である登記義務者（第65条，第77条，第89条第1項（同条第2項（第95条第2項において準用する場合を含む。）及び第95条第2項

において準用する場合を含む。），第93条（第95条第2項において準用する場合を含む。）又は第110条前段の場合にあっては，登記名義人）の氏名若しくは名称又は住所が登記記録と合致しないとき。
八　申請情報の内容が第61条に規定する登記原因を証する情報の内容と合致しないとき。
九　第22条本文若しくは第61条の規定又はこの法律に基づく命令若しくはその他の法令の規定により申請情報と併せて提供しなければならないものとされている情報が提供されないとき。
十　第23条第1項に規定する期間内に同項の申出がないとき。
十一　表示に関する登記の申請に係る不動産の表示が第29条の規定による登記官の調査の結果と合致しないとき。
十二　登録免許税を納付しないとき。
十三　前各号に掲げる場合のほか，登記すべきものでないときとして政令で定めるとき。

第26条　（政令への委任）
　この章に定めるもののほか，申請情報の提供の方法並びに申請情報と併せて提供することが必要な情報及びその提供の方法その他の登記申請の手続に関し必要な事項は，政令で定める。

　　　　第2節／表示に関する登記

　　　　　第1款／通則

第27条　（表示に関する登記の登記事項）
　土地及び建物の表示に関する登記の登記事項は，次のとおりとする。
一　登記原因及びその日付
二　登記の年月日
三　所有権の登記がない不動産（共用部分（区分所有法第4条第2項に規定する共用部分をいう。以下同じ。）であ

る旨の登記又は団地共用部分（区分所有法第67条第1項に規定する団地共用部分をいう。以下同じ。）である旨の登記がある建物を除く。）については，所有者の氏名又は名称及び住所並びに所有者が2人以上であるときはその所有者ごとの持分
四　前三号に掲げるもののほか，不動産を識別するために必要な事項として法務省令で定めるもの

第28条　（職権による表示に関する登記）
　　表示に関する登記は，登記官が，職権ですることができる。

第29条　（登記官による調査）
① 登記官は，表示に関する登記について第18条の規定により申請があった場合及び前条の規定により職権で登記しようとする場合において，必要があると認めるときは，当該不動産の表示に関する事項を調査することができる。
② 登記官は，前項の調査をする場合において，必要があると認めるときは，日出から日没までの間に限り，当該不動産を検査し，又は当該不動産の所有者その他の関係者に対し，文書若しくは電磁的記録に記録された事項を法務省令で定める方法により表示したものの提示を求め，若しくは質問をすることができる。この場合において，登記官は，その身分を示す証明書を携帯し，関係者の請求があったときは，これを提示しなければならない。

第30条　（一般承継人による申請）
　　表題部所有者又は所有権の登記名義人が表示に関する登記の申請人となることができる場合において，当該表題部所有者又は登記名義人について相続その他の一般承継があったときは，相続人その他の一般承継人は，当該表示に関する登記を申請することができる。

第31条　（表題部所有者の氏名等の変更の登記又は更正の登記）
　　表題部所有者の氏名若しくは名称又は住所についての変更の登記又は更正の登記は，表題部所有者以外の者は，申請することができない。

第32条　（表題部所有者の変更等に関する登記手続）
　　表題部所有者又はその持分についての変更は，当該不動産について所有権の保存の登記をした後において，その所有権の移転の登記の手続をするのでなければ，登記することができない。

第33条　（表題部所有者の更正の登記等）
① 不動産の所有者と当該不動産の表題部所有者とが異なる場合においてする当該表題部所有者についての更正の登記は，当該不動産の所有者以外の者は，申請することができない。
② 前項の場合において，当該不動産の所有者は，当該表題部所有者の承諾があるときでなければ，申請することができない。
③ 不動産の表題部所有者である共有者の持分についての更正の登記は，当該共有者以外の者は，申請することができない。
④ 前項の更正の登記をする共有者は，当該更正の登記によってその持分を更正することとなる他の共有者の承諾があるときでなければ，申請することができない。

第2款／土地の表示に関する登記

第34条　（土地の表示に関する登記の登記事項）
① 土地の表示に関する登記の登記事項は，第27条各号に掲げるもののほか，次のとおりとする。
一　土地の所在する市，区，郡，町，村

及び字
二　地番
三　地目
四　地積
②　前項第3号の地目及び同項第4号の地積に関し必要な事項は、法務省令で定める。

第35条　（地番）
登記所は、法務省令で定めるところにより、地番を付すべき区域（第39条第2項及び第41条第2号において「地番区域」という。）を定め、一筆の土地ごとに地番を付さなければならない。

第36条　（土地の表題登記の申請）
新たに生じた土地又は表題登記がない土地の所有権を取得した者は、その所有権の取得の日から1月以内に、表題登記を申請しなければならない。

第37条　（地目又は地積の変更の登記の申請）
①　地目又は地積について変更があったときは、表題部所有者又は所有権の登記名義人は、その変更があった日から1月以内に、当該地目又は地積に関する変更の登記を申請しなければならない。
②　地目又は地積について変更があった後に表題部所有者又は所有権の登記名義人となった者は、その者に係る表題部所有者についての更正の登記又は所有権の登記があった日から1月以内に、当該地目又は地積に関する変更の登記を申請しなければならない。

第38条　（土地の表題部の更正の登記の申請）
第27条第1号、第2号若しくは第4号（同号にあっては、法務省令で定めるものに限る。）又は第34条第1項第1号、第3号若しくは第4号に掲げる登記事項に関する更正の登記は、表題部所有者又は所有権の登記名義人以外の者は、申請することができない。

第39条　（分筆又は合筆の登記）
①　分筆又は合筆の登記は、表題部所有者又は所有権の登記名義人以外の者は、申請することができない。
②　登記官は、前項の申請がない場合であっても、一筆の土地の一部が別の地目となり、又は地番区域（地番区域でない字を含む。第41条第2号において同じ。）を異にするに至ったときは、職権で、その土地の分筆の登記をしなければならない。
③　登記官は、第1項の申請がない場合であっても、第14条第1項の地図を作成するため必要があると認めるときは、第1項に規定する表題部所有者又は所有権の登記名義人の異議がないときに限り、職権で、分筆又は合筆の登記をすることができる。

第40条　（分筆に伴う権利の消滅の登記）
登記官は、所有権の登記以外の権利に関する登記がある土地について分筆の登記をする場合において、当該分筆の登記の申請情報と併せて当該権利に関する登記に係る権利の登記名義人（当該権利に関する登記が抵当権の登記である場合において、抵当証券が発行されているときは、当該抵当証券の所持人又は裏書人を含む。）が当該権利を分筆後のいずれかの土地について消滅させることを承諾したことを証する情報が提供されたとき（当該権利を目的とする第三者の権利に関する登記がある場合にあっては、当該第三者が承諾したことを証する情報が併せて提供されたときに限る。）は、法務省令で定めるところにより、当該承諾に係る土地について当該権利が消滅した旨を登記しなければならない。

第41条 （合筆の登記の制限）
次に掲げる合筆の登記は，することができない。
一　相互に接続していない土地の合筆の登記
二　地目又は地番区域が相互に異なる土地の合筆の登記
三　表題部所有者又は所有権の登記名義人が相互に異なる土地の合筆の登記
四　表題部所有者又は所有権の登記名義人が相互に持分を異にする土地の合筆の登記
五　所有権の登記がない土地と所有権の登記がある土地との合筆の登記
六　所有権の登記以外の権利に関する登記がある土地（権利に関する登記であって，合筆後の土地の登記記録に登記することができるものとして法務省令で定めるものがある土地を除く。）の合筆の登記

第42条 （土地の滅失の登記の申請）
土地が滅失したときは，表題部所有者又は所有権の登記名義人は，その滅失の日から1月以内に，当該土地の滅失の登記を申請しなければならない。

第43条 （河川区域内の土地の登記）
① 河川法（昭和39年法律第167号）第6条第1項（同法第100条第1項において準用する場合を含む。第1号において同じ。）の河川区域内の土地の表示に関する登記の登記事項は，第27条各号及び第34条第1項各号に掲げるもののほか，第1号に掲げる土地である旨及び第2号から第5号までに掲げる土地にあってはそれぞれその旨とする。
一　河川法第6条第1項の河川区域内の土地
二　河川法第6条第2項（同法第100条第1項において準用する場合を含む。）の高規格堤防特別区域内の土地
三　河川法第6条第3項（同法第100条第1項において準用する場合を含む。）の樹林帯区域内の土地
四　河川法第26条第4項（同法第100条第1項において準用する場合を含む。）の特定樹林帯区域内の土地
五　河川法第58条の2第2項（同法第100条第1項において準用する場合を含む。）の河川立体区域内の土地

② 土地の全部又は一部が前項第1号の河川区域内又は同項第2号の高規格堤防特別区域内，同項第3号の樹林帯区域内，同項第4号の特定樹林帯区域内若しくは同項第5号の河川立体区域内の土地となったときは，河川管理者は，遅滞なく，その旨の登記を登記所に嘱託しなければならない。

③ 土地の全部又は一部が第1項第1号の河川区域内又は同項第2号の高規格堤防特別区域内，同項第3号の樹林帯区域内，同項第4号の特定樹林帯区域内若しくは同項第5号の河川立体区域内の土地でなくなったときは，河川管理者は，遅滞なく，その旨の登記の抹消を登記所に嘱託しなければならない。

④ 土地の一部について前二項の規定により登記の嘱託をするときは，河川管理者は，当該土地の表題部所有者若しくは所有権の登記名義人又はこれらの者の相続人その他の一般承継人に代わって，当該土地の分筆の登記を登記所に嘱託することができる。

⑤ 第1項各号の河川区域内の土地の全部が滅失したときは，河川管理者は，遅滞なく，当該土地の滅失の登記を登記所に嘱託しなければならない。

⑥ 第1項各号の河川区域内の土地の一部が滅失したときは，河川管理者は，遅滞なく，当該土地の地積に関する変更の登記を登記所に嘱託しなければならない。

第3款／建物の表示に関する登記

第44条 (建物の表示に関する登記の登記事項)

① 建物の表示に関する登記の登記事項は，第27条各号に掲げるもののほか，次のとおりとする。
一 建物の所在する市，区，郡，町，村，字及び土地の地番（区分建物である建物にあっては，当該建物が属する一棟の建物の所在する市，区，郡，町，村，字及び土地の地番）
二 家屋番号
三 建物の種類，構造及び床面積
四 建物の名称があるときは，その名称
五 附属建物があるときは，その所在する市，区，郡，町，村，字及び土地の地番（区分建物である附属建物にあっては，当該附属建物が属する一棟の建物の所在する市，区，郡，町，村，字及び土地の地番）並びに種類，構造及び床面積
六 建物が共用部分又は団地共用部分であるときは，その旨
七 建物又は附属建物が区分建物であるときは，当該建物又は附属建物が属する一棟の建物の構造及び床面積
八 建物又は附属建物が区分建物である場合であって，当該建物又は附属建物が属する一棟の建物の名称があるときは，その名称
九 建物又は附属建物が区分建物である場合において，当該区分建物について区分所有法第2条第6項に規定する敷地利用権（登記されたものに限る。）であって，区分所有法第22条第1項本文（同条第3項において準用する場合を含む。）の規定により区分所有者の有する専有部分と分離して処分することができないもの（以下「敷地権」という。）があるときは，その敷地権

② 前項第3号，第5号及び第7号の建物の種類，構造及び床面積に関し必要な事項は，法務省令で定める。

第45条 (家屋番号)

登記所は，法務省令で定めるところにより，1個の建物ごとに家屋番号を付さなければならない。

第46条 (敷地権である旨の登記)

登記官は，表示に関する登記のうち，区分建物に関する敷地権について表題部に最初に登記をするときは，当該敷地権の目的である土地の登記記録について，職権で，当該登記記録中の所有権，地上権その他の権利が敷地権である旨の登記をしなければならない。

第47条 (建物の表題登記の申請)

① 新築した建物又は区分建物以外の表題登記がない建物の所有権を取得した者は，その所有権の取得の日から1月以内に，表題登記を申請しなければならない。
② 区分建物である建物を新築した場合において，その所有者について相続その他の一般承継があったときは，相続人その他の一般承継人も，被承継人を表題部所有者とする当該建物についての表題登記を申請することができる。

第48条 (区分建物についての建物の表題登記の申請方法)

① 区分建物が属する一棟の建物が新築された場合又は表題登記がない建物に接続して区分建物が新築されて一棟の建物となった場合における当該区分建物についての表題登記の申請は，当該新築された一棟の建物又は当該区分建物が属することとなった一棟の建物に属する他の区分建物についての表題登記の申請と併せてしなければならない。
② 前項の場合において，当該区分建物の所有者は，他の区分建物の所有者に代

わって，当該他の区分建物についての表題登記を申請することができる。
③　表題登記がある建物（区分建物を除く。）に接続して区分建物が新築された場合における当該区分建物についての表題登記の申請は，当該表題登記がある建物についての表題部の変更の登記の申請と併せてしなければならない。
④　前項の場合において，当該区分建物の所有者は，当該表題登記がある建物の表題部所有者若しくは所有権の登記名義人又はこれらの者の相続人その他の一般承継人に代わって，当該表題登記がある建物についての表題部の変更の登記を申請することができる。

第49条　（合体による登記等の申請）
①　二以上の建物が合体して１個の建物となった場合において，次の各号に掲げるときは，それぞれ当該各号に定める者は，当該合体の日から１月以内に，合体後の建物についての建物の表題登記及び合体前の建物についての建物の表題部の登記の抹消（以下「合体による登記等」と総称する。）を申請しなければならない。この場合において，第２号に掲げる場合にあっては当該表題登記がない建物の所有者，第４号に掲げる場合にあっては当該表題登記がある建物（所有権の登記がある建物を除く。以下この条において同じ。）の表題部所有者，第６号に掲げる場合にあっては当該表題登記がない建物の所有者及び当該表題登記がある建物の表題部所有者をそれぞれ当該合体後の建物の登記名義人とする所有権の登記を併せて申請しなければならない。
　一　合体前の二以上の建物が表題登記がない建物及び表題登記がある建物のみであるとき。　当該表題登記がない建物の所有者又は当該表題登記がある建物の表題部所有者
　二　合体前の二以上の建物が表題登記がない建物及び所有権の登記がある建物のみであるとき。　当該表題登記がない建物の所有者又は当該所有権の登記がある建物の所有権の登記名義人
　三　合体前の二以上の建物がいずれも表題登記がある建物であるとき。　当該建物の表題部所有者
　四　合体前の二以上の建物が表題登記がある建物及び所有権の登記がある建物のみであるとき。　当該表題登記がある建物の表題部所有者又は当該所有権の登記がある建物の所有権の登記名義人
　五　合体前の二以上の建物がいずれも所有権の登記がある建物であるとき。　当該建物の所有権の登記名義人
　六　合体前の三以上の建物が表題登記がない建物，表題登記がある建物及び所有権の登記がある建物のみであるとき。　当該表題登記がない建物の所有者，当該表題登記がある建物の表題部所有者又は当該所有権の登記がある建物の所有権の登記名義人
②　第47条並びに前条第１項及び第２項の規定は，二以上の建物が合体して１個の建物となった場合において合体前の建物がいずれも表題登記がない建物であるときの当該建物についての表題登記の申請について準用する。この場合において，第47条第１項中「新築した建物又は区分建物以外の表題登記がない建物の所有権を取得した者」とあるのは「いずれも表題登記がない二以上の建物が合体して１個の建物となった場合における当該合体後の建物についての合体時の所有者又は当該合体後の建物が区分建物以外の表題登記がない建物である場合において当該合体時の所有者から所有権を取得した者」と，同条第２項中「区分建物である建物を新築した場合」とあり，及び前条第１項中「区分建物が属する一棟の建物が新築された場合又は表題登記がない建物に

接続して区分建物が新築されて一棟の建物となった場合」とあるのは「いずれも表題登記がない二以上の建物が合体して1個の区分建物となった場合」と，同項中「当該新築された一棟の建物又は当該区分建物が属することとなった一棟の建物」とあるのは「当該合体後の区分建物が属する一棟の建物」と読み替えるものとする。
③　第1項第1号，第2号又は第6号に掲げる場合において，当該二以上の建物（同号に掲げる場合にあっては，当該三以上の建物）が合体して1個の建物となった後当該合体前の表題登記がない建物の所有者から当該合体後の建物について合体前の表題登記がない建物の所有権に相当する持分を取得した者は，その持分の取得の日から1月以内に，合体による登記等を申請しなければならない。
④　第1項各号に掲げる場合において，当該二以上の建物（同項第6号に掲げる場合にあっては，当該三以上の建物）が合体して1個の建物となった後に合体前の表題登記がある建物の表題部所有者又は合体前の所有権の登記がある建物の所有権の登記名義人となった者は，その者に係る表題部所有者についての更正の登記又は所有権の登記があった日から1月以内に，合体による登記等を申請しなければならない。

第50条　（合体に伴う権利の消滅の登記）
　　登記官は，所有権等（所有権，地上権，永小作権，地役権及び採石権をいう。以下この款及び第118条第5項において同じ。）の登記以外の権利に関する登記がある建物について合体による登記等をする場合において，当該合体による登記等の申請情報と併せて当該権利に関する登記に係る権利の登記名義人（当該権利に関する登記が抵当権の登記である場合において，抵当証券が発行されているときは，当該抵当証券の所持人又は裏書人を含む。）が合体後の建物について当該権利を消滅させることについて承諾したことを証する情報が提供されたとき（当該権利を目的とする第三者の権利に関する登記がある場合にあっては，当該第三者が承諾したことを証する情報が併せて提供されたときに限る。）は，法務省令で定めるところにより，当該権利が消滅した旨を登記しなければならない。

第51条　（建物の表題部の変更の登記）
①　第44条第1項各号（第2号及び第6号を除く。）に掲げる登記事項について変更があったときは，表題部所有者又は所有権の登記名義人（共用部分である旨の登記又は団地共用部分である旨の登記がある建物の場合にあっては，所有者）は，当該変更があった日から1月以内に，当該登記事項に関する変更の登記を申請しなければならない。
②　前項の登記事項について変更があった後に表題部所有者又は所有権の登記名義人となった者は，その者に係る表題部所有者についての更正の登記又は所有権の登記があった日から1月以内に，当該登記事項に関する変更の登記を申請しなければならない。
③　第1項の登記事項について変更があった後に共用部分である旨の登記又は団地共用部分である旨の登記があったときは，所有者（前二項の規定により登記を申請しなければならない者を除く。）は，共用部分である旨の登記又は団地共用部分である旨の登記がされた日から1月以内に，当該登記事項に関する変更の登記を申請しなければならない。
④　共用部分である旨の登記又は団地共用部分である旨の登記がある建物について，第1項の登記事項について変更があった後に所有権を取得した者（前項の規定により登記を申請しなければならない者を

除く。）は，その所有権の取得の日から1月以内に，当該登記事項に関する変更の登記を申請しなければならない。
⑤　建物が区分建物である場合において，第44条第1項第1号（区分建物である建物に係るものに限る。）又は第7号から第9号までに掲げる登記事項（同号に掲げる登記事項にあっては，法務省令で定めるものに限る。次項及び第53条第2項において同じ。）に関する変更の登記は，当該登記に係る区分建物と同じ一棟の建物に属する他の区分建物についてされた変更の登記としての効力を有する。
⑥　前項の場合において，同項に規定する登記事項に関する変更の登記がされたときは，登記官は，職権で，当該一棟の建物に属する他の区分建物について，当該登記事項に関する変更の登記をしなければならない。

第52条　（区分建物となったことによる建物の表題部の変更の登記）
①　表題登記がある建物（区分建物を除く。）に接続して区分建物が新築されて一棟の建物となったことにより当該表題登記がある建物が区分建物になった場合における当該表題登記がある建物についての表題部の変更の登記の申請は，当該新築に係る区分建物についての表題登記の申請と併せてしなければならない。
②　前項の場合において，当該表題登記がある建物の表題部所有者又は所有権の登記名義人は，当該新築に係る区分建物の所有者に代わって，当該新築に係る区分建物についての表題登記を申請することができる。
③　いずれも表題登記がある二以上の建物（区分建物を除く。）が増築その他の工事により相互に接続して区分建物になった場合における当該表題登記がある二以上の建物についての表題部の変更の登記の申請は，一括してしなければならない。

④　前項の場合において，当該表題登記がある二以上の建物のうち，表題登記がある一の建物の表題部所有者又は所有権の登記名義人は，表題登記がある他の建物の表題部所有者若しくは所有権の登記名義人又はこれらの者の相続人その他の一般承継人に代わって，当該表題登記がある他の建物について表題部の変更の登記を申請することができる。

第53条　（建物の表題部の更正の登記）
①　第27条第1号，第2号若しくは第4号（同号にあっては，法務省令で定めるものに限る。）又は第44条第1項各号（第2号及び第6号を除く。）に掲げる登記事項に関する更正の登記は，表題部所有者又は所有権の登記名義人（共用部分である旨の登記又は団地共用部分である旨の登記がある建物の場合にあっては，所有者）以外の者は，申請することができない。
②　第51条第5項及び第6項の規定は，建物が区分建物である場合における同条第5項に規定する登記事項に関する表題部の更正の登記について準用する。

第54条　（建物の分割，区分又は合併の登記）
①　次に掲げる登記は，表題部所有者又は所有権の登記名義人以外の者は，申請することができない。
一　建物の分割の登記（表題登記がある建物の附属建物を当該表題登記がある建物の登記記録から分割して登記記録上別の1個の建物とする登記をいう。以下同じ。）
二　建物の区分の登記（表題登記がある建物又は附属建物の部分であって区分建物に該当するものを登記記録上区分建物とする登記をいう。以下同じ。）
三　建物の合併の登記（表題登記がある建物を登記記録上他の表題登記がある

建物の附属建物とする登記又は表題登記がある区分建物を登記記録上これと接続する他の区分建物である表題登記がある建物若しくは附属建物に合併して１個の建物とする登記をいう。以下同じ。）
② 共用部分である旨の登記又は団地共用部分である旨の登記がある建物についての建物の分割の登記又は建物の区分の登記は，所有者以外の者は，申請することができない。
③ 第40条の規定は，所有権等の登記以外の権利に関する登記がある建物についての建物の分割の登記又は建物の区分の登記をするときについて準用する。

第55条 （特定登記）

① 登記官は，敷地権付き区分建物（区分建物に関する敷地権の登記がある建物をいう。第73条第１項及び第３項，第74条第２項並びに第76条第１項において同じ。）のうち特定登記（所有権等の登記以外の権利に関する登記であって，第73条第１項の規定により敷地権についてされた登記としての効力を有するものをいう。以下この条において同じ。）があるものについて，第44条第１項第９号の敷地利用権が区分所有者の有する専有部分と分離して処分することができるものとなったことにより敷地権の変更の登記をする場合において，当該変更の登記の申請情報と併せて特定登記に係る権利の登記名義人（当該特定登記が抵当権の登記である場合において，抵当証券が発行されているときは，当該抵当証券の所持人又は裏書人を含む。）が当該変更の登記後の当該建物又は当該敷地権の目的であった土地について当該特定登記に係る権利を消滅させることを承諾したことを証する情報が提供されたとき（当該特定登記に係る権利を目的とする第三者の権利に関する登記がある場合にあっては，当該第三者が承諾したことを証する情報が併せて提供されたときに限る。）は，法務省令で定めるところにより，当該承諾に係る建物又は土地について当該特定登記に係る権利が消滅した旨を登記しなければならない。

② 前項の規定は，特定登記がある建物について敷地権の不存在を原因とする表題部の更正の登記について準用する。この場合において，同項中「第44条第１項第９号の敷地利用権が区分所有者の有する専有部分と分離して処分することができるものとなったことにより敷地権の変更の登記」とあるのは「敷地権の不存在を原因とする表題部の更正の登記」と，「当該変更の登記」とあるのは「当該更正の登記」と読み替えるものとする。

③ 第１項の規定は，特定登記がある建物の合体又は合併により当該建物が敷地権のない建物となる場合における合体による登記等又は建物の合併の登記について準用する。この場合において，同項中「第44条第１項第９号の敷地利用権が区分所有者の有する専有部分と分離して処分することができるものとなったことにより敷地権の変更の登記」とあるのは「当該建物の合体又は合併により当該建物が敷地権のない建物となる場合における合体による登記等又は建物の合併の登記」と，「当該変更の登記」とあるのは「当該合体による登記等又は当該建物の合併の登記」と読み替えるものとする。

④ 第１項の規定は，特定登記がある建物の滅失の登記について準用する。この場合において，同項中「第44条第１項第９号の敷地利用権が区分所有者の有する専有部分と分離して処分することができるものとなったことにより敷地権の変更の登記」とあるのは「建物の滅失の登記」と，「当該変更の登記」とあるのは「当該建物の滅失の登記」と，「当該建物又は当該敷地権の目的であった土地」とあ

るのは「当該敷地権の目的であった土地」と，「当該承諾に係る建物又は土地」とあるのは「当該土地」と読み替えるものとする。

第56条（建物の合併の登記の制限）
次に掲げる建物の合併の登記は，することができない。
一　共用部分である旨の登記又は団地共用部分である旨の登記がある建物の合併の登記
二　表題部所有者又は所有権の登記名義人が相互に異なる建物の合併の登記
三　表題部所有者又は所有権の登記名義人が相互に持分を異にする建物の合併の登記
四　所有権の登記がない建物と所有権の登記がある建物との建物の合併の登記
五　所有権等の登記以外の権利に関する登記がある建物（権利に関する登記であって，合併後の建物の登記記録に登記することができるものとして法務省令で定めるものがある建物を除く。）の建物の合併の登記

第57条（建物の滅失の登記の申請）
建物が滅失したときは，表題部所有者又は所有権の登記名義人（共用部分である旨の登記又は団地共用部分である旨の登記がある建物の場合にあっては，所有者）は，その滅失の日から1月以内に，当該建物の滅失の登記を申請しなければならない。

第58条（共用部分である旨の登記等）
① 共用部分である旨の登記又は団地共用部分である旨の登記に係る建物の表示に関する登記の登記事項は，第27条各号（第3号を除く。）及び第44条第1項各号（第6号を除く。）に掲げるもののほか，次のとおりとする。
一　共用部分である旨の登記にあっては，当該共用部分である建物が当該建物の属する一棟の建物以外の一棟の建物に属する建物の区分所有者の共用に供されるものであるときは，その旨
二　団地共用部分である旨の登記にあっては，当該団地共用部分を共用すべき者の所有する建物（当該建物が区分建物であるときは，当該建物が属する一棟の建物）

② 共用部分である旨の登記又は団地共用部分である旨の登記は，当該共用部分である旨の登記又は団地共用部分である旨の登記をする建物の表題部所有者又は所有権の登記名義人以外の者は，申請することができない。

③ 共用部分である旨の登記又は団地共用部分である旨の登記は，当該共用部分又は団地共用部分である建物に所有権等の登記以外の権利に関する登記があるときは，当該権利に関する登記に係る権利の登記名義人（当該権利に関する登記が抵当権の登記である場合において，抵当証券が発行されているときは，当該抵当証券の所持人又は裏書人を含む。）の承諾があるとき（当該権利を目的とする第三者の権利に関する登記がある場合にあっては，当該第三者の承諾を得たときに限る。）でなければ，申請することができない。

④ 登記官は，共用部分である旨の登記又は団地共用部分である旨の登記をするときは，職権で，当該建物について表題部所有者の登記又は権利に関する登記を抹消しなければならない。

⑤ 第1項各号に掲げる登記事項についての変更の登記又は更正の登記は，当該共用部分である旨の登記又は団地共用部分である旨の登記がある建物の所有者以外の者は，申請することができない。

⑥ 共用部分である旨の登記又は団地共用部分である旨の登記がある建物について共用部分である旨又は団地共用部分であ

る旨を定めた規約を廃止した場合には，当該建物の所有者は，当該規約の廃止の日から1月以内に，当該建物の表題登記を申請しなければならない。
⑦　前項の規約を廃止した後に当該建物の所有権を取得した者は，その所有権の取得の日から1月以内に，当該建物の表題登記を申請しなければならない。

第3節／権利に関する登記

第1款／通則

第59条　（権利に関する登記の登記事項）
　権利に関する登記の登記事項は，次のとおりとする。
一　登記の目的
二　申請の受付の年月日及び受付番号
三　登記原因及びその日付
四　登記に係る権利の権利者の氏名又は名称及び住所並びに登記名義人が2人以上であるときは当該権利の登記名義人ごとの持分
五　登記の目的である権利の消滅に関する定めがあるときは，その定め
六　共有物分割禁止の定め（共有物若しくは所有権以外の財産権について民法（明治29年法律第89号）第256条第1項ただし書（同法第264条において準用する場合を含む。）若しくは第908条第2項の規定により分割をしない旨の契約をした場合若しくは同条第1項の規定により被相続人が遺言で共有物若しくは所有権以外の財産権について分割を禁止した場合における共有物若しくは所有権以外の財産権の分割を禁止する定め又は同条第4項の規定により家庭裁判所が遺産である共有物若しくは所有権以外の財産権についてした分割を禁止する審判をいう。第65条において同じ。）があるときは，その定め
七　民法第423条その他の法令の規定により他人に代わって登記を申請した者（以下「代位者」という。）があるときは，当該代位者の氏名又は名称及び住所並びに代位原因
八　第2号に掲げるもののほか，権利の順位を明らかにするために必要な事項として法務省令で定めるもの

第60条　（共同申請）
　権利に関する登記の申請は，法令に別段の定めがある場合を除き，登記権利者及び登記義務者が共同してしなければならない。

第61条　（登記原因証明情報の提供）
　権利に関する登記を申請する場合には，申請人は，法令に別段の定めがある場合を除き，その申請情報と併せて登記原因を証する情報を提供しなければならない。

第62条　（一般承継人による申請）
　登記権利者，登記義務者又は登記名義人が権利に関する登記の申請人となることができる場合において，当該登記権利者，登記義務者又は登記名義人について相続その他の一般承継があったときは，相続人その他の一般承継人は，当該権利に関する登記を申請することができる。

第63条　（判決による登記等）
①　第60条，第65条又は第89条第1項（同条第2項（第95条第2項において準用する場合を含む。）及び第95条第2項において準用する場合を含む。）の規定にかかわらず，これらの規定により申請を共同してしなければならない者の一方に登記手続をすべきことを命ずる確定判決による登記は，当該申請を共同してしなければならない者の他方が単独で申請することができる。
②　相続又は法人の合併による権利の移転の登記は，登記権利者が単独で申請することができる。

③　遺贈（相続人に対する遺贈に限る。）による所有権の移転の登記は，第60条の規定にかかわらず，登記権利者が単独で申請することができる。

第64条　（登記名義人の氏名等の変更の登記又は更正の登記等）

①　登記名義人の氏名若しくは名称又は住所についての変更の登記又は更正の登記は，登記名義人が単独で申請することができる。

②　抵当証券が発行されている場合における債務者の氏名若しくは名称又は住所についての変更の登記又は更正の登記は，債務者が単独で申請することができる。

第65条　（共有物分割禁止の定めの登記）

共有物分割禁止の定めに係る権利の変更の登記の申請は，当該権利の共有者であるすべての登記名義人が共同してしなければならない。

第66条　（権利の変更の登記又は更正の登記）

権利の変更の登記又は更正の登記は，登記上の利害関係を有する第三者（権利の変更の登記又は更正の登記につき利害関係を有する抵当証券の所持人又は裏書人を含む。以下この条において同じ。）の承諾がある場合及び当該第三者がない場合に限り，付記登記によってすることができる。

第67条　（登記の更正）

①　登記官は，権利に関する登記に錯誤又は遺漏があることを発見したときは，遅滞なく，その旨を登記権利者及び登記義務者（登記権利者及び登記義務者がない場合にあっては，登記名義人。第3項及び第71条第1項において同じ。）に通知しなければならない。ただし，登記権利者，登記義務者又は登記名義人がそれぞれ2人以上あるときは，その1人に対し通知すれば足りる。

②　登記官は，前項の場合において，登記の錯誤又は遺漏が登記官の過誤によるものであるときは，遅滞なく，当該登記官を監督する法務局又は地方法務局の長の許可を得て，登記の更正をしなければならない。ただし，登記上の利害関係を有する第三者（当該登記の更正につき利害関係を有する抵当証券の所持人又は裏書人を含む。以下この項において同じ。）がある場合にあっては，当該第三者の承諾があるときに限る。

③　登記官が前項の登記の更正をしたときは，その旨を登記権利者及び登記義務者に通知しなければならない。この場合においては，第1項ただし書の規定を準用する。

④　第1項及び前項の通知は，代位者にもしなければならない。この場合においては，第1項ただし書の規定を準用する。

第68条　（登記の抹消）

権利に関する登記の抹消は，登記上の利害関係を有する第三者（当該登記の抹消につき利害関係を有する抵当証券の所持人又は裏書人を含む。以下この条において同じ。）がある場合には，当該第三者の承諾があるときに限り，申請することができる。

第69条　（死亡又は解散による登記の抹消）

権利が人の死亡又は法人の解散によって消滅する旨が登記されている場合において，当該権利がその死亡又は解散によって消滅したときは，第60条の規定にかかわらず，登記権利者は，単独で当該権利に係る権利に関する登記の抹消を申請することができる。

第69条の2 （買戻しの特約に関する登記の抹消）

買戻しの特約に関する登記がされている場合において，契約の日から10年を経過したときは，第60条の規定にかかわらず，登記権利者は，単独で当該登記の抹消を申請することができる。

第70条 （除権決定による登記の抹消等）

① 登記権利者は，共同して登記の抹消の申請をすべき者の所在が知れないためその者と共同して権利に関する登記の抹消を申請することができないときは，非訟事件手続法（平成23年法律第51号）第99条に規定する公示催告の申立てをすることができる。

② 前項の登記が地上権，永小作権，質権，賃借権若しくは採石権に関する登記又は買戻しの特約に関する登記であり，かつ，登記された存続期間又は買戻しの期間が満了している場合において，相当の調査が行われたと認められるものとして法務省令で定める方法により調査を行ってもなお共同して登記の抹消の申請をすべき者の所在が判明しないときは，その者の所在が知れないものとみなして，同項の規定を適用する。

③ 前二項の場合において，非訟事件手続法第106条第1項に規定する除権決定があったときは，第60条の規定にかかわらず，当該登記権利者は，単独で第1項の登記の抹消を申請することができる。

④ 第1項に規定する場合において，登記権利者が先取特権，質権又は抵当権の被担保債権が消滅したことを証する情報として政令で定めるものを提供したときは，第60条の規定にかかわらず，当該登記権利者は，単独でそれらの権利に関する登記の抹消を申請することができる。同項に規定する場合において，被担保債権の弁済期から20年を経過し，かつ，その期間を経過した後に当該被担保債権，その利息及び債務不履行により生じた損害の全額に相当する金銭が供託されたときも，同様とする。

第70条の2 （解散した法人の担保権に関する登記の抹消）

登記権利者は，共同して登記の抹消の申請をすべき法人が解散し，前条第2項に規定する方法により調査を行ってもなおその法人の清算人の所在が判明しないためその法人と共同して先取特権，質権又は抵当権に関する登記の抹消を申請することができない場合において，被担保債権の弁済期から30年を経過し，かつ，その法人の解散の日から30年を経過したときは，第60条の規定にかかわらず，単独で当該登記の抹消を申請することができる。

第71条 （職権による登記の抹消）

① 登記官は，権利に関する登記を完了した後に当該登記が第25条第1号から第3号まで又は第13号に該当することを発見したときは，登記権利者及び登記義務者並びに登記上の利害関係を有する第三者に対し，1月以内の期間を定め，当該登記の抹消について異議のある者がその期間内に書面で異議を述べないときは，当該登記を抹消する旨を通知しなければならない。

② 登記官は，通知を受けるべき者の住所又は居所が知れないときは，法務省令で定めるところにより，前項の通知に代えて，通知をすべき内容を公告しなければならない。

③ 登記官は，第1項の異議を述べた者がある場合において，当該異議に理由がないと認めるときは決定で当該異議を却下し，当該異議に理由があると認めるときは決定でその旨を宣言し，かつ，当該異議を述べた者に通知しなければならない。

④ 登記官は，第1項の異議を述べた者がないとき，又は前項の規定により当該異

議を却下したときは，職権で，第１項に規定する登記を抹消しなければならない。

第72条　（抹消された登記の回復）

抹消された登記（権利に関する登記に限る。）の回復は，登記上の利害関係を有する第三者（当該登記の回復につき利害関係を有する抵当証券の所持人又は裏書人を含む。以下この条において同じ。）がある場合には，当該第三者の承諾があるときに限り，申請することができる。

第73条　（敷地権付き区分建物に関する登記等）

① 敷地権付き区分建物についての所有権又は担保権（一般の先取特権，質権又は抵当権をいう。以下この条において同じ。）に係る権利に関する登記は，第46条の規定により敷地権である旨の登記をした土地の敷地権についてされた登記としての効力を有する。ただし，次に掲げる登記は，この限りでない。

一　敷地権付き区分建物についての所有権又は担保権に係る権利に関する登記であって，区分建物に関する敷地権の登記をする前に登記されたもの（担保権に係る権利に関する登記にあっては，当該登記の目的等（登記の目的，申請の受付の年月日及び受付番号並びに登記原因及びその日付をいう。以下この号において同じ。）が当該敷地権となった土地の権利についてされた担保権に係る権利に関する登記の目的等と同一であるものを除く。）

二　敷地権付き区分建物についての所有権に係る仮登記であって，区分建物に関する敷地権の登記をした後に登記されたものであり，かつ，その登記原因が当該建物の当該敷地権が生ずる前に生じたもの

三　敷地権付き区分建物についての質権又は抵当権に係る権利に関する登記であって，区分建物に関する敷地権の登記をした後に登記されたものであり，かつ，その登記原因が当該建物の当該敷地権が生ずる前に生じたもの

四　敷地権付き区分建物についての所有権又は質権若しくは抵当権に係る権利に関する登記であって，区分建物に関する敷地権の登記をした後に登記されたものであり，かつ，その登記原因が当該建物の当該敷地権が生じた後に生じたもの（区分所有法第22条第１項本文（同条第３項において準用する場合を含む。）の規定により区分所有者の有する専有部分とその専有部分に係る敷地利用権とを分離して処分することができない場合（以下この条において「分離処分禁止の場合」という。）を除く。）

② 第46条の規定により敷地権である旨の登記をした土地には，敷地権の移転の登記又は敷地権を目的とする担保権に係る権利に関する登記をすることができない。ただし，当該土地が敷地権の目的となった後にその登記原因が生じたもの（分離処分禁止の場合を除く。）又は敷地権についての仮登記若しくは質権若しくは抵当権に係る権利に関する登記であって当該土地が敷地権の目的となる前にその登記原因が生じたものは，この限りでない。

③ 敷地権付き区分建物には，当該建物のみの所有権の移転を登記原因とする所有権の登記又は当該建物のみを目的とする担保権に係る権利に関する登記をすることができない。ただし，当該建物の敷地権が生じた後にその登記原因が生じたもの（分離処分禁止の場合を除く。）又は当該建物のみの所有権についての仮登記若しくは当該建物のみを目的とする質権若しくは抵当権に係る権利に関する登記であって当該建物の敷地権が生ずる前にその登記原因が生じたものは，この限りでない。

第2款／所有権に関する登記

第73条の2（所有権の登記の登記事項）
① 所有権の登記の登記事項は，第59条各号に掲げるもののほか，次のとおりとする。
　一　所有権の登記名義人が法人であるときは，会社法人等番号（商業登記法（昭和38年法律第125号）第7条（他の法令において準用する場合を含む。）に規定する会社法人等番号をいう。）その他の特定の法人を識別するために必要な事項として法務省令で定めるもの
　二　所有権の登記名義人が国内に住所を有しないときは，その国内における連絡先となる者の氏名又は名称及び住所その他の国内における連絡先に関する事項として法務省令で定めるもの
② 前項各号に掲げる登記事項についての登記に関し必要な事項は，法務省令で定める。

第74条（所有権の保存の登記）
① 所有権の保存の登記は，次に掲げる者以外の者は，申請することができない。
　一　表題部所有者又はその相続人その他の一般承継人
　二　所有権を有することが確定判決によって確認された者
　三　収用（土地収用法（昭和26年法律第219号）その他の法律の規定による収用をいう。第118条第1項及び第3項から第5項までにおいて同じ。）によって所有権を取得した者
② 区分建物にあっては，表題部所有者から所有権を取得した者も，前項の登記を申請することができる。この場合において，当該建物が敷地権付き区分建物であるときは，当該敷地権の登記名義人の承諾を得なければならない。

第75条（表題登記がない不動産についてする所有権の保存の登記）
　登記官は，前条第1項第2号又は第3号に掲げる者の申請に基づいて表題登記がない不動産について所有権の保存の登記をするときは，当該不動産に関する不動産の表示のうち法務省令で定めるものを登記しなければならない。

第76条（所有権の保存の登記の登記事項等）
① 所有権の保存の登記においては，第59条第3号の規定にかかわらず，登記原因及びその日付を登記することを要しない。ただし，敷地権付き区分建物について第74条第2項の規定により所有権の保存の登記をする場合は，この限りでない。
② 登記官は，所有権の登記がない不動産について嘱託により所有権の処分の制限の登記をするときは，職権で，所有権の保存の登記をしなければならない。
③ 前条の規定は，表題登記がない不動産について嘱託により所有権の処分の制限の登記をする場合について準用する。

第76条の2（相続等による所有権の移転の登記の申請）
① 所有権の登記名義人について相続の開始があったときは，当該相続により所有権を取得した者は，自己のために相続の開始があったことを知り，かつ，当該所有権を取得したことを知った日から3年以内に，所有権の移転の登記を申請しなければならない。遺贈（相続人に対する遺贈に限る。）により所有権を取得した者も，同様とする。
② 前項前段の規定による登記（民法第900条及び第901条の規定により算定した相続分に応じてされたものに限る。次条第4項において同じ。）がされた後に遺産の分割があったときは，当該遺産の分割によって当該相続分を超えて所有権を取

得した者は，当該遺産の分割の日から3年以内に，所有権の移転の登記を申請しなければならない。
③　前二項の規定は，代位者その他の者の申請又は嘱託により，当該各項の規定による登記がされた場合には，適用しない。

第76条の3　（相続人である旨の申出等）
① 　前条第1項の規定により所有権の移転の登記を申請する義務を負う者は，法務省令で定めるところにより，登記官に対し，所有権の登記名義人について相続が開始した旨及び自らが当該所有権の登記名義人の相続人である旨を申し出ることができる。
② 　前条第1項に規定する期間内に前項の規定による申出をした者は，同条第1項に規定する所有権の取得（当該申出の前にされた遺産の分割によるものを除く。）に係る所有権の移転の登記を申請する義務を履行したものとみなす。
③ 　登記官は，第1項の規定による申出があったときは，職権で，その旨並びに当該申出をした者の氏名及び住所その他法務省令で定める事項を所有権の登記に付記することができる。
④ 　第1項の規定による申出をした者は，その後の遺産の分割によって所有権を取得したとき（前条第1項前段の規定による登記がされた後に当該遺産の分割によって所有権を取得したときを除く。）は，当該遺産の分割の日から3年以内に，所有権の移転の登記を申請しなければならない。
⑤ 　前項の規定は，代位者その他の者の申請又は嘱託により，同項の規定による登記がされた場合には，適用しない。
⑥ 　第1項の規定による申出の手続及び第3項の規定による登記に関し必要な事項は，法務省令で定める。

第77条　（所有権の登記の抹消）
　所有権の登記の抹消は，所有権の移転の登記がない場合に限り，所有権の登記名義人が単独で申請することができる。

第3款／用益権に関する登記

第78条　（地上権の登記の登記事項）
　地上権の登記の登記事項は，第59条各号に掲げるもののほか，次のとおりとする。
一　地上権設定の目的
二　地代又はその支払時期の定めがあるときは，その定め
三　存続期間又は借地借家法（平成3年法律第90号）第22条第1項前段若しくは第23条第1項若しくは大規模な災害の被災地おける借地借家に関する特別措置法（平成25年法律第61号）第7条第1項の定めがあるときは，その定め
四　地上権設定の目的が借地借家法第23条第1項又は第2項に規定する建物の所有であるときは，その旨
五　民法第269条の2第1項前段に規定する地上権の設定にあっては，その目的である地下又は空間の上下の範囲及び同項後段の定めがあるときはその定め

第79条　（永小作権の登記の登記事項）
　永小作権の登記の登記事項は，第59条各号に掲げるもののほか，次のとおりとする。
一　小作料
二　存続期間又は小作料の支払時期の定めがあるときは，その定め
三　民法第272条ただし書の定めがあるときは，その定め
四　前二号に規定するもののほか，永小作人の権利又は義務に関する定めがあるときは，その定め

第80条 （地役権の登記の登記事項等）

① 承役地（民法第285条第1項に規定する承役地をいう。以下この条において同じ。）についてする地役権の登記の登記事項は，第59条各号に掲げるもののほか，次のとおりとする。
一 要役地（民法第281条第1項に規定する要役地をいう。以下この条において同じ。）
二 地役権設定の目的及び範囲
三 民法第281条第1項ただし書若しくは第285条第1項ただし書の別段の定め又は同法第286条の定めがあるときは，その定め

② 前項の登記においては，第59条第4号の規定にかかわらず，地役権者の氏名又は名称及び住所を登記することを要しない。

③ 要役地に所有権の登記がないときは，承役地に地役権の設定の登記をすることができない。

④ 登記官は，承役地に地役権の設定の登記をしたときは，要役地について，職権で，法務省令で定める事項を登記しなければならない。

第81条 （賃借権の登記等の登記事項）

賃借権の登記又は賃借物の転貸の登記の登記事項は，第59条各号に掲げるもののほか，次のとおりとする。
一 賃料
二 存続期間又は賃料の支払時期の定めがあるときは，その定め
三 賃借権の譲渡又は賃借物の転貸を許す旨の定めがあるときは，その定め
四 敷金があるときは，その旨
五 賃貸人が財産の処分につき行為能力の制限を受けた者又は財産の処分の権限を有しない者であるときは，その旨
六 土地の賃借権設定の目的が建物の所有であるときは，その旨
七 前号に規定する場合において建物が借地借家法第23条第1項又は第2項に規定する建物であるときは，その旨
八 借地借家法第22条第1項前段，第23条第1項，第38条第1項前段若しくは第39条第1項，高齢者の居住の安定確保に関する法律（平成13年法律第26号）第52条第1項又は大規模な災害の被災地における借地借家に関する特別措置法第7条第1項の定めがあるときは，その定め

第81条の2 （配偶者居住権の登記の登記事項）

配偶者居住権の登記の登記事項は，第59条各号に掲げるもののほか，次のとおりとする。
一 存続期間
二 第三者に居住建物（民法第1028条第1項に規定する居住建物をいう。）の使用又は収益をさせることを許す旨の定めがあるときは，その定め

第82条 （採石権の登記の登記事項）

採石権の登記の登記事項は，第59条各号に掲げるもののほか，次のとおりとする。
一 存続期間
二 採石権の内容又は採石料若しくはその支払時期の定めがあるときは，その定め

第4款／担保権等に関する登記

第83条 （担保権の登記の登記事項）

① 先取特権，質権若しくは転質又は抵当権の登記の登記事項は，第59条各号に掲げるもののほか，次のとおりとする。
一 債権額（一定の金額を目的としない債権については，その価額）
二 債務者の氏名又は名称及び住所
三 所有権以外の権利を目的とするときは，その目的となる権利
四 二以上の不動産に関する権利を目的

とするときは，当該二以上の不動産及び当該権利
五　外国通貨で第1号の債権額を指定した債権を担保する質権若しくは転質又は抵当権の登記にあっては，本邦通貨で表示した担保限度額
② 登記官は，前項第4号に掲げる事項を明らかにするため，法務省令で定めるところにより，共同担保目録を作成することができる。

第84条　（債権の一部譲渡による担保権の移転の登記等の登記事項）
　債権の一部について譲渡又は代位弁済がされた場合における先取特権，質権若しくは転質又は抵当権の移転の登記の登記事項は，第59条各号に掲げるもののほか，当該譲渡又は代位弁済の目的である債権の額とする。

第85条　（不動産工事の先取特権の保存の登記）
　不動産工事の先取特権の保存の登記においては，第83条第1項第1号の債権額として工事費用の予算額を登記事項とする。

第86条　（建物を新築する場合の不動産工事の先取特権の保存の登記）
① 建物を新築する場合における不動産工事の先取特権の保存の登記については，当該建物の所有者となるべき者を登記義務者とみなす。この場合においては，第22条本文の規定は，適用しない。
② 前項の登記の登記事項は，第59条各号及び第83条第1項各号（第3号を除く。）に掲げるもののほか，次のとおりとする。
　一　新築する建物並びに当該建物の種類，構造及び床面積は設計書による旨
　二　登記義務者の氏名又は名称及び住所
③ 前項第1号の規定は，所有権の登記がある建物の附属建物を新築する場合における不動産工事の先取特権の保存の登記について準用する。

第87条　（建物の建築が完了した場合の登記）
① 前条第1項の登記をした場合において，建物の建築が完了したときは，当該建物の所有者は，遅滞なく，所有権の保存の登記を申請しなければならない。
② 前条第3項の登記をした場合において，附属建物の建築が完了したときは，当該附属建物が属する建物の所有権の登記名義人は，遅滞なく，当該附属建物の新築による建物の表題部の変更の登記を申請しなければならない。

第88条　（抵当権の登記の登記事項）
① 抵当権（根抵当権（民法第398条の2第1項の規定による抵当権をいう。以下同じ。）を除く。）の登記の登記事項は，第59条各号及び第83条第1項各号に掲げるもののほか，次のとおりとする。
　一　利息に関する定めがあるときは，その定め
　二　民法第375条第2項に規定する損害の賠償額の定めがあるときは，その定め
　三　債権に付した条件があるときは，その条件
　四　民法第370条ただし書の別段の定めがあるときは，その定め
　五　抵当証券発行の定めがあるときは，その定め
　六　前号の定めがある場合において元本又は利息の弁済期又は支払場所の定めがあるときは，その定め
② 根抵当権の登記の登記事項は，第59条各号及び第83条第1項各号（第1号を除く。）に掲げるもののほか，次のとおりとする。
　一　担保すべき債権の範囲及び極度額
　二　民法第370条ただし書の別段の定め

があるときは，その定め
三　担保すべき元本の確定すべき期日の定めがあるときは，その定め
四　民法第398条の14第1項ただし書の定めがあるときは，その定め

第89条　（抵当権の順位の変更の登記等）
① 抵当権の順位の変更の登記の申請は，順位を変更する当該抵当権の登記名義人が共同してしなければならない。
② 前項の規定は，民法第398条の14第1項ただし書の定めがある場合の当該定めの登記の申請について準用する。

第90条　（抵当権の処分の登記）
第83条及び第88条の規定は，民法第376条第1項の規定により抵当権を他の債権のための担保とし，又は抵当権を譲渡し，若しくは放棄する場合の登記について準用する。

第91条　（共同抵当の代位の登記）
① 民法第393条の規定による代位の登記の登記事項は，第59条各号に掲げるもののほか，先順位の抵当権者が弁済を受けた不動産に関する権利，当該不動産の代価及び当該弁済を受けた額とする。
② 第83条及び第88条の規定は，前項の登記について準用する。

第92条　（根抵当権当事者の相続に関する合意の登記の制限）
民法第398条の8第1項又は第2項の合意の登記は，当該相続による根抵当権の移転又は債務者の変更の登記をした後でなければ，することができない。

第93条　（根抵当権の元本の確定の登記）
民法第398条の19第2項又は第398条の20第1項第3号若しくは第4号の規定により根抵当権の担保すべき元本が確定した場合の登記は，第60条の規定にかかわ

らず，当該根抵当権の登記名義人が単独で申請することができる。ただし，同項第3号又は第4号の規定により根抵当権の担保すべき元本が確定した場合における申請は，当該根抵当権又はこれを目的とする権利の取得の登記の申請と併せてしなければならない。

第94条　（抵当証券に関する登記）
① 登記官は，抵当証券を交付したときは，職権で，抵当証券交付の登記をしなければならない。
② 抵当証券法第1条第2項の申請があった場合において，同法第5条第2項の嘱託を受けた登記所の登記官が抵当証券を作成したときは，当該登記官は，職権で，抵当証券作成の登記をしなければならない。
③ 前項の場合において，同項の申請を受けた登記所の登記官は，抵当証券を交付したときは抵当証券交付の登記を，同項の申請を却下したときは抵当証券作成の登記の抹消を同項の登記所に嘱託しなければならない。
④ 第2項の規定による抵当証券作成の登記をした不動産について，前項の規定による嘱託により抵当証券交付の登記をしたときは，当該抵当証券交付の登記は，当該抵当証券作成の登記をした時にさかのぼってその効力を生ずる。

第95条　（質権の登記等の登記事項）
① 質権又は転質の登記の登記事項は，第59条各号及び第83条第1項各号に掲げるもののほか，次のとおりとする。
一　存続期間の定めがあるときは，その定め
二　利息に関する定めがあるときは，その定め
三　違約金又は賠償額の定めがあるときは，その定め
四　債権に付した条件があるときは，そ

の条件
五　民法第346条ただし書の別段の定めがあるときは，その定め
六　民法第359条の規定によりその設定行為について別段の定め（同法第356条又は第357条に規定するものに限る。）があるときは，その定め
七　民法第361条において準用する同法第370条ただし書の別段の定めがあるときは，その定め
② 第88条第2項及び第89条から第93条までの規定は，質権について準用する。この場合において，第90条及び第91条第2項中「第88条」とあるのは，「第95条第1項又は同条第2項において準用する第88条第2項」と読み替えるものとする。

第96条　（買戻しの特約の登記の登記事項）

買戻しの特約の登記の登記事項は，第59条各号に掲げるもののほか，買主が支払った代金（民法第579条の別段の合意をした場合にあっては，その合意により定めた金額）及び契約の費用並びに買戻しの期間の定めがあるときはその定めとする。

第5款／信託に関する登記

第97条　（信託の登記の登記事項）

① 信託の登記の登記事項は，第59条各号に掲げるもののほか，次のとおりとする。
一　委託者，受託者及び受益者の氏名又は名称及び住所
二　受益者の指定に関する条件又は受益者を定める方法の定めがあるときは，その定め
三　信託管理人があるときは，その氏名又は名称及び住所
四　受益者代理人があるときは，その氏名又は名称及び住所
五　信託法（平成18年法律第108号）第185条第3項に規定する受益証券発行信託であるときは，その旨
六　信託法第258条第1項に規定する受益者の定めのない信託であるときは，その旨
七　公益信託ニ関スル法律（大正11年法律第62号）第1条に規定する公益信託であるときは，その旨
八　信託の目的
九　信託財産の管理方法
十　信託の終了の事由
十一　その他の信託の条項
② 前項第2号から第6号までに掲げる事項のいずれかを登記したときは，同項第1号の受益者（同項第4号に掲げる事項を登記した場合にあっては，当該受益者代理人が代理する受益者に限る。）の氏名又は名称及び住所を登記することを要しない。
③ 登記官は，第1項各号に掲げる事項を明らかにするため，法務省令で定めるところにより，信託目録を作成することができる。

第98条　（信託の登記の申請方法等）

① 信託の登記の申請は，当該信託に係る権利の保存，設定，移転又は変更の登記の申請と同時にしなければならない。
② 信託の登記は，受託者が単独で申請することができる。
③ 信託法第3条第3号に掲げる方法によってされた信託による権利の変更の登記は，受託者が単独で申請することができる。

第99条　（代位による信託の登記の申請）

受益者又は委託者は，受託者に代わって信託の登記を申請することができる。

第100条　（受託者の変更による登記等）

① 受託者の任務が死亡，後見開始若しくは保佐開始の審判，破産手続開始の決定，法人の合併以外の理由による解散又は裁

判所若しくは主務官庁（その権限の委任を受けた国に所属する行政庁及びその権限に属する事務を処理する都道府県の執行機関を含む。第102条第2項において同じ。）の解任命令により終了し、新たに受託者が選任されたときは、信託財産に属する不動産についてする受託者の変更による権利の移転の登記は、第60条の規定にかかわらず、新たに選任された当該受託者が単独で申請することができる。
② 受託者が2人以上ある場合において、そのうち少なくとも1人の受託者の任務が前項に規定する事由により終了したときは、信託財産に属する不動産についてする当該受託者の任務の終了による権利の変更の登記は、第60条の規定にかかわらず、他の受託者が単独で申請することができる。

第101条 （職権による信託の変更の登記）

登記官は、信託財産に属する不動産について次に掲げる登記をするときは、職権で、信託の変更の登記をしなければならない。
一 信託法第75条第1項又は第2項の規定による権利の移転の登記
二 信託法第86条第4項本文の規定による権利の変更の登記
三 受託者である登記名義人の氏名若しくは名称又は住所についての変更の登記又は更正の登記

第102条 （嘱託による信託の変更の登記）

① 裁判所書記官は、受託者の解任の裁判があったとき、信託管理人若しくは受益者代理人の選任若しくは解任の裁判があったとき、又は信託の変更を命ずる裁判があったときは、職権で、遅滞なく、信託の変更の登記を登記所に嘱託しなければならない。
② 主務官庁は、受託者を解任したとき、信託管理人若しくは受益者代理人を選任し、若しくは解任したとき、又は信託の変更を命じたときは、遅滞なく、信託の変更の登記を登記所に嘱託しなければならない。

第103条 （信託の変更の登記の申請）

① 前二条に規定するもののほか、第97条第1項各号に掲げる登記事項について変更があったときは、受託者は、遅滞なく、信託の変更の登記を申請しなければならない。
② 第99条の規定は、前項の信託の変更の登記の申請について準用する。

第104条 （信託の登記の抹消）

① 信託財産に属する不動産に関する権利が移転、変更又は消滅により信託財産に属しないこととなった場合における信託の登記の抹消の申請は、当該権利の移転の登記若しくは変更の登記又は当該権利の登記の抹消の申請と同時にしなければならない。
② 信託の登記の抹消は、受託者が単独で申請することができる。

第104条の2 （権利の変更の登記等の特則）

① 信託の併合又は分割により不動産に関する権利が一の信託の信託財産に属する財産から他の信託の信託財産に属する財産となった場合における当該権利に係る当該一の信託についての信託の登記の抹消及び当該他の信託についての信託の登記の申請は、信託の併合又は分割による権利の変更の登記の申請と同時にしなければならない。信託の併合又は分割以外の事由により不動産に関する権利が一の信託の信託財産に属する財産から受託者を同一とする他の信託の信託財産に属する財産となった場合も、同様とする。
② 信託財産に属する不動産についてする次の表の上欄に掲げる場合における権利の変更の登記（第98条第3項の登記を除

く。）については，同表の中欄に掲げる者を登記権利者とし，同表の下欄に掲げる者を登記義務者とする。この場合において，受益者（信託管理人がある場合にあっては，信託管理人。以下この項において同じ。）については，第22条本文の規定は，適用しない。

一　不動産に関する権利が固有財産に属する財産から信託財産に属する財産となった場合	受益者	受託者
二　不動産に関する権利が信託財産に属する財産から固有財産に属する財産となった場合	受託者	受益者
三　不動産に関する権利が一の信託の信託財産に属する財産から他の信託の信託財産に属する財産となった場合	当該他の信託の受益者及び受託者	当該一の信託の受益者及び受託者

第6款／仮登記

第105条　（仮登記）

　仮登記は，次に掲げる場合にすることができる。
一　第3条各号に掲げる権利について保存等があった場合において，当該保存等に係る登記の申請をするために登記所に対し提供しなければならない情報であって，第25条第9号の申請情報と併せて提供しなければならないものとされているもののうち法務省令で定めるものを提供することができないとき。
二　第3条各号に掲げる権利の設定，移転，変更又は消滅に関して請求権（始期付き又は停止条件付きのものその他将来確定することが見込まれるものを含む。）を保全しようとするとき。

第106条　（仮登記に基づく本登記の順位）

　仮登記に基づいて本登記（仮登記がされた後，これと同一の不動産についてされる同一の権利についての権利に関する登記であって，当該不動産に係る登記記録に当該仮登記に基づく登記であること が記録されているものをいう。以下同じ。）をした場合は，当該本登記の順位は，当該仮登記の順位による。

第107条　（仮登記の申請方法）

① 仮登記は，仮登記の登記義務者の承諾があるとき及び次条に規定する仮登記を命ずる処分があるときは，第60条の規定にかかわらず，当該仮登記の登記権利者が単独で申請することができる。
② 仮登記の登記権利者及び登記義務者が共同して仮登記を申請する場合については，第22条本文の規定は，適用しない。

第108条　（仮登記を命ずる処分）

① 裁判所は，仮登記の登記権利者の申立てにより，仮登記を命ずる処分をすることができる。
② 前項の申立てをするときは，仮登記の原因となる事実を疎明しなければならない。
③ 第1項の申立てに係る事件は，不動産の所在地を管轄する地方裁判所の管轄に専属する。
④ 第1項の申立てを却下した決定に対しては，即時抗告をすることができる。
⑤ 非訟事件手続法第2条及び第2編（同法第5条，第6条，第7条第2項，第40条，第59条，第66条第1項及び第2項並びに第72条を除く。）の規定は，前項の即時抗告について準用する。

第109条　（仮登記に基づく本登記）

① 所有権に関する仮登記に基づく本登記は，登記上の利害関係を有する第三者（本登記につき利害関係を有する抵当証券の所持人又は裏書人を含む。以下この条において同じ。）がある場合には，当該第三者の承諾があるときに限り，申請することができる。
② 登記官は，前項の規定による申請に基づいて登記をするときは，職権で，同項

の第三者の権利に関する登記を抹消しなければならない。

第110条　（仮登記の抹消）
仮登記の抹消は，第60条の規定にかかわらず，仮登記の登記名義人が単独で申請することができる。仮登記の登記名義人の承諾がある場合における当該仮登記の登記上の利害関係人も，同様とする。

第7款／仮処分に関する登記

第111条　（仮処分の登記に後れる登記の抹消）
① 所有権について民事保全法（平成元年法律第91号）第53条第1項の規定による処分禁止の登記（同条第2項に規定する保全仮登記（以下「保全仮登記」という。）とともにしたものを除く。以下この条において同じ。）がされた後，当該処分禁止の登記に係る仮処分の債権者が当該仮処分の債務者を登記義務者とする所有権の登記（仮登記を除く。）を申請する場合においては，当該債権者は，当該処分禁止の登記に後れる登記の抹消を単独で申請することができる。
② 前項の規定は，所有権以外の権利について民事保全法第53条第1項の規定による処分禁止の登記がされた後，当該処分禁止の登記に係る仮処分の債権者が当該仮処分の債務者を登記義務者とする当該権利の移転又は消滅に関し登記（仮登記を除く。）を申請する場合について準用する。
③ 登記官は，第1項（前項において準用する場合を含む。）の申請に基づいて当該処分禁止の登記に後れる登記を抹消するときは，職権で，当該処分禁止の登記も抹消しなければならない。

第112条　（保全仮登記に基づく本登記の順位）
保全仮登記に基づいて本登記をした場合は，当該本登記の順位は，当該保全仮登記の順位による。

第113条　（保全仮登記に係る仮処分の登記に後れる登記の抹消）
不動産の使用又は収益をする権利について保全仮登記がされた後，当該保全仮登記に係る仮処分の債権者が本登記を申請する場合においては，当該債権者は，所有権以外の不動産の使用若しくは収益をする権利又は当該権利を目的とする権利に関する登記であって当該保全仮登記とともにした処分禁止の登記に後れるものの抹消を単独で申請することができる。

第114条　（処分禁止の登記の抹消）
登記官は，保全仮登記に基づく本登記をするときは，職権で，当該保全仮登記とともにした処分禁止の登記を抹消しなければならない。

第8款／官庁又は公署が関与する登記等

第115条　（公売処分による登記）
官庁又は公署は，公売処分をした場合において，登記権利者の請求があったときは，遅滞なく，次に掲げる事項を登記所に嘱託しなければならない。
一　公売処分による権利の移転の登記
二　公売処分により消滅した権利の登記の抹消
三　滞納処分に関する差押えの登記の抹消

第116条　（官庁又は公署の嘱託による登記）
① 国又は地方公共団体が登記権利者となって権利に関する登記をするときは，官庁又は公署は，遅滞なく，登記義務者の承諾を得て，当該登記を登記所に嘱託しなければならない。
② 国又は地方公共団体が登記義務者となる権利に関する登記について登記権利者の請求があったときは，官庁又は公署は，遅滞なく，当該登記を登記所に嘱託しな

第117条 （官庁又は公署の嘱託による登記の登記識別情報）

① 登記官は，官庁又は公署が登記権利者（登記をすることによって登記名義人となる者に限る。以下この条において同じ。）のためにした登記の嘱託に基づいて登記を完了したときは，速やかに，当該登記権利者のために登記識別情報を当該官庁又は公署に通知しなければならない。

② 前項の規定により登記識別情報の通知を受けた官庁又は公署は，遅滞なく，これを同項の登記権利者に通知しなければならない。

第118条 （収用による登記）

① 不動産の収用による所有権の移転の登記は，第60条の規定にかかわらず，起業者が単独で申請することができる。

② 国又は地方公共団体が起業者であるときは，官庁又は公署は，遅滞なく，前項の登記を登記所に嘱託しなければならない。

③ 前二項の規定は，不動産に関する所有権以外の権利の収用による権利の消滅の登記について準用する。

④ 土地の収用による権利の移転の登記を申請する場合には，当該収用により消滅した権利又は失効した差押え，仮差押え若しくは仮処分に関する登記を指定しなければならない。この場合において，権利の移転の登記をするときは，登記官は，職権で，当該指定に係る登記を抹消しなければならない。

⑤ 登記官は，建物の収用による所有権の移転の登記をするときは，職権で，当該建物を目的とする所有権等の登記以外の権利に関する登記を抹消しなければならない。第3項の登記をする場合において同項の権利を目的とする権利に関する登記についても，同様とする。

⑥ 登記官は，第1項の登記をするときは，職権で，裁決手続開始の登記を抹消しなければならない。

第5章　登記事項の証明等

第119条 （登記事項証明書の交付等）

① 何人も，登記官に対し，手数料を納付して，登記記録に記録されている事項の全部又は一部を証明した書面（以下「登記事項証明書」という。）の交付を請求することができる。

② 何人も，登記官に対し，手数料を納付して，登記記録に記録されている事項の概要を記載した書面の交付を請求することができる。

③ 前二項の手数料の額は，物価の状況，登記事項証明書の交付に要する実費その他一切の事情を考慮して政令で定める。

④ 第1項及び第2項の手数料の納付は，収入印紙をもってしなければならない。ただし，法務省令で定める方法で登記事項証明書の交付を請求するときは，法務省令で定めるところにより，現金をもってすることができる。

⑤ 第1項の交付の請求は，法務省令で定める場合を除き，請求に係る不動産の所在地を管轄する登記所以外の登記所の登記官に対してもすることができる。

⑥ 登記官は，第1項及び第2項の規定にかかわらず，登記記録に記録されている者（自然人であるものに限る。）の住所が明らかにされることにより，人の生命若しくは身体に危害を及ぼすおそれがある場合又はこれに準ずる程度に心身に有害な影響を及ぼすおそれがあるものとして法務省令で定める場合において，その者からの申出があったときは，法務省令で定めるところにより，第1項及び第2項に規定する各書面に当該住所に代わるものとして法務省令で定める事項を記載しなければならない。

第120条 (地図の写しの交付等)

① 何人も,登記官に対し,手数料を納付して,地図,建物所在図又は地図に準ずる図面(以下この条において「地図等」という。)の全部又は一部の写し(地図等が電磁的記録に記録されているときは,当該記録された情報の内容を証明した書面)の交付を請求することができる。

② 何人も,登記官に対し,手数料を納付して,地図等(地図等が電磁的記録に記録されているときは,当該記録された情報の内容を法務省令で定める方法により表示したもの)の閲覧を請求することができる。

③ 前条第3項から第5項までの規定は,地図等について準用する。

第121条 (登記簿の附属書類の写しの交付等)

① 何人も,登記官に対し,手数料を納付して,登記簿の附属書類(電磁的記録を含む。以下同じ。)のうち政令で定める図面の全部又は一部の写し(これらの図面が電磁的記録に記録されているときは,当該記録された情報の内容を証明した書面)の交付を請求することができる。

② 何人も,登記官に対し,手数料を納付して,登記簿の附属書類のうち前項の図面(電磁的記録にあっては,記録された情報の内容を法務省令で定める方法により表示したもの。次項において同じ。)の閲覧を請求することができる。

③ 何人も,正当な理由があるときは,登記官に対し,法務省令で定めるところにより,手数料を納付して,登記簿の附属書類(第1項の図面を除き,電磁的記録にあっては,記録された情報の内容を法務省令で定める方法により表示したもの。次項において同じ。)の全部又は一部(その正当な理由があると認められる部分に限る。)の閲覧を請求することができる。

④ 前項の規定にかかわらず,登記を申請した者は,登記官に対し,法務省令で定めるところにより,手数料を納付して,自己を申請人とする登記記録に係る登記簿の附属書類の閲覧を請求することができる。

⑤ 第119条第3項から第5項までの規定は,登記簿の附属書類について準用する。

第122条 (法務省令への委任)

この法律に定めるもののほか,登記簿,地図,建物所在図及び地図に準ずる図面並びに登記簿の附属書類(第154条及び第155条において「登記簿等」という。)の公開に関し必要な事項は,法務省令で定める。

第6章 筆界特定

第1節/総則

第123条 (定義)

この章において,次の各号に掲げる用語の意義は,それぞれ当該各号に定めるところによる。

一 筆界 表題登記がある一筆の土地(以下単に「一筆の土地」という。)とこれに隣接する他の土地(表題登記がない土地を含む。以下同じ。)との間において,当該一筆の土地が登記された時にその境を構成するものとされた二以上の点及びこれらを結ぶ直線をいう。

二 筆界特定 一筆の土地及びこれに隣接する他の土地について,この章の定めるところにより,筆界の現地における位置を特定すること(その位置を特定することができないときは,その位置の範囲を特定すること)をいう。

三 対象土地 筆界特定の対象となる筆界で相互に隣接する一筆の土地及び他の土地をいう。

四 関係土地 対象土地以外の土地(表

題登記がない土地を含む。）であって，筆界特定の対象となる筆界上の点を含む他の筆界で対象土地の一方又は双方と接するものをいう。
　五　所有権登記名義人等　所有権の登記がある一筆の土地にあっては所有権の登記名義人，所有権の登記がない一筆の土地にあっては表題部所有者，表題登記がない土地にあっては所有者をいい，所有権の登記名義人又は表題部所有者の相続人その他の一般承継人を含む。

第124条　（筆界特定の事務）

① 筆界特定の事務は，対象土地の所在地を管轄する法務局又は地方法務局がつかさどる。
② 第6条第2項及び第3項の規定は，筆界特定の事務について準用する。この場合において，同条第2項中「不動産」とあるのは「対象土地」と，「登記所」とあるのは「法務局又は地方法務局」と，「法務局若しくは地方法務局」とあるのは「法務局」と，同条第3項中「登記所」とあるのは「法務局又は地方法務局」と読み替えるものとする。

第125条　（筆界特定登記官）

　筆界特定は，筆界特定登記官（登記官のうちから，法務局又は地方法務局の長が指定する者をいう。以下同じ。）が行う。

第126条　（筆界特定登記官の除斥）

　筆界特定登記官が次の各号のいずれかに該当する者であるときは，当該筆界特定登記官は，対象土地について筆界特定を行うことができない。
　一　対象土地又は関係土地のうちいずれかの土地の所有権の登記名義人（仮登記の登記名義人を含む。以下この号において同じ。），表題部所有者若しくは所有者又は所有権以外の権利の登記名義人若しくは当該権利を有する者
　二　前号に掲げる者の配偶者又は四親等内の親族（配偶者又は四親等内の親族であった者を含む。次号において同じ。）
　三　第1号に掲げる者の代理人若しくは代表者（代理人又は代表者であった者を含む。）又はその配偶者若しくは4親等内の親族

第127条　（筆界調査委員）

① 法務局及び地方法務局に，筆界特定について必要な事実の調査を行い，筆界特定登記官に意見を提出させるため，筆界調査委員若干人を置く。
② 筆界調査委員は，前項の職務を行うのに必要な専門的知識及び経験を有する者のうちから，法務局又は地方法務局の長が任命する。
③ 筆界調査委員の任期は，2年とする。
④ 筆界調査委員は，再任されることができる。
⑤ 筆界調査委員は，非常勤とする。

第128条　（筆界調査委員の欠格事由）

① 次の各号のいずれかに該当する者は，筆界調査委員となることができない。
　一　禁錮以上の刑に処せられ，その執行を終わり，又はその執行を受けることがなくなった日から5年を経過しない者
　二　弁護士法（昭和24年法律第205号），司法書士法（昭和25年法律第197号）又は土地家屋調査士法（昭和25年法律第228号）の規定による懲戒処分により，弁護士会からの除名又は司法書士若しくは土地家屋調査士の業務の禁止の処分を受けた者でこれらの処分を受けた日から3年を経過しないもの
　三　公務員で懲戒免職の処分を受け，その処分の日から3年を経過しない者

② 筆界調査委員が前項各号のいずれかに該当するに至ったときは，当然失職する。

第129条　（筆界調査委員の解任）
法務局又は地方法務局の長は，筆界調査委員が次の各号のいずれかに該当するときは，その筆界調査委員を解任することができる。
一　心身の故障のため職務の執行に堪えないと認められるとき。
二　職務上の義務違反その他筆界調査委員たるに適しない非行があると認められるとき。

第130条　（標準処理期間）
法務局又は地方法務局の長は，筆界特定の申請がされてから筆界特定登記官が筆界特定をするまでに通常要すべき標準的な期間を定め，法務局又は地方法務局における備付けその他の適当な方法により公にしておかなければならない。

第2節／筆界特定の手続

第1款／筆界特定の申請

第131条　（筆界特定の申請）
① 土地の所有権登記名義人等は，筆界特定登記官に対し，当該土地とこれに隣接する他の土地との筆界について，筆界特定の申請をすることができる。
② 地方公共団体は，その区域内の対象土地の所有権登記名義人等のうちいずれかの者の同意を得たときは，筆界特定登記官に対し，当該対象土地の筆界（第14条第1項の地図に表示されないものに限る。）について，筆界特定の申請をすることができる。
③ 筆界特定の申請は，次に掲げる事項を明らかにしてしなければならない。
一　申請の趣旨
二　筆界特定の申請人の氏名又は名称及び住所
三　対象土地に係る第34条第1項第1号及び第2号に掲げる事項（表題登記がない土地にあっては，同項第1号に掲げる事項）
四　対象土地について筆界特定を必要とする理由
五　前各号に掲げるもののほか，法務省令で定める事項
④ 筆界特定の申請人は，政令で定めるところにより，手数料を納付しなければならない。
⑤ 第18条の規定は，筆界特定の申請について準用する。この場合において，同条中「不動産を識別するために必要な事項，申請人の氏名又は名称，登記の目的その他の登記の申請に必要な事項として政令で定める情報（以下「申請情報」という。）」とあるのは「第131条第3項各号に掲げる事項に係る情報（第2号，第132条第1項第4号及び第150条において「筆界特定申請情報」という。）」と，「登記所」とあるのは「法務局又は地方法務局」と，同条第2号中「申請情報」とあるのは「筆界特定申請情報」と読み替えるものとする。

第132条　（申請の却下）
① 筆界特定登記官は，次に掲げる場合には，理由を付した決定で，筆界特定の申請を却下しなければならない。ただし，当該申請の不備が補正することができるものである場合において，筆界特定登記官が定めた相当の期間内に，筆界特定の申請人がこれを補正したときは，この限りでない。
一　対象土地の所在地が当該申請を受けた法務局又は地方法務局の管轄に属しないとき。
二　申請の権限を有しない者の申請によるとき。
三　申請が前条第3項の規定に違反するとき。

四 筆界特定申請情報の提供の方法がこの法律に基づく命令の規定により定められた方式に適合しないとき。
五 申請が対象土地の所有権の境界の特定その他筆界特定以外の事項を目的とするものと認められるとき。
六 対象土地の筆界について，既に民事訴訟の手続により筆界の確定を求める訴えに係る判決（訴えを不適法として却下したものを除く。第148条において同じ。）が確定しているとき。
七 対象土地の筆界について，既に筆界特定登記官による筆界特定がされているとき。ただし，対象土地について更に筆界特定をする特段の必要があると認められる場合を除く。
八 手数料を納付しないとき。
九 第146条第5項の規定により予納を命じた場合においてその予納がないとき。
② 前項の規定による筆界特定の申請の却下は，登記官の処分とみなす。

第133条（筆界特定の申請の通知）
① 筆界特定の申請があったときは，筆界特定登記官は，遅滞なく，法務省令で定めるところにより，その旨を公告し，かつ，その旨を次に掲げる者（以下「関係人」という。）に通知しなければならない。ただし，前条第1項の規定により当該申請を却下すべき場合は，この限りでない。
一 対象土地の所有権登記名義人等であって筆界特定の申請人以外のもの
二 関係土地の所有権登記名義人等
② 前項本文の場合において，関係人の所在が判明しないときは，同項本文の規定による通知を，関係人の氏名又は名称，通知をすべき事項及び当該事項を記載した書面をいつでも関係人に交付する旨を対象土地の所在地を管轄する法務局又は地方法務局の掲示場に掲示することによって行うことができる。この場合においては，掲示を始めた日から2週間を経過したときに，当該通知が関係人に到達したものとみなす。

第2款／筆界の調査等

第134条（筆界調査委員の指定等）
① 法務局又は地方法務局の長は，前条第1項本文の規定による公告及び通知がされたときは，対象土地の筆界特定のために必要な事実の調査を行うべき筆界調査委員を指定しなければならない。
② 次の各号のいずれかに該当する者は，前項の筆界調査委員に指定することができない。
一 対象土地又は関係土地のうちいずれかの土地の所有権の登記名義人（仮登記の登記名義人を含む。以下この号において同じ。），表題部所有者若しくは所有者又は所有権以外の権利の登記名義人若しくは当該権利を有する者
二 前号に掲げる者の配偶者又は四親等内の親族（配偶者又は四親等内の親族であった者を含む。次号において同じ。）
三 第1号に掲げる者の代理人若しくは代表者（代理人又は代表者であった者を含む。）又はその配偶者若しくは四親等内の親族
③ 第1項の規定による指定を受けた筆界調査委員が数人あるときは，共同してその職務を行う。ただし，筆界特定登記官の許可を得て，それぞれ単独にその職務を行い，又は職務を分掌することができる。
④ 法務局又は地方法務局の長は，その職員に，筆界調査委員による事実の調査を補助させることができる。

第135条（筆界調査委員による事実の調査）
① 筆界調査委員は，前条第1項の規定に

よる指定を受けたときは，対象土地又は関係土地その他の土地の測量又は実地調査をすること，筆界特定の申請人若しくは関係人又はその他の者からその知っている事実を聴取し又は資料の提出を求めることその他対象土地の筆界特定のために必要な事実の調査をすることができる。
② 筆界調査委員は，前項の事実の調査に当たっては，筆界特定が対象土地の所有権の境界の特定を目的とするものでないことに留意しなければならない。

第136条　（測量及び実地調査）
① 筆界調査委員は，対象土地の測量又は実地調査を行うときは，あらかじめ，その旨並びにその日時及び場所を筆界特定の申請人及び関係人に通知して，これに立ち会う機会を与えなければならない。
② 第133条第2項の規定は，前項の規定による通知について準用する。

第137条　（立入調査）
① 法務局又は地方法務局の長は，筆界調査委員が対象土地又は関係土地その他の土地の測量又は実地調査を行う場合において，必要があると認めるときは，その必要の限度において，筆界調査委員又は第134条第4項の職員（以下この条において「筆界調査委員等」という。）に，他人の土地に立ち入らせることができる。
② 法務局又は地方法務局の長は，前項の規定により筆界調査委員等を他人の土地に立ち入らせようとするときは，あらかじめ，その旨並びにその日時及び場所を当該土地の占有者に通知しなければならない。
③ 第1項の規定により宅地又は垣，さく等で囲まれた他人の占有する土地に立ち入ろうとする場合には，その立ち入ろうとする者は，立入りの際，あらかじめ，その旨を当該土地の占有者に告げなければならない。

④ 日出前及び日没後においては，土地の占有者の承諾があった場合を除き，前項に規定する土地に立ち入ってはならない。
⑤ 土地の占有者は，正当な理由がない限り，第1項の規定による立入りを拒み，又は妨げてはならない。
⑥ 第1項の規定による立入りをする場合には，筆界調査委員等は，その身分を示す証明書を携帯し，関係者の請求があったときは，これを提示しなければならない。
⑦ 国は，第1項の規定による立入りによって損失を受けた者があるときは，その損失を受けた者に対して，通常生ずべき損失を補償しなければならない。

第138条　（関係行政機関等に対する協力依頼）
法務局又は地方法務局の長は，筆界特定のため必要があると認めるときは，関係行政機関の長，関係地方公共団体の長又は関係のある公私の団体に対し，資料の提出その他必要な協力を求めることができる。

第139条　（意見又は資料の提出）
① 筆界特定の申請があったときは，筆界特定の申請人及び関係人は，筆界特定登記官に対し，対象土地の筆界について，意見又は資料を提出することができる。この場合において，筆界特定登記官が意見又は資料を提出すべき相当の期間を定めたときは，その期間内にこれを提出しなければならない。
② 前項の規定による意見又は資料の提出は，電磁的方法（電子情報処理組織を使用する方法その他の情報通信の技術を利用する方法であって法務省令で定めるものをいう。）により行うことができる。

第140条　（意見聴取等の期日）
① 筆界特定の申請があったときは，筆界

特定登記官は，第133条第1項本文の規定による公告をした時から筆界特定をするまでの間に，筆界特定の申請人及び関係人に対し，あらかじめ期日及び場所を通知して，対象土地の筆界について，意見を述べ，又は資料（電磁的記録を含む。）を提出する機会を与えなければならない。
② 筆界特定登記官は，前項の期日において，適当と認める者に，参考人としてその知っている事実を陳述させることができる。
③ 筆界調査委員は，第1項の期日に立ち会うものとする。この場合において，筆界調査委員は，筆界特定登記官の許可を得て，筆界特定の申請人若しくは関係人又は参考人に対し質問を発することができる。
④ 筆界特定登記官は，第1項の期日の経過を記載した調書を作成し，当該調書において当該期日における筆界特定の申請人若しくは関係人又は参考人の陳述の要旨を明らかにしておかなければならない。
⑤ 前項の調書は，電磁的記録をもって作成することができる。
⑥ 第133条第2項の規定は，第1項の規定による通知について準用する。

第141条　（調書等の閲覧）

① 筆界特定の申請人及び関係人は，第133条第1項本文の規定による公告があった時から第144条第1項の規定により筆界特定の申請人に対する通知がされるまでの間，筆界特定登記官に対し，当該筆界特定の手続において作成された調書及び提出された資料（電磁的記録にあっては，記録された情報の内容を法務省令で定める方法により表示したもの）の閲覧を請求することができる。この場合において，筆界特定登記官は，第三者の利益を害するおそれがあるときその他正当な理由があるときでなければ，その閲覧を拒むことができない。
② 筆界特定登記官は，前項の閲覧について，日時及び場所を指定することができる。

第3節／筆界特定

第142条　（筆界調査委員の意見の提出）

　筆界調査委員は，第140条第1項の期日の後，対象土地の筆界特定のために必要な事実の調査を終了したときは，遅滞なく，筆界特定登記官に対し，対象土地の筆界特定についての意見を提出しなければならない。

第143条　（筆界特定）

① 筆界特定登記官は，前条の規定により筆界調査委員の意見が提出されたときは，その意見を踏まえ，登記記録，地図又は地図に準ずる図面及び登記簿の附属書類の内容，対象土地及び関係土地の地形，地目，面積及び形状並びに工作物，囲障又は境界標の有無その他の状況及びこれらの設置の経緯その他の事情を総合的に考慮して，対象土地の筆界特定をし，その結論及び理由の要旨を記載した筆界特定書を作成しなければならない。
② 筆界特定書においては，図面及び図面上の点の現地における位置を示す方法として法務省令で定めるものにより，筆界特定の内容を表示しなければならない。
③ 筆界特定書は，電磁的記録をもって作成することができる。

第144条　（筆界特定の通知等）

① 筆界特定登記官は，筆界特定をしたときは，遅滞なく，筆界特定の申請人に対し，筆界特定書の写しを交付する方法（筆界特定書が電磁的記録をもって作成されているときは，法務省令で定める方法）により当該筆界特定書の内容を通知するとともに，法務省令で定めるところにより，筆界特定をした旨を公告し，か

つ，関係人に通知しなければならない。
② 第133条第2項の規定は，前項の規定による通知について準用する。

第145条　（筆界特定手続記録の保管）
　前条第1項の規定により筆界特定の申請人に対する通知がされた場合における筆界特定の手続の記録（以下「筆界特定手続記録」という。）は，対象土地の所在地を管轄する登記所において保管する。

第4節／雑則

第146条　（手続費用の負担等）
① 筆界特定の手続における測量に要する費用その他の法務省令で定める費用（以下この条において「手続費用」という。）は，筆界特定の申請人の負担とする。
② 筆界特定の申請人が2人ある場合において，その1人が対象土地の一方の土地の所有権登記名義人等であり，他の1人が他方の土地の所有権登記名義人等であるときは，各筆界特定の申請人は，等しい割合で手続費用を負担する。
③ 筆界特定の申請人が2人以上ある場合において，その全員が対象土地の一方の土地の所有権登記名義人等であるときは，各筆界特定の申請人は，その持分（所有権の登記がある一筆の土地にあっては第59条第4号の持分，所有権の登記がない一筆の土地にあっては第27条第3号の持分。次項において同じ。）の割合に応じて手続費用を負担する。
④ 筆界特定の申請人が3人以上ある場合において，その1人又は2人以上が対象土地の一方の土地の所有権登記名義人等であり，他の1人又は2人以上が他方の土地の所有権登記名義人等であるときは，対象土地のいずれかの土地の1人の所有権登記名義人等である筆界特定の申請人は，手続費用の2分の1に相当する額を負担し，対象土地のいずれかの土地の2人以上の所有権登記名義人等である各筆界特定の申請人は，手続費用の2分の1に相当する額についてその持分の割合に応じてこれを負担する。
⑤ 筆界特定登記官は，筆界特定の申請人に手続費用の概算額を予納させなければならない。

第147条　（筆界確定訴訟における釈明処分の特則）
　筆界特定がされた場合において，当該筆界特定に係る筆界について民事訴訟の手続により筆界の確定を求める訴えが提起されたときは，裁判所は，当該訴えに係る訴訟において，訴訟関係を明瞭にするため，登記官に対し，当該筆界特定に係る筆界特定手続記録の送付を嘱託することができる。民事訴訟の手続により筆界の確定を求める訴えが提起された後，当該訴えに係る筆界について筆界特定がされたときも，同様とする。

第148条　（筆界確定訴訟の判決との関係）
　筆界特定がされた場合において，当該筆界特定に係る筆界について民事訴訟の手続により筆界の確定を求める訴えに係る判決が確定したときは，当該筆界特定は，当該判決と抵触する範囲において，その効力を失う。

第149条　（筆界特定書等の写しの交付等）
① 何人も，登記官に対し，手数料を納付して，筆界特定手続記録のうち筆界特定書又は政令で定める図面の全部又は一部（以下この条及び第154条において「筆界特定書等」という。）の写し（筆界特定書等が電磁的記録をもって作成されているときは，当該記録された情報の内容を証明した書面）の交付を請求することができる。
② 何人も，登記官に対し，手数料を納付して，筆界特定手続記録（電磁的記録にあっては，記録された情報の内容を法務

省令で定める方法により表示したもの）の閲覧を請求することができる。ただし，筆界特定書等以外のものについては，請求人が利害関係を有する部分に限る。
③　第119条第3項及び第4項の規定は，前二項の手数料について準用する。

第150条（法務省令への委任）
　この章に定めるもののほか，筆界特定申請情報の提供の方法，筆界特定手続記録の公開その他の筆界特定の手続に関し必要な事項は，法務省令で定める。

第7章　雑則

第151条（情報の提供の求め）
　登記官は，職権による登記をし，又は第14条第1項の地図を作成するために必要な限度で，関係地方公共団体の長その他の者に対し，その対象となる不動産の所有者等（所有権が帰属し，又は帰属していた自然人又は法人（法人でない社団又は財団を含む。）をいう。）に関する情報の提供を求めることができる。

第152条（登記識別情報の安全確保）
①　登記官は，その取り扱う登記識別情報の漏えい，滅失又はき損の防止その他の登記識別情報の安全管理のために必要かつ適切な措置を講じなければならない。
②　登記官その他の不動産登記の事務に従事する法務局若しくは地方法務局若しくはこれらの支局又はこれらの出張所に勤務する法務事務官又はその職にあった者は，その事務に関して知り得た登記識別情報の作成又は管理に関する秘密を漏らしてはならない。

第153条（行政手続法の適用除外）
　登記官の処分については，行政手続法（平成5年法律第88号）第2章及び第3章の規定は，適用しない。

第154条（行政機関の保有する情報の公開に関する法律の適用除外）
　登記簿等及び筆界特定書等については，行政機関の保有する情報の公開に関する法律（平成11年法律第42号）の規定は，適用しない。

第155条（個人情報の保護に関する法律の適用除外）
　登記簿等に記録されている保有個人情報（個人情報の保護に関する法律（平成15年法律第57号）第60条第1項に規定する保有個人情報をいう。）については，同法第5章第4節の規定は，適用しない。

第156条（審査請求）
①　登記官の処分に不服がある者又は登記官の不作為に係る処分を申請した者は，当該登記官を監督する法務局又は地方法務局の長に審査請求をすることができる。
②　審査請求は，登記官を経由してしなければならない。

第157条（審査請求事件の処理）
①　登記官は，処分についての審査請求を理由があると認め，又は審査請求に係る不作為に係る処分をすべきものと認めるときは，相当の処分をしなければならない。
②　登記官は，前項に規定する場合を除き，審査請求の日から3日以内に，意見を付して事件を前条第1項の法務局又は地方法務局の長に送付しなければならない。この場合において，当該法務局又は地方法務局の長は，当該意見を行政不服審査法（平成26年法律第68号）第11条第2項に規定する審理員に送付するものとする。
③　前条第1項の法務局又は地方法務局の長は，処分についての審査請求を理由があると認め，又は審査請求に係る不作為に係る処分をすべきものと認めるときは，登記官に相当の処分を命じ，その旨を審

査請求人のほか登記上の利害関係人に通知しなければならない。
④ 前条第1項の法務局又は地方法務局の長は，前項の処分を命ずる前に登記官に仮登記を命ずることができる。
⑤ 前条第1項の法務局又は地方法務局の長は，審査請求に係る不作為に係る処分についての申請を却下すべきものと認めるときは，登記官に当該申請を却下する処分を命じなければならない。
⑥ 前条第1項の審査請求に関する行政不服審査法の規定の適用については，同法第29条第5項中「処分庁等」とあるのは「審査庁」と，「弁明書の提出」とあるのは「不動産登記法（平成16年法律第123号）第157条第2項に規定する意見の送付」と，同法第30条第1項中「弁明書」とあるのは「不動産登記法第157条第2項の意見」とする。

第158条 （行政不服審査法の適用除外）

行政不服審査法第13条，第15条第6項，第18条，第21条，第25条第2項から第7項まで，第29条第1項から第4項まで，第31条，第37条，第45条第3項，第46条，第47条，第49条第3項（審査請求に係る不作為が違法又は不当である旨の宣言に係る部分を除く。）から第5項まで及び第52条の規定は，第156条第1項の審査請求については，適用しない。

第8章 罰則

第159条 （秘密を漏らした罪）

第152条第2項の規定に違反して登記識別情報の作成又は管理に関する秘密を漏らした者は，2年以下の懲役又は100万円以下の罰金に処する。

第160条 （虚偽の登記名義人確認情報を提供した罪）

第23条第4項第1号（第16条第2項において準用する場合を含む。）の規定による情報の提供をする場合において，虚偽の情報を提供したときは，当該違反行為をした者は，2年以下の懲役又は50万円以下の罰金に処する。

第161条 （不正に登記識別情報を取得等した罪）

① 登記簿に不実の記録をさせることとなる登記の申請又は嘱託の用に供する目的で，登記識別情報を取得した者は，2年以下の懲役又は50万円以下の罰金に処する。情を知って，その情報を提供した者も，同様とする。
② 不正に取得された登記識別情報を，前項の目的で保管した者も，同項と同様とする。

第162条 （検査の妨害等の罪）

次の各号のいずれかに該当する場合には，当該違反行為をした者は，30万円以下の罰金に処する。
一 第29条第2項（第16条第2項において準用する場合を含む。次号において同じ。）の規定による検査を拒み，妨げ，又は忌避したとき。
二 第29条第2項の規定による文書若しくは電磁的記録に記録された事項を法務省令で定める方法により表示したものの提示をせず，若しくは虚偽の文書若しくは電磁的記録に記録された事項を法務省令で定める方法により表示したものを提示し，又は質問に対し陳述をせず，若しくは虚偽の陳述をしたとき。
三 第137条第5項の規定に違反して，同条第1項の規定による立入りを拒み，又は妨げたとき。

第163条 （両罰規定）

法人の代表者又は法人若しくは人の代理人，使用人その他の従業者が，その法人又は人の業務に関し，第160条又は前

条の違反行為をしたときは，行為者を罰するほか，その法人又は人に対しても，各本条の罰金刑を科する。

第164条　（過料）

第36条，第37条第1項若しくは第2項，第42条，第47条第1項（第49条第2項において準用する場合を含む。），第49条第1項，第3項若しくは第4項，第51条第1項から第4項まで，第57条，第58条第6項若しくは第7項，第76条の2第1項若しくは第2項又は第76条の3第4項の規定による申請をすべき義務がある者が正当な理由がないのにその申請を怠ったときは，10万円以下の過料に処する。

附　則　（抄）

第1条　（施行期日）

この法律は，公布の日から起算して1年を超えない範囲内において政令で定める日（平成17年3月7日）から施行する。ただし，改正後の不動産登記法（以下「新法」という。）第127条及び附則第4条第4項の規定は，行政機関の保有する個人情報の保護に関する法律の施行の日（平成17年4月1日）又はこの法律の施行の日のいずれか遅い日から施行する。

第2条　（経過措置）

① 新法の規定（罰則を除く。）は，この附則に特別の定めがある場合を除き，この法律の施行前に生じた事項にも適用する。ただし，改正前の不動産登記法（以下「旧法」という。）の規定により生じた効力を妨げない。

② この法律の施行前にした旧法の規定による処分，手続その他の行為は，この附則に特別の定めがある場合を除き，新法の適用については，新法の相当規定によってしたものとみなす。

第3条

① 新法第2条第5号及び第9号，第12条，第51条第5項及び第6項（第53条第2項において準用する場合を含む。）並びに第119条の規定は，登記所ごとに電子情報処理組織（旧法第151条ノ2第1項の電子情報処理組織をいう。第3項において同じ。）により取り扱う事務として法務大臣が指定した事務について，その指定の日から適用する。

② 前項の規定による指定は，告示してしなければならない。

③ 前二項の規定にかかわらず，この法律の施行の際現に旧法第151条ノ2第1項の指定を受けている登記所において電子情報処理組織により取り扱うべきこととされている事務については，この法律の施行の日に第1項の規定による指定を受けたものとみなす。

④ 第1項の規定による指定がされるまでの間は，同項の規定による指定を受けていない事務については，旧法第14条から第16条ノ2まで，第21条第1項（登記簿の謄本又は抄本の交付及び登記簿の閲覧に係る部分に限る。）及び第3項並びに第24条ノ2第1項及び第3項の規定は，なおその効力を有する。

⑤ 第1項の規定による指定がされるまでの間における前項の事務についての新法の適用については，新法本則（新法第2条第6号，第15条及び第25条第2号を除く。）中「登記記録」とあるのは「登記簿」と，新法第2条第6号及び第25条第2号中「登記記録として」とあるのは「登記簿に」と，新法第2条第8号及び第11号中「権利部」とあるのは「事項欄」と，新法第15条中「登記簿及び登記記録」とあるのは「登記簿」と，第122条中「，登記簿」とあるのは「，登記簿（附則第3条第4項の規定によりなおその効力を有することとされる旧法第24条ノ2第1項の閉鎖登記簿を含む。）」とす

る。
⑥ 新法第119条第4項の規定は，第4項の規定によりなおその効力を有することとされる旧法第21条第1項（第4項の規定によりなおその効力を有することとされる旧法第24条ノ2第3項において準用する場合を含む。）の手数料の納付について準用する。この場合において，新法第119条第4項中「第1項及び第2項」とあるのは，「附則第3条第4項の規定によりなおその効力を有することとされる旧法第21条第1項（附則第3条第4項の規定によりなおその効力を有することとされる旧法第24条ノ2第3項において準用する場合を含む。）」と読み替えるものとする。
⑦ 新法第119条第5項の規定は，同項の請求に係る不動産の所在地を管轄する登記所における第1項の規定による指定（第3項の規定により指定を受けたものとみなされるものを含む。）を受けていない事務については，適用しない。

第4条
① 前条第1項の規定による指定（同条第3項の規定により指定を受けたものとみなされるものを含む。）がされた際現に登記所に備え付けてある当該指定を受けた事務に係る閉鎖登記簿については，旧法第24条ノ2第3項の規定は，なおその効力を有する。
② 新法第119条第4項の規定は，前項の規定によりなおその効力を有することとされる旧法第24条ノ2第3項において準用する旧法第21条第1項の手数料の納付について準用する。この場合において，新法第119条第4項中「第1項及び第2項」とあるのは，「附則第4条第1項の規定によりなおその効力を有することとされる旧法第24条ノ2第3項において準用する旧法第21条第1項」と読み替えるものとする。
③ 第1項の閉鎖登記簿（その附属書類を含む。次項において同じ。）については，行政機関の保有する情報の公開に関する法律の規定は，適用しない。
④ 第1項の閉鎖登記簿に記録されている保有個人情報（個人情報の保護に関する法律第60条第1項に規定する保有個人情報をいう。）については，同法第5章第4節の規定は，適用しない。

第5条 この法律の施行前に交付された旧法第21条第1項（旧法第24条ノ2第3項において準用する場合を含む。）に規定する登記簿の謄本又は抄本は，民法，民事執行法（昭和54年法律第4号）その他の法令の適用については，これを登記事項証明書とみなす。附則第3条第4項の規定によりなおその効力を有することとされる旧法第21条第1項（附則第3条第4項の規定によりなおその効力を有することとされる旧法第24条ノ2第3項において準用する場合を含む。）又は前条第1項の規定によりなおその効力を有することとされる旧法第24条ノ2第3項の規定において準用する旧法第21条第1項に規定する登記簿の謄本又は抄本も，同様とする。

第6条
① 新法第18条第1号の規定は，登記所ごとに同号に規定する方法による登記の申請をすることができる登記手続として法務大臣が指定した登記手続について，その指定の日から適用する。
② 前項の規定による指定は，告示してしなければならない。
③ 第1項の規定による指定がされるまでの間，各登記所の登記手続についての新法の規定の適用については，次の表の上欄に掲げる新法の規定中同表の中欄に掲げる字句は，それぞれ同表の下欄に掲げる字句とする。

不動産登記法（附則）

読み替える規定	読み替えられる字句	読み替える字句
第21条の見出し	登記識別情報の通知	登記済証の交付
第21条	登記識別情報を通知しなければ	登記済証を交付しなければ
第21条ただし書	登記識別情報の通知	登記済証の交付
第22条の見出し	登記識別情報の提供	登記済証の提出
第22条	登記識別情報を提供しなければ	旧法第60条第1項若しくは第61条の規定により還付され，若しくは交付された登記済証（附則第8条の規定によりなお従前の例によることとされた登記の申請について旧法第60条第1項又は第61条の規定により還付され，又は交付された登記済証を含む。）又は附則第6条第3項の規定により読み替えて適用される第21条若しくは第117条第2項の規定により交付された登記済証を提出しなければ
第22条ただし書	登記識別情報が通知されなかった	登記済証が交付されなかった
	登記識別情報を提供する	旧法第60条第1項若しくは第61条の規定により還付され，若しくは交付された登記済証（附則第8条の規定によりなお従前の例によることとされた登記の申請について旧法第60条第1項又は第61条の規定により還付され，又は交付された登記済証を含む。）又は附則第6条第3項の規定により読み替えて適用される第21条若しくは第117条第2項の規定により交付された登記済証を提出する
第23条第1項	登記識別情報を提供する	登記済証を提出する
第117条の見出し	官庁又は公署の嘱託による登記の登記識別情報	官庁又は公署の嘱託による登記の登記済証
第117条第1項	登記識別情報	登記済証
	通知しなければ	交付しなければ
第117条第2項	登記識別情報の通知	登記済証の交付
	通知しなければ	交付しなければ

第7条 前条第1項の規定による指定を受けた登記手続において，同項の規定による指定がされた後，旧法第60条第1項若しくは第61条の規定により還付され，若しくは交付された登記済証（次条の規定によりなお従前の例によることとされた登記の申請について旧法第60条第1項又は第61条の規定により還付され，又は交付された登記済証を含む。）又は前条第3項の規定により読み替えて適用される新法第21条若しくは第117条第2項の規定により交付された登記済証を提出して登記の申請がされたときは，登記識別情報が提供されたものとみなして，新法第22条本文の規定を適用する。

第8条 この法律の施行前にされた登記の申請については，なお従前の例による。

第9条 不動産登記法の一部を改正する等の法律（昭和35年法律第14号）附則第5条第1項に規定する土地又は建物についての表示に関する登記の申請義務については，なお従前の例による。この場合において，次の表の上欄に掲げる同項の字句は，それぞれ同表の下欄に掲げる字句に読み替えるものとする。

読み替えられる字句	読み替える字句
第1条の規定による改正後の不動産登記法第80条第1項及び第3項	不動産登記法（平成16年法律第123号）第36条
第81条第1項及び第3項	第37条第1項及び第2項
第81条ノ8	第42条
第93条第1項及び第3項	第47条第1項
第93条ノ5第1項及び第3項	第51条第1項（共用部分である旨の登記又は団地共用部分である旨の登記がある建物に係

	る部分を除く。）及び第2項
第93条ノ11	第57条

第10条 担保物権及び民事執行制度の改善のための民法等の一部を改正する法律（平成15年法律第134号）附則第七条に規定する敷金については，なお従前の例による。この場合において，同条中「第2条の規定による改正後の不動産登記法第132条第1項」とあるのは，「不動産登記法（平成16年法律第123号）第81条第4号」と読み替えるものとする。

第11条 行政事件訴訟法の一部を改正する法律（平成16年法律第84号）の施行の日がこの法律の施行の日後となる場合には，行政事件訴訟法の一部を改正する法律の施行の日の前日までの間における新法第158条の規定の適用については，同条中「第7項まで」とあるのは，「第6項まで」とする。

第12条（罰則に関する経過措置）
① この法律の施行前にした行為に対する罰則の適用については，なお従前の例による。

② 新法第51条第1項及び第4項並びに第58条第6項及び第7項の規定は，この法律の施行前に共用部分である旨又は団地共用部分である旨の登記がある建物についてこれらの規定に規定する登記を申請すべき事由が生じている場合についても，適用する。この場合において，これらの規定に規定する期間（新法第51条第4項又は第58条第7項に規定する期間にあっては，この法律の施行の日以後に所有権を取得した場合を除く。）については，この法律の施行の日から起算する。

第13条（法務省令への委任）
　この附則に定めるもののほか，この法律による不動産登記法の改正に伴う登記の手続に関し必要な経過措置は，法務省令で定める。

　附　則〔平成28・5・27法51〕（抄）
（施行期日）
この法律は，公布の日から起算して1年6月を超えない範囲内において政令で定める日から施行する。

不動産登記令

●平成16年12月1日法律第379号●　　最終改正　令和5年10月4日政令297号

第1章　総則

第1条（趣旨）
　この政令は，不動産登記法（以下「法」という。）の規定による不動産についての登記に関し必要な事項を定めるものとする。

第2条（定義）
　この政令において，次の各号に掲げる用語の意義は，それぞれ当該各号に定めるところによる。
一　添付情報　登記の申請をする場合において，法第22条本文若しくは第61条の規定，次章の規定又はその他の法令の規定によりその申請情報と併せて登記所に提供しなければならないものとされている情報をいう。
二　土地所在図　一筆の土地の所在を明らかにする図面であって，法務省令で定めるところにより作成されるものをいう。
三　地積測量図　一筆の土地の地積に関する測量の結果を明らかにする図面であって，法務省令で定めるところにより作成されるものをいう。
四　地役権図面　地役権設定の範囲が承役地の一部である場合における当該地役権設定の範囲を明らかにする図面であって，法務省令で定めるところにより作成されるものをいう。
五　建物図面　1個の建物の位置を明らかにする図面であって，法務省令で定めるところにより作成されるものをいう。
六　各階平面図　1個の建物の各階ごとの平面の形状を明らかにする図面であって，法務省令で定めるところにより作成されるものをいう。
七　嘱託情報　法第16条第1項に規定する登記の嘱託において，同条第2項において準用する法第18条の規定により嘱託者が登記所に提供しなければならない情報をいう。
八　順位事項　法第59条第8号の規定により権利の順位を明らかにするために必要な事項として法務省令で定めるものをいう。

第2章　申請情報及び添付情報

第3条（申請情報）
　登記の申請をする場合に登記所に提供しなければならない法第18条の申請情報の内容は，次に掲げる事項とする。
一　申請人の氏名又は名称及び住所
二　申請人が法人であるときは，その代表者の氏名
三　代理人によって登記を申請するときは，当該代理人の氏名又は名称及び住所並びに代理人が法人であるときはその代表者の氏名
四　民法（明治29年法律第89号）第423条その他の法令の規定により他人に代わって登記を申請するときは，申請人が代位者である旨，当該他人の氏名又は名称及び住所並びに代位原因
五　登記の目的
六　登記原因及びその日付（所有権の保存の登記を申請する場合にあっては，法第74条第2項の規定により敷地権付

き区分建物について申請するときに限る。）
七　土地の表示に関する登記又は土地についての権利に関する登記を申請するときは、次に掲げる事項
　イ　土地の所在する市、区、郡、町、村及び字
　ロ　地番（土地の表題登記を申請する場合、法第74条第1項第2号又は第3号に掲げる者が表題登記がない土地について所有権の保存の登記を申請する場合及び表題登記がない土地について所有権の処分の制限の登記を嘱託する場合を除く。）
　ハ　地目
　ニ　地積
八　建物の表示に関する登記又は建物についての権利に関する登記を申請するときは、次に掲げる事項
　イ　建物の所在する市、区、郡、町、村、字及び土地の地番（区分建物である建物にあっては、当該建物が属する1棟の建物の所在する市、区、郡、町、村、字及び土地の地番）
　ロ　家屋番号（建物の表題登記（合体による登記等における合体後の建物についての表題登記を含む。）を申請する場合、法第74条第1項第2号又は第3号に掲げる者が表題登記がない建物について所有権の保存の登記を申請する場合及び表題登記がない建物について所有権の処分の制限の登記を嘱託する場合を除く。）
　ハ　建物の種類、構造及び床面積
　ニ　建物の名称があるときは、その名称
　ホ　附属建物があるときは、その所在する市、区、郡、町、村、字及び土地の地番（区分建物である附属建物にあっては、当該附属建物が属する1棟の建物の所在する市、区、郡、町、村、字及び土地の地番）並びに種類、構造及び床面積
　ヘ　建物又は附属建物が区分建物であるときは、当該建物又は附属建物が属する1棟の建物の構造及び床面積（トに掲げる事項を申請情報の内容とする場合（ロに規定する場合を除く。）を除く。）
　ト　建物又は附属建物が区分建物である場合であって、当該建物又は附属建物が属する1棟の建物の名称があるときは、その名称
九　表題登記又は権利の保存、設定若しくは移転の登記（根質権、根抵当権及び信託の登記を除く。）を申請する場合において、表題部所有者又は登記名義人となる者が2人以上であるときは、当該表題部所有者又は登記名義人となる者ごとの持分
十　法第30条の規定により表示に関する登記を申請するときは、申請人が表題部所有者又は所有権の登記名義人の相続人その他の一般承継人である旨
十一　権利に関する登記を申請するときは、次に掲げる事項
　イ　申請人が登記権利者又は登記義務者（登記権利者及び登記義務者がない場合にあっては、登記名義人）でないとき（第4号並びにロ及びハの場合を除く。）は、登記権利者、登記義務者又は登記名義人の氏名又は名称及び住所
　ロ　法第62条の規定により登記を申請するときは、申請人が登記権利者、登記義務者又は登記名義人の相続人その他の一般承継人である旨
　ハ　ロの場合において、登記名義人となる登記権利者の相続人その他の一般承継人が申請するときは、登記権利者の氏名又は名称及び一般承継の時における住所
　ニ　登記の目的である権利の消滅に関する定め又は共有物分割禁止の定め

があるときは，その定め
ホ　権利の一部を移転する登記を申請するときは，移転する権利の一部
ヘ　敷地権付き区分建物についての所有権，一般の先取特権，質権又は抵当権に関する登記（法第73条第3項ただし書に規定する登記を除く。）を申請するときは，次に掲げる事項
(1)　敷地権の目的となる土地の所在する市，区，郡，町，村及び字並びに当該土地の地番，地目及び地積
(2)　敷地権の種類及び割合
ト　所有権の保存若しくは移転の登記を申請するとき又は所有権の登記がない不動産について所有権の処分の制限の登記を嘱託するときは，次に掲げる事項
(1)　所有権の登記名義人となる者が法人であるときは，法第73条の2第1項第1号に規定する特定の法人を識別するために必要な事項として法務省令で定めるもの（別表において「法人識別事項」という。）
(2)　所有権の登記名義人となる者が国内に住所を有しないときは，法第73条の2第1項第2号に規定する国内における連絡先に関する事項として法務省令で定めるもの（別表において「国内連絡先事項」という。）
十二　申請人が法第22条に規定する申請をする場合において，同条ただし書の規定により登記識別情報を提供することができないときは，当該登記識別情報を提供することができない理由
十三　前各号に掲げるもののほか，別表の登記欄に掲げる登記を申請するときは，同表の申請情報欄に掲げる事項

第4条　（申請情報の作成及び提供）

申請情報は，登記の目的及び登記原因に応じ，一の不動産ごとに作成して提供しなければならない。ただし，同一の登記所の管轄区域内にある二以上の不動産について申請する登記の目的並びに登記原因及びその日付が同一であるときその他法務省令で定めるときは，この限りでない。

第5条　（一の申請情報による登記の申請）

①　合体による登記等の申請は，一の申請情報によってしなければならない。この場合において，法第49条第1項後段の規定により併せて所有権の登記の申請をするときは，これと当該合体による登記等の申請とは，一の申請情報によってしなければならない。

②　信託の登記の申請と当該信託に係る権利の保存，設定，移転又は変更の登記の申請とは，一の申請情報によってしなければならない。

③　法第104条第1項の規定による信託の登記の抹消の申請と信託財産に属する不動産に関する権利の移転の登記若しくは変更の登記又は当該権利の登記の抹消の申請とは，一の申請情報によってしなければならない。

④　法第104条の2第1項の規定による信託の登記の抹消及び信託の登記の申請と権利の変更の登記の申請とは，一の申請情報によってしなければならない。

第6条　（申請情報の一部の省略）

①　次の各号に掲げる規定にかかわらず，法務省令で定めるところにより，不動産を識別するために必要な事項として法第27条第4号の法務省令で定めるもの（次項において「不動産識別事項」という。）を申請情報の内容としたときは，当該各号に定める事項を申請情報の内容とすることを要しない。

一　第3条第7号　同号に掲げる事項
　二　第3条第8号　同号に掲げる事項
　三　第3条第11号ヘ(1)　敷地権の目的となる土地の所在する市，区，郡，町，村及び字並びに当該土地の地番，地目及び地積
②　第3条第13号の規定にかかわらず，法務省令で定めるところにより，不動産識別事項を申請情報の内容としたときは，次に掲げる事項を申請情報の内容とすることを要しない。
　一　別表の13の項申請情報欄ロに掲げる当該所有権の登記がある建物の家屋番号
　二　別表の13の項申請情報欄ハ(1)に掲げる当該合体前の建物の家屋番号
　三　別表の18の項申請情報欄に掲げる当該区分所有者が所有する建物の家屋番号
　四　別表の19の項申請情報欄イに掲げる当該建物の所在する市，区，郡，町，村，字及び土地の地番並びに当該建物の家屋番号
　五　別表の35の項申請情報欄又は同表の36の項申請情報欄に掲げる当該要役地の所在する市，区，郡，町，村及び字並びに当該要役地の地番，地目及び地積
　六　別表の42の項申請情報欄イ，同表の46の項申請情報欄イ，同表の49の項申請情報欄イ，同表の50の項申請情報欄ロ，同表の55の項申請情報欄イ，同表の58の項申請情報欄イ又は同表の59の項申請情報欄ロに掲げる他の登記所の管轄区域内にある不動産についての第3条第7号及び第8号に掲げる事項
　七　別表の42の項申請情報欄ロ(1)，同表の46の項申請情報欄ハ(1)，同表の47の項申請情報欄ホ(1)，同表の49の項申請情報欄ハ(1)若しくはヘ(1)，同表の55の項申請情報欄ハ(1)，同表の56の項申請情報欄ニ(1)又は同表の58の項申請情報欄ハ(1)若しくはヘ(1)に掲げる当該土地の所在する市，区，郡，町，村及び字並びに当該土地の地番
　八　別表の42の項申請情報欄ロ(2)，同表の46の項申請情報欄ハ(2)，同表の47の項申請情報欄ホ(2)，同表の49の項申請情報欄ハ(2)若しくはヘ(2)，同表の55の項申請情報欄ハ(2)，同表の56の項申請情報欄ニ(2)又は同表の58の項申請情報欄ハ(2)若しくはヘ(2)に掲げる当該建物の所在する市，区，郡，町，村，字及び土地の地番並びに当該建物の家屋番号

第7条　（添付情報）
①　登記の申請をする場合には，次に掲げる情報をその申請情報と併せて登記所に提供しなければならない。
　一　申請人が法人であるとき（法務省令で定める場合を除く。）は，次に掲げる情報
　　イ　会社法人等番号（商業登記法（昭和38年法律第125号）第7条（他の法令において準用する場合を含む。）に規定する会社法人等番号をいう。以下このイにおいて同じ。）を有する法人にあっては，当該法人の会社法人等番号
　　ロ　イに規定する法人以外の法人にあっては，当該法人の代表者の資格を証する情報
　二　代理人によって登記を申請するとき（法務省令で定める場合を除く。）は，当該代理人の権限を証する情報
　三　民法第423条その他の法令の規定により他人に代わって登記を申請するときは，代位原因を証する情報
　四　法第30条の規定により表示に関する登記を申請するときは，相続その他の一般承継があったことを証する市町村長（特別区の区長を含むものとし，地方自治法（昭和22年法律第67号）第252

条の19第1項の指定都市にあっては，区長又は総合区長とする。第16条第2項及び第17条第1項を除き，以下同じ。），登記官その他の公務員が職務上作成した情報（公務員が職務上作成した情報がない場合にあっては，これに代わるべき情報）

五　権利に関する登記を申請するときは，次に掲げる情報

　イ　法第62条の規定により登記を申請するときは，相続その他の一般承継があったことを証する市町村長，登記官その他の公務員が職務上作成した情報（公務員が職務上作成した情報がない場合にあっては，これに代わるべき情報）

　ロ　登記原因を証する情報。ただし，次の(1)又は(2)に掲げる場合にあっては当該(1)又は(2)に定めるものに限るものとし，別表の登記欄に掲げる登記を申請する場合（次の(1)又は(2)に掲げる場合を除く。）にあっては同表の添付情報欄に規定するところによる。

　　(1)　法第63条第1項に規定する確定判決による登記を申請するとき　執行力のある確定判決の判決書の正本（執行力のある確定判決と同一の効力を有するものの正本を含む。以下同じ。）

　　(2)　法第108条に規定する仮登記を命ずる処分があり，法第107条第1項の規定による仮登記を申請するとき　当該仮登記を命ずる処分の決定書の正本

　ハ　登記原因について第三者の許可，同意又は承諾を要するときは，当該第三者が許可し，同意し，又は承諾したことを証する情報

六　前各号に掲げるもののほか，別表の登記欄に掲げる登記を申請するときは，同表の添付情報欄に掲げる情報

②　前項第1号及び第2号の規定は，不動産に関する国の機関の所管に属する権利について命令又は規則により指定された官庁又は公署の職員が登記の嘱託をする場合には，適用しない。

③　次に掲げる場合には，第1項第5号ロの規定にかかわらず，登記原因を証する情報を提供することを要しない。

一　法第69条の2の規定により買戻しの特約に関する登記の抹消を申請する場合

二　所有権の保存の登記を申請する場合（敷地権付き区分建物について法第74条第2項の規定により所有権の保存の登記を申請する場合を除く。）

三　法第111条第1項の規定により民事保全法（平成元年法律第91号）第53条第1項の規定による処分禁止の登記（保全仮登記とともにしたものを除く。次号において同じ。）に後れる登記の抹消を申請する場合

四　法第111条第2項において準用する同条第1項の規定により処分禁止の登記に後れる登記の抹消を申請する場合

五　法第113条の規定により保全仮登記とともにした処分禁止の登記に後れる登記の抹消を申請する場合

第8条　（登記名義人が登記識別情報を提供しなければならない登記等）

①　法第22条の政令で定める登記は，次のとおりとする。ただし，確定判決による登記を除く。

一　所有権の登記がある土地の合筆の登記

二　所有権の登記がある建物の合体による登記等

三　所有権の登記がある建物の合併の登記

四　共有物分割禁止の定めに係る権利の変更の登記

五　所有権の移転の登記がない場合にお

ける所有権の登記の抹消
六　質権又は抵当権の順位の変更の登記
七　民法第398条の14第１項ただし書（同法第361条において準用する場合を含む。）の定めの登記
八　信託法（平成18年法律第108号）第３条第３号に掲げる方法によってされた信託による権利の変更の登記
九　仮登記の登記名義人が単独で申請する仮登記の抹消

② 前項の登記のうち次の各号に掲げるものの申請については，当該各号に定める登記識別情報を提供すれば足りる。
一　所有権の登記がある土地の合筆の登記　当該合筆に係る土地のうちいずれか一筆の土地の所有権の登記名義人の登記識別情報
二　登記名義人が同一である所有権の登記がある建物の合体による登記等　当該合体に係る建物のうちいずれか１個の建物の所有権の登記名義人の登記識別情報
三　所有権の登記がある建物の合併の登記　当該合併に係る建物のうちいずれか１個の建物の所有権の登記名義人の登記識別情報

第９条　（添付情報の一部の省略）

第７条第１項第６号の規定により申請情報と併せて住所を証する情報（住所について変更又は錯誤若しくは遺漏があったことを証する情報を含む。以下この条において同じ。）を提供しなければならないものとされている場合において，その申請情報と併せて法務省令で定める情報を提供したときは，同号の規定にかかわらず，その申請情報と併せて当該住所を証する情報を提供することを要しない。

第３章　電子情報処理組織を使用する方法による登記申請の手続

第10条　（添付情報の提供方法）

電子情報処理組織を使用する方法（法第18条第１号の規定による電子情報処理組織を使用する方法をいう。以下同じ。）により登記を申請するときは，法務省令で定めるところにより，申請情報と併せて添付情報を送信しなければならない。

第11条　（登記事項証明書に代わる情報の送信）

電子情報処理組織を使用する方法により登記を申請する場合において，登記事項証明書を併せて提供しなければならないものとされているときは，法務大臣の定めるところに従い，登記事項証明書の提供に代えて，登記官が電気通信回線による登記情報の提供に関する法律（平成11年法律第226号）第２条第１項に規定する登記情報の送信を同法第３条第２項に規定する指定法人から受けるために必要な情報を送信しなければならない。

第12条　（電子署名）

① 電子情報処理組織を使用する方法により登記を申請するときは，申請人又はその代表者若しくは代理人は，申請情報に電子署名（電子署名及び認証業務に関する法律（平成12年法律第102号）第２条第１項に規定する電子署名をいう。以下同じ。）を行わなければならない。
② 電子情報処理組織を使用する方法により登記を申請する場合における添付情報は，作成者による電子署名が行われているものでなければならない。

第13条　（表示に関する登記の添付情報の特則）

① 前条第２項の規定にかかわらず，電子情報処理組織を使用する方法により表示に関する登記を申請する場合において，

当該申請の添付情報（申請人又はその代表者若しくは代理人が作成したもの並びに土地所在図，地積測量図，地役権図面，建物図面及び各階平面図を除く。）が書面に記載されているときは，当該書面に記載された情報を電磁的記録に記録したものを添付情報とすることができる。この場合において，当該電磁的記録は，当該電磁的記録を作成した者による電子署名が行われているものでなければならない。

② 前項の場合において，当該申請人は，登記官が定めた相当の期間内に，登記官に当該書面を提示しなければならない。

第14条 （電子証明書の送信）

電子情報処理組織を使用する方法により登記を申請する場合において，電子署名が行われている情報を送信するときは，電子証明書（電子署名を行った者を確認するために用いられる事項が当該者に係るものであることを証明するために作成された電磁的記録をいう。）であって法務省令で定めるものを併せて送信しなければならない。

第4章 書面を提出する方法による登記申請の手続

第15条 （添付情報の提供方法）

書面を提出する方法（法第18条第2号の規定により申請情報を記載した書面（法務省令で定めるところにより申請情報の全部又は一部を記録した磁気ディスクを含む。）を登記所に提出する方法をいう。）により登記を申請するときは，申請情報を記載した書面に添付情報を記載した書面（添付情報のうち電磁的記録で作成されているものにあっては，法務省令で定めるところにより当該添付情報を記録した磁気ディスクを含む。）を添付して提出しなければならない。この場合において，第12条第2項及び前条の規定は，添付情報を記録した磁気ディスクを提出する場合について準用する。

第16条 （申請情報を記載した書面への記名押印等）

① 申請人又はその代表者若しくは代理人は，法務省令で定める場合を除き，申請情報を記載した書面に記名押印しなければならない。

② 前項の場合において，申請情報を記載した書面には，法務省令で定める場合を除き，同項の規定により記名押印した者（委任による代理人を除く。）の印鑑に関する証明書（住所地の市町村長（特別区の区長を含むものとし，地方自治法第252条の19第1項の指定都市にあっては，市長又は区長若しくは総合区長とする。次条第1項において同じ。）又は登記官が作成するものに限る。以下同じ。）を添付しなければならない。

③ 前項の印鑑に関する証明書は，作成後3月以内のものでなければならない。

④ 官庁又は公署が登記の嘱託をする場合における嘱託情報を記載した書面については，第2項の規定は，適用しない。

⑤ 第12条第1項及び第14条の規定は，法務省令で定めるところにより申請情報の全部を記録した磁気ディスクを提出する方法により登記を申請する場合について準用する。

第17条 （代表者の資格を証する情報を記載した書面の期間制限等）

① 第7条第1項第1号ロ又は第2号に掲げる情報を記載した書面であって，市町村長，登記官その他の公務員が職務上作成したものは，作成後3月以内のものでなければならない。

② 前項の規定は，官庁又は公署が登記の嘱託をする場合には，適用しない。

第18条 （代理人の権限を証する情報を記載した書面への記名押印等）

① 委任による代理人によって登記を申請する場合には，申請人又はその代表者は，法務省令で定める場合を除き，当該代理人の権限を証する情報を記載した書面に記名押印しなければならない。復代理人によって申請する場合における代理人についても，同様とする。

② 前項の場合において，代理人（復代理人を含む。）の権限を証する情報を記載した書面には，法務省令で定める場合を除き，同項の規定により記名押印した者（委任による代理人を除く。）の印鑑に関する証明書を添付しなければならない。

③ 前項の印鑑に関する証明書は，作成後3月以内のものでなければならない。

④ 第2項の規定は，官庁又は公署が登記の嘱託をする場合には，適用しない。

第19条 （承諾を証する情報を記載した書面への記名押印等）

① 第7条第1項第5号ハ若しくは第6号の規定又はその他の法令の規定により申請情報と併せて提供しなければならない同意又は承諾を証する情報を記載した書面には，法務省令で定める場合を除き，その作成者が記名押印しなければならない。

② 前項の書面には，官庁又は公署の作成に係る場合その他法務省令で定める場合を除き，同項の規定により記名押印した者の印鑑に関する証明書を添付しなければならない。

第5章 雑則

第20条 （登記すべきものでないとき）

法第25条第13号の政令で定める登記すべきものでないときは，次のとおりとする。

一 申請が不動産以外のものについての登記を目的とするとき。

二 申請に係る登記をすることによって表題部所有者又は登記名義人となる者（別表の12の項申請情報欄ロに規定する被承継人及び第3条第11号ハに規定する登記権利者を除く。）が権利能力を有しないとき。

三 申請が法第32条，第41条，第56条，第73条第2項若しくは第3項，第80条第3項又は第92条の規定により登記することができないとき。

四 申請が1個の不動産の一部についての登記（承役地についてする地役権の登記を除く。）を目的とするとき。

五 申請に係る登記の目的である権利が他の権利の全部又は一部を目的とする場合において，当該他の権利の全部又は一部が登記されていないとき。

六 同一の不動産に関し同時に二以上の申請がされた場合（法第19条第2項の規定により同時にされたものとみなされるときを含む。）において，申請に係る登記の目的である権利が相互に矛盾するとき。

七 申請に係る登記の目的である権利が同一の不動産について既にされた登記の目的である権利と矛盾するとき。

八 前各号に掲げるもののほか，申請に係る登記が民法その他の法令の規定により無効とされることが申請情報若しくは添付情報又は登記記録から明らかであるとき。

先例等

【1号関係】

1 ⊕ 橋梁は，その性質上建物として取扱われない。（明治32・10・23民刑1895号回答）

【2号関係】

2 ⊕ 法人格のない結社は，登記名義人として表示することはできない。（昭和23・6・21民事甲1897号回答）

【4号関係】

3 ⊕ 建物の一部であつて独立した建物とみとめられないものについてされた建物の表示登記は，旧法第49条第2号（現25条13号，令

20条4号）及び旧法第149条（現71条）の規定に該当するので，当該建物の表示の登記は職権で抹消すべきである。（昭和37・10・12民事甲2956号回答）

4♰一筆の土地の一部についての処分の制限の登記の嘱託は，受理すべきでない。（昭和27・9・19民事甲308号回答）

【5号関係】

5♰所有権（共有持分）の一部（未分のもの）を目的とする抵当権設定の登記をすることはできない。（昭和35・6・1民事甲1340号回答）

【6号関係】

6♰同一不動産につき同時に仮登記権利者を異にする2件の所有権移転請求権の仮登記の申請があった場合は，2件とも同一の受付番号で受付けて，同時にこれらを却下すべきである。（昭和30・4・11民事甲693号通達）

【7号関係】

7♰登記上地上権の存続期間の経過していることが明らかな場合でも，その登記が存する以上，重ねて新たに地上権を設定し，その登記をすることはできない。（昭和37・5・4民事甲1262号回答）

1※地上権設定の登記がすでに存する場合において，同一土地につき，さらに地上権設定の登記をすることは許されない。（大判明治39・10・31）

2※家督相続による所有権移転登記のされていない不動産につき，第三者への遺贈による所有権移転登記の申請は，旧法49条2号（現25条13号，令20条7号）に当たる。（大決大正3・8・3）

【8号関係】

8♰共同相続人の1人の持分（相続分）のみの相続の登記（の申請）は，することができない。（昭和30・10・15民事甲2216号回答）

9♰登記簿上存続期間の経過していることが明らかな地上権の移転登記の申請は，旧法49条2号（現25条13号，令20条8号）により却下される。（昭和35・5・18民事甲1132号通達）

10♰共有持分を目的とする採石権等の用益権の設定の登記の申請は，他の共有者の同意書の添付の有無にかかわらず，旧法49条2号（現25条13号，令20条8号）の規定により却下すべきものとされる。（昭和37・3・

26民事甲844号通達）

11♰買戻特約の登記の売買代金を増額する旨の変更の登記の申請は，旧法49条2号（現25条13号，令20条8号）の規定によりこれを却下する。（昭和43・2・9民事三発34号回答）

12♰停止条件付売買契約による所有権移転の仮登記について，仮登記名義人が本登記手続又は移転登記手続その他一切の処分をしてはならない旨の仮処分の登記は，することができない。（昭和36・7・1民事甲1571号回答）

13♰停止条件付代物弁済契約による停止条件付所有権移転の仮登記名義人に対する「本登記手続及び停止条件付権利譲渡禁止」の仮処分登記の嘱託は，嘱託中「本登記手続の禁止」に関する部分を削除補正しない限り，旧法49条2（現25条13号，令20条8号）により却下すべきである。（昭和38・8・2民事三発528号回答）

14♰所有者を同じくする甲・乙2個の建物の中間に増築を施し，かつ双方の建物の障壁を撤去して1棟の建物とした場合につき，乙建物につき合体を原因として滅失の登記をした後，甲建物につき増築及び合体を原因として，床面積変更の申請があったときは，これを受理すべきでない。（昭和40・7・28民事甲1717号回答）

3※買戻権の登記を売買の登記と同時に申請しない場合は，旧49条2号（現25条13号，令20条8号）に該当する。（大決大正7・4・30）

第21条 （写しの交付を請求することができる図面）

① 法第121条第1項の政令で定める図面は，土地所在図，地積測量図，地役権図面，建物図面及び各階平面図とする。

② 法第149条第1項の政令で定める図面は，筆界調査委員が作成した測量図その他の筆界特定の手続において測量又は実地調査に基づいて作成された図面（法第143条第2項の図面を除く。）とする。

第22条 （登記識別情報に関する証明）

① 登記名義人又はその相続人その他の一般承継人は，登記官に対し，手数料を納付して，登記識別情報が有効であること

の証明その他の登記識別情報に関する証明を請求することができる。
② 法第119条第3項及び第4項の規定は，前項の請求について準用する。
③ 前二項に定めるもののほか，第1項の証明に関し必要な事項は，法務省令で定める。

第23条　（事件の送付）
法第157条第2項の規定による事件の送付は，審査請求書の正本によってする。

第24条　（意見書の提出等）
① 法第157条第2項の意見を記載した書面（次項において「意見書」という。）は，正本及び当該意見を送付すべき審査請求人の数に行政不服審査法（平成26年法律第68号）第11条第2項に規定する審理員の数を加えた数に相当する通数の副本を提出しなければならない。
② 法第157条第2項後段の規定による意見の送付は，意見書の副本によってする。

第25条　（行政不服審査法施行令の規定の読替え）
法第156条第1項の審査請求に関する行政不服審査法施行令（平成27年政令第391号）の規定の適用については，同令第6条第2項中「法第29条第5項」とあるのは「不動産登記法（平成16年法律第123号）第157条第6項の規定により読み替えて適用する法第29条第5項」と，「弁明書の送付」とあるのは「不動産登記法第157条第2項に規定する意見の送付」と，「弁明書の副本」とあるのは「不動産登記令（平成16年政令第379号）第24条第1項に規定する意見書の副本」とする。

第26条　（登記の嘱託）
この政令（第2条第7号を除く。）に規定する登記の申請に関する法の規定には当該規定を法第16条第2項において準用する場合を含むものとし，この政令中「申請」，「申請人」及び「申請情報」にはそれぞれ嘱託，嘱託者及び嘱託情報を含むものとする。

第27条　（法務省令への委任）
この政令に定めるもののほか，法及びこの政令の施行に関し必要な事項は，法務省令で定める。

附　則（抄）

第1条　（施行期日）
この政令は，法の施行の日（平成17年3月7日）から施行する。

第2条　（経過措置）
① 第3章の規定は，法附則第6条第1項の指定の日から当該指定に係る登記手続について適用する。
② 法附則第6条第1項の規定による指定がされるまでの間，各登記所の登記手続についてのこの政令の規定の適用については，第3条第12号中「登記識別情報を提供することができない」とあるのは「登記済証を提出することができない」と，第8条第2項中「登記識別情報を提供すれば」とあるのは「法による改正前の不動産登記法（明治32年法律第24号。以下「旧法」という。）第60条第1項若しくは第61条の規定により還付され，若しくは交付された登記済証（法附則第8条の規定によりなお従前の例によることとされた登記の申請について旧法第60条第1項又は第61条の規定により還付され，又は交付された登記済証を含む。）又は法附則第6条第3項の規定により読み替えて適用される法第21条若しくは第117条第2項の規定により交付された登記済証（以下この項において「登記済証」と総称する。）を提出すれば」と，

「登記名義人の登記識別情報」とあるのは「登記名義人の登記済証」とする。

③　法附則第6条第1項の規定による指定を受けた登記手続において，同項の規定による指定がされた後，法による改正前の不動産登記法（明治32年法律第24号。以下「旧法」という。）第60条第1項若しくは第61条の規定により還付され，若しくは交付された登記済証（法附則第8条の規定によりなお従前の例によることとされた登記の申請について旧法第60条第1項又は第61条の規定により還付され，又は交付された登記済証を含む。）又は法附則第6条第3項の規定により読み替えて適用される法第21条若しくは第117条第2項の規定により交付された登記済証を提出して登記の申請がされたときは，登記識別情報が提供されたものとみなして，第8条第2項の規定を適用する。

第3条・第4条（略）

第5条（添付情報の提供方法に関する特例）

①　電子情報処理組織を使用する方法により登記の申請をする場合において，添付情報（登記識別情報を除く。以下同じ。）が書面に記載されているときは，第10条及び第12条第2項の規定にかかわらず，当分の間，当該書面を登記所に提出する方法により添付情報を提供することができる。

②　前項の規定により添付情報を提供する場合には，その旨をも法第18条の申請情報の内容とする。

③　第17条及び第19条の規定は第1項の規定により添付情報を提供する場合について，第18条の規定は同項の規定により委任による代理人（復代理人を含む。）の権限を証する情報を提供する場合について，それぞれ準用する。

④　第1項の規定により書面を提出する方法により当該登記原因を証する情報を提供するときは，法務省令で定めるところにより，申請情報と併せて当該書面に記載された情報を記録した電磁的記録を提供しなければならない。この場合においては，第12条第2項の規定は，適用しない。

附　則〔平成27・11・26政令392〕（抄）

第1条

この政令は，行政不服審査法の施行の日（平成28年4月1日）から施行する。

附　則〔令和2・3・25政令第57〕（抄）

この政令は，民法及び家事事件手続法の一部を改正する法律附則第1条第4号に掲げる規定の施行の日（令和2年4月1日）から施行する。

別表（第3条，第7条関係）

項	登記	申請情報	添付情報
表示に関する登記に共通する事項			
1	表題部所有者の氏名若しくは名称又は住所についての変更の登記又は更正の登記	変更後又は更正後の表題部所有者の氏名若しくは名称又は住所	表題部所有者の氏名若しくは名称又は住所についての変更又は錯誤若しくは遺漏があったことを証する市町村長，登記官その他の公務員が職務上作成した情報（公務員が職務上作成した情報がない場合にあっては，これに代わるべき情報）
2	表題部所有者についての更正の登記	当該登記をすることによって表題部所有者となる者の氏名又は名称及び住所並びに当該表題部所有者となる	イ　当該表題部所有者となる者が所有権を有することを証する情報 ロ　当該表題部所有者となる者の住所を証する市町村長，登記官その他の公務員が職務

		者が2人以上であるときは当該表題部所有者となる者ごとの持分	上作成した情報（公務員が職務上作成した情報がない場合にあっては，これに代わるべき情報） ハ　表題部所有者の承諾を証する当該表題部所有者が作成した情報又は当該表題部所有者に対抗することができる裁判があったことを証する情報
3	表題部所有者である共有者の持分についての更正の登記	更正後の共有者ごとの持分	持分を更正することとなる他の共有者の承諾を証する当該他の共有者が作成した情報又は当該他の共有者に対抗することができる裁判があったことを証する情報
土地の表示に関する登記			
4	土地の表題登記		イ　土地所在図 ロ　地積測量図 ハ　表題部所有者となる者が所有権を有することを証する情報 ニ　表題部所有者となる者の住所を証する市町村長，登記官その他の公務員が職務上作成した情報（公務員が職務上作成した情報がない場合にあっては，これに代わるべき情報）
5	地目に関する変更の登記又は更正の登記	変更後又は更正後の地目	
6	地積に関する変更の登記又は更正の登記（11の項の登記を除く。）	変更後又は更正後の地積	地積測量図
7	法第38条に規定する登記事項（地目及び地積を除く。）に関する更正の登記	更正後の当該登記事項	
8	分筆の登記	イ　分筆後の土地の所在する市，区，郡，町，村及び字並びに当該土地の地目及び地積 ロ　地役権の登記がある承役地の分筆の登記を申請する場合において，地役権設定の範囲が分筆後の土地の一部であるときは，当該地役権設定の範囲	イ　分筆後の土地の地積測量図 ロ　地役権の登記がある承役地の分筆の登記を申請する場合において，地役権設定の範囲が分筆後の土地の一部であるときは，当該地役権設定の範囲を証する地役権者が作成した情報又は当該地役権者に対抗することができる裁判があったことを証する情報及び地役権図面
9	合筆の登記	イ　合筆後の土地の所在する市，区，郡，町，村及び字並びに当該土地の地目及び地積 ロ　地役権の登記がある承役地の合筆の登記を申請する場合において，地役権設定の範囲が合筆後の土地の一部であるときは，当該地役権設定の範囲	地役権の登記がある承役地の合筆の登記を申請する場合において，地役権設定の範囲が合筆後の土地の一部であるときは，当該地役権設定の範囲を証する地役権者が作成した情報又は当該地役権者に対抗することができる裁判があったことを証する情報及び地役権図面
10	土地の滅失の登記（法第43条第5項の規定により河川管理者が	法第43条第5項の規定により登記の嘱託をする旨	

不動産登記令（別表）

	嘱託するものに限る。）		
11	地積に関する変更の登記（法第43条第6項の規定により河川管理者が嘱託するものに限る。）	イ　法第43条第6項の規定により登記の嘱託をする旨 ロ　変更後の地積	地積測量図

建物の表示に関する登記

12	建物の表題登記（13の項及び21の項の登記を除く。）	イ　建物又は附属建物について敷地権が存するときは、次に掲げる事項 　(1)　敷地権の目的となる土地の所在する市、区、郡、町、村及び字並びに当該土地の地番、地目及び地積 　(2)　敷地権の種類及び割合 　(3)　敷地権の登記原因及びその日付 ロ　法第47条第2項の規定による申請にあっては、被承継人の氏名又は名称及び一般承継の時における住所並びに申請人が被承継人の相続人その他の一般承継人である旨	イ　建物図面 ロ　各階平面図 ハ　表題部所有者となる者が所有権を有することを証する情報 ニ　表題部所有者となる者の住所を証する市町村長、登記官その他の公務員が職務上作成した情報（公務員が職務上作成した情報がない場合にあっては、これに代わるべき情報） ホ　建物又は附属建物が区分建物である場合において、当該区分建物が属する1棟の建物の敷地（建物の区分所有等に関する法律（昭和37年法律第69号。以下「区分所有法」という。）第2条第5項に規定する建物の敷地をいう。以下同じ。）について登記された所有権、地上権又は賃借権の登記名義人が当該区分建物の所有者であり、かつ、区分所有法第22条第1項ただし書（同条第3項において準用する場合を含む。以下同じ。）の規約における別段の定めがあることその他の事由により当該所有権、地上権又は賃借権が当該区分建物の敷地権とならないときは、当該事由を証する情報 ヘ　建物又は附属建物について敷地権が存するときは、次に掲げる情報 　(1)　敷地権の目的である土地が区分所有法第5条第1項の規定により建物の敷地となった土地であるときは、同項の規約を設定したことを証する情報 　(2)　敷地権が区分所有法第22条第2項ただし書（同条第3項において準用する場合を含む。以下同じ。）の規約で定められている割合によるものであるときは、当該規約を設定したことを証する情報 　(3)　敷地権の目的である土地が他の登記所の管轄区域内にあるときは、当該土地の登記事項証明書 ト　法第47条第2項の規定による申請にあっては、相続その他の一般承継があったことを証する市町村長、登記官その他の公務員が職務上作成した情報（公務員が職務上作成した情報がない場合にあっては、これに代わるべき情報）
13	合体による登記等（法第49条第1項後段の規定により併せて申請をする所有権の登記があるときは、これを含	イ　合体後の建物について敷地権が存するときは、次に掲げる事項 　(1)　敷地権の目的となる土地の所在する市、区、郡、町、村及び字並びに当該土地の地	イ　建物図面 ロ　各階平面図 ハ　表題部所有者となる者が所有権を有することを証する情報 ニ　表題部所有者となる者の住所を証する市町村長、登記官その他の公務員が職務上作成した情報（公務員が職務上作成した情報

む。）

番，地目及び地積
(2) 敷地権の種類及び割合
(3) 敷地権の登記原因及びその日付

ロ 合体前の建物に所有権の登記がある建物があるときは，当該所有権の登記がある建物の家屋番号並びに当該所有権の登記の申請の受付の年月日及び受付番号，順位事項並びに登記名義人の氏名又は名称

ハ 合体前の建物についてされた所有権の登記以外の所有権に関する登記又は先取特権，質権若しくは抵当権に関する登記であって合体後の建物について存続することとなるもの（以下この項において「存続登記」という。）があるときは，次に掲げる事項
(1) 当該合体前の建物の家屋番号
(2) 存続登記の目的，申請の受付の年月日及び受付番号，順位事項並びに登記名義人の氏名又は名称
(3) 存続登記の目的となる権利

ニ 存続登記がある建物の所有権の登記名義人が次に掲げる者と同一の者であるときは，これらの者が同一の者でないものとみなした場合における持分（二以上の存続登記がある場合において，当該二以上の存続登記の登記の目的，申請の受付の年月日及び受付番号，登記原因及びその日付並びに登記名義人がいずれも同一であるときの当該二以上の存続登記の目的である所有権の登記名義人に係る持分を除く。）
(1) 合体前の表題登記がない他の建物の所有者
(2) 合体前の表題登記がある他の建物（所有権の登記がある建物を除く。）の表題部所有者
(3) 合体前の所有権の登記がある他の建物の所

がない場合にあっては，これに代わるべき情報

ホ 合体後の建物が区分建物である場合において，当該区分建物が属する１棟の建物の敷地について登記された所有権，地上権又は賃借権の登記名義人が当該区分建物の所有者であり，かつ，区分所有法第22条第１項ただし書の規約における別段の定めがあることその他の事由により当該所有権，地上権又は賃借権が当該区分建物の敷地権とならないとき（合体前の二以上の建物がいずれも敷地権の登記がない区分建物であり，かつ，合体後の建物も敷地権の登記がない区分建物となるときを除く。）は，当該事由を証する情報

ヘ 合体後の建物について敷地権が存するとき（合体前の二以上の建物がいずれも敷地権付き区分建物であり，かつ，合体後の建物も敷地権付き区分建物となるとき（合体前の建物のすべての敷地権の割合を合算した敷地権の割合が合体後の建物の敷地権の割合となる場合に限る。）を除く。）は，次に掲げる情報
(1) 敷地権の目的である土地が区分所有法第５条第１項の規定により建物の敷地となった土地であるときは，同項の規約を設定したことを証する情報
(2) 敷地権が区分所有法第22条第２項ただし書の規約で定められている割合によるものであるときは，当該規約を設定したことを証する情報
(3) 敷地権の目的である土地が他の登記所の管轄区域内にあるときは，当該土地の登記事項証明書

ト 合体後の建物の持分について存続登記と同一の登記をするときは，当該存続登記に係る権利の登記名義人が当該登記を承諾したことを証する当該登記名義人が作成した情報又は当該登記名義人に対抗することができる裁判があったことを証する情報

チ トの存続登記に係る権利が抵当証券の発行されている抵当権であるときは，当該抵当証券の所持人若しくは裏書人が当該存続登記と同一の登記を承諾したことを証するこれらの者が作成した情報又はこれらの者に対抗することができる裁判があったことを証する情報及び当該抵当証券

リ 法第49条第１項後段の規定により併せて申請をする所有権の登記があるときは，登記名義人となる者の住所を証する市町村長，登記官その他の公務員が職務上作成した情報（公務員が職務上作成した情報がない場合にあっては，これに代わるべき情報）

不動産登記令（別表）

			有権の登記名義人 ホ　法第49条第1項後段の規定により併せて申請をする所有権の登記があるときは，次に掲げる事項 (1)　所有権の登記名義人となる者が法人であるときは，法人識別事項 (2)　所有権の登記名義人となる者が国内に住所を有しないときは，国内連絡先事項	
14	法第51条第1項から第4項までの規定による建物の表題部の変更の登記又は法第53条第1項の規定による建物の表題部の更正の登記（15の項の登記を除く。）	イ　変更後又は更正後の登記事項 ロ　当該変更の登記又は更正の登記が敷地権に関するものであるときは，変更前又は更正前における次に掲げる事項 (1)　敷地権の目的となる土地の所在する市，区，郡，町，村及び字並びに当該土地の地番，地目及び地積 (2)　敷地権の種類及び割合 (3)　敷地権の登記原因及びその日付	イ　建物の所在する市，区，郡，町，村，字及び土地の地番を変更し，又は更正するときは，変更後又は更正後の建物図面 ロ　床面積を変更し，又は更正するときは，次に掲げる事項 (1)　変更後又は更正後の建物図面及び各階平面図 (2)　床面積が増加するときは，床面積が増加した部分について表題部所有者又は所有権の登記名義人が所有権を有することを証する情報 ハ　附属建物を新築したときは，変更後の建物図面及び各階平面図並びに附属建物について表題部所有者又は所有権の登記名義人が所有権を有することを証する情報 ニ　共用部分である旨の登記又は団地共用部分である旨の登記がある建物について申請をするときは，当該建物の所有者を証する情報
15	敷地権の発生若しくは消滅を原因とする建物の表題部の変更の登記又は敷地権の存在若しくは不存在を原因とする建物の表題部の更正の登記	イ　敷地権の目的となる土地の所在する市，区，郡，町，村及び字並びに当該土地の地番，地目及び地積 ロ　敷地権の種類及び割合 ハ　敷地権の登記原因及びその日付	イ　区分所有法第5条第1項の規約を設定したことにより敷地権が生じたときは，当該規約を設定したことを証する情報 ロ　イの規約を廃止したことにより区分所有者の有する専有部分とその専有部分に係る敷地利用権とを分離して処分することができることとなったときは，当該規約を廃止したことを証する情報 ハ　区分所有法第22条第1項ただし書の規約における別段の定めがあることその他の事由により区分所有者の有する専有部分とその専有部分に係る敷地利用権とを分離して処分することができることとなったときは，当該事由を証する情報 ニ　登記された権利であって敷地権でなかったものがハの規約の変更その他の事由により敷地権となったときは，当該事由を証する情報 ホ　イ及びニの場合には，次に掲げる情報 (1)　敷地権が区分所有法第22条第2項ただし書の規約で定められている割合によるものであるときは，当該規約を設定したことを証する情報 (2)　敷地権の目的である土地が他の登記所の管轄区域内にあるときは，当該土地の登記事項証明書
16	建物の分割の登記，建物の区分	イ　分割後，区分後又は合併後の建物についての第	イ　当該分割後，区分後又は合併後の建物図面及び各階平面図

不動産登記令（別表）

	の登記又は建物の合併の登記	3条第8号（ロを除く。）に掲げる事項 ロ　分割前、区分前若しくは合併前の建物又は当該分割後、区分後若しくは合併後の建物について敷地権が存するときは、当該敷地権についての次に掲げる事項 (1)　敷地権の目的となる土地の所在する市、区、郡、町、村及び字並びに当該土地の地番、地目及び地積 (2)　敷地権の種類及び割合 (3)　敷地権の登記原因及びその日付	ロ　共用部分である旨の登記又は団地共用部分である旨の登記がある建物について建物の分割の登記又は建物の区分の登記を申請するときは、当該建物の所有者を証する情報 ハ　建物の区分の登記を申請する場合において、区分後の建物について敷地権が存するときは、次に掲げる情報（区分建物である当該建物について建物の区分の登記を申請するときは、(1)及び(3)を除く。） (1)　敷地権の目的である土地が区分所有法第5条第1項の規定により建物の敷地となった土地であるときは、同項の規約を設定したことを証する情報 (2)　敷地権が区分所有法第22条第2項ただし書の規約で定められている割合によるものであるときは、当該規約を設定したことを証する情報 (3)　敷地権の目的である土地が他の登記所の管轄区域内にあるときは、当該土地の登記事項証明書
17	共用部分である旨の登記又は団地共用部分である旨の登記がある建物の滅失の登記		当該建物の所有者を証する情報
18	共用部分である旨の登記	当該共用部分である建物が当該建物の属する1棟の建物以外の1棟の建物に属する建物の区分所有者の共用に供するものであるときは、当該区分所有者が所有する建物の家屋番号	イ　共用部分である旨を定めた規約を設定したことを証する情報 ロ　所有権以外の権利に関する登記があるときは、当該権利に関する登記に係る権利の登記名義人（当該権利に関する登記が抵当権の登記である場合において、抵当証券が発行されているときは、当該抵当証券の所持人又は裏書人を含む。）の承諾を証する当該登記名義人が作成した情報又は当該登記名義人に対抗することができる裁判があったことを証する情報 ハ　ロの権利を目的とする第三者の権利に関する登記があるときは、当該第三者の承諾を証する当該第三者が作成した情報又は当該第三者に対抗することができる裁判があったことを証する情報 ニ　ロの権利に関する登記に係る権利が抵当証券の発行されている抵当権であるときは、当該抵当証券
19	団地共用部分である旨の登記	イ　団地共用部分を共用すべき者の所有する建物が区分建物でないときは、当該建物の所在する市、区、郡、町、村、字及び土地の地番並びに当該建物の家屋番号 ロ　団地共用部分を共用すべき者の所有する建物が区分建物であるときは、次に掲げる事項 (1)　当該建物が属する1棟の建物の所在する	イ　団地共用部分である旨を定めた規約を設定したことを証する情報 ロ　所有権以外の権利に関する登記があるときは、当該権利に関する登記に係る権利の登記名義人（当該権利に関する登記が抵当権の登記である場合において、抵当証券が発行されているときは、当該抵当証券の所持人又は裏書人を含む。）の承諾を証する当該登記名義人が作成した情報又は当該登記名義人に対抗することができる裁判があったことを証する情報 ハ　ロの権利を目的とする第三者の権利に関する登記があるときは、当該第三者の承諾

不動産登記令（別表）

		市，区，郡，町，村，字及び土地の地番 (2) 当該1棟の建物の構造及び床面積又はその名称	を証する当該第三者が作成した情報又は当該第三者に対抗することができる裁判があったことを証する情報 ニ ロの権利に関する登記に係る権利が抵当証券の発行されている抵当権であるときは，当該抵当証券
20	法第58条第5項に規定する変更の登記又は更正の登記	変更後又は更正後の登記事項	イ 変更又は錯誤若しくは遺漏があったことを証する情報 ロ 当該建物の所有者を証する情報
21	建物の表題登記（法第58条第6項又は第7項の規定により申請するものに限る。）	建物又は附属建物について敷地権が存するときは，次に掲げる事項 イ 敷地権の目的となる土地の所在する市，区，郡，町，村及び字並びに当該土地の地番，地目及び地積 ロ 敷地権の種類及び割合 ハ 敷地権の登記原因及びその日付	イ 共用部分である旨又は団地共用部分である旨を定めた規約を廃止したことを証する情報 ロ 表題部所有者となる者が所有権を有することを証する情報 ハ 表題部所有者となる者の住所を証する市町村長，登記官その他の公務員が職務上作成した情報（公務員が職務上作成した情報がない場合にあっては，これに代わるべき情報） ニ 建物又は附属建物が区分建物である場合において，当該区分建物が属する1棟の建物の敷地について登記された所有権，地上権又は賃借権の登記名義人が当該区分建物の所有者であり，かつ，区分所有法第22条第1項ただし書の規約における別段の定めがあることその他の事由により当該所有権，地上権又は賃借権が当該区分建物の敷地権とならないときは，当該事由を証する情報 ホ 建物又は附属建物について敷地権が存するときは，次に掲げる情報 (1) 敷地権の目的である土地が区分所有法第5条第1項の規定により建物の敷地となった土地であるときは，同項の規約を設定したことを証する情報 (2) 敷地権が区分所有法第22条第2項ただし書の規約で定められている割合によるものであるときは，当該規約を設定したことを証する情報 (3) 敷地権の目的である土地が他の登記所の管轄区域内にあるときは，当該土地の登記事項証明書
権利に関する登記に共通する事項			
22	法第63条第2項に規定する相続又は法人の合併による権利の移転の登記		相続又は法人の合併を証する市町村長，登記官その他の公務員が職務上作成した情報（公務員が職務上作成した情報がない場合にあっては，これに代わるべき情報）及びその他の登記原因を証する情報
23	登記名義人の氏名若しくは名称又は住所についての変更の登記又は更正の登記	イ 変更後又は更生後の登記名義人の氏名若しくは名称又は住所 ロ 当該登記名義人（所有権の登記名義人に限る。）が法人であるときは，法人識別事項（法人識別事項が既に登記されているときを除く。）	当該登記名義人の氏名若しくは名称又は住所について変更又は錯誤若しくは遺漏があったことを証する市町村長，登記官その他の公務員が職務上作成した情報（公務員が職務上作成した情報がない場合にあっては，これに代わるべき情報）

		ハ 変更後又は更生後の所有権の登記名義人の住所が国内にないときは，国内連絡先事項（国内連絡先事項が既に登記されているときを除く。）	
24	抵当証券が発行されている場合における債務者の氏名若しくは名称又は住所についての変更又は更正の登記（法第64条第2項の規定により債務者が単独で申請するものに限る。）	変更後又は更正後の債務者の氏名若しくは名称又は住所	当該債務者の氏名若しくは名称又は住所について変更又は錯誤若しくは遺漏があったことを証する市町村長，登記官その他の公務員が職務上作成した情報（公務員が職務上作成した情報がない場合にあっては，これに代わるべき情報）
25	権利の変更の登記又は更正の登記（24の項及び36の項の登記を除く。）	イ 変更後又は更正後の登記事項 ロ 所有権の更正の登記によって所有権の登記名義人となる者があるときは次に掲げる事項 (1) 所有権の登記名義人となる者が法人であるときは，法人識別事項 (2) 所有権の登記名義人となる者が国内に住所を有しないときは，国内連絡先事項	イ 登記原因を証する情報 ロ 付記登記によってする権利の変更の登記又は更正の登記を申請する場合において，登記上の利害関係を有する第三者（権利の変更の登記又は更正の登記につき利害関係を有する抵当証券の所持人又は裏書人を含む。）があるときは，当該第三者の承諾を証する当該第三者が作成した情報又は当該第三者に対抗することができる裁判があったことを証する情報 ハ ロの第三者が抵当証券の所持人又は裏書人であるときは，当該抵当証券 ニ 抵当証券が発行されている抵当権の変更の登記又は更正の登記を申請するときは，当該抵当証券
26	権利に関する登記の抹消（37の項及び70の項の登記を除く。）		イ 法第69条の規定により登記権利者が単独で申請するときは，人の死亡又は法人の解散を証する市町村長，登記官その他の公務員が職務上作成した情報 ロ 法第70条第3項の規定により登記権利者が単独で申請するときは，非訟事件手続法（平成23年法律第51号）第106条第1項に規定する除権決定があったことを証する情報 ハ 法第70条第4項前段の規定により登記権利者が単独で先取特権，質権又は抵当権に関する登記の抹消を申請するときは，次に掲げる情報 (1) 債権証書並びに被担保債権及び最後の2年分の利息その他の定期金（債務不履行により生じた損害を含む。）の完全な弁済があったことを証する情報 (2) 共同して登記の抹消の請求をすべき者の所在が知れないことを証する情報 ニ 法第70条第4項後段の規定により登記権利者が単独で先取特権，質権又は抵当権に関する登記の抹消を申請するときは，次に掲げる情報 (1) 被担保債権の弁済期を証する情報 (2) (1)の弁済期から20年を経過した後に当該被担保債権，その利息及び債務不履行

不動産登記令（別表）

			により生じた損害の全額に相当する金銭が供託されたことを証する情報 (3) 共同して登記の抹消の請求をすべき者の所在が知れないことを証する情報 ホ 法第70条の2の規定により登記権利者が単独で先取特権，質権又は抵当権に関する登記の抹消を申請するときは，次に掲げる情報 (1) 被担保債権の弁済期を証する情報 (2) 共同して登記の抹消の申請をすべき法人の解散の日を証する情報 (3) 法第70条第2項に規定する方法により調査を行ってもなお(2)の法人の清算人の所在が判明しないことを証する情報 ヘ イからホまでに規定する申請以外の場合にあっては，登記原因を証する情報 ト 登記上の利害関係を有する第三者（当該登記の抹消につき利害関係を有する抵当証券の所持人又は裏書人を含む。）があるときは，当該第三者の承諾を証する当該第三者が作成した情報又は当該第三者に対抗することができる裁判があったことを証する情報 チ トの第三者が抵当証券の所持人又は裏書人であるときは，当該抵当証券 リ 抵当証券が発行されている抵当権の登記の抹消を申請するときは，当該抵当証券 ヌ 抵当証券交付の登記の抹消を申請するときは，当該抵当証券又は非訟事件手続法第118条第1項の規定により当該抵当証券を無効とする旨を宣言する除権決定があったことを証する情報
27	抹消された登記の回復	回復する登記の登記事項	イ 登記原因を証する情報 ロ 登記上の利害関係を有する第三者（当該登記の回復につき利害関係を有する抵当証券の所持人又は裏書人を含む。）があるときは，当該第三者の承諾を証する当該第三者が作成した情報又は当該第三者に対抗することができる裁判があったことを証する情報 ハ ロの第三者が抵当証券の所持人又は裏書人であるときは，当該抵当証券
所有権に関する登記			
28	所有権の保存の登記（法第74条第1項各号に掲げる者が申請するものに限る。）	イ 申請人が法第74条第1項各号に掲げる者のいずれであるか。 ロ 法第74条第1項第2号又は第3号に掲げる者が表題登記がない建物について申請する場合において，当該表題登記がない建物が敷地権のある区分建物であるときは，次に掲げる事項 (1) 敷地権の目的となる土地の所在する市，区，郡，町，村及び字並びに当該土地の地	イ 表題部所有者の相続人その他の一般承継人が申請するときは，相続その他の一般承継による承継を証する情報（市町村長，登記官その他の公務員が職務上作成した情報（公務員が職務上作成した情報がない場合にあっては，これに代わるべき情報）を含むものに限る。） ロ 法第74条第1項第2号に掲げる者が申請するときは，所有権を有することが確定判決（確定判決と同一の効力を有するものを含む。）によって確認されたことを証する情報 ハ 法第74条第1項第3号に掲げる者が申請するときは，収用によって所有権を取得したことを証する情報（収用の裁決が効力を

		番，地目及び地積 (2) 敷地権の種類及び割合		失っていないことを証する情報を含むものに限る。） ニ 登記名義人となる者の住所を証する市町村長，登記官その他の公務員が職務上作成した情報（公務員が職務上作成した情報がない場合にあっては，これに代わるべき情報） ホ 法第74条第1項第2号又は第3号に掲げる者が表題登記がない土地について申請するときは，当該土地についての土地所在図及び地積測量図 ヘ 法第74条第1項第2号又は第3号に掲げる者が表題登記がない建物について申請するときは，当該建物についての建物図面及び各階平面図 ト ヘに規定する場合（当該表題登記がない建物が区分建物である場合に限る。）において，当該区分建物が属する1棟の建物の敷地について登記された所有権，地上権又は賃借権の登記名義人が当該区分建物の所有者であり，かつ，区分所有法第22条第1項ただし書の規約における別段の定めがあることその他の事由により当該所有権，地上権又は賃借権が当該区分建物の敷地権とならないときは，当該事由を証する情報 チ ヘに規定する場合において，当該表題登記がない建物が敷地権のある区分建物であるときは，次に掲げる情報 (1) 敷地権の目的である土地が区分所有法第5条第1項の規定により建物の敷地となった土地であるときは，同項の規約を設定したことを証する情報 (2) 敷地権が区分所有法第22条第2項ただし書の規約で定められている割合によるものであるときは，当該規約を設定したことを証する情報 (3) 敷地権の目的である土地が他の登記所の管轄区域内にあるときは，当該土地の登記事項証明書
29	所有権の保存の登記（法第74条第2項の規定により表題部所有者から所有権を取得した者が申請するものに限る。）	法第74条第2項の規定により登記を申請する旨		イ 建物が敷地権のない区分建物であるときは，申請人が表題部所有者から当該区分建物の所有権を取得したことを証する表題部所有者又はその相続人その他の一般承継人が作成した情報 ロ 建物が敷地権付き区分建物であるときは，登記原因を証する情報及び敷地権の登記名義人の承諾を証する当該登記名義人が作成した情報 ハ 登記名義人となる者の住所を証する市町村長，登記官その他の公務員が職務上作成した情報（公務員が職務上作成した情報がない場合にあっては，これに代わるべき情報）
30	所有権の移転の登記			イ 登記原因を証する情報 ロ 法第63条第3項の規定により登記権利者が単独で申請するときは，相続があったことを証する市町村長その他の公務員が職務上作成した情報（公務員が職務上作成した情報がない場合にあっては，これに代わる

			べき情報）及び遺贈（相続人に対する遺贈に限る。）によって所有権を取得したことを証する情報 ハ　登記名義人となる者の住所を証する市町村長、登記官その他の公務員が職務上作成した情報（公務員が職務上作成した情報がない場合にあっては，これに代わるべき情報）
31	表題登記がない土地についてする所有権の処分の制限の登記		イ　登記原因を証する情報 ロ　当該土地についての土地所在図及び地積測量図
32	表題登記がない建物についてする所有権の処分の制限の登記	当該表題登記がない建物が敷地権のある区分建物であるときは、次に掲げる事項 イ　敷地権の目的となる土地の所在する市，区，郡，町，村及び字並びに当該土地の地番，地目及び地積 ロ　敷地権の種類及び割合	イ　登記原因を証する情報 ロ　当該表題登記がない建物についての建物図面及び各階平面図 ハ　当該表題登記がない建物が区分建物である場合において，当該区分建物が属する1棟の建物の敷地について登記された所有権，地上権又は賃借権の登記名義人が当該区分建物の所有者であり，かつ，区分所有法第22条第1項ただし書の規約における別段の定めがあることその他の事由により当該所有権，地上権又は賃借権が当該区分建物の敷地権とならないときは，当該事由を証する情報 ニ　当該表題登記がない建物が敷地権のある区分建物であるときは、次に掲げる情報 (1)　敷地権の目的である土地が区分所有法第5条第1項の規定により建物の敷地となった土地であるときは，同項の規約を設定したことを証する情報 (2)　敷地権が区分所有法第22条第2項ただし書の規約で定められている割合によるものであるときは，当該規約を設定したことを証する情報 (3)　敷地権の目的である土地が他の登記所の管轄区域内にあるときは，当該土地の登記事項証明書

用益権に関する登記

33	地上権の設定の登記	法第78条各号に掲げる登記事項	イ　借地借家法（平成3年法律第90号）第22条前段の定めがある地上権の設定にあっては，同条後段の書面及びその他の登記原因を証する情報（登記原因を証する情報として執行力のある確定判決の判決書の正本が提供されたときを除く。） ロ　借地借家法第23条第1項又は第2項に規定する借地権に当たる地上権の設定にあっては，同条第3項の公正証書の謄本（登記原因を証する情報として執行力のある確定判決の判決書の正本が提供されたときを除く。） ハ　大規模な災害の被災地における借地借家に関する特別措置法（平成25年法律第61号）第7条第1項の定めがある地上権の設定にあっては，同条第3項の書面（登記原因を証する情報として執行力のある確定判決の判決書の正本が提供されたときを除く。）

			ニ　イからハまでに規定する地上権の設定以外の場合にあっては，登記原因を証する情報
34	永小作権の設定の登記	法第79条各号に掲げる登記事項	登記原因を証する情報
35	承役地についてする地役権の設定の登記	法第80条第1項各号に掲げる登記事項（同項第1号に掲げる登記事項にあっては，当該要役地の所在する市，区，郡，町，村及び字並びに当該要役地の地番，地目及び地積）	イ　登記原因を証する情報 ロ　地役権設定の範囲が承役地の一部であるときは，地役権図面 ハ　要役地が他の登記所の管轄区域内にあるときは，当該要役地の登記事項証明書
36	地役権の変更の登記又は更正の登記	変更後又は更正後の法第80条第1項各号に掲げる登記事項（同項第1号に掲げる登記事項にあっては，当該要役地の所在する市，区，郡，町，村及び字並びに当該要役地の地番，地目及び地積）	イ　登記原因を証する情報 ロ　地役権設定の範囲の変更の登記又は更正の登記の申請をする場合において，変更後又は更正後の地役権設定の範囲が承役地の一部であるときは，地役権図面 ハ　要役地が他の登記所の管轄区域内にあるときは，当該要役地の登記事項証明書 ニ　付記登記によってする地役権の変更の登記又は更正の登記を申請する場合において，登記上の利害関係を有する第三者（地役権の変更の登記又は更正の登記につき利害関係を有する抵当証券の所持人又は裏書人を含む。）があるときは，当該第三者の承諾を証する当該第三者が作成した情報又は当該第三者に対抗することができる裁判があったことを証する情報 ホ　ニの第三者が抵当証券の所持人又は裏書人であるときは，当該抵当証券
37	地役権の登記の抹消		イ　登記原因を証する情報 ロ　要役地が他の登記所の管轄区域内にあるときは，当該要役地の登記事項証明書 ハ　登記上の利害関係を有する第三者（当該登記の抹消につき利害関係を有する抵当証券の所持人又は裏書人を含む。）があるときは，当該第三者の承諾を証する当該第三者が作成した情報又は当該第三者に対抗することができる裁判があったことを証する情報 ニ　ハの第三者が抵当証券の所持人又は裏書人であるときは，当該抵当証券
38	賃借権の設定の登記	法第81条各号に掲げる登記事項	イ　借地借家法第22条第1項前段の定めがある賃借権の設定にあっては，同条後段の書面又は同条第2項の電磁的記録及びその他の登記原因を証する情報（登記原因を証する情報として執行力のある確定判決の判決書の正本が提供されたときを除く。） ロ　借地借家法第23条第1項又は第2項に規定する借地権に当たる賃借権の設定にあっては，同条第3項の公正証書の謄本（登記原因を証する情報として執行力のある確定判決の判決書の正本が提供されたときを除く。） ハ　借地借家法第38条第1項前段の定めがある賃借権の設定にあっては，同項前段の書面又は同条第2項の電磁的記録（登記原因を証する情報として執行力のある確定判決の判決書の正本が提供されたときを除

				く。）
			ニ	借地借家法第39条第1項の規定による定めのある賃借権の設定にあっては，同条第2項の書面又は同条第3項の電磁的記録及びその他の登記原因を証する情報（登記原因を証する情報として執行力のある確定判決の判決書の正本が提供されたときを除く。）
			ホ	高齢者の居住の安定確保に関する法律（平成13年法律第26号）第52条第1項の定めがある賃借権の設定にあっては，同項の書面又は同条第2項の電磁的記録（登記原因を証する情報として執行力のある確定判決の判決書の正本が提供されたときを除く。）
			ヘ	大規模な災害の被災地における借地借家に関する特別措置法第7条第1項の定めがある賃借権の設定にあっては，同条第3項の書面又は同条第4項の電磁的記録（登記原因を証する情報として執行力のある確定判決の判決書の正本が提供されたときを除く。）
			ト	建物が配偶者居住権の登記のある建物であるときは，当該建物の所有者が賃借権の設定の登記の登記名義人となる者に当該建物の使用又は収益をさせることを承諾したことを証する当該所有者が作成した情報（当該登記名義人となる者に当該建物の使用又は収益をさせることを許す旨の定めの登記がある場合を除く。）
			チ	イからトまでに規定する賃借権の設定以外の場合にあっては，登記原因を証する情報
39	賃借物の転貸の登記	法第81条各号に掲げる登記事項	イ	登記原因を証する情報
			ロ	賃貸人が賃借物の転貸を承諾したことを証する当該賃貸人が作成した情報又は借地借家法第19条第1項前段若しくは大規模な災害の被災地における借地借家に関する特別措置法第5条第1項前段に規定する承諾に代わる許可があったことを証する情報（賃借物の転貸を許す旨の定めの登記があるときを除く。）
40	賃借権の移転の登記		イ	登記原因を証する情報
			ロ	賃貸人が賃借権の譲渡を承諾したことを証する当該賃貸人が作成した情報又は借地借家法第19条第1項前段若しくは第20条第1項前段若しくは大規模な災害の被災地における借地借家に関する特別措置法第5条第1項前段に規定する承諾に代わる許可があったことを証する情報（賃借権の譲渡を許す旨の定めの登記があるときを除く。）
40の2	配偶者居住権の設定の登記	法第81条の2各号に掲げる登記事項	登記原因を証する情報	
41	採石権の設定の登記	法第82条各号に掲げる登記事項	登記原因を証する情報	
担保権等に関する登記				
42	先取特権の保存	イ　法第83条第1項各号に	登記原因を証する情報	

		の登記（43の項及び44の項の登記を除く。）	掲げる登記事項（同項第4号に掲げる登記事項であって，他の登記所の管轄区域内にある不動産に関するものがあるときは，当該不動産についての第3条第7号及び第8号に掲げる事項を含み，不動産工事の先取特権の保存の登記にあっては，法第83条第1項第1号の債権額は工事費用の予算額とする。） ロ　一又は二以上の不動産に関する権利を目的とする先取特権の保存の登記をした後，同一の債権の担保として他の一又は二以上の不動産に関する権利を目的とする先取特権の保存の登記を申請するときは，前の登記に係る次に掲げる事項（申請を受ける登記所に当該前の登記に係る共同担保目録がある場合には，法務省令で定める事項） (1)　土地にあっては，当該土地の所在する市，区，郡，町，村及び字並びに当該土地の地番 (2)　建物にあっては，当該建物の所在する市，区，郡，町，村，字及び土地の地番並びに当該建物の家屋番号 (3)　順位事項	
43	建物を新築する場合における不動産工事の先取特権の保存の登記	イ　法第83条第1項各号（第3号を除く。）に掲げる登記事項（同項第1号の債権額は工事費用の予算額とする。） ロ　新築する建物の所在することとなる市，区，郡，町，村，字及び土地の地番（区分建物となる建物にあっては，当該建物が属する1棟の建物の所在することとなる市，区，郡，町，村，字及び土地の地番） ハ　新築する建物の種類，構造及び床面積 ニ　新築する建物に附属建物があるときは，その所在することとなる市，区，郡，町，村，字及び土地の地番（区分建物となる附属建物にあって	イ　登記原因を証する情報 ロ　新築する建物の設計書（図面を含む。）の内容を証する情報

		は、当該附属建物が属する1棟の建物の所在することとなる市、区、郡、町、村、字及び土地の地番）並びに種類、構造及び床面積 ホ　新築する建物又は附属建物が区分建物であるときは、当該建物又は附属建物が属する1棟の建物の構造及び床面積 ヘ　ハからホまでの建物の種類、構造及び床面積は設計書による旨	
44	所有権の登記がある建物の附属建物を新築する場合における不動産工事の先取特権の保存の登記	イ　法第83条第1項各号（第3号を除く。）に掲げる登記事項（同項第1号の債権額は工事費用の予算額とする。） ロ　新築する附属建物の所在することとなる市、区、郡、町、村、字及び土地の地番（区分建物となる附属建物にあっては、当該附属建物が属する1棟の建物の所在することとなる市、区、郡、町、村、字及び土地の地番） ハ　新築する附属建物の種類、構造及び床面積 ニ　新築する附属建物が区分建物であるときは、当該附属建物が属する1棟の建物の構造及び床面積 ホ　ハ及びニの建物の種類、構造及び床面積は設計書による旨	イ　登記原因を証する情報 ロ　新築する附属建物の設計書（図面を含む。）の内容を証する情報
45	債権の一部について譲渡又は代位弁済がされた場合における先取特権の移転の登記	当該譲渡又は代位弁済の目的である債権の額	登記原因を証する情報
46	質権（根質権を除く。以下この項において同じ。）の設定又は転質の登記	イ　法第83条第1項各号に掲げる登記事項（同項第4号に掲げる登記事項であって、他の登記所の管轄区域内にある不動産に関するものがあるときは、当該不動産についての第3条第7号及び第8号に掲げる事項を含む。） ロ　法第95条第1項各号に掲げる登記事項 ハ　一又は二以上の不動産に関する権利を目的とす	登記原因を証する情報

		る質権の設定又は転質の登記をした後，同一の債権の担保として他の一又は二以上の不動産に関する権利を目的とする質権の設定又は転質の登記を申請するときは，前の登記に係る次に掲げる事項（申請を受ける登記所に当該前の登記に係る共同担保目録がある場合には，法務省令で定める事項） (1) 土地にあっては，当該土地の所在する市，区，郡，町，村及び字並びに当該土地の地番 (2) 建物にあっては，当該建物の所在する市，区，郡，町，村，字及び土地の地番並びに当該建物の家屋番号 (3) 順位事項		
47	根質権の設定の登記	イ 法第83条第1項各号（第1号を除く。）に掲げる登記事項 ロ 法第95条第1項各号に掲げる登記事項 ハ 法第95条第2項において準用する法第88条第2項各号に掲げる登記事項 ニ 民法第361条において準用する同法第398条の16の登記にあっては，同条の登記である旨 ホ 一の不動産に関する権利を目的とする根質権の設定の登記又は二以上の不動産に関する権利を目的とする根質権の設定の登記（民法第361条において準用する同法第398条の16の登記をしたものに限る。）をした後，同一の債権の担保として他の一又は二以上の不動産に関する権利を目的とする根質権の設定の登記及び同条の登記を申請するときは，前の登記に係る次に掲げる事項 (1) 土地にあっては，当該土地の所在する市，区，郡，町，村及び字並びに当該土地の地番 (2) 建物にあっては，当該建物の所在する市，区，郡，町，村，字及び土地の地番並びに当	イ 登記原因を証する情報 ロ 一の不動産に関する権利を目的とする根質権の設定の登記又は二以上の不動産に関する権利を目的とする根質権の設定の登記（民法第361条において準用する同法第398条の16の登記をしたものに限る。）をした後，同一の債権の担保として他の一又は二以上の不動産に関する権利を目的とする根質権の設定の登記及び同条の登記を申請する場合において，前の登記に他の登記所の管轄区域内にある不動産に関するものがあるときは，当該前の登記に関する登記事項証明書	

		該建物の家屋番号 (3) 順位事項 (4) 申請を受ける登記所に共同担保目録があるときは，法務省令で定める事項	
48	債権の一部について譲渡又は代位弁済がされた場合における質権又は転質の移転の登記	当該譲渡又は代位弁済の目的である債権の額	登記原因を証する情報
49	民法第361条において準用する同法第376条第1項の規定により質権を他の債権のための担保とし，又は質権を譲渡し，若しくは放棄する場合の登記	イ 法第83条第1項各号（根質権の処分の登記にあっては，同項第1号を除く。）に掲げる登記事項（同項第4号に掲げる登記事項であって，他の登記所の管轄区域内にある不動産に関するものがあるときは，当該不動産についての第3条第7号及び第8号に掲げる事項を含む。） ロ 法第95条第1項各号に掲げる登記事項 ハ 一又は二以上の不動産に関する権利を目的とする質権（根質権を除く。）の設定の登記をした後，同一の債権の担保として他の一又は二以上の不動産に関する権利を目的とする質権（根質権を除く。）の処分の登記を申請するときは，前の登記に係る次に掲げる事項（申請を受ける登記所に当該前の登記に係る共同担保目録がある場合には，法務省令で定める事項） (1) 土地にあっては，当該土地の所在する市，区，郡，町，村及び字並びに当該土地の地番 (2) 建物にあっては，当該建物の所在する市，区，郡，町，村，字及び土地の地番並びに当該建物の家屋番号 (3) 順位事項 ニ 根質権の処分にあっては，法第95条第2項において準用する法第88条第2項各号に掲げる登記事項 ホ 民法第361条において準用する同法第398条の16の登記にあっては，同	イ 登記原因を証する情報 ロ 一の不動産に関する権利を目的とする根質権の設定の登記又は二以上の不動産に関する権利を目的とする根質権の設定の登記（民法第361条において準用する同法第398条の16の登記をしたものに限る。）をした後，同一の債権の担保として他の一又は二以上の不動産に関する権利を目的とする根質権の処分の登記及び同条の登記を申請する場合において，前の登記に他の登記所の管轄区域内にある不動産に関するものがあるときは，当該前の登記に関する登記事項証明書

		条の登記である旨 ヘ 一の不動産に関する権利を目的とする根質権の設定の登記又は二以上の不動産に関する権利を目的とする根質権の設定の登記（民法第361条において準用する同法第398条の16の登記をしたものに限る。）をした後，同一の債権の担保として他の一又は二以上の不動産に関する権利を目的とする根質権の処分の登記及び同条の登記を申請するときは，前の登記に係る次に掲げる事項 (1) 土地にあっては，当該土地の所在する市，区，郡，町，村及び字並びに当該土地の地番 (2) 建物にあっては，当該建物の所在する市，区，郡，町，村，字及び土地の地番並びに当該建物の家屋番号 (3) 順位事項 (4) 申請を受ける登記所に共同担保目録があるときは，法務省令で定める事項	
50	民法第361条において準用する同法第393条の規定による代位の登記	イ 先順位の質権者が弁済を受けた不動産に関する権利，当該不動産の代価及び当該弁済を受けた額 ロ 法第83条第1項各号（根質権の登記にあっては，同項第1号を除く。）に掲げる登記事項（同項第4号に掲げる登記事項であって，他の登記所の管轄区域内にある不動産に関するものがあるときは，当該不動産についての第3条第7号及び第8号に掲げる事項を含む。） ハ 法第95条第1項各号に掲げる登記事項 ニ 根質権の登記にあっては，法第95条第2項において準用する法第88条第2項各号に掲げる登記事項	登記原因を証する情報
51	民法第361条において準用する同法第398条の12第2項の規定により根質権を	イ 根質権の設定の登記に係る申請の受付の年月日及び受付番号並びに登記原因及びその日付 ロ 分割前の根質権の債務	登記原因を証する情報

	分割して譲り渡す場合の登記		者の氏名又は名称及び住所並びに担保すべき債権の範囲 ハ 分割後の各根質権の極度額 ニ 分割前の根質権について民法第361条において準用する同法第370条ただし書の別段の定め又は担保すべき元本の確定すべき期日の定めが登記されているときは、その定め ホ 分割前の根質権に関する共同担保目録があるときは、法務省令で定める事項	
52	民法第361条において準用する同法第398条の19第2項の規定により根質権の担保すべき元本が確定した場合の登記(法第95条第2項において準用する法第93条の規定により登記名義人が単独で申請するものに限る。)			民法第361条において準用する同法第398条の19第2項の規定による請求をしたことを証する情報
53	民法第361条において準用する同法第398条の20第1項第3号の規定により根質権の担保すべき元本が確定した場合の登記(法第95条第2項において準用する法第93条の規定により登記名義人が単独で申請するものに限る。)			民事執行法(昭和54年法律第4号)第49条第2項(同法第188条において準用する場合を含む。)の規定による催告又は国税徴収法(昭和34年法律第147号)第55条(同条の例による場合を含む。)の規定による通知を受けたことを証する情報
54	民法第361条において準用する同法第398条の20第1項第4号の規定により根質権の担保すべき元本が確定した場合の登記(法第95条第2項において準用する法第93条の規定により登記名義人が単独で申			債務者又は根質権設定者について破産手続開始の決定があったことを証する情報

		請するものに限る。)	
55	抵当権（根抵当権を除く。以下この項において同じ。）の設定の登記	イ 法第83条第1項各号に掲げる登記事項（同項第4号に掲げる登記事項であって，他の登記所の管轄区域内にある不動産に関するものがあるときは，当該不動産についての第3条第7号及び第8号に掲げる事項を含む。） ロ 法第88条第1項各号に掲げる登記事項 ハ 一又は二以上の不動産に関する権利を目的とする抵当権の設定の登記をした後，同一の債権の担保として他の一又は二以上の不動産に関する権利を目的とする抵当権の設定の登記を申請するときは，前の登記に係る次に掲げる事項（申請を受ける登記所に当該前の登記に係る共同担保目録がある場合には，法務省令で定める事項） (1) 土地にあっては，当該土地の所在する市，区，郡，町，村及び字並びに当該土地の地番 (2) 建物にあっては，当該建物の所在する市，区，郡，町，村，字及び土地の地番並びに当該建物の家屋番号 (3) 順位事項	登記原因を証する情報
56	根抵当権の設定の登記	イ 法第83条第1項各号（第1号を除く。）に掲げる登記事項 ロ 法第88条第2項各号に掲げる登記事項 ハ 民法第398条の16の登記にあっては，同条の登記である旨 ニ 一の不動産に関する権利を目的とする根抵当権の設定の登記又は二以上の不動産に関する権利を目的とする根抵当権の設定の登記（民法第398条の16の登記をしたものに限る。）をした後，同一の債権の担保として他の一又は二以上の不動産に関する権利を目的とする根抵当権の設定の登記及び同条の登記を申請するときは，前の登記に係る	イ 登記原因を証する情報 ロ 一の不動産に関する権利を目的とする根抵当権の設定の登記又は二以上の不動産に関する権利を目的とする根抵当権の設定の登記（民法第398条の16の登記をしたものに限る。）をした後，同一の債権の担保として他の一又は二以上の不動産に関する権利を目的とする根抵当権の設定の登記及び同条の登記を申請する場合において，前の登記に他の登記所の管轄区域内にある不動産に関するものがあるときは，当該前の登記に関する登記事項証明書

		次に掲げる事項 (1) 土地にあっては，当該土地の所在する市，区，郡，町，村及び字並びに当該土地の地番 (2) 建物にあっては，当該建物の所在する市，区，郡，町，村，字及び土地の地番並びに当該建物の家屋番号 (3) 順位事項 (4) 申請を受ける登記所に共同担保目録があるときは，法務省令で定める事項	
57	債権の一部について譲渡又は代位弁済がされた場合における抵当権の移転の登記	当該譲渡又は代位弁済の目的である債権の額	登記原因を証する情報
58	民法第376条第1項の規定により抵当権を他の債権のための担保とし，又は抵当権を譲渡し，若しくは放棄する場合の登記	イ 法第83条第1項各号（根抵当権の処分の登記にあっては，同項第1号を除く。）に掲げる登記事項（同項第4号に掲げる登記事項であって，他の登記所の管轄区域内にある不動産に関するものがあるときは，当該不動産についての第3条第7号及び第8号に掲げる事項を含む。） ロ 抵当権（根抵当権を除く。ハにおいて同じ。）の処分の登記にあっては，法第88条第1項各号に掲げる登記事項 ハ 一又は二以上の不動産に関する権利を目的とする抵当権の設定の登記をした後，同一の債権の担保として他の一又は二以上の不動産に関する権利を目的とする抵当権の処分の登記を申請するときは，前の登記に係る次に掲げる事項（申請を受ける登記所に当該前の登記に係る共同担保目録がある場合には，法務省令で定める事項） (1) 土地にあっては，当該土地の所在する市，区，郡，町，村及び字並びに当該土地の地番 (2) 建物にあっては，当該建物の所在する市，	イ 登記原因を証する情報 ロ 一の不動産に関する権利を目的とする根抵当権の設定の登記又は二以上の不動産に関する権利を目的とする根抵当権の設定の登記（民法第398条の16の登記をしたものに限る。）をした後，同一の債権の担保として他の一又は二以上の不動産に関する権利を目的とする根抵当権の処分の登記及び同条の登記を申請する場合において，前の登記に他の登記所の管轄区域内にある不動産に関するものがあるときは，当該前の登記に関する登記事項証明書

		区，郡，町，村，字及び土地の地番並びに当該建物の家屋番号 (3) 順位事項 ニ 根抵当権の処分の登記にあっては，法第88条第2項各号に掲げる登記事項 ホ 民法第398条の16の登記にあっては，同条の登記である旨 ヘ 一の不動産に関する権利を目的とする根抵当権の設定の登記又は二以上の不動産に関する権利を目的とする根抵当権の設定の登記（民法第398条の16の登記をしたものに限る。）をした後，同一の債権の担保として他の一又は二以上の不動産に関する権利を目的とする根抵当権の処分の登記及び同条の登記を申請するときは，前の登記に係る次に掲げる事項 (1) 土地にあっては，当該土地の所在する市，区，郡，町，村及び字並びに当該土地の地番 (2) 建物にあっては，当該建物の所在する市，区，郡，町，村，字及び土地の地番並びに当該建物の家屋番号 (3) 順位事項 (4) 申請を受ける登記所に共同担保目録があるときは，法務省令で定める事項	
59	民法第393条の規定による代位の登記	イ 先順位の抵当権者が弁済を受けた不動産に関する権利，当該不動産の代価及び当該弁済を受けた額 ロ 法第83条第1項各号（根抵当権の登記にあっては，同項第1号を除く。）に掲げる登記事項（同項第4号に掲げる登記事項であって，他の登記所の管轄区域内にある不動産に関するものがあるときは，当該不動産についての第3条第7号及び第8号に掲げる事項を含む。） ハ 抵当権（根抵当権を除く。）の登記にあって	登記原因を証する情報

			は，法第88条第1項各号に掲げる登記事項 ニ　根抵当権の登記にあっては，法第88条第2項各号に掲げる登記事項
60	民法第398条の12第2項の規定により根抵当権を分割して譲り渡す場合の登記	イ　根抵当権の設定の登記に係る申請の受付の年月日及び受付番号並びに登記原因及びその日付 ロ　分割前の根抵当権の債務者の氏名又は名称及び住所並びに担保すべき債権の範囲 ハ　分割後の各根抵当権の極度額 ニ　分割前の根抵当権について民法第370条ただし書の別段の定め又は担保すべき元本の確定すべき期日の定めが登記されているときは，その定め ホ　分割前の根抵当権に関する共同担保目録があるときは，法務省令で定める事項	登記原因を証する情報
61	民法第398条の19第2項の規定により根抵当権の担保すべき元本が確定した場合の登記（法第93条の規定により登記名義人が単独で申請するものに限る。）		民法第398条の19第2項の規定による請求をしたことを証する情報
62	民法第398条の20第1項第3号の規定により根抵当権の担保すべき元本が確定した場合の登記（法第93条の規定により登記名義人が単独で申請するものに限る。）		民事執行法第49条第2項（同法第188条において準用する場合を含む。）の規定による催告又は国税徴収法第55条（同条の例による場合を含む。）の規定による通知を受けたことを証する情報
63	民法第398条の20第1項第4号の規定により根抵当権の担保すべき元本が確定した場合の登記（法第93条の規定により登記名義人が単独で申請するものに限る。）		債務者又は根抵当権設定者について破産手続開始の決定があったことを証する情報
64	買戻しの特約の登記	買主が支払った代金（民法第579条の別段の合意をし	登記原因を証する情報

			た場合にあっては、その合意により定めた金額）及び契約の費用並びに買戻しの期間の定めがあるときはその定め
信託に関する登記			
65	信託の登記		イ　信託法第3条第3号に掲げる方法によってされた信託にあっては、同法第4条第3項第1号に規定する公正証書等（公正証書については，その謄本）又は同項第2号の書面若しくは電磁的記録及び同号の通知をしたことを証する情報 ロ　イに規定する信託以外の信託にあっては、登記原因を証する情報 ハ　信託目録に記録すべき情報
66	信託財産に属する不動産についてする受託者の変更による権利の移転の登記（法第100条第1項の規定により新たに選任された受託者が単独で申請するものに限る。）		法第100条第1項に規定する事由により受託者の任務が終了したことを証する市町村長、登記官その他の公務員が職務上作成した情報及び新たに受託者が選任されたことを証する情報
66の2	信託財産に属する不動産についてする権利の変更の登記（次項及び67の項の登記を除く。）		イ　法第97条第1項第2号の定めのある信託の信託財産に属する不動産について権利の変更の登記を申請する場合において、申請人が受益者であるときは，同号の定めに係る条件又は方法により指定され，又は定められた受益者であることを証する情報 ロ　信託法第185条第3項に規定する受益証券発行信託の信託財産に属する不動産について権利の変更の登記を申請する場合において，申請人が受益者であるときは，次に掲げる情報 (1)　当該受益者が受益証券が発行されている受益権の受益者であるときは，当該受益権に係る受益証券 (2)　当該受益者が社債，株式等の振替に関する法律（平成13年法律第75号）第127条の2第1項に規定する振替受益権の受益者であるときは，当該受益者が同法第127条の27第3項の規定により交付を受けた書面又は同法第277条の規定により交付を受けた書面若しくは提供を受けた情報 (3)　当該受益者が信託法第185条第2項の定めのある受益権の受益者であるときは，同法第187条第1項の書面又は電磁的記録 ハ　信託の併合又は分割による権利の変更の登記を申請するときは，次に掲げる情報 (1)　信託の併合又は分割をしても従前の信託又は信託法第155条第1項第6号に規定する分割信託若しくは同号に規定する承継信託の同法第2条第9項に規定する信託財産責任負担債務に係る債権を有する債権者を害するおそれのないことが明

不動産登記令（別表）

			らかであるときは，これを証する情報 (2) (1)に規定する場合以外の場合においては，受託者において信託法第152条第2項，第156条第2項又は第160条第2項の規定による公告及び催告（同法第152条第3項，第156条第3項又は第160条第3項の規定により公告を官報のほか時事に関する事項を掲載する日刊新聞紙又は同法第152条第3項第2号に規定する電子公告によってした法人である受託者にあっては，これらの方法による公告）をしたこと並びに異議を述べた債権者があるときは，当該債権者に対し弁済し若しくは相当の担保を提供し若しくは当該債権者に弁済を受けさせることを目的として相当の財産を信託したこと又は当該信託の併合若しくは分割をしても当該債権者を害するおそれがないことを証する情報
66の3	信託法第3条第3号に掲げる方法によってされた信託による権利の変更の登記		信託法第4条第3項第1号に規定する公正証書等（公正証書については，その謄本）又は同項第2号の書面若しくは電磁的記録及び同号の通知をしたことを証する情報
67	信託財産に属する不動産についてする一部の受託者の任務の終了による権利の変更の登記（法第100条第2項の規定により他の受託者が単独で申請するものに限る。）		法第100条第1項に規定する事由により一部の受託者の任務が終了したことを証する市町村長，登記官その他の公務員が職務上作成した情報
仮登記			
68	仮登記の登記義務者の承諾がある場合における法第107条第1項の規定による仮登記		イ　登記原因を証する情報 ロ　仮登記の登記義務者の承諾を証する当該登記義務者が作成した情報
69	所有権に関する仮登記に基づく本登記		イ　登記上の利害関係を有する第三者（本登記につき利害関係を有する抵当証券の所持人又は裏書人を含む。）があるときは，当該第三者の承諾を証する当該第三者が作成した情報（仮登記担保契約に関する法律（昭和53年法律第78号）第18条本文の規定により当該承諾に代えることができる同条本文に規定する差押えをしたこと及び清算金を供託したことを証する情報を含む。）又は当該第三者に対抗することができる裁判があったことを証する情報 ロ　イの第三者が抵当証券の所持人又は裏書人であるときは，当該抵当証券
70	仮登記の抹消（法第110条後段の規定により仮		イ　登記原因を証する情報 ロ　仮登記の登記名義人の承諾を証する当該登記名義人が作成した情報又は当該登記名

不動産登記令（別表）

	登記の登記上の利害関係人が単独で申請するものに限る。）		義人に対抗することができる裁判があったことを証する情報 ハ　登記上の利害関係を有する第三者があるときは、当該第三者の承諾を証する当該第三者が作成した情報又は当該第三者に対抗することができる裁判があったことを証する情報
仮処分に関する登記			
71	民事保全法第53条第1項の規定による処分禁止の登記（保全仮登記とともにしたものを除く。）に後れる登記の抹消（法第111条第1項（同条第2項において準用する場合を含む。）の規定により仮処分の債権者が単独で申請するものに限る。）		民事保全法第59条第1項に規定する通知をしたことを証する情報
72	保全仮登記とともにした処分禁止の登記に後れる登記の抹消（法第113条の規定により仮処分の債権者が単独で申請するものに限る。）		民事保全法第59条第1項に規定する通知をしたことを証する情報
官庁又は公署が関与する登記等			
73	国又は地方公共団体が登記権利者となる権利に関する登記（法第106条第1項の規定により官庁又は公署が嘱託するものに限る。）		イ　登記原因を証する情報 ロ　登記義務者の承諾を証する当該登記義務者が作成した情報
74	不動産の収用による所有権の移転の登記	土地の収用による所有権の移転の登記を申請するときは、法第118条第4項前段の規定により指定しなければならない当該収用により消滅した権利又は失効した差押え、仮差押え若しくは仮処分に関する登記の目的、申請の受付の年月日及び受付番号、登記原因及びその日付並びに順位事項	イ　収用の裁決が効力を失っていないことを証する情報及びその他の登記原因を証する情報 ロ　土地の収用による所有権の移転の登記を申請するときは、この項の申請情報欄に規定する権利が消滅し、又は同欄に規定する差押え、仮差押え若しくは仮処分が失効したことを証する情報
75	不動産に関する所有権以外の権利の収用による権利の消滅の登記		収用の裁決が効力を失っていないことを証する情報及びその他の登記原因を証する情報

不動産登記規則

●平成17年2月18日法務省令第5号●　　最終改正　令和6年4月22日法務省令32号

第1章　総則

第1条　（定義）
　この省令において，次の各号に掲げる用語の意義は，それぞれ当該各号に定めるところによる。
一　順位番号　第147条第1項の規定により権利部に記録される番号をいう。
二　地図等　地図，建物所在図又は地図に準ずる図面をいう。
三　電子申請　不動産登記法（以下「法」という。）第18条第1号の規定による電子情報処理組織を使用する方法による申請をいう。
四　書面申請　法第18条第2号の規定により次号の申請書を登記所に提出する方法による申請をいう。
五　申請書　申請情報を記載した書面をいい，法第18条第2号の磁気ディスクを含む。
六　添付書面　添付情報を記載した書面をいい，不動産登記令（以下「令」という。）第15条の添付情報を記録した磁気ディスクを含む。
七　土地所在図等　土地所在図，地積測量図，地役権図面，建物図面又は各階平面図をいう。
八　不動産番号　第90条の規定により表題部に記録される番号，記号その他の符号をいう。
九　不動産所在事項　不動産の所在する市，区，郡，町，村及び字（区分建物である建物にあっては，当該建物が属する1棟の建物の所在する市，区，郡，町，村及び字）並びに土地にあっては地番，建物にあっては建物の所在する土地の地番（区分建物である建物にあっては，当該建物が属する1棟の建物の所在する土地の地番）及び家屋番号をいう。

第2条　（登記の前後）
① 登記の前後は，登記記録の同一の区（第4条第4項の甲区又は乙区をいう。以下同じ。）にした登記相互間については順位番号，別の区にした登記相互間については受付番号による。
② 法第73条第1項に規定する権利に関する登記であって，法第46条の規定により敷地権である旨の登記をした土地の敷地権についてされた登記としての効力を有するものと当該土地の登記記録の権利部にした登記との前後は，受付番号による。

第3条　（付記登記）
　次に掲げる登記は，付記登記によってするものとする。
一　登記名義人の氏名若しくは名称又は住所についての変更の登記又は更正の登記
二　次に掲げる登記その他の法第66条に規定する場合における権利の変更の登記又は更正の登記
　イ　債権の分割による抵当権の変更の登記
　ロ　民法（明治29年法律第89号）第398条の8第1項又は第2項（これらの規定を同法第361条において準用する場合を含む。）の合意の登記
　ハ　民法第398条の12第2項（同法第

361条において準用する場合を含む。）に規定する根質権又は根抵当権を分割して譲り渡す場合においてする極度額の減額による変更の登記
二　民法第398条の14第1項ただし書（同法第361条において準用する場合を含む。）の定めの登記
三　法第76条の3第1項の規定による申出に関する登記
四　登記事項の一部が抹消されている場合においてする抹消された登記の回復
五　所有権以外の権利を目的とする権利に関する登記（処分の制限の登記を含む。）
六　所有権以外の権利の移転の登記
七　登記の目的である権利の消滅に関する定めの登記
八　民法第393条（同法第361条において準用する場合を含む。）の規定による代位の登記
九　抵当証券交付又は抵当証券作成の登記
十　買戻しの特約の登記

第2章　登記記録等

第1節／登記記録

第3条の2　（登記簿の調製方法）
　登記簿は，登記記録の記録に係る電子計算機に備えられたファイル又は電磁的記録媒体をもって調製するものとする。

第4条　（登記記録の編成）
① 土地の登記記録の表題部は，別表1の第1欄に掲げる欄に区分し，同表の第1欄に掲げる欄に同表の第2欄に掲げる事項を記録するものとする。
② 建物（次項の建物を除く。）の登記記録の表題部は，別表2の第1欄に掲げる欄に区分し，同表の第1欄に掲げる欄に同表の第2欄に掲げる事項を記録するものとする。
③ 区分建物である建物の登記記録の表題部は，別表3の第1欄に掲げる欄に区分し，同表の第1欄に掲げる欄に同表の第2欄に掲げる事項を記録するものとする。
④ 権利部は，甲区及び乙区に区分し，甲区には所有権に関する登記の登記事項を記録するものとし，乙区には所有権以外の権利に関する登記の登記事項を記録するものとする。

第5条　（移記又は転写）
① 登記官は，登記を移記し，又は転写するときは，法令に別段の定めがある場合を除き，現に効力を有する登記のみを移記し，又は転写しなければならない。
② 登記官は，登記を移記し，又は転写したときは，その年月日を新たに記録した登記の末尾に記録しなければならない。
③ 登記官は，登記を移記したときは，移記前の登記記録を閉鎖しなければならない。

第6条　（記録事項過多による移記）
　登記官は，登記記録に記録されている事項が過多となったことその他の事由により取扱いが不便となったときは，登記を移記することができる。この場合には，表示に関する登記及び所有権の登記であって現に効力を有しないものも移記することができる。

第7条　（登記官の識別番号の記録）
　登記官は，登記記録に登記事項を記録し，若しくは登記事項を抹消する記号を記録するとき又は登記を転写し，若しくは移記するときは，登記官の識別番号を記録しなければならない。共同担保目録又は信託目録に記録すべき事項を記録し，又は既に記録された事項を抹消する記号を記録する場合についても，同様とする。

第8条　（登記記録の閉鎖）

登記官は，登記記録を閉鎖するときは，閉鎖の事由，閉鎖の年月日及び閉鎖する登記記録の不動産の表示（法第27条第1号に掲げる登記事項を除く。）を抹消する記号を記録するほか，登記官の識別番号を記録しなければならない。

第9条　（副登記記録）

① 法務大臣は，登記記録に記録されている事項（共同担保目録及び信託目録に記録されている事項を含む。）と同一の事項を記録する副登記記録を調製するものとする。

② 登記官は，登記簿に記録した登記記録によって登記の事務を行うことができないときは，前項の副登記記録によってこれを行うことができる。この場合において，副登記記録に記録した事項は，登記記録に記録した事項とみなす。

③ 登記官は，登記簿に記録した登記記録によって登記の事務を行うことができるようになったときは，直ちに，前項の規定により副登記記録に記録した事項を登記記録に記録しなければならない。

第2節／地図等

第10条　（地図）

① 地図は，地番区域又はその適宜の一部ごとに，正確な測量及び調査の成果に基づき作成するものとする。ただし，地番区域の全部又は一部とこれに接続する区域を一体として地図を作成することを相当とする特段の事由がある場合には，当該接続する区域を含めて地図を作成することができる。

② 地図の縮尺は，次の各号に掲げる地域にあっては，当該各号に定める縮尺によるものとする。ただし，土地の状況その他の事情により，当該縮尺によることが適当でない場合は，この限りでない。

　一　市街地地域（主に宅地が占める地域及びその周辺の地域をいう。以下同じ。）250分の1又は500分の1

　二　村落・農耕地域（主に田，畑又は塩田が占める地域及びその周辺の地域をいう。以下同じ。）500分の1又は1,000分の1

　三　山林・原野地域（主に山林，牧場又は原野が占める地域及びその周辺の地域をいう。以下同じ。）1,000分の1又は2,500分の1

③ 地図を作成するための測量は，測量法（昭和24年法律第188号）第2章の規定による基本測量の成果である三角点及び電子基準点，国土調査法（昭和26年法律第180号）第19条第2項の規定により認証され，若しくは同条第5項の規定により指定された基準点又はこれらと同等以上の精度を有すると認められる基準点（以下「基本三角点等」と総称する。）を基礎として行うものとする。

④ 地図を作成するための一筆地測量及び地積測定における誤差の限度は，次によるものとする。

　一　市街地地域については，国土調査法施行令（昭和27年政令第59号）別表第4に掲げる精度区分（以下「精度区分」という。）甲二まで

　二　村落・農耕地域については，精度区分乙一まで

　三　山林・原野地域については，精度区分乙三まで

⑤ 国土調査法第20条第1項の規定により登記所に送付された地籍図の写しは，同条第2項又は第3項の規定による登記が完了した後に，地図として備え付けるものとする。ただし，地図として備え付けることを不適当とする特別の事情がある場合は，この限りでない。

⑥ 前項の規定は，土地改良登記令（昭和26年政令第146号）第5条第2項第3号又は土地区画整理登記令（昭和30年政令第221号）第4条第2項第3号の土地の

全部についての所在図その他これらに準ずる図面について準用する。

第11条　（建物所在図）
① 建物所在図は、地図及び建物図面を用いて作成することができる。
② 前項の規定にかかわらず、新住宅市街地開発法等による不動産登記に関する政令（昭和40年政令第330号）第6条第2項（同令第11条から第13条までにおいて準用する場合を含む。）の建物の全部についての所在図その他これに準ずる図面は、これを建物所在図として備え付けるものとする。ただし、建物所在図として備え付けることを不適当とする特別の事情がある場合は、この限りでない。

第12条　（地図等の閉鎖）
① 登記官は、新たな地図を備え付けた場合において、従前の地図があるときは、当該従前の地図の全部又は一部を閉鎖しなければならない。地図を電磁的記録に記録したときも、同様とする。
② 登記官は、前項の規定により地図を閉鎖する場合には、当該地図に閉鎖の事由及びその年月日を記録するほか、当該地図が、電磁的記録に記録されている地図であるときは登記官の識別番号を記録し、その他の地図であるときは登記官印を押印しなければならない。
③ 登記官は、従前の地図の一部を閉鎖したときは、当該閉鎖した部分と他の部分とを判然区別することができる措置を講じなければならない。
④ 前三項の規定は、地図に準ずる図面及び建物所在図について準用する。

第13条　（地図の記録事項）
① 地図には、次に掲げる事項を記録するものとする。
一　地番区域の名称
二　地図の番号（当該地図が複数の図郭にまたがって作成されている場合には、当該各図郭の番号）
三　縮尺
四　国土調査法施行令第2条第1項第1号に規定する平面直角座標系の番号又は記号
五　図郭線及びその座標値
六　各土地の区画及び地番
七　基本三角点等の位置
八　精度区分
九　隣接図郭との関係
十　作成年月日
② 電磁的記録に記録する地図にあっては、前項各号に掲げるもののほか、各筆界点の座標値を記録するものとする。

第14条　（建物所在図の記録事項）
建物所在図には、次に掲げる事項を記録するものとする。
一　地番区域の名称
二　建物所在図の番号
三　縮尺
四　各建物の位置及び家屋番号（区分建物にあっては、当該区分建物が属する1棟の建物の位置）
五　第11条第2項の建物所在図にあっては、その作成年月日

第15条　（地図及び建物所在図の番号）
登記官は、地図に記録された土地の登記記録の表題部には第13条第1項第2号の地図の番号（同号括弧書きに規定する場合には、当該土地が属する図郭の番号）を記録し、建物所在図に記録された建物の登記記録の表題部には前条第2号の番号を記録しなければならない。

第15条の2　（地図等の副記録）
① 法務大臣は、電磁的記録に記録されている地図等に記録されている事項と同一の事項を記録する地図等の副記録を調製するものとする。

② 第9条第2項及び第3項の規定は，登記官が電磁的記録に記録されている地図等によって登記の事務を行うことができない場合について準用する。

第16条　（地図等の訂正）
① 地図に表示された土地の区画又は地番に誤りがあるときは，当該土地の表題部所有者若しくは所有権の登記名義人又はこれらの相続人その他の一般承継人は，その訂正の申出をすることができる。地図に準ずる図面に表示された土地の位置，形状又は地番に誤りがあるときも，同様とする。
② 前項の申出をする場合において，当該土地の登記記録の地積に錯誤があるときは，同項の申出は，地積に関する更正の登記の申請と併せてしなければならない。
③ 第1項の申出は，次に掲げる事項を内容とする情報（以下「地図訂正申出情報」という。）を登記所に提供してしなければならない。
　一　申出人の氏名又は名称及び住所
　二　申出人が法人であるときは，その代表者の氏名
　三　代理人によって申出をするときは，当該代理人の氏名又は名称及び住所並びに代理人が法人であるときはその代表者の氏名
　四　申出人が表題部所有者又は所有権の登記名義人の相続人その他の一般承継人であるときは，その旨
　五　申出に係る訂正の内容
④ 第1項の申出は，次に掲げる方法のいずれかによりしなければならない。
　一　法務大臣の定めるところにより電子情報処理組織を使用して地図訂正申出情報を登記所に提供する方法
　二　地図訂正申出情報を記載した書面（地図訂正申出情報の全部又は一部を記録した磁気ディスクを含む。）を登記所に提出する方法

⑤ 第1項の申出をする場合には，地図訂正申出情報と併せて次に掲げる情報を提供しなければならない。
　一　地図又は地図に準ずる図面に表示された土地の区画若しくは位置若しくは形状又は地番に誤りがあることを証する情報
　二　地図又は地図に準ずる図面に表示された土地の区画又は位置若しくは形状に誤りがあるときは，土地所在図又は地積測量図
　三　表題部所有者又は所有権の登記名義人の相続人その他の一般承継人が申出をするときは，相続その他の一般承継があったことを証する市町村長（特別区の区長を含むものとし，地方自治法（昭和22年法律第67号）第252条の19第1項の指定都市にあっては，区長又は総合区長とする。第202条の4第6項第1号，第202条の11第4項（第202条の16第4項において準用する場合を含む。），第202条の14第4項第1号及び第202条の15第4項第1号を除き，以下同じ。），登記官その他の公務員が職務上作成した情報（公務員が職務上作成した情報がない場合にあっては，これに代わるべき情報）
⑥ 令第4条本文，第7条第1項第1号及び第2号の規定は，第1項の申出をする場合について準用する。
⑦ 第36条第1項から第3項までの規定は，前項において準用する令第7条第1項第1号及び第2号の法務省令で定める場合について，第37条の2の規定は第1項の申出をする場合について，それぞれ準用する。
⑧ 令第10条から第14条までの規定は，第4項第1号の方法により第1項の申出をする場合について準用する。
⑨ 第41条及び第44条の規定は前項に規定する場合について，第42条の規定は前項において準用する令第12条第1項及び第

2項の電子署名について，第43条第2項の規定は前項において準用する令第14条の法務省令で定める電子証明書について準用する。

⑩　令第15条，第16条第1項，第17条及び第18条第1項の規定は第4項第2号に掲げる方法により第1項の申出をする場合について，令第16条第5項の規定は第4項第2号に規定する地図訂正申出情報の全部を記録した磁気ディスクを提出する方法により第1項の申出をする場合について準用する。この場合において，令第16条第1項及び第18条第1項中「記名押印しなければ」とあるのは，「署名し，又は記名押印しなければ」と読み替えるものとする。

⑪　第45条，第46条第1項及び第2項，第53条並びに第55条の規定は第4項第2号に掲げる方法により第1項の申出をする場合について，第51条の規定は第4項第2号に規定する磁気ディスクを提出する方法により第1項の申出をする場合について準用する。この場合において，第51条第7項及び第8項中「令第16条第5項」とあるのは，「第16条第10項において準用する令第16条第5項」と読み替えるものとする。

⑫　登記官は，申出に係る事項を調査した結果，地図又は地図に準ずる図面を訂正する必要があると認めるときは，地図又は地図に準ずる図面を訂正しなければならない。

⑬　登記官は，次に掲げる場合には，理由を付した決定で，第1項の申出を却下しなければならない。

一　申出に係る土地の所在地が当該申出を受けた登記所の管轄に属しないとき。
二　申出の権限を有しない者の申出によるとき。
三　地図訂正申出情報又はその提供の方法がこの省令の規定により定められた方式に適合しないとき。
四　この省令の規定により地図訂正申出情報と併せて提供しなければならないものとされている情報が提供されないとき。
五　申出に係る事項を調査した結果，地図又は地図に準ずる図面に誤りがあると認められないとき。
六　地図又は地図に準ずる図面を訂正することによって申出に係る土地以外の土地の区画又は位置若しくは形状を訂正すべきこととなるとき。

⑭　第38条及び第39条の規定は，第1項の申出について準用する。

⑮　登記官は，地図等に誤りがあると認めるときは，職権で，その訂正をすることができる。

第16条の2（行政区画の変更等）

　　第92条の規定は，地図等について準用する。この場合において，同条第1項中「変更の登記」とあるのは「変更」と，同条第2項中「表題部」とあるのは「地図等」と読み替えるものとする。

第3節／登記に関する帳簿

第17条（申請情報等の保存）

①　登記官は，電子申請において提供された申請情報及びその添付情報その他の登記簿の附属書類（これらの情報について行われた電子署名及び電子証明書を検証した結果の記録を含む。）を登記所の管理する電磁的記録に記録して保存するものとする。

②　登記官は，書面申請において提出された申請書及びその添付書面その他の登記簿の附属書類を，第19条から第22条までの規定に従い，次条第2号から第5号までに掲げる帳簿につづり込んで保存するものとする。

第18条（帳簿）

　　登記所（第14号及び第15号の帳簿に

あっては，法務局又は地方法務局に限る。）には，次に掲げる帳簿を備えるものとする。
一　受付帳
二　申請書類つづり込み帳
三　土地図面つづり込み帳
四　地役権図面つづり込み帳
五　建物図面つづり込み帳
六　職権表示登記等事件簿
七　職権表示登記等書類つづり込み帳
八　決定原本つづり込み帳
九　審査請求書類等つづり込み帳
十　各種通知簿
十一　登記識別情報失効申出書類つづり込み帳
十二　請求書類つづり込み帳
十二の二　申出立件事件簿
十二の三　申出立件関係書類つづり込み帳
十二の四　申出立件事務日記帳
十二の五　代替措置等申出書類写しつづり込
十三　筆界特定書つづり込み帳
十四　筆界特定受付等記録簿
十五　筆界特定事務日記帳
十六　筆界特定関係簿
十七　筆界特定関係事務日記帳
十八　閉鎖土地図面つづり込み帳
十九　閉鎖地役権図面つづり込み帳
二十　閉鎖建物図面つづり込み帳
二十一　登記簿保存簿
二十二　登記関係帳簿保存簿
二十三　地図保存簿
二十四　建物所在図保存簿
二十五　登記識別情報通知書交付簿
二十六　登記事務日記帳
二十七　登記事項証明書等用紙管理簿
二十八　登録免許税関係書類つづり込み帳
二十九　再使用証明申出書類つづり込み帳
三十　不正登記防止申出書類つづり込み帳
三十一　土地価格通知書つづり込み帳
三十二　建物価格通知書つづり込み帳
三十三　諸表つづり込み帳
三十四　雑書つづり込み帳
三十五　法定相続情報一覧図つづり込み帳

第18条の2　（受付帳）

① 受付帳は，登記の申請，登記識別情報の失効の申出及び登記識別情報に関する証明についてそれぞれ調製するものとする。

② 受付帳は，書面により調製する必要がある場合を除き，磁気ディスクその他の電磁的記録に記録して調製するものとする。

第19条　（申請書類つづり込み帳）

　申請書類つづり込み帳には，申請書及びその添付書面，通知書，許可書，取下書その他の登記簿の附属書類（申請に係る事件を処理するために登記官が作成したものを含み，この省令の規定により第18条第3号から第5号まで及び第7号の帳簿につづり込むものを除く。）をつづり込むものとする。

第20条　（土地図面つづり込み帳等）

① 土地図面つづり込み帳には，土地所在図及び地積測量図（これらのものが書面である場合に限る。）をつづり込むものとする。

② 第17条第2項の規定にかかわらず，登記官は，前項の土地所在図及び地積測量図を同条第1項の電磁的記録に記録して保存することができる。

③ 登記官は，前項の規定により土地所在図及び地積測量図を電磁的記録に記録して保存したときは，第1項の土地所在図及び地積測量図を申請書類つづり込み帳につづり込むものとする。

④ 閉鎖土地図面つづり込み帳には，第85条第2項の規定により閉鎖した第1項の土地所在図及び地積測量図をつづり込むものとする。

第21条 （地役権図面つづり込み帳等）
① 地役権図面つづり込み帳には，地役権図面（書面である場合に限る。）をつづり込むものとする。
② 前条第2項及び第3項の規定は，前項の地役権図面について準用する。
③ 閉鎖地役権図面つづり込み帳には，第87条第1項の規定により閉鎖した第1項の地役権図面をつづり込むものとする。

第22条 （建物図面つづり込み帳等）
① 建物図面つづり込み帳には，建物図面及び各階平面図（これらのものが書面である場合に限る。）をつづり込むものとする。
② 第20条第2項及び第3項の規定は，前項の建物図面及び各階平面図について準用する。
③ 閉鎖建物図面つづり込み帳には，第85条第2項の規定により閉鎖した第1項の建物図面及び各階平面図をつづり込むものとする。

第23条 （職権表示登記等書類つづり込み帳）
職権表示登記等書類つづり込み帳には，職権による表示に関する登記及び地図その他の図面の訂正に関する書類を立件の際に付した番号（以下「立件番号」という。）の順序に従ってつづり込むものとする。

第24条 （決定原本つづり込み帳）
決定原本つづり込み帳には，申請又は申出を却下した決定の決定書の原本をつづり込むものとする。

第25条 （審査請求書類等つづり込み帳）
審査請求書類等つづり込み帳には，審査請求書その他の審査請求事件に関する書類をつづり込むものとする。

第26条 （登記識別情報失効申出書類つづり込み帳）
① 登記識別情報失効申出書類つづり込み帳には，登記識別情報の失効の申出に関する書類をつづり込むものとする。
② 登記識別情報の失効の申出が電子情報処理組織を使用する方法によりされた場合は，当該申出に係る情報の内容を書面に出力したものを登記識別情報失効申出書類つづり込み帳につづり込むものとする。

第27条 （請求書類つづり込み帳）
① 請求書類つづり込み帳には，次に掲げる請求に係る書面をつづり込むものとする。
一 登記事項証明書の交付の請求
二 登記記録に記録されている事項の概要を記載した書面（以下「登記事項要約書」という。）の交付の請求
三 地図等の全部又は一部の写し（地図等が電磁的記録に記録されているときは，当該記録された情報の内容を証明した書面）の交付の請求
四 地図等の閲覧の請求
五 土地所在図等の全部又は一部の写し（土地所在図等が電磁的記録に記録されているときは，当該記録された情報の内容を証明した書面）の交付の請求
六 登記簿の附属書類の閲覧の請求
七 登記識別情報に関する証明の請求
八 筆界特定書等の全部又は一部の写し（筆界特定書等が電磁的記録をもって作成されているときは，当該記録された情報の内容を証明した書面）の交付の請求
九 筆界特定手続記録の閲覧の請求
② 前項各号に掲げる請求が電子情報処理

第27条の2　（申出立件事件簿等）

① 申出立件事件簿には，代替措置等申出（第202条の4第1項に規定する代替措置等申出をいう。第3項及び第4項において同じ。）又は代替措置申出の撤回（第202条の15第1項の規定による撤回をいう。第3項及び第4項において同じ。）の立件の年月日その他の必要な事項を記録するものとする。

② 申出立件事件簿は，書面により調製する必要がある場合を除き，磁気ディスクその他の電磁的記録に記録して調製するものとする。

③ 申出立件関係書類つづり込み帳には，代替措置等申出に関する書類及び代替措置申出の撤回に関する書類を立件番号の順序に従ってつづり込むものとする。

④ 申出立件事務日記帳には，申出立件事件簿に記録しない代替措置等申出に関する事務又は代替措置申出の撤回に関する事務に係る書類の発送及び受領に関する事項を記録するものとする。

第27条の3　（代替措置等申出書写しつづり込み帳）

代替措置等申出書写しつづり込み帳には，第202条の12第2項（第202条の15第7項及び第202条の16第6項において準用する場合を含む。）の規定により送付を受けた書類をつづり込むものとする。

第27条の4　（筆界特定書つづり込み帳等）

筆界特定書つづり込み帳には，筆界特定書（筆界特定書が電磁的記録をもって作成されているときは，その内容を書面に出力したもの）及び第233条第2項後段又は第3項後段の規定により送付された筆界特定書の写し（筆界特定書が電磁的記録をもって作成されているときは，その内容を書面に出力したもの）をつづり込むものとする。

② 次の各号に掲げる帳簿には，当該各号に定める事項を記録するものとする。

一　筆界特定受付等記録簿　筆界特定の申請の受付の年月日その他の必要な事項

二　筆界特定事務日記帳　筆界特定受付等記録簿に記録しない筆界特定の事務に係る書類の発送及び受領に関する事項

三　筆界特定関係簿　対象土地の所在地を管轄する登記所における筆界特定申請書の提出の年月日その他の必要な事項

四　筆界特定関係事務日記帳　前号の登記所における筆界特定関係簿に記録しない筆界特定の事務に係る書類の発送及び受領に関する事項

第27条の5　（登記簿保存簿等）

① 次の各号に掲げる帳簿には，当該各号に定める事項を記録するものとする。

一　登記簿保存簿　登記記録の保存状況

二　登記関係帳簿保存簿　登記簿を除く一切の登記関係帳簿の保存状況

三　地図保存簿又は建物所在図保存簿　地図等（閉鎖したものを含む。）の保存状況

四　登記識別情報通知書交付簿　登記識別情報を記載した書面を交付する方法により登記識別情報を通知した旨その他の必要な事項

五　登記事務日記帳　受付帳その他の帳簿に記録しない書類の発送及び受領に関する事項

六　登記事項証明書等用紙管理簿　登記事項証明書，地図等の写し，土地所在図等の写し及び登記識別情報を記載した書面の作成に使用する用紙の管理に

関する事項

第27条の6 （登録免許税関係書類つづり込み帳等）

次の各号に掲げる帳簿には，当該各号に定める書類をつづり込むものとする。
一　登録免許税関係書類つづり込み帳　登録免許税法（昭和42年法律第35号）第28条第1項及び第31条第1項の通知に関する書類，同条第2項及び第6項の請求に関する書類並びに同条第5項の申出に関する書類
二　再使用証明申出書類つづり込み帳　登録免許税法第31条第3項の申出に関する書類
三　不正登記防止申出書類つづり込み帳　登記名義人若しくはその相続人その他の一般承継人又はその代表者若しくは代理人（委任による代理人を除く。）からのそれらの者に成りすました者が登記の申請をしている旨又はそのおそれがある旨の申出に関する書類
四　土地価格通知書つづり込み帳又は建物価格通知書つづり込み帳　地方税法（昭和25年法律第226号）第422条の3の通知に関する書類
五　諸表つづり込み帳　登記事件及び登記以外の事件に関する各種の統計表
六　雑書つづり込み帳　第18条第2号から第5号まで，第7号から第9号まで，第11号，第12号，12号の3，12号の5，第13号，第18号から第20号まで及び第28号から第33号までに掲げる帳簿につづり込まない書類

第27条の7 （土地所在図等の副記録）

① 法務大臣は，第17条第1項の電磁的記録に記録されている土地所在図等に記録されている事項と同一の事項を記録する土地所在図等の副記録を調製するものとする。
② 第9条第2項及び第3項の規定は，登記官が第17条第1項の電磁的記録に記録されている土地所在図等によって登記の事務を行うことができない場合について準用する。

第27条の8 （法定相続情報一覧図つづり込み帳）

法定相続情報一覧図つづり込み帳には，法定相続情報一覧図及びその保管の申出に関する書類をつづり込むものとする。

第4節／雑則

第28条 （保存期間）

次の各号に掲げる情報の保存期間は，当該各号に定めるとおりとする。
一　登記記録（閉鎖登記記録（閉鎖した登記記録をいう。以下同じ。）を除く。）　永久
二　地図及び地図に準ずる図面（閉鎖したものを含む。）　永久
三　建物所在図（閉鎖したものを含む。）　永久
四　土地に関する閉鎖登記記録　閉鎖した日から50年間
五　建物に関する閉鎖登記記録　閉鎖した日から30年間
六　共同担保目録　当該共同担保目録に記録されているすべての事項を抹消した日から10年間
七　信託目録　信託の登記の抹消をした日から20年間
八　受付帳に記録された情報　受付の年の翌年から10年間（登記識別情報に関する証明の請求に係る受付帳にあっては，受付の年の翌年から1年間）
九　表示に関する登記の申請情報及びその添付情報（申請情報及びその添付情報以外の情報であって申請書類つづり込み帳につづり込まれた書類に記載されたものを含む。次号において同じ。）　受付の日から30年間（第20条第3項（第22条第2項において準用する場合

を含む。）の規定により申請書類つづり込み帳につづり込まれたものにあっては，電磁的記録に記録して保存した日から30年間）
十　権利に関する登記の申請情報及びその添付情報　受付の日から30年間（第21条第2項において準用する第20条第3項の規定により申請書類つづり込み帳につづり込まれたものにあっては，電磁的記録に記録して保存した日から30年間）
十一　職権表示登記等事件簿に記録された情報　立件の日から5年間
十二　職権表示登記等書類つづり込み帳につづり込まれた書類に記載された情報　立件の日から30年間
十三　土地所在図，地積測量図，建物図面及び各階平面図（第20条第3項（第22条第2項において準用する場合を含む。）の規定により申請書類つづり込み帳につづり込まれたものを除く。）　永久（閉鎖したものにあっては，閉鎖した日から30年間）
十四　地役権図面（第21条第2項において準用する第20条第3項の規定により申請書類つづり込み帳につづり込まれたものを除く。）　閉鎖した日から30年間
十五　決定原本つづり込み帳又は審査請求書類等つづり込み帳につづり込まれた書類に記載された情報　申請又は申出を却下した決定又は審査請求の受付の年の翌年から5年間
十六　各種通知簿に記録された情報　通知の年の翌年から1年間
十七　登記識別情報の失効の申出に関する情報　当該申出の受付の日から10年間
十八　請求書類つづり込み帳につづり込まれた書類に記載された情報　受付の日から1年間
十九　申出立件事件簿に記録された情報　立件の日から5年間
二十　申出立件関係書類つづり込み帳につづり込まれた書類に記載された情報　立件の日から5年間
二十一　代替措置等申出書写し類つづり込み帳につづり込まれた書類に記載された情報　送付を受けた日から5年間

第28条の2
　次の各号に掲げる帳簿の保存期間は，当該各号に定めるとおりとする。
一　登記簿保存簿，登記関係帳簿保存簿，地図保存簿及び建物所在図保存簿　作成の日から30年間
一の二　申出立件事務日記帳　作成の年の翌年から1年間
二　登記識別情報通知書交付簿，登記事務日記帳及び登記事項証明書等用紙管理簿　作成の年の翌年から1年間
三　登録免許税関係書類つづり込み帳及び再使用証明申出書類つづり込み帳　作成の年の翌年から5年間
四　不正登記防止申出書類つづり込み帳，土地価格通知書つづり込み帳，建物価格通知書つづり込み帳及び諸表つづり込み帳　作成の年の翌年から3年間
五　雑書つづり込み帳　作成の年の翌年から1年間
六　法定相続情報一覧図つづり込み帳　作成の年の翌年から5年間

第29条　（記録の廃棄）
　登記所において登記に関する電磁的記録，帳簿又は書類を廃棄するときは，法務局又は地方法務局の長の認可を受けなければならない。

第30条　（登記記録の滅失等）
① 登記官は，登記記録又は地図等が滅失したときは，速やかに，その状況を調査し，当該登記官を監督する法務局又は地

方法務局の長に報告しなければならない。
② 前項の法務局又は地方法務局の長は，同項の報告を受けたときは，相当の調査をし，法務大臣に対し，意見を述べなければならない。
③ 前二項の規定は，登記記録，地図等又は登記簿の附属書類が滅失するおそれがあるときについて準用する。

第31条　（持出禁止）
① 登記簿，地図等及び登記簿の附属書類は，事変を避けるためにする場合を除き，登記所の外に持ち出してはならない。
② 前項の規定にかかわらず，登記官は，裁判所から登記簿の附属書類を送付すべき命令又は嘱託があったときは，その関係がある部分に限り，登記簿の附属書類を送付するものとする。この場合において，当該登記簿の附属書類が電磁的記録に記録されているときは，その関係がある部分について，電磁的記録に記録された情報の内容を書面に出力し，これを送付するものとする。
③ 登記官は，事変を避けるために登記簿，地図等又は登記簿の附属書類を登記所の外に持ち出したときは，速やかに，その旨を当該登記官を監督する法務局又は地方法務局の長に報告しなければならない。

第32条　（管轄転属による登記記録等の移送）
① 不動産の所在地が甲登記所の管轄から乙登記所の管轄に転属したときは，甲登記所の登記官は，当該不動産の登記記録（共同担保目録及び信託目録を含む。次項において同じ。）並びに地図等及び登記簿の附属書類（電磁的記録に記録されている地図等及び登記簿の附属書類を含む。）を乙登記所に移送するものとする。
② 前項の場合において，甲登記所の登記官は，移送した登記記録並びに電磁的記録に記録されている地図等及び土地所在図等を閉鎖するものとする。

第33条　（管轄転属による共同担保目録等の移送）
① 前条第１項の規定により乙登記所が共同担保目録の移送を受けたときは，乙登記所の登記官は，必要に応じ，当該共同担保目録の記号及び目録番号を改め，かつ，移送を受けた登記記録の乙区の従前の共同担保目録の記号及び目録番号を新たに付した記号及び目録番号に変更するものとする。
② 前項の規定は，信託目録について準用する。この場合において，同項中「記号及び目録番号」とあるのは「目録番号」と，「乙区」とあるのは「相当区」と読み替えるものとする。
③ 第１項の規定は，地役権図面について準用する。この場合において，同項中「記号及び目録番号」とあるのは，「番号」と読み替えるものとする。

第３章　登記手続

第１節／総則

第１款／通則

第34条　（申請情報）
① 登記の申請においては，次に掲げる事項を申請情報の内容とするものとする。
一　申請人又は代理人の電話番号その他の連絡先
二　分筆の登記の申請においては，第78条の符号
三　建物の分割の登記又は建物の区分の登記の申請においては，第84条の符号
四　附属建物があるときは，主である建物及び附属建物の別並びに第112条第２項の符号
五　敷地権付き区分建物であるときは，第118条第１号イの符号
六　添付情報の表示
七　申請の年月日
八　登記所の表示

② 令第6条第1項に規定する不動産識別事項は，不動産番号とする。
③ 令第6条の規定は，同条第1項各号又は第2項各号に定める事項が申請を受ける登記所以外の登記所の管轄区域内にある不動産に係る場合には，当該不動産の不動産番号と併せて当該申請を受ける登記所以外の登記所の表示を申請情報の内容としたときに限り，適用する。
④ 令第6条第1項第1号又は第2号の規定にかかわらず，不動産の表題登記を申請する場合，法第74条第1項第2号又は第3号に掲げる者が表題登記がない不動産について所有権の保存の登記を申請する場合及び表題登記がない不動産について所有権の処分の制限の登記を嘱託する場合には，令第3条第7号又は第8号に掲げる事項を申請情報の内容としなければならない。

第35条　（一の申請情報によって申請することができる場合）

令第4条ただし書の法務省令で定めるときは，次に掲げるときとする。
一　土地の一部を分筆して，これを他の土地に合筆しようとする場合において，分筆の登記及び合筆の登記の申請をするとき。
二　甲建物の登記記録から甲建物の附属建物を分割して，これを乙建物の附属建物としようとする場合において，建物の分割の登記及び建物の合併の登記の申請をするとき。
三　甲建物の登記記録から甲建物の附属建物（区分建物に限る。）を分割して，これを乙建物又は乙建物の附属建物に合併しようとする場合（乙建物又は乙建物の附属建物が甲建物の附属建物と接続する区分建物である場合に限る。）において，建物の分割の登記及び建物の合併の登記の申請をするとき。
四　甲建物を区分して，その一部を乙建物の附属建物としようとする場合において，建物の区分の登記及び建物の合併の登記の申請をするとき。
五　甲建物を区分して，その一部を乙建物又は乙建物の附属建物に合併しようとする場合（乙建物又は乙建物の附属建物が当該一部と接続する区分建物である場合に限る。）において，建物の区分の登記及び建物の合併の登記の申請をするとき。
六　同一の不動産について申請する二以上の登記が，いずれも不動産の表題部の登記事項に関する変更の登記又は更正の登記であるとき。
七　同一の不動産について申請する二以上の登記が，不動産の表題部の登記事項に関する変更の登記又は更正の登記及び土地の分筆の登記若しくは合筆の登記又は建物の分割の登記，建物の区分の登記若しくは建物の合併の登記であるとき。
八　同一の登記所の管轄区域内にある一又は二以上の不動産について申請する二以上の登記が，いずれも同一の登記名義人の氏名若しくは名称又は住所についての変更の登記又は更正の登記であるとき。
九　同一の不動産について申請する二以上の権利に関する登記（前号の登記を除く。）の登記の目的並びに登記原因及びその日付が同一であるとき。
十　同一の登記所の管轄区域内にある二以上の不動産について申請する登記が，同一の債権を担保する先取特権，質権又は抵当権（以下「担保権」と総称する。）に関する登記であって，登記の目的が同一であるとき。

第36条　（会社法人等番号の提供を要しない場合等）

① 令第7条第1項第1号の法務省令で定める場合は，申請人が同号イに規定する

法人であって，次に掲げる登記事項証明書（商業登記法（昭和38年法律第125号）第10条第1項（他の法令において準用する場合を含む。）に規定する登記事項証明書をいう。以下この項及び次項，第209条第3項及び第4項並びに第243条第2項において同じ。）を提供して登記の申請をするものである場合とする。
　一　次号に規定する場合以外の場合にあっては，当該法人の代表者の資格を証する登記事項証明書
　二　支配人等（支配人その他の法令の規定により法人を代理することができる者であって，その旨の登記がされているものをいう。以下同じ。）によって登記の申請をする場合にあっては，当該支配人等の権限を証する登記事項証明書
② 前項各号の登記事項証明書は，その作成後3月以内のものでなければならない。
③ 令第7条第1項第2号の法務省令で定める場合は，申請人が同項第1号イに規定する法人であって，支配人等が当該法人を代理して登記の申請をする場合とする。
④ 令第9条の法務省令で定める情報は，住民票コード（住民基本台帳法（昭和42年法律第81号）第7条第13号に規定する住民票コードをいう。）又は会社法人等番号（商業登記法第7条（他の法令において準用する場合を含む。）に規定する会社法人等番号をいう。以下同じ。）とする。ただし，住所についての変更又は錯誤若しくは遺漏があったことを証する情報を提供しなければならないものとされている場合にあっては，当該住所についての変更又は錯誤若しくは遺漏があったことを確認することができることとなるものに限る。

第37条　（添付情報の省略等）
① 同一の登記所に対して同時に二以上の申請をする場合において，各申請に共通する添付情報があるときは，当該添付情報は，一の申請の申請情報と併せて提供することで足りる。
② 前項の場合においては，当該添付情報を当該一の申請の申請情報と併せて提供した旨を他の申請の申請情報の内容としなければならない。

第37条の2
法人である代理人によって登記の申請をする場合において，当該代理人の会社法人等番号を提供したときは，当該会社法人等番号の提供をもって，当該代理人の代表者の資格を証する情報の提供に代えることができる。

第37条の3
① 表題部所有者又は登記名義人の相続人が登記の申請をする場合において，その相続に関して法定相続情報一覧図の写し（第247条の規定により交付された法定相続情報一覧図の写しをいう。以下この条及び第158条の20において同じ。）又は法定相続情報番号（11桁の番号であって，当該法定相続情報一覧図を識別するために登記官が付したものをいう。以下この条及び158条の20において同じ。）を提供したときは，当該法定相続情報一覧図の写し又は当該法定相続情報番号の提供をもって，相続があったことを証する市町村長その他の公務員が職務上作成した情報の提供に代えることができる。ただし，法定相続情報番号を提供する場合にあっては，登記官が法定相続情報（第247条第1項に規定する法定相続情報をいう。次項及び第158条の20において同じ。）を確認することができるときに限る。
② 表題部所有者の相続人が所有権の保存の登記の申請をする場合又は登記名義人の相続人が相続による権利の移転の登記の申請をする場合において，当該相続人の

住所が記載された法定相続情報一覧図の写し又は法定相続情報番号（法定相続情報一覧図に当該相続人の住所が記録されている場合に限る。以下この項において同じ）を提供したときは，当該法定相続情報一覧図の写し又は当該法定相続情報番号の提供をもって，登記名義人となるものの住所を証する市町村長その他の公務員が職務上作成した情報の提供に代えることができる。ただし，法定相続情報番号を提供する場合にあっては，登記官が法定相続情報を確認することができるときに限る。

第38条 （申請の却下）

① 登記官は，申請を却下するときは，決定書を作成して，これを申請人ごとに交付するものとする。ただし，代理人によって申請がされた場合は，当該代理人に交付すれば足りる。

② 前項の交付は，当該決定書を送付する方法によりすることができる。

③ 登記官は，書面申請がされた場合において，申請を却下したときは，添付書面を還付するものとする。ただし，偽造された書面その他の不正な登記の申請のために用いられた疑いがある書面については，この限りでない。

第39条 （申請の取下げ）

① 申請の取下げは，次の各号に掲げる申請の区分に応じ，当該各号に定める方法によってしなければならない。

一 電子申請 法務大臣の定めるところにより電子情報処理組織を使用して申請を取り下げる旨の情報を登記所に提供する方法

二 書面申請 申請を取り下げる旨の情報を記載した書面を登記所に提出する方法

② 申請の取下げは，登記完了後は，することができない。

③ 登記官は，書面申請がされた場合において，申請の取下げがされたときは，申請書及びその添付書面を還付するものとする。前条第3項ただし書の規定は，この場合について準用する。

第40条 （管轄区域がまたがる場合の移送等）

① 法第6条第3項の規定に従って登記の申請がされた場合において，他の登記所が同条第2項の登記所に指定されたときは，登記の申請を受けた登記所の登記官は，当該指定がされた他の登記所に当該申請に係る事件を移送するものとする。

② 登記官は，前項の規定により事件を移送したときは，申請人に対し，その旨を通知するものとする。

③ 法第6条第2項の登記所に指定された登記所の登記官は，当該指定に係る不動産について登記を完了したときは，速やかに，その旨を他の登記所に通知するものとする。

④ 前項の通知を受けた登記所の登記官は，適宜の様式の帳簿にその通知事項を記入するものとする。

第2款／電子申請

第41条 （電子申請の方法）

電子申請における申請情報は，法務大臣の定めるところにより送信しなければならない。令第10条の規定により申請情報と併せて送信すべき添付情報についても，同様とする。

第42条 （電子署名）

令第12条第1項及び第2項の電子署名は，電磁的記録に記録することができる情報に，産業標準化法（昭和24年法律第185号）に基づく日本産業規格（以下「日本産業規格」という。）X5731－8の附属書Dに適合する方法であって同附属書に定めるnの長さの値が2,048ビットであるものを講ずる措置とする。

第43条　（電子証明書）

① 令第14条の法務省令で定める電子証明書は、第47条第3号イからニまでに掲げる者に該当する申請人又はその代表者若しくは代理人（委任による代理人を除く。同条第2号及び第3号並びに第49条第1項第1号及び第2号において同じ。）が申請情報又は委任による代理人の権限を証する情報に電子署名を行った場合にあっては、次に掲げる電子証明書とする。ただし、第3号に掲げる電子証明書については、第1号及び第2号に掲げる電子証明書を取得することができない場合に限る。

一　電子署名等に係る地方公共団体情報システム機構の認証業務に関する法律（平成14年法律第153号）第3条第1項の規定に基づき作成された署名用電子証明書

二　電子署名を行った者が商業登記法第12条の2（他の法令において準用する場合を含む。）に規定する被証明者であるときは、商業登記規則（昭和39年法務省令第23号）第33条の8第2項（他の法令において準用する場合を含む。）に規定する電子証明書

三　電子署名及び認証業務に関する法律（平成12年法律第102号）第8条に規定する認定認証事業者が作成した電子証明書（電子署名及び認証業務に関する法律施行規則（平成13年総務省・法務省・経済産業省令第2号）第4条第1号に規定する電子証明書をいう。）その他の電子証明書であって、氏名、住所、出生の年月日その他の事項により電子署名を行った者を確認することができるものとして法務大臣の定めるもの

四　官庁又は公署が嘱託する場合にあっては、官庁又は公署が作成した電子証明書であって、登記官が電子署名を行った者を確認することができるもの

② 前項本文に規定する場合以外の場合にあっては、令第14条の法務省令で定める電子証明書は、同項各号に掲げる電子証明書又はこれに準ずる電子証明書として法務大臣の定めるものとする。

第44条　（住所証明情報の省略等）

① 電子申請の申請人がその者の前条第1項第1号に掲げる電子証明書を提供したときは、当該電子証明書の提供をもって、当該申請人の現在の住所を証する情報の提供に代えることができる。

② 電子申請の申請人がその者の前条第1項第2号に掲げる電子証明書を提供したときは、当該電子証明書の提供をもって、当該申請人の会社法人等番号の提供に代えることができる。

③ 前項の規定は、同項の電子証明書によって登記官が確認することができる代理権限を証する情報について準用する。

第3款／書面申請

第45条　（申請書等の文字）

① 申請書（申請情報の全部を記録した磁気ディスクを除く。以下この款（第53条を除く。）において同じ。）その他の登記に関する書面に記載する文字は、字画を明確にしなければならない。

② 前項の書面につき文字の訂正、加入又は削除をしたときは、その旨及びその字数を欄外に記載し、又は訂正、加入若しくは削除をした文字に括弧その他の記号を付して、その範囲を明らかにし、かつ、当該字数を記載した部分又は当該記号を付した部分に押印しなければならない。この場合において、訂正又は削除をした文字は、なお読むことができるようにしておかなければならない。

第46条　（契印等）

① 申請人又はその代表者若しくは代理人は、申請書が2枚以上であるときは、各

用紙のつづり目に契印をしなければならない。
② 前項の契印は，申請人又はその代表者若しくは代理人が2人以上ある場合は，その1人がすれば足りる。ただし，登記権利者及び登記義務者が共同して登記の申請をするときは，登記権利者又はその代表者若しくはその代理人及び登記義務者又はその代表者若しくはその代理人の各1人がしなければならない。
③ 令別表の65の項添付情報欄に掲げる信託目録に記録すべき情報を記載した書面が2枚以上であるときは，申請人又はその代表者若しくは代理人は，各用紙に当該用紙が何枚目であるかを記載し，各用紙のつづり目に契印をしなければならない。この場合においては，前項の規定を準用する。

第47条 （申請書に記名押印を要しない場合）
令第16条第1項の法務省令で定める場合は，次に掲げる場合とする。
一 委任による代理人が申請書に署名した場合
二 申請人又はその代表者若しくは代理人が署名した申請書について公証人又はこれに準ずる者の認証を受けた場合
三 申請人が次に掲げる者のいずれにも該当せず，かつ，当該申請人又はその代表者若しくは代理人が申請書に署名した場合（前号に掲げる場合を除く。）
　イ 所有権の登記名義人（所有権に関する仮登記の登記名義人を含む。）であって，次に掲げる登記を申請するもの
　　(1) 当該登記名義人が登記義務者となる権利に関する登記（担保権（根抵当権及び根質権を除く。）の債務者に関する変更の登記及び更正の登記を除く。）
　　(2) 共有物分割禁止の定めに係る権利の変更の登記
　　(3) 所有権の移転の登記がない場合における所有権の登記の抹消
　　(4) 信託法（平成18年法律第108号）第3条第3号に掲げる方法によってされた信託による権利の変更の登記
　　(5) 仮登記の抹消（法第110条前段の規定により所有権に関する仮登記の登記名義人が単独で申請するものに限る。）
　　(6) 合筆の登記，合体による登記等又は建物の合併の登記
　ロ 所有権の登記名義人であって，法第22条ただし書の規定により登記識別情報を提供することなく担保権（根抵当権及び根質権を除く。）の債務者に関する変更の登記又は更正の登記を申請するもの
　ハ 所有権以外の権利の登記名義人であって，法第22条ただし書の規定により登記識別情報を提供することなく当該登記名義人が登記義務者となる権利に関する登記を申請するもの
　ニ 所有権以外の権利の登記名義人であって，法第22条ただし書の規定により登記識別情報を提供することなく当該登記名義人が信託法第3条第3号に掲げる方法によってされた信託による権利の変更の登記を申請するもの
　ホ 法第21条本文の規定により登記識別情報の通知を受けることとなる申請人

第48条 （申請書に印鑑証明書の添付を要しない場合）
令第16条第2項の法務省令で定める場合は，次に掲げる場合とする。
一 法人の代表者又は代理人が記名押印した者である場合において，その会社法人等番号を申請情報の内容としたとき。ただし，登記官が記名押印した者

の印鑑に関する証明書を作成することが可能である場合に限る。
二　申請人又はその代表者若しくは代理人が記名押印した申請書について公証人又はこれに準ずる者の認証を受けた場合
三　裁判所によって選任された者がその職務上行う申請の申請書に押印した印鑑に関する証明書であって，裁判所書記官が最高裁判所規則で定めるところにより作成したものが添付されている場合
四　申請人が前条第3号ホに掲げる者に該当する場合（同号イ(6)に掲げる者に該当する場合を除く。）
五　申請人が前条第3号イからニまでに掲げる者のいずれにも該当しない場合（前号に掲げる場合を除く。）

第49条　（委任状への記名押印等の特例）

① 令第18条第1項の法務省令で定める場合は，次に掲げる場合とする。
一　申請人又はその代表者若しくは代理人が署名した委任による代理人の権限を証する情報を記載した書面（以下「委任状」という。）について公証人又はこれに準ずる者の認証を受けた場合
二　申請人が第47条第3号イからホまでに掲げる者のいずれにも該当せず，かつ，当該申請人又はその代表者若しくは代理人が委任状に署名した場合
三　復代理人によって申請する場合における代理人（委任による代理人に限る。）が復代理人の権限を証する書面に署名した場合
② 令第18条第2項の法務省令で定める場合は，次に掲げる場合とする。
一　法人の代表者又は代理人が記名押印した者である場合において，その会社法人等番号を申請情報の内容としたとき。ただし，登記官が記名押印した者の印鑑に関する証明書を作成することが可能である場合に限る。
二　申請人又はその代表者若しくは代理人が記名押印した委任状について公証人又はこれに準ずる者の認証を受けた場合
三　裁判所によって選任された者がその職務上行う申請の委任状に押印した印鑑に関する証明書であって，裁判所書記官が最高裁判所規則で定めるところにより作成したものが添付されている場合
四　前条第1項第4号及び第5号に掲げる場合
五　復代理人によって申請する場合における代理人（委任による代理人に限る。）が復代理人の権限を証する書面に記名押印した場合

第50条　（承諾書への記名押印等の特例）

① 令第19条第1項の法務省令で定める場合は，同意又は承諾を証する情報を記載した書面の作成者が署名した当該書面について公証人又はこれに準ずる者の認証を受けた場合とする。
② 第48条第1号から第3号までの規定は，令第19条第2項の法務省令で定める場合について準用する。この場合において，第48条第2号中「申請書」とあるのは「同意又は承諾を証する情報を記載した書面」と，同条第3号中「申請の申請書」とあるのは「同意又は承諾の同意又は承諾を証する情報を記載した書面」と読み替えるものとする。

第51条　（申請情報を記録した磁気ディスク）

① 法第18条第2号に規定する磁気ディスクを提出する方法による申請は，法務大臣が指定した登記所においてすることができる。
② 前項の指定は，告示してしなければならない。
③ 第1項の磁気ディスクの構造は，日本

産業規格Ｘ○六○六に適合する一二〇ミリメートル光ディスクでなければならない。
④　第１項の磁気ディスクには，申請人の氏名又は名称及び申請の年月日を記載した書面をはり付けなければならない。
⑤　第１項の磁気ディスクには，法務大臣の定めるところにより申請情報を記録しなければならない。
⑥　申請情報の全部を記録した磁気ディスクは，法務大臣の定めるところにより作成しなければならない。
⑦　第42条の規定は，令第16条第５項において準用する令第12条第１項の電子署名について準用する。
⑧　第43条の規定は，令第16条第５項において準用する令第14条の電子証明書について準用する。ただし，当該電子証明書には，指定公証人の行う電磁的記録に関する事務に関する省令（平成13年法務省令第24号）第３条第１項に規定する指定公証人電子証明書を含むものとする。
⑨　第44条の規定は，前項の電子証明書を提供したときについて準用する。
⑩　申請情報の一部を記録した磁気ディスクを提出する場合には，当該磁気ディスクに申請人の氏名又は名称を記録したときであっても，申請書に申請人の氏名又は名称を記載しなければならない。この場合において，申請人が２人以上あるときは，その１人の氏名又は名称を記載すれば足りる。

第52条　（申請書に添付することができる磁気ディスク）

①　前条第３項から第７項までの規定は，令第15条の添付情報を記録した磁気ディスクについて準用する。
②　令第15条後段において準用する令第14条の電子証明書は，第43条第１項又は第２項に規定する電子証明書であって法務大臣が定めるものとする。

第53条　（申請書等の送付方法）

①　登記の申請をしようとする者が申請書及びその添付書面を送付するときは，書留郵便又は民間事業者による信書の送達に関する法律（平成14年法律第99号）第２条第６項に規定する一般信書便事業者若しくは同条第９項に規定する特定信書便事業者（以下「信書便事業者」と総称する。）による同条第２項に規定する信書便（以下「信書便」という。）の役務であって当該信書便事業者において引受け及び配達の記録を行うものによるものとする。
②　前項の場合には，申請書及びその添付書面を入れた封筒の表面に不動産登記申請書が在中する旨を明記するものとする。

第54条　（受領証の交付の請求）

①　書面申請をした申請人は，申請に係る登記が完了するまでの間，申請書及びその添付書面の受領証の交付を請求することができる。
②　前項の規定により受領証の交付を請求する申請人は，申請書の内容と同一の内容を記載した書面を提出しなければならない。ただし，当該書面の申請人の記載については，申請人が２人以上あるときは，申請書の筆頭に記載した者の氏名又は名称及びその他の申請人の人数を記載すれば足りる。
③　登記官は，第１項の規定による請求があった場合には，前項の規定により提出された書面に申請の受付の年月日及び受付番号並びに職氏名を記載し，職印を押印して受領証を作成した上，当該受領証を交付しなければならない。

第55条　（添付書面の原本の還付請求）

①　書面申請をした申請人は，申請書の添付書面（磁気ディスクを除く。）の原本の還付を請求することができる。ただし，令第16条第２項，第18条第２項若しくは

第19条第2項又はこの省令第48条第3号（第50条第2項において準用する場合を含む。），第49条第2項第3号若しくは第156条の6第2項（156条の7第2項後段において準用する場合を含む。）の印鑑に関する証明書及び当該申請のためにのみ作成された委任状その他の書面については，この限りでない。

② 前項本文の規定により原本の還付を請求する申請人は，原本と相違ない旨を記載した謄本を提出しなければならない。

③ 登記官は，第1項本文の規定による請求があった場合には，調査完了後，当該請求に係る書面の原本を還付しなければならない。この場合には，前項の謄本と当該請求に係る書面の原本を照合し，これらの内容が同一であることを確認した上，同項の謄本に原本還付の旨を記載し，これに登記官印を押印しなければならない。

④ 前項後段の規定により登記官印を押印した第2項の謄本は，登記完了後，申請書類つづり込み帳につづり込むものとする。

⑤ 第3項前段の規定にかかわらず，登記官は，偽造された書面その他の不正な登記の申請のために用いられた疑いがある書面については，これを還付することができない。

⑥ 第3項の規定による原本の還付は，申請人の申出により，原本を送付する方法によることができる。この場合においては，申請人は，送付先の住所をも申し出なければならない。

⑦ 前項の場合における書面の送付は，同項の住所に宛てて，書留郵便又は信書便の役務であって信書便事業者において引受け及び配達の記録を行うものによってするものとする。

⑧ 前項の送付に要する費用は，郵便切手又は信書便の役務に関する料金の支払のために使用することができる証票であっ

て法務大臣が指定するものを提出する方法により納付しなければならない。

⑨ 前項の指定は，告示してしなければならない。

第4款／受付等

第56条　（申請の受付）

① 登記官は，申請情報が提供されたときは，受付帳に登記の目的，申請の受付の年月日及び受付番号並びに不動産所在事項を記録しなければならない。

② 登記官は，書面申請の受付にあっては，前項の規定により受付をする際，申請書（申請情報の全部を記録した磁気ディスクにあっては，適宜の用紙）に申請の受付の年月日及び受付番号を記載しなければならない。

③ 受付番号は，1年ごとに更新するものとする。

④ 第1項及び第2項の規定は，次に掲げる場合について準用する。
一　法第67条第2項の許可があった場合
二　法第71条の規定により登記の抹消をしようとする場合
三　法第157条第3項又は第4項の命令があった場合
四　第110条第3項（第144条第2項において準用する場合を含む。），第119条第2項，第124条第8項（第120条第7項，第126条第3項，第134条第3項及び第145条第1項において準用する場合を含む。），第159条第2項（同条第4項において準用する場合を含む。）又は第168条第5項（第170条第3項において準用する場合を含む。）の通知があった場合

第57条　（調査）

登記官は，申請情報が提供されたときは，遅滞なく，申請に関するすべての事項を調査しなければならない。

第58条 （登記の順序）
登記官は，法第20条に規定する場合以外の場合においても，受付番号の順序に従って登記するものとする。

第59条 （登記官による本人確認）
① 登記官は，法第24条第1項の規定により申請人の申請の権限の有無を調査したときは，その調査の結果を記録した調書を作成しなければならない。同条第2項の嘱託を受けて調査をした場合についても，同様とする。
② 前項後段の場合には，嘱託を受けて調査をした登記所の登記官は，その調査の結果を記録した調書を嘱託をした登記官に送付しなければならない。

第60条 （補正）
① 登記官は，申請の補正をすることができる期間を定めたときは，当該期間内は，当該補正すべき事項に係る不備を理由に当該申請を却下することができない。
② 申請の補正は，次の各号に掲げる申請の区分に応じ，当該各号に定める方法によってしなければならない。
　一　電子申請　法務大臣の定めるところにより電子情報処理組織を使用して申請の補正をする方法
　二　書面申請　登記所に提出した書面を補正し，又は補正に係る書面を登記所に提出する方法

第5款／登記識別情報

第61条 （登記識別情報の定め方）
登記識別情報は，アラビア数字その他の符号の組合せにより，不動産及び登記名義人となった申請人ごとに定める。

第62条 （登記識別情報の通知の相手方）
① 次の各号に掲げる場合における登記識別情報の通知は，当該各号に定める者に対してするものとする。
　一　法定代理人（支配人その他の法令の規定により当該通知を受けるべき者を代理することができる者を含む。）によって申請している場合　当該法定代理人
　二　申請人が法人である場合（前号に規定する場合を除く。）当該法人の代表者
② 登記識別情報の通知を受けるための特別の委任を受けた代理人がある場合には，登記識別情報の通知は，当該代理人に対してするものとする。

第63条 （登記識別情報の通知の方法）
① 登記識別情報の通知は，法務大臣が別に定める場合を除き，次の各号に掲げる申請の区分に応じ，当該各号に定める方法によるものとする。
　一　電子申請　法務大臣の定めるところにより，登記官の使用に係る電子計算機に備えられたファイルに記録された登記識別情報を電子情報処理組織を使用して送信し，これを申請人又はその代理人（以下この条において「申請人等」という。）の使用に係る電子計算機に備えられたファイルに記録する方法
　二　書面申請　登記識別情報を記載した書面を交付する方法
② 登記官は，前項の通知をするときは，法第21条本文の規定により登記識別情報の通知を受けるべき者及び前条第1項各号に定める者並びに同条第2項の代理人（申請人から登記識別情報を知ることを特に許された者に限る。）以外の者に当該通知に係る登記識別情報が知られないようにするための措置を講じなければならない。
③ 送付の方法により登記識別情報を記載した書面の交付を求める場合には，申請人は，その旨並びに次項及び第5項の場合の区分に応じた送付先の別（第5項に

規定する場合であって自然人である代理人の住所に宛てて書面を送付することを求めるときにあっては，当該代理人の住所）を申請情報の内容とするものとする。
④　前項の場合における登記識別情報を記載した書面の送付は，次の各号に掲げる場合の区分に応じ，当該各号に定める方法によってするものとする。
　一　申請人等が自然人である場合において当該申請人等の住所に宛てて書面を送付するとき，又は申請人等が法人である場合において当該申請人等である法人の代表者の住所に宛てて書面を送付するとき（第3号に掲げる場合を除く。）日本郵便株式会社の内国郵便約款の定めるところにより名宛人本人に限り交付し，若しくは配達する本人限定受取郵便又はこれに準ずる方法
　二　申請人等が法人である場合において当該申請人等である法人の住所に宛てて書面を送付するとき（次号に掲げる場合を除く。）書留郵便又は信書便の役務であって信書便事業者において引受け及び配達の記録を行うもの
　三　申請人等が外国に住所を有する場合　書留郵便若しくは信書便の役務であって信書便事業者において引受け及び配達の記録を行うもの又はこれらに準ずる方法
⑤　前項の規定にかかわらず，前条第2項の規定により代理人が登記識別情報の通知を受ける場合であって，当該代理人が法第23条第4項第1号に規定する代理人（以下「資格者代理人」という。）であるときは，登記識別情報を記載した書面の送付は，次の各号に掲げる場合の区分に応じ，当該各号に定める方法によってするものとする。
　一　当該代理人が自然人である場合において当該代理人の住所に宛てて書面を送付するとき，又は当該代理人が法人である場合において当該代理人である法人の代表者の住所に宛てて書面を送付するとき　日本郵便株式会社の内国郵便約款の定めるところにより名宛人本人に限り交付し，若しくは配達する本人限定受取郵便又はこれに準ずる方法
　二　当該代理人が自然人である場合において当該代理人の事務所の所在地に宛てて書面を送付するとき，又は当該代理人が法人である場合において当該代理人である法人の所在地に宛てて書面を送付するとき　書留郵便又は信書便の役務であって信書便事業者において引受け及び配達の記録を行うもの
⑥　送付の方法により登記識別情報を記載した書面の交付を求める場合には，送付に要する費用を納付しなければならない。
⑦　前項の送付に要する費用は，郵便切手又は信書便の役務に関する料金の支払のために使用することができる証票であって法務大臣が指定するものを申請書と併せて提出する方法により納付しなければならない。
⑧　第6項の送付は，申請人が当該郵便物をこれと同一の種類に属する他の郵便物に優先して送達する取扱いの料金に相当する郵便切手を提出したときは，当該取扱いによらなければならない。第4項第2号若しくは第3号又は第5項第2号の場合において，信書便の役務であって当該取扱いに相当するものの料金に相当する当該信書便事業者の証票で法務大臣が指定するものを提出したときも，同様とする。
⑨　前二項の指定は，告示してしなければならない。

第63条の2
①　官庁又は公署が登記権利者のために登記の嘱託をしたときにおける登記識別情報の通知は，官庁又は公署の申出により，登記識別情報を記載した書面を交付する

方法によりすることもできる。この場合においては，官庁又は公署は，当該申出をする旨並びに送付の方法による交付を求めるときは，その旨及び送付先の住所を嘱託情報の内容とするものとする。
② 前項の場合における登記識別情報を記載した書面の送付は，同項の住所に宛てて，書留郵便又は信書便の役務であって信書便事業者において引受け及び配達の記録を行うものその他の郵便又は信書便によって書面を送付する方法によってするものとする。
③ 前条第6項から第9項までの規定は，官庁又は公署が送付の方法により登記識別情報を記載した書面の交付を求める場合について準用する。

第64条（登記識別情報の通知を要しない場合等）
① 法第21条ただし書の法務省令で定める場合は，次に掲げる場合とする。
一 法第21条本文の規定により登記識別情報の通知を受けるべき者があらかじめ登記識別情報の通知を希望しない旨の申出をした場合（官庁又は公署が登記権利者のために登記の嘱託をした場合において，当該官庁又は公署が当該登記権利者の申出に基づいて登記識別情報の通知を希望しない旨の申出をしたときを含む。）
二 法第21条本文の規定により登記識別情報の通知を受けるべき者（第63条第1項第1号に定める方法によって通知を受けるべきものに限る。）が，登記官の使用に係る電子計算機に備えられたファイルに登記識別情報が記録され，電子情報処理組織を使用して送信することが可能になった時から30日以内に自己の使用に係る電子計算機に備えられたファイルに当該登記識別情報を記録しない場合
三 法第21条本文の規定により登記識別情報の通知を受けるべき者（第63条第1項第2号に定める方法によって通知を受けるべきものに限る。）が，登記完了の時から3月以内に登記識別情報を記載した書面を受領しない場合
四 法第21条本文の規定により登記識別情報の通知を受けるべき者が官庁又は公署である場合（当該官庁又は公署があらかじめ登記識別情報の通知を希望する旨の申出をした場合を除く。）
② 前項第1号及び第4号の申出をするときは，その旨を申請情報の内容とするものとする。
③ 登記官は，第1項第2号に規定する場合には同号に規定する登記識別情報を，同項第3号に規定する場合には同号に規定する登記識別情報を記載した書面を廃棄することができる。
④ 第29条の規定は，前項の規定により登記識別情報又は登記識別情報を記載した書面を廃棄する場合には，適用しない。

第65条（登記識別情報の失効の申出）
① 登記名義人又はその相続人その他の一般承継人は，登記官に対し，通知を受けた登記識別情報について失効の申出をすることができる。
② 前項の申出は，次に掲げる事項を内容とする情報（以下この条において「申出情報」という。）を登記所に提供してしなければならない。
一 申出人の氏名又は名称及び住所
二 申出人が法人であるときは，その代表者の氏名
三 代理人によって申出をするときは，当該代理人の氏名又は名称及び住所並びに代理人が法人であるときはその代表者の氏名
四 申出人が登記名義人の相続人その他の一般承継人であるときは，その旨及び登記名義人の氏名又は名称及び住所
五 当該登記識別情報に係る登記に関す

る次に掲げる事項
　イ　不動産所在事項又は不動産番号
　ロ　登記の目的
　ハ　申請の受付の年月日及び受付番号
　ニ　次項第1号に掲げる方法により申出をするときは，甲区又は乙区の別
③　第1項の申出は，次に掲げる方法のいずれかによりしなければならない。
　一　法務大臣の定めるところにより電子情報処理組織を使用して申出情報を登記所に提供する方法
　二　申出情報を記載した書面を登記所に提出する方法
④　申出情報の内容である登記名義人の氏名若しくは名称又は住所が登記記録と合致しないときは，申出情報と併せて当該登記名義人の氏名若しくは名称又は住所についての変更又は錯誤若しくは遺漏があったことを証する市町村長，登記官その他の公務員が職務上作成した情報を提供しなければならない。ただし，公務員が職務上作成した情報がない場合にあっては，これに代わるべき情報を提供すれば足りる。
⑤　登記名義人の相続人その他の一般承継人が第1項の申出をするときは，申出情報と併せて相続その他の一般承継があったことを証する市町村長，登記官その他の公務員が職務上作成した情報を提供しなければならない。ただし，公務員が職務上作成した情報がない場合にあっては，これに代わるべき情報を提供すれば足りる。
⑥　令第4条本文，第7条第1項第1号及び第2号の規定は，第1項の申出をする場合について準用する。
⑦　第36条第1項から第3項までの規定は前項において準用する令第7条第1項第1号及び第2号の法務省令で定める場合について，第37条及び第37条の2の規定は第1項の申出をする場合について，それぞれ準用する。

⑧　令第10条から第12条まで及び第14条の規定は，第3項第1号に掲げる方法により第1項の申出をする場合について準用する。
⑨　第41条及び第44条の規定は前項に規定する場合について，第42条の規定は前項において準用する令第12条第1項及び第2項の電子署名について，第43条の規定は前項において準用する令第14条の法務省令で定める電子証明書について，それぞれ準用する。
⑩　令第15条から第18条までの規定は，第3項第2号に掲げる方法により第1項の申出をする場合について準用する。
⑪　第45条，第46条第1項及び第2項，第53条並びに第55条の規定は前項に規定する場合について，第47条第1号及び第2号の規定は前項において準用する令第16条第1項の法務省令で定める場合について，第48条第1号から第3号までの規定は前項において準用する令第16条第2項の法務省令で定める場合について，第49条第1項第1号及び第3号の規定は前項において準用する令第18条第1項の法務省令で定める場合について，第49条第2項各号（第4号を除く。）の規定は前項において準用する令第18条第2項の法務省令で定める場合について，それぞれ準用する。

第66条　（登記識別情報の提供）
①　法第22条本文の規定により同条本文に規定する登記義務者の登記識別情報を提供する場合には，次の各号に掲げる申請の区分に応じ，当該各号に定める方法による。
　一　電子申請　法務大臣の定めるところにより電子情報処理組織を使用して登記識別情報を提供する方法
　二　書面申請　登記識別情報を記載した書面を申請書に添付して提出する方法
②　前項第2号の登記識別情報を記載した

書面は，封筒に入れて封をするものとする。
③　前項の封筒には，登記識別情報を提供する申請人の氏名又は名称及び登記の目的を記載し，登記識別情報を記載した書面が在中する旨を明記するものとする。

第67条　（登記識別情報の提供の省略）
　　同一の不動産について二以上の権利に関する登記の申請がされた場合（当該二以上の権利に関する登記の前後を明らかにして同時に申請がされた場合に限る。）において，前の登記によって登記名義人となる者が，後の登記の登記義務者となるときは，当該後の登記の申請情報と併せて提供すべき登記識別情報は，当該後の登記の申請情報と併せて提供されたものとみなす。

第68条　（登記識別情報に関する証明）
①　令第22条第1項に規定する証明の請求は，次に掲げる事項を内容とする情報（以下この条において「有効証明請求情報」という。）を登記所に提供してしなければならない。
一　請求人の氏名又は名称及び住所
二　請求人が法人であるときは，その代表者の氏名
三　代理人によって請求をするときは，当該代理人の氏名又は名称及び住所並びに代理人が法人であるときはその代表者の氏名
四　請求人が登記名義人の相続人その他の一般承継人であるときは，その旨及び登記名義人の氏名又は名称及び住所
五　当該登記識別情報に係る登記に関する次に掲げる事項
　　イ　不動産所在事項又は不動産番号
　　ロ　登記の目的
　　ハ　申請の受付の年月日及び受付番号
　　ニ　第3項第1号に掲げる方法により請求をするときは，甲区又は乙区の別

六　第15項の規定により同項に規定する情報を提供しないときは，その旨及び当該情報の表示
②　前項の証明の請求（登記識別情報が通知されていないこと又は失効していることの証明の請求を除く。）をするときは，有効証明請求情報と併せて登記識別情報を提供しなければならない。第66条の規定は，この場合における登記識別情報の提供方法について準用する。
③　第1項の証明の請求は，次に掲げる方法のいずれかによりしなければならない。
一　法務大臣の定めるところにより電子情報処理組織を使用して有効証明請求情報を登記所に提供する方法
二　有効証明請求情報を記載した書面を提出する方法
④　第1項の証明は，次の各号に掲げる場合の区分に応じ，それぞれ当該各号に定める方法によりするものとする。
一　前項第1号に掲げる方法により有効証明請求情報が提供された場合　法務大臣の定めるところにより，登記官の使用に係る電子計算機に備えられたファイルに記録された情報を電子情報処理組織を使用して送信し，これを請求人又はその代理人の使用に係る電子計算機に備えられたファイルに記録する方法
二　前項第2号に掲げる方法により有効証明請求情報が提供された場合　登記官が証明に係る事項を記載した書面を交付する方法
⑤　有効証明請求情報の内容である登記名義人の氏名若しくは名称又は住所が登記記録と合致しないときは，有効証明請求情報と併せて当該登記名義人の氏名若しくは名称又は住所についての変更又は錯誤若しくは遺漏があったことを証する市町村長，登記官その他の公務員が職務上作成した情報を提供しなければならない。ただし，公務員が職務上作成した情報が

ない場合にあっては、これに代わるべき情報を提供すれば足りる。
⑥ 登記名義人の相続人その他の一般承継人が第1項の証明の請求をするときは、その有効証明請求情報と併せて相続その他の一般承継があったことを証する市町村長、登記官その他の公務員が職務上作成した情報を提供しなければならない。ただし、公務員が職務上作成した情報がない場合にあっては、これに代わるべき情報を提供すれば足りる。
⑦ 令第4条並びに第7条第1項第1号及び第2号の規定は、第1項の証明の請求をする場合（同条の規定については、資格者代理人により第1項の証明の請求をする場合を除く。）について準用する。この場合において、令第4条ただし書中「申請する登記の目的並びに登記原因及びその日付が同一であるときその他法務省令で定めるとき」とあるのは、「有効証明請求情報の内容である登記名義人の氏名又は名称及び住所が同一であるとき」と読み替えるものとする。
⑧ 第36条第1項から第3項までの規定は前項において準用する令第7条第1項第1号及び第2号の法務省令で定める場合について、第37条及び第37条の2の規定は第1項の証明の請求をする場合について、それぞれ準用する。
⑨ 令第10条から第12条まで及び第14条の規定は、第3項第1号に掲げる方法により第1項の証明の請求をする場合について準用する。
⑩ 第41条及び第44条の規定は前項に規定する場合について、第42条の規定は前項において準用する令第12条第1項及び第2項の電子署名について、第43条の規定は前項において準用する令第14条の法務省令で定める電子証明書について、それぞれ準用する。
⑪ 令第15条から第18条までの規定は、第3項第2号に掲げる方法により第1項の

証明の請求をする場合について準用する。
⑫ 第45条、第46条第1項及び第2項、第53条並びに第55条（第1項ただし書を除く。）の規定は前項に規定する場合について、第47条第1号及び第2号の規定は前項において準用する令第16条第1項の法務省令で定める場合について、第48条第1号から第3号までの規定は前項において準用する令第16条第2項の法務省令で定める場合について、第49条第1項第1号及び第3号の規定は前項において準用する令第18条第1項の法務省令で定める場合について、第49条第2項各号（第4号を除く。）の規定は前項において準用する令第18条第2項の法務省令で定める場合について、それぞれ準用する。
⑬ 第197条第6項及び第204条の規定は、第4項第2号に定める方法により第1項の証明をする場合について準用する。
⑭ 資格者代理人によって第1項の証明の請求をするときは、当該資格者代理人が登記の申請の代理を業とすることができる者であることを証する情報（当該資格者代理人が法人である場合にあっては、当該法人の代表者の資格を証する情報を含む。）を併せて提供しなければならない。
⑮ 資格者代理人によって第1項の証明の請求をする場合には、第5項及び第6項の規定にかかわらず、これらの規定に規定する情報は、提供することを要しない。

第69条　（登記識別情報を記載した書面の廃棄）
① 登記官は、第66条第1項第2号（前条第2項後段において準用する場合を含む。）の規定により登記識別情報を記載した書面が提出された場合において、当該登記識別情報を提供した申請に基づく登記を完了したとき又は請求の審査を終了したときは、速やかに、当該書面を廃棄するものとする。

② 第29条の規定は，前項の規定により登記識別情報を記載した書面を廃棄する場合には，適用しない。

第6款／登記識別情報の提供がない場合の手続

第70条 （事前通知）

① 法第23条第1項の通知は，次の各号に掲げる場合の区分に応じ，当該各号に定める方法により書面を送付してするものとする。
　一　法第22条に規定する登記義務者が自然人である場合又は当該登記義務者が法人である場合において当該登記義務者である法人の代表者の住所に宛てて書面を送付するとき　日本郵便株式会社の内国郵便約款の定めるところにより名宛人本人に限り交付し，若しくは配達する本人限定受取郵便又はこれに準ずる方法
　二　法第22条に規定する登記義務者が法人である場合（前号に掲げる場合を除く。）　書留郵便又は信書便の役務であって信書便事業者において引受け及び配達の記録を行うもの
　三　法第22条に規定する登記義務者が外国に住所を有する場合　書留郵便若しくは信書便の役務であって信書便事業者において引受け及び配達の記録を行うもの又はこれらに準ずる方法
② 前項の書面には，当該通知を識別するための番号，記号その他の符号（第5項第1号において「通知番号等」という。）を記載しなければならない。
③ 第1項の規定による送付は，申請人が当該郵便物をこれと同一の種類に属する他の郵便物に優先して送達する取扱いの料金に相当する郵便切手を提出したときは，当該取扱いによらなければならない。同項第2号又は第3号の場合において，信書便の役務であって当該取扱いに相当するものの料金に相当する当該信書便事業者の証票で法務大臣が指定するものを提出したときも，同様とする。
④ 前項の指定は，告示してしなければならない。
⑤ 法第23条第1項に規定する申出は，次の各号に掲げる申請の区分に応じ，当該各号に定める方法によりしなければならない。
　一　電子申請　法務大臣の定めるところにより，法第22条に規定する登記義務者が，第1項の書面の内容を通知番号等を用いて特定し，申請の内容が真実である旨の情報に電子署名を行った上，登記所に送信する方法
　二　書面申請　法第22条に規定する登記義務者が，第1項の書面に通知に係る申請の内容が真実である旨を記載し，これに記名し，申請書又は委任状に押印したものと同一の印を用いて当該書面に押印した上，登記所に提出する方法（申請情報の全部を記録した磁気ディスクを提出した場合にあっては，法第22条に規定する登記義務者が，申請の内容が真実である旨の情報に電子署名を行い，これを記録した磁気ディスクを第1項の書面と併せて登記所に提出する方法）
⑥ 令第14条の規定は，前項の申出をする場合について準用する。
⑦ 第43条の規定は，前項において準用する令第14条の法務省令で定める電子証明書について準用する。
⑧ 法第23条第1項の法務省令で定める期間は，通知を発送した日から2週間とする。ただし，法第22条に規定する登記義務者が外国に住所を有する場合には，4週間とする。

第71条 （前の住所地への通知）

① 法第23条第2項の通知は，転送を要しない郵便物として書面を送付する方法又はこれに準ずる方法により送付するものとする。

② 法第23条第2項の法務省令で定める場合は，次に掲げる場合とする。
一 法第23条第2項の登記義務者の住所についての変更の登記（更正の登記を含む。以下この項において同じ。）の登記原因が，行政区画若しくはその名称又は字若しくはその名称についての変更又は錯誤若しくは遺漏である場合
二 法第23条第2項の登記の申請の日が，同項の登記義務者の住所についてされた最後の変更の登記の申請に係る受付の日から3月を経過している場合
三 法第23条第2項の登記義務者が法人である場合
四 前三号に掲げる場合のほか，次条第1項に規定する本人確認情報の提供があった場合において，当該本人確認情報の内容により申請人が登記義務者であることが確実であると認められる場合

第72条 （資格者代理人による本人確認情報の提供）

① 法第23条第4項第1号の規定により登記官が資格者代理人から提供を受ける申請人が申請の権限を有する登記名義人であることを確認するために必要な情報（以下「本人確認情報」という。）は，次に掲げる事項を明らかにするものでなければならない。
一 資格者代理人（資格者代理人が法人である場合にあっては，当該申請において当該法人を代表する者をいう。以下この条において同じ。）が申請人（申請人が法人である場合にあっては，代表者又はこれに代わるべき者。以下この条において同じ。）と面談した日時，場所及びその状況
二 資格者代理人が申請人の氏名を知り，かつ，当該申請人と面識があるときは，当該申請人の氏名を知り，かつ，当該申請人と面識がある旨及びその面識が生じた経緯
三 資格者代理人が申請人の氏名を知らず，又は当該申請人と面識がないときは，申請の権限を有する登記名義人であることを確認するために当該申請人から提示を受けた次項各号に掲げる書類の内容及び当該申請人が申請の権限を有する登記名義人であると認めた理由

② 前項第3号に規定する場合において，資格者代理人が申請人について確認をするときは，次に掲げる方法のいずれかにより行うものとする。ただし，第1号及び第2号に掲げる書類及び有効期間又は有効期限のある第3号に掲げる書類にあっては，資格者代理人が提示を受ける日において有効なものに限る。
一 運転免許証（道路交通法（昭和35年法律第105号）第92条第1項に規定する運転免許証をいう。），個人番号カード（行政手続における特定の個人を識別するための番号の利用等に関する法律（平成25年法律第27号）第2条第7項に規定する個人番号カードをいう。），旅券等（出入国管理及び難民認定法（昭和26年政令第319号）第2条第5号に規定する旅券及び同条第6号に規定する乗員手帳をいう。ただし，当該申請人の氏名及び生年月日の記載があるものに限る。），在留カード（同法第19条の3に規定する在留カードをいう。），特別永住者証明書（日本国との平和条約に基づき日本の国籍を離脱した者等の出入国管理に関する特例法（平成3年法律第71号）第7条に規定する特別永住者証明書をいう。）又は運転経歴証明書（道路交通法第104条の4第5項（同法第105条第2項において準用する場合を含む。）に規定する運転経歴証明書をいう。）のうちいずれか一以上の提示を求める方法
二 国民健康保険，健康保険，船員保険，

後期高齢者医療若しくは介護保険の被保険者証、健康保険日雇特例被保険者手帳、国家公務員共済組合若しくは地方公務員共済組合の組合員証、私立学校教職員共済制度の加入者証、基礎年金番号通知書（国民年金法施行規則（昭和35年厚生省令第12号）第1条第1項に規定する基礎年金番号通知書をいう。）、児童扶養手当証書、特別児童扶養手当証書、母子健康手帳、身体障害者手帳、精神障害者保健福祉手帳、療育手帳又は戦傷病者手帳であって、当該申請人の氏名、住所及び生年月日の記載があるもののうちいずれか二以上の提示を求める方法

三　前号に掲げる書類のうちいずれか一以上及び官公庁から発行され、又は発給された書類その他これに準ずるものであって、当該申請人の氏名、住所及び生年月日の記載があるもののうちいずれか一以上の提示を求める方法

③　資格者代理人が本人確認情報を提供するときは、当該資格者代理人が登記の申請の代理を業とすることができる者であることを証する情報を併せて提供しなければならない。

第7款／土地所在図等

第73条　（土地所在図、地積測量図、建物図面及び各階平面図の作成方式）

①　電子申請において送信する土地所在図、地積測量図、建物図面及び各階平面図は、法務大臣の定める方式に従い、作成しなければならない。書面申請においてこれらの図面を電磁的記録に記録して提出する場合についても、同様とする。

②　前項の土地所在図、地積測量図、建物図面及び各階平面図には、作成の年月日並びに申請人及び作成者の氏名又は名称を記録しなければならない。

第74条

①　土地所在図、地積測量図、建物図面及び各階平面図（これらのものが書面である場合に限る。）は、0.2ミリメートル以下の細線により、図形を鮮明に表示しなければならない。

②　前項の土地所在図、地積測量図、建物図面及び各階平面図には、作成の年月日を記録し、申請人が記名するとともに、その作成者が署名し、又は記名押印しなければならない。

③　第1項の土地所在図、地積測量図、建物図面及び各階平面図は、別記第1号及び第2号の様式により、日本産業規格B列4番の丈夫な用紙を用いて作成しなければならない。

第75条　（土地所在図及び地積測量図の作成単位）

①　土地所在図及び地積測量図は、一筆の土地ごとに作成しなければならない。

②　分筆の登記を申請する場合において提供する分筆後の土地の地積測量図は、分筆前の土地ごとに作成するものとする。

第76条　（土地所在図の内容）

①　土地所在図には、方位、縮尺、土地の形状及び隣地の地番を記録しなければならない。

②　土地所在図は、近傍類似の土地についての法第14条第1項の地図と同一の縮尺により作成するものとする。

③　第10条第4項の規定は、土地所在図について準用する。

第77条　（地積測量図の内容）

①　地積測量図には、次に掲げる事項を記録しなければならない。

一　地番区域の名称
二　方位
三　縮尺
四　地番（隣接地の地番を含む。）

五　地積及びその求積方法
　六　筆界点間の距離
　七　国土調査法施行令第2条第1項第1号に規定する平面直角座標系の番号又は記号
　八　基本三角点等に基づく測量の成果による筆界点の座標値
　九　境界標（筆界点にある永続性のある石杭又は金属標その他これに類する標識をいう。以下同じ。）があるときは，当該境界標の表示
　十　測量の年月日
② 　近傍に基本三角点等が存しない場合その他の基本三角点等に基づく測量ができない特別の事情がある場合には，前項第7号及び第8号に掲げる事項に代えて，近傍の恒久的な地物に基づく測量の成果による筆界点の座標値を記録しなければならない。
③ 　第1項第9号の境界標の表示を記録するには，境界標の存する筆界点に符号を付し，適宜の箇所にその符号及び境界標の種類を記録する方法その他これに準ずる方法によってするものとする。
④ 　地積測量図は，250分の1の縮尺により作成するものとする。ただし，土地の状況その他の事情により当該縮尺によることが適当でないときは，この限りでない。
⑤ 　第10条第4項の規定は，地積測量図について準用する。

第78条　（分筆の登記の場合の地積測量図）
　　分筆の登記を申請する場合において提供する分筆後の土地の地積測量図には，分筆前の土地を図示し，分筆線を明らかにして分筆後の各土地を表示し，これに符号を付さなければならない。

第79条　（地役権図面の内容）
① 　地役権図面には，地役権設定の範囲を明確にし，方位，縮尺，地番及び隣地の地番並びに申請人の氏名又は名称を記録しなければならない。
② 　地役権図面は，適宜の縮尺により作成することができる。
③ 　地役権図面には，作成の年月日を記録しなければならない。
④ 　地役権図面（書面である場合に限る。）には，地役権者が署名し，又は記名押印しなければならない。

第80条　（地役権図面の作成方式）
① 　第73条第1項及び第74条第1項の規定は，地役権図面について準用する。
② 　書面申請において提出する地役権図面（電磁的記録に記録して提出するものを除く。）は，別記第3号様式により，日本産業規格B列4番の丈夫な用紙を用いて作成しなければならない。

第81条　（建物図面及び各階平面図の作成単位）
　　建物図面及び各階平面図は，1個の建物（附属建物があるときは，主である建物と附属建物を合わせて1個の建物とする。）ごとに作成しなければならない。

第82条　（建物図面の内容）
① 　建物図面は，建物の敷地並びにその1階（区分建物にあっては，その地上の最低階）の位置及び形状を明確にするものでなければならない。
② 　建物図面には，方位，縮尺，敷地の地番及びその形状，隣接地の地番並びに附属建物があるときは主である建物又は附属建物の別及び附属建物の符号を記録しなければならない。
③ 　建物図面は，500分の1の縮尺により作成しなければならない。ただし，建物の状況その他の事情により当該縮尺によることが適当でないときは，この限りでない。

第83条　（各階平面図の内容）

① 各階平面図には，縮尺，各階の別，各階の平面の形状，1階の位置，各階ごとの建物の周囲の長さ，床面積及びその求積方法並びに附属建物があるときは主である建物又は附属建物の別及び附属建物の符号を記録しなければならない。

② 各階平面図は，250分の1の縮尺により作成しなければならない。ただし，建物の状況その他の事情により当該縮尺によることが適当でないときは，この限りでない。

第84条　（建物の分割の登記の場合の建物図面等）

建物の分割の登記又は建物の区分の登記を申請する場合において提供する建物図面及び各階平面図には，分割後又は区分後の各建物を表示し，これに符号を付さなければならない。

第85条　（土地所在図の管理及び閉鎖等）

① 登記官は，申請情報と併せて土地所在図，地積測量図，建物図面又は各階平面図の提供があった場合において，当該申請に基づく登記をしたときは，これらの図面に登記の完了の年月日を記録しなければならない。

② 登記官は，次の各号に掲げる場合には，当該各号に定める図面を閉鎖しなければならない。

一　表題部の登記事項に関する変更の登記又は更正の登記をした場合（変更後又は更正後の土地所在図，地積測量図，建物図面又は各階平面図がある場合に限る。）変更前又は更正前の土地所在図，地積測量図，建物図面又は各階平面図

二　滅失の登記又は表題部の抹消をした場合　滅失前又は抹消前の土地所在図，地積測量図，建物図面又は各階平面図

三　土地改良法（昭和24年法律第195号）又は土地区画整理法（昭和29年法律第109号）に基づく換地処分の登記をした場合（前号に掲げる場合を除く。）従前の土地に係る土地所在図又は地積測量図

③ 登記官は，前項の規定により同項各号に定める図面を閉鎖する場合には，当該図面が，第17条第1項の電磁的記録に記録されているときは当該電磁的記録に閉鎖の事由及びその年月日並びに登記官の識別番号を記録し，土地図面つづり込み帳又は建物図面つづり込み帳につづり込まれているときは当該図面に閉鎖の事由及びその年月日を記録して登記官印を押印しなければならない。

④ 第1項の規定は，同項に規定する図面を第17条第1項の電磁的記録に記録して保存する場合には，適用しない。この場合においては，当該電磁的記録に登記の完了の年月日を記録しなければならない。

第86条　（地役権図面の管理）

① 登記官は，申請情報と併せて地役権図面の提供があった場合において，当該申請に基づく登記をしたときは，地役権図面にその番号（以下「地役権図面番号」という。）を付さなければならない。この場合においては，当該地役権図面に当該地役権図面番号並びに当該申請の受付の年月日及び受付番号を記録しなければならない。

② 前項後段の規定は，地役権図面を第17条第1項の電磁的記録に記録して保存する場合には，適用しない。この場合においては，当該電磁的記録に地役権図面番号及び登記の年月日を記録しなければならない。

③ 地役権図面番号は，1年ごとに更新するものとする。

第87条　（地役権図面の閉鎖）

① 登記官は，地役権の登記の抹消をした

とき又は地役権図面を添付情報とする申請に基づく分筆の登記，合筆の登記若しくは地役権の変更の登記若しくは更正の登記をしたときは，従前の地役権図面を閉鎖しなければならない。
② 第85条第3項の規定は，前項の場合について準用する。

第88条　（土地所在図の訂正等）
① 土地所在図，地積測量図，建物図面又は各階平面図に誤りがあるときは，表題部所有者若しくは所有権の登記名義人又はこれらの相続人その他の一般承継人は，その訂正の申出をすることができる。ただし，表題部の登記事項に関する更正の登記（土地所在図，地積測量図，建物図面又は各階平面図を添付情報とするものに限る。）をすることができる場合は，この限りでない。
② 前項の申出は，訂正後の土地所在図，地積測量図，建物図面又は各階平面図を提供してしなければならない。
③ 第16条第3項，第4項，第5項第3号及び第6項から第14項までの規定は，第1項の申出について準用する。

第2節／表示に関する登記

第1款／通則

第89条　（表題部の登記）
登記官は，表題部に表示に関する登記をする場合には，法令に別段の定めがある場合を除き，表示に関する登記の登記事項のうち，当該表示に関する登記の登記原因及びその日付並びに登記の年月日のほか，新たに登記すべきものを記録しなければならない。

第90条　（不動産番号）
登記官は，法第27条第4号の不動産を識別するために必要な事項として，一筆の土地又は1個の建物ごとに番号，記号その他の符号を記録することができる。

第91条　（表題部の変更の登記又は更正の登記）
登記官は，表題部の登記事項に関する変更の登記又は更正の登記をするときは，変更前又は更正前の事項を抹消する記号を記録しなければならない。

第92条　（行政区画の変更等）
① 行政区画又はその名称の変更があった場合には，登記記録に記録した行政区画又はその名称について変更の登記があったものとみなす。字又はその名称に変更があったときも，同様とする。
② 登記官は，前項の場合には，速やかに，表題部に記録した行政区画若しくは字又はこれらの名称を変更しなければならない。

第93条　（実地調査）
登記官は，表示に関する登記をする場合には，法第29条の規定により実地調査を行わなければならない。ただし，申請に係る不動産の調査に関する報告（土地家屋調査士又は土地家屋調査士法人が代理人として登記を申請する場合において，当該土地家屋調査士（土地家屋調査士法人の場合にあっては，その代表者）が作成したものに限る。）その他の申請情報と併せて提供された情報又は公知の事実若しくは登記官が職務上知り得た事実により登記官が実地調査をする必要がないと認めたときは，この限りでない。

第94条　（実地調査における電磁的記録に記録された事項の提示方法等）
① 法第29条第2項の法務省令で定める方法は，当該電磁的記録に記録された事項を書面に出力する方法又は当該事項を出力装置の映像面に表示する方法とする。
② 法第29条第2項に規定する登記官の身

分を証する書面は，別記第4号様式によるものとする。

第95条　（実地調査書）
登記官は，実地調査を行った場合には，その調査の結果を記録した調書を作成しなければならない。

第96条　（職権による表示に関する登記の手続）
① 登記官は，職権で表示に関する登記をしようとするときは，職権表示登記等事件簿に登記の目的，立件の年月日及び立件番号並びに不動産所在事項を記録しなければならない。
② 登記官は，地図若しくは地図に準ずる図面を訂正しようとするとき（第16条の申出により訂正するときを含む。）又は土地所在図，地積測量図，建物図面若しくは各階平面図を訂正しようとするとき（第88条の申出により訂正するときを含む。）は，職権表示登記等事件簿に事件の種別，立件の年月日及び立件番号並びに不動産所在事項を記録しなければならない。

第2款／土地の表示に関する登記

第97条　（地番区域）
地番区域は，市，区，町，村，字又はこれに準ずる地域をもって定めるものとする。

第98条　（地番）
① 地番は，地番区域ごとに起番して定めるものとする。
② 地番は，土地の位置が分かりやすいものとなるように定めるものとする。

第99条　（地目）
地目は，土地の主な用途により，田，畑，宅地，学校用地，鉄道用地，塩田，鉱泉地，池沼，山林，牧場，原野，墓地，境内地，運河用地，水道用地，用悪水路，ため池，堤，井溝，保安林，公衆用道路，公園及び雑種地に区分して定めるものとする。

第100条　（地積）
地積は，水平投影面積により，平方メートルを単位として定め，1平方メートルの100分の1（宅地及び鉱泉地以外の土地で10平方メートルを超えるものについては，1平方メートル）未満の端数は，切り捨てる。

第101条　（分筆の登記における表題部の記録方法）
① 登記官は，甲土地から乙土地を分筆する分筆の登記をするときは，乙土地について新たな登記記録を作成し，当該登記記録の表題部に何番の土地から分筆した旨を記録しなければならない。
② 登記官は，前項の場合には，甲土地に新たな地番を付し，甲土地の登記記録に，残余部分の土地の表題部の登記事項，何番の土地を分筆した旨及び従前の土地の表題部の登記事項の変更部分を抹消する記号を記録しなければならない。
③ 前項の規定にかかわらず，登記官は，分筆後の甲土地について従前の地番と同一の地番を付すことができる。この場合には，甲土地の登記記録の表題部の従前の地番を抹消する記号を記録することを要しない。

第102条　（分筆の登記における権利部の記録方法）
① 登記官は，前条の場合において，乙土地の登記記録の権利部の相当区に，甲土地の登記記録から権利に関する登記（地役権の登記にあっては，乙土地に地役権が存続することとなる場合に限る。）を転写し，かつ，分筆の登記に係る申請の受付の年月日及び受付番号を記録しなけ

ればならない。この場合において，所有権及び担保権以外の権利（地役権を除く。）については分筆後の甲土地が共にその権利の目的である旨を記録し，担保権については既にその権利についての共同担保目録が作成されているときを除き共同担保目録を作成し，転写した権利の登記の末尾にその共同担保目録の記号及び目録番号を記録しなければならない。

② 登記官は，前項の場合において，転写する権利が担保権であり，かつ，既にその権利についての共同担保目録が作成されているときは，同項の規定により転写された乙土地に関する権利を当該共同担保目録に記録しなければならない。

③ 登記官は，甲土地の登記記録から乙土地の登記記録に所有権以外の権利に関する登記を転写したときは，分筆後の甲土地の登記記録の当該権利に関する登記に，担保権以外の権利（地役権を除く。）については乙土地が共にその権利の目的である旨を，担保権については既にその権利についての共同担保目録が作成されているときを除き第1項の規定により作成した共同担保目録の記号及び目録番号を記録しなければならない。

第103条 （地役権の登記がある土地の分筆の登記）

① 登記官は，承役地についてする地役権の登記がある甲土地から乙土地を分筆する分筆の登記をする場合において，地役権設定の範囲が分筆後の甲土地又は乙土地の一部となるときは，分筆後の甲土地又は乙土地の登記記録の当該地役権に関する登記に当該地役権設定の範囲及び地役権図面番号を記録しなければならない。

② 登記官は，前項の場合には，要役地の登記記録の第159条第1項各号に掲げる事項に関する変更の登記をしなければならない。

③ 登記官は，第1項の場合において，要役地が他の登記所の管轄区域内にあるときは，遅滞なく，当該他の登記所に承役地の分筆の登記をした旨を通知しなければならない。

④ 前項の通知を受けた登記所の登記官は，遅滞なく，第2項に規定する登記をしなければならない。

第104条 （分筆に伴う権利の消滅の登記）

① 法第40条の規定による権利が消滅した旨の登記は，分筆の登記の申請情報と併せて次に掲げる情報が提供された場合にするものとする。

一 当該権利の登記名義人（当該権利が抵当権である場合において，抵当証券が発行されているときは，当該抵当証券の所持人又は裏書人を含む。）が当該権利を消滅させることを承諾したことを証する当該登記名義人が作成した情報又は当該登記名義人に対抗することができる裁判があったことを証する情報

二 前号の権利を目的とする第三者の権利に関する登記があるときは，当該第三者が承諾したことを証する当該第三者が作成した情報又は当該第三者に対抗することができる裁判があったことを証する情報

三 第1号の権利が抵当証券の発行されている抵当権であるときは，当該抵当証券

② 甲土地から乙土地を分筆する分筆の登記をする場合において，法第40条の規定により乙土地について権利が消滅した旨の登記をするときは，分筆後の甲土地の登記記録の当該権利に関する登記についてする付記登記によって乙土地について当該権利が消滅した旨を記録しなければならない。この場合には，第102条第1項の規定にかかわらず，当該消滅した権利に係る権利に関する登記を乙土地の登記記録に転写することを要しない。

③　甲土地から乙土地を分筆する分筆の登記をする場合において，法第40条の規定により分筆後の甲土地について権利が消滅した旨の登記をするときは，分筆後の甲土地の登記記録の当該権利に関する登記についてする付記登記によって分筆後の甲土地について当該権利が消滅した旨を記録し，当該権利に関する登記を抹消する記号を記録しなければならない。

④　第2項の規定は，承役地についてする地役権の登記がある甲土地から乙土地を分筆する分筆の登記をする場合において，乙土地に地役権が存しないこととなるとき（法第40条の場合を除く。）について準用する。

⑤　第3項の規定は，承役地についてする地役権の登記がある甲土地から乙土地を分筆する分筆の登記をする場合において，分筆後の甲土地に地役権が存しないこととなるとき（法第40条の場合を除く。）について準用する。

⑥　登記官は，要役地についてする地役権の登記がある土地について分筆の登記をする場合において，当該分筆の登記の申請情報と併せて当該地役権を分筆後のいずれかの土地について消滅させることを証する地役権者が作成した情報が提供されたとき（当該土地を目的とする第三者の権利に関する登記がある場合にあっては，当該第三者が承諾したことを証する情報が併せて提供されたときに限る。）は，当該土地について当該地役権が消滅した旨を登記しなければならない。この場合においては，第1項第2号，第2項及び第3項の規定を準用する。

第105条　（合筆の登記の制限の特例）

法第41条第6号の合筆後の土地の登記記録に登記することができる権利に関する登記は，次に掲げる登記とする。
一　承役地についてする地役権の登記
二　担保権の登記であって，登記の目的，申請の受付の年月日及び受付番号並びに登記原因及びその日付が同一のもの
三　信託の登記であって，法第97条第1項各号に掲げる登記事項が同一のもの
四　鉱害賠償登録令（昭和30年政令第27号）第26条に規定する鉱害賠償登録に関する登記であって，鉱害賠償登録規則（昭和30年法務省令第47号）第2条に規定する登録番号が同一のもの

第106条　（合筆の登記における表題部の記録方法）

①　登記官は，甲土地を乙土地に合筆する合筆の登記をするときは，乙土地の登記記録の表題部に，合筆後の土地の表題部の登記事項，何番の土地を合筆した旨及び従前の土地の表題部の登記事項の変更部分を抹消する記号を記録しなければならない。

②　登記官は，前項の場合には，甲土地の登記記録の表題部に何番の土地に合筆した旨及び従前の土地の表題部の登記事項を抹消する記号を記録し，当該登記記録を閉鎖しなければならない。

第107条　（合筆の登記における権利部の記録方法）

①　登記官は，前条第1項の場合において，合筆前の甲土地及び乙土地が所有権の登記がある土地であるときは，乙土地の登記記録の甲区に次に掲げる事項を記録しなければならない。
一　合併による所有権の登記をする旨
二　所有権の登記名義人の氏名又は名称及び住所並びに登記名義人が2人以上であるときは当該所有権の登記名義人ごとの持分
三　甲土地又は乙土地に156条の4に規定する法人識別事項又は第156条の6第1項に規定する国内連絡先事項（以下「法人識別事項」という。）の登記があるときは，当該法人識別事項等

四　合筆の登記に係る申請の受付の年月日及び受付番号
　五　信託の登記であって，法第97条第1項各号に掲げる登記事項が同一のものがあるときは，当該信託の登記
② 登記官は，前項の場合において，乙土地の登記記録に承役地についてする地役権の登記があるときは，当該地役権の登記に当該地役権設定の範囲及び地役権図面番号を記録しなければならない。
③ 登記官は，第1項の場合において，甲土地の登記記録に承役地についてする地役権の登記があるときは，乙土地の登記記録の乙区に甲土地の登記記録から当該地役権の登記を移記し，当該移記された地役権の登記に当該地役権設定の範囲及び地役権図面番号を記録しなければならない。
④ 登記官は，前項の規定により地役権の登記を移記すべき場合において，乙土地に登記の目的，申請の受付の年月日及び受付番号並びに登記原因及びその日付が同一の承役地にする地役権の登記があるときは，同項の規定にかかわらず，乙土地の登記記録に甲土地の地番及び甲土地につき同一事項の登記がある旨を記録しなければならない。
⑤ 第103条第2項から第4項までの規定は，前三項の場合について準用する。
⑥ 登記官は，第1項の場合において，甲土地及び乙土地の登記記録に登記の目的，申請の受付の年月日及び受付番号並びに登記原因及びその日付が同一の担保権の登記があるときは，乙土地の登記記録に当該登記が合筆後の土地の全部に関する旨を付記登記によって記録しなければならない。

第108条　（分合筆の登記）
① 登記官は，甲土地の一部を分筆して，これを乙土地に合筆する場合において，分筆の登記及び合筆の登記をするときは，乙土地の登記記録の表題部に，合筆後の土地の表題部の登記事項，何番の土地の一部を合併した旨及び従前の土地の表題部の登記事項の変更部分を抹消する記号を記録しなければならない。この場合には，第106条の規定は，適用しない。
② 登記官は，前項に規定する登記をするときは，甲土地の登記記録の表題部に，残余部分の土地の表題部の登記事項，何番の土地に一部を合併した旨及び従前の土地の表題部の登記事項の変更部分を抹消する記号を記録しなければならない。この場合には，第101条第1項及び第2項の規定は，適用しない。
③ 第102条第1項（承役地についてする地役権の登記に係る部分に限る。），第103条，第104条及び前条の規定は，第1項の場合について準用する。

第109条　（土地の滅失の登記）
　登記官は，土地の滅失の登記をするときは，当該土地の登記記録の表題部の登記事項を抹消する記号を記録し，当該登記記録を閉鎖しなければならない。

第110条
① 登記官は，前条の場合において，滅失した土地が他の不動産と共に所有権以外の権利の目的であったとき（その旨が登記記録に記録されている場合に限る。）は，当該他の不動産の登記記録の乙区に，滅失した土地の不動産所在事項並びに滅失の原因及び当該土地が滅失したことを記録し，かつ，当該滅失した土地が当該他の不動産と共に権利の目的である旨の記録における当該滅失した土地の不動産所在事項を抹消する記号を記録しなければならない。
② 登記官は，滅失した土地が他の不動産と共に担保権の目的であったときは，前項の規定による記録（滅失した土地の不動産所在事項の記録を除く。）は，共同

担保目録にしなければならない。
③ 登記官は，第1項の場合において，当該他の不動産が他の登記所の管轄区域内にあるときは，遅滞なく，その旨を当該他の登記所に通知しなければならない。
④ 前項の規定による通知を受けた登記所の登記官は，遅滞なく，第1項及び第2項の規定による登記をしなければならない。

第3款／建物の表示に関する登記

第111条　（建物）
　建物は，屋根及び周壁又はこれらに類するものを有し，土地に定着した建造物であって，その目的とする用途に供し得る状態にあるものでなければならない。

第112条　（家屋番号）
① 家屋番号は，地番区域ごとに建物の敷地の地番と同一の番号をもって定めるものとする。ただし，2個以上の建物が1筆の土地の上に存するとき，1個の建物が2筆以上の土地の上に存するとき，その他特別の事情があるときは，敷地の地番と同一の番号に支号を付す方法その他の方法により，これを定めるものとする。
② 附属建物には，符号を付すものとする。

第113条　（建物の種類）
① 建物の種類は，建物の主な用途により，居宅，店舗，寄宿舎，共同住宅，事務所，旅館，料理店，工場，倉庫，車庫，発電所及び変電所に区分して定め，これらの区分に該当しない建物については，これに準じて定めるものとする。
② 建物の主な用途が二以上の場合には，当該二以上の用途により建物の種類を定めるものとする。

第114条　（建物の構造）
　建物の構造は，建物の主な部分の構成材料，屋根の種類及び階数により，次のように区分して定め，これらの区分に該当しない建物については，これに準じて定めるものとする。
一　構成材料による区分
　イ　木造
　ロ　土蔵造
　ハ　石造
　ニ　れんが造
　ホ　コンクリートブロック造
　ヘ　鉄骨造
　ト　鉄筋コンクリート造
　チ　鉄骨鉄筋コンクリート造
二　屋根の種類による区分
　イ　かわらぶき
　ロ　スレートぶき
　ハ　亜鉛メッキ鋼板ぶき
　ニ　草ぶき
　ホ　陸屋根
三　階数による区分
　イ　平家建
　ロ　2階建（3階建以上の建物にあっては，これに準ずるものとする。）

第115条　（建物の床面積）
　建物の床面積は，各階ごとに壁その他の区画の中心線（区分建物にあっては，壁その他の区画の内側線）で囲まれた部分の水平投影面積により，平方メートルを単位として定め，1平方メートルの100分の1未満の端数は，切り捨てるものとする。

第116条　（区分建物の家屋番号）
① 区分建物である建物の登記記録の表題部には，建物の表題部の登記事項のほか，当該建物が属する1棟の建物に属する他の建物の家屋番号を記録するものとする。
② 登記官は，区分建物である建物の家屋番号に関する変更の登記又は更正の登記をしたときは，当該建物が属する1棟の建物に属する他の建物の登記記録に記録されていた当該建物の家屋番号を抹消す

る記号を記録し，変更後又は更正後の家屋番号を記録しなければならない。

第117条　（区分建物の登記記録の閉鎖）

① 登記官は，区分建物である建物の登記記録を閉鎖する場合において，当該登記記録の閉鎖後においても当該建物（以下この条において「閉鎖建物」という。）が属する1棟の建物に他の建物（附属建物として登記されているものを除く。）が存することとなるときは，第8条の規定にかかわらず，閉鎖建物の登記記録に記録された次に掲げる事項を抹消する記号を記録することを要しない。

一　1棟の建物の所在する市，区，郡，町，村，字及び土地の地番
二　1棟の建物の構造及び床面積
三　1棟の建物の名称があるときは，その名称
四　前条第1項の規定により記録されている当該他の建物の家屋番号

② 登記官は，前項の場合には，閉鎖建物が属する1棟の建物に属する他の建物の登記記録に記録されている当該閉鎖建物の家屋番号を抹消する記号を記録しなければならない。

③ 登記官は，第1項に規定する場合以外の場合において，区分建物である建物の登記記録を閉鎖するときは，閉鎖建物の登記記録及び当該閉鎖建物が属する1棟の建物に属する他の建物の登記記録（閉鎖されたものも含む。）の第1項各号に掲げる事項を抹消する記号を記録しなければならない。

第118条　（表題部にする敷地権の記録方法）

登記官は，区分建物である建物の登記記録の表題部に法第44条第1項第9号に掲げる敷地権を記録するときは，敷地権の登記原因及びその日付のほか，次に掲げる事項を記録しなければならない。

一　敷地権の目的である土地に関する次に掲げる事項
　イ　当該土地を記録する順序に従って付した符号
　ロ　当該土地の不動産所在事項
　ハ　地目
　ニ　地積
二　敷地権の種類
三　敷地権の割合

第119条　（敷地権である旨の登記）

① 登記官は，法第46条の敷地権である旨の登記をするときは，次に掲げる事項を敷地権の目的である土地の登記記録の権利部の相当区に記録しなければならない。

一　敷地権である旨
二　当該敷地権の登記をした区分建物が属する1棟の建物の所在する市，区，郡，町，村，字及び土地の地番
三　当該敷地権の登記をした区分建物が属する1棟の建物の構造及び床面積又は当該1棟の建物の名称
四　当該敷地権が1棟の建物に属する一部の建物についての敷地権であるときは，当該一部の建物の家屋番号
五　登記の年月日

② 登記官は，敷地権の目的である土地が他の登記所の管轄区域内にあるときは，遅滞なく，当該他の登記所に前項の規定により記録すべき事項を通知しなければならない。

③ 前項の規定による通知を受けた登記所の登記官は，遅滞なく，敷地権の目的である土地の登記記録の権利部の相当区に，通知を受けた事項を記録しなければならない。

第120条　（合体による登記等）

① 合体後の建物についての建物の表題登記をする場合において，合体前の建物に所有権の登記がある建物があるときは，合体後の建物の登記記録の表題部に表題部所有者に関する登記事項を記録するこ

とを要しない。法第49条第1項後段の規定により併せて所有権の登記の申請があった場合についても，同様とする。
② 登記官は，前項前段の場合において，表題登記をしたときは，当該合体後の建物の登記記録の甲区に次に掲げる事項を記録しなければならない。
一 合体による所有権の登記をする旨
二 所有権の登記名義人の氏名又は名称及び住所並びに登記名義人が2人以上であるときは当該所有権の登記名義人ごとの持分
三 合体前の建物に法人識別事項等の登記があるときは，当該法人識別事項等
四 登記の年月日
③ 登記官は，法第49条第1項後段の規定により併せて所有権の登記の申請があった場合において，当該申請に基づく所有権の登記をするときは，前項各号に掲げる事項のほか，第156条の4に規定する法人識別事項，第156条の6第1項に規定する国内連絡先事項並びに当該申請の受付の年月日及び受付番号も記録しなければならない。
④ 登記官は，合体前の建物について存続登記（令別表の13の項申請情報欄ハに規定する存続登記をいう。以下この項において同じ。）がある場合において，合体後の建物の持分について当該存続登記と同一の登記をするときは，合体前の建物の登記記録から合体後の建物の登記記録の権利部の相当区に当該存続登記を移記し，その末尾に本項の規定により登記を移記した旨及びその年月日を記録しなければならない。
⑤ 法第50条の規定による権利が消滅した旨の登記は，合体による登記等の申請情報と併せて次に掲げる情報の提供がされた場合にするものとする。
一 当該権利の登記名義人（当該権利が抵当権である場合において，抵当証券が発行されているときは，当該抵当証券の所持人又は裏書人を含む。）が当該権利を消滅させることについて承諾したことを証する当該登記名義人が作成した情報又は当該登記名義人に対抗することができる裁判があったことを証する情報
二 前号の権利を目的とする第三者の権利に関する登記があるときは，当該第三者が承諾したことを証する当該第三者が作成した情報又は当該第三者に対抗することができる裁判があったことを証する情報
三 第1号の権利が抵当証券の発行されている抵当権であるときは，当該抵当証券
⑥ 前項の場合における権利が消滅した旨の登記は，付記登記によってするものとする。この場合には，第4項の規定にかかわらず，当該消滅した権利に係る権利に関する登記を合体後の建物の登記記録に移記することを要しない。
⑦ 第124条の規定は，敷地権付き区分建物が合体した場合において，合体後の建物につき敷地権の登記をしないときについて準用する。
⑧ 前条の規定は，合体前の二以上の建物がいずれも敷地権付き区分建物であり，かつ，合体後の建物も敷地権付き区分建物となる場合において，合体前の建物のすべての敷地権の割合を合算した敷地権の割合が合体後の建物の敷地権の割合となるときは，適用しない。
⑨ 第144条の規定は，合体前の建物の表題部の登記の抹消について準用する。

第121条（附属建物の新築の登記）

登記官は，附属建物の新築による建物の表題部の登記事項に関する変更の登記をするときは，建物の登記記録の表題部に，附属建物の符号，種類，構造及び床面積を記録しなければならない。

第122条　（区分建物の表題部の変更の登記）

① 法第51条第5項の法務省令で定める登記事項は，次のとおりとする。
　一　敷地権の目的となる土地の不動産所在事項，地目及び地積
　二　敷地権の種類
② 法第53条第2項において準用する第51条第5項の法務省令で定める事項は，前項各号に掲げる事項並びに敷地権の登記原因及びその日付とする。

第123条　（建物の表題部の変更の登記等により敷地権の登記をする場合の登記）

① 登記官は，建物の表題部の登記事項に関する変更の登記又は更正の登記により新たに敷地権の登記をした場合において，建物についての所有権又は特定担保権（一般の先取特権，質権又は抵当権をいう。以下この条において同じ。）に係る権利に関する登記があるときは，所有権の登記を除き，当該権利に関する登記についてする付記登記によって建物のみに関する旨を記録しなければならない。ただし，特定担保権に係る権利に関する登記であって，当該登記の目的等（登記の目的，申請の受付の年月日及び受付番号並びに登記原因及びその日付をいう。以下この項において同じ。）が当該敷地権についてされた特定担保権に係る権利に関する登記の目的等と同一であるものは，この限りでない。
② 登記官は，前項ただし書の場合には，職権で，当該敷地権についてされた特定担保権に係る権利に関する登記の抹消をしなければならない。この場合には，敷地権の目的である土地の登記記録の権利部の相当区に本項の規定により抹消をする旨及びその年月日を記録しなければならない。

第124条　（敷地権の登記の抹消）

① 登記官は，敷地権付き区分建物について，敷地権であった権利が敷地権でない権利となったことによる建物の表題部に関する変更の登記をしたときは，当該敷地権の目的であった土地の登記記録の権利部の相当区に敷地権の変更の登記により敷地権を抹消する旨及びその年月日を記録し，同区の敷地権である旨の登記の抹消をしなければならない。敷地権であった権利が消滅したことによる建物の表題部に関する変更の登記をしたときも，同様とする。
② 登記官は，前項前段の場合には，同項の土地の登記記録の権利部の相当区に，敷地権であった権利，その権利の登記名義人の氏名又は名称及び住所，当該登記名義人の法人識別事項等の登記があるときは当該法人識別事項等並びに登記名義人が2人以上であるときは当該権利の登記名義人ごとの持分を記録し，敷地権である旨の登記を抹消したことにより登記をする旨及び登記の年月日を記録しなければならない。
③ 登記官は，前項に規定する登記をすべき場合において，敷地権付き区分建物の登記記録に特定登記（法第55条第1項に規定する特定登記をいう。以下同じ。）があるときは，当該敷地権付き区分建物の登記記録から第1項の土地の登記記録の権利部の相当区にこれを転写しなければならない。
④ 登記官は，前項の場合において，第1項の土地の登記記録の権利部の相当区に前項の規定により転写すべき登記に後れる登記があるときは，同項の規定にかかわらず，新たに当該土地の登記記録を作成した上，当該登記記録の表題部に従前の登記記録の表題部にされていた登記を移記するとともに，権利部に，権利の順序に従って，同項の規定により転写すべき登記を転写し，かつ，従前の登記記録

の権利部にされていた登記を移記しなければならない。この場合には，従前の登記記録の表題部及び権利部にこの項の規定により登記を移記した旨及びその年月日を記録し，従前の登記記録を閉鎖しなければならない。

⑤　登記官は，前二項の規定により土地の登記記録の権利部の相当区に登記を転写し，又は移記したときは，その登記の末尾に第3項又は第4項の規定により転写し，又は移記した旨を記録しなければならない。

⑥　登記官は，第3項の規定により転写すべき登記が，一般の先取特権，質権又は抵当権の登記であるときは，共同担保目録を作成しなければならない。この場合には，建物及び土地の各登記記録の転写された権利に係る登記の末尾に，新たに作成した共同担保目録の記号及び目録番号を記録しなければならない。

⑦　前項の規定は，転写すべき登記に係る権利について既に共同担保目録が作成されていた場合には，適用しない。この場合において，登記官は，当該共同担保目録の従前の敷地権付き区分建物を目的とする権利を抹消する記号を記録し，敷地権の消滅後の建物及び土地を目的とする権利を記録して，土地の登記記録の当該権利の登記の末尾に当該共同担保目録の記号及び目録番号を記録しなければならない。

⑧　登記官は，第1項の変更の登記をした場合において，敷地権の目的である土地が他の登記所の管轄区域内にあるときは，遅滞なく，当該他の登記所に同項の登記をした旨及び第2項又は第3項の規定により記録し，又は転写すべき事項を通知しなければならない。

⑨　前項の通知を受けた登記所の登記官は，遅滞なく，第1項から第7項までに定める手続をしなければならない。

⑩　第6条後段の規定は，第4項の規定により登記を移記する場合について準用する。

第125条　（特定登記に係る権利の消滅の登記）

①　特定登記に係る権利が消滅した場合の登記は，敷地権の変更の登記の申請情報と併せて次に掲げる情報が提供された場合にするものとする。

一　当該権利の登記名義人（当該権利が抵当権である場合において，抵当証券が発行されているときは，当該抵当証券の所持人又は裏書人を含む。）が当該権利を消滅させることを承諾したことを証する当該登記名義人が作成した情報又は当該登記名義人に対抗することができる裁判があったことを証する情報

二　前号の権利を目的とする第三者の権利に関する登記があるときは，当該第三者が承諾したことを証する当該第三者が作成した情報又は当該第三者に対抗することができる裁判があったことを証する情報

三　第1号の権利が抵当証券の発行されている抵当権であるときは，当該抵当証券

②　前項の場合における特定登記に係る権利が土地について消滅した旨の登記は，付記登記によってするものとする。この場合には，前条第3項の規定にかかわらず，当該消滅した権利に係る権利に関する登記を土地の登記記録に転写することを要しない。

③　第1項の場合における特定登記に係る権利が建物について消滅した旨の登記は，付記登記によってするものとする。この場合には，登記の年月日及び当該権利に関する登記を抹消する記号を記録しなければならない。

④　前三項の規定は，法第55条第2項から第4項までの規定による特定登記に係る権利が消滅した場合の登記について準用

する。

第126条　（敷地権の不存在による更正の登記）

① 登記官は，敷地権の不存在を原因とする建物の表題部に関する更正の登記をしたときは，その権利の目的である土地の登記記録の権利部の相当区に敷地権の更正の登記により敷地権を抹消する旨及びその年月日を記録し，同区の敷地権である旨の登記の抹消をしなければならない。

② 登記官は，前項の場合において，法第73条第1項本文の規定により敷地権の移転の登記としての効力を有する登記があるときは，前項の土地の登記記録の権利部の相当区に当該登記の全部を転写しなければならない。

③ 第124条第3項から第10項までの規定は，前項の場合について準用する。

第127条　（建物の分割の登記における表題部の記録方法）

① 登記官は，甲建物からその附属建物を分割して乙建物とする建物の分割の登記をするときは，乙建物について新たに登記記録を作成し，当該登記記録の表題部に家屋番号何番の建物から分割した旨を記録しなければならない。

② 登記官は，前項の場合には，甲建物の登記記録の表題部に，家屋番号何番の建物に分割した旨及び分割した附属建物を抹消する記号を記録しなければならない。

③ 登記官は，第1項の場合において，分割により不動産所在事項に変更が生じたときは，変更後の不動産所在事項，分割により変更した旨及び変更前の不動産所在事項を抹消する記号を記録しなければならない。

第128条　（建物の分割の登記における権利部の記録方法）

① 第102条及び第104条第1項から第3項までの規定は，前条第1項の規定により甲建物からその附属建物を分割して乙建物とする建物の分割の登記をする場合について準用する。

② 登記官は，分割前の建物について現に効力を有する所有権の登記がされた後当該分割に係る附属建物の新築による当該分割前の建物の表題部の登記事項に関する変更の登記がされていたときは，前項において準用する第102条の規定により当該所有権の登記を転写することに代えて，乙建物の登記記録の甲区に次に掲げる事項を記録しなければならない。

一　分割による所有権の登記をする旨
二　所有権の登記名義人の氏名又は名称及び住所並びに登記名義人が2人以上であるときは当該所有権の登記名義人ごとの持分
三　甲建物に法人識別事項等の登記があるときは，当該法人識別事項等
四　登記の年月日

第129条　（建物の区分の登記における表題部の記録方法）

① 登記官は，区分建物でない甲建物を区分して甲建物と乙建物とする建物の区分の登記をするときは，区分後の各建物について新たに登記記録を作成し，各登記記録の表題部に家屋番号何番の建物から区分した旨を記録しなければならない。

② 登記官は，前項の場合には，区分前の甲建物の登記記録の表題部に区分によって家屋番号何番及び何番の建物の登記記録に移記した旨並びに従前の建物の表題部の登記事項を抹消する記号を記録し，当該登記記録を閉鎖しなければならない。

③ 登記官は，区分建物である甲建物を区分して甲建物と乙建物とする建物の区分の登記をするときは，乙建物について新たに登記記録を作成し，これに家屋番号何番の建物から区分した旨を記録しなければならない。

④ 登記官は，前項の場合には，甲建物の

登記記録の表題部に，残余部分の建物の表題部の登記事項，家屋番号何番の建物を区分した旨及び従前の建物の表題部の登記事項の変更部分を抹消する記号を記録しなければならない。

第130条　（建物の区分の登記における権利部の記録方法）
① 登記官は，前条第1項の場合には，区分後の各建物についての新登記記録の権利部の相当区に，区分前の建物の登記記録から権利に関する登記を移記し，かつ，建物の区分の登記に係る申請の受付の年月日及び受付番号を記録しなければならない。この場合においては，第102条第1項後段，第2項及び第3項並びに第104条第1項から第3項までの規定を準用する。
② 第102条及び第104条第1項から第3項までの規定は，前条第3項の場合における権利に関する登記について準用する。
③ 第123条の規定は，前条第1項の規定による建物の区分の登記をした場合において，区分後の建物が敷地権付き区分建物となるときについて準用する。

第131条　（建物の合併の登記の制限の特例）
　法第56条第5号の合併後の建物の登記記録に登記することができる権利に関する登記は，次に掲げる登記とする。
　一　担保権の登記であって，登記の目的，申請の受付の年月日及び受付番号並びに登記原因及びその日付が同一のもの
　二　信託の登記であって，法第97条第1項各号に掲げる登記事項が同一のもの

第132条　（附属合併の登記における表題部の記録方法）
① 登記官は，甲建物を乙建物の附属建物とする建物の合併（以下「附属合併」という。）に係る建物の合併の登記をするときは，乙建物の登記記録の表題部に，附属合併後の建物の表題部の登記事項及び家屋番号何番の建物を合併した旨を記録しなければならない。
② 登記官は，前項の場合において，附属合併により不動産所在事項に変更が生じた場合には，変更後の不動産所在事項，合併により変更した旨及び変更前の不動産所在事項を抹消する記号を記録しなければならない。
③ 登記官は，第1項の場合には，甲建物の登記記録の表題部に家屋番号何番の建物に合併した旨及び従前の建物の表題部の登記事項を抹消する記号を記録し，当該登記記録を閉鎖しなければならない。

第133条　（区分合併の登記における表題部の記録方法）
① 登記官は，区分建物である甲建物を乙建物又は乙建物の附属建物に合併する建物の合併（乙建物又は乙建物の附属建物が甲建物と接続する区分建物である場合に限る。以下「区分合併」という。）に係る建物の合併の登記をするときは，乙建物の登記記録の表題部に，区分合併後の建物の表題部の登記事項，家屋番号何番の建物を合併した旨及び従前の建物の表題部の登記事項の変更部分を抹消する記号を記録しなければならない。
② 登記官は，前項に規定する場合には，甲建物の登記記録の表題部に家屋番号何番の建物に合併した旨及び従前の建物の表題部の登記事項を抹消する記号を記録し，当該登記記録を閉鎖しなければならない。
③ 登記官は，第1項の規定にかかわらず，区分合併（甲建物を乙建物の附属建物に合併する場合を除く。）に係る建物の合併の登記をする場合において，区分合併後の建物が区分建物でないときは，区分合併後の乙建物について新たに登記記録を作成し，当該登記記録の表題部に区分合併後の建物の表題部の登記事項及び合

併により家屋番号何番の建物の登記記録から移記した旨を記録しなければならない。
④　登記官は、前項の場合には、区分合併前の乙建物の登記記録の表題部に家屋番号何番の建物を合併した旨、合併により家屋番号何番の建物の登記記録に移記した旨及び乙建物についての建物の表題部の登記事項を抹消する記号を記録し、乙建物の登記記録を閉鎖しなければならない。

第134条　（建物の合併の登記における権利部の記録方法）

①　第107条第1項及び第6項の規定は、建物の合併の登記について準用する。
②　登記官は、前条第3項の場合において、区分合併前のすべての建物に第131条に規定する登記があるときは、同項の規定により区分合併後の建物について新たに作成した登記記録の乙区に当該登記を移記し、当該登記が合併後の建物の全部に関する旨を付記登記によって記録しなければならない。
③　第124条の規定は、区分合併に係る建物の合併の登記をする場合において、区分合併後の建物が敷地権のない建物となるときについて準用する。

第135条　（建物の分割の登記及び附属合併の登記における表題部の記録方法）

①　登記官は、甲建物の登記記録から甲建物の附属建物を分割して、これを乙建物の附属建物としようとする場合において、建物の分割の登記及び建物の合併の登記をするときは、乙建物の登記記録の表題部に、附属合併後の建物の表題部の登記事項及び家屋番号何番の建物から合併した旨を記録しなければならない。この場合には、第132条第1項及び第3項の規定は、適用しない。
②　登記官は、前項の場合には、甲建物の登記記録の表題部の分割に係る附属建物について、家屋番号何番の建物に合併した旨及び従前の建物の表題部の登記事項の変更部分を抹消する記号を記録しなければならない。この場合には、第127条第1項及び第2項の規定は、適用しない。

第136条　（建物の分割及び区分合併の登記における表題部の記録方法）

①　登記官は、甲建物の登記記録から甲建物の附属建物（区分建物に限る。）を分割して、これを乙建物又は乙建物の附属建物に合併しようとする場合（乙建物又は乙建物の附属建物が甲建物の附属建物と接続する区分建物である場合に限る。）において、建物の分割の登記及び建物の合併の登記をするときは、乙建物の登記記録の表題部に、区分合併後の建物の表題部の登記事項、家屋番号何番の一部を合併した旨及び従前の建物の表題部の登記事項の変更部分を抹消する記号を記録しなければならない。この場合には、第133条第1項及び第2項の規定は、適用しない。
②　前条第2項の規定は、前項の場合において、甲建物の登記記録の表題部の記録方法について準用する。
③　第133条第3項及び第4項の規定は、第1項の場合（甲建物の附属建物を分割して乙建物の附属建物に合併しようとする場合を除く。）において、区分合併後の乙建物が区分建物でない建物となるときについて準用する。

第137条　（建物の区分及び附属合併の登記における表題部の記録方法）

①　第135条第1項の規定は、甲建物を区分してその一部を乙建物の附属建物としようとする場合において、建物の区分の登記及び附属合併の登記をするときにおける乙建物の登記記録の表題部の記録方法について準用する。

② 登記官は，前項の場合において，区分前の甲建物が区分建物でない建物であったときは，区分後の甲建物について新たに登記記録を作成し，当該登記記録の表題部に家屋番号何番の建物から区分した旨を記録するとともに，区分前の甲建物の登記記録に区分及び合併によって家屋番号何番及び何番の建物の登記記録に移記した旨並びに従前の建物の表題部の登記事項を抹消する記号を記録し，当該登記記録を閉鎖しなければならない。この場合には，第129条第1項及び第2項の規定は，適用しない。

③ 登記官は，第1項の場合において，区分前の甲建物が区分建物であったときは，甲建物の登記記録の表題部に，残余部分の建物の表題部の登記事項，区分した一部を家屋番号何番に合併した旨及び従前の建物の表題部の登記事項の変更部分を抹消する記号を記録しなければならない。この場合には，第129条第3項及び第4項の規定は，適用しない。

第138条 （建物の区分及び区分合併の登記における表題部の記録方法）
① 第136条第1項の規定は，甲建物を区分して，その一部を乙建物又は乙建物の附属建物に合併しようとする場合（乙建物又は乙建物の附属建物が当該一部と接続する区分建物である場合に限る。）において，建物の区分の登記及び建物の合併の登記をするときにおける乙建物の登記記録の表題部の記録方法について準用する。
② 前条第3項の規定は，前項の場合（区分前の甲建物が区分建物であった場合に限る。）において，甲建物の登記記録の表題部の記録方法について準用する。

第139条 （建物の分割の登記及び附属合併の登記等における権利部の記録方法）
第104条第1項から第3項まで並びに第107条第1項及び第6項の規定は，第135条から前条までの場合における権利部の記録方法について準用する。

第140条 （建物が区分建物となった場合の登記等）
① 登記官は，法第52条第1項及び第3項に規定する表題部の登記事項に関する変更の登記をするときは，当該変更の登記に係る区分建物である建物について新たに登記記録を作成し，当該登記記録の表題部に本項の規定により登記を移記した旨を記録しなければならない。
② 登記官は，前項の場合には，新たに作成した登記記録の権利部の相当区に，変更前の建物の登記記録から権利に関する登記を移記し，登記の年月日及び本項の規定により登記を移記した旨を記録しなければならない。
③ 登記官は，第1項の場合には，変更前の建物の登記記録の表題部に同項の規定により登記を移記した旨及び従前の建物の表題部の登記事項を抹消する記号を記録し，当該登記記録を閉鎖しなければならない。
④ 前三項の規定は，区分合併以外の原因により区分建物である建物が区分建物でない建物となったときについて準用する。この場合において，第1項中「区分建物である建物」とあるのは，「建物」と読み替えるものとする。

第141条 （共用部分である旨の登記等）
登記官は，共用部分である旨の登記又は団地共用部分である旨の登記をするときは，所有権の登記がない建物にあっては表題部所有者に関する登記事項を抹消する記号を記録し，所有権の登記がある

建物にあっては権利に関する登記の抹消をしなければならない。

第142条 （共用部分である旨の登記がある建物の分割等）

登記官は，共用部分である旨の登記若しくは団地共用部分である旨の登記がある甲建物からその附属建物を分割して乙建物とする建物の分割の登記をし，又は当該甲建物を区分して甲建物と乙建物とする建物の区分の登記をする場合において，甲建物の登記記録に法第58条第1項各号に掲げる登記事項があるときは，乙建物の登記記録に当該登記事項を転写しなければならない。

第143条 （共用部分である旨を定めた規約等の廃止による建物の表題登記）

登記官は，共用部分である旨又は団地共用部分である旨を定めた規約を廃止したことによる建物の表題登記の申請があった場合において，当該申請に基づく表題登記をするときは，当該建物の登記記録の表題部に所有者の氏名又は名称及び住所並びに所有者が2人以上であるときはその所有者ごとの持分並びに敷地権があるときはその内容を記録すれば足りる。この場合には，共用部分である旨又は団地共用部分である旨の記録を抹消する記号を記録しなければならない。

第144条 （建物の滅失の登記）

① 登記官は，建物の滅失の登記をするときは，当該建物の登記記録の表題部の登記事項を抹消する記号を記録し，当該登記記録を閉鎖しなければならない。
② 第110条の規定は，前項の登記について準用する。

第145条 （敷地権付き区分建物の滅失の登記）

① 第124条第1項から第5項まで及び第8項から第10項までの規定は，敷地権付き区分建物の滅失の登記をする場合について準用する。
② 第124条第6項及び第7項の規定は，前項の場合において，当該敷地権付き区分建物の敷地権の目的であった土地が二筆以上あるときについて準用する。

第3節／権利に関する登記

第1款／通則

第146条 （権利部の登記）

登記官は，権利部の相当区に権利に関する登記をする場合には，法令に別段の定めがある場合を除き，権利に関する登記の登記事項のうち，登記の目的，申請の受付の年月日及び受付番号並びに登記原因及びその日付のほか，新たに登記すべきものを記録しなければならない。

第147条 （順位番号等）

① 登記官は，権利に関する登記をするときは，権利部の相当区に登記事項を記録した順序を示す番号を記録しなければならない。
② 登記官は，同順位である二以上の権利に関する登記をするときは，順位番号に当該登記を識別するための符号を付さなければならない。
③ 令第2条第8号の順位事項は，順位番号及び前項の符号とする。

第148条 （付記登記の順位番号）

付記登記の順位番号を記録するときは，主登記の順位番号に付記何号を付加する方法により記録するものとする。

第149条 （権利の消滅に関する定めの登記）

登記官は，登記の目的である権利の消滅に関する定めの登記をした場合において，当該定めにより権利が消滅したこと

による登記の抹消その他の登記をするときは，当該権利の消滅に関する定めの登記の抹消をしなければならない。

第150条　（権利の変更の登記又は更正の登記）
　登記官は，権利の変更の登記又は更正の登記をするときは，変更前又は更正前の事項を抹消する記号を記録しなければならない。

第151条　（登記の更正）
　登記官は，法第67条第2項の規定により登記の更正をするときは，同項の許可をした者の職名，許可の年月日及び登記の年月日を記録しなければならない。

第152条　（登記の抹消）
① 　登記官は，権利の登記の抹消をするときは，抹消の登記をするとともに，抹消すべき登記を抹消する記号を記録しなければならない。
② 　登記官は，前項の場合において，抹消に係る権利を目的とする第三者の権利に関する登記があるときは，当該第三者の権利に関する登記の抹消をしなければならない。この場合には，当該権利の登記の抹消をしたことにより当該第三者の権利に関する登記の抹消をする旨及び登記の年月日を記録しなければならない。

第152条の2　（法第70条第2項の相当の調査）
　法第70条第2項の法務省令で定める方法は，次の各号に掲げる措置をとる方法とする。
一　法第70条第2項に規定する登記の抹消の登記義務者（以下この条において単に「登記義務者」という。）が自然人である場合
　イ　共同して登記の抹消の申請をすべき者の調査として次の(1)から(5)までに掲げる措置

(1)　登記義務者が記録されている住民基本台帳，除票簿，戸籍簿，除籍簿，戸籍の附票又は戸籍の附票の除票簿（以下この条において「住民基本台帳等」という。）を備えると思料される市町村の長に対する登記義務者の住民票の写し又は住民票記載事項証明書，除票の写し又は除票記載事項証明書，戸籍及び除かれた戸籍の謄本又は全部事項証明書並びに戸籍の附票の写し及び戸籍の附票の除票の写し（以下この条において「住民票の写し等」という。）の交付の請求

(2)　(1)の措置により登記義務者の死亡が判明した場合には，登記義務者が記録されている戸籍簿又は除籍簿を備えると思料される市町村の長に対する登記義務者の出生時からの戸籍及び除かれた戸籍の謄本又は全部事項証明書の交付の請求

(3)　(2)の措置により登記義務者の相続人が判明した場合には，当該相続人が記録されている戸籍簿又は除籍簿を備えると思料される市町村の長に対する当該相続人の戸籍及び除かれた戸籍の謄本又は全部事項証明書の交付の請求

(4)　(3)の措置により登記義務者の相続人の死亡が判明した場合には，当該相続人についてとる(2)及び(3)に掲げる措置

(5)　(1)から(4)までの措置により共同して登記の抹消の申請をすべき者が判明した場合には，当該者が記録されている住民基本台帳又は戸籍の附票を備えると思料される市町村の長に対する当該者の住民票の写し又は住民票記載事項証明書及び戸籍の附票の写し（(1)の措置により交付の請求をしたものを除く。）の交付の請求

　ロ　共同して登記の抹消の申請をすべき

者の所在の調査として書留郵便その他配達を試みたことを証明することができる方法による次の(1)及び(2)に掲げる措置
　(1)　登記義務者の不動産の登記簿上の住所に宛ててする登記義務者に対する書面の送付（イの措置により登記義務者の死亡及び共同して登記の抹消の申請をすべき者が所在すると思料される場所が判明した場合を除く。）
　(2)　イの措置により共同して登記の抹消の申請をすべき者が所在すると思料される場所が判明した場合には，その場所に宛ててする当該者に対する書面の送付
二　登記義務者が法人である場合
　イ　共同して登記の抹消の申請をすべき者の調査として次の(1)及び(2)に掲げる措置
　　(1)　登記義務者の法人の登記簿を備えると思料される登記所の登記官に対する登記義務者の登記事項証明書の交付の請求
　　(2)　(1)の措置により登記義務者が合併により解散していることが判明した場合には，登記義務者の合併後存続し，又は合併により設立された法人についてとる(1)に掲げる措置
　ロ　イの措置により法人の登記簿に共同して登記の抹消の申請をすべき者の代表者（共同して登記の抹消の申請をすべき者が合併以外の事由により解散した法人である場合には，その清算人又は破産管財人。以下この号において同じ。）として登記されている者が判明した場合には，当該代表者の調査として当該代表者が記録されている住民基本台帳等を備えると思料される市町村の長に対する当該代表者の住民票の写し等の交付の請求
　ハ　共同して登記の抹消の申請をすべき者の所在の調査として書留郵便その他配達を試みたことを証明することができる方法による次の(1)及び(2)に掲げる措置
　　(1)　登記義務者の不動産の登記簿上の住所に宛ててする登記義務者に対する書面の送付（イの措置により登記義務者が合併により解散していること及び共同して登記の抹消の申請をすべき者が所在すると思料される場所が判明した場合を除く。）
　　(2)　イの措置により共同して登記の抹消の申請をすべき者が所在すると思料される場所が判明した場合には，その場所に宛ててする当該者に対する書面の送付
　ニ　イ及びロの措置により共同して登記の抹消の申請をすべき者の代表者が判明した場合には，当該代表者の所在の調査として書留郵便その他配達を試みたことを証明することができる方法による次の(1)及び(2)に掲げる措置
　　(1)　共同して登記の抹消の申請をすべき者の法人の登記簿上の代表者の住所に宛ててする当該代表者に対する書面の送付
　　(2)　イ及びロの措置により当該代表者が所在すると思料される場所が判明した場合には，その場所に宛ててする当該代表者に対する書面の送付

第153条　（職権による登記の抹消）
　登記官は，法第71条第4項の規定により登記の抹消をするときは，登記記録にその事由を記録しなければならない。

第154条　（職権による登記の抹消の場合の公告の方法）
　法第71条第2項の公告は，抹消すべき登記が登記された登記所の掲示場その他登記所内の公衆の見やすい場所に掲示して行う方法又は登記所の使用に係る電子

計算機に備えられたファイルに記録された情報の内容を電気通信回線を通じて情報の提供を受ける者の閲覧に供し，当該情報の提供を受ける者の使用に係る電子計算機に備えられたファイルに当該情報を記録する方法であってインターネットに接続された自動公衆送信装置（著作権法（昭和45年法律第48号）第2条第1項第9号の5イに規定する自動公衆送信装置をいう。第217条第1項（第232条第5項，第244条第4項，第245条第4項及び第246条第2項において準用する場合を含む。）において同じ。）を使用する方法により2週間行うものとする。

第155条　（抹消された登記の回復）
　登記官は，抹消された登記の回復をするときは，回復の登記をした後，抹消に係る登記と同一の登記をしなければならない。

第156条　（敷地権の登記がある建物の権利に関する登記）
　登記官は，法第73条第3項ただし書に規定する登記をしたときは，当該登記に付記する方法により，当該登記が建物のみに関する旨及び登記の年月日を記録しなければならない。

　　　　第2款／所有権に関する登記

第156条の2　（法人識別事項）
　法第73条の2第1項第1号の法務省令で定める事項は，次の各号に掲げる所有権の登記名義人の区分に応じ，当該各号に定める事項とする。
一　会社法人等番号を有する法人　当該法人の会社法人等番号
二　会社法人等番号を有しない法人であって，外国（本邦の域外にある国又は地域をいう。以下この号において同じ。）の法令に準拠して設立されたもの　当該外国の名称
三　前二号のいずれにも該当しない法人　当該法人の設立の根拠法の名称

第156条の3　（法人識別事項を申請情報の内容とする登記の添付情報）
　前条第2号又は第3号に定める事項を申請情報の内容とする登記の申請をする場合には，当該事項を証する情報をその申請情報と併せて提供しなければならない。

第156条の4　（法人識別事項の変更の登記又は更正の登記）
　第156条の2各号に定める事項（第157条第3項，第196条第1項第4号及び第198条第1項において「法人識別事項」という。）に関する変更の登記又は更正の登記は，所有権の登記名義人が単独で申請することができる。

第156条の5　（国内連絡先事項）
　法第73条の2第1項第2号の法務省令で定める事項は，次に掲げる事項とする。
一　所有権の登記名義人の国内における連絡先となる者（以下この条，次条第1項及び第156条の8第1項において「国内連絡先となる者」という。）があるときは，次に掲げる事項
　イ　国内連絡先となる者（1人に限る。）の氏名又は名称並びに国内の住所又は国内の営業所，事務所その他これらに準ずるものの所在地及び名称
　ロ　国内連絡先となる者が会社法人等番号を有する法人であるときは，当該法人の会社法人等番号
二　国内連絡先となる者がないときは，その旨

第156条の6 (国内連絡先事項を申請情報の内容とする登記の添付情報)

① 前条各号に掲げる事項(次条第1項及び第2項,第156条の9並びに第157条第3項において「国内連絡先事項」という。)を申請情報の内容とする登記の申請をする場合には,次に掲げる情報をその申請情報と併せて提供しなければならない。
　一　国内連絡先となる者があるときは,次に掲げる情報
　　イ　前条第1号イに掲げる事項を証する情報
　　ロ　国内連絡先となる者の承諾を証する当該国内連絡先となる者が作成した情報
　二　国内連絡先となる者がないときは,前条第2号に掲げる事項を証する情報
② 前項第1号ロに掲げる情報を記載した書面には,令第19条第2項に規定する印鑑に関する証明書に代えてこれに準ずる印鑑に関する証明書を添付することができる。

第156条の7 (国内連絡先事項の変更の登記又は更正の登記)

① 国内連絡先事項に関する変更の登記又は更正の登記は,所有権の登記名義人が単独で申請することができる。
② 前項の登記を申請する場合には,その申請情報と併せて変更後又は更正後の国内連絡先事項についての前条第1項各号に掲げる情報を提供しなければならない。この場合において,前条第2項の規定を準用する。
③ 第156条の5第1号に掲げる事項についての変更の登記又は更正の登記を申請する場合には,前項の規定にかかわらず,前条第1項第1号ロに掲げる情報を提供することを要しない。
④ 第1項の登記を申請する場合には,令別表の二十五の項添付情報欄イの規定にかかわらず,登記原因を証する情報を提供することを要しない。

第156条の8

① 第156条の5第1号に掲げる事項についての変更の登記又は更正の登記は,国内連絡先となる者として登記されている者も単独で申請することができる。
② 前項の規定により登記を申請する場合には,所有権の登記名義人の承諾を証する当該所有権の登記名義人が作成した情報をもその申請情報と併せて提供しなければならない。
③ 令第12条第2項の規定は電子申請において提供する前項の承諾を証する情報について,令第19条の規定は同項の承諾を証する情報を記載した書面については,適用しない。

第156条の9 (国内連絡先事項が登記されている所有権の登記名義人の住所の変更の登記又は更正の登記)

　登記官は,国内連絡先事項が登記されている所有権の登記名義人の住所についての変更の登記又は更生の登記をする場合において,変更後又は更生後の住所が国内にあるときは,当該国内連絡先事項を抹消する記号を記録しなければならない。

第157条 (表題登記がない不動産についてする所有権の保存の登記)

① 法第75条(法第76条第3項において準用する場合を含む。次項において同じ。)の法務省令で定めるものは,表示に関する登記事項のうち次に掲げる事項以外の事項とする。
　一　表題部所有者に関する登記事項
　二　登記原因及びその日付
　三　敷地権の登記原因及びその日付

② 法第75条の規定により登記をするときは，表題部に所有権の登記をするために登記をする旨を記録するものとする。
③ 登記官は，所有権の登記がない不動産について嘱託による所有権の処分の制限の登記をするときは，登記記録の甲区に，所有者の氏名又は名称，住所，法人識別事項及び国内連絡先事項，登記名義人が2人以上であるときは当該所有権の登記名義人ごとの持分並びに処分の制限の登記の嘱託によって所有権の登記をする旨を記録しなければならない。

第158条　（表題部所有者の氏名等の抹消）

登記官は，表題登記がある不動産（所有権の登記がある不動産を除く。）について所有権の登記をしたときは，表題部所有者に関する登記事項を抹消する記号を記録しなければならない。

第2款の2／相続人申告登記等

第1目／通則

第158条の2　（定義）

この款，第158の33及び第158の37において，次の各号に掲げる用語の意義は，それぞれ当該各号に定めるところによる。
一　相続人申出　法第76条の3第1項の規定による申出をいう。
二　相続人申告登記　法第76条の3第3項の規定による登記をいう。
三　相続人申告事項　法第76条の3第3項の規定により所有権の登記に付記する事項をいう。
四　相続人申告名義人　相続人申告登記によって付記された者をいう。
五　相続人申告事項の変更の登記　相続人申告事項に変更があった場合に当該相続人申告事項を変更する登記をいう。
六　相続人申告事項の更正の登記　相続人申告事項に錯誤又は遺漏があった場合に当該相続人申告事項を訂正する登記をいう。
七　相続人申告登記の抹消　相続人申告登記を抹消することをいう。
八　相続人申出等　相続人申出，相続人申告事項の変更若しくは更正の申出又は相続人申告登記の抹消の申出をいう。
九　相続人申告登記等　相続人申告登記，相続人申告事項の変更の登記，相続人申告事項の更正の登記又は相続人申告登記の抹消をいう。
十　相続人電子申出　第158条の4第1号に掲げる方法による相続人申出等をいう。
十一　相続人書面申出　第158条の4第2号に掲げる方法による相続人申出等をいう。
十二　相続人申出等情報　次条第1項各号，第158条の19第1項各号又は第158条の24第2項各号に掲げる事項に係る情報をいう。
十三　相続人申出書　相続人申出等情報を記載した書面をいう。
十四　相続人申出等添付情報　相続人申出等をする場合において，この款の規定によりその相続人申出等情報と併せて登記所に提供しなければならないものとされている情報をいう。
十五　相続人申出等添付書面　相続人申出等添付情報を記載した書面をいう。

第158条の3　（相続人申出等情報）

① 相続人申出等は，次に掲げる事項を明らかにしてしなければならない。
一　申出人の氏名及び住所
二　代理人によって申出をするときは，当該代理人の氏名又は名称及び住所並びに代理人が法人であるときはその代表者の氏名
三　申出の目的
四　申出に係る不動産の不動産所在事項
② 前項第4号の規定にかかわらず，不動産番号を相続人申出等情報の内容とした

ときは，同号に掲げる事項を相続人申出等情報の内容とすることを要しない。
③　相続人申出等においては，第１項各号に掲げる事項のほか，次に掲げる事項を相続人申出等情報の内容とするものとする。
一　申出人又は代理人の電話番号その他の連絡先
二　相続人申出等添付情報の表示
三　申出の年月日
四　登記所の表示

第158条の４　（相続人申出等の方法）

相続人申出等は，次に掲げる方法のいずれかにより，相続人申出等情報を登記所に提供してしなければならない。
一　電子情報処理組織を使用する方法
二　相続人申出書を提出する方法

第158条の５　（相続人申出等情報の作成及び提供）

相続人申出等情報は，申出の目的及び登記原因に応じ，一の不動産及び申出人ごとに作成して提供しなければならない。ただし，次に掲げるときは，この限りでない。
一　同一の登記所の管轄区域内にある１又は２以上の不動産について，第158条の19第１項各号に掲げる事項が同一である相続人申出をするとき。
二　同一の登記所の管轄区域内にある１又は２以上の不動産について，同一の相続人申告名義人の氏名又は住所についての変更又は更正の申出をするとき。
三　同一の登記所の管轄区域内にある２以上の不動産について，抹消の理由並びに抹消すべき第158条の23第１項第４号及び第５号に掲げる事項が同一である相続人申告登記の抹消の申出をするとき。

第158条の６　（相続人申出等添付情報）

代理人によって相続人申出等をするときは，当該代理人の権限を証する情報をその相続人申出等情報と併せて登記所に提供しなければならない。

第158条の７　（相続人申出等添付情報の省略等）

第37条及び第37条の２の規定は，相続人申出等をする場合について準用する。

第158条の８　（相続人電子申出の方法）

①　相続人電子申出における相続人申出等情報及び相続人申出等添付情報は，法務大臣の定めるところにより送信しなければならない。ただし，相続人申出等添付情報の送信に代えて，登記所に相続人申出等添付書面を提出することを妨げない。
②　令第12条第２項及び第14条の規定は，前項本文の規定により送信する相続人申出等添付情報（第158条の６に規定する代理人の権限を証する情報を除く。）について準用する。
③　第42条の規定は前項において準用する令第12条第２項の電子署名について，第43条第２項の規定は前項において準用する令第14条の法務省令で定める電子証明書について，それぞれ準用する。

第158条の９　（相続人電子申出において相続人申出等添付書面を提出する場合についての特例等）

①　前条第１項ただし書の規定により相続人申出等添付書面を提出するときは，相続人申出等添付書面を登記所に提出する旨及び各相続人申出等添付情報につき書面を提出する方法によるか否かの別をも相続人申出等情報の内容とするものとする。
②　前項に規定する場合には，当該相続人申出等添付書面は，相続人申出等の受付

の日から2日以内に提出するものとする。
③　第1項に規定する場合には、申出人は、当該相続人申出等添付書面を提出するに際し、別記第4号の2様式による用紙に次に掲げる事項を記載したものを添付しなければならない。
一　受付番号その他の当該相続人申出等添付書面を相続人申出等添付情報とする申出の特定に必要な事項
二　前条第1項ただし書の規定により提出する相続人申出等添付書面の表示

第158条の10　（相続人書面申出の方法）
①　相続人書面申出をするときは、相続人申出書に相続人申出等添付書面を添付して提出しなければならない。
②　第45条第1項の規定は、相続人申出書について準用する。
③　相続人申出書につき文字の訂正、加入又は削除をしたときは、その旨及びその字数を欄外に記載し、又は訂正、加入若しくは削除をした文字に括弧その他の記号を付して、その範囲を明らかにしなければならない。この場合において、訂正又は削除をした文字は、なお読むことができるようにしておかなければならない。
④　申出人又はその代理人は、相続人申出書が2枚以上であるときは、各用紙に当該用紙が何枚目であるかを記載することその他の必要な措置を講じなければならない。

第158条の11　（相続人申出書等の送付方法）
①　相続人申出等をしようとする者が相続人申出書又は相続人申出等添付書面を送付するときは、書留郵便又は信書便事業者による信書便の役務であって当該信書便事業者において引受け及び配達の記録を行うものによるものとする。
②　前項の場合には、相続人申出書又は相続人申出等添付書面を入れた封筒の表面に相続人申出書又は相続人申出等添付書面が在中する旨を明記するものとする。

第158条の12　（受領証の交付の請求）
　第54条の規定は、相続人書面申出をした申出人について準用する。

第158条の13　（相続人申出等添付書面の原本の還付請求）
　第55条の規定は、相続人申出等添付書面を提出した申出人について準用する。

第158条の14　（相続人申出等の受付）
①　登記官は、第158条の4の規定により相続人申出等情報が登記所に提供されたときは、当該相続人申出等情報に係る相続人申出等の受付をしなければならない。
②　前項の規定による受付は、受付帳に申出の目的、申出の受付の年月日及び受付番号並びに不動産所在事項を記録する方法によりしなければならない。
③　登記官は、相続人申出等の受付をしたときは、当該相続人申出等に受付番号を付さなければならない。
④　登記官は、相続人書面申出の受付にあっては、第2項の規定により受付をする際、相続人申出書に申出の受付の年月日及び受付番号を記載しなければならない。
⑤　第1項、第2項及び前項の規定は、第158条の27第2項の許可があった場合又は第158条の30第4項の規定により相続人申告登記の抹消をしようとする場合について準用する。

第158条の15　（調査）
　第57条の規定は、相続人申出等情報が提供された場合について準用する。

第158条の16　（相続人申出等の却下）
①　登記官は、次に掲げる場合には、理由を付した決定で、相続人申出等を却下し

なければならない。ただし，当該相続人申出等の不備が補正することができるものである場合において，登記官が定めた相当の期間内に，申出人がこれを補正したときは，この限りでない。
一　申出に係る不動産の所在地が当該申出を受けた登記所の管轄に属しないとき。
二　1個の不動産の一部についての申出を目的とするとき。
三　申出に係る登記（相続人申告登記のうち第158条の19第1項第1号に規定する中間相続人に係るものを除く。）が既に登記されているとき。
四　申出の権限を有しない者の申出によるとき。
五　相続人申出等情報又はその提供の方法がこの省令により定められた方式に適合しないとき。
六　相続人申出等情報の内容である不動産が登記記録と合致しないとき。
七　相続人申出等情報の内容が相続人申出等添付情報の内容と合致しないとき。
八　相続人申出等添付情報が提供されないとき。
② 登記官は，前項ただし書の期間を定めたときは，当該期間内は，当該補正すべき事項に係る不備を理由に当該相続人申出等を却下することができない。
③ 第38条の規定は，相続人申出等を却下する場合について準用する。この場合において，同条第3項中「書面申請がされた」とあるのは，「相続人申出等添付書面が提出された」と読み替えるものとする。

第158条の17　（相続人申出等の取下げ）

① 第39条第1項及び第2項の規定は，相続人申出等について準用する。
② 登記官は，相続人申出書又は相続人申出等添付書面が提出された場合において，相続人申出等の取下げがされたときは，相続人申出書又は相続人申出等添付書面を還付するものとする。第38条第3項ただし書の規定は，この場合について準用する。

第158条の18　（相続人申告登記等の完了通知）

① 登記官は，相続人申告登記等を完了したときは，申出人に対し，職権による登記が完了した旨を通知しなければならない。この場合において，申出人が2人以上あるときは，その1人に通知すれば足りる。
② 前項の通知は，当該登記に係る次に掲げる事項を明らかにしてしなければならない。
一　申出の受付の年月日及び受付番号
二　不動産所在事項
三　登記の目的
③ 第1項の通知は，次の各号に掲げる相続人申出等の区分に応じ，当該各号に定める方法による。
一　相続人電子申出　法務大臣の定めるところにより，登記官の使用に係る電子計算機に備えられたファイルに記録された通知事項（職権による登記が完了した旨及び前項各号に掲げる事項をいう。以下この条において同じ。）を電子情報処理組織を使用して送信し，これを申出人又はその代理人の使用に係る電子計算機に備えられたファイルに記録する方法
二　相続人書面申出　通知事項を記載した書面を交付する方法
④ 送付の方法により通知事項を記載した書面の交付を求める場合には，申出人は，その旨及び送付先の住所を相続人申出等情報の内容としなければならない。
⑤ 第55条第7項から第9項までの規定は，送付の方法により通知事項を記載した書面を交付する場合について準用する。
⑥ 登記官は，次の各号に掲げる場合には，

第1項の規定にかかわらず，申出人に対し，職権による登記が完了した旨の通知をすることを要しない。
一　第3項第1号に規定する方法により通知する場合において，通知を受けるべき者が，登記官の使用に係る電子計算機に備えられたファイルに通知事項が記録され，電子情報処理組織を使用して送信することが可能になった時から30日を経過しても，自己の使用に係る電子計算機に備えられたファイルに当該通知事項を記録しないとき。
二　第3項第2号に規定する方法により通知する場合において，通知を受けるべき者が，登記完了の時から3月を経過しても，通知事項を記載した書面を受領しないとき。

第2目／相続人申告登記

第158条の19　（相続人申出において明らかにすべき事項等）

① 相続人申出においては，次に掲げる事項をも明らかにしてしなければならない。
一　所有権の登記名義人（申出人が所有権の登記名義人の相続人の地位を相続により承継した者であるときは，当該相続人（以下この款において「中間相続人」という。））の相続人である旨
二　所有権の登記名義人（申出人が所有権の登記名義人の相続人の地位を相続により承継した者であるときは，中間相続人）について相続が開始した年月日
三　中間相続人があるときは，次に掲げる事項（当該事項が既に所有権の登記に付記されているときを除く。）
　　イ　中間相続人の氏名及び最後の住所
　　ロ　中間相続人が所有権の登記名義人の相続人である旨
　　ハ　所有権の登記名義人について相続が開始した年月日
② 相続人申出においては，次に掲げる情報をもその相続人申出等情報と併せて登記所に提供しなければならない。
一　申出人が所有権の登記名義人（申出人が所有権の登記名義人の相続人の地位を相続により承継した者であるときは，中間相続人）の相続人であることを証する市町村長その他の公務員が職務上作成した情報（公務員が職務上作成した情報がない場合にあっては，これに代わるべき情報）
二　申出人の住所を証する市町村長その他の公務員が職務上作成した情報（公務員が職務上作成した情報がない場合にあっては，これに代わるべき情報）
三　前項第3号に掲げる事項を相続人申出等情報の内容とするときは，次に掲げる情報
　　イ　中間相続人が所有権の登記名義人の相続人であることを証する市町村長その他の公務員が職務上作成した情報（公務員が職務上作成した情報がない場合にあっては，これに代わるべき情報）
　　ロ　中間相続人の最後の住所を証する市町村長その他の公務員が職務上作成した情報（公務員が職務上作成した情報がない場合にあっては，これに代わるべき情報）

第158条の20　（相続人申出における相続人申出等添付情報の省略）

① 相続人申出をする場合において，申出人が所有権の登記名義人又は中間相続人についての相続に関して法定相続情報一覧図の写し又は法定相続情報番号を提供したときは，当該法定相続情報一覧図の写し又は当該法定相続情報番号の提供をもって，前条第2項第1号又は第3号イに掲げる情報の提供に代えることができる。ただし，法定相続情報番号を提供する場合にあっては，登記官が法定相続情報を確認することができるときに限る。
② 相続人申出をする場合において，申出

人が申出人の住所又は中間相続人の最後の住所が記載された法定相続情報一覧図の写し又は法定相続情報番号（法定相続情報一覧図に申出人の住所又は中間相続人の最後の住所が記載されている場合に限る。以下この項において同じ。）を提供したときは，当該法定相続情報一覧図の写し又は当該法定相続情報番号の提供をもって，前条第2項第2号又は第3号ロに掲げる情報の提供に代えることができる。ただし，法定相続情報番号を提供する場合にあっては，登記官が法定相続情報を確認することができるときに限る。

第158条の21

相続人申出をする場合において，申出人が申出人又は中間相続人についての次に掲げる情報（住民基本台帳法第30条の9の規定により機構保存本人確認情報の提供を受けて登記官が申出人の住所又は中間相続人の最後の住所を確認することができることとなるものに限る。）を提供したときは，当該情報の提供をもって，第158条の19第2項第2号又は第3号ロに掲げる情報の提供に代えることができる。
一　出生の年月日
二　氏名の振り仮名（日本の国籍を有しない者にあっては，氏名の表音をローマ字で表示したもの）

第158条の22

相続人申出をする場合において，申出人が相続人電子申出における相続人申出等情報又は委任による代理人の権限を証する情報に第42条の電子署名を行い，当該申出人の第43条第1項第1号に掲げる電子証明書を提供したときは，当該電子証明書の提供をもって，第158条の19第2項第2号に掲げる情報の提供に代えることができる。

第158条の23　（相続人申告事項）

① 法第76条の3第3項に規定する法務省令で定める事項は，次のとおりとする。
一　登記の目的
二　申出の受付の年月日及び受付番号
三　登記原因及びその日付
四　所有権の登記名義人（申出人が所有権の登記名義人の相続人の地位を相続により承継した者であるときは，中間相続人）について相続が開始した年月日
五　中間相続人があるときは，次に掲げる事項（当該事項が既に所有権の登記に付記されているときを除く。）
　イ　中間相続人の氏名及び最後の住所
　ロ　中間相続人が所有権の登記名義人の相続人である旨
　ハ　所有権の登記名義人について相続が開始した年月日
② 登記官は，相続人申告登記によって2回以上の相続についての相続人申告事項を所有権の登記に付記するときは，当該相続ごとにこれを付記するものとする。

第3目／相続人申告事項の変更の登記又は相続人申告事項の更正の登記

第158条の24　（相続人申告事項の変更又は更正の申出）

① 相続人申告事項に変更又は錯誤若しくは遺漏があったときは，その相続人申告事項に係る相続人申告名義人又はその相続人は，登記官に対し，相続人申告事項の変更又は更正を申し出ることができる。
② 前項の規定による申出においては，次に掲げる事項をも明らかにしてしなければならない。
一　登記原因及びその日付
二　変更後又は更正後の相続人申告事項
③ 第1項の規定による申出をする場合には，相続人申告事項について変更又は錯誤若しくは遺漏があったことを証する市町村長その他の公務員が職務上作成した

情報（公務員が職務上作成した情報がない場合にあっては、これに代わるべき情報）をもその相続人申出等情報と併せて登記所に提供しなければならない。

第158条の25　（相続人申告事項の変更又は更正の申出における相続人申出等添付情報の省略）

前条第１項の規定による申出の申出人が相続人申出等情報と併せて申出人又は中間相続人についての次に掲げる情報（住民基本台帳法第30条の９の規定により機構保存本人確認情報の提供を受けて登記官が申出人の住所について変更若しくは錯誤若しくは遺漏があったこと又は中間相続人の最後の住所について錯誤若しくは遺漏があったことを確認することができることとなるものに限る。）を提供したときは、当該情報の提供をもって、申出人の住所について変更若しくは錯誤若しくは遺漏があったこと又は中間相続人の最後の住所について錯誤若しくは遺漏があったことを証する市町村長その他の公務員が職務上作成した情報の提供に代えることができる。

一　出生の年月日
二　氏名の振り仮名（日本の国籍を有しない者にあっては、氏名の表音をローマ字で表示したもの）

第158条の26　（相続人申告事項の変更の登記又は相続人申告事項の更正の登記）

① 登記官は、第158条の24第１項の規定による申出があったときは、職権で、相続人申告事項の変更の登記又は相続人申告事項の更正の登記をすることができる。
② 登記官は、相続人申告事項の変更の登記又は相続人申告事項の更正の登記をするときは、登記の目的、申出の受付の年月日及び受付番号、登記原因及びその日付、変更後又は更正後の相続人申告事項並びに変更前又は更正前の相続人申告事項を抹消する記号を記録しなければならない。

第158条の27　（相続人申告事項の更正）

① 登記官は、相続人申告登記、相続人申告事項の変更の登記又は相続人申告事項の更正の登記を完了した後に相続人申告事項に錯誤又は遺漏があることを発見したときは、遅滞なく、その旨をこれらの登記に係る相続人申出等をした者に通知しなければならない。ただし、当該相続人申出等をした者が２人以上あるときは、その１人に対し通知すれば足りる。
② 登記官は、前項の場合において、相続人申告事項の錯誤又は遺漏が登記官の過誤によるものであるときは、遅滞なく、当該登記官を監督する法務局又は地方法務局の長の許可を得て、相続人申告事項の更正をしなければならない。この場合において、登記官は、当該許可をした者の職名、許可の年月日及び登記の年月日を記録しなければならない。
③ 登記官が前項の相続人申告事項の更正をしたときは、その旨を第１項本文の相続人申出等をした者に通知しなければならない。この場合においては、同項ただし書の規定を準用する。

第４目／相続人申告登記の抹消

第158条の28　（相続人申告登記の抹消の申出）

① 相続人申告登記が次の各号のいずれかに該当するときは、当該相続人申告登記によって付記された者は、その付記に係る相続人申告登記の抹消の申出をすることができる。

一　第158条の16第１項第１号から第４号までに掲げる事由のいずれかがあること。
二　相続人申告名義人が相続の放棄をし、又は民法第891条の規定に該当し若し

くは廃除によってその相続権を失ったため法第76条の2第1項に規定する者に該当しなくなったこと。
② 前項の規定による申出においては，当該相続人申告登記が前項第1号又は第2号に該当することを証する情報をもその相続人申出等情報と併せて登記所に提供しなければならない。

第158条の29 （相続人申告登記の抹消）
① 登記官は，前条第1項の規定による申出があったときは，職権で，相続人申告登記の抹消をすることができる。
② 登記官は，相続人申告登記の抹消をするときは，抹消の登記をするとともに，抹消すべき事項を抹消する記号を記録しなければならない。

第158条の30 （申出によらない相続人申告登記の抹消）
① 登記官は，相続人申告登記，相続人申告事項の変更の登記又は相続人申告事項の更正の登記を完了した後にこれらの登記が第158条の16第1項第1号から第3号までのいずれかに該当することを発見したときは，当該登記に係る相続人申出等の申出人に対し，1月以内の期間を定め，当該申出人がその期間内に書面で異議を述べないときは，当該登記を抹消する旨を通知しなければならない。ただし，通知を受けるべき者の住所又は居所が知れないときは，この限りでない。
② 前項本文の通知は，次の事項を明らかにしてしなければならない。
一 抹消する登記に係る次に掲げる事項
イ 不動産所在事項及び不動産番号
ロ 登記の目的
ハ 申出の受付の年月日及び受付番号
ニ 登記原因及びその日付
ホ 申出人の氏名及び住所
二 抹消する理由
③ 登記官は，第1項の異議を述べた者がある場合において，当該異議に理由がないと認めるときは決定で当該異議を却下し，当該異議に理由があると認めるときは決定でその旨を宣言し，かつ，当該異議を述べた者に通知しなければならない。
④ 登記官は，第1項の異議を述べた者がないとき，又は前項の規定により当該異議を却下したときは，職権で，第1項に規定する登記を抹消しなければならない。この場合において，登記官は，登記記録に登記の抹消をする事由を記録しなければならない。

第2款の3／ローマ字氏名の併記

第158条の31 （ローマ字氏名の併記）
① 次の各号に掲げる登記を申請する場合において，当該各号に定める者が日本の国籍を有しない者であるときは，当該登記の申請人は，登記官に対し，当該各号に定める者の氏名の表音をローマ字で表示したもの（以下この款において「ローマ字氏名」という。）を申請情報の内容として，当該ローマ字氏名を登記記録に記録するよう申し出るものとする。
一 所有権の保存若しくは移転の登記，所有権の登記がない不動産について嘱託によりする所有権の処分の制限の登記，合体による登記等（法第49条第1項後段の規定により併せて申請をする所有権の登記があるときに限る。）又は所有権の更正の登記（その登記によって所有権の登記名義人となる者があるときに限る。） 所有権の登記名義人となる者
二 所有権の登記名義人の氏名についての変更の登記又は更正の登記 所有権の登記名義人
② 前項の規定による申出をする場合には，当該ローマ字氏名を証する市町村長その他の公務員が職務上作成した情報（公務員が職務上作成した情報がない場合にあっては，これに代わるべき情報）をそ

の申請情報と併せて登記所に提供しなければならない。
③ 第1項各号に定める者が同項各号に掲げる登記の電子申請をするに際し同項の規定による申出をする場合において，その者が第43条第1項第1号に掲げる電子証明書（登記官が当該ローマ字氏名を確認することができるものに限る。）を提供したときは，当該電子証明書の提供をもって，前項の市町村長その他の公務員が職務上作成した情報の提供に代えることができる。
④ 登記官は，第1項の規定による申出があったときは，職権で，当該ローマ字氏名を登記記録に記録するものとする。

第158条の32
① 日本の国籍を有しない所有権の登記名義人は，登記官に対し，そのローマ字氏名を登記記録に記録するよう申し出ることができる。ただし，当該ローマ字氏名が既に記録されているときは，この限りでない。
② 前項の規定による申出（以下この条において「ローマ字氏名併記の申出」という。）は，次に掲げる事項を明らかにしてしなければならない。
一 申出人の氏名及び住所
二 代理人によって申出をするときは，当該代理人の氏名又は名称及び住所並びに代理人が法人であるときはその代表者の氏名
三 申出の目的
四 所有権の登記名義人の氏名
五 所有権の登記名義人のローマ字氏名
六 申出に係る不動産の不動産所在事項
③ 前項第6号の規定にかかわらず，不動産番号を同項各号に掲げる事項に係る情報（以下この条において「ローマ字氏名併記申出情報」という。）の内容としたときは，同項第6号に掲げる事項をローマ字氏名併記申出情報の内容とすること

を要しない。
④ ローマ字氏名併記の申出においては，第2項各号に掲げる事項のほか，次に掲げる事項をローマ字氏名併記申出情報の内容とするものとする。
一 申出人又は代理人の電話番号その他の連絡先
二 第7項に規定するローマ字氏名併記申出添付情報の表示
三 申出の年月日
四 登記所の表示
⑤ ローマ字氏名併記の申出は，次に掲げる方法のいずれかにより，ローマ字氏名併記申出情報を登記所に提供してしなければならない。
一 電子情報処理組織を使用する方法
二 ローマ字氏名併記申出情報を記載した書面（第13項において「ローマ字氏名併記申出書」という。）を提出する方法
⑥ ローマ字氏名併記申出情報は，一の不動産及び所有権の登記名義人ごとに作成して提供しなければならない。ただし，同一の登記所の管轄区域内にある2以上の不動産についてのローマ字氏名併記の申出が同一の所有権の登記名義人に係るものであるときは，この限りでない。
⑦ ローマ字氏名併記の申出をする場合には，次に掲げる情報（第10項及び第13項において「ローマ字氏名併記申出添付情報」という。）をそのローマ字氏名併記申出情報と併せて登記所に提供しなければならない。
一 代理人によって申出をするときは，当該代理人の権限を証する情報
二 第2項第5号に掲げる事項を証する市町村長その他の公務員が職務上作成した情報（公務員が職務上作成した情報がない場合にあっては，これに代わるべき情報）
⑧ 第37条の2の規定は，ローマ字氏名併記の申出をする場合について準用する。

⑨　第158条の8第1項及び第158条の9の規定は、第5項第1号に掲げる方法によりローマ字氏名併記の申出をする場合について準用する。

⑩　令第12条第2項及び第14条の規定は、前項の場合において送信するローマ字氏名併記申出添付情報（第7項第1号に掲げる情報を除く。）について準用する。

⑪　第42条の規定は前項において準用する令第12条第2項の電子署名について、第43条第2項の規定は前項において準用する令第14条の法務省令で定める電子証明書について、それぞれ準用する。

⑫　第5項第1号に掲げる方法によりローマ字氏名併記の申出をする申出人がローマ字氏名併記申出情報又は委任による代理人の権限を証する情報に第42条の電子署名を行い、当該申出人の第43条第1項第1号に掲げる電子証明書（登記官が所有権の登記名義人のローマ字氏名を確認することができるものに限る。）を提供したときは、当該電子証明書の提供をもって、第7項第2号に掲げる情報の提供に代えることができる。

⑬　第158条の10の規定は第5項第2号に掲げる方法によりローマ字氏名併記の申出をする場合について、第158条の11の規定はローマ字氏名併記の申出をしようとする者がローマ字氏名併記申出書又はローマ字氏名併記申出添付情報を記載した書面（以下この項において「ローマ字氏名併記申出添付書面」という。）を送付する場合について、第55条の規定はローマ字氏名併記申出添付書面を提出した申出人について、それぞれ準用する。

⑭　第57条及び第158条の14（第5項を除く。）の規定は、ローマ字氏名併記申出情報が提供された場合について準用する。

⑮　登記官は、ローマ字氏名併記の申出があったときは、職権で、次に掲げる事項を所有権の登記に付記する方法によって登記記録に記録するものとする。

一　登記の目的
二　申出の受付の年月日及び受付番号
三　登記原因及びその日付
四　所有権の登記名義人の氏名
五　所有権の登記名義人のローマ字氏名

⑯　登記官は、前項の規定による記録をするときは、従前の所有権の登記名義人の氏名を抹消する記号を記録しなければならない。

⑰　第158条の18の規定は、第15項の規定による記録をした場合について準用する。

第158条の33　（相続人申告登記への準用）

第158条の31の規定は相続人申出をする場合における申出人又は相続人申告名義人の氏名についての変更又は更正の申出をする場合における当該相続人申告名義人が日本国籍を有しない者であるときについて、前条の規定は日本の国籍を有しない相続人申告名義人について、それぞれ準用する。

第2款の4／旧氏の併記

第158条の34　（旧氏の併記）

①　次の各号に掲げる登記を申請する場合において、当該各号に定める者（当該登記の申請人である場合に限る。）は、登記官に対し、その一の旧氏（住民基本台帳法施行令（昭和42年政令第292号）第30条の13に規定する旧氏をいう。以下この款において同じ。）を申請情報の内容として、当該旧氏を登記記録に記録するよう申し出ることができる。ただし、当該旧氏が登記すべき氏と同一であるときは、この限りでない。

一　所有権の保存若しくは移転の登記、合体による登記等（法第49条第1項後段の規定により併せて申請をする所有権の登記があるときに限る。）又は所有権の更正の登記（その登記によって所有権の登記名義人となる者があるときに限る。）　所有権の登記名義人とな

る者
二　所有権の登記名義人の氏についての変更の登記又は更正の登記　所有権の登記名義人
② 前項第2号に掲げる登記を申請するに際し同項の規定による申出をする場合において、当該登記記録に同号に定める者の旧氏が記録されているときは、当該申出に係る旧氏は、当該登記記録に記録されている旧氏又は当該旧氏より後に称していた旧氏でなければならない。
③ 第1項の規定による申出をする場合には、当該旧氏を証する市町村長その他の公務員が職務上作成した情報をその申請情報と併せて登記所に提供しなければならない。
④ 電子申請の申請人が第1項の規定による申出をする場合において、その者が第43条第1項第1号に掲げる電子証明書（登記官が当該申出に係る旧氏を確認することができるものに限る。）を提供したときは、当該電子証明書の提供をもって、前項の市町村長その他の公務員が職務上作成した情報の提供に代えることができる。
⑤ 登記官は、第1項の規定による申出があったときは、職権で、当該申出に係る旧氏を登記記録に記録するものとする。

第158条の35

① 所有権の登記名義人は、登記官に対し、その一の旧氏を登記記録に記録するよう申し出ることができる。ただし、当該旧氏が登記されている氏と同一であるときは、この限りでない。
② 前項の規定による申出（以下この条において「旧氏併記の申出」という。）をする場合において、当該登記記録に当該所有権の登記名義人の旧氏が記録されているときは、当該申出に係る旧氏は、当該登記記録に記録されている旧氏より後に称していた旧氏でなければならない。
③ 旧氏併記の申出は、次に掲げる事項を明らかにしてしなければならない。
一　申出人の氏名及び住所
二　代理人によって申出をするときは、当該代理人の氏名又は名称及び住所並びに代理人が法人であるときはその代表者の氏名
三　申出の目的
四　所有権の登記名義人の氏名
五　所有権の登記名義人について記録すべき旧氏
六　申出に係る不動産の不動産所在事項
④ 前項第6号の規定にかかわらず、不動産番号を同項各号に掲げる事項に係る情報（以下この条において「旧氏併記申出情報」という。）の内容としたときは、同項第6号に掲げる事項を旧氏併記申出情報の内容とすることを要しない。
⑤ 旧氏併記の申出においては、第3項各号に掲げる事項のほか、次に掲げる事項を旧氏併記申出情報の内容とするものとする。
一　申出人又は代理人の電話番号その他の連絡先
二　第8項に規定する旧氏併記申出添付情報の表示
三　申出の年月日
四　登記所の表示
⑥ 旧氏併記の申出は、次に掲げる方法のいずれかにより、旧氏併記申出情報を登記所に提供してしなければならない。
一　電子情報処理組織を使用する方法
二　旧氏併記申出情報を記載した書面（第14項において「旧氏併記申出書」という。）を提出する方法
⑦ 旧氏併記申出情報は、一の不動産及び所有権の登記名義人ごとに作成して提供しなければならない。ただし、同一の登記所の管轄区域内にある2以上の不動産についての旧氏併記の申出が同一の所有権の登記名義人についての同一の旧氏に係るものであるときは、この限りでない。

⑧ 旧氏併記の申出をする場合には，次に掲げる情報（第11項及び第14項において「旧氏併記申出添付情報」という。）をその旧氏併記申出情報と併せて登記所に提供しなければならない。
一 代理人によって申出をするときは，当該代理人の権限を証する情報
二 第3項第5号に掲げる事項を証する市町村長その他の公務員が職務上作成した情報
⑨ 第37条の2の規定は，旧氏併記の申出をする場合について準用する。
⑩ 第158条の8第1項及び第158条の9の規定は，第6項第1号に掲げる方法により旧氏併記の申出をする場合について準用する。
⑪ 令第12条第2項及び第14条の規定は，前項の場合において送信する旧氏併記申出添付情報（第8項第1号に掲げる情報を除く。）について準用する。
⑫ 第42条の規定は前項において準用する令第12条第2項の電子署名について，第43条第2項の規定は前項において準用する令第14条の法務省令で定める電子証明書について，それぞれ準用する。
⑬ 第6項第1号に掲げる方法により旧氏併記の申出をする申出人が旧氏併記申出情報又は委任による代理人の権限を証する情報に第42条の電子署名を行い，当該申出人の第43条第1項第1号に掲げる電子証明書（登記官が申出に係る旧氏を確認することができるものに限る。）を提供したときは，当該電子証明書の提供をもって，第8項第2号に掲げる情報の提供に代えることができる。
⑭ 第158条の10の規定は第6項第2号に掲げる方法により旧氏併記の申出をする場合について，第158条の11の規定は旧氏併記の申出をしようとする者が旧氏併記申出書又は旧氏併記申出添付情報を記載した書面（以下この項において「旧氏併記申出添付書面」という。）を送付す

る場合について，第55条の規定は旧氏併記申出添付書面を提出した申出人について，それぞれ準用する。
⑮ 第57条及び第158条の14（第5項を除く。）の規定は，旧氏併記申出情報が提供された場合について準用する。
⑯ 登記官は，旧氏併記の申出があったときは，職権で，次に掲げる事項を所有権の登記に付記する方法によって登記記録に記録するものとする。
一 登記の目的
二 申出の受付の年月日及び受付番号
三 登記原因及びその日付
四 所有権の登記名義人の氏名
五 申出に係る旧氏
⑰ 登記官は，前項の規定による記録をするときは，従前の所有権の登記名義人の氏名を抹消する記号を記録しなければならない。
⑱ 第158条の18の規定は，第16項の規定による記録をした場合について準用する。

第158条の36 （旧氏併記の終了）
① 登記記録に旧氏が記録されている所有権の登記名義人は，登記官に対し，当該旧氏の記録を希望しない旨を申し出ることができる。
② 前条第3項から第10項まで（第3項第5号及び第8項第2号を除く。），第14項及び第15項の規定は，前項の規定による申出について準用する。
③ 登記官は，第1項の規定による申出があったときは，職権で，次に掲げる事項を所有権の登記に付記する方法によって登記記録に記録するものとする。
一 登記の目的
二 申出の受付の年月日及び受付番号
三 登記原因及びその日付
四 所有権の登記名義人の氏名
④ 登記官は，前項の規定による記録をするときは，従前の所有権の登記名義人の氏名及び旧氏を抹消する記号を記録しな

ければならない。
⑤　第158条の18の規定は，第３項の規定による記録をした場合について準用する。

第158条の37　（相続人申告登記への準用）

　第158条の34の規定は相続人申出をする場合における申出人又は相続人申告名義人の氏についての変更又は更正の申出をする場合における当該相続人申告名義人（当該申出の申出人である場合に限る。）について，第158条の35の規定は相続人申告名義人について，前条の規定は登記記録に旧氏が記録されている相続人申告名義人について，それぞれ準用する。この場合において，第158条の34第２項中「前項第２号に掲げる登記を申請する」とあるのは「相続人申告名義人の氏についての変更又は更正の申出をする」と，「同号に定める者」とあるのは「相続人申告名義人」と読み替えるものとする。

第３款／用益権に関する登記

第159条　（地役権の登記）

① 　法第80条第４項に規定する法務省令で定める事項は，次のとおりとする。
　一　要役地の地役権の登記である旨
　二　承役地に係る不動産所在事項及び当該土地が承役地である旨
　三　地役権設定の目的及び範囲
　四　登記の年月日
② 　登記官は，地役権の設定の登記をした場合において，要役地が他の登記所の管轄区域内にあるときは，遅滞なく，当該他の登記所に承役地，要役地，地役権設定の目的及び範囲並びに地役権の設定の登記の申請の受付の年月日を通知しなければならない。
③ 　登記官は，地役権の登記事項に関する変更の登記若しくは更正の登記又は地役権の登記の抹消をしたときは，要役地の登記記録の第１項各号に掲げる事項についての変更の登記若しくは更正の登記又は要役地の地役権の登記の抹消をしなければならない。
④ 　第２項の規定は，地役権の登記事項に関する変更の登記若しくは更正の登記又は地役権の登記の抹消をした場合において，要役地が他の登記所の管轄区域内にあるときについて準用する。
⑤ 　第２項（前項において準用する場合を含む。）の通知を受けた登記所の登記官は，遅滞なく，要役地の登記記録の乙区に，通知を受けた事項を記録し，又は第３項の登記をしなければならない。

第160条　（地役権図面番号の記録）

　登記官は，地役権の設定の範囲が承役地の一部である場合において，地役権の設定の登記をするときは，その登記の末尾に地役権図面番号を記録しなければならない。地役権設定の範囲の変更の登記又は更正の登記をする場合において，変更後又は更正後の地役権設定の範囲が承役地の一部となるときも，同様とする。

第４款／担保権等に関する登記

第161条　（建物を新築する場合の不動産工事の先取特権の保存の登記）

　登記官は，建物を新築する場合の不動産工事の先取特権の保存の登記をするときは，登記記録の甲区に登記義務者の氏名又は名称及び住所並びに不動産工事の先取特権の保存の登記をすることにより登記をする旨を記録しなければならない。

第162条　（建物の建築が完了した場合の登記）

① 　登記官は，前条の登記をした場合において，建物の建築が完了したことによる表題登記をするときは，同条の登記をした登記記録の表題部に表題登記をし，法第86条第２項第１号に掲げる登記事項を抹消する記号を記録しなければならない。
② 　登記官は，法第87条第１項の所有権の

保存の登記をするときは，前条の規定により記録した事項を抹消する記号を記録しなければならない。
③　登記官は，法第87条第2項の建物の表題部の登記事項に関する変更の登記をしたときは，法第86条第3項において準用する同条第2項第1号に掲げる登記事項を抹消する記号を記録しなければならない。

第163条　（順位の譲渡又は放棄による変更の登記）

登記官は，登記した担保権について順位の譲渡又は放棄による変更の登記をするときは，当該担保権の登記の順位番号の次に変更の登記の順位番号を括弧を付して記録しなければならない。

第164条　（担保権の順位の変更の登記）

登記官は，担保権の順位の変更の登記をするときは，順位の変更があった担保権の登記の順位番号の次に変更の登記の順位番号を括弧を付して記録しなければならない。

第165条　（根抵当権等の分割譲渡の登記）

①　第3条第5号の規定にかかわらず，民法第398条の12第2項（同法第361条において準用する場合を含む。）の規定により根質権又は根抵当権（所有権以外の権利を目的とするものを除く。）を分割して譲り渡す場合の登記は，主登記によってするものとする。
②　登記官は，民法第398条の12第2項（同法第361条において準用する場合を含む。）の規定により根質権又は根抵当権を分割して譲り渡す場合の登記の順位番号を記録するときは，分割前の根質権又は根抵当権の登記の順位番号を用いなければならない。
③　登記官は，前項の規定により順位番号を記録したときは，当該順位番号及び分割前の根質権又は根抵当権の登記の順位番号にそれぞれ第147条第2項の符号を付さなければならない。
④　登記官は，第2項の登記をしたときは，職権で，分割前の根質権又は根抵当権について極度額の減額による根抵当権の変更の登記をし，これに根質権又は根抵当権を分割して譲り渡すことにより登記する旨及び登記の年月日を記録しなければならない。

第166条　（共同担保目録の作成）

①　登記官は，二以上の不動産に関する権利を目的とする担保権の保存又は設定の登記の申請があった場合において，当該申請に基づく登記をするとき（第168条第2項に規定する場合を除く。）は，次条に定めるところにより共同担保目録を作成し，当該担保権の登記の末尾に共同担保目録の記号及び目録番号を記録しなければならない。
②　登記官は，前項の申請が書面申請である場合には，当該申請書（申請情報の全部を記録した磁気ディスクを除く。）に共同担保目録の記号及び目録番号を記載しなければならない。

第167条　（共同担保目録の記録事項）

①　登記官は，共同担保目録を作成するときは，次に掲げる事項を記録しなければならない。
一　共同担保目録を作成した年月日
二　共同担保目録の記号及び目録番号
三　担保権が目的とする二以上の不動産に関する権利に係る次に掲げる事項
　イ　共同担保目録への記録の順序に従って当該権利に付す番号
　ロ　当該二以上の不動産に係る不動産所在事項
　ハ　当該権利が所有権以外の権利であるときは，当該権利
　ニ　当該担保権の登記（他の登記所の

管轄区域内にある不動産に関するものを除く。）の順位番号
② 前項第2号の目録番号は，同号の記号ごとに更新するものとする。

第168条　（追加共同担保の登記）

① 令別表の42の項申請情報欄ロ，同表の46の項申請情報欄ハ，同表の47の項申請情報欄ホ(4)，同表の49の項申請情報欄ハ及びヘ(4)，同表の55の項申請情報欄ハ，同表の56の項申請情報欄ニ(4)並びに同表の58の項申請情報欄ハ及びヘ(4)の法務省令で定める事項は，共同担保目録の記号及び目録番号とする。
② 登記官は，一又は二以上の不動産に関する権利を目的とする担保権の保存又は設定の登記をした後に，同一の債権の担保として他の一又は二以上の不動産に関する権利を目的とする担保権の保存若しくは設定又は処分の登記の申請があった場合において，当該申請に基づく登記をするときは，当該登記の末尾に共同担保目録の記号及び目録番号を記録しなければならない。
③ 登記官は，前項の場合において，前の登記に関する共同担保目録があるときは，当該共同担保目録に，前条第1項各号に掲げる事項のほか，当該申請に係る権利が担保の目的となった旨並びに申請の受付の年月日及び受付番号を記録しなければならない。
④ 登記官は，第2項の場合において，前の登記に関する共同担保目録がないときは，新たに共同担保目録を作成し，前の担保権の登記についてする付記登記によって，当該担保権に担保を追加した旨，共同担保目録の記号及び目録番号並びに登記の年月日を記録しなければならない。
⑤ 登記官は，第2項の申請に基づく登記をした場合において，前の登記に他の登記所の管轄区域内にある不動産に関するものがあるときは，遅滞なく，当該他の登記所に同項の申請に基づく登記をした旨を通知しなければならない。
⑥ 前項の通知を受けた登記所の登記官は，遅滞なく，第2項から第4項までに定める手続をしなければならない。

第169条　（共同担保の根抵当権等の分割譲渡の登記）

① 令別表の51の項申請情報欄ホ及び同表の60の項申請情報欄ホの法務省令で定める事項は，共同担保目録の記号及び目録番号とする。
② 登記官は，共同担保目録のある分割前の根質権又は根抵当権について第165条第2項の登記をするときは，分割後の根質権又は根抵当権について当該共同担保目録と同一の不動産に関する権利を記録した共同担保目録を作成しなければならない。
③ 登記官は，前項の場合には，分割後の根質権又は根抵当権の登記の末尾に当該共同担保目録の記号及び目録番号を記録しなければならない。

第170条　（共同担保の一部消滅等）

① 登記官は，二以上の不動産に関する権利が担保権の目的である場合において，その一の不動産に関する権利を目的とする担保権の登記の抹消をしたときは，共同担保目録に，申請の受付の年月日及び受付番号，当該不動産について担保権の登記が抹消された旨並びに当該抹消された登記に係る第167条第1項第3号に掲げる事項を抹消する記号を記録しなければならない。
② 登記官は，共同担保目録に記録されている事項に関する変更の登記又は更正の登記をしたときは，共同担保目録に，変更後又は更正後の第167条第1項第3号に掲げる事項，変更の登記又は更正の登記の申請の受付の年月日及び受付番号，変更又は更正をした旨並びに変更前又は

更正前の権利に係る同号に掲げる登記事項を抹消する記号を記録しなければならない。
③　第168条第5項の規定は，前二項の場合について準用する。
④　前項において準用する第168条第5項の規定による通知を受けた登記所の登記官は，遅滞なく，第1項又は第2項に定める手続をしなければならない。
⑤　第1項，第3項及び第4項の規定は，第110条第2項（第144条第2項において準用する場合を含む。）の規定により記録をする場合について準用する。

第171条　（抵当証券交付の登記）
　　法第94条第1項の抵当証券交付の登記（同条第3項の規定による嘱託に基づくものを除く。）においては，何番抵当権につき抵当証券を交付した旨，抵当証券交付の日，抵当証券の番号及び登記の年月日を記録しなければならない。

第172条　（抵当証券作成及び交付の登記）
①　法第94条第2項の抵当証券作成の登記においては，何番抵当権につき何登記所の嘱託により抵当証券を作成した旨，抵当証券作成の日，抵当証券の番号及び登記の年月日を記録しなければならない。
②　法第94条第3項の規定による嘱託に基づく抵当証券交付の登記においては，何番抵当権につき抵当証券を交付した旨，抵当証券交付の日，何登記所で交付した旨並びに抵当証券の番号を記録しなければならない。

第173条　（抵当証券交付の登記の抹消）
　　登記官は，抵当証券交付の登記の抹消をする場合において，当該抵当証券について法第94条第2項の抵当証券作成の登記があるときは，当該抵当証券作成の登記の抹消をしなければならない。

第174条　（買戻しの特約の登記の抹消）
　　登記官は，買戻しによる権利の取得の登記をしたときは，買戻しの特約の登記の抹消をしなければならない。

第5款／信託に関する登記

第175条　（信託に関する登記）
①　登記官は，法第98条第1項の規定による登記の申請があった場合において，当該申請に基づく権利の保存，設定，移転又は変更の登記及び信託の登記をするときは，権利部の相当区に一の順位番号を用いて記録しなければならない。
②　登記官は，法第104条第1項の規定による登記の申請があった場合において，当該申請に基づく権利の移転の登記若しくは変更の登記又は権利の抹消の登記及び信託の抹消の登記をするときは，権利部の相当区に一の順位番号を用いて記録しなければならない。
③　登記官は，前二項の規定にかかわらず，法第104条の2第1項の規定による登記の申請があった場合において，当該申請に基づく権利の変更の登記及び信託の登記又は信託の抹消の登記をするときは，権利部の相当区に一の順位番号を用いて記録しなければならない。

第176条　（信託目録）
①　登記官は，信託の登記をするときは，法第97条第1項各号に掲げる登記事項を記録した信託目録を作成し，当該目録に目録番号を付した上，当該信託の登記の末尾に信託目録の目録番号を記録しなければならない。
②　第102条第1項後段の規定は，信託の登記がある不動産について分筆の登記又は建物の分割の登記若しくは建物の区分の登記をする場合の信託目録について準用する。この場合には，登記官は，分筆後又は分割後若しくは区分後の信託目録の目録番号を変更しなければならない。

③ 登記官は，信託の変更の登記をするときは，信託目録の記録を変更しなければならない。

第177条 削除

第6款／仮登記

第178条 （法第105条第1号の仮登記の要件）
　法第105条第1号に規定する法務省令で定める情報は，登記識別情報又は第三者の許可，同意若しくは承諾を証する情報とする。

第179条 （仮登記及び本登記の方法）
① 登記官は，権利部の相当区に仮登記をしたときは，その次に当該仮登記の順位番号と同一の順位番号により本登記をすることができる余白を設けなければならない。
② 登記官は，仮登記に基づいて本登記をするときは，当該仮登記の順位番号と同一の順位番号を用いてしなければならない。
③ 前二項の規定は，保全仮登記について準用する。

第180条 （所有権に関する仮登記に基づく本登記）
　登記官は，法第109条第2項の規定により同条第1項の第三者の権利に関する登記の抹消をするときは，権利部の相当区に，本登記により第三者の権利を抹消する旨，登記の年月日及び当該権利に関する登記を抹消する記号を記録しなければならない。

第4節／補則

第1款／通知

第181条 （登記完了証）
① 登記官は，登記の申請に基づいて登記を完了したときは，申請人に対し，登記完了証を交付することにより，登記が完了した旨を通知しなければならない。この場合において，申請人が2人以上あるときは，その1人（登記権利者及び登記義務者が申請人であるときは，登記権利者及び登記義務者の各1人）に通知すれば足りる。
② 前項の登記完了証は，別記第6号様式により，次の各号に掲げる事項を記録して作成するものとする。
一　申請の受付の年月日及び受付番号
二　第147条第2項の符号
三　不動産番号
四　法第34条第1項各号及び第44条第1項各号（第6号及び第9号を除く。）に掲げる事項
五　共同担保目録の記号及び目録番号（新たに共同担保目録を作成したとき及び共同担保目録に記録された事項を変更若しくは更正し，又は抹消する記号を記録したときに限る。）
六　法第27条第2号の登記の年月日
七　申請情報（電子申請の場合にあっては，第34条第1項第1号に規定する情報及び第36条第4項に規定する住民票コードを除き，書面申請の場合にあっては，登記の目的に限る。）

第182条 （登記完了証の交付の方法）
① 登記完了証の交付は，法務大臣が別に定める場合を除き，次の各号に掲げる申請の区分に応じ，当該各号に定める方法による。
一　電子申請　法務大臣の定めるところにより，登記官の使用に係る電子計算機に備えられたファイルに記録された登記完了証を電子情報処理組織を使用して送信し，これを申請人又はその代理人の使用に係る電子計算機に備えられたファイルに記録する方法
二　書面申請　登記完了証を書面により

交付する方法
② 送付の方法により登記完了証の交付を求める場合には，申請人は，その旨及び送付先の住所を申請情報の内容としなければならない。
③ 第55条第7項から第9項までの規定は，送付の方法により登記完了証を交付する場合について準用する。
④ 官庁又は公署が送付の方法により登記完了証の交付を求める場合の登記完了証の送付は，嘱託情報に記載された住所に宛てて，書留郵便又は信書便の役務であって信書便事業者において引受け及び配達の記録を行うものその他の郵便又は信書便によって書面を送付する方法によってするものとする。

第182条の2 （登記が完了した旨の通知を要しない場合）

① 登記官は，次の各号に掲げる場合には，第181条第1項の規定にかかわらず，申請人に対し，登記が完了した旨の通知をすることを要しない。この場合においては，同条第2項の規定により作成した登記完了証を廃棄することができる。
一 前条第1項第1号に規定する方法により登記完了証を交付する場合において，登記完了証の交付を受けるべき者が，登記官の使用に係る電子計算機に備えられたファイルに登記完了証が記録され，電子情報処理組織を使用して送信することが可能になった時から30日を経過しても，自己の使用に係る電子計算機に備えられたファイルに当該登記完了証を記録しないとき。
二 前条第1項第2号に規定する方法により登記完了証を交付する場合において，登記完了証の交付を受けるべき者が，登記完了の時から3月を経過しても，登記完了証を受領しないとき。
② 第29条の規定は，前項の規定により登記完了証を廃棄する場合には，適用しない。

第183条 （申請人以外の者に対する通知）

① 登記官は，次の各号に掲げる場合には，当該各号（第1号に掲げる場合にあっては，申請人以外の者に限る。）に定める者に対し，登記が完了した旨を通知しなければならない。
一 表示に関する登記を完了した場合 表題部所有者（表題部所有者の更正の登記又は表題部所有者である共有者の持分の更正の登記にあっては，更正前の表題部所有者）又は所有権の登記名義人
二 民法第423条その他の法令の規定により他人に代わってする申請に基づく登記を完了した場合 当該他人
三 法第69条の2の規定による申請に基づく買戻しの特約に関する登記の抹消を完了した場合 当該登記の登記名義人であった者
② 前項の規定による通知は，同項の規定により通知を受けるべき者が2人以上あるときは，その1人に対し通知すれば足りる。
③ 第1項第1号の規定は，法第51条第6項（法第53条第2項において準用する場合を含む。）の規定による登記には，適用しない。
④ 登記官は，民法第900条及び第901条の規定により算定した相続分に応じてされた相続による所有権の移転の登記についてする次の各号に掲げる事由による所有権の更正の登記の申請（登記権利者が単独で申請するものに限る。）があった場合には，登記義務者に対し，当該申請があった旨を通知しなければならない。
一 遺産の分割の方法の指定として遺産に属する特定の財産を共同相続人の1人又は数人に承継させる旨の遺言による所有権の取得
二 遺贈（相続人に対する遺贈に限

る。）による所有権の取得

第184条　（処分の制限の登記における通知）
① 登記官は，表題登記がない不動産又は所有権の登記がない不動産について嘱託による所有権の処分の制限の登記をしたときは，当該不動産の所有者に対し，登記が完了した旨を通知しなければならない。
② 前項の通知は，当該登記に係る次に掲げる事項を明らかにしてしなければならない。
一　不動産所在事項及び不動産番号
二　登記の目的
三　登記原因及びその日付
四　登記名義人の氏名又は名称及び住所

第185条　（職権による登記の抹消における通知）
① 法第71条第1項の通知は，次の事項を明らかにしてしなければならない。
一　抹消する登記に係る次に掲げる事項
　　イ　不動産所在事項及び不動産番号
　　ロ　登記の目的
　　ハ　申請の受付の年月日及び受付番号
　　ニ　登記原因及びその日付
　　ホ　申請人の氏名又は名称及び住所
二　抹消する理由
② 前項の通知は，抹消する登記が民法第423条その他の法令の規定により他人に代わってする申請に基づくものであるときは，代位者に対してもしなければならない。

第186条　（審査請求に対する相当の処分の通知）
登記官は，法第157条第1項の規定により相当の処分をしたときは，審査請求人に対し，当該処分の内容を通知しなければならない。

第187条　（裁判所への通知）
登記官は，次の各号に掲げる場合には，遅滞なく，管轄地方裁判所にその事件を通知しなければならない。
一　法第164条の規定により過料に処せられるべき者があることを職務上知ったとき（登記官が法第76条の2第1項若しくは第2項又は第76条の3第4項の規定による申請をすべき義務に違反した者に対し相当の期間を定めてその申請をすべき旨を催告したにもかかわらず，その期間内にその申請がされないときに限る。）。
二　担保付社債信託法（明治38年法律第52号）第70条第18号の規定により過料に処せられるべき者があることを職務上知ったとき。

第188条　（各種の通知の方法）
法第67条第1項，第3項及び第4項，第71条第1項及び第3項並びに第157条第3項並びにこの省令第40条第2項及び第183条から前条までの通知は，郵便，信書便その他適宜の方法によりするものとする。

第2款／登録免許税

第189条　（登録免許税を納付する場合における申請情報等）
① 登記の申請においては，登録免許税額を申請情報の内容としなければならない。この場合において，登録免許税法別表第1第1号㈠から㈢まで，㈤から㈦まで，㈩，㈪及び㈫イからホまでに掲げる登記については，課税標準の金額も申請情報の内容としなければならない。
② 登録免許税法又は租税特別措置法（昭和32年法律第26号）その他の法令の規定により登録免許税を免除されている場合には，前項の規定により申請情報の内容とする事項（以下「登録免許税額等」という。）に代えて，免除の根拠となる法

令の条項を申請情報の内容としなければならない。
③　登録免許税法又は租税特別措置法その他の法令の規定により登録免許税が軽減されている場合には，登録免許税額等のほか，軽減の根拠となる法令の条項を申請情報の内容としなければならない。
④　登録免許税法第13条第1項の規定により一の抵当権等の設定登記（同項に規定する抵当権等の設定登記をいう。）とみなされる登記の申請を二以上の申請情報によってする場合には，登録免許税額等は，そのうちの一の申請情報の内容とすれば足りる。ただし，同法第13条第1項後段の規定により最も低い税率をもって当該設定登記の登録免許税の税率とする場合においては，登録免許税額等をその最も低い税率によるべき不動産等に関する権利（同法第11条に規定する不動産等に関する権利をいう。）についての登記の申請情報の内容としなければならない。
⑤　前項の場合において，その申請が電子申請であるときは登録免許税額等を一の申請の申請情報の内容とした旨を他の申請情報の内容とし，その申請が書面申請であるときは登録免許税額等を記載した申請書（申請情報の全部を記録した磁気ディスクにあっては，登記所の定める書類）に登録免許税の領収証書又は登録免許税額相当の印紙をはり付けて他の申請書にはその旨を記録しなければならない。
⑥　登記官の認定した課税標準の金額が申請情報の内容とされた課税標準の金額による税額を超える場合において，申請人がその差額を納付するときは，差額として納付する旨も申請情報の内容として追加しなければならない。
⑦　国税に係る共通的な手続並びに納税者の権利及び義務に関する法律（昭和37年法律第66号）第75条第1項の規定による審査請求に対する裁決により確定した課税標準の金額による登録免許税を納付し

て登記の申請をする場合には，申請人は，当該課税標準の金額が確定している旨を申請情報の内容とし，かつ，当該金額が確定していることを証する情報をその申請情報と併せて提供しなければならない。

第190条　（課税標準の認定）
①　登記官は，申請情報の内容とされた課税標準の金額を相当でないと認めるときは，申請人に対し，登記官が認定した課税標準の金額を適宜の方法により告知しなければならない。
②　登記官は，前項の場合において，申請が書面申請であるときは，申請書（申請情報の全部を記録した磁気ディスクにあっては，適宜の用紙）に登記官が認定した課税標準の金額を記載しなければならない。

第3款／雑則

第191条　（審査請求を受けた法務局又は地方法務局の長の命令による登記）
　登記官は，法第157条第3項又は第4項の規定による命令に基づき登記をするときは，当該命令をした者の職名，命令の年月日，命令によって登記をする旨及び登記の年月日を記録しなければならない。

第192条　（登記の嘱託）
　この省令に規定する登記の申請に関する法の規定には当該規定を法第16条第2項において準用する場合を含むものとし，この省令中「申請」，「申請人」及び「申請情報」にはそれぞれ嘱託，嘱託者及び嘱託情報を含むものとする。

第4章 登記事項の証明等

第1節／登記事項の証明等に関する請求

第193条（登記事項証明書の交付の請求情報等）

① 登記事項証明書，登記事項要約書，地図等の全部若しくは一部の写し（地図等が電磁的記録に記録されているときは，当該記録された情報の内容を証明した書面。以下この条において同じ。）又は土地所在図等の全部若しくは一部の写し（土地所在図等が電磁的記録に記録されているときは，当該記録された情報の内容を証明した書面。以下この条において同じ。）の交付の請求をするときは，次に掲げる事項を内容とする情報（以下この章において「請求情報」という。）を提供しなければならない。地図等又は登記簿の附属書類の閲覧の請求をするときも，同様とする。

一　請求人の氏名又は名称
二　不動産所在事項又は不動産番号
三　交付の請求をする場合にあっては，請求に係る書面の通数
四　登記事項証明書の交付の請求をする場合にあっては，第196条第1項各号（同条第2項において準用する場合を含む。）に掲げる登記事項証明書の区分
五　登記事項証明書の交付の請求をする場合において，共同担保目録又は信託目録に記録された事項について証明を求めるときは，その旨
六　地図等又は土地所在図等の一部の写しの交付の請求をするときは，請求する部分
七　送付の方法により登記事項証明書，地図等の全部若しくは一部の写し又は土地所在図等の全部若しくは一部の写しの交付の請求をするときは，その旨及び送付先の住所

② 法第121条第3項又は第4項の規定により土地所在図等以外の登記簿の附属書類の閲覧の請求をするときは，前項第1号及び第2号に掲げる事項のほか，次に掲げる事項を請求情報の内容とする。

一　請求人の住所
二　請求人が法人であるときは，その代表者の氏名
三　代理人によって請求するときは，当該代理人の氏名又は名称及び住所並びに代理人が法人であるときはその代表者の氏名
四　法第121条第3項の規定により土地所在図等以外の登記簿の附属書類の閲覧の請求をするときは，閲覧する部分及び当該部分を閲覧する正当な理由
五　法第121条第4項の規定により土地所在図等以外の登記簿の附属書類の閲覧の請求をするときは，閲覧する附属書類が自己を申請人とする登記記録に係る登記簿の附属書類である旨

③ 前項第4号の閲覧の請求をするときは，同号の正当な理由を証する書面を提示しなければならない。この場合において，登記官から求めがあったときは，当該書面又はその写しを登記官に提出しなければならない。

④ 第2項第5号の閲覧の請求をするときは，同号の閲覧する附属書類が自己を申請人とする登記記録に係る登記簿の附属書類である旨を証する書面を提示しなければならない。この場合において，登記官から求めがあったときは，当該書面又はその写しを登記官に提出しなければならない。

⑤ 第2項の閲覧の請求をする場合において，請求人が法人であるときは，当該法人の代表者の資格を証する書面を提示しなければならない。ただし，当該法人の会社法人等番号をも請求情報の内容としたときは，この限りでない。

⑥ 第2項の閲覧の請求を代理人によって

するときは，当該代理人の権限を証する書面を提示しなければならない。ただし，支配人等が法人を代理して同項の閲覧の請求をする場合において，当該法人の会社法人等番号をも請求情報の内容としたときは，この限りでない。
⑦ 法人である代理人によって第2項の閲覧の請求をする場合において，当該代理人の会社法人等番号をも請求情報の内容としたときは，当該代理人の代表者の資格を証する書面を提示することを要しない。

第194条 （登記事項証明書等の交付の請求の方法等）
① 前条第1項の交付の請求又は同項若しくは同条第2項の閲覧の請求は，請求情報を記載した書面（以下この章において「請求書」という。）を登記所に提出する方法によりしなければならない。
② 登記事項証明書の交付（送付の方法による交付を除く。）の請求は，前項の方法のほか，法務大臣の定めるところにより，登記官が管理する入出力装置に請求情報を入力する方法によりすることができる。
③ 登記事項証明書の交付の請求は，前二項の方法のほか，法務大臣の定めるところにより，請求情報を電子情報処理組織を使用して登記所に提供する方法によりすることができる。この場合において，登記事項証明書を登記所で受領しようとするときは，その旨を請求情報の内容としなければならない。

第195条 削除

第2節／登記事項の証明等の方法

第196条 （登記事項証明書の種類等）
① 登記事項証明書の記載事項は，次の各号の種類の区分に応じ，当該各号に掲げる事項とする。

一 全部事項証明書　登記記録（閉鎖登記記録を除く。以下この項において同じ。）に記録されている事項の全部
二 現在事項証明書　登記記録に記録されている事項のうち現に効力を有するもの
三 何区何番事項証明書　権利部の相当区に記録されている事項のうち請求に係る部分
四 所有者証明書　登記記録に記録されている現在の所有権の登記名義人の氏名又は名称，住所及び法人識別事項並びに当該登記名義人が2人以上であるときは当該登記名義人ごとの持分
五 一棟建物全部事項証明書　一棟の建物に属するすべての区分建物である建物の登記記録に記録されている事項の全部
六 一棟建物現在事項証明書　一棟の建物に属するすべての区分建物である建物の登記記録に記録されている事項のうち現に効力を有するもの
② 前項第1号，第3号及び第5号の規定は，閉鎖登記記録に係る登記事項証明書の記載事項について準用する。

第197条 （登記事項証明書の作成及び交付）
① 登記官は，登記事項証明書を作成するときは，請求に係る登記記録に記録された事項の全部又は一部である旨の認証文を付した上で，作成の年月日及び職氏名を記載し，職印を押印しなければならない。この場合において，当該登記記録の甲区又は乙区の記録がないときは，認証文にその旨を付記しなければならない。
② 前項の規定により作成する登記事項証明書は，次の各号の区分に応じ，当該各号に定める様式によるものとする。ただし，登記記録に記録した事項の一部についての登記事項証明書については適宜の様式によるものとする。
一 土地の登記記録　別記第7号様式

二 建物（次号の建物を除く。）の登記記録　別記第8号様式
三 区分建物である建物に関する登記記録　別記第9号様式
四 共同担保目録　別記第10号様式
五 信託目録　別記第5号様式

③ 登記事項証明書を作成する場合において，第193条第1項第5号に掲げる事項が請求情報の内容とされていないときは，共同担保目録又は信託目録に記録された事項の記載を省略するものとする。

④ 登記事項証明書に登記記録に記録した事項を記載するときは，その順位番号の順序に従って記載するものとする。

⑤ 登記記録に記録されている事項を抹消する記号が記録されている場合において，登記事項証明書に抹消する記号を表示するときは，抹消に係る事項の下に線を付して記載するものとする。

⑥ 登記事項証明書の交付は，請求人の申出により，送付の方法によりすることができる。

第197条の2　（登記事項証明書の受領の方法）

第194条第3項前段の規定により登記事項証明書の交付を請求した者が当該登記事項証明書を登記所で受領するときは，法務大臣が定める事項を当該登記所に申告しなければならない。

第198条　（登記事項要約書の作成）

① 登記事項要約書は，別記第11号様式により，不動産の表示に関する事項のほか，所有権の登記については申請の受付の年月日及び受付番号，所有権の登記名義人の氏名又は名称，住所及び法人識別事項並びに登記名義人が2人以上であるときは当該所有権の登記名義人ごとの持分並びに所有権の登記以外の登記については現に効力を有するもののうち主要な事項を記載して作成するものとする。

② 前項の規定にかかわらず，登記官は，請求人の申出により，不動産の表示に関する事項について現に効力を有しないものを省略し，かつ，所有権の登記以外の登記については現に効力を有するものの個数のみを記載した登記事項要約書を作成することができる。この場合には，前項の登記事項要約書を別記第12号様式により作成するものとする。

③ 登記官は，請求人から別段の申出がない限り，一の用紙により二以上の不動産に関する事項を記載した登記事項要約書を作成することができる。

第199条　削除

第200条　（地図等の写し等の作成及び交付）

① 登記官は，地図等の全部又は一部の写しを作成するときは，地図等の全部又は一部の写しである旨の認証文を付した上で，作成の年月日及び職氏名を記載し，職印を押印しなければならない。

② 登記官は，地図等が電磁的記録に記録されている場合において，当該記録された地図等の内容を証明した書面を作成するときは，電磁的記録に記録されている地図等を書面に出力し，これに地図等に記録されている内容を証明した書面である旨の認証文を付した上で，作成の年月日及び職氏名を記載し，職印を押印しなければならない。

③ 第197条第6項の規定は，地図等の全部又は一部の写し及び前項の書面の交付について準用する。

④ 第194条第2項及び第3項並びに第197条の2の規定は，第2項の書面の交付の請求について準用する。

第201条　（土地所在図等の写し等の作成及び交付）

① 登記官は，土地所在図等の写しを作成するときは，土地所在図等の全部又は一

部の写しである旨の認証文を付した上で，作成の年月日及び職氏名を記載し，職印を押印しなければならない。
② 登記官は，土地所在図等が電磁的記録に記録されている場合において，当該記録された土地所在図等の内容を証明した書面を作成するときは，電磁的記録に記録されている土地所在図等を書面に出力し，これに土地所在図等に記録されている内容を証明した書面である旨の認証文を付した上で，作成の年月日及び職氏名を記載し，職印を押印しなければならない。
③ 第197条第6項の規定は，土地所在図等の写し及び前項の書面の交付について準用する。
④ 第194条第2項及び第3項並びに第197条の2の規定は，第2項の書面の交付の請求について準用する。

第202条　（閲覧の方法）
① 地図等又は登記簿の附属書類の閲覧は，登記官（その指定する職員を含む。第3項において同じ。）の面前でさせるものとする。
② 法第120条第2項及び第121条第2項の法務省令で定める方法は，電磁的記録に記録された情報の内容を書面に出力して表示する方法とする。
③ 登記官は，法第121条第3項又は第4項の規定による登記簿の附属書類の閲覧をさせる場合において，請求人から別段の申出があり，かつ，当該申出を相当と認めるときは，第1項の規定にかかわらず，電子計算機を使用して登記官及び請求人が映像と音声の送受信により相手の状態を相互に認識しながら通話することができる方法によって閲覧をさせることができる。

第3節／登記事項証明書等における代替措置

第1款／通則

第202条の2　（公示用住所管理ファイル）
① 法務大臣は，第202条の12第1項各号に掲げる事項を記録する公示用住所管理ファイルを備えるものとする。
② 公示用住所管理ファイルは，法第119条第6項の申出（以下この節において「代替措置申出」という。）の申出人ごとに電磁的記録に記録して調製するものとする。
③ 公示用住所管理ファイルに記録された情報の保存期間は，永久とする。

第202条の3　（代替措置の要件）
　法第119条第6項の法務省令で定める場合は，当該登記記録に記録されている者その他の者（自然人であるものに限る。）について次に掲げる事由がある場合とする。
一　ストーカー行為等の規制等に関する法律（平成12年法律第81号）第6条に規定するストーカー行為等に係る被害を受けた者であって更に反復して同法第2条第1項に規定するつきまとい等又は同条第3項に規定する位置情報無承諾取得等をされるおそれがあること。
二　児童虐待の防止等に関する法律（平成12年法律第82号）第2条に規定する児童虐待（同条第1号に掲げるものを除く。以下この号において同じ。）を受けた児童であって更なる児童虐待を受けるおそれがあること。
三　配偶者からの暴力の防止及び被害者の保護等に関する法律（平成13年法律第31号）第1条第2項に規定する被害者であって更なる暴力（身体に対する不法な攻撃であって生命又は身体に危害を及ぼすもの（次号において「身体

に対する暴力」という。）を除く。）を受けるおそれがあること。
四　前三号に掲げるもののほか，心身に有害な影響を及ぼす言動（身体に対する暴力に準ずるものに限る。以下この号において同じ。）を受けた者であって，更なる心身に有害な影響を及ぼす言動を受けるおそれがあること。

第202条の4　（代替措置等申出）
① 代替措置申出又は第202条の16第1項の規定による申出（以下この節において「代替措置等申出」という。）は，次に掲げる事項を記載した書面（以下この節において「代替措置等申出書」という。）を登記所に提出してしなければならない。
一　申出人の氏名及び住所
二　代理人によって申出をするときは，当該代理人の氏名又は名称及び住所並びに代理人が法人であるときはその代表者の氏名
三　申出の目的
四　申出に係る不動産の不動産所在事項
② 代替措置等申出は，申出に係る不動産の所在地を管轄する登記所以外の登記所の登記官に対してもすることができる。
③ 第1項第4号の規定にかかわらず，不動産番号（申出を受ける登記所以外の登記所の管轄区域内にある不動産について申出をする場合にあっては，不動産番号及び当該申出を受ける登記所以外の登記所の表示）を代替措置等申出書に記載したときは，同号に掲げる事項を代替措置等申出書に記載することを要しない。
④ 代替措置等申出においては，第1項各号に掲げる事項のほか，次に掲げる事項を代替措置等申出書に記載するものとする。
一　申出人又は代理人の電話番号その他の連絡先
二　この節の規定により代替措置等申出書に添付しなければならない書面（以下この節において「代替措置等申出添付書面」という。）の表示
三　申出の年月日
四　代替措置等申出書を提出する登記所の表示
⑤ 代替措置等申出書は，申出の目的に応じ，申出人ごとに作成して提出しなければならない。
⑥ 代替措置等申出書には，次に掲げる書面を添付しなければならない。
一　申出人が代替措置等申出書又は委任状に記名押印した場合におけるその印鑑に関する証明書（住所地の市町村長（特別区の区長を含むものとし，地方自治法第252条の19第1項の指定都市にあっては，市長又は区長若しくは総合区長とする。）が作成するものに限る。）その他の申出人となるべき者が申出をしていることを証する書面
二　申出人の氏名又は住所が法第119条第6項の登記記録に記録されている者の氏名又は住所と異なる場合にあっては，当該者であることを証する市町村長その他の公務員が職務上作成した書面（公務員が職務上作成した書面がない場合にあっては，これに代わるべき書面）
三　代理人によって代替措置等申出をするときは，当該代理人の権限を証する書面
⑦ 前項第1号の規定は，申出人が同号の書面（印鑑に関する証明書を除く。）を登記官に提示した場合には，適用しない。この場合において，登記官から求めがあったときは，当該書面又はその写しを登記官に提出しなければならない。
⑧ 第37条及び第37条の2の規定は，代替措置等申出をする場合について準用する。
⑨ 第53条の規定は，申出人が代替措置等申出書及びその代替措置等申出添付書面を送付する場合について準用する。

第202条の5　（立件）

① 登記官は，代替措置等申出書が提出されたときは，これを立件しなければならない。
② 前項の場合には，登記官は，申出立件事件簿に立件の年月日及び立件番号を記録しなければならない。
③ 登記官は，第1項の規定により立件をする際，代替措置等申出書に立件の年月日及び立件番号を記載しなければならない。

第202条の6　（調査）

① 登記官は，代替措置等申出があったときは，遅滞なく，申出に関する全ての事項を調査しなければならない。
② 登記官は，前項の場合において，必要があると認めるときは，申出人又はその代理人に対し，出頭を求め，質問をし，又は文書の提示その他必要な情報の提供を求める方法により，申出人となるべき者が申出をしているかどうか又は法第119条第6項に規定する場合に該当する事実の有無を調査することができる。
③ 登記官は，前項に規定する申出人又は代理人が遠隔の地に居住しているとき，その他相当と認めるときは，他の登記所の登記官に同項の調査を嘱託することができる。
④ 登記官は，第2項の規定による調査をしたときは，その調査の結果を記録した調書を作成しなければならない。前項の嘱託を受けて調査をした場合についても，同様とする。
⑤ 前項後段の場合には，嘱託を受けて調査をした登記所の登記官は，その調査の結果を記録した調書を嘱託をした登記官に送付しなければならない。

第202条の7　（代替措置等申出の却下）

① 登記官は，次に掲げる場合には，理由を付した決定で，代替措置等申出を却下しなければならない。ただし，当該代替措置等申出の不備が補正することができるものである場合において，登記官が定めた相当の期間内に，申出人がこれを補正したときは，この限りでない。
一　申出に係る事項が公示用住所管理ファイルに既に記録されているとき。
二　申出の権限を有しない者の申出によるとき。
三　代替措置等申出書の記載事項又はその提出の方法がこの省令により定められた方式に適合しないとき。
四　代替措置等申出書に記載された事項が登記記録と合致しないとき。
五　代替措置等申出書の記載事項の内容が代替措置等申出添付書面の内容と合致しないとき。
六　代替措置等申出添付書面が添付されないとき。
七　代替措置申出がされた場合において，法第119条第6項に規定する場合に該当する事実が認められないとき。
② 登記官は，前項ただし書の期間を定めたときは，当該期間内は，当該補正すべき事項に係る不備を理由に当該代替措置等申出を却下することができない。
③ 第38条の規定は，代替措置等申出を却下する場合について準用する。この場合において，同条第1項中「申請人ごとに」とあるのは「申出人に」と，同条第3項中「書面申請がされた」とあるのは「代替措置等申出添付書面が提出された」と読み替えるものとする。

第202条の8　（代替措置等申出の取下げ）

① 代替措置等申出の取下げは，代替措置等申出を取り下げる旨を記載した書面を代替措置等申出書を提出した登記所に提出する方法によってしなければならない。
② 代替措置等申出の取下げは，公示用住所管理ファイルへの記録完了後は，することができない。

③　登記官は，代替措置等申出添付書面が提出された場合において，代替措置等申出の取下げがされたときは，代替措置等申出書及びその代替措置等申出添付書面を還付するものとする。第38条第3項ただし書の規定は，この場合について準用する。

第202条の9　（代替措置等申出添付書面の還付）

①　代替措置等申出をした申出人は，代替措置等申出添付書面の原本の還付を請求することができる。ただし，第202条の4第6項第1号の書面，第202条の11第4項（第202条の16第4項において準用する場合を含む。）の印鑑に関する証明書及び当該代替措置等申出のためにのみ作成された委任状その他の書面については，この限りでない。

②　前項本文の規定により原本の還付を請求する申出人は，原本と相違ない旨を記載した謄本を提出しなければならない。

③　登記官は，第1項本文の規定による請求があった場合には，調査完了後，当該請求に係る書面の原本を還付しなければならない。この場合には，前項の謄本と当該請求に係る書面の原本を照合し，これらの内容が同一であることを確認した上，同項の謄本に原本還付の旨を記載し，これに登記官印を押印しなければならない。

④　前項後段の規定により登記官印を押印した第2項の謄本は，公示用住所管理ファイルへの記録完了後，申出件関係書類つづり込み帳につづり込むものとする。

⑤　第3項前段の規定にかかわらず，登記官は，偽造された書面その他の不正な代替措置等申出のために用いられた疑いがある書面については，これを還付することができない。

⑥　第3項の規定による原本の還付は，申出人の申出により，原本を送付する方法によることができる。この場合においては，申出人は，送付先の住所をも申し出なければならない。

⑦　前項の場合における書面の送付は，同項の住所に宛てて，書留郵便又は信書便の役務であって信書便事業者において引受け及び配達の記録を行うものによってするものとする。

⑧　前項の送付に要する費用は，郵便切手又は信書便の役務に関する料金の支払のために使用することができる証票であって法務大臣が指定するものを提出する方法により納付しなければならない。

⑨　前項の指定は，告示してしなければならない。

第2款／代替措置

第202条の10　（代替措置における公示用住所）

法第119条第6項の法務省令で定める事項は，当該登記記録に記録されている者と連絡をとることのできる者（以下この節において「公示用住所提供者」という。）の住所又は営業所，事務所その他これらに準ずるものの所在地（以下この節において「公示用住所」という。）とする。

第202条の11　（代替措置申出）

①　代替措置申出においては，次に掲げる事項をも代替措置等申出書に記載しなければならない。

一　法第119条第6項に規定する場合に該当する事実の概要

二　第202条の13に規定する代替措置を講ずべき住所（以下この節において「措置対象住所」という。）

三　措置対象住所に係る登記記録を特定するために必要な事項

四　公示用住所及び公示用住所提供者の氏名又は名称

② 代替措置申出においては、次に掲げる書面をも代替措置等申出書に添付しなければならない。
　一　法第119条第6項に規定する場合に該当する事実を明らかにする書面
　二　前項第4号に掲げる事項を証する書面
　三　公示用住所提供者の承諾を証する当該公示用住所提供者が作成した書面（公示用住所提供者が法務局又は地方法務局であるときを除く。）
　四　法務局又は地方法務局を公示用住所提供者とするときは、申出人に宛てて当該法務局又は地方法務局に送付された文書その他の物の保管、廃棄その他の取扱いに関し必要な事項として法務大臣が定めるものを記載した書面
③ 前項第3号の書面には、当該公示用住所提供者が記名押印しなければならない。ただし、当該公示用住所提供者が署名した同号の書面について公証人又はこれに準ずる者の認証を受けたときは、この限りでない。
④ 第2項第3号の書面には、前項の規定により記名押印した者の印鑑に関する証明書（住所地の市町村長（特別区の区長を含むものとし、地方自治法第252条の19第1項の指定都市にあっては、市長又は区長若しくは総合区長とする。）若しくは登記官が作成するもの又はこれに準ずるものに限る。）を添付しなければならない。ただし、次に掲げる場合は、この限りでない。
　一　法人の代表者又は代理人が記名押印した者である場合において、その会社法人等番号を代替措置等申出書に記載したとき（登記官が記名押印した者の印鑑に関する証明書を作成することが可能である場合に限る。）。
　二　公示用住所提供者が記名押印した当該書面について公証人又はこれに準ずる者の認証を受けたとき。

第202条の12　（公示用住所管理ファイルへの記録）

① 登記官は、代替措置申出があったときは、申出人についての次に掲げる事項を公示用住所管理ファイルに記録しなければならない。
　一　氏名及び住所
　二　措置対象住所
　三　措置対象住所に係る登記記録を特定するために必要な事項
　四　公示用住所
② 登記官は、前項の規定による記録をしたときは、遅滞なく、代替措置申出に係る不動産の所在地を管轄する登記所に代替措置等申出書の写しを送付しなければならない。

第202条の13　（代替措置）

登記官は、公示用住所管理ファイルに記録された措置対象住所に係る登記記録について登記事項証明書又は登記事項要約書を作成するときは、当該措置対象住所に代わるものとして公示用住所管理ファイルに記録された公示用住所を記載する措置（次条において「代替措置」という。）を講じなければならない。

第202条の14　（代替措置が講じられていない登記事項証明書の交付の請求）

① 代替措置申出をした申出人又はその相続人は、当該代替措置申出に係る措置対象住所について代替措置が講じられていない登記事項証明書の交付を請求することができる。
② 前項の交付の請求をするときは、次に掲げる事項をも請求情報の内容としなければならない。
　一　請求人の住所
　二　請求人が代替措置申出をした申出人の相続人であるときは、その旨及び当該申出人の氏名

三　代理人によって請求をするときは、当該代理人の氏名又は名称及び住所並びに代理人が法人であるときはその代表者の氏名

四　措置対象住所について代替措置を講じないことを求める旨

五　措置対象住所に係る登記記録を特定するために必要な事項

③　第194条第2項及び第3項の規定は、第1項の交付の請求については、適用しない。

④　第1項の交付の請求においては、次に掲げる書面を請求書に添付しなければならない。

一　請求人が請求書又は委任状に記名押印した場合における請求人の印鑑に関する証明書（住所地の市町村長（特別区の区長を含むものとし、地方自治法第252条の19第1項の指定都市にあっては、市長又は区長若しくは総合区長とする。）が作成するものであって、作成後3月以内のものに限る。）その他の請求人となるべき者が請求をしていることを証する書面

二　代替措置申出をした申出人が請求する場合において、請求人の氏名又は住所が法第119条第6項の登記記録に記録されている者の氏名又は住所と異なるときは、当該者であることを証する市町村長その他の公務員が職務上作成した書面（公務員が職務上作成した書面がない場合にあっては、これに代わるべき書面）

三　代替措置申出をした申出人の相続人が請求するときは、法第119条第6項の登記記録に記録されている者の相続人であることを証する市町村長その他の公務員が職務上作成した書面（公務員が職務上作成した書面がない場合にあっては、これに代わるべき書面）。ただし、当該相続人であることが登記記録から明らかであるときを除く。

四　代理人によって請求をするときは、当該代理人の権限を証する書面

⑤　第202条の4第7項の規定は、請求人が前項第1号の書面（印鑑に関する証明書を除く。）を登記官に提示した場合について準用する。

⑥　法人である代理人によって第1項の交付の請求をする場合において、当該代理人の会社法人等番号をも請求情報の内容としたときは、当該代理人の代表者の資格を証する書面を添付することを要しない。

⑦　第202条の9の規定は、第1項の交付の請求をした請求人について準用する。この場合において、同条第1項中「代替措置等申出添付書面」とあるのは「第202条の14第4項第2号から第4号までに掲げる書面」と、同条第3項中「調査完了後」とあるのは「登記事項証明書の交付後」と、同条第4項中「公示用住所管理ファイルへの記録完了後、申出立件関係書類つづり込み帳」とあるのは「登記事項証明書の交付後、請求書類つづり込み帳」と読み替えるものとする。

⑧　登記官は、第1項の交付の請求があった場合には、登記事項証明書を作成するに当たり、当該措置対象住所に代替措置を講じないものとする。

第202条の15　（代替措置申出の撤回）

①　代替措置申出をした申出人は、登記官に対し、いつでも、代替措置申出を撤回することができる。

②　前項の規定による撤回は、次に掲げる事項を記載した撤回書を登記所に提出してしなければならない。

一　代替措置申出をした申出人の氏名及び住所

二　代理人によって撤回をするときは、当該代理人の氏名又は名称及び住所並びに代理人が法人であるときはその代表者の氏名

三　代替措置申出を撤回する旨
四　代替措置申出に係る第202条の4第1項第4号に掲げる事項
五　措置対象住所に係る登記記録を特定するために必要な事項
③　第202条の4第2項から第5項までの規定は，代替措置申出の撤回について準用する。
④　第2項の撤回書には，次に掲げる書面を添付しなければならない。
一　代替措置申出をした申出人が撤回書又は委任状に記名押印した場合におけるその印鑑に関する証明書（住所地の市町村長（特別区の区長を含むものとし，地方自治法第252条の19第1項の指定都市にあっては，市長又は区長若しくは総合区長とする。）が作成するものであって，作成後3月以内のものに限る。）その他の代替措置申出をした申出人が撤回をしていることを証する書面
二　代替措置申出をした申出人の氏名又は住所が法第119条第6項の登記記録に記録されている者の氏名又は住所と異なる場合にあっては，当該者であることを証する市町村長その他の公務員が職務上作成した書面（公務員が職務上作成した書面がない場合にあっては，これに代わるべき書面）
三　代理人によって撤回をするときは，当該代理人の権限を証する書面
⑤　第202条の4第7項から第9項まで，第202条の5，第202条の6及び202条の9の規定は，代替措置申出の撤回について準用する。この場合において，第202条の6第2項中「申出人となるべき者が申出をしているかどうか又は法第119条第6項に規定する場合に該当する事実の有無」とあるのは「代替措置申出をした申出人が撤回をしているかどうか」と，第202条の9第1項中「代替措置等申出添付書面」とあるのは「第202条の15第4項第2号及び第3号に掲げる書面」と読み替えるものとする。
⑥　登記官は，第1項の規定による撤回があった場合には，当該代替措置申出についての第202条の12第1項各号に掲げる事項の記録を公示用住所管理ファイルから削除しなければならない。
⑦　第202条の12第2項の規定は，前項の規定による削除をした場合について準用する。

第3款／公示用住所の変更

第202条の16
①　代替措置申出をした申出人は，登記官に対し，代替措置申出に係る公示用住所の変更を申し出ることができる。
②　前項の規定による申出においては，次に掲げる事項をも代替措置等申出書に記載しなければならない。
一　措置対象住所に係る登記記録を特定するために必要な事項
二　変更後の公示用住所及び公示用住所提供者の氏名又は名称
③　第1項の規定による申出においては，次に掲げる書面をも代替措置等申出書に添付しなければならない。
一　前項第2号に掲げる事項を証する書面
二　変更後の公示用住所提供者の承諾を証する当該公示用住所提供者が作成した書面（変更後の公示用住所提供者が法務局又は地方法務局であるときを除く。）
三　法務局又は地方法務局を変更後の公示用住所提供者とするときは，申出人に宛てて当該法務局又は地方法務局に送付された文書その他の物の保管，廃棄その他の取扱いに関し必要な事項として法務大臣が定めるものを記載した書面
④　第202条の11第3項及び第4項の規定は，前項第2号の書面について準用する。

⑤ 登記官は，第1項の規定による申出があった場合には，公示用住所管理ファイルに変更後の公示用住所を記録しなければならない。
⑥ 第202条の12第2項の規定は，前項の規定による記録をした場合について準用する。

第4節／手数料

第203条 （手数料の納付方法）
① 法第119条第1項及び第2項，第120条第1項及び第2項並びに第121条第1項から第4項までの手数料を収入印紙をもって納付するときは，請求書に収入印紙を貼り付けてしなければならない。
② 前項の規定は，令第22条第1項に規定する証明の請求を第68条第3項第2号に掲げる方法によりする場合における手数料の納付について準用する。

第204条 （送付に要する費用の納付方法）
① 請求書を登記所に提出する方法により第193条第1項の交付の請求をする場合において，第197条第6項（第200条第3項及び第201条第3項において準用する場合を含む。）の規定による申出をするときは，手数料のほか送付に要する費用も納付しなければならない。
② 前項の送付に要する費用は，郵便切手又は信書便の役務に関する料金の支払のために使用することができる証票であって法務大臣が指定するものを請求書と併せて提出する方法により納付しなければならない。
③ 前項の指定は，告示してしなければならない。

第205条 （電子情報処理組織による登記事項証明書の交付の請求等の手数料の納付方法）
① 法第119条第4項ただし書（法第120条第3項及び第121条第5項並びに他の法令において準用する場合を含む。）の法務省令で定める方法は，第194条第2項及び第3項に規定する方法とする。
② 第194条第2項又は第3項（これらの規定を第200条第4項及び第201条第4項において準用する場合を含む。）に規定する方法により登記事項証明書の交付の請求をする場合において，手数料を納付するときは，登記官から得た納付情報により納付する方法によってしなければならない。
③ 前項の規定は，令第22条第1項に規定する証明の請求を第68条第3項第1号に掲げる方法によりする場合における手数料の納付について準用する。

第5章 筆界特定

第1節／総則

第206条 （定義）
この章において，次の各号に掲げる用語の意義は，それぞれ当該各号に定めるところによる。
一 筆界特定電子申請 法第131条第5項において準用する法第18条第1号の規定による電子情報処理組織を使用する方法による筆界特定の申請をいう。
二 筆界特定書面申請 法第131条第5項において準用する法第18条第2号の規定により次号の筆界特定申請書を法務局又は地方法務局に提出する方法による筆界特定の申請をいう。
三 筆界特定申請書 筆界特定申請情報を記載した書面をいい，法第131条第5項において準用する法第18条第2号の磁気ディスクを含む。
四 筆界特定添付情報 第209条第1項各号に掲げる情報をいう。
五 筆界特定添付書面 筆界特定添付情報を記載した書面をいい，筆界特定添付情報を記録した磁気ディスクを含む。

第2節／筆界特定の手続

第1款／筆界特定の申請

第207条 （筆界特定申請情報）
① 法第131条第3項第4号に掲げる事項として明らかにすべきものは，筆界特定の申請に至る経緯その他の具体的な事情とする。
② 法第131条第3項第5号の法務省令で定める事項は，次に掲げる事項とする。
一 筆界特定の申請人（以下この章において単に「申請人」という。）が法人であるときは，その代表者の氏名
二 代理人によって筆界特定の申請をするときは，当該代理人の氏名又は名称及び住所並びに代理人が法人であるときはその代表者の氏名
三 申請人が所有権の登記名義人又は表題部所有者の相続人その他の一般承継人であるときは，その旨及び所有権の登記名義人又は表題部所有者の氏名又は名称及び住所
四 申請人が一筆の土地の一部の所有権を取得した者であるときは，その旨
五 申請人が法第131条第2項の規定に基づいて筆界特定の申請をする地方公共団体であるときは，その旨
六 対象土地が表題登記がない土地であるときは，当該土地を特定するに足りる事項
七 工作物，囲障又は境界標の有無その他の対象土地の状況
③ 筆界特定の申請においては，法第131条第3項第1号から第4号まで及び前項各号に掲げる事項のほか，次に掲げる事項を筆界特定申請情報の内容とするものとする。
一 申請人又は代理人の電話番号その他の連絡先
二 関係土地に係る不動産所在事項又は不動産番号（表題登記がない土地にあっては，法第34条第1項第1号に掲げる事項及び当該土地を特定するに足りる事項）
三 関係人の氏名又は名称及び住所その他の連絡先
四 工作物，囲障又は境界標の有無その他の関係土地の状況
五 申請人が対象土地の筆界として特定の線を主張するときは，その線及びその根拠
六 対象土地の所有権登記名義人等であって申請人以外のものが対象土地の筆界として特定の線を主張しているときは，その線
七 申請に係る筆界について民事訴訟の手続により筆界の確定を求める訴えに係る訴訟（以下「筆界確定訴訟」という。）が係属しているときは，その旨及び事件の表示その他これを特定するに足りる事項
八 筆界特定添付情報の表示
九 法第139条第1項の規定により提出する意見又は資料があるときは，その表示
十 筆界特定の申請の年月日
十一 法務局又は地方法務局の表示
④ 第2項第6号及び第7号並びに前項第2号（表題登記がない土地を特定するに足りる事項に係る部分に限る。）及び第4号から第6号までに掲げる事項を筆界特定申請情報の内容とするに当たっては，図面を利用する等の方法により，現地の状況及び筆界として主張されている線の位置を具体的に明示するものとする。

第208条 （一の申請情報による複数の申請）
対象土地の一を共通にする複数の筆界特定の申請は，一の筆界特定申請情報によってすることができる。

第209条　(筆界特定添付情報)

① 筆界特定の申請をする場合には，次に掲げる情報を法務局又は地方法務局に提供しなければならない。
　一　申請人が法人であるときは，次に掲げる情報
　　イ　会社法人等番号を有する法人にあっては，当該法人の会社法人等番号
　　ロ　イに規定する法人以外の法人にあっては，当該法人の代表者の資格を証する情報
　二　代理人によって筆界特定の申請をするとき(申請人が前号イに規定する法人であって，支配人等が当該法人を代理して筆界特定の申請をする場合を除く。)は，当該代理人の権限を証する情報
　三　申請人が所有権の登記名義人又は表題部所有者の相続人その他の一般承継人であるときは，相続その他の一般承継があったことを証する市町村長，登記官その他の公務員が職務上作成した情報(公務員が職務上作成した情報がない場合にあっては，これに代わるべき情報)
　四　申請人が表題登記がない土地の所有者であるときは，当該申請人が当該土地の所有権を有することを証する情報
　五　申請人が一筆の土地の一部の所有権を取得した者であるときは，当該申請人が当該一筆の土地の一部について所有権を取得したことを証する情報
　六　申請人が所有権の登記名義人若しくは表題部所有者又はその相続人その他の一般承継人である場合において，筆界特定申請情報の内容である所有権の登記名義人又は表題部所有者の氏名若しくは名称又は住所が登記記録と合致しないときは，当該所有権の登記名義人又は表題部所有者の氏名若しくは名称又は住所についての変更又は錯誤若しくは遺漏があったことを証する市町村長，登記官その他の公務員が職務上作成した情報(公務員が職務上作成した情報がない場合にあっては，これに代わるべき情報)
　七　申請人が法第131条第2項の規定に基づいて筆界特定の申請をする地方公共団体であるときは，その区域内の対象土地の所有権登記名義人等のうちいずれかの者の同意を得たことを証する当該所有権登記名義人等が作成した情報

② 前項第1号及び第2号の規定は，国の機関の所管に属する土地について命令又は規則により指定された官庁又は公署の職員が筆界特定の申請をする場合には，適用しない。

③ 第1項第1号の規定は，申請人が同号イに規定する法人であって，次に掲げる登記事項証明書を提供して筆界特定の申請をする場合には，適用しない。
　一　次号に規定する場合以外の場合にあっては，当該法人の代表者の資格を証する登記事項証明書
　二　支配人等によって筆界特定の申請をする場合にあっては，当該支配人等の権限を証する登記事項証明書

④ 前項各号の登記事項証明書は，その作成後3月以内のものでなければならない。

⑤ 法人である代理人によって筆界特定の申請をする場合において，当該代理人の会社法人等番号を提供したときは，当該会社法人等番号の提供をもって，当該代理人の代表者の資格を証する情報の提供に代えることができる。

⑥ 筆界特定の申請をする場合において，所有権の登記名義人又は表題部所有者の第36条第4項に規定する住民票コード(当該所有権の登記名義人又は表題部所有者の住所についての変更又は錯誤若しくは遺漏があったことを確認することができることとなるものに限る。)を提供

したときは，当該住民票コードの提供をもって，当該住所についての変更又は錯誤若しくは遺漏があったことを証する市町村長その他の公務員が職務上作成した情報の提供に代えることができる。

第210条　（筆界特定電子申請の方法）

① 　筆界特定電子申請における筆界特定申請情報及び筆界特定添付情報は，法務大臣の定めるところにより送信しなければならない。ただし，筆界特定添付情報の送信に代えて，法務局又は地方法務局に筆界特定添付書面を提出することを妨げない。

② 　前項ただし書の場合には，筆界特定添付書面を法務局又は地方法務局に提出する旨を筆界特定申請情報の内容とする。

③ 　令第12条第1項の規定は筆界特定電子申請において筆界特定申請情報を送信する場合について，同条第2項の規定は筆界特定電子申請において送信する場合における筆界特定添付情報について，令第14条の規定は筆界特定電子申請において電子署名が行われている情報を送信する場合について，それぞれ準用する。

④ 　第42条の規定は前項において準用する令第12条第1項及び第2項の電子署名について，第43条第2項の規定は前項において準用する令第14条の法務省令で定める電子証明書について，第44条第2項及び第3項の規定は筆界特定電子申請をする場合について，それぞれ準用する。

第211条　（筆界特定書面申請の方法等）

① 　筆界特定書面申請をするときは，筆界特定申請書に筆界特定添付書面を添付して提出しなければならない。

② 　第209条第1項第1号ロ及び第2号に掲げる情報を記載した書面であって，市町村長，登記官その他の公務員が職務上作成したものは，作成後3月以内のものでなければならない。ただし，官庁又は公署が筆界特定の申請をする場合は，この限りでない。

③ 　委任による代理人によって筆界特定の申請をする場合には，申請人又はその代表者は，委任状に記名しなければならない。復代理人によって申請する場合における代理人についても，同様とする。

④ 　第209条第1項第7号に掲げる情報を記載した書面は，同号の同意をした所有権登記名義人等が記名したものでなければならない。

⑤ 　令第12条第1項の規定は筆界特定申請情報の全部を記録した磁気ディスクを提出する方法により筆界特定の申請をする場合について，同条第2項の規定は磁気ディスクに記録された筆界特定添付情報について，令第14条の規定は筆界特定申請情報の全部又は筆界特定添付情報を記録した磁気ディスクを提出する場合について，それぞれ準用する。

⑥ 　第45条第1項の規定は筆界特定申請書（筆界特定申請情報の全部を記録した磁気ディスクを除く。以下この条において同じ。）について，第51条の規定は筆界特定申請情報を記録した磁気ディスクを提出する方法による筆界特定の申請について，第52条の規定は筆界特定添付情報を記録した磁気ディスクについて，それぞれ準用する。この場合において，第51条第7項及び第8項中「令第16条第5項」とあるのは「第211条第5項」と，第52条第1項中「令第15条の添付情報を記録した磁気ディスク」とあるのは「筆界特定添付情報を記録した磁気ディスク」と，同条第2項中「令第15条後段において準用する令第14条の電子証明書」とあるのは「筆界特定添付情報を記録した磁気ディスクに記録すべき電子証明書」と読み替えるものとする。

⑦ 　筆界特定申請書につき文字の訂正，加入又は削除をしたときは，その旨及びその字数を欄外に記載し，又は訂正，加入

若しくは削除をした文字に括弧その他の記号を付して，その範囲を明らかにしなければならない。この場合において，訂正又は削除をした文字は，なお読むことができるようにしておかなければならない。

⑧ 申請人又はその代表者若しくは代理人は，筆界特定申請書が2枚以上であるときは，各用紙に当該用紙が何枚目であるかを記載することその他の必要な措置を講じなければならない。

⑨ 筆界特定書面申請は，対象土地の所在地を管轄する登記所を経由してすることができる。

第212条　（筆界特定申請書等の送付方法）

① 筆界特定の申請をしようとする者が筆界特定申請書又は筆界特定添付書面を送付するときは，書留郵便又は信書便事業者による信書便の役務であって当該信書便事業者において引受け及び配達の記録を行うものによるものとする。

② 前項の場合には，筆界特定申請書又は筆界特定添付書面を入れた封筒の表面に筆界特定申請書又は筆界特定添付書面が在中する旨を明記するものとする。

第213条　（筆界特定添付書面の原本の還付請求）

① 申請人は，筆界特定添付書面（磁気ディスクを除く。）の原本の還付を請求することができる。ただし，当該筆界特定の申請のためにのみ作成された委任状その他の書面については，この限りでない。

② 前項本文の規定により原本の還付を請求する申請人は，原本と相違ない旨を記載した謄本を提出しなければならない。

③ 筆界特定登記官は，第1項本文の規定による請求があった場合には，却下事由の有無についての調査完了後，当該請求に係る書面の原本を還付しなければならない。この場合には，前項の謄本と当該請求に係る書面の原本を照合し，これらの内容が同一であることを確認した上，同項の謄本に原本還付の旨を記載し，これに登記官印を押印しなければならない。

④ 前項前段の規定にかかわらず，筆界特定登記官は，偽造された書面その他の不正な筆界特定の申請のために用いられた疑いがある書面については，これを還付することができない。

第2款／筆界特定の申請の受付等

第214条　（筆界特定の申請の受付）

① 筆界特定登記官は，法第131条第5項において読み替えて準用する法第18条の規定により筆界特定申請情報が提供されたときは，当該筆界特定申請情報に係る筆界特定の申請の受付をしなければならない。

② 筆界特定登記官は，筆界特定の申請の受付をしたときは，当該筆界特定の申請に手続番号を付さなければならない。

第215条　（管轄区域がまたがる場合の移送等）

第40条第1項及び第2項の規定は，法第124条第2項において読み替えて準用する法第6条第3項の規定に従って筆界特定の申請がされた場合について準用する。

第216条　（補正）

筆界特定登記官は，筆界特定の申請の補正をすることができる期間を定めたときは，当該期間内は，当該補正すべき事項に係る不備を理由に当該申請を却下することができない。

第217条　（公告及び通知の方法）

① 法第133条第1項の規定による公告は，法務局若しくは地方法務局の掲示場その他法務局若しくは地方法務局内の公衆の見やすい場所に掲示して行う方法又は法務局若しくは地方法務局の使用に係る電

子計算機に備えられたファイルに記録された情報の内容を電気通信回線を通じて情報の提供を受ける者の閲覧に供し，当該情報の提供を受ける者の使用に係る電子計算機に備えられたファイルに当該情報を記録する方法であってインターネットに接続された自動公衆送信装置を使用する方法により2週間行うものとする。
② 法第133条第1項の規定による通知は，郵便，信書便その他適宜の方法によりするものとする。
③ 前項の通知は，関係人が法第139条の定めるところにより筆界特定に関し意見又は図面その他の資料を提出することができる旨を明らかにしてしなければならない。

第3款／意見又は資料の提出

第218条　（意見又は資料の提出）

① 法第139条第1項の規定による意見又は資料の提出は，次に掲げる事項を明らかにしてしなければならない。
一　手続番号
二　意見又は資料を提出する者の氏名又は名称
三　意見又は資料を提出する者が法人であるときは，その代表者の氏名
四　代理人によって意見又は資料を提出するときは，当該代理人の氏名又は名称及び代理人が法人であるときはその代表者の氏名
五　提出の年月日
六　法務局又は地方法務局の表示
② 法第139条第1項の規定による資料の提出は，前項各号に掲げる事項のほか，次に掲げる事項を明らかにしてしなければならない。
一　資料の表示
二　作成者及びその作成年月日
三　写真又はビデオテープ（これらに準ずる方法により一定の事項を記録することができる物を含む。）にあっては，撮影，録画等の対象並びに日時及び場所
四　当該資料の提出の趣旨

第219条　（情報通信の技術を利用する方法）

法第139条第2項の法務省令で定める方法は，次に掲げる方法とする。
一　法務大臣の定めるところにより電子情報処理組織を使用して情報を送信する方法
二　法務大臣の定めるところにより情報を記録した磁気ディスクその他の電磁的記録を提出する方法
三　前二号に掲げるもののほか，筆界特定登記官が相当と認める方法

第220条　（書面の提出方法）

① 申請人又は関係人は，法第139条第1項の規定による意見又は資料の提出を書面でするときは，当該書面の写し3部を提出しなければならない。
② 筆界特定登記官は，必要と認めるときは，前項の規定により書面の写しを提出した申請人又は関係人に対し，その原本の提示を求めることができる。

第221条　（資料の還付請求）

① 法第139条第1項の規定により資料（第219条各号に掲げる方法によって提出したものを除く。以下この条において同じ。）を提出した申請人又は関係人は，当該資料の還付を請求することができる。
② 筆界特定登記官は，前項の規定による請求があった場合において，当該請求に係る資料を筆界特定をするために留め置く必要がなくなったと認めるときは，速やかに，これを還付するものとする。

第4款／意見聴取等の期日

第222条　（意見聴取等の期日の場所）

法第140条第1項の期日（以下「意見聴取等の期日」という。）は，法務局又

は地方法務局，対象土地の所在地を管轄する登記所その他筆界特定登記官が適当と認める場所において開く。

第223条　（意見聴取等の期日の通知）
① 法第140条第1項の規定による通知は，申請人及び関係人が同項の定めるところにより対象土地の筆界について意見を述べ，又は資料を提出することができる旨を明らかにしてしなければならない。
② 第217条第2項の規定は，前項の通知について準用する。

第224条　（意見聴取等の期日における筆界特定登記官の権限）
① 筆界特定登記官は，意見聴取等の期日において，発言を許し，又はその指示に従わない者の発言を禁ずることができる。
② 筆界特定登記官は，意見聴取等の期日の秩序を維持するため必要があるときは，その秩序を妨げ，又は不穏な言動をする者を退去させることができる。
③ 筆界特定登記官は，適当と認める者に意見聴取等の期日の傍聴を許すことができる。

第225条　（意見聴取等の期日における資料の提出）
第218条，第220条及び第221条の規定は，意見聴取等の期日において申請人又は関係人が資料を提出する場合について準用する。

第226条　（意見聴取等の期日の調書）
① 法第140条第4項の調書には，次に掲げる事項を記録するものとする。
一　手続番号
二　筆界特定登記官及び筆界調査委員の氏名
三　出頭した申請人，関係人，参考人及び代理人の氏名
四　意見聴取等の期日の日時及び場所
五　意見聴取等の期日において行われた手続の要領（陳述の要旨を含む。）
六　その他筆界特定登記官が必要と認める事項
② 筆界特定登記官は，前項の規定にかかわらず，申請人，関係人又は参考人の陳述をビデオテープその他の適当と認める記録用の媒体に記録し，これをもって調書の記録に代えることができる。
③ 意見聴取等の期日の調書には，書面，写真，ビデオテープその他筆界特定登記官において適当と認めるものを引用し，筆界特定手続記録に添付して調書の一部とすることができる。

第5款／調書等の閲覧

第227条　（調書等の閲覧）
① 申請人又は関係人は，法第141条第1項の規定により調書又は資料の閲覧の請求をするときは，次に掲げる事項に係る情報を提供しなければならない。
一　手続番号
二　請求人の氏名又は名称及び住所並びに申請人又は関係人の別
三　請求人が法人であるときは，その代表者の氏名
四　代理人によって請求するときは，当該代理人の氏名又は名称及び住所並びに代理人が法人であるときはその代表者の氏名
② 前項の閲覧の請求をするときは，請求人が請求権限を有することを証する書面を提示しなければならない。
③ 第1項の閲覧の請求をする場合において，請求人が法人であるときは，当該法人の代表者の資格を証する書面を提示しなければならない。ただし，当該法人の会社法人等番号をも提供したときは，この限りでない。
④ 第1項の閲覧の請求を代理人によってするときは，当該代理人の権限を証する書面を提示しなければならない。ただし，

支配人等が法人を代理して同項の閲覧の請求をする場合において，当該法人の会社法人等番号をも提供したときは，この限りでない。
⑤　法人である代理人によって第1項の閲覧の請求をする場合において，当該代理人の会社法人等番号をも提供したときは，当該代理人の代表者の資格を証する書面を提示することを要しない。
⑥　第1項の閲覧の請求は，同項の情報を記載した書面を法務局又は地方法務局に提出する方法によりしなければならない。

第228条　（調書等の閲覧の方法）
①　法第141条第1項の規定による調書又は資料の閲覧は，筆界特定登記官（その指定する職員を含む。第3項において同じ。）の面前でさせるものとする。
②　法第141条第1項の法務省令で定める方法は，電磁的記録に記録された情報の内容を書面に出力して表示する方法その他の筆界特定登記官が適当と認める方法とする。
③　筆界特定登記官は，法第141条第1項の規定による調書又は資料の閲覧をさせる場合において，請求人から別段の申出があり，かつ，当該申出を相当と認めるときは，第1項の規定にかかわらず，電子計算機を使用して筆界特定登記官及び請求人が映像と音声の送受信により相手の状態を相互に認識しながら通話することができる方法によって閲覧をさせることができる。

第3節／筆界特定

第229条　（筆界調査委員の調査の報告）
筆界特定登記官は，筆界調査委員に対し，法第135条の規定による事実の調査の経過又は結果その他必要な事項について報告を求めることができる。

第230条　（筆界調査委員の意見の提出の方式）
法第142条の規定による意見の提出は，書面又は電磁的記録をもってするものとする。

第231条　（筆界特定書の記録事項等）
①　筆界特定書には，次に掲げる事項を記録するものとする。
一　手続番号
二　対象土地に係る不動産所在事項及び不動産番号（表題登記がない土地にあっては，法第34条第1項第1号に掲げる事項及び当該土地を特定するに足りる事項）
三　結論
四　理由の要旨
五　申請人の氏名又は名称及び住所
六　申請人の代理人があるときは，その氏名又は名称
七　筆界調査委員の氏名
八　筆界特定登記官の所属する法務局又は地方法務局の表示
②　筆界特定登記官は，書面をもって筆界特定書を作成するときは，筆界特定書に職氏名を記載し，職印を押印しなければならない。
③　筆界特定登記官は，電磁的記録をもって筆界特定書を作成するときは，筆界特定登記官を明らかにするための措置であって法務大臣が定めるものを講じなければならない。
④　法第143条第2項の図面には，次に掲げる事項を記録するものとする。
一　地番区域の名称
二　方位
三　縮尺
四　対象土地及び関係土地の地番
五　筆界特定の対象となる筆界又はその位置の範囲
六　筆界特定の対象となる筆界に係る筆界点（筆界の位置の範囲を特定するときは，その範囲を構成する各点。次項

において同じ。）間の距離
七　境界標があるときは，当該境界標の表示
八　測量の年月日
⑤　法第143条第2項の図面上の点の現地における位置を示す方法として法務省令で定めるものは，国土調査法施行令第2条第1項第1号に規定する平面直角座標系の番号又は記号及び基本三角点等に基づく測量の成果による筆界点の座標値とする。ただし，近傍に基本三角点等が存しない場合その他の基本三角点等に基づく測量ができない特別の事情がある場合にあっては，近傍の恒久的な地物に基づく測量の成果による筆界点の座標値とする。
⑥　第10条第4項並びに第77条第3項及び第4項の規定は，法第143条第2項の図面について準用する。この場合において，第77条第3項中「第1項第9号」とあるのは「第231条第4項第7号」と読み替えるものとする。

第232条　（筆界特定の公告及び通知）

①　筆界特定登記官は，法第144条第1項の筆界特定書の写しを作成するときは，筆界特定書の写しである旨の認証文を付した上で，作成の年月日及び職氏名を記載し，職印を押印しなければならない。
②　法第144条第1項の法務省令で定める方法は，電磁的記録をもって作成された筆界特定書の内容を証明した書面を交付する方法とする。
③　筆界特定登記官は，前項の書面を作成するときは，電磁的記録をもって作成された筆界特定書を書面に出力し，これに筆界特定書に記録されている内容を証明した書面である旨の認証文を付した上で，作成の年月日及び職氏名を記載し，職印を押印しなければならない。
④　法第144条第1項の規定による筆界特定書の写し（第2項の書面を含む。）の交付は，送付の方法によりすることができる。
⑤　第217条第1項の規定は法第144条第1項の規定による公告について，第217条第2項の規定は法第144条第1項の規定による関係人に対する通知について，それぞれ準用する。

第4節／筆界特定手続記録の保管

第233条　（筆界特定手続記録の送付）

①　筆界特定登記官は，筆界特定の手続が終了したときは，遅滞なく，対象土地の所在地を管轄する登記所に筆界特定手続記録を送付しなければならない。
②　対象土地が二以上の法務局又は地方法務局の管轄区域にまたがる場合には，前項の規定による送付は，法第124条第2項において読み替えて準用する法第6条第2項の規定により法務大臣又は法務局の長が指定した法務局又は地方法務局の管轄区域内にある登記所であって対象土地の所在地を管轄するものに対してするものとする。この場合には，筆界特定登記官は，当該二以上の法務局又は地方法務局のうち法務大臣又は法務局の長が指定した法務局又は地方法務局以外の法務局又は地方法務局の管轄区域内にある登記所であって対象土地の所在地を管轄するものに筆界特定書等の写し（筆界特定書等が電磁的記録をもって作成されているときは，その内容を書面に出力したもの。次項及び次条において同じ。）を送付しなければならない。
③　対象土地が二以上の登記所の管轄区域にまたがる場合（前項に規定する場合を除く。）には，第1項の規定による送付は，法務局又は地方法務局の長が指定する登記所に対してするものとする。この場合には，筆界特定登記官は，当該二以上の登記所のうち法務局又は地方法務局の長が指定した登記所以外の登記所に筆界特定書等の写しを送付しなければなら

ない。

第234条　（登記記録への記録）
筆界特定がされた筆界特定手続記録又は筆界特定書等の写しの送付を受けた登記所の登記官は，対象土地の登記記録に，筆界特定がされた旨を記録しなければならない。

第235条　（筆界特定手続記録の保存期間等）
① 次の各号に掲げる情報の保存期間は，当該各号に定めるとおりとする。
　一　筆界特定書に記載され，又は記録された情報　永久
　二　筆界特定書以外の筆界特定手続記録に記載され，又は記録された情報　対象土地の所在地を管轄する登記所が第233条の規定により筆界特定手続記録の送付を受けた年の翌年から30年間
② 筆界特定手続記録の全部又は一部が電磁的記録をもって作成されているときは，当該電磁的記録に記録された情報の保存は，当該情報の内容を書面に出力したものを保存する方法によってすることができる。
③ 筆界特定手続記録の全部又は一部が書面をもって作成されているときは，当該書面に記録された情報の保存は，当該情報の内容を記録した電磁的記録を保存する方法によってすることができる。

第235条の2
次の各号に掲げる帳簿の保存期間は，当該各号に定めるとおりとする。
　一　筆界特定受付等記録簿及び筆界特定関係簿　作成の年の翌年から30年間
　二　筆界特定事務日記帳及び筆界特定関係事務日記帳　作成の年の翌年から3年間

第236条　（準用）
第29条から第32条までの規定（同条第2項を除く。）は，筆界特定手続記録について準用する。この場合において，第29条中「登記に関する電磁的記録，帳簿又は書類」とあり，第30条第1項中「登記記録又は地図等」とあり，同条第3項中「登記記録，地図等又は登記簿の附属書類」とあり，第31条第1項中「登記簿，地図等及び登記簿の附属書類」とあり，同条第2項中「登記簿の附属書類」とあり，及び同条第3項中「登記簿，地図等又は登記簿の附属書類」とあるのは「筆界特定手続記録」と，第32条第1項中「当該不動産の登記記録（共同担保目録及び信託目録を含む。次項において同じ。）並びに地図等及び登記簿の附属書類（電磁的記録に記録されている地図等及び登記簿の附属書類を含む。）」とあるのは「当該不動産に係る筆界特定手続記録」と読み替えるものとする。

第237条　（筆界確定訴訟の確定判決があった場合の取扱い）
登記官は，その保管する筆界特定手続記録に係る筆界特定がされた筆界について，筆界確定訴訟の判決（訴えを不適法として却下したものを除く。以下本条において同じ。）が確定したときは，当該筆界確定訴訟の判決が確定した旨及び当該筆界確定訴訟に係る事件を特定するに足りる事項を当該筆界特定に係る筆界特定書に明らかにすることができる。

第5節／筆界特定書等の写しの交付等

第238条　（筆界特定書等の写しの交付の請求情報等）
① 法第149条第1項の規定により筆界特定書等の写し（筆界特定書等が電磁的記録をもって作成されている場合における当該記録された情報の内容を証明した書面を含む。以下同じ。）の交付の請求をするときは，次に掲げる事項を内容とする情報（以下この節において「請求情

報」という。）を提供しなければならない。筆界特定手続記録の閲覧の請求をするときも，同様とする。
一　請求人の氏名又は名称
二　手続番号
三　交付の請求をするときは，請求に係る書面の通数
四　筆界特定書等の一部の写しの交付の請求をするときは，請求する部分
五　送付の方法により筆界特定書等の写しの交付の請求をするときは，その旨及び送付先の住所
② 法第149条第2項の規定により筆界特定書等以外の筆界特定手続記録の閲覧の請求をするときは，前項第1号及び第2号に掲げる事項のほか，次に掲げる事項を請求情報の内容とする。
一　請求人の住所
二　請求人が法人であるときは，その代表者の氏名
三　代理人によって請求するときは，当該代理人の氏名又は名称及び住所並びに代理人が法人であるときはその代表者の氏名
四　法第149条第2項ただし書の利害関係を有する理由及び閲覧する部分
③ 前項の閲覧の請求をするときは，同項第4号の利害関係がある理由を証する書面を提示しなければならない。
④ 第2項の閲覧の請求をする場合において，請求人が法人であるときは，当該法人の代表者の資格を証する書面を提示しなければならない。ただし，当該法人の会社法人等番号をも請求情報の内容としたときは，この限りでない。
⑤ 第2項の閲覧の請求を代理人によってするときは，当該代理人の権限を証する書面を提示しなければならない。ただし，支配人等が法人を代理して同項の閲覧の請求をする場合において，当該法人の会社法人番号をも請求情報の内容としたときは，この限りでない。
⑥ 法人である代理人によって第2項の閲覧の請求をする場合において，当該代理人の会社法人等番号をも請求情報の内容としたときは，当該代理人の代表者の資格を証する書面を提示することを要しない。

第239条　（筆界特定書等の写しの交付の請求方法等）
① 前条第1項の交付の請求又は同項若しくは同条第2項の閲覧の請求は，請求情報を記載した書面を登記所に提出する方法によりしなければならない。
② 送付の方法による筆界特定書等の写しの交付の請求は，前項の方法のほか，法務大臣の定めるところにより，請求情報を電子情報処理組織を使用して登記所に提供する方法によりすることができる。この場合には，送付先の住所をも請求情報の内容とする。
③ 法第149条第3項において準用する法第119条第4項ただし書の法務省令で定める方法は，前項に規定する方法とする。

第240条　（筆界特定書等の写しの作成及び交付）
① 登記官は，筆界特定書等の写しを作成するとき（次項に規定する場合を除く。）は，筆界特定書等の全部又は一部の写しである旨の認証文を付した上で，作成の年月日及び職氏名を記載し，職印を押印しなければならない。
② 登記官は，筆界特定書等が電磁的記録をもって作成されている場合において，筆界特定書等の写しを作成するときは，電磁的記録に記録された筆界特定書等を書面に出力し，これに筆界特定書等に記録されている内容を証明した書面である旨の認証文を付した上で，作成の年月日及び職氏名を記載し，職印を押印しなければならない。
③ 筆界特定書等の写しの交付は，請求人の申出により，送付の方法によりするこ

第241条　(準用)
　第202条の規定は筆界特定手続記録の閲覧について、第203条第1項の規定は法第149条第1項及び第2項の手数料を収入印紙をもって納付するときについて、第204条の規定は請求情報を記載した書面を登記所に提出する方法により第238条第1項の交付の請求をする場合において前条第3項の規定による申出をするときについて、第205条第2項の規定は第239条第2項に規定する方法により筆界特定書等の写しの交付の請求をする場合において手数料を納付するときについて、それぞれ準用する。この場合において、第202条第2項中「法第120条第2項及び第121条第2項」とあるのは「法第149条第2項」と、同条第3項中「法第121条第3項又は第4項の規定による登記簿の附属書類」とあるのは「法第149条第2項に規定する筆界特定手続記録」と、第203条第1項中「法第119条第1項及び第2項、第120条第1項及び第2項並びに第121条第1項から第4項まで」とあるのは「法第149条第1項及び第2項」と、第204条第1項中「第193条第1項」とあるのは「第238条第1項」と、「第197条第6項（第200条第3項及び第201条第3項において準用する場合を含む。）」とあるのは「第240条第3項」と読み替えるものとする。

第6節　雑則

第242条　(手続費用)
　法第146条第1項の法務省令で定める費用は、筆界特定登記官が相当と認める者に命じて行わせた測量、鑑定その他専門的な知見を要する行為について、その者に支給すべき報酬及び費用の額として筆界特定登記官が相当と認めたものとする。

第243条　(代理人等)
① 関係人が法人である場合において、当該関係人が筆界特定の手続において意見の提出その他の行為をするときは、次に掲げる情報を法務局又は地方法務局に提供しなければならない。
一　会社法人等番号を有する法人にあっては、当該法人の会社法人等番号
二　前号に規定する法人以外の法人にあっては、当該法人の代表者の資格を証する情報
② 前項の規定は、関係人が同項第1号に規定する法人であって、次に掲げる登記事項証明書を提供して同項の行為をする場合には、適用しない。
一　次号に規定する場合以外の場合にあっては、当該法人の代表者の資格を証する登記事項証明書
二　支配人等によって前項の行為をする場合にあっては、当該支配人等の権限を証する登記事項証明書
③ 筆界特定の申請がされた後、申請人又は関係人が代理人を選任したときは、当該申請人又は関係人は、当該代理人の権限を証する情報を法務局又は地方法務局に提供しなければならない。ただし、当該申請人又は関係人が会社法人等番号を有する法人であって、当該代理人が支配人等である場合は、この限りでない。
④ 前項本文に規定する代理人が法人である場合において、当該代理人の会社法人等番号を提供したときは、当該会社法人等番号の提供をもって、当該代理人の代表者の資格を証する情報の提供に代えることができる。

第244条　(申請の却下)
① 筆界特定登記官は、法第132条第1項の規定により筆界特定の申請を却下するときは、決定書を作成し、これを申請人に交付しなければならない。
② 前項の規定による交付は、当該決定書

を送付する方法によりすることができる。
③　筆界特定登記官は，申請を却下したときは，筆界特定添付書面を還付するものとする。ただし，偽造された書面その他の不正な申請のために用いられた疑いがある書面については，この限りでない。
④　筆界特定登記官は，法第133条第１項の規定による公告をした後に筆界特定の申請を却下したときは，その旨を公告しなければならない。第217条第１項の規定は，この場合における公告について準用する。
⑤　筆界特定登記官は，法第133条第１項の規定による通知をした後に筆界特定の申請を却下したときは，その旨を当該通知に係る関係人に通知しなければならない。同条第２項及び第217条第２項の規定は，この場合における通知について準用する。

第245条　（申請の取下げ）

①　筆界特定の申請の取下げは，次の各号に掲げる申請の区分に応じ，当該各号に定める方法によってしなければならない。
　一　筆界特定電子申請　法務大臣の定めるところにより電子情報処理組織を使用して申請を取り下げる旨の情報を筆界特定登記官に提供する方法
　二　筆界特定書面申請　申請を取り下げる旨の情報を記載した書面を筆界特定登記官に提出する方法
②　筆界特定の申請の取下げは，法第144条第１項の規定により申請人に対する通知を発送した後は，することができない。
③　筆界特定登記官は，筆界特定の申請の取下げがあったときは，筆界特定添付書面を還付するものとする。前条第３項ただし書の規定は，この場合について準用する。
④　筆界特定登記官は，法第133条第１項の規定による公告をした後に筆界特定の申請の取下げがあったときは，その旨を公告しなければならない。第217条第１項の規定は，この場合における公告について準用する。
⑤　筆界特定登記官は，法第133条第１項の規定による通知をした後に筆界特定の申請の取下げがあったときは，その旨を当該通知に係る関係人に通知しなければならない。同条第２項及び第217条第２項の規定は，この場合における通知について準用する。

第246条　（筆界特定書の更正）

①　筆界特定書に誤記その他これに類する明白な誤りがあるときは，筆界特定登記官は，いつでも，当該筆界特定登記官を監督する法務局又は地方法務局の長の許可を得て，更正することができる。
②　筆界特定登記官は，筆界特定書を更正したときは，申請人に対し，更正の内容を通知するとともに，更正した旨を公告し，かつ，関係人に通知しなければならない。法第133条第２項及びこの省令第217条第２項の規定はこの場合における通知について，同条第１項の規定はこの場合における公告について，それぞれ準用する。

第６章　法定相続情報

第247条　（法定相続情報一覧図）

①　表題部所有者，登記名義人又はその他の者について相続が開始した場合において，当該相続に起因する登記その他の手続のために必要があるときは，その相続人（第３項第２号に掲げる書面の記載により確認することができる者に限る。以下本条において同じ。）又は当該相続人の地位を相続により承継した者は，被相続人の本籍地若しくは最後の住所地，申出人の住所地又は被相続人を表題部所有者若しくは所有権の登記名義人とする不動産の所在地を管轄する登記所の登記官に対し，法定相続情報（次の各号に掲げ

る情報をいう。以下同じ。）を記載した書面（以下「法定相続情報一覧図」という。）の保管及び法定相続情報一覧図の写しの交付の申出をすることができる。
一　被相続人の氏名，生年月日，最後の住所及び死亡の年月日
二　相続開始の時における同順位の相続人の氏名，生年月日及び被相続人との続柄
② 前項の申出は，次に掲げる事項を内容とする申出書を登記所に提供してしなければならない。
一　申出人の氏名，住所，連絡先及び被相続人との続柄
二　代理人（申出人の法定代理人又はその委任による代理人にあつてはその親族若しくは戸籍法（昭和22年法律第224号）第10条の2第3項に掲げる者に限る。以下本条において同じ。）によつて申出をするときは，当該代理人の氏名又は名称，住所及び連絡先並びに代理人が法人であるときはその代表者の氏名
三　利用目的
四　交付を求める通数
五　被相続人を表題部所有者又は所有権の登記名義人とする不動産があるときは，不動産所在事項又は不動産番号
六　申出の年月日
七　送付の方法により法定相続情報一覧図の写しの交付及び第6項の規定による書面の返却を求めるときは，その旨
③ 前項の申出書には，次に掲げる書面を添付しなければならない。
一　法定相続情報一覧図（第1項各号に掲げる情報及び作成の年月日を記載し，申出人が記名するとともに，その作成をした申出人又はその代理人が記名したものに限る。）
二　被相続人（代襲相続がある場合には，被代襲者を含む。）の出生時からの戸籍及び除かれた戸籍の謄本又は全部事項証明書
三　被相続人の最後の住所を証する書面
四　第1項第2号の相続人の戸籍の謄本，抄本又は記載事項証明書
五　申出人が相続人の地位を相続により承継した者であるときは，これを証する書面
六　申出書に記載されている申出人の氏名及び住所と同一の氏名及び住所が記載されている市町村長その他の公務員が職務上作成した証明書（当該申出人が原本と相違がない旨を記載した謄本を含む。）
七　代理人によって第1項の申出をするときは，当該代理人の権限を証する書面
④ 前項第1号の法定相続情報一覧図に相続人の住所を記載したときは，第2項の申出書には，その住所を証する書面を添付しなければならない。
⑤ 登記官は，第3項第2号から第4号までに掲げる書面によって法定相続情報の内容を確認し，かつ，その内容と法定相続情報一覧図に記載された法定相続情報の内容とが合致していることを確認したときは，法定相続情報一覧図の写しを交付するものとする。この場合には，申出に係る登記所に保管された法定相続情報一覧図の写しである旨の認証文を付した上で，作成の年月日及び職氏名を記載し，職印を押印するものとする。
⑥ 登記官は，法定相続情報一覧図の写しを交付するときは，第3項第2号から第5号まで及び第4項に規定する書面を返却するものとする。
⑦ 前各項の規定（第3項第1号から第5号まで及び第4項を除く。）は，第1項の申出をした者がその申出に係る登記所の登記官に対し法定相続情報一覧図の写しの再交付の申出をする場合について準用する。

第248条　（法定相続情報一覧図の写しの送付の方法等）

① 法定相続情報一覧図の写しの交付及び前条第6項の規定による書面の返却は，申出人の申出により，送付の方法によりすることができる。

② 前項の送付に要する費用は，郵便切手又は信書便の役務に関する料金の支払のために使用することができる証票であって法務大臣が指定するものを提出する方法により納付しなければならない。

③ 前項の指定は，告示してしなければならない。

附　則

第1条　（施行期日）

この省令は，法の施行の日（平成17年3月7日）から施行する。

第2条　（経過措置の原則）

① この省令による改正後の不動産登記規則（以下「新規則」という。）の規定は，この附則に特別の定めがある場合を除き，この省令の施行前に生じた事項に適用する。ただし，改正前の不動産登記法施行細則（以下「旧細則」という。）の規定により生じた効力を妨げない。

② この省令の施行前にした旧細則の規定による処分，手続その他の行為は，この附則に特別の定めがある場合を除き，新規則の適用については，新規則の相当規定によってしたものとみなす。

第3条　（登記簿の改製）

① 登記所は，その事務について法附則第3条第1項の規定による指定（同条第3項の規定により指定を受けたものとみなされるものを除く。）を受けたときは，当該事務に係る旧登記簿（同条第4項の規定によりなおその効力を有することとされる改正前の不動産登記法（明治32年法律第24号。以下「旧法」という。）第14条に規定する登記簿をいう。以下同じ。）を法第2条第9号に規定する登記簿に改製しなければならない。ただし，法附則第3条第1項に規定する電子情報処理組織による取扱いに適合しない登記簿については，この限りでない。

② 前項の規定による登記簿の改製は，登記用紙にされている登記を登記記録に移記してするものとする。この場合には，土地登記簿の表題部の登記用紙にされている地番，地目及び地積に係る登記を除き，現に効力を有しない登記を移記することを要しない。

③ 登記官は，前項の規定により登記を移記するときは，登記記録の表題部又は権利部の相当区に移記した登記の末尾に同項の規定により移記した旨を記録しなければならない。

④ 登記官は，第2項の規定により登記を移記したときは，登記用紙の表題部にその旨及びその年月日を記載し，当該登記用紙を閉鎖しなければならない。この場合には，旧登記簿の目録に当該旧登記簿につづり込んだ登記用紙の全部を閉鎖した旨及びその年月日を記載し，これに登記官印を押印しなければならない。

第4条　（未指定事務に係る旧登記簿）

① 新規則第4条，第8条，第9条，第90条，第92条第2項，第116条，第117条，第122条，第194条第2項及び第195条から第198条までの規定は，法附則第3条第1項の規定による指定（同条第3項の規定により指定を受けたものとみなされるものを含む。以下「第3条指定」という。）を受けた事務について，その第3条指定の日から適用する。

② 第3条指定がされるまでの間は，第3条指定を受けていない事務に係る旧登記簿（法附則第3条第4項の規定によりなおその効力を有することとされる旧法第

不動産登記規則（附則）

24条ノ2第1項に規定する閉鎖登記簿を含む。）については，旧細則第1条から第10条まで，第11条，第13条，第35条から第35条ノ3まで，第48条ノ2から第54条ノ2まで，第57条ノ9，第63条ノ2，第64条，第64条ノ2及び第71条の規定は，なおその効力を有する。この場合において，次の表の上欄に掲げる旧細則の規定中同表の中欄に掲げる字句は，それぞれ同表の下欄に掲げる字句とする。

読み替える規定	読み替えられる字句	読み替える字句
第2条第2項	不動産登記法第19条但書	不動産登記法（平成16年法律第123号。以下「法」ト謂フ）附則第3条第4項ノ規定ニ依リ仍其ノ効カヲ有スルモノトサレタル不動産登記法（明治32年法律第24号。以下「旧法」ト謂フ）第15条但書
第2条第3項	第48条ノ3第1項	不動産登記規則（平成17年法務省令第18号。以下「新規則」ト謂フ）附則第4条第2項ノ規定ニ依リ仍其ノ効カヲ有スルモノトサレタル第48条ノ3第1項
第2条第4項	第52条	新規則附則第4条第2項ノ規定ニ依リ仍其ノ効カヲ有スルモノトサレタル第52条
第4条	不動産登記法第15条但書	法附則第3条第4項ノ規定ニ依リ仍其ノ効カヲ有スルモノトサレタル旧法弟15条但書
第5条第1項	不動産登記法第10条	新規則附則第4条第3項ノ規定ニ依リ読替テ適用サレル新規則第32条
第6条第2項及び第4項	不動産登記法第15条但書	法附則第3条第4項ノ規定ニ依リ仍其ノ効カヲ有スルモノトサレタル旧法第15条但書
第6条第6項	第5条第2項	新規則附則第4条第2項ノ規定ニ依リ仍其ノ効カヲ有スルモノトサレタル第5条第2項
第7条第3項	前条第1項	新規則附則第4条第2項ノ規定ニ依リ仍其ノ効カヲ有スルモノトサレタル第6条第1項
第10条第2項	第7条	新規則附則第4条第2項ノ規定ニ依リ仍其ノ効カヲ有スルモノトサレタル第7条
第48条ノ2第1項	不動産登記法第15条但書	法附則第3条第4項ノ規定ニ依リ仍其ノ効カヲ有スルモノトサレタル旧法第15条但書
第48条ノ2第2項	不動産登記法第76条第1項若クハ第4項，第93条ノ12ノ2第4項，第93条ノ16第4項，第93条ノ17第3項，第98条第5項又ハ第99条ノ二	新規則附則第4条第3項ノ規定ニ依リ読替テ適用サレル新規則第6条及ビ第124条第4項（第120条第7項，第126条第3項，第134条第3項及ビ第145条第1項ニ於テ準用スル場合ヲ含ム）
第49条第3項	第37条ノ9第2項	区分建物ノ附属建物ガ区分建物ニ非ザル場合ニ於ケル法第44条第5号
第49条第5項	第49条ノ4第1項	新規則附則第4条2項ノ規定ニ依リ仍其ノ効カヲ有スルモノトサレタル第49条ノ4第1項
第49条ノ2第1項	不動産登記法第91条第1項第4号ノ番号	法弟44条第1項第4号ノ建物ノ名称
第49条ノ2第2項	不動産登記法第91条第2項第3号ノ番号	法第44条第1項第8号1棟ノ建物ノ名称
第49条第5	不動産登記法第15条但書	法附則第3条第4項ノ規定ニ依リ仍其ノ効カヲ有スルモノトサレタル旧法第15条但書
	同法第91条第2項第1号乃至第3号	法第44条第1項第1号，第7号及ビ第8号
第49条ノ6	不動産登記法第99条ノ4第2項	法第44条第1項第6号
	同項後段	法弟58条第1項
第49条ノ7	不動産登記法第99条ノ4第2項	法第44条第1項第6号
	同項	同項
第49条ノ8	不動産登記法第90条第2項	法第43条第1項
第57条ノ9	不動産登記法第110条ノ2，第135条及ビ第143条ノ第1	法第98条及ビ第104条（此等ノ規定ヲ法第16条第2項ニ於テ準用スル場合ヲ含ム）

	項第２項	
第63条ノ２	不動産登記法第137条又ハ第138条	法第86条第２項第１号（同条第３項ニ於テ準用スル場合ヲ含ム）
第64条ノ２第１項	不動産登記法第76条第４項	新規則附則第４条第３項ノ規定ニ依リ読替テ適用サレル新規則第６条
第64条ノ２第２項	不動産登記法第93条ノ12ノ２第４項、第93条ノ16第４項、第93条ノ17第３項、第98条第５項又ハ第99条ノ２	新規則附則第４条第３項ノ規定ニ依リ読替テ適用サレル新規則第124条第４項（第120条第７項、第134条第３項及ビ第145条第１項ニ於テ準用スル場合ヲ含ム）
第71条	不動産登記法第59条	新規則第92条第１項

③　第３条指定がされるまでの間における前項の事務についての新規則の適用については，新規則本則（第６条，第27条の５第１号並びに第28条第１号，第４号及び第５号を除く。）中「登記記録」とあるのは「登記用紙」と，「権利部」とあり，及び「権利部の相当区」とあるのは「登記用紙の相当区事項欄」と，新規則第６条中「登記記録」とあるのは「登記用紙又は表題部若しくは各区の用紙」と，新規則第27条の５第１号中「登記記録」とあるのは「旧登記簿」と，新規則第28条第１号中「登記記録」とあるのは「登記用紙に記載された情報」と，「閉鎖登記録（閉鎖した登記記録をいう。以下同じ。）」とあるのは「閉鎖登記用紙に記載された情報」と，同条第４号及び第５号中「閉鎖登記録」とあるのは「閉鎖登記用紙に記載された情報」と，新規則第31条第１項中「登記簿」とあるのは「旧登記簿（閉鎖登記簿を含む。）」と，新規則第56条第１項中「登記の目的，申請の受付の年月日及び受付番号並びに不動産所在事項」とあるのは「登記の目的，申請人の氏名又は名称，申請の受付の年月日及び受付番号」と，新規則第193条の見出し中「登記事項証明書」とあるの

は「登記簿の謄本」と，同条第１項中「登記事項証明書，登記事項要約書，地図等の全部若しくは一部の写し（地図等が電磁的記録に記録されているときは，当該記録された情報の内容を証明した書面）又は土地所在図等の全部若しくは一部の写し（土地所在図等が電磁的記録に記録されているときは，当該記録された情報の内容を証明した書面）の交付とあるのは「法附則第３条第４項の規定によりなおその効力を有することとされる旧法第21条第１項（法附則第３条第４項の規定によりなおその効力を有することとされる旧法第24条ノ２第３項において準用する場合を含む。）の規定による登記簿の謄本若しくは抄本の交付又は登記簿の閲覧」と，新規則第193条第１項第４号中「登記事項証明書の交付の請求をする場合にあっては，第196条第１項各号（同項第１号，第３号及び第４号を同条第２項において準用する場合を含む。）に掲げる登記事項証明書の区分」とあるのは「登記簿の抄本の交付を請求する場合にあっては，抄本の交付を請求する部分」と，新規則第193条第１項第５号中「登記事項証明書」とあるのは「登記簿の謄本又は抄本」と，新規則第202条第１項中「地図等」とあるのは「登記簿，地図等」とする。

④　第３条指定を受けていない事務において登記用紙に記録された事項を抹消する記号を記録するには，当該事項を朱抹するものとする。

⑤　第３条指定を受けていない事務において登記用紙に登記官の識別番号を記録するには，登記用紙に登記官が登記官印を押印するものとする。

第５条　（閉鎖登記簿）

①　新規則第193条第１項，第194条第１項，第202条第１項，第203条第１項及び第204条の規定は，法附則第４条第１項に規定

する閉鎖登記簿の謄本若しくは抄本の交付又は閲覧について準用する。
② 前項の閉鎖登記簿の謄本又は抄本については，旧細則第35条から第35条ノ3までの規定は，なおその効力を有する。
③ 新規則第30条及び第32条の規定は，第1項の閉鎖登記簿に関する事務について準用する。

第6条 （旧登記簿が滅失した場合の回復手続）
① 第3条指定を受けていない事務に係る旧登記簿（信託目録を含む。）が滅失したときは，旧法第19条，第23条及び第69条から第75条までに規定する手続により回復するものとする。この場合には，当該事務について本登記済証交付帳を備える。
② 前項に規定する手続により交付された登記済証は，旧法第60条の規定により還付された登記済証とみなす。
③ 旧細則第22条及び第60条から第60条ノ3までの規定は，第1項の旧登記簿についてなおその効力を有する。この場合において，旧細則第22条第1項中「不動産登記法第23条ノ告示」とあるのは「新規則附則第6条第1項ニ規定スル手続ノ告示」と，旧細則第60条中「不動産登記法第60条第1項ノ手続」とあるのは「旧法第60条第1項ニ規定スル手続」と，旧細則第60条ノ2中「不動産登記法第72条第1項」とあるのは「新規則附則第6条第1項」と，旧細則第60条ノ3中「不動産登記法第74条第1項」とあるのは「新規則附則第6条第1項」と，「同法第72条第1項」とあるのは「旧法第72条第1項」とする。
④ 法の施行の際，現に旧法の規定により行われている第1項に規定する手続については，なお従前の例による。第3条指定を受けていない事務が第3条指定を受けた際，現に当該事務について第1項の規定により行われている手続についても，同様とする。

第7条 （第3条指定を受けている登記所からの移送）
① 不動産の所在地が当該不動産に係る事務について第3条指定を受けている甲登記所の管轄から当該事務について第3条指定を受けていない乙登記所の管轄に転属した場合において，甲登記所が当該不動産の登記記録，共同担保目録又は信託目録を乙登記所に移送するには，甲登記所の当該不動産の登記記録，共同担保目録又は信託目録に記録された事項を記載した書面を送付しなければならない。
② 乙登記所が前項の規定により登記記録に記録された事項を記載した書面の送付を受けたときは，乙登記所の登記官は，当該書面に記載された事項を登記用紙に記載しなければならない。この場合には，表題部及び権利部に記載した登記の末尾に，管轄転属により登記をした旨及びその年月日を記載し，これに登記官印を押印しなければならない。
③ 乙登記所が第1項の規定により共同担保目録又は信託目録に記録された事項を記載した書面の送付を受けたときは，乙登記所の登記官は，これに基づき共同担保目録又は信託目録を作成しなければならない。この場合には，必要に応じ，作成した共同担保目録又は信託目録に新たに記号又は目録番号を付さなければならない。
④ 第2項の場合において，同項の書面に旧法第125条若しくは第127条第1項の規定又は新規則第166条第1項若しくは第168条第2項若しくは第4項の規定により記録された事項の記載があるときは，乙登記所の登記官は，登記用紙に前項の規定によって付した記号又は目録番号を用いて当該事項を記載しなければならない。

第8条　（第3条指定を受けていない登記所からの移送）

① 不動産の所在地が当該不動産に係る事務について第3条指定を受けていない甲登記所の管轄から当該事務について第3条指定を受けている乙登記所の管轄に転属した場合においては、乙登記所の登記官は、移送を受けた登記用紙に記載された事項を登記記録に記録しなければならない。ただし、法附則第3条第1項に規定する電子情報処理組織による取扱いに適合しないものは、この限りでない。

② 乙登記所の登記官は、前項の規定による記録をしたときは、移送を受けた登記用紙を閉鎖しなければならない。

③ 乙登記所の登記官は、第1項に規定する場合において、移送を受けた共同担保目録又は信託目録があるときは、これに基づき共同担保目録又は信託目録を作成しなければならない。

④ 前条第2項後段及び第4項の規定は第1項本文の場合について、前条第3項後段の規定は前項の場合について、それぞれ準用する。この場合において、前条第2項後段中「記載」とあるのは「記録」と、「登記官印を押印しなければ」とあるのは「登記官の識別番号を記録しなければ」と、同条第4項中「同項の書面」とあるのは「移送を受けた登記用紙」と、「登記用紙」とあるのは「登記記録」と、「記載しなければ」とあるのは「記録しなければ」と読み替えるものとする。

第9条　（共同担保目録）

① 共同担保目録に関する事務について第3条指定を受けていない登記所（以下「共担未指定登記所」という。）において二以上の不動産に関する権利を目的とする担保権の保存、設定又は処分の登記を申請する場合（書面申請をする場合に限る。この条において同じ。）における共同担保目録に記録すべき情報の提供方法については、なお従前の例による。ただし、一又は二以上の不動産に関する権利を目的とする担保権の保存又は設定の登記をした後、同一の債権を担保するため他の二以上の不動産に関する権利を目的とする担保権の保存、設定又は処分の登記を申請する場合において、前の登記に他の登記所の管轄区域内にある不動産に関するものがあるときであっても、一の共同担保目録を添付すれば足りる。

② 一又は二以上の不動産に関する権利を目的とする担保権の保存又は設定の登記をした後、共担未指定登記所において同一の債権を担保するため他の一の不動産に関する権利を目的とする担保権の保存、設定又は処分の登記を申請する場合における共同担保目録に記録すべき情報の提供方法については、なお従前の例による。ただし、一の不動産に関する権利を目的とする担保権の保存又は設定の登記をした後、同一の債権を担保するため他の一の不動産に関する権利を目的とする担保権の保存、設定又は処分の登記を申請する場合において、前の登記が他の登記所の管轄区域内にある不動産に関するものであるときであっても、一の共同担保目録を添付すれば足りる。

③ 共担未指定登記所において担保権の登記がある土地の分筆の登記、建物の分割の登記、建物の区分の登記又は敷地権付き区分建物について敷地権を抹消することとなる登記の申請をする場合の共同担保目録については、なお従前の例による。ただし、これらの登記をする前の不動産に関する権利が他の登記所の管轄区域内にある不動産に関する権利とともに担保権の目的であったときであっても、一の共同担保目録を添付すれば足りる。

④ 前3項の規定により共同担保目録が提出された場合において、前の登記に関する共同担保目録があるときは、新たに提出される共同担保目録は当該前の登記に

関する共同担保目録の一部とみなす。
⑤　旧細則第43条ノ2から第43条ノ4までの規定は，第1項から第3項までの規定により共担未指定登記所に提出すべき共同担保目録について，なおその効力を有する。

第10条
①　共担未指定登記所においては，共同担保目録つづり込み帳を備える。
②　共担未指定登記所において電子申請により共同担保目録に記録すべき情報が提供されたときは，登記官は，書面で共同担保目録を作成しなければならない。
③　前項の規定による共同担保目録は，第1項の共同担保目録つづり込み帳につづり込むものとする。この省令その他の法令の規定により登記官が作成した共同担保目録についても，同様とする。
④　前条第1項から第3項までの規定により共担未指定登記所において書面申請により共同担保目録に記録すべき情報を記載した書面が提出されたときは，当該書面は，法第83条第2項の共同担保目録とみなす。この場合には，当該書面は，新規則第19条の規定にかかわらず，第1項の共同担保目録つづり込み帳につづり込むものとする。
⑤　前条第4項の規定により前の登記に関する共同担保目録の一部とみなされる共同担保目録には，前の登記に関する共同担保目録と同一の記号及び目録番号を付すものとする。
⑥　第1項の共同担保目録つづり込み帳に共同担保目録をつづり込むときは，その目録番号の順序によるものとする。
⑦　共同担保目録つづり込み帳は，記号ごとに別冊とするものとする。ただし，分冊にすることを妨げない。
⑧　共同担保目録に掲げた不動産であって共担未指定登記所の管轄区域内にあるものの全部又は一部の所在地が他の登記所に転属した場合において共同担保目録を移送するときは，共同担保目録又はその記載事項を転写して作成した共同担保目録を移送するものとする。
⑨　旧細則第57条ノ4から第57条ノ6まで（第57条ノ4第3項を除く。）の規定は，共担未指定登記所において登記官が作成する共同担保目録について，なおその効力を有する。この場合において，旧細則第57条ノ4第1項中「不動産登記法第127条第2項ノ規定ニ依リ不動産ニ関スル権利ノ表示ヲ為ストキハ」とあるのは「新規則第168条第3項ノ規定ニ依リ記録ヲ為ストキハ」と，「申請書」とあるのは「申請ノ」と，同条第2項中「不動産登記法第128条第1項ノ規定ニ依ル附記ヲ為スニハ」とあるのは「新規則第170条第1項（同条第5項ニ於テ準用スル場合ヲ含ム）及ビ第2項ノ規定ニ依リ記録ヲ為スニハ」と，「申請書」とあるのは「申請ノ」と，同条第4項中「前2項」とあるのは「新規則附則第10条第9項ノ規定ニ依リ仍其ノ効力ヲ有スルモノトサレタル第57条ノ4第2項」と，「第43条ノ4又ハ第57条ノ5」とあるのは「新規則附則第9条第5項ノ規定ニ依リ仍其ノ効力ヲ有スルモノトサレタル第43条ノ4又ハ新規則附則第10条第9項ノ規定ニ依リ仍其ノ効力ヲ有スルモノトサレタル第57条ノ5」と，旧細則第57条ノ5第1項中「第43条ノ2，第43条ノ3第1項及ビ第43条ノ4」とあるのは「新規則附則第9条第5項ノ規定ニ依リ仍其ノ効力ヲ有スルモノトサレタル第43条ノ2，第43条ノ3第1項及ビ第43条ノ4」とする。

第11条
この省令の施行の際，現に登記所に備え付けてある共同担保目録は，法第83条第2項の共同担保目録とみなす。

第12条　(信託目録)

① 信託目録に関する事務について第3条指定を受けていない登記所(以下「信託目録未指定登記所」という。)においては，信託目録つづり込み帳を備える。

② 信託目録未指定登記所において電子申請により信託目録に記録すべき情報が提供されたときは，登記官は，書面で信託目録を別記第5号様式により作成しなければならない。

③ 前項の規定による信託目録は，第1項の信託目録つづり込み帳につづり込むものとする。

④ 信託目録未指定登記所において信託の登記の申請を書面申請によりするときは，申請人は，別記第5号様式による用紙に信託目録に記録すべき情報を記載して提出しなければならない。信託目録に関する事務について第3条指定を受けた登記所において，その登記簿が附則第3条第1項の規定による改製を終えていない登記簿(電子情報処理組織による取扱いに適合しない登記簿を含む。)である不動産について，信託の登記の申請を書面申請によりするときも，同様とする。

⑤ 前項の規定により信託目録に記録すべき情報を記載した書面が提出されたときは，当該書面は，法第97条第3項の信託目録とみなす。この場合には，当該書面は，新規則第19条の規定にかかわらず，第1項の信託目録つづり込み帳につづり込むものとする。

⑥ 旧細則第16条ノ4第1項，第43条ノ6から第43条ノ9まで，第57条ノ10及び第57条ノ11の規定は，信託目録未指定登記所の信託目録について，なおその効力を有する。この場合において，旧細則第16条ノ4第1項中「信託原簿」とあるのは「信託目録」と，「申請書」とあるのは「申請ノ」と，旧細則第43条ノ6中「信託原簿」とあるのは「信託目録ニ記録スベキ情報ヲ記載シタル書面」と，「附録第10号様式」とあるのは「不動産登記規則(平成17年法務省令第18号)別記第5号様式」と，旧細則第43条ノ7及び第43条ノ8中「信託原簿用紙」とあるのは「信託目録ニ記録スベキ情報ヲ記載シタル書面ノ用紙」と，旧細則第43条ノ9中「第43条ノ3」とあるのは「新規則附則第9条第5項ノ規定ニ依リ仍其ノ効力ヲ有スルモノトサレタル第43条ノ3」と，「信託原簿」とあるのは「信託目録ニ記録スベキ情報ヲ記載シタル書面」と，旧細則第57条ノ10及び第57条ノ11中「信託原簿」とあるのは「信託目録」とする。

第13条

この省令の施行の際，現に登記所に備え付けてある信託原簿は，法第97条第3項の信託目録とみなす。

第14条　(共同担保目録等の改製)

附則第3条の規定は，共同担保目録及び信託目録について準用する。

第14条の2　(第3条指定に関する経過措置)

第3条指定を受けた事務のうち，附則第3条第1項(附則第14条において準用する場合を含む。以下同じ。)の規定による改製を終えていない登記簿(電子情報処理組織による取扱いに適合しない登記簿を含む。以下同じ。)に関する事務は，法附則第3条第1項，第4項及び第7項並びに附則第4条第1項，第2項，第4項及び第5項，第6条第1項及び第4項，第7条第1項，第8条第1項，第10条第1項，第8項及び第9項並びに第12条第1項及び第6項の適用については，第3条指定を受けていない事務とみなす。

第15条　(法附則第6条の指定前の登記手続)

① 新規則中電子申請に関する規定は，法附則第6条の指定(以下「第6条指定」という。)の日からその第6条指定に係

る登記手続について適用する。
② 第6条指定を受けていない登記所の登記手続に係る登記の申請をするときは，登記原因を証する情報を記載した書面であって不動産所在事項，登記の目的及び登記原因その他の申請に係る登記を特定することができる事項を記載したもの又は申請書と同一の内容を記載した書面を提出するものとする。
③ 法附則第6条第3項の規定により読み替えて適用される法第21条本文又は法附則第6条第3項の規定により読み替えて適用される法第117条の登記済証その他の登記権利者に係る登記済証の作成及び交付については，なお従前の例による。この場合においては，前項の規定により提出された書面を旧法第60条第1項に規定する登記原因を証する書面又は申請書の副本とみなす。
④ 法附則第6条第3項の規定により読み替えて適用される法第21条ただし書の法務省令で定める場合は，次に掲げる場合とする。
　一 法附則第6条第3項の規定により読み替えて適用される法第21条本文の規定により登記済証の交付を受けるべき者があらかじめ登記済証の交付を希望しない旨の申出をした場合（官庁又は公署が登記権利者のために登記の嘱託をした場合において，当該官庁又は公署が当該登記権利者の申出に基づいて登記済証の交付を希望しない旨の申出をしたときを含む。）
　二 法附則第6条第3項の規定により読み替えて適用される法第21条本文の規定により登記済証の交付を受けるべき者が，登記完了の時から3月以内に登記済証を受領しない場合
　三 法附則第6条第3項の規定により読み替えて適用される法第21条本文の規定により登記済証の交付を受けるべき者が官庁又は公署である場合（当該官庁又は公署があらかじめ登記済証の交付を希望する旨の申出をした場合を除く。）
　四 申請人が第2項に規定する書面を提出しなかった場合
⑤ 新規則第64条第2項の規定は，前項第1号及び第3号の申出をするときについて準用する。
⑥ 第6条指定を受けていない登記手続において登記を完了した場合における登記済証（第3項の登記済証を除く。）の作成及び交付については，なお従前の例による。この場合においては，第2項の規定により提出された書面又は法附則第6条第3項の規定により読み替えて適用される法第22条の規定により提出された登記済証を旧法第60条第1項に規定する登記原因を証する書面若しくは申請書の副本又は同条第2項に規定する登記済証若しくは書面とみなす。
⑦ 第4項及び第5項の規定は，前項の場合について準用する。
⑧ 第6条指定がされるまでの間における第6条指定を受けていない登記手続についての新規則第70条の適用については，同条中「法第22条」とあるのは，「法附則第6条第3項の規定により読み替えて適用される法第22条」とする。
⑨ 旧細則第44条ノ17の規定は，第6条指定がされるまでの間，第6条指定を受けていない登記手続について，なおその効力を有する。

第16条　（法附則第7条の登記手続）
　第6条指定を受けた登記手続において，申請人が法附則第7条の規定により登記済証を提出して登記の申請をしたときは，当該申請人である登記義務者（登記権利者及び登記義務者がない場合にあっては，申請人である登記名義人）に対し，登記完了証に代えて，旧法第60条第2項の規定による方法により作成した登記済証を

交付するものとする。

第16条の2　(第6条指定に関する経過措置)
　　第6条指定を受けた登記手続のうち、附則第3条第1項の規定による改製を終えていない登記簿に関する登記手続は、法附則第6条第1項並びに附則第15条第1項、第2項、第6項、第8項及び第9項並びに第16条の適用については、第6条指定を受けていない登記手続とみなす。

第17条　(電子情報処理組織を使用する方法による登記事項証明書の交付の請求)
① 　新規則第194条第3項の規定は、法務大臣が指定した登記所における登記事項証明書の交付の請求について、当該指定の日から当該指定に係る登記所ごとに適用する。
② 　前項の指定は、告示してしなければならない。

第17条の2　(前条第1項の規定による指定に関する経過措置)
　　前条第1項の規定による指定を受けた登記所における登記事項証明書の交付の請求のうち、附則第3条第1項の規定による改製を終えていない登記簿に関する登記事項証明書の交付の請求は、前条第1項の適用については、同項の規定による指定を受けていない登記所における登記事項証明書の交付の請求とみなす。

第18条　(予告登記の抹消)
① 　登記官は、職権で、旧法第3条に規定する予告登記の抹消をすることができる。
② 　登記官は、この省令の施行後、登記をする場合において、当該登記に係る不動産の登記記録又は登記用紙に前項の予告登記がされているときは、職権で、当該予告登記の抹消をしなければならない。

第19条　(旧根抵当権の分割等による権利の変更の登記)
① 　民法の一部を改正する法律(昭和46年法律第99号)附則第5条第1項の規定による分割による権利の変更の登記は、増額の登記についてする付記登記によってするものとする。この場合において、登記官は、分割により根抵当権の設定を登記する旨を記録し、かつ、分割前の旧根抵当権(同法附則第2条に規定する旧根抵当権をいう。以下同じ。)の登記についてする付記登記によって分割後の極度額を記録しなければならない。
② 　新規則第152条第2項の規定は、前項の場合において、増額の登記に当該増額に係る部分を目的とする第三者の権利に関する登記があるときについて準用する。
③ 　登記官は、民法の一部を改正する法律附則第9条第1項の規定による分離による権利の変更の登記をするときは、当該一の不動産の上の旧根抵当権の設定の登記についてする付記登記によって記録し、当該不動産が他の不動産とともに担保の目的である旨の記録に抹消する記号を記録しなければならない。
④ 　新規則第170条第1項、第3項及び第4項の規定は、前項の権利の変更の登記をした場合について準用する。

第20条　(民法の一部改正に伴う経過措置)
　　民法の一部を改正する法律(平成16年法律第147号)の施行の日(平成17年4月1日)の前日までの間における新規則第3条及び第165条の規定の適用については、新規則第3条第2号ロ中「第398条の8第1項又は第2項」とあるのは「第398条ノ9第1項又は第2項」と、同号ハ中「第398条の12第2項」とあるのは「第398条ノ12第2項」と、同号ニ中「第398条の14第1項ただし書」とあるのは「第398条ノ14第1項ただし書」と、新規則第165条第1項及び第2項中「第

398条の12第2項」とあるのは「第398条ノ12第2項」とする。

第21条　（電子申請において添付書面を提出する場合についての特例等）

① 電子申請をする場合において，令附則第5条第1項の規定により書面を提出する方法により添付情報を提供するときは，各添付情報につき書面を提出する方法によるか否かの別をも申請情報の内容とするものとする。

② 前項に規定する場合には，当該書面は，申請の受付の日から2日以内に提出するものとする。

③ 第1項に規定する場合には，申請人は，当該書面を提出するに際し，別記第13号様式による用紙に次に掲げる事項を記載したものを添付しなければならない。
一　受付番号その他の当該書面を添付情報とする申請の特定に必要な事項
二　令附則第5条第1項の規定により提供する添付情報の表示

④ 第1項に規定する場合において，送付の方法により当該書面を提出するときは，書留郵便又は信書便の役務であって当該信書便事業者において引受け及び配達の記録を行うものによるものとする。

⑤ 前項に規定する場合には，当該書面を入れた封筒の表面に令附則第5条第1項の規定により提出する書面が在中する旨を明記するものとする。

第22条

① 令附則第5条第4項の電磁的記録は，法務大臣の定めるところにより送信して提供しなければならない。

② 令附則第5条第4項の電磁的記録の提供は，法第64条の登記以外の登記につき，同項の書面に記載された情報のうち登記原因の内容を明らかにする部分についてすれば足りる。

③ 令附則第5条第4項の規定により同項の書面に記載された情報を記録する場合には，法務大臣の定めるところにより当該書面に記載されている事項をスキャナ（これに準ずる画像読取装置を含む。）で読み取る方法によらなければならない。

第23条

第17条第1項の規定にかかわらず，令附則第5条第1項の規定により書面を提出する方法により添付情報が提供された場合には，当該書面は，第19条から第22条までの規定に従い，第18条第2号から第5号までに掲げる帳簿につづり込んで保存するものとする。

第24条

① 第38条第3項及び第39条第3項の規定は，令附則第5条第1項の規定により書面を提出する方法により添付情報を提供した場合について準用する。

② 第45条，第49条，第50条及び第55条の規定は，令附則第5条第1項の規定による書面の提出について準用する。この場合において，第55条第1項中「申請書の添付書面」とあるのは，「当該書面」と読み替えるものとする。

③ 令附則第5条第1項の規定により書面を提出する方法により添付情報を提供した場合における第60条第2項の規定の適用については，同項第1号中「方法」とあるのは，「方法又は登記所に提出した書面を補正し，若しくは補正に係る書面を登記所に提出する方法」とする。

④ 令附則第5条第1項の規定により書面を提出する方法により添付情報を提供する場合における第63条第7項の規定の適用については，同項中「申請書」とあるのは，「附則第21条第3項の用紙」とする。

第25条

電子申請の場合における法第23条第1

項に規定する申出は，当分の間，法第22条に規定する登記義務者が，第70条第1項の書面に通知に係る申請の内容が真実である旨を記載し，これに記名し，委任状に押印したものと同一の印を用いて当該書面に押印した上，登記所に提出する方法によることができる。

別表1（第4条第1項関係）土地の登記記録

第1欄		第2欄
地図番号欄		地図の番号又は図郭の番号並びに筆界特定の年月日及び手続番号
土地の表示欄	不動産番号欄	不動産番号
	所在欄	所在
	地番欄	地番
	地目欄	地目
	地積欄	地積
	原因及びその日付欄	登記原因及びその日付
		河川区域内又は高規格堤防特別区域内，樹林帯区域内，特定樹林帯区域内若しくは河川立体区域内の土地である旨
		閉鎖の事由
	登記の日付欄	登記の年月日
		閉鎖の年月日
所有者欄		所有者及びその持分

別表2（第4条第2項関係）区分建物でない建物の登記記録

第1欄		第2欄
所在図番号欄		建物所在図の番号
主である建物	不動産番号欄	不動産番号
	所在欄	所在（附属建物の所在を含む。）
		建物の名称があるときは，その名称
	家屋番号欄	家屋番号
	種類欄	種類
	構造欄	構造
	床面積欄	床面積
	原因及びその日付欄	登記原因及びその日付
		建物を新築する場合の不動産工事の先取特権の保存の登記における建物の種類，構造及び床面積が設計書による旨
		閉鎖の事由
	登記の日付欄	登記の年月日
		閉鎖の年月日
附属建物の表示欄	符号欄	附属建物の符号
	種類欄	附属建物の種類
	構造欄	附属建物の構造
		附属建物が区分建物である場合における当該附属建物が属する1棟の建物の所在，構造，床面積及び名称
		附属建物が区分建物である場合における敷地権の内容
	床面積欄	附属建物の床面積
	原因及びその日付欄	附属建物に係る登記の登記原因及びその日付
		附属建物を新築する場合の不動産工事の先取特権の保存の登記における建物の種類，構造及び床面積が設計書による旨
	登記の日付欄	附属建物に係る登記の年月日
所有者欄		所有者及びその持分

別表3（第4条第3項関係）区分建物である建物の登記記録

第1欄		第2欄
1棟の建物の表題部		
専有部分の家屋番号欄		1棟の建物に属する区分建物の家屋番号
一棟の建物の表示欄	所在欄	1棟の建物の所在
	所在図番号欄	建物所在図の番号
	建物の名称欄	1棟の建物の名称
	構造欄	1棟の建物の構造
	床面積欄	1棟の建物の床面積
	原因及びその日付欄	1棟の建物に係る登記の登記原因及びその日付
		建物を新築する場合の不動産工事の先取特権の保存の登記における建物の種類，構造及び床面積が設計書による旨
		閉鎖の事由
	登記の日付欄	1棟の建物に係る登記の年月日
		閉鎖の年月日
敷地権の目	土地の符号欄	敷地権の目的である土地の符号
	所在及び地番欄	敷地権の目的である土地の所在及び地番
	地目欄	敷地権の目的である土地の地目

不動産登記規則（別表3）

的である土地の表示欄	地積欄	敷地権の目的である土地の地積
	登記の日付欄	敷地権に係る登記の年月日
		敷地権の目的である土地の表題部の登記事項に変更又は錯誤若しくは遺漏があることによる建物の表題部の変更の登記又は更正の登記の登記原因及びその日付
区分建物の表題部		
専有部分の建物の表示欄	不動産番号欄	不動産番号
	家屋番号欄	区分建物の家屋番号
	建物の名称欄	区分建物の名称
	種類欄	区分建物の種類
	構造欄	区分建物の構造
	床面積欄	区分建物の床面積
	原因及びその日付欄	区分建物に係る登記の登記原因及びその日付
		共用部分である旨
		団地共用部分である旨
		建物を新築する場合の不動産工事の先取特権の保存の登記における建物の種類，構造及び床面積が設計書による旨
	登記の日付欄	区分建物に係る登記の年月日
附属建物の表示欄	符号欄	附属建物の符号
	種類欄	附属建物の種類
	構造欄	附属建物の構造
		附属建物が区分建物である場合におけるその1棟の建物の所在，構造，床面積及び名称
		附属建物が区分建物である場合における敷地権の内容
	床面積欄	附属建物の床面積
	原因及びその日付欄	附属建物に係る登記の登記原因及びその日付
		附属建物を新築する場合の不動産工事の先取特権の保存の登記における建物の種類，構造及び床面積が設計書による旨
	登記の日付欄	附属建物に係る登記の年月日
敷地権の表示欄	土地の符号欄	敷地権の目的である土地の符号
	敷地権の種類欄	敷地権の種類
	敷地権の割合欄	敷地権の割合
	原因及びその日付欄	敷地権に係る登記の登記原因及びその日付
		附属建物に係る敷地権である旨
	登記の日付欄	敷地権に係る登記の年月日
所有者欄		所有者及びその持分

不動産登記規則(別記1・2号)

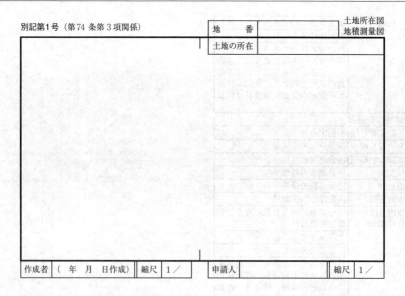

別記第1号(第74条第3項関係)　地　番　　　　土地所在図／地積測量図　土地の所在　作成者(年 月 日作成)　縮尺 1/　申請人　縮尺 1/

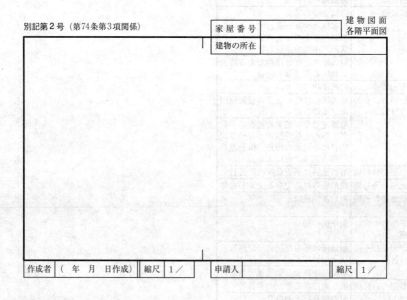

別記第2号(第74条第3項関係)　家屋番号　　　建物図面／各階平面図　建物の所在　作成者(年 月 日作成)　縮尺 1/　申請人　縮尺 1/

不動産登記規則（別記3・7号）

別記第3号（第80条第2項関係）

| 承役地 地番 | | 地役権図面 |
| 承役地 所在 | | |

地役権者　　　　　年　月　日作成　　申請人　　　　　縮尺　1/

別記第7号（第197条第2項第1号関係）

表題部	（土地の表示）	調製		不動産番号	
地図番号		筆界特定			
所　在					
①地番	②地目	③地積　㎡		原因及びその日付〔登記の日付〕	
所有者					

権利部（甲区）　（所有権に関する事項）			
順位番号	登記の目的	受付年月日・受付番号	権利者その他の事項

権利部（乙区）　（所有権以外の権利に関する事項）			
順位番号	登記の目的	受付年月日・受付番号	権利者その他の事項

不登法

不動産登記規則（別記8・9号）

別記第8号（第197条第2項第2号関係）

表　題　部	(主である建物の表示)	調製		不動産番号	
所在図番号					
所　　在					
家屋番号					
①種　類	②構　造	③床　面　積　㎡		原因及びその日付〔登記の日付〕	

表　題　部	(附属建物の表示)				
符　号	①種類	②構　造	③床　面　積　㎡		原因及びその日付〔登記の日付〕

所　有　者	

権　利　部（甲区）	（所有権に関する事項）		
順位番号	登　記　の　目　的	受付年月日・受付番号	権利者その他の事項

権　利　部（乙区）	（所有権以外の権利に関する事項）		
順位番号	登　記　の　目　的	受付年月日・受付番号	権利者その他の事項

別記第9号（第197条第2項第3号関係）

専有部分の家屋番号	

表　題　部	(一棟の建物の表示)	調製		所在図番号	
所　　在					
建物の名称					
①構　造		②床　面　積　㎡		原因及びその日付〔登記の日付〕	

表　題　部	(敷地権の目的である土地の表示)				
①土地の符号	②所在及び地番	③地目	④地　積　㎡		登　記　の　日　付

表　題　部	(専有部分の建物の表示)		不動産番号	
家屋番号				
建物の名称				
①種　類	②構　造	③床　面　積　㎡		原因及びその日付〔登記の日付〕

不動産登記規則（別記13号）

表 題 部	(附属建物の表示)				
符 号	① 種類	② 構 造	③ 床 面 積 ㎡	原因及びその日付〔登記の日付〕	

表 題 部	(敷地権の表示)			
① 土地の符号	② 敷地権の種類	③ 敷 地 権 の 割 合	原因及びその日付〔登記の日付〕	
所 有 者				

権 利 部 （ 甲 区 ）	（所有権に関する事項）		
順位番号	登 記 の 目 的	受付年月日・受付番号	権 利 者 そ の 他 の 事 項

権 利 部 （ 乙 区 ）	（所有権以外の権利に関する事項）		
順位番号	登 記 の 目 的	受付年月日・受付番号	権 利 者 そ の 他 の 事 項

別記第13号　（附則第21条第3項関係）

書面により提出した添付情報の内訳表

登記所の表示	
申請の受付の年月日	
受付番号	
書面により提出した添付情報の表示	
申請人又は代理人の氏名又は名称（申請人又は代理人が法人であるときはその代表者の氏名を含む。）及び電話番号その他の連絡先	電話番号その他の連絡先　　　　　　㊞

不動産登記事務取扱手続準則

● 平成17年2月25日民二第456号通達 ●　最終改正　令和5年3月28日法務省民二第534号

第1章　総則

第1条　（趣旨）

　不動産に関する登記事務の取扱いは，法令に定めるもののほか，この準則によるものとする。

第2章　登記所及び登記官

第2条　（管轄登記所の指定）

　不動産の管轄登記所等の指定に関する省令（昭和50年法務省令第68号）第1条に規定する管轄登記所の指定については，一の登記所は，関係登記所と協議の上，同条第1号に掲げる場合にあっては別記第1号様式，同条第2号に掲げる場合にあっては別記第1号様式に準ずる様式，その他の場合にあっては別記第2号様式による指定請求書により，それぞれ法務局若しくは地方法務局の長又は法務大臣に請求するものとする。

第3条

　法務局又は地方法務局の長が不動産登記法（平成16年法律第123号。以下「法」という。）第6条第2項の規定により当該不動産に関する登記の事務をつかさどる管轄登記所を指定するには，別記第3号様式による指定書によりするものとする。

第4条　（他の登記所の管轄区域への建物のえい行移転の場合）

① 　表題登記がある建物がえい行移転（建物を取り壊さずに他の土地に移転することをいう。以下同じ。）により甲登記所の管轄区域から乙登記所の管轄区域に移動した場合における当該建物の不動産所在事項に関する変更の登記は，乙登記所が管轄登記所としてこれを取り扱うものとする。

② 　前項の登記の申請が甲登記所にされた場合には，甲登記所の登記官は，乙登記所に別記第4号様式による通知書によりその旨を通知し，両登記所の登記官は，協力して当該建物の所在が変更したか否かにつき実地調査をするものとする。同項の登記の申請が乙登記所にされた場合についても，同様とする。

③ 　前項の調査の結果，第1項の登記の申請が相当と認められるときは，甲登記所の登記官は，第8条の規定により乙登記所に関係簿書（当該申請書類を含む。）を引き継ぐものとする。

④ 　前2項の規定は，職権で，第1項の登記をすべき場合について準用する。

第5条　（他の登記所の管轄区域にまたがる場合の管轄登記所）

　甲登記所において登記されている建物について，増築若しくは附属建物の新築がされ，又は乙登記所の管轄に属する建物をその附属建物とする登記がされたことにより，当該建物が乙登記所の管轄区域にまたがることとなった場合でも，当該建物の管轄登記所は，甲登記所とする。甲登記所において登記されている建物が，えい行移転又は管轄区域の変更により乙登記所の管轄区域にまたがることとなった場合についても，同様とする。

第6条 （事務の停止の報告等）

① 登記官は，水害又は火災等の事故その他の事由により登記所においてその事務を停止しなければならないと考えるときは，直ちに，当該登記官を監督する法務局又は地方法務局の長にその旨及び事務停止を要する期間を報告しなければならない。

② 前項の報告を受けた法務局又は地方法務局の長は，当該登記所の事務を停止しなければならない事由があると認めるときは，直ちに，法務大臣に別記第5号様式による意見書を提出しなければならない。

第7条 （登記官の交替）

① 登記官は，その事務を交替する場合には，登記簿，地図等及び登記簿の附属書類その他の帳簿等を点検した上で，事務を引き継がなければならない。

② 前項の規定により事務の引継ぎを受けた登記官は，引き継いだ帳簿等を調査し，当該登記官を監督する法務局又は地方法務局の長にその調査結果を記載した別記第6号様式による報告書を提出するものとする。

【 第3章　登記記録等 】

第1節／総則

第8条 （管轄転属による登記記録等の移送等）

① 不動産の所在地が甲登記所の管轄から乙登記所の管轄に転属したこと（以下「管轄転属」という。）に伴い不動産登記規則（平成17年法務省令第18号。以下「規則」という。）第32条第1項の移送をする場合には，登記記録等（登記記録（共同担保目録及び信託目録を含む。），地図等（電磁的記録に記録されているものを含む。）及び登記簿の附属書類（電磁的記録に記録されているものを含む。）をいう。本条において同じ。）が紛失し，又は汚損しないように注意して，送付しなければならない。

② 前項の場合において，移送すべき地図等が1枚の用紙に記載された地図等の一部であるときは，その地図等と同一の規格及び様式により，管轄転属に係る土地又は建物に関する部分のみの写しを作成し，当該写しを送付するものとする。

③ 第1項の移送をする場合には，別記第7号様式による移送書2通（目録5通を含む。）を添えてするものとする。

④ 第1項の移送を受けた乙登記所の登記官は，遅滞なく，移送された登記記録等を移送書と照合して点検し，別記第8号様式による受領書2通（目録2通を含む。この目録は，移送書に添付した目録を用いる。）を甲登記所の登記官に交付し，又は送付するものとする。この場合には，受領書の写しを作成して保管するものとする。

⑤ 移送書又は受領書を受け取った登記官は，別記第9号様式による報告書により，これに移送書又は受領書（いずれも目録1通を含む。）を添えて，当該登記官を監督する法務局又は地方法務局の長に登記記録等の引継ぎを完了した旨を報告するものとする。この場合において，甲登記所及び乙登記所が同一の法務局又は地方法務局の管内にあるときは，連署をもって作成した報告書により報告して差し支えない。

⑥ 第1項の場合において，登記簿の附属書類（土地所在図等を除く。以下この項において同じ。）を直ちに移送することが困難な特別の事情があるときは，第3項の移送書に附属書類を移送しない旨を記載した上，便宜甲登記所において保管しておくことを妨げない。この場合において，乙登記所に対し，甲登記所に保管している附属書類の閲覧の請求があった場合には，乙登記所の登記官は，直ちに

甲登記所の登記官に当該書類の移送を請求しなければならない。

第9条　（管轄転属による地番等の変更）
① 登記官は，規則第32条第1項の規定により登記記録の移送を受けた場合において，管轄転属に係る不動産について地番又は家屋番号の変更を必要とするときは，職権で，その変更の登記をしなければならない。
② 登記官は，規則第33条の規定により共同担保目録の記号及び目録番号，信託目録の目録番号又は地役権図面の番号（以下この条において「記号等」と総称する。）を改める場合には，従前の記号等を抹消する記号を記録して，第114条，第115条第2項又は規則第86条第3項の規定により新たに付した記号等を記録しなければならない。

第10条　（事務の委任による登記記録等の移送）
　前二条の規定は，法第7条の規定により一の登記所の管轄に属する事務を他の登記所に委任した場合について準用する。

第11条　（管轄区域がまたがる場合の移送の方法）
① 規則第40条第1項の移送は，別記第10号様式による移送書によりするものとする。
② 前項の移送は，配達証明付書留郵便によりするものとする。

第2節／地図等

第12条　（地図の作成等）
① 地図を作成するときは，磁気ディスクその他の電磁的記録に記録するものとする。ただし，電磁的記録に記録することができないときは，ポリエステル・フィルム等を用いて作成することができる。
② 前項ただし書の場合には，地図は，別記第11号様式により作成するものとする。ただし，同様式の別紙の訂正票に記載する事項がないときは，当該訂正票を設けることを要しない。

第13条　（地図に準ずる図面の備付け）
① 規則第10条第5項ただし書（同条第6項において準用する場合を含む。以下この条及び次条第4号において同じ。）に規定する場合において，これらの図面が地図に準ずる図面としての要件を満たすと認められるときは，地図に準ずる図面として備え付けるものとする。
② 地図に準ずる図面として備え付けた図面が，修正等により地図としての要件を満たすこととなったとき，又はその図面につき規則第10条第5項ただし書の特別の事情が消滅したときは，地図として備え付けるものとする。

第14条　（地図等の備付け等についての報告）
　登記官は，次に掲げる場合は，遅滞なく，当該登記官を監督する法務局又は地方法務局の長に別記第12号様式による報告書を提出するものとする。
一　国土調査法（昭和26年法律第180号）第20条第1項の規定により図面が送付され，又は規則第10条第6項に規定する土地の全部についての所在図が提供された場合
二　前号の図面又は土地の全部についての所在図を規則第10条第5項（同条第6項において準用する場合を含む。）の規定により地図として備え付けた場合
三　地図に準ずる図面として備え付けた図面を前条第2項の規定により地図として備え付けた場合
四　規則第10条第5項ただし書の規定により地図として備え付けなかった図面を前条第1項の規定により地図に準ずる図面として備え付けた場合

第15条　（建物所在図の作成等）

① 建物所在図を作成するときは，磁気ディスクその他の電磁的記録に記録するものとする。ただし，電磁的記録に記録することができないときは，ポリエステル・フィルム等を用いて作成することができる。

② 建物所在図の縮尺は，原則として当該地域の地図と同一とする。

③ 第1項ただし書の場合には，建物所在図は，別記第13号様式により作成するものとする。ただし，同様式の別紙の訂正票に記載する事項がないときは，当該訂正票を設けることを要しない。

④ 登記官は，規則第11条第2項の規定により建物の全部についての所在図その他これに準ずる図面を建物所在図として備え付けたときには，遅滞なく，当該登記官を監督する法務局又は地方法務局の長に別記第12号様式に準ずる様式による報告書を作成して提出するものとする。

第16条　（地図等の変更の方法等）

① 地図又は地図に準ずる図面の変更又は訂正は，次に掲げるところによってするものとする。

一　土地の表示に関する登記をしたとき，地図又は地図に準ずる図面の訂正の申出を相当と認めたときその他地図又は地図に準ずる図面の変更又は訂正をするときは，申請情報又は申出情報と併せて提供された土地所在図又は地積測量図及び実地調査の結果に基づいてする。規則第16条第15項の規定により職権で地図又は地図に準ずる図面の訂正をするときは，実地調査の結果及び既に登記所に備え付けている土地所在図又は地積測量図に基づいてする。

二　地図又は地図に準ずる図面（電磁的記録に記録されたものを除く。）の変更又は訂正をする場合には，当該地図又は地図に準ずる図面に墨を用いて細字，細線により鮮明に所要の記載をし，変更前又は訂正前の記載を削除する。

三　土地の表題登記をした場合には，地図又は地図に準ずる図面にその土地の位置を表示し，その地番を記録する。

四　分筆の登記をした場合には，地図又は地図に準ずる図面に分筆線及び分筆後の地番を記録する。

五　合筆の登記をした場合には，地図又は地図に準ずる図面に記録されている筆界線を削除し合筆後の地番を記録して従前の地番を削除する。

六　土地の異動が頻繁であるため地図又は地図に準ずる図面（電磁的記録に記録されたものを除く。）の記載が錯雑するおそれがある場合には，当該錯雑するおそれのある部分を謄写し，これをその部分に関する地図又は地図に準ずる図面として用いる。この場合には，地図又は地図に準ずる図面の当該部分及び謄写した図面に(イ)(ロ)(ハ)等の符号を付して，その関連を明らかにする。

七　地図又は地図に準ずる図面（電磁的記録に記録されたものを除く。）の訂正をした場合には，当該地図又は地図に準ずる図面に付した訂正票にその旨を明らかにし，登記官印を押印する。

② 建物所在図の変更又は訂正は，次に掲げるところによってするものとする。

一　建物の表示に関する登記をしたときその他建物所在図の変更又は訂正をするときは，申請情報と併せて提供された建物図面及び実地調査の結果に基づいてする。規則第16条第15項の規定により職権で建物所在図の訂正をするときは，実地調査の結果及び既に登記所に備え付けている建物図面に基づいてする。

二　前項第2号の規定は，建物所在図の変更又は訂正をする場合について準用する。

三　建物の表題登記をした場合には，建

物所在図にその家屋番号を記録する。
四　建物の分割又は区分の登記をした場合には，建物所在図に変更後の各家屋番号を記録し，変更前の家屋番号を削除する。
五　建物の合併の登記をした場合には，建物所在図に合併後の家屋番号を記録し，従前の家屋番号を削除する。
六　建物の合体による登記等をした場合には，建物所在図に記録されている合体前の建物の記録を削除し，合体後の建物を記録する。

第3節／登記に関する帳簿等

第17条　削除

第18条　（帳簿等の様式）
次の各号に掲げる帳簿等の様式は，当該各号に定めるところによる。
一　受付帳　別記第14号様式
二　土地図面つづり込み帳目録及び建物図面つづり込み帳目録　別記第15号様式
三　地役権図面つづり込み帳目録　別記第16号様式
四　職権表示登記等事件簿　別記第17号様式
五　審査請求書類等つづり込み帳目録　別記第18号様式
六　各種通知簿　別記第19号様式
七　各種通知簿（法第23条第1項の通知事項に限る。）　別記第20号様式
八　登記識別情報失効申出書類つづり込み帳目録　別記第21号様式
九　登記簿保存簿　別記第22号様式又はこれに準ずる様式
十　登記関係帳簿保存簿　別記第23号様式
十一　地図保存簿　別記第24号様式
十二　建物所在図保存簿　別記第25号様式
十三　登記識別情報通知書交付簿　別記第14号様式
十四　登記事務日記帳　別記第26号様式
十五　登記事項証明書等用紙管理簿　別記第27号様式
十六　不正登記防止申出書類つづり込み帳目録　別記第28号様式
十七　次に掲げる帳簿の表紙　別記第29号様式
　ア　申請書類つづり込み帳
　イ　職権表示登記等事件簿
　ウ　職権表示登記等書類つづり込み帳
　エ　決定原本つづり込み帳
　オ　審査請求書類等つづり込み帳
　カ　各種通知簿
　キ　登記識別情報失効申出書類つづり込み帳
　ク　登記簿保存簿
　ケ　登記関係帳簿保存簿
　コ　地図保存簿
　サ　建物所在図保存簿
　シ　登記事務日記帳
　ス　登記事項証明書等用紙管理簿
　セ　再使用証明申出書類つづり込み帳
　ソ　登録免許税関係書類つづり込み帳
　タ　不正登記防止申出書類つづり込み帳
　チ　土地価格通知書つづり込み帳
　ツ　建物価格通知書つづり込み帳
　テ　諸表つづり込み帳
　ト　雑書つづり込み帳
十八　次に掲げる帳簿の表紙　別記第30号様式
　ア　土地図面つづり込み帳
　イ　地役権図面つづり込み帳
　ウ　建物図面つづり込み帳
　エ　閉鎖土地図面つづり込み帳
　オ　閉鎖地役権図面つづり込み帳
　カ　閉鎖建物図面つづり込み帳

第19条　（申請書類つづり込み帳）
① 申請書類つづり込み帳には，申請書類を受付番号の順序に従ってつづり込むも

のとする。ただし，権利に関する登記の申請書類と表示に関する登記の申請書類とは，各別の申請書類つづり込み帳につづり込んで差し支えない。
② 前項ただし書の場合には，申請書類つづり込み帳の表紙にその区別を明示しなければならない。
③ 申請書類つづり込み帳は，原則として，1冊の厚さを10センチメートル程度とする。
④ 登記官は，申請書類つづり込み帳を格納する場合には，処理未済がないかどうか，登録免許税用又は手数料用の印紙等に異状がないかどうかを調査し，その結果を申請書類つづり込み帳の表紙（裏面を含む。）の適宜の箇所に記載して登記官印を押印するものとする。
⑤ 申請書類つづり込み帳の表紙には，つづり込まれた最初の申請書類の受付番号及び最終の申請書類の受付番号並びに分冊ごとに付した番号を記載するものとする。この番号は，1年ごとに更新するものとする。
⑥ 登記官は，管轄転属等により申請書類つづり込み帳につづり込まれている申請書類の一部を移送した場合には，その旨を申請書類つづり込み帳の表紙の裏面に記載して登記官印を押印するものとする。
⑦ 登記官は，管轄転属等により申請書類の移送を受けた場合には，当該申請書類に関する申請書類つづり込み帳を別冊として保管するものとする。

第20条及び第21条 削除

第22条 （つづり込みの方法）
① 規則第18条第8号から第11号まで及び第25号から第34号までに掲げる帳簿及び第17条第1項第5号から第14号までに掲げる帳簿は，1年ごとに別冊とする。ただし，1年ごとに1冊とすることが困難な場合には，分冊して差し支えない。

② 前項の規定にかかわらず，所要用紙の枚数が少ない帳簿については，数年分を1冊につづり込むことができる。この場合には，1年ごとに小口見出しを付する等して年の区分を明らかにするものとする。

第23条 （帳簿等の廃棄）
登記官は，次に掲げる帳簿等について規則第29条の認可を受けようとするときは，別記第31号様式による認可申請書を提出しなければならない。
一　閉鎖登記記録
二　閉鎖した土地所在図及び地積測量図
三　閉鎖した地役権図面
四　閉鎖した建物図面及び各階平面図
五　受付帳
六　申請書類つづり込み帳
七　職権表示登記等事件簿
八　職権表示登記等書類つづり込み帳
九　決定原本つづり込み帳
十　審査請求書類等つづり込み帳
十一　各種通知簿
十二　登記簿保存簿
十三　登記関係帳簿保存簿
十四　地図保存簿
十五　建物所在図保存簿

第4節／雑則

第24条 （登記記録等の滅失又は滅失のおそれがある場合）
① 次の各号に掲げる報告又は意見の申述は，当該各号に定める報告書又は意見書によりするものとする。
一　規則第30条第1項の規定による報告　別記第32号様式又は別記第33号様式による報告書
二　規則第30条第3項において準用する同条第1項の規定による報告　別記第34号様式，別記第35号様式又は別記第36号様式による報告書
三　規則第30条第2項の規定による意見

の申述　別記第37号様式又は別記第38号様式による意見書
　四　規則第30条第3項において準用する同条第2項の規定による意見の申述
　　別記第39号様式，別記第40号様式又は別記第41号様式による意見書
② 前項の報告書又は意見書には，滅失の事由又は滅失のおそれがあると考える事由を詳細かつ具体的に記載しなければならない。

第25条　（登記簿等を持ち出した場合）
① 登記官は，規則第31条第2項の規定により裁判所に関係書類を送付するときは，該当する書類の写しを作成し，当該関係書類が返還されるまでの間，これを保管するものとする。
② 登記官は，前項の関係書類を送付するときは，申請書類つづり込み帳の送付した書類をつづり込んであった箇所に，裁判所からの送付に係る命令書又は嘱託書及びこれらの附属書類を同項の規定により作成した写しと共につづり込むものとする。
③ 登記官は，第1項の関係書類が裁判所から返還された場合には，その関係書類を前項の命令書又は嘱託書の次につづり込むものとする。この場合には，第1項の規定により作成した写しは，適宜廃棄して差し支えない。
④ 前三項の規定は，裁判所又は裁判官の令状に基づき検察官，検察事務官又は司法警察職員（以下「捜査機関」という。）が関係書類を押収する場合について準用する。
⑤ 規則第31条第3項に規定する報告は，別記第42号様式による報告書によりするものとする。

第26条　（通知番号の記載）
　通知書には，各種通知簿に記載した際に付した通知番号を記載するものとする。

第27条　（日記番号等の記載）
　登記事務日記帳に記載した書面には，登記事務日記帳に記載した年月日及び日記番号を記載するものとする。

第4章　登記手続

第1節／総則

第1款／通則

第28条　（申請の却下）
① 次の各号に掲げる却下の決定は，当該各号に定める様式による決定書によりするものとし，申請人に交付するもののほか，登記所に保存すべきものを1通作成しなければならない。
　一　二に掲げるもの以外の登記の申請の却下　別記第42号の2様式
　二　法第36条，第47条並びに第58条第6項及び第7項（表題登記をすることによって表題部所有者となる者が相違することを理由として却下されたものを除く。），第37条，第38条，第42条，第49条，第51条から第53条まで並びに第57条の規定による登記の申請の却下
　　別記第42号の3様式
② 登記官は，前項の登記所に保存すべき決定書の原本の欄外に決定告知の年月日及びその方法を記載して登記官印を押印し，これを日記番号の順序に従って決定原本つづり込み帳につづり込むものとする。
③ 第1項の場合には，受付帳に「却下」と記録し，書面申請にあっては，申請書に却下した旨を記載し，これを申請書類つづり込み帳につづり込むものとする。
④ 登記官は，不動産登記令（平成16年政令第379号。以下「令」という。）第4条ただし書の規定により一の申請情報によって二以上の申請がされた場合において，その一部を却下するときは，受付帳に「一部却下」と記録した上，書面申請

にあっては，申請書に次の各号に掲げる却下の区分に応じ，当該各号に定める記録をしなければならない。
一　二以上の登記の目的に係る申請のうち一の登記の目的に係る申請についての却下　却下に係る登記の目的についての記載の上部に，別記第43号様式による印版を押印し，当該登記の目的を記録すること。
二　二以上の不動産のうち一部についての却下　却下に係る不動産の所在の記載の上部に，別記第43号様式による印版を押印すること。
⑤　規則第38条第2項の規定により申請人に送付した決定書の原本が所在不明等を理由として返送されたときでも，何らの措置を要しない。この場合において，当該返送された決定書の原本は，当該登記の申請書（電子申請にあっては，第32条第3項に規定する電子申請管理用紙）と共に申請書類つづり込み帳につづり込むものとする。
⑥　登記官は，規則第38条第3項ただし書の規定により添付書面を還付しなかった場合は，申請書の適宜の余白にその理由を記載するものとする。この場合において，還付しなかった添付書面は，当該登記の申請書と共に申請書類つづり込み帳につづり込むものとする。
⑦　捜査機関が申請書又は規則第38条第3項ただし書の規定により還付しなかった添付書面の押収をしようとするときは，これに応じるものとする。この場合には，押収に係る書面の写しを作成し，当該写しに当該捜査機関の名称及び押収の年月日を記載した上，当該書面が捜査機関から返還されるまでの間，前項の規定により申請書類つづり込み帳につづり込むべき箇所に当該写しをつづり込むものとする。
⑧　法第25条第10号の規定により却下する場合には，期間満了日の翌日の日付を

もってするものとする。法第23条第1項の通知（以下「事前通知」という。）を受けるべき者から申請の内容が真実でない旨の申出があったとき又は通知を受けるべき者の所在不明若しくは受取拒絶を理由に当該通知書が返戻されたときも，同様とする。

第29条　（申請の取下げ）
①　登記官は，申請が取り下げられたときは，受付帳に「取下げ」と記録しなければならない。
②　規則第39条第1項第2号に規定する書面（以下「取下書」という。）には，申請の受付の年月日及び受付番号を記載し，これを申請書類つづり込み帳につづり込むものとする。
③　登記官は，規則第39条第3項の規定により申請書を還付する場合には，第32条第1項の規定により申請書にした押印又ははり付けた書面の記載事項を朱抹しなければならない。この場合において，当該申請書に領収証書又は収入印紙がはり付けられていないときは，登記官は，取下書の適宜の箇所に「ちょう付印紙等なし」と記載し，登記官印を押印しなければならない。
④　登記官は，令第4条ただし書の規定により一の申請情報によって二以上の申請がされた場合において，その一部の取下げがあったときは，受付帳に「一部取下げ」と記録した上，書面申請にあっては，申請書に次の各号に掲げる取下げの区分に応じ，当該各号に定める記録をしなければならない。
一　二以上の登記の目的に係る申請のうち一の登記の目的に係る申請についての取下げ　取下げに係る登記の目的についての記載の上部に，別記第44号様式による印版を押印し，当該登記の目的を記録すること。
二　二以上の不動産のうち一部について

の取下げ　取下げに係る不動産の所在の記載の上部に，別記第44号様式による印版を押印すること。
⑤　前項の場合において，申請情報の登録免許税に関する記録があるときは，申請人に補正させ，書面申請であるときは，当該取下げ部分のみに関する添付書面を還付するものとする。
⑥　前条第6項及び第7項の規定は，規則第39条第3項後段において準用する第38条第3項の規定により添付書面を還付しない場合について準用する。

第30条　（原本還付の旨の記載）

規則第55条第3項後段の原本還付の旨の記載は，同条第2項の謄本の最初の用紙の表面余白に別記第45号様式による印版を押印してするものとする。

第2款／受付等

第31条　（申請の受付）

①　登記官は，登記の申請書の提出があったときは，直ちに，受付帳に規則第56条第1項に規定する事項のうち受付番号及び不動産所在事項を記録しなければならない。規則第56条第4項各号（第2号を除く。）の許可，命令又は通知があった場合についても，同様とする。
②　登記官は，二以上の申請書が同時に提出された場合には，当該二以上の申請書に係る申請に一連の受付番号を付するものとする。この場合には，法第19条第3項後段に規定する場合を除き，適宜の順序に従って受付番号を付して差し支えない。
③　提出された申請書類に不備な点がある場合でも，第1項の手続を省略して申請人又はその代理人にこれを返戻する取扱いは，しないものとする。
④　登記の申請を却下しなければならない場合であっても，登記官が相当と認めるときは，事前にその旨を申請人又は代理人に告げ，その申請の取下げの機会を設けることができる。

第32条　（申請書等の処理）

①　登記官は，前条第1項の手続をした申請書，許可書，命令書又は通知書の1枚目の用紙の表面の余白に別記第46号様式及び別記第47号様式若しくは別記第48号様式による印版を押印して該当欄に申請の受付の年月日及び受付番号を記載し，又は別記第49号様式若しくは別記第50号様式による申請の受付の年月日及び受付番号を記載した書面をはり付けるものとする。
②　前項の規定により押印した印版又ははり付けた書面には，受付，調査，記入，校合等をしたごとに該当欄に取扱者が押印するものとする。
③　電子申請にあっては，申請ごとに印刷した申請の受付の年月日及び受付番号を表示した書面（以下「電子申請管理用紙」という。）に前項に準じた処理をするものとする。

第33条　（登記官による本人確認）

①　次に掲げる場合は，法第24条第1項の申請人となるべき者以外の者が申請していると疑うに足りる相当な理由があると認めるときに該当するものとする。
一　捜査機関その他の官庁又は公署から，不正事件が発生するおそれがある旨の通報があったとき。
二　申請人となるべき者本人からの申請人となるべき者に成りすました者が申請をしている旨又はそのおそれがある旨の申出（以下「不正登記防止申出」という。）に基づき，第35条第7項の措置を執った場合において，当該不正登記防止申出に係る登記の申請があったとき（当該不正登記防止申出の日から3月以内に申請があった場合に限る。）。

三 同一の申請人に係る他の不正事件が発覚しているとき。
四 前の住所地への通知をした場合において，登記の完了前に，当該通知に係る登記の申請について異議の申出があったとき。
五 登記官が，登記識別情報の誤りを原因とする補正又は取下げ若しくは却下が複数回されていたことを知ったとき。
六 登記官が，申請情報の内容となった登記識別情報を提供することができない理由が事実と異なることを知ったとき。
七 前各号に掲げる場合のほか，登記官が職務上知り得た事実により，申請人となるべき者に成りすました者が申請していることを疑うに足りる客観的かつ合理的な理由があると認められるとき。
② 登記官は，登記の申請が資格者代理人によってされている場合において，本人確認の調査をすべきときは，原則として，当該資格者代理人に対し必要な情報の提供を求めるものとする。
③ 規則第59条第1項の調書（以下「本人確認調書」という。）は，別記第51号様式又はこれに準ずる様式による。
④ 本人確認調書は，申請書（電子申請にあっては，電子申請管理用紙）と共に保管するものとする。
⑤ 登記官は，文書等の提示を求めた場合は，提示をした者の了解を得て，当該文書（国民健康保険，船員保険，後期高齢者医療保険若しくは健康保険の被保険者証，健康保険日雇特例被保険者手帳，国家公務員共済組合若しくは地方公務員共済組合の組合員証又は私立学校教職員共済制度の加入者証にあっては保険者番号及び被保険者等記号・番号（それぞれ国民健康保険法（昭和33年法律第192号）第111条の2第1項に規定する被保険者記号・番号等，船員保険法（昭和14年法律第73号）第143条の2第1項に規定する被保険者等記号・番号等，高齢者の医療の確保に関する法律（昭和57年法律第80号）第161条の2第1項に規定する被保険者番号等，健康保険法（大正11年法律第70号）第194条の2第1項に規定する被保険者等記号・番号等，国家公務員共済組合法（昭和33年法律第128号）第112条の2第1項に規定する組合員等記号・番号等，地方公務員等共済組合法（昭和37年法律第152号）第144条の24の2第1項に規定する組合員等記号・番号等又は私立学校教職員共済法（昭和28年法律第245号）第45条第1項に規定する加入者等記号・番号等をいう。以下この項において同じ。）が記載された部分を除き，基礎年金番号通知書（国民年金法施行規則（昭和35年厚生省令第12号）第1条第1項に規定する基礎年金番号通知書をいう。）にあっては基礎年金番号（国民年金法（昭和34年法律第141号）第14条に規定する基礎年金番号をいう。以下この項において同じ。）が記載された部分を除き，個人番号カード（行政手続における特定の個人を識別するための番号の利用等に関する法律（平成25年法律第27号）第2条第7号に規定する個人番号カードをいう。）にあってはその裏面を除く。）の写しを作成し，本人確認調書に添付するものとする。ただし，了解を得ることができない場合にあっては，文書の種類，証明書番号その他文書を特定することができる番号等の文書の主要な内容（保険者番号及び被保険者等記号・番号，基礎年金番号並びに個人番号（同条第5項に規定する個人番号をいう。）を除く。）を本人確認調書に記録すれば足りる。

第34条（他の登記所の登記官に対する本人確認の調査の嘱託）
① 登記官が本人確認の調査のため申請人

等の出頭を求めた場合において，申請人等から遠隔の地に居住していること又は申請人の勤務の都合等を理由に他の登記所に出頭したい旨の申出があり，その理由が相当と認められるときは，当該他の登記所の登記官に本人確認の調査を嘱託するものとする。
② 前項の嘱託は，別記第52号様式による嘱託書を作成し，これに登記事項証明書及び申請書の写しのほか，委任状，印鑑証明書等の本人確認の調査に必要な添付書面の写しを添付して，当該他の登記所に送付する方法によって行うものとする。
③ 第1項の嘱託を受けた登記官が作成した本人確認調書は，調査終了後，嘱託書と共に嘱託をした登記所に送付するものとする。

第35条（不正登記防止申出）

① 不正登記防止申出は，登記名義人若しくはその相続人その他の一般承継人又はその代表者若しくは代理人（委任による代理人を除く。）が登記所に出頭してしなければならない。ただし，その者が登記所に出頭することができない止むを得ない事情があると認められる場合には，委任による代理人が登記所に出頭してすることができる。
② 不正登記防止申出は，別記第53号様式又はこれに準ずる様式による申出書を登記官に提出してするものとする。
③ 前項の申出書には，登記名義人若しくはその相続人その他の一般承継人又はその代表者若しくは代理人が記名押印するとともに，次に掲げる書面を添付するものとする。
一 登記名義人若しくはその相続人その他の一般承継人又はその代表者若しくは代理人（委任による代理人を除く。）の印鑑証明書。ただし，前項の申出書に当該法人の会社法人等番号（商業登記法（昭和38年法律第125号）第7条（他の法令において準用する場合を含む。）に規定する会社法人等番号をいう。第2号，第3号及び第46条第2項において同じ。）をも記載したときは，登記申請における添付書面の扱いに準じて，その添付を省略することができる。
二 登記名義人又はその一般承継人が法人であるときは，当該法人の代表者の資格を証する書面。ただし，前項の申出書に当該法人の会社法人等番号をも記載したときは，その添付を省略することができる。
三 代理人によって申出をするときは，当該代理人の権限を証する書面。ただし，登記名義人若しくはその一般承継人又はその代理人が法人である場合において，前項の申出書に当該法人の会社法人等番号をも記載したときは，登記申請における添付書面の扱いに準じて，その添付を省略することができる。
④ 登記官は，不正登記防止申出があった場合には，当該申出人が申出に係る登記の登記名義人又はその相続人その他の一般承継人本人であること，当該申出人が申出をするに至った経緯及び申出が必要となった理由に対応する措置を採っていることを確認しなければならない。この場合において，本人であることの確認は，必要に応じ規則第72条第2項各号に掲げる方法により行うものとし，登記名義人の氏名若しくは名称又は住所が登記記録と異なるときは，氏名若しくは名称又は住所についての変更又は錯誤若しくは遺漏を証する書面の提出も求めるものとする。
⑤ 登記官は，不正登記防止申出を受けたときは，不正登記防止申出書類つづり込み帳に第2項の申出書及びその添付書面等の関係書類をつづり込むものとする。
⑥ 前項の場合は，不正登記防止申出書類つづり込み帳の目録に，申出に係る不動

産の不動産所在事項，申出人の氏名及び申出の年月日を記載するものとする。
⑦　登記官は，不正登記防止申出があった場合において，これを相当と認めるときは，前項の目録に本人確認の調査を要する旨を記載するものとする。
⑧　不正登記防止申出の日から3月以内に申出に係る登記の申請があったときは，速やかに，申出をした者にその旨を適宜の方法で通知するものとする。本人確認の調査を完了したときも，同様とする。
⑨　登記官は，不正登記防止申出に係る登記を完了したときは，第2項の申出書を不正登記防止申出書類つづり込み帳から除却し，申請書（電子申請にあっては，電子申請管理用紙）と共に保管するものとする。この場合には，不正登記防止申出書類つづり込み帳の目録に，登記を完了した旨及び除却の年月日を記載するものとする。

第36条　（補正期限の連絡等）
①　登記官は，電子申請についての不備が補正することができるものである場合において，登記官が定めた補正を認める相当期間を当該申請の申請人に告知するときは，次に掲げる事項を記録した補正のお知らせを作成して，登記・供託オンライン申請システムに掲示してするものとする。
一　補正を要する事項
二　補正期限の年月日
三　補正期限内に補正がされなければ，申請を却下する旨
四　補正の方法
五　管轄登記所の電話番号
②　登記官は，書面申請についての不備が補正することができるものである場合において，登記官が定めた補正を認める相当期間を当該申請の申請人に告知するときは，電話その他の適宜の方法により第1項各号に掲げる事項を連絡してするものとする。

のとする。
③　申請書又は添付書面の不備を補正させる場合は，登記官の面前でさせるものとする。この場合において，当該書面が資格者代理人の作成によるものであるときは，当該資格者代理人本人に補正させるものとする。
④　申請の不備の内容が規則第34条第1項各号に掲げる事項に関するものであるときその他の法第25条に規定する却下事項に該当しないときは，補正の対象としない。申請情報の内容に不備があっても，添付情報（公務員が職務上作成したものに限る。）により補正すべき内容が明らかなときも，同様とする。
⑤　補正期限内に補正されず，又は取り下げられなかった申請は，当該期限の経過後に却下するものとする。

第3款／登記識別情報

第37条　（登記識別情報の通知）
①　登記識別情報の通知は，登記識別情報のほか，次に掲げる事項を明らかにするものとする。
一　不動産所在事項及び不動産番号
二　申請の受付の年月日及び受付番号又は順位番号並びに規則第147条第2項の符号
三　登記の目的
四　登記名義人の氏名又は名称及び住所
五　当該登記識別情報その他の登記官の使用に係る電子計算機において登記名義人を識別するために必要な情報を表すバーコードその他これに類する符号
②　規則第63条第1項第2号又は同条第3項に規定する登記識別情報を記載した書面（以下「登記識別情報通知書」という。）は，別記第54号様式によるものとし，同条第2項の措置として，登記識別情報及び前項第5号に規定するバーコードその他これに類する符号を記載した部分が見えないように用紙を折り込み，こ

れを被覆し，その縁をのり付けするものとする。
③　登記識別情報通知書は，申請人に交付するまでの間，厳重に管理しなければならない。
④　登記識別情報通知書を登記所において交付する場合には，交付を受ける者に，当該登記の申請書に押印したものと同一の印を登記識別情報通知書交付簿に押印させて，登記識別情報を交付することができる者であることを確認するとともに，当該登記識別情報通知書を受領した旨を明らかにさせるものとする。
⑤　前項の場合において，登記官が必要と認めるときは，身分証明書等の文書の提示を求める方法により，登記識別情報を交付することができる者であるか否かを確認し，その際，交付を受ける者の了解を得て，当該文書の写しを作成し，登記識別情報通知書交付簿に添付するものとする。ただし，了解を得ることができない場合にあっては，文書の種類，証明書の番号その他文書を特定することができる番号等の文書の主要な記載内容を登記識別情報通知書交付簿に記載するものとする。
⑥　登記識別情報通知書を送付の方法により交付する場合には，登記識別情報通知書交付簿に登記識別情報通知書を送付した旨を記載するものとする。

第38条　（登記識別情報を廃棄する場合）

①　登記官は，規則第64条第3項の規定により同条第1項第2号に規定する登記識別情報又は同項第3号に規定する登記識別情報を記載した書面を廃棄する場合には，登記識別情報通知書交付簿にその旨を記載するものとする。
②　前項の規定により規則第64条第1項第2号に規定する登記識別情報又は同項第3号に規定する登記識別情報を記載した書面を廃棄するときは，廃棄後において，登記識別情報が部外者に知られないような方法によらなければならない。

第39条　（登記識別情報の失効の申出）

①　登記官は，登記識別情報の失効の申出を受けたときは，受付帳に当該失効の申出に係る受付番号を記録する方法により受け付けなければならない。
②　登記官は，前項の申出があった場合において，当該申出を相当と認めるときは，登記識別情報を失効させる措置を採らなければならない。
③　前項の措置は，当該失効の申出の受付の前に同一の不動産について受け付けられた登記の申請がある場合には，当該申請に基づく登記の処理をした後でなければ，することができない。

第40条　（登記識別情報に関する証明）

①　登記官は，令第22条第1項に規定する登記識別情報に関する証明（登記識別情報が通知されていないこと又は失効していることの証明を除く。）の請求があった場合において，提供された登記識別情報が請求に係る登記についてのものであり，かつ，失効していないときは，請求に係る登記を表示した上，「上記の登記について令和何年何月何日受付第何号の請求により提供された登記識別情報は，当該登記に係るものであり，失効していないことを証明する。」旨の認証文を付すものとする。ただし，有効であることの証明ができないときは，次の各号に掲げる事由の区分に応じて，それぞれ当該各号に定める認証文を付して，有効であることの証明ができない理由を明らかにするものとする。
一　請求に係る登記があり，かつ，当該登記の登記名義人についての登記識別情報が失効していないが，当該登記の登記名義人についての登記識別情報と提供された登記識別情報とが一致しな

いとき。「上記の登記について令和何年何月何日受付第何号の請求により提供された登記識別情報は，正しい登記識別情報と一致しません。」
二　請求に係る登記があるが，当該登記の登記名義人についての登記識別情報が通知されず，又は失効しているとき。
　　「上記の登記に係る登記識別情報が通知されず，又は失効しています。」
三　請求に係る登記があるが，請求人が登記名義人又はその一般承継人であることが確認することができないとき。
　　「別添の請求番号何番の登記に係る令和何年何月何日受付第何号の登記識別情報に関する証明の請求については，請求人は，請求人としての適格があると認められません。」
　（注）別添として，請求情報又は請求情報を記載した書面を添付する。なお，請求情報において明らかにされた各不動産を特定するための番号（請求番号）により証明に係る不動産及び登記を特定するものとする。
四　請求に係る登記がないとき。「別添の請求番号何番の登記に係る令和何年何月何日受付第何号の登記識別情報に関する証明の請求については，請求に係る登記はありません。」
　（注）別添として，請求情報又は請求情報を記載した書面を添付する。なお，請求番号において明らかにされた各不動産を特定するための番号（請求番号）により証明に係る不動産及び登記を特定するものとする。
五　前各号の場合以外の理由により証明することができないとき。これらの例にならって，例えば，登記手数料の納付がないなど具体的な理由を認証文に示して明らかにするものとする。
② 登記官は，令第22条第1項に規定する登記識別情報に関する証明のうち登記識別情報が通知されていないこと又は失効していることの証明の請求があった場合において，請求に係る登記の登記名義人についての登記識別情報が通知されず，又は失効しているときは，請求に係る登記を表示した上，「上記の登記に係る登記識別情報が通知されず，又は失効しています。」旨の認証文を付するものとする。ただし，登記識別情報が通知されていないこと又は失効していることの証明ができないときは，次の各号に掲げる事由の区分に応じて，それぞれ当該各号に定める認証文を付して，登記識別情報が通知されていないこと又は失効していることの証明ができない理由を明らかにするものとする。
一　請求に係る登記があるが，当該登記の登記名義人についての登記識別情報が通知され，かつ，失効していないとき。「上記の登記に係る令和何年何月何日受付第何号の登記識別情報に関する証明の請求については，次の理由により，証明することができません。
　　当該登記に係る登記識別情報が通知され，かつ，失効していません。
　（注）この証明は，上記請求において登記識別情報が提供されていないため，当該登記に係る登記識別情報が通知され，失効していない事実のみを証明するものであり，特定の登記識別情報が当該登記に係る登記識別情報として有効であることを証明するものではありません。」
二　請求に係る登記があるが，請求人が登記名義人又はその一般承継人であることが確認することができないとき。
　　「別添の請求番号何番の登記に係る令和何年何月何日受付第何号の登記識別情報に関する証明の請求については，請求人は，請求人としての適格があると認められません。」
　（注）別添として，請求情報又は請求情報を記載した書面を添付する。な

お，請求情報において明らかにされた各不動産を特定するための番号（請求番号）により証明に係る不動産及び登記を特定するものとする。
三　請求に係る登記がないとき。「別添の請求番号何番の登記に係る令和何年何月何日受付第何号の登記識別情報に関する証明の請求については，請求に係る登記はありません。」
（注）別添として，請求情報又は請求情報を記載した書面を添付する。なお，請求情報において明らかにされた各不動産を特定するための番号（請求番号）により証明に係る不動産及び登記を特定するものとする。
四　前三号の場合以外の理由により証明することができないとき。　これらの例にならって，例えば，登記手数料の納付がないなど，具体的な理由を認証文に示して明らかにするものとする。
③　前条第1項の規定は前二項の証明の請求を受けた場合に，第126条第1項の規定は前二項の証明の請求書を受け付けた場合について準用する。
④　第1項の証明は，当該登記識別情報に関する証明の請求の受付の前に同一の登記識別情報について受け付けられた失効の申出がある場合には，当該申出に基づく措置をした後でなければ，することができない。

第41条　（登記識別情報の管理）
①　登記所の職員は，申請人から提供を受けた登記識別情報を部外者に知られないように厳重に管理しなければならない。
②　書面申請により提供された登記識別情報について審査したときは，その結果を印刷し，これを申請書と共に申請書類つづり込み帳につづり込むものとする。
③　当該登記の申請が却下又は取下げとなった場合において，申請人から申請書に添付した登記識別情報通知書を還付してほしい旨の申出があったときは，当該登記識別情報通知書を還付するものとする。この場合には，当該登記識別情報通知書を封筒に入れて封をした上，とじ代に登記官の職印で契印して還付するものとする。
④　第1項の規定は，登記識別情報に関する証明の請求において請求人から提供を受けた登記識別情報の管理について準用する。
⑤　第38条第2項の規定は，規則第69条の規定により登記識別情報を記載した書面を廃棄する場合について準用する。

第4款／登記識別情報の提供がない場合の手続

第42条　（登記識別情報を提供することができない正当な理由）
①　法第22条ただし書に規定する登記識別情報を提供することができないことにつき正当な理由がある場合とは，次に掲げる場合とする。
一　登記識別情報が通知されなかった場合
二　登記識別情報の失効の申出に基づき，登記識別情報が失効した場合
三　登記識別情報を失念した場合
四　登記識別情報を提供することにより登記識別情報を適切に管理する上で支障が生ずることとなる場合
五　登記識別情報を提供したとすれば当該申請に係る不動産の取引を円滑に行うことができないおそれがある場合
②　申請人が法第22条に規定する申請をする場合において，登記識別情報を提供することなく，かつ，令第3条第12号に規定する登記識別情報を提供することができない理由を申請情報の内容としていないときは，登記官は，直ちに法第25条第9号の規定により登記の申請を却下することなく，申請人に補正を求めるものとする。

第43条　（事前通知）

① 事前通知は，別記第55号様式の通知書（以下「事前通知書」という。）によるものとする。

② 登記官は，法第22条に規定する登記義務者が法人である場合において，事前通知をするときは，事前通知書を当該法人の主たる事務所にあてて送付するものとする。ただし，申請人から事前通知書を法人の代表者の住所にあてて送付を希望する旨の申出があったときは，その申出に応じて差し支えない。

第44条　（事前通知書のあて先の記載）

① 事前通知書を送付する場合において，申請人から，申請情報の内容とした申請人の住所に，例えば，「何アパート内」又は「何某方」と付記して事前通知書を送付されたい旨の申出があったときは，その申出に応じて差し支えない。

② 前項の規定は，前条第2項ただし書の場合について準用する。

第45条　（事前通知書の再発送）

事前通知書が受取人不明を理由に返送された場合において，規則第70条第8項に規定する期間の満了前に申請人から事前通知書の再発送の申出があったときは，その申出に応じて差し支えない。この場合には，同項に規定する期間は，最初に事前通知書を発送した日から起算するものとする。

第46条　（相続人等からの申出）

① 事前通知をした場合において，通知を受けるべき者が死亡したものとしてその相続人全員から相続があったことを証する情報を提供するとともに，電子申請にあっては当該申請人の相続人が規則第70条第2項の通知番号等を特定する情報及び当該登記申請の内容が真実である旨の情報に電子署名を行った上，登記所に送信したとき，書面申請にあっては当該申請人の相続人が規則第70条第1項の書面に登記申請の内容が真実である旨を記載し，記名押印した上，印鑑証明書を添付して登記所に提出したときは，その申出を適法なものとして取り扱って差し支えない。

② 法人の代表者に事前通知をした場合において，その法人の他の代表者が，規則第70条第1項の書面に登記申請の内容が真実である旨を記載し，記名押印した上，その印鑑証明書及び資格を証する書面を添付して，当該他の代表者から同項の申出があったときも，前項と同様とする。ただし，規則第70条第1項の書面に当該法人の会社法人等番号をも記載したときは，当該印鑑証明書及び資格を証する書面の添付を省略することができる。

第47条　（事前通知書の保管）

登記申請の内容が真実である旨の記載がある事前通知書は，当該登記の申請書（電子申請にあっては，電子申請管理用紙）と共に保管するものとする。

第48条　（前の住所地への通知方法等）

① 前の住所地への通知は，別記第56号様式の書面によってするものとする。

② 前の住所地への通知は，登記義務者の住所についての変更の登記又は更正の登記であって，その登記の受付の日が規則第71条第2項第2号に規定する期間を経過しないものが二以上あるときは，当該登記による変更前又は更正前のいずれの住所にもしなければならない。

③ 第1項の通知が返送されたときは，当該登記の申請書（電子申請にあっては，電子申請管理用紙）と共に保管するものとする。

第49条 （資格者代理人による本人確認情報の提供）

① 規則第72条第1項第2号の申請人の氏名を知り，かつ，当該申請人と面識があるときとは，次に掲げるときのうちのいずれかとする。
一 資格者代理人が，当該登記の申請の3月以上前に当該申請人について，資格者代理人として本人確認情報を提供して登記の申請をしたとき。
二 資格者代理人が当該登記の申請の依頼を受ける以前から当該申請人の氏名及び住所を知り，かつ，当該申請人との間に親族関係，1年以上にわたる取引関係その他の安定した継続的な関係の存在があるとき。
② 規則第72条第3項の資格者代理人であることを証する情報は，次に掲げるものとする。
一 日本司法書士会連合会又は日本土地家屋調査士会連合会が発行した電子証明書
二 日本司法書士会連合会又は日本土地家屋調査士会連合会が提供する情報に基づき発行された電子証明書（司法書士法施行規則（昭和53年法務省令第55号）第28条第2項又は土地家屋調査士法施行規則（昭和54年法務省令第53号）第26条第2項の規定により法務大臣が指定するものに限る。）
三 当該資格者代理人が所属する司法書士会，土地家屋調査士会又は弁護士会が発行した職印に関する証明書
四 電子認証登記所が発行した電子証明書
五 登記所が発行した印鑑証明書
③ 前項第3号及び第5号の証明書は，発行後3月以内のものであることを要する。
④ 登記官は，本人確認情報の内容を相当と認めることができない場合には，事前通知の手続を採るものとする。

第5款／土地所在図等

第50条 （地積測量図における筆界点の記録方法）

① 地積測量図に規則第77条第1項第8号の規定により基本三角点等に基づく測量の成果による筆界点の座標値を記録する場合には，当該基本三角点等に符号を付した上，地積測量図の適宜の箇所にその符号，基本三角点等の名称及びその座標値も記録するものとする。
② 地積測量図に規則第77条第2項の規定により近傍の恒久的な地物に基づく測量の成果による筆界点の座標値を記録する場合には，当該地物の存する地点に符号を付した上で，地積測量図の適宜の箇所にその符号，地物の名称，概略図及びその座標値も記録するものとする。

第51条 （土地所在図及び地積測量図の作成方法）

① 規則第78条の規定により地積測量図に付する分筆後の各土地の符号は，①②③，(イ)(ロ)(ハ)，ABC等適宜の符号を用いて差し支えない。
② 規則第73条第1項の規定により作成された地積測量図は，土地所在図を兼ねることができる。
③ 規則第74条第3項に規定する用紙により地積測量図を作成する場合において，当該用紙に余白があるときは，便宜，その余白を用いて土地所在図を作成することができる。この場合には，図面の標記に「土地所在図」と追記するものとする。
④ 前項の場合において，地積測量図の縮尺がその土地について作成すべき土地所在図の縮尺と同一であって，当該地積測量図によって土地の所在を明確に表示することができるときは，便宜，当該地積測量図をもって土地所在図を兼ねることができるものとする。この場合には，当該図面の標記を「土地所在図兼地積測量

不動産登記事務取扱手続準則（52条）

凡例　実線 ―――　破線 -------　一点鎖線 -・-・-・-

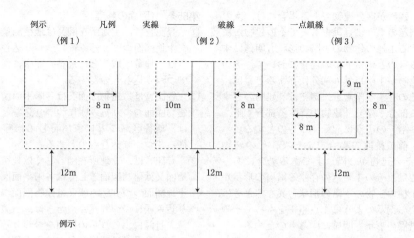

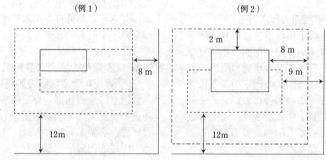

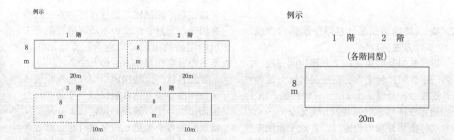

図」と記載するものとする。
⑤　一の登記の申請について，規則第74条第3項に規定する用紙により土地所在図又は地積測量図を作成する場合において，用紙が数枚にわたるときは，当該土地所在図又は地積測量図の余白の適宜の箇所にその総枚数及び当該用紙が何枚目の用

紙である旨を記載するものとする。

第52条　（建物図面の作成方法）
①　建物が地下のみの建物である場合における建物図面には，規則第82条第1項の規定にかかわらず，地下1階の形状を朱書するものとする。

② 建物が区分建物である場合には，次の例示のように点線をもってその建物が属する1棟の建物の1階の形状も明確にするものとする。この場合において，その建物が1階以外の部分に存するときは，その存する階層を，例えば「建物の存する部分3階」，「建物の存する部分4階，5階」のように記録するものとする。
③ 前項後段の場合において，その建物（その建物が2階以上である場合にあっては，その1階）の存する階層の形状が1棟の建物の1階の形状と異なるときは，次の例示のように1点鎖線をもってその階層の形状も明確にするものとする。

第53条　（各階平面図の作成方法）
① 規則第83条第1項の規定により各階平面図に各階の別，各階の平面の形状及び1階の位置，各階ごとの建物の周囲の長さを記録するには，次の例示のようにするものとする。この場合において，1階以外の階層を表示するときは，1階の位置を点線をもって表示するものとする。
② 各階が同じ形状のものについて記録するには，次の例示のようにするものとする。

第54条　（建物図面又は各階平面図の作成方法）
① 規則第84条の規定により建物図面及び各階平面図に付する分割後又は区分後の各建物の符号は，①②③，(イ)(ロ)(ハ)，ABC等適宜の符号を用いて差し支えない。
② 第51条第3項の規定は，各階平面図を作成する場合について準用する。この場合において，「土地所在図」とあるのは，「建物図面」と読み替えるものとする。
③ 第51条第5項の規定は，建物図面又は各階平面図を作成する場合について準用する。

第55条　（図面の整理）
① 登記官は，土地所在図又は地積測量図を土地図面つづり込み帳につづり込むときは，地番区域ごとに地番の順序に従ってつづり込むものとする。
② 登記官は，建物図面又は各階平面図を建物図面つづり込み帳につづり込むときは，地番区域ごとに家屋番号の順序に従ってつづり込むものとする。
③ 登記官は，土地所在図若しくは地積測量図又は建物図面若しくは各階平面図を土地図面つづり込み帳又は建物図面つづり込み帳につづり込んだときは，当該帳簿の目録に，これらの図面をつづり込むごとに地番又は家屋番号，図面の種類，つづり込んだ年月日を記載して，登記官印を押印するものとする。

第56条　（表題部の変更の登記又は更正の登記に伴う図面の処理）
① 登記官は，表題部の登記事項に関する変更の登記又は更正の登記をした場合において，必要があるときは，土地所在図等（電磁的記録に記録されているものを除く。）の記録の変更若しくは訂正をし，若しくはこれらの図面のつづり替えをし，又は電磁的記録に記録されている土地所在図等が記録されている規則第17条第1項の電磁的記録に変更若しくは訂正があった旨を記録するものとする。
② 登記官は，土地図面つづり込み帳又は建物図面つづり込み帳につづり込まれた図面について，前項の規定により地番又は家屋番号を変更し，又は訂正したときは，当該帳簿の目録に記載された従前の地番又は家屋番号の記載を抹消し，当該箇所に変更後又は訂正後の地番又は家屋番号を記載するものとする。

第57条　（国土調査の成果に基づく登記に伴う地積測量図の処理）
　　登記官は，国土調査の成果に基づく登

記をした場合には，当該国土調査の実施地区内に存する土地について国土調査の成果に基づく登記をしたか否かにかかわらず，当該登記の前に提出された地積測量図の適宜の箇所に「国土調査実施前提出」と記録するものとする。

第58条　（土地所在図等の除却）
① 登記官は，土地図面つづり込み帳，地役権図面つづり込み帳又は建物図面つづり込み帳につづり込まれた図面を閉鎖したときは，当該図面を当該帳簿から除却するものとする。
② 前項の閉鎖した図面は，その左側上部に「令和何年何月何日除却」と記載し，閉鎖土地図面つづり込み帳，閉鎖地役権図面つづり込み帳又は閉鎖建物図面つづり込み帳に除却の日付の順序に従ってつづり込むものとする。
③ 登記官は，第１項の規定又は管轄転属等により図面を土地図面つづり込み帳，地役権図面つづり込み帳又は建物図面つづり込み帳から除却したときは，当該帳簿の目録のうち閉鎖した図面に係る記載を抹消し，除却の年月日を記載して，登記官印を押印するものとする。

第２節／表示に関する登記

第１款／通則

第59条　（地番区域の変更）
行政区画又は字（地番区域であるものに限る。）の変更があった場合において，地番の変更を必要とするときは，職権で，表題部に記録された地番の変更の登記をするものとする。

第60条　（実地調査）
① 登記官は，事情の許す限り積極的に不動産の実地調査を励行し，その結果必要があるときは，職権で，表示に関する登記をしなければならない。
② 実地調査は，あらかじめ地図その他各種図面等を調査し，調査事項を明確にした上で行うものとする。

第61条　（実地調査上の注意）
① 登記官は，実地調査を行おうとする場合には，あらかじめ土地又は建物の所有者その他の利害関係人に通知する等，調査上支障がないように諸般の手配をしなければならない。
② 登記官は，実地調査を行う場合には，その土地又は建物の所有者その他の利害関係人又は管理人の立会いを求め，なお必要があると認めるときは，隣地の所有者又は利害関係人等の立会いを求めるものとする。
③ 登記官は，実地調査において質問又は検査をする場合には，所有者その他の利害関係人等に対して身分，氏名及び質問又は検査の趣旨を明らかにし，これらの者に迷惑をかけることがないように注意しなければならない。
④ 登記官は，実地調査を完了した場合において，必要があると認めるときは，土地所在図，地積測量図，建物図面又は各階平面図を作成するものとする。
⑤ 前項の図面の作成については，規則第３章第１節第７款の規定によるものとする。

第62条　（実地調査書）
① 登記官は，申請書及びその添付書類を審査し，実地調査の必要を認めた場合には，申請書の１枚目の用紙の上部欄外に別記第57号様式による印版を押印するものとする。
② 規則第95条の調書（以下「実地調査書」という。）は，別記第58号様式又はこれに準ずる様式によるものとする。
③ 登記官は，実地調査をしたときは，実地調査書を申請書（電子申請にあっては，電子申請管理用紙）と共に保管するものとする。

④　登記官は，地方税法（昭和25年法律第226号）第381条第7項前段（他の法令において準用する場合を含む。第65条において同じ。）の規定による市町村長の申出に係る不動産について実地調査をしたときは，実地調査書を当該申出に係る書面と共に保管するものとする。

第63条　（申請の催告）

①　登記官は，法第36条，第37条第1項若しくは第2項，第42条，第47条第1項（法第49条第2項において準用する場合を含む。），第49条第1項，第3項若しくは第4項，第51条第1項から第4項まで，第57条又は第58条第6項若しくは第7項の規定による申請をすべき事項で申請のないものを発見した場合には，直ちに職権でその登記をすることなく，申請の義務がある者に登記の申請を催告するものとする。

②　前項の催告は，別記第59号様式による催告書によりするものとする。

第64条　（実地調査の代行）

登記官は，必要があると認める場合には，登記所の職員に細部の指示を与えて実地調査を行わせて差し支えない。

第65条　（職権による表示に関する登記の実地調査書等の処理）

①　登記官は，地方税法第381条第7項前段の規定による市町村長の申出に係る書面を受け取り，又は職権で表示に関する登記をしようとする場合において，実地調査をしたときは，実地調査書に，別記第60号様式及び別記第61号様式又はこれらに準ずる様式による印版を押印して，規則第96条第1項の立件の年月日及び立件番号を記載し，立件，調査，記入，校合，図面の整理，所要の通知等をした場合には，そのつど該当欄に取扱者が押印するものとする。法第75条（法第76条第3項において準用する場合を含む。）の規定により登記をした場合において，実地調査をしたときも，同様とする。

②　登記官は，前項の規定により立件した事件の処理を中止により終了した場合には，職権表示登記等事件簿に「中止」と記載し，申出書又は申出のない事件についての実地調査書に中止の年月日及びその旨を記載するものとする。

③　地方税法第381条第7項後段の規定による通知は，申出書の写しに「処理済」又は「中止」と記載して市町村長に交付するものとする。

第66条　（日付欄の記録）

登記の日付欄に記録すべき登記の年月日は，登記完了の年月日を記録するものとする。

第2款／土地の表示に関する登記

第67条　（地番の定め方）

①　地番は，規則第98条に定めるところによるほか，次に掲げるところにより定めるものとする。

一　地番は，他の土地の地番と重複しない番号をもって定める。

二　抹消，滅失又は合筆により登記記録が閉鎖された土地の地番は，特別の事情がない限り，再使用しない。

三　土地の表題登記をする場合には，当該土地の地番区域内における最終の地番を追い順次にその地番を定める。

四　分筆した土地については，分筆前の地番に支号を付して各筆の地番を定める。ただし，本番に支号のある土地を分筆する場合には，その一筆には，従来の地番を存し，他の各筆には，本番の最終の支号を追い順次支号を付してその地番を定める。

五　前号本文の規定にかかわらず，規則第104条第6項に規定する場合には，分筆した土地について支号を用いない

地番を存することができる。
六　合筆した土地については，合筆前の首位の地番をもってその地番とする。
七　特別の事情があるときは，第3号，第4号及び第6号の規定にかかわらず，適宜の地番を定めて差し支えない。
八　土地区画整理事業を施行した地域等においては，ブロック（街区）地番を付して差し支えない。
九　地番の支号には，数字を用い，支号の支号は用いない。

② 登記官は，従来の地番に数字でない符号又は支号の支号を用いたものがある場合には，その土地の表題部の登記事項に関する変更の登記若しくは更正の登記又は土地の登記記録の移記若しくは改製をする時に当該地番を変更しなければならない。ただし，変更することができない特段の事情があるときは，この限りでない。

③ 登記官は，同一の地番区域内の二筆以上の土地に同一の地番が重複して定められているときは，地番を変更しなければならない。ただし，変更することができない特段の事情があるときは，この限りでない。

④ 地番が著しく錯雑している場合において，必要があると認めるときは，その地番を変更しても差し支えない。

第68条　（地目）
　次の各号に掲げる地目は，当該各号に定める土地について定めるものとする。この場合には，土地の現況及び利用目的に重点を置き，部分的にわずかな差異の存するときでも，土地全体としての状況を観察して定めるものとする。
一　田　農耕地で用水を利用して耕作する土地
二　畑　農耕地で用水を利用しないで耕作する土地
三　宅地　建物の敷地及びその維持若しくは効用を果すために必要な土地
四　学校用地　校舎，附属施設の敷地及び運動場
五　鉄道用地　鉄道の駅舎，附属施設及び路線の敷地
六　塩田　海水を引き入れて塩を採取する土地
七　鉱泉地　鉱泉（温泉を含む。）の湧出口及びその維持に必要な土地
八　池沼　かんがい用水でない水の貯留池
九　山林　耕作の方法によらないで竹木の生育する土地
十　牧場　家畜を放牧する土地
十一　原野　耕作の方法によらないで雑草，かん木類の生育する土地
十二　墓地　人の遺体又は遺骨を埋葬する土地
十三　境内地　境内に属する土地であって，宗教法人法（昭和26年法律第126号）第3条第2号及び第3号に掲げる土地（宗教法人の所有に属しないものを含む。）
十四　運河用地　運河法（大正2年法律第16号）第12条第1項第1号又は第2号に掲げる土地
十五　水道用地　専ら給水の目的で敷設する水道の水源地，貯水池，ろ水場又は水道線路に要する土地
十六　用悪水路　かんがい用又は悪水はいせつ用の水路
十七　ため池　耕地かんがい用の用水貯留池
十八　堤　防水のために築造した堤防
十九　井溝　田畝又は村落の間にある通水路
二十　保安林　森林法（昭和26年法律第249号）に基づき農林水産大臣が保安林として指定した土地
二十一　公衆用道路　一般交通の用に供する道路（道路法（昭和27年法律第180号）による道路であるかどうかを問わ

二十二　公園　公衆の遊楽のために供する土地
二十三　雑種地　以上のいずれにも該当しない土地

第69条　（地目の認定）

土地の地目は，次に掲げるところによって定めるものとする。
一　牧草栽培地は，畑とする。
二　海産物を乾燥する場所の区域内に永久的設備と認められる建物がある場合には，その敷地の区域に属する部分だけを宅地とする。
三　耕作地の区域内にある農具小屋等の敷地は，その建物が永久的設備と認められるものに限り，宅地とする。
四　牧畜のために使用する建物の敷地，牧草栽培地及び林地等で牧場地域内にあるものは，すべて牧場とする。
五　水力発電のための水路又は排水路は，雑種地とする。
六　遊園地，運動場，ゴルフ場又は飛行場において，建物の利用を主とする建物敷地以外の部分が建物に附随する庭園に過ぎないと認められる場合には，その全部を一団として宅地とする。
七　遊園地，運動場，ゴルフ場又は飛行場において，一部に建物がある場合でも，建物敷地以外の土地の利用を主とし，建物はその附随的なものに過ぎないと認められるときは，その全部を一団として雑種地とする。ただし，道路，溝，堀その他により建物敷地として判然区分することができる状況にあるものは，これを区分して宅地としても差し支えない。
八　競馬場内の土地については，事務所，観覧席及びきゅう舎等永久的設備と認められる建物の敷地及びその附属する土地は宅地とし，馬場は雑種地とし，その他の土地は現況に応じてその地目を定める。
九　テニスコート又はプールについては，宅地に接続するものは宅地とし，その他は雑種地とする。
十　ガスタンク敷地又は石油タンク敷地は，宅地とする。
十一　工場又は営業場に接続する物干場又はさらし場は，宅地とする。
十二　火葬場については，その構内に建物の設備があるときは構内全部を宅地とし，建物の設備のないときは雑種地とする。
十三　高圧線の下の土地で他の目的に使用することができない区域は，雑種地とする。
十四　鉄塔敷地又は変電所敷地は，雑種地とする。
十五　坑口又はやぐら敷地は，雑種地とする。
十六　製錬所の煙道敷地は，雑種地とする。
十七　陶器かまどの設けられた土地については，永久的設備と認められる雨覆いがあるときは宅地とし，その設備がないときは雑種地とする。
十八　木場（木ぽり）の区域内の土地は，建物がない限り，雑種地とする。

第70条　（地積）

土地の表示に関する登記の申請情報の内容とした地積と登記官の実地調査の結果による地積との差が，申請情報の内容とした地積を基準にして規則第77条第5項の規定による地積測量図の誤差の限度内であるときは，申請情報の内容とした地積を相当と認めて差し支えない。

第71条　（所有権を証する情報）

① 令別表の4の項添付情報欄ハに掲げる表題部所有者となる者の所有権を証する情報は，公有水面埋立法（大正10年法律第57号）第22条の規定による竣功認可書，

官庁又は公署の証明書その他申請人の所有権の取得を証するに足りる情報とする。
② 国又は地方公共団体の所有する土地について，官庁又は公署が土地の表題登記を嘱託する場合には，所有権を証する情報の提供を便宜省略して差し支えない。

第72条 （分筆の登記の申請）

① 分筆の登記を申請する場合において，分筆前の地積と分筆後の地積の差が，分筆前の地積を基準にして規則第77条第5項の規定による地積測量図の誤差の限度内であるときは，地積に関する更正の登記の申請を要しない。
② 分筆の登記を申請する場合において提供する分筆後の土地の地積測量図には，分筆前の土地が広大な土地であって，分筆後の土地の一方がわずかであるなど特別の事情があるときに限り，分筆後の土地のうち一筆の土地について規則第77条第1項第5号から第8号までに掲げる事項（同項第5号の地積を除く。）を記録することを便宜省略して差し支えない。

第73条 （土地の表題部の変更の登記又は更正の登記の記録）

地番，地目又は地積に関する変更の登記又は更正の登記をする場合において，登記記録の表題部の原因及びその日付欄の記録をするときは，変更し，又は更正すべき事項の種類に応じて，当該変更又は更正に係る該当欄の番号を登記原因及びその日付の記録に冠記してするものとする。例えば，地目の変更をするときは，登記原因及びその日付に②を冠記するものとし，一の申請情報によって地目の変更の登記と地積の更正の登記の申請があった場合において，これらに基づいて登記をするときは，原因及びその日付欄に，それぞれの登記原因及びその日付に②及び③を冠記して，「②令和何年何月何日地目変更③錯誤」のように記録するものとする。

第74条 （分筆の登記の記録方法）

① 甲土地から乙土地を分筆する分筆の登記をする場合において，規則第101条第2項の規定による記録をするときは，甲土地の登記記録の表題部に，地番，地目及び地積のうち変更する事項のみを記録し（所在欄には，何らの記録を要しない。），原因及びその日付欄に，変更を要する事項の事項欄の番号を冠記して，「①③何番何，何番何に分筆」（又は「③何番何ないし何番何に分筆」）のように記録するものとする。
② 前項の場合において，規則第101条第1項の規定による記録をするときは，乙土地の登記記録の表題部の原因及びその日付欄に，「何番から分筆」のように記録するものとする。

第75条 （合筆の登記の記録方法）

① 甲土地を乙土地に合筆する合筆の登記をする場合において，甲土地の登記記録の表題部に規則第106条第2項の規定による記録をするときは，原因及びその日付欄に「何番に合筆」のように記録するものとする。
② 前項の場合において，乙土地の登記記録の表題部に規則第106条第1項の規定による記録をするときは，合筆後の土地の地積を記録し，原因及びその日付欄に，地積欄の番号を冠記して，「③何番を合筆」（又は「③何番何ないし何番何を合筆」）のように記録するものとする。

第76条 （分合筆の登記の記録方法）

① 甲土地の一部を分筆して，これを乙土地に合筆する場合における分筆の登記及び合筆の登記をする場合において，甲土地の登記記録の表題部に規則第108条第2項の規定による記録をするときは，分筆後の土地の地積を記録し，原因及びそ

の日付欄に，地積欄の番号を冠記して，「③何番に一部合併」のように記録するものとする。
② 前項の場合において，乙土地の登記記録の表題部に規則第108条第1項の規定による記録をするときは，合筆後の土地の地積を記録し，原因及びその日付欄に，地積欄の番号を冠記して，「③何番から一部合併」のように記録するものとする。

第3款／建物の表示に関する登記

第77条　（建物認定の基準）
　建物の認定に当たっては，次の例示から類推し，その利用状況等を勘案して判定するものとする。
一　建物として取り扱うもの
　ア　停車場の乗降場又は荷物積卸場。ただし，上屋を有する部分に限る。
　イ　野球場又は競馬場の観覧席。ただし，屋根を有する部分に限る。
　ウ　ガード下を利用して築造した店舗，倉庫等の建造物
　エ　地下停車場，地下駐車場又は地下街の建造物
　オ　園芸又は農耕用の温床施設。ただし，半永久的な建造物と認められるものに限る。
二　建物として取り扱わないもの
　ア　ガスタンク，石油タンク又は給水タンク
　イ　機械上に建設した建造物。ただし，地上に基脚を有し，又は支柱を施したものを除く。
　ウ　浮船を利用したもの。ただし，固定しているものを除く。
　エ　アーケード付街路（公衆用道路上に屋根覆いを施した部分）
　オ　容易に運搬することができる切符売場又は入場券売場等

第78条　（建物の個数の基準）
① 効用上一体として利用される状態にある数棟の建物は，所有者の意思に反しない限り，1個の建物として取り扱うものとする。
② 1棟の建物に構造上区分された数個の部分で独立して住居，店舗，事務所又は倉庫その他の建物としての用途に供することができるものがある場合には，その各部分は，各別にこれを1個の建物として取り扱うものとする。ただし，所有者が同一であるときは，その所有者の意思に反しない限り，1棟の建物の全部又は隣接する数個の部分を1個の建物として取り扱うものとする。
③ 数個の専有部分に通ずる廊下（例えば，アパートの各室に通ずる廊下）又は階段室，エレベーター室，屋上等建物の構造上区分所有者の全員又はその一部の共用に供されるべき建物の部分は，各別に1個の建物として取り扱うことができない。

第79条　（家屋番号の定め方）
　家屋番号は，規則第112条に定めるところによるほか，次に掲げるところにより定めるものとする。
一　一筆の土地の上に1個の建物が存する場合には，敷地の地番と同一の番号をもって定める（敷地の地番が支号の付されたものである場合には，その支号の付された地番と同一の番号をもって定める。）。
二　一筆の土地の上に2個以上の建物が存する場合には，敷地の地番と同一の番号に，壱，弐，参の支号を付して，例えば，地番が「5番」であるときは「5番の壱」，「5番の弐」等と，地番が「6番壱」であるときは「6番壱の壱」，「6番壱の弐」等の例により定める。
三　二筆以上の土地にまたがって1個の建物が存する場合には，主たる建物（附属建物の存する場合）又は床面積の多い部分（附属建物の存しない場合）の存する敷地の地番と同一の番号

をもって，主たる建物が二筆以上の土地にまたがる場合には，床面積の多い部分の存する敷地の地番と同一の番号をもって定める。なお，建物が管轄登記所を異にする土地にまたがって存する場合には，管轄指定を受けた登記所の管轄する土地の地番により定める。
四　二筆以上の土地にまたがって2個以上の建物が存する場合には，第2号及び前号の方法によって定める。例えば，5番及び6番の土地にまたがる2個の建物が存し，いずれも床面積の多い部分の存する土地が5番であるときは，「5番の壱」及び「5番の弐」のように定める。
五　建物が永久的な施設としてのさん橋の上に存する場合又は固定した浮船を利用したものである場合には，その建物に最も近い土地の地番と同一の番号をもって定める。
六　1棟の建物の一部を1個の建物として登記する場合において，その1棟の建物が二筆以上の土地にまたがって存するときは，1棟の建物の床面積の多い部分の存する敷地の地番と同一の番号に支号を付して定める。
七　家屋番号が敷地の地番と同一である建物の敷地上に存する他の建物を登記する場合には，敷地の地番に弐，参の支号を付した番号をもって定める。この場合には，最初に登記された建物の家屋番号を必ずしも変更することを要しない。
八　建物の分割又は区分の登記をする場合には，前各号に準じて定める。
九　建物の合併の登記をする場合には，合併前の建物の家屋番号のうち上位のものをもって合併後の家屋番号とする。ただし，上位の家屋番号によることが相当でないと認められる場合には，他の番号を用いても差し支えない。
十　敷地地番の変更又は更正による建物の不動産所在事項の変更の登記又は更正の登記をした場合には，前各号に準じて，家屋番号を変更する。

第80条　（建物の種類の定め方）

① 規則第113条第1項に規定する建物の種類の区分に該当しない建物の種類は，その用途により，次のように区分して定めるものとし，なお，これにより難い場合には，建物の用途により適当に定めるものとする。

校舎，講堂，研究所，病院，診療所，集会所，公会堂，停車場，劇場，映画館，遊技場，競技場，野球場，競馬場，公衆浴場，火葬場，守衛所，茶室，温室，蚕室，物置，便所，鶏舎，酪農舎，給油所

② 建物の主たる用途が二以上の場合には，その種類を例えば「居宅・店舗」と表示するものとする。

第81条　（建物の構造の定め方等）

① 建物の構造は，規則第114条に定めるところによるほか，おおむね次のように区分して定めるものとする。
一　構成材料による区分
　ア　木骨石造
　イ　木骨れんが造
　ウ　軽量鉄骨造
二　屋根の種類による区分
　ア　セメントかわらぶき
　イ　アルミニューム板ぶき
　ウ　板ぶき
　エ　杉皮ぶき
　オ　石板ぶき
　カ　銅板ぶき
　キ　ルーフィングぶき
　ク　ビニール板ぶき
　ケ　合金メッキ鋼板ぶき
三　階数による区分
　ア　地下何階建
　イ　地下何階付き平家建（又は何階建）
　ウ　ガード下にある建物については，

ガード下平家建（又は何階建）
　エ　渡廊下付きの1棟の建物については，渡廊下付き平家建（又は何階建）
② 建物の主たる部分の構成材料が異なる場合には，例えば「木・鉄骨造」と，屋根の種類が異なる場合には，例えば「かわら・亜鉛メッキ鋼板ぶき」と表示するものとする。
③ 建物を階層的に区分してその一部を1個の建物とする場合において，建物の構造を記録するときは，屋根の種類を記録することを要しない。
④ 天井の高さ1.5メートル未満の地階及び屋階等（特殊階）は，階数に算入しないものとする。

第82条　（建物の床面積の定め方）
　建物の床面積は，規則第115条に定めるところによるほか，次に掲げるところにより定めるものとする。
一　天井の高さ1.5メートル未満の地階及び屋階（特殊階）は，床面積に算入しない。ただし，一室の一部が天井の高さ1.5メートル未満であっても，その部分は，当該一室の面積に算入する。
二　停車場の上屋を有する乗降場及び荷物積卸場の床面積は，その上屋の占める部分の乗降場及び荷物積卸場の面積により計算する。
三　野球場，競馬場又はこれらに類する施設の観覧席は，屋根の設備のある部分の面積を床面積として計算する。
四　地下停車場，地下駐車場及び地下街の建物の床面積は，壁又は柱等により区画された部分の面積により定める。ただし，常時一般に開放されている通路及び階段の部分を除く。
五　停車場の地下道設備（地下停車場のものを含む。）は，床面積に算入しない。
六　階段室，エレベーター室又はこれに準ずるものは，床を有するものとみなして各階の床面積に算入する。
七　建物に附属する屋外の階段は，床面積に算入しない。
八　建物の一部が上階まで吹抜になっている場合には，その吹抜の部分は，上階の床面積に算入しない。
九　柱又は壁が傾斜している場合の床面積は，各階の床面の接着する壁その他の区画の中心線で囲まれた部分による。
十　建物の内部に煙突又はダストシュートがある場合（その一部が外側に及んでいるものを含む。）には，その部分は各階の床面積に算入し，外側にあるときは算入しない。
十一　出窓は，その高さ1.5メートル以上のものでその下部が床面と同一の高さにあるものに限り，床面積に算入する。

第83条　（建物の再築）
　既存の建物全部を取り壊し，その材料を用いて建物を建築した場合（再築）は，既存の建物が滅失し，新たな建物が建築されたものとして取り扱うものとする。

第84条　（建物の一部取壊し及び増築）
　建物の一部の取壊し及び増築をした場合は，建物の床面積の減少又は増加として取り扱って差し支えない。

第85条　（建物の移転）
① 建物を解体移転した場合は，既存の建物が滅失し，新たな建物が建築されたものとして取り扱うものとする。
② 建物をえい行移転した場合は，建物の所在の変更として取り扱うものとする。

第86条　（合併の禁止）
　法第54条第1項第3号の建物の合併の登記は，次に掲げる場合には，することができない。
一　附属合併にあっては，合併しようとする建物が主たる建物と附属建物の関

係にないとき。
二　区分合併にあっては，区分された建物が互いに接続していないとき。

第87条　（所有権を証する情報等）
① 建物の表題登記の申請をする場合における表題部所有者となる者の所有権を証する情報は，建築基準法（昭和25年法律第201号）第6条の確認及び同法第7条の検査のあったことを証する情報，建築請負人又は敷地所有者の証明情報，国有建物の払下げの契約に係る情報，固定資産税の納付証明に係る情報その他申請人の所有権の取得を証するに足る情報とする。
② 共用部分又は団地共用部分である建物についての建物の所有者を証する情報は，共用部分若しくは団地共用部分である旨を定めた規約を設定したことを証する情報又は登記した他の区分所有者若しくは建物の所有者の全部若しくは一部の者が証明する情報とする。
③ 国又は地方公共団体の所有する建物について，官庁又は公署が建物の表題登記を嘱託する場合には，第1項の情報の提供を便宜省略して差し支えない。

第88条　（建物の所在の記録方法）
① 建物の登記記録の表題部に不動産所在事項を記録する場合において，当該建物が他の都道府県にまたがって存在するときは，不動産所在事項に当該他の都道府県名を冠記するものとする。
② 建物の登記記録の表題部に二筆以上の土地にまたがる建物の不動産所在事項を記録する場合には，床面積の多い部分又は主たる建物の所在する土地の地番を先に記録し，他の土地の地番は後に記録するものとする。
③ 前項の場合において，建物の所在する土地の地番を記録するには，「6番地，4番地，8番地」のように記録するものとし，「6，4，8番地」のように略記してはならない。ただし，建物の所在する土地の地番のうちに連続する地番（ただし，支号のあるものを除く。）がある場合には，その連続する地番を，例えば，「5番地ないし7番地」のように略記して差し支えない。
④ 建物が永久的な施設としてのさん橋の上に存する場合又は固定した浮船を利用したものである場合については，その建物から最も近い土地の地番を用い，「何番地先」のように記録するものとする。

第89条　（附属建物の表題部の記録方法）
附属建物が主たる建物と同一の1棟の建物に属するものである場合において，当該附属建物に関する登記事項を記録するには，その1棟の建物の所在する市，区，郡，町，村，字及び土地の地番並びに構造及び床面積を記録することを要しない。

第90条　（区分建物の構造の記録方法）
区分建物である建物が，例えば，当該建物が属する1棟の建物の3階及び4階に存する場合において，その階数による構造を記録するときは，「2階建」のように記録するものとする。

第91条　（床面積の記録方法）
① 平家建以外の建物の登記記録の表題部に床面積を記録するときは，各階ごとに床面積を記録しなければならない。この場合において，各階の床面積の合計を記録することを要しない。
② 地階があるときは，その床面積は，地上階の床面積の記録の次に記録するものとする。
③ 床面積を記録する場合において，平方メートル未満の端数がないときであっても，平方メートル未満の表示として，「00」と記録するものとする。

第92条　（附属建物の略記の禁止）
　　表題部に附属建物に関する事項を記録する場合において，当該附属建物の種類，構造及び床面積が直前に記録された附属建物の記録と同一のときであっても，「同上」のように略記してはならない。

第93条　（附属建物等の原因及びその日付の記録）
① 　附属建物がある建物の表題登記をする場合において，附属建物の新築の日が主たる建物の新築の日と同一であるときは，附属建物の表示欄の原因及びその日付欄の記録を要しない。
② 　区分建物である建物の表題登記をする場合には，１棟の建物の表示欄の原因及びその日付欄の記録を要しない。
③ 　附属建物がある区分建物である建物の表題登記をする場合において，附属建物の新築の日が主たる建物の新築の日と同一であるときは，附属建物の表示欄の原因及びその日付欄の記録を要しない。

第94条　（附属建物の変更の登記の記録方法等）
① 　附属建物の種類，構造又は床面積に関する変更の登記又は更正の登記をする場合において，表題部に附属建物に関する記録をするときは，当該附属建物の変更後又は更正後の種類，構造及び床面積の全部を記録し，従前の登記事項（符号を除く。）の全部を抹消するものとする。
② 　前項の場合において，表題部に登記原因及びその日付を記録するときは，変更し，又は更正すべき事項の種類に応じて，登記原因及びその日付の記録に当該変更又は更正に係る該当欄の番号を冠記してするものとする。例えば，増築による床面積に関する変更の登記をするときは，原因及びその日付欄に，「③令和何年何月何日増築」のように記録するものとする。
③ 　第１項の規定により変更後又は更正後の事項を記録するときは，符号欄に従前の符号を記録するものとする。

第95条　（合体による変更の登記の記録方法）
　　主たる建物と附属建物の合体による建物の表題部の登記事項に関する変更の登記をする場合において，表題部に登記原因及びその日付を記録するときは，主たる建物の床面積の変更については，原因及びその日付欄に，登記原因及びその日付の記録に床面積欄の番号を冠記して，「③令和何年何月何日附属建物合体（又は「増築及び附属建物合体」）」のように記録し，附属建物の表題部の抹消については，「令和何年何月何日主たる建物に合体」と記録しなければならない。二以上の附属建物の合体による建物の表題部の登記事項に関する変更の登記をする場合についても，同様とする。

第96条　（分割の登記の記録方法）
① 　甲建物からその附属建物を分割して乙建物とする建物の分割の登記をする場合において，甲建物の登記記録の表題部に規則第127条第２項の規定による記録をするときは，原因及びその日付欄に「何番の何に分割」のように記録するものとする。
② 　前項の場合において，乙建物の登記記録の表題部に規則第127条第１項の規定による記録をするときは，原因及びその日付欄に「何番から分割」のように記録するものとする。

第97条　（区分の登記の記録方法）
　　前条の規定は，甲建物を区分して甲建物と乙建物とする建物の区分の登記をする場合について準用する。

第98条　（附属合併の登記の記録方法）
① 　甲建物を乙建物の附属建物とする附属合併の登記をする場合において，甲建物

の登記記録の表題部に規則第132条第3項の規定による記録をするときは，原因及びその日付欄に「何番に合併」のように記録するものとする。
② 前項の場合において，乙建物の登記記録の表題部に規則第132条第1項の規定による記録をするときは，原因及びその日付欄に「何番を合併」のように記録するものとする。

第99条 （区分合併の登記の記録方法）
　区分合併（甲建物を乙建物の附属建物に合併する場合を除く。）に係る建物の合併の登記をする場合において，区分合併後の建物が区分建物でないときは，区分合併前の乙建物の表題部の登記記録の1棟の建物の表題部の原因及びその日付欄に「合併」と記録するものとする。

第100条 （建物の分割及び附属合併の登記の記録方法）
① 甲建物からその附属建物を分割してこれを乙建物の附属建物とする建物の分割の登記及び附属合併の登記をする場合において，甲建物の登記記録の表題部に規則第135条第2項の規定による記録をするときは，当該登記記録の附属建物の表示欄の原因及びその日付欄に「何番に合併」のように記録するものとする。
② 前項の場合において，乙建物の登記記録の表題部に規則第135条第1項の規定による記録をするときは，当該登記記録の附属建物の表示欄の原因及びその日付欄に「何番から合併」のように記録するものとする。

第101条 （附属建物がある建物の滅失の登記の記録方法）
　建物の滅失の登記をする場合において，当該建物の登記記録に附属建物があるときでも，当該附属建物の表示欄の原因及びその日付欄には，何らの記録を要しない。

第102条 （附属建物がある主たる建物の滅失による表題部の変更の登記の記録方法）
　附属建物がある主たる建物の滅失による表題部の登記事項に関する変更の登記をする場合には，表題部の主たる建物の表示欄の原因及びその日付欄に滅失の登記原因及びその日付を記録し，当該表示欄に主たる建物となるべき附属建物に関する種類，構造及び床面積を記録し，当該原因及びその日付欄に「令和何年何月何日主たる建物に変更」のように記録するものとする。この場合には，当該附属建物の表示欄の原因及びその日付欄に「令和何年何月何日主たる建物に変更」のように記録して，当該附属建物についての従前の登記事項を抹消するものとする。

第103条 （共用部分である旨の登記における記録方法等）
① 共用部分である旨の登記をするときは，原因及びその日付欄に「令和何年何月何日規約設定」及び「共用部分」のように記録するものとする。ただし，当該共用部分が法第58条第1項第1号に掲げるものである場合には，「令和何年何月何日規約設定」及び「家屋番号何番，何番の共用部分」のように記録するものとする。
② 団地共用部分である旨の登記をするときは，その団地共用部分を共用すべき者の所有する建物の所在及び家屋番号又はその建物が属する1棟の建物の所在並びに構造及び床面積若しくはその名称を記録した上，原因及びその日付欄に「令和何年何月何日団地規約設定」及び「団地共用部分」のように記録するものとする。
③ 法第58条第4項の規定により権利に関する登記を抹消する場合には，「令和何年何月何日不動産登記法第58条第4項の

規定により抹消」のように記録するものとする。
④ 共用部分である旨又は団地共用部分である旨を定めた規約を廃止したことによる建物の表題登記をする場合には、原因及びその日付欄に「令和何年何月何日共用部分（又は団地共用部分）の規約廃止」のように記録するものとし、共用部分である旨又は団地共用部分である旨を抹消するときは、その登記原因及びその日付の記録を要しない。

第3節／権利に関する登記

第1款／通則

第104条　（職権による登記の更正の手続）
① 法第67条第2項の規定による登記の更正の許可の申出は、別記第62号様式又はこれに準ずる様式による申出書によってするものとする。
② 法第67条第2項の登記上の利害関係を有する第三者の承諾があるときは、前項の申出書に当該承諾を証する書面（印鑑証明書の添付、運転免許証の提示その他の方法により登記官が当該第三者が作成したものであることを確認したものに限る。）を添付するものとする。
③ 第1項の申出についての許可又は不許可は、別記第63号様式又はこれに準ずる様式による許可（不許可）書によってするものとする。

第105条
　登記官は、前条第1項の申出後に登記上の利害関係を有する第三者が生じた場合又は申請により当該登記の更正がされた場合には、当該登記官を監督する法務局又は地方法務局の長にその旨を報告するものとする。この場合において、前条第2項の承諾があるときは、その旨も報告するものとする。

第106条　（許可書が到達した場合の処理）
① 第104条第3項の許可書が到達した場合において、第31条第1項の規定による受付をしたときは、受付帳に「職権更正」と記録するものとする。
② 前項の場合において、既に登記上の利害関係を有する第三者が生じているとき（その承諾がある場合を除く。）又は申請により当該登記の更正がされているときは、許可書及び受付帳に、当該登記の更正をすることができない旨及びその理由を記録するものとする。
③ 規則第151条の規定により許可の年月日を記録する場合には、「令和何年何月何日登記官の過誤につき法務局長の更正許可」のように記録するものとする。

第107条　（職権による登記の抹消の手続の開始）
① 登記官は、法第71条第1項に規定する事由を発見したときは、別記第64号様式による職権抹消調書を作成するものとする。
② 法第71条第1項の通知は、別記第65号様式による通知書によってするものとする。この場合には、登記官を監督する法務局又は地方法務局の長にその通知書の写しを送付するものとする。

第108条　（職権による登記の抹消の公告）
　法第71条第2項の公告の内容は、次の例によるものとする。

　何市何町何丁目何番の土地の令和何年何月何日受付第何号の何登記（登記権利者何某、登記義務者何某）は、不動産登記法第25条第1号（第2号、第3号又は第13号（不動産登記令第20条第何号））に該当するので、本日から2週間以内に書面による異議の申述がないときは、抹消します。

　令和何年何月何日　何法務局何出張所

第109条 （利害関係人の異議に対する決定）

① 登記官は，法第71条第3項の規定により異議につき決定をする場合には，当該登記官を監督する法務局又は地方法務局の長に内議するものとし，異議を却下する決定は，別記第66号様式による決定書により，異議に理由があるとする決定は，別記第67号様式による決定書によりするものとする。

② 登記官は，前項の決定書を2通作成し，その1通を異議を述べた者に適宜の方法で交付し，他の1通には，その欄外に決定告知の年月日を記載して登記官印を押印するものとする。

③ 登記官は，異議につき決定をした場合には，同項の決定書の謄本を添えて当該登記官を監督する法務局又は地方法務局の長にその旨を報告するものとする。

第110条 （職権による登記の抹消の手続）

① 登記官は，法第71条第1項に規定する異議を述べた者がない場合にあっては同項の期間の満了後直ちに，当該異議を述べた者があり，かつ，当該異議を却下した場合にあっては当該却下の決定後直ちに，第31条第1項及び第32条の手続を採らなければならない。この場合において，これらの規定の適用については，第31条第1項中「登記の申請書の提出があったときは」とあるのは「法第71条第1項の期間の満了後」と，第32条第1項中「申請書，許可書，命令書又は通知書」とあるのは「職権抹消調書」とする。

② 規則第153条の規定により記録する事由は，「不動産登記法第25条第1号（第2号，第3号又は第13号（不動産登記令第20条第何号））に該当するので，同法第71条第4項の規定により抹消」とする。

③ 法第71条第4項の規定により登記を抹消したときは，職権抹消調書及び前条第2項の規定により決定告知の年月日を記載した決定書の原本を申請書類つづり込み帳につづり込むものとする。

④ 法第71条第3項の規定により異議に理由がある旨の決定をしたときは，前条第2項の規定により決定告知の年月日を記載した決定書の原本を決定原本つづり込み帳につづり込むものとする。

第110条の2 （差押えの登記等の抹消の通知）

① 登記官は，法第109条第2項又は規則第152条第2項の規定により，民事執行法（昭和54年法律第4号）第48条第1項（同法第188条において準用する場合を含む。）の規定による差押えの登記その他の処分の制限の登記（裁判所の嘱託によってされたものに限る。）を抹消したときは，その旨を当該嘱託をした裁判所に通知しなければならない。

② 前項の通知は，登記事項証明書を送付する方法によって行うものとする。

第111条 （書類の契印）

① 登記官は，その作成に係る書面（登記事項証明書及び地図等若しくは土地所在図等の写しを除く。）が数枚にわたる場合には，各用紙のつづり目に職印又は別記第68号様式による印版により契印をするものとする。

② 前項の契印に代えて，特定の記号の形となる穴を打抜機により全用紙に一括してせん孔する方法によることができる。

第2款／担保権等に関する登記

第112条 （前の登記に関する登記事項証明書）

令別表の47，49，56及び58の項添付情報欄ロに掲げる前の登記に関する登記事項証明書は，他の登記所の管轄区域内にある不動産が二以上あるときであっても，他の登記所ごとに登記事項証明書（共同担保目録に記録された事項の記載があるものに限る。）を1通提供すれば足りる。

第113条　（共同担保目録の目録番号の記載）

規則第166条第2項の規定により申請書に共同担保目録の記号及び目録番号を記載するには，その1枚目の用紙の表面の余白に別記第69号様式による印版を押印して該当欄に記載するものとする。

第114条　（共同担保目録の記号及び目録番号）

① 規則第167条第1項第2号の規定により共同担保目録の記号及び目録番号を記録する場合には，重複又は欠番が生じないようにし，必要に応じ別記第70号様式又はこれに準ずる様式による共同担保目録番号簿を設け，これに基づいて付番した番号を記録するものとする。

② 共同担保目録の記号は，例えば「あ」，「い」，「う」のように付すものとする。

③ 共同担保目録の記号は，目録番号が，例えば，1千号，5千号又は1万号に達するごとに適宜記号を改め，必ずしも暦年ごとに改めることを要しない。

第3款／信託に関する登記

第115条　（信託目録の作成等）

① 信託目録を作成するときは，申請の受付の年月日及び受付番号を記録しなければならない。

② 信託目録の目録番号は，1年ごとに更新しなければならない。

第4款／仮登記

第116条　（仮登記の抹消）

仮登記の抹消をする場合には，規則第152条の手続のほか，本登記をするための余白を抹消する記号も記録しなければならない。

第4節／補則

第1款／通知等

第117条　（各種通知簿の記載）

各種通知簿には，法第23条第1項及び第2項，第67条第1項，第3項及び第4項，第71条第1項及び第3項並びに第157条第3項並びに規則第40第2項及び第3項，103条第3項，第119条第2項，第124条第8項(規則第120条第7項，第126条第3項，第134条第3項及び第145条第1項において準用する場合を含む。)，第159条第2項（同条第4項において準用する場合を含む。)，第168条第5項（規則第170条第3項において準用する場合を含む。)，第183条第1項及び第4項，第184条第1項，第185条第2項，第186条並びに第187条の通知事項，通知を受ける者及び通知を発する年月日を記載するものとする。

第118条　（通知書の様式）

次の各号に掲げる通知は，当該各号に定める様式による通知書によりするものとする。

一　事前通知　別記第55号様式

二　前の住所地への通知　別記第56号様式

三　法第67条第1項の通知（登記の更正の通知）　別記第71号様式

四　法第67条第3項の通知（登記の更正の完了の通知）　別記第72号様式

五　規則第16条第1項の規定による地図等の訂正の申出又は規則第88条第1項の規定による土地所在図等の訂正の申出に対する却下の決定であって，次に掲げるもの

　ア　イに掲げるもの以外の却下　別記第72号の2様式

　イ　規則第16条第13項第5号又は第6号（規則第88条第3項において準用する場合を含む。）の規定による却下　別記第72号の3様式

六　規則第40条第3項の通知（管轄区域がまたがる場合の登記完了の通知）　別記第73号様式

七　規則第110条第3項（規則第144条第2項において準用する場合を含む。）

の通知（滅失の登記における他の登記所への通知）　別記第74号様式又は別記第75号様式
八　規則第159条第2項の通知（地役権の設定の登記における要役地の管轄登記所への通知）　別記第76号様式
九　規則第159条第4項の通知（地役権の変更の登記等における要役地の管轄登記所への通知）　別記第77号様式
十　規則第168条第5項の通知（追加共同担保の登記の他の登記所への通知）　別記第78号様式
十一　規則第170条第3項において準用する第168条第5項の通知（共同担保の一部消滅等の他の登記所への通知）　別記第79号様式
十二　規則第183条第1項第1号の通知（表示に関する登記における申請人以外の者に対する通知）　別記第80号様式
十三　規則第183条第1項第2号の通知（代位登記における当該他人に対する通知）　別記第81号様式
十四　規則第183条第1項第3号の通知（買戻しの特約に関する登記の抹消における当該登記の登記名義人であった者に対する通知）　別記第81号の2様式
十五　規則第183条第4項の通知（所有権の更正の登記における登記義務者に対する通知）　別記第81号の3様式
十六　規則第184条第1項の通知（処分の制限の登記における通知）　別記第82号様式
十七　地方税法第382条第1項（同条第2項において準用する場合を含む。）の通知であって，次に掲げるもの
　ア　表示に関する登記をした場合の通知　別記第83号様式又はこれに準ずる様式
　イ　所有権の移転の登記（法第74条第2項の規定による所有権の保存の登記を含む。）若しくはその登記の抹消（法第58条第4項の規定による登記の抹消を除く。）をした場合又は登記名義人の氏名若しくは名称若しくは住所についての変更の登記若しくは更正の登記をした場合の通知　別記第84号様式又はこれに準ずる様式
　ウ　ア及びイ以外の登記をした場合の通知　別記第85号様式又はこれに準ずる様式

第118条の2　（登記完了証を廃棄する場合）
　登記官は，規則第182条の2第1項の規定により登記完了証を廃棄する場合には，登記識別情報通知書交付簿にその旨を記録するものとする。

第119条　（管轄区域がまたがる場合の登記完了の通知の様式等）
① 規則第40条第4項に規定する帳簿には，同条第3項の登記をした登記所の表示及び不動産所在事項を記載するものとする。
② 第5条の場合には，規則第40条第3項及び第4項の規定に準ずるものとする。この場合においては，第118条第5号及び前項の規定を準用する。
③ 規則第40条第3項又は前項の規定による通知をした後，通知事項に変更を生じた場合には，通知をした登記所の登記官は，速やかに別記第86号様式により変更事項を他の登記所に通知するものとする。
④ 登記官は，前項の通知を受けた場合には，第1項の記載の次に変更事項を記載して，変更前の事項を朱抹し，備考欄に「令和何年何月何日変更」と記載して，登記官印を押印するものとする。

第120条　（市町村長に対する通知）
　第118条第14号に掲げる通知は，通知に係る建物が二以上の市町村にまたがって存在する場合には，各市町村の長にし

なければならない。

第121条　（通知書等の返戻の場合の措置）

① 登記官は，第118条第1号から第4号まで及び第12号から第16号までの通知書が返戻された場合には，その旨を各種通知簿の備考欄に記載し，その通知書を通知に係る登記申請書又は許可書の次につづり込むものとする。

② 送付の方法により登記識別情報通知書又は登記完了証を交付する場合において，当該登記識別情報通知書又は登記完了証が返戻されたときは，規則第64条第3項又は第182条の2第1項に準じて処理するものとする。

第122条　（日計表）

登記官は，別記第87号様式による日計表を作成するものとする。

第2款／登録免許税

第123条　（課税標準認定価格の告知）

規則第190条第1項の規定による告知を書面によりする場合には，別記第88号様式による告知書によりするものとする。

第124条　（電子申請における印紙等による納付）

① 登録免許税法（昭和42年法律第35号。以下「税法」という。）第21条及び第23条第1項の登記機関の定める書類（以下「登録免許税納付用紙」という。）は，別記第89号様式又はこれに準ずる様式によるものとする。

② 第126条第1項及び第2項の規定は，電子申請において登記所に登録免許税納付用紙が提出された場合について準用する。

③ 登記官は，登録免許税納付用紙により登録免許税の納付を確認したときは，速やかに，当該申請について通知した登録免許税法施行規則（昭和42年大蔵省令第37号。以下「税法施行規則」という。）第23条の納付情報を取り消さなければならない。

④ 登記官は，登記の完了後，第2項において準用する第126条第1項又は第2項の措置をした登録免許税納付用紙を申請書類つづり込み帳につづり込むものとする。

第125条　（前登記証明書）

① 同一債権を担保する抵当権等に係る登記を既に受けた旨の記載のある登記事項証明書は，これを税法施行規則第11条の書類として取り扱うものとする。

② 抵当権等の設定等の登記を最初に申請した登記所に，その登記の申請と同時に申請人から別記第90号様式による申出書の提出があった場合には，登記官は，税法施行規則第11条の書類として，登記証明書を交付するものとする。

③ 前項の登記証明書の作成は，申出書の末尾に，証明する旨及び証明の年月日を記載し，登記官がこれに記名し，職印を押印してするものとする。

第126条　（使用済の記載等）

① 登記官は，登記の申請書を受け付けたときは，直ちに，これにはり付けられた領収証書に「使用済」と記載し，又ははり付けられた収入印紙を再使用を防止することができる消印器により消印するものとする。

② 前項の領収証書については，申請の受付の年月日及び受付番号を記載して，同項の使用済の旨の記載に代えることができる。

③ 申請書以外の書面（登録免許税納付用紙を除く。）にはり付けられた収入印紙については，消印することを要しない。

④ 登記官は，税法第31条第2項の請求に理由がないと認めるときは，別記第92号の2様式により請求人に通知するものとする。

第127条　（納付不足額の通知）

① 税法第28条第1項の通知は，別記第91号様式による納付不足額通知書及びその写しを作成してするものとする。

② 登記官は，前項の通知をした場合には，申請書（領収証書又は収入印紙をはり付けた用紙に限る。次条及び第129条において同じ。）又は登録免許税納付用紙に別記第92号様式による印版を押印し，これに登記官印を押印するものとする。

第128条　（還付通知）

① 税法第31条第1項の通知は，別記第93号様式による還付通知書及びその写しを作成してするものとする。

② 登記官は，前項の通知をした場合には，申請書若しくは登録免許税納付用紙又は取下書に別記第92号様式による印版を押印し，これに登記官印を押印するものとする。

③ 登記官は，税法第31条第2項の請求により同条第1項の通知をした場合には，申請書及び還付通知請求書の余白に別記第92号様式による印版を押印し，これに登記官印を押印するものとする。

④ 登記官は，税法第31条第2項の請求に理由がないと認めるときは，別記第92号の2様式により請求人に通知するものとする。

第129条　（再使用証明）

① 税法第31条第3項の証明を受けようとする者は，別記第94号様式による再使用証明申出書に所要の事項を記載して申出をするものとする。

② 登記官は，前項の申出があった場合には，申請書又は登録免許税納付用紙の余白に，再使用することができる領収証書の金額又は収入印紙の金額を記載して，その箇所に別記第95号様式による印版を押印し，これに証明の年月日及び証明番号を記載して，登記官印を押印するものとする。

③ 登記官は，前項の手続をしたときは，再使用証明申出書に証明の年月日及び証明番号を記載するものとする。

第130条　（再使用証明後の還付手続）

① 登記官は，税法第31条第5項の申出があった場合には，前条第2項の規定により記載した再使用証明文を朱抹し，再使用証明を施した用紙及び再使用証明申出書の見やすい箇所に「再使用証明失効」と朱書して，登記官印を押印するものとする。

② 第128条第2項及び第3項の規定は，前項の申出に基づく税法第31条第1項の通知をした場合について準用する。

第131条　（再使用証明領収証書等の使用）

① 登記官は，再使用証明をした領収証書又は収入印紙を使用して登記の申請があった場合には，第129条第2項の規定により記載した証明番号の下に「使用済」と朱書して，登記官印を押印するものとする。

② 登記官は，前項の場合には，再使用証明申出書に「使用済」と朱書して，登記官印を押印するものとする。

第5章　登記事項の証明等

第132条　（請求書の受付）

① 登記官は，登記事項証明書等（登記事項証明書，登記事項要約書，地図等の全部若しくは一部の写し（地図等が電磁的記録に記録されているときは，当該記録された情報の内容を証明した書面）又は土地所在図等の全部若しくは一部の写し（土地所在図等が電磁的記録に記録されているときは，当該記録された情報の内容を証明した書面）をいう。）の交付の請求が請求書を提出する方法によりされたときは，請求の受付の年月日を当該請求書の適宜の箇所に記載するものとする。

この場合には，別の方法で管理する場合を除き，一連の番号も当該請求書の適宜の箇所に記載するものとする。
② 前項後段の規定により一連の番号を記載した請求については，別記第96号様式による日計表を作成して，管理するものとする。
③ 第126条第1項の規定は，第1項の請求書を受け付けた場合について準用する。

第133条 （登記事項証明書等の作成の場合の注意事項等）

登記事項証明書等を作成して交付する場合には，次に掲げるところによるものとする。
一　主任者は，作成した登記事項証明書等が請求書に係るものであることを確かめなければならない。
二　登記事項証明書等は，鮮明に作成するものとする。
三　登記事項証明書等が2枚以上であるときは，当該登記事項証明書等の各用紙に当該用紙が何枚目であるかを記載するものとする。
四　認証文，認証者の職氏名及び作成の年月日の記載並びに職印等の押印は，整然と，かつ，鮮明にするものとする。
五　主任者は，前号の認証文，認証者の職氏名及び作成の年月日並びに職印に間違いがないことを確かめなければならない。
六　主任者は，地図等又は土地所在図等の全部又は一部の写しが原本の内容と相違ないことを確かめなければならない。
七　請求人が受領しないため交付することができないまま1月を経過した登記事項証明書等があるときは，請求書の余白に「交付不能」と記載し，当該登記事項証明書等を適宜廃棄して差し支えない。

第133条の2 （登記事項証明書の作成）

登記事項証明書には，電子計算機において不動産の所在地を管轄する登記所を識別するための情報，不動産番号及び作成の年月日を表すバーコードその他これに類する符号を記載するものとする。ただし，登記事項証明書と別にこれを記載した書面を作成するときは，この限りではない。

第134条 （地図等の写し等の作成）

地図等の写し（地図等が電磁的記録に記録されているときは，当該記録された情報の内容を証明した書面）を作成するには，次に掲げるところによるものとする。
一　用紙は，原則として日本産業規格A列3番の適宜の紙質のものを使用する。
二　地図及び地図に準ずる図面の写し（地図及び地図に準ずる図面が電磁的記録に記録されているときは，当該記録された情報の内容を証明した書面）は，請求に係る土地のほか，接続する土地全部についてこれらの土地相互間の境界線及びその接続する土地の地番を記載する。
三　地図及び地図に準ずる図面の写しは，原則として別記第97号様式による。
四　地図及び地図に準ずる図面に記録された情報の内容を証明した書面は，原則として別記第98号様式による。当該証明した書面に表記されている地図又は地図に準ずる図面に閉鎖された部分が存在する場合には，当該閉鎖された部分に斜線を施すとともに，その旨を記載する。
五　地図に準ずる図面に記録された情報の内容を証明した書面には，座標値及びその種別を記載することを要しない。
六　建物所在図の写し（建物所在図が電磁的記録に記録されているときは，当該記録された情報の内容を証明した書

面）は，原則として別記第99号様式による。
七　二筆以上の土地又は２個以上の建物を一用紙に記載して作成して差し支えない。
八　別記第97号様式，別記第98号様式及び別記第99号様式の用紙の相当欄に余白がある場合には，その該当欄に斜線を施すなどの方法により追記等をすることができないようにする。

第135条　（土地所在図等の写し等の作成）

土地所在図等の写し（土地所在図等が電磁的記録に記録されているときは，当該記録された情報の内容を証明した書面）は，原則として日本産業規格Ａ列３番の適宜の紙質の用紙を使用して作成するものとする。

第136条　（登記事項証明書等の認証文）

① 次の各号に掲げる登記事項証明書等には，当該各号に定める認証文を付すものとする。
一　全部事項証明書　「これは登記記録（閉鎖された登記記録）に記録されている事項の全部を証明した書面である。」
二　現在事項証明書　「これは登記記録に記録されている現に効力を有する事項の全部を証明した書面である。」
三　何区何番事項証明書　「これは登記記録（閉鎖された登記記録）に記録されている事項の何区何番事項を証明した書面である。」
四　所有者証明書　「これは登記記録に記録されている所有者の氏名又は名称及び住所を証明した書面である。」
五　１棟建物全部事項証明書　「これは１棟の建物に属する区分建物の登記記録（又は閉鎖された登記記録）に記録されている事項の全部を証明した書面である。」
六　１棟建物現在事項証明書　「これは１棟の建物に属する区分建物の登記記録に記録されている現に効力を有する事項の全部を証明した書面である。」
七　地図等（電磁的記録に記録されているものを除く。）の全部又は一部の写し　「これは地図（建物所在図又は地図に準ずる図面）の写しである。」
八　電磁的記録に記録されている地図等の内容を証明した書面　「これは地図（建物所在図又は地図に準ずる図面）に記録されている内容を証明した書面である。」
九　閉鎖された地図等（電磁的記録に記録されているものを除く。）の全部又は一部の写し　「これは閉鎖された地図（建物所在図又は地図に準ずる図面）の写しである。」
十　電磁的記録に記録され，かつ，閉鎖された地図等の内容を証明した書面　「これは閉鎖された地図（建物所在図又は地図に準ずる図面）に記録されている内容を証明した書面である。」
十一　土地所在図等（電磁的記録に記録されているものを除く。）の全部又は一部の写し　「これは図面の写しである。」
十二　電磁的記録に記録されている土地所在図等の内容を証明した書面　「これは図面に記録されている内容を証明した書面である。」
十三　閉鎖された土地所在図等（電磁的記録に記録されているものを除く。）の全部又は一部の写し　「これは閉鎖された図面の写しである。」
十四　電磁的記録に記録され，かつ，閉鎖された土地所在図等の内容を証明した書面「これは閉鎖された図面に記録されている内容を証明した書面である。」
② 規則第197条第１項後段の付記は，「ただし，登記記録の乙区（甲区及び乙区）

に記録されている事項はない。」とするものとする。
③ 規則第197条第3項の規定により共同担保目録又は信託目録に記録された事項を省略して登記事項証明書を作成するときは，認証文に省略した旨の付記を要しない。
④ 法第119条第5項の規定による請求に基づいて交付する登記事項証明書の認証文には，請求に係る不動産の所在地を管轄する登記所の表示を「（何法務局何出張所管轄）」のように付記するものとする。

第137条　（登記事項証明書等の職氏名の記載）
　　登記事項証明書等に登記官が職氏名を記載するには，次のようにするものとする。
　　何法務局（何地方法務局）何支局（何出張所）
　　登記官　　　　　　　　何　某

第138条　（請求書の措置）
　　登記官は，登記事項証明書等の交付の請求書には，作成した登記事項証明書等の通数及び枚数並びに登記手数料の額を記載しなければならない。

第139条　（閲覧）
　　地図等又は登記簿の附属書類を閲覧させる場合には，次に掲げるところに留意しなければならない。
　一　地図等又は附属書類の枚数を確認する等その抜取り及び脱落の防止に努めること。
　二　地図等又は附属書類の汚損，記入及び改ざんの防止に厳重に注意すること。
　三　利害関係を有する部分に限る閲覧にあっては，請求に係る部分以外を閲覧しないように厳重に注意すること。
　四　閲覧者が筆記する場合には，毛筆及びペンの使用を禁ずること。
　五　筆記の場合は，地図等又は附属書類を下敷にさせないこと。

第140条　（手数料を徴収しない場合）
　　国又は地方公共団体の職員が職務上登記事項証明書等の交付又は地図等若しくは登記簿の附属書類の閲覧を請求する場合には，その旨を証する所属長の証明書を提出させるものとする。この場合には，請求書に請求の具体的な理由を記載させるものとする。

【━━━━　第6章　雑則　━━━━】

第141条　（審査請求の受理）
　　登記官は，法第156条の審査請求について，行政不服審査法（平成26年法律第68号）第19条第1項の規定に基づく審査請求書（行政手続等における情報通信の技術の利用に関する法律（平成14年法律第151号）第3条及び法務省の所管する法令の規定に基づく行政手続等における情報通信の技術の利用に関する規則（平成15年法務省令第11号）第3条の規定により行われた審査請求の情報の内容を印刷した書面を含む。以下同じ。）を受け取ったときは，登記事務日記帳に所要の事項を記載し，当該審査請求書にその年月日及び日記番号を記載するものとする。

第142条　（相当の処分）
① 登記官は，法第157条第1項の規定により相当の処分をしようとする場合には，事案の簡単なものを除き，当該登記官を監督する法務局又は地方法務局の長に内議するものとする。この場合には，審査請求書の写しのほか，審査請求に係る登記申請却下の決定書の写し，登記事項証明書，申請書の写しその他相当の処分の可否を審査するに必要な関係書類を併せて送付するものとする。
② 第144条第1項の規定は，登記官を監督する法務局又は地方法務局の長が前項

の内議につき指示しようとする場合について準用する。
③ 規則第186条の通知は，別記第100号様式による通知書によりするものとする。
④ 登記官は，相当の処分をしたときは，その処分に係る却下決定の取消決定書その他処分の内容を記載した書面を２通作成して，その１通を審査請求人に交付し，他の１通を審査請求書類等つづり込み帳につづり込むものとする。
⑤ 前項の場合には，登記官は，当該処分の内容を別記第101号様式による報告書により当該登記官を監督する法務局又は地方法務局の長に報告するものとする。

第143条 （審査請求事件の送付）

① 法第157条第２項前段の規定による審査請求事件の送付は，別記第102号様式によりするものとする。この場合において，別記第102号様式による意見の正本及び当該意見を送付すべき審査請求人の数に行政不服審査法第11条第２項に規定する審理員の数を加えた数に相当する通数の副本を送付するものとする。
② 前項の審査請求事件の送付をする場合には，審査請求書のほか，審査請求に係る登記申請却下の決定書の写し，登記事項証明書，申請書の写しその他審査請求の理由の有無を審査するに必要な関係書類を送付するものとする。
③ 登記官は，審査請求事件を送付した場合には，審査請求書及び送付書の各写しを日記番号の順序に従って審査請求書類等つづり込み帳につづり込むものとする。
④ 法第157条第２項後段の規定による意見の送付は，別記第103号様式による送付書に第２項の規定により送付された関係書類とともにするものとする。

第144条 （審査請求についての裁決）

① 法務局又は地方法務局の長が審査請求につき裁決をするには，次に掲げるところによるものとする。
一 地方法務局の長は，審査請求の内容に問題がある場合には，当該地方法務局を監督する法務局の長に内議すること。
二 法務局の長は，審査請求につき裁決をする場合又は内議を受けた場合において，審査請求の内容に特に問題があるときは，当職に内議すること。
② 審査請求に対する裁決は，別記第104号様式による裁決書によるものとし，行政不服審査法第42条第１項に規定する審理員意見書を添付するものとする。
③ 法務局又は地方法務局の長は，審査請求につき裁決をしたときは，その裁決書の写しを添えて当職にその旨を報告（地方法務局の長にあっては，当該地方法務局を監督する法務局の長を経由して）するものとする。

第145条

① 法務局又は地方法務局の長が審査請求につき裁決をしたときは，裁決書の謄本及び審理員意見書の写しを審査請求人及び登記官に交付するものとする。
② 登記官が前項の裁決書の謄本を受け取ったときは，登記事務日記帳に所要の事項を記載し，審査請求書類等つづり込み帳につづり込んだ審査請求書の写しの次につづり込むものとする。

第146条 （登記の嘱託）

この準則に規定する登記の申請に関する法の規定には当該規定を法第16条第２項において準用する場合を含むものとし，この準則中「申請」，「申請人」及び「申請情報」にはそれぞれ嘱託，嘱託者及び嘱託情報を含むものとする。

不動産登記事務取扱手続準則　別記様式

別記第11号（第12条第2項関係）

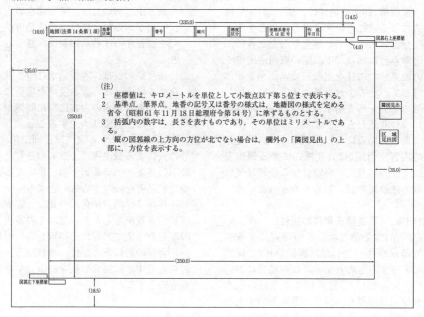

(別紙)

訂　　正　　票

地番区域	番　　号							
A町1丁目	16							
訂正した土地	訂正の事項	訂正の年月日	登記官印	訂正した土地	訂正の事項	訂正の年月日	登記官印	
26番1	地番26を26-1に訂正	令和5.3.17	㊞					
29/30	筆界線訂正	令和5.3.24	㊞					

別記第12号（第14条関係）

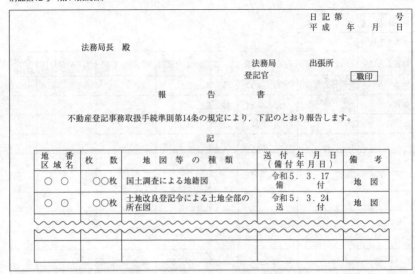

(注) 備考欄には，①法第14条第1項の地図又は同条第4項の地図に準ずる図面の別，②地図として備え付けることが適当でない場合には，その事由，③第13条第2項に該当する場合には，その旨を，それぞれ記載すること。

別記第13号（第15条第3項関係）

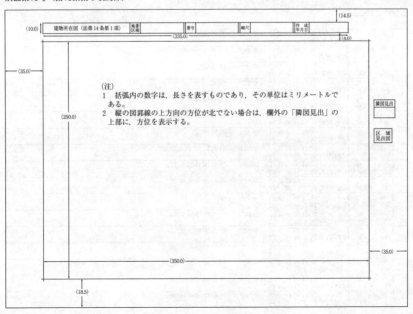

不動産登記事務取扱手続準則（別記様式14号）

訂　正　票

（別　紙）

地番区域	番　号							
A町1丁目	20							
訂正した建物	訂正の事項	訂正の年月日	登記官印	訂正した建物	訂正の事項	訂正の年月日	登記官印
31番	家屋番号30を31に訂正	令和5.3.17	㊞				
46番	建物の所在訂正	令和5.3.24	㊞				

別記第14号（第18条第1号、第13号関係）

受付帳〈不動産〉
平成　　　年　　　　　　　　　　　　　　　　　　　令和何年何月何日　何時何分作成

【第何号】既）土地	何月何日受付	（単独）	所有権移転売買	
【第何号】既）土地	何市何町何丁目何-何 何月何日受付	（単独）	所有権の保存（申請）	
【第何号】既）土地	何市何町何丁目何-何 何月何日受付	（単独）	抹消登記	
【第何号】新）土地	何市何町何丁目何-何 何月何日受付	（単独）	表題	
【第何号】既）土地	何市何町何丁目何-何 何月何日受付	（単独）	所有権移転売買	
【第何号】既）建物	何市何町何丁目何-何 何月何日受付	（単独）	所有権移転売買	
【第何号】既）土地	何市何町何丁目何-何 何月何日受付	（単独）	抹消登記	
【第何号】既）土地	何市何町何丁目何-何 何月何日受付	（単独）	信託に関する登記	
【第何号】既）建物	何市何町何丁目何-何 何月何日受付	（単独）	所有権移転売買	
【第何号】既）土地	何市何町何丁目何-何 何月何日受付	（単独）	所有権移転売買	
【第何号】既）建物	何市何町何丁目何-何 何月何日受付	（連先）	抹消登記	
【第何号】既）建物	何市何町何丁目何-何 何月何日受付	（連続）	所有権移転売買	
【第何号】既）土地	何市何町何丁目何-何 何月何日受付	（単独）	所有権移転売買	
【第何号】既）土地	何市何町何丁目何-何 何月何日受付	（単独）	所有権移転売買	
【第何号】既）土地	何市何町何丁目何-何 何月何日受付	（単独）	所有権移転売買	
【第何号】既）土地	何市何町何丁目何-何 何月何日受付	（単独）	所有権移転売買	
【第何号】既）土地	何市何町何丁目何-何 何月何日受付	（単独）	所有権移転売買	

別記第43号（第28条第4項第1号，第2号関係）

一部却下

別記第44号（第29条第4項第1号，第2号関係）

一部取下

別記第45号（第30条関係）

原本還付

別記第51号（第33条第3項関係）

本人確認調書

調査年月日	令和　　　年　　　月　　　日
調査担当者	㊞
調査対象の登記	受付の年月日【令和　　　年　　　月　　　日】 受付番号【第　　　　　　　　　　　　号】 登記の目的【　　　　　　　　　　　　　】
調査対象者 （申請人）	住　所 氏　名 □登記義務者　□登記権利者　□その他（　　　）
申請人となるべき者以外の者が申請していると疑うに足りる相当の理由の概要	
調査内容	調査の相手方	□本人　□資格者代理人（氏名　　　　　）□その他（　　）
	調査方法	□面談による調査（　年　月　日　午前・午後　時　分） □電話による事情聴取（　年　月　日　午前・午後　時　分） □資料の提出 □その他（　　　　　　　　　　　　　　　　　　　）
	確認資料 □原本 （注1） □写し （注1）	①運転免許証　②在留カード　③特別永住者証明書 ④個人番号カード（注2）　⑤住民基本台帳カード　⑥旅券 ⑦被保険者証（　注3　）　⑧共済組合員証 ⑨国民年金手帳（注4） ⑩その他（　　　　　　　　　　　　　　　　　　　）
調査結果	申請の権限の有無の判断	申請の権限が　□ある。 　　　　　　　　□ない。
	理　由	
証拠資料		□確認資料の写し（　　　　　　　注1　　　　　　） □その他（　　　　　　　　　　　　　　　　　　）

（注1）確認した資料の番号を記載する。
（注2）裏面の写しは作成しない。また，個人番号は記載しない。
（注3）被保険者証の種類を記載する。
（注4）写しの基礎年金番号部分は塗抹する。また，基礎年金番号は記載しない。

別記第53号（第35条第2項関係）

不正登記防止申出書

申出年月日	令和　　年　　月　　日	申出番号	
申出人の表示	住所 氏名　　　　　　　　　　　　　　　　　㊞ ☐ 登録名義人　☐ 相続人　☐ その他（　　　　　　　　　　　） 連絡先（自宅・携帯・勤務先） 　　　（　　　）　－		
代理人の表示	住所 代理資格 氏名　　　　　　　　　　　　　　　　　㊞ 連絡先（自宅・携帯・勤務先） 　　　（　　　）　－		
委任による代理人による理由	別添委任状に記載した理由により、申請人が登記所に出頭できない。		
種別	市・区・郡・町・村	大字・字	地　番	家屋番号
1 ☐土地 2 ☐建物				
3 ☐土地 4 ☐建物				
5 ☐土地 6 ☐建物				
申出の事由	令和　　年　　月　　日ころ、所有者（登記名義人）　　　　　　　　　の　　　　　　　　が、①盗難にあった　②不正に交付された　③その他（　　　　　　　　）ため、不正な登記の申請がされるおそれがあるので、上記不動産に対して登記の申請があった場合は、連絡願います。			
被害届・告訴の有無等	☐ 有（令和　　年　　月　　日　被害届・告訴　　　　　　警察署） ☐ 無			
対応期間	申出の日から3か月（令和　　年　　月　　日まで）			

上記のとおり申出します。
　　　　　　　　　　　　　　　　　支　局
　　　法務局（地方法務局）　　　　　　　　御中
　　　　　　　　　　　　　　　　　出張所

別記第54号（第37条第2項関係）

登記識別情報通知

次の登記の登記識別情報について、下記のとおり通知します。

【不動産】

【不動産番号】

【受付年月日・受付番号(又は順位番号)】

【登記の目的】

【登記名義人】
　　　　　　　　　　　（以下余白）

　　　　令和　　年　　月　　日
　　　　　法務局　　出張所
　　　　　登記官　　　　　　　　　　　職印

記

登　記　識　別　情　報

☐☐☐☐－☐☐☐☐　符号

別記第55号

（書面申請の場合）

　　　　　　　　　　　　　　　　　　　　　　　　　文書第　　　　　号
　　　　　　　　　　　　　　　　　　　　　　　　　令和　　年　月　日
　　　　　　　　　　　殿
　　　　　　　　　　　　　　　　何市区郡何町村大字何字何番地
　　　　　　　　　　　　　　　　　　法務局　　　出張所
　　　　　　　　　　　　　　　　　登記官　　　　　　　　　　　職印
　　　　　　　　　　　　　　　　　　　　　　　　　　　　　　　登記官印

　下記のとおり登記の申請がありましたので，不動産登記法第23条第１項の規定に基づき，この申請の内容が真実かどうかお尋ねします。
　申請の内容が真実である場合には，この書面の「回答欄」に氏名を記載し，申請書又は委任状に押印したものと同一の印を押印して，　　月　　日までに，登記所に持参し，又は返送してください。

記

登記の申請の内容
(1)不動産所在事項及び不動産番号

(2)登　記　の　目　的
(3)受　付　番　号
(4)登　記　原　因
(5)申　　請　　人

(6)通　知　番　号

事前通知に基づく申出書

| 回答欄 | この登記の申請の内容は真実です。
　　氏名　　　　　　　　　　　　　　　　　　　　　印 |

※（注意）
　なお，この書面の内容に不明な点がありましたら，直ちに，上記の登記所に連絡してください。
　連絡先電話番号

不登法

（裏面）

| 不動産所在事項及び不動産番号 |
| 受　付　番　号 |
| 登　記　の　目　的 |
| 登　記　原　因 |
| 申　　請　　人 |

　上記記載のとおり登記の申請がありましたので，不動産登記法第23条第２項の規定に基づき通知します。
　この登記申請をしていない場合には，直ちに，下記の登記所に異議を申し出てください（登記完了前に異議の申出があった場合に限り，不動産登記法第24条第１項の調査を行います。）。

記

　　　令和　　年　　月　　日
　　　何市区郡何町村大字何字何番地
　　　　電話番号
　　　　　法務局　　　出張所
　　　　　登記官　　　　　　　　職印
　通知第　　　　号

（注）プライバシー保護シールをちょう付すること。

不動産登記事務取扱手続準則（別記様式94・97〜99号）

別記第94号（第129条第1項関係）

証明 年月日		証明番号		
再　使　用　証　明　申　出　書				
再使用申出領収証 書又は印紙の金額	金			円
領　収　証　書	現金納付 年月日	平成　年　月　日		
	収納機関 の　名　称	銀行 支店	郵便局 税務署	
印　　　　紙	券面額	枚　数	金　額	
	円	枚	円	
	円	枚	円	
	円	枚	円	
	円	枚	円	
	円	枚	円	
	合　計	枚	円	
申請の受付の 年月日及び番号	令和　年　月　日　第　　号			
備　　　　　考				

　上記のとおり、登録免許税法第31条第3項の規定により、申出をします。
　　令和　年　月　日
　　　　　　申請人　住所
　　　　　　　　　　氏名
　　　　　　法務局　　　出張所　御中

別記第97号（第134条第3号，第8号関係）

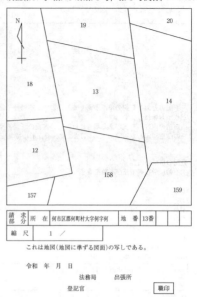

これは地図(地図に準ずる図面)の写しである。

　令和　年　月　日
　　　　　　　法務局　　出張所
　　　　登記官　　　　　　　　職印

別記第98号（第134条第4号，第8号関係）

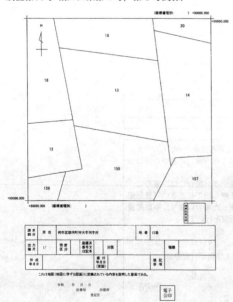

これは地図(地図に準ずる図面)に記録されている内容を証明した書面である。

別記第99号（第134条第6号，第8号関係）

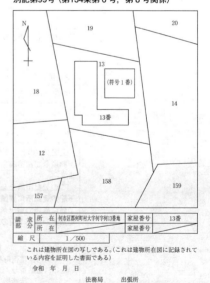

これは建物所在図の写しである。(これは建物所在図に記録されている内容を証明した書面である)

　令和　年　月　日
　　　　　　　法務局　　出張所
　　　　登記官　　　　　　　　職印

不動産の管轄登記所等の指定に関する省令

●昭和50年12月26日法務省令第68号●　最終改正　令和2年3月30日法務省令22号

第1条　（不動産，工場財団及び農業用動産の管轄登記所の指定）

　不動産，工場抵当法（明治38年法律第54号）による工場財団（以下「工場財団」という。）を組成する工場若しくは農業動産信用法（昭和8年法律第30号）による農業用動産の所在地が数個の登記所の管轄区域にまたがり，又は工場財団を組成する数個の工場が数個の登記所の管轄区域内にある場合における当該不動産，工場財団又は農業用動産の管轄登記所は，次の各号に掲げる場合には，その区分に従い当該各号に掲げる者が，その他の場合には，法務大臣が指定する。

一　当該数個の登記所が同一の法務局又は地方法務局管内の登記所である場合　当該法務局又は地方法務局の長

二　前号の場合を除き，当該数個の登記所が同一の法務局の管轄区域（法務省組織令（平成12年政令第248号）第64条第2項の事務に関する管轄区域をいう。）内の登記所である場合　当該法務局の長

第2条　（鉱業財団等の管轄登記所の指定についての準用）

　前条の規定は，鉱業抵当法（明治38年法律第55号）による鉱業財団，漁業財団抵当法（大正14年法律第9号）による漁業財団，港湾運送事業法（昭和26年法律第161号）による港湾運送事業財団，道路交通事業抵当法（昭和27年法律第204号）による道路交通事業財団及び観光施設財団抵当法（昭和43年法律第91号）による観光施設財団の管轄登記所の指定について準用する。

第3条　（筆界特定の管轄法務局等の指定）

　対象土地（不動産登記法（平成16年法律第123号）第123条第3号の対象土地をいう。）が数個の法務局又は地方法務局の管轄区域（法務局にあっては法務省組織令第64条第2項の規定による事務以外の事務に関する管轄区域をいい，地方法務局にあっては同令第66条の管轄区域をいう。）にまたがる場合における筆界特定（不動産登記法第123条第2号の筆界特定をいう。）についての管轄法務局又は管轄地方法務局は，当該数個の法務局又は地方法務局が同一の法務局の管轄区域（法務省組織令第64条第2項の事務に関する管轄区域をいう。）内の法務局又は地方法務局である場合には当該法務局の長が，その他の場合には法務大臣が指定する。

第4条　（夫婦財産契約の管轄登記所の指定についての準用）

　第1条の規定は，民法（明治29年法律第89号）による夫婦財産契約の管轄登記所の指定について準用する。この場合において，同条中「不動産，工場抵当法（明治38年法律第54号）による工場財団（以下「工場財団」という。）を組成する

工場若しくは農業動産信用法（昭和8年法律第30号）による農業用動産の所在地が数個の登記所の管轄区域にまたがり，又は工場財団を組成する数個の工場が数個の登記所の管轄区域内にある場合における当該不動産，工場財団又は農業用動産」とあるのは，「夫婦財産契約の登記の事務をつかさどる登記所が二以上ある場合の当該夫婦財産契約」と読み替えるものとする。

附　則（略）

電気通信回線による登記情報の提供に関する法律

●平成11年12月22日法律第50号●　最終改正　令和4年6月17日法68号

第1条　（目的）
　この法律は，登記情報を電気通信回線を使用して提供する制度を設けることにより，登記情報をより簡易かつ迅速に利用することができるようにし，もって取引の安全と円滑に資することを目的とする。

第2条　（定義等）
① この法律において「登記情報」とは，法務大臣が指定する登記所における登記簿等（不動産の登記簿，商業登記簿その他登記記録の全部又は一部が記録されている帳簿で政令で定めるものをいう。以下この項において同じ。）であって磁気ディスク（これに準ずる方法により一定の事項を確実に記録することができる物を含む。）をもって調製されたものに記録されている情報で次に掲げるものをいう。ただし，電気通信回線を使用して提供することに適しないものとして法務省令で定めるものを除く。
一　当該登記簿等に記録されている事項の全部についての情報
二　当該登記簿等に記録されている事項の一部についての情報で法務省令で定めるもの
② 前項の指定は，告示してしなければならない。

第3条　（指定等）
① 法務大臣は，次に掲げる要件を備える者を，その者の同意を得て，全国に一を限って，次条第1項に規定する業務（以下「登記情報提供業務」という。）を行う者として指定することができる。
一　登記情報提供業務を適確かつ円滑に行うのに必要な経理的基礎及び技術的能力を有する者であること。
二　一般社団法人又は一般財団法人であって，その役員又は職員の構成が登記情報提供業務の公正な遂行に支障を及ぼすおそれがないものであること。
三　登記情報提供業務以外の業務を行っているときは，その業務を行うことによって登記情報提供業務が不公正になるおそれがない者であること。
四　第13条第1項の規定により指定を取り消され，その取消しの日から5年を経過しない者でないこと。
五　役員のうちに次のいずれかに該当する者がないこと。
イ　禁錮以上の刑に処せられ，その刑の執行を終わり，又は執行を受けることがなくなった日から5年を経過しない者
ロ　この法律又は不動産登記法（平成16年法律第123号）の規定に違反したことにより罰金の刑に処せられ，その刑の執行を終わり，又は執行を受けることがなくなった日から5年を経過しない者
ハ　第10条第2項の規定による命令により解任され，解任の日から5年を

経過しない者
② 法務大臣は，前項の規定による指定をしたときは，当該指定を受けた者（以下「指定法人」という。）の名称及び主たる事務所の所在地並びに当該指定をした日を公示しなければならない。
③ 指定法人は，その名称又は主たる事務所の所在地を変更しようとするときは，変更しようとする日の２週間前までに，その旨を法務大臣に届け出なければならない。
④ 法務大臣は，前項の規定による届出があったときは，その旨を公示しなければならない。

第４条　（業務等）
① 指定法人は，登記情報の電気通信回線による閲覧をしようとする者の委託を受けて，その者に対し，次項の規定により提供を受けた登記情報を電気通信回線を使用して送信することを業務とする。
② 指定法人は，前項の業務を行うため，当該委託に係る登記情報の提供を電気通信回線を使用して請求することができる。
③ 指定法人は，前項の規定による請求に係る登記情報の提供を受けたときは，法務省令で定めるところにより，手数料を納付しなければならない。
④ 前項の手数料の額は，物価の状況，登記情報の提供に要する実費その他一切の事情を考慮して，政令で定める。

第５条　（業務規程）
① 指定法人は，登記情報提供業務に関する規程（以下「業務規程」という。）を定め，法務大臣の認可を受けなければならない。これを変更しようとするときも，同様とする。
② 業務規程には，登記情報提供業務の実施方法，登記情報提供業務に関する料金その他の法務省令で定める事項を定めておかなければならない。

③ 法務大臣は，第１項の認可をした業務規程が登記情報提供業務の適確かつ円滑な実施上不適当となったと認めるときは，指定法人に対し，その業務規程を変更すべきことを命ずることができる。

第６条　（事業計画等）
① 指定法人は，毎事業年度，事業計画及び収支予算を作成し，当該事業年度の開始前に（第３条第１項の規定による指定を受けた日の属する事業年度にあっては，その指定を受けた後遅滞なく），法務大臣の認可を受けなければならない。これを変更しようとするときも，同様とする。
② 指定法人は，毎事業年度，事業報告書及び収支決算書を作成し，当該事業年度の終了後３月以内に，法務大臣に提出しなければならない。

第７条　（業務の休廃止）
指定法人は，法務大臣の許可を受けなければ，登記情報提供業務の全部又は一部を休止し，又は廃止してはならない。

第８条　（契約の締結及び解除）
① 指定法人は，第４条第１項の委託に係る契約（以下「情報提供契約」という。）の申込者が情報提供契約を締結していたことがある者である場合においてその者につき支払期限を超えてまだ支払われていない登記情報提供業務に関する料金があるとき，その他法務省令で定める正当な理由があるときを除き，情報提供契約の締結を拒絶してはならない。
② 指定法人は，情報提供契約を締結した者が支払期限後２月以内に登記情報提供業務に関する料金を支払わなかったとき，その他法務省令で定める正当な理由があるときを除き，情報提供契約を解除してはならない。

第9条 （登記情報提供業務に関する情報の目的外使用の禁止）
　　指定法人の役員若しくは職員又はこれらの職にあった者は，登記情報提供業務に関して得られた情報を，登記情報提供業務の用に供する目的以外に使用してはならない。

第10条 （役員の選任及び解任）
① 指定法人の役員の選任及び解任は，法務大臣の認可を受けなければ，その効力を生じない。
② 法務大臣は，指定法人の役員が，この法律の規定（この法律に基づく命令又は処分を含む。）若しくは第5条第1項の規定により認可を受けた業務規程に違反する行為をしたときは，指定法人に対し，その役員を解任すべきことを命ずることができる。

第11条 （監督命令）
　　法務大臣は，登記情報提供業務の適正な実施を確保するため必要があると認めるときは，指定法人に対し，当該業務に関し監督上必要な命令をすることができる。

第12条 （報告及び検査）
① 法務大臣は，登記情報提供業務の適正な実施を確保するため必要があると認めるときは，指定法人に対し，当該業務の状況に関し必要な報告を求め，又はその職員に，指定法人の事務所に立ち入り，業務の状況若しくは設備，帳簿，書類その他の物件を検査させ，若しくは関係者に質問させることができる。
② 前項の規定により立入検査をする職員は，その身分を示す証明書を携帯し，関係者の請求があったときは，これを提示しなければならない。
③ 第1項の規定による立入検査の権限は，犯罪捜査のために認められたものと解してはならない。

第13条 （指定の取消し等）
① 法務大臣は，指定法人が次の各号のいずれかに該当するときは，その指定を取り消し，又は期間を定めて登記情報提供業務の全部又は一部の停止を命ずることができる。
一　登記情報提供業務を適確かつ円滑に実施することができないと認められるとき。
二　この法律の規定又は当該規定に基づく命令若しくは処分に違反したとき。
三　第5条第1項の規定により認可を受けた業務規程によらないで登記情報提供業務を行ったとき。
② 法務大臣は，前項の規定による処分をしたときは，その旨を公示しなければならない。

第14条 （法務省令への委任）
　　この法律に定めるもののほか，登記情報提供業務に関し必要な事項は，法務省令で定める。

第15条 （罰則）
① 次の各号の一に該当するときは，その違反行為をした指定法人の役員又は職員は，30万円以下の罰金に処する。
一　第7条の許可を受けないで登記情報提供業務の全部を廃止したとき。
二　第12条第1項の規定による報告をせず，若しくは虚偽の報告をし，又は同項の規定による検査を拒み，妨げ，若しくは忌避し，若しくは同項の規定による質問に対して陳述をせず，若しくは虚偽の陳述をしたとき。
② 指定法人の役員又は職員が指定法人の業務に関して前項の違反行為をしたときは，行為者を罰するほか，指定法人に対しても，同項の刑を科する。

附　則　（略）

電気通信回線による登記情報の提供に関する法律施行令

●平成12年3月31日政令第177号●　最終改正　平成20年8月8日政令249号

電気通信回線による登記情報の提供に関する法律第2条第1項の政令で定める帳簿は，次に掲げる帳簿とする。
一　法人（株式会社，合名会社，合資会社，合同会社及び外国会社を除く。）の登記簿
二　投資事業有限責任組合契約に関する法律（平成10年法律第90号）による投資事業有限責任組合契約登記簿
三　有限責任事業組合契約に関する法律（平成17年法律第40号）による有限責任事業組合契約登記簿
四　動産及び債権の譲渡の対抗要件に関する民法の特例等に関する法律（平成10年法律第104号）による動産譲渡登記事項概要ファイル及び債権譲渡登記事項概要ファイル
五　信託法（平成18年法律第108号）による限定責任信託登記簿
六　地図，建物所在図，地図に準ずる図面及び不動産登記令（平成16年政令第379号）第21条第1項に規定する図面が記録されたファイル
七　船舶登記令（平成17年政令第11号）による船舶の登記簿及び製造中の船舶の登記簿
八　農業用動産抵当登記令（平成17年政令第25号）による農業用動産の登記簿

　　附　則　（略）

電気通信回線による登記情報の提供に関する法律施行規則

●平成12年5月15日法務省令第28号● 最終改正 令和6年4月16日法務省令28号

第1条 （登記情報の調製方法）
電気通信回線による登記情報の提供に関する法律（平成11年法律第226号。以下「法」という。）第2条第1項の登記情報は，登記記録の記録に係る電子計算機に備えられたファイル又は電磁的記録媒体をもって調製されたものに記録されている情報を含むものとする。

第1条の2 （提供する情報の範囲）
① 法第2条第1項ただし書の法務省令で定めるものは，次の各号に掲げるものとする。
一 不動産の登記簿に記録されている登記情報のうち，請求に係る情報量が1メガバイトを超えるもの
二 商業登記簿，法人（株式会社，合名会社，合資会社，合同会社及び外国会社を除く。以下この条において同じ。）の登記簿，投資事業有限責任組合契約登記簿，有限責任事業組合契約登記簿，限定責任信託登記簿又は動産譲渡登記事項概要ファイル若しくは債権譲渡登記事項概要ファイルに記録されている登記情報のうち，請求に係る情報量が3メガバイトを超えるもの
三 商業登記規則（昭和39年法務省令第23号）第44条第1項（他の省令において準用する場合を含む。）の規定により閉鎖された登記事項についての登記情報。ただし，同規則第11条第4項，第54条第2項，第55条第2項，第57条第2項，第80条第2項，第81条第1項若しくは第5項，第96条第2項又は第117条第3項（これらの規定を同規則又は他の省令において準用する場合を含む。）の規定により閉鎖された登記記録に係るものを除く。
四 地図，建物所在図，地図に準ずる図面及び不動産登記令（平成16年政令第379号）第21条第1項に規定する図面が記録されたファイルに記録されている情報のうち，次に掲げるもの
イ 請求に係る図面に関する事件の数が99を超えるもの
ロ 請求に係る1事件に関する図面について出力装置の映像面に表示すべき画面の数が50を超えるもの
ハ 請求に係る情報量が3メガバイトを超えるもの
五 不動産登記規則（平成17年法務省令第18号）第12条第1項（同条第4項において準用する場合を含む。），第85条第2項又は第87条第1項の規定により閉鎖された図面についての情報
六 電気通信回線による登記情報の提供に関する法律施行令（平成12年政令第177号）第7号及び第8号に掲げる登記簿に記録されている登記情報のうち，日本産業規格X0213（平成16年2月20日において経済産業大臣が公示した産業標準化法（昭和24年法律第185号）第14条の規定に基づく改正後のもの）に適合する登記記録に係るもの

② 法第2条第1項第2号の法務省令で定めるものは，次の各号に掲げるものとする。
　一　不動産についての登記簿の登記記録に記録されている事項の全部から次に掲げるもののいずれか又は全てを除いたものについての情報
　　イ　共同担保目録の全部又は現在効力を有していないもの
　　ロ　信託目録の全部又は現在効力を有していないもの
　二　不動産の所有権の登記名義人の氏名又は名称，住所及び不動産登記規則第156条の4に規定する法人識別事項並びに当該登記名義人が2人以上であるときは当該登記名義人ごとの持分のみについての情報
　三　商業登記簿，法人の登記簿，投資事業有限責任組合契約登記簿，有限責任事業組合契約登記簿又は限定責任信託登記簿の登記記録に係る情報量が3メガバイトを超える場合における当該登記記録中次に掲げる区に記録されている事項の全部についての情報
　　イ　商号登記簿，未成年者登記簿，後見人登記簿又は支配人登記簿にあっては，商号区，未成年者区，後見人区又は支配人区
　　ロ　商業登記簿（イに掲げる登記簿を除く。），法人の登記簿，投資事業有限責任組合契約登記簿，有限責任事業組合契約登記簿又は限定責任信託登記簿にあっては，商号区又は名称区及び会社状態区，法人状態区，組合状態区又は信託状態区並びに請求に係るその他の区

第2条　（変更の届出）

　指定法人は，法第3条第3項の規定による届出をしようとするときは，次に掲げる事項を記載した届出書を法務大臣に提出しなければならない。

　一　変更後の名称又は主たる事務所の所在地
　二　変更しようとする年月日
　三　変更の理由

第3条　（手数料の納付方法）

　法第4条第3項の手数料の納付は，納入の告知に従い，毎月25日までにその前々月分の手数料の合計額を日本銀行に納付する方法によってしなければならない。

第4条　（業務規程）

① 法第5条第2項の法務省令で定める事項は，次のとおりとする。
　一　登記情報提供業務の実施方法
　二　登記情報提供業務に関する料金
　三　前号の料金の支払方法
　四　情報提供契約の約款
　五　登記情報提供業務に関して得られた情報の目的外使用の禁止その他管理に関する事項
　六　登記情報の安全性の確保に関する事項
　七　その他登記情報提供業務に関し必要な事項

② 指定法人は，法第5条第1項前段の規定により業務規程の認可を受けようとするときは，その旨を記載した申請書に業務規程を添えて法務大臣に提出しなければならない。

③ 指定法人は，法第5条第1項後段の規定により業務規程の変更の認可を受けようとするときは，次に掲げる事項を記載した申請書を法務大臣に提出しなければならない。
　一　変更しようとする事項
　二　変更しようとする年月日
　三　変更の理由

第5条　（事業計画等）

① 指定法人は，法第6条第1項前段の規

定により事業計画及び収支予算の認可を受けようとするときは，その旨を記載した申請書に事業計画書及び収支予算書を添えて法務大臣に提出しなければならない。
② 指定法人は，法第6条第1項後段の規定により事業計画又は収支予算の変更の認可を受けようとするときは，次に掲げる事項を記載した申請書を法務大臣に提出しなければならない。
一 変更しようとする事項
二 変更しようとする年月日
三 変更の理由

第6条 （業務の休廃止）

指定法人は，法第7条の許可を受けようとするときは，次に掲げる事項を記載した申請書を法務大臣に提出しなければならない。
一 休止し，又は廃止しようとする登記情報提供業務の範囲
二 休止し，又は廃止しようとする年月日
三 休止しようとする場合にあっては，その期間
四 休止又は廃止の理由

第7条 （情報提供契約の締結の拒絶）

法第8条第1項の法務省令で定める正当な理由は，次のとおりとする。
一 情報提供契約の申込者が，業務規程で定める料金の支払方法によって，当該料金を支払うことができないこと，又は当該料金を支払う資力を有することについて合理的な疑いが認められること。
二 情報提供契約の申込者が法第8条第2項又は次条に規定する正当な理由により情報提供契約を解除され，その解除の日から起算して1年を経過しない者であること。
三 情報提供契約の申込者がその申込みに関し偽りその他不正の行為を行ったこと。

第8条 （情報提供契約の解除）

法第8条第2項の法務省令で定める正当な理由は，次のとおりとする。
一 情報提供契約を締結した者の契約上の義務違反により契約関係を継続し難い重大な事由があると認められること。
二 情報提供契約を締結した者が継続して1年間法第4条第1項の委託をしないこと。

第9条 （役員の選任及び解任）

指定法人は，法第10条第1項の認可を受けようとするときは，次に掲げる事項を記載した申請書を法務大臣に提出しなければならない。
一 選任又は解任に係る役員の氏名及び略歴
二 選任又は解任の年月日
三 選任又は解任の理由

第10条 （身分を示す証明書）

法第12条第2項の証明書は，別添様式によるものとする。

附　則 （略）

登記手数料令

●昭和24年5月31日政令第140号● 　最終改正　令和4年7月21日政令249号

第1条　（趣旨）

不動産登記法（平成16年法律第123号），不動産登記令（平成16年政令第379号），商業登記法（昭和38年法律第125号）その他の法令による登記事項証明書（閉鎖登記事項証明書を含む。以下同じ。），登記記録に記録されている事項の概要を記載した書面（以下「登記事項要約書」という。）又は登記簿（閉鎖登記簿を含む。以下同じ。）の謄本若しくは抄本の交付，登記簿又はその附属書類の閲覧，登記識別情報に関する証明，筆界特定書等の写しの交付又は筆界特定手続記録の閲覧，印鑑の証明書の交付，商業登記法第12条の2第1項各号に掲げる事項の証明等の請求，不動産登記法第131条第1項若しくは第2項，東日本大震災復興特別区域法（平成23年法律第122号）第73条第1項又は大規模災害からの復興に関する法律（平成25年法律第55号）第36条第1項の規定による筆界特定の申請，商業登記法第49条第1項（同法その他の法令において準用する場合を含む。）の規定による登記の申請，電子情報処理組織による登記事務処理の円滑化のための措置等に関する法律（昭和60年法律第33号）による登記ファイルに記録されている事項の全部又は一部を証明した書面の交付の請求，電気通信回線による登記情報の提供に関する法律（平成11年法律第226号）による登記情報の提供の請求，動産及び債権の譲渡の対抗要件に関する民法の特例等に関する法律（平成10年法律第104号）による登記事項概要証明書又は概要記録事項証明書の交付の請求，動産・債権譲渡登記令（平成10年政令第296号）による登記申請書等の閲覧の請求，後見登記等に関する法律（平成11年法律第152号）による登記の嘱託又は申請及び後見登記等に関する政令（平成12年政令第24号）による登記申請書等の閲覧の請求に関する手数料については，この政令の定めるところによる。

第2条　（謄抄本等の手数料）

① 登記事項証明書（第6項及び第9項に掲げる登記事項証明書を除く。）又は登記簿の謄本若しくは抄本の交付についての手数料は，1通につき600円とする。ただし，1通の枚数が50枚を超えるものについては，600円にその超える枚数50枚までごとに100円を加算した額とする。

② 登記事項要約書の交付についての手数料は，一登記記録につき450円とする。ただし，一登記記録に関する記載部分の枚数が50枚を超える場合においては，当該登記記録については，450円にその超える枚数50枚までごとに50円を加算した額とする。

③ 地図，建物所在図又は地図に準ずる図面（以下「地図等」という。）の全部又は一部の写し（地図等が電磁的記録に記録されているときは，当該記録された情報の内容を証明した書面）の交付についての手数料は，一筆の土地又は1個の建物につき450円とする。

④ 登記簿の附属書類のうち土地所在図，地積測量図，地役権図面，建物図面又は各階平面図（以下「土地所在図等」という。）の全部又は一部の写し（土地所在

図等が電磁的記録に記録されているときは，当該記録された情報の内容を証明した書面）の交付についての手数料は，一事件に関する図面につき450円とする。
⑤ 登記ファイルに記録されている事項の全部又は一部を証明した書面の交付についての手数料は，1通につき600円とする。ただし，1通の枚数が50枚を超えるものについては，600円にその超える枚数50枚までごとに100円を加算した額とする。
⑥ 動産及び債権の譲渡の対抗要件に関する民法の特例等に関する法律第11条第2項の規定による次の各号に掲げる登記事項証明書の交付についての手数料は，1通につき，当該各号に定める額とする。
一 動産譲渡登記ファイルに係る登記事項証明書 800円。ただし，譲渡に係る動産であつて1個を超えるものに係る登記事項を一括して証明したものについては，800円にその超える個数1個ごとに300円を加算した額
二 債権譲渡登記ファイルに係る登記事項証明書 500円。ただし，譲渡に係る債権又は質権の目的とされた債権であつて1個を超えるものに係る登記事項を一括して証明したものについては，500円にその超える個数1個ごとに200円を加算した額
⑦ 次の各号に掲げる登記事項概要証明書の交付についての手数料は，1通につき，当該各号に定める額とする。
一 動産譲渡登記ファイルに係る登記事項概要証明書 500円
二 債権譲渡登記ファイルに係る登記事項概要証明書 300円
⑧ 概要記録事項証明書の交付についての手数料は，1通につき300円とする。ただし，1通の枚数が50枚を超えるものについては，300円にその超える枚数50枚までごとに100円を加算した額とする。
⑨ 後見登記等に関する法律第10条の規定による次の各号に掲げる登記事項証明書の交付についての手数料は，1通につき，当該各号に定める額とする。
一 後見登記等ファイル又は閉鎖登記ファイルに係る登記事項証明書（次号に掲げる登記事項証明書を除く。）550円。ただし，1通の枚数が50枚を超えるものについては，550円にその超える枚数50枚までごとに100円を加算した額
二 後見登記等ファイル又は閉鎖登記ファイルに係る登記事項証明書で後見登記等ファイル又は閉鎖登記ファイルに記録がない旨を証明したもの 300円

第3条

① 前条第1項の規定にかかわらず，登記所の使用に係る電子計算機（入出力装置を含む。以下同じ。）と請求人の使用に係る電子計算機とを電気通信回線で接続した電子情報処理組織を使用して行う登記事項証明書（第4項及び第5項に規定するものを除く。）の交付の請求に関する手数料（第6項に規定する場合を除く。）は，1通につき，480円（当該登記事項証明書の送付を求める場合にあっては，500円）とする。ただし，1通の枚数が50枚を超えるものについては，480円（当該登記事項証明書の送付を求める場合にあっては，500円）にその超える枚数50枚までごとに100円を加算した額とする。
② 前条第3項の規定にかかわらず，前項に規定する電子情報処理組織を使用して行う電磁的記録に記録された地図等の情報の内容を証明した書面の交付の請求に関する手数料（第6項に規定する場合を除く。）は，一筆の土地又は1個の建物につき430円（当該書面の送付を求める場合にあっては，450円）とする。
③ 前条第4項の規定にかかわらず，第1

項に規定する電子情報処理組織を使用して行う電磁的記録に記録された土地所在図等の情報の内容を証明した書面の交付の請求に関する手数料（第6項に規定する場合を除く。）は、一事件に関する図面につき430円（当該書面の送付を求める場合にあつては、450円）とする。

④ 前条第6項から第8項までの規定にかかわらず、情報通信技術を活用した行政の推進等に関する法律（平成14年法律第151号。以下「情報通信技術活用法」という。）第6条第1項の規定により同項に規定する電子情報処理組織を使用して行う次の各号に掲げる登記事項証明書若しくは登記事項概要証明書又は概要記録事項証明書の交付の請求（次条に規定する場合を除く。）に関する手数料（第6項に規定する場合を除く。）は、1通につき、それぞれ当該各号に定める額とする。

一　動産及び債権の譲渡の対抗要件に関する民法の特例等に関する法律第11条第2項の規定による動産譲渡登記ファイルに係る登記事項証明書　700円（当該登記事項証明書の送付を求める場合にあつては、750円）。ただし、譲渡に係る動産であつて1個を超えるものに係る登記事項を一括して証明したものについては、700円（当該登記事項証明書の送付を求める場合にあつては、750円）にその超える個数1個ごとに300円を加算した額

二　動産及び債権の譲渡の対抗要件に関する民法の特例等に関する法律第11条第2項の規定による債権譲渡登記ファイルに係る登記事項証明書　450円（当該登記事項証明書の送付を求める場合にあつては、500円）。ただし、譲渡に係る債権又は質権の目的とされた債権であつて1個を超えるものに係る登記事項を一括して証明したものについては、450円（当該登記事項証明書の送付を求める場合にあつては、500円）にその超える個数1個ごとに200円を加算した額

三　動産譲渡登記ファイルに係る登記事項概要証明書　400円（当該登記事項概要証明書の送付を求める場合にあつては、450円）

四　債権譲渡登記ファイルに係る登記事項概要証明書　250円（当該登記事項概要証明書の送付を求める場合にあつては、300円）

五　概要記録事項証明書　250円（当該概要記録事項証明書の送付を求める場合にあつては、270円）。ただし、1通の枚数が50枚を超えるものについては、250円（当該概要記録事項証明書の送付を求める場合にあつては、270円）にその超える枚数50枚までごとに100円を加算した額

⑤ 前条第9項の規定にかかわらず、情報通信技術活用法第6条第1項の規定により同項に規定する電子情報処理組織を使用して行う次の各号に掲げる登記事項証明書の交付の請求（当該登記事項証明書の送付を求める場合に限る。）に関する手数料（次項に規定する場合を除く。）は、1通につき、それぞれ当該各号に定める額とする。

一　後見登記等に関する法律第10条の規定による登記事項証明書（次号に掲げる登記事項証明書を除く。）380円（1通の枚数が50枚を超えるものについては、380円にその超える枚数50枚までごとに100円を加算した額）

二　後見登記等に関する法律第10条の規定による登記事項証明書で後見登記等ファイル又は閉鎖登記ファイルに記録がない旨を証明したもの　300円

⑥ 前各項に規定する登記事項証明書、地図等の情報の内容を証明した書面、土地所在図等の情報の内容を証明した書面、登記事項概要証明書又は概要記録事項証

明書の送付を書留（郵便法（昭和22年法律第165号）第45条に規定する書留をいう。）又は同法第44条第２項に規定する郵便物の特殊取扱のうち法務大臣が定めるものの取扱いにより行うことを求める場合の手数料は，前各項の規定により算出した額（２通以上の送付を求める場合にあつては，その合計額）に当該取扱いに要する料金を加算した額とする。民間事業者による信書の送達に関する法律（平成14年法律第99号）第２条第６項に規定する一般信書便事業者又は同条第９項に規定する特定信書便事業者の提供する同条第２項に規定する信書便の役務のうち当該取扱いに準ずるものとして法務大臣が定めるものにより行うことを求める場合の手数料も，同様とする。

第４条
　第２条第６項，第７項又は第９項の規定にかかわらず，情報通信技術活用法第６条第１項の規定により同項に規定する電子情報処理組織を使用して行う次の各号に掲げる登記事項証明書又は登記事項概要証明書の交付の請求（登記官に対し，情報通信技術活用法第７条第１項の規定により情報通信技術活用法第６条第１項に規定する電子情報処理組織を使用して当該登記事項証明書又は当該登記事項概要証明書に係る電磁的記録を提供することを求める場合に限る。）に関する手数料は，１通につき，それぞれ当該各号に定める額とする。
一　前条第４項第１号の登記事項証明書　700円（譲渡に係る動産であつて１個を超えるものに係る登記事項を一括して証明したものについては，700円にその超える個数１個ごとに300円を加算した額）
二　前条第４項第２号の登記事項証明書　450円（譲渡に係る債権又は質権の目的とされた債権であつて１個を超えるものに係る登記事項を一括して証明したものについては，450円にその超える個数１個ごとに200円を加算した額）
三　前条第４項第３号の登記事項概要証明書　400円
四　前条第４項第４号の登記事項概要証明書　250円
五　前条第５項第１号の登記事項証明書　320円
六　前条第５項第２号の登記事項証明書　240円

第５条　（閲覧の手数料）
①　登記簿又はその附属書類（電磁的記録にあつては，記録された情報の内容を法務省令で定める方法により表示したもの）の閲覧についての手数料は，一登記用紙又は一事件に関する書類につき450円とする。
②　地図等（地図等が電磁的記録に記録されているときは，当該記録された情報の内容を法務省令で定める方法により表示したもの）の閲覧についての手数料は，地図等１枚（地図等が電磁的記録に記録されているときは，一筆の土地又は１個の建物）につき450円とする。
③　動産・債権譲渡登記令による登記申請書等の閲覧についての手数料は，一事件に関する書類につき500円とする。
④　後見登記等に関する政令による登記申請書等の閲覧についての手数料は，一事件に関する書類につき500円とする。

第６条　（証明の手数料）
　船舶登記令（平成17年政令第11号）第33条第１項の規定による製造中の船舶の登記がないことの証明についての手数料は，１件につき450円とする。

第７条
　不動産登記令第22条第１項（他の法令

において準用する場合を含む。）に規定する登記識別情報に関する証明についての手数料は，1件につき300円とする。

第8条

① 不動産登記法第131条第1項若しくは第2項，東日本大震災復興特別区域法第73条第1項又は大規模災害からの復興に関する法律第36条第1項の規定による筆界特定の申請についての手数料は，1件につき，対象土地の価額として法務省令で定める方法により算定される額の合計額の2分の1に相当する額に筆界特定によって通常得られることとなる利益の割合として法務省令で定める割合を乗じて得た額を基礎とし，その額に応じて，次の表の上欄に掲げる区分に従い同表の下欄に定めるところにより算出して得た額とする。

上　欄	下　欄
基礎となる額が100万円までの部分	その額10万円までごとに　800円
基礎となる額が100万円を超え500万円までの部分	その額20万円までごとに　800円
基礎となる額が500万円を超え1,000万円までの部分	その額50万円までごとに　1,600円
基礎となる額が1,000万円を超え10億円までの部分	その額100万円までごとに　2,400円
基礎となる額が10億円を超え50億円までの部分	その額500万円までごとに　8,000円
基礎となる額が50億円を超える部分	その額1,000万円までごとに　8,000円

② 前項の規定にかかわらず，同一の筆界に係る二以上の筆界特定の申請が一の手続においてされたときは，当該二以上の筆界特定の申請を一の筆界特定の申請とみなして，同項の規定を適用する。
③ 不動産登記法第133条第1項の規定による公告又は通知がされる前に，筆界特定の申請（前項に規定する場合にあつては，そのすべての筆界特定の申請）が取り下げられ，又は却下された場合には，筆界特定登記官は，筆界特定の申請人（次項において「申請人」という。）の請求により，納付された手数料の額から納付すべき手数料の額の2分の1の額を控除した金額の金銭を還付しなければならない。
④ 前項の請求は，一の手数料に係る筆界特定の申請の申請人が2人以上ある場合には，当該各申請人がすることができる。
⑤ 第3項の請求は，その請求をすることができる事由が生じた日から5年以内にしなければならない。

第9条

① 筆界特定書の全部又は一部の写し（筆界特定書が電磁的記録をもつて作成されているときは，当該記録された情報の内容を証明した書面）の交付についての手数料は，1通につき550円とする。ただし，1通の枚数が50枚を超えるものについては，550円にその超える枚数50枚までごとに100円を加算した額とする。
② 筆界特定の手続において測量又は実地調査に基づいて作成された図面（不動産登記法第143条第2項の図面を除く。）の全部又は一部の写し（当該図面が電磁的記録をもつて作成されているときは，当該記録された情報の内容を証明した書面）の交付についての手数料は，一図面につき450円とする。
③ 筆界特定手続記録（電磁的記録にあつては，記録された情報の内容を法務省令で定める方法により表示したもの）の閲覧についての手数料は，一手続に関する記録につき400円とする。

第10条（印鑑証明書の手数料）

① 印鑑の証明書の交付についての手数料は，1件につき450円とする。
② 前項の規定にかかわらず，情報通信技術活用法第6条第1項の規定により同項に規定する電子情報処理組織を使用して行う印鑑の証明書の交付の請求に関する

手数料（次項において第3条第6項の規定を準用する場合を除く。）は，1件につき390円（当該印鑑の証明書の送付を求める場合にあつては，410円）とする。
③　第3条第6項の規定は，前項の規定による印鑑の証明書の送付を求める場合について準用する。この場合において，同条第6項中「前各項の規定により算出した額」とあるのは，「第10条第2項の額」とする。

第11条
　商業登記法第12条の2第1項（他の法令において準用する場合を含む。）の規定による同項各号に掲げる事項の証明についての手数料は，1件につき1,300円とする。ただし，同項第2号の期間が3月を超えるものについては，1,300円にその超える期間3月までごとに1,000円を加算した額とする。

第12条　（登記情報の提供の手数料）
　電気通信回線による登記情報の提供に関する法律による次の各号に掲げる登記情報の提供についての手数料は，1件につき，当該各号に定める額とする。
一　不動産の所有権の登記名義人のみを内容とする登記情報　130円
二　動産譲渡登記事項概要ファイル又は債権譲渡登記事項概要ファイルに記録されている登記情報　130円
三　地図等及び土地所在図等が記録されたファイルに記録されている情報　350円
四　前三号に掲げる登記情報以外の登記情報　320円

第13条　（後見登記等の手数料）
①　次の各号に掲げる後見登記等に関する法律による登記の嘱託についての手数料は，1件につき2,600円とする。
一　後見開始の審判に基づく登記
二　保佐開始の審判に基づく登記
三　補助開始の審判に基づく登記
②　前項第1号に規定する登記の嘱託についての手数料の額には，同号の審判に係る次の各号に掲げる登記の嘱託及び申請についての手数料の額を含むものとする。
一　成年後見人又は成年後見監督人の選任又は解任の審判に基づく登記の嘱託
二　成年後見人又は成年後見監督人の権限の行使についての定め及びその取消しの審判に基づく登記の嘱託
三　後見開始の審判の取消しの審判に基づく登記の嘱託
四　後見登記等に関する法律第4条第1項第2号から第4号までに掲げる事項についての変更の登記の申請
五　後見登記等に関する法律第8条第1項又は第3項に規定する終了の登記の申請
③　第1項第2号に規定する登記の嘱託についての手数料の額には，同号の審判に係る次の各号に掲げる登記の嘱託及び申請についての手数料の額を含むものとする。
一　保佐人又は保佐監督人の選任又は解任の審判に基づく登記の嘱託
二　保佐人又は保佐監督人の権限の行使についての定め及びその取消しの審判に基づく登記の嘱託
三　保佐人の同意を得なければならない行為の定めの審判（保佐開始の審判と同時にされたものに限る。）及びその取消しの審判に基づく登記の嘱託
四　保佐人に対する代理権の付与の審判（保佐開始の審判と同時にされたものに限る。）及びその取消しの審判に基づく登記の嘱託
五　保佐開始の審判の取消しの審判に基づく登記の嘱託
六　前項第4号又は第5号に規定する登記の申請
④　第1項第3号に規定する登記の嘱託に

ついての手数料の額には，同号の審判に係る次の各号に掲げる登記の嘱託及び申請についての手数料の額を含むものとする。
一　補助人又は補助監督人の選任又は解任の審判に基づく登記の嘱託
二　補助人又は補助監督人の権限の行使についての定め及びその取消しの審判に基づく登記の嘱託
三　補助人の同意を得なければならない行為の定めの審判（補助開始の審判と同時にされたものに限る。）及びその取消しの審判に基づく登記の嘱託
四　補助人に対する代理権付与の審判（補助開始の審判と同時にされたものに限る。）及びその取消しの審判に基づく登記の嘱託
五　補助開始の審判の取消しの審判に基づく登記の嘱託
六　第2項第4号又は第5号に規定する登記の申請

第14条

① 次の各号に掲げる後見登記等に関する法律による登記の嘱託についての手数料は，1件につき1,400円とする。
一　保佐人又は補助人の同意を得なければならない行為の定めの審判（保佐開始又は補助開始の審判と同時にされたものを除く。）に基づく登記
二　保佐人又は補助人に対する代理権付与の審判（保佐開始又は補助開始の審判と同時にされたものを除く。）に基づく登記
三　成年後見人等又は成年後見監督人等の辞任についての許可の審判に基づく登記
四　成年後見人等若しくは成年後見監督人等の職務の執行を停止し，又はその職務代行者を選任する審判前の保全処分に基づく登記
② 前項第1号の審判に基づく登記の嘱託の手数料の額には，同号の審判の取消しの審判に基づく登記の嘱託についての手数料の額を含むものとする。
③ 第1項第2号の審判に基づく登記の嘱託の手数料の額には，同号の審判の取消しの審判に基づく登記の嘱託についての手数料の額を含むものとする。
④ 第1項第4号に規定する登記の嘱託についての手数料の額には，同号の審判前の保全処分に係る次の各号に掲げる登記の嘱託及び申請についての手数料の額を含むものとする。
一　第1項第4号の職務代行者の改任の審判前の保全処分に基づく登記の嘱託
二　第1項第4号の審判前の保全処分が効力を失ったことによる登記の嘱託
三　後見登記等に関する法律第4条第1項第10号に掲げる事項についての変更の登記の申請

第15条

① 次の各号に掲げる後見登記等に関する法律による登記の嘱託についての手数料は，一件につき1,400円とする。
一　家事事件手続法（平成23年法律第52号）第126条第2項の規定による審判前の保全処分に基づく登記
二　家事事件手続法第134条第2項の規定による審判前の保全処分に基づく登記
三　家事事件手続法第143条第2項の規定による審判前の保全処分に基づく登記
② 前項各号に規定する登記の嘱託についての手数料の額には，同項各号の審判前の保全処分に係る次の各号に規定する登記の嘱託及び申請についての手数料の額を含むものとする。
一　財産の管理者の改任の審判前の保全処分に基づく登記の嘱託
二　前項各号の審判前の保全が効力を失ったことによる登記の嘱託

三　後見登記等に関する法律第4条第2項第2号又は第3号に掲げる事項についての変更の登記の申請

第16条
① 後見登記等に関する法律による任意後見契約の締結に係る任意後見契約の登記の嘱託についての手数料は，1件につき2,600円とする。
② 前項に規定する登記の嘱託についての手数料の額には，同項の任意後見契約に係る次の各号に掲げる登記の嘱託及び申請についての手数料の額を含むものとする。
一　任意後見監督人が欠けた場合又は任意後見監督人を更に選任する場合における任意後見監督人の選任の審判に基づく登記の嘱託
二　任意後見人又は任意後見監督人の解任の審判に基づく登記の嘱託
三　任意後見監督人の権限の行使についての定め及びその取消しの審判に基づく登記の嘱託
四　任意後見契約が任意後見契約に関する法律（平成11年法律第105号）第10条第3項の規定により終了したことによる終了の登記の嘱託
五　後見登記等に関する法律第5条第2号，第3号又は第6号に掲げる事項についての変更の登記の申請
六　後見登記等に関する法律第8条第2項又は第3項に規定する終了の登記の申請

第17条
① 次の各号に掲げる後見登記等に関する法律による登記の嘱託についての手数料は，一件につき1,400円とする。
一　任意後見契約の効力を発生させるための任意後見監督人の選任の審判に基づく登記
二　任意後見監督人の辞任についての許可の審判に基づく登記
三　任意後見人若しくは任意後見監督人の職務の執行を停止し，又は任意後見監督人の職務代行者を選任する審判前の保全処分に基づく登記
② 前項第3号に規定する登記の嘱託についての手数料の額には，同号の審判前の保全処分に係る次の各号に規定する登記の嘱託及び申請についての手数料の額を含むものとする。
一　前項第3号の職務代行者の改任の審判前の保全処分に基づく登記の嘱託
二　前項第3号の審判前の保全処分が効力を失ったことによる登記の嘱託
三　後見登記等に関する法律第5条第10号に掲げる事項についての変更の登記の申請

第18条　（免除）
　国又は地方公共団体の職員が，職務上請求する場合には，手数料（第2条第6項から第8項まで，第3条（同条第6項を第10条第3項において準用する場合を含む。），第4条，第7条，第9条及び第10条第2項に規定する手数料を除く。）を納めることを要しない。

附　則（略）

筆界特定申請手数料規則

●平成17年11月11日法務省令第105号● 　最終改正　令和2年9月15日法務省令48号

第1条（対象土地の価額の算定方法等）
① 登記手数料令（以下「令」という。）第8条第1項の法務省令で定める方法は，地方税法（昭和25年法律第226号）第341条第9号に掲げる固定資産課税台帳（以下「課税台帳」という。）に登録された価格のある土地については，次の各号に掲げる当該土地に係る筆界特定の申請の日の属する日の区分に応じ当該各号に掲げる金額に相当する価額による方法とし，課税台帳に登録された価格のない土地については，当該土地に係る筆界特定の申請の日において当該土地に類似する土地で課税台帳に登録された価格のあるものの次の各号に掲げる当該申請の日の区分に応じ当該各号に掲げる金額を基礎として筆界特定登記官が認定した価額による方法とする。
一　筆界特定の申請の日がその年の1月1日から3月31日までの期間内であるもの　その年の前年12月31日現在において課税台帳に登録された当該土地の価格に100分の100を乗じて計算した金額
二　筆界特定の申請の日がその年の4月1日から12月31日までの期間内であるもの　その年の1月1日現在において課税台帳に登録された当該土地の価格に100分の100を乗じて計算した金額
② 令第8条第1項の法務省令で定める割合は，100分の5とする。

第2条（納付の方法）
① 不動産登記法（平成16年法律第123号）第131条第1項若しくは第2項，東日本大震災復興特別区域法（平成23年法律第122号）第73条第1項又は大規模災害からの復興に関する法律（平成25年法律第55号）第36条第1項の規定による筆界特定の申請についての手数料（以下単に「手数料」という。）の納付は，収入印紙をもってしなければならない。ただし，筆界特定電子申請（不動産登記規則（平成17年法務省令第18号）第206条第1号の筆界特定電子申請をいう。以下同じ。）をするときは，現金をもってすることができる。
② 手数料を収入印紙をもって納付するときは，筆界特定申請情報を記載した書面（筆界特定電子申請をする場合又は筆界特定申請情報の全部を記録した磁気ディスクを提出する方法により筆界特定書面申請（不動産登記規則第206条第2号の筆界特定書面申請をいう。）をする場合にあっては，筆界特定登記官の定める書類）に納付すべき手数料の額に相当する金額の収入印紙をはり付けてしなければならない。
③ 手数料を現金をもって納付するときは，筆界特定登記官から得た納付情報により納付する方法によってしなければならない。

附　則（略）

◆ 不動産登記関連法関係 ◆

- ○商業登記法（抄）
- ○商業登記規則（抄）
- ○商業登記等事務取扱手続準則（抄）
- ○独立行政法人等登記令（抄）
- ○組合等登記令（抄）
- ○各種法人等登記規則（抄）
- ○国土調査法（抄）
- ○国土調査法施行令（抄）
- ○国土調査法による不動産登記に関する政令
- ○農地法（抄）
- ○農地法施行令（抄）
- ○農地法施行規則（抄）
- ○土地改良法（抄）
- ○土地改良登記規則（抄）
- ○土地区画整理法（抄）
- ○土地区画整理登記令（抄）
- ○土地区画整理登記規則（抄）
- ○都市再開発法（抄）
- ○都市再開発法による不動産登記に関する政令
- ○新住宅市街地開発法（抄）
- ○新住宅市街地開発法等による不動産登記に関する政令（抄）
- ○新都市基盤整備法（抄）
- ○新都市基盤整備法施行令（抄）
- ○新都市基盤整備法施行規則（抄）
- ○流通業務市街地の整備に関する法律（抄）

商業登記法（抄）

●昭和38年7月9日法律第125号●　　最終改正　令和5年3月20日法6号

第1章　総則

第1条　（目的）
　この法律は、商法（明治32年法律第48号），会社法（平成17年法律第86号）その他の法律の規定により登記すべき事項を公示するための登記に関する制度について定めることにより，商号，会社等に係る信用の維持を図り，かつ，取引の安全と円滑に資することを目的とする。

第1条の2　（定義）
　この法律において，次の各号に掲げる用語の意義は，それぞれ当該各号に定めるところによる。
一　登記簿　商法，会社法その他の法律の規定により登記すべき事項が記録される帳簿であつて，磁気ディスク（これに準ずる方法により一定の事項を確実に記録することができる物を含む。）をもつて調製するものをいう。
二　変更の登記　登記した事項に変更を生じた場合に，商法，会社法その他の法律の規定によりすべき登記をいう。
三　消滅の登記　登記した事項が消滅した場合に，商法，会社法その他の法律の規定によりすべき登記をいう。
四　商号　商法第11条第1項又は会社法第6条第1項に規定する商号をいう。

第1章の2　登記所及び登記官

第1条の3　（登記所）
　登記の事務は，当事者の営業所の所在地を管轄する法務局若しくは地方法務局若しくはこれらの支局又はこれらの出張所（以下単に「登記所」という。）がつかさどる。

第2章　登記簿等

第6条　（商業登記簿）
　登記所に次の商業登記簿を備える。
一　商号登記簿
二　未成年者登記簿
三　後見人登記簿
四　支配人登記簿
五　株式会社登記簿
六　合名会社登記簿
七　合資会社登記簿
八　合同会社登記簿
九　外国会社登記簿

第7条　（会社法人等番号）
　登記簿には，法務省令で定めるところにより，会社法人等番号（特定の会社，外国会社その他の商人を識別するための番号をいう。第19条の3において同じ。）を記録する。

第10条　（登記事項証明書の交付等）
①　何人も，手数料を納付して，登記簿に記録されている事項を証明した書面（以下「登記事項証明書」という。）の交付を請求することができる。
②　前項の交付の請求は，法務省令で定める場合を除き，他の登記所の登記官に対してもすることができる。
③　登記事項証明書の記載事項は，法務省令で定める。

第11条 （登記事項の概要を記載した書面の交付）

何人も，手数料を納付して，登記簿に記録されている事項の概要を記載した書面の交付を請求することができる。

第12条 （印鑑証明）

① 次に掲げる者でその印鑑を登記所に提出した者は，手数料を納付して，その印鑑の証明書の交付を請求することができる。

一　第17条第2項の規定により登記の申請書に押印すべき者（委任による代理人によつて登記の申請をする場合には，委任をした者又はその代表者）
二　支配人
三　破産法（平成16年法律第75号）の規定により会社につき選任された破産管財人又は保全管理人
四　民事再生法（平成11年法律第225号）の規定により会社につき選任された管財人又は保全管理人
五　会社更生法（平成14年法律第154号）の規定により選任された管財人又は保全管理人
六　外国倒産処理手続の承認援助に関する法律（平成12年法律第129号）の規定により会社につき選任された承認管財人又は保全管理人

② 第10条第2項の規定は，前項の証明書に準用する。

第12条の2 （電磁的記録の作成者を示す措置の確認に必要な事項等の証明）

① 前条第1項各号に掲げる者（以下この条において「被証明者」という。）は，この条に規定するところにより次の事項（第2号の期間については，デジタル庁令・法務省令で定めるものに限る。）の証明を請求することができる。ただし，代表権の制限その他の事項でこの項の規定による証明に適しないものとしてデジタル庁令・法務省令で定めるものがあるときは，この限りでない。

一　電磁的記録に記録することができる情報が被証明者の作成に係るものであることを示すために講ずる措置であつて，当該情報が他の情報に改変されているかどうかを確認することができる等被証明者の作成に係るものであることを確実に示すことができるものとしてデジタル庁令・法務省令で定めるものについて，当該被証明者が当該措置を講じたものであることを確認するために必要な事項
二　この項及び第3項の規定により証明した事項について，第8条の規定による証明の請求をすることができる期間

② 前項の規定による証明の請求は，同項各号の事項を明らかにしてしなければならない。

③ 第1項の規定により証明を請求した被証明者は，併せて，自己に係る登記事項であつてデジタル庁令・法務省令で定めるものの証明を請求することができる。

④ 第1項の規定により証明を請求する被証明者は，政令で定める場合を除くほか，手数料を納付しなければならない。

⑤ 第1項及び第3項の規定による証明は，法務大臣の指定する登記所の登記官がする。ただし，これらの規定による証明の請求は，当事者の営業所（会社にあつては，本店）の所在地を管轄する登記所を経由してしなければならない。

⑥ 前項の指定は，告示してしなければならない。

⑦ 第1項の規定により証明を請求した被証明者は，同項第2号の期間中において同項第1号の事項が当該被証明者が同号の措置を講じたものであることを確認するために必要な事項でなくなつたときは，第5項本文の登記所に対し，同項ただし書の登記所を経由して，その旨を届け出ることができる。

⑧ 何人でも、第5項本文の登記所に対し、次の事項の証明を請求することができる。
一 第1項及び第3項の規定により証明した事項の変更（デジタル庁令・法務省令で定める軽微な変更を除く。）の有無
二 第1項第2号の期間の経過の有無
三 前項の届出の有無及び届出があつたときはその年月日
四 前三号に準ずる事項としてデジタル庁令・法務省令で定めるもの
⑨ 第1項及び第3項の規定による証明並びに前項の規定による証明及び証明の請求は、デジタル庁令・法務省令で定めるところにより、登記官が使用する電子計算機と請求をする者が使用する電子計算機とを接続する電気通信回線を通じて送信する方法その他の方法によつて行うものとする。

第13条　（手数料）
① 第10条から前条までの手数料の額は、物価の状況、登記事項証明書の交付等に要する実費その他一切の事情を考慮して、政令で定める。
② 第10条から前条までの手数料の納付は、収入印紙をもつてしなければならない。

【　　第3章　登記手続　　】

第1節／通則

第14条　（当事者申請主義）
登記は、法令に別段の定めがある場合を除くほか、当事者の申請又は官庁の嘱託がなければ、することができない。

第17条　（登記申請の方式）
① 登記の申請は、書面でしなければならない。
② 申請書には、次の事項を記載し、申請人又はその代表者（当該代表者が法人である場合にあつては、その職務を行うべき者）若しくは代理人が記名押印しなければならない。
一 申請人の氏名及び住所、申請人が会社であるときは、その商号及び本店並びに代表者の氏名又は名称及び住所（当該代表者が法人である場合にあつては、その職務を行うべき者の氏名及び住所を含む。）
二 代理人によつて申請するときは、その氏名及び住所
三 登記の事由
四 登記すべき事項
五 登記すべき事項につき官庁の許可を要するときは、許可書の到達した年月日
六 登録免許税の額及びこれにつき課税標準の金額があるときは、その金額
七 年月日
八 登記所の表示
③ 前項第4号に掲げる事項を記録した電磁的記録が法務省令で定める方法により提供されたときは、同項の規定にかかわらず、申請書には、当該電磁的記録に記録された事項を記載することを要しない。

第18条　（申請書の添付書面）
代理人によつて登記を申請するには、申請書（前条第3項に規定する電磁的記録を含む。以下同じ。）にその権限を証する書面を添付しなければならない。

第20条　削除

第2節／商号の登記

第27条　（同一の所在場所における同一の商号の登記の禁止）
商号の登記は、その商号が他人の既に登記した商号と同一であり、かつ、その営業所（会社にあつては、本店。以下この条において同じ。）の所在場所が当該他人の商号の登記に係る営業所の所在場所と同一であるときは、することができ

ない。

第28条　（登記事項等）
① 商号の登記は，営業所ごとにしなければならない。
② 商号の登記において登記すべき事項は，次のとおりとする。
　一　商号
　二　営業の種類
　三　営業所
　四　商号使用者の氏名及び住所

第3節／未成年者及び後見人の登記

第35条　（未成年者登記の登記事項等）
① 商法第5条の規定による登記において登記すべき事項は，次のとおりとする。
　一　未成年者の氏名，出生の年月日及び住所
　二　営業の種類
　三　営業所
② 第29条の規定は，未成年者の登記に準用する。

第40条　（後見人登記の登記事項等）
① 商法第6条第1項の規定による登記において登記すべき事項は，次のとおりとする。
　一　後見人の氏名又は名称及び住所並びに当該後見人が未成年後見人又は成年後見人のいずれであるかの別
　二　被後見人の氏名及び住所
　三　営業の種類
　四　営業所
　五　数人の未成年後見人が共同してその権限を行使するとき，又は数人の成年後見人が共同してその権限を行使すべきことが定められたときは，その旨
　六　数人の未成年後見人が単独でその権限を行使すべきことが定められたときは，その旨
　七　数人の後見人が事務を分掌してその権限を行使すべきことが定められたときは，その旨及び各後見人が分掌する事務の内容
② 第29条の規定は，後見人の登記に準用する。

第41条　（申請人）
① 後見人の登記は，後見人の申請によつてする。
② 未成年被後見人が成年に達したことによる消滅の登記は，その者も申請することができる。成年被後見人について後見開始の審判が取り消されたことによる消滅の登記の申請についても，同様とする。
③ 後見人の退任による消滅の登記は，新後見人も申請することができる。

第4節／支配人の登記

第43条　（会社以外の商人の支配人の登記）
① 商人（会社を除く。以下この項において同じ。）の支配人の登記において登記すべき事項は，次のとおりとする。
　一　支配人の氏名及び住所
　二　商人の氏名及び住所
　三　商人が数個の商号を使用して数種の営業をするときは，支配人が代理すべき営業及びその使用すべき商号
　四　支配人を置いた営業所
② 第29条の規定は，前項の登記について準用する。

第44条　（会社の支配人の登記）
① 会社の支配人の登記は，会社の登記簿にする。
② 前項の登記において登記すべき事項は，次のとおりとする。
　一　支配人の氏名及び住所
　二　支配人を置いた営業所
③ 第29条第2項の規定は，第1項の登記について準用する。

第5節／株式会社の登記

第46条（添付書面の通則）

① 登記すべき事項につき株主全員若しくは種類株主全員の同意又はある取締役若しくは清算人の一致を要するときは，申請書にその同意又は一致があつたことを証する書面を添付しなければならない。

② 登記すべき事項につき株主総会若しくは種類株主総会，取締役会又は清算人会の決議を要するときは，申請書にその議事録を添付しなければならない。

③ 登記すべき事項につき会社法第319条第1項（同法第325条において準用する場合を含む。）又は第370条（同法第490条第5項において準用する場合を含む。）の規定により株主総会若しくは種類株主総会，取締役会又は清算人会の決議があつたものとみなされる場合には，申請書に，前項の議事録に代えて，当該場合に該当することを証する書面を添付しなければならない。

④ 監査等委員会設置会社における登記すべき事項につき，会社法第399条の13第5項又は第6項の取締役会の決議による委任に基づく取締役の決定があつたときは，申請書に，当該取締役会の議事録のほか，当該決定があつたことを証する書面を添付しなければならない。

⑤ 指名委員会等設置会社における登記すべき事項につき，会社法第416条第4項の取締役会の決議による委任に基づく執行役の決定があつたときは，申請書に，当該取締役会の議事録のほか，当該決定があつたことを証する書面を添付しなければならない。

第47条（設立の登記）

① 設立の登記は，会社を代表すべき者の申請によつてする。

② 設立の登記の申請書には，法令に別段の定めがある場合を除き，次の書面を添付しなければならない。

一　定款

二　会社法第57条第1項の募集をしたときは，同法第58条第1項に規定する設立時募集株式の引受けの申込み又は同法第61条の契約を証する書面

三　定款に会社法第28条各号に掲げる事項についての記載又は記録があるときは，次に掲げる書面

　イ　検査役又は設立時取締役（設立しようとする株式会社が監査役設置会社である場合にあつては，設立時取締役及び設立時監査役）の調査報告を記載した書面及びその附属書類

　ロ　会社法第33条第10項第2号に掲げる場合には，有価証券（同号に規定する有価証券をいう。以下同じ。）の市場価格を証する書面

　ハ　会社法第33条第10項第3号に掲げる場合には，同号に規定する証明を記載した書面及びその附属書類

四　検査役の報告に関する裁判があつたときは，その謄本

五　会社法第34条第1項の規定による払込みがあつたことを証する書面（同法第57条第1項の募集をした場合にあつては，同法第64条第1項の金銭の保管に関する証明書）

六　株主名簿管理人を置いたときは，その者との契約を証する書面

七　設立時取締役が設立時代表取締役を選定したときは，これに関する書面

八　設立しようとする株式会社が指名委員会等設置会社であるときは，設立時執行役の選任並びに設立時委員及び設立時代表執行役の選定に関する書面

九　創立総会及び種類創立総会の議事録

十　会社法の規定により選任され又は選定された設立時取締役，設立時監査役及び設立時代表取締役（設立しようとする株式会社が監査等委員会設置会社である場合にあつては設立時監査等委

員である設立時取締役及びそれ以外の設立時取締役並びに設立時代表取締役，設立しようとする株式会社が指名委員会等設置会社である場合にあつては設立時取締役，設立時委員，設立時執行役及び設立時代表執行役）が就任を承諾したことを証する書面
十一　設立時会計参与又は設立時会計監査人を選任したときは，次に掲げる書面
　　イ　就任を承諾したことを証する書面
　　ロ　これらの者が法人であるときは，当該法人の登記事項証明書。ただし，当該登記所の管轄区域内に当該法人の主たる事務所がある場合を除く。
　　ハ　これらの者が法人でないときは，設立時会計参与にあつては会社法第333条第1項に規定する者であること，設立時会計監査人にあつては同法第337条第1項に規定する者であることを証する書面
十二　会社法第373条第1項の規定による特別取締役（同項に規定する特別取締役をいう。以下同じ。）による議決の定めがあるときは，特別取締役の選定及びその選定された者が就任を承諾したことを証する書面
③　登記すべき事項につき発起人全員の同意又はある発起人の一致を要するときは，前項の登記の申請書にその同意又は一致があつたことを証する書面を添付しなければならない。
④　会社法第82条第1項（同法第86条において準用する場合を含む。）の規定により創立総会又は種類創立総会の決議があつたものとみなされる場合には，第2項の登記の申請書に，同項第9号の議事録に代えて，当該場合に該当することを証する書面を添付しなければならない。

第6節／合名会社の登記

第93条　（添付書面の通則）
　登記すべき事項につき総社員の同意又はある社員若しくは清算人の一致を要するときは，申請書にその同意又は一致があつたことを証する書面を添付しなければならない。

第94条　（設立の登記）
　設立の登記の申請書には，次の書面を添付しなければならない。
一　定款
二　合名会社を代表する社員が法人であるときは，次に掲げる書面
　　イ　当該法人の登記事項証明書。ただし，当該登記所の管轄区域内に当該法人の本店又は主たる事務所がある場合を除く。
　　ロ　当該社員の職務を行うべき者の選任に関する書面
　　ハ　当該社員の職務を行うべき者が就任を承諾したことを証する書面
三　合名会社の社員（前号に規定する社員を除く。）が法人であるときは，同号イに掲げる書面。ただし，同号イただし書に規定する場合を除く。

第7節／合資会社の登記

第110条　（設立の登記）
　設立の登記の申請書には，有限責任社員が既に履行した出資の価額を証する書面を添付しなければならない。

第111条　（準用規定）
　第47条第1項，第51条から第53条まで，第93条，第94条及び第96条から第103条までの規定は，合資会社の登記について準用する。

第8節／合同会社の登記

第117条　（設立の登記）
　設立の登記の申請書には，法令に別段の定めがある場合を除き，会社法第578条に規定する出資に係る払込み及び給付があつたことを証する書面を添付しなければならない。

第118条　（準用規定）
　第47条第1項，第51条から第53条まで，第93条，第94条，第96条から第101条まで及び第103条の規定は，合同会社の登記について準用する。

第9節／外国会社の登記

第127条　（管轄の特例）
　日本に営業所を設けていない外国会社の日本における代表者（日本に住所を有するものに限る。第130条第1項を除き，以下この節において同じ。）の住所地は，第1条の3及び第24条第1号の規定の適用については，営業所の所在地とみなす。

第128条　（申請人）
　外国会社の登記の申請については，日本における代表者が外国会社を代表する。

第129条　（外国会社の登記）

① 　会社法第933条第1項の規定による外国会社の登記の申請書には，次の書面を添付しなければならない。
一　本店の存在を認めるに足りる書面
二　日本における代表者の資格を証する書面
三　外国会社の定款その他外国会社の性質を識別するに足りる書面
四　会社法第939条第2項の規定による公告方法についての定めがあるときは，これを証する書面
② 　前項の書類は，外国会社の本国の管轄官庁又は日本における領事その他権限がある官憲の認証を受けたものでなければならない。
③ 　第1項の登記の申請書に他の登記所の登記事項証明書で日本における代表者を定めた旨又は日本に営業所を設けた旨の記載があるものを添付したときは，同項の書面の添付を要しない。

第148条　（省令への委任）
　この法律に定めるもののほか，登記簿の調製，登記申請書の様式及び添付書面その他この法律の施行に関し必要な事項は，法務省令で定める。

附　則　（略）

商業登記規則（抄）

●昭和39年3月11日法務省令第23号●

最終改正　令和5年6月12日法務省令31号

第1章　登記簿等

第1条　（登記簿の編成）
① 商業登記簿（以下「登記簿」という。）は，登記簿の種類に従い，別表第1から第8までの上欄に掲げる各区に区分した登記記録をもつて編成する。ただし，外国会社登記簿は，日本に成立する会社で当該外国会社と同種のもの又は最も類似するものの登記簿の種類に従い，別表第5から第8までの上欄に掲げる各区に区分した登記記録をもつて編成する。
② 前項の区には，その区分に応じ，別表第1から第8までの下欄に掲げる事項を記録する。

第1条の2　（会社法人等番号の記録）
① 商業登記法（昭和38年法律第125号。以下「法」という。）第7条に規定する会社法人等番号（以下「会社法人等番号」という。）は，12桁の番号とし，次に掲げる者につき新たに登記記録を起こすときに，登記所及び次の各号に掲げる区分ごとに，登記記録を起こす順序に従つて付したものを記録する。
　一　株式会社
　二　合名会社，合資会社，合同会社及び外国会社
　三　商号使用者，支配人，未成年者及び後見人
② 前項の規定にかかわらず，同項第1号又は第2号に掲げる会社（外国会社を除く。）につき，新たに登記記録を起こす登記（法第79条に規定する新設合併による設立の登記を除く。）と同時に申請された登記により登記記録を閉鎖するときは，新たに起こす登記記録に記録する会社法人等番号は，閉鎖する登記記録に記録されている会社法人等番号と同一のものとする。
③ 第1項の規定にかかわらず，外国会社につき新たに登記記録を起こす場合において，当該外国会社につき他の登記所において既に起こされた登記記録であつて，現に効力を有するもの（以下この項において「外国会社先行登記記録」という。）があるときは，新たに起こす登記記録に記録する会社法人等番号は，外国会社先行登記記録に記録されている会社法人等番号と同一のものとする。
④ 第1項の規定にかかわらず，同項第3号に掲げる者につき新たに登記記録を起こす場合において，当該登記記録に記録されるべき商号使用者，商人，未成年者又は被後見人の氏名及び住所が次に掲げる登記記録（以下この項において「商人先行登記記録」という。）に記録されているときは，新たに起こす登記記録に記録する会社法人等番号は，商人先行登記記録に記録されている会社法人等番号と同一のものとする。
　一　第1項第3号に掲げる者につき既に起こされた他の登記記録であつて，現に効力を有するもの（次号の場合を除く。）
　二　第1項第3号に掲げる者がその営業所を他の登記所の管轄区域内に移転した場合にあつては，その旧所在地における登記記録

不登関連法

第9条の2　（資格喪失の場合等の印鑑記録の処理）

① 印鑑の提出をした者がその資格を喪失し、又は改印若しくは印鑑の廃止の届出をしたときは、登記官は、印鑑記録にその旨を記録しなければならない

② 前条第6項の規定により記録された事項で登記されたものにつき変更の登記又は登記の更正をしたときは、登記官は、印鑑記録にその旨を記録しなければならない。

第18条　（登記事項証明書等の請求の通則）

① 登記事項証明書若しくは法第11条の書面（以下「登記事項要約書」という。）の交付、登記簿の附属書類の閲覧又は印鑑の証明を請求するには、申請書を提出しなければならない。

② 前項の申請書には、次に掲げる事項を記載しなければならない。

一　申請人又はその代表者（当該代表者が法人である場合にあつては、当該代表者の職務を行うべき者。次章第9節を除き、以下同じ。）若しくは代理人の氏名
二　請求の目的
三　登記事項証明書若しくは登記事項要約書の交付又は印鑑の証明を請求するときは、請求に係る書面の通数
四　手数料の額
五　年月日
六　登記所の表示

第19条　（登記事項証明書の請求）

登記事項証明書の交付の申請書には、請求の目的として、次に掲げる事項を記載しなければならない。

一　登記事項証明書の交付を請求する登記記録
二　交付を請求する登記事項証明書の種類
三　会社の登記記録の一部の区について登記事項証明書の交付を請求するときは、その区（商号区及び会社状態区を除く。）

四　前号の請求に係る区が会社支配人区である場合において、一部の支配人について証明を求めるときは、その支配人の氏名
五　一部の代表者について第30条第1項第4号の代表者事項証明書の交付を請求するときは、その代表者の氏名

第22条　（印鑑の証明の請求）

① 印鑑の証明の申請書には、請求の目的として、被証明事項を記載し、証明を請求する印鑑を特定しなければならない。この場合においては、第9条第2項及び第9条の4第2項の規定を準用する。

② 前項の申請書を提出する場合には、印鑑カードを提示しなければならない。

第30条　（登記事項証明書の種類及び記載事項等）

① 登記事項証明書の記載事項は、次の各号の区分に応じ、それぞれ当該各号に掲げる事項（第2号及び第3号の場合にあつては、法第133条第2項の規定による登記の更正により抹消する記号を記録された登記事項及びその登記により抹消する記号を記録された登記事項を除く。）とする。

一　現在事項証明書　現に効力を有する登記事項（会社法人等番号を含む。以下この条及び次条において同じ。）、会社成立の年月日、取締役、監査等委員である取締役、会計参与、監査役、代表取締役、特別取締役、委員、執行役、代表執行役及び会計監査人の就任の年月日並びに会社の商号及び本店の登記の変更に係る事項で現に効力を有するものの直前のもの

二　履歴事項証明書　前号の事項、当該証明書の交付の請求があつた日（以下「請求日」という。）の3年前の日の属する年の1月1日（以下「基準日」と

いう。）から請求日までの間に抹消する記号を記録された登記事項及び基準日から請求日までの間に登記された事項で現に効力を有しないもの
三　閉鎖事項証明書　閉鎖した登記記録に記録されている事項
四　代表者事項証明書　会社の代表者の代表権に関する登記事項で現に効力を有するもの
② 　会社の登記記録の一部の区について前項第1号から第3号までの登記事項証明書の交付の請求があつたときは，その登記事項証明書には，商号区，会社状態区及び請求に係る区について当該各号に掲げる事項（請求に係る区が会社支配人区である場合において，一部の支配人について証明を求められたときは，当該支配人以外の支配人に係る事項を除く。）を記載し，一部の代表者について同項第4号の登記事項証明書の交付の請求があつたときは，その証明書には，その請求に係る代表者について同号に掲げる事項を記載する。
③〜⑤　（省略）

第32条の2　（印鑑の証明）
　登記官は，印鑑の証明書を作成するときは，請求に係る印鑑及び被証明事項を記載した書面に証明文を付した上で，作成の年月日及び職氏名を記載し，職印を押さなければならない。

第33条　（登記事項証明書等の交付の記録）
　登記事項証明書，登記事項要約書又は印鑑の証明書を交付するときは，申請書にその枚数又は件数及び交付の年月日を記載しなければならない。

第2章　登記手続

第5節／株式会社の登記

第71条　（電子公告に関する登記）
　電子公告を公告方法としたことによる変更の登記をしたときは，会社法第911条第3項第26号及び銀行法（昭和56年法律第59号）第57条の4各号（株式会社日本政策投資銀行法（平成19年法律第85号）第10条第1項において準用する場合を含む。）に掲げる事項並びに株式会社商工組合中央金庫法（平成19年法律第74号）第64条に規定する事項の登記を抹消する記号を記録しなければならない。

附　則（略）

商業登記等事務取扱手続準則（抄）

● 平成17年3月2日民商第500号通達 ●　　最終改正　令和5年6月12日民商114号通達

[── 第3章　登記簿等 ──]

第6条（受付帳）

① 受付帳は，磁気ディスク（これに準ずる方法により一定の事項を確実に記録することができる物を含む。以下同じ。）をもって調製しなければならない。

② 前項の規定にかかわらず，受付帳の保存をするには，その記録を別記第6号様式又はこれに準ずる様式により書面に記載してすることができる。

第7条（管理番号）

① 登記記録には，管理番号を付すものとする。

② 前項の管理番号は，次に掲げる者につき新たに登記記録を起こすときに，登記所及び次の各号に掲げる区分ごとに，登記記録を起こす順序に従って付す12桁の番号とする。
(1) 株式会社
(2) 合名会社，合資会社，合同会社及び外国会社
(3) 商号，支配人，未成年者及び後見人

第8条（商号検索用ファイルの調製等）

① 登記所には，磁気ディスクをもって調製する商号検索用ファイルを備える。

② 商号検索用ファイルには，登記した商号を記録しなければならない。この場合において，当該記録は，登記申請の調査の際に当該商号を片仮名で記録するものとする。

③ 商号の新設又は変更（更正を含む。）に係る登記をしたときは，商号検索用ファイルに追加又は変更の記録をするものとする。

第9条　（削除）

第31条（廃棄処分）

規則第17条の規定による帳簿又は書類の廃棄の認可の申請は，別記第18号様式による申請書によってするものとする。

独立行政法人等登記令（抄）

●昭和39年3月23日政令第28号●　　最終改正　令和4年7月21日政令249号

第1条　（適用範囲）
　独立行政法人（独立行政法人通則法（平成11年法律第103号）第2条第1項に規定する独立行政法人をいう。以下同じ。）、国立大学法人等（国立大学法人法（平成15年法律第112号）第2条第1項に規定する国立大学法人及び同条第3項に規定する大学共同利用機関法人をいう。以下同じ。）及び別表の名称の欄に掲げる法人（以下「独立行政法人等」という。）の登記については、他の法令に別段の定めがある場合を除くほか、この政令の定めるところによる。

第2条　（設立の登記）
① 独立行政法人等の設立の登記は、その主たる事務所の所在地においてしなければならない。
② 前項の登記においては、次に掲げる事項を登記しなければならない。
一　名称
二　事務所の所在場所
三　代表権を有する者の氏名、住所及び資格
四　独立行政法人及び国立大学法人等にあつては、資本金
五　代表権の範囲又は制限に関する定めがある独立行政法人にあつては、その定め
六　独立行政法人北方領土問題対策協会にあつては、基金
七　別表の名称の欄に掲げる法人にあつては、同表の登記事項の欄に掲げる事項

第3条　（変更の登記）
① 独立行政法人等において前条第2項各号に掲げる事項に変更が生じたときは、2週間以内に、その主たる事務所の所在地において、変更の登記をしなければならない。
② 前項の規定にかかわらず、資産の総額の変更の登記は、毎事業年度末日現在により、当該末日から4月以内にすれば足りる。

第7条　（解散の登記）
　独立行政法人等が解散したときは、2週間以内に、その主たる事務所の所在地において、解散の登記をしなければならない。

第8条　（清算結了の登記）
　独立行政法人等の清算が結了したときは、清算結了の日から2週間以内に、その主たる事務所の所在地において、清算結了の登記をしなければならない。

第9条　（登記簿）
　登記所に、独立行政法人等登記簿を備える。

　附　則　（略）

独立行政法人等登記令（別表）

独立行政法人等登記令　別表（第1条、第2条、第6条関係）

名　　　称	根　　拠　　法	登　記　事　項
沖縄振興開発金融公庫	沖縄振興開発金融公庫法（昭和47年法律第31号）	資本金
外国人技能実習機構	外国人の技能実習の適正な実施及び技能実習生の保護に関する法律（平成28年法律第89号）	代表権の範囲又は制限に関する定めがあるときは，その定め 資本金
危険物保安技術協会	消防法（昭和23年法律第186号）	
銀行等保有株式取得機構	銀行等の株式等の保有の制限等に関する法律（平成13年法律第131号）	代表権の範囲又は制限に関する定めがあるときは，その定め 解散の事由
軽自動車検査協会	道路運送車両法（昭和26年法律第185号）	
原子力損害賠償・廃炉等支援機構	原子力損害賠償・廃炉等支援機構法（平成23年法律第94号）	代表権の範囲又は制限に関する定めがあるときは，その定め 資本金
高圧ガス保安協会	高圧ガス保安法（昭和26年法律第204号）	
広域的運営推進機関	電気事業法（昭和39年法律第170号）	代表権の範囲又は制限に関する定めがあるときは，その定め
小型船舶検査機構	船舶安全法（昭和8年法律第11号）	
国家公務員共済組合連合会	国家公務員共済組合法（昭和33年法律第128号）	
自動車安全運転センター	自動車安全運転センター法（昭和50年法律第57号）	
社会保険診療報酬支払基金	社会保険診療報酬支払基金法（昭和23年法律第129号）	代表権の範囲又は制限に関する定めがあるときは，その定め
消防団員等公務災害補償等共済基金	消防団員等公務災害補償等責任共済等に関する法律（昭和31年法律第107号）	代表権の範囲又は制限に関する定めがあるときは，その定め
石炭鉱業年金基金	石炭鉱業年金基金法（昭和42年法律第135号）	
全国健康保険協会	健康保険法（大正11年法律第70号）	資本金
全国市町村職員共済組合連合会	地方公務員等共済組合法（昭和37年法律第152号）	
地方競馬全国協会	競馬法（昭和23年法律第158号）	
地方公共団体金融機構	地方公共団体金融機構法（平成19年法律第64号）	代表権の範囲又は制限に関する定めがあるときは，その定め 資本金
地方公共団体情報システム機構	地方公共団体情報システム機構法（平成25年法律第29号）	代表権の範囲又は制限に関する定めがあるときは，その定め 資本金
地方公務員共済組合連合会	地方公務員等共済組合法	
地方公務員災害補償基金	地方公務員災害補償法（昭和42年法律第121号）	
地方税共同機構	地方税法（昭和25年法律第226号）	代表権の範囲又は制限に関する定めがあるときはその定め

日本銀行	日本銀行法（平成9年法律第89号）	代表権の範囲又は制限に関する定めがあるときは，その定め
		資本金
		出資1口の金額
		公告の方法
日本勤労者住宅協会	日本勤労者住宅協会法（昭和41年法律第133号）	代表権の範囲又は制限に関する定めがあるときは，その定め
日本下水道事業団	日本下水道事業団法（昭和47年法律第41号）	資本金
日本公認会計士協会	公認会計士法（昭和23年法律第103号）	
日本司法支援センター	総合法律支援法（平成16年法律第74号）	資本金
日本消防検定協会	消防法	
日本私立学校振興・共済事業団	日本私立学校振興・共済事業団法（平成9年法律第48号）	代表権の範囲又は制限に関する定めがあるときは，その定め
		資本金
日本赤十字社	日本赤十字社法（昭和27年法律第305号）	資産の総額
日本中央競馬会	日本中央競馬会法（昭和29年法律第205号）	代表権の範囲又は制限に関する定めがあるときは，その定め
		資本金
日本電気計器検定所	日本電気計器検定所法（昭和39年法律第150号）	
日本年金機構	日本年金機構法（平成19年法律第109号）	資本金
日本弁理士会	弁理士法（平成12年法律第49号）	
日本放送協会	放送法（昭和25年法律第132号）	
日本郵政共済組合	国家公務員共済組合法	
農水産業協同組合貯金保険機構	農水産業協同組合貯金保険法（昭和48年法律第53号）	資本金
預金保険機構	預金保険法（昭和46年法律第34号）	資本金

組合等登記令（抄）

●昭和39年3月23日政令第29号●　　最終改正　令和4年7月21日政令249号

第1条　（適用範囲）
別表の名称の欄に掲げる法人（以下「組合等」という。）の登記については，他の法令に別段の定めがある場合を除くほか，この政令の定めるところによる。

第2条　（設立の登記）
① 組合等の設立の登記は，その主たる事務所の所在地において，設立の認可，出資の払込みその他設立に必要な手続が終了した日から2週間以内にしなければならない。
② 前項の登記においては，次に掲げる事項を登記しなければならない。
　一　目的及び業務
　二　名称
　三　事務所の所在場所
　四　代表権を有する者の氏名，住所及び資格
　五　存続期間又は解散の事由を定めたときは，その期間又は事由
　六　別表の登記事項の欄に掲げる事項

第3条　（変更の登記）
① 組合等において前条第2項各号に掲げる事項に変更が生じたときは，2週間以内に，その主たる事務所の所在地において，変更の登記をしなければならない。
② 前項の規定にかかわらず，出資若しくは払い込んだ出資の総額又は出資の総口数の変更の登記は，毎事業年度末日現在により，当該末日から4週間以内にすれば足りる。
③ 第1項の規定にかかわらず，資産の総額の変更の登記は，毎事業年度末日現在により，当該末日から3月以内にすれば足りる。

第4条　（他の登記所の管轄区域内への主たる事務所の移転の登記）
組合等がその主たる事務所を他の登記所の管轄区域内に移転したときは，2週間以内に，旧所在地においては移転の登記をし，新所在地においては第2条第2項各号に掲げる事項を登記しなければならない。

第7条　（解散の登記）
組合等が解散したときは，合併，破産手続開始の決定及び第8条第2項に規定する承継があったことによる解散の場合を除き，2週間以内に，その主たる事務所の所在地において，解散の登記をしなければならない。

第7条の2　（継続の登記）
組合等のうち，別表の根拠法の欄に掲げる法律の規定により継続することができるものが，継続したときは，2週間以内に，その主たる事務所の所在地において，継続の登記をしなければならない。

第8条　（合併等の登記）
① 組合等が合併をするときは，合併の認可その他合併に必要な手続が終了した日から2週間以内に，その主たる事務所の所在地において，合併により消滅する組合等については解散の登記をし，合併後存続する組合等については変更の登記をし，合併により設立する組合等について

は設立の登記をしなければならない。
② 前項の規定は，組合等が承継（組合等を会員とする他の組合等（以下この項において「連合会」という。）において，会員が一人になつた連合会の会員たる組合等が別表の根拠法の欄に掲げる法律の規定により当該連合会の権利義務を承継することをいう。第14条第2項において同じ。）をする場合について準用する。

第8条の2　（分割の登記）
組合等が分割をするときは，分割の認可その他分割に必要な手続が終了した日から2週間以内に，その主たる事務所の所在地において，分割をする組合等及び当該組合等がその事業に関して有する権利義務の全部又は一部を当該組合等から承継する他の組合等（第21条の2において「吸収分割承継組合等」という。）については変更の登記をし，分割により設立する組合等については設立の登記をしなければならない。

第9条　（移行等の登記）
組合等が種類を異にする組合等となるときは，定款又は寄附行為の変更の認可その他必要な手続が終了した日から2週間以内に，その主たる事務所の所在地において，新たに登記すべきこととなつた事項を登記し，登記を要しないこととなつた事項の登記を抹消しなければならない。

第10条　（清算結了の登記）
組合等の清算が結了したときは，清算結了の日から2週間以内に，その主たる事務所の所在地において，清算結了の登記をしなければならない。

第11条～第13条　削除

第15条　（登記簿）
登記所に，組合等登記簿を備える。

第16条　（設立の登記の申請）
① 設立の登記は，組合等を代表すべき者の申請によつてする。
② 設立の登記の申請書には，定款又は寄附行為及び組合等を代表すべき者の資格を証する書面を添付しなければならない。
③ 第2条第2項第6号に掲げる事項を登記すべき組合等の設立の登記の申請書には，その事項を証する書面を添付しなければならない。

第17条　（変更の登記の申請）
① 第2条第2項各号に掲げる事項の変更の登記の申請書には，その事項の変更を証する書面を添付しなければならない。ただし，代表権を有する者の氏，名又は住所の変更の登記については，この限りでない。
②・③　（略）

第19条の2　（継続の登記の申請）
継続の登記の申請書には，組合等が継続したことを証する書面を添付しなければならない。

第21条の2　（分割による変更の登記の申請）
吸収分割承継組合等がする吸収分割による変更の登記の申請書には，次の書面を添付しなければならない。
一　分割をする組合等（当該登記所の管轄区域内にその主たる事務所があるものを除く。）の登記事項証明書
二　債権者に対し異議があれば異議を述べるべき旨の公告及び催告をしたこと並びに異議を述べた債権者があるときは，当該債権者に対し弁済し，若しくは相当の担保を提供し，若しくは当該債権者に弁済を受けさせることを目的として相当の財産を信託したこと又は

分割をしても当該債権者を害するおそれがないことを証する書面

第21条の3 （分割による設立の登記の申請）

① 分割による設立の登記の申請書には，第16条第2項及び第3項に規定する書面並びに前条各号に掲げる書面を添付しなければならない。

② 前項の規定にかかわらず，組合等のうち，別表の根拠法の欄に掲げる法律の規定により分割をする場合には，前条第2号の公告を官報のほか定款に定めた時事に関する事項を掲載する日刊新聞紙又は電子公告によってすることができるものがこれらの方法による公告をしたときは，同項の登記の申請書には，同号の公告及び催告をしたことを証する書面に代えて，これらの方法による公告をしたことを証する書面を添付しなければならない。

第26条 （設立の登記に関する特則）

次に掲げる法人については，第2条第2項第1号に掲げる事項は，登記することを要しない。

一　行政書士会及び日本行政書士会連合会
二　司法書士会及び日本司法書士会連合会
三　社会保険労務士会及び全国社会保険労務士会連合会
四　税理士会及び日本税理士会連合会
五　土地家屋調査士会及び日本土地家屋調査士会連合会
六　水先人会及び日本水先人会連合会

第27条 （変更の登記に関する特則）

第17条第1項ただし書の規定は，外国法事務弁護士法人，監査法人，行政書士法人，司法書士法人，社会保険労務士法人，税理士法人，土地家屋調査士法人，弁護士法人，弁護士・外国法事務弁護士共同法人又は弁理士法人の社員でこれらの法人を代表すべき社員以外のものの氏，名又は住所の変更の登記について準用する。

第32条 （管理組合法人等の登記に関する特則）

① 管理組合法人又は団地管理組合法人の設立の登記の申請書には，第16条第2項の規定にかかわらず，次の書面を添付しなければならない。

1　法人となる旨並びにその名称及び事務所を定めた集会の議事録
2　第2条第2項第1号に掲げる事項を証する書面
3　管理組合法人又は団地管理組合法人を代表すべき者の資格を証する書面

② 建物の区分所有等に関する法律（昭和37年法律第69号）第55条第1項第1号又は第2号の規定による管理組合法人の解散の登記は，登記官が，職権ですることができる。

附　則（略）

別表（一部省略）（第1条，第2条，第6条，第7条の2，第8条，第17条，第20条関係，第21条の3）

名称	根拠法	登記事項
学校法人 私立学校法第64条第4項の法人	私立学校法（昭和24年法律第270号）	代表権の範囲又は制限に関する定めがあるときは，その定め 資産の総額 設置する私立学校，私立専修学校又は私立各種学校の名称
監査法人	公認会計士法（昭和23年法律第103号）	社員（監査法人を代表すべき社員を除く。）の氏名及び住所（社員の全部を有限責任社員とする旨の定めがあるときは，氏名に限る。）

組合等登記令（別表）

		社員が公認会計士法第1条の3第6項に規定する特定社員であるときは，その旨 社員の全部を有限責任社員とする旨の定めがあるときは，資本金の額 合併の公告の方法についての定めがあるときは，その定め 電子公告を合併の公告の方法とする旨の定めがあるときは，電子公告関係事項
管理組合法人 団地管理組合法人	建物の区分所有等に関する法律	共同代表の定めがあるときは，その定め
行政書士会 日本行政書士会連合会	行政書士法（昭和26年法律第4号）	
行政書士法人	行政書士法	社員（行政書士法人を代表すべき社員を除く。）の氏名及び住所 社員が行政書士法第13条の8第3項第4号に規定する特定社員であるときは，その旨及び当該社員が行うことができる特定業務（同法第13号の6に規定する特定業務をいう。） 代表権の範囲又は制限に関する定めがあるときは，その定め 合併の公告の方法についての定めがあるときは，その定め 電子公告を合併の公告の方法とする旨の定めがあるときは，電子公告関係事項
漁業共済組合 漁業共済組合連合会	漁業災害補償法（昭和39年法律第158号）	地区（漁業共済組合に限る。） 出資の総額
司法書士会 日本司法書士会連合会	司法書士法（昭和25年法律第197号）	
司法書士法人	司法書士法	社員（司法書士法人を代表すべき社員を除く。）の氏名及び住所 社員が司法書士法第36条第2項に規定する特定社員であるときは，その旨 代表権の範囲又は制限に関する定めがあるときは，その定め 合併の公告の方法についての定めがあるときは，その定め 電子公告を合併の公告の方法とする旨の定めがあるときは，電子公告関係事項
社会福祉法人	社会福祉法（昭和26年法律第45号）	資産の総額
社会保険労務士会 全国社会保険労務士会連合会	社会保険労務士法（昭和43年法律第89号）	
社会保険労務士法人	社会保険労務士法	社員（社会保険労務士法人を代表すべき社員を除く。）の氏名及び住所 社員が社会保険労務士法第25条の15第2項に規定する特定社員であるときは，その旨 代表権の範囲又は制限に関する定めがあるときは，その旨 合併の公告の方法についての定めがあるときは，その定め 電子公告を合併の公告の方法とする旨の定めがあるときは，電子公告関係事項
商工会議所 日本商工会議所	商工会議所法（昭和28年法律第143号）	地区（商工会議所に限る。）
商工会 商工会連合会	商工会法（昭和35年法律第89号）	地区（商工会に限る。）

不登関連法

組合等登記令（別表）

使用済燃料再処理機構	原子力発電における使用済燃料の再処理等の実施に関する法律（平成17年法律第48号）	代表権の範囲又は制限に関する定めがあるときは，その定め
信用保証協会	信用保証協会法（昭和28年法律第196号）	資産の総額
森林組合 生産森林組合 森林組合連合会	森林組合法	地区 出資1口の金額及びその払込みの方法 出資の総口数及び払い込んだ出資の総額 公告の方法 電子公告を公告の方法とする旨の定めがあるときは，電子公告関係事項
生活衛生同業組合 生活衛生同業小組合 生活衛生同業組合連合会	生活衛生関係営業の運営の適正化及び振興に関する法律（昭和32年法律第164号）	地区（生活衛生同業組合及び生活衛生同業小組合に限る。） 出資1口の金額及びその払込みの方法（組合員に出資をさせる組合，小組合及び会員に出資をさせる連合会に限る。） 出資の総口数及び払い込んだ出資の総額（組合員に出資をさせる組合，小組合及び会員に出資をさせる連合会に限る。）
税理士会 日本税理士会連合会	税理士法（昭和26年法律第237号）	合併の公告の方法についての定めがあるときは，その定め（税理士会に限る。） 電子公告を合併の公告の方法とする旨の定めがあるときは，電子公告関係事項（税理士会に限る。）
税理士法人	税理士法	社員（税理士法人を代表すべき社員を除く。）の氏名及び住所 合併の公告の方法についての定めがあるときは，その定め 電子公告を公告の方法とする旨の定めがあるときは，電子公告関係事項
特定非営利活動法人	特定非営利活動促進法（平成10年法律第7号）	代表権の範囲又は制限に関する定めがあるときは，その定め
土地開発公社	公有地の拡大の推進に関する法律（昭和47年法律第66号）	
土地改良事業団体連合会	土地改良法（昭和24年法律第195号）	地区
土地家屋調査士会 日本土地家屋調査士会連合会	土地家屋調査士法（昭和25年法律第228号）	
土地家屋調査士法人	土地家屋調査士法	社員（土地家屋調査士法人を代表すべき社員を除く。）の氏名及び住所 社員が土地家屋調査士法第35条第2項に規定する特定社員であるときは，その旨 代表権の範囲又は制限に関する定めがあるときは，その定め 合併の公告の方法についての定めがあるときは，その定め 電子公告を合併の公告の方法とする旨の定めがあるときは，電子公告関係事項
農業信用基金協会	農業信用保証保険法（昭和36年法律第204号）	区域 公告の方法 電子公告を公告の方法とする旨の定めがあるときは，電子公告関係事項

農住組合	農住組合法（昭和55年法律第86号）	地区 出資1口の金額及びその払い込みの方法 出資の総口数及び払い込んだ出資の総額 公告の方法
農林中央金庫	農林中央金庫法（平成13年法律第93号）	出資1口の金額及びその払込みの方法 出資の総口数及び払い込んだ出資の総額 公告の方法 電子公告を公告の方法とする旨の定めがあるときは，電子公告関係事項
弁護士法人	弁護士法（昭和24年法律第205号）	社員（弁護士法人を代表すべき社員を除く。）の氏名及び住所 合併の公告の方法についての定めがあるときは，その定め 電子公告を合併の公告の方法とする旨の定めがあるときは，電子公告関係事項
弁護士・外国法事務弁護士共同法人	外国弁護士による法律事務の取扱い等に関する法律	社員（弁護士・外国法事務弁護士共同法人を代表すべき社員を除く。）の氏名及び住所 外国法事務弁護士である社員の原資格国法 外国法事務弁護士である社員が外国弁護士による法律事務の取扱い等に関する法律第35条第1項の規定による指定法の付記を受けているときは，その指定法 合併の公告の方法についての定めがあるときは，その定め 電子公告を合併の公告の方法とする旨の定めがあるときは，電子公告関係事項

各種法人等登記規則（抄）

●昭和39年3月31日法務省令第46号●　最終改正　令和6年4月22日法務省令32号

第1条　（趣旨）
　会社，一般社団法人及び一般財団法人，投資信託及び投資法人に関する法律（昭和26年法律第198号）第2条第12項に規定する投資法人並びに資産の流動化に関する法律（平成10年法律第105号）第2条第3項に規定する特定目的会社を除くその他の法人(以下「各種法人」という。)並びに外国会社を除くその他の外国法人（以下「各種外国法人」という。）の登記の取扱手続は，この省令の定めるところによる。

第2条　（登記簿の編成）
① 　各種法人及び各種外国法人（以下「各種法人等」という。）の登記簿は，別表の上欄に掲げる各区に区分した登記記録をもつて編成する。
② 　前項の区には，その区分に応じ，別表の下欄に掲げる事項を記録する。
③ 　保険業法（平成7年法律第105号）第2条第5項に規定する相互会社の登記において，取締役，執行役，会計参与，監査役又は会計監査人の相互会社に対する責任の免除に関する規定及び取締役（業務執行取締役等であるものを除く。)，会計参与，監査役又は会計監査人の相互会社に対する責任の制限に関する規定に関する事項は，前項の規定にかかわらず，その他の事項区に記録する。

第3条　（登記事項の名称の付記）
　登記記録中相当区に登記をする場合において，登記すべき事項の名称が当該区の表示と同一でないときは，その名称を付記しなければならない。

第4条　（組合原簿）
① 　組合原簿は，有限責任の組合については附録第2号の様式により，保証責任又は無限責任の組合については附録第3号の様式により，丈夫な紙を用いて調製し，組合の代表者がその表紙に署名押印し，かつ，毎葉の綴り目に契印しなければならない。
② 　登記官は，組合原簿の表紙に受附の年月日及び番号を記載しなければならない。
③ 　組合員の加入による新組合員の組合原簿は，前の組合原簿に編綴し，登記官がその綴り目に契印しなければならない。
④ 　組合原簿の用紙中変更欄に余白がなくなつたときは，継続用紙を編綴し，登記官がその綴り目に契印しなければならない。
⑤ 　組合原簿は，合綴することができる。この場合には，合綴した帳簿に目録を附さなければならない。

　　附　則　（略）

国土調査法（抄）

昭和26年6月1日法律第180号
最終改正 令和3年5月19日法37号

第1章 目的及び定義

第1条（目的）
　この法律は、国土の開発及び保全並びにその利用の高度化に資するとともに、あわせて地籍の明確化を図るため、国土の実態を科学的且つ総合的に調査することを目的とする。

第2条（定義）
① この法律において「国土調査」とは、左の各号に掲げる調査をいう。
一　国の機関が行う基本調査、土地分類調査又は水調査
二　都道府県が行う基本調査
三　地方公共団体又は土地改良区その他の政令で定める者（以下「土地改良区等」という。）が行う土地分類調査又は水調査で第5条第4項又は第6条第3項の規定による指定を受けたもの及び地方公共団体又は土地改良区等が行う地籍調査で第5条第4項若しくは第6条第3項の規定による指定を受けたもの又は第6条の3第2項の規定により定められた事業計画に基くもの
② 前項第1号及び第2号の「基本調査」とは、土地分類調査、水調査及び地籍調査の基礎とするために行う土地及び水面の測量（このために必要な基準点の測量を含む。）並びに土地分類調査及び水調査の基準の設定のための調査を行い、その結果を地図及び簿冊に作成することをいう。
③ 第1項第1号及び第3号の「土地分類調査」とは、土地をその利用の可能性により分類する目的をもって、土地の利用現況、土性その他の土じようの物理的及び化学的性質、浸蝕の状況その他の主要な自然的要素並びにその生産力に関する調査を行い、その結果を地図及び簿冊に作成することをいう。
④ 第1項第1号及び第3号の「水調査」とは、治水及び利水に資する目的をもって、気象、陸水の流量、水質及び流砂状況並びに取水量、用水量、排水量及び水利慣行等の水利に関する調査を行い、その結果を地図及び簿冊に作成することをいう。
⑤ 第1項第3号の「地籍調査」とは、毎筆の土地について、その所有者、地番及び地目の調査並びに境界及び地積に関する測量を行い、その結果を地図及び簿冊に作成することをいう。
⑥ 第2項から前項までに規定する地図及び簿冊の様式は、政令で定める。
⑦ 第1項第1号に規定する基本調査、土地分類調査又は水調査を行う国の機関は、これらの国土調査の各々について政令で定める。

第2章 計画及び実施

第3条（基礎計画及び作業規程の準則）
① 国の機関が行う国土調査及び都道府県が行う基本調査の基礎計画は、国土交通省令で定める。
② 国土調査の作業規程の準則は、国土交通省令で定める。

第4条（国の機関が行う国土調査の実施に関する計画及び作業規程）

① 国の機関が行う国土調査の実施計画は，前条第1項の基礎計画に基いて，当該調査を行う国の機関が作成する。
② 前項の実施計画は，あらかじめ，国土交通大臣の承認を得て定めなければならない。
③ 第1項の国の機関が行う国土調査の作業規程は，前条第2項の作業規程の準則に基づいて，当該調査を行う国の機関が作成して，これを国土交通大臣に届け出なければならない。
④ 国の機関が第2条第1項第1号の国土調査を行う場合においては，当該調査が行われる都道府県におけるその実施の方法について，当該都道府県の意見を聞かなければならない。

第5条　（都道府県が行う国土調査の指定）

① 都道府県は，国土調査として基本調査を行おうとする場合においては，第3条第1項及び第2項の基礎計画及び作業規程の準則に基づいて，その実施に関する計画及び作業規程を作成して，これを国土交通大臣に届け出なければならない。
② 都道府県は，基本調査の成果に基づいて，国土調査として第2条第1項第3号の調査（地籍調査で第6条の3第2項の規定により定められた事業計画に基づくものを除く。以下第6条第1項において同じ。）を行おうとする場合においては，その実施に関する計画を作成して，これを国土交通大臣に届け出なければならない。
③ 都道府県は，第3条第2項の作業規程の準則に基づいて，前項の規定による届出をした計画に係る調査の作業規程を作成して，これを国土交通大臣に届け出なければならない。
④ 国土交通大臣は，前三項の規定による届出があつた場合においては，その届出に係る計画及び作業規程を審査し，その結果に基いて当該調査を国土調査とし て指定し，又は当該届出に係る計画若しくは作業規程の変更を勧告し，若しくは必要な助言をした場合において当該都道府県がこれに同意したときはその計画若しくは作業規程に変更を加えて国土調査として指定しなければならない。
⑤ 国土交通大臣は，前項の規定により国土調査の指定をした場合においては，遅滞なく，政令で定めるところにより，公示しなければならない。

第6条　（市町村又は土地改良区等が行う国土調査の指定）

① 市町村又は土地改良区等は，基本調査の成果に基いて，国土調査として第2条第1項第3号の調査を行おうとする場合においては，その実施に関する計画を作成して，これを都道府県知事に届け出なければならない。
② 市町村又は土地改良区等は，第3条第2項の作業規程の準則に基いて，前項の規定による届出をした計画に係る調査の作業規程を作成して，これを都道府県知事に届け出なければならない。
③ 都道府県知事は，前二項の規定による届出があつた場合においては，その届出に係る計画及び作業規程を審査し，その結果に基いて当該調査を国土調査として指定し，又は当該届出に係る計画若しくは作業規程の変更を勧告し，若しくは必要な助言をした場合において当該市町村又は土地改良区等がこれに同意したときはその計画若しくは作業規程に変更を加えて国土調査として指定しなければならない。
④ 都道府県知事は，前項の規定によつて当該国土調査の指定をしようとする場合においては，あらかじめ，国土交通大臣等（当該指定に係る調査が，市町村が行うものである場合にあつては国土交通大臣，土地改良区等が行うものである場合にあつては国土交通大臣及び土地改良区

等を所管する大臣をいう。以下同じ。）の意見を求めることができる。
⑤　都道府県知事は，第3項の規定により国土調査の指定をした場合においては，遅滞なく，政令で定めるところにより，これを公表するよう努めなければならない。

第7条　（国土調査の実施の公示）
　国土調査を行う者は，当該国土調査の開始前に，政令で定めるところにより，これを公表するよう努めなければならない。

第4章　国土調査の成果等の取扱い

第17条　（地図及び簿冊の閲覧）
①　国土調査を行つた者は，第2条第2項若しくは第5項に規定する調査及び測量又は同条第3項若しくは第4項に規定する調査の結果に基づいて地図及び簿冊を作成した場合においては，遅滞なく，その旨を公告し，当該国土調査を行つた者の事務所（地籍調査にあつては，当該地籍調査が行われた市町村の事務所）において，その公告の日から20日間当該地図及び簿冊を一般の閲覧に供しなければならない。
②　前項の規定により一般の閲覧に供された地図及び簿冊に測量若しくは調査上の誤り又は政令で定める限度以上の誤差があると認める者は，同項の期間内に，当該国土調査を行つた者に対して，その旨を申し出ることができる。
③　前項の規定による申出があつた場合においては，当該国土調査を行つた者は，その申出に係る事実があると認めたときは，遅滞なく，当該地図及び簿冊を修正しなければならない。

第18条　（地図及び簿冊の送付）
　前条第1項の規定により閲覧に供された地図及び簿冊について同項の閲覧期間内に同条第2項の規定による申出がない場合，同項の規定による申出があつた場合においてその申出に係る事実がないと認めた場合又は同条第3項の規定により修正を行つた場合においては，当該地図及び簿冊に係る国土調査を行つた者は，それぞれ，国の機関及び第5条第4項の規定による指定を受け又は第6条の3第2項の規定により定められた事業計画に基づいて国土調査を行う都道府県にあつては国土交通大臣に，第8条第1項の勧告に基づいて国土調査を行う者にあつては事業所管大臣に，その他の者にあつては都道府県知事に，遅滞なく，その地図及び簿冊を送付しなければならない。

第19条　（国土調査の成果の認証）
①　国土調査を行つた者は，前条の規定により送付した地図及び簿冊（以下「国土調査の成果」という。）について，それぞれ，国の機関及び第5条第4項の規定による指定を受け又は第6条の3第2項の規定により定められた事業計画に基づいて国土調査を行う都道府県にあつては国土交通大臣に，第8条第1項の勧告に基づいて国土調査を行う者にあつては事業所管大臣に，その他の者にあつては都道府県知事に，政令で定める手続により，その認証を請求することができる。
②　国土交通大臣，事業所管大臣又は都道府県知事は，前項の規定による請求を受けた場合においては，当該請求に係る国土調査の成果の審査の結果に基づいて，その国土調査の成果に測量若しくは調査上の誤り又は政令で定める限度以上の誤差がある場合を除くほか，その国土調査の成果を認証しなければならない。
③　事業所管大臣又は都道府県知事は，前項の規定により国土調査の成果を認証する場合においては，政令で定める手続により，あらかじめ，それぞれ国土交通大

臣又は国土交通大臣等の承認を得なければならない。

④ 国土交通大臣，事業所管大臣又は都道府県知事は，第2項の規定により国土調査の成果を認証した場合においては，遅滞なく，その旨を公告しなければならない。

⑤ 国土調査以外の測量及び調査を行つた者が当該測量及び調査の結果作成された地図及び簿冊について政令で定める手続により国土調査の成果としての認証を申請した場合においては，国土交通大臣又は事業所管大臣は，これらの地図及び簿冊が第2項の規定により認証を受けた国土調査の成果と同等以上の精度又は正確さを有すると認めたときは，これらを同項の規定によつて認証された国土調査の成果と同一の効果があるものとして指定することができる。

⑥ 国土調査を行う者は，国土調査の効率的な実施に資するため必要があると認めるときは，前項の規定による申請を当該測量及び調査を行つた者に代わつて行うことができる。この場合においては，あらかじめ，当該測量及び調査を行つた者の同意を得なければならない。

⑦ 事業所管大臣は，第5項の規定による指定をする場合においては，あらかじめ，国土交通大臣の承認を得なければならない。

⑧ 国土交通大臣又は事業所管大臣は，第5項の規定による指定をしたときは，遅滞なく，その旨を公告するとともに，関係都道府県知事に通知しなければならない。

第20条　（国土調査の成果の写しの送付等）

① 国土交通大臣，事業所管大臣又は都道府県知事は，前条第2項の規定により国土調査の成果を認証した場合又は同条第5項の規定により指定をした場合においては，地籍調査にあつては当該調査に係る土地の登記の事務をつかさどる登記所に，その他の国土調査にあつては政令で定める台帳を備える者に，それぞれ当該国土調査の成果の写しを送付しなければならない。

② 登記所又は前項の台帳を備える者は，政令で定めるところにより，同項の規定により送付された国土調査の成果の写しに基づいて，土地の表示に関する登記及び所有権の登記名義人の氏名若しくは名称若しくは住所についての変更の登記若しくは更正の登記をし，又は同項の台帳の記載を改めなければならない。

③ 前項の場合において，地籍調査が第32条の規定により行われたときは，登記所は，その国土調査の成果の写しに基づいて分筆又は合筆の登記をしなければならない。

第21条　（国土調査の成果の保管）

① 国土交通大臣，事業所管大臣又は都道府県知事は，第19条第2項の規定により国土調査の成果を認証した場合においては，その国土調査の成果の写しを，それぞれ当該都道府県知事又は市町村長に，送付しなければならない。

② 都道府県知事又は市町村長は，前項の規定により送付された国土調査の成果の写しを保管し，一般の閲覧に供しなければならない。

第21条の2　（街区境界調査成果に係る特例）

① 第5条第4項若しくは第6条第3項の規定による指定を受け，又は第6条の3第2項の規定により定められた事業計画に基づいて地籍調査を行う地方公共団体又は土地改良区等は，当該地籍調査を効率的に行うため必要があると認めるときは，一の街区（住居表示に関する法律（昭和37年法律第119号）第2条第1号に規定する街区をいう。以下この項におい

て同じ。）内にその全部又は一部が所在する一筆又は二筆以上の土地（当該街区外にその全部が所在する土地（以下この項において「街区外土地」という。）に隣接する土地に限る。）について，その所有者及び地番の調査並びに当該一筆又は二筆以上の土地と街区外土地との境界に関する測量のみを先行して行い，その結果に基づいて地図及び簿冊を作成することができる。

② 前項の地図及び簿冊の様式は，政令で定める。

③ 地方公共団体又は土地改良区等は，第1項の規定に基づき地図及び簿冊を作成したときは，遅滞なく，その旨を公告し，同項の調査及び測量が行われた市町村の事務所において，その公告の日から20日間当該地図及び簿冊を一般の閲覧に供しなければならない。

④ 第17条第2項及び第3項並びに第18条の規定は，前項の規定により閲覧に供された地図及び簿冊について準用する。

⑤ 地方公共団体又は土地改良区等は，前項において準用する第18条の規定により送付した地図及び簿冊（以下「街区境界調査成果」という。）について，都道府県にあつては国土交通大臣に，その他の者にあつては都道府県知事に，政令で定める手続により，その認証を請求することができる。

⑥ 第19条第2項から第4項までの規定は，前項の認証の請求があつた場合について準用する。この場合において，これらの規定中「国土調査の成果」とあるのは，「街区境界調査成果」と読み替えるものとする。

⑦ 国土交通大臣又は都道府県知事は，前項において準用する第19条第2項の規定により街区境界調査成果を認証した場合においては，当該街区境界調査成果に係る土地の登記の事務をつかさどる登記所に，当該街区境界調査成果の写しを送付しなければならない。

⑧ 登記所は，政令で定めるところにより，前項の規定により送付された街区境界調査成果の写しに基づいて，表題部所有者（不動産登記法（平成16年法律第123号）第2条第10号に規定する表題部所有者をいう。）又は所有権の登記名義人の氏名若しくは名称又は住所についての変更の登記又は更正の登記をしなければならない。

⑨ 前条の規定は，第6項において準用する第19条第2項の規定により街区境界調査成果が認証された場合について準用する。この場合において，前条中「国土調査の成果」とあるのは，「街区境界調査成果」と読み替えるものとする。

⑩ 都道府県知事又は市町村長は，前項において準用する前条第1項の規定により街区境界調査成果の写しの送付を受けた場合には，地籍調査以外の測量及び調査において街区境界調査成果に係る情報の活用が図られるよう，当該情報をインターネットの利用その他の適切な方法により公表することその他必要な措置を講ずるように努めるものとする。

【―――― 第5章 雑則 ――――】

第32条（分割又は合併があつたものとして行う地籍調査）

地方公共団体（第10条第2項の規定により地籍調査の実施を委託された法人が地籍調査を実施する場合にあつては，当該法人）又は土地改良区等は，第5条第4項若しくは第6条第3項の規定により指定を受け，又は第6条の3第2項の規定により定められた事業計画に基づいて地籍調査を行うために土地の分割又は合併があつたものとして調査を行う必要がある場合において，当該土地の所有者がこれに同意するときは，分割又は合併があつたものとして調査を行うことができる。

第32条の2 (代位登記)

① 地方公共団体又は土地改良区等は，前条の規定により土地の合併があつたものとして調査を行う場合において必要があるときは，当該土地の登記簿の表題部に所有者として記録された者若しくは所有権の登記名義人又はその相続人に代わり土地の表題部若しくは所有権の登記名義人の氏名若しくは名称若しくは住所についての変更の登記若しくは更正の登記又は所有権の保存若しくは相続による移転の登記を申請することができる。

② 前項の登記の手続に関し必要な事項は，政令で定める。

第32条の3 (地籍調査を行う地方公共団体等による登記簿の附属書類等の閲覧請求の特例)

① 第5条第4項若しくは第6条第3項の規定による指定を受け，又は第6条の3第2項の規定により定められた事業計画に基づいて地籍調査を行う地方公共団体又は土地改良区等は，不動産登記法第121条第3項の規定にかかわらず，登記官に対し，手数料を納付して，当該地籍調査に係る土地に関する同項の登記簿の附属書類の閲覧を請求することができる。

② 前項に規定する地方公共団体又は土地改良区等は，不動産登記法第149条第2項ただし書の規定にかかわらず，その行う地籍調査に係る土地に関する同項の筆界特定手続記録の閲覧を請求することができる。

第33条 (特別地方公共団体に関する規定)

① この法律中市町村又は市町村長に関する規定は，特別区又は特別区長に適用する。

② この法律中町村又は町村長に関する規定は，町村が設ける一部事務組合で国土調査に関する事務を共同処理するものがある場合においては，当該一部事務組合又はその管理者に適用する。

第34条 (測量法との関係)

国土調査を行うために実施する測量については，この章に特別の定がある場合を除く外，測量法の規定の適用があるものとする。

第34条の2 (権限の委任)

この法律に規定する国土交通大臣の権限は，国土交通省令で定めるところにより，その一部を地方整備局長又は北海道開発局長に委任することができる。

第34条の3 (事務の区分)

第19条第2項から第4項まで（第21条の2第6項において準用する場合を含む。），第20条第1項及び第21条の2第7項の規定により都道府県が処理することとされている事務は，地方自治法（昭和22年法律第67号）第2条第9項第1号に規定する第一号法定受託事務とする。

附　則　(略)

国土調査法施行令（抄）

●昭和27年3月31日政令第59号●　　最終改正　令和2年6月12日政令183号

第1条　（土地改良区その他の者）

国土調査法（以下「法」という。）第2条第1項第3号の規定による政令で定める者は，次に掲げる者とする。
一　土地改良区及び土地改良区連合
二　土地区画整理組合
三　農業協同組合及び農業協同組合連合会
四　森林組合，生産森林組合及び森林組合連合会
五　農業委員会
六　水害予防組合法（明治41年法律第50号）の規定に基づき設立される水害予防組合及び水害予防組合連合
七　漁業協同組合及び漁業協同組合連合会
八　その他前各号に準ずる者で，国土交通省令で定めるもの

第2条　（地図及び簿冊の様式）

① 法第2条第6項及び第21条の2第2項の規定による地図及び簿冊の様式は，次に定めるところによらなければならない。
一　法第2条第2項から第5項まで及び第21条の2第1項に規定する地図及び簿冊に示す地点の位置は，地理学的経緯度，別表第1に掲げる平面直角座標系（以下「座標系」という。）による平面直角座標値（以下「座標値」という。）若しくは平均海面からの高さで，又はこれらを併用して，表示するものとする。ただし，量的測定をしない地図並びに測量の結果以外の事項を記録する簿冊及び測量の結果としては面積のみを記録する簿冊については，この限りでない。
二　法第2条第2項から第4項までに規定する地図の縮尺は，250分の1，500分の1，1,000分の1，2,500分の1，5,000分の1，10,000分の1，25,000分の1若しくは50,000分の1又は100,000分の1以下で国土交通大臣が定めるものとする。
三～八　（略）
九　法第2条第5項に規定する地図（以下「地籍図」という。）及び法第21条の2第1項に規定する地図（以下「街区境界調査図」という。）の縮尺は，次のとおりとする。
　　主として宅地が占める地域及びその周辺の地域　250分の1又は500分の1
　　主として田，畑又は塩田が占める地域及びその周辺の地域　500分の1，1,000分の1又は2,500分の1
　　主として山林，牧場又は原野が占める地域及びその周辺の地域　1,000分の1，2,500分の1又は5,000分の1
十　地籍図及び街区境界調査図の図郭は，座標系に基づいて区画するものとする。
十一　地籍図及び法第2条第5項に規定する簿冊（以下「地籍簿」という。）には，次に掲げる事項を表示するものとする。
　イ　地籍図
　　名称
　　番号
　　縮尺
　　座標系の名称又は記号
　　図郭線及びその数値
　　基本測量三角点，基本測量水準点及

不登関連法

び基準点の位置
　　　　土地利用及び工作物の現況
　　　　隣図との関係
　　　　地番区域の名称
　　　　毎筆の土地の境界線及び地番
　　ロ　地籍簿
　　　　毎筆の土地の所在，地番，地目及び地積並びに所有者の住所及び氏名又は名称
　　　　関係の地籍図の番号
　十二　街区境界調査図及び法第21条の2第1項に規定する簿冊（以下「街区境界調査簿」という。）には，次に掲げる事項を表示するものとする。
　　イ　街区境界調査図
　　　　名称
　　　　番号
　　　　縮尺
　　　　座標系の名称又は記号
　　　　図郭線及びその数値
　　　　基本測量三角点，基本測量水準点及び基準点の位置
　　　　土地利用及び工作物の現況
　　　　隣図との関係
　　　　地番区域の名称
　　　　法第21条の2第1項に規定する一筆又は二筆以上の土地（以下この号において「街区内土地」という。）と同項に規定する街区外土地との境界線
　　　　街区内土地の地番
　　ロ　街区境界調査簿
　　　　街区内土地の所在及び地番並びに所有者の住所及び氏名又は名称
　　　　関係の街区境界調査図の番号
② 前項に定めるものを除くほか，法第2条第6項及び第21条の2第2項の規定による地図及び簿冊の様式は，国土交通省令で定める。

第11条　（国土調査の実施の公示）

　法第7条の規定による公示は，国土調査を行う者が国の機関である場合においては官報により，国の機関以外の者である場合においてはその者の通常用いる公示の方法により，次に掲げる事項を記載してしなければならない。
　一　国土調査として指定された年月日又は事業計画が定められた年月日
　二　調査を実施する者の名称
　三　調査地域
　四　調査期間

第15条　（誤差の限度）

　法第17条第2項（法第21条の2第4項において準用する場合を含む。）及び第19条第2項（法第21条の2第6項において読み替えて準用する場合を含む。）の規定による誤差の限度は，別表第二から別表第四までのとおりとする。

第16条　（国土調査の成果の認証）

① 法第19条第1項の規定による認証の請求は，次に掲げる事項を記載した認証請求書を提出してしなければならない。
　一　調査を行つた者の名称
　二　法第18条の規定により送付した地図及び簿冊（以下「国土調査の成果」という。）の名称
② 前項の認証請求書には，当該国土調査の成果の写し2部を添えなければならない。ただし，法第18条の規定により情報通信技術を活用した行政の推進等に関する法律（平成14年法律第151号。）第6条第1項の規定により同項に規定する電子情報処理組織を使用して当該国土調査の成果に係る電磁的記録（電子的方式，磁気的方式その他人の知覚によつては認識することができない方式で作られる記録であつて，電子計算機による情報処理の用に供されるものをいう。）を送付した場合における当該国土調査の成果に係る認証請求書については，この限りでない。

第17条 （国土調査の成果の認証の場合における国土交通大臣又は国土交通大臣等の承認）
① 第19条第3項の規定による承認の申請は，次に掲げる事項を記載した承認申請書を提出してしなければならない。
一 調査を行つた者の名称
二 国土調査の成果の名称
三 当該国土調査の成果に存する測量又は調査上の誤差の程度
② 前項の承認申請書には，当該国土調査の成果に係る測量若しくは調査について誤り若しくは第15条に規定する限度以上の誤差がないことを証する書類又は当該国土調査の成果の写し1部を添えなければならない。

第18条 （国土調査の成果等を認証した旨の公告）
法第19条第4項（法第21条の2第6項において読み替えて準用する場合を含む。）の規定による公告は，国土交通大臣又は事業所管大臣にあつては官報により，都道府県知事にあつてはその通常用いる公示の方法により，しなければならない。

第19条 （国土調査の成果の認証に準ずる指定）
① 法第19条第5項の規定による認証の申請は，次に掲げる事項を記載した認証申請書を国土交通大臣又は事業所管大臣に提出してしなければならない。
一 測量及び調査を行つた者の氏名又は名称
二 作成した地図及び簿冊の名称
三 測量及び調査を行つた地域及び期間
四 第2号の地図及び簿冊に存する測量又は調査上の誤差の程度
五 法第19条第6項の規定により国土調査を行う者が申請する場合にあつては，当該国土調査を行う者の名称
② 前項の認証申請書には，当該測量及び調査の結果作成された地図及び簿冊の写し2部を添えなければならない。
③ 法第19条第6項の規定により国土調査を行う者が同条第5項の規定による認証の申請を行うときは，前項に規定するもののほか，同条第6項後段の同意を得たことを証する書類を添えなければならない。
④ 第17条の規定は，法第19条第7項の規定により事業所管大臣が国土交通大臣の承認を得る場合について準用する。

第20条 （国土調査の成果の認証に準ずる指定をした旨の公告）
法第19条第8項の規定による公告は，官報によりしなければならない。

第21条 （街区境界調査成果の認証及び承認）
① 法第21条の2第5項の規定による認証の請求は，次に掲げる事項を記載した認証請求書を提出してしなければならない。
一 法第21条の2第1項の調査及び測量を行つた地方公共団体又は土地改良区等の名称
二 法第21条の2第4項において準用する法第18条の規定により送付した地図及び簿冊（以下この条において「街区境界調査成果」という。）の名称
② 第16条第2項の規定は，前項の認証請求書について準用する。この場合において，同条第2項中「国土調査の成果」とあるのは，「街区境界調査成果」と読み替えるものとする。
③ 第17条の規定は，法第21条の2第6項において読み替えて準用する法第19条第3項の規定による承認の申請について準用する。この場合において，第17条第1項第1号中「調査を行つた者」とあるのは「法第21条の2第1項の調査及び測量を行つた地方公共団体又は土地改良区

等」と，同項第2号及び第3号並びに同条第2項中「国土調査の成果」とあるのは「街区境界調査成果」と読み替えるものとする。

附　則（略）

別表第4　一筆地測量及び地積測定の誤差の限度（第15条関係）

精度区分	筆界点の位置誤差		筆界点間の図上距離又は計算距離と直接測定による距離との差異の公差	地積測定の公差
	平均二乗誤差	公差		
甲一	2 cm	6 cm	$0.020m + 0.003\sqrt{S}m + \alpha mm$	$(0.025 + 0.003\sqrt[4]{F})\sqrt{F}m^2$
甲二	7 cm	20cm	$0.04m + 0.01\sqrt{S}m + \alpha mm$	$(0.05 + 0.01\sqrt[4]{F})\sqrt{F}m^2$
甲三	15cm	45cm	$0.08m + 0.02\sqrt{S}m + \alpha mm$	$(0.10 + 0.02\sqrt[4]{F})\sqrt{F}m^2$
乙一	25cm	75cm	$0.13m + 0.04\sqrt{S}m + \alpha mm$	$(0.10 + 0.04\sqrt[4]{F})\sqrt{F}m^2$
乙二	50cm	150cm	$0.25m + 0.07\sqrt{S}m + \alpha mm$	$(0.25 + 0.07\sqrt[4]{F})\sqrt{F}m^2$
乙三	100cm	300cm	$0.50m + 0.14\sqrt{S}m + \alpha mm$	$(0.50 + 0.14\sqrt[4]{F})\sqrt{F}m^2$

（備考）
1　精度区分とは，誤差の限度の区分をいい，その適用の基準は，国土交通大臣が定める。
2　筆界点の位置誤差とは，当該筆界点のこれを決定した与点に対する位置誤差をいう。
3　Sは，筆界点間の距離をメートル単位で示した数とする。
4　αは，図解法を用いる場合において，図解作業の級が，A級であるときは0.2に，その他であるときは0.3に当該地籍図の縮尺の分母の数を乗じて得た数とする。図解作業のA級とは，図解法による与点のプロットの誤差が0.1ミリメートル以内である級をいう。
5　Fは，一筆地の地積を平方メートル単位で示した数とする。
6　mはメートル，cmはセンチメートル，mmはミリメートル，m^2は平方メートルの略字とする。

国土調査法による不動産登記に関する政令

●昭和32年6月3日政令第130号●　最終改正　令和2年6月12日政令183号

第1条　（国土調査の成果に基づく登記）
① 登記官は，国土調査法第20条第1項の規定により国土調査の成果の写しの送付を受けた場合において，次の各号に掲げるときは，当該国土調査の成果のうち簿冊の写し（以下この項において「地籍簿の写し」という。）に基づいて，職権で，当該各号に定める登記をしなければならない。ただし，地籍簿の写しに記載されている事項について，地籍調査の実施後に変更があったと認められるときは，当該事項については，この限りでない。
一　地籍簿の写しに記載された土地が表題登記がないものであるとき　当該土地の表題登記
二　土地の表題部の登記事項が地籍簿の写しの記載と一致しないとき　当該登記事項に関する変更の登記又は更正の登記
三　所有権の登記名義人の氏名若しくは名称又は住所が地籍簿の写しの記載と一致しないとき　当該登記名義人の氏名若しくは名称又は住所についての変更の登記又は更正の登記
② 登記官は，前項の登記をしたときは，国土調査の成果により登記した旨を記録しなければならない。

第2条　（街区境界調査成果に基づく登記）
① 登記官は，国土調査法第21条の2第7項の規定により街区境界調査成果の写しの送付を受けた場合において，表題部所有者又は所有権の登記名義人の氏名若しくは名称又は住所が当該街区境界調査成果のうち簿冊の写し（以下この項において「街区境界調査簿の写し」という。）の記載と一致しないときは，街区境界調査簿の写しに基づいて，職権で，当該表題部所有者又は登記名義人の氏名若しくは名称又は住所についての変更の登記又は更正の登記をしなければならない。ただし，街区境界調査簿の写しに記載されている事項について，同条第1項の規定による所有者及び地番の調査の実施後に変更があったと認められるときは，当該事項については，この限りでない。
② 登記官は，前項の登記をしたときは，街区境界調査成果により登記した旨を記録しなければならない。

第3条　（代位登記の登記識別情報）
① 登記官は，国土調査法第32条の2第1項の規定による申請に基づいて所有権の保存又は相続による所有権の移転の登記を完了したときは，速やかに，登記権利者のために登記識別情報を申請人に通知しなければならない。
② 前項の規定により登記識別情報の通知を受けた申請人は，遅滞なく，これを同項の登記権利者に通知しなければならない。
③ 前二項中「申請」及び「申請人」には，それぞれ嘱託及び嘱託者を含むものとする。

第4条　(不動産登記法等の適用)
　前三条に定めるもののほか，国土調査法第20条第2項，第21条の2第8項又は第32条の2第1項の規定による登記の手続に関し必要な事項は，不動産登記法(平成16年法律第123号)及び不動産登記令(平成16年政令第379号)の定めるところによる。

　　附　則　(略)

農地法（抄）

●昭和27年7月15日法律第229号●　最終改正　令和6年5月29日法40号

【　　第1章　総則　　】

第1条　（目的）
　この法律は，国内の農業生産の基盤である農地が現在及び将来における国民のための限られた資源であり，かつ，地域における貴重な資源であることにかんがみ，耕作者自らによる農地の所有が果たしてきている重要な役割も踏まえつつ，農地を農地以外のものにすることを規制するとともに，農地を効率的に利用する耕作者による地域との調和に配慮した農地についての権利の取得を促進し，及び農地の利用関係を調整し，並びに農地の農業上の利用を確保するための措置を講ずることにより，耕作者の地位の安定と国内の農業生産の増大を図り，もつて国民に対する食料の安定供給の確保に資することを目的とする。

第2条　（定義）
① この法律で「農地」とは，耕作の目的に供される土地をいい，「採草放牧地」とは，農地以外の土地で，主として耕作又は養畜の事業のための採草又は家畜の放牧の目的に供されるものをいう。
② この法律で「世帯員等」とは，住居及び生計を一にする親族（次に掲げる事由により一時的に住居又は生計を異にしている親族を含む。）並びに当該親族の行う耕作又は養畜の事業に従事するその他の二親等内の親族をいう。
一　疾病又は負傷による療養
二　就学
三　公選による公職への就任
四　その他農林水産省令で定める事由
③ この法律で「農地所有適格法人」とは，農事組合法人，株式会社（公開会社（会社法（平成17年法律第86号）第2条第5号に規定する公開会社をいう。）でないものに限る。以下同じ。）又は持分会社（同法第575条第1項に規定する持分会社をいう。以下同じ。）で，次に掲げる要件の全てを満たしているものをいう。
一　その法人の主たる事業が農業（その行う農業に関連する事業であつて農畜産物を原料又は材料として使用する製造又は加工その他農林水産省令で定めるもの，農業と併せ行う林業及び農事組合法人にあつては農業と併せ行う農業協同組合法（昭和22年法律第132号）第72条の10第1項第1号の事業を含む。以下この項において同じ。）であること。
二　その法人が，株式会社にあつては次に掲げる者に該当する株主の有する議決権の合計が総株主の議決権の過半を，持分会社にあつては次に掲げる者に該当する社員の数が社員の総数の過半を占めているものであること。
　イ　その法人に農地若しくは採草放牧地について所有権若しくは使用収益権（地上権，永小作権，使用貸借による権利又は賃借権をいう。以下同じ。）を移転した個人（その法人の株主又は社員となる前にこれらの権利をその法人に移転した者のうち，その移転後農林水産省令で定める一定期間内に株主又は社員となり，引き続き株主又は社員となつている個人以外のものを除く。）又はその一般

承継人（農林水産省令で定めるものに限る。）

ロ　その法人に農地又は採草放牧地について使用収益権に基づく使用及び収益をさせている個人

ハ　その法人に使用及び収益をさせるため農地又は採草放牧地について所有権の移転又は使用収益権の設定若しくは移転に関し第3条第1項の許可を申請している個人（当該申請に対する許可があり，近くその許可に係る農地又は採草放牧地についてその法人に所有権を移転し，又は使用収益権を設定し，若しくは移転することが確実と認められる個人を含む。）

ニ　その法人に農地又は採草放牧地について使用貸借による権利又は賃借権に基づく使用及び収益をさせている農地中間管理機構（農地中間管理事業の推進に関する法律（平成25年法律第101号）第2条第4項に規定する農地中間管理機構をいう。以下同じ。）に当該農地又は採草放牧地について使用貸借による権利又は賃借権を設定している個人

ホ　その法人の行う農業に常時従事する者（前項各号に掲げる事由により一時的にその法人の行う農業に常時従事することができない者で当該事由がなくなれば常時従事することとなると農業委員会が認めたもの及び農林水産省令で定める一定期間内にその法人の行う農業に常時従事することとなることが確実と認められる者を含む。以下「常時従事者」という。）

ヘ　その法人に農作業（農林水産省令で定めるものに限る。）の委託を行つている個人

ト　その法人に農業経営基盤強化促進法（昭和55年法律第65号）第7条第3号に掲げる事業に係る現物出資を行つた農地中間管理機構

チ　地方公共団体，農業協同組合又は農業協同組合連合会

三　その法人の常時従事者たる構成員（農事組合法人にあつては組合員，株式会社にあつては株主，持分会社にあつては社員をいう。以下同じ。）が理事等（農事組合法人にあつては理事，株式会社にあつては取締役，持分会社にあつては業務を執行する社員をいう。次号において同じ。）の数の過半を占めていること。

四　その法人の理事等又は農林水産省令で定める使用人（いずれも常時従事者に限る。）のうち，1人以上の者がその法人の行う農業に必要な農作業に1年間に農林水産省令で定める日数以上従事すると認められるものであること。

④　前項第2号ホに規定する常時従事者であるかどうかを判定すべき基準は，農林水産省令で定める。

第2条の2　（農地について権利を有する者の責務）

農地について所有権又は賃借権その他の使用及び収益を目的とする権利を有する者は，当該農地の農業上の適正かつ効率的な利用を確保するようにしなければならない。

第2章　権利移動及び転用の制限等

第3条　（農地又は採草放牧地の権利移動の制限）

①　農地又は採草放牧地について所有権を移転し，又は地上権，永小作権，質権，使用貸借による権利，賃借権若しくはその他の使用及び収益を目的とする権利を設定し，若しくは移転する場合には，政令で定めるところにより，当事者が農業委員会の許可を受けなければならない。ただし，次の各号のいずれかに該当する場合及び第5条第1項本文に規定する場合は，この限りでない。

一　第46条第1項又は第47条の規定によつて所有権が移転される場合
二　削除
三　第37条から第40条までの規定によつて農地中間管理権（農地中間管理事業の推進に関する法律第2条第5項に規定する農地中間管理権をいう。以下同じ。）が設定される場合
四　第41条の規定によつて同条第1項に規定する利用権が設定される場合
五　これらの権利を取得する者が国又は都道府県である場合
六　土地改良法（昭和24年法律195号），農業振興地域の整備に関する法律（昭和44年法律第58号），集落地域整備法（昭和62年法律第63号）又は市民農園整備促進法（平成2年法律第44号）による交換分合によつてこれらの権利が設定され，又は移転される場合
七　農地中間管理事業の推進に関する法律18条第7項の規定による公告があつた農用地利用集積等促進計画の定めるところによつて同条第1項の権利が設定され，又は移転される場合
八　特定農山村地域における農林業等の活性化のための基盤整備の促進に関する法律（平成5年法律第72号）第9条第1項の規定による公告があつた所有権移転等促進計画の定めるところによつて同法第2条第3項第3号の権利が設定され，又は移転される場合
九　農山漁村の活性化のための定住等及び地域間交流の促進に関する法律（平成19年法律第48号）第9条第1項の規定による公告があつた所有権移転等促進計画の定めるところによつて同法第5条第10項の権利が設定され，又は移転される場合
九の二　農林漁業の健全な発展と調和のとれた再生可能エネルギー電気の発電の促進に関する法律（平成25年法律第81号）第17条の規定による公告があつた所有権移転等促進計画の定めるところによつて同法第5条第4項の権利が設定され，又は移転される場合
十　民事調停法（昭和26年法律第222号）による農事調停によつてこれらの権利が設定され，又は移転される場合
十一　土地収用法（昭和26年法律第219号）その他の法律によつて農地若しくは採草放牧地又はこれらに関する権利が収用され，又は使用される場合
十二　遺産の分割，民法（明治29年法律第89号）第768条第2項（同法第749条及び第771条において準用する場合を含む。）の規定による財産の分与に関する裁判若しくは調停又は同法第958条の2の規定による相続財産の分与に関する裁判によつてこれらの権利が設定され，又は移転される場合
十三　農地中間管理機構が，農林水産省令で定めるところによりあらかじめ農業委員会に届け出て，農業経営基盤強化促進法第7条第1号に掲げる事業の実施によりこれらの権利を取得する場合
十四　農業協同組合法第10条第3項の信託の引受けの事業又は農業経営基盤強化促進法第7条第2号に掲げる事業（以下これらを「信託事業」という。）を行う農業協同組合又は農地中間管理機構が信託事業による信託の引受けにより所有権を取得する場合及び当該信託の終了によりその委託者又はその一般承継人が所有権を取得する場合
十四の二　農地中間管理機構が，農林水産省令で定めるところによりあらかじめ農業委員会に届け出て，農地中間管理事業（農地中間管理事業の推進に関する法律第2条第3項に規定する農地中間管理事業をいう。以下同じ。）の実施により農地中間管理権又は経営受託権（同法第8条第3項第3号ロに規定する経営受託権をいう。）を取得す

る場合
十四の三　農地中間管理機構が引き受けた農地貸付信託（農地中間管理事業の推進に関する法律第2条第5項第2号に規定する農地貸付信託をいう。）の終了によりその委託者又はその一般承継人が所有権を取得する場合
十五　地方自治法（昭和22年法律第67号）第252条の19第1項の指定都市（以下単に「指定都市」という。）が古都における歴史的風土の保存に関する特別措置法（昭和41年法律第1号）第20条の規定に基づいてする同法第12条第1項の規定による買入れによつて所有権を取得する場合
十六　その他農林水産省令で定める場合

② 前項の許可は，次の各号のいずれかに該当する場合には，することができない。ただし，民法第269条の2第1項の地上権又はこれと内容を同じくするその他の権利が設定され，又は移転されるとき，農業協同組合法第10条第2項に規定する事業を行う農業協同組合又は農業協同組合連合会が農地又は採草放牧地の所有者から同項の委託を受けることにより第1号に掲げる権利が取得されることとなるとき，同法第11条の50第1項第1号に掲げる場合において農業協同組合又は農業協同組合連合会が使用貸借による権利又は賃借権を取得するとき，並びに第1号，第2号及び第4号に掲げる場合において政令で定める相当の事由があるときは，この限りでない。

一　所有権，地上権，永小作権，質権，使用貸借による権利，賃借権若しくはその他の使用及び収益を目的とする権利を取得しようとする者又はその世帯員等の耕作又は養畜の事業に必要な機械の所有の状況，農作業に従事する者の数等からみて，これらの者がその取得後において耕作又は養畜の事業に供すべき農地及び採草放牧地の全てを効率的に利用して耕作又は養畜の事業を行うと認められない場合
二　農地所有適格法人以外の法人が前号に掲げる権利を取得しようとする場合
三　信託の引受けにより第1号に掲げる権利が取得される場合
四　第1号に掲げる権利を取得しようとする者（農地所有適格法人を除く。）又はその世帯員等がその取得後において行う耕作又は養畜の事業に必要な農作業に常時従事すると認められない場合
五　農地又は採草放牧地につき所有権以外の権原に基づいて耕作又は養畜の事業を行う者がその土地を貸し付け，又は質入れしようとする場合（当該事業を行う者又はその世帯員等の死亡又は第2条第2項各号に掲げる事由によりその土地について耕作，採草又は家畜の放牧をすることができないため一時貸し付けようとする場合，当該事業を行う者がその土地をその世帯員等に貸し付けようとする場合，その土地を水田裏作（田において稲を通常栽培する期間以外の期間稲以外の作物を栽培することをいう。以下同じ。）の目的に供するため貸し付けようとする場合及び農地所有適格法人の常時従事者たる構成員がその土地をその法人に貸し付けようとする場合を除く。）
六　第1号に掲げる権利を取得しようとする者又はその世帯員等がその取得後において行う耕作又は養畜の事業の内容並びにその農地又は採草放牧地の位置及び規模からみて，農地の集団化，農作業の効率化その他周辺の地域における農地又は採草放牧地の農業上の効率的かつ総合的な利用の確保に支障を生ずるおそれがあると認められる場合

③ 農業委員会は，農地又は採草放牧地について使用貸借による権利又は賃借権が設定される場合において，次に掲げる要件の全てを満たすときは，前項（第2号

及び第4号に係る部分に限る。）の規定にかかわらず，第1項の許可をすることができる。
一　これらの権利を取得しようとする者がその取得後においてその農地又は採草放牧地を適正に利用していないと認められる場合に使用貸借又は賃貸借の解除をする旨の条件が書面による契約において付されていること。
二　これらの権利を取得しようとする者が地域の農業における他の農業者との適切な役割分担の下に継続的かつ安定的に農業経営を行うと見込まれること。
三　これらの権利を取得しようとする者が法人である場合にあつては，その法人の業務を執行する役員又は農林水産省令で定める使用人（次条第1項第3号において「業務執行役員等」という。）のうち，1人以上の者がその法人の行う耕作又は養畜の事業に常時従事すると認められること。
④　農業委員会は，前項の規定により第1項の許可をしようとするときは，あらかじめ，その旨を市町村長に通知するものとする。この場合において，当該通知を受けた市町村長は，市町村の区域における農地又は採草放牧地の農業上の適正かつ総合的な利用を確保する見地から必要があると認めるときは，意見を述べることができる。
⑤　第1項の許可は，条件をつけてすることができる。
⑥　第1項の許可を受けないでした行為は，その効力を生じない。

第3条の2　（農地又は採草放牧地の権利移動の許可の取消し等）

①　農業委員会は，次の各号のいずれかに該当する場合には，農地又は採草放牧地について使用貸借による権利又は賃借権の設定を受けた者（前条第3項の規定の適用を受けて同条第1項の許可を受けた者に限る。次項第1号において同じ。）に対し，相当の期限を定めて，必要な措置を講ずべきことを勧告することができる。
一　その者がその農地又は採草放牧地において行う耕作又は養畜の事業により，周辺の地域における農地又は採草放牧地の農業上の効率的かつ総合的な利用の確保に支障が生じている場合
二　その者が地域の農業における他の農業者との適切な役割分担の下に継続的かつ安定的に農業経営を行つていないと認める場合
三　その者が法人である場合にあつては，その法人の業務執行役員等のいずれもがその法人の行う耕作又は養畜の事業に常時従事していないと認める場合
②　農業委員会は，次の各号のいずれかに該当する場合には，前条第3項の規定によりした同条第1項の許可を取り消さなければならない。
一　農地又は採草放牧地について使用貸借による権利又は賃借権の設定を受けた者がその農地又は採草放牧地を適正に利用していないと認められるにもかかわらず，当該使用貸借による権利又は賃貸借を設定した者が使用貸借又は賃貸借の解除をしないとき。
二　前項の規定による勧告を受けた者がその勧告に従わなかつたとき。
③　農業委員会は，前条第3項第1号に規定する条件に基づき使用貸借若しくは賃貸借が解除された場合又は前項の規定による許可の取消しがあつた場合において，その農地又は採草放牧地の適正かつ効率的な利用が図られないおそれがあると認めるときは，当該農地又は採草放牧地の所有者に対し，当該農地又は採草放牧地についての所有権の移転又は使用及び収益を目的とする権利の設定のあつせんその他の必要な措置を講ずるものとする。

第3条の3　（農地又は採草放牧地につい

農地法（4条）

ての権利取得の届出）
　農地又は採草放牧地について第3条第1項本文に掲げる権利を取得した者は，同項の許可を受けてこれらの権利を取得した場合，同項各号（第12号及び第16号を除く。）のいずれかに該当する場合その他農林水産省令で定める場合を除き，遅滞なく，農林水産省令で定めるところにより，その農地又は採草放牧地の存する市町村の農業委員会にその旨を届け出なければならない。

第4条　（農地の転用の制限）
① 　農地を農地以外のものにする者は，都道府県知事（農地又は採草放牧地の農業上の効率的かつ総合的な利用の確保に関する施策の実施状況を考慮して農林水産大臣が指定する市町村（以下「指定市町村」という。）の区域内にあつては，指定市町村の長。以下「都道府県知事等」という。）の許可を受けなければならない。ただし，次の各号のいずれかに該当する場合は，この限りでない。
一　次条第1項の許可に係る農地をその許可に係る目的に供する場合
二　国又は都道府県等（都道府県又は市町村をいう。以下同じ。）が，道路，農業用用排水施設その他の地域振興上又は農業振興上の必要性が高いと認められる施設であつて農林水産省令で定めるものの用に供するため，農地を農地以外のものにする場合
三　農地中間管理事業の推進に関する法律第18条第7項の規定による公告があつた農用地利用集積計画の定めるところによつて設定され，又は移転された同条第1項の権利に係る農地を当該農用地利用集積計画に定める利用目的に供する場合
四　特定農山村地域における農林業等の活性化のための基盤整備の促進に関する法律第9条第1項の規定による公告があつた所有権移転等促進計画の定めるところによつて設定され，又は移転された同法第2条第3項第3号の権利に係る農地を当該所有権移転等促進計画に定める利用目的に供する場合
五　農山漁村の活性化のための定住等及び地域間交流の促進に関する法律第5条第1項の規定により作成された活性化計画（同条第4項各号に掲げる事項が記載されたものに限る。）に従つて農地を同条第2項第2号に規定する活性化事業の用に供する場合又は同法第9条第1項の規定による公告があつた所有権移転等促進計画の定めるところによつて設定され，若しくは移転された同法第5条第10項の権利に係る農地を当該所有権移転等促進計画に定める利用目的に供する場合
六　土地収用法その他の法律によって収用し，又は使用した農地をその収用又は使用に係る目的に供する場合
七　市街化区域（都市計画法（昭和43年法律第100号）第7条第1項の市街化区域と定められた区域（同法第23条第1項の規定による協議を要する場合にあつては，当該協議が調つたものに限る。）をいう。）内にある農地を，政令で定めるところによりあらかじめ農業委員会に届け出て，農地以外のものにする場合
八　その他農林水産省令で定める場合
② 　前項の許可を受けようとする者は，農林水産省令で定めるところにより，農林水産省令で定める事項を記載した申請書を，農業委員会を経由して，都道府県知事等に提出しなければならない。
③ 　農業委員会は，前項の規定により申請書の提出があつたときは，農林水産省令で定める期間内に，当該申請書に意見を付して，都道府県知事等に送付しなければならない。
④ 　農業委員会は，前項の規定により意見

を述べようとするとき（同項の申請書が同一の事業の目的に供するため30アールを超える農地を農地以外のものにする行為に係るものであるときに限る。）は，あらかじめ，農業委員会等に関する法律（昭和26年法律第88号）第43条第１項に規定する都道府県機構（以下「都道府県機構」という。）の意見を聴かなければならない。ただし，同法第42条第１項の規定による都道府県知事の指定がされていない場合は，この限りでない。

⑤　前項に規定するもののほか，農業委員会は，第３項の規定により意見を述べるため必要があると認めるときは，都道府県機構の意見を聴くことができる。

⑥　第１項の許可は，次の各号のいずれかに該当する場合には，することができない。ただし，第１号及び第２号に掲げる場合において，土地収用法第26条第１項の規定による告示（他の法律の規定による告示又は公告で同項の規定による告示とみなされるものを含む。次条第２項において同じ。）に係る事業の用に供するため農地を農地以外のものにしようとするとき，第１号イに掲げる農地を農業振興地域の整備に関する法律第８条第４項に規定する農用地利用計画（以下単に「農用地利用計画」という。）において指定された用途に供するため農地以外のものにしようとするときその他政令で定める相当の事由があるときは，この限りでない。

一　次に掲げる農地を農地以外のものにしようとする場合
　　イ　農用地区域（農業振興地域の整備に関する法律第８条第２項第１号に規定する農用地区域をいう。以下同じ。）内にある農地
　　ロ　イに掲げる農地以外の農地で，集団的に存在する農地その他の良好な営農条件を備えている農地として政令で定めるもの（市街化調整区域（都市計画法第７条第１項の市街化調整区域をいう。以下同じ。）内にある政令で定める農地以外の農地にあつては，次に掲げる農地を除く。）
　　　(1)　市街地の区域内又は市街地化の傾向が著しい区域内にある農地で政令で定めるもの
　　　(2)　(1)の区域に近接する区域その他市街化が見込まれる区域内にある農地で政令で定めるもの

二　前号イ及びロに掲げる農地（同号ロ(1)に掲げる農地を含む。）以外の農地を農地以外のものにしようとする場合において，申請に係る農地に代えて周辺の他の土地を供することにより当該申請に係る事業の目的を達成することができると認められるとき。

三　申請者に申請に係る農地を農地以外のものにする行為を行うために必要な資力及び信用があると認められないこと，申請に係る農地を農地以外のものにする行為の妨げとなる権利を有する者の同意を得ていないことその他農林水産省令で定める事由により，申請に係る農地の全てを住宅の用，事業の用に供する施設の用その他の当該申請に係る用途に供することが確実と認められない場合

四　申請に係る農地を農地以外のものにすることにより，土砂の流出又は崩壊その他の災害を発生させるおそれがあると認められる場合，農業用用排水施設の有する機能に支障を及ぼすおそれがあると認められる場合その他の周辺の農地に係る営農条件に支障を生ずるおそれがあると認められる場合

五　申請に係る農地を農地以外のものにすることにより，地域における効率的かつ安定的な農業経営を営む者に対する農地の利用の集積に支障を及ぼすおそれがあると認められる場合その他の地域における農地の農業上の効率的かつ総合的な利用の確保に支障を生ずる

おそれがあると認められる場合として政令で定める場合
六　仮設工作物の設置その他の一時的な利用に供するため農地を農地以外のものにしようとする場合において，その利用に供された後にその土地が耕作の目的に供されることが確実と認められないとき。
⑦　第1項の許可は，条件を付けてすることができる。
⑧　国又は都道府県等が農地を農地以外のものにしようとする場合（第1項各号のいずれかに該当する場合を除く。）においては，国又は都道府県等と都道府県知事等との協議が成立することをもつて同項の許可があつたものとみなす。
⑨　都道府県知事等は，前項の協議を成立させようとするときは，あらかじめ，農業委員会の意見を聴かなければならない。
⑩　第4項及び第5項の規定は，農業委員会が前項の規定により意見を述べようとする場合について準用する。
⑪　第1項に規定するもののほか，指定市町村の指定及びその取消しに関し必要な事項は，政令で定める。

第5条　（農地又は採草放牧地の転用のための権利移動の制限）

①　農地を農地以外のものにするため又は採草放牧地を採草放牧地以外のもの（農地を除く。次項及び第4項において同じ。）にするため，これらの土地について第3条第1項本文に掲げる権利を設定し，又は移転する場合には，当事者が都道府県知事等の許可を受けなければならない。ただし，次の各号のいずれかに該当する場合は，この限りでない。
一　国又は都道府県等が，前条第1項第2号の農林水産省令で定める施設の用に供するため，これらの権利を取得する場合
二　農地又は採草放牧地を農地中間管理事業の推進に関する法律第18条第7項の規定による公告があつた農用地利用集積等促進計画に定める利用目的に供するため当該農用地利用集積等促進計画の定めるところによつて同条第1項の権利が設定され，又は移転される場合
三　農地又は採草放牧地を特定農山村地域における農林業等の活性化のための基盤整備の促進に関する法律第9条第1項の規定による公告があつた所有権移転等促進計画に定める利用目的に供するため当該所有権移転等促進計画の定めるところによつて同法第2条第3項第3号の権利が設定され，又は移転される場合
四　農地又は採草放牧地を農山漁村の活性化のための定住等及び地域間交流の促進に関する法律第9条第1項の規定による公告があつた所有権移転等促進計画に定める利用目的に供するため当該所有権移転等促進計画の定めるところによつて同法第5条第10項の権利が設定され，又は移転される場合
五　土地収用法その他の法律によつて農地若しくは採草放牧地又はこれらに関する権利が収用され，又は使用される場合
六　前条第1項第7号に規定する市街化区域内にある農地又は採草放牧地につき，政令で定めるところによりあらかじめ農業委員会に届け出て，農地及び採草放牧地以外のものにするためこれらの権利を取得する場合
七　その他農林水産省令で定める場合
②　前項の許可は，次の各号のいずれかに該当する場合には，することができない。ただし，第1号及び第2号に掲げる場合において，土地収用法第26条第1項の規定による告示に係る事業の用に供するため第3条第1項本文に掲げる権利を取得しようとするとき，第1号イに掲げる農

地又は採草放牧地につき農用地利用計画において指定された用途に供するためこれらの権利を取得しようとするときその他政令で定める相当の事由があるときは，この限りでない。
一　次に掲げる農地又は採草放牧地につき第3条第1項本文に掲げる権利を取得しようとする場合
　　イ　農用地区域内にある農地又は採草放牧地
　　ロ　イに掲げる農地又は採草放牧地以外の農地又は採草放牧地で，集団的に存在する農地又は採草放牧地その他の良好な営農条件を備えている農地又は採草放牧地として政令で定めるもの（市街化調整区域内にある政令で定める農地又は採草放牧地以外の農地又は採草放牧地にあつては，次に掲げる農地又は採草放牧地を除く。）
　　　(1)　市街地の区域内又は市街地化の傾向が著しい区域内にある農地又は採草放牧地で政令で定めるもの
　　　(2)　(1)の区域に近接する区域その他市街地化が見込まれる区域内にある農地又は採草放牧地で政令で定めるもの
二　前号イ及びロに掲げる農地（同号ロ(1)に掲げる農地を含む。）以外の農地を農地以外のものにするため第3条第1項本文に掲げる権利を取得しようとする場合又は同号イ及びロに掲げる採草放牧地（同号ロ(1)に掲げる採草放牧地を含む。）以外の採草放牧地を採草放牧地以外のものにするためこれらの権利を取得しようとする場合において，申請に係る農地又は採草放牧地に代えて周辺の他の土地を供することにより当該申請に係る事業の目的を達成することができると認められるとき。
三　第3条第1項本文に掲げる権利を取得しようとする者に申請に係る農地を

農地以外のものにする行為又は申請に係る採草放牧地を採草放牧地以外のものにする行為を行うために必要な資力及び信用があると認められないこと，申請に係る農地を農地以外のものにする行為又は申請に係る採草放牧地を採草放牧地以外のものにする行為の妨げとなる権利を有する者の同意を得ていないことその他農林水産省令で定める事由により，申請に係る農地又は採草放牧地のすべてを住宅の用，事業の用に供する施設の用その他の当該申請に係る用途に供することが確実と認められない場合
四　申請に係る農地を農地以外のものにすること又は申請に係る採草放牧地を採草放牧地以外のものにすることにより，土砂の流出又は崩壊その他の災害を発生させるおそれがあると認められる場合，農業用用排水施設の有する機能に支障を及ぼすおそれがあると認められる場合その他の周辺の農地又は採草放牧地に係る営農条件に支障を生ずるおそれがあると認められる場合
五　申請に係る農地を農地以外のものにすること又は申請に係る採草放牧地を採草放牧地以外のものにすることにより，地域における効率的かつ安定的な農業経営を営む者に対する農地又は採草放牧地の利用の集積に支障を及ぼすおそれがあると認められる場合その他の地域における農地又は採草放牧地の農業上の効率的かつ総合的な利用の確保に支障を生ずるおそれがあると認められる場合として政令で定める場合
六　仮設工作物の設置その他の一時的な利用に供するため所有権を取得しようとする場合
七　仮設工作物の設置その他の一時的な利用に供するため，農地につき所有権以外の第3条第1項本文に掲げる権利を取得しようとする場合においてその

利用に供された後にその土地が耕作の目的に供されることが確実と認められないとき、又は採草放牧地につきこれらの権利を取得しようとする場合においてその利用に供された後にその土地が耕作の目的若しくは主として耕作若しくは養畜の事業のための採草若しくは家畜の放牧の目的に供されることが確実と認められないとき。

八　農地を採草放牧地にするため第3条第1項本文に掲げる権利を取得しようとする場合において、同条第2項の規定により同条第1項の許可をすることができない場合に該当すると認められるとき。

③　第3条第5項及び第6項並びに前条第2項から第5項までの規定は、第1項の場合に準用する。この場合において、同条第4項中「申請書が」とあるのは「申請書が、農地を農地以外のものにするため又は採草放牧地を採草放牧地以外のもの（農地を除く。）にするためこれらの土地について第3条第1項本文に掲げる権利を取得する行為であつて、」と、「農地を農地以外のものにする行為」とあるのは「農地又はその農地と併せて採草放牧地についてこれらの権利を取得するもの」と読み替えるものとする。

④　国又は都道府県等が、農地を農地以外のものにするため又は採草放牧地を採草放牧地以外のものにするため、これらの土地について第3条第1項本文に掲げる権利を取得しようとする場合（第1項各号のいずれかに該当する場合を除く。）においては、国又は都道府県等と都道府県知事等との協議が成立することをもつて第1項の許可があつたものとみなす。

⑤　前条第9項及び第10項の規定は、都道府県知事等が前項の協議を成立させようとする場合について準用する。この場合において、同条第10項中「準用する」とあるのは、「準用する。この場合におい

て、第4項中「申請書が」とあるのは「申請書が、農地を農地以外のものにするため又は採草放牧地を採草放牧地以外のもの（農地を除く。）にするためこれらの土地について第3条第1項本文に掲げる権利を取得する行為であつて、」と、「農地を農地以外のものにする行為」とあるのは「農地又はその農地と併せて採草放牧地についてこれらの権利を取得するもの」と読み替えるものとする」と読み替えるものとする。

第19条　削除

第5章　雑則

第43条　（農作物栽培高度化施設に関する特例）

①　農林水産省令で定めるところにより農業委員会に届け出て農作物栽培高度化施設の底面とするために農地をコンクリートその他これに類するもので覆う場合における農作物栽培高度化施設の用に供される当該農地については、当該農作物栽培高度化施設において行われる農作物の栽培を耕作に該当するものとみなして、この法律の規定を適用する。この場合において、必要な読替えその他当該農地に対するこの法律の規定の適用に関し必要な事項は、政令で定める。

②　前項の「農作物栽培高度化施設」とは、農作物の栽培の用に供する施設であつて農作物の栽培の効率化又は高度化を図るためのもののうち周辺の農地に係る営農条件に支障を生ずるおそれがないものとして農林水産省令で定めるものをいう。

第44条

農業委員会は、前条第1項の規定による届出に係る同条第2項に規定する農作物栽培高度化施設（以下「農作物栽培高

度化施設」という。）において農作物の栽培が行われていない場合には，当該農作物栽培高度化施設の用に供される土地の所有者等に対し，相当の期限を定めて，農作物栽培高度化施設において農作物の栽培を行うべきことを勧告することができる。

第6章 罰則

第64条
　次の各号のいずれかに該当する者は，3年以下の懲役又は300万円以下の罰金に処する。
一　第3条第1項，第4条第1項，第5条第1項又は第18条第1項の規定に違反した者
二　偽りその他不正の手段により，第3条第1項，第4条第1項，第5条第1項又は第18条第1項の許可を受けた者
三　（略）

附　則（略）

農地法施行令（抄）

●昭和27年10月20日政令第445号●　　最終改正　令和元年9月11日政令102号

第1条　（農地又は採草放牧地の権利移動についての許可手続）
　農地法（以下「法」という。）第3条第1項の許可を受けようとする者は，農林水産省令で定めるところにより，農林水産省令で定める事項を記載した申請書を農業委員会に提出しなければならない。

第3条　（市街化区域内にある農地を転用する場合の届出）
① 法第4条第1項第8号の届出をしようとする者は，農林水産省令で定めるところにより，農林水産省令で定める事項を記載した届出書を農業委員会に提出しなければならない。
② 農業委員会は，前項の規定により届出書の提出があつた場合において，当該届出を受理したときはその旨を，当該届出を受理しなかつたときはその旨及びその理由を，遅滞なく，当該届出をした者に書面で通知しなければならない。

第6条　法第4条第6項第1号ロの市街化調整区域内にある政令で定める農地は，次に掲げる農地とする。
一　前条第1号に掲げる農地のうち，その面積，形状その他の条件が農作業を効率的に行うのに必要なものとして農林水産省令で定める基準に適合するもの
二　前条第2号に掲げる農地のうち，特定土地改良事業等の工事が完了した年度の翌年度の初日から起算して8年を経過したもの以外のもの（特定土地改良事業等のうち農地を開発すること又は農地の形質に変更を加えることによつて当該農地を改良し，若しくは保全することを目的とする事業で農林水産省令で定める基準に適合するものの施行に係る区域内にあるものに限る。）

第7条　（市街地の区域内又は市街地化の傾向が著しい区域内にある農地）
　法第4条第6項第1号ロ(1)の政令で定めるものは，次に掲げる区域内にある農地とする。
一　道路，下水道その他の公共施設又は鉄道の駅その他の公益的施設の整備の状況が農林水産省令で定める程度に達している区域
二　宅地化の状況が農林水産省令で定める程度に達している区域
三　土地区画整理法（昭和29年法律第119号）第2条第1項に規定する土地区画整理事業又はこれに準ずる事業として農林水産省令で定めるものの施行に係る区域

第8条　（市街地化が見込まれる区域内にある農地）
　法第4条第6項第1号ロ(2)の政令で定めるものは，次に掲げる区域内にある農地とする。
一　道路，下水道その他の公共施設又は鉄道の駅その他の公益的施設の整備の状況からみて前条第1号に掲げる区域に該当するものとなることが見込まれる区域として農林水産省令で定めるもの
二　宅地化の状況からみて前条第2号に掲げる区域に該当するものとなることが見込まれる区域として農林水産省令で定めるもの

第9条（指定市町村の指定等）

① 法第4条第1項の規定による指定（以下この条において「指定」という。）は，農林水産省令で定めるところにより，市町村の申請により行う。

② 農林水産大臣は，前項の申請をした市町村が次に掲げる基準の全てに適合すると認めるときは，指定をするものとする。
　一　当該市町村において確保すべき農地及び採草放牧地の面積の適切な目標を定めていること。
　二　前号の目標を達成するために必要な農地又は採草放牧地の農業上の効率的かつ総合的な利用の確保に関する施策を適正に実施していること。

③ 農林水産大臣は，指定をするため必要があると認めるときは，第1項の申請をした市町村の属する都道府県の知事の意見を聴くことができる。

④ 農林水産大臣は，指定をしたときは，直ちに，その旨を，告示するとともに，第1項の申請をした市町村及び当該市町村の属する都道府県に通知しなければならない。

⑤ 農林水産大臣は，指定をしないこととしたときは，遅滞なく，その旨及びその理由を，第1項の申請をした市町村に通知しなければならない。

⑥ 指定があつた場合においては，その指定の際現に効力を有する都道府県知事が行つた許可等の処分その他の行為（以下この項において「処分等の行為」という。）又は現に都道府県知事に対してされている許可の申請その他の行為（以下この項において「申請等の行為」という。）で，当該指定により当該指定の日以後指定市町村の長が行うこととなる事務に係るものは，同日以後においては，当該指定市町村の長が行つた処分等の行為又は当該指定市町村の長に対してされた申請等の行為とみなす。

⑦ 指定市町村の長は，農林水産省令で定めるところにより，第2項第1号の目標の達成状況及び指定により当該指定の日以後当該指定市町村の長が行うこととなつた事務の処理状況について，農林水産大臣に報告しなければならない。

⑧ 農林水産大臣は，指定市町村が第2項各号に掲げる基準のいずれかに適合しなくなつたと認めるときは，当該指定を取り消すことができる。

⑨ 第3項，第4項及び第6項の規定は，指定の取消しについて準用する。この場合において，第3項中「第1項の申請をした市町村」とあるのは「当該指定の取消しに係る指定市町村」と，第4項中「，告示するとともに，第1項の申請をした市町村」とあるのは「告示するとともに，その旨及びその理由を当該指定の取消しに係る市町村」と，第6項中「都道府県知事」とあるのは「指定市町村の長」と，「指定市町村の長」とあるのは「都道府県知事」と読み替えるものとする。

⑩ 指定又はその取消しの日前にした行為に対する罰則の適用については，なお従前の例による。

⑪ 前各項に規定するもののほか，指定及びその取消しに関し必要な事項は，農林水産省令で定める。

第10条（市街化区域内にある農地又は採草放牧地の転用のための権利移動についての届出）

① 法第5条第1項第7号の届出をしようとする者は，農林水産省令で定めるところにより，農林水産省令で定める事項を記載した届出書を農業委員会に提出しなければならない。

② 農業委員会は，前項の規定により届出書の提出があつた場合において，当該届出を受理したときはその旨を，当該届出を受理しなかつたときはその旨及びその理由を，遅滞なく，当該届出をした者に

書面で通知しなければならない。

第14条 （市街地の区域内又は市街地化の傾向が著しい区域内にある農地又は採草放牧地）

　法第5条第2項第1号ロ(1)の政令で定めるものは，第7条各号に掲げる区域内にある農地又は採草放牧地とする。

第15条 （市街地化が見込まれる区域内にある農地又は採草放牧地）

　法第5条第2項第1号ロ(2)の政令で定めるものは，第8条各号に掲げる区域内にある農地又は採草放牧地とする。

　附　則　（略）

農地法施行規則（抄）

●昭和27年10月20日農林省令第79号●　最終改正　令和6年6月27日農林水産省令40号

第26条　（市街化区域内の農地を転用する場合の届出）
　　令第3条第1項の規定により届出書を提出する場合には，次に掲げる書類を添付しなければならない。
　一　土地の位置を示す地図及び土地の登記事項証明書
　二　届出に係る農地が賃貸借の目的となつている場合には，その賃貸借につき法第18条第1項の規定による解約等の許可があつたことを証する書面

第27条　（市街化区域内の農地を転用する場合の届出書の記載事項）
　　令第3条第1項の農林水産省令で定める事項は，次に掲げる事項とする。
　一　届出者の氏名及び住所（法人にあつては，名称，主たる事務所の所在地及び代表者の氏名）
　二　土地の所在，地番，地目及び面積
　三　土地の所有者及び耕作者の氏名又は名称及び住所
　四　転用の目的及び時期並びに転用の目的に係る事業又は施設の概要
　五　第31条第6号に掲げる事項

第28条　（市街化区域内の農地を転用する場合の届出の受理通知書の記載事項）
　　令第3条第2項の規定により届出を受理した旨の通知をする書面には，次に掲げる事項を記載するものとする。
　一　届出者の氏名及び住所（法人にあつては，名称，主たる事務所の所在地及び代表者の氏名）
　二　土地の所在，地番，地目及び面積
　三　届出書が到達した日及びその日に届出の効力が生じた旨
　四　届出に係る転用の目的

第88条の2　（農作物栽培高度化施設を設置するための届出）
① 法第43条第1項の規定による届出は，次に掲げる事項を記載した届出書を提出してしなければならない。
　一　届出者の氏名及び住所（法人にあつては，名称，主たる事務所の所在地，業務の内容及び代表者の氏名）
　二　届出に係る土地の所在，地番，地目，面積及び所有者の氏名又は名称
　三　届出に係る施設の面積，高さ，軒の高さ及び構造
　四　届出に係る施設を設置する時期
② 前項の届出書には，次に掲げる書類を添付しなければならない。ただし，第4号に掲げる図面については，農作物栽培高度化施設の底面とするために既存の施設の底面をコンクリートその他これに類するもので覆うときは，当該図面を添付することを要しない。
　一　申請者が法人である場合には，法人の登記事項証明書及び定款又は寄附行為の写し
　二　土地の登記事項証明書
　三　届出に係る施設の位置，当該施設の配置状況及び次条第4号において掲げる標識の位置を示す図面
　四　届出に係る施設の屋根又は壁面を透過性のないもので覆う場合には，周辺の農地に係る日照に影響を及ぼすおそれがないものとして農林水産大臣が定

める施設の高さに関する基準に適合するものであることを明らかにする図面
五　農作物の栽培の時期、生産量、主たる販売先及び届出に係る施設の設置に関する資金計画その他当該施設で行う事業の概要を明らかにする事項について記載した営農に関する計画
六　次に掲げる要件の全てを満たすことを証する書面
　イ　届出に係る施設における農作物の栽培が行われていない場合その他栽培が適正に行われていないと認められる場合には、当該施設の改築その他の適切な是正措置を講ずることについて同意したこと。
　ロ　周辺の農地に係る日照に影響を及ぼす場合、届出に係る施設から生ずる排水の放流先の機能に支障を及ぼす場合その他周辺の農地に係る営農条件に支障が生じた場合には、適切な是正措置を講ずることについて同意したこと。
七　次の各号に掲げる区分に応じ、届出に係る施設の設置についてそれぞれ当該各号に定める者の同意があつたことを証する書面
　イ　届出に係る施設から生ずる排水を河川又は用排水路に放流する場合　当該河川又は用排水路の管理者
　ロ　届出に係る土地が所有権以外の権原に基づいて施設の用に供される場合　当該土地の所有権を有する者
八　届出に係る施設の設置に当たつて、行政庁の許可、認可、承認その他これらに類するもの（以下この号及び次条において「許認可等」という。）を必要とする場合には、当該行政庁の許認可等を受けていること又は受ける見込みがあることを証する書面
九　前各号のほか、届出に係る施設が次条第2号ロに掲げるその他周辺の農地に係る営農条件に著しい支障を生ずるおそれがある場合において、当該支障が生じないことを証する書類

第88条の3（農作物栽培高度化施設の基準）
　法第43条第2項の農林水産省令で定める施設は、次の各号に掲げる要件の全てに該当するものをいう。
一　届出に係る施設が専ら農作物の栽培の用に供されるものであること。
二　周辺の農地に係る営農条件に支障を生ずるおそれがないものとして届出に係る施設が次に掲げる要件の全てに該当するものであること。
　イ　周辺の農地に係る日照に影響を及ぼすおそれがないものとして農林水産大臣が定める施設の高さに関する基準に適合するものであること。
　ロ　届出に係る施設から生ずる排水の放流先の機能に支障を及ぼさないために当該施設の設置について当該放流先の管理者の同意があつたことその他周辺の農地に係る営農条件に著しい支障が生じないように必要な措置が講じられていること。
三　届出に係る施設の設置に必要な行政庁の許認可等を受けていること又は受ける見込みがあること。
四　届出に係る施設が法第43条第2項に規定する施設であることを明らかにするための標識の設置その他適当な措置が講じられていること。
五　届出に係る土地が所有権以外の権原に基づいて施設の用に供される場合には、当該施設の設置について当該土地の所有権を有する者の同意があつたこと。

附　則（略）

土地改良法（抄）

●昭和24年6月6日法律第195号●　　最終改正　令和4年5月27日法56号

第1章　総則

第1条　（目的及び原則）
① この法律は，農用地の改良，開発，保全及び集団化に関する事業を適正かつ円滑に実施するために必要な事項を定めて，農業生産の基盤の整備及び開発を図り，もつて農業の生産性の向上，農業総生産の増大，農業生産の選択的拡大及び農業構造の改善に資することを目的とする。
② 土地改良事業の施行に当たつては，その事業は，環境との調和に配慮しつつ，国土資源の総合的な開発及び保全に資するとともに国民経済の発展に適合するものでなければならない。

第2条　（定義）
① この法律において「農用地」とは，耕作（農地法（昭和27年法律第229号）第43条第1項の規定により耕作に該当するものとみなされる農作物の栽培を含む。以下同じ。）の目的又は主として家畜の放牧の目的若しくは養畜の業務のための採草の目的に供される土地をいう。
② この法律において「土地改良事業」とは，この法律により行なう次に掲げる事業をいう。
一　農業用用排水施設，農業用道路その他農用地の保全又は利用上必要な施設（以下「土地改良施設」という。）の新設，管理，廃止又は変更（あわせて一の土地改良事業として施行することを相当とするものとして政令で定める要件に適合する二以上の土地改良施設の新設又は変更を一体とした事業及び土地改良施設の新設又は変更（当該二以上の土地改良施設の新設又は変更を一体とした事業を含む。）とこれにあわせて一の土地改良事業として施行することを相当とするものとして政令で定める要件に適合する次号の区画整理，第3号の農用地の造成その他農用地の改良又は保全のため必要な事業とを一体とした事業を含む。）
二　区画整理（土地の区画形質の変更の事業及び当該事業とこれに附帯して施行することを相当とする次号の農用地の造成の工事又は農用地の改良若しくは保全のため必要な工事の施行とを一体とした事業をいう。）
三　農用地の造成（農用地以外の土地の農用地への地目変換又は農用地間における地目変換の事業（埋立て及び干拓を除く。）及び当該事業とこれに附帯して施行することを相当とする土地の区画形質の変更の工事その他農用地の改良又は保全のため必要な工事の施行とを一体とした事業をいう。）
四　埋立て又は干拓
五　農用地若しくは土地改良施設の災害復旧（津波又は高潮による海水の浸入のために農用地が受けた塩害の除去のため必要な事業を含む。）又は土地改良施設の突発事故被害（突発的な事故による被害をいう。以下同じ。）の復旧
六　農用地に関する権利並びにその農用地の利用上必要な土地に関する権利，農業用施設に関する権利及び水の使用に関する権利の交換分合

不登関連法

七　その他農用地の改良又は保全のため必要な事業

第2章　土地改良事業

第1節／土地改良区の行う土地改良事業

第1款／土地改良区の設立

第11条　（組合員）
　土地改良区の地区内にある土地につき第3条に規定する資格を有する者は，その土地改良区の組合員とする。

第13条　（土地改良区の法人格）
　土地改良区は，法人とする。

第14条　（名称独占）
① 土地改良区は，その名称中に土地改良区という文字を用いなければならない。
② 土地改良区でないものは，その名称中に土地改良区という文字を用いてはならない。

第15条　（土地改良区の事業）
① 土地改良区は，その地区内の土地改良事業を行うものとする。
② 土地改良区は，前項の土地改良事業に附帯する事業（第57条の4第1項に規定する事業を含む。以下同じ。）を行うことができる。

第3款／土地改良区の事業

第1目／事業の施行

第50条　（国有地の譲与又は国有地への編入）
① 土地改良事業（農林水産省令で定めるものを除く。次項において同じ。）の施行により道路，用排水路，ため池，堤その他の公共の用に供する施設（以下「道路等」という。）の全部又は一部につきその用途を廃止した結果不用となつた国有地がある場合には，農林水産省令の定めるところにより，これを無償で土地改良区又はその地区内にある土地の所有者に譲与する。
② 土地改良事業の施行により生じた道路等で前項の用途廃止のあつたものに代るべきものは，無償で国有地に編入する。

第52条　（換地計画の決定及び認可）
① 土地改良区は，その行なう土地改良事業（第49条第1項の規定により応急工事計画を定め，これに基づいて行なう第2条第2項第5号の事業を除く。）につき，その事業の性質上必要があるときは，当該土地改良事業の施行に係る地域につき，換地計画を定め，都道府県知事の認可を受けなければならない。
② 土地改良事業の施行に係る地域を数区に分けてそれぞれ前項の換地計画を定める場合において，必要があるときは，一の区に係る換地計画において，他の区の区域内にある土地を従前の土地として，これにつき換地を定め，又は定めないことができる。この場合には，その従前の土地とされた土地は，当該一の区以外のいずれの区に係る換地計画においても，従前の土地とすることができない。
③ 第1項の換地計画は，耕作又は養畜の業務を営む者の農用地の集団化その他農業構造の改善に資するように定めなければならない。
④ 第1項の換地計画を定めるには，農林水産省令で定めるところにより，次項の規定による議決前に，農用地の集団化に関する事業についての専門的知識及びその事業に係る実務の経験を有する者で政令で定める資格を有するものの意見をきかなければならない。
⑤ 第1項の換地計画を定めるには，その計画に係る土地につき第5条第7項に掲げる権利を有する全ての者で組織する会議の議決を経なければならない。この場合には，前項の規定により聴いた意見の

内容を示さなければならない。
⑥　前項の会議は，当該土地改良区の理事が招集するものとし，その議事は，同項の者が3分の2以上出席し，その議決権の3分の2以上で決する。
⑦　第5項の会議には，第27条，第28条第1項，第31条，第32条第2項及び第3項並びに第34条本文の規定を準用する。
⑧　第1項の認可を申請するには，その申請書に関係農業委員会の同意書を添附しなければならない。ただし，同意を求めた日から60日以内にその同意を得られない場合には，その事由を記載した書面を添附すれば足りる。
⑨　第1項の場合には，第7条第5項及び第6項の規定を準用する。

第52条の5　（換地計画）
　換地計画においては，農林水産省令の定めるところにより，左の各号に掲げる事項を定めるものとする。
一　換地設計
二　各筆換地明細
三　清算金明細
四　換地を定めない土地その他特別の定めをする土地の明細
五　その他農林水産省令で定める事項

第53条　（換地）
①　換地計画においては，換地は，次に掲げる要件のいずれもがみたされるように定めなければならない。ただし，従前の土地について第5条第7項に掲げる権利を有する者の同意を得た場合は，この限りでない。
一　当該換地が，特定用途用地を従前の土地とする場合にあつては当該換地計画に係る土地改良事業計画において定められた非農用地区域内，特定用途用地以外の土地を従前の土地とする場合にあつては当該非農用地区域外の土地であること。
二　当該換地及び従前の土地について，農林水産省令の定めるところにより，それぞれその用途，地積，土性，水利，傾斜，温度その他の自然条件及び利用条件を総合的に勘案して，当該換地が，従前の土地に照応していること。
三　当該換地の地積の，農林水産省令で定めるところにより算定した従前の土地の地積に対する増減の割合が，2割にみたないこと。
②　前項の場合において，換地及び従前の土地の用途，地積，土性，水利，傾斜，温度その他の自然条件及び利用条件を総合的に勘案して，当該換地を当該換地計画に係る土地改良事業計画において定められた非農用地区域外の土地に定める場合にあつては換地を当該非農用地区域外の土地に定める他の場合との比較において不均衡が生ずると認められるとき，当該換地を当該非農用地区域内の土地に定める場合にあつては当該換地及び従前の土地が同等でないと認められるときは，金銭による清算をするものとし，当該換地計画においてその額並びに支払及び徴収の方法及び時期を定めなければならない。
③　従前の土地の全部又は一部について所有権及び地役権以外の権利又は処分の制限がある場合には，これに照応する換地は，その権利又は処分の制限の目的たる土地又はその部分を指定して定めなければならない。
④　前項の規定により先取特権，質権又は抵当権の目的たる土地又はその部分を指定して換地を定める場合には，その指定に係る土地又はその部分は，当該権利の目的となつている従前の土地の全部又は一部の価格と同等以上の価格のものでなければならない。ただし，その従前の土地の所有者が第2項の規定による清算金を取得すべきときは，その指定に係る土地又はその部分は，その清算金の限度内

において，当該権利の目的となつている従前の土地の全部又は一部の価格より低い価格のものであつてもよい。
⑤　前項ただし書の場合には，その価格の差額に相当する当該権利の及ぶべき清算金の額を当該換地計画において定めなければならない。
⑥　換地は，一筆の土地の区域が二以上の市町村，大字又は字にわたるように定めてはならない。

第53条の2の2　（換地を定めない場合等の特例）

①　換地計画においては，従前の土地の所有者の申出又は同意があつた場合には，その申出又は同意に係る従前の土地については，地積を特に減じて換地を定め，又は換地を定めないことができる。この場合において，その地積を特に減じて換地を定め，又は換地を定めない土地について地上権，永小作権，質権，賃借権，使用貸借による権利又はその他の使用及び収益を目的とする権利を有する者があるときは，土地改良区は，地積を特に減じて換地を定め，又は換地を定めないことについてこれらの者の同意を得なければならない。
②　前項前段の場合には，金銭による清算をするものとし，当該換地計画においてその額並びに支払及び徴収の方法及び時期を定めなければならない。
③　第1項の規定により従前の土地について地積を特に減じて換地を定め，又は換地を定めない場合において，その従前の土地の全部又は一部につき先取特権，質権又は抵当権があるときは，前項の規定により換地計画において清算金を定めるに当たつて，当該権利の及ぶべき清算金の額を併せて定めなければならない。

第53条の2の3

①　土地改良区は，換地計画を定める前に，前条第1項前段の規定による申出又は同意に係る土地（その土地について同項後段に規定する者があるときは，同項後段の規定によるこれらの者の同意を得たものに限る。）を，これを従前の土地とする地積を特に減じて換地を定め，又は換地を定めない土地として指定することができる。
②　前項の規定による指定については，第53条の2第2項及び第3項の規定を準用する。この場合において，同条第2項中「同項に規定する同意」とあるのは，「第53条の2の2第1項の規定による申出又は同意」と読み替えるものとする。
③　土地改良区は，第1項の規定による指定をした場合において，必要があると認めるときは，前条第2項に定めるところに準じて仮に算出した仮清算金を，清算金の支払の方法に準ずる方法により支払うことができる。

第53条の5　（一時利用地の指定）

①　土地改良区は，換地処分を行なう前において，土地改良事業の工事のため必要がある場合又は土地改良事業に係る換地計画に基づき換地処分を行なうにつき必要がある場合には，その土地改良事業の施行に係る地域内の土地につき，従前の土地に代わるべき一時利用地を指定することができる。
②　土地改良区は，前項の規定により一時利用地を指定する場合には，換地計画において定められた事項又はこの法律で規定する換地計画において定める事項の基準を考慮してしなければならない。
③　第1項の規定による一時利用地の指定は，その一時利用地及び従前の土地につき第5条第7項に掲げる権利を有する者に対し，一時利用地及び従前の土地の位置及び地積並びにその使用開始の日を通知してするものとする。
④　第1項の規定により一時利用地が指定

されたときは，従前の土地につき第5条第7項に掲げる権利を有する者は，前項の規定による通知に係る使用開始の日から第54条第4項の規定による公告がある日まで，一時利用地をその性質によつて定まる用方に従い，従前の土地について有する当該権利に基づく使用及び収益と同一の条件により使用し及び収益することができる。
⑤　前項の場合には，同項の者は，従前の土地については，その土地について有する当該権利に基づく使用及び収益をすることができない。
⑥　第1項の規定により一時利用地が指定されたときは，その一時利用地につき第5条第7項に掲げる権利を有する者は，第3項の規定による通知に係る使用開始の日から第54条第4項の規定による公告がある日まで，その一時利用地について，その有する当該権利に基づく使用及び収益をすることができない。

第53条の6　（使用及び収益の停止）
①　土地改良区は，換地処分を行なう前において，土地改良事業の工事のため必要がある場合又は換地計画に基づき換地処分を行なうにつき必要がある場合には，第53条の2の2第1項の規定により換地計画において換地を定めないこととされる従前の土地（次項に規定する土地を除く。）につき第5条第7項に掲げる権利を有する者に対し，期日を定めて，その期日からその土地の全部又は一部について使用し及び収益することを停止させることができる。この場合には，その期日の相当期間前までに，その旨を当該権利者に通知しなければならない。
②　土地改良区は，換地処分を行う前において，第53条の2の3第3項の規定により仮清算金が支払われた土地（同条第1項の規定により換地を定めない土地として指定された土地に限る。）につき第5

条第7項に掲げる権利を有する者に対し，期日を定めて，その期日からその土地の全部について使用し及び収益することを停止させることができる。この場合には，前項後段の規定を準用する。
③　第1項又は前項の規定によりこれらの各項に規定する土地の全部又は一部について使用し及び収益することが停止された場合には，その全部又は一部の土地につき第5条第7項に掲げる権利を有する者は，第1項又は前項の期日から第54条第4項の規定による公告がある日まで，その全部又は一部の土地について，その有する当該権利に基づく使用及び収益をすることができない。

第54条　（換地処分）
①　換地処分は，当該換地計画に係る土地につき第5条第7項に掲げる権利を有する者に対し，その換地計画において定められた関係事項を通知してするものとする。
②　換地処分は，当該換地計画に係る地域の全部について当該土地改良事業の工事が完了した後において，遅滞なくしなければならない。ただし，当該土地改良事業の計画に別段の定めがある場合においては，当該換地計画に係る地域の全部について工事が完了する以前においても換地処分をすることができる。
③　土地改良区は，換地処分をした場合には，遅滞なくその旨を都道府県知事に届け出なければならない。
④　都道府県知事は，前項の規定による届出があつた場合には，遅滞なく当該換地処分があつた旨を公告しなければならない。
⑤　都道府県知事は，前項の規定による公告をした場合には，遅滞なくその旨を管轄登記所に通知しなければならない。
⑥　第1項の換地処分，第3項の規定による届出，第4項の規定による公告及び前

項の規定による通知は，第52条第2項の規定により，一の区に係る換地計画において，他の区の区域内にある土地を従前の土地として，これにつき換地を定め，又は定めないこととした場合には，それぞれ，当該一の区に係る換地計画及び当該他の区に係る換地計画について同時にしなければならない。この場合には，これらの換地計画に係る換地処分は，第2項の規定にかかわらず，これらの換地計画に係る地域の全部について当該土地改良事業の工事が完了した後において，遅滞なくしなければならない。
⑦　第2項ただし書の規定は，前項後段の場合について準用する。

第54条の2　（換地処分の効果及び清算金）

①　前条第4項の規定による公告があつた場合には，当該換地計画に定める換地は，その公告のあつた日の翌日から従前の土地とみなされるものとし，その換地計画において換地を定めなかつた従前の土地について存する権利は，その公告のあつた日限り消滅するものとする。
②　前条第4項の規定による公告があつた場合には，第53条第3項の規定により，当該換地計画において，換地につき，従前の土地について存する所有権及び地役権以外の権利又は処分の制限の目的となるべきものとして指定された土地又はその部分は，その公告があつた日の翌日から当該権利又は処分の制限の目的たる土地又はその部分とみなされるものとする。
③　前二項の規定は，行政上又は裁判上の処分で従前の土地に専属するものについては，影響を及ぼさない。
④　第53条第2項又は第53条の2の2第2項（第53条の3第3項及び第53条の3の2第2項において準用する場合を含む。）の規定による換地計画において定められた清算金は，前条第4項の規定による公告があつた日の翌日において確定する。
⑤　第53条の3第1項又は第53条の3の2第1項の規定により換地計画において定められた換地は，前条第4項の規定による公告があつた日の翌日において第53条の3第2項（第53条の3の2第2項において準用する場合を含む。）の規定によりその換地計画において当該換地を取得すべき者として定められた者が取得する。
⑥　換地計画において，換地を国又は地方公共団体が所有する土地で道路等の用に供しているものに定めた場合において，その土地に存する道路等が廃止されるときは，その換地計画においてこれに代わるべき道路等の用に供する土地と定められたものは，その廃止される道路等の用に供している土地が国の所有する土地である場合には国に，地方公共団体の所有する土地である場合には地方公共団体に，前条第4項の規定による公告があつた日の翌日においてそれぞれ帰属する。
⑦　前項の場合には，その廃止される道路等の用に供している国又は地方公共団体の所有する土地について存する従前の権利は，所有権にあつては前条第4項の規定による公告があつた日限り消滅するものとし，その他の権利（地役権を除く。）にあつてはその公告のあつた日の翌日から，前項の規定により国若しくは地方公共団体に帰属する土地又はその土地のうち農林水産省令の定めるところにより国若しくは地方公共団体がその権利を有する者の意見をきいて定める部分について存するものとみなす。

第55条　（換地処分による登記）

第54条第4項の規定による公告があつたときは，土地改良区は，政令の定めるところにより，遅滞なく当該換地計画に係る土地及び建物について登記を申請しなければならない。

第2目／権利関係の調整

第63条　（地役権の効力）

① 換地計画に係る土地の上に存する地役権は、第54条第4項の規定による公告があつた後でも、なお従前の土地の上に存する。

② 土地改良事業によつて行使する利益を受ける必要がなくなつた地役権は、消滅する。

③ 土地改良事業によつて従前と同一の利益を受けることができなくなつた地役権者は、その利益を保存する範囲内において、地役権の設定を請求することができる。但し、第60条の規定による請求に基く地役権の対価の減額があつた場合には、この限りでない。

第3節／農業協同組合等又は第3条に規定する資格を有する者の行う土地改良事業

第95条　（土地改良事業の開始）

① 農業協同組合、農業協同組合連合会若しくは農地中間管理機構又は第3条に規定する資格を有する者が土地改良事業を行う場合には、農林水産省令の定めるところにより、都道府県知事の認可を受けなければならない。

② 農業協同組合、農業協同組合連合会若しくは農地中間管理機構又は第3条に規定する資格を有する者が土地改良事業を行おうとする場合において、前項の認可を申請するには、あらかじめ、農林水産省令の定めるところにより、（農業協同組合、農業協同組合連合会又は農地中間管理機構にあつては総会の議決（総会を置かない農地中間管理機構にあつては、農林水産省令で定めるその機関の議決又は決定とする。以下この節において同じ。）を経て、）規約（同条に規定する資格を有する者が1人で土地改良事業を行う場合にあつては、規準とする。以下この節、第132条第1項及び第134条第1項において同じ。）及び土地改良事業の計画の概要（二以上の土地改良事業を併せて施行する場合には、その各土地改良事業に係る計画の概要及び農林水産省令で定めるときにあつては全体構成）を公告して、その土地改良事業の施行に係る地域（二以上の土地改良事業を併せて施行する場合には、その各土地改良事業につき、その施行に係る地域）内にある土地につき第5条第7項に掲げる権利を有する全ての者の同意を得なければならない。

③ 第1項の場合には、第5条第3項、第7条から第9条まで並びに第10条第1項及び第5項の規定を準用する。

④ 都道府県知事は、前項において準用する第10条第1項の認可をしたときは、遅滞なくその旨を公告しなければならない。

⑤ 規約又は土地改良事業計画の決定は、前項の規定による公告があるまでは、これをもつて第三者（当該農業協同組合の組合員、当該農業協同組合連合会を直接又は間接に構成する者、社団たる当該農地中間管理機構の社員及び第2項の同意をした者を除く。）に対抗することができない。

第5章　補則

第113条の2　（土地の共有者等の取扱い）

① 同一の土地について、共有者があり、又は権原に基づき使用及び収益をする者が2人以上ある場合には、これらの者で第3条に規定する資格を有するものは、第5条第2項及び第4項、第11条、第48条第3項から第7項まで（同条第4項及び第6項にあつては、第88条第6項及び第96条の3第5項において準用する場合を含む。）、第85条第2項及び第3項、第85条の2第2項及び第3項、第85条の3第2項、第3項、第7項及び第8項、第87条の2第3項及び第4項、第88条第1項及び第2項、第96条の2第2項及び第

3項並びに第96条の3第2項及び第3項の規定の適用については，合わせて一の第3条に規定する資格を有する者とみなす。ただし，これらの者のみにより土地改良区を設立しようとし，又はこれらの者のみが土地改良区の組合員となっている場合には，この限りでない。
② 同一の土地について，所有権，地上権，永小作権，質権，賃借権，使用貸借による権利又はその他の使用及び収益を目的とする権利が2人以上の者の共有に属する場合には，その共有に属する権利を有する者は，第52条第5項前段及び第6項（これらの規定を第53条の4第2項（第96条の4第1項において準用する場合を含む。以下この項において同じ。），第89条の2第2項（同条第5項において準用する場合を含む。以下この項において同じ。），第96条の4第1項及び第99条第2項（第100条の2第2項（第111条において準用する場合を含む。）及び第111条において準用する場合を含む。以下この項において同じ。）において準用する場合を含む。），第52条第7項（第53条の4第2項，第89条の2第2項，第96条の4第1項及び第99条第2項において準用する場合を含む。）において準用する第31条，第97条第1項から第3項まで（第111条において準用する場合を含む。）並びに第136条第2項において準用する同条第1項の規定の適用については，当該共有に属する権利ごとに，合わせて一の当該共有に属する権利を有する者とみなす。
③ 前二項の場合におけるこの法律の規定の適用についての必要な読替えは，政令で定める。
④ 第1項又は第2項の規定により一の第3条に規定する資格を有する者とみなされる者又は一の同項に規定する共有に属する権利を有する者とみなされる者（第7項において「みなし3条資格者等」という。）は，農林水産省令で定めるところにより，それぞれのうちから代表者1人を選任し，その者の氏名又は名称及び住所を第5条第1項，第85条第1項，第85条の2第1項若しくは第85条の3第1項若しくは第6項の規定により申請をする者（以下この条において「申請者」という。）又は土地改良事業を行う者に通知しなければならない。
⑤ 前項の代表者の権限に加えた制限は，これをもつて，申請者及び土地改良事業を行う者に対抗することができない。
⑥ 第4項の代表者の解任は，農林水産省令で定めるところにより，申請者又は土地改良事業を行う者にその旨を通知するまでは，これをもつて，申請者又は土地改良事業を行う者に対抗することができない。
⑦ 第4項の規定により代表者を選任しなければならない場合において，同項の規定による通知がないときは，申請者又は土地改良事業を行う者がこの法律又はこの法律に基づく命令，定款若しくは規約の規定によりみなし3条資格者等に対してする行為は，みなし3条資格者等のうちいずれか1人に対してすることをもつて足りる。

第113条の3　（工事の完了等の場合の公告等）

① 国，都道府県及び市町村以外の土地改良事業（第2条第2項第6号に掲げるものを除く。）を行う者は，土地改良事業の工事（農用地の保全又は利用上必要な施設の管理の事業については，管理）に着手し，又は工事を伴う土地改良事業につきその工事を完了した場合には，遅滞なくその旨を都道府県知事に届け出なければならない。
② 都道府県知事は，前項の規定により土地改良事業の工事の完了に係る届出があつた場合には，遅滞なくその旨を公告し

なければならない。
③　農林水産大臣，都道府県知事又は市町村長は，工事を伴う土地改良事業につきその工事を完了した場合には，遅滞なくその旨を公告しなければならない。

第113条の4　（登記所への届出）
①　農林水産省令で定める土地改良事業を行なう者は，その土地改良事業の工事に着手する前に，管轄登記所に農林水産省令で定める事項を届け出なければならない。
②　前項の土地改良事業を行う者は，その土地改良事業の工事に着手し，又はその工事を完了した場合には，遅滞なくその旨を管轄登記所に届け出なければならない。ただし，次の各号に掲げる規定の規定により当該土地改良事業の計画に別段の定めをした場合には，当該土地改良事業の工事を完了した旨の届出に代えて，それぞれ当該各号に掲げる公告をしたときに，遅滞なくその旨を届け出なければならない。
一・二　（略）

第114条　（登記の特例）
①　土地改良事業を行なう者は，その事業を行なうため必要がある場合には，所有者に代わつて土地の分割又は合併の手続をすることができる。
②　前条第１項の土地改良事業を行なう者は，その土地改良事業の施行に係る地域内に一筆の土地の一部が編入されている場合には，同項の規定による届出とともに，分割の手続をしなければならない。

第115条
土地改良事業の施行に係る地域内にある不動産の登記については，政令で特例を定めることができる。

第116条　（他の登記の停止）
第54条第４項（第89条の２第10項，第96条及び第96条の４第１項において準用する場合を含む。以下この条及び第131条において同じ。）の規定による公告があつた後は，土地改良事業の施行に係る地域内にある土地に関しては，その土地改良事業による登記をした後でなければ他の登記をすることができない。ただし，登記の申請人が確定日付のある書類により同項の規定による公告前に登記原因の生じたことを証明した場合には，この限りでない。

第117条　（施行に係る地域を数区に分けた場合）
土地改良事業の施行に係る地域を数区に分けた場合には，その各々の区及びその区に係る土地改良事業は，第52条第１項（第96条及び第96条の４第１項において準用する場合を含む。），第53条の５第１項（第96条及び第96条の４第１項において準用する場合を含む。），第64条（第92条及び第96条の４第１項において準用する場合を含む。），第89条の２第１項及び第６項，第94条の８第１項及び第５項（第94条の８の２第６項において準用する場合を含む。），第113条の３，第113条の４並びに第114条第２項の規定並びに第96条において準用する第63条第３項ただし書の規定の適用については，それぞれ，土地改良事業の施行に係る地域及びその地域に係る土地改良事業とみなす。

第118条　（測量，検査又は簿書の閲覧等の手続）
①　次に掲げる者は，土地改良事業に関し土地等の調査をするため必要がある場合には，あらかじめ土地の占有者に通知して，その必要の限度内において，他人の土地に立ち入つて測量し，又は検査することができる。
一　国，都道府県又は市町村の職員
二　土地改良区又は連合会の役職員
三　農業委員会の委員又は農業委員会の

事務に従事する者
四　第95条第1項の規定により土地改良事業を行う第3条に規定する資格を有する者又は同項若しくは第100条第1項の規定により土地改良事業を行う農業協同組合，農業協同組合連合会若しくは農地中間管理機構の役職員
五　第5条第1項，第95条第1項若しくは第100条第1項の認可の申請又は第85条第1項若しくは第85条の4第1項の規定による申請をしようとする者
② 　前項第4号又は第5号の者が同項の行為をするには，あらかじめ当該土地の所在地の市町村長の許可を受けなければならない。
③ 　第1項の規定による通知をすることができないか，又は困難である場合には，農林水産省令の定めるところにより，公告をもつて通知に代えることができる。
④ 　第1項の場合には，同項第1号から第3号までの者はその身分を示す証票を，同項第4号又は第5号の者は第2項の許可を受けたことを証する書面を携帯し，当該土地の占有者の請求があつたときは，これを呈示しなければならない。
⑤ 　第1項の場合には，同項第1号の国，都道府県若しくは市町村，同項第2号の土地改良区若しくは連合会，同項第3号の農業委員会，同項第4号の土地改良事業を行う第3条に規定する資格を有する者，農業協同組合，農業協同組合連合会若しくは農地中間管理機構又は同項第5号の者は，同項に掲げる行為によつて通常生ずべき損失を補償しなければならない。
⑥ 　第1項各号に掲げる者は，当該事業に関係のある土地を管轄する登記所，漁業免許に関する登録の所管庁又は市町村の事務所につき，無償でその事業に関し必要な簿書の閲覧若しくは謄写又はその謄本若しくは登記事項証明書の交付を求めることができる。

附　則（略）

土地改良登記規則（抄）

●平成17年2月28日法務省令第20号●　　最終改正　平成23年11月28法務省令35号

第1章　通則

第1条（一の申請情報によってすることができる代位登記）
　土地改良登記令（以下「令」という。）第2条第1号から第3号までに掲げる登記の申請は，不動産登記令（平成16年政令第379号）第4条本文の規定にかかわらず，登記の目的又は登記原因が同一でないときでも，当該各号に掲げる登記ごとに，一の申請情報によってすることができる。

第2章　換地処分の場合の登記

第4条（地役権図面の内容）
　令第6条第2項（令第10条第2項において準用する場合を含む。）の地役権図面には，不動産登記規則（平成17年法務省令第18号。以下「規則」という。）第79条第1項及び第3項に規定する事項のほか，地役権者の氏名又は名称を記録しなければならない。この場合には，同条第4項の規定は，適用しない。

第5条（従前の土地が1個で換地が1個の場合の登記）
① 登記官は，換地計画において従前の1個の土地に照応して1個の換地が定められた場合において，換地処分による登記をするときは，従前の土地の登記記録の表題部に，換地の所在する市，区，郡，町，村及び字並びに当該換地の地番，地目及び地積並びに従前の土地の表題部の登記事項を抹消する記号を記録しなければならない。

② 登記官は，前項の場合において，換地と定められた土地について地役権に関する登記があるときは，当該土地の登記記録から従前の土地の登記記録の乙区に当該地役権に関する登記を移記し，その登記の末尾に土地改良法による換地処分により何番の土地の登記記録から移記した旨及びその年月日を記録しなければならない。この場合において，換地処分によって当該登記記録の乙区に移記した要役地若しくは承役地の所在する市，区，郡，町，村及び字並びに当該要役地若しくは承役地の地番，地役権設定の範囲又は地役権の存する土地の部分に変更を生じたときは，その変更を付記し，これに相当する変更前の事項を抹消する記号を記録しなければならない。

③ 登記官は，前項の手続をしたときは，規則第5条第3項の規定にかかわらず，当該地役権に関する登記がある土地の登記記録を閉鎖することを要しない。この場合には，当該登記記録の乙区に，土地改良法による換地処分により地役権に関する登記を何番の土地の登記記録に移記した旨，その年月日及び前の登記の登記事項を抹消する記号を記録しなければならない。

④ 登記官は，第1項の場合において，換地と定められた土地に存する既登記の地役権が消滅したことにより承役地及び要役地について当該地役権に関する登記の抹消をするときは，当該地役権に関する登記がある土地の登記記録の乙区に，土地改良法による換地処分により消滅した旨及びその年月日を記録しなければなら

第6条 (従前の土地が数個で換地が1個の場合の登記)
① 登記官は，換地計画において従前の数個の土地に照応して1個の換地が定められた場合において，換地処分による登記をするときは，従前の土地のうち1個の土地（所有権の登記があるものとないものがあるときは，所有権の登記があるもの）の登記記録の表題部に，換地の所在する市，区，郡，町，村及び字並びに当該換地の地番，地目及び地積並びに他の従前の土地の地番を記録し，かつ，従前の土地の表題部の登記事項の変更部分を抹消する記号を記録しなければならない。この場合において，当該他の従前の土地の地番の記録は，当該登記記録の表題部の原因及びその日付欄にしなければならない。
② 登記官は，前項の手続をしたときは，他の従前の土地の登記記録の表題部に土地改良法による換地処分により何番の土地の登記記録に登記を移転した旨，その年月日及び従前の土地の表題部の登記事項を抹消する記号を記録し，当該登記記録を閉鎖しなければならない。
③ 登記官は，令第13条第1項の所有権の登記をするときは，換地を記録した登記記録の甲区に，土地改良法による換地処分により所有権の登記をする旨並びに換地処分による登記の申請の受付の年月日及び受付番号を記録しなければならない。

第7条 (従前の土地が1個で換地が数個の場合の登記)
① 登記官は，換地計画において従前の1個の土地に照応して数個の換地が定められた場合において，換地処分による登記をするときは，従前の土地の登記記録の表題部に，1個の換地の所在する市，区，郡，町，村及び字並びに当該換地の地番，地目及び地積並びに他の換地の地番を記録し，かつ，従前の土地の表題部の登記事項を抹消する記号を記録しなければならない。この場合において，当該他の換地の地番の記録は，当該登記記録の表題部の原因及びその日付欄にしなければならない。
② 登記官は，前項の場合において，従前の土地の登記記録に所有権及び地役権以外の権利に関する登記があるときは，当該権利に関する登記に，先取特権，質権及び抵当権以外の権利については他の換地が共に当該権利の目的である旨を，先取特権，質権又は抵当権（以下「担保権」と総称する。）については既に当該担保権についての共同担保目録が作成されているときを除き新たに作成した共同担保目録の記号及び目録番号を付記し，土地改良法による換地処分により登記をする旨及びその年月日を記録しなければならない。
③ 登記官は，第1項の場合には，他の各換地について新たな登記記録を作成し，かつ，当該登記記録の表題部に換地の所在する市，区，郡，町，村及び字並びに当該換地の地番，地目及び地積並びに他の換地の地番を記録しなければならない。
④ 登記官は，前項の規定により新たな登記記録を作成した場合において，従前の土地の登記記録に所有権の登記があるときは，当該新たな登記記録の甲区に，従前の土地の登記記録から所有権に関する登記を転写し，かつ，これに土地改良法による換地処分により登記をする旨並びに申請の受付の年月日及び受付番号を記録しなければならない。
⑤ 登記官は，前項の登記をした場合において，従前の土地の登記記録に所有権及び地役権以外の権利又は処分の制限に関する登記があるときは，換地の登記記録の権利部の相当区に，従前の土地の登記記録から当該権利又は処分の制限に関す

る登記を転写し，かつ，土地改良法による換地処分により登記をする旨及びその年月日を記録しなければならない。この場合には，先取特権，質権及び抵当権以外の権利については他の換地が共に当該権利の目的である旨を，担保権については既に従前の土地にされた当該担保権に係る共同担保目録が作成されているときを除き新たに作成した共同担保目録の記号及び目録番号を記録しなければならない。
⑥　規則第170条第3項において準用する規則第168条第5項及び規則第170条第4項の規定は，第1項の場合について準用する。

附　則（略）

土地区画整理法（抄）

●昭和29年5月20日法律第119号●　　最終改正　令和5年6月16日法63号

第1章　総則

第1条　（この法律の目的）
　この法律は，土地区画整理事業に関し，その施行者，施行方法，費用の負担等必要な事項を規定することにより，健全な市街地の造成を図り，もつて公共の福祉の増進に資することを目的とする。

第2条　（定義）
① この法律において「土地区画整理事業」とは，都市計画区域内の土地について，公共施設の整備改善及び宅地の利用の増進を図るため，この法律で定めるところに従つて行われる土地の区画形質の変更及び公共施設の新設又は変更に関する事業をいう。
② 前項の事業の施行のため若しくはその事業の施行に係る土地の利用の促進のため必要な工作物その他の物件の設置，管理及び処分に関する事業又は埋立若しくは干拓に関する事業が前項の事業にあわせて行われる場合においては，これらの事業は，土地区画整理事業に含まれるものとする。
③ この法律において「施行者」とは，土地区画整理事業を施行する者をいう。
④ この法律において「施行地区」とは，土地区画整理事業を施行する土地の区域をいう。
⑤ この法律において「公共施設」とは，道路，公園，広場，河川その他政令で定める公共の用に供する施設をいう。
⑥ この法律において「宅地」とは，公共施設の用に供されている国又は地方公共団体の所有する土地以外の土地をいう。
⑦ この法律において「借地権」とは，借地借家法（平成3年法律第90号）にいう借地権をいい，「借地」とは，借地権の目的となつている宅地をいう。
⑧ この法律において「施行区域」とは，都市計画法（昭和43年法律第100号）第12条第2項の規定により土地区画整理事業について都市計画に定められた施行区域をいう。

第3条　（土地区画整理事業の施行）
① 宅地について所有権若しくは借地権を有する者又は宅地について所有権若しくは借地権を有する者の同意を得た者は，1人で，又は数人共同して，当該権利の目的である宅地について，又はその宅地及び一定の区域の宅地以外の土地について土地区画整理事業を施行することができる。ただし，宅地について所有権又は借地権を有する者の同意を得た者にあつては，独立行政法人都市再生機構，地方住宅供給公社その他土地区画整理事業を施行するため必要な資力，信用及び技術的能力を有する者で政令で定めるものに限る。
② 宅地について所有権又は借地権を有する者が設立する土地区画整理組合は，当該権利の目的である宅地を含む一定の区域の土地について土地区画整理事業を施行することができる。
③ 宅地について所有権又は借地権を有する者を株主とする株式会社で次に掲げる要件のすべてに該当するものは，当該所有権又は借地権の目的である宅地を含む

一定の区域の土地について土地区画整理事業を施行することができる。
一　土地区画整理事業の施行を主たる目的とするものであること。
二　公開会社（会社法（平成17年法律第86号）第2条第5号に規定する公開会社をいう。）でないこと。
三　施行地区となるべき区域内の宅地について所有権又は借地権を有する者が，総株主の議決権の過半数を保有していること。
四　前号の議決権の過半数を保有している者及び当該株式会社が所有する施行地区となるべき区域内の宅地の地積とそれらの者が有する借地権の目的となつているその区域内の宅地の地積との合計が，その区域内の宅地の総地積と借地権の目的となつている宅地の総地積との合計の3分の2以上であること。この場合において，これらの者が宅地の共有者又は共同借地権者であるときは，当該宅地又は借地権の目的となつている宅地の地積に当該者が有する所有権又は借地権の共有持分の割合を乗じて得た面積を，当該宅地又は借地権の目的となつている宅地について当該者が有する宅地又は借地権の目的となつている宅地の地積とみなす。
④　都道府県又は市町村は，施行区域の土地について土地区画整理事業を施行することができる。
⑤　国土交通大臣は，施行区域の土地について，国の利害に重大な関係がある土地区画整理事業で災害の発生その他特別の事情により急施を要すると認められるもののうち，国土交通大臣が施行する公共施設に関する工事と併せて施行することが必要であると認められるもの又は都道府県若しくは市町村が施行することが著しく困難若しくは不適当であると認められるものについては自ら施行し，その他のものについては都道府県又は市町村に施行すべきことを指示することができる。

第2章　施行者

第1節／個人施行者

第4条　（施行の認可）

①　土地区画整理事業を第3条第1項の規定により施行しようとする者は，1人で施行しようとする者にあつては規準及び事業計画を定め，数人共同して施行しようとする者にあつては規約及び事業計画を定め，その土地区画整理事業の施行について都道府県知事の認可を受けなければならない。この場合において，土地区画整理事業を施行しようとする者がその申請をしようとするときは，国土交通省令で定めるところにより，施行地区となるべき区域を管轄する市町村長を経由して行わなければならない。

②　第3条第1項に規定する者が施行区域の土地について施行する土地区画整理事業については，前項に規定する認可をもつて都市計画法第59条第4項に規定する認可とみなす。ただし，同法第79条，第80条第1項，第81条第1項及び第89条第1項の規定の適用については，この限りでない。

第6条　（事業計画）

①　第4条第1項の事業計画においては，国土交通省令で定めるところにより，施行地区（施行地区を工区に分ける場合においては，施行地区及び工区），設計の概要，事業施行期間及び資金計画を定めなければならない。

②　住宅の需要の著しい地域に係る都市計画区域で国土交通大臣が指定するものの区域において新たに住宅市街地を造成することを目的とする土地区画整理事業の事業計画においては，施行地区における住宅の建設を促進するため特別な必要があると認められる場合には，国土交通省

令で定めるところにより、住宅を先行して建設すべき土地の区域（以下「住宅先行建設区」という。）を定めることができる。
③　住宅先行建設区は、施行地区における住宅の建設を促進する上で効果的であると認められる位置に定め、その面積は、住宅が先行して建設される見込みを考慮して相当と認められる規模としなければならない。
④　都市計画法第12条第2項の規定により市街地再開発事業（都市再開発法（昭和44年法律第38号）による市街地再開発事業をいう。以下同じ。）について都市計画に定められた施行区域をその施行地区に含む土地区画整理事業の事業計画においては、国土交通省令で定めるところにより、当該施行区域内の全部又は一部について、土地区画整理事業と市街地再開発事業を一体的に施行すべき土地の区域（以下「市街地再開発事業区」という。）を定めることができる。
⑤　市街地再開発事業区の面積は、第85条の3第1項の規定による申出が見込まれるものについての換地の地積の合計を考慮して相当と認められる規模としなければならない。
⑥　高度利用地区（都市計画法第8条第1項第3号の高度利用地区をいう。以下同じ。）の区域、都市再生特別地区（都市再生特別措置法（平成14年法律第22号）第36条第1項の規定による都市再生特別地区をいう。以下同じ。）の区域又は特定地区計画等区域（都市再開発法第2条の2第1項第4号に規定する特定地区計画等区域をいう。以下同じ。）をその施行地区に含む土地区画整理事業の事業計画においては、国土交通省令で定めるところにより、当該高度利用地区の区域、都市再生特別地区の区域又は特定地区計画等区域内の全部又は一部（市街地再開発事業区が定められた区域を除く。）について、土地の合理的かつ健全な高度利用の推進を図るべき土地の区域（以下「高度利用推進区」という。）を定めることができる。
⑦　高度利用推進区の面積は、第85条の4第1項及び第2項の規定による申出が見込まれるものについての換地の地積及び共有持分を与える土地の地積との合計を考慮して相当と認められる規模としなければならない。
⑧　事業計画においては、環境の整備改善を図り、交通の安全を確保し、災害の発生を防止し、その他健全な市街地を造成するために必要な公共施設及び宅地に関する計画が適正に定められていなければならない。
⑨　事業計画においては、施行地区は施行区域の内外にわたらないように定め、事業施行期間は適切に定めなければならない。
⑩　事業計画は、公共施設その他の施設又は土地区画整理事業に関する都市計画が定められている場合においては、その都市計画に適合して定めなければならない。
⑪　事業計画の設定について必要な技術的基準は、国土交通省令で定める。

第2節／土地区画整理組合

第1款／設立

第14条　（設立の認可）
①　第3条第2項に規定する土地区画整理組合（以下「組合」という。）を設立しようとする者は、7人以上共同して、定款及び事業計画を定め、その組合の設立について都道府県知事の認可を受けなければならない。この場合において、組合を設立しようとする者がその申請をしようとするときは、国土交通省令で定めるところにより、施行地区となるべき区域を管轄する市町村長を経由して行わなければならない。

② 組合を設立しようとする者は，事業計画の決定に先立つて組合を設立する必要があると認める場合においては，前項の規定にかかわらず，7人以上共同して，定款及び事業基本方針を定め，その組合の設立について都道府県知事の認可を受けることができる。この場合においては，前項後段の規定を準用する。
③ 前項の規定により設立された組合は，都道府県知事の認可を受けて，事業計画を定めるものとする。この場合において，組合がその申請をしようとするときは，国土交通省令で定めるところにより，施行地区を管轄する市町村長を経由して行わなければならない。
④ 組合が施行区域の土地について施行する土地区画整理事業については，第1項又は前項に規定する認可をもつて都市計画法第59条第4項に規定する認可とみなす。第4条第2項ただし書の規定は，この場合に準用する。

第19条　（借地権の申告）
① 前条に規定する同意を得ようとする者は，あらかじめ，施行地区となるべき区域の公告を当該区域を管轄する市町村長に申請しなければならない。
② 市町村長は，前項に規定する申請があつた場合においては，政令で定めるところにより，遅滞なく，施行地区となるべき区域を公告しなければならない。
③ 前項の規定により公告された施行地区となるべき区域内の宅地について未登記の借地権を有する者は，前項の公告があつた日から1月以内に当該市町村長に対し，その借地権の目的となつている宅地の所有者と連署し，又はその借地権を証する書面を添えて，国土交通省令で定めるところにより，書面をもつてその借地権の種類及び内容を申告しなければならない。
④ 未登記の借地権で前項の規定による申告のないものは，前項の申告の期間を経過した後は，前条の規定の適用については，存しないものとみなす。

第22条　（組合の法人格）
　組合は，法人とする。

第23条　（名称の使用制限）
① 組合は，その名称中に土地区画整理組合という文字を用いなければならない。
② 組合でない者は，その名称中に土地区画整理組合という文字を用いてはならない。

【─　第3章　土地区画整理事業　─】

第1節／通則

第76条　（建築行為等の制限）
① 次に掲げる公告があつた日後，第103条第4項の公告がある日までは，施行地区内において，土地区画整理事業の施行の障害となるおそれがある土地の形質の変更若しくは建築物その他の工作物の新築，改築若しくは増築を行い，又は政令で定める移動の容易でない物件の設置若しくは堆積を行おうとする者は，国土交通大臣が施行する土地区画整理事業にあつては国土交通大臣の，その他の者が施行する土地区画整理事業にあつては都道府県知事（市の区域内において個人施行者，組合若しくは区画整理会社が施行し，又は市が第3条第4項の規定により施行する土地区画整理事業にあつては，当該市の長。以下この条において「都道府県知事等」という。）の許可を受けなければならない。
一　個人施行者が施行する土地区画整理事業にあつては，その施行についての認可の公告又は施行地区の変更を含む事業計画の変更（以下この項において「事業計画の変更」という。）についての認可の公告

二　組合が施行する土地区画整理事業にあつては，第21条第3項の公告又は事業計画の変更についての認可の公告
三　区画整理会社が施行する土地区画整理事業にあつては，その施行についての認可の公告又は事業計画の変更についての認可の公告
四　市町村，都道府県又は国土交通大臣が第3条第4項又は第5項の規定により施行する土地区画整理事業にあつては，事業計画の決定の公告又は事業計画の変更の公告
五　機構等が第3条の2又は第3条の3の規定により施行する土地区画整理事業にあつては，施行規程及び事業計画の認可の公告又は事業計画の変更の認可の公告
② 　都道府県知事等は，前項に規定する許可の申請があつた場合において，その許可をしようとするときは，施行者の意見を聴かなければならない。
③ 　国土交通大臣又は都道府県知事等は，第1項に規定する許可をする場合において，土地区画整理事業の施行のため必要があると認めるときは，許可に期限その他必要な条件を付することができる。この場合において，これらの条件は，当該許可を受けた者に不当な義務を課するものであつてはならない。
④ 　国土交通大臣又は都道府県知事等は，第1項の規定に違反し，又は前項の規定により付した条件に違反した者がある場合においては，これらの者又はこれらの者から当該土地，建築物その他の工作物又は物件についての権利を承継した者に対して，相当の期限を定めて，土地区画整理事業の施行に対する障害を排除するため必要な限度において，当該土地の原状回復を命じ，又は当該建築物その他の工作物若しくは物件の移転若しくは除却を命ずることができる。
⑤ 　前項の規定により土地の原状回復を命じ，又は建築物その他の工作物若しくは物件の移転若しくは除却を命じようとする場合において，過失がなくてその原状回復又は移転若しくは除却を命ずべき者を確知することができないときは，国土交通大臣又は都道府県知事等は，その措置を自ら行い，又はその命じた者若しくは委任した者にこれを行わせることができる。この場合においては，相当の期限を定めて，これを原状回復し，又は移転し，若しくは除却すべき旨及びその期限までに原状回復し，又は移転し，若しくは除却しないときは，国土交通大臣若しくは都道府県知事等又はその命じた者若しくは委任した者が，原状回復し，又は移転し，若しくは除却する旨をあらかじめ公告しなければならない。

第77条　（建築物等の移転及び除却）
① 　施行者は，第98条第1項の規定により仮換地若しくは仮換地について仮に権利の目的となるべき宅地若しくはその部分を指定した場合，第100条第1項の規定により従前の宅地若しくはその部分について使用し，若しくは収益することを停止させた場合又は公共施設の変更若しくは廃止に関する工事を施行する場合において，従前の宅地又は公共施設の用に供する土地に存する建築物その他の工作物又は竹木土石等（以下これらをこの条及び次条において「建築物等」と総称する。）を移転し，又は除却することが必要となつたときは，これらの建築物等を移転し，又は除却することができる。
② 　施行者は，前項の規定により建築物等を移転し，又は除却しようとする場合においては，相当の期限を定め，その期限後においてはこれを移転し，又は除却する旨をその建築物等の所有者及び占有者に対し通知するとともに，その期限までに自ら移転し，又は除却する意思の有無をその所有者に対し照会しなければなら

ない。
③ 前項の場合において，住居の用に供している建築物については，同項の相当の期限は，3月を下つてはならない。ただし，建築物の一部について政令で定める軽微な移転若しくは除却をする場合又は前条第1項の規定に違反し，若しくは同条第3項の規定により付された条件に違反して建築されている建築物で既に同条第4項若しくは第5項の規定により移転若しくは除却が命ぜられ，若しくはその旨が公告されたものを移転し，若しくは除却する場合については，この限りでない。
④ 第1項の規定により建築物等を移転し，又は除却しようとする場合において，施行者は，過失がなくて建築物等の所有者を確知することができないときは，これに対し第2項の通知及び照会をしないで，過失がなくて占有者を確知することができないときは，これに対し同項の通知をしないで，移転し，又は除却することができる。この場合においては，相当の期限を定め，その期限後においてはこれを移転し，又は除却する旨の公告をしなければならない。
⑤ 前項後段の公告は，国土交通省令で定めるところにより，官報その他政令で定める定期刊行物への掲載及び電気通信回線に接続して行う自動公衆送信（公衆によつて直接受信されることを目的として公衆からの求めに応じ自動的に送信を行うことをいい，放送又は有線放送に該当するものを除く。以下この項において同じ。）により行うほか，その公告すべき内容を政令で定めるところにより当該土地区画整理事業の施行地区内の適当な場所に掲示して行わなければならない。ただし，その事業の規模が著しく小さい場合その他の国土交通省令で定める場合は，当該公告を電気通信回線に接続して行う自動公衆送信により行うことを要しない。
⑥ 前項の公告を行う施行者は，その公告すべき内容を当該土地区画整理事業の施行地区を管轄する市町村長に通知し，当該市町村長は，同項の規定による掲示がされている旨の公告をしなければならない。
⑦ 第3項の規定は，第4項後段の規定により公告をする場合における期限について準用する。
⑧ 施行者は，第2項の規定により建築物等の所有者に通知した期限後又は第4項後段の規定により公告された期限後においては，いつでも自ら建築物等を移転し，若しくは除却し，又はその命じた者若しくは委任した者に建築物等を移転させ，若しくは除却させることができる。この場合において，個人施行者，組合又は区画整理会社は，建築物等を移転し，又は除却しようとするときは，あらかじめ，建築物等の所在する土地の属する区域を管轄する市町村長の認可を受けなければならない。
⑨ 前項の規定により建築物等を移転し，又は除却する場合においては，その建築物等の所有者及び占有者は，施行者の許可を得た場合を除き，その移転又は除却の開始から完了に至るまでの間は，その建築物等を使用することができない。
⑩ 第8項の規定により建築物等を移転し，又は除却しようとする者は，その身分を示す証票又は市町村長の認可証を携帯し，関係人の請求があつた場合においては，これを提示しなければならない。

第82条 （土地の分割及び合併）

① 施行者は，土地区画整理事業の施行のために必要がある場合においては，所有者に代わつて土地の分割又は合併の手続をすることができる。
② 施行者は，次条の規定による届出をする場合において，一筆の土地が施行地区の内外又は二以上の工区にわたるときは，

その届出とともに，その土地の分割の手続をしなければならない。

第83条　(登記所への届出)
施行者は，第76条第1項各号に掲げる公告があつた場合においては，当該施行地区を管轄する登記所に，国土交通省令で定める事項を届け出なければならない。

第85条　(権利の申告)
① 施行地区(個人施行者の施行する土地区画整理事業に係るものを除く。)内の宅地についての所有権以外の権利で登記のないものを有し，又は有することとなつた者は，当該権利の存する宅地の所有者若しくは当該権利の目的である権利を有する者と連署し，又は当該権利を証する書類を添えて，国土交通省令で定めるところにより，書面をもつてその権利の種類及び内容を施行者に申告しなければならない。
② 第19条第3項(第39条第2項及び第51条の7第2項(第51条の10第2項において準用する場合を含む。)において準用する場合を含む。)の規定による申告のあつた未登記の借地権は，前項の規定による申告があつたものとみなす。
③ 第1項の規定による申告に係る登記のない権利(前項の規定により第1項の規定による申告があつたものとみなされた借地権を含む。)の移転，変更又は消滅があつた場合においては，当該移転，変更又は消滅に係る当事者の双方又は一方は，連署し，又は当該移転，変更若しくは消滅があつたことを証する書類を添えて，国土交通省令で定めるところにより，書面をもつてその旨を施行者に届け出なければならない。
④ 個人施行者以外の施行者は，議決権又は選挙権を行う者を確定するため必要がある場合においては借地権について，換地計画の決定又は仮換地の指定のため必要がある場合においては宅地についての所有権以外の権利について，その必要な限度において，第1項又は前項の規定にかかわらず，定款，規準又は施行規程で定めるところにより，一定期間第1項の申告又は前項の届出を受理しないこととすることができる。
⑤ 個人施行者以外の施行者は，第1項の規定により申告しなければならない権利でその申告のないもの(第2項の規定により第1項の規定による申告があつたものとみなされた借地権を除く。)については，その申告がない限り，これを存しないものとみなして，次条第5項，第85条の3第4項，第85条の4第5項及び本章第2節から第6節までの規定による処分又は決定をすることができるものとし，第1項の規定による申告があつた施行地区内の宅地について存する登記のない権利(第2項の規定により第1項の規定による申告があつたものとみなされた借地権を含む。)で第3項の規定による届出のないものについては，その届出のない限り，その権利の移転，変更又は消滅がないものとみなして，次条第5項，第85条の3第4項，第85条の4第5項及び本章第2節から第6節までの規定による処分又は決定をすることができる。
⑥ 組合が成立した後，最初の役員が選挙され，又は選任されるまでの間は，第1項又は第3項の規定により組合に対してされた申告又は届出は，第14条第1項又は第2項に規定する認可を受けた者が受理するものとする。

第2節／換地計画

第86条　(換地計画の決定及び認可)
① 施行者は，施行地区内の宅地について換地処分を行うため，換地計画を定めなければならない。この場合において，施行者が個人施行者，組合，区画整理会社，市町村又は機構等であるときは，国土交

通省令で定めるところにより，その換地計画について都道府県知事の認可を受けなければならない。
② 個人施行者，組合又は区画整理会社が前項の規定による認可の申請をしようとするときは，換地計画に係る区域を管轄する市町村長を経由して行わなければならない。
③ 施行地区が工区に分かれている場合においては，第1項の換地計画は，工区ごとに定めることができる。
④ 都道府県知事は，第1項に規定する認可の申請があつた場合においては，次の各号のいずれかに該当する事実があると認めるとき以外は，その認可をしなければならない。
一 申請手続が法令に違反していること。
二 換地計画の決定手続又は内容が法令に違反していること。
三 換地計画の内容が事業計画の内容と抵触していること。
⑤ 前項の規定にかかわらず，都道府県知事は，換地計画に係る区域に市街地再開発事業の施行地区（都市再開発法第2条第3号に規定する施行地区をいう。）が含まれている場合においては，当該市街地再開発事業の施行に支障を及ぼさないと認めるときでなければ，第1項に規定する認可をしてはならない。

第87条 （換地計画）
① 前条第1項の換地計画においては，国土交通省令で定めるところにより，次に掲げる事項を定めなければならない。
一 換地設計
二 各筆換地明細
三 各筆各権利別清算金明細
四 保留地その他の特別の定めをする土地の明細
② 施行者は，清算金の決定に先立つて前項第1号，第2号及び第4号に掲げる事項を定める必要があると認める場合においては，これらの事項のみを定める換地計画を定めることができる。
③ 施行者は，前項の換地計画を定めた場合には，第103条第1項の規定による換地処分を行うまでに，当該換地計画に第1項第3号に掲げる事項を定めなければならない。

第89条 （換地）
① 換地計画において換地を定める場合においては，換地及び従前の宅地の位置，地積，土質，水利，利用状況，環境等が照応するように定めなければならない。
② 前項の規定により換地を定める場合において，従前の宅地について所有権及び地役権以外の権利又は処分の制限があるときは，その換地についてこれらの権利又は処分の制限の目的となるべき宅地又はその部分を前項の規定に準じて定めなければならない。

第90条 （所有者の同意により換地を定めない場合）
宅地の所有者の申出又は同意があつた場合においては，換地計画において，その宅地の全部又は一部について換地を定めないことができる。この場合において，施行者は，換地を定めない宅地又はその部分について地上権，永小作権，賃借権その他の宅地を使用し，又は収益することができる権利を有する者があるときは，換地を定めないことについてこれらの者の同意を得なければならない。

第91条 （宅地地積の適正化）
① 第3条第4項若しくは第5項，第3条の2又は第3条の3の規定により施行する土地区画整理事業の換地計画においては，災害を防止し，及び衛生の向上を図るため宅地の地積の規模を適正にする特別な必要があると認められる場合においては，その換地計画に係る区域内の地積

が小である宅地について，過小宅地とならないように換地を定めることができる。
② 前項の過小宅地の基準となる地積は，政令で定める基準に従い，施行者が土地区画整理審議会の同意を得て定める。
③ 第1項の場合において，同項に規定する地積が小である宅地の所有者及びその宅地に隣接する宅地の所有者の申出があつたときは，当該申出に係る宅地について，換地計画において換地を定めないで，施行地区内の土地の共有持分を与えるように定めることができる。ただし，当該申出に係る宅地について地上権，永小作権，賃借権その他の宅地を使用し，又は収益することができる権利（地役権を除く。）が存する場合においては，この限りでない。
④ 第1項の場合において，土地区画整理審議会の同意があつたときは，地積が著しく小であるため地積を増して換地を定めることが適当でないと認められる宅地について，換地計画において換地を定めないことができる。
⑤ 第1項の規定により宅地が過小宅地とならないように換地を定めるため特別な必要があると認められる場合において，土地区画整理審議会の同意があつたときは，地積が大で余裕がある宅地について，換地計画において地積を特に減じて換地を定めることができる。

第92条 （借地地積の適正化）

① 第3条第4項若しくは第5項，第3条の2又は第3条の3の規定により施行する土地区画整理事業の換地計画においては，災害を防止し，及び衛生の向上を図るため借地の地積の規模を適正にする特別な必要があると認められる場合においては，その換地計画に係る区域内の地積が小である借地の借地権について，過小借地とならないように当該借地権の目的となるべき宅地又はその部分を定めることができる。
② 前項の過小借地の基準となる地積は，前条第2項の規定により定められた地積とする。
③ 第1項の場合において，土地区画整理審議会の同意があつたときは，地積が著しく小であるため地積を増して借地権の目的となるべき宅地又はその部分を定めることが適当でないと認められる借地の借地権について，換地計画において当該借地権の目的となるべき宅地又はその部分を定めないことができる。
④ 第1項の規定により借地が過小借地とならないように借地権の目的となるべき宅地又はその部分を定めるため特別な必要があると認められる場合において，土地区画整理審議会の同意があつたときは，その借地の所有者が所有し，かつ，当該借地権の目的となつていない宅地又はその部分について存する地上権，永小作権，賃借権その他の宅地を使用し，若しくは収益することができる権利について，換地計画において，地積を特に減じて当該権利の目的となるべき宅地又はその部分を定めることができる。

第93条 （宅地の立体化）

① 第3条第4項若しくは第5項，第3条の2又は第3条の3の規定による施行者は，第91条第1項の規定により過小宅地とならないように換地を定めることができる宅地又は前条第1項の規定により過小借地とならないように借地権の目的となるべき宅地若しくはその部分を定めることができる借地権については，土地区画整理審議会の同意を得て，換地計画において，換地又は借地権の目的となるべき宅地若しくはその部分を定めないで，施行者が処分する権限を有する建築物の一部（その建築物の共用部分の共有持分を含む。以下同じ。）及びその建築物の存する土地の共有持分を与えるように定

めることができる。
② 第3条第4項若しくは第5項，第3条の2又は第3条の3の規定による施行者は，市街地における土地の合理的利用を図り，及び災害を防止するため特に必要がある場合においては，都市計画法第8条第1項第5号の防火地域内で，かつ，同項第3号の高度地区（建築物の高さの最低限度が定められているものに限る。）内の宅地の全部又は一部について，土地区画整理審議会の同意を得て，換地計画において，換地又は借地権の目的となるべき宅地若しくはその部分を定めないで，施行者が処分する権限を有する建築物の一部及びその建築物の存する土地の共有持分を与えるように定めることができる。
③ 前二項の場合において，建築物の一部及びその建築物の存する土地の共有持分を与えられないで，金銭により清算すべき旨の申出があつたときは，当該宅地又は借地権については，これらの規定により建築物の一部及びその建築物の存する土地の共有持分を与えるように定めることができないものとする。
④ 施行者は，換地計画に係る区域内の宅地の所有者の申出又は同意があつた場合においては，その宅地の全部又は一部について，換地計画において換地を定めないで，施行者が処分する権限を有する建築物の一部及びその建築物の存する土地の共有持分を与えるように定めることができる。この場合において，施行者は，換地を定めない部分について地上権，永小作権，賃借権その他の宅地を使用し，又は収益することができる権利を有する者があるときは，これらの者の同意を得なければならない。
⑤ 第90条又は前項の規定により換地を定めない宅地又はその部分について借地権を有する者がある場合において，その者がこれらの規定による同意に併せて，その借地権について建築物の一部及びその建築物の存する土地の共有持分を与えられるべき旨を申し出たときは，施行者は，換地計画においてその借地権について施行者が処分する権限を有する建築物の一部及びその建築物の存する土地の共有持分を与えるように定めることができる。
⑥ 第1項，第2項，第4項及び前項に規定する建築物は，その主要構造部が建築基準法第2条第7号に規定する耐火構造のものでなければならない。

第94条 （清算金）

　換地又は換地について権利（処分の制限を含み，所有権及び地役権を含まない。以下この条において同じ。）の目的となるべき宅地若しくはその部分を定め，又は定めない場合において，不均衡が生ずると認められるときは，従前の宅地又はその宅地について存する権利の目的である宅地若しくはその部分及び換地若しくは換地について定める権利の目的となるべき宅地若しくはその部分又は第89条の4若しくは第91条第3項の規定により共有となるべきものとして定める土地の位置，地積，土質，水利，利用状況，環境等を総合的に考慮して，金銭により清算するものとし，換地計画においてその額を定めなければならない。この場合において，前条第1項，第2項，第4項又は第5項の規定により建築物の一部及びその建築物の存する土地の共有持分を与えるように定める宅地又は借地権については，当該建築物の一部及びその建築物の存する土地の位置，面積，利用状況，環境等をも考慮しなければならないものとする。

第96条 （保留地）

① 第3条第1項から第3項までの規定により施行する土地区画整理事業の換地計画においては，土地区画整理事業の施行の費用に充てるため，又は規準，規約若しくは定款で定める目的のため，一定の

土地を換地として定めないで，その土地を保留地として定めることができる。
② 第3条第4項若しくは第5項，第3条の2又は第3条の3の規定により施行する土地区画整理事業の換地計画においては，その土地区画整理事業の施行後の宅地の価額の総額（第93条第1項，第2項，第4項又は第5項の規定により建築物の一部及びその建築物の存する土地の共有持分を与えるように定める場合においては，当該建築物の価額を含むものとする。以下同じ。）がその土地区画整理事業の施行前の宅地の価額の総額を超える場合においては，土地区画整理事業の施行の費用に充てるため，その差額に相当する金額を超えない価額の一定の土地を換地として定めないで，その土地を保留地として定めることができる。
③ 第3条第4項若しくは第5項，第3条の2又は第3条の3の規定による施行者は，前項の規定により保留地を定めようとする場合においては，土地区画整理審議会の同意を得なければならない。

第3節／仮換地の指定

第98条 （仮換地の指定）

① 施行者は，換地処分を行う前において，土地の区画形質の変更若しくは公共施設の新設若しくは変更に係る工事のため必要がある場合又は換地計画に基づき換地処分を行うため必要がある場合においては，施行地区内の宅地について仮換地を指定することができる。この場合において，従前の宅地について地上権，永小作権，賃借権その他の宅地を使用し，又は収益することができる権利を有する者があるときは，その仮換地について仮にこれらの権利の目的となるべき宅地又はその部分を指定しなければならない。
② 施行者は，前項の規定により仮換地を指定し，又は仮換地について仮に権利の目的となるべき宅地若しくはその部分を指定する場合においては，換地計画において定められた事項又はこの法律に定める換地計画の決定の基準を考慮してしなければならない。
③ 第1項の規定により仮換地を指定し，又は仮換地について仮に権利の目的となるべき宅地若しくはその部分を指定しようとする場合においては，あらかじめ，その指定について，個人施行者は，従前の宅地の所有者及びその宅地についての同項後段に規定する権利をもつて施行者に対抗することができる者並びに仮換地となるべき宅地の所有者及びその宅地についての同項後段に規定する権利をもつて施行者に対抗することができる者の同意を得なければならず，組合は，総会若しくはその部会又は総代会の同意を得なければならないものとし，第3条第4項若しくは第5項，第3条の2又は第3条の3の規定による施行者は，土地区画整理審議会の意見を聴かなければならないものとする。
④ 区画整理会社は，第1項の規定により仮換地を指定し，又は仮換地について仮に権利の目的となるべき宅地若しくはその部分を指定しようとする場合においては，あらかじめ，その指定について，施行地区内の宅地について所有権を有するすべての者及びその区域内の宅地について借地権を有するすべての者のそれぞれの3分の2以上の同意を得なければならない。この場合においては，同意した者が所有するその区域内の宅地の地積と同意した者が有する借地権の目的となつているその区域内の宅地の地積との合計が，その区域内の宅地の総地積と借地権の目的となつている宅地の総地積との合計の3分の2以上でなければならない。
⑤ 第1項の規定による仮換地の指定は，その仮換地となるべき土地の所有者及び従前の宅地の所有者に対し，仮換地の位置及び地積並びに仮換地の指定の効力発

生の日を通知してするものとする。
⑥　前項の規定により通知をする場合において，仮換地となるべき土地について地上権，永小作権，賃借権その他の土地を使用し，又は収益することができる権利を有する者があるときは，これらの者に仮換地の位置及び地積並びに仮換地の指定の効力発生の日を，従前の宅地についてこれらの権利を有する者があるときは，これらの者にその宅地に対する仮換地となるべき土地について定められる仮にこれらの権利の目的となるべき宅地又はその部分及び仮換地の指定の効力発生の日を通知しなければならない。
⑦　第１項の規定による仮換地の指定又は仮換地について仮に権利の目的となるべき宅地若しくはその部分の指定については，行政手続法（平成５年法律第88号）第３章の規定は，適用しない。

第99条　（仮換地の指定の効果）
①　前条第１項の規定により仮換地が指定された場合においては，従前の宅地について権原に基づき使用し，又は収益することができる者は，仮換地の指定の効力発生の日から第103条第４項の公告がある日まで，仮換地又は仮換地について仮に使用し，若しくは収益することができる権利の目的となるべき宅地若しくはその部分について，従前の宅地について有する権利の内容である使用又は収益と同じ使用又は収益をすることができるものとし，従前の宅地については，使用し，又は収益することができないものとする。
②　施行者は，前条第１項の規定により仮換地を指定した場合において，その仮換地に使用又は収益の障害となる物件が存するときその他特別の事情があるときは，その仮換地について使用又は収益を開始することができる日を同条第５項に規定する日と別に定めることができる。この場合においては，同項及び同条第６項の規定による通知に併せてその旨を通知しなければならない。
③　前二項の場合においては，仮換地について権原に基づき使用し，又は収益することができる者は，前条第５項に規定する日（前項前段の規定によりその仮換地について使用又は収益を開始することができる日を別に定めた場合においては，その日）から第103条第４項の公告がある日まで，当該仮換地を使用し，又は収益することができない。

第100条　（使用収益の停止）
①　施行者は，換地処分を行う前において，土地の区画形質の変更若しくは公共施設の新設若しくは変更に係る工事のため必要がある場合又は換地計画に基き換地処分を行うため必要がある場合においては，換地計画において換地を定めないこととされる宅地の所有者又は換地について権利の目的となるべき宅地若しくはその部分を定めないこととされる権利を有する者に対して，期日を定めて，その期日からその宅地又はその部分について使用し，又は収益することを停止させることができる。この場合においては，その期日の相当期間前に，その旨をこれらの者に通知しなければならない。
②　前項の規定により宅地又はその部分について使用し，又は収益することが停止された場合においては，当該宅地又はその部分について権原に基き使用し，又は収益することができる者は，同項の期日から第103条第４項の公告がある日まで，当該宅地又はその部分について使用し，又は収益することができない。
③　第１項の規定による宅地又はその部分についての使用又は収益の停止については，行政手続法第３章の規定は，適用しない。

第100条の2 （仮換地に指定されない土地の管理）

第98条第1項の規定により仮換地若しくは仮換地について仮に権利の目的となるべき宅地若しくはその部分を指定した場合又は前条第1項の規定により従前の宅地若しくはその部分について使用し，若しくは収益することを停止させた場合において，それらの処分に因り使用し，又は収益することができる者のなくなつた従前の宅地又はその部分については，当該処分に因り当該宅地又はその部分を使用し，又は収益することができる者のなくなつた時から第103第4項の公告がある日までは，施行者がこれを管理するものとする。

第4節／換地処分

第103条 （換地処分）

① 換地処分は，関係権利者に換地計画において定められた関係事項を通知してするものとする。

② 換地処分は，換地計画に係る区域の全部について土地区画整理事業の工事が完了した後において，遅滞なく，しなければならない。ただし，規準，規約，定款又は施行規程に別段の定めがある場合においては，換地計画に係る区域の全部について工事が完了する以前においても換地処分をすることができる。

③ 個人施行者，組合，区画整理会社，市町村又は機構等は，換地処分をした場合においては，遅滞なく，その旨を都道府県知事に届け出なければならない。

④ 国土交通大臣は，換地処分をした場合においては，その旨を公告しなければならない。都道府県知事は，都道府県が換地処分をした場合又は前項の届出があつた場合においては，換地処分があつた旨を公告しなければならない。

⑤ 換地処分の結果，市町村の区域内の町又は字の区域又は名称について変更又は廃止をすることが必要となる場合においては，前項の公告に係る換地処分の効果及びこれらの変更又は廃止の効力が同時に発生するように，その公告をしなければならない。

⑥ 換地処分については，行政手続法第3章の規定は，適用しない。

第104条 （換地処分の効果）

① 前条第4項の公告があつた場合においては，換地計画において定められた換地は，その公告があつた日の翌日から従前の宅地とみなされるものとし，換地計画において換地を定めなかつた従前の宅地について存する権利は，その公告があつた日が終了した時において消滅するものとする。

② 前条第4項の公告があつた場合においては，従前の宅地について存した所有権及び地役権以外の権利又は処分の制限について，換地計画において換地について定められたこれらの権利又は処分の制限の目的となるべき宅地又はその部分は，その公告があつた日の翌日から従前の宅地について存したこれらの権利又は処分の制限の目的である宅地又はその部分とみなされるものとし，換地計画において換地について目的となるべき宅地の部分を定められなかつたこれらの権利は，その公告があつた日が終了した時において消滅するものとする。

③ 前二項の規定は，行政上又は裁判上の処分で従前の宅地に専属するものに影響を及ぼさない。

④ 施行地区内の宅地について存する地役権は，第1項の規定にかかわらず，前条第4項の公告があつた日の翌日以後においても，なお従前の宅地の上に存する。

⑤ 土地区画整理事業の施行に因り行使する利益がなくなつた地役権は，前条第4項の公告があつた日が終了した時において消滅する。

⑥ 第89条の4又は第91条第3項の規定により換地計画において土地の共有持分を与えられるように定められた宅地を有する者は、前条第4項の公告があつた日の翌日において、換地計画において定められたところにより、その土地の共有持分を取得するものとする。この場合において、従前の宅地について存した先取特権、質権若しくは抵当権又は仮登記、買戻しの特約その他権利の消滅に関する事項の定めの登記若しくは処分の制限の登記に係る権利は、同項の公告があつた日の翌日以後においては、その土地の共有持分の上に存するものとする。

⑦ 第93条第1項、第2項、第4項又は第5項の規定により換地計画において建築物の一部及びその建築物の存する土地の共有持分を与えられるように定められた宅地又は借地権を有する者は、前条第4項の公告があつた日の翌日において、換地計画において定められたところにより、その建築物の一部及びその建築物の存する土地の共有持分を取得するものとする。前項後段の規定は、この場合について準用する。

⑧ 第94条の規定により換地計画において定められた清算金は、前条第4項の公告があつた日の翌日において確定する。

⑨ 第95条第2項又は第3項の規定により換地計画において定められた換地は、前条第4項の公告があつた日の翌日において、当該換地の所有者となるべきものとして換地計画において定められた者が取得する。

⑩ 第95条の2の規定により換地計画において参加組合員に対して与えるべきものとして定められた宅地は、前条第4項の公告があつた日の翌日において、当該宅地の所有者となるべきものとして換地計画において定められた参加組合員が取得する。

⑪ 第96条第1項又は第2項の規定により換地計画において定められた保留地は、前条第4項の公告があつた日の翌日において、施行者が取得する。

第105条　（公共施設の用に供する土地の帰属）

① 換地計画において換地を宅地以外の土地に定めた場合において、その土地に存する公共施設が廃止されるときは、これに代るべき公共施設の用に供する土地は、その廃止される公共施設の用に供していた土地が国の所有する土地である場合においては国に、地方公共団体の所有する土地である場合においては地方公共団体に、第103条第4項の公告があつた日の翌日においてそれぞれ帰属する。

② 換地計画において換地を宅地以外の土地に定めた場合においては、その土地について存する従前の権利は、第103条第4項の公告があつた日が終了した時において消滅する。

③ 土地区画整理事業の施行により生じた公共施設の用に供する土地は、第1項の規定に該当する場合を除き、第103条第4項の公告があつた日の翌日において、その公共施設を管理すべき者（当該公共施設を管理すべき者が地方自治法（昭和22年法律第67号）第2条第9項第1号に規定する第1号法定受託事務（以下単に「第1号法定受託事務」という。）として管理する地方公共団体であるときは、国）に帰属するものとする。

第106条　（土地区画整理事業の施行により設置された公共施設の管理）

① 土地区画整理事業の施行により公共施設が設置された場合においては、その公共施設は、第103条第4項の公告があつた日の翌日において、その公共施設の所在する市町村の管理に属するものとする。ただし、管理すべき者について、他の法律又は規準、規約、定款若しくは施行規程に別段の定めがある場合においては、

この限りでない。
② 施行者は，第103条第4項の公告がある日以前においても，公共施設に関する工事が完了した場合においては，前項の規定にかかわらず，その公共施設を管理する者となるべき者にその管理を引き継ぐことができる。
③ 施行者は，第103条第4項の公告があつた日の翌日において，公共施設に関する工事を完了していない場合においては，第1項の規定にかかわらず，その工事が完了したときにおいて，その公共施設を管理すべき者にその管理を引き継ぐことができる。但し，当該公共施設のうち工事を完了した部分についてその管理を引き継ぐことができると認められる場合においては，この限りでない。
④ 公共施設を管理すべき者は，前二項の規定により施行者からその公共施設について管理の引継の申出があつた場合においては，その公共施設に関する工事が事業計画において定められた設計の概要に適合しない場合の外，その引継を拒むことができない。

第107条 （換地処分に伴う登記等）

① 施行者は，第103条第4項の公告があつた場合においては，直ちに，その旨を換地計画に係る区域を管轄する登記所に通知しなければならない。
② 施行者は，第103条第4項の公告があつた場合において，施行地区内の土地及び建物について土地区画整理事業の施行に因り変動があつたときは，政令で定めるところにより，遅滞なく，その変動に係る登記を申請し，又は嘱託しなければならない。
③ 第103条第4項の公告があつた日後においては，施行地区内の土地及び建物に関しては，前項に規定する登記がされるまでは，他の登記をすることができない。但し，登記の申請人が確定日付のある書類によりその公告前に登記原因が生じたことを証明した場合においては，この限りでない。
④ 施行地区内の土地及びその土地に存する建物の登記については，政令で，不動産登記法（平成16年法律第123号）の特例を定めることができる。

第108条 （保留地等の処分）

① 第3条第4項若しくは第5項，第3条の2又は第3条の3の規定による施行者は，第104条第11項の規定により取得した保留地を，当該保留地を定めた目的のために，当該保留地を定めた目的に適合し，かつ，施行規程で定める方法に従つて処分しなければならない。この場合において，施行者が国土交通大臣であるときは国の，都道府県であるときは都道府県の，市町村であるときは市町村の，それぞれの財産の処分に関する法令の規定は，適用しない。
② 第3条第4項又は第5項の規定による施行者は，第104条第7項前段の規定により建築物の一部及びその建築物の存する土地の共有持分を取得させる場合については，施行者が国土交通大臣であるときは国の，都道府県であるときは都道府県の，市町村であるときは市町村の，それぞれの財産の処分に関する法令の規定は，適用しない。

第7節／権利関係の調整

第115条 （地役権の設定の請求）

土地区画整理事業の施行に因り従前と同一の利益を受けることができなくなつた地役権者は，その利益を保存する範囲内において，地役権の設定を請求することができる。但し，第113条第1項の規定による請求に基く地役権の対価の減額があつた場合においては，この限りでない。

附　則　（略）

土地区画整理登記令（抄）

● 昭和30年9月1日政令第221号 ●　　最終改正　令和4年4月27日政令182号

第1章　通則

第1条（趣旨）
　この政令は，土地区画整理法（以下「法」という。）第107条第2項の規定による登記の申請に関する事項及び同条第4項の規定による不動産登記法（平成16年法律第123号）の特例を定めるものとする。

第2条（代位登記）
　土地区画整理事業を施行する者（以下「施行者」という。）は，この政令の定めるところにより登記を申請する場合において，必要があるときは，次の各号に掲げる登記をそれぞれ当該各号に定める者に代わつて申請することができる。
一　不動産の表題登記　所有者
二　不動産の表題部の登記事項に関する変更の登記又は更正の登記　表題部所有者若しくは所有権の登記名義人又はこれらの相続人その他の一般承継人
三　登記名義人の氏名若しくは名称又は住所についての変更の登記又は更正の登記　登記名義人又はその相続人その他の一般承継人
四　所有権の保存の登記　表題部所有者の相続人その他の一般承継人
五　相続その他の一般承継による所有権の移転の登記　相続人その他の一般承継人

第3条（代位登記の登記識別情報）
①　登記官は，前条の規定による申請に基づいて同条第4号又は第5号に掲げる登記を完了したときは，速やかに，登記権利者のために登記識別情報を申請人に通知しなければならない。
②　前項の規定により登記識別情報の通知を受けた申請人は，遅滞なく，これを同項の登記権利者に通知しなければならない。

第2章　土地に関する登記

第4条（申請情報等）
①　法第107条第2項の規定による土地に関する登記（法第104条第6項及び第7項，大都市地域における住宅及び住宅地の供給の促進に関する特別措置法（昭和50年法律第67号。以下「大都市法」という。）第16条第4項並びに被災市街地復興特別措置法（平成7年法律第14号。以下「復興法」という。）第14条第4項及び第15条第5項の場合の登記を除く。以下「換地処分による土地の登記」という。）の申請をする場合に登記所に提供しなければならない申請情報の内容は，不動産登記令（平成16年政令第379号）第3条各号に掲げる事項（同条第7号にあつては，従前の土地及び換地についての事項とする。第9条第1項，第16条及び第22条第1項を除き，以下同じ。）のほか，次に掲げる事項とする。
一　当該換地の所有者の氏名又は名称及び住所
二　当該換地の所有者が2人以上であるときは，当該所有者ごとの持分
②　前項の登記を申請する場合には，次に掲げる情報をその申請情報と併せて登記所に提供しなければならない。

一　換地計画を証する情報
　二　法第103条第4項の公告を証する情報
　三　換地処分後の土地の全部についての所在図
③　施行者から登記所に提供された情報で前項各号に掲げるものに相当するものがある場合には、これらの情報は、同項の規定により当該申請情報と併せて提供された情報とみなす。

第5条
①　換地計画において換地と定められた土地の上に既登記の地役権が存続すべき場合には、換地処分による土地の登記の申請をするときに登記所に提供しなければならない申請情報の内容は、不動産登記令第3条各号に掲げる事項及び前条第1項各号に掲げる事項のほか、次に掲げる事項とする。
　一　土地区画整理事業の施行前における当該地役権の存続すべき土地の所在する市、区、郡、町、村及び字並びに当該土地の地番
　二　前号の土地の地目及び地積
　三　第1号の土地の所有者の氏名又は名称及び住所
　四　当該地役権設定の範囲が換地の一部であるときは、当該地役権設定の範囲
②　前項第4号に規定する場合には、前条第2項各号に掲げる情報のほか、地役権図面をその申請情報と併せて登記所に提供しなければならない。

第6条　（既登記の所有権及び地役権以外の権利等がある場合の申請情報）
　従前の土地について既登記の所有権及び地役権以外の権利又は処分の制限があつて、法第104条第2項の規定により従前の土地に照応する換地について当該権利又は処分の制限の目的である従前の土地とみなされた土地又はその部分がある場合には、換地処分による土地の登記の申請をするときに登記所に提供しなければならない申請情報の内容は、不動産登記令第3条各号に掲げる事項及び第4条第1項各号に掲げる事項のほか、次に掲げる事項とする。
　一　当該みなされた土地又はその部分
　二　土地の部分がみなされたときは、その部分を特定するために付した符号

第7条　（既登記の権利が消滅した場合の申請情報）
①　法第104条第1項、第2項若しくは第5項又は第105条第2項の規定により既登記の権利が消滅した場合には、換地処分による土地の登記の申請をするときに登記所に提供しなければならない申請情報の内容は、不動産登記令第3条各号に掲げる事項及び第4条第1項各号に掲げる事項のほか、法第104条第1項、第2項若しくは第5項又は第105条第2項の規定により当該権利が消滅した旨とする。
②　登記官は、前項の申請に基づいて登記をするときは、職権で、当該権利が消滅した旨を登記しなければならない。

第8条　（従前の土地について所有権の登記がない場合の申請情報）
①　換地計画において従前の数個の土地に照応して1個の換地が定められた場合（従前の数個の土地中に所有権の登記がないものがあるときに限る。）には、換地処分による登記の申請をするときに登記所に提供しなければならない申請情報の内容は、不動産登記令第3条各号に掲げる事項及び第4条第1項各号に掲げる事項のほか、当該所有権の登記がない土地について所有権の登記がない旨とする。
②　換地計画において所有権の登記がない従前の土地に照応して換地が定められた場合において、その換地の上に既登記の地役権が存続すべきときも、前項と同様とする。

第9条　（保留地等がある場合の申請情報等）
① 法第95条の2の規定により換地計画において参加組合員に対して与えるべき宅地として定められた土地，法第96条第1項若しくは第2項，大都市法第21条第1項，地方拠点都市地域の整備及び産業業務施設の再配置の促進に関する法律（平成4年法律第76号。以下「地方拠点法」という。）第28条第1項，復興法第17条第1項，中心市街地の活性化に関する法律（平成10年法律第92号。以下「中心市街地活性化法」という。）第16条第1項若しくは高齢者，障害者等の移動等の円滑化の促進に関する法律（平成18年法律第91号。以下「移動等円滑化法」という。）第39条第1項の規定による保留地又は法第105条第1項若しくは第3項に規定する公共施設の用に供する土地がある場合には，換地処分による土地の登記の申請をするときに登記所に提供しなければならない申請情報の内容は，不動産登記令第3条各号（同条第7号にあつては，当該土地についての事項とする。）に掲げる事項のほか，次に掲げる事項とする。
一　当該土地の所有者の氏名又は名称及び住所
二　当該土地の所有者が2人以上であるときは，当該所有者ごとの持分
② 第5条の規定は，前項の土地の上に既登記の地役権が存続すべき場合について準用する。

第10条　（一の申請情報による登記の申請等）
① 換地処分による土地の登記の申請は，当該土地区画整理事業の施行に係る地域内にある土地で登記すべきものの全部について，一の申請情報によつてしなければならない。ただし，土地区画整理事業の施行に係る地域を数工区に分けた場合には，その各工区ごとにしなければならない。

② 前項の規定は，換地について権利の設定又は移転の登記を必要とする場合その他特別の事由がある場合において，土地区画整理事業の施行に係る地域内の一部の土地について換地処分による土地の登記の申請をすることを妨げない。
③ 前項の規定により登記の申請をする場合には，不動産登記令第3条各号に掲げる事項及び第4条第1項各号に掲げる事項のほか，前項の事由を申請情報の内容とし，かつ，当該事由を証する情報をその申請情報と併せて登記所に提供しなければならない。
④ 土地区画整理事業の施行に係る地域又は工区が二以上の登記所の管轄区域にわたる場合には，換地処分による土地の登記の申請は，各登記所の管轄に属する地域ごとにしなければならない。

第11条　（従前の土地が数個で換地が1個の場合の登記）
① 換地計画において従前の数個の土地に照応して1個の換地が定められた場合において，従前の土地の登記記録に所有権の登記があるときは，登記官は，職権で，換地の登記記録に当該所有権の登記名義人を換地の登記名義人とする所有権の登記をしなければならない。
② 登記官は，前項の換地に係る登記を完了したときは，速やかに，同項の換地の登記名義人のために登記識別情報を申請人に通知しなければならない。
③ 前項の規定により登記識別情報の通知を受けた申請人は，遅滞なく，これを同項の登記名義人に通知しなければならない。

第12条　（第6条の規定により申請情報の内容とされた部分がある場合の登記）
換地計画において従前の数個の土地に照応して1個の換地が定められた場合において，従前の土地の登記記録に所有権

及び地役権以外の権利又は処分の制限に関する登記があるときは，登記に関する手続については，換地のうち第6条の規定により申請情報の内容とされた部分はその登記がある土地に照応して定められた1個の換地と，その他の部分はその登記がない土地に照応して定められた1個の換地とみなす。

第13条　（従前の土地について所有権の登記がない場合の地役権の登記）
　換地計画において所有権の登記がない従前の土地に照応して換地が定められた場合において，当該換地と定められた土地の上に既登記の地役権が存続すべきときは，登記官は，職権で，当該従前の土地の表題部所有者を登記名義人とする所有権の保存の登記をしなければならない。

第14条　（保留地等がある場合の登記）
　前条の規定は，法第95条第3項，大都市法第20条第1項若しくは地方拠点法第27条第1項の規定により換地とみなされる土地，法第95条の2の規定により換地計画において参加組合員に対して与えるべき宅地として定められた土地，法第96条第1項若しくは第2項，大都市法第21条第1項，地方拠点法第28条第1項，復興法第17条第1項，中心市街地活性化法第16条第1項若しくは移動等円滑化法第39条第1項の規定による保留地又は法第105条第1項若しくは第3項に規定する公共施設の用に供する土地がある場合において，当該土地の上に既登記の地役権が存続すべきときについて準用する。

【――　第3章　建物等に関する登記　――】

第15条　（法第104条第7項等の場合の登記の申請）
　法第104条第7項及び復興法第15条第5項の場合における法第107条第2項の規定による登記の申請は，換地処分による土地の登記の申請と併せてしなければならない。

第17条　（準用規定）
　第10条の規定は，第15条の登記の申請について準用する。

第18条　（法第104条第7項等の場合の登記）
① 不動産登記法第75条の規定は，表題登記がない不動産について第15条の登記をするときについて準用する。
② 登記官は，従前の土地に対して建物及びその敷地に関する権利が与えられた場合において，第15条の登記をするときは，職権で，従前の土地の表題部の登記を抹消しなければならない。

第19条　（登記識別情報の通知）
① 登記官は，第15条の登記を完了したときは，速やかに，当該登記の登記名義人のために登記識別情報を申請人に通知しなければならない。
② 前項の規定により登記識別情報の通知を受けた申請人は，遅滞なく，これを同項の登記名義人に通知しなければならない。

第20条　（建物の表題部の変更等の場合の登記の申請）
　土地区画整理事業の施行により建物について変動があつた場合における当該建物の表示に関する登記（法第104条第7項及び復興法第15条第5項の場合の登記を除く。）の申請は，施行者がするものとする。

附　則　（略）

土地区画整理登記規則（抄）

●平成17年2月28日法務省令第21号●

第1章　通則

第1条　（一の申請情報によってすることができる代位登記）

土地区画整理登記令（以下「令」という。）第2条第1号から第3号までに掲げる登記の申請は，不動産登記令（平成16年政令第379号）第4条本文の規定にかかわらず，登記の目的又は登記原因が同一でないときでも，当該各号に掲げる登記ごとに，一の申請情報によってすることができる。

第2条　（地役権図面の内容）

令第5条第2項（令第9条第2項において準用する場合を含む。）又は令第22条第2項の地役権図面には，不動産登記規則（平成17年法務省令第18号。以下「規則」という。）第79条第1項及び第3項に規定する事項のほか，地役権者の氏名又は名称を記録しなければならない。この場合には，同条第4項の規定は，適用しない。

第3条　（申請書類つづり込み帳）

① 書面申請において提出された次に掲げる書類は，当該換地処分による登記の申請書と共に申請書類つづり込み帳につづり込むものとする。

一　土地区画整理法（昭和29年法律第119号。以下「法」という。）第107条第1項の規定による通知書

二　土地区画整理法施行規則（昭和30年建設省令第5号）第22条第1項各号に掲げる書類（令第4条第3項の情報であって，同条第2項第3号に掲げるものに相当するものを除く。）

② 換地処分による登記の申請書をつづり込む申請書類つづり込み帳と当該申請書以外の申請書をつづり込む申請書類つづり込み帳とは，別冊とするものとする。

第4条　（保存期間）

① 換地処分による登記の申請情報及びその添付情報（申請情報及びその添付情報以外の情報であって換地処分による登記の申請の申請書類つづり込み帳につづり込まれた書類に記載されたものを含む。）は，申請の受付の日（令第10条第2項又は令第17条若しくは令第23条において準用する令第10条第2項の規定により土地区画整理事業の施行に係る地域内の一部の土地又は建物につき登記の申請があった場合には，最後の申請の受付の日）から10年間保存しなければならない。

② 令第4条第2項第3号の土地の全部についての所在図は，永久に保存しなければならない。

第2章　土地に関する登記

第5条　（既登記の所有権及び地役権以外の権利等がある場合の申請情報）

令第6条第2号の規定により申請情報の内容とする符号は，令第4条第2項第3号の土地の全部についての所在図に表示された位置を示す符号と同一のものとする。

第6条　（従前の土地が1個で換地が1個の場合の登記）

① 登記官は，換地計画において従前の1個の土地に照応して1個の換地が定められた場合において，換地処分による土地の登記をするときは，従前の土地の登記記録の表題部に，換地の所在する市，区，郡，町，村及び字並びに当該換地の地番，地目及び地積並びに従前の土地の表題部の登記事項を抹消する記号を記録しなければならない。

② 登記官は，前項の場合において，換地と定められた土地について地役権に関する登記があるときは，当該土地の登記記録から従前の土地の登記記録の乙区に当該地役権に関する登記を移記し，その登記の末尾に土地区画整理法による換地処分により何番の土地の登記記録から移記した旨及びその年月日を記録しなければならない。この場合において，換地処分によって当該登記記録の乙区に移記した要役地若しくは承役地の所在する市，区，郡，町，村及び字並びに当該要役地若しくは承役地の地番，地役権設定の範囲又は地役権の存する土地の部分に変更を生じたときは，その変更を付記し，これに相当する変更前の事項を抹消する記号を記録しなければならない。

③ 登記官は，前項の手続をしたときは，規則第5条第3項の規定にかかわらず，当該地役権に関する登記がある土地の登記記録を閉鎖することを要しない。この場合には，当該登記記録の乙区に，土地区画整理法による換地処分により地役権に関する登記を何番の土地の登記記録に移記した旨，その年月日及び前の登記の登記事項を抹消する記号を記録しなければならない。

④ 登記官は，第1項の場合において，換地と定められた土地に存する既登記の地役権が消滅したことにより承役地及び要役地について当該地役権に関する登記の抹消をするときは，当該地役権に関する登記がある土地の登記記録の乙区に，土地区画整理法による換地処分により消滅した旨及びその年月日を記録しなければならない。

第7条（従前の土地が数個で換地が1個の場合の登記）

① 登記官は，換地計画において従前の数個の土地に照応して1個の換地が定められた場合において，換地処分による土地の登記をするときは，従前の土地のうち1個の土地（所有権の登記があるものとないものがあるときは，所有権の登記があるもの）の登記記録の表題部に，換地の所在する市，区，郡，町，村及び字並びに当該換地の地番，地目及び地積並びに他の従前の土地の地番を記録し，かつ，従前の土地の表題部の登記事項の変更部分を抹消する記号を記録しなければならない。この場合において，当該他の従前の土地の地番の記録は，当該登記記録の表題部の原因及びその日付欄にしなければならない。

② 登記官は，前項の手続をしたときは，他の従前の土地の登記記録の表題部に土地区画整理法による換地処分により何番の土地の登記記録に登記を移記した旨，その年月日及び従前の土地の表題部の登記事項を抹消する記号を記録し，当該登記記録を閉鎖しなければならない。

③ 登記官は，令第11条第1項の所有権の登記をするときは，換地を記録した登記記録の甲区に，土地区画整理法による換地処分により所有権の登記をする旨並びに換地処分による登記の申請の受付の年月日及び受付番号を記録しなければならない。

第8条（従前の土地が1個で換地が数個の場合の登記）

① 登記官は，換地計画において従前の1個の土地に照応して数個の換地が定められた場合において，換地処分による土地

の登記をするときは，従前の土地の登記記録の表題部に，1個の換地の所在する市，区，郡，町，村及び字並びに当該換地の地番，地目及び地積並びに他の換地の地番を記録し，かつ，従前の土地の表題部の登記事項を抹消する記号を記録しなければならない。この場合において，当該他の換地の地番の記録は，当該登記記録の表題部の原因及びその日付欄にしなければならない。

② 登記官は，前項の場合において，従前の土地の登記記録に所有権及び地役権以外の権利に関する登記があるときは，当該権利に関する登記に，先取特権，質権及び抵当権以外の権利については他の換地が共に当該権利の目的である旨を，先取特権，質権又は抵当権（以下「担保権」と総称する。）については既に当該担保権についての共同担保目録が作成されているときを除き新たに作成した共同担保目録の記号及び目録番号を付記し，土地区画整理法による換地処分により登記をする旨及びその年月日を記録しなければならない。

③ 登記官は，第1項の場合には，他の各換地について新たな登記記録を作成し，かつ，当該登記記録の表題部に，換地の所在する市，区，郡，町，村及び字並びに当該換地の地番，地目及び地積並びに他の換地の地番を記録しなければならない。

④ 登記官は，前項の規定により新たな登記記録を作成した場合において，従前の土地の登記記録に所有権の登記があるときは，当該新たな登記記録の甲区に，従前の土地の登記記録から所有権に関する登記を転写し，かつ，これに土地区画整理法による換地処分により登記をする旨並びに申請の受付の年月日及び受付番号を記録しなければならない。

⑤ 登記官は，前項の登記をした場合において，従前の土地の登記記録に所有権及び地役権以外の権利又は処分の制限に関する登記があるときは，換地の登記記録の権利部の相当区に，従前の土地の登記記録から当該権利又は処分の制限に関する登記を転写し，かつ，土地区画整理法による換地処分により登記をする旨及びその年月日を記録しなければならない。この場合には，先取特権，質権及び抵当権以外の権利については他の換地が共に当該権利の目的である旨を，担保権については既に従前の土地にされた当該担保権に係る共同担保目録が作成されているときを除き新たに作成した共同担保目録の記号及び目録番号を記録しなければならない。

⑥ 規則第170条第3項において準用する規則第168条第5項及び規則第170条第4項の規定は，第1項の場合について準用する。

第9条　（準用規定）
　第6条第2項から第4項までの規定は，換地計画において，従前の数個の土地に照応して1個の換地が定められ，又は従前の1個の土地に照応して数個の換地が定められた場合について準用する。

第10条　（従前の土地につき所有権の登記がない場合の地役権の登記）
① 登記官は，令第13条の規定により所有権の保存の登記をするときは，登記記録の甲区に，土地区画整理法による換地処分により登記をする旨を記録しなければならない。
② 第6条第2項及び第3項の規定は，令第13条に規定する場合について準用する。

第11条　（換地を定めない場合の登記）
① 登記官は，法第104条第1項の規定により従前の土地に存する権利が消滅した場合において，換地処分による土地の登記をするときは，従前の土地の登記記録

の表題部に土地区画整理法による換地処分により換地が定められなかった旨及び当該土地の表題部の登記事項を抹消する記号を記録し，当該登記記録を閉鎖しなければならない。
② 登記官は，前項の場合において，当該土地が他の不動産と共に既登記の所有権及び地役権以外の権利の目的であったときは，当該他の不動産の登記記録の権利部の相当区に，当該土地の所在する市，区，郡，町，村及び字並びに当該土地の地番を記録して，土地区画整理法による換地処分により換地が定められなかった旨を付記し，かつ，当該土地と共に所有権及び地役権以外の権利の目的である旨を記録した登記のうち当該土地に係る記録を抹消する記号を記録しなければならない。この場合において，当該所有権及び地役権以外の権利が担保権であるときは，当該記録は，共同担保目録にしなければならない。
③ 登記官は，前項の場合において，当該他の不動産が他の登記所の管轄区域内にあるときは，遅滞なく，同項の規定による手続をすべき旨を当該他の登記所に通知しなければならない。
④ 前項の通知を受けた登記所の登記官は，遅滞なく，第2項の規定による手続をしなければならない。

第12条 （既登記の権利の目的である部分を定めない場合の登記）

登記官は，法第104条第2項の規定により既登記の権利が消滅した場合において当該登記の抹消をするときは，土地区画整理法による換地処分により当該権利が消滅したのでその登記の抹消をする旨及びその年月日を記録しなければならない。

第13条 （換地を宅地以外の土地に定めた場合の登記）

① 登記官は，法第105条第2項の規定により権利が消滅した場合において，当該権利の登記の抹消をするときは，当該土地の登記記録の表題部に土地区画整理法第105条第2項の規定により権利が消滅した旨及び当該土地の表題部の登記事項を抹消する記号を記録し，当該登記記録を閉鎖しなければならない。
② 登記官は，前項の場合において，当該土地が他の不動産と共に既登記の所有権及び地役権以外の権利の目的であったときは，当該他の不動産の登記記録の権利部の相当区に，当該土地の所在する市，区，郡，町，村及び字並びに当該土地の地番並びに土地区画整理法第105条第2項の規定により権利が消滅した旨を付記し，かつ，当該土地と共に所有権及び地役権以外の権利の目的である旨を記録した登記のうち当該土地に係る記録を抹消する記号を記録しなければならない。
③ 第11条第3項及び第4項の規定は，前項の場合について準用する。

第14条 （保留地等がある場合の登記）

① 第10条の規定は，令第14条に規定する土地の上に既登記の地役権が存続すべきときについて準用する。
② 第6条第4項の規定は，前項の土地として定められた土地に存する既登記の地役権が消滅した場合について準用する。

第15条 （換地が他の登記所の管轄区域内にある場合）

① 換地計画において甲登記所の管轄区域内にある従前の土地に照応して乙登記所の管轄区域内にある換地が定められた場合には，甲登記所の登記官は，従前の土地の登記記録及び登記簿の附属書類（電磁的記録を含む。）又はその謄本を乙登記所に移送しなければならない。換地計画において甲登記所及び乙登記所又は甲登記所及び丙登記所の管轄区域内にある

従前の数個の土地に照応して乙登記所の管轄区域内にある1個の換地が定められた場合についても，同様とする。
② 換地計画において甲登記所の管轄区域内にある従前の1個の土地に照応して甲登記所及び乙登記所の管轄区域内にある数個の換地が定められた場合には，甲登記所の登記官は，従前の土地に関する登記事項証明書及び登記簿の附属書類の謄本を乙登記所に送付しなければならない。この場合には，登記事項証明書は，現に効力を有する事項を記載して作成すれば足りる。
③ 換地計画において甲登記所の管轄区域内にある従前の1個の土地に照応して乙登記所及び丙登記所の管轄区域内にある数個の換地が定められた場合には，甲登記所の登記官は，従前の土地の登記記録及び登記簿の附属書類（電磁的記録を含む。）又はその謄本を乙登記所に移送し，従前の土地に関する登記事項証明書及び登記簿の附属書類の謄本を丙登記所に送付しなければならない。この場合には，前項後段の規定を準用する。
④ 第8条及び第9条の規定は，前2項の場合について準用する。

【 第3章 建物等に関する登記 】

第16条 （法第104条第7項等の場合の登記）
① 登記官は，令第15条の申請に基づき所有権の保存の登記をするときは，土地区画整理登記規則第16条第1項の規定により登記をする旨を記録しなければならない。
② 登記官は，表題登記がない不動産について前項の規定により所有権の保存の登記をするときは，表示に関する登記事項のうち規則第157条第1項各号に掲げる事項以外の事項を登記するものとする。
③ 登記官は，令第15条の申請に基づく所有権，地上権又は賃借権を取得した者を登記名義人とする所有権の保存若しくは移転の登記又は地上権若しくは賃借権の設定若しくは移転の登記（以下この章において「所有権等登記」という。）をする場合において，従前の土地又は地上権若しくは賃借権を目的とする既登記の担保権又は仮登記，買戻しの特約その他権利の消滅に関する定めの登記若しくは処分の制限の登記に係る権利があるときは，所有権等登記をした登記記録の権利部の相当区にこれらの権利に関する登記を移記し，かつ，土地区画整理登記規則第16条第3項の規定により何番の土地の登記記録から移記した旨及びその年月日を記録しなければならない。この場合において，その権利が法第104条第7項後段の規定により共有持分の上に存するときは，何某の共有持分を目的とする旨及び家屋番号何番の建物，家屋番号何番の建物の何某の共有持分及び何番の土地の何某の共有持分が共にその権利の目的である旨も記録しなければならない。
④ 規則第170条（第5項を除く。）の規定は，前項の場合について準用する。
⑤ 登記官は，既登記の従前の地上権又は賃借権に対して建物及びその敷地に関する権利が与えられた場合において，所有権等登記をしたときは，当該従前の地上権又は賃借権の目的である土地の登記記録の権利部に，土地区画整理法による換地処分により家屋番号何番の建物及び何番の土地についての権利が与えられたので何権利の登記を抹消する旨及びその年月日を記録し，かつ，当該従前の地上権又は賃借権の登記の登記事項を抹消する記号を記録しなければならない。
⑥ 登記官は，従前の土地に対して建物及びその敷地に関する権利が与えられた場合において，令第18条第2項の規定により表題部の登記の抹消をするときは，従前の土地の登記記録の表題部に土地区画整理法による換地処分によって家屋番号何番の建物及び何番の土地についての権

利が与えられた旨並びに当該土地の表題部の登記事項を抹消する記号を記録し，当該登記記録を閉鎖しなければならない。

第17条 （取得された建物等が他の登記所の管轄区域内にある場合）

① 甲登記所の管轄区域内にある従前の土地又は甲登記所の管轄区域内にある土地を目的とする地上権若しくは賃借権に対して乙登記所又は乙登記所及び丙登記所の管轄区域内にある建物及び土地が与えられた場合において，従前の土地又は地上権若しくは賃借権を目的とする既登記の担保権又は仮登記，買戻しの特約その他権利の消滅に関する定めの登記若しくは処分の制限の登記に係る権利があるときは，甲登記所の登記官は，従前の土地又は従前の地上権若しくは賃借権の目的である土地の登記事項証明書を乙登記所又は乙登記所及び丙登記所に送付しなければならない。この場合には，登記事項証明書には，現に効力を有する事項を記録すれば足りる。

② 前条第3項の規定は，前項の場合について準用する。

③ 乙登記所及び丙登記所の登記官は，前条第1項の所有権等登記をしたときは，遅滞なく，甲登記所にその旨を通知しなければならない。

④ 甲登記所は，前項の通知を受けたときは，前条第5項及び第6項の規定による手続をしなければならない。

第18条 （一の申請情報によってすることができる建物の表示に関する登記）

第1条の規定は，令第20条の登記の申請について準用する。

第5章 雑則

第20条 （申請人以外の者に対する通知に関する規定の適用除外）

規則第183条第1項第1号の規定は，令第2条第1号若しくは第2号に掲げる登記又は換地処分による登記（令第15条の申請に基づく登記を除く。）をした場合には，適用しない。

第25条 （登記の嘱託）

この省令中「申請」，「申請人」及び「申請情報」には，それぞれ嘱託，嘱託者及び嘱託情報を含むものとする。

附　則（略）

都市再開発法（抄）

●昭和44年6月3日法律第38号●　最終改正　令和3年5月19日法37号

第1章　総則

第1条（目的）
　この法律は、市街地の計画的な再開発に関し必要な事項を定めることにより、都市における土地の合理的かつ健全な高度利用と都市機能の更新とを図り、もつて公共の福祉に寄与することを目的とする。

第2条（定義）
　この法律において、次の各号に掲げる用語の意義は、それぞれ当該各号に定めるところによる。
一　市街地再開発事業　市街地の土地の合理的かつ健全な高度利用と都市機能の更新とを図るため、都市計画法（昭和43年法律第100号）及びこの法律（第7章を除く。）で定めるところに従つて行われる建築物及び建築敷地の整備並びに公共施設の整備に関する事業並びにこれに附帯する事業をいい、第3章の規定により行われる第1種市街地再開発事業と第4章の規定により行われる第2種市街地再開発事業とに区分する。
二　施行者　市街地再開発事業を施行する者をいう。
三　施行地区　市街地再開発事業を施行する土地の区域をいう。
四　公共施設　道路、公園、広場その他政令で定める公共の用に供する施設をいう。
五　宅地　公共施設の用に供されている国、地方公共団体その他政令で定める者の所有する土地以外の土地をいう。
六　施設建築物　市街地再開発事業によつて建築される建築物をいう。
七　施設建築敷地　市街地再開発事業によつて造成される建築敷地をいう。
八　施設建築物の一部　建物の区分所有等に関する法律（昭和37年法律第69号）第2条第1項に規定する区分所有権の目的たる施設建築物の部分（同条第4項に規定する共用部分の共有持分を含む。）をいう。
九　施設建築物の一部等　施設建築物の一部及び当該施設建築物の所有を目的とする地上権の共有持分をいう。
十　建築施設の部分　施設建築物の一部及び当該施設建築物の存する施設建築敷地の共有持分をいう。
十一　借地権　建物の所有を目的とする地上権及び賃借権をいう。ただし、臨時設備その他一時使用のため設定されたことが明らかなものを除く。
十二　借地　借地権の目的となつている宅地をいう。
十三　借家権　建物の賃借権（一時使用のため設定されたことが明らかなものを除く。以下同じ。）及び配偶者居住権をいう。

第2条の2（市街地再開発事業の施行）
① 次に掲げる区域内の宅地について所有権若しくは借地権を有する者又はこれらの宅地について所有権若しくは借地権を有する者の同意を得た者は、一人で、又は数人共同して、当該権利の目的である宅地について、又はその宅地及び一定の区域内の宅地以外の土地について第1種市

街地再開発事業を施行することができる。
一　高度利用地区（都市計画法第8条第1項第3号の高度利用地区をいう。以下同じ。）の区域
二　都市再生特別地区（都市再生特別措置法（平成14年法律第22号）第36条第1項の規定による都市再生特別地区をいう。第3条において同じ。）の区域
三　特定用途誘導地区（都市再生特別措置法第109条第1項の規定による特定用途誘導地区をいい，建築物の容積率（延べ面積の敷地面積に対する割合をいう。以下同じ。）の最低限度及び建築物の建築面積の最低限度が定められているものに限る。第3条において同じ。）の区域
四　都市計画法第12条の4第1項第1号の地区計画，密集市街地における防災街区の整備の促進に関する法律（平成9年法律第49号。以下「密集市街地整備法」という。）第32条第1項の規定による防災街区整備地区計画又は幹線道路の沿道の整備に関する法律（昭和55年法律第34号）第9条第1項の規定による沿道地区計画の区域（次に掲げる条件の全てに該当するものに限る。第3条第1号において「特定地区計画等区域」という。）
　イ　地区整備計画（都市計画法第12条の5第2項第1号の地区整備計画をいう。以下同じ。），密集市街地整備法第32条第2項第1号に規定する特定建築物地区整備計画若しくは同項第2号に規定する防災街区整備地区整備計画又は幹線道路の沿道の整備に関する法律第9条第2項第1号の沿道地区整備計画（ロにおいて「地区整備計画等」という。）が定められている区域であること。
　ロ　地区整備計画等において都市計画法第8条第3項第2号チに規定する高度利用地区について定めるべき事項（特定建築物地区整備計画において建築物の特定地区防災施設に係る間口率（密集市街地整備法第32条第3項に規定する建築物の特定地区防災施設に係る間口率をいう。）の最低限度及び建築物の高さの最低限度が定められている場合並びに沿道地区整備計画において建築物の沿道整備道路に係る間口率（幹線道路の沿道の整備に関する法律第9条第6項第2号に規定する建築物の沿道整備道路に係る間口率をいう。）の最低限度及び建築物の高さの最低限度が定められている場合にあつては，建築物の容積率の最低限度を除く。）が定められていること。
　ハ　建築基準法（昭和25年法律第201号）第68条の2第1項の規定に基づく条例で，ロに規定する事項に関する制限が定められていること。
②　市街地再開発組合は，第1種市街地再開発事業の施行区域内の土地について第1種市街地再開発事業を施行することができる。
③　次に掲げる要件のすべてに該当する株式会社は，市街地再開発事業の施行区域内の土地について市街地再開発事業を施行することができる。
一　市街地再開発事業の施行を主たる目的とするものであること。
二　公開会社（会社法（平成17年法律第86号）第2条第5号に規定する公開会社をいう。）でないこと。
三　施行地区となるべき区域内の宅地について所有権又は借地権を有する者が，総株主の議決権の過半数を保有していること。
四　前号の議決権の過半数を保有している者及び当該株式会社が所有する施行地区となるべき区域内の宅地の地積とそれらの者が有するその区域内の借地の地積との合計が，その区域内の宅地

の総地積と借地の総地積との合計の3分の2以上であること。この場合において，所有権又は借地権が数人の共有に属する宅地又は借地について前段に規定する者が共有持分を有しているときは，当該宅地又は借地の地積に当該者が有する所有権又は借地権の共有持分の割合を乗じて得た面積を，当該宅地又は借地について当該者が有する宅地又は借地の地積とみなす。
④ 地方公共団体は，市街地再開発事業の施行区域内の土地について市街地再開発事業を施行することができる。
⑤ 独立行政法人都市再生機構は，国土交通大臣が次に掲げる事業を施行する必要があると認めるときは，市街地再開発事業の施行区域内の土地について当該事業を施行することができる。
一 一体的かつ総合的に市街地の再開発を促進すべき相当規模の地区の計画的な整備改善を図るため当該地区の全部又は一部について行う市街地再開発事業
二 前号に規定するもののほか，国の施策上特に供給が必要な賃貸住宅の建設と併せてこれと関連する市街地の再開発を行うための市街地再開発事業
⑥ 地方住宅供給公社は，国土交通大臣（市のみが設立した地方住宅供給公社にあつては，都道府県知事）が地方住宅供給公社の行う住宅の建設と併せてこれと関連する市街地の再開発を行うための市街地再開発事業を施行する必要があると認めるときは，市街地再開発事業の施行区域内の土地について当該市街地再開発事業を施行することができる。

【 第1章の3　市街地再開発促進区域 】

第7条　（市街地再開発促進区域に関する都市計画）
① 次の各号に掲げる条件に該当する土地の区域で，その区域内の宅地について所有権又は借地権を有する者による市街地の計画的な再開発の実施を図ることが適切であると認められるものについては，都市計画に市街地再開発促進区域を定めることができる。
一 第3条各号に掲げる条件
二 当該土地の区域が第3条の2第2号イ又はロに該当しないこと。
② 市街地再開発促進区域に関する都市計画においては，都市計画法第10条の2第2項に定める事項のほか，公共施設の配置及び規模並びに単位整備区を定めるものとする。
③ 市街地再開発促進区域に関する都市計画は，次の各号に規定するところに従つて定めなければならない。
一 道路，公園，下水道その他の施設に関する都市計画が定められている場合においては，その都市計画に適合するように定めること。
二 当該区域が，適正な配置及び規模の道路，公園その他の公共施設を備えた良好な都市環境のものとなるように定めること。
三 単位整備区は，その区域が市街地再開発促進区域内における建築敷地の造成及び公共施設の用に供する敷地の造成を一体として行うべき土地の区域としてふさわしいものとなるように定めること。

第7条の2　（第1種市街地再開発事業等の施行）
① 市街地再開発促進区域内の宅地について所有権又は借地権を有する者は，当該区域内の宅地について，できる限り速やかに，第1種市街地再開発事業を施行する等により，高度利用地区等に関する都市計画及び当該市街地再開発促進区域に関する都市計画の目的を達成するよう努めなければならない。
② 市町村は，市街地再開発促進区域に関する都市計画に係る都市計画法第20条第

1項の告示の日から起算して5年以内に，当該市街地再開発促進区域内の宅地について同法第29条第1項の許可がされておらず，又は第7条の9第1項，第11条第1項若しくは第2項若しくは第50条の2第1項の規定による認可に係る第1種市街地再開発事業の施行地区若しくは第129条の3の規定による認定を受けた第129条の2第1項の再開発事業の同条第5項第1号の再開発事業区域に含まれていない単位整備区については，施行の障害となる事由がない限り，第1種市街地再開発事業を施行するものとする。

③　一の単位整備区の区域内の宅地について所有権又は借地権を有する者が，国土交通省令で定めるところにより，その区域内の宅地について所有権又は借地権を有するすべての者の3分の2以上の同意（同意した者が所有するその区域内の宅地の地積と同意した者のその区域内の借地の地積との合計が，その区域内の宅地の総地積と借地の総地積との合計の3分の2以上となる場合に限る。）を得て，第1種市街地再開発事業を施行すべきことを市町村に対して要請したときは，当該市町村は，前項の期間内であつても，当該単位整備区について第1種市街地再開発事業を施行することができる。

④　前二項の場合において，都道府県は，当該市町村と協議の上，前二項の規定による第1種市街地再開発事業を施行することができる。当該第1種市街地再開発事業が独立行政法人都市再生機構又は地方住宅供給公社の施行することができるものであるときは，これらの者についても，同様とする。

⑤　第3項の場合において，所有権又は借地権が数人の共有に属する宅地又は借地があるときは，当該宅地又は借地について所有権を有する者又は借地権を有する者の数をそれぞれ一とみなし，同意した所有権を有する者の共有持分の割合の合計又は同意した借地権を有する者の共有持分の割合の合計をそれぞれ当該宅地又は借地について同意した者の数とみなし，当該宅地又は借地の地積に同意した所有権を有する者の共有持分の割合の合計又は同意した借地権を有する者の共有持分の割合の合計を乗じて得た面積を当該宅地又は借地について同意した者が所有する宅地の地積又は同意した者の借地の地積とみなす。

第3章　第1種市街地再開発事業

第1節／測量，調査等

第60条　（測量及び調査のための土地の立入り等）

①　施行者となろうとする者若しくは組合を設立しようとする者又は施行者は，第1種市街地再開発事業の施行の準備又は施行のため他人の占有する土地に立ち入つて測量又は調査を行う必要があるときは，その必要の限度において，他人の占有する土地に，自ら立ち入り，又はその命じた者若しくは委任した者に立ち入らせることができる。ただし，個人施行者若しくは再開発会社となろうとする者若しくは組合を設立しようとする者又は個人施行者，組合若しくは再開発会社にあつては，あらかじめ，都道府県知事（市の区域内にあつては，当該市の長。第62条第1項及び第142条第1号において「立入許可権者」という。）の許可を受けた場合に限る。

②　前項の規定は，次に掲げる公告があつた日後，施行者が第1種市街地再開発事業の施行の準備又は施行のため他人の占有する建築物その他の工作物に立ち入つて測量又は調査を行う必要がある場合について準用する。

一　個人施行者が施行する第1種市街地再開発事業にあつては，その施行についての認可の公告又は新たな施行地区の編

二　組合が施行する第1種市街地再開発事業にあつては，第19条第1項の公告又は新たな施行地区の編入に係る事業計画の変更の認可の公告
三　再開発会社が施行する第1種市街地再開発事業にあつては，その施行についての認可の公告又は新たな施行地区の編入に係る事業計画の変更の認可の公告
四　地方公共団体が施行する第1種市街地再開発事業にあつては，事業計画の決定の公告又は新たな施行地区の編入に係る事業計画の変更の公告
五　機構等が施行する第1種市街地再開発事業にあつては，施行規程及び事業計画の認可の公告又は新たな施行地区の編入に係る事業計画の変更の認可の公告
③　前二項の規定により他人の占有する土地又は工作物に立ち入ろうとする者は，立ち入ろうとする日の3日前までに，その旨を当該土地又は工作物の占有者に通知しなければならない。
④　第1項の規定により建築物が存し，若しくはかき，さく等で囲まれた他人の占有する土地に立ち入ろうとするとき，又は第2項の規定により他人の占有する工作物に立ち入ろうとするときは，その立ち入ろうとする者は，立入りの際，あらかじめ，その旨を当該土地又は工作物の占有者に告げなければならない。
⑤　日出前及び日没後においては，土地又は工作物の占有者の承諾があつた場合を除き，前項に規定する土地又は工作物に立ち入つてはならない。
⑥　土地又は工作物の占有者は，正当な理由がない限り，第1項又は第2項の規定による立入りを拒み，又は妨げてはならない。

第65条　（関係簿書の閲覧等）

施行者となろうとする者若しくは組合を設立しようとする者又は施行者は，第1種市街地再開発事業の施行の準備又は施行のため必要があるときは，施行地区となるべき区域若しくは施行地区を管轄する登記所に対し，又はその他の官公署の長に対し，無償で必要な簿書の閲覧若しくは謄写又はその謄本若しくは抄本若しくは登記事項証明書の交付を求めることができる。

第66条　（建築行為等の制限）

①　第60条第2項各号に掲げる公告があつた後は，施行地区内において，第1種市街地再開発事業の施行の障害となるおそれがある土地の形質の変更若しくは建築物その他の工作物の新築，改築若しくは増築を行い，又は政令で定める移動の容易でない物件の設置若しくは堆積を行おうとする者は，都道府県知事（市の区域内において個人施行者，組合，再開発会社若しくは機構等が施行し，又は市が第2条の2第4項の規定により施行する第1種市街地再開発事業にあつては，当該市の長。以下この条，第98条及び第141条の2第2号において「都道府県知事等」という。）の許可を受けなければならない。
②　都道府県知事等は，前項の許可の申請があつた場合において，その許可をしようとするときは，あらかじめ，施行者の意見を聴かなければならない。
③　都道府県知事等は，第1項の許可をする場合において，第1種市街地再開発事業の施行のため必要があると認めるときは，許可に期限その他必要な条件を付けることができる。この場合において，これらの条件は，当該許可を受けた者に不当な義務を課するものであつてはならない。
④　都道府県知事等は，第1項の規定に違反し，又は前項の規定により付けた条件に違反した者があるときは，これらの者又はこれらの者から当該土地，建築物その他の工作物若しくは物件についての権利を承継した者に対して，相当の期限を定めて，第1種市街地再開発事業の施行

に対する障害を排除するため必要な限度において，当該土地の原状回復又は当該建築物その他の工作物若しくは物件の移転若しくは除却を命ずることができる。
⑤　前項の規定により土地の原状回復又は建築物その他の工作物若しくは物件の移転若しくは除却を命じようとする場合において，過失がなくてその原状回復又は移転若しくは除却を命ずべき者を確知することができないときは，都道府県知事等は，それらの者の負担において，その措置を自ら行い，又はその命じた者若しくは委任した者にこれを行わせることができる。この場合においては，相当の期限を定めて，これを原状回復し，又は移転し，若しくは除却すべき旨及びその期限までに原状回復し，又は移転し，若しくは除却しないときは，都道府県知事又はその命じた者若しくは委任した者が，原状回復し，又は移転し，若しくは除却する旨を公告しなければならない。
⑥　前項の規定により土地を原状回復し，又は建築物その他の工作物若しくは物件を移転し，若しくは除却しようとする者は，その身分を示す証明書を携帯し，関係人の請求があつたときは，これを提示しなければならない。
⑦　第60条第2項各号に掲げる公告があつた後に，施行地区内において土地の形質の変更，建築物その他の工作物の新築，改築，増築若しくは大修繕又は物件の付加増置（以下この条において「土地の形質の変更等」と総称する。）がされたときは，当該土地の形質の変更等について都道府県知事等の承認があつた場合を除き，当該土地，工作物又は物件に関する権利を有する者は，当該土地の形質の変更等が行われる前の土地，工作物又は物件の状況に基づいてのみ，次節の規定による施行者に対する権利を主張することができる。
⑧　前項の承認の申請があつたときは，都道府県知事等は，あらかじめ，施行者の意見を聴いて，当該土地の形質の変更等が災害の防止その他やむを得ない理由に基づき必要があると認められる場合に限り，その承認をするものとする。
⑨　第1項の許可があつたときは，当該許可に係る土地の形質の変更等について第7項の承認があつたものとみなす。

第2節／権利変換手続

第1款／手続の開始

第70条　（権利変換手続開始の登記）
①　施行者は，第60条第2項各号に掲げる公告があつたときは，遅滞なく，登記所に，施行地区内の宅地及び建築物並びにその宅地に存する既登記の借地権について，権利変換手続開始の登記を申請し，又は嘱託しなければならない。
②　前項の登記があつた後においては，当該登記に係る宅地若しくは建築物の所有権を有する者又は当該登記に係る借地権を有する者は，これらの権利を処分するには，国土交通省令で定めるところにより，施行者の承認を得なければならない。
③　施行者は，事業の遂行に重大な支障が生ずることその他正当な理由がなければ，前項の承認を拒むことができない。
④　第2項の承認を得ないでした処分は，施行者に対抗することができない。
⑤　権利変換期日前において第45条第6項，第124条の2第3項又は第125条の2第5項の公告があつたときは，施行者（組合にあつては，その清算人）は，遅滞なく，登記所に，権利変換手続開始の登記の抹消を申請しなければならない。

第3款／権利の変換

第86条　（権利変換の処分）
①　施行者は，権利変換計画若しくはその変更の認可を受けたとき，又は権利変換計画について第72条第4項の政令で定め

る軽微な変更をしたときは，遅滞なく，国土交通省令で定めるところにより，その旨を公告し，及び関係権利者に関係事項を書面で通知しなければならない。
② 権利変換に関する処分は，前項の通知をすることによつて行なう。
③ 権利変換に関する処分については，行政手続法（平成5年法律第88号）第3章の規定は，適用しない。

第86条の2　（権利変換期日等の通知）
　施行者は，権利変換計画若しくはその変更（権利変換期日に係るものに限る。以下この条において同じ。）の認可を受けたとき，又は第72条第4項の政令で定める軽微な変更をしたときは，遅滞なく，国土交通省令で定めるところにより，施行地区を管轄する登記所に，権利変換期日その他国土交通省令で定める事項を通知しなければならない。

第87条　（権利変換期日における権利の変換）
① 施行地区内の土地は，権利変換期日において，権利変換計画の定めるところに従い，新たに所有者となるべき者に帰属する。この場合において，従前の土地を目的とする所有権以外の権利は，この法律に別段の定めがあるものを除き，消滅する。
② 権利変換期日において，施行地区内の土地（指定地を除く。）に権原に基づき建築物を所有する者の当該建築物は，施行者に帰属し，当該建築物を目的とする所有権以外の権利は，この法律に別段の定めがあるものを除き，消滅する。ただし，第66条第7項の承認を受けないで新築された建築物及び施行地区外に移転すべき旨の第71条第1項の申出があつた建築物については，この限りでない。

第89条　（担保権等の移行）
① 施行地区内の宅地（指定宅地を除く。）若しくはその借地権又は施行地区内の土地（指定宅地を除く。）に権原に基づき所有される建築物について存する担保権等の登記に係る権利は，権利変換期日以後は，権利変換計画の定めるところに従い，施設建築敷地若しくはその共有持分又は施設建築物の一部等に関する権利の上に存するものとする。
② 指定宅地又はその使用収益権について存する担保権等の登記に係る権利は，権利変換期日以後は，権利変換計画の定めるところに従い，個別利用区内の宅地又はその使用収益権の上に存するものとする。

第90条　（権利変換の登記）
① 施行者は，権利変換期日後遅滞なく，施行地区内の土地につき，従前の土地の表題部の登記の抹消及び新たな土地の表題登記（不動産登記法（平成16年法律第123号）第2条第20号に規定する表題登記をいう。）並びに権利変換後の土地に関する権利について必要な登記を申請し，又は嘱託しなければならない。
② 施行者は，権利変換期日後遅滞なく，第87条第2項の規定により施行者に帰属した建築物については所有権の移転の登記及び所有権以外の権利の登記の抹消を，施行地区内のその他の建築物については権利変換手続開始の登記の抹消を申請し，又は嘱託しなければならない。
③ 権利変換期日以後においては，施行地区内の土地及び第87条第2項の規定により施行者に帰属した建築物に関しては，前二項の登記がされるまでの間は，他の登記をすることができない。

第5款／工事完了等に伴う措置

第100条　（工事の完了の公告等）
① 施行者は，個別利用区内の宅地の整備及びこれに関連する公共施設の整備に係る工事が完了したときは，速やかに，その旨を，公告するとともに，第87条第1

項又は第88条の2の規定により当該宅地又はその使用収益権を取得した者に通知しなければならない。
② 施行者は，施設建築物の建築工事が完了したときは，速やかに，その旨を，公告するとともに，第88条第2項又は第5項の規定により施設建築物に関し権利を取得する者に通知しなければならない。

第101条 （施設建築物に関する登記）
① 施行者は，施設建築物の建築工事が完了したときは，遅滞なく，施設建築物及び施設建築物に関する権利について必要な登記を申請し，又は嘱託しなければならない。
② 施設建築物に関する権利に関しては，前項の登記がされるまでの間は，他の登記をすることができない。

附　則（略）

都市再開発法による不動産登記に関する政令

●昭和45年4月24日政令第87号●　最終改正　令和2年3月25日政令57号

第1条　（趣旨）
この政令は，都市再開発法（以下「法」という。）第132条の規定による不動産登記法（平成16年法律第123号）の特例を定めるものとする。

第2条　（代位登記）
市街地再開発事業を施行する者は，その施行のため必要があるときは，次の各号に掲げる登記をそれぞれ当該各号に定める者に代わつて申請することができる。
一　不動産の表題登記　所有者
二　不動産の表題部の登記事項に関する変更の登記又は更正の登記　表題部所有者若しくは所有権の登記名義人又はこれらの相続人その他の一般承継人
三　登記名義人の氏名若しくは名称又は住所についての変更の登記又は更正の登記　登記名義人又はその相続人その他の一般承継人
四　所有権の保存の登記　表題部所有者又はその相続人その他の一般承継人
五　相続その他の一般承継による所有権の移転の登記　相続人その他の一般承継人

第3条　（代位登記の登記識別情報）
① 登記官は，前条の規定による申請に基づいて同条第4号又は第5号に掲げる登記を完了したときは，速やかに，登記権利者のために登記識別情報を申請人に通知しなければならない。
② 前項の規定により登記識別情報の通知を受けた申請人は，遅滞なく，これを同項の登記権利者に通知しなければならない。

第4条　（権利変換手続開始の登記）
① 法第70条第1項（都市再開発法施行令（昭和44年政令第232号。以下「令」という。）第46条の15の規定により読み替えて適用する場合を含む。）の規定による権利変換手続開始の登記の申請をする場合には，法第60条第2項各号に掲げる公告があつたことを証する情報をその申請情報と併せて登記所に提供しなければならない。
② 法第70条第5項の規定による権利変換手続開始の登記の抹消の申請をする場合には，法第45条第6項，法第124条の2第3項又は法第125条の2第5項の公告があつたことを証する情報をその申請情報と併せて登記所に提供しなければならない。

第5条　（土地についての登記の申請）
① 法第90条第1項（法第110条第5項，法第110条の2第6項又は法第118条の32第2項及び令第46条の15の規定により読み替えて適用する場合を含む。以下この条において同じ。）の規定による土地の表題部の登記の抹消又は権利変換手続開始の登記の抹消の申請は，同一の登記所の管轄に属するものの全部について，一の申請情報によつてしなければならない。
② 法第90条第1項の規定によつてする土

地の表題登記，所有権の保存の登記，法第88条第1項（令第46条の15の規定により読み替えて適用する場合を含む。）の規定による地上権の設定の登記，法第109条の2第7項又は法第109条の3第6項の規定による民法（明治29年法律第89号）269条の2第1項の地上権の設定の登記，法第88条第3項の規定による停止条件付権利移転の仮登記及び法第89条（令第46条の15の規定により読み替えて適用する場合を含む。）の規定により存するものとされた担保権等の設定その他の登記（以下「担保権等に関する登記」という。）の申請は，土地ごとに，一の申請情報によつてし，かつ，前項の登記の申請と同時にしなければならない。

③　前項の場合において，一の申請情報によつて二以上の登記の登記事項を申請情報の内容とするには，同項に規定する順序に従つて登記事項に順序を付するものとする。この場合において，同一の土地に関する権利を目的とする二以上の担保権等に関する登記については，その登記をすべき順序に従つて登記事項に順序を付するものとする。

④　第1項及び第2項の登記の申請をする場合には，不動産登記令（平成16年政令第379号）第3条各号に掲げる事項のほか，法第90条第1項の規定により登記の申請をする旨を申請情報の内容とし，かつ，権利変換計画及びその認可を証する情報をその申請情報と併せて登記所に提供しなければならない。

第6条　（旧建物についての登記の申請）

①　法第90条第2項（法第110条第5項，法第110条の2第6項又は令第46条の15の規定により読み替えて適用する場合を含む。）の規定による建物についての登記の申請は，同一の登記所の管轄に属するものの全部について，一の申請情報によつてしなければならない。

②　前条第4項の規定は，前項の申請について準用する。

第7条　（新建物についての登記の申請）

①　法第101条第1項の規定によつてする建物の表題登記，共用部分である旨の登記，所有権の保存の登記，法第107条第1項又は法第118条第1項の先取特権の保存の登記，法第88条第3項の規定による停止条件付権利移転の仮登記，同条第5項（令第46条の15の規定により読み替えて適用する場合を含む。）の規定による借家権の設定その他の登記及び担保権等に関する登記の申請は，1棟の建物に属する建物の全部について，一の申請情報によつてしなければならない。

②　前項の場合において，二以上の登記の登記事項を申請情報の内容とするには，建物ごとに，同項に規定する順序に従つて登記事項に順序を付するものとする。

③　第1項の登記の申請をする場合には，不動産登記令第3条各号に掲げる事項のほか，法第101条第1項の規定により登記の申請をする旨を申請情報の内容とし，かつ，権利変換計画及びその認可を証する情報をその申請情報と併せて登記所に提供しなければならない。

④　第5条第3項後段の規定は，第1項の申請について準用する。

第8条　（借家権の設定その他の登記等の登記原因）

①　前条第1項の借家権の設定その他の登記においては，登記原因及びその日付として，権利変換前の当該借家権に係る登記の登記原因及びその日付（当該登記の申請の受付の年月日及び受付番号を含む。以下この条において同じ。）並びに法による権利変換があつた旨及びその日付を登記事項とする。

②　担保権等に関する登記においては，登記原因及びその日付として，権利変換前

の当該担保権等に係る登記の登記原因及びその日付並びに法による権利変換があつた旨及びその日付を登記事項とする。
③　前二項の登記の申請をする場合に登記所に提供しなければならない申請情報の内容とする登記原因及びその日付は，これらの規定に規定する事項とする。

第9条　（受付番号）
　　登記官は，第5条第2項及び第7条第1項の申請ごとに，第5条第3項及び第7条第2項の規定により付した順序に従つて受付番号を付するものとする。

第10条　（登記識別情報の通知）
①　登記官は，第5条第2項又は第7条第1項の登記を完了したときは，速やかに，登記権利者のために登記識別情報を申請人に通知しなければならない。
②　前項の規定により登記識別情報の通知を受けた申請人は，遅滞なく，これを同項の登記権利者に通知しなければならない。

第11条　（登記の嘱託）
　　この政令中「申請」，「申請人」及び「申請情報」には，それぞれ嘱託，嘱託者及び嘱託情報を含むものとする。

第12条　（法務省令への委任）
　　この政令に定めるもののほか，この政令に規定する登記についての登記簿及び登記記録の記録方法その他の登記の事務に関し必要な事項は，法務省令で定める。

　　附　則　（略）

新住宅市街地開発法（抄）

●昭和38年7月11日法律第134号●　最終改正　平成29年5月12日法26号

第1章　総則

第1条　（目的）

この法律は，住宅に対する需要が著しく多い市街地の周辺の地域における住宅市街地の開発に関し，新住宅市街地開発事業の施行その他必要な事項について規定することにより，健全な住宅市街地の開発及び住宅に困窮する国民のための居住環境の良好な相当規模の住宅地の供給を図り，もつて国民生活の安定に寄与することを目的とする。

第2条　（定義）

① この法律において「新住宅市街地開発事業」とは，都市計画法（昭和43年法律第100号）及びこの法律で定めるところに従つて行なわれる宅地の造成，造成された宅地の処分及び宅地とあわせて整備されるべき公共施設の整備に関する事業並びにこれに附帯する事業をいう。

② 公益的施設又は特定業務施設の整備に関する事業が前項の事業に併せて行われる場合においては，その事業は，新住宅市街地開発事業に含まれるものとする。

③ この法律において「施行者」とは，新住宅市街地開発事業を施行する者をいう。

④ この法律において「事業地」とは，新住宅市街地開発事業を施行する土地の区域をいう。

⑤ この法律において「公共施設」とは，道路，公園，下水道その他政令で定める公共の用に供する施設をいう。

⑥ この法律において「宅地」とは，建築物，工作物又はその他の施設の敷地で，公共施設の用に供するもの以外のものをいう。

⑦ この法律において「公益的施設」とは，教育施設，医療施設，官公庁施設，購買施設その他の施設で，居住者の共同の福祉又は利便のため必要なものをいう。

⑧ この法律において「特定業務施設」とは，事務所，事業所その他の業務施設で，居住者の雇用機会の増大及び昼間人口の増加による事業地の都市機能の増進に寄与し，かつ，良好な居住環境と調和するもののうち，公益的施設以外のものをいう。

⑨ この法律において「造成施設等」とは，新住宅市街地開発事業により造成された宅地その他の土地及び整備された公共施設その他の施設をいう。

⑩ この法律において「造成宅地等」とは，造成施設等のうち，公共施設及びその用に供する土地以外のものをいう。

⑪ この法律において「処分計画」とは，施行者が行う造成施設等の処分に関する計画をいう。

第5条　（新住宅市街地開発事業の施行）

新住宅市街地開発事業は，都市計画事業として施行する。

第6条　（施行者）

新住宅市街地開発事業は，地方公共団体及び地方住宅供給公社のほか，この法律に特に定める者に限り，施行することができる。

第2章　新住宅市街地開発事業

第3節／造成施設等の処分等

第27条　（工事完了の公告）

① 施行者は，事業地（事業地を工区に分けたときは，工区。以下この条において同じ。）の全部について工事（施行計画で特に定める工事を除く。）を完了したときは，遅滞なく，その旨を都道府県知事に届け出なければならない。

② 都道府県知事は，前項の届出があつた場合において，その届出に係る工事が施行計画に適合していると認めたときは，遅滞なく，当該事業地について工事が完了した旨を公告しなければならない。

第28条　（新住宅市街地開発事業の施行により設置された公共施設の管理）

① 新住宅市街地開発事業の施行により公共施設が設置された場合においては，その公共施設は，前条第2項の公告の日の翌日において，その公共施設の存する市町村の管理に属するものとする。ただし，他の法律に基づき管理すべき者が別にあるとき，又は処分計画に特に管理すべき者の定めがあるときは，それらの者の管理に属するものとする。

② 施行者は，前条第2項の公告の日以前においても，公共施設に関する工事が完了した場合においては，前項の規定にかかわらず，その公共施設を管理すべき者にその管理を引き継ぐことができる。

③ 施行者は，前条第2項の公告の日の翌日において，公共施設に関する工事を完了していない場合においては，第1項の規定にかかわらず，その工事が完了したときにおいて，その公共施設を管理すべき者にその管理を引き継ぐことができる。

④ 公共施設を管理すべき者は，前2項の規定により施行者からその公共施設について管理の引継ぎの申出があつた場合においては，その公共施設に関する工事が施行計画において定められた設計に適合しない場合のほか，その引継ぎを拒むことができない。

第29条　（公共施設の用に供する土地の帰属）

① 新住宅市街地開発事業の施行により，従前の公共施設に代えて新たな公共施設が設置されることとなる場合においては，従前の公共施設の用に供していた土地で国又は地方公共団体が所有するものは，第27条第2項の公告の日の翌日において施行者に帰属するものとし，これに代わるものとして処分計画で定める新たな公共施設の用に供する土地は，その日においてそれぞれ国又は当該地方公共団体に帰属するものとする。

② 新住宅市街地開発事業の施行により設置された公共施設の用に供する土地は，前項に規定するもの及び処分計画で特別の定めをしたものを除き，第27条第2項の公告の日の翌日において，当該公共施設を管理すべき者（その者が地方自治法（昭和22年法律第67号）第2条第9項第1号に規定する第1号法定受託事務（以下単に「第1号法定受託事務」という。）として当該公共施設を管理する地方公共団体であるときは，国）に帰属するものとする。

第30条　（造成施設等の処分）

① 施行者は，造成施設等をこの法律及び処分計画に従つて処分しなければならない。

② 地方公共団体がこの法律の規定により行なう造成施設等の処分については，当該地方公共団体の財産の処分に関する法令の規定は，適用しない。

第31条　（建築物の建築義務）

施行者又は第23条第2項の規定により処分計画に定められた信託を引き受けた

信託会社等（以下「特定信託会社等」という。）から建築物を建築すべき宅地を譲り受けた者（その承継人を含むものとし，国，地方公共団体，地方住宅供給公社，特定信託会社等その他政令で定める者を除く。）は，その譲受けの日の翌日から起算して5年以内に，処分計画で定める規模及び用途の建築物を建築しなければならない。

第32条　（造成宅地等に関する権利の処分の制限）

① 第27条第2項の公告の日の翌日から起算して10年間は，造成宅地等又は造成宅地等である宅地の上に建築された建築物に関する所有権，地上権，質権，使用貸借による権利又は賃借権その他の使用及び収益を目的とする権利の設定又は移転については，国土交通省令で定めるところにより，当事者が都道府県知事の承認を受けなければならない。ただし，次の各号のいずれかに掲げる場合は，この限りでない。
　一　当事者の一方又は双方が国，地方公共団体，地方住宅供給公社その他政令で定める者である場合
　二　相続その他の一般承継により当該権利が移転する場合
　三　滞納処分，強制執行，担保権の実行としての競売（その例による競売を含む。）又は企業担保権の実行により当該権利が移転する場合
　四　土地収用法（昭和26年法律第219号）その他の法律により収用され，又は使用される場合
　五　その他政令で定める場合

② 前項に規定する承認に関する処分は，当該権利を設定し，又は移転しようとする者がその設定又は移転により不当に利益を受けるものであるかどうか，及びその設定又は移転の相手方が処分計画に定められた処分後の造成宅地等の利用の規制の趣旨に従つて当該造成宅地等を利用すると認められるものであるかどうかを考慮してしなければならない。

③ 特定信託会社等による当該信託に係る造成宅地等に関する第1項の権利の設定又は移転についての同意に規定する承認は，前項の規定によるほか，当該権利の設定又は移転が第23条第2項各号に掲げる要件に該当するものである場合に限り，することができる。

④ 第1項に規定する承認には，処分計画に定められた処分後の造成宅地等の利用の規制の趣旨を達成するため必要な条件を付することができる。この場合において，その条件は，当該承認を受けた者に不当な義務を課すものであつてはならない。

第33条　（買戻権）

① 施行者又は特定信託会社等は，新住宅市街地開発事業により造成された宅地を譲り渡す場合（施行者が特定信託会社等に信託契約に基づき当該宅地を譲り渡す場合を除く。）においては，民法（明治29年法律第89号）第579条の定めるところに従い，当該譲渡の日から第27条第2項の公告の日の翌日から起算して10年を経過する日までの期間を買戻しの期間とする買戻しの特約を付さなければならない。

② 前項の特約に基づく買戻権は，施行者若しくは特定信託会社等から宅地を譲り受けた者又はその承継人が第31条若しくは前条第1項の規定に違反した場合又は同条第4項の規定により付された条件に違反した場合に限り，行使することができる。

③ 前項の規定にかかわらず，同項の宅地又はその上に建築された建築物に関し前条第1項の承認を受けて権利を有する者があるとき，又は前項の違反事実があつた日から起算して3年を経過したときは，

第1項の特約に基づく買戻権は，行使することができない。
④　第1項の規定により買い戻した宅地は，処分計画の趣旨に従つて処分しなければならない。

第34条　（図書の備置き等）
①　施行者は，第27条第2項の公告があつたときは，造成施設等の存する市町村の長に対し，国土交通省令で定めるところにより，当該造成施設等の存する区域を表示した図書を送付しなければならない。
②　前項の図書の送付を受けた市町村長は，第27条第2項の公告の日の翌日から起算して10年間，その図書を当該市町村の役場に備え置いて，関係人の請求があつたときは，これを閲覧させなければならない。
③　都道府県知事は，国土交通省令で定めるところにより，第27条第2項の公告をした日の翌日から起算して10年間，新住宅市街地開発事業が施行された土地の区域内の見やすい場所に，新住宅市街地開発事業が施行された土地である旨を表示した標識を設置しなければならない。
④　何人も，前項の規定により設けられた標識を都道府県知事の承諾を得ないで移転し，若しくは除却し，又は汚損し，若しくは損壊してはならない。

【　　　第3章　雑則　　　】

第34条の2　（測量のための標識の設置）
①　新住宅市街地開発事業を施行しようとする者又は施行者は，新住宅市街地開発事業の施行の準備又は施行に必要な測量を行なうため必要がある場合においては，国土交通省令で定める標識を設けることができる。
②　何人も，前項の規定により設けられた標識を設置者の承諾を得ないで移転し，若しくは除却し，又は汚損し，若しくは損壊してはならない。

第34条の3　（関係簿書の閲覧等）
新住宅市街地開発事業を施行しようとする者又は施行者は，新住宅市街地開発事業の施行の準備又は施行のため必要がある場合においては，新住宅市街地開発事業を施行しようとする，又は施行する土地を管轄する登記所に対し，又はその他の官公署の長に対し，無償で必要な簿書の閲覧若しくは謄写又はその謄本若しくは抄本若しくは登記事項証明書の交付を求めることができる。

第34条の4　（建築物等の収用の請求）
①　新住宅市街地開発事業につき都市計画法第69条の規定により適用される土地収用法の規定により土地又は権利が収用される場合において，権原により当該土地又は当該権利の目的である土地に建築物その他の土地に定着する工作物を所有する者は，その工作物の収用を請求することができる。
②　土地収用法第87条の規定は，前項の規定による収用の請求について準用する。

第49条　（不動産登記法の特例）
事業地内の土地及び建物の登記については，政令で不動産登記法（平成16年法律第123号）の特例を定めることができる。

附　則　（略）

新住宅市街地開発法等による不動産登記に関する政令（抄）

●昭和40年10月1日政令第330号●　　最終改正　平成17年2月18日政令24号

第1章　総則

第1条（趣旨）

この政令は，新住宅市街地開発法（以下「法」という。）第49条，首都圏の近郊整備地帯及び都市開発区域の整備に関する法律（昭和33年法律第98号）第30条の2，近畿圏の近郊整備区域及び都市開発区域の整備及び開発に関する法律（昭和39年法律第145号）第42条及び流通業務市街地の整備に関する法律（昭和41年法律第110号）第47条の規定による不動産登記法（平成16年法律第123号）の特例を定めるものとする。

第2章　新住宅市街地開発法による不動産登記の特例

第2条

新住宅市街地開発事業を施行する者（以下「施行者」という。）であつて，法第45条第1項の規定による施行者以外のものは，その施行のため必要があるときは，次の各号に掲げる登記をそれぞれ当該各号に定める者に代わつて嘱託することができる。

一　不動産の表題部の登記事項に関する変更の登記又は更正の登記　表題部所有者若しくは所有権の登記名義人又はこれらの相続人その他の一般承継人

二　登記名義人の氏名若しくは名称又は住所についての変更の登記又は更正の登記　登記名義人又はその相続人その他の一般承継人

三　所有権の保存の登記　表題部所有者又はその相続人その他の一般承継人

四　相続その他の一般承継による所有権の移転の登記　相続人その他の一般承継人

第3条

①　登記官は，前条の規定による嘱託に基づいて同条第3号又は第4号に掲げる登記を完了したときは，速やかに，登記権利者のために登記識別情報を嘱託者に通知しなければならない。

②　前項の規定により登記識別情報の通知を受けた嘱託者は，遅滞なく，これを同項の登記権利者に通知しなければならない。

第4条（土地の表題部の登記の抹消）

①　国又は地方公共団体の所有する土地が法第29条第1項の規定により施行者に帰属したときは，国又は地方公共団体は，遅滞なく，その土地の表題部の登記の抹消の嘱託をしなければならない。

②　前項の嘱託をする場合には，不動産登記令（平成16年政令第379号）第3条各号に掲げる事項のほか，同項の規定により嘱託をする旨を嘱託情報の内容とし，かつ，嘱託に係る土地の登記記録に所有権の登記以外の登記があるときは，その登記名義人の承諾を証する当該登記名義人が作成した情報又は当該登記名義人に対抗することができる裁判があつたことを証する情報をその嘱託情報と併せて登

記所に提供しなければならない。

第5条
① 施行者は，法第21条第2項の規定による事業地（事業地を工区に分けたときは，工区。以下同じ。）内の土地の全部について施行者の所有権の取得の登記又は前条の規定による土地の表題部の登記の抹消がされた場合においては，その事業地内にある土地で施行者の所有権の登記のあるものの全部につき土地の表題部の登記の抹消の嘱託をすることができる。
② 前項の嘱託は，同一の登記所の管轄に属するものの全部につき，一の嘱託情報によつてしなければならない。
③ 第1項の嘱託をする場合には，不動産登記令第3条各号に掲げる事項のほか，同項の規定により嘱託をする旨を嘱託情報の内容とし，かつ，同項の事業地を証する情報及び嘱託に係る土地の登記記録に所有権の登記以外の登記があるときはその登記名義人の承諾を証する当該登記名義人が作成した情報又は当該登記名義人に対抗することができる裁判があつたことを証する情報をその嘱託情報と併せて登記所に提供しなければならない。

第6条 （造成宅地等の表題登記）
① 施行者は，法第27条第2項の規定による工事完了の公告がされたときは，その公告に係る事業地内の法第21条第1項に規定する処分計画に掲げた土地又は建物で，その公告の日の翌日において，施行者が所有し，かつ，その不動産の表題登記のないものの全部について，遅滞なく，土地又は建物の表題登記の嘱託をしなければならない。ただし，その公告の日の翌日において，工事の完了していない建物については，その工事の完了後，遅滞なく，当該建物の表題登記の嘱託をしなければならない。
② 前項の嘱託をする場合には，不動産登記令第3条各号に掲げる事項のほか，同項の規定により嘱託をする旨を嘱託情報の内容とし，かつ，処分計画の認可又は同意を証する情報及び土地の全部についての所在図又は建物の全部についての所在図をその嘱託情報と併せて登記所に提供しなければならない。
③ 前項の土地の全部についての所在図は，国土調査法（昭和26年法律第180号）第19条第5項の規定による指定を受けた地図でなければならない。
④ 不動産登記令第7条第1項第6号（同令別表の4の項及び同表の12の項添付情報欄イからニまでに係る部分に限る。）の規定は，第1項の嘱託については，適用しない。
⑤ 第5条第2項の規定は，第1項の嘱託について準用する。

第7条
① 施行者は，法第29条の規定により施行者以外の者に帰属した土地で，土地の表題登記がないものについて，その土地を取得した者を表題部所有者とする土地の表題登記の嘱託をしなければならない。
② 前条第2項から第5項までの規定は，前項の嘱託について準用する。

第8条 （同時嘱託）
第5条第1項，第6条第1項本文及び前条第1項の嘱託は，同時にしなければならない。

第9条 （譲渡不動産の所有権の登記）
① 施行者は，法第30条の規定に基づき土地又は建物を譲渡したときは，その譲受人のために，所有権の移転の登記の嘱託をしなければならない。
② 前項の土地又は建物が所有権の登記のないものであるときは，施行者は，不動産登記法第74条第1項の規定にかかわらず，その譲受人を登記名義人とする所有

権の保存の登記の嘱託をすることができる。

③ 前2項の嘱託をする場合には，不動産登記令第3条各号に掲げる事項のほか，第1項又は前項の規定により嘱託をする旨を嘱託情報の内容とする。

第10条 （登記の申請）

第5条から前条までの規定中「嘱託」又は「嘱託情報」とあるのは，法第45条の規定による施行者にあつては，「申請」又は「申請情報」とする。

第4章 雑則

第14条 （法務省令への委任）

この政令に定めるもののほか，この政令に規定する登記についての登記簿及び登記記録の記録方法その他の登記の事務に関し必要な事項は，法務省令で定める。

附 則 （略）

新都市基盤整備法（抄）

●昭和47年6月22日法律第86号●　　最終改正　令和5年6月16日法63号

第1章　総則

第1条（目的）
　この法律は、人口の集中の著しい大都市の周辺の地域における新都市の建設に関し、新都市基盤整備事業の施行その他必要な事項を定めることにより、大都市圏における健全な新都市の基盤の整備を図り、もつて大都市における人口集中と宅地需給の緩和に資するとともに大都市圏の秩序ある発展に寄与することを目的とする。

第2条（定義）
① この法律において「新都市基盤整備事業」とは、都市計画法（昭和43年法律第100号）及びこの法律に従つて行なわれる新都市の基盤となる根幹公共施設の用に供すべき土地及び開発誘導地区に充てるべき土地の整備に関する事業並びにこれに附帯する事業をいう。
② この法律において「土地整理」とは、施行区域内において施行者が取得している土地（第7項各号に掲げる土地及び他人の権利の目的となつている土地を除く。）の全部又は一部を根幹公共施設の用に供すべき土地又は開発誘導地区に充てるべき土地として集約し、及び施行区域内のその他の土地を集約するために第2章第3節の規定に従つて行なわれる土地の区画形質の変更並びに公共施設（第7項第1号に規定する公共施設をいう。）の変更（施行区域内のその他の土地を集約するための必要最少限度の新設を含む。）をいう。

③ この法律において「施行者」とは、新都市基盤整備事業を施行する者をいう。
④ この法律において「施行区域」とは、新都市基盤整備事業を施行する土地の区域をいう。
⑤ この法律において「根幹公共施設」とは、施行区域を良好な環境の都市とするために必要な根幹的な道路、鉄道、公園、下水道その他の公共の用に供する施設として政令で定めるものをいう。
⑥～⑧　（略）

第5条（新都市基盤整備事業の施行）
① 新都市基盤整備事業は、都市計画事業として施行する。
② 都市計画法第60条及び第64条の規定は、新都市基盤整備事業には適用しない。

第6条（施行者）
　新都市基盤整備事業は、地方公共団体が施行する。

第2章　新都市基盤整備事業

第2節／土地等の収用の特例

第20条（買受権）
① 第41条において準用する土地区画整理法（昭和29年法律第119号）第103条第4項の規定による公告があつた日の翌日以後において、かつ、都市計画法第62条第1項の規定による告示の日から20年以内に、事業の廃止、変更その他の事由によつて根幹公共施設の用に供すべき土地又は開発誘導地区内の土地の全部又は一部が不用となつたときは、権利取得裁決に

おいて定められた権利取得の時期に土地所有者であつた者又はその包括承継人（以下「買受権者」と総称する。）は，当該土地が不用となつた時期から5年又は同項の規定による告示の日から20年のいずれか遅い時期までに，国土交通省令で定めるところにより，施行者から権利取得裁決によつて収用された土地の面積に等しい面積の土地（当該不用となつた土地の面積が第5項の規定による通知をした買受権者に係る権利取得裁決によつて収用された土地の面積を合計した面積に満たないときは，当該不用となつた土地の面積を同項の規定による通知をした買受権者に係る権利取得裁決によつて収用された土地の面積であん分した面積の土地）を買い受けることができる。

② 前項の規定は，土地収用法第82条の規定により土地所有者が収用された土地の全部又は一部について替地による損失の補償を受けたときは，適用しない。

③ 第1項に規定する不用となつた土地があるときは，施行者は，国土交通省令で定めるところにより，遅滞なく，その旨を買受権者に通知しなければならない。ただし，施行者が過失がなくて買受権者を確知することができないときは，その土地が存する地方の新聞紙に，通知すべき内容を少なくとも1月の期間をおいて3回公告しなければならない。

④ 買受権者は，前項の規定による通知を受けた日又は第3回の公告があつた日から3月を経過した後においては，第1項の規定にかかわらず，買受権を行使することができない。

⑤ 施行者は，第1項の規定による買受権を行使した者の買い受けるべき土地の面積と同項に規定する不用となつた土地の形状，面積等を考慮して，国土交通省令で定めるところにより，当該買い受けるべき土地がいずれも著しく不整形とならないように定めて，同項の規定による買受権を行使した者と土地の価額について協議しなければならない。この場合において，土地の価額は，第3項の規定による通知又は第1回の公告の時における価格とする。

⑥ 第9条第5項の規定は，前項前段の場合について準用する。

⑦ 第1項の規定によりあん分した面積の土地が過小となることにより買い受けるべき土地の利用が困難となると認められるときは，同項の規定にかかわらず，施行者は，政令で定めるところにより，同項に規定する不用となつた土地を利用し易い形状及び規模の土地に分割して同項の規定による買受権を行使した者の競争による入札の方法で売り渡すことができる。

⑧ 前項の場合において，売渡価額が時価をこえるときは，施行者は，政令で定めるところにより，そのこえる額の合計額について，第1項の規定による買受権を行使した者に対し，その者に係る権利取得裁決によつて収用された土地の面積によつてあん分した額を払い渡さなければならない。

第21条 （土地収用法の適用除外）
① 土地収用法第11条から第15条まで及び第35条の規定は，施行者が同法第30条の2において準用する同法第30条第1項の規定による届出をした後は，適用しない。

② 土地収用法第106条及び第107条の規定は，第41条において準用する土地区画整理法第103条第4項の規定による公告の日の翌日以後前条第1項に規定する不用となつた土地については，適用しない。

第3節／土地整理

第2款／換地計画

第30条 （換地計画の決定及び認可）
① 施行者は，施行区域内の宅地について

換地処分を行うため，換地計画を定めなければならない。この場合において，施行者が市町村であるときは，国土交通省令で定めるところにより，その換地計画について都道府県知事の認可を受けなければならない。
② 土地区画整理法第86条第3項及び第4項の規定は，前項の換地計画について準用する。

第31条　（換地計画）

換地計画においては，国土交通省令で定めるところにより，次に掲げる事項を定めなければならない。
一　換地設計
二　各筆換地明細
三　各筆各権利別清算金明細
四　換地を定めない宅地その他の特別の定めをする土地の明細

第32条　（換地計画の縦覧及び換地計画についての意見書の処理）

施行者が換地計画を定めようとする場合については，土地区画整理法第88条第2項から第7項までの規定を準用する。

第33条　（換地）

① 換地計画において換地を定める場合においては，次条の規定により根幹公共施設の用に供すべき土地及び開発誘導地区に充てるべき土地に換地すべき土地として指定されるものを除き，換地及び従前の宅地の地積が照応するように定め，かつ，換地及び従前の宅地の位置，土質，水利，利用状況，環境等を総合的に勘案して施行区域内において換地が定められる者の衡平が図られるように定めなければならない。
② 土地区画整理法第89条第2項の規定は，前項の規定により換地を定める場合について準用する。

第34条　（根幹公共施設の用に供すべき土地及び開発誘導地区に充てるべき土地に換地すべき土地の指定）

換地計画においては，新都市基盤整備事業の用に供するため収用により取得した土地及び施行者が所有するその他の土地（第2条第7項各号に掲げる土地を除く。）の全部又は一部を根幹公共施設の用に供すべき土地及び開発誘導地区に充てるべき土地に換地すべき土地として指定しなければならない。

第37条　（清算金）

第34条の規定により根幹公共施設の用に供すべき土地及び開発誘導地区に充てるべき土地に換地すべき土地として指定された土地以外の宅地の換地に伴う清算については，土地区画整理法第94条前段の規定を準用する。

第3款／仮換地の指定，換地処分，清算及び権利関係の調整

第39条　（仮換地の指定）

土地整理における仮換地の指定については，土地区画整理法第3章第3節の規定を準用する。

第40条　（根幹公共施設の用に供すべき土地及び開発誘導地区に充てるべき土地に換地すべき土地として指定された土地の一括換地）

第34条の規定により根幹公共施設の用に供すべき土地及び開発誘導地区に充てるべき土地に換地すべき土地として指定された土地は，一括してこれらの土地に換地され，次条において準用する土地区画整理法第103条第4項の規定による公告があつた日の翌日において施行者に帰属するものとする。

第41条　（換地処分等）

土地整理における換地処分については，

前条に定めるもののほか，土地区画整理法第103条，第104条第1項から第5項まで，第8項及び第9項，第105条，第106条並びに第107条第1項から第3項までの規定を準用する。

第42条　（清算）
土地整理における清算については，土地区画整理法第110条第1項から第6項まで及び第8項，第101条第1項並びに第102条の規定を準用する。

第5節／施設用地の処分等

第50条　（建築物の建築義務）
施行者から第47条の政令において特別の定めをするものを，又は実施計画に基づき敷地を造成した者から教育施設，医療施設，購買施設その他の施設で，施行区域内の居住者の共同の福祉又は利便のため必要なものを建築すべき土地を譲り受けた者（その承継人を含むものとし，国，地方公共団体及び地方住宅供給公社を除く。）は，その譲受けの日から2年以内に，処分計画又は実施計画で定める建築物を建築しなければならない。

第51条　（開発誘導地区内の土地等に関する権利の処分の制限）
① 第41条において準用する土地区画整理法第103条第4項の規定による公告の日の翌日から10年間は，開発誘導地区内の土地（工業団地造成事業を施行すべき土地を除く。以下この項において同じ。）又は当該土地の上に建築された建築物に関する所有権，地上権，質権，使用貸借による権利又は賃借権その他の使用及び収益を目的とする権利の設定又は移転については，国土交通省令で定めるところにより，当事者が都道府県知事の承認を受けなければならない。ただし，次の各号のいずれかに掲げる場合は，この限りでない。

一　当事者の一方又は双方が国，地方公共団体，地方住宅供給公社その他政令で定める者である場合
二　相続その他の一般承継により当該権利が移転する場合
三　滞納処分，強制執行，担保権の実行としての競売（その例による競売を含む。）又は企業担保権の実行により当該権利が移転する場合
四　土地収用法その他の法律により収用され，又は使用される場合
② 前項に規定する承認に関する処分は，当該権利を設定し，又は移転しようとする者がその設定又は移転により不当に利益を受けるものであるかどうか，及びその設定又は移転の相手方が処分計画に定められた処分後の土地の利用の規制の趣旨に従つて当該土地を利用すると認められるものであるかどうかを考慮してしなければならない。
③ 第1項に規定する承認には，処分計画に定められた処分後の土地の利用の規制の趣旨を達成するため必要な条件を附することができる。この場合において，その条件は，当該承認を受けた者に不当な義務を課するものであつてはならない。

第52条　（買戻権）
① 施行者が処分計画に従つて開発誘導地区内の土地を譲り渡す場合又は実施計画に基づき敷地を造成した者がその敷地を譲り渡す場合においては，これらの者は，民法（明治29年法律第89号）第579条の定めるところに従い，当該譲渡の日から第41条において準用する土地区画整理法第103条第4項の規定による公告の日の翌日から10年を経過する日までの期間を買戻しの期間とする買戻しの特約をつけなければならない。
② 前項の特約に基づく買戻権は，開発誘導地区内の土地若しくは敷地を譲り受けた者又はその承継人が第50条若しくは前

条第1項の規定に違反した場合又は同条第3項の規定により附された条件に違反した場合に限り，行使することができる。
③　前項の規定にかかわらず，同項の土地若しくは敷地又はその上に建築された建築物に関し前条第1項の承認を受けて権利を有する者があるとき，又は前項の違反事実があつた日から起算して3年を経過したときは，第1項の特約に基づく買戻権は，行使することができない。
④　第1項の規定により買い戻した土地又は敷地は，処分計画の趣旨に従つて処分しなければならない。

【―――― 第3章　雑則 ――――】

第53条　（標識の設置）
①　新都市基盤整備事業を施行しようとする者又は施行者は，新都市基盤整備事業の施行の準備若しくは施行に必要な測量を行なうため，又は仮換地若しくは換地の位置を表示するため必要がある場合においては，国土交通省令で定める標識を設けることができる。
②　何人も，前項の規定により設けられた標識を設置者の承諾を得ないで移転し，若しくは除却し，又は汚損し，若しくは損壊してはならない。

第54条　（関係簿書の閲覧等）
　新都市基盤整備事業を施行しようとする者又は施行者は，新都市基盤整備事業の施行の準備又は施行のため必要がある場合においては，新都市基盤整備事業を施行しようとする，若しくは施行する土地を管轄する登記所に対し，又はその他の官公署の長に対し，無償で必要な簿書の閲覧若しくは謄写又はその謄本若しくは抄本若しくは登記事項証明書の交付を求めることができる。

【―――― 第4章　罰則 ――――】

第65条　（不動産登記法の特例）
　施行区域内の土地及び建物の登記については，政令で不動産登記法（平成16年法律第123号）の特例を定めることができる。

第69条
　第53条第2項の規定に違反して同条第1項の規定による標識を移転し，若しくは除却し，又は汚損し，若しくは損壊した者は，3万円以下の罰金に処する。

附　則（略）

新都市基盤整備法施行令（抄）

●昭和47年12月18日政令第431号●　最終改正　平成19年2月23日政令31号

第1条　（根幹公共施設）

新都市基盤整備法（以下「法」という。）第2条第5項の根幹的な公共の用に供する施設として政令で定めるものは，次に掲げるものとする。

一　次に掲げる道路
　イ　道路法（昭和27年法律第180号）第3条の一般国道又は都道府県道
　ロ　その他の道路で幅員16メートル以上のもの
二　都市高速鉄道
三　自動車ターミナル法（昭和34年法律第136号）第2条第6項に規定するバスターミナル
四　面積が4ヘクタール以上の公園又は緑地
五　水道法（昭和32年法律第177号）第3条第2項に規定する水道事業又は同条第4項に規定する水道用水供給事業の用に供する水道
六　下水道法（昭和33年法律第79号）第2条第3号に規定する公共下水道又は同条第4号に規定する流域下水道
七　廃棄物の処理及び清掃に関する法律（昭和45年法律第137号）第8条第1項に規定するごみ処理施設及びし尿処理施設
八　河川法（昭和39年法律第167号）第4条第1項に規定する1級河川又は同法第5条第1項に規定する2級河川

第2条　（公共施設）

法第2条第7項第1号の政令で定める公共の用に供する施設は，道路，公園，緑地，広場，河川及び水路とする。

附　則　（略）

新都市基盤整備法施行規則（抄）

●昭和50年3月24日建設省令第4号●　最終改正　令和4年3月1日国土交通省令10号

【― 第1章　新都市基盤整備事業 ―】

第3節／土地整理

第1款／通則

第28条　（登記所への届出事項）
　施行者が法第29条において準用する土地区画整理法第83条の規定により登記所に届け出なければならない事項は，次に掲げるものとする。
　一　施行区域（施行区域を工区に分ける場合においては，施行区域及び工区）に含まれる土地の名称（町名若しくは字名及び地番）又は公有水面埋立法（大正10年法律第57号）第2条第1項に規定する免許を受けた水面の位置及び範囲
　二　法第25条第1項において準用する土地区画整理法第55条第9項の規定による公告のあつた年月日
　三　第18条第1項に規定する施行区域区域図
　四　換地処分の予定時期

第29条　（権利の申告の手続）
① 法第29条において準用する土地区画整理法第85条第1項の規定による申告は，別記様式第8による権利申告書を提出して行うものとする。
② 前項の権利申告書には，次に掲げる図書を添付しなければならない。
　一　権利申告書に署名した者の運転免許証（道路交通法（昭和35年法律第105号）第92条第1項に規定する運転免許証をいう。），個人番号カード（行政手続における特定の個人を識別するための番号の利用等に関する法律（平成25年法律第27号）第2条第7項に規定する個人番号カードをいう。），旅券（出入国管理及び難民認定法（昭和26年政令第319号）第2条第5号に規定する旅券をいう。）の写しその他その者が本人であることを確認するに足りる書類（法人にあつては，印鑑登録証明書その他その者が本人であることを確認するに足りる書類）
　二　所有権以外の権利が宅地の一部を目的としている場合においては，その部分の位置を明らかにする見取図（方位を記載すること。）
③ 施行者は，第1項の権利申告書が所有権以外の権利を証する書面を添えて提出された場合においてその書面が所有権以外の権利を証するに足りないと認めるときは，更に必要な書類の提出を求めることができる。
④ 法第29条において準用する土地区画整理法第85条第3項の規定による届出は，別記様式第9による権利変動届出書を提出して行うものとする。
⑤ 第3項の規定は，前項の権利変動届出書が提出された場合について準用する。

第2款／換地計画等

第30条　（換地計画の認可申請の手続）

法第30条第1項又は法第38条第1項の規定による認可の申請は，次に掲げる書類を添付した認可申請書を提出して行うものとする。

一　法第32条又は法第38条第2項において準用する土地区画整理法第88条第6項の規定による換地計画の作成又は変更に関する土地整理審議会の意見書

二　法第32条又は法第38条第2項において準用する土地区画整理法第88条第3項の規定により提出された意見書があつたときは，その意見書の処理の経緯を説明する書類（法第32条若しくは法第38条第2項において準用する土地区画整理法第88条第6項又は第7項の規定による土地整理審議会又は農業委員会の意見書を含む。）

第31条　（換地設計）

① 法第31条第1号に掲げる換地設計は，換地図を作成して定めるものとする。

② 前項の換地図は，縮尺千分の1以上とし，従前の宅地及び換地（従前の宅地について所有権及び地役権以外の権利又は処分の制限がある場合においては，これらの権利又は処分の制限の目的となつている宅地又はその部分及び換地について定めたこれらの権利又は処分の制限の目的となるべき宅地又はその部分を含む。）の位置及び形状を表示し，土地整理の施行後における町又は字の区域及び各筆の土地ごとの予定地番を記入したものでなければならない。

第35条　（登記所への通知）

① 法第41条において準用する土地区画整理法第107条第1項の規定による通知は，その通知書に次に掲げる書類を添付してしなければならない。

一　法第30条第1項の規定による認可書の謄本

二　第31条第1項に規定する換地図

三　第32条に規定する換地明細書

② 前項第2号及び第3号の書類は，当該土地整理の施行区域（法第30条第2項において準用する土地区画整理法第86条第3項の規定により工区ごとに換地計画を定めたときは，工区）が二以上の登記所の管轄にわたる場合には，それぞれの登記所の管轄に属する地域ごとに分割したものをもつてこれに代えることができる。ただし，一登記所の管轄に属する従前の土地に対する換地が他の登記所の管轄に属する土地であるときは，それぞれこれらの土地に照応する換地又は従前の土地を当該書類に表示しなければならない。

第2章　雑則

第42条　（標識の設置）

法第53条第1項に規定する国土交通省令で定める標識は，標示杭に新都市基盤整備事業の名称及び新都市基盤整備事業を施行しようとする者又は施行者の名称を表示したものとする。

附　則（略）

流通業務市街地の整備に関する法律（抄）

●昭和41年7月1日法律第110号●　　最終改正　平成23年12月14日法122号

第1章　総則

第1条（目的）
　この法律は，都市における流通業務市街地の整備に関し必要な事項を定めることにより，流通機能の向上及び道路交通の円滑化を図り，もつて都市の機能の維持及び増進に寄与することを目的とする。

第2条（定義）
① この法律において「流通業務施設」とは，第5条第1項第1号から第6号までに掲げる施設をいう。
② この法律において「流通業務団地造成事業」とは，第7条第1項の流通業務団地について，都市計画法（昭和43年法律第100号）及びこの法律で定めるところに従つて行なわれる同項第2号に規定する流通業務施設の全部又は一部の敷地の造成，造成された敷地の処分並びにそれらの敷地とあわせて整備されるべき公共施設及び公益的施設の敷地の造成又はそれらの施設の整備に関する事業並びにこれに附帯する事業をいう。
③ この法律において「施行者」とは，流通業務団地造成事業を施行する者をいう。
④ この法律において「事業地」とは，流通業務団地造成事業を施行する土地の区域をいう。
⑤ この法律において「公共施設」とは，道路，自動車駐車場その他政令で定める公共の用に供する施設をいう。
⑥ この法律において「公益的施設」とは，官公庁施設，医療施設その他の施設で，流通業務地区の利便のために必要なものをいう。
⑦ この法律において「造成施設等」とは，流通業務団地造成事業により造成された敷地及び整備された施設をいう。
⑧ この法律において「造成敷地等」とは，造成施設等のうち，公共施設及びその敷地以外のものをいう。
⑨ この法律において「処分計画」とは，施行者が行なう造成施設等の処分に関する計画をいう。

第3章　流通業務地区及び流通業務団地

第4条（流通業務地区）
① 前条の規定により定められた基本方針に係る都市の区域のうち，幹線道路，鉄道等の交通施設の整備の状況に照らして，流通業務市街地として整備することが適当であると認められる区域については，当該都市における流通機能の向上及び道路交通の円滑化を図るため，都市計画に流通業務地区を定めることができる。
② 流通業務地区に関する都市計画は，前条の規定により定められた基本方針に基づいて定めなければならない。
③ 国土交通大臣，都道府県又は地方自治法（昭和22年法律第67号）第252条の19第1項の指定都市は，流通業務地区に関する都市計画を定めようとするときは，

あわせて当該地区が流通業務市街地として整備されるために必要な公共施設に関する都市計画を定めなければならない。

第5条　(流通業務地区内の規制)

① 何人も，流通業務地区においては，次の各号のいずれかに該当する施設以外の施設を建設してはならず，また，施設を改築し，又はその用途を変更して次の各号のいずれかに該当する施設以外の施設としてはならない。ただし，都道府県知事（市の区域内にあつては，当該市の長。次条第1項及び第2項において「都道府県知事等」という。）が流通業務地区の機能を害するおそれがないと認め，又は公益上やむを得ないと認めて許可した場合においては，この限りでない。

一　トラックターミナル，鉄道の貨物駅その他貨物の積卸しのための施設

二　卸売市場

三　倉庫，野積場若しくは貯蔵槽（政令で定める危険物の保管の用に供するもので，政令で定めるものを除く。）又は貯木場

四　上屋又は荷さばき場

五　道路貨物運送業，貨物運送取扱業，信書送達業，倉庫業又は卸売業の用に供する事務所又は店舗

六　前号に掲げる事業以外の事業を営む者が流通業務の用に供する事務所

七　金属板，金属線又は紙の切断，木材の引割りその他物資の流通の過程における簡易な加工の事業で政令で定めるものの用に供する工場

八　製氷又は冷凍の事業の用に供する工場

九　前各号に掲げる施設に附帯する自動車駐車場又は自動車車庫

十　自動車に直接燃料を供給するための施設，自動車修理工場又は自動車整備工場

十一　前各号に掲げるもののほか，流通業務地区の機能を害するおそれがない施設で政令で定めるもの

② 公共施設又は国土交通省令で定める公益的施設の建設及び改築並びに流通業務地区に関する都市計画が定められた際すでに着手していた建設及び改築については，前項の規定は，適用しない。

③ 流通業務地区については，建築基準法（昭和25年法律第201号）第48条及び第49条の規定は，適用しない。

第4章　流通業務団地造成事業

第1節／流通業務団地造成事業の施行

第9条　(流通業務団地造成事業の施行)

流通業務団地造成事業は，都市計画事業として施行する。

第10条　(施行者)

流通業務団地造成事業は，地方公共団体又は独立行政法人都市再生機構（以下「機構」という。）が施行する。

第4節／造成施設等の処分等

第30条　(工事完了の公告)

① 施行者は，事業地（事業地を工区に分けたときは，工区。以下この条において同じ。）の全部について工事（施行計画で特に定める工事を除く。）を完了したときは，遅滞なく，その旨を都道府県知事（施行者が機構であるときは，国土交通大臣。以下この条において同じ。）に届け出なければならない。

② 都道府県知事は，前項の届出があつた場合において，その届出に係る工事が施行計画に適合していると認めたときは，遅滞なく，当該事業地について工事が完了した旨を公告しなければならない。

第31条　(流通業務団地造成事業の施行により設置された公共施設の管理)

① 流通業務団地造成事業の施行により公

共施設が設置された場合においては，その公共施設は，前条第2項の公告の日の翌日において，その公共施設の存する市町村の管理に属するものとする。ただし，他の法律に基づき管理すべき者が別にあるとき，又は処分計画に特に管理すべき者の定めがあるときは，それらの者の管理に属するものとする。
② 施行者は，前条第2項の公告の日以前においても，公共施設に関する工事が完了した場合においては，前項の規定にかかわらず，その公共施設を管理すべき者にその管理を引き継ぐことができる。
③ 施行者は，前条第2項の公告の日の翌日において，公共施設に関する工事を完了していない場合においては，第1項の規定にかかわらず，その工事が完了したときにおいて，その公共施設を管理すべき者にその管理を引き継ぐことができる。
④ 公共施設を管理すべき者は，前2項の規定により施行者からその公共施設について管理の引継ぎの申出があつた場合においては，その公共施設に関する工事が施行計画において定められた設計に適合しない場合のほか，その引継ぎを拒むことができない。

第32条　（公共施設の用に供する土地の帰属）

① 流通業務団地造成事業の施行により，従前の公共施設に代えて新たな公共施設が設置されることとなる場合においては，従前の公共施設の用に供していた土地で国又は地方公共団体が所有するものは，第30条第2項の公告の日の翌日において施行者に帰属するものとし，これに代わるものとして処分計画で定める新たな公共施設の用に供する土地は，その日においてそれぞれ国又は当該地方公共団体に帰属するものとする。
② 流通業務団地造成事業の施行により設置された公共施設の用に供する土地は，前項に規定するもの及び処分計画で特別の定めをしたものを除き，第30条第2項の公告の日の翌日において，当該公共施設を管理すべき者（その者が地方自治法第2条第9項第1号に規定する第1号法定受託事務（以下単に「第1号法定受託事務」という。）として当該公共施設を管理する地方公共団体であるときは，国）に帰属するものとする。

第33条　（造成施設等の処分）

① 施行者は，造成施設等をこの法律及び処分計画に従つて処分しなければならない。
② 地方公共団体がこの法律の規定により行なう造成施設等の処分については，当該地方公共団体の財産の処分に関する法令の規定は，適用しない。

第37条　（流通業務施設の建設義務）

① 施行者から流通業務施設を建設すべき敷地を譲り受けた者（その承継人を含むものとし，国，地方公共団体その他政令で定める者を除く。）は，施行者が定めた期間内に，国土交通省令で定めるところにより流通業務施設の建設の工期，工事概要等に関する計画を定めて，施行者の承認を受け，当該計画に従つて流通業務施設を建設しなければならない。
② 施行者は，前項の規定に違反して，その定めた期間内に同項の規定による承認を受ける手続をせず，又は承認を受けた計画に従つて流通業務施設を建設しなかつた者に対して，当該敷地の譲渡契約を解除することができる。

第38条　（造成敷地等に関する権利の処分の制限）

① 第30条第2項の公告の日の翌日から起算して10年間は，造成敷地等又は造成敷地等である敷地の上に建設された流通業務施設又は公益的施設に関する所有権，地上権，質権，使用貸借による権利又は

賃借権その他の使用及び収益を目的とする権利の設定又は移転については，国土交通省令で定めるところにより，当事者が都道府県知事の承認を受けなければならない。ただし，次の各号の一に掲げる場合は，この限りではない。
一　当事者の一方又は双方が国，地方公共団体その他政令で定める者である場合
二　相続その他の一般承継により当該権利が移転する場合
三　滞納処分，強制執行，担保権の実行としての競売（その例による競売を含む。）又は企業担保権の実行により当該権利が移転する場合
四　土地収用法（昭和26年法律第219号）その他の法律により収用され，又は使用される場合
五　その他政令で定める場合
②　前項に規定する承認に関する処分は，当該権利を設定し，又は移転しようとする者がその設定又は移転により不当に利益を受けるものでないかどうか，及びその設定又は移転の相手方が処分計画に定められた処分後の造成敷地等の利用の規制の趣旨に従つて当該造成敷地等を利用すると認められるものであるかどうかを考慮してしなければならない。
③　第1項に規定する承認には，処分計画に定められた処分後の造成敷地等の利用の規制の趣旨を達成するため必要な条件を附することができる。この場合において，その条件は，当該承認を受けた者に不当な義務を課するものであつてはならない。

第39条　（図書の備置き等）
①　施行者は，第30条第2項の公告があつたときは，造成施設等の存する市町村の長に対し，国土交通省令で定めるところにより，当該造成施設等の存する区域を表示した図書を送付しなければならない。
②　前項の図書の送付を受けた市町村長は，第30条第2項の公告をした日の翌日から起算して10年間，その図書を当該市町村の役場に備え置いて，関係人の請求があつたときは，これを閲覧させなければならない。
③　都道府県知事は，国土交通省令で定めるところにより，第30条第2項の公告の日の翌日から起算して10年間，流通業務団地造成事業が施行された土地の区域内の見やすい場所に，流通業務団地造成事業が施行された土地である旨を表示した標識を設置しなければならない。
④　何人も，前項の規定により設けられた標識を都道府県知事の承諾を得ないで移転し，若しくは除却し，又は汚損し，若しくは損壊してはならない。

第5節／補則

第39条の2　（測量のための標識の設置）
①　流通業務団地造成事業を施行しようとする者又は施行者は，流通業務団地造成事業の施行の準備又は施行に必要な測量を行なうため必要がある場合においては，国土交通省令で定める標識を設けることができる。
②　何人も，前項の規定により設けられた標識を設置者の承諾を得ないで移転し，若しくは除却し，又は汚損し，若しくは損壊してはならない。

第39条の3　（関係簿書の閲覧等）
　流通業務団地造成事業を施行しようとする者又は施行者は，流通業務団地造成事業の施行の準備又は施行のため必要がある場合においては，流通業務団地造成事業を施行しようとする，又は施行する土地を管轄する登記所に対し，又はその他の官公署の長に対し，無償で必要な簿書の閲覧若しくは謄写又はその謄本若しくは抄本若しくは登記事項証明書の交付を求めることができる。

第39条の4　（建築物等の収用の請求）

① 流通業務団地造成事業につき都市計画法第69条の規定により適用される土地収用法の規定により土地又は権利が収用される場合において，権原により当該土地又は当該権利の目的である土地に建築物その他の土地に定着する工作物を所有する者は，その工作物の収用を請求することができる。

② 土地収用法第87条の規定は，前項の規定による収用の請求について準用する。

第47条　（不動産登記法の特例）

事業地内の土地及び建物の登記については，政令で不動産登記法（平成16年法律第123号）の特例を定めることができる。

第5章　雑則

第47条の2　（主務大臣）

第2章における主務大臣は，農林水産大臣，経済産業大臣及び国土交通大臣とする。

附　則（略）

◆ 規 制 法 関 係 ◆

- ○国有財産法（抄）
- ○国有財産法施行令（抄）
- ○地方自治法（抄）
- ○地方自治法施行令（抄）
- ○住居表示に関する法律（抄）
- ○公有水面埋立法（抄）
- ○海岸法（抄）
- ○砂防法（抄）
- ○砂防法施行規程（抄）
- ○運河法（抄）
- ○河川法（抄）
- ○河川法施行法（抄）
- ○河川法施行令（抄）
- ○港湾法（抄）
- ○自然公園法（抄）
- ○都市公園法（抄）
- ○森林法（抄）
- ○自然環境保全法（抄）
- ○宗教法人法（抄）
- ○土地収用法（抄）
- ○都市計画法（抄）
- ○建築基準法（抄）
- ○建築基準法施行令（抄）
- ○宅地造成等規制法（抄）
- ○宅地造成等規制法施行令（抄）
- ○道路法（抄）

国有財産法（抄）

●昭和23年6月30日法律第73号●　　最終改正　令和3年5月19日法37号

第1章　総則

第3条（国有財産の分類及び種類）
① 国有財産は，行政財産と普通財産とに分類する。
② 行政財産とは，次に掲げる種類の財産をいう。
一　公用財産　国において国の事務，事業又はその職員（国家公務員宿舎法（昭和24年法律第117号）第2条第2号の職員をいう。）の住居の用に供し，又は供するものと決定したもの
二　公共用財産　国において直接公共の用に供し，又は供するものと決定したもの
三　皇室用財産　国において皇室の用に供し，又は供するものと決定したもの
四　森林経営用財産　国において森林経営の用に供し，又は供するものと決定したもの
③ 普通財産とは，行政財産以外の一切の国有財産をいう。

第4条（総括，所管換及び所属替の意義）
① （略）
② この法律において「国有財産の所管換」とは，衆議院議長，参議院議長，内閣総理大臣，各省大臣，最高裁判所長官及び会計検査院長（以下「各省各庁の長」という。）の間において，国有財産の所管を移すことをいう。
③ この法律において「国有財産の所属替」とは，同一所管内に2以上の部局等がある場合に，一の部局等の所属に属する国有財産を他の部局等の所属に移すことを

いう。

第2章　管理及び処分の機関

第5条（行政財産の管理の機関）
各省各庁の長は，その所管に属する行政財産を管理しなければならない。

第5条の2
二以上の各省各庁の長において使用する行政財産のうち統一的に管理する必要があるもので財務大臣が指定する財産は，これを使用する各省各庁の長のうち財務大臣が指定する者の所管に属するものとする。

第6条（普通財産の管理及び処分の機関）
普通財産は，財務大臣が管理し，又は処分しなければならない。

第8条（国有財産の引継ぎ）
① 行政財産の用途を廃止した場合又は普通財産を取得した場合においては，各省各庁の長は，財務大臣に引き継がなければならない。ただし，政令で定める特別会計に属するもの及び引き継ぐことを適当としないものとして政令で定めるものについては，この限りでない。
② 前項ただし書の普通財産については，第6条の規定にかかわらず，当該財産を所管する各省各庁の長が管理し，又は処分するものとする。

第9条（事務の分掌及び地方公共団体の行う事務）
① 各省各庁の長は，その所管に属する国

有財産に関する事務の一部を，部局等の長に分掌させることができる。
② 財務大臣は，国有財産の総括に関する事務の一部を部局等の長に分掌させることができる。
③ 国有財産に関する事務の一部は，政令で定めるところにより，都道府県又は市町村が行うこととすることができる。
④ 前項の規定により都道府県又は市町村が行うこととされる事務は，地方自治法（昭和22年法律第67号）第2条第9項第1号に規定する第1号法定受託事務とする。

第9条の2 （国有財産地方審議会）
財務局ごとに，国有財産地方審議会（以下「地方審議会」という。）を置く。

第3章 管理及び処分

第1節／通則

第9条の5 （管理及び処分の原則）
各省各庁の長は，その所管に属する国有財産について，良好な状態での維持及び保存，用途又は目的に応じた効率的な運用その他の適正な方法による管理及び処分を行わなければならない。

第11条
財務大臣は，各省各庁の長の所管に属する国有財産につき，その現況に関する記録を備え，常時その状況を明らかにしておかなければならない。

第2節／行政財産

第18条 （処分等の制限）
① 行政財産は，貸し付け，交換し，売り払い，譲与し，信託し，若しくは出資の目的とし，又は私権を設定することができない。
② 前項の規定にかかわらず，行政財産は，次に掲げる場合には，その用途又は目的を妨げない限度において，貸し付け，又は私権を設定することができる。
一 国以外の者が行政財産である土地の上に政令で定める堅固な建物その他の土地に定着する工作物であつて当該行政財産である土地の供用の目的を効果的に達成することに資すると認められるものを所有し，又は所有しようとする場合（国と1棟の建物を区分して所有する場合を除く。）において，その者（当該行政財産を所管する各省各庁の長が当該行政財産の適正な方法による管理を行う上で適当と認める者に限る。）に当該土地を貸し付けるとき。
二 国が地方公共団体又は政令で定める法人と行政財産である土地の上に1棟の建物を区分して所有するためその者に当該土地を貸し付ける場合
三 国が行政財産である土地及びその隣接地の上に国以外の者と1棟の建物を区分して所有するためその者（当該建物のうち行政財産である部分を所管することとなる各省各庁の長が当該行政財産の適正な方法による管理を行う上で適当と認める者に限る。）に当該土地を貸し付ける場合
四 国の庁舎等の使用調整等に関する特別措置法（昭和32年法律第115号）第2条第2項に規定する庁舎等についてその床面積又は敷地に余裕がある場合として政令で定める場合において，国以外の者（当該庁舎等を所管する各省各庁の長が当該庁舎等の適正な方法による管理を行う上で適当と認める者に限る。）に当該余裕がある部分を貸し付けるとき（前三号に掲げる場合に該当する場合を除く。）。
五 行政財産である土地を地方公共団体又は政令で定める法人の経営する鉄道，道路その他政令で定める施設の用に供する場合において，その者のために当該土地に地上権を設定するとき。

六　行政財産である土地を地方公共団体又は政令で定める法人の使用する電線路その他政令で定める施設の用に供する場合において，その者のために当該土地に地役権を設定するとき。

③　前項第2号に掲げる場合において，当該行政財産である土地の貸付けを受けた者が当該土地の上に所有する1棟の建物の一部（以下この条において「特定施設」という。）を国以外の者に譲渡しようとするときは，当該特定施設を譲り受けようとする者（当該行政財産を所管する各省各庁の長が当該行政財産の適正な方法による管理を行う上で適当と認める者に限る。）に当該土地を貸し付けることができる。

④　前項の規定は，同項（この項において準用する場合を含む。）の規定により行政財産である土地の貸付けを受けた者が当該特定施設を譲渡しようとする場合について準用する。

⑤　前各項の規定に違反する行為は，無効とする。

⑥　行政財産は，その用途又は目的を妨げない限度において，その使用又は収益を許可することができる。

⑦　地方公共団体，特別の法律により設立された法人のうち政令で定めるもの又は地方道路公社が行政財産を道路，水道又は下水道の用に供する必要がある場合において，第2項第1号の貸付け，同項第5号の地上権若しくは同項第6号の地役権の設定又は前項の許可をするときは，これらの者に当該行政財産を無償で使用させ，又は収益させることができる。

⑧　第6項の規定による許可を受けてする行政財産の使用又は収益については，借地借家法（平成3年法律第90号）の規定は，適用しない。

第3節／普通財産

第20条　（処分等）

①　普通財産は，第21条から第31条までの規定により貸し付け，管理を委託し，交換し，売り払い，譲与し，信託し，又は私権を設定することができる。

②　普通財産は，法律で特別の定めをした場合に限り，出資の目的とすることができる。

第27条　（交換）

①　普通財産は，土地又は土地の定着物若しくは堅固な建物に限り，国又は公共団体において公共用，公用又は公益事業の用に供するため必要があるときは，それぞれ土地又は土地の定着物若しくは堅固な建物と交換することができる。ただし，価額の差額が，その高価なものの価額の4分の1を超えるときは，この限りでない。

②　前項の交換をする場合において，その価額が等しくないときは，その差額を金銭で補足しなければならない。

③　第1項の規定により堅固な建物を交換しようとするときは，各省各庁の長は，事前に，会計検査院に通知しなければならない。

第29条　（用途指定の売払い等）

普通財産の売払い又は譲与をする場合は，当該財産を所管する各省各庁の長は，その買受人又は譲与を受けた者に対して用途並びにその用途に供しなければならない期日及び期間を指定しなければならない。ただし，政令で定める場合に該当するときは，この限りでない。

第3章の2　立入り及び境界確定

第31条の2　（他人の土地への立入り）

①　各省各庁の長は，その所管に属する国有財産の調査又は測量を行うためやむを得ない必要があるときは，その所属の職員を他人の占有する土地に立ち入らせることができる。

② 各省各庁の長は，前項の規定によりその職員を他人の占有する土地に立ち入らせようとするときは，あらかじめその占有者にその旨を通知しなければならない。この場合において，通知を受けるべき者の所在が知れないときは，当該通知は，公告をもつてこれに代えることができる。
③ 第1項の規定により宅地又は垣，さく等で囲まれた土地に立ち入ろうとする者は，立入りの際あらかじめその旨を当該土地の占有者に告げなければならない。
④ 第1項の規定により他人の占有する土地に立ち入ろうとする者は，その身分を示す証明書を携帯し，関係人の請求があつたときは，提示しなければならない。
⑤ 各省各庁の長は，第1項の規定による立入りにより損失を受けた者に対し，通常生ずべき損失を補償しなければならない。

第31条の3　（境界確定の協議）
① 各省各庁の長は，その所管に属する国有財産の境界が明らかでないためその管理に支障がある場合には，隣接地の所有者に対し，立会場所，期日その他必要な事項を通知して，境界を確定するための協議を求めることができる。
② 前項の規定により協議を求められた隣接地の所有者は，やむを得ない場合を除き，同項の通知に従い，その場所に立ち会つて境界の確定につき協議しなければならない。
③ 第1項の協議が調つた場合には，各省各庁の長及び隣接地の所有者は，書面により，確定された境界を明らかにしなければならない。
④ 第1項の協議が調わない場合には，境界を確定するためにいかなる行政上の処分も行われてはならない。

第31条の4　（境界の決定）
① 各省各庁の長は，前条第1項の規定により協議を求めた隣接地の所有者が立ち会わないため協議することができないときは，当該隣接地の所在する市町村の職員の立会いを求めて，境界を定めるための調査を行うものとする。ただし，当該隣接地の所有者が正当な理由により立ち会うことができない場合において，その旨をあらかじめ当該各省各庁の長に通知したときは，この限りでない。
② 各省各庁の長は，前項の調査に基づいてその調査に係る境界を定めることができる。
③ 各省各庁の長は，前項の規定により境界を定めようとするときは，当該境界の存する地域を管轄する財務局に置かれた地方審議会に諮問し，その意見に基づいて，定めなければならない。
④ 地方審議会は，前項の諮問に係る事案を調査審議する際，当該事案に係る隣接地の所有者及び当該隣接地の知れたその他の権利者に対して意見を述べる機会を与えなければならない。
⑤ 各省各庁の長は，第2項の規定により境界を定めた場合には，当該境界及び当該境界を定めた経過を当該隣接地の所有者及び当該隣接地の知れたその他の権利者に通知するとともに公告しなければならない。この場合において，当該通知及び公告には，次条第1項の期間内に同項の規定による通告がないときは，境界の確定に関し，当該隣接地の所有者の同意があつたものとみなされる旨を付記しなければならない。

第31条の5
① 隣接地の所有者その他の権利者は，前条の規定により各省各庁の長が定めた境界に異議がある場合には，同条第5項の公告のあつた日から起算して60日以内に，理由を付して，当該各省各庁の長に対し，その定めた境界に同意しない旨を通告することができる。
② 前項の期間内に前条第5項の通知を受

けた隣接地の所有者から前項の規定による通告がなかつた場合には，当該期間満了の時に，境界の確定に関し，その者の同意があつたものとみなす。ただし，同項の期間内に当該隣接地のその他の権利者から同項の規定による通告があつたときは，この限りでない。
③　前項の規定により同意があつたものとみなされる場合には，各省各庁の長は，速やかに，境界が確定した旨を当該隣接地の所有者及び当該隣接地の知れたその他の権利者に通知するとともに公告しなければならない。
④　第31条の3第4項の規定は，第1項の期間内に同項の通告があつた場合について準用する。

【── 第4章　台帳，報告書及び計算書 ──】

第32条　（台帳）
①　衆議院，参議院，内閣（内閣府及びデジタル庁を除く。），内閣府，デジタル庁，各省，最高裁判所及び会計検査院（以下「各省各庁」という。）は，第3条の規定による国有財産の分類及び種類に従い，その台帳を備えなければならない。ただし，部局等の長において，国有財産に関する事務の一部を分掌するときは，その部局等ごとに備え，各省各庁には，その総括簿を備えるものとする。
②　各省各庁の長又は部局等の長は，その所管に属し，又は所属に属する国有財産につき，取得，所管換，処分その他の理由に基づく変動があつた場合においては，直ちに台帳に記載し，又は記録しなければならない。

第38条　（適用除外）
本章の規定は，公共の用に供する財産で政令で定めるものについては，適用しない。

附　則　（略）

国有財産法施行令（抄）

●昭和23年8月20日政令246号●　　最終改正　平成29年3月23日政令40号

第2章　管理及び処分

第12条の5　（行政財産に地上権を設定することができる法人）

法第18条第2項第5号に規定する政令で定める法人は、次に掲げる法人とする。

一　独立行政法人鉄道建設・運輸施設整備支援機構、鉄道事業法（昭和61年法律第92号）第3条第1項の許可を受けた鉄道事業者及び軌道法（大正10年法律第76号）第3条の特許を受けた軌道経営者

二　独立行政法人日本高速道路保有・債務返済機構、高速道路株式会社法（平成16年法律第99号）第1条に規定する会社及び地方道路公社

三　電気事業法（昭和39年法律第170号）第2条第1項第17号に規定する電気事業者

四　ガス事業法（昭和29年法律第51号）第2条第12項に規定するガス事業者

五　水道法（昭和32年法律第177号）第3条第5項に規定する水道事業者

六　電気通信事業法（昭和59年法律第86号）第120条第1項に規定する認定電気通信事業者

第12条の6　（行政財産に地上権を設定することができる場合の施設）

法第18条第2項第5号に規定する政令で定める施設は、次に掲げる施設とする。

一　軌道
二　電線路
三　ガスの導管
四　水道（工業用水道を含む。）の導管
五　下水道の排水管及び排水渠
六　電気通信線路
七　鉄道、道路及び前各号に掲げる施設の附属設備

第12条の8　（行政財産の無償使用等の相手方）

法第18条第7項に規定する政令で定める法人は、次に掲げるものとする。

一　独立行政法人日本高速道路保有・債務返済機構
二　高速道路株式会社法第1条に規定する会社

第16条　（堅固な建物）

法第27条に規定する堅固な建物は、鉄骨造、コンクリート造、石造若しくはれんが造又はこれらに準ずる建物をいう。

附　則　（略）

地方自治法（抄）

●昭和22年4月17日法律第67号●　　最終改正　令和6年6月26日法65号

【　第2編　普通地方公共団体　】

第1章／通則

第5条　（普通地方公共団体の区域）
① 普通地方公共団体の区域は，従来の区域による。
② 都道府県は，市町村を包括する。

第6条　（都道府県の廃置分合及び境界変更）
① 都道府県の廃置分合又は境界変更をしようとするときは，法律でこれを定める。
② 都道府県の境界にわたつて市町村の設置又は境界の変更があつたときは，都道府県の境界も，また，自ら変更する。従来地方公共団体の区域に属しなかつた地域を市町村の区域に編入したときも，また，同様とする。
③ 前二項の場合において財産処分を必要とするときは，関係地方公共団体が協議してこれを定める。但し，法律に特別の定があるときは，この限りでない。
④ 前項の協議については，関係地方公共団体の議会の議決を経なければならない。

第7条　（市町村の廃置分合及び境界変更）
① 市町村の廃置分合又は市町村の境界変更は，関係市町村の申請に基き，都道府県知事が当該都道府県の議会の議決を経てこれを定め，直ちにその旨を総務大臣に届け出なければならない。
② 前項の規定により市の廃置分合をしようとするときは，都道府県知事は，あらかじめ総務大臣に協議し，その同意を得なければならない。
③ 都道府県の境界にわたる市町村の設置を伴う市町村の廃置分合又は市町村の境界の変更は，関係のある普通地方公共団体の申請に基づき，総務大臣がこれを定める。
④ 前項の規定により都道府県の境界にわたる市町村の設置の処分を行う場合においては，当該市町村の属すべき都道府県について，関係のある普通地方公共団体の申請に基づき，総務大臣が当該処分と併せてこれを定める。
⑤ 第1項及び第3項の場合において財産処分を必要とするときは，関係市町村が協議してこれを定める。
⑥ 第1項及び前三項の申請又は協議については，関係のある普通地方公共団体の議会の議決を経なければならない。
⑦ 第1項の規定による届出を受理したとき，又は第3項若しくは第4項の規定による処分をしたときは，総務大臣は，直ちにその旨を告示するとともに，これを国の関係行政機関の長に通知しなければならない。
⑧ 第1項，第3項又は第4項の規定による処分は，前項の規定による告示によりその効力を生ずる。

第7条の2　（未所属地域の編入）
① 法律で別に定めるものを除く外，従来地方公共団体の区域に属しなかつた地域を都道府県又は市町村の区域に編入する必要があると認めるときは，内閣がこれを定める。この場合において，利害関係があると認められる都道府県又は市町村

があるときは，予めその意見を聴かなければならない。
② 前項の意見については，関係のある普通地方公共団体の議会の議決を経なければならない。
③ 第1項の規定による処分があつたときは，総務大臣は，直ちにその旨を告示しなければならない。前条第8項の規定は，この場合にこれを準用する。

第8条 （市及び町となる要件，市町村相互間の変更）
① 市となるべき普通地方公共団体は，左に掲げる要件を具えていなければならない。
一 人口5万以上を有すること。
二 当該普通地方公共団体の中心の市街地を形成している区域内に在る戸数が，全戸数の6割以上であること。
三 商工業その他の都市的業態に従事する者及びその者と同一世帯に属する者の数が，全人口の6割以上であること。
四 前各号に定めるものの外，当該都道府県の条例で定める都市的施設その他の都市としての要件を具えていること。
② 町となるべき普通地方公共団体は，当該都道府県の条例で定める町としての要件を具えていなければならない。
③ 町村を市とし又は市を町村とする処分は第7条第1項，第2項及び第6項から第8項までの例により，村を町とし又は町を村とする処分は同条第1項及び第6項から第8項までの例により，これを行うものとする。

第9条の4 （埋立地の所属市町村の決定）
総務大臣又は都道府県知事は，公有水面の埋立てが行なわれる場合において，当該埋立てにより造成されるべき土地の所属すべき市町村を定めるため必要があると認めるときは，できる限りすみやかに，前二条に規定する措置を講じなければならない。

第9条の5 （市町村区域内の新造成地の届出・告知）
① 市町村の区域内にあらたに土地を生じたときは，市町村長は，当該市町村の議会の議決を経てその旨を確認し，都道府県知事に届け出なければならない。
② 前項の規定による届出を受理したときは，都道府県知事は，直ちにこれを告示しなければならない。

第9章／財務

第9節／財産

第237条 （財産の管理及び処分）
① この法律において「財産」とは，公有財産，物品及び債権並びに基金をいう。
② 第238条の4第1項の規定の適用がある場合を除き，普通地方公共団体の財産は，条例又は議会の議決による場合でなければ，これを交換し，出資の目的とし，若しくは支払手段として使用し，又は適正な対価なくしてこれを譲渡し，若しくは貸し付けてはならない。
③ 普通地方公共団体の財産は，第238条の5第2項の規定の適用がある場合で議会の議決によるとき又は同条第3項の規定の適用がある場合でなければ，これを信託してはならない。

第1款 公有財産

第238条 （公有財産の範囲及び分類）
① この法律において「公有財産」とは，普通地方公共団体の所有に属する財産のうち次に掲げるもの（基金に属するものを除く。）をいう。
一 不動産
二 船舶，浮標，浮桟橋及び浮ドック並びに航空機
三 前二号に掲げる不動産及び動産の従物

地方自治法（238条の4）

四　地上権，地役権，鉱業権その他これらに準ずる権利
五　特許権，著作権，商標権，実用新案権その他これらに準ずる権利
六　株式，社債（特別の法律により設立された法人の発行する債券に表示されるべき権利を含み，短期社債等を除く。），地方債及び国債その他これらに準ずる権利
七　出資による権利
八　財産の信託の受益権
②　前項第6号の「短期社債等」とは，次に掲げるものをいう。
一　社債，株式等の振替に関する法律（平成13年法律第75号）第66条第1号に規定する短期社債
二　投資信託及び投資法人に関する法律（昭和26年法律第198号）第139条の12第1項に規定する短期投資法人債
三　信用金庫法（昭和26年法律第238号）第54条の4第1項に規定する短期債
四　保険業法（平成7年法律第105号）第61条の10第1項に規定する短期社債
五　資産の流動化に関する法律（平成10年法律第105号）第2条第8項に規定する特定短期社債
六　農林中央金庫法（平成13年法律第93号）第62条の2第1項に規定する短期農林債
③　公有財産は，これを行政財産と普通財産とに分類する。
④　行政財産とは，普通地方公共団体において公用又は公共用に供し，又は供することと決定した財産をいい，普通財産とは，行政財産以外の一切の公有財産をいう。

第238条の4　（行政財産の管理及び処分）

①　行政財産は，次項から第4項までに定めるものを除くほか，これを貸し付け，交換し，売り払い，譲与し，出資の目的とし，若しくは信託し，又はこれに私権を設定することができない。
②　行政財産は，次に掲げる場合には，その用途又は目的を妨げない限度において，貸し付け，又は私権を設定することができる。
一　当該普通地方公共団体以外の者が行政財産である土地の上に政令で定める堅固な建物その他の土地に定着する工作物であつて当該行政財産である土地の供用の目的を効果的に達成することに資すると認められるものを所有し，又は所有しようとする場合（当該普通地方公共団体と1棟の建物を区分して所有する場合を除く。）において，その者（当該行政財産を管理する普通地方公共団体が当該行政財産の適正な方法による管理を行う上で適当と認める者に限る。）に当該土地を貸し付けるとき。
二　普通地方公共団体が国，他の地方公共団体又は政令で定める法人と行政財産である土地の上に1棟の建物を区分して所有するためその者に当該土地を貸し付ける場合
三　普通地方公共団体が行政財産である土地及びその隣接地の上に当該普通地方公共団体以外の者と1棟の建物を区分して所有するためその者（当該建物のうち行政財産である部分を管理する普通地方公共団体が当該行政財産の適正な方法による管理を行う上で適当と認める者に限る。）に当該土地を貸し付ける場合
四　行政財産のうち庁舎その他の建物及びその附帯施設並びにこれらの敷地（以下この号において「庁舎等」という。）についてその床面積又は敷地に余裕がある場合として政令で定める場合において，当該普通地方公共団体以外の者（当該庁舎等を管理する普通地方公共団体が当該庁舎等の適正な方法による管理を行う上で適当と認める者

に限る。）に当該余裕がある部分を貸し付けるとき（前三号に掲げる場合に該当する場合を除く。）。
五　行政財産である土地を国，他の地方公共団体又は政令で定める法人の経営する鉄道，道路その他政令で定める施設の用に供する場合において，その者のために当該土地に地上権を設定するとき。
六　行政財産である土地を国，他の地方公共団体又は政令で定める法人の使用する電線路その他政令で定める施設の用に供する場合において，その者のために当該土地に地役権を設定するとき。
③　前項第2号に掲げる場合において，当該行政財産である土地の貸付けを受けた者が当該土地の上に所有する1棟の建物の一部（以下この項及び次項において「特定施設」という。）を当該普通地方公共団体以外の者に譲渡しようとするときは，当該特定施設を譲り受けようとする者（当該行政財産を管理する普通地方公共団体が当該行政財産の適正な方法による管理を行う上で適当と認める者に限る。）に当該土地を貸し付けることができる。
④　前項の規定は，同項（この項において準用する場合を含む。）の規定により行政財産である土地の貸付けを受けた者が当該特定施設を譲渡しようとする場合について準用する。
⑤　前三項の場合においては，次条第4項及び第5項の規定を準用する。
⑥　第1項の規定に違反する行為は，これを無効とする。
⑦　行政財産は，その用途又は目的を妨げない限度においてその使用を許可することができる。
⑧　前項の規定による許可を受けてする行政財産の使用については，借地借家法（平成3年法律第90号）の規定は，これを適用しない。
⑨　第7項の規定により行政財産の使用を許可した場合において，公用若しくは公共用に供するため必要を生じたとき，又は許可の条件に違反する行為があると認めるときは，普通地方公共団体の長又は委員会は，その許可を取り消すことができる。

第238条の5　（普通財産の管理及び処分）
①　普通財産は，これを貸し付け，交換し，売り払い，譲与し，若しくは出資の目的とし，又はこれに私権を設定することができる。
②　普通財産である土地（その土地の定着物を含む。）は，当該普通地方公共団体を受益者として政令で定める信託の目的により，これを信託することができる。
③　普通財産のうち国債その他の政令で定める有価証券（以下この項において「国債等」という。）は，当該普通地方公共団体を受益者として，指定金融機関その他の確実な金融機関に国債等をその価額に相当する担保の提供を受けて貸し付ける方法により当該国債等を運用することを信託の目的とする場合に限り，信託することができる。
④　普通財産を貸し付けた場合において，その貸付期間中に国，地方公共団体その他公共団体において公用又は公共用に供するため必要を生じたときは，普通地方公共団体の長は，その契約を解除することができる。
⑤　前項の規定により契約を解除した場合においては，借受人は，これによつて生じた損失につきその補償を求めることができる。
⑥　普通地方公共団体の長が一定の用途並びにその用途に供しなければならない期日及び期間を指定して普通財産を貸し付けた場合において，借受人が指定された期日を経過してもなおこれをその用途に供せず，又はこれをその用途に供した後

指定された期間内にその用途を廃止したときは、当該普通地方公共団体の長は、その契約を解除することができる。
⑦　第4項及び第5項の規定は貸付け以外の方法により普通財産を使用させる場合に、前項の規定は普通財産を売り払い、又は譲与する場合に準用する。
⑧　第4項から第6項までの規定は、普通財産である土地（その土地の定着物を含む。）を信託する場合に準用する。
⑨　第7項に定めるもののほか普通財産の売払いに関し必要な事項及び普通財産の交換に関し必要な事項は、政令でこれを定める。

第238条の6　（旧慣による公有財産の使用）
①　旧来の慣行により市町村の住民中特に公有財産を使用する権利を有する者があるときは、その旧慣による。その旧慣を変更し、又は廃止しようとするときは、市町村の議会の議決を経なければならない。
②　前項の公有財産をあらたに使用しようとする者があるときは、市町村長は、議会の議決を経て、これを許可することができる。

第14章／補則

第259条　（郡の区域）
①　郡の区域をあらたに画し若しくはこれを廃止し、又は郡の区域若しくはその名称を変更しようとするときは、都道府県知事が、当該都道府県の議会の議決を経てこれを定め、総務大臣に届け出なければならない。
②　郡の区域内において市の設置があつたとき、又は郡の区域の境界にわたつて市町村の境界の変更があつたときは、郡の区域も、また、自ら変更する。
③　郡の区域の境界にわたつて町村が設置されたときは、その町村の属すべき郡の区域は、第1項の例によりこれを定める。

④　第1項から第3項までの場合においては、総務大臣は、直ちにその旨を告示するとともに、これを国の関係行政機関の長に通知しなければならない。第7条第8項の規定は、第1項又は前項の規定により郡の区域をあらたに画し、若しくはこれを廃止し、又は郡の区域を変更する場合にこれを準用する。
⑤　第1項乃至第3項の場合において必要な事項は、政令でこれを定める。

第260条　（市町村の区域内の町又は字の区域）
①　市町村長は、政令で特別の定をする場合を除くほか、市町村の区域内の町若しくは字の区域を新たに画し若しくはこれを廃止し、又は町若しくは字の区域若しくはその名称を変更しようとするときは、当該市町村の議会の議決を経て定めなければならない。
②　前項の規定による処分をしたときは、市町村長は、これを告示しなければならない。
③　第1項の規定による処分は、政令で特別の定をする場合を除くほか、前項の規定による告示によりその効力を生ずる。

第260条の2　（地縁団体の認可等）
①　町又は字の区域その他市町村内の一定の区域に住所を有する者の地縁に基づいて形成された団体（以下本条において「地縁による団体」という。）は、地域的な共同活動を円滑に行うため市町村長の認可を受けたときは、その規約に定める目的の範囲内において、権利を有し、義務を負う。
②　前項の認可は、地縁による団体のうち次に掲げる要件に該当するものについて、その団体の代表者が総務省令で定めるところにより行う申請に基づいて行う。
一　その区域の住民相互の連絡、環境の整備、集会施設の維持管理等良好な地

域社会の維持及び形成に資する地域的な共同活動を行うことを目的とし，現にその活動を行つていると認められること。
二　その区域が，住民にとつて客観的に明らかなものとして定められていること。
三　その区域に住所を有するすべての個人は，構成員となることができるものとし，その相当数の者が現に構成員となつていること。
四　規約を定めていること。
③　規約には，次に掲げる事項が定められていなければならない。
一　目的
二　名称
三　区域
四　主たる事務所の所在地
五　構成員の資格に関する事項
六　代表者に関する事項
七　会議に関する事項
八　資産に関する事項
④　第2項第2号の区域は，当該地縁による団体が相当の期間にわたつて存続している区域の現況によらなければならない。
⑤　市町村長は，地縁による団体が第2項各号に掲げる要件に該当していると認めるときは，第1項の認可をしなければならない。
⑥　第1項の認可は，当該認可を受けた地縁による団体を，公共団体その他の行政組織の一部とすることを意味するものと解釈してはならない。
⑦　第1項の認可を受けた地縁による団体（以下「認可地縁団体」という。）は，正当な理由がない限り，その区域に住所を有する個人の加入を拒んではならない。
⑧　認可地縁団体は，民主的な運営の下に，自主的に活動するものとし，構成員に対し不当な差別的取扱いをしてはならない。
⑨　認可地縁団体は，特定の政党のために利用してはならない。
⑩　市町村長は，第1項の認可をしたときは，総務省令で定めるところにより，これを告示しなければならない。告示した事項に変更があつたときも，また同様とする。
⑪　認可地縁団体は，前項の規定に基づいて告示された事項に変更があつたときは，総務省令で定めるところにより，市町村長に届け出なければならない。
⑫　何人も，市町村長に対し，総務省令で定めるところにより，第10項の規定により告示した事項に関する証明書の交付を請求することができる。この場合において，当該請求をしようとする者は，郵便又は信書便により，当該証明書の送付を求めることができる。
⑬　認可地縁団体は，第10項の告示があるまでは，認可地縁団体となつたこと及び同項の規定に基づいて告示された事項をもつて第三者に対抗することができない。
⑭　市町村長は，認可地縁団体が第2項各号に掲げる要件のいずれかを欠くこととなつたとき，又は不正な手段により第1項の認可を受けたときは，その認可を取り消すことができる。
⑮　一般社団法人及び一般財団法人に関する法律（平成18年法律第48号）第4条及び第78条の規定は，認可地縁団体に準用する。
⑯　認可地縁団体は，法人税法（昭和40年法律第34号）その他法人税に関する法令の規定の適用については，同法第2条第6号に規定する公益法人等とみなす。この場合において，同法第37条の規定を適用する場合には同条第4項中「公益法人等（」とあるのは「公益法人等（地方自治法（昭和22年法律第67号）第260条の2第7項に規定する認可地縁団体（以下「認可地縁団体」という。）並びに」と，同法第66条の規定を適用する場合には同条第1項中「普通法人」とあるのは「普通法人（認可地縁団体を含む。）」と，同

条第2項中「除く」とあるのは「除くものとし，認可地縁団体を含む」と，同条第3項中「公益法人等（」とあるのは「公益法人等（認可地縁団体及び」とする。
⑰ 認可地縁団体は，消費税法（昭和63年法律第108号）その他消費税に関する法令の規定の適用については，同法別表第3に掲げる法人とみなす。

第3編　特別地方公共団体

第4章／財産区

第294条（財産区の意義，財産又は公の施設の管理処分）
① 法律又はこれに基く政令に特別の定があるものを除く外，市町村及び特別区の一部で財産を有し若しくは公の施設を設けているもの又は市町村及び特別区の廃置分合若しくは境界変更の場合におけるこの法律若しくはこれに基く政令の定める財産処分に関する協議に基き市町村及び特別区の一部が財産を有し若しくは公の施設を設けるものとなるもの（これらを財産区という。）があるときは，その財産又は公の施設の管理及び処分又は廃止については，この法律中地方公共団体の財産又は公の施設の管理及び処分又は廃止に関する規定による。
② 前項の財産又は公の施設に関し特に要する経費は，財産区の負担とする。
③ 前二項の場合においては，地方公共団体は，財産区の収入及び支出については会計を分別しなければならない。

第297条（政令への委任）
　この法律に規定するものを除く外，財産区の事務に関しては，政令でこれを定める。

附　則（略）

地方自治法施行令（抄）

●昭和22年5月3日政令第16号●　　最終改正　令和6年9月26日政令297号

第2編　普通地方公共団体

第11章／補則

第179条　（耕地整理等についての町字区域変更の効力）

地方自治法第260条第1項の規定による処分で，旧耕地整理法（明治42年法律第30号）による耕地整理，土地改良法（昭和24年法律第195号）による土地改良事業（換地処分を伴うものに限る。），土地区画整理法による土地区画整備事業又は大都市地域における住宅及び住宅地の供給の促進に関する特別措置法（昭和50年法律第67号）による住宅街区整備事業の施行地区についてするものの効力は，住居表示に関する法律（昭和37年法律第119号）第2条第1号に規定する街区方式により住居を表示する場合を除き，旧耕地整理法第30条第4項の規定による換地処分の認可の告示の日，土地改良法第54条第4項（同法第89条の2第10項，第96条及び第96条の4第1項において準用する場合を含む。）の規定による換地処分の公告があつた日の翌日又は土地区画整理法第103条第4項（大都市地域における住宅及び住宅地の供給の促進に関する特別措置法第83条において準用する場合を含む。）の規定による換地処分の公告があつた日の翌日からそれぞれ生ずるものとする。

附　則　（略）

住居表示に関する法律（抄）

●昭和37年5月10日法律第119号●　　最終改正　平成26年5月30日法42号

第1条　（目的）
　この法律は，合理的な住居表示の制度及びその実施について必要な措置を定め，もつて公共の福祉の増進に資することを目的とする。

第2条　（住居表示の原則）
　市街地にある住所若しくは居所又は事務所，事業所その他これらに類する施設の所在する場所（以下「住居」という。）を表示するには，都道府県，郡，市（特別区を含む。以下同じ。），区（地方自治法（昭和22年法律第67号）第252条の20の区及び同法第252条の20の2の総合区をいう。）及び町村の名称を冠するほか，次の各号のいずれかの方法によるものとする。
一　街区方式　市町村内の町又は字の名称並びに当該町又は字の区域を道路，鉄道若しくは軌道の線路その他の恒久的な施設又は河川，水路等によつて区画した場合におけるその区画された地域（以下「街区」という。）につけられる符号（以下「街区符号」という。）及び当該街区内にある建物その他の工作物につけられる住居表示のための番号（以下「住居番号」という。）を用いて表示する方法をいう。
二　道路方式　市町村内の道路の名称及び当該道路に接し，又は当該道路に通ずる通路を有する建物その他の工作物につけられる住居番号を用いて表示する方法をいう。

第6条　（住居表示義務）
① 何人も，住居の表示については，第3条第3項の告示に掲げる日以後は，当該告示に係る区域について，同条第2項の規定によりつけられた街区符号及び住居番号又は道路の名称及び住居番号を用いるように努めなければならない。
② 国及び地方公共団体の機関は，住民基本台帳，選挙人名簿，法人登記簿その他の公簿に住居を表示するときは，第3条第3項の告示に掲げる日以後は，当該告示に係る区域について，他の法令に特別の定めがある場合を除くほか，同条第2項の規定によりつけられた街区符号及び住居番号又は道路の名称及び住居番号を用いなければならない。

第8条　（表示板の設置等）
① 市町村は，第3条第3項の告示に係る区域の見やすい場所に，当該区域内の町若しくは字の名称及び街区符号又は道路の名称を記載した表示板を設けなければならない。
② 前項の区域にある建物その他の工作物の所有者，管理者又は占有者は，市町村の条例で定めるところにより，見やすい場所に，住居番号を表示しなければならない。

第9条　（住居表示台帳）
① 市町村は，第3条第3項の告示に係る区域について，当該区域の住居表示台帳を備えなければならない。
② 市町村は，関係人から請求があつたときは，前項の住居表示台帳又はその写しを閲覧させなければならない。

附　則　（略）

公有水面埋立法（抄）

●大正10年4月9日法律第57号●　　最終改正　平成26年6月4日法51号

第1条
① 本法ニ於テ公有水面ト称スルハ河、海、湖、沼其ノ他ノ公共ノ用ニ供スル水流又ハ水面ニシテ国ノ所有ニ属スルモノヲ謂ヒ埋立ト称スルハ公有水面ノ埋立ヲ謂フ
② 公有水面ノ干拓ハ本法ノ適用ニ付テハ之ヲ埋立ト看做ス
③ 本法ハ土地改良法、土地区画整理法、首都圏の近郊整備地帯及び都市開発区域の整備に関する法律、新住宅市街地開発法、近畿圏の近郊整備区域及び都市開発区域の整備及び開発に関する法律、流通業務市街地の整備に関する法律、都市再開発法、新都市基盤整備法、大都市地域における住宅及び住宅地の供給の促進に関する特別措置法又ハ密集市街地における防災街区の整備の促進に関する法律ニ依ル溝渠又ハ溜池ノ変更ノ為必要ナル埋立其ノ他政令ヲ以テ指定スル埋立ニ付之ヲ適用セス

第22条
① 埋立ノ免許ヲ受ケタル者ハ埋立ニ関スル工事竣功シタルトキハ遅滞ナク都道府県知事ニ竣功認可ヲ申請スヘシ
② 都道府県知事前項ノ竣功認可ヲ為シタルトキハ遅滞ナク其ノ旨ヲ告示シ且地元市町村長ニ第11条又ハ第13条ノ2第2項ノ規定ニ依リ告示シタル事項及免許条件ヲ記載シタル書面並関係図書ノ写ヲ送付スヘシ
③ 市町村長ハ前項ノ告示ノ日ヨリ起算シ10年ヲ経過スル日迄同項ノ図書ヲ其ノ市町村ノ事務所ニ備置キ関係人ノ請求アリタルトキハ之ヲ閲覧セシムヘシ

第23条
① 埋立ノ免許ヲ受ケタル者ハ前条第2項ノ告示ノ日前ニ於テ埋立地ヲ使用スルコトヲ得但シ埋立地ニ埋立ニ関スル工事用ニ非サル工作物ヲ設置セムトスルトキハ政令ヲ以テ指定スル場合ヲ除クノ外都道府県知事ノ許可ヲ受クヘシ
② 都道府県知事ハ第47条第1項ノ国土交通大臣ノ認可ヲ受ケタル埋立ニ関シ前項ノ許可ヲ為サムトスルトキハ予メ国土交通大臣ニ報告スヘシ

第24条
① 第22条第2項告示アリタルトキハ埋立ノ免許ヲ受ケタル者ハ其ノ告示ノ日ニ於テ埋立地ノ所有権ヲ取得ス但シ公用又ハ公共ノ用ニ供スル為必要ナル埋立地ニシテ埋立ノ免許条件ヲ以テ特別ノ定ヲ為シタルモノハ此ノ限ニ在ラス
② 前項但書ノ埋立地ノ帰属ニ付テハ政令ヲ以テ之ヲ定ム

第25条
公共ノ用ニ供スル国有地ニシテ埋立ニ関スル工事ノ施行ニ因リ不用ニ帰シタルモノハ政令ノ定ムル所ニ依リ有償又ハ無償ニテ埋立ノ免許ヲ受ケタル者ニ之ヲ下付スルコトヲ得

第27条
① 第22条第2項告示ノ日ヨリ起算シ10年間ハ第24条第1項ノ規定ニ依リ埋立地ノ所有権ヲ取得シタル者又ハ其ノ一般承継人当該埋立地ニ付所有権ヲ移転シ又ハ地上権、質権、使用貸借ニ依ル権利若ハ

賃貸借其ノ他ノ使用及収益ヲ目的トスル権利ヲ設定セムトスルトキハ当該移転又ハ設定ノ当事者ハ国土交通省令ノ定ムル所ニ依リ都道府県知事ノ許可ヲ受クベシ但シ左ノ各号ノ一ニ該当スルトキハ此ノ限ニ在ラズ
　一　権利ヲ取得スル者ガ国又ハ公共団体ナルトキ
　二　滞納処分，強制執行，担保権ノ実行トシテノ競売（其ノ例ニ依ル競売ヲ含ム）又ハ企業担保権ノ実行ニ因リ権利ガ移転スルトキ
　三　法令ニ依リ収用又ハ使用セラルルトキ
② 都道府県知事ハ前項ノ許可ノ申請左ノ各号ニ適合スト認ムルトキハ之ヲ許可スベシ
　一　申請手続ガ前項ノ国土交通省令ニ違反セザルコト
　二　第2条第3項第4号ノ埋立以外ノ埋立ヲ為シタル者又ハ其ノ一般承継人ニ在リテハ権利ノ移転又ハ設定ニ付已ムコトヲ得ザル事由アルコト
　三　権利ヲ移転シ又ハ設定セムトスル者ガ其ノ移転又ハ設定ニ因リ不当ニ受益セザルコト
　四　権利ノ移転又ハ設定ノ相手方ノ選考方法ガ適正ナルコト
　五　権利ノ移転又ハ設定ノ相手方ガ埋立地ヲ第11条又ハ第13条ノ2第2項ノ規定ニ依リ告示シタル用途ニ従ヒ自ラ利用スト認メラルルコト
③ 都道府県知事ハ第47条第1項ノ国土交通大臣ノ認可ヲ受ケタル埋立ニ関シ第1項ノ許可ヲ為サムトスルトキハ予メ国土交通大臣ニ協議スベシ

附　則（抄）

海岸法（抄）

●昭和31年5月12日法律第101号●　　最終改正　平成30年12月14日法95号

第1章　総則

第1条　（目的）

　この法律は，津波，高潮，波浪その他海水又は地盤の変動による被害から海岸を防護するとともに，海岸環境の整備と保全及び公衆の海岸の適正な利用を図り，もつて国土の保全に資することを目的とする。

第2条　（定義）

① この法律において「海岸保全施設」とは，第3条の規定により指定される海岸保全区域内にある堤防，突堤，護岸，胸壁，離岸堤，砂浜（海岸管理者が，消波等の海岸を防護する機能を維持するために設けたもので，主務省令で定めるところにより指定したものに限る。）その他海水の侵入又は海水による侵食を防止するための施設（堤防又は胸壁にあつては，津波，高潮等により海水が当該施設を越えて侵入した場合にこれによる被害を軽減するため，当該施設と一体的に設置された根固工又は樹林（樹林にあつては，海岸管理者が設けたもので，主務省令で定めるところにより指定したものに限る。）を含む。）をいう。

② この法律において，「公共海岸」とは，国又は地方公共団体が所有する公共の用に供されている海岸の土地（他の法令の規定により施設の管理を行う者がその権原に基づき管理する土地として主務省令で定めるものを除き，地方公共団体が所有する公共の用に供されている海岸の土地にあつては，都道府県知事が主務省令で定めるところにより指定し，公示した土地に限る。）及びこれと一体として管理を行う必要があるものとして都道府県知事が指定し，公示した低潮線までの水面をいい，「一般公共海岸区域」とは，公共海岸の区域のうち第3条の規定により指定される海岸保全区域以外の区域をいう。

③ この法律において「海岸管理者」とは，第3条の規定により指定される海岸保全区域及び一般公共海岸区域（以下「海岸保全区域等」という。）について第5条第1項から第4項まで及び第37条の2第1項並びに第37条の3第1項から第3項までの規定によりその管理を行うべき者をいう。

第2章　海岸保全区域に関する管理

第5条　（管理）

① 海岸保全区域の管理は，当該海岸保全区域の存する地域を統括する都道府県知事が行うものとする。

② 前項の規定にかかわらず，市町村長が管理することが適当であると認められる海岸保全区域で都道府県知事が指定したものについては，当該海岸保全区域の存する市町村の長がその管理を行うものとする。

③ 前二項の規定にかかわらず，海岸保全区域と港湾区域若しくは港湾隣接地域又は漁港区域とが重複して存するときは，その重複する部分については，当該港湾区域若しくは港湾隣接地域の港湾管理者の長又は当該漁港の漁港管理者である地方公共団体の長がその管理を行うものと

する。
④〜⑩　（略）

第8条　（海岸保全区域における行為の制限）
①　海岸保全区域内において，次に掲げる行為をしようとする者は，主務省令で定めるところにより，海岸管理者の許可を受けなければならない。ただし，政令で定める行為については，この限りでない。
一　土石（砂を含む。以下同じ。）を採取すること。
二　水面又は公共海岸の土地以外の土地において，他の施設等を新設し，又は改築すること。
三　土地の掘削，盛土，切土その他政令で定める行為をすること。
②　前条第2項の規定は，前項の許可について準用する。

第24条　（海岸保全区域台帳）
①　海岸管理者は，海岸保全区域台帳を調製し，これを保管しなければならない。
②　海岸管理者は，海岸保全区域台帳の閲覧を求められたときは，正当な理由がなければこれを拒むことができない。
③　海岸保全区域台帳の記載事項その他の調製及び保管に関し必要な事項は，主務省令で定める。

附　則（略）

砂防法（抄）

●明治30年3月30日法律第29号●　　最終改正　平成25年11月22日法76号

【　　第1章　総則　　】

第1条
　此ノ法律ニ於テ砂防設備ト称スルハ国土交通大臣ノ指定シタル土地ニ於テ治水上砂防ノ為施設スルモノヲ謂ヒ砂防工事ト称スルハ砂防設備ノ為ニ施行スル作業ヲ謂フ

第2条
　砂防設備ヲ要スル土地又ハ此ノ法律ニ依リ治水上砂防ノ為一定ノ行為ヲ禁止若ハ制限スヘキ土地ハ国土交通大臣之ヲ指定ス

第3条
　此ノ法律ニ規定シタル事項ハ政令ノ定ムル所ニ従ヒ国土交通大臣ノ指定シタル土地ノ範囲外ニ於テ治水上砂防ノ為施設スルモノニ準用スルコトヲ得

第3条ノ2
　此ノ法律ニ規定シタル事項ニシテ砂防設備ニ関スルモノハ政令ノ定ムル所ニ従ヒ第2条ニ依リ国土交通大臣ノ指定シタル土地ニ存スル政令ヲ以テ定ムル天然ノ河岸ニシテ災害ニ因リ治水上砂防ノ為復旧ヲ必要トスルモノ（著シキ欠壊又ハ埋没ニ係ルモノニ限ル）ニ準用ス

【　　第2章　土地ノ制限及砂防設備　　】

第4条
① 　第2条ニ依リ国土交通大臣ノ指定シタル土地ニ於テハ都道府県知事ハ治水上砂防ノ為一定ノ行為ヲ禁止若ハ制限スルコトヲ得

② 　前項ノ禁止若ハ制限ニシテ他ノ都道府県ノ利益ヲ保全スル為必要ナルカ又ハ其ノ利害関係一ノ都道府県ニ止マラサルトキハ国土交通大臣ハ前項ノ職権ヲ施行スルコトヲ得

【　　第3章　砂防ニ関スル費用ノ負担,土地所有者ノ権利義務並収入等　　】

第23条
① 　砂防ノ為必要ナルトキハ行政庁ハ第2条ニ依リ国土交通大臣ノ指定シタル土地又ハ之ニ隣接スル土地ニ立入リ又ハ其ノ土地ヲ材料置場等ニ供シ又ハ已ムヲ得サルトキハ其ノ土地ニ現在スル障害物ヲ除却スルコトヲ得

② 　（略）

第24条
　第2条ニ依リ国土交通大臣ノ指定シタル土地ノ所有者若ハ関係人ハ行政庁若ハ其ノ命ヲ受ケタル私人ニ於テ其ノ土地ニ砂防工事ヲ施行シ又ハ砂防設備ノ維持ヲナスコトヲ拒ムコトヲ得ス

第28条
　砂防設備ニシテ其ノ公用ヲ廃シタルトキハ都道府県知事ハ之ヲ其ノ砂防設備ノ現在スル土地若ハ森林ノ所有者ニ下付スルコトヲ得

附　則　（略）

砂防法施行規程（抄）

●明治30年10月26日勅令第382号●　　最終改正　平成22年3月31日政令78号

第1条
　国土交通大臣ニ於テ砂防法第2条ニ依リ指定スル土地ハ官報ヲ以テ之ヲ告示スヘシ

第2条
　砂防法第3条ニ依リ同法ニ規定シタル事項ヲ準用スヘキ施設物ハ都道府県知事ニ於テ其ノ地方ノ公布式ヲ以テ之ヲ告示スヘシ其ノ準用スヘキ事項ハ都道府県ノ条例ヲ以テ之ヲ定ム但シ同法第13条及第14条ニ規定シタル事項ハ之ヲ準用スルコトヲ得

第2条ノ2
　砂防法第3条ノ2ノ政令ヲ以テ定ムル天然ノ河岸ハ河川法（昭和39年法律第167号）第3条第1項ノ河川以外ノ河川ニ係ル天然ノ河岸トス

第2条ノ3
　砂防法第2条ニ依リ国土交通大臣ノ指定シタル土地ニ存スル前条ノ天然ノ河岸ニシテ災害ニ因リ治水上砂防ノ為復旧ヲ必要トスルモノ（著シキ欠壊又ハ埋没ニ係ルモノニ限ル）ニハ同法第5条，第6条第1項及第3項，第9条，第10条，第12条，第14条，第22条，第24条，第26条，第27条並第43条ヲ準用ス

第3条
　砂防法第4条ニ依リ禁止若ハ制限スヘキ行為ハ同条第1項ノ場合ニ於テハ都道府県ノ条例ヲ以テ第2項ノ場合ニ於テハ国土交通省令ヲ以テ之ヲ定ム

　　附　則　（略）

運河法（抄）

●大正2年4月9日法律第16号●　　最終改正　平成16年6月9日法84号

第1条
　一般運送ノ用ニ供スル目的ヲ以テ運河ヲ開設セムトスル者ハ国土交通大臣ノ免許ヲ受クヘシ

第2条
① 免許ヲ受ケタル者ハ国土交通大臣ノ指定シタル期限内ニ工事設計ノ認可ヲ都道府県知事ニ申請スヘシ
② 免許ヲ受ケタル者ハ前項ノ認可ヲ得タル日ヨリ6箇月内ニ工事ニ著手シ指定ノ期限内ニ之ヲ竣功スベシ但シ正当ノ事由ニ因リ期限内ニ著手又ハ竣功スルコト能ハザルトキハ都道府県知事ハ期限ノ伸長ヲ許可スルコトヲ得
③ 免許ヲ受ケタル者工事ニ著手シ又ハ竣功シタルトキハ遅滞ナク都道府県知事ニ届出ヅベシ
④ 免許ヲ受ケタル者ハ工事竣功届出後1箇月内ニ開設費精算書ヲ都道府県知事ニ提出スベシ

第3条
① 国，公共団体又ハ行政庁ノ許可ヲ受ケタル者ニ於テ運河ニ接続若ハ接近シ又ハ之ヲ横断シテ河川，溝渠，道路，橋梁，鉄道，軌道其ノ他公共ノ用ニ供スルモノヲ造設スルモ免許ヲ受ケタル者ハ運河ノ効用ニ妨ナキ限リ之ヲ拒ムコトヲ得ス
② 前項ノ場合ニ於テ国土交通大臣又ハ都道府県知事ハ公益上必要ト認ムルトキハ免許ヲ受ケタル者ニ命シ接続，横断ノ場所ニ於ケル設備ヲ共用ニ供セシメ又ハ之ヲ変更セシムルコトヲ得

第6条
　工事ノ全部又ハ一部竣功シ運送ヲ開始セムトスルトキハ都道府県知事ノ許可ヲ受クヘシ

第12条
① 左ニ掲クルモノヲ以テ運河用地トス
一　水路用地及運河ニ属スル道路，橋梁，堤防，護岸，物揚場，繋船場ノ築設ニ要スル土地
二　運河用通信，信号ニ要スル土地
三　上屋，倉庫等ノ建設ニ要スル土地
四　運河ニ要スル船舶，器具，機械ヲ修理製作スル工場ノ建設ニ要スル土地
五　職務上常住ヲ要スル運河従事員ノ舎宅及従事員ノ駐在所等ノ建設ニ要スル土地
② 前項第3号乃至第5号ニ掲クル土地ハ運河ニ沿ヒタルモノニ限ル

附　則　（略）

河川法（抄）

●昭和39年7月10日法律第167号●　最終改正　令和3年5月10日法31号

第1章　総則

第2条　（河川管理の原則等）
① 河川は，公共用物であつて，その保全，利用その他の管理は，前条の目的が達成されるように適正に行なわれなければならない。
② 河川の流水は，私権の目的となることができない。

第3条　（河川及び河川管理施設）
① この法律において「河川」とは，1級河川及び2級河川をいい，これらの河川に係る河川管理施設を含むものとする。
② この法律において「河川管理施設」とは，ダム，堰，水門，堤防，護岸，床止め，樹林帯（堤防又はダム貯水池に沿つて設置された国土交通省令で定める帯状の樹林で堤防又はダム貯水池の治水上又は利水上の機能を維持し，又は増進する効用を有するものをいう。）その他河川の流水によつて生ずる公利を増進し，又は公害を除却し，若しくは軽減する効用を有する施設をいう。ただし，河川管理者以外の者が設置した施設については，当該施設を河川管理施設とすることについて河川管理者が権原に基づき当該施設を管理する者の同意を得たものに限る。

第4条　（1級河川）
① この法律において「1級河川」とは，国土保全上又は国民経済上特に重要な水系で政令で指定したものに係る河川（公共の水流及び水面をいう。以下同じ。）で国土交通大臣が指定したものをいう。
② 国土交通大臣は，前項の政令の制定又は改廃の立案をしようとするときは，あらかじめ，社会資本整備審議会及び関係都道府県知事の意見をきかなければならない。
③ 国土交通大臣は，第1項の規定により河川を指定しようとするときは，あらかじめ，関係行政機関の長に協議するとともに，社会資本整備審議会及び関係都道府県知事の意見をきかなければならない。
④ 前二項の規定により関係都道府県知事が意見を述べようとするときは，当該都道府県の議会の議決を経なければならない。
⑤ 国土交通大臣は，第1項の規定により河川を指定するときは，国土交通省令で定めるところにより，水系ごとに，その名称及び区間を公示しなければならない。
⑥ 1級河川の指定の変更又は廃止の手続は，第1項の規定による河川の指定の手続に準じて行なわれなければならない。

第5条　（2級河川）
① この法律において「2級河川」とは，前条第1項の政令で指定された水系以外の水系で公共の利害に重要な関係があるものに係る河川で都道府県知事が指定したものをいう。
② 都府県知事は，前項の規定により河川を指定しようとする場合において，当該河川が他の都府県との境界に係るものであるときは，当該他の都府県知事に協議しなければならない。
③ 都道府県知事は，第1項の規定により河川を指定するときは，国土交通省令で

定めるところにより，水系ごとに，その名称及び区間を公示しなければならない。
④　都道府県知事は，第1項の規定により河川を指定しようとするときは，あらかじめ，関係市町村長の意見をきかなければならない。
⑤　前項の規定により関係市町村長が意見を述べようとするときは，当該市町村の議会の議決を経なければならない。
⑥　2級河川の指定の変更又は廃止の手続は，第1項の規定による指定の手続に準じて行なわれなければならない。
⑦　2級河川について，前条第1項の1級河川の指定があつたときは，当該2級河川についての第1項の指定は，その効力を失う。

第6条　（河川区域）
①　この法律において「河川区域」とは，次の各号に掲げる区域をいう。
一　河川の流水が継続して存する土地及び地形，草木の生茂の状況その他その状況が河川の流水が継続して存する土地に類する状況を呈している土地（河岸の土地を含み，洪水その他異常な天然現象により一時的に当該状況を呈している土地を除く。）の区域
二　河川管理施設の敷地である土地の区域
三　堤外の土地（政令で定めるこれに類する土地及び政令で定める遊水地を含む。第3項において同じ。）の区域のうち，第1号に掲げる区域と一体として管理を行う必要があるものとして河川管理者が指定した区域
②　河川管理者は，その管理する河川管理施設である堤防のうち，その敷地である土地の区域内の大部分の土地が通常の利用に供されても計画高水流量を超える流量の洪水の作用に対して耐えることができる規格構造を有する堤防（以下「高規格堤防」という。）については，その敷地である土地の区域のうち通常の利用に供することができる土地の区域を高規格堤防特別区域として指定するものとする。
③　河川管理者は，第1項第2号の区域のうち，その管理する樹林帯（堤外の土地にあるものを除く。）の敷地である土地の区域（以下単に「樹林帯区域」という。）については，その区域を指定しなければならない。
④　河川管理者は，第1項第3号の区域，高規格堤防特別区域又は樹林帯区域を指定するときは，国土交通省令で定めるところにより，その旨を公示しなければならない。これを変更し，又は廃止するときも，同様とする。
⑤　河川管理者は，港湾法（昭和25年法律第218号）に規定する港湾区域又は漁港漁場整備法（昭和25年法律第137号）に規定する漁港の区域につき第1項第3号の区域の指定又はその変更をしようとするときは，港湾管理者又は漁港管理者に協議しなければならない。
⑥　河川管理者は，森林法（昭和26年法律第249号）第25条若しくは第25条の2の規定に基づき保安林として指定された森林，同法第30条若しくは第30条の2の規定に基づき保安林予定森林として告示された森林，同法第41条の規定に基づき保安施設地区として指定された土地又は同法第44条において準用する同法第30条の規定に基づき保安施設地区に予定された地区として告示された土地につき樹林帯区域の指定又はその変更をしようとするときは，農林水産大臣（都道府県知事が同法第25条の2の規定に基づき指定した保安林又は同法第30条の2の規定に基づき告示した保安林予定森林については，当該都道府県知事）に協議しなければならない。

第2章　河川の管理

第1節／通則

第12条（河川の台帳）
① 河川管理者は，その管理する河川の台帳を調製し，これを保管しなければならない。
② 河川の台帳は，河川現況台帳及び水利台帳とする。
③ 河川の台帳の記載事項その他その調製及び保管に関し必要な事項は，政令で定める。
④ 河川管理者は，河川の台帳の閲覧を求められた場合においては，正当な理由がなければ，これを拒むことができない。

第3節／河川の使用及び河川に関する規制

第1款／通則

第25条（土石等の採取の許可）
　河川区域内の土地において土石（砂を含む。以下同じ。）を採取しようとする者は，国土交通省令で定めるところにより，河川管理者の許可を受けなければならない。河川区域内の土地において土石以外の河川の産出物で政令で指定したものを採取しようとする者も，同様とする。

第26条（工作物の新築等の許可）
① 河川区域内の土地において工作物を新築し，改築し，又は除却しようとする者は，国土交通省令で定めるところにより，河川管理者の許可を受けなければならない。河川の河口附近の海面において河川の流水を貯留し，又は停滞させるための工作物を新築し，改築し，又は除却しようとする者も，同様とする。
② 高規格堤防特別区域内の土地においては，前項の規定にかかわらず，次に掲げる行為については，同項の許可を受けることを要しない。
一　基礎ぐいその他の高規格堤防の水の浸透に対する機能を減殺するおそれのないものとして政令で定める工作物の新築又は改築
二　前号の工作物並びに用排水路その他の通水施設及び池その他の貯水施設で漏水のおそれのあるもの以外の工作物の地上又は地表から政令で定める深さ以内の地下における新築又は改築
三　工作物の地上における除却又は工作物の地表から前号の政令で定める深さ以内の地下における除却で当該工作物が設けられていた土地を直ちに埋め戻すもの
③ 河川管理者は，高規格堤防特別区域内の土地における工作物の新築，改築又は除却について第1項の許可の申請又は第37条の2，第58条の12，第95条若しくは第99条第2項の規定による協議があつた場合において，その申請又は協議に係る工作物の新築，改築又は除却が高規格堤防としての効用を確保する上で支障を及ぼすおそれのあるものでない限り，これを許可し，又はその協議を成立させなければならない。
④ 第1項前段の規定は，樹林帯区域内の土地における工作物の新築，改築及び除却については，適用しない。ただし，当該工作物の新築又は改築が，隣接する河川管理施設（樹林帯を除く。）を保全するため特に必要であるとして河川管理者が指定した樹林帯区域（次項及び次条第3項において「特定樹林帯区域」という。）内の土地においてされるものであるときは，この限りでない。
⑤ 河川管理者は，特定樹林帯区域を指定するときは，国土交通省令で定めるところにより，その旨を公示しなければならない。これを変更し，又は廃止するときも，同様とする。

第27条（土地の掘削等の許可）

① 河川区域内の土地において土地の掘削，盛土若しくは切土その他土地の形状を変更する行為（前条第1項の許可に係る行為のためにするものを除く。）又は竹木の栽植若しくは伐採をしようとする者は，国土交通省令で定めるところにより，河川管理者の許可を受けなければならない。ただし，政令で定める軽易な行為については，この限りでない。

② 高規格堤防特別区域内の土地においては，前項の規定にかかわらず，次に掲げる行為については，同項の許可を受けることを要しない。
一　前条第2項第1号の行為のためにする土地の掘削又は地表から政令で定める深さ以内の土地の掘削で当該掘削した土地を直ちに埋め戻すもの
二　盛土
三　土地の掘削，盛土及び切土以外の土地の形状を変更する行為
四　竹木の栽植又は伐採

③ 樹林帯区域内の土地においては，第1項の規定にかかわらず，次の各号（特定樹林帯区域内の土地にあつては，第2号及び第3号）に掲げる行為については，同項の許可を要しない。
一　工作物の新築若しくは改築のためにする土地の掘削又は工作物の除却のためにする土地の掘削で当該掘削した土地を直ちに埋め戻すもの
二　竹木の栽植
三　通常の管理行為で政令で定めるもの

④ 河川管理者は，河川区域内の土地における土地の掘削，盛土又は切土により河川管理施設又は許可工作物が損傷し，河川管理上著しい支障が生ずると認められる場合においては，当該河川管理施設又は許可工作物の存する敷地を含む一定の河川区域内の土地については，第1項の許可をし，又は第58条の12，第95条若しくは第99条第2項の規定による協議に応じてはならない。

⑤ 河川管理者は，前項の区域については，国土交通省令で定めるところにより，これを公示しなければならない。

⑥ 前条第3項の規定は，高規格堤防特別区域内の土地における土地の掘削又は切土について第1項の許可の申請又は第95条の規定による協議があつた場合に準用する。

第4節／河川保全区域

第54条（河川保全区域）

① 河川管理者は，河岸又は河川管理施設（樹林帯を除く。第3項において同じ。）を保全するため必要があると認めるときは，河川区域（第58条の2第1項の規定により指定したものを除く。第3項において同じ。）に隣接する一定の区域を河川保全区域として指定することができる。

② 国土交通大臣は，河川保全区域を指定しようとするときは，あらかじめ，関係都道府県知事の意見をきかなければならない。これを変更し，又は廃止しようとするときも，同様とする。

③ 河川保全区域の指定は，当該河岸又は河川管理施設を保全するため必要な最小限度の区域に限つてするものとし，かつ，河川区域（樹林帯区域を除く。）の境界から50メートルをこえてはならない。ただし，地形，地質等の状況により必要やむを得ないと認められる場合においては，50メートルをこえて指定することができる。

④ 河川管理者は，河川保全区域を指定するときは，国土交通省令で定めるところにより，その旨を公示しなければならない。これを変更し，又は廃止するときも，同様とする。

第55条（河川保全区域における行為の制限）

① 河川保全区域内において，次の各号の一に掲げる行為をしようとする者は，国

土交通省令で定めるところにより，河川管理者の許可を受けなければならない。ただし，政令で定める行為については，この限りでない。
　一　土地の掘さく，盛土又は切土その他土地の形状を変更する行為
　二　工作物の新築又は改築
② 第33条の規定は，相続人，合併又は分割により設立される法人その他の前項の許可を受けた者の一般承継人（分割による承継の場合にあつては，その許可に係る土地若しくは工作物又は当該許可に係る工作物の新築等をすべき土地（以下この項において「許可に係る土地等」という。）を承継する法人に限る。），同項の許可を受けた者からその許可に係る土地等を譲り受けた者及び同項の許可を受けた者から賃貸借その他により当該許可に係る土地等を使用する権利を取得した者について準用する。

【― 第2章の2　河川立体区域 ―】

第58条の2　（河川立体区域）
① 河川管理者は，河川管理施設が，地下に設けられたもの，建物その他の工作物内に設けられたもの又は洪水時の流水を貯留する空間を確保するためのもので柱若しくは壁及びこれらによつて支えられる人工地盤から成る構造を有するものである場合において，当該河川管理施設の存する地域の状況を勘案し，適正かつ合理的な土地利用の確保を図るため必要があると認めるときは，第6条第1項の規定にかかわらず，当該河川管理施設に係る河川区域を地下又は空間について一定の範囲を定めた立体的な区域として指定することができる。
② 河川管理者は，前項の河川区域（以下この章及び第106条第3号において「河川立体区域」という。）を指定するときは，国土交通省令で定めるところにより，その旨を公示しなければならない。これを変更し，又は廃止するときも，同様とする。

第58条の3　（河川保全立体区域）
① 河川管理者は，河川立体区域を指定する河川管理施設を保全するため必要があると認めるときは，当該河川立体区域に接する一定の範囲の地下又は空間を河川保全立体区域として指定することができる。
② 国土交通大臣は，河川保全立体区域を指定しようとするときは，あらかじめ，関係都道府県知事の意見を聴かなければならない。これを変更し，又は廃止しようとするときも，同様とする。
③ 河川保全立体区域の指定は，当該河川管理施設を保全するため必要な最小限度の範囲に限つてするものとする。
④ 河川管理者は，河川保全立体区域を指定するときは，国土交通省令で定めるところにより，その旨を公示しなければならない。これを変更し，又は廃止するときも，同様とする。
⑤ 河川保全区域が指定されている前条第1項の河川管理施設について，河川保全立体区域の指定があつたときは，当該河川保全区域の指定は，その効力を失う。

第58条の4　（河川保全立体区域における行為の制限）
① 河川保全立体区域内において，次に掲げる行為をしようとする者は，国土交通省令で定めるところにより，河川管理者の許可を受けなければならない。ただし，政令で定める行為については，この限りでない。
　一　土地の掘削，盛土又は切土その他土地の形状を変更する行為
　二　工作物の新築，改築又は除却
　三　載荷重が1平方メートルにつき政令で定める重量以上の土石その他の物件の集積

② 第33条の規定は，相続人，合併又は分割により設立される法人その他の前項の許可を受けた者の一般承継人（分割による承継の場合にあつては，その許可に係る土地若しくは工作物又は当該許可に係る工作物の新築等をすべき土地（以下この項において「許可に係る土地等」という。）を承継する法人に限る。），同項の許可を受けた者からその許可に係る土地等を譲り受けた者及び同項の許可を受けた者から賃貸借その他により当該許可に係る土地等を使用する権利を取得した者について準用する。

第6章 雑則

第91条（廃川敷地等の管理）
① 河川区域の変更又は廃止があつた場合においては，従前の河川区域内の土地又は当該区域内の河川管理施設であつて河川管理施設として管理する必要がなくなつたもの（国有であるものに限る。以下「廃川敷地等」という。）は，従前当該河川を管理していた者が1年をこえない範囲内において政令で定める期間，管理しなければならない。
② 廃川敷地等は，土地収用法第106条の規定の適用については，前項の期間内においては，廃川敷地等とならないものとみなす。

第92条（廃川敷地等の交換）
前条第1項の規定により廃川敷地等を管理する者は，同項の期間内において，政令で定めるところにより，当該廃川敷地等と新たに河川区域となる土地とを交換することができる。

第93条（2級河川に係る廃川敷地等の譲与）
① 国土交通大臣は，2級河川に係る廃川敷地等で前条の規定による交換が行なわれなかつたものについては，財務大臣と協議の上，国有財産として存置する必要があるものを除き，第91条第1項の期間満了後，その区域内に当該廃川敷地等が存する都道府県にこれを譲与することができる。
② 前項の場合において，土地収用法第106条又は民法（明治29年法律第89号）第579条の規定による買受け又は買戻しの相手方は，譲与を受けた都道府県とする。

第100条（この法律の規定を準用する河川）
① 1級河川及び2級河川以外の河川で市町村長が指定したもの（以下「準用河川」という。）については，この法律中2級河川に関する規定（政令で定める規定を除く。）を準用する。この場合において，これらの規定（第16条の4，第16条の5，第65条の3及び第65条の4の規定を除く。）中「都道府県知事」とあるのは「市町村長」と，「都道府県」とあるのは「市町村」と，「国土交通大臣」とあるのは「都道府県知事」と，第13条第2項中「政令」とあるのは「政令で定める基準を参酌して市町村の条例」と，第16条の4第1項中「都道府県知事又は指定都市の長（以下「都道府県知事等」という。）」とあるのは「市町村長」と，「都道府県知事等が統括する都道府県又は指定都市（以下「都道府県等」という。）」とあるのは「市町村長が統括する市町村」と，「勘案して，当該都道府県知事等」とあるのは「勘案して，当該市町村長」と，「都道府県知事等に」とあるのは「市町村長に」と，同条第2項，第16条の5及び第65条の3第1項中「都道府県知事等」とあるのは「市町村長」と，第16条の5第1項，第65条の3第1項，第2項及び第6項並びに第65条の4第1項及び第5項中「都道府県等」とあるのは「市町村」と，第65条の3第6項及び第65条の4第5項中「受ける都道府県」とあるのは「受ける市町村」と読み替えるものとする。

② 前項に規定するもののほか、この法律の規定の準用についての必要な技術的読替えは、政令で定める。

附　則（略）

河川法施行法（抄）

●昭和39年7月10日法律第168号●　　最終改正　平成11年12月22日法160号

第1条　（旧法の廃止）
　河川法（明治29年法律第71号。以下「旧法」という。）は，廃止する。

第3条　（河川区域の経過措置）
　新法の施行の際現に存する旧法の規定による河川の区域のうち，新法第6条第1項第1号又は第2号の区域でない区域については，政令で定める日までの間は，当該期間内に廃川敷地等（新法第91条第1項に規定する廃川敷地等をいう。以下同じ。）となつたものの区域を除き，新法の規定による河川区域とみなす。

第4条　（旧法による河川敷地等の帰属）
　新法の施行の際現に存する旧法第1条の河川若しくは同法第4条第1項の支川若しくは派川の敷地又は同条第2項の附属物若しくはその敷地（以下「旧法による河川敷地等」という。）で，同法第3条の規定により私権の目的となることを得ないものとされているものは，国に帰属する。

第17条　（旧法により公用を廃止した河川敷地等の処分の経過措置）
　新法の施行前に旧法の規定により公用を廃止した旧法による河川敷地等の処分に関しては，なお従前の例による。

附　則　（略）

河川法施行令（抄）

●昭和40年2月11日政令第14号　　最終改正　令和4年3月31日政令167号

第1章　河川の管理

第1条　（堤外の土地に類する土地等）

① 河川法（以下「法」という。）第6条第1項第3号の政令で定める堤外の土地に類する土地は，次の各号に掲げる土地とする。

一　地形上堤防が設置されているのと同一の状況を呈している土地のうち，堤防に隣接する土地又は当該土地若しくは堤防の対岸に存する土地

二　前号の土地と法第6条第1項第1号の土地との間に存する土地

三　ダムによつて貯留される流水の最高の水位における水面が土地に接する線によつて囲まれる地域内の土地

② 法第6条第1項第3号の政令で定める遊水地は，河川整備計画において，計画高水流量を低減するものとして定められた遊水地とする。

第7条　（河川の台帳の保管）

河川の台帳は，国土交通省令で定めるところにより，1級河川に係るものにあつては関係地方整備局の事務所（北海道開発局の事務所を含む。第39条の3第1項第1号において同じ。）において，2級河川に係るものにあつては関係都道府県の事務所において保管するものとする。

第4章　雑則

第49条　（廃川敷地等の公示）

河川区域の変更又は廃止により廃川敷地等が生じたときは，従前当該河川を管理していた者は，国土交通省令で定めるところにより，その旨を公示しなければならない。

第50条　（廃川敷地等の管理の期間）

法第91条第1項の政令で定める期間は，10月とする。

附　則　（略）

港湾法（抄）

●昭和25年5月31日法律第218号●　最終改正　令和4年11月18日法87号

第1章　総則

第1条（目的）
　この法律は，交通の発達及び国土の適正な利用と均衡ある発展に資するため，環境の保全に配慮しつつ，港湾の秩序ある整備と適正な運営を図るとともに，航路を開発し，及び保全することを目的とする。

第2条（定義）
① この法律で「港湾管理者」とは，第2章第1節の規定により設立された港務局又は第33条の規定による地方公共団体をいう。
② この法律で「国際戦略港湾」とは，長距離の国際海上コンテナ運送に係る国際海上貨物輸送網の拠点となり，かつ，当該国際海上貨物輸送網と国内海上貨物輸送網とを結節する機能が高い港湾であつて，その国際競争力の強化を重点的に図ることが必要な港湾として政令で定めるものをいい，「国際拠点港湾」とは，国際戦略港湾以外の港湾であつて，国際海上貨物輸送網の拠点となる港湾として政令で定めるものをいい，「重要港湾」とは，国際戦略港湾及び国際拠点港湾以外の港湾であつて，海上輸送網の拠点となる港湾その他の国の利害に重大な関係を有する港湾として政令で定めるものをいい，「地方港湾」とは，国際戦略港湾，国際拠点港湾及び重要港湾以外の港湾をいう。
③ この法律で「港湾区域」とは，第4条第4項又は第8項（これらの規定を第9条第2項及び第33条第2項において準用する場合を含む。）の規定による同意又は届出があつた水域をいう。
④ この法律で「臨港地区」とは，都市計画法（昭和43年法律第百号）第2章の規定により臨港地区として定められた地区又は第38条の規定により港湾管理者が定めた地区をいう。
⑤ この法律で「港湾施設」とは，港湾区域及び臨港地区内における第1号から第11号までに掲げる施設並びに港湾の利用又は管理に必要な第12号から第14号までに掲げる施設をいう。
一　水域施設　航路，泊地及び船だまり
二　外郭施設　防波堤，防砂堤，防潮堤，導流堤，水門，閘門，護岸，堤防，突堤及び胸壁
三　係留施設　岸壁，係船浮標，係船くい，桟橋，浮桟橋，物揚場及び船揚場
四　臨港交通施設　道路，駐車場，橋梁（りょう），鉄道，軌道，運河及びヘリポート
五　航行補助施設　航路標識並びに船舶の入出港のための信号施設，照明施設及び港務通信施設
六　荷さばき施設　固定式荷役機械，軌道走行式荷役機械，荷さばき地及び上屋
七　旅客施設　旅客乗降用固定施設，手荷物取扱所，待合所及び宿泊所
八　保管施設　倉庫，野積場，貯木場，貯炭場，危険物置場及び貯油施設
八の二　船舶役務用施設　船舶のための給水施設及び動力源の供給の用に供する施設（第13号に掲げる施設を除く。），船舶修理施設並びに船舶保管施設

規制法

八の三　港湾情報提供施設　案内施設，見学施設その他の港湾の利用に関する情報を提供するための施設
九　港湾公害防止施設　汚濁水の浄化のための導水施設，公害防止用緩衝地帯その他の港湾における公害の防止のための施設
九の二　廃棄物処理施設　廃棄物埋立護岸，廃棄物受入施設，廃棄物焼却施設，廃棄物破砕施設，廃油処理施設その他の廃棄物の処理のための施設（第13号に掲げる施設を除く。）
九の三　港湾環境整備施設　海浜，緑地，広場，植栽，休憩所その他の港湾の環境の整備のための施設
十　港湾厚生施設　船舶乗組員及び港湾における労働者の休泊所，診療所その他の福利厚生施設
十の二　港湾管理施設　港湾管理事務所，港湾管理用資材倉庫その他の港湾の管理のための施設（第14号に掲げる施設を除く。）
十一　港湾施設用地　前各号の施設の敷地
十二　移動式施設　移動式荷役機械及び移動式旅客乗降用施設
十三　港湾役務提供用移動施設　船舶の離着岸を補助するための船舶並びに船舶のための給水及び動力源の供給並びに廃棄物の処理の用に供する船舶及び車両
十四　港湾管理用移動施設　清掃船，通船その他の港湾の管理のための移動施設

⑥　前項第１号から第11号までに掲げる施設で，港湾区域及び臨港地区内にないものについても，国土交通大臣が港湾管理者の申請によつて認定したものは，港湾施設とみなす。
⑦　この法律で「港湾工事」とは，港湾施設を建設し，改良し，維持し，又は復旧する工事及びこれらの工事以外の工事で港湾における汚泥その他公害の原因となる物質の堆積の排除，汚濁水の浄化，漂流物の除去その他の港湾の保全のために行うものをいう。
⑧　この法律で「開発保全航路」とは，港湾区域及び河川法（昭和39年法律第167号）第３条第１項に規定する河川の河川区域（以下単に「河川区域」という。）以外の水域における船舶の交通を確保するため開発及び保全に関する工事を必要とする航路をいい，その構造の保全並びに船舶の航行の安全及び待避のため必要な施設を含むものとし，その区域は，政令で定める。
⑨　この法律で「避難港」とは，暴風雨に際し小型船舶が避難のため停泊することを主たる目的とし，通常貨物の積卸し又は旅客の乗降の用に供せられない港湾で，政令で定めるものをいう。
⑩　この法律で「埠頭」とは，岸壁その他の係留施設及びこれに附帯する荷さばき施設その他の国土交通省令で定める係留施設以外の港湾施設の総体をいう。

附　則（略）

自然公園法（抄）

●昭和32年6月1日法律第161号●　最終改正　令和3年5月6日法29号

第1章　総則

第1条　（目的）
　この法律は，優れた自然の風景地を保護するとともに，その利用の増進を図ることにより，国民の保健，休養及び教化に資するとともに，生物の多様性の確保に寄与することを目的とする。

第2条　（定義）
　この法律において，次の各号に掲げる用語の意義は，それぞれ当該各号に定めるところによる。
一　自然公園　国立公園，国定公園及び都道府県立自然公園をいう。
二　国立公園　我が国の風景を代表するに足りる傑出した自然の風景地（海域の景観地を含む。次章第6節及び第74条を除き，以下同じ。）であつて，環境大臣が第5条第1項の規定により指定するものをいう。
三　国定公園　国立公園に準ずる優れた自然の風景地であつて，環境大臣が第5条第2項の規定により指定するものをいう。
四　都道府県立自然公園　優れた自然の風景地であつて，都道府県が第72条の規定により指定するものをいう。
五　公園計画　国立公園又は国定公園の保護又は利用のための規制又は事業に関する計画をいう。
六　公園事業　公園計画に基づいて執行する事業であつて，国立公園又は国定公園の保護又は利用のための施設で政令で定めるものに関するものをいう。
七　生態系維持回復事業　公園計画に基づいて行う事業であつて，国立公園又は国定公園における生態系の維持又は回復を図るものをいう。

第2章　国立公園及び国定公園

第1節／指定

第5条　（指定）
①　国立公園は，環境大臣が，関係都道府県及び中央環境審議会（以下「審議会」という。）の意見を聴き，区域を定めて指定する。
②　国定公園は，環境大臣が，関係都道府県の申出により，審議会の意見を聴き，区域を定めて指定する。
③　環境大臣は，国立公園又は国定公園を指定する場合には，その旨及びその区域を官報で公示しなければならない。
④　国立公園又は国定公園の指定は，前項の公示によつてその効力を生ずる。

第3章　都道府県立自然公園

第72条　（指定）
　都道府県は，条例の定めるところにより，区域を定めて都道府県立自然公園を指定することができる。

第73条　（保護及び利用）
①　都道府県は，条例の定めるところにより，都道府県立自然公園の風致を維持するためその区域内に特別地域を，都道府県立自然公園の風致の維持とその適正な利用を図るため特別地域内に利用調整地区を指定し，かつ，特別地域内，利用調

整地区内及び当該都道府県立自然公園の区域のうち特別地域に含まれない区域内における行為につき，それぞれ国立公園の特別地域，利用調整地区又は普通地域内における行為に関する前章第4節の規定による規制の範囲内において，条例で必要な規制を定めることができる。
② 都道府県は，条例で，都道府県立自然公園に関し認定関係事務の実施のため必要がある場合に，都道府県知事が第25条から第31条までの規定の例により指定認定機関を指定し，当該指定認定機関に認定関係事務を行わせることができる旨を定めることができる。
③ 都道府県は，都道府県立自然公園の利用のための施設を集団的に整備するため，条例の定めるところにより，その区域内に集団施設地区を指定し，かつ，第317条の規定の例により，条例で，特別地域及び集団施設地区内における同条第1項各号に掲げる行為を禁止することができる。

附　則（略）

都市公園法（抄）

●昭和31年4月20日法律第79号●　　最終改正　令和6年5月29日法40号

第1章　総則

第1条　（目的）
　この法律は，都市公園の設置及び管理に関する基準等を定めて，都市公園の健全な発達を図り，もつて公共の福祉の増進に資することを目的とする。

第2条　（定義）
① この法律において「都市公園」とは，次に掲げる公園又は緑地で，その設置者である地方公共団体又は国が当該公園又は緑地に設ける公園施設を含むものとする。
一　都市計画施設（都市計画法（昭和43年法律第100号）第4条第6項に規定する都市計画施設をいう。次号において同じ。）である公園又は緑地で地方公共団体が設置するもの及び地方公共団体が同条第2項に規定する都市計画区域内において設置する公園又は緑地
二　次に掲げる公園又は緑地で国が設置するもの
　イ　一の都府県の区域を超えるような広域の見地から設置する都市計画施設である公園又は緑地（ロに該当するものを除く。）
　ロ　国家的な記念事業として，又は我が国固有の優れた文化的資産の保存及び活用を図るため閣議の決定を経て設置する都市計画施設である公園又は緑地

② この法律において「公園施設」とは，都市公園の効用を全うするため当該都市公園に設けられる次に掲げる施設をいう。
一　園路及び広場
二　植栽，花壇，噴水その他の修景施設で政令で定めるもの
三　休憩所，ベンチその他の休養施設で政令で定めるもの
四　ぶらんこ，滑り台，砂場その他の遊戯施設で政令で定めるもの
五　野球場，陸上競技場，水泳プールその他の運動施設で政令で定めるもの
六　植物園，動物園，野外劇場その他の教養施設で政令で定めるもの
七　飲食店，売店，駐車場，便所その他の便益施設で政令で定めるもの
八　門，柵，管理事務所その他の管理施設で政令で定めるもの
九　前各号に掲げるもののほか，都市公園の効用を全うする施設で政令で定めるもの

③ 次の各号に掲げるものは，第1項の規定にかかわらず，都市公園に含まれないものとする。
一　自然公園法（昭和32年法律第161号）の規定により決定された国立公園又は国定公園に関する公園計画に基いて設けられる施設（以下「国立公園又は国定公園の施設」という。）たる公園又は緑地
二　自然公園法の規定により国立公園又は国定公園の区域内に指定される集団施設地区たる公園又は緑地

第2章　都市公園の設置及び管理

第17条　（都市公園台帳）
① 公園管理者は，その管理する都市公園の台帳（以下この条において「都市公園

台帳」という。）を作成し，これを保管しなければならない。
② 都市公園台帳の記載事項その他その作成及び保管に関し必要な事項は，国土交通省令で定める。
③ 公園管理者は，都市公園台帳の閲覧を求められたときは，これを拒むことができない。

第5章 雑則

第32条 （私権の制限）
　都市公園を構成する土地物件については，私権を行使することができない。ただし，所有権を移転し，又は抵当権を設定し，若しくは移転することを妨げない。

附　則（略）

森林法（抄）

昭和26年6月26日法律第249号
最終改正　令和5年6月16日法63号

第1章　総則

第1条　（この法律の目的）
　この法律は，森林計画，保安林その他の森林に関する基本的事項を定めて，森林の保続培養と森林生産力の増進とを図り，もつて国土の保全と国民経済の発展とに資することを目的とする。

第2条　（定義）
① 　この法律において「森林」とは，左に掲げるものをいう。但し，主として農地又は住宅地若しくはこれに準ずる土地として使用される土地及びこれらの上にある立木竹を除く。
　一　木竹が集団して生育している土地及びその土地の上にある立木竹
　二　前号の土地の外，木竹の集団的な生育に供される土地
② 　この法律において「森林所有者」とは，権原に基き森林の土地の上に木竹を所有し，及び育成することができる者をいう。
③ 　この法律において「国有林」とは，国が森林所有者である森林及び国有林野の管理経営に関する法律（昭和26年法律第246号）第10条第1号に規定する分収林である森林をいい，「民有林」とは，国有林以外の森林をいう。

第3章　保安施設

第1節／保安林

第25条　（指定）
① 　農林水産大臣は，次の各号（指定しようとする森林が民有林である場合にあつては，第1号から第3号まで）に掲げる目的を達成するため必要があるときは，森林（民有林にあつては，重要流域（二以上の都府県の区域にわたる流域その他の国土保全上又は国民経済上特に重要な流域で農林水産大臣が指定するものをいう。以下同じ。）内に存するものに限る。）を保安林として指定することができる。ただし，海岸法第3条の規定により指定される海岸保全区域及び自然環境保全法（昭和47年法律第85号）第14条第1項の規定により指定される原生自然環境保全地域については，指定することができない。
　一　水源のかん養
　二　土砂の流出の防備
　三　土砂の崩壊の防備
　四　飛砂の防備
　五　風害，水害，潮害，干害，雪害又は霧害の防備
　六　なだれ又は落石の危険の防止
　七　火災の防備
　八　魚つき
　九　航行の目標の保存
　十　公衆の保健
　十一　名所又は旧跡の風致の保存
② 　前項但書の規定にかかわらず，農林水産大臣は，特別の必要があると認めるときは，海岸管理者に協議して海岸保全区域内の森林を保安林として指定することができる。
③ 　（略）
④ 　（略）

第26条　（解除）

① 農林水産大臣は，保安林（民有林にあつては，第25条第１項第１号から第３号までに掲げる目的を達成するため指定され，かつ，重要流域内に存するものに限る。以下この条において同じ。）について，その指定の理由が消滅したときは，遅滞なくその部分につき保安林の指定を解除しなければならない。

② 農林水産大臣は，公益上の理由により必要が生じたときは，その部分につき保安林の指定を解除することができる。

③ 前二項の規定により解除をしようとする場合には，第25条第３項及び第４項の規定を準用する。

第33条　（指定又は解除の通知）

① 農林水産大臣は，保安林の指定又は解除をする場合には，その旨並びに指定をするときにあつてはその保安林の所在場所，当該指定の目的及び当該保安林に係る指定施業要件（立木の伐採の方法及び限度並びに立木を伐採した後において当該伐採跡地について行なう必要のある植栽の方法，期間及び樹種をいう。以下同じ。），解除をするときにあつてはその保安林の所在場所，保安林として指定された目的及び当該解除の理由を告示するとともに関係都道府県知事に通知しなければならない。

② 保安林の指定又は解除は，前項の告示によつてその効力を生ずる。

③～⑥　（略）

第34条　（保安林における制限）

① 保安林においては，政令で定めるところにより，都道府県知事の許可を受けなければ，立木を伐採してはならない。ただし，次の各号のいずれかに該当する場合は，この限りでない。

一　法令又はこれに基づく処分により伐採の義務のある者がその履行として伐採する場合

二　次条第１項に規定する択伐による立木の伐採をする場合

三　第34条の３第１項に規定する間伐のための立木の伐採をする場合

四　第39条の４第１項の規定により地域森林計画に定められている森林施業の方法及び時期に関する事項に従つて立木の伐採をする場合

五　森林所有者等が第49条第１項の許可を受けて伐採する場合

六　第188条第３項の規定に基づいて伐採する場合

七　火災，風水害その他の非常災害に際し緊急の用に供する必要がある場合

八　除伐する場合

九　その他農林水産省令で定める場合

② 保安林においては，都道府県知事の許可を受けなければ，立竹を伐採し，立木を損傷し，家畜を放牧し，下草，落葉若しくは落枝を採取し，又は土石若しくは樹根の採掘，開墾その他の土地の形質を変更する行為をしてはならない。ただし，次の各号のいずれかに該当する場合は，この限りでない。

一　法令又はこれに基づく処分によりこれらの行為をする義務のある者がその履行としてする場合

二　森林所有者等が第49条第１項の許可を受けてする場合

三　第188条第３項の規定に基づいてする場合

四　火災，風水害その他の非常災害に際し緊急の用に供する必要がある場合

五　軽易な行為であつて農林水産省令で定めるものをする場合

六　その他農林水産省令で定める場合

③～⑩　（略）

第39条　（標識の設置）

① 都道府県知事は，民有林について保安林の指定があつたときは，その保安林の

区域内にこれを表示する標識を設置しなければならない。この場合において，保安林の森林所有者は，その設置を拒み，又は妨げてはならない。
② 農林水産大臣は，国有林について保安林の指定をしたときは，その保安林の区域内にこれを表示する標識を設置しなければならない。
③ （略）

第39条の2　（保安林台帳）
① 都道府県知事は，保安林台帳を調製し，これを保管しなければならない。
② 都道府県知事は，前項の保安林台帳の閲覧を求められたときは，正当な理由がなければ，これを拒んではならない。
③ （略）

附　則（略）

自然環境保全法（抄）

昭和47年6月22日法律第85号　　最終改正　平成31年4月26日法20号

第1章　総則

第1条　（目的）
　この法律は，自然公園法（昭和32年法律第161号）その他の自然環境の保全を目的とする法律と相まつて，自然環境を保全することが特に必要な区域等の生物の多様性の確保その他の自然環境の適正な保全を総合的に推進することにより，広く国民が自然環境の恵沢を享受するとともに，将来の国民にこれを継承できるようにし，もつて現在及び将来の国民の健康で文化的な生活の確保に寄与することを目的とする。

第3条　（財産権の尊重及び他の公益との調整）
　自然環境の保全に当たつては，関係者の所有権その他の財産権を尊重するとともに，国土の保全その他の公益との調整に留意しなければならない。

第3章　原生自然環境保全地域

第1節／指定等

第14条　（指定）
① 環境大臣は，その区域における自然環境が人の活動によつて影響を受けることなく原生の状態を維持しており，かつ，政令で定める面積以上の面積を有する土地の区域であつて，国又は地方公共団体が所有するもの（森林法（昭和26年法律第249号）第25条第1項又は第25条の2第1項若しくは第2項の規定により指定された保安林（同条第1項後段又は第2項後段において準用する同法第25条第2項の規定により指定された保安林を除く。）の区域を除く。）のうち，当該自然環境を保全することが特に必要なものを原生自然環境保全地域として指定することができる。

②～⑥　（略）

第15条　（原生自然環境保全地域に関する保全計画の決定）
① 原生自然環境保全地域に関する保全計画（原生自然環境保全地域における自然環境の保全のための規制又は施設に関する計画をいう。以下同じ。）は，環境大臣が関係都道府県知事及び中央環境審議会の意見をきいて決定する。
② 環境大臣は，原生自然環境保全地域に関する保全計画を決定したときは，その概要を官報で公示し，かつ，その原生自然環境保全地域に関する保全計画を一般の閲覧に供しなければならない。
③ 前二項の規定は，原生自然環境保全地域に関する保全計画の廃止及び変更について準用する。

第2節／保全

第17条　（行為の制限）
① 原生自然環境保全地域内においては，次の各号に掲げる行為をしてはならない。ただし，環境大臣が学術研究その他公益上の事由により特に必要と認めて許可した場合又は非常災害のために必要な応急措置として行う場合は，この限りでない。
一　建築物その他の工作物を新築し，改築し，又は増築すること。
二　宅地を造成し，土地を開墾し，その

他土地の形質を変更すること。
三　鉱物を掘採し，又は土石を採取すること。
四　水面を埋め立て，又は干拓すること。
五　河川，湖沼等の水位又は水量に増減を及ぼさせること。
六　木竹を伐採し，又は損傷すること。
七　木竹以外の植物を採取し，若しくは損傷し，又は落葉若しくは落枝を採取すること。
八　木竹を植栽すること。
九　木竹以外の植物を植栽し，又は植物の種子まくこと。
十　動物を捕獲し，若しくは殺傷し，又は動物の卵を採取し，若しくは損傷すること。
十一　動物を放つこと（家畜の放牧を含む。）。
十二　火入れ又はたき火をすること。
十三　廃棄物を捨て，又は放置すること。
十四　屋外において物を集積し，又は貯蔵すること。
十五　車馬若しくは動力船を使用し，又は航空機を着陸させること。
十六　前各号に掲げるもののほか，原生自然環境保全地域における自然環境の保全に影響を及ぼすおそれがある行為で政令で定めるもの

②～⑤（略）

第19条　（立入制限地区）

①　環境大臣は，原生自然環境保全地域における自然環境の保全のために特に必要があると認めるときは，原生自然環境保全地域に関する保全計画に基づいて，その区域内に，立入制限地区を指定することができる。

②～③（略）

附　則（略）

宗教法人法（抄）

昭和26年4月3日法律第126号
最終改正　令和元年12月11日法71号

第1章　総則

第1条　（この法律の目的）

① この法律は，宗教団体が，礼拝の施設その他の財産を所有し，これを維持運用し，その他その目的達成のための業務及び事業を運営することに資するため，宗教団体に法律上の能力を与えることを目的とする。

② 憲法で保障された信教の自由は，すべての国政において尊重されなければならない。従つて，この法律のいかなる規定も，個人，集団又は団体が，その保障された自由に基いて，教義をひろめ，儀式行事を行い，その他宗教上の行為を行うことを制限するものと解釈してはならない。

第2条　（宗教団体の定義）

この法律において「宗教団体」とは，宗教の教義をひろめ，儀式行事を行い，及び信者を教化育成することを主たる目的とする左に掲げる団体をいう。

一　礼拝の施設を備える神社，寺院，教会，修道院その他これらに類する団体

二　前号に掲げる団体を包括する教派，宗派，教団，教会，修道会，司教区その他これらに類する団体

第3条　（境内建物及び境内地の定義）

この法律において「境内建物」とは，第1号に掲げるような宗教法人の前条に規定する目的のために必要な当該宗教法人に固有の建物及び工作物をいい，「境内地」とは，第2号から第7号までに掲げるような宗教法人の同条に規定する目的のために必要な当該宗教法人に固有の土地をいう。

一　本殿，拝殿，本堂，会堂，僧堂，僧院，信者修行所，社務所，庫裏，教職舎，宗務庁，教務院，教団事務所その他宗教法人の前条に規定する目的のために供される建物及び工作物（附属の建物及び工作物を含む。）

二　前号に掲げる建物又は工作物が存する一画の土地（立木竹その他建物及び工作物以外の定着物を含む。以下この条において同じ。）

三　参道として用いられる土地

四　宗教上の儀式行事を行うために用いられる土地（神せん田，仏供田，修道耕牧地等を含む。）

五　庭園，山林その他尊厳又は風致を保持するために用いられる土地

六　歴史，古記等によつて密接な縁故がある土地

七　前各号に掲げる建物，工作物又は土地の災害を防止するために用いられる土地

第4条　（法人格）

① 宗教団体は，この法律により，法人となることができる。

② この法律において「宗教法人」とは，この法律により法人となつた宗教団体をいう。

第5条　（所轄庁）

① 宗教法人の所轄庁は，その主たる事務所の所在地を管轄する都道府県知事とす

る。
② 次に掲げる宗教法人にあつては、その所轄庁は、前項の規定にかかわらず、文部科学大臣とする。
一 他の都道府県内に境内建物を備える宗教法人
二 前号に掲げる宗教法人以外の宗教法人であつて同号に掲げる宗教法人を包括するもの
三 前二号に掲げるもののほか、他の都道府県内にある宗教法人を包括する宗教法人

第6条 （公益事業その他の事業）
① 宗教法人は、公益事業を行うことができる。
② 宗教法人は、その目的に反しない限り、公益事業以外の事業を行うことができる。この場合において、収益を生じたときは、これを当該宗教法人、当該宗教法人を包括する宗教団体又は当該宗教法人が援助する宗教法人若しくは公益事業のために使用しなければならない。

第7条 （宗教法人の住所）
宗教法人の住所は、その主たる事務所の所在地にあるものとする。

第8条 （登記の効力）
宗教法人は、第7章第1節の規定により登記しなければならない事項については、登記に因り効力を生ずる事項を除く外、登記の後でなければ、これをもつて第三者に対抗することができない。

第9条 （登記に関する届出）
宗教法人は、第7章の規定による登記（所轄庁の嘱託によつてする登記を除く。）をしたときは、遅滞なく、登記事項証明書を添えて、その旨を所轄庁に届け出なければならない。

第10条 （宗教法人の能力）
宗教法人は、法令の規定に従い、規則で定める目的の範囲内において、権利を有し、義務を負う。

第11条 （宗教法人の責任）
① 宗教法人は、代表役員その他の代表者がその職務を行うにつき第三者に加えた損害を賠償する責任を負う。
② 宗教法人の目的の範囲外の行為に因り第三者に損害を加えたときは、その行為をした代表役員その他の代表者及びその事項の決議に賛成した責任役員、その代務者又は仮責任役員は、連帯してその損害を賠償する責任を負う。

第7章 登記

第2節／礼拝用建物及び敷地の登記

第66条 （登記）
① 宗教法人の所有に係るその礼拝の用に供する建物及びその敷地については、当該不動産が当該宗教法人において礼拝の用に供する建物及びその敷地である旨の登記をすることができる。
② 敷地に関する前項の規定による登記は、その上に存する建物について同項の規定による登記がある場合に限りすることができる。

第67条 （登記の申請）
① 前条第1項の規定による登記は、当該宗教法人の申請によつてする。
② 登記を申請するには、その申請情報と併せて礼拝の用に供する建物又はその敷地である旨を証する情報を提供しなければならない。

第68条 （登記事項）
登記官は、前条第1項の規定による申請があつたときは、その建物又は土地の登記記録中権利部に、建物については当

該宗教法人において礼拝の用に供するものである旨を，土地については当該宗教法人において礼拝の用に供する建物の敷地である旨を記録しなければならない。

第69条 （礼拝の用途廃止に因る登記の抹消）
① 宗教法人は，前条の規定による登記をした建物が礼拝の用に供せられないこととなつたときは，遅滞なく同条の規定による登記の抹消を申請しなければならない。前条の規定による登記をした土地が礼拝の用に供する建物の敷地でなくなつたときも，また同様とする。
② 登記官は，前項前段の規定による申請に基き登記の抹消をした場合において，当該建物の敷地について前条の規定による登記があるときは，あわせてその登記を抹消しなければならない。

第70条 （所有権の移転に因る登記の抹消）
① 登記官は，第68条の規定による登記をした建物又は土地について所有権移転の登記をしたときは，これとともに当該建物又は土地に係る同条の規定による登記を抹消しなければならない。
② 前条第2項の規定は，前項の規定により建物について登記の抹消をした場合に準用する。
③ 前二項の規定は，宗教法人の合併の場合には適用しない。

第9章　補則

第83条 （礼拝用建物等の差押禁止）
宗教法人の所有に係るその礼拝の用に供する建物及びその敷地で，第7章第2節の定めるところにより礼拝の用に供する建物及びその敷地である旨の登記をしたものは，不動産の先取特権，抵当権又は質権の実行のためにする場合及び破産手続開始の決定があつた場合を除くほか，その登記後に原因を生じた私法上の金銭債権のために差し押さえることができない。

附　則　（略）

土地収用法（抄）

●昭和26年6月9日法律第219号●　最終改正　令和4年11月18日法87号

第1章　総則

第1条　（この法律の目的）
　この法律は，公共の利益となる事業に必要な土地等の収用又は使用に関し，その要件，手続及び効果並びにこれに伴う損失の補償等について規定し，公共の利益の増進と私有財産との調整を図り，もつて国土の適正且つ合理的な利用に寄与することを目的とする。

第2条　（土地の収用又は使用）
　公共の利益となる事業の用に供するため土地を必要とする場合において，その土地を当該事業の用に供することが土地の利用上適正且つ合理的であるときは，この法律の定めるところにより，これを収用し，又は使用することができる。

第3条　（土地を収用し，又は使用することができる事業）
　土地を収用し，又は使用することができる公共の利益となる事業は，左の各号のいずれかに該当するものに関する事業でなければならない。
一　道路法（昭和27年法律第180号）による道路，道路運送法（昭和26年法律第183号）による一般自動車道若しくは専用自動車道（同法による一般旅客自動車運送事業又は貨物自動車運送事業法（平成元年法律第83号）による一般貨物自動車運送事業の用に供するものに限る。）又は駐車場法（昭和32年法律第106号）による路外駐車場
二　河川法（昭和39年法律第167号）が適用され，若しくは準用される河川その他公共の利害に関係のある河川又はこれらの河川に治水若しくは利水の目的をもつて設置する堤防，護岸，ダム，水路，貯水池その他の施設
三　砂防法（明治30年法律第29号）による砂防設備又は同法が準用される砂防のための施設
三の二　国又は都道府県が設置する地すべり等防止法（昭和33年法律第30号）による地すべり防止施設又はぼた山崩壊防止施設
三の三　国又は都道府県が設置する急傾斜地の崩壊による災害の防止に関する法律（昭和44年法律第57号）による急傾斜地崩壊防止施設
四　運河法（大正2年法律第16号）による運河の用に供する施設
五　国，地方公共団体，土地改良区（土地改良区連合を含む。以下同じ。）又は独立行政法人エネルギー・金属鉱物資源機構が設置する農業用道路，用水路，排水路，海岸堤防，かんがい用若しくは農作物の災害防止用のため池又は防風林その他これに準ずる施設
六　国，都道府県又は土地改良区が土地改良法（昭和24年法律第195号）によつて行う客土事業又は土地改良事業の施行に伴い設置する用排水機若しくは地下水源の利用に関する設備
七　鉄道事業法（昭和61年法律第92号）による鉄道事業者又は索道事業者がその鉄道事業又は索道事業で一般の需要に応ずるものの用に供する施設
七の二　独立行政法人鉄道建設・運輸施

設整備支援機構が設置する鉄道又は軌道の用に供する施設
八　軌道法（大正10年法律第76号）による軌道又は同法が準用される無軌条電車の用に供する施設
八の二　石油パイプライン事業法（昭和47年法律第105号）による石油パイプライン事業の用に供する施設
九　道路運送法による一般乗合旅客自動車運送事業（路線を定めて定期に運行する自動車により乗合旅客の運送を行うものに限る。）又は貨物自動車運送事業法による一般貨物自動車運送事業（特別積合せ貨物運送をするものに限る。）の用に供する施設
九の二　自動車ターミナル法（昭和34年法律第136号）第3条の許可を受けて経営する自動車ターミナル事業の用に供する施設
十　港湾法（昭和25年法律第218号）による港湾施設又は漁港漁場整備法（昭和25年法律第137号）による漁港施設
十の二　海岸法（昭和31年法律第101号）による海岸保全施設
十の三　津波防災地域づくりに関する法律（平成23年法律第123号による津波防護施設
十一　航路標識法（昭和24年法律第99号）による航路標識又は水路業務法（昭和25年法律第102号）による水路測量標
十二　航空法（昭和27年法律第231号）による飛行場又は航空保安施設で公共の用に供するもの
十三　気象、海象、地象又は洪水その他これに類する現象の観測又は通報の用に供する施設
十三の二　日本郵便株式会社が日本郵便株式会社法（平成17年法律第100号）第4条第1項第1号に掲げる業務の用に供する施設
十四　国が電波監視のために設置する無線方位又は電波の質の測定装置
十五　国又は地方公共団体が設置する電気通信設備
十五の二　電気通信事業法（昭和59年法律第86号）第120条第1項に規定する認定電気通信事業者が同項に規定する認定電気通信事業の用に供する施設（同法の規定により土地等を使用することができるものを除く。）
十六　放送法（昭和25年法律第132号）による基幹放送事業者又は基幹放送局提供事業者が基幹放送の用に供する放送設備
十七　電気事業法（昭和39年法律第170号）による一般電気事業、卸電気事業又は特定電気事業の用に供する電気工作物
十七の二　ガス事業法（昭和29年法律第51号）によるガス工作物
十八　水道法（昭和32年法律第177号）による水道事業若しくは水道用水供給事業、工業用水道事業法（昭和33年法律第84号）による工業用水道事業又は下水道法（昭和33年法律第79号）による公共下水道、流域下水道若しくは都市下水路の用に供する施設
十九　市町村が消防法（昭和23年法律第186号）によつて設置する消防の用に供する施設
二十　都道府県又は水防法（昭和24年法律第193号）による水防管理団体が水防の用に供する施設
二十一　学校教育法（昭和22年法律第26号）第1条に規定する学校又はこれに準ずるその他の教育若しくは学術研究のための施設
二十二　社会教育法（昭和24年法律第207号）による公民館（同法第42条に規定する公民館類似施設を除く。）若しくは博物館又は図書館法（昭和25年法律第118号）による図書館（同法第29条に規定する図書館同種施設を除く。）
二十三　社会福祉法（昭和26年法律第45

号）による社会福祉事業若しくは更生保護事業法（平成7年法律第86号）による更生保護事業の用に供する施設又は職業能力開発促進法（昭和44年法律第64号）による公共職業能力開発施設若しくは職業能力開発総合大学校

二十四　国，地方公共団体，国立研究開発法人国立病院機構，国立研究開発法人国立がん研究センター，国立研究開発法人国立循環器病研究センター，国立研究開発法人国立精神・神経医療研究センター，国立研究開発法人国立国際医療研究センター，国立研究開発法人国立成育医療研究センター，国立研究開発法人国立長寿医療研究センター，健康保険組合若しくは健康保険組合連合会，国民健康保険組合若しくは国民健康保険団体連合会，国家公務員共済組合若しくは国家公務員共済組合連合会若しくは地方公務員共済組合若しくは全国市町村職員共済組合連合会が設置する病院，療養所，診療所若しくは助産所，地域保健法（昭和22年法律第101号）による保健所若しくは医療法（昭和23年法律第205号）による公的医療機関又は検疫所

二十五　墓地，埋葬等に関する法律（昭和23年法律第48号）による火葬場

二十六　と畜場法（昭和28年法律第114号）によると畜場又は化製場等に関する法律（昭和23年法律第140号）による化製場若しくは死亡獣畜取扱場

二十七　地方公共団体又は廃棄物の処理及び清掃に関する法律（昭和45年法律第137号）第15条の5第1項に規定する廃棄物処理センターが設置する同法による一般廃棄物処理施設，産業廃棄物処理施設その他の廃棄物の処理施設（廃棄物の処分（再生を含む。）に係るものに限る。）及び地方公共団体が設置する公衆便所

二十七の二　国が設置する平成23年3月11日に発生した東北地方太平洋沖地震に伴う原子力発電所の事故により放出された放射性物質による環境の汚染への対処に関する特別措置法（平成23年法律第110号）による汚染廃棄物等の処理施設

二十八　卸売市場法（昭和46年法律第35号）による中央卸売市場及び地方卸売市場

二十九　自然公園法（昭和32年法律第161号）による公園事業

二十九の二　自然環境保全法（昭和47年法律第85号）による原生自然環境保全地域に関する保全事業及び自然環境保全地域に関する保全事業

三十　国，地方公共団体，独立行政法人都市再生機構又は地方住宅供給公社が都市計画法（昭和43年法律第100号）第4条第2項に規定する都市計画区域について同法第2章の規定により定められた第1種低層住居専用地域，第2種低層住居専用地域，第1種中高層住居専用地域，第2種中高層住居専用地域，第1種住居地域，第2種住居地域，準住居地域又は田園住居地域内において，自ら居住するため住宅を必要とする者に対し賃貸し，又は譲渡する目的で行う50戸以上の一団地の住宅経営

三十一　国又は地方公共団体が設置する庁舎，工場，研究所，試験所その他直接その事務又は事業の用に供する施設

三十二　国又は地方公共団体が設置する公園，緑地，広場，運動場，墓地，市場その他公共の用に供する施設

三十三　国立研究開発法人日本原子力研究開発機構が国立研究開発法人日本原子力研究開発機構法（平成16年法律第155号）第17条第1項第1号から第3号までに掲げる業務の用に供する施設

三十四　独立行政法人水資源機構が設置する独立行政法人水資源機構法（平成14年法律第182号）による水資源開発

施設及び愛知豊川用水施設
三十四の二　国立研究開発法人宇宙航空研究開発機構が国立研究開発法人宇宙航空研究開発機構法（平成14年法律第161号）第18条第1号から第4号までに掲げる業務の用に供する施設
三十四の三　国立研究開発法人国立がん研究センター，国立研究開発法人国立循環器病研究センター，国立研究開発法人国立精神・神経医療研究センター，国立研究開発法人国立国際医療研究センター，国立研究開発法人国立成育医療研究センター又は国立研究開発法人国立長寿医療研究センターが高度専門医療に関する研究等を行う国立研究開発法人に関する法律（平成20年法律第93号）第13条第1項第1号，第14条第1号，第15条第1号若しくは第3号，第16条第1号若しくは第3号，第17条第1号又は第18条第1号若しくは第2号に掲げる業務の用に供する施設
三十五　前各号のいずれかに掲げるものに関する事業のために欠くことができない通路，橋，鉄道，軌道，索道，電線路，水路，池井，土石の捨場，材料の置場，職務上常駐を必要とする職員の詰所又は宿舎その他の施設

第5条　（権利の収用又は使用）

① 土地を第3条各号の一に規定する事業の用に供するため，その土地にある左の各号に掲げる権利を消滅させ，又は制限することが必要且つ相当である場合においては，この法律の定めるところにより，これらの権利を収用し，又は使用することができる。
一　地上権，永小作権，地役権，採石権，質権，抵当権，使用貸借又は賃貸借による権利その他土地に関する所有権以外の権利
二　鉱業権
三　温泉を利用する権利

② 土地の上にある立木，建物その他土地に定着する物件をその土地とともに第3条各号の一に規定する事業の用に供するため，これらの物件に関する所有権以外の権利を消滅させ，又は制限することが必要且つ相当である場合においては，この法律の定めるところにより，これらの権利を収用し，又は使用することができる。

③ 土地，河川の敷地，海底又は流水，海水その他の水を第3条各号の一に規定する事業の用に供するため，これらのもの（当該土地が埋立て又は干拓により造成されるものであるときは，当該埋立て又は干拓に係る河川の敷地又は海底）に関係のある漁業権，入漁権その他河川の敷地，海底又は流水，海水その他の水を利用する権利を消滅させ，又は制限することが必要且つ相当である場合においては，この法律の定めるところにより，これらの権利を収用し，又は使用することができる。

第6条　（立木，建物等の収用又は使用）

土地の上にある立木，建物その他土地に定着する物件をその土地とともに，第3条各号の一に規定する事業の用に供することが必要且つ相当である場合においては，この法律の定めるところにより，これらの物を収用し，又は使用することができる。

第7条　（土石砂れきの収用）

土地に属する土石砂れきを第3条各号の一に規定する事業の用に供することが必要且つ相当である場合においては，この法律の定めるところにより，これらの物を収用することができる。

第4章　収用又は使用の手続

第2節／裁決手続の開始

第39条　（収用又は使用の裁決の申請）

① 起業者は，第26条第1項の規定による事業の認定の告示があつた日から1年以内に限り，収用し，又は使用しようとする土地が所在する都道府県の収用委員会に収用又は使用の裁決を申請することができる。

②・③　（略）

第45条の2　（裁決手続開始の決定及び裁決手続開始の登記の嘱託）

収用委員会は，第44条第1項の規定により添附書類の一部を省略して裁決の申請があつたときは，前条第2項に規定する公告期間を経過した後，これを省略しないで裁決の申請があつたときは，第42条第2項に規定する縦覧期間を経過した後，遅滞なく，国土交通省令で定めるところにより裁決手続の開始を決定してその旨を公告し，かつ，申請に係る土地を管轄する登記所に，その土地及びその土地に関する権利について，収用又は使用の裁決手続の開始の登記（以下単に「裁決手続開始の登記」という。）を嘱託しなければならない。

第45条の3　（裁決手続開始の登記の効果）

① 裁決手続開始の登記があつた後において，当該登記に係る権利を承継し，当該登記に係る権利について仮登記若しくは買戻しの特約の登記をし，又は当該登記に係る権利について差押え，仮差押えの執行若しくは仮処分の執行をした者は，当該承継，仮登記上の権利若しくは買戻権又は当該処分を起業者に対抗することができない。ただし，相続人その他の一般承継人及び当該裁決手続開始の登記前に登記された買戻権の行使又は当該裁決手続開始の登記前にされた差押え若しくは仮差押えの執行に係る国税徴収法（昭和34年法律第147号）による滞納処分（その例による滞納処分を含むものとし，以下単に「滞納処分」という。），強制執行若しくは担保権の実行としての競売（その例による競売を含むものとし，以下単に「競売」という。）により権利を取得した者の当該権利の承継については，この限りでない。

② 裁決手続開始の登記前においては，土地が収用され，又は使用されることによる損失の補償を請求する権利については，差押え，仮差押えの執行，譲渡又は質権の設定をすることができない。裁決手続開始の登記後においても，その登記に係る権利で，その登記前に差押え又は仮差押えの執行がされているもの（質権，抵当権その他の権利で，当該差押え又は仮差押えの執行に係る滞納処分，強制執行又は競売によつて消滅すべきものを含む。）に対する損失の補償を請求する権利につき，同様とする。

第4節／裁決

第47条　（却下の裁決）

収用又は使用の裁決の申請が左の各号の一に該当するときその他この法律の規定に違反するときは，収用委員会は，裁決をもつて申請を却下しなければならない。

一　申請に係る事業が第26条第1項の規定によつて告示された事業と異なるとき。

二　申請に係る事業計画が第18条第2項第1号の規定によつて事業認定申請書に添附された事業計画書に記載された計画と著しく異なるとき。

第47条の2　（収用又は使用の裁決）

① 収用委員会は，前条の規定によつて申請を却下する場合を除くの外，収用又は

使用の裁決をしなければならない。
② 収用又は使用の裁決は，権利取得裁決及び明渡裁決とする。
③ 明渡裁決は，起業者，土地所有者又は関係人の申立てをまつてするものとする。
④ 明渡裁決は，権利取得裁決とあわせて，又は権利取得裁決のあつた後に行なう。ただし，明渡裁決のため必要な審理を権利取得裁決前に行なうことを妨げない。

第48条　（権利取得裁決）
① 権利取得裁決においては，次に掲げる事項について裁決しなければならない。
一　収用する土地の区域又は使用する土地の区域並びに使用の方法及び期間
二　土地又は土地に関する所有権以外の権利に対する損失の補償
三　権利を取得し，又は消滅させる時期（以下「権利取得の時期」という。）
四　その他この法律に規定する事項
②・③　（略）
④ 収用委員会は，第1項第2号に掲げる事項については，前項の規定によるのほか，当該補償金を受けるべき土地所有者及び関係人の氏名及び住所を明らかにして裁決しなければならない。ただし，土地所有者又は関係人の氏名又は住所を確知することができないときは，当該事項については，この限りでない。
⑤ 収用委員会は，第1項第2号に掲げる事項については，前二項の規定によるのほか，土地に関する所有権以外の権利に関して争いがある場合において，裁決の時期までにその権利の存否が確定しないときは，当該権利が存するものとして裁決しなければならない。この場合においては，裁決の後に土地に関する所有権以外の権利が存しないことが確定した場合における土地所有者の受けるべき補償金をあわせて裁決しなければならない。

第49条　（明渡裁決）
① 明渡裁決においては，次に掲げる事項について裁決しなければならない。
一　前条第1項第2号に掲げるものを除くその他の損失の補償
二　土地若しくは物件の引渡し又は物件の移転の期限（以下「明渡しの期限」という。）
三　その他この法律に規定する事項
② 前条第3項から第5項までの規定は，前項第1号に掲げる事項について準用する。

第7章　使用又は使用の効果

第101条　（権利の取得，消滅及び制限）
① 土地を収用するときは，権利取得裁決において定められた権利取得の時期において，起業者は，当該土地の所有権を取得し，当該土地に関するその他の権利並びに当該土地又は当該土地に関する所有権以外の権利に係る仮登記上の権利及び買戻権は消滅し，当該土地又は当該土地に関する所有権以外の権利に係る差押え，仮差押えの執行及び仮処分の執行はその効力を失う。但し，第76条第2項又は第81条第2項の規定に基く請求に係る裁決で存続を認められた権利については，この限りでない。
②・③　（略）

附　則　（略）

都市計画法（抄）

●昭和43年6月15日法律第100号●　最終改正　令和6年5月29日法40号

第1章　総則

第1条（目的）
　この法律は，都市計画の内容及びその決定手続，都市計画制限，都市計画事業その他都市計画に関し必要な事項を定めることにより，都市の健全な発展と秩序ある整備を図り，もつて国土の均衡ある発展と公共の福祉の増進に寄与することを目的とする。

第2条（都市計画の基本理念）
　都市計画は，農林漁業との健全な調和を図りつつ，健康で文化的な都市生活及び機能的な都市活動を確保すべきこと並びにこのためには適正な制限のもとに土地の合理的な利用が図られるべきことを基本理念として定めるものとする。

第4条（定義）
① この法律において「都市計画」とは，都市の健全な発展と秩序ある整備を図るための土地利用，都市施設の整備及び市街地開発事業に関する計画で，次章の規定に従い定められたものをいう。
② この法律において「都市計画区域」とは次条の規定により指定された区域を，「準都市計画区域」とは第5条の2の規定により指定された区域をいう。
③ この法律において「地域地区」とは，第8条第1項各号に掲げる地域，地区又は街区をいう。
④ この法律において「促進区域」とは，第10条の2第1項各号に掲げる区域をいう。
⑤ この法律において「都市施設」とは，都市計画において定められるべき第11条第1項各号に掲げる施設をいう。
⑥ この法律において「都市計画施設」とは，都市計画において定められた第11条第1項各号に掲げる施設をいう。
⑦ この法律において「市街地開発事業」とは，第12条第1項各号に掲げる事業をいう。
⑧ この法律において「市街地開発事業等予定区域」とは，第12条の2第1項各号に掲げる予定区域をいう。
⑨ この法律において「地区計画等」とは，第12条の4第1項各号に掲げる計画をいう。
⑩ この法律において「建築物」とは建築基準法（昭和25年法律第201号）第2条第1号に定める建築物を，「建築」とは同条第13号に定める建築をいう。
⑪ この法律において「特定工作物」とは，コンクリートプラントその他周辺の地域の環境の悪化をもたらすおそれがある工作物で政令で定めるもの（以下「第1種特定工作物」という。）又はゴルフコースその他大規模な工作物で政令で定めるもの（以下「第2種特定工作物」という。）をいう。
⑫ この法律において「開発行為」とは，主として建築物の建築又は特定工作物の建設の用に供する目的で行なう土地の区画形質の変更をいう。
⑬ この法律において「開発区域」とは，開発行為をする土地の区域をいう。
⑭ この法律において「公共施設」とは，道路，公園その他政令で定める公共の用

規制法

に供する施設をいう。
⑮　この法律において「都市計画事業」とは，この法律で定めるところにより第59条の規定による認可又は承認を受けて行なわれる都市計画施設の整備に関する事業及び市街地開発事業をいう。
⑯　この法律において「施行者」とは，都市計画事業を施行する者をいう。

第5条　（都市計画区域）

①　都道府県は，市又は人口，就業者数その他の事項が政令で定める要件に該当する町村の中心の市街地を含み，かつ，自然的及び社会的条件並びに人口，土地利用，交通量その他国土交通省令で定める事項に関する現況及び推移を勘案して，一体の都市として総合的に整備し，開発し，及び保全する必要がある区域を都市計画区域として指定するものとする。この場合において，必要があるときは，当該市町村の区域外にわたり，都市計画区域を指定することができる。
②　都道府県は，前項の規定によるもののほか，首都圏整備法（昭和31年法律第83号）による都市開発区域，近畿圏整備法（昭和38年法律第129号）による都市開発区域，中部圏開発整備法（昭和41年法律第102号）による都市開発区域その他新たに住居都市，工業都市その他の都市として開発し，及び保全する必要がある区域を都市計画区域として指定するものとする。
③　都道府県は，前二項の規定により都市計画区域を指定しようとするときは，あらかじめ，関係市町村及び都道府県都市計画審議会の意見を聴くとともに，国土交通省令で定めるところにより，国土交通大臣に協議し，その同意を得なければならない。
④　二以上の都府県の区域にわたる都市計画区域は，第1項及び第2項の規定にかかわらず，国土交通大臣が，あらかじめ，関係都府県の意見を聴いて指定するものとする。この場合において，関係都府県が意見を述べようとするときは，あらかじめ，関係市町村及び都道府県都市計画審議会の意見を聴かなければならない。
⑤　都市計画区域の指定は，国土交通省令で定めるところにより，公告することによつて行なう。
⑥　前各項の規定は，都市計画区域の変更又は廃止について準用する。

第5条の2　（準都市計画区域）

①　都道府県は，都市計画区域外の区域のうち，相当数の建築物その他の工作物（以下「建築物等」という。）の建築若しくは建設又はこれらの敷地の造成が現に行われ，又は行われると見込まれる区域を含み，かつ，自然的及び社会的条件並びに農業振興地域の整備に関する法律（昭和44年法律第58号）その他の法令による土地利用の規制の状況その他国土交通省令で定める事項に関する現況及び推移を勘案して，そのまま土地利用を整序し，又は環境を保全するための措置を講ずることなく放置すれば，将来における一体の都市としての整備，開発及び保全に支障が生じるおそれがあると認められる一定の区域を，準都市計画区域として指定することができる。
②　都道府県は，前項の規定により準都市計画区域を指定しようとするときは，あらかじめ，関係市町村及び都道府県都市計画審議会の意見を聴かなければならない。
③　準都市計画区域の指定は，国土交通省令で定めるところにより，公告することによつて行う。
④　前三項の規定は，準都市計画区域の変更又は廃止について準用する。
⑤　準都市計画区域の全部又は一部について都市計画区域が指定されたときは，当該準都市計画区域は，前項の規定にかか

わらず，廃止され，又は当該都市計画区域と重複する区域以外の区域に変更されたものとみなす。

第3章　都市計画制限等

第1節／開発行為等の規制

第29条　（開発行為の許可）

① 都市計画区域又は準都市計画区域内において開発行為をしようとする者は，あらかじめ，国土交通省令で定めるところにより，都道府県知事（地方自治法（昭和22年法律第67号）第252条の19第1項の指定都市又は同法第252条の22第1項の中核市（以下「指定都市等」という。）の区域内にあつては，当該指定都市等の長。以下この節において同じ。）の許可を受けなければならない。ただし，次に掲げる開発行為については，この限りでない。

一　市街化区域，区域区分が定められていない都市計画区域又は準都市計画区域内において行う開発行為で，その規模が，それぞれの区域の区分に応じて政令で定める規模未満であるもの

二　市街化調整区域，区域区分が定められていない都市計画区域又は準都市計画区域内において行う開発行為で，農業，林業若しくは漁業の用に供する政令で定める建築物又はこれらの業務を営む者の居住の用に供する建築物の建築の用に供する目的で行うもの

三　駅舎その他の鉄道の施設，図書館，公民館，変電所その他これらに類する公益上必要な建築物のうち開発区域及びその周辺の地域における適正かつ合理的な土地利用及び環境の保全を図る上で支障がないものとして政令で定める建築物の建築の用に供する目的で行う開発行為

四　都市計画事業の施行として行う開発行為

五　土地区画整理事業の施行として行う開発行為

六　市街地再開発事業の施行として行う開発行為

七　住宅街区整備事業の施行として行う開発行為

八　防災街区整備事業の施行として行う開発行為

九　公有水面埋立法（大正10年法律第57号）第2条第1項の免許を受けた埋立地であつて，まだ同法第22条第2項の告示がないものにおいて行う開発行為

十　非常災害のため必要な応急措置として行う開発行為

十一　通常の管理行為，軽易な行為その他の行為で政令で定めるもの

② 都市計画区域及び準都市計画区域外の区域内において，それにより一定の市街地を形成すると見込まれる規模として政令で定める規模以上の開発行為をしようとする者は，あらかじめ，国土交通省令で定めるところにより，都道府県知事の許可を受けなければならない。ただし，次に掲げる開発行為については，この限りでない

一　農業，林業若しくは漁業の用に供する政令で定める建築物又はこれらの業務を営む者の居住の用に供する建築物の建築の用に供する目的で行う開発行為

二　前項第3号，第4号及び第9号から第11号までに掲げる開発行為

③ 開発区域が，市街化区域，区域区分が定められていない都市計画区域，準都市計画区域又は都市計画区域及び準都市計画区域外の区域のうち二以上の区域にわたる場合における第1項第1号及び前項の規定の適用については，政令で定める。

第30条　（許可申請の手続）

① 前条第1項又は第2項の許可（以下「開発許可」という。）を受けようとする

者は，国土交通省令で定めるところにより，次に掲げる事項を記載した申請書を都道府県知事に提出しなければならない。
一　開発区域（開発区域を工区に分けたときは，開発区域及び工区）の位置，区域及び規模
二　開発区域内において予定される建築物又は特定工作物（以下「予定建築物等」という。）の用途
三　開発行為に関する設計（以下この節において「設計」という。）
四　工事施行者（開発行為に関する工事の請負人又は請負契約によらないで自らその工事を施行する者をいう。以下同じ。）
五　その他国土交通省令で定める事項
②　前項の申請書には，第32条第1項に規定する同意を得たことを証する書面，同条第2項に規定する協議の経過を示す書面その他国土交通省令で定める図書を添付しなければならない。

第31条　（設計者の資格）

前条の場合において，設計に係る設計図書（開発行為に関する工事のうち国土交通省令で定めるものを実施するため必要な図面（現寸図その他これに類するものを除く。）及び仕様書をいう。）は，国土交通省令で定める資格を有する者の作成したものでなければならない。

第32条　（公共施設の管理者の同意等）

①　開発許可を申請しようとする者は，あらかじめ，開発行為に関係がある公共施設の管理者と協議し，その同意を得なければならない。
②　開発許可を申請しようとする者は，あらかじめ，開発行為又は開発行為に関する工事により設置される公共施設を管理することとなる者その他政令で定める者と協議しなければならない。
③　前二項に規定する公共施設の管理者又は公共施設を管理することとなる者は，公共施設の適切な管理を確保する観点から，前二項の協議を行うものとする。

第35条　（許可又は不許可の通知）

①　都道府県知事は，開発許可の申請があつたときは，遅滞なく，許可又は不許可の処分をしなければならない。
②　前項の処分をするには，文書をもつて当該申請者に通知しなければならない。

第36条　（工事完了の検査）

①　開発許可を受けた者は，当該開発区域（開発区域を工区に分けたときは，工区）の全部について当該開発行為に関する工事（当該開発行為に関する工事のうち公共施設に関する部分については，当該公共施設に関する工事）を完了したときは，国土交通省令で定めるところにより，その旨を都道府県知事に届け出なければならない。
②　都道府県知事は，前項の規定による届出があつたときは，遅滞なく，当該工事が開発許可の内容に適合しているかどうかについて検査し，その検査の結果当該工事が当該開発許可の内容に適合していると認めたときは，国土交通省令で定める様式の検査済証を当該開発許可を受けた者に交付しなければならない。
③　都道府県知事は，前項の規定により検査済証を交付したときは，遅滞なく，国土交通省令で定めるところにより，当該工事が完了した旨を公告しなければならない。この場合において，当該工事が津波災害特別警戒区域（津波防災地域づくりに関する法律第72条第1項の津波災害特別警戒区域をいう。以下この項において同じ。）内における同法第73条第1項に規定する特定開発行為（同条第4項各号に掲げる行為を除く。）に係るものであり，かつ，当該工事の完了後において当該工事に係る同条第4項第1号に規定

する開発区域（津波災害特別警戒区域内のものに限る。）に地盤面の高さが同法第53条第2項に規定する基準水位以上である土地の区域があるときは，その区域を併せて公告しなければならない。

第37条　（建築制限等）

開発許可を受けた開発区域内の土地においては，前条第3項の公告があるまでの間は，建築物を建築し，又は特定工作物を建設してはならない。ただし，次の各号の一に該当するときは，この限りでない。
一　当該開発行為に関する工事用の仮設建築物又は特定工作物を建築し，又は建設するとき，その他都道府県知事が支障がないと認めたとき。
二　第33条第1項第14号に規定する同意をしていない者が，その権利の行使として建築物を建築し，又は特定工作物を建設するとき。

第38条　（開発行為の廃止）

開発許可を受けた者は，開発行為に関する工事を廃止したときは，遅滞なく，国土交通省令で定めるところにより，その旨を都道府県知事に届け出なければならない。

第39条　（開発行為等により設置された公共施設の管理）

開発許可を受けた開発行為又は開発行為に関する工事により公共施設が設置されたときは，その公共施設は，第36条第3項の公告の日の翌日において，その公共施設の存する市町村の管理に属するものとする。ただし，他の法律に基づく管理者が別にあるとき，又は第32条第2項の協議により管理者について別段の定めをしたときは，それらの者の管理に属するものとする。

第40条　（公共施設の用に供する土地の帰属）

① 開発許可を受けた開発行為又は開発行為に関する工事により，従前の公共施設に代えて新たな公共施設が設置されることとなる場合においては，従前の公共施設の用に供していた土地で国又は地方公共団体が所有するものは，第36条第3項の公告の日の翌日において当該開発許可を受けた者に帰属するものとし，これに代わるものとして設置された新たな公共施設の用に供する土地は，その日においてそれぞれ国又は当該地方公共団体に帰属するものとする。
② 開発許可を受けた開発行為又は開発行為に関する工事により設置された公共施設の用に供する土地は，前項に規定するもの及び開発許可を受けた者が自ら管理するものを除き，第36条第3項の公告の日の翌日において，前条の規定により当該公共施設を管理すべき者（その者が地方自治法第2条第9項第1号に規定する第1号法定受託事務（以下単に「第1号法定受託事務」という。）として当該公共施設を管理する地方公共団体であるときは，国）に帰属するものとする。
③ 市街化区域内における都市計画施設である幹線街路その他の主要な公共施設で政令で定めるものの用に供する土地が前項の規定により国又は地方公共団体に帰属することとなる場合においては，当該帰属に伴う費用の負担について第32条第2項の協議において別段の定めをした場合を除き，従前の所有者（第36条第3項の公告の日において当該土地を所有していた者をいう。）は，国又は地方公共団体に対し，政令で定めるところにより，当該土地の取得に要すべき費用の額の全部又は一部を負担すべきことを求めることができる。

第41条　（建築物の建蔽率等の指定）

① 都道府県知事は，用途地域の定められ

ていない土地の区域における開発行為について開発許可をする場合において必要があると認めるときは，当該開発区域内の土地について，建築物の建蔽率，建築物の高さ，壁面の位置その他建築物の敷地，構造及び設備に関する制限を定めることができる。
② 前項の規定により建築物の敷地，構造及び設備に関する制限が定められた土地の区域内においては，建築物は，これらの制限に違反して建築してはならない。ただし，都道府県知事が当該区域及びその周辺の地域における環境の保全上支障がないと認め，又は公益上やむを得ないと認めて許可したときは，この限りでない。

第42条　（開発許可を受けた土地における建築等の制限）

① 何人も，開発許可を受けた開発区域内においては，第36条第3項の公告があつた後は，当該開発許可に係る予定建築物等以外の建築物又は特定工作物を新築し，又は新設してはならず，また，建築物を改築し，又はその用途を変更して当該開発許可に係る予定の建築物以外の建築物としてはならない。ただし，都道府県知事が当該開発区域における利便の増進上若しくは開発区域及びその周辺の地域における環境の保全上支障がないと認めて許可したとき，又は建築物及び第1種特定工作物で建築基準法第88条第2項の政令で指定する工作物に該当するものにあつては，当該開発区域内の土地について用途地域等が定められているときは，この限りでない。
② 国又は都道府県等が行なう行為については，当該国の機関又は都道府県等と都道府県知事との協議が成立することをもつて，前項ただし書の規定による許可があつたものとみなす。

第43条　（開発許可を受けた土地以外の土地における建築等の制限）

① 何人も，市街化調整区域のうち開発許可を受けた開発区域以外の区域内においては，都道府県知事の許可を受けなければ，第29条第1項第2号若しくは第3号に規定する建築物以外の建築物を新築し，又は第1種特定工作物を新設してはならず，また，建築物を改築し，又はその用途を変更して同項第2号若しくは第3号に規定する建築物以外の建築物としてはならない。ただし，次に掲げる建築物の新築，改築若しくは用途の変更又は第1種特定工作物の新設については，この限りでない。
一　都市計画事業の施行として行う建築物の新築，改築若しくは用途の変更又は第1種特定工作物の新設
二　非常災害のため必要な応急措置として行う建築物の新築，改築若しくは用途の変更又は第1種特定工作物の新設
三　仮設建築物の新築
四　第29条第1項第9号に掲げる開発行為その他の政令で定める開発行為が行われた土地の区域内において行う建築物の新築，改築若しくは用途の変更又は第1種特定工作物の新設
五　通常の管理行為，軽易な行為その他の行為で政令で定めるもの
② 前項の規定による許可の基準は，第33条及び第34条に規定する開発許可の基準の例に準じて，政令で定める。
③ 国又は都道府県等が行う第1項本文の建築物の新築，改築若しくは用途の変更又は第1種特定工作物の新設（同項各号に掲げるものを除く。）については，当該国の機関又は都道府県等と都道府県知事との協議が成立することをもつて，同項の許可があつたものとみなす。

附　則　（略）

建築基準法（抄）

●昭和25年5月24日法律第201号● 　最終改正　令和6年6月19日法53号

【　　　　第1章　総則　　　　】

第1条　（目的）

この法律は，建築物の敷地，構造，設備及び用途に関する最低の基準を定めて，国民の生命，健康及び財産の保護を図り，もつて公共の福祉の増進に資することを目的とする。

第2条　（用語の定義）

この法律において次の各号に掲げる用語の意義は，当該各号に定めるところによる。

一　建築物　土地に定着する工作物のうち，屋根及び柱若しくは壁を有するもの（これに類する構造のものを含む。），これに附属する門若しくは塀，観覧のための工作物又は地下若しくは高架の工作物内に設ける事務所，店舗，興行場，倉庫その他これらに類する施設（鉄道及び軌道の線路敷地内の運転保安に関する施設並びに跨線橋，プラットホームの上家，貯蔵槽その他これらに類する施設を除く。）をいい，建築設備を含むものとする。

二　特殊建築物　学校（専修学校及び各種学校を含む。以下同様とする。），体育館，病院，劇場，観覧場，集会場，展示場，百貨店，市場，ダンスホール，遊技場，公衆浴場，旅館，共同住宅，寄宿舎，下宿，工場，倉庫，自動車車庫，危険物の貯蔵場，と畜場，火葬場，汚物処理場その他これらに類する用途に供する建築物をいう。

三　建築設備　建築物に設ける電気，ガス，給水，排水，換気，暖房，冷房，消火，排煙若しくは汚物処理の設備又は煙突，昇降機若しくは避雷針をいう。

四　居室　居住，執務，作業，集会，娯楽その他これらに類する目的のために継続的に使用する室をいう。

五　主要構造部　壁，柱，床，はり，屋根又は階段をいい，建築物の構造上重要でない間仕切壁，間柱，付け柱，揚げ床，最下階の床，回り舞台の床，小ばり，ひさし，局部的な小階段，屋外階段その他これらに類する建築物の部分を除くものとする。

六　延焼のおそれのある部分　隣地境界線，道路中心線又は同一敷地内の二以上の建築物（延べ面積の合計が500平方メートル以内の建築物は，一の建築物とみなす。）相互の外壁間の中心線（ロにおいて「隣地境界線等」という。）から，1階にあつては3メートル以下，2階以上にあつては5メートル以下の距離にある建築物の部分をいう。ただし，次のイ又はロのいずれかに該当する部分を除く。

イ　防火上有効な公園，広場，川その他の空地又は水面，耐火構造の壁その他これらに類するものに面する部分

ロ　建築物の外壁面と隣地境界線等との角度に応じて，当該建築物の周囲において発生する通常の火災時における火熱により燃焼するおそれのないものとして国土交通大臣が定める部分

七　耐火構造　壁，柱，床その他の建

規制法

物の部分の構造のうち，耐火性能（通常の火災が終了するまでの間当該火災による建築物の倒壊及び延焼を防止するために当該建築物の部分に必要とされる性能をいう。）に関して政令で定める技術的基準に適合する鉄筋コンクリート造，れんが造その他の構造で，国土交通大臣が定めた構造方法を用いるもの又は国土交通大臣の認定を受けたものをいう。

七の二　準耐火構造　壁，柱，床その他の建築物の部分の構造のうち，準耐火性能（通常の火災による延焼を抑制するために当該建築物の部分に必要とされる性能をいう。第9号の3ロ及び第26条第2項第2号において同じ。）に関して政令で定める技術的基準に適合するもので，国土交通大臣が定めた構造方法を用いるもの又は国土交通大臣の認定を受けたものをいう。

八　防火構造　建築物の外壁又は軒裏の構造のうち，防火性能（建築物の周囲において発生する通常の火災による延焼を抑制するために当該外壁又は軒裏に必要とされる性能をいう。）に関して政令で定める技術的基準に適合する鉄網モルタル塗，しつくい塗その他の構造で，国土交通大臣が定めた構造方法を用いるもの又は国土交通大臣の認定を受けたものをいう。

九　不燃材料　建築材料のうち，不燃性能（通常の火災時における火熱により燃焼しないことその他の政令で定める性能をいう。）に関して政令で定める技術的基準に適合するもので，国土交通大臣が定めたもの又は国土交通大臣の認定を受けたものをいう。

九の二　耐火建築物　次に掲げる基準に適合する建築物をいう。
　イ　その主要構造部のうち，防火上及び避難上支障がないものとして政令で定める部分以外の部分（以下「特定主要構造部」という。）が，(1)又は(2)のいずれかに該当すること。
　　(1)　耐火構造であること。
　　(2)　次に掲げる性能（外壁以外の特定主要構造部にあつては，(i)に掲げる性能に限る。）に関して政令で定める技術的基準に適合するものであること。
　　　(i)　当該建築物の構造，建築設備及び用途に応じて屋内において発生が予測される火災による火熱に当該火災が終了するまで耐えること。
　　　(ii)　当該建築物の周囲において発生する通常の火災による火熱に当該火災が終了するまで耐えること。
　ロ　その外壁の開口部で延焼のおそれのある部分に，防火戸その他の政令で定める防火設備（その構造が遮炎性能（通常の火災時における火炎を有効に遮るために防火設備に必要とされる性能をいう。第27条第1項において同じ。)に関して政令で定める技術的基準に適合するもので，国土交通大臣が定めた構造方法を用いるもの又は国土交通大臣の認定を受けたものに限る。）を有すること。

九の三　準耐火建築物　耐火建築物以外の建築物で，イ又はロのいずれかに該当し，外壁の開口部で延焼のおそれのある部分に前号ロに規定する防火設備を有するものをいう。
　イ　主要構造部を準耐火構造としたもの
　ロ　イに掲げる建築物以外の建築物であつて，イに掲げるものと同等の準耐火性能を有するものとして主要構造部の防火の措置その他の事項について政令で定める技術的基準に適合するもの

十　設計　建築士法（昭和25年法律第202

号）第2条第6項に規定する設計をいう。
十一　工事監理者　建築士法第2条第8項に規定する工事監理をする者をいう。
十二　設計図書　建築物，その敷地又は第88条第1項から第3項までに規定する工作物に関する工事用の図面（現寸図その他これに類するものを除く。）及び仕様書をいう。
十三　建築　建築物を新築し，増築し，改築し，又は移転することをいう。
十四　大規模の修繕　建築物の主要構造部の一種以上について行う過半の修繕をいう。
十五　大規模の模様替　建築物の主要構造部の一種以上について行う過半の模様替をいう。
十六　建築主　建築物に関する工事の請負契約の注文者又は請負契約によらないで自らその工事をする者をいう。
十七　設計者　その者の責任において，設計図書を作成した者をいい，建築士法第20条の2第3項又は第20条の3第3項の規定により建築物が構造関係規定（同法第20条の2第2項に規定する構造関係規定をいう。以下同じ。）又は設備関係規定（同法第20条の3第2項に規定する設備関係規定をいう。第5条の6第3項及び第6条第3項第3号において同じ。）に適合することを確認した構造設計1級建築士（同法第10条の3第4項に規定する構造設計1級建築士をいう。以下同じ。）又は設備設計1級建築士（同法第10条の3第4項に規定する設備設計1級建築士をいう。第5条の6第3項及び同号において同じ。）を含むものとする。
十八　工事施工者　建築物，その敷地若しくは第88条第1項から第3項までに規定する工作物に関する工事の請負人又は請負契約によらないで自らこれらの工事をする者をいう。

十九～三十四　（略）
三十五　特定行政庁　この法律の規定により建築主事又は建築副主事を置く市町村の区域については当該市町村の長をいい，その他の市町村の区域については都道府県知事をいう。ただし，第97条の2第1項若しくは第2項又は第97条の3第1項若しくは第2項の規定により建築主事又は建築副主事を置く市町村の区域内の政令で定める建築物については，都道府県知事とする。

第6条　（建築物の建築等に関する申請及び確認）

① 建築主は，第1号若しくは第2号に掲げる建築物を建築しようとする場合（増築しようとする場合においては，建築物が増築後において第1号又は第2号に規定する規模のものとなる場合を含む。），これらの建築物の大規模の修繕若しくは大規模の模様替をしようとする場合又は第3号に掲げる建築物を建築しようとする場合においては，当該工事に着手する前に，その計画が建築基準関係規定（この法律並びにこれに基づく命令及び条例の規定（以下「建築基準法令の規定」という。）その他建築物の敷地，構造又は建築設備に関する法律並びにこれに基づく命令及び条例の規定で政令で定めるものをいう。以下同じ。）に適合するものであることについて，確認の申請書を提出して建築主事又は建築副主事（以下「建築主事等」という。）の確認（建築副主事の確認にあっては，大規模建築物以外の建築物に係るものに限る。以下この項において同じ。）を受け，確認済証の交付を受けなければならない。当該確認を受けた建築物の計画の変更（国土交通省令で定める軽微な変更を除く。）をして，第1号若しくは第2号に掲げる建築物を建築しようとする場合（増築しようとする場合においては，建築物が増築後

において第1号又は第2号に規定する規模のものとなる場合を含む。），これらの建築物の大規模の修繕若しくは大規模の模様替をしようとする場合又は第3号に掲げる建築物を建築しようとする場合も，同様とする。
一　別表第1(い)欄に掲げる用途に供する特殊建築物で，その用途に供する部分の床面積の合計が200平方メートルを超えるもの
二　前号に掲げる建築物を除くほか，2以上の階数を有し，又は延べ面積が200平方メートルを超える建築物
三　前二号に掲げる建築物を除くほか，都市計画区域若しくは準都市計画区域（いずれも都道府県知事が都道府県都市計画審議会の意見を聴いて指定する区域を除く。）若しくは景観法（平成16年法律第110号）第74条第1項の準景観地区（市町村長が指定する区域を除く。）内又は都道府県知事が関係市町村の意見を聴いてその区域の全部若しくは一部について指定する区域内における建築物
②　前項の規定は，防火地域及び準防火地域外において建築物を増築し，改築し，又は移転しようとする場合で，その増築，改築又は移転に係る部分の床面積の合計が10平方メートル以内であるときについては，適用しない。
③　（略）
④　建築主事は，第1項の申請書を受理した場合においては，同項第1号又は第2号までに係るものにあつてはその受理した日から35日以内に，同項第3号に係るものにあつてはその受理した日から7日以内に，申請に係る建築物の計画が建築基準関係規定に適合するかどうかを審査し，審査の結果に基づいて建築基準関係規定に適合することを確認したときは，当該申請者に確認済証を交付しなければならない。

⑤・⑥　（略）
⑦　建築主事等は，第4項の場合において，申請に係る建築物の計画が建築基準関係規定に適合しないことを認めたとき，又は建築基準関係規定に適合するかどうかを決定することができない正当な理由があるときは，その旨及びその理由を記載した通知書を同項の期間（前項の規定により第4項の期間を延長した場合にあつては，当該延長後の期間）内に当該申請者に交付しなければならない。
⑧　第1項の確認済証の交付を受けた後でなければ，同項の建築物の建築，大規模の修繕又は大規模の模様替の工事は，することができない。
⑨　第1項の規定による確認の申請書，同項の確認済証並びに第6項及び第7項の通知書の様式は，国土交通省令で定める。

第7条　（建築物に関する完了検査）
①　建築主は，第6条第1項の規定による工事を完了したときは，国土交通省令で定めるところにより，建築主事の検査を申請しなければならない。
②　前項の規定による申請は，第6条第1項の規定による工事が完了した日から4日以内に建築主事に到達するように，しなければならない。ただし，申請をしなかつたことについて国土交通省令で定めるやむを得ない理由があるときは，この限りでない。
③　前項ただし書の場合における検査の申請は，その理由がやんだ日から4日以内に建築主事に到達するように，しなければならない。
④　建築主事が第1項の規定による申請を受理した場合においては，建築主事又はその委任を受けた当該市町村若しくは都道府県の職員（以下この章において「建築主事等」という。）は，その申請を受理した日から7日以内に，当該工事に係る建築物及びその敷地が建築基準関係規

定に適合しているかどうかを検査しなければならない。

⑤ 建築主事等は，前項の規定による検査をした場合において，当該建築物及びその敷地が建築基準関係規定に適合していることを認めたときは，国土交通省令で定めるところにより，当該建築物の建築主に対して検査済証を交付しなければならない。

第7条の6 （検査済証の交付を受けるまでの建築物の使用制限）

① 第6条第1項第1号若しくは第2号に掲げる建築物を新築する場合又はこれらの建築物（共同住宅以外の住宅及び居室を有しない建築物を除く。）の増築，改築，移転，大規模の修繕若しくは大規模の模様替の工事で，廊下，階段，出入口その他の避難施設，消火栓，スプリンクラーその他の消火設備，排煙設備，非常用の照明装置，非常用の昇降機若しくは防火区画で政令で定めるものに関する工事（政令で定める軽易な工事を除く。以下この項，第18条第24項及び第90条の3において「避難施設等に関する工事」という。）を含むものをする場合においては，当該建築物の建築主は，第7条第5項の検査済証の交付を受けた後でなければ，当該新築に係る建築物又は当該避難施設等に関する工事に係る建築物若しくは建築物の部分を使用し，又は使用させてはならない。ただし，次の各号のいずれかに該当する場合には，検査済証の交付を受ける前においても，仮に，当該建築物又は建築物の部分を使用し，又は使用させることができる。

一 特定行政庁が，安全上，防火上及び避難上支障がないと認めたとき。

二 建築主事等（当該建築物又はその部分が大規模建築物又はその部分に該当する場合にあつては，建築主事）又は第7条の2第1項の規定による指定を受けた者が，安全上，防火上及び避難上支障がないものとして国土交通大臣が定める基準に適合していることを認めたとき。

三 第7条第1項の規定による申請が受理された日（第7条の2第1項の規定による指定を受けた者が同項の規定による検査の引受けを行つた場合にあつては，当該検査の引受けに係る工事が完了した日又は当該検査の引受けを行つた日のいずれか遅い日）から7日を経過したとき。

② 前項第1号及び第2号の規定による認定の申請の手続に関し必要な事項は，国土交通省令で定める。

③ 第7条の2第1項の規定による指定を受けた者は，第1項第2号の規定による認定をしたときは，国土交通省令で定める期間内に，国土交通省令で定めるところにより，仮使用認定報告書を作成し，同号の規定による認定をした建築物に関する国土交通省令で定める書類を添えて，これを特定行政庁に提出しなければならない。

④ 特定行政庁は，前項の規定による仮使用認定報告書の提出を受けた場合において，第1項第2号の規定による認定を受けた建築物が同号の国土交通大臣が定める基準に適合しないと認めるときは，当該建築物の建築主及び当該認定を行つた第7条の2第1項の規定による指定を受けた者にその旨を通知しなければならない。この場合において，当該認定は，その効力を失う。

第2章 建築物の敷地，構造及び建築設備

第19条 （敷地の衛生及び安全）

① 建築物の敷地は，これに接する道の境より高くなければならず，建築物の地盤面は，これに接する周囲の土地より高くなければならない。ただし，敷地内の排

水に支障がない場合又は建築物の用途により防湿の必要がない場合においては，この限りでない。
② 湿潤な土地，出水のおそれの多い土地又はごみその他これに類する物で埋め立てられた土地に建築物を建築する場合においては，盛土，地盤の改良その他衛生上又は安全上必要な措置を講じなければならない。
③ 建築物の敷地には，雨水及び汚水を排出し，又は処理するための適当な下水管，下水溝又はためますその他これらに類する施設をしなければならない。
④ 建築物ががけ崩れ等による被害を受けるおそれのある場合においては，擁壁の設置その他安全上適当な措置を講じなければならない。

第39条 （災害危険区域）

① 地方公共団体は，条例で，津波，高潮，出水等による危険の著しい区域を災害危険区域として指定することができる。
② 災害危険区域内における住居の用に供する建築物の建築の禁止その他建築物の建築に関する制限で災害防止上必要なものは，前項の条例で定める。

【── 第3章 都市計画区域等における建築物の敷地，構造，建築設備及び用途 ──】

第1節／総則

第41条の2 （適用区域）

この章（第8節を除く。）の規定は，都市計画区域及び準都市計画区域内に限り，適用する。

第42条 （道路の定義）

① この章の規定において「道路」とは，次の各号のいずれかに該当する幅員4メートル（特定行政庁がその地方の気候若しくは風土の特殊性又は土地の状況により必要と認めて都道府県都市計画審議会の議を経て指定する区域内においては，6メートル。次項及び第3項において同じ。）以上のもの（地下におけるものを除く。）をいう。
一 道路法（昭和27年法律第180号）による道路
二 都市計画法，土地区画整理法（昭和29年法律第109号），旧住宅地造成事業に関する法律（昭和39年法律第160号），都市再開発法（昭和44年法律第38号），新都市基盤整備法（昭和47年法律第86号），大都市地域における住宅及び住宅地の供給の促進に関する特別措置法（昭和50年法律第67号）又は密集市街地整備法（第6章に限る。以下この項において同じ。）による道路
三 都市計画区域若しくは準都市計画区域の指定若しくは変更又は第68条の9第1項の規定に基づく条例の制定若しくは改正によりこの章の規定が適用されるに至つた際現に存在する道
四 道路法，都市計画法，土地区画整理法，都市再開発法，新都市基盤整備法，大都市地域における住宅及び住宅地の供給の促進に関する特別措置法又は密集市街地整備法による新設又は変更の事業計画のある道路で，2年以内にその事業が執行される予定のものとして特定行政庁が指定したもの
五 土地を建築物の敷地として利用するため，道路法，都市計画法，土地区画整理法，都市再開発法，新都市基盤整備法，大都市地域における住宅及び住宅地の供給の促進に関する特別措置法又は密集市街地整備法によらないで築造する政令で定める基準に適合する道で，これを築造しようとする者が特定行政庁からその位置の指定を受けたもの
② 都市計画区域若しくは準都市計画区域の指定若しくは変更又は第68条の9第1項の規定に基づく条例の制定若しくは改

正によりこの章の規定が適用されるに至つた際現に建築物が立ち並んでいる幅員4メートル未満の道で，特定行政庁の指定したものは，前項の規定にかかわらず，同項の道路とみなし，その中心線からの水平距離2メートル（同項の規定により指定された区域内においては，3メートル（特定行政庁が周囲の状況により避難及び通行の安全上支障がないと認める場合は，2メートル）。以下この項及び次項において同じ。）の線をその道路の境界線とみなす。ただし，当該道がその中心線からの水平距離2メートル未満で崖地，川，線路敷地その他これらに類するものに沿う場合においては，当該崖地等の道の側の境界線及びその境界線から道の側に水平距離4メートルの線をその道路の境界線とみなす。
③　特定行政庁は，土地の状況に因りやむを得ない場合においては，前項の規定にかかわらず，同項に規定する中心線からの水平距離については2メートル未満1.35メートル以上の範囲内において，同項に規定するがけ地等の境界線からの水平距離については4メートル未満2.7メートル以上の範囲内において，別にその水平距離を指定することができる。
④　第1項の区域内の幅員6メートル未満の道（第1号又は第2号に該当する道にあつては，幅員4メートル以上のものに限る。）で，特定行政庁が次の各号の1に該当すると認めて指定したものは，同項の規定にかかわらず，同項の道路とみなす。
一　周囲の状況により避難及び通行の安全上支障がないと認められる道
二　地区計画等に定められた道の配置及び規模又はその区域に即して築造される道
三　第1項の区域が指定された際現に道路とされていた道
⑤　前項第3号に該当すると認めて特定行政庁が指定した幅員4メートル未満の道については，第2項の規定にかかわらず，第1項の区域が指定された際道路の境界線とみなされていた線をその道路の境界線とみなす。
⑥　特定行政庁は，第2項の規定により幅員1.8メートル未満の道を指定する場合又は第3項の規定により別に水平距離を指定する場合においては，あらかじめ，建築審査会の同意を得なければならない。

第2節／建築物又はその敷地と道路又は壁面線との関係等

第43条　（敷地等と道路との関係）
①　建築物の敷地は，道路（次に掲げるものを除く。第44条第1項を除き，以下同じ。）に2メートル以上接しなければならない。
一　自動車のみの交通の用に供する道路
二　地区計画の区域（地区整備計画が定められている区域のうち都市計画法第12条の11の規定により建築物その他の工作物の敷地として併せて利用すべき区域として定められている区域に限る。）内の道路
②　前項の規定は，次の各号のいずれかに該当する建築物については，適用しない。
一　その敷地が幅員4メートル以上の道（道路に該当するものを除き，避難及び通行の安全上必要な国土交通省令で定める基準に適合するものに限る。）に2メートル以上接する建築物のうち，利用者が少数であるものとしてその用途及び規模に関し国土交通省令で定める基準に適合するもので，特定行政庁が交通上，安全上，防火上及び衛生上支障がないと認めるもの
二　その敷地の周囲に広い空地を有する建築物その他の国土交通省令で定める基準に適合する建築物で，特定行政庁が交通上，安全上，防火上及び衛生上支障がないと認めて建築審査会の同意

を得て許可したもの
③　地方公共団体は，次の各号のいずれかに該当する建築物について，その用途，規模又は位置の特殊性により，第１項の規定によつては避難又は通行の安全の目的を十分に達成することが困難であると認めるときは，条例で，その敷地が接しなければならない道路の幅員，その敷地が道路に接する部分の長さその他その敷地又は建築物と道路との関係に関して必要な制限を付加することができる。
一　特殊建築物
二　階数が３以上である建築物
三　政令で定める窓その他の開口部を有しない居室を有する建築物
四　延べ面積（同一敷地内に２以上の建築物がある場合にあつては，その延べ面積の合計。次号，第４節，第７節及び別表第３において同じ。）が1000平方メートルを超える建築物
五　その敷地が袋路状道路（その一端のみが他の道路に接続したものをいう。）にのみ接する建築物で，延べ面積が150平方メートルを超えるもの（一戸建ての住宅を除く。）

第43条の２　（その敷地が４メートル未満の道路にのみ接する建築物に対する制限の付加）

地方公共団体は，交通上，安全上，防火上又は衛生上必要があると認めるときは，その敷地が第42条第３項の規定により水平距離が指定された道路にのみ２メートル（前条第３項各号のいずれかに該当する建築物で同項の条例によりその敷地が道路に接する部分の長さの制限が付加されているものにあつては，当該長さ）以上接する建築物について，条例で，その敷地，構造，建築設備又は用途に関して必要な制限を付加することができる。

第44条　（道路内の建築制限）

①　建築物又は敷地を造成するための擁壁は，道路内に，又は道路に突き出して建築し，又は築造してはならない。ただし，次の各号のいずれかに該当する建築物については，この限りでない。
一　地盤面下に設ける建築物
二　公衆便所，巡査派出所その他これらに類する公益上必要な建築物で特定行政庁が通行上支障がないと認めて建築審査会の同意を得て許可したもの
三　第43条第１項第２号の道路の上空又は路面下に設ける建築物のうち，当該道路に係る地区計画の内容に適合し，かつ，政令で定める基準に適合するものであつて特定行政庁が安全上，防火上及び衛生上支障がないと認めるもの
四　公共用歩廊その他政令で定める建築物で特定行政庁が安全上，防火上及び衛生上他の建築物の利便を妨げ，その他周囲の環境を害するおそれがないと認めて許可したもの
②　特定行政庁は，前項第４号の規定による許可をする場合においては，あらかじめ，建築審査会の同意を得なければならない。

第45条　（私道の変更又は廃止の制限）

①　私道の変更又は廃止によつて，その道路に接する敷地が第43条第１項の規定又は同条第３項の規定に基づく条例の規定に抵触することとなる場合においては，特定行政庁は，その私道の変更又は廃止を禁止し，又は制限することができる。
②　第９条第２項から第６項まで及び第15項の規定は，前項の措置を命ずる場合に準用する。

第47条　（壁面線による建築制限）

建築物の壁若しくはこれに代る柱又は高さ２メートルをこえる門若しくはへいは，壁面線を越えて建築してはならない。

ただし，地盤面下の部分又は特定行政庁が建築審査会の同意を得て許可した歩廊の柱その他これに類するものについては，この限りでない。

第6章　雑則

第92条　（面積，高さ及び階数の算定）
　建築物の敷地面積，建築面積，延べ面積，床面積及び高さ，建築物の軒，天井及び床の高さ，建築物の階数並びに工作物の築造面積の算定方法は，政令で定める。

第93条　（許可又は確認に関する消防長等の同意等）
① 特定行政庁，建築主事等又は指定確認検査機関は，この法律の規定による許可又は確認をする場合においては，当該許可又は確認に係る建築物の工事施工地又は所在地を管轄する消防長（消防本部を置かない市町村にあつては，市町村長。以下同じ。）又は消防署長の同意を得なければ，当該許可又は確認をすることができない。ただし，確認に係る建築物が防火地域及び準防火地域以外の区域内における住宅（長屋，共同住宅その他政令で定める住宅を除く。）である場合又は建築主事若しくは指定確認検査機関が第87条の4において準用する第6条第1項若しくは第6条の2第1項の規定による確認をする場合においては，この限りでない。
② 消防長又は消防署長は，前項の規定によつて同意を求められた場合においては，当該建築物の計画が法律又はこれに基づく命令若しくは条例の規定（建築主事等又は指定確認検査機関が第6条の4第1項第1号若しくは第2号に掲げる建築物の建築，大規模の修繕，大規模の模様替若しくは用途の変更又は同項第3号に掲げる建築物の建築について確認する場合において同意を求められたときは，同項の規定により読み替えて適用される第6条第1項の政令で定める建築基準法令の規定を除く。）で建築物の防火に関するものに違反しないものであるときは，第6条第1項第3号に係る場合にあつては，同意を求められた日から3日以内に，その他の場合にあつては，同意を求められた日から7日以内に同意を与えてその旨を当該特定行政庁，建築主事等又は指定確認検査機関に通知しなければならない。この場合において，消防長又は消防署長は，同意することができない事由があると認めるときは，これらの期限内に，その事由を当該特定行政庁，建築主事等又は指定確認検査機関に通知しなければならない。
③ 第68条の20第1項（第68条の22第2項において準用する場合を含む。）の規定は，消防長又は消防署長が第1項の規定によつて同意を求められた場合に行う審査について準用する。
④ 建築主事等又は指定確認検査機関は，第1項ただし書の場合において第6条第1項（第87条の4において準用する場合を含む。）の規定による確認申請書を受理したとき若しくは第6条の2第1項（第87条の4において準用する場合を含む。）の規定による確認の申請を受けたとき又は第18条第2項若しくは第4項（これらの規定を第87条第1項又は第87条の4において準用する場合を含む。）の規定による通知を受けた場合においては，遅滞なく，これを当該申請又は通知に係る建築物の工事施工地又は所在地を管轄する消防長又は消防署長に通知しなければならない。
⑤ 建築主事等又は指定確認検査機関は，第31条第2項に規定する屎尿浄化槽又は建築物における衛生的環境の確保に関する法律（昭和45年法律第20号）第2条第1項に規定する特定建築物に該当する建築物に関して，第6条第1項（第87条第

1項において準用する場合を含む。）の規定による確認の申請書を受理した場合，第6条の2第1項（第87条第1項において準用する場合を含む。）の規定による確認の申請を受けた場合又は第18条第2項若しくは第4項（これらの規定を第87条第1項において準用する場合を含む。）の規定による通知を受けた場合においては，遅滞なく，これを当該申請又は通知に係る建築物の工事施工地又は所在地を管轄する保健所長に通知しなければならない。

⑥　保健所長は，必要があると認める場合においては，この法律の規定による許可又は確認について，特定行政庁，建築主事等又は指定確認検査機関に対して意見を述べることができる。

第93条の2　（書類の閲覧）
　特定行政庁は，確認その他の建築基準法令の規定による処分並びに第12条第1項及び第3項の規定による報告に関する書類のうち，当該処分若しくは報告に係る建築物若しくは建築物の敷地の所有者，管理者若しくは占有者又は第3者の権利利益を不当に侵害するおそれがないものとして国土交通省令で定めるものについては，国土交通省令で定めるところにより，閲覧の請求があつた場合には，これを閲覧させなければならない。

附　則（略）

建築基準法施行令（抄）

●昭和25年11月16日政令第338号●　　最終改正　令和6年4月19日政令172号

第1章　総則

第1節／用語の定義等

第1条（用語の定義）

　この政令において次の各号に掲げる用語の意義は，それぞれ当該各号に定めるところによる。

一　敷地　一の建築物又は用途上不可分の関係にある二以上の建築物のある一団の土地をいう。

二　地階　床が地盤面下にある階で，床面から地盤面までの高さがその階の天井の高さの3分の1以上のものをいう。

三　構造耐力上主要な部分　基礎，基礎ぐい，壁，柱，小屋組，土台，斜材（筋かい，方づえ，火打材その他これらに類するものをいう。），床版，屋根版又は横架材（はり，けたその他これらに類するものをいう。）で，建築物の自重若しくは積載荷重，積雪荷重，風圧，土圧若しくは水圧又は地震その他の震動若しくは衝撃を支えるものをいう。

四　耐水材料　れんが，石，人造石，コンクリート，アスファルト，陶磁器，ガラスその他これらに類する耐水性の建築材料をいう。

五　準不燃材料　建築材料のうち，通常の火災による火熱が加えられた場合に，加熱開始後10分間第108条の2各号（建築物の外部の仕上げに用いるものにあつては，同条第1号及び第2号）に掲げる要件を満たしているものとして，国土交通大臣が定めたもの又は国土交通大臣の認定を受けたものをいう。

六　難燃材料　建築材料のうち，通常の火災による火熱が加えられた場合に，加熱開始後5分間第108条の2各号（建築物の外部の仕上げに用いるものにあつては，同条第1号及び第2号）に掲げる要件を満たしているものとして，国土交通大臣が定めたもの又は国土交通大臣の認定を受けたものをいう。

第2条（面積，高さ等の算定方法）

① 次の各号に掲げる面積，高さ及び階数の算定方法は，当該各号に定めるところによる。

一　敷地面積　敷地の水平投影面積による。ただし，建築基準法（以下「法」という。）第42条第2項，第3項又は第5項の規定によつて道路の境界線とみなされる線と道との間の部分の敷地は，算入しない。

二　建築面積　建築物（地階で地盤面上1メートル以下にある部分を除く。以下この号において同じ。）の外壁又はこれに代わる柱の中心線（軒，ひさし，はね出し縁その他これらに類するもの（以下この号において「軒等」という。）で当該中心線から水平距離1メートル以上突き出たもの（建築物の建蔽率の算定の基礎となる建築面積を算定する場合に限り，工場又は倉庫の用途に供する建築物において専ら貨物の積卸しその他これに類する業務のために設ける軒等でその端と敷地境界線との間の敷地の部分に有効な空地が確保されていることその他の理由により安

全上，防火上及び衛生上支障がないものとして国土交通大臣が定める軒等（以下この号において「特例軒等」という。）のうち当該中心線から突き出た距離が水平距離1メートル以上5メートル未満のものであるものを除く。）がある場合においては，その端から水平距離1メートル後退した線（建築物の建蔽率の算定の基礎となる建築面積を算定する場合に限り，特例軒等のうち当該中心線から水平距離5メートル以上突き出たものにあつては，その端から水平距離5メートル以内で当該特例軒等の構造に応じて国土交通大臣が定める距離後退した線））で囲まれた部分の水平投影面積による。ただし，国土交通大臣が高い開放性を有すると認めて指定する構造の建築物又はその部分については，当該建築物又はその部分の端から水平距離1メートル以内の部分の水平投影面積は，当該建築物の建築面積に算入しない。
三　床面積　建築物の各階又はその一部で壁その他の区画の中心線で囲まれた部分の水平投影面積による。
四　延べ面積　建築物の各階の床面積の合計による。ただし，法第52条第1項に規定する延べ面積（建築物の容積率の最低限度に関する規制に係る当該容積率の算定の基礎となる延べ面積を除く。）には，次に掲げる建築物の部分の床面積を算入しない。
　イ　自動車車庫その他の専ら自動車又は自転車の停留又は駐車のための施設（誘導車路，操車場所及び乗降場を含む。）の用途に供する部分（第3項第1号及び第137条の8において「自動車車庫等部分」という。）
　ロ　専ら防災のために設ける備蓄倉庫の用途に供する部分（第3項第2号及び第137条の8において「備蓄倉庫部分」という。）
　ハ　蓄電池（床に据え付けるものに限る。）を設ける部分（第3項第3号及び第137条の8において「蓄電池設置部分」という。）
　ニ　自家発電設備を設ける部分（第3項第4号及び第137条の8において「自家発電設備設置部分」という。）
　ホ　貯水槽を設ける部分（第3項第5号及び第137条の8において「貯水槽設置部分」という。）
　ヘ　宅配ボックス（配達された物品（荷受人が不在その他の事由により受け取ることができないものに限る。）の一時保管のための荷受箱をいう。）を設ける部分（第3項第6号及び第137条の8において「宅配ボックス設置部分」という。）
五　築造面積　工作物の水平投影面積による。ただし，国土交通大臣が別に算定方法を定めた工作物については，その算定方法による。
六　建築物の高さ　地盤面からの高さによる。ただし，次のイ，ロ又はハのいずれかに該当する場合においては，それぞれイ，ロ又はハに定めるところによる。
　イ　法第56条第1項第1号の規定並びに第130条の12及び第135条の19の規定による高さの算定については，前面道路の路面の中心からの高さによる。
　ロ　法第33条及び法第56条第1項第3号に規定する高さ並びに法第57条の4第1項，法第58条第1項及び第2項，法第60条の2の2第3項並びに法第60条の3第2項に規定する高さ（北側の前面道路又は隣地との関係についての建築物の各部分の高さの最高限度が定められている場合におけるその高さに限る。）を算定する場合を除き，階段室，昇降機塔，装飾塔，物見塔，屋窓その他これらに

類する建築物の屋上部分の水平投影面積の合計が当該建築物の建築面積の8分の1以内の場合においては，その部分の高さは，12メートル（法第55条第1項から第3項まで，法第56条の2第4項，法第59条の2第1項（法第55条第1項に係る部分に限る。）並びに法別表第4（ろ）欄2の項，3の項及び4の項ロの場合には，5メートル）までは，当該建築物の高さに算入しない。
　　ハ　棟飾，防火壁の屋上突出部その他これらに類する屋上突出物は，当該建築物の高さに算入しない。
　七　軒の高さ　地盤面（第130条の12第1号イの場合には，前面道路の路面の中心）から建築物の小屋組又はこれに代わる横架材を支持する壁，敷桁又は柱の上端までの高さによる。
　八　階数　昇降機塔，装飾塔，物見塔その他これらに類する建築物の屋上部分又は地階の倉庫，機械室その他これらに類する建築物の部分で，水平投影面積の合計がそれぞれ当該建築物の建築面積の8分の1以下のものは，当該建築物の階数に算入しない。また，建築物の一部が吹抜きとなつている場合，建築物の敷地が斜面又は段地である場合その他建築物の部分によつて階数を異にする場合においては，これらの階数のうち最大なものによる。
② 前項第2号，第6号又は第7号の「地盤面」とは，建築物が周囲の地面と接する位置の平均の高さにおける水平面をいい，その接する位置の高低差が3メートルを超える場合においては，その高低差3メートル以内ごとの平均の高さにおける水平面をいう。
③ 第1項第4号ただし書の規定は，次の各号に掲げる建築物の部分の区分に応じ，当該敷地内の建築物の各階の床面積の合計（同一敷地内に2以上の建築物がある場合においては，それらの建築物の各階の床面積の合計の和）に当該各号に定める割合を乗じて得た面積を限度として適用するものとする。
　一　自動車車庫等部分　5分の1
　二　備蓄倉庫部分　50分の1
　三　蓄電池設置部分　50分の1
　四　自家発電設備設置部分　100分の1
　五　貯水槽設置部分　100分の1
　六　宅配ボックス設置部分　100分の1
④ 第1項第6号ロ又は第8号の場合における水平投影面積の算定方法は，同項第2号の建築面積の算定方法によるものとする。

第10章　雑則

第144条の4　（道に関する基準）

① 法第42条第1項第5号の規定により政令で定める基準は，次の各号に掲げるものとする。
　一　両端が他の道路に接続したものであること。ただし，次のイからホまでのいずれかに該当する場合においては，袋路状道路（法第43条第3項第5号に規定する袋路状道路をいう。以下この条において同じ。）とすることができる。
　　イ　延長（既存の幅員6メートル未満の袋路状道路に接続する道にあつては，当該袋路状道路が他の道路に接続するまでの部分の延長を含む。ハにおいて同じ。）が35メートル以下の場合
　　ロ　終端が公園，広場その他これらに類するもので自動車の転回に支障がないものに接続している場合
　　ハ　延長が35メートルを超える場合で，終端及び区間35メートル以内ごとに国土交通大臣の定める基準に適合する自動車の転回広場が設けられている場合
　　ニ　幅員が6メートル以上の場合

ホ　イからニまでに準ずる場合で，特定行政庁が周囲の状況により避難及び通行の安全上支障がないと認めた場合
二　道が同一平面で交差し，若しくは接続し，又は屈曲する箇所（交差，接続又は屈曲により生ずる内角が120度以上の場合を除く。）は，角地の隅角を挟む辺の長さ2メートルの二等辺三角形の部分を道に含む隅切りを設けたものであること。ただし，特定行政庁が周囲の状況によりやむを得ないと認め，又はその必要がないと認めた場合においては，この限りでない。
三　砂利敷その他ぬかるみとならない構造であること。
四　縦断勾配が12パーセント以下であり，かつ，階段状でないものであること。ただし，特定行政庁が周囲の状況により避難及び通行の安全上支障がないと認めた場合においては，この限りでない。
五　道及びこれに接する敷地内の排水に必要な側溝，街渠その他の施設を設けたものであること。

②・③　（略）

附　則（略）

宅地造成及び特定盛土等規制法(抄)

●昭和36年11月7日法律第191号●　最終改正　令和4年5月27日法55号

第1章　総則

第1条（目的）
① この法律は，宅地造成，特定盛土等又は土石の堆積に伴う崖崩れ又は土砂の流出による災害の防止のため必要な規制を行うことにより，国民の生命及び財産の保護を図り，もつて公共の福祉に寄与することを目的とする。

第2条（定義）
この法律において，次の各号に掲げる用語の意義は，当該各号に定めるところによる。
一　宅地　農地，採草放牧地及び森林（以下この条，第21条第4項及び第40条第4項において「農地等」という。）並びに道路，公園，河川その他政令で定める公共の用に供する施設の用に供されている土地（以下「公共施設用地」という。）以外の土地をいう。
二　宅地造成　宅地以外の土地を宅地にするために行う盛土その他の土地の形質の変更で政令で定めるものをいう。
三　特定盛土等　宅地又は農地等において行う盛土その他の土地の形質の変更で，当該宅地又は農地等に隣接し，又は近接する宅地において災害を発生させるおそれが大きいものとして政令で定めるものをいう。
四　土石の堆積　宅地又は農地等において行う土石の堆積で政令で定めるもの（一定期間の経過後に当該土石を除却するものに限る。）をいう。
五　災害　崖崩れ又は土砂の流出による災害をいう。
六　設計　その者の責任において，設計図書（宅地造成，特定盛土等又は土石の堆積に関する工事を実施するために必要な図面（現寸図その他これに類するものを除く。）及び仕様書をいう。第55条第2項において同じ。）を作成することをいう。
七　工事主　宅地造成，特定盛土等若しくは土石の堆積に関する工事の請負契約の注文者又は請負契約によらないで自らその工事をする者をいう。
八　工事施行者　宅地造成，特定盛土等若しくは土石の堆積に関する工事の請負人又は請負契約によらないで自らその工事をする者をいう。
九　造成宅地　宅地造成又は特定盛土等（宅地において行うものに限る。）に関する工事が施行された宅地をいう。

第3章　宅地造成等工事規制区域

第10条
① 都道府県知事は，基本方針に基づき，かつ，基礎調査の結果を踏まえ，宅地造成，特定盛土等又は土石の堆積（以下この章及び次章において「宅地造成等」という。）に伴い災害が生ずるおそれが大きい市街地若しくは市街地となろうとする土地の区域又は集落の区域（これらの区域に隣接し，又は近接する土地の区域を含む。第5項及び第26条第1項において「市街地等区域」という。）であつて，宅地造成等に関する工事について規制を行う必要があるものを，宅地造成等工事

規制区域として指定することができる。
②〜⑥ （略）

第4章 宅地造成等工事規制区域における宅地造成等に関する工事等の規制 一

第11条（住民への周知）
　工事主は，次条第1項の許可の申請をするときは，あらかじめ，主務省令で定めるところにより，宅地造成等に関する工事の施行に係る土地の周辺地域の住民に対し，説明会の開催その他の当該宅地造成等に関する工事の内容を周知させるため必要な措置を講じなければならない。

第12条（宅地造成等に関する工事の許可）
① 宅地造成等工事規制区域内において行われる宅地造成等に関する工事については，工事主は，当該工事に着手する前に，主務省令で定めるところにより，都道府県知事の許可を受けなければならない。ただし，宅地造成等に伴う災害の発生のおそれがないと認められるものとして政令で定める工事については，この限りでない。
② 都道府県知事は，前項の許可の申請が次に掲げる基準に適合しないと認めるとき，又はその申請の手続がこの法律若しくはこの法律に基づく命令の規定に違反していると認めるときは，同項の許可をしてはならない。
　一　当該申請に係る宅地造成等に関する工事の計画が次条の規定に適合するものであること。
　二　工事主に当該宅地造成等に関する工事を行うために必要な資力及び信用があること。
　三　工事施行者に当該宅地造成等に関する工事を完成するために必要な能力があること。
　四　当該宅地造成等に関する工事（土地区画整理法（昭和29年法律第119号）第2条第1項に規定する土地区画整理事業その他の公共施設の整備又は土地利用の増進を図るための事業として政令で定めるものの施行に伴うものを除く。）をしようとする土地の区域内の土地について所有権，地上権，質権，賃借権，使用貸借による権利又はその他の使用及び収益を目的とする権利を有する者の全ての同意を得ていること。
③ 都道府県知事は，第1項の許可に，工事の施行に伴う災害を防止するため必要な条件を付することができる。
④ （略）

第13条（宅地造成等に関する工事の技術的基準等）
① 宅地造成等工事規制区域内において行われる宅地造成等に関する工事（前条第1項ただし書に規定する工事を除く。第21条第1項において同じ。）は，政令（その政令で都道府県の規則に委任した事項に関しては，その規則を含む。）で定める技術的基準に従い，擁壁，排水施設その他の政令で定める施設（以下「擁壁等」という。）の設置その他宅地造成等に伴う災害を防止するため必要な措置が講ぜられたものでなければならない。
② 前項の規定により講ずべきものとされる措置のうち政令（同項の政令で都道府県の規則に委任した事項に関しては，その規則を含む。）で定めるものの工事は，政令で定める資格を有する者の設計によらなければならない。

第17条（完了検査等）
① 宅地造成又は特定盛土等に関する工事について第12条第1項の許可を受けた者は，当該許可に係る工事を完了したときは，主務省令で定める期間内に，主務省令で定めるところにより，その工事が第13条第1項の規定に適合しているかどうかについて，都道府県知事の検査を申請

しなければならない。
② 都道府県知事は，前項の検査の結果，工事が第13条第1項の規定に適合していると認めた場合においては，主務省令で定める様式の検査済証を第12条第1項の許可を受けた者に交付しなければならない。
③ 第15条第2項の規定により第12条第1項の許可を受けたものとみなされた宅地造成又は特定盛土等に関する工事に係る都市計画法第36条第1項の規定による届出又は同条第2項の規定により交付された検査済証は，当該工事に係る第1項の規定による申請又は前項の規定により交付された検査済証とみなす。
④ 土石の堆積に関する工事について第12条第1項の許可を受けた者は，当該許可に係る工事（堆積した全ての土石を除却するものに限る。）を完了したときは，主務省令で定める期間内に，主務省令で定めるところにより，堆積されていた全ての土石の除却が行われたかどうかについて，都道府県知事の確認を申請しなければならない。
⑤ 都道府県知事は，前項の確認の結果，堆積されていた全ての土石が除却されたと認めた場合においては，主務省令で定める様式の確認済証を第12条第1項の許可を受けた者に交付しなければならない。

第21条（工事等の届出）
① 宅地造成等工事規制区域の指定の際，当該宅地造成等工事規制区域内において行われている宅地造成等に関する工事の工事主は，その指定があつた日から21日以内に，主務省令で定めるところにより，当該工事について都道府県知事に届け出なければならない。
② 都道府県知事は，前項の規定による届出を受理したときは，速やかに，主務省令で定めるところにより，工事主の氏名又は名称，宅地造成等に関する工事が施行される土地の所在地その他主務省令で定める事項を公表するとともに，関係市町村長に通知しなければならない。
③ 宅地造成等工事規制区域内の土地（公共施設用地を除く。以下この章において同じ。）において，擁壁等に関する工事その他の工事で政令で定めるものを行おうとする者（第12条第1項若しくは第16条第1項の許可を受け，又は同条第2項の規定による届出をした者を除く。）は，その工事に着手する日の14日前までに，主務省令で定めるところにより，その旨を都道府県知事に届け出なければならない。
④ 宅地造成等工事規制区域内において，公共施設用地を宅地又は農地等に転用した者（第12条第1項若しくは第16条第1項の許可を受け，又は同条第2項の規定による届出をした者を除く。）は，その転用した日から14日以内に，主務省令で定めるところにより，その旨を都道府県知事に届け出なければならない。

第22条（土地の保全等）
① 宅地造成等工事規制区域内の土地の所有者，管理者又は占有者は，宅地造成等（宅地造成等工事規制区域の指定前に行われたものを含む。次項及び次条第1項において同じ。）に伴う災害が生じないよう，その土地を常時安全な状態に維持するように努めなければならない。
② （略）

第5章　特定盛土等規制区域

第26条
① 都道府県知事は，基本方針に基づき，かつ，基礎調査の結果を踏まえ，宅地造成等工事規制区域以外の土地の区域であつて，土地の傾斜度，渓流の位置その他の自然的条件及び周辺地域における土地利用の状況その他の社会的条件からみて，

当該区域内の土地において特定盛土等又は土石の堆積が行われた場合には，これに伴う災害により市街地等区域その他の区域の居住者その他の者（第5項及び第45条第1項において「居住者等」という。）の生命又は身体に危害を生ずるおそれが特に大きいと認められる区域を，特定盛土等規制区域として指定することができる。

② ～ ⑥ （略）

【 第6章 特定盛土等規制区域内における特定盛土等又は土石の堆積に関する工事等の規制 】

第27条（特定盛土等又は土石の堆積に関する工事の届出等）

① 特定盛土等規制区域内において行われる特定盛土等又は土石の堆積に関する工事については，工事主は，当該工事に着手する日の30日前までに，主務省令で定めるところにより，当該工事の計画を都道府県知事に届け出なければならない。ただし，特定盛土等又は土石の堆積に伴う災害の発生のおそれがないと認められるものとして政令で定める工事については，この限りでない。

② 都道府県知事は，前項の規定による届出を受理したときは，速やかに，主務省令で定めるところにより，工事主の氏名又は名称，特定盛土等又は土石の堆積に関する工事が施行される土地の所在地その他主務省令で定める事項を公表するとともに，関係市町村長に通知しなければならない。

③ 都道府県知事は，第1項の規定による届出があつた場合において，当該届出に係る工事の計画について当該特定盛土等又は土石の堆積に伴う災害の防止のため必要があると認めるときは，当該届出を受理した日から30日以内に限り，当該届出をした者に対し，当該工事の計画の変更その他必要な措置をとるべきことを勧告することができる。

④ 都道府県知事は，前項の規定による勧告を受けた者が，正当な理由がなくて当該勧告に係る措置をとらなかつたときは，その者に対し，相当の期限を定めて，当該勧告に係る措置をとるべきことを命ずることができる。

⑤ 特定盛土等規制区域内において行われる特定盛土等について都市計画法第29条第1項又は第2項の許可の申請をしたときは，当該特定盛土等に関する工事については，第1項の規定による届出をしたものとみなす。

附 則 （略）

宅地造成及び特定盛土等規制法施行令(抄)

● 昭和37年1月30日政令第16号 ●　　最終改正　令和4年12月23日政令393号

第1章　総則

第1条（定義等）

① この政令において，「崖」とは地表面が水平面に対し30度を超える角度をなす土地で硬岩盤（風化の著しいものを除く。）以外のものをいい，「崖面」とはその地表面をいう。

② 崖面の水平面に対する角度を崖の勾配とする。

③ 小段その他の崖以外の土地によつて上下に分離された崖がある場合において，下層の崖面の下端を含み，かつ，水平面に対し30度の角度をなす面の上方に上層の崖面の下端があるときは，その上下の崖は一体のものとみなす。

④ 擁壁の前面の上端と下端（擁壁の前面の下部が地盤面と接する部分をいう。以下この項において同じ。）とを含む面の水平面に対する角度を擁壁の勾配とし，その上端と下端との垂直距離を擁壁の高さとする。

第2条（公共の用に供する施設）

宅地造成及び特定盛土等規制法（昭和36年法律第191号。以下「法」という。）第2条第1号の政令で定める公共の用に供する施設は，砂防設備，地すべり防止施設，海岸保全施設，津波防護施設，港湾施設，漁港施設，飛行場，航空保安施設，鉄道，軌道，索道又は無軌条電車の用に供する施設その他これらに準ずる施設で主務省令で定めるもの及び国又は地方公共団体が管理する学校，運動場，墓地その他の施設で主務省令で定めるものとする。

第3条（宅地造成及び特定盛土等）

法第2条第2号及び第3号の政令で定める土地の形質の変更は，次に掲げるものとする。

一　盛土であつて，当該盛土をした土地の部分に高さが1メートルを超える崖を生ずることとなるもの

二　切土であつて，当該切土をした土地の部分に高さが2メートルを超える崖を生ずることとなるもの

三　盛土と切土とを同時にする場合において，当該盛土及び切土をした土地の部分に高さが2メートルを超える崖を生ずることとなるときにおける当該盛土及び切土（前二号に該当する盛土又は切土を除く。）

四　第1号又は前号に該当しない盛土であつて，高さが2メートルを超えるもの

五　前各号のいずれにも該当しない盛土又は切土であつて，当該盛土又は切土をする土地の面積が500平方メートルを超えるもの

附　則（略）

道路法（抄）

●昭和27年6月10日法律第180号●　　最終改正　令和3年3月31日法9号

第1章　総則

第1条　（この法律の目的）
　この法律は，道路網の整備を図るため，道路に関して，路線の指定及び認定，管理，構造，保全，費用の負担区分等に関する事項を定め，もつて交通の発達に寄与し，公共の福祉を増進することを目的とする。

第2条　（用語の定義）
① この法律において「道路」とは，一般交通の用に供する道で次条各号に掲げるものをいい，トンネル，橋，渡船施設，道路用エレベーター等道路と一体となつてその効用を全うする施設又は工作物及び道路の附属物で当該道路に附属して設けられているものを含むものとする。

② この法律において「道路の附属物」とは，道路の構造の保全，安全かつ円滑な道路の交通の確保その他道路の管理上必要な施設又は工作物で，次に掲げるものをいう。
一　道路上の柵又は駒止め
二　道路上の並木又は街灯で第18条第1項に規定する道路管理者の設けるもの
三　道路標識，道路元標又は里程標
四　道路情報管理施設（道路上の道路情報提供装置，車両監視装置，気象観測装置，緊急連絡施設その他これらに類するものをいう。）
五　自動運行補助施設（電子的方法，磁気的方法その他人の知覚によつて認識することができない方法により道路運送車両法（昭和26年法律第185号）第41条第1項第20号に掲げる自動運行装置を備えている自動車の自動的な運行を補助するための施設その他これに類するものをいう。以下同じ。）で道路上に又は道路の路面下に第18条第1項に規定する道路管理者が設けるもの
六　道路に接する道路の維持又は修繕に用いる機械，器具又は材料の常置場
七　自動車駐車場又は自転車駐車場で道路上に，又は道路に接して第18条第1項に規定する道路管理者が設けるもの
八　特定車両停留施設（旅客の乗降又は貨物の積卸しによる道路における交通の混雑を緩和することを目的として，専ら道路運送法（昭和26年法律第183号）による一般乗合旅客自動車運送事業若しくは一般乗用旅客自動車運送事業又は貨物自動車運送事業法（平成元年法律第83号）による一般貨物自動車運送事業の用に供する自動車その他の国土交通省令で定める車両（以下「特定車両」という。）を同時に2両以上停留させる施設で道路に接して第18条第1項に規定する道路管理者が設けるものをいう。以下同じ。）
九　共同溝の整備等に関する特別措置法（昭和38年法律第81号）第3条第1項の規定による共同溝整備道路又は電線共同溝の整備等に関する特別措置法（平成7年法律第39号）第4条第2項に規定する電線共同溝整備道路に第18条第1項に規定する道路管理者の設ける共同溝又は電線共同溝
十　前各号に掲げるものを除くほか，政令で定めるもの

③ この法律において「自動車」とは，道路運送車両法第2条第2項に規定する自動車をいう。
④ この法律において「駐車」とは，道路交通法（昭和35年法律第105号）第2条第1項第18号に規定する駐車をいう。
⑤ この法律において「車両」とは，道路交通法第2条第1項第8号に規定する車両をいう。

第3条　（道路の種類）
　道路の種類は，左に掲げるものとする。
一　高速自動車国道
二　一般国道
三　都道府県道
四　市町村道

第3条の2　（高速自動車国道）
　高速自動車国道については，この法律に定めるもののほか，別に法律で定める。

第4条　（私権の制限）
　道路を構成する敷地，支壁その他の物件については，私権を行使することができない。但し，所有権を移転し，又は抵当権を設定し，若しくは移転することを妨げない。

【━━━　第3章　道路の管理　━━━】

第1節／道路管理者

第12条　（国道の新設又は改築）
　国道の新設又は改築は，国土交通大臣が行う。ただし，工事の規模が小であるものその他政令で定める特別の事情により都道府県がその工事を施行することが適当であると認められるものについては，その工事に係る路線の部分の存する都道府県が行う。

第13条　（国道の維持，修繕その他の管理）
① 前条に規定するものを除くほか，国道の維持，修繕，公共土木施設災害復旧事業費国庫負担法（昭和26年法律第97号）の規定の適用を受ける災害復旧事業（以下「災害復旧」という。）その他の管理は，政令で指定する区間（以下「指定区間」という。）内については国土交通大臣が行い，その他の部分については都道府県がその路線の当該都道府県の区域内に存する部分について行う。
②～⑥　（略）

第15条　（都道府県道の管理）
　都道府県道の管理は，その路線の存する都道府県が行う。

第16条　（市町村道の管理）
① 市町村道の管理は，その路線の存する市町村が行う。
②～⑤　（略）

第18条　（道路の区域の決定及び供用の開始等）
① 第12条，第13条第1項若しくは第3項，第15条，第16条又は前条第1項から第3項までの規定によつて道路を管理する者（指定区間内の国道にあつては国土交通大臣，指定区間外の国道にあつては都道府県。以下「道路管理者」という。）は，路線が指定され，又は路線の認定若しくは変更が公示された場合においては，遅滞なく，道路の区域を決定して，国土交通省令で定めるところにより，これを公示し，かつ，これを表示した図面を関係地方整備局若しくは北海道開発局又は関係都道府県若しくは市町村の事務所（以下「道路管理者の事務所」という。）において一般の縦覧に供しなければならない。道路の区域を変更した場合においても，同様とする。
② 道路管理者は，道路の供用を開始し，又は廃止しようとする場合においては，国土交通省令で定めるところにより，そ

の旨を公示し，かつ，これを表示した図面を道路管理者の事務所において一般の縦覧に供しなければならない。ただし，既存の道路について，その路線と重複して路線が指定され，認定され，又は変更された場合においては，その重複する道路の部分については，既に供用の開始があつたものとみなし，供用開始の公示をすることを要しない。

第28条　（道路台帳）
① 道路管理者は，その管理する道路の台帳（以下本条において「道路台帳」という。）を調製し，これを保管しなければならない。
② 道路台帳の記載事項その他その調製及び保管に関し必要な事項は，国土交通省令で定める。
③ 道路管理者は，道路台帳の閲覧を求められた場合においては，これを拒むことができない。

第4節／道路の保全等

第43条　（道路に関する禁止行為）
何人も道路に関し，左に掲げる行為をしてはならない。
一　みだりに道路を損傷し，又は汚損すること。
二　みだりに道路に土石，竹木等の物件をたい積し，その他道路の構造又は交通に支障を及ぼす虞のある行為をすること。

第7章　雑則

第90条　（道路の敷地等の帰属）
① 国道の新設又は改築のために取得した道路を構成する敷地又は支壁その他の物件（以下これらを「敷地等」という。）は国に，都道府県道又は市町村道の新設又は改築のために取得した敷地等はそれぞれ当該新設又は改築をした都道府県又は市町村に帰属する。

② 普通財産である国有財産は，都道府県道又は市町村道の用に供する場合においては，国有財産法第22条又は第28条の規定にかかわらず，当該道路の道路管理者である地方公共団体に無償で貸し付け，又は譲与することができる。

第92条　（不用物件の管理又は交換）
① 道路の供用の廃止又は道路の区域の変更があつた場合においては，当該道路を構成していた不用となつた敷地，支壁その他の物件（以下「不用物件」という。）は，従前当該道路を管理していた者が1年をこえない範囲内において政令で定める期間，管理しなければならない。
② 第4条の規定は，前項の期間が満了するまでは，不用物件について準用する。
③ 第1項の不用物件は，土地収用法第106条の規定の適用については，同項に規定する期間内においては，不用物件とならないものとみなす。
④ 道路管理者は，路線の変更又は区域の変更に因り，新たに道路を構成する敷地その他の物件を取得する必要がある場合において，これらの物件及び不用物件の所有者並びに当該物件について抵当権，賃借権，永小作権その他所有権以外の権利を有する者の同意があるときは，第1項の期間内においても，不用物件とこれらの物件とを交換することができる。

第93条　（不用物件の使用）
不用物件を他の道路の新設又は区域の変更のために使用する必要がある場合であつて，且つ，当該不用物件が当該道路の区域内にある場合において，当該道路の道路管理者がその旨を前条第1項の期間内に当該不用物件の管理者に申し出たときは，当該不用物件の管理者は，これを当該道路管理者に引き渡さなければならない。

第94条　（不用物件の返還又は譲与）
① 第92条第4項及び前条の規定に該当する場合を除き，不用物件がその管理者以外の者の所有に属する場合においては，当該不用物件の管理者は，第92条第1項の期間満了後，直ちにこれを所有者に返還しなければならない。
② 前項の場合において当該不用物件が国有財産であるときは，国土交通大臣は，当該国有財産の管理者である主務大臣と協議の上，国有財産として存置する必要があるものを除き，国有財産法第28条の規定にかかわらず，当該不用物件のあつた道路の管理の費用を負担した地方公共団体にこれを譲与することができる。
③〜⑥　（略）

　　附　則　（略）

土地家屋調査士法関係

○土地家屋調査士法

○土地家屋調査士法施行規則

○測量法（抄）

○測量法施行令（抄）

○平面直角座標系

土地家屋調査士法

●昭和25年7月31日法律第228号●　　最終改正　令和2年5月29日法33号

第1章　総則

第1条　（土地家屋調査士の使命）
　土地家屋調査士（以下「調査士」という。）は，不動産の表示に関する登記及び土地の筆界（不動産登記法（平成16年法律第123号）第123条第1号に規定する筆界をいう。第3条第1項第7号及び第25条第2項において同じ。）を明らかにする業務の専門家として，不動産に関する権利の明確化に寄与し，もって国民生活の安定と向上に資することを使命とする。

第2条　（職責）
　調査士は，常に品位を保持し，業務に関する法令及び実務に精通して，公正かつ誠実にその業務を行わなければならない。

第3条　（業務）
① 調査士は，他人の依頼を受けて，次に掲げる事務を行うことを業とする。
　一　不動産の表示に関する登記について必要な土地又は家屋に関する調査又は測量
　二　不動産の表示に関する登記の申請手続又はこれに関する審査請求の手続についての代理
　三　不動産の表示に関する登記の申請手続又はこれに関する審査請求の手続について法務局又は地方法務局に提出し，又は提供する書類又は電磁的記録（電子的方式，磁気的方式その他人の知覚によっては認識することができない方式で作られる記録であつて，電子計算機による情報処理の用に供されるものをいう。第5号において同じ。）の作成
　四　筆界特定の手続（不動産登記法第6章第2節の規定による筆界特定の手続又は筆界特定の申請の却下に関する審査請求の手続をいう。次号において同じ。）についての代理
　五　筆界特定の手続について法務局又は地方法務局に提出し，又は提供する書類又は電磁的記録の作成
　六　前各号に掲げる事務についての相談
　七　土地の筆界が現地において明らかでないことを原因とする民事に関する紛争に係る民間紛争解決手続（民間事業者が，紛争の当事者が和解をすることができる民事上の紛争について，紛争の当事者双方からの依頼を受け，当該紛争の当事者との間の契約に基づき，和解の仲介を行う裁判外紛争解決手続（訴訟手続によらずに民事上の紛争の解決をしようとする紛争の当事者のため，公正な第三者が関与して，その解決を図る手続をいう。）をいう。）であつて当該紛争の解決の業務を公正かつ適確に行うことができると認められる団体として法務大臣が指定するものが行うものについての代理
　八　前号に掲げる事務についての相談
② 前項第7号及び第8号に規定する業務（以下「民間紛争解決手続代理関係業務」という。）は，次のいずれにも該当する調査士に限り，行うことができる。この場合において，同項第7号に規定する業務は，弁護士が同一の依頼者から受任し

ている事件に限り，行うことができる。
一　民間紛争解決手続代理関係業務について法務省令で定める法人が実施する研修であつて法務大臣が指定するものの課程を修了した者であること。
二　前号に規定する者の申請に基づき法務大臣が民間紛争解決手続代理関係業務を行うのに必要な能力を有すると認定した者であること。
三　土地家屋調査士会（以下「調査士会」という。）の会員であること。
③　法務大臣は，次のいずれにも該当するものと認められる研修についてのみ前項第１号の指定をするものとする。
一　研修の内容が，民間紛争解決手続代理関係業務を行うのに必要な能力の習得に十分なものとして法務省令で定める基準を満たすものであること。
二　研修の実施に関する計画が，その適正かつ確実な実施のために適切なものであること。
三　研修を実施する法人が，前号の計画を適正かつ確実に遂行するに足りる専門的能力及び経理的基礎を有するものであること。
④　法務大臣は，第２項第１号の研修の適正かつ確実な実施を確保するために必要な限度において，当該研修を実施する法人に対し，当該研修に関して，必要な報告若しくは資料の提出を求め，又は必要な命令をすることができる。
⑤　調査士は，第２項第２号の規定による認定を受けようとするときは，政令で定めるところにより，手数料を納めなければならない。

【先例】
1◆「弁護士は，調査士業務に属する申請手続は不可」（昭和34・12・26民事甲2986号回答）
2◆「司法書士との兼業は可」（昭和25・8・18民事甲2306号通達）
3◆「登記申請書に添付を必要とする書類もしくは上記書類の交付請求書（例えば租税，公課等の証明願，戸籍及び住民票の謄抄本交付請求書等）の作成も当然土地家屋調査士の業務の範囲に属する。」（昭和51・4・7民三2492号回答）
4◆土地家屋調査士が，不動産の表示に関する登記に必要な調査測量の依頼を受けた土地につき，隣接地または道路・水路等公共用地との境界が不明のため，所有者の委託に基づいて，関係者の立ち合いのもとに境界確認のための測量をなすことおよび確認された境界点に標識等の設置をなすことは，土地家屋調査士法第２条（現行第３条）に定める業務行為に属する。（昭和53・3・20民事三第1677号依命回答）
5◆測量士が業として他人（官公署，個人を問わない）の依頼を受けて，不動産の表示に関する登記につき必要な土地又は家屋に関する調査，測量をすること及び地積測量図等を作製することは，法第19条１項（現行第68条第１項）に抵触する。（昭和57・9・27民事三第6010号民事局長回答）
6◆一　土地家屋調査士は，当事者の依頼を受けて，不動産登記法第93条ノ４ノ２第１項（現行第49条第１項）の規定により合体による建物の表示の登記及び合体前の建物の表示の登記の抹消を申請する場合において，同項後段の規定による所有権の登記をも併せて申請すべきときは，同項後段の規定による登記の申請手続をもすることができる。
二　司法書士は，土地家屋調査士とともにする場合であれば，当事者の嘱託を受けて，一の申請手続（不動産登記法第93条ノ４ノ２第１項後段（現行第49条第１項後段）の規定による登記に係る部分）をすることができる。
（平成５・９・29民事三第6361号通達）
7◆土地の筆界を明らかにする業務には，「土地の所有者等の依頼を受けて，土地の筆界に関する資料の収集その他の調査を行い，土地の筆界を明らかにする業務のうち，登記の申請を伴わない」ものも，当該業務に含まれる。（令和３・4・30民事二第763号依命通知）

第4条　（資格）

次の各号のいずれかに該当する者は，調査士となる資格を有する。

一　土地家屋調査士試験に合格した者

二　法務局又は地方法務局において不動産の表示に関する登記の事務に従事した期間が通算して10年以上になる者であつて，法務大臣が前条第1項第1号から第6号までに規定する業務を行うのに必要な知識及び技能を有すると認めたもの

第5条　（欠格事由）

次に掲げる者は，調査士となる資格を有しない。

一　禁錮以上の刑に処せられ，その執行を終わり，又は執行を受けることがなくなつてから3年を経過しない者

二　未成年者

三　破産手続開始の決定を受けて復権を得ない者

四　公務員であつて懲戒免職の処分を受け，その処分の日から3年を経過しない者

五　第42条の規定により業務の禁止の処分を受け，その処分の日から3年を経過しない者

六　測量法（昭和24年法律第188号）第52条第2号の規定により，登録の抹消の処分を受け，その処分の日から3年を経過しない者

七　建築士法（昭和25年法律第202号）第10条の規定により免許の取消しの処分を受け，その処分の日から3年を経過しない者

八　司法書士法（昭和25年法律第197号）第47条の規定により業務の禁止の処分を受け，その処分の日から3年を経過しない者

【先例】

1 ＋刑の執行猶予の言渡が取消されることなく猶予期間を経過した場合または，恩赦法における大赦によつて刑の言渡が失効になつた場合は，土地家屋調査士法第4条1号（改正法第5条1号）のいずれにも該当しない。（昭和25・10・13民事甲第2799号民事局長回答）

2 ＋土地家屋調査士法第4条第1号（改正法第5条1号）の欠格事由の規定は，刑の執行猶予の言渡を受け，その言渡を取り消されることなく，期間満了した者には適用されない。（昭和26・10・13民事甲第1994号民事局長回答）

3 ＋刑事訴追を受けても裁判で係争中の被告人は，いまだ欠格事由が生じたことにはならない。（昭和43・5・14民事甲第1655号民事局長回答）

4 ＋「欠格者でない例」‥外国人（昭和27・6・30民事甲906回答），規10，公務員（昭和26・9・11民事甲178号回答）

第2章　土地家屋調査士試験

第6条　（試験の方法及び内容等）

① 法務大臣は，毎年1回以上，土地家屋調査士試験を行わなければならない。

② 前項の試験は，筆記及び口述の方法により行う。

③ 筆記試験は，不動産の表示に関する登記について必要な次に掲げる事項に関する知識及び技能について行う。

一　土地及び家屋の調査及び測量

二　申請手続及び審査請求の手続

④ 口述試験は，筆記試験に合格した者につき，前項第2号に掲げる事項に関する知識について行う。

⑤ 次の各号に掲げる者に対しては，その申請により，それぞれ当該各号に定める試験を免除する。

一　測量士若しくは測量士補又は1級建築士若しくは2級建築士となる資格を有する者　第3項第1号に掲げる事項についての筆記試験

二　筆記試験に合格した者　次回の第1項の試験の筆記試験及びその後に行われる第1項の試験における前号に定め

る筆記試験
三　筆記試験の受験者であつて，第3項第1号に掲げる事項に関して筆記試験に合格した者と同等以上の知識及び技能を有するものとして法務大臣が認定した者（前号に掲げる者を除く。）その後に行われる第1項の試験における第1号に定める筆記試験
⑥　法務大臣は，第1項の試験の実施について国土交通大臣の意見を聴かなければならない。
⑦　第1項の試験を受けようとする者は，政令の定めるところにより，受験手数料を納めなければならない。

【先例】
1 ✦ 土地家屋調査士試験の受験申請者が土地家屋調査士法第5条第2項ただし書の資格を試験開始までに取得したことが明らかな場合には，その者につき調査及び測量についての試験が免除される。（昭和36・8・4民事甲第1983号民事局長回答・通達）
2 ✦ 土地家屋調査士試験について‥‥筆記（各法務局及び地方法務局）口述（各法務局）。（昭和54・12・26民事三第6380号民事局第三課長依命通知）
3 ✦ 木造建築士となる資格を有する者であっても，土地家屋調査士試験においては，土地及び家屋の調査及び測量についての試験は免除されない。（登記研究530号147頁）

第7条（土地家屋調査士試験委員）
①　法務省に，前条第1項の試験の問題の作成及び採点を行なわせるため，土地家屋調査士試験委員を置く。
②　土地家屋調査士試験委員は，前条第1項の試験を行なうについて必要な学識経験のある者のうちから，試験ごとに，法務大臣が任命する。
③　前二項に定めるもののほか，土地家屋調査士試験委員に関し必要な事項は，政令で定める。

【　　　第3章　登録　　　】

第8条（土地家屋調査士名簿の登録）
①　調査士となる資格を有する者が調査士となるには，日本土地家屋調査士会連合会（以下「調査士会連合会」という。）に備える土地家屋調査士名簿に，氏名，生年月日，事務所の所在地，所属する土地家屋調査士会その他法務省令で定める事項の登録を受けなければならない。
②　土地家屋調査士名簿の登録は，調査士会連合会が行う。

第9条（登録の申請）
①　前条第1項の登録を受けようとする者は，その事務所を設けようとする地を管轄する法務局又は地方法務局の管轄区域内に設立された調査士会を経由して，調査士会連合会に登録申請書を提出しなければならない。
②　前項の登録申請書には，前条第1項の規定により登録を受けるべき事項その他法務省令で定める事項を記載し，調査士となる資格を有することを証する書類を添付しなければならない。

【先例】
1 ✦ 現職の国家公務員で，土地家屋調査士となる資格を有する者は，所属庁の長の申出による人事院の兼業の承認がない限り，土地家屋調査士の登録は許されない。（昭和26・4・5民事甲第709号民事局長回答）
2 ✦ 「合格証書を紛失した場合の合格証明書交付について」（昭和29・5・14民事甲第978号民事局長回答）
3 ✦ 土地家屋調査士の資格を有し，登録を受けていた者が，欠格事由により登録の取消処分にあい，その後欠格期間を経過したときは，あらためて登録を申請することができる。（昭和35・4・2民事甲786号民事局長回答）

第10条　（登録の拒否）

① 調査士会連合会は，前条第１項の規定による登録の申請をした者が調査士となる資格を有せず，又は次の各号のいずれかに該当すると認めたときは，その登録を拒否しなければならない。この場合において，当該申請者が第２号又は第３号に該当することを理由にその登録を拒否しようとするときは，第62条に規定する登録審査会の議決に基づいてしなければならない。

一　第52条第１項の規定による入会の手続をとらないとき。
二　心身の故障により調査士の業務を行うことができないとき。
三　調査士の信用又は品位を害するおそれがあるときその他調査士の職責に照らし調査士としての適格性を欠くとき。

② 調査士会連合会は，当該申請者が前項第２号又は第３号に該当することを理由にその登録を拒否しようとするときは，あらかじめ，当該申請者にその旨を通知して，相当の期間内に自ら又はその代理人を通じて弁明する機会を与えなければならない。

◆(先例)
1　刑事訴追を受けても，裁判で係争中の被告人から土地家屋調査士の登録の申請があつたときは，いまだ欠格事由が生じたことにはならないから，これを受理せざるをえない。（昭和43・5・14民事甲第1655号民事局長回答）
◆

第11条　（登録に関する通知）

調査士会連合会は，第９条第１項の規定による登録の申請を受けた場合において，登録をしたときはその旨を，登録を拒否したときはその旨及びその理由を当該申請者に書面により通知しなければならない。

第12条　（登録を拒否された場合の審査請求）

① 第10条第１項の規定により登録を拒否された者は，当該処分に不服があるときは，法務大臣に対して審査請求をすることができる。

② 第９条第１項の規定による登録の申請をした者は，その申請の日から３月を経過しても当該申請に対して何らの処分がされないときは，当該登録を拒否されたものとして，法務大臣に対して審査請求をすることができる。

③ 前二項の場合において，法務大臣は，行政不服審査法（平成26年法律第68号）第25条第２項及び第３項並びに第46条第２項の規定の適用については，調査士会連合会の上級行政庁とみなす。

第13条　（所属する調査士会の変更の登録）

① 調査士は，他の法務局又は地方法務局の管轄区域内に事務所を移転しようとするときは，その管轄区域内に設立された調査士会を経由して，調査士会連合会に，所属する調査士会の変更の登録の申請をしなければならない。

② 調査士は，前項の変更の登録の申請をするときは，現に所属する調査士会にその旨を届け出なければならない。

③ 第１項の申請をした者が第52条第１項の規定による入会の手続をとつていないときは，調査士会連合会は，変更の登録を拒否しなければならない。

④ 前二条の規定は，第１項の変更の登録の申請に準用する。

第14条　（登録事項の変更の届出）

調査士は，土地家屋調査士名簿に登録を受けた事項に変更（所属する調査士会の変更を除く。）が生じたときは，遅滞なく，所属する調査士会を経由して，調査士会連合会にその旨を届け出なければならない。

第15条 （登録の取消し）

① 調査士が次の各号のいずれかに該当する場合には，調査士会連合会は，その登録を取り消さなければならない。
　一　その業務を廃止したとき。
　二　死亡したとき。
　三　調査士となる資格を有しないことが判明したとき。
　四　第5条各号（第2号を除く。）のいずれかに該当するに至つたとき。

② 調査士が前項各号に該当することとなつたときは，その者又はその法定代理人若しくは相続人は，遅滞なく，当該調査士が所属し，又は所属していた調査士会を経由して，調査士会連合会にその旨を届け出なければならない。

第16条

① 調査士が次の各号のいずれかに該当する場合には，調査士会連合会は，その登録を取り消すことができる。
　一　引き続き2年以上業務を行わないとき。
　二　心身の故障により業務を行うことができないとき。

② 調査士が心身の故障により業務を行うことができないおそれがある場合として法務省令で定める場合に該当することとなつたときは，その者又はその法定代理人若しくは同居の親族は，遅滞なく，当該調査士が所属する調査士会を経由して，調査士会連合会にその旨を届け出るものとする。

③ 調査士会連合会は，第1項の規定により登録を取り消したときは，その旨及びその理由を当該調査士に書面により通知しなければならない。

④ 第10条第1項後段の規定は，第1項の規定による登録の取消しに準用する。

第17条 （登録拒否に関する規定の準用）

　第12条第1項及び第3項の規定は，第15条第1項又は前条第1項の規定による登録の取消しに準用する。この場合において，第12条第3項中「第46条第2項」とあるのは，「第46条第1項」と読み替えるものとする。

第18条 （登録及び登録の取消しの公告）

　調査士会連合会は，調査士の登録をしたとき，及びその登録の取消しをしたときは，遅滞なく，その旨を官報をもつて公告しなければならない。

第19条 （登録事務に関する報告等）

　法務大臣は，必要があるときは，調査士会連合会に対し，その登録事務に関し，報告若しくは資料の提出を求め，又は勧告をすることができる。

第4章　土地家屋調査士の義務

第20条 （事務所）

　調査士は，法務省令の定める基準に従い，事務所を設けなければならない。

◆先例◆

【事務所】

1　「司法書士兼業者の場合」2個の事務所のうち，司法書士事務所では調査士業務は不可。（昭和32・5・30民事甲第1042号民事局長回答）

2　調査士の資格でする登記申請（書）の代理人名下には職印を使用して可。（司法書士について昭和40・3・26民事甲第644号民事局長通達）

【申請代理人の住所】

3　登記申請書の代理人の住所は，個人の住所又は事務所の所在地のいずれでもよい。（司法書士について昭和40・10・14民事甲第2910号民事局長通達）

【補助者】

4　補助者は登記申請の補正をすることができない。（昭和39・12・5民事甲第3906号民事局長通達）

5　複数の司法書士または土地家屋調査士もしくは司法書士と土地家屋調査士が，それぞれが同一人を補助者とする場合は，

それぞれの司法書士または土地家屋調査士が補助業務についてその補助者を直接掌握でき，かつ補助者に対する監督責任が明確にされるようであれば，その補助者の使用は許される。（昭和45・2・18民事甲第577号民事局長回答）

6🈪 司法書士および土地家屋調査士が補助者を置くにあたり，その者の能力・性格・適性・健康の状態等を観察するための試用と称して業務を補助させることは，司法書士法施行規則第25条および土地家屋調査士法施行規則第18条の規定に違反する。（昭和48・11・22民事三第8639号民事局第三課長回答）

7🈪 補助者は調査，測量等について調査士の指示がある場合であってもその業務を代行することができない。（登記研究366号88頁）

【補助者による登記識別情報通知の受領について】

8🈪 土地家屋調査士補助者が「補助者証」及び「特定事務指示書」を提示してする登記識別情報の通知を受領する取扱いは差し支えない（平成17・11・9民二第2598号通知）。

9🈪 司法書士又は土地家屋調査士がその業務に補助させるために使用する者は，その補助業務の内容及び補助の程度のいかんを問わず，補助者として取り扱うものする（昭和59・3・30民三第1758号民事局長通達）。

【司法書士・土地家屋調査士の補助者の制限】

10🈪 (1)土地家屋調査士が司法書士又は他の土地家屋調査士の補助者となること(2)司法書士が土地家屋調査士又は他の司法書士の補助者となること(3)司法書士又は土地家屋調査士相互においてその補助者となることは，いずれも相当でない。（昭和35・8・29民事甲第2087号民事局長回答）

【補助者の制限】

11🈪 司法書士又は土地家屋調査士として登録を受けている者が他の隣接法律専門職種の補助者として雇用されることは認められない。（登記研究703号231頁）

【開業者が雇用されることについて】

12🈪 司法書士が一般企業の常勤の従業員となることは，当該企業における勤務形態が司法書士の業務上の義務の履行を困難とするようなものであれば，適切ではない。（登記研究748号155頁）

◆

第21条　（帳簿及び書類）

調査士は，法務省令の定めるところにより，業務に関する帳簿を備え，且つ，関係書類を保存しなければならない。

（先例）

1🈪 「事件簿記載要領について」（昭和37・12・6民事甲第3558号民事局長達達）

◆

第22条　（依頼に応ずる義務）

調査士は，正当な事由がある場合でなければ，依頼（第3条第1項第4号及び第6号（第4号に関する部分に限る。）に規定する業務並びに民間紛争解決手続代理関係業務に関するものを除く。）を拒んではならない。

第22条の2　（業務を行い得ない事件）

① 調査士は，公務員として職務上取り扱つた事件及び仲裁手続により仲裁人として取り扱つた事件については，その業務を行つてはならない。

② 調査士は，次に掲げる事件については，第3条第1項第4号から第6号（第4号及び第5号に関する部分に限る。）までに規定する業務（以下「筆界特定手続代理関係業務」という。）を行つてはならない。ただし，第3号及び第7号に掲げる事件については，受任している事件の依頼者が同意した場合は，この限りでない。

一　筆界特定手続代理関係業務又は民間紛争解決手続代理関係業務に関するものとして，相手方の協議を受けて賛助し，又はその依頼を承諾した事件

二　筆界特定手続代理関係業務又は民間紛争解決手続代理関係業務に関するも

のとして相手方の協議を受けた事件で，その協議の程度及び方法が信頼関係に基づくと認められるもの
三　筆界特定手続代理関係業務又は民間紛争解決手続代理関係業務に関するものとして受任している事件（第3条第1項第5号に規定する業務に関するものとして受任しているものを除く。第7号において同じ。）の相手方からの依頼による他の事件
四　調査士法人（第26条に規定する調査士法人をいう。以下この条において同じ。）の社員又は使用人である調査士としてその業務に従事していた期間内に，当該調査士法人が，筆界特定手続代理関係業務又は民間紛争解決手続代理関係業務に関するものとして，相手方の協議を受けて賛助し，又はその依頼を承諾した事件であつて，自らこれに関与したもの
五　調査士法人の社員又は使用人である調査士としてその業務に従事していた期間内に，当該調査士法人が筆界特定手続代理関係業務又は民間紛争解決手続代理関係業務に関するものとして相手方の協議を受けた事件で，その協議の程度及び方法が信頼関係に基づくと認められるものであつて，自らこれに関与したもの
六　調査士法人の使用人である場合に，当該調査士法人が相手方から筆界特定手続代理関係業務又は民間紛争解決手続代理関係業務に関するものとして受任している事件
七　調査士法人の使用人である場合に，当該調査士法人が筆界特定手続代理関係業務又は民間紛争解決手続代理関係業務に関するものとして受任している事件（当該調査士が自ら関与しているものに限る。）の相手方からの依頼による他の事件
③　第3条第2項に規定する調査士は，前項各号に掲げる事件及び次に掲げる事件については，民間紛争解決手続代理関係業務を行つてはならない。ただし，同項第3号及び第7号に掲げる事件並びに第2号に掲げる事件については，受任している事件の依頼者が同意した場合は，この限りでない。
一　調査士法人（民間紛争解決手続代理関係業務を行うことを目的とする調査士法人を除く。次号において同じ。）の社員である場合に，当該調査士法人が相手方から筆界特定手続代理関係業務に関するものとして受任している事件
二　調査士法人の社員である場合に，当該調査士法人が筆界特定手続代理関係業務に関するものとして受任している事件（当該調査士が自ら関与しているものに限り，第3条第1項第5号に規定する業務に関するものとして受任しているものを除く。）の相手方からの依頼による他の事件

第23条　（虚偽の調査，測量の禁止）
　調査士は，その業務に関して虚偽の調査又は測量をしてはならない。

第24条　（会則の遵守義務）
　調査士は，その所属する調査士会及び調査士会連合会の会則を守らなければならない。

第24条の2　（秘密保持の義務）
　調査士又は調査士であつた者は，正当な事由がある場合でなければ，業務上取り扱つた事件について知ることのできた秘密を他に漏らしてはならない。

第25条　（研修）
①　調査士は，その所属する調査士会及び調査士会連合会が実施する研修を受け，その資質の向上を図るように努めなけれ

ばならない。
② 調査士は，その業務を行う地域における土地の筆界を明らかにするための方法に関する慣習その他の調査士の業務についての知識を深めるよう努めなければならない。

第5章　土地家屋調査士法人

第26条　（設立）
　調査士は，この章の定めるところにより，土地家屋調査士法人（調査士の業務を行うことを目的として，調査士が設立した法人をいう。以下「調査士法人」という。）を設立することができる。

第27条　（名称）
　調査士法人は，その名称中に土地家屋調査士法人という文字を使用しなければならない。

第28条　（社員の資格）
① 調査士法人の社員は，調査士でなければならない。
② 次に掲げる者は，社員となることができない。
　一　第42条の規定により業務の停止の処分を受け，当該業務の停止の期間を経過しない者
　二　第43条第1項の規定により調査士法人が解散又は業務の全部の停止の処分を受けた場合において，その処分を受けた日以前30日内にその社員であつた者でその処分を受けた日から3年（業務の全部の停止の処分を受けた場合にあつては，当該業務の全部の停止の期間）を経過しないもの
　三　調査士会の会員でない者

第29条　（業務の範囲）
① 調査士法人は，第3条第1項第1号から第6号までに規定する業務を行うほか，定款で定めるところにより，次に掲げる業務を行うことができる。
　一　法令等に基づきすべての調査士が行うことができるものとして法務省令で定める業務の全部又は一部
　二　民間紛争解決手続代理関係業務
② 民間紛争解決手続代理関係業務は，社員のうちに第3条第2項に規定する調査士がある調査士法人（調査士会の会員であるものに限る。）に限り，行うことができる。

第30条　（登記）
① 調査士法人は，政令で定めるところにより，登記をしなければならない。
② 前項の規定により登記をしなければならない事項は，登記の後でなければ，これをもつて第三者に対抗することができない。

第31条　（設立の手続）
① 調査士法人を設立するには，その社員となろうとする調査士が，定款を定めなければならない。
② 会社法（平成17年法律第86号）第30条第1項の規定は，調査士法人の定款について準用する。
③ 定款には，少なくとも次に掲げる事項を記載しなければならない。
　一　目的
　二　名称
　三　主たる事務所及び従たる事務所の所在地
　四　社員の氏名及び住所
　五　社員の出資に関する事項

第32条　（成立の時期）
　調査士法人は，その主たる事務所の所在地において設立の登記をすることによつて成立する。

第33条 （成立の届出）

調査士法人は，成立したときは，成立の日から2週間以内に，登記事項証明書及び定款の写しを添えて，その旨を，その主たる事務所の所在地を管轄する法務局又は地方法務局の管轄区域内に設立された調査士会（以下「主たる事務所の所在地の調査士会」という。）及び調査士会連合会に届け出なければならない。

第34条 （定款の変更）

① 調査士法人は，定款に別段の定めがある場合を除き，総社員の同意によつて，定款の変更をすることができる。

② 調査士法人は，定款を変更したときは，変更の日から2週間以内に，変更に係る事項を，主たる事務所の所在地の調査士会及び調査士会連合会に届け出なければならない。

▶先例等◀

【民間紛争解決手続代理関係業務を行うことを目的としなくなった土地家屋調査士法人における特定社員である旨の登記の取扱いについて】

1 🈁 民間紛争解決手続代理関係業務（土地家屋調査士法（昭和25年法律第228号。以下「法」という。）第3条第2項に規定する民間紛争解決手続代理関係業務をいう。）を行うことを目的とする土地家屋調査士法人が，当該目的を当該土地家屋調査士法人の目的としない旨の定款の変更をし，目的の変更を証する書面として当該定款の変更に係る総社員の同意があったことを証する書面（法第34条第1項に規定する別段の定めがあるときは，定款及び当該定めにより決定したことを証する書面）を添付して，目的の変更及び社員が法第35条第2項に規定する特定社員である旨を登記しないこととする社員の変更の登記の申請があったときは，当該申請を受理して差し支えない。
（平成24・1・19民商137号民事局商事課長回答）

【簡裁訴訟代理等関係業務を行うことを目的とする司法書士法人が，その目的を維持したまま，簡裁訴訟代理等関係業務を行わないこととしたものとして，当該司法書士法人の特定社員が特定社員でない社員となることの可否について】

2 🈁 簡裁訴訟代理等関係業務を行うことを目的とする司法書士法人が，その目的を変更することなく，簡裁訴訟代理等関係業務を行わないこととしたものとして，当該司法書士法人の特定社員が特定社員でない社員となることは，できない。（登記研究771号179頁）

◆

第35条 （業務の執行）

① 調査士法人の社員は，すべて業務を執行する権利を有し，義務を負う。

② 民間紛争解決手続代理関係業務を行うことを目的とする調査士法人における民間紛争解決手続代理関係業務については，前項の規定にかかわらず，第3条第2項に規定する調査士である社員（以下「特定社員」という。）のみが業務を執行する権利を有し，義務を負う。

第35条の2 （法人の代表）

① 調査士法人の社員は，各自調査士法人を代表する。ただし，定款又は総社員の同意によつて，社員のうち特に調査士法人を代表すべきものを定めることを妨げない。

② 民間紛争解決手続代理関係業務を行うことを目的とする調査士法人における民間紛争解決手続代理関係業務については，前項本文の規定にかかわらず，特定社員のみが，各自調査士法人を代表する。ただし，当該特定社員の全員の同意によつて，当該特定社員のうち特に民間紛争解決手続代理関係業務について調査士法人を代表すべきものを定めることを妨げない。

③ 第1項の規定により調査士法人を代表する社員は，調査士法人の業務（前項の民間紛争解決手続代理関係業務を除く。）に関する一切の裁判上又は裁判外の行為をする権限を有する。

④ 前項の権限に加えた制限は，善意の第三者に対抗することができない。
⑤ 第1項の規定により調査士法人を代表する社員は，定款によつて禁止されていないときに限り，特定の行為の代理を他人に委任することができる。

第35条の3　（社員の責任）

① 調査士法人の財産をもつてその債務を完済することができないときは，各社員は，連帯して，その弁済の責任を負う。
② 調査士法人の財産に対する強制執行がその効を奏しなかつたときも，前項と同様とする。
③ 前項の規定は，社員が調査士法人に資力があり，かつ，執行が容易であることを証明したときは，適用しない。
④ 民間紛争解決手続代理関係業務を行うことを目的とする調査士法人が民間紛争解決手続代理関係業務に関し依頼者に対して負担することとなつた債務を当該調査士法人の財産をもつて完済することができないときは，第1項の規定にかかわらず，特定社員（当該調査士法人を脱退した特定社員を含む。以下この条において同じ。）が，連帯して，その弁済の責任を負う。ただし，当該調査士法人を脱退した特定社員については，当該債務が脱退後の事由により生じた債務であることを証明した場合は，この限りでない。
⑤ 前項本文に規定する債務についての調査士法人の財産に対する強制執行がその効を奏しなかつたときは，第2項及び第3項の規定にかかわらず，特定社員が当該調査士法人に資力があり，かつ，執行が容易であることを証明した場合を除き，前項と同様とする。
⑥ 会社法第612条の規定は，調査士法人の社員の脱退について準用する。ただし，第4項本文に規定する債務については，この限りでない。

第35条の4　（社員であると誤認させる行為をした者の責任）

社員でない者が自己を社員であると誤認させる行為をしたときは，当該社員でない者は，その誤認に基づいて調査士法人と取引をした者に対し，社員と同一の責任を負う。

第36条　（社員の常駐）

調査士法人は，その事務所に，当該事務所の所在地を管轄する法務局又は地方法務局の管轄区域内に設立された調査士会の会員である社員を常駐させなければならない。

第36条の2　（民間紛争解決手続代理関係業務の取扱い）

民間紛争解決手続代理関係業務を行うことを目的とする調査士法人は，特定社員が常駐していない事務所においては，民間紛争解決手続代理関係業務を取り扱うことができない。

第36条の3　（特定の事件についての業務の制限）

① 調査士法人は，次に掲げる事件については，筆界特定手続代理関係業務を行つてはならない。ただし，第3号に掲げる事件については，受任している事件の依頼者が同意した場合は，この限りでない。
一　筆界特定手続代理関係業務又は民間紛争解決手続代理関係業務に関するものとして，相手方の協議を受けて賛助し，又はその依頼を承諾した事件
二　筆界特定手続代理関係業務又は民間紛争解決手続代理関係業務に関するものとして相手方の協議を受けた事件で，その協議の程度及び方法が信頼関係に基づくと認められるもの
三　筆界特定手続代理関係業務又は民間紛争解決手続代理関係業務に関するものとして受任している事件（第3条第

1項第5号に規定する業務として受任している事件を除く。）の相手方からの依頼による他の事件
四　使用人が相手方から筆界特定手続代理関係業務又は民間紛争解決手続代理関係業務に関するものとして受任している事件
五　第22条の2第1項に規定する事件，同条第2項第1号から第5号までに掲げる事件又は同条第3項に規定する同条第2項第1号から第5号までに掲げる事件として社員の半数以上の者が筆界特定手続代理関係業務又は民間紛争解決手続代理関係業務を行つてはならないこととされる事件
六　民間紛争解決手続代理関係業務を行うことを目的とする調査士法人以外の調査士法人にあつては，第3条第2項に規定する調査士である社員が相手方から民間紛争解決手続代理関係業務に関するものとして受任している事件
② 民間紛争解決手続代理関係業務を行うことを目的とする調査士法人は，次に掲げる事件については，民間紛争解決手続代理関係業務を行つてはならない。
一　前項第1号から第4号までに掲げる事件
二　第22条の2第1項に規定する事件，同条第2項第1号から第5号までに掲げる事件又は同条第3項に規定する同条第2項第1号から第5号までに掲げる事件として特定社員の半数以上の者が筆界特定手続代理関係業務又は民間紛争解決手続代理関係業務を行つてはならないこととされる事件

第37条　（社員の競業の禁止）

① 調査士法人の社員は，自己若しくは第三者のためにその調査士法人の業務の範囲に属する業務を行い，又は他の調査士法人の社員となつてはならない。
② 調査士法人の社員が前項の規定に違反して自己又は第三者のためにその調査士法人の業務の範囲に属する業務を行つたときは，当該業務によつて当該社員又は第三者が得た利益の額は，調査士法人に生じた損害の額と推定する。

第38条　（法定脱退）

調査士法人の社員は，次に掲げる理由によつて脱退する。
一　調査士の登録の取消し
二　定款に定める理由の発生
三　総社員の同意
四　第28条第2項各号のいずれかに該当することとなつたこと。
五　除名

第39条　（解散）

① 調査士法人は，次に掲げる理由によつて解散する。
一　定款に定める理由の発生
二　総社員の同意
三　他の調査士法人との合併
四　破産手続開始の決定
五　解散を命ずる裁判
六　第43条第1項第3号の規定による解散の処分
七　社員の欠亡
② 調査士法人は，前項第3号の事由以外の事由により解散したときは，解散の日から2週間以内に，その旨を，主たる事務所の所在地の調査士会及び調査士会連合会に届け出なければならない。
③ 調査士法人の清算人は，調査士でなければならない。

第39条の2　（調査士法人の継続）

調査士法人の清算人は，社員の死亡により前条第1項第7号に該当するに至つた場合に限り，当該社員の相続人（第41条第3項において準用する会社法第675条において準用する同法第608条第5項の規定により社員の権利を行使する者が

定められている場合にはその者)の同意を得て,新たに社員を加入させて調査士法人を継続することができる。

第39条の3 (裁判所による監督)
① 調査士法人の解散及び清算は,裁判所の監督に属する。
② 裁判所は,職権で,いつでも前項の監督に必要な検査をすることができる。
③ 調査士法人の解散及び清算を監督する裁判所は,法務大臣に対し,意見を求め,又は調査を嘱託することができる。
④ 法務大臣は,前項に規定する裁判所に対し,意見を述べることができる。

第39条の4 (解散及び清算の監督に関する事件の管轄)
調査士法人の解散及び清算の監督に関する事件は,その主たる事務所の所在地を管轄する地方裁判所の管轄に属する。

第39条の5 (検査役の選任)
① 裁判所は,調査士法人の解散及び清算の監督に必要な調査をさせるため,検査役を選任することができる。
② 前項の検査役の選任の裁判に対しては,不服を申し立てることができない。
③ 裁判所は,第1項の検査役を選任した場合には,調査士法人が当該検査役に対して支払う報酬の額を定めることができる。この場合においては,裁判所は,当該調査士法人及び検査役の陳述を聴かなければならない。

第40条 (合併)
① 調査士法人は,総社員の同意があるときは,他の調査士法人と合併することができる。
② 合併は,合併後存続する調査士法人又は合併により設立する調査士法人が,その主たる事務所の所在地において登記することによつて,その効力を生ずる。
③ 調査士法人は,合併したときは,合併の日から2週間以内に,登記事項証明書(合併により設立する調査士法人にあつては,登記事項証明書及び定款の写し)を添えて,その旨を,主たる事務所の所在地の調査士会及び調査士会連合会に届け出なければならない。
④ 合併後存続する調査士法人又は合併により設立する調査士法人は,当該合併により消滅する調査士法人の権利義務を承継する。

第40条の2 (債権者の異議等)
① 合併をする調査士法人の債権者は,当該調査士法人に対し,合併について異議を述べることができる。
② 合併をする調査士法人は,次に掲げる事項を官報に公告し,かつ,知れている債権者には,各別にこれを催告しなければならない。ただし,第3号の期間は,1箇月を下ることができない。
一 合併をする旨
二 合併により消滅する調査士法人及び合併後存続する調査士法人又は合併により設立する調査士法人の名称及び主たる事務所の所在地
三 債権者が一定の期間内に異議を述べることができる旨
③ 前項の規定にかかわらず,合併をする調査士法人が同項の規定による公告を,官報のほか,第6項において準用する会社法第939条第1項の規定による定款の定めに従い,同項第2号又は第3号に掲げる方法によりするときは,前項の規定による各別の催告は,することを要しない。
④ 債権者が第2項第3号の期間内に異議を述べなかつたときは,当該債権者は,当該合併について承認をしたものとみなす。
⑤ 債権者が第2項第3号の期間内に異議を述べたときは,合併をする調査士法人は,当該債権者に対し,弁済し,若しく

は相当の担保を提供し，又は当該債権者に弁済を受けさせることを目的として信託会社等（信託会社及び信託業務を営む金融機関（金融機関の信託業務の兼営等に関する法律（昭和18年法律第43号）第1条第1項の認可を受けた金融機関をいう。）をいう。）に相当の財産を信託しなければならない。ただし，当該合併をしても当該債権者を害するおそれがないときは，この限りでない。

⑥　会社法第939条第1項（第2号及び第3号に係る部分に限る。）及び第3項，第940条第1項（第3号に係る部分に限る。）及び第3項，第941条，第946条，第947条，第951条第2項，第953条並びに第955条の規定は，調査士法人が第2項の規定による公告をする場合について準用する。この場合において，同法第939条第1項及び第3項中「公告方法」とあるのは「合併の公告の方法」と，同法第946条第3項中「商号」とあるのは「名称」と読み替えるものとする。

第40条の3　（合併の無効の訴え）

　　会社法第828条第1項（第7号及び第8号に係る部分に限る。）及び第2項（第7号及び第8号に係る部分に限る。），第834条（第7号及び第8号に係る部分に限る。），第835条第1項，第836条第2項及び第3項，第837条から第839条まで，第843条（第1項第3号及び第4号並びに第2項ただし書を除く。）並びに第846条の規定は調査士法人の合併の無効の訴えについて，同法第868条第6項，第870条第2項（第6号に係る部分に限る。），第870条の2，第871条本文，第872条（第5号に係る部分に限る。），第872条の2，第873条本文，第875条及び第876条の規定はこの条において準用する同法第843条第4項の申立てについて，それぞれ準用する。

第41条　（調査士に関する規定等の準用）

①　第1条，第2条，第20条から第22条まで及び第24条の規定は，調査士法人について準用する。

②　一般社団法人及び一般財団法人に関する法律（平成18年法律第48号）第4条並びに会社法第600条，第614条から第619条まで，第621条及び第622条の規定は調査士法人について，同法第581条，第582条，第585条第1項及び第4項，第586条，第593条，第595条，第596条，第601条，第605条，第606条，第609条第1項及び第2項，第611条（第1項ただし書を除く。）並びに第613条の規定は調査士法人の社員について，同法第859条から第862条までの規定は調査士法人の社員の除名並びに業務を執行する権利及び代表権の消滅の訴えについて，それぞれ準用する。この場合において，同法第613条中「商号」とあるのは「名称」と，同法第859条第2号中「第594条第1項（第598条第2項において準用する場合を含む。）」とあるのは「土地家屋調査士法（昭和25年法律第228号）第37条第1項」と読み替えるものとする。

③　会社法第644条（第3号を除く。），第645条から第649条まで，第650条第1項及び第2項，第651条第1項及び第2項（同法第594条の準用に係る部分を除く。），第652条，第653条，第655条から第659条まで，第662条から第664条まで，第666条から第673条まで，第675条，第863条，第864条，第868条第1項，第869条，第870条第1項（第1号及び第2号に係る部分に限る。），第871条，第872条（第4号に係る部分に限る。），第874条（第1号及び第4号に係る部分に限る。），第875条並びに第876条の規定は，調査士法人の解散及び清算について準用する。この場合において，同法第644条第1号中「第641条第5号」とあるのは「土地家屋調査士法第39条第1項第3号」と，同法

第647条第3項中「第641条第4号又は第7号」とあるのは「土地家屋調査士法第39条第1項第5号から第7号まで」と，同法第668条第1項及び第669条中「第641条第1号から第3号まで」とあるのは「土地家屋調査士法第39条第1項第1号又は第2号」と，同法第670条第3項中「第939条第1項」とあるのは「土地家屋調査士法第40条の2第6項において準用する第939条第1項」と，同法第673条第1項中「第580条」とあるのは「土地家屋調査士法第35条の3」と読み替えるものとする。

④　会社法第824条，第826条，第868条第1項，第870条第1項（第10号に係る部分に限る。），第871条本文，第872条（第4号に係る部分に限る。），第873条本文，第875条，第876条，第904条及び第937条第1項（第3号ロに係る部分に限る。）の規定は調査士法人の解散の命令について，同法第825条，第868条第1項，第870条第1項（第1号に係る部分に限る。），第871条，第872条（第1号及び第4号に係る部分に限る。），第873条，第874条（第2号及び第3号に係る部分に限る。），第875条，第876条，第905条及び第906条の規定はこの項において準用する同法第824条第1項の申立てがあつた場合における調査士法人の財産の保全について，それぞれ準用する。

⑤　会社法第828条第1項（第1号に係る部分に限る。）及び第2項（第1号に係る部分に限る。），第834条（第1号に係る部分に限る。），第835条第1項，第837条から第839条まで並びに第846条の規定は，調査士法人の設立の無効の訴えについて準用する。

⑥　会社法第833条第2項，第834条（第21号に係る部分に限る。），第835条第1項，第837条，第838条，第846条及び第937条第1項（第1号リに係る部分に限る。）の規定は，調査士法人の解散の訴えについて準用する。

⑦　破産法（平成16年法律第75号）第16条の規定の適用については，調査士法人は，合名会社とみなす。

第6章　懲戒

第42条　（調査士に対する懲戒）
　　調査士がこの法律又はこの法律に基づく命令に違反したときは，法務大臣は，当該調査士に対し，次に掲げる処分をすることができる。
一　戒告
二　2年以内の業務の停止
三　業務の禁止

第43条　（調査士法人に対する懲戒）
①　調査士法人がこの法律又はこの法律に基づく命令に違反したときは，法務大臣は，当該調査士法人に対し，次に掲げる処分をすることができる。
一　戒告
二　2年以内の業務の全部又は一部の停止
三　解散
②　前項の規定による処分の手続に付された調査士法人は，清算が結了した後においても，この章の規定の適用については，当該手続が結了するまで，なお存続するものとみなす。

第44条　（懲戒の手続）
①　何人も，調査士又は調査士法人にこの法律又はこの法律に基づく命令に違反する事実があると思料するときは，法務大臣に対し，当該事実を通知し，適当な措置をとることを求めることができる。
②　前項の規定による通知があつたときは，法務大臣は，通知された事実について必要な調査をしなければならない。
③　法務大臣は，第42条第1号若しくは第2号又は前条第1項第1号若しくは第2号に掲げる処分をしようとするときは，

行政手続法（平成5年法律第88号）第13条第1項の規定による意見陳述のための手続の区分にかかわらず，聴聞を行わなければならない。

④　前項に規定する処分又は第42条第3号若しくは前条第1項第3号の処分に係る行政手続法第15条第1項の通知は，聴聞の期日の1週間前までにしなければならない。

⑤　前項の聴聞の期日における審理は，当該調査士又は当該調査士法人から請求があつたときは，公開により行わなければならない。

第45条　（登録取消しの制限等）

①　法務大臣は，調査士に対し第42条各号に掲げる処分をしようとする場合においては，行政手続法第15条第1項の通知を発送し，又は同条第3項前段の掲示をした後直ちに調査士会連合会にその旨を通告しなければならない。

②　調査士会連合会は，調査士について前項の通告を受けた場合においては，法務大臣から第42条各号に掲げる処分の手続が結了した旨の通知を受けるまでは，当該調査士について，第15条第1項第1号又は第16条第1項各号の規定による登録の取消しをすることができない。

第45条の2　（除斥期間）

懲戒の事由があつたときから7年を経過したときは，第42条又は第43条第1項の規定による処分の手続を開始することができない。

第46条　（懲戒処分の公告）

法務大臣は，第42条又は第43条第1項の規定により処分をしたときは，遅滞なく，その旨を官報をもつて公告しなければならない。

第7章　土地家屋調査士会

第47条　（設立及び目的等）

①　調査士は，その事務所の所在地を管轄する法務局又は地方法務局の管轄区域ごとに，会則を定めて，1個の調査士会を設立しなければならない。

②　調査士会は，会員の品位を保持し，その業務の改善進歩を図るため，会員の指導及び連絡に関する事務を行うことを目的とする。

③　調査士会は，法人とする。

④　一般社団法人及び一般財団法人に関する法律第4条及び第78条の規定は，調査士会について準用する。

第48条　（会則）

調査士会の会則には，次に掲げる事項を記載しなければならない。

一　名称及び事務所の所在地
二　役員に関する規定
三　会議に関する規定
四　会員の品位保持に関する規定
五　会員の執務に関する規定
六　入会及び退会に関する規定（入会金その他の入会についての特別の負担に関するものを含む。）
七　調査士の研修に関する規定
八　会員の業務に関する紛議の調停に関する規定
九　調査士会及び会員に関する情報の公開に関する規定
十　資産及び会計に関する規定
十一　会費に関する規定
十二　その他調査士会の目的を達成するために必要な規定

第49条　（会則の認可）

①　調査士会の会則を定め，又はこれを変更するには，法務大臣の認可を受けなければならない。ただし，前条第1号及び第7号から第11号までに掲げる事項に係

る会則の変更については，この限りでない。
② 前項の場合において，法務大臣は，調査士会連合会の意見を聴いて，認可し，又は認可しない旨の処分をしなければならない。

> (先例)
> 1 ⊕ 会則変更の認可申請は，(地方法務局管内の場合）監督法務局長を経由してする。（昭和45・4・23民事甲第1758号民事局長通達）

第50条 （調査士会の登記）
① 調査士会は，政令で定めるところにより，登記をしなければならない。
② 前項の規定により登記をしなければならない事項は，登記の後でなければ，これをもって第三者に対抗することができない。

第51条 （調査士会の役員）
① 調査士会に，会長，副会長及び会則で定めるその他の役員を置く。
② 会長は，調査士会を代表し，その会務を総理する。
③ 副会長は，会長の定めるところにより，会長を補佐し，会長に事故があるときはその職務を代理し，会長が欠員のときはその職務を行なう。

> (先例)
> 【代表権】
> 1 ⊕ 調査士会の会則をもってしても，会長以外の役員に代表権を与えることはできない（昭和36・10・6民甲第2477号通達）

第52条 （調査士の入会及び退会）
① 第9条第1項の規定による登録の申請又は第13条第1項の変更の登録の申請をする者は，その申請と同時に，申請を経由すべき調査士会に入会する手続をとらなければならない。

② 前項の規定により入会の手続をとつた者は，当該登録又は変更の登録の時に，当該調査士会の会員となる。
③ 第13条第1項の変更の登録の申請をした調査士は，当該申請に基づく変更の登録の時に，従前所属していた調査士会を退会する。

第53条 （調査士法人の入会及び退会）
① 調査士法人は，その成立の時に，主たる事務所の所在地の調査士会の会員となる。
② 調査士法人は，その清算の結了の時又は破産手続開始の決定を受けた時に，所属するすべての調査士会を退会する。
③ 調査士法人の清算人は，清算が結了したときは，清算結了の登記後速やかに，登記事項証明書を添えて，その旨を，主たる事務所の所在地の調査士会及び調査士会連合会に届け出なければならない。
④ 調査士法人は，その事務所の所在地を管轄する法務局又は地方法務局の管轄区域外に事務所を設け，又は移転したときは，事務所の新所在地（従たる事務所を設け，又は移転したときにあつては，主たる事務所の所在地）においてその旨の登記をした時に，当該事務所（従たる事務所を設け，又は移転したときにあつては，当該従たる事務所）の所在地を管轄する法務局又は地方法務局の管轄区域内に設立された調査士会の会員となる。
⑤ 調査士法人は，その事務所の移転又は廃止により，当該事務所の所在地を管轄する法務局又は地方法務局の管轄区域内に事務所を有しないこととなつたときは，旧所在地（従たる事務所を移転し，又は廃止したときにあつては，主たる事務所の所在地）においてその旨の登記をした時に，当該管轄区域内に設立された調査士会を退会する。
⑥ 調査士法人は，第4項の規定により新たに調査士会の会員となつたときは，会

員となつた日から2週間以内に，登記事項証明書及び定款の写しを添えて，その旨を，当該調査士会及び調査士会連合会に届け出なければならない。
⑦ 調査士法人は，第5項の規定により調査士会を退会したときは，退会の日から2週間以内に，その旨を，当該調査士会及び調査士会連合会に届け出なければならない。

第54条　（紛議の調停）
調査士会は，所属の会員の業務に関する紛議につき，当該会員又は当事者その他関係人の請求により調停をすることができる。

第55条　（法務大臣に対する報告義務）
調査士会は，所属の会員が，この法律又はこの法律に基づく命令に違反すると思料するときは，その旨を，法務大臣に報告しなければならない。

第56条　（注意勧告）
調査士会は，所属の会員がこの法律又はこの法律に基づく命令に違反するおそれがあると認めるときは，会則の定めるところにより，当該会員に対して，注意を促し，又は必要な措置を講ずべきことを勧告することができる。

第8章　日本土地家屋調査士会連合会

第57条　（設立及び目的）
① 全国の調査士会は，会則を定めて，調査士会連合会を設立しなければならない。
② 調査士会連合会は，調査士会の会員の品位を保持し，その業務の改善進歩を図るため，調査士会及びその会員の指導及び連絡に関する事務を行い，並びに調査士の登録に関する事務を行うことを目的とする。

第58条　（会則）
調査士会連合会の会則には，次に掲げる事項を記載しなければならない。
一　第48条第1号，第7号，第10号及び第11号に掲げる事項
二　第48条第2号及び第3号に掲げる事項
三　調査士の登録に関する規定
四　調査士会連合会に関する情報の公開に関する規定
五　その他調査士会連合会の目的を達成するために必要な規定

第59条　（会則の認可）
調査士会連合会の会則を定め，又はこれを変更するには，法務大臣の認可を受けなければならない。ただし，前条第1号及び第4号に掲げる事項に係る会則の変更については，この限りでない。

第60条　（建議等）
調査士会連合会は，調査士又は調査士法人の業務又は制度について，法務大臣に建議し，又はその諮問に答申することができる。

第61条　（調査士会に関する規定の準用）
第47条第3項及び第4項，第50条並びに第51条の規定は，調査士会連合会に準用する。

第62条　（登録審査会）
① 調査士会連合会に，登録審査会を置く。
② 登録審査会は，調査士会連合会の請求により，第10条第1項第2号若しくは第3号の規定による登録の拒否又は第16条第1項の規定による登録の取消しについて審議を行うものとする。
③ 登録審査会は，会長及び委員4人をもつて組織する。
④ 会長は，調査士会連合会の会長をもつて充てる。

⑤ 委員は，会長が，法務大臣の承認を受けて，調査士，法務省の職員及び学識経験者のうちから委嘱する。
⑥ 委員の任期は，2年とする。ただし，欠員が生じた場合の補充の委員の任期は，前任者の残任期間とする。

第9章　公共嘱託登記土地家屋調査士協会

第63条　（設立及び組織）

① その名称中に公共嘱託登記土地家屋調査士協会という文字を使用する一般社団法人は，社員である調査士及び調査士法人がその専門的能力を結合して官庁，公署その他政令で定める公共の利益となる事業を行う者（以下「官公署等」という。）による不動産の表示に関する登記に必要な調査若しくは測量又はその登記の嘱託若しくは申請の適正かつ迅速な実施に寄与することを目的とし，かつ，次に掲げる内容の定款の定めがあるものに限り，設立することができる。
　一　社員は，その主たる事務所の所在地を管轄する法務局又は地方法務局の管轄区域内に事務所を有する調査士又は調査士法人でなければならないものとすること。
　二　前号に規定する調査士又は調査士法人が社員になろうとするときは，正当な理由がなければ，これを拒むことができないものとすること。
　三　理事の員数の過半数は，社員（社員である調査士法人の社員を含む。）でなければならないものとすること。
② 前項に規定する定款の定めは，これを変更することができない。

◆実例◆
【病院事業を経営する地方独立行政法人の登記に関する業務を公共嘱託登記司法書士協会及び公共嘱託登記土地家屋調査士協会が受託することの可否について】
　1➡病院事業を経営する地方独立行政法人は，司法書士法第68条第1項及び土地家屋調査士法第63条第1項の「官公署等」に該当し，当該法人の登記に関する業務を公共嘱託登記土地家屋調査士協会が受託することができる。（登記研究765号159頁）
【公共嘱託登記司法書士協会又は公共嘱託登記土地家屋調査士協会の定款の目的として「嘱託登記に関する公演会の開催並びに出版物の刊行及び販売」を定めることの可否】
　2➡公共嘱託登記司法書士協会又は公共嘱託登記土地家屋調査士協会の定款に目的として「嘱託登記に関する講演会の開催並びに出版物の刊行及び販売」を定めることは相当でない。（登記研究776号149頁）

第63条の2　（成立の届出）

前条第1項の一般社団法人（以下「協会」という。）は，成立したときは，成立の日から2週間以内に，登記事項証明書及び定款の写しを添えて，その旨を，その主たる事務所の所在地を管轄する法務局又は地方法務局の長及びその管轄区域内に設立された調査士会に届け出なければならない。

第64条　（業務）

① 協会は，第63条第1項に規定する目的を達成するため，官公署等の依頼を受けて，第3条第1項第1号から第3号までに掲げる事務（同項第2号及び第3号に掲げる事務にあつては，同項第1号に掲げる調査又は測量を必要とする申請手続に関するものに限る。）及びこれらの事務に関する同項第6号に掲げる事務を行うことをその業務とする。
② 協会は，その業務に係る前項に規定する事務を，調査士会に入会している調査士又は調査士法人でない者に取り扱わせてはならない。

第64条の2　（協会の業務の監督）

① 協会の業務は，その主たる事務所の所在地を管轄する法務局又は地方法務局の長の監督に属する。

② 前項の法務局又は地方法務局の長は，協会の業務の適正な実施を確保するため必要があると認めるときは，いつでも，当該業務及び協会の財産の状況を検査し，又は協会に対し，当該業務に関し監督上必要な命令をすることができる。

第65条 （調査士及び調査士法人に関する規定の準用）
　第22条の規定は協会の業務について，第43条第1項，第44条及び第46条の規定は協会に対する懲戒について，それぞれ準用する。この場合において，第43条第1項，第44条第1項から第3項まで及び第46条中「法務大臣」とあるのは，「第64条の2第1項に規定する法務局又は地方法務局の長」と読み替えるものとする。

第66条 （調査士会の助言）
　調査士会は，所属の会員が社員である協会に対し，その業務の執行に関し，必要な助言をすることができる。

第10章　雑則

第66条の2 （権限の委任）
　この法律に規定する法務大臣の権限は，法務省令で定めるところにより，法務局又は地方法務局の長に委任することができる。

第67条 （法務省令への委任）
　この法律に定めるもののほか，調査士の試験，資格の認定，登録及び業務執行並びに協会の設立及び業務執行に関し必要な事項は，法務省令で定める。

第68条 （非調査士等の取締り）
① 調査士会に入会している調査士又は調査士法人でない者（協会を除く。）は，第3条第1項第1号から第5号までに掲げる事務（同項第2号及び第3号に掲げる事務にあつては，同項第1号に掲げる調査又は測量を必要とする申請手続に関するものに限る。）又はこれらの事務に関する同項第6号に掲げる事務を行うことを業とすることができない。ただし，弁護士，弁護士法人若しくは弁護士・外国法事務弁護士共同法人が同項第2号から第5号までに掲げる事務（同項第2号及び第3号に掲げる事務にあつては，同項第1号に掲げる調査又は測量を必要とする申請手続に関する審査請求の手続に関するものに限る。）若しくはこれらの事務に関する同項第6号に掲げる事務を行う場合又は司法書士法第3条第2項に規定する司法書士若しくは同項に規定する簡裁訴訟代理等関係業務を行うことを目的とする司法書士法人が第3条第1項第4号若しくは第5号に掲げる事務（同法第3条第1項第8号に規定する筆界特定の手続に係るものに限る。）若しくはこれらの事務に関する第3条第1項第6号に掲げる事務を行う場合は，この限りでない。
② 協会は，その業務の範囲を超えて，第64条第1項に規定する事務を行うことを業とすることができない。
③ 調査士でない者は，土地家屋調査士又はこれに紛らわしい名称を用いてはならない。
④ 調査士法人でない者は，土地家屋調査士法人又はこれに紛らわしい名称を用いてはならない。
⑤ 協会でない者は，公共嘱託登記土地家屋調査士協会又はこれに紛らわしい名称を用いてはならない。

先例
1 ● 土地家屋調査士でない者において，みずから自己の土地，家屋の調査，測量を行い，申告書を作成して申告することができる。（昭和25・8・21民事甲第2303号民事局長回答）
2 ● 法人または個人において，その業務に関連する土地，建物に関する調査，測量または申告手続に従事せしめる目的で，土

地家屋調査士会に入会している土地家屋調査士を常時雇入れの上，土地家屋調査士法第2条（現行第3条）の業務を行わせ，その報酬は雇傭者の収入とし，被雇傭者たる土地家屋調査士には，その者の実績による業務報酬額とは関係なく，雇傭者から定額の給与を支払つている場合は，同法第19条（現行第68条）に抵触する。(昭和33・7・28民事甲第1525号民事局長心得回答)

3 中 弁護士において土地家屋調査士の業務に属する申告手続をすることは許されない。(昭和34・12・26民事甲第2986号民事局長回答)

4 中 「不動産調査士」なる名称は，土地家屋調査士法第19条2項（現行第68条3項）に抵触する。(昭和47・1・6民事三発第8号民事局第三課長回答)

5 中 測量士が業として他人（官公署，個人を問わない。）の依頼を受けて，不動産の表示に関する登記につき必要な土地または家屋に関する調査・測量をすることおよび地積測量図等を作製することは，土地家屋調査士法第19条1項本文（現行第68条1項本文）の規定に抵触する。(昭和57・9・27民事三第6010号民事局長回答)

6 中 「調査士会に入会している調査士でない者」とは，イ土地家屋調査士名簿に登録はしているが，土地家屋調査士会に入会していない者，ロ土地家屋調査士となる資格を有しているが土地家屋調査士名簿に登録をしていない者，ハ土地家屋調査士となる資格を有していない者をいい，「調査士でない者」とは土地家屋調査士となる資格を有していない者をいう。(登記研究420号123頁)

◆

【　　　第11章　罰則　　　】

第69条

調査士となる資格を有しない者が，調査士会連合会に対し，その資格につき虚偽の申請をして土地家屋調査士名簿に登録させたときは，1年以下の懲役又は100万円以下の罰金に処する。

第70条

① 第22条の規定に違反した者は，100万円以下の罰金に処する。

② 調査士法人が第41条第1項において準用する第22条の規定に違反したときは，その違反行為をした調査士法人の社員又は使用人は，100万円以下の罰金に処する。

③ 協会が第65条において準用する第22条の規定に違反したときは，その違反行為をした協会の理事又は職員は，100万円以下の罰金に処する。

第71条

第23条の規定に違反した者は，1年以下の懲役又は100万円以下の罰金に処する。

第71条の2

① 第24条の2の規定に違反した者は，6月以下の懲役又は50万円以下の罰金に処する。

② 前項の罪は，告訴がなければ公訴を提起することができない。

第72条

協会が第64条第2項の規定に違反したときは，その違反に係る同項に規定する事務を取り扱い，又は取り扱わせた協会の理事又は職員は，6月以下の懲役又は50万円以下の罰金に処する。

第73条

① 第68条第1項の規定に違反した者は，1年以下の懲役又は100万円以下の罰金に処する。

② 協会が第68条第2項の規定に違反したときは，その違反行為をした協会の理事又は職員は，1年以下の懲役又は100万円以下の罰金に処する。

第74条

次の各号のいずれかに該当する者

は，100万円以下の罰金に処する。
一　第68条第3項の規定に違反した者
二　第68条第4項の規定に違反した者
三　第68条第5項の規定に違反した者

第74条の2
　　第40条の2第6項において準用する会社法第955条第1項の規定に違反して，同項に規定する調査記録簿等に同項に規定する電子公告調査に関し法務省令で定めるものを記載せず，若しくは記録せず，若しくは虚偽の記載若しくは記録をし，又は当該調査記録簿等を保存しなかつた者は，30万円以下の罰金に処する。

第75条
　　法人の代表者又は法人若しくは人の代理人，使用人その他の従業者が，その法人又は人の業務に関し，第70条第2項若しくは第3項又は第72条から前条までの違反行為をしたときは，その行為者を罰するほか，その法人又は人に対して各本条の罰金刑を科する。

第76条
　　調査士会又は調査士会連合会が第50条第1項（第61条において準用する場合を含む。）の規定に基づく政令に違反して登記をすることを怠つたときは，その調査士会又は調査士会連合会の代表者は，30万円以下の過料に処する。

第77条
　　次の各号のいずれかに該当する者は，100万円以下の過料に処する。
一　第40条の2第6項において準用する会社法第946条第3項の規定に違反して，報告をせず，又は虚偽の報告をした者
二　正当な理由がないのに，第40条の2第6項において準用する会社法第951条第2項各号又は第955条第2項各号に掲げる請求を拒んだ者

第78条
　　次の各号のいずれかに該当する場合には，調査士法人の社員又は清算人は，30万円以下の過料に処する。
一　この法律に基づく政令の規定に違反して登記をすることを怠つたとき。
二　第40条の2第2項又は第5項の規定に違反して合併をしたとき。
三　第40条の2第6項において準用する会社法第941条の規定に違反して同条の調査を求めなかつたとき。
四　定款又は第41条第2項において準用する会社法第615条第1項の会計帳簿若しくは第41条第2項において準用する同法第617条第1項若しくは第2項の貸借対照表に記載し，若しくは記録すべき事項を記載せず，若しくは記録せず，又は虚偽の記載若しくは記録をしたとき。
五　第41条第3項において準用する会社法第656条第1項の規定に違反して破産手続開始の申立てを怠つたとき。
六　第41条第3項において準用する会社法第664条の規定に違反して財産を分配したとき。
七　第41条第3項において準用する会社法第670条第2項又は第5項の規定に違反して財産を処分したとき。

　　附　則（略）

土地家屋調査士法施行規則

●昭和54年12月25日法務省令第53号●　最終改正　令和4年3月29日法務省令24号

第1章　総則

第1条　（目的）
　土地家屋調査士試験，土地家屋調査士（以下「調査士」という。）の資格及び能力の認定，登録，事務所，帳簿，書類並びに業務執行，土地家屋調査士法人（以下「調査士法人」という。）の事務所及び業務執行並びに公共嘱託登記土地家屋調査士協会（以下「協会」という。）の設立及び業務執行については，土地家屋調査士法（昭和25年法律第228号。以下「法」という。），土地家屋調査士法施行令（昭和54年政令第298号）その他の法令に定めるもののほか，この規則の定めるところによる。

第2章　土地家屋調査士試験等

第1節／土地家屋調査士試験

第2条　（試験期日等の公告）
　法務大臣は，土地家屋調査士試験（以下「試験」という。）の期日，場所その他試験の実施に関し必要な事項をあらかじめ官報をもつて公告する。

第3条　（受験手続）
① 試験を受けようとする者は，受験申請書に，申請者の写真（提出の日前6月以内に撮影された縦4.5センチメートル，横3.5センチメートルの無帽（申請者が宗教上又は医療上の理由により顔の輪郭を識別することができる範囲内において頭部を布等で覆う者である場合を除く。）かつ正面上半身の背景のないもの。以下同じ。）及び申請者が法第6条第5項第1号の資格を有する者であるときは，その資格を証する書類を添えて，試験を受けようとする地を管轄する法務局又は地方法務局の長に提出しなければならない。
② 法第6条第5項第2号又は第3号の規定により筆記試験の免除を受けようとする者は，前項の受験申請書にその旨を記載しなければならない。
③ 法第6条第7項に規定する受験手数料は，受験申請書に受験手数料の額に相当する額の収入印紙をはつて納付しなければならない。
④ 前項の受験手数料は，これを納付した者が試験を受けなかつた場合においても，返還しない。

第4条　（試験の内容）
　試験は，次に掲げる事項で不動産の表示に関する登記につき必要と認められるものについて行う。
一　民法に関する知識
二　登記に関する知識
三　筆界（不動産登記法（平成16年法律第123号）第123条第1項に規定する筆界をいう。第29条第1号及び第2号において同じ。）に関する知識
四　法第3条第1項第1号及び第5号に規定する業務を行うのに必要な測量に関する知識及び能力
五　作図（縮図及び伸図並びにこれに伴う地図の表現の変更に関する作業を含む。）に関する知識及び能力
六　その他法第3条第1項第1号から第6号までに規定する業務を行うのに必

要な知識及び能力

第5条　（合格者の公告等）
法務大臣は，試験に合格した者に合格証書を交付し，その氏名を官報をもつて公告する。

第6条　（不正受験者）
法務大臣は，不正の手段によつて試験を受けようとし，又は受けた者に対して，その試験を受けることを禁止し，又は合格の決定を取り消すことができる。

第7条　（試験の運用）
① 受験者は，指定された時刻までに試験場内の試験室に出頭せず，又は係員の承認を受けないで試験室から退室したときは，その試験を受けることができない。
② 受験者は，試験場内においては，係員の指示を守らなければならない。

第2節　土地家屋調査士となる資格の認定

第8条　（調査士の資格の認定）
① 法第4条第2号の規定による法務大臣の認定を受けようとする者（以下この条において「申請者」という。）は，付録様式による申請書を，その所属庁の長（退職している場合にあつては，退職時の所属庁の長とする。以下同じ。）を通じて，事務所を設けようとする地を管轄する法務局又は地方法務局の長に提出しなければならない。
② 前項の申請書には，申請者の履歴書，写真並びに本籍の記載された住民票の写し又は戸籍抄本若しくは戸籍記載事項証明書及び本籍の記載のない住民票の写しを添付しなければならない。
③ 所属庁の長（所属庁の長が申請者が事務所を設けようとする地を管轄する法務局又は地方法務局の長である場合を除く。）は，第1項の申請書及び前項の添付書類（以下この項及び次項において「申請書等」という。）の提出を受けたときは，当該申請者に関する法第4条第2号に規定する要件の存否及び同号の規定による認定をすることの可否についての意見を記載した書面を添えて，申請者が事務所を設けようとする地を管轄する法務局又は地方法務局の長に申請書等を送付しなければならない。
④ 法務局又は地方法務局の長は，申請書等の提出又は送付を受けたときは，前項の意見を記載した書面を添えて，当該申請書等を法務大臣に送付しなければならない。
⑤ 法務大臣は，申請者に対し，第1項の認定をしたときは認定証書を交付し，同項の認定をしないものとしたときはその旨を通知する。

第3節　民間紛争解決手続代理関係業務を行うのに必要な能力の認定

第9条　（研修）
法第3条第3項第1号の法務省令で定める基準は，次のとおりとする。
一　次に掲げる事項について，講義及び演習を行うものとする。
　イ　民間紛争解決手続における主張及び立証活動
　ロ　民間紛争解決手続における代理人としての倫理
　ハ　その他法第3条第2項の民間紛争解決手続代理関係業務を行うのに必要な事項
二　講義及び演習の総時間数は，45時間以上とする。
三　民間紛争解決手続における代理人として必要な法律知識についての考査を実施するものとする。

第10条　（研修の指定）
① 法第3条第2項第1号の規定による法務大臣の指定は，同号の法人（以下「研

修実施法人」という。）の申請により行う。

② 研修実施法人は，前項の申請をしようとするときは，前条に規定する基準に適合する研修の日程，内容，修了の要件その他研修の実施に関する計画を記載した書面を添えて，申請書を法務大臣に提出しなければならない。

第11条　（成績証明書等の交付）
　研修実施法人は，法第3条第2項第1号に規定する研修を実施した場合には，当該研修を修了した者に対し，第9条第3号に規定する考査の成績証明書及び修了証明書を交付しなければならない。

第12条　（認定申請）
① 法第3条第2項第2号に規定する認定を受けようとする者は，前条に規定する成績証明書及び修了証明書を添えて，法第20条の事務所の所在地（同条の事務所がない者にあつては，住所地）を管轄する法務局又は地方法務局の長に認定申請書を提出しなければならない。
② 法第3条第5項に規定する手数料は，認定申請書に手数料の額に相当する額の収入印紙をはつて納付しなければならない。
③ 前項の手数料は，これを納付した後においては，返還しない。

第13条　（認定者の公告等）
　法務大臣は，民間紛争解決手続代理関係業務を行うのに必要な能力を有すると認定した者に認定証書を交付し，その氏名を官報をもつて公告する。

【━━━━━　第3章　登録　━━━━━】

第14条　（土地家屋調査士名簿）
① 土地家屋調査士名簿は，日本土地家屋調査士会連合会（以下「連合会」という。）の定める様式により調製する。

② 土地家屋調査士名簿には，次の各号に掲げる事項を記載し，又は記録する。
一　氏名，生年月日，本籍（外国人にあつては，国籍等（国籍の属する国又は出入国管理及び難民認定法（昭和26年政令第319号）第2条第5号ロに規定する地域をいう。以下同じ。）），住所及び男女の別
二　調査士となる資格の取得の事由及び年月日並びに登録番号
三　事務所の所在地及び所属する土地家屋調査士会（以下「調査士会」という。）

第15条　（登録の申請）
① 登録申請書は，連合会の定める様式による。
② 登録申請書には，次に掲げる書類を添付しなければならない。
一　調査士となる資格を有することを証する書面
二　申請者の写真
三　次に掲げるいずれかの書類
　イ　本籍の記載のある住民票の写し
　ロ　本籍の記載のない住民票の写し及び戸籍抄本又は戸籍記載事項証明書
　ハ　申請者が外国人であるときは，国籍等の記載された外国人住民（住民基本台帳法（昭和42年法律第81号）第30条の45に規定する外国人住民をいう。）に係る住民票の写し

第16条　（変更の登録の申請等）
　法第13条第1項の変更の登録の申請及び法第14条の規定による変更の届出は，連合会の定める様式による書面でしなければならない。

第17条　（登録に関する通知）
① 連合会は，土地家屋調査士名簿に登録をしたときは登録事項を，登録を取り消したときはその旨を，遅滞なく，当該調査士の事務所の所在地を管轄する法務局

又は地方法務局の長に通知しなければならない。
② 連合会は，所属する調査士会の変更の登録をしたときは，当該調査士の従前の事務所の所在地を管轄する法務局又は地方法務局の長にその旨を，新たな事務所の所在地を管轄する法務局又は地方法務局の長に登録事項を，遅滞なく通知しなければならない。
③ 連合会は，変更の登録（所属する調査士会の変更の登録を除く。）をしたときは，その旨を，遅滞なく，当該調査士の事務所の所在地を管轄する法務局又は地方法務局の長に通知しなければならない。

第17条の2　（心身の故障の届出）
① 法第16条第2項に規定する法務省令で定める場合は，当該調査士が精神の機能の障害を有する状態となり調査士の業務の継続が著しく困難となった場合又は2年以上の休養を要することとなった場合とする。
② 法第16条第2項に規定する届出は，その旨を記載した届出書に，病名，障害の程度，病因，病後の経過，治癒の見込みその他参考となる所見を記載した医師の診断書を添付して行わなければならない。

【━━ 第4章　土地家屋調査士の義務 ━━】

第18条　（事務所）
調査士は，二以上の事務所を設けることができない。

第19条　（表示）
① 調査士は，調査士会に入会したときは，その調査士会の会則（以下「会則」という。）の定めるところにより，事務所に調査士の事務所である旨の表示をしなければならない。
② 調査士会に入会していない調査士は，前項の表示又はこれに類する表示をしてはならない。
③ 調査士は，業務の停止の処分を受けたときは，その停止の期間中第1項の表示又はこれに類する表示をしてはならない。

第20条　（職印）
調査士は，会則の定めるところにより，業務上使用する職印を定めなければならない。

第21条　（報酬の基準を明示する義務）
調査士は，法第3条第1項各号に掲げる事務を受任しようとする場合には，あらかじめ，依頼をしようとする者に対し，報酬額の算定の方法その他の報酬の基準を示さなければならない。

第22条　（他人による業務取扱いの禁止）
調査士は，他人をしてその業務を取り扱わせてはならない。
※看板貸・補助者任せ等の禁止

第23条　（補助者）
① 調査士は，その業務の補助をさせるため補助者を置くことができる。
② 調査士は，補助者を置いたときは，遅滞なく，その旨を所属の調査士会に届け出なければならない。補助者を置かなくなつたときも，同様とする。
③ 調査士会は，前項の規定による届出があつたときは，その旨をその調査士会の事務所の所在地を管轄する法務局又は地方法務局の長に通知しなければならない。

第24条　（依頼誘致の禁止）
調査士は，不当な手段によつて依頼を誘致するような行為をしてはならない。

第25条　（依頼の拒否）
① 調査士は，依頼（法第3条第1項第4号及び第6号（第4号に関する部分に限る。）に規定する業務並びに民間紛争解決手続代理関係業務に関するものを除

く。）を拒んだ場合において，依頼者の請求があるときは，その理由書を交付しなければならない。
② 調査士は，法第3条第1項第4号若しくは第6号（第4号に関する部分に限る。）に規定する業務又は民間紛争解決手続代理関係業務についての事件の依頼を承諾しないときは，速やかに，その旨を依頼者に通知しなければならない。

第26条 （書類等の作成）

① 調査士は，依頼者に交付し，又は官庁に提出すべき書類（民間紛争解決手続代理関係業務に関するものを除く。）を作成したときは，その書類の末尾又は欄外に記名し，職印を押さなければならない。
② 調査士は，依頼者又は官庁に提供する電磁的記録（電子的方式，磁気的方式その他人の知覚によつては認識することができない方式で作られる記録であつて，電子計算機による情報処理の用に供されるものをいう。以下同じ。）を作成したときは，当該電磁的記録に，職名及び氏名を記録し，かつ，電子署名（電子署名及び認証業務に関する法律（平成12年法律第102号）第2条第1項に規定する電子署名であつて，連合会が発行する当該電子署名に係る電子証明書又は連合会が提供する情報に基づき発行された当該電子署名に係る電子証明書（法務大臣が指定するものに限る。）により当該電子署名を行つた者を確認するために用いられる事項が当該者に係るものであることを証明することができるものに限る。）を行わなければならない。
③ 前項の指定は，告示してしなければならない。

第27条 （領収証）

① 調査士は，依頼者から報酬を受けたときは，領収証正副2通を作成し，正本は，これに記名し，職印を押して依頼者に交付し，副本は，作成の日から3年間保存しなければならない。
② 前項の領収証は，電磁的記録をもって作成及び保存をすることができる。
③ 第1項の領収証には，受領した報酬額の内訳を詳細に記載し，又は記録しなければならない。

第28条 （事件簿）

① 調査士は，連合会の定める様式により事件簿を調製しなければならない。
② 事件簿は，その閉鎖後7年間保存しなければならない。

第5章 土地家屋調査士法人

第29条 （調査士法人の業務の範囲）

法第29条第1項第1号の法務省令で定める業務は，次の各号に掲げるものとする。
一 当事者その他関係人の依頼又は官公署の委嘱により，鑑定人その他これらに類する地位に就き，土地の筆界に関する鑑定を行う業務又はこれらの業務を行う者を補助する業務
二 土地の筆界の資料及び境界標を管理する業務
三 調査士又は調査士法人の業務に関連する講演会の開催，出版物の刊行その他の教育及び普及の業務
四 競争の導入による公共サービスの改革に関する法律（平成18年法律第51号）第33条の2第1項に規定する特定業務
五 法第3条第1項各号及び前各号に掲げる業務に附帯し，又は密接に関連する業務

第30条 （土地家屋調査士法人名簿）

連合会は，土地家屋調査士法人名簿（以下「調査士法人名簿」という。）を備え，次条第2項に掲げる事項の登録を行う。

第31条
① 調査士法人名簿は，連合会の定める様式により調製する。
② 調査士法人名簿には，次に掲げる事項を記載し，又は記録する。
一 目的，名称，成立年月日及び登録番号
二 社員の氏名，住所，登録番号，事務所の所在地及び所属する調査士会
三 主たる事務所の所在地及び当該事務所に常駐する社員の氏名並びに所属する調査士会
四 従たる事務所を設ける調査士法人にあつては，その従たる事務所の所在地及び当該事務所に常駐する社員の氏名

第32条 （調査士法人の成立の届出）
法第33条に規定する調査士法人の成立の届出は，連合会の定める様式による書面でしなければならない。

第33条 （調査士法人の定款変更の届出）
法第34条の規定による定款変更の届出は，連合会の定める様式による書面でしなければならない。

第34条 （法務局等の長に対する通知）
① 連合会は，調査士法人名簿に登録をしたときは登録事項を，調査士法人の登録を取り消したときはその旨を，遅滞なく，当該調査士法人の事務所の所在地を管轄する法務局又は地方法務局の長に通知しなければならない。
② 連合会は，調査士法人が所属する調査士会の変更の登録をしたときは，当該調査士法人の従前の主たる事務所の所在地を管轄する法務局又は地方法務局の長にその旨を，新たな主たる事務所の所在地を管轄する法務局又は地方法務局の長に登録事項（前項の規定により通知をしている場合における当該通知に係る事項を除く。）を，遅滞なく通知しなければならない。
③ 連合会は，調査士法人名簿に変更の登録をしたときは，その旨を，遅滞なく，当該調査士法人の事務所の所在地を管轄する法務局又は地方法務局の長に通知しなければならない。ただし，所属する調査士会の変更の登録をした場合において，前項の通知をしたときにおける当該通知に係る事項については，この限りでない。

第35条 （準用）
第19条から第28条までの規定は，調査士法人について準用する。

第35条の2 （会計帳簿）
① 法第41条第2項において準用する会社法（平成17年法律第86号）第615条第1項の規定により作成すべき会計帳簿については，この条の定めるところによる。
② 会計帳簿は，書面又は電磁的記録をもつて作成及び保存をしなければならない。
③ 土地家屋調査士法人の会計帳簿に計上すべき資産については，この省令に別段の定めがある場合を除き，その取得価額を付さなければならない。ただし，取得価額を付すことが適切でない資産については，事業年度の末日における時価又は適正な価格を付すことができる。
④ 償却すべき資産については，事業年度の末日（事業年度の末日以外の日において評価すべき場合にあつては，その日。以下この条において同じ。）において，相当の償却をしなければならない。
⑤ 次の各号に掲げる資産については，事業年度の末日において当該各号に定める価格を付すべき場合には，当該各号に定める価格を付さなければならない。
一 事業年度の末日における時価がその時の取得原価より著しく低い資産（当該資産の時価がその時の取得原価まで回復すると認められるものを除く。）
事業年度の末日における時価
二 事業年度の末日において予測するこ

とができない減損が生じた資産又は減損損失を認識すべき資産　その時の取得原価から相当の減額をした額
⑥　取立不能のおそれのある債権については，事業年度の末日においてその時に取り立てることができないと見込まれる額を控除しなければならない。
⑦　土地家屋調査士法人の会計帳簿に計上すべき負債については，この省令に別段の定めがある場合を除き，債務額を付さなければならない。ただし，債務額を付すことが適切でない負債については，時価又は適正な価格を付すことができる。
⑧　のれんは，有償で譲り受け，又は合併により取得した場合に限り，資産又は負債として計上することができる。
⑨　前各項の用語の解釈及び規定の適用に関しては，一般に公正妥当と認められる会計の基準その他の会計の慣行を斟酌しなければならない。

第35条の3　（貸借対照表）

①　法第41条第2項において準用する会社法第617条第1項及び第2項の規定により作成すべき貸借対照表については，この条の定めるところによる。
②　貸借対照表に係る事項の金額は，1円単位，1,000円単位又は100万円単位をもつて表示するものとする。
③　貸借対照表は，日本語をもつて表示するものとする。ただし，その他の言語をもつて表示することが不当でない場合は，この限りでない。
④　法第41条第2項において準用する会社法第617条第1項の規定により作成すべき貸借対照表は，成立の日における会計帳簿に基づき作成しなければならない。
⑤　法第41条第2項において準用する会社法第617条第2項の規定により作成すべき各事業年度に係る貸借対照表は，当該事業年度に係る会計帳簿に基づき作成しなければならない。

⑥　各事業年度に係る貸借対照表の作成に係る期間は，当該事業年度の前事業年度の末日の翌日（当該事業年度の前事業年度がない場合にあつては，成立の日）から当該事業年度の末日までの期間とする。この場合において，当該期間は，1年（事業年度の末日を変更する場合における変更後の最初の事業年度については，1年6月）を超えることができない。
⑦　貸借対照表は，次に掲げる部に区分して表示しなければならない。
　一　資産
　二　負債
　三　純資産
⑧　前項各号に掲げる部は，適当な項目に細分することができる。この場合において，当該各項目については，資産，負債又は純資産を示す適当な名称を付さなければならない。
⑨　前各項の用語の解釈及び規定の適用に関しては，一般に公正妥当と認められる会計の基準その他の会計の慣行を斟酌しなければならない。

第35条の4　（電磁的記録に記録された事項を表示する方法）

法第41条第2項において準用する会社法第618条第1項第2号に規定する法務省令で定める方法は，法第41条第2項において準用する会社法第618条第1項第2号の電磁的記録に記録された事項を紙面又は映像面に表示する方法とする。

第35条の5　（財産目録）

①　法第41条第3項において準用する会社法第658条第1項又は第669条第1項若しくは第2項の規定により作成すべき財産目録については，この条の定めるところによる。
②　前項の財産目録に計上すべき財産については，その処分価格を付すことが困難な場合を除き，法第39条第1項各号又は

第2項に掲げる場合に該当することとなつた日における処分価格を付さなければならない。この場合において，土地家屋調査士法人の会計帳簿については，財産目録に付された価格を取得価額とみなす。
③　第1項の財産目録は，次に掲げる部に区分して表示しなければならない。この場合において，第1号及び第2号に掲げる部は，その内容を示す適当な名称を付した項目に細分することができる。
一　資産
二　負債
三　正味資産

第35条の6　（清算開始時の貸借対照表）
①　法第41条第3項において準用する会社法第658条第1項又は第669条第1項若しくは第2項の規定により作成すべき貸借対照表については，この条の定めるところによる。
②　前項の貸借対照表は，財産目録に基づき作成しなければならない。
③　第1項の貸借対照表は，次に掲げる部に区分して表示しなければならない。この場合において，第1号及び第2号に掲げる部は，その内容を示す適当な名称を付した項目に細分することができる。
一　資産
二　負債
三　純資産
④　処分価格を付すことが困難な資産がある場合には，第1項の貸借対照表には，当該資産に係る財産評価の方針を注記しなければならない。

第6章　懲戒

第35条の7　（権限の委任等）
次に掲げる法務大臣の権限は，法務局又は地方法務局の長に委任する。ただし，第2号及び第3号に掲げる権限については，法務大臣が自ら行うことを妨げない。

一　法第44条第1項の規定による通知の受理
二　法第44条第2項の規定による調査
三　法第45条第1項の規定による通告
四　法第55条の規定による報告の受理

第35条の8
①　法務大臣は，法第44条第3項の規定による聴聞を行おうとするときは，第40条第1項の規定による調査を行った法務局又は地方法務局の長の意見を聴くものとする。
②　法務大臣は，必要があると認めるときは，法第44条第3項の規定による聴聞の権限を法務局又は地方法務局の長に委任することができる。

第36条　（懲戒処分の通知）
法務大臣は，法第42条第1号若しくは第2号又は第43条第1項第1号若しくは第2号の処分をしたときはその旨を当該調査士又は調査士法人の所属する調査士会に，法第42条第3号又は第43条第1項第3号の処分をしたときはその旨を連合会及び当該調査士又は調査士法人の所属する調査士会に通知する。

第37条　削除

第7章　土地家屋調査士会

第38条　（入会及び退会の通知）
調査士会は，入会し，又は退会した調査士の氏名，住所，事務所及び登録番号をその調査士会の事務所の所在地を管轄する法務局又は地方法務局の長に通知しなければならない。ただし，登録に伴う入会又は所属する調査士会の変更の登録に伴う入会及び退会については，この限りでない。

第39条　（注意勧告の報告）
調査士会は，所属の会員に対し法第56

条の規定により注意を促し，又は勧告をしたときは，その旨をその調査士会の事務所の所在地を管轄する法務局又は地方法務局の長に報告しなければならない。

第39条の2　（調査士法等違反に関する調査）

① 法務局又は地方法務局の長は，必要があると認めるときは，法又は法に基づく命令の規定に違反する事実の有無について，法務局又は地方法務局の保有する登記申請書その他の関係資料の調査を，その管轄区域内に設立された調査士会に委嘱することができる。

② 調査士会は，前項の規定による調査の委嘱を受けたときは，その調査の結果を，委嘱をした法務局又は地方法務局の長に報告しなければならない。

③ 第1項の規定による委嘱に係る調査の事務に従事した調査士は，前項に規定する調査士会の報告の用に供する目的以外の目的のために，当該事務に従事した際に知り得た情報を自ら利用し，又は提供してはならない。

第40条　（資料及び執務状況の調査）

① 法務大臣（法第66条の2の規定により法第44条第1項及び第2項に規定する懲戒の手続に関する権限の委任を受けた法務局又は地方法務局の長を含む。次項及び第3項において同じ。）は，必要があると認めるときは，法第42条又は第43条第1項の規定による処分に関し，調査士若しくは調査士法人の保存する事件簿その他の関係資料若しくは執務状況を調査し，又はその職員にこれをさせることができる

② 法務大臣は，前項の規定による調査を，調査士会に委嘱することができる。

③ 調査士会は，前項の規定による調査の委嘱を受けたときは，その調査の結果を，意見を付して，委嘱をした法務大臣に報告しなければならない。

④ 調査士又は調査士法人は，正当な理由がないのに，第1項及び第2項の規定による調査を拒んではならない。

第40条の2　（調査士会の所属の会員に対する資料の提供の求め）

調査士会は，所属の会員に対して，法第55条に規定する報告又は法第56条に規定する注意若しくは勧告に必要な範囲において，当該会員の保存する事件簿その他の関係資料の提供を求めることができる。

第41条　（会則の認可）

① 法第49条第1項の規定により調査士会がその会則の認可を申請するには，その調査士会の事務所の所在地を管轄する法務局又は地方法務局の長を経由して，法務大臣に認可申請書を提出しなければならない。

② 前項の認可申請書には，次に掲げる書面を添えなければならない。
一　認可を受けようとする会則
二　会則の変更の認可を受ける場合には，その変更が会則の定めるところによりなされたことを証する書面

第42条

法務大臣は，法第49条第2項の規定により認可し，又は認可しない旨の処分をしたときは，その旨を当該調査士会に，その事務所の所在地を管轄する法務局又は地方法務局の長を経由して，通知する。

第8章　日本土地家屋調査士会連合会

第43条

① 法第59条本文の規定により連合会がその会則の認可を申請するには，法務大臣に認可申請書を提出しなければならない。

② 第41条第2項の規定は，前項の場合について準用する。

第43条の2　（研修）

① 連合会及び調査士会は，調査士会の会員に必要な専門的な知識及び技能を習得させ，並びにその能力及び資質を向上させるための研修を実施するものとする。

② 調査士は，資質の向上のため，連合会及びその所属する調査士会が実施する前項の研修を受けるように努めなければならない。

第43条の3　（連合会への情報提供）

法務大臣は，連合会の求めに応じ，調査士会の会員の品位を保持するため調査士会及びその会員の指導に必要な限度において，第40条第2項の規定による調査の委嘱に関する情報を提供することができる。

第9章　公共嘱託登記土地家屋調査士協会

第44条及び第45条　削除

第46条　（協会の領収証）

① 協会は，嘱託人から報酬を受けたときは，その年月日，件名並びに報酬額及びその内訳を記載した領収証正副2通を作成し，正本は嘱託人に交付し，副本は作成の日から3年間保存しなければならない。

② 前項の領収証は，電磁的記録をもって作成及び保存をすることができる。

第47条　（協会の事件簿）

① 協会は，事件簿を調製し，嘱託を受けた事件について，件名，嘱託人，受託年月日及び事件を取り扱う調査士を記載しなければならない。

② 第28条第2項の規定は，前項の事件簿について準用する。この場合において，同条第2項中「7年間」とあるのは，「5年間」と読み替えるものとする。

第48条　（届出，報告及び検査）

① 協会が次の各号のいずれかに該当する場合には，当該協会は，遅滞なく，その旨を，その主たる事務所の所在地を管轄する法務局又は地方法務局の長（以下この条において「管轄局長」という。）及びその管轄区域内に設立された調査士会に届け出なければならない。

一　一般社団法人及び一般財団法人に関する法律（平成18年法律第48号。以下「一般社団・財団法人法」という。）第6章第4節に規定する登記をしたとき（第3号に該当するとき及び法第63条の2に規定するときを除く。）。

二　定款を変更したとき（前号に該当するときを除く。）。

三　解散したとき（法第65条において読み替えて準用する法第43条第1項第3号の規定による処分があつたときを除く。）。

② 協会は，前項の規定による届出をするときは，次の各号に掲げる場合に応じ，それぞれ当該各号に定める書類を添付しなければならない。

一　前項第2号の場合　新旧定款の対照表及び総会の決議を経たことを証する書面

二　前項第3号の場合　解散の事由の発生を証する書面

③ 協会は，事業年度の始めから3月以内に，次の各号に掲げる書類を管轄局長に提出しなければならない。

一　当該事業年度の事業計画の概要を記載した書面

二　前事業年度に係る計算書類及び事業報告並びにこれらの附属明細書（一般社団・財団法人法第123条第2項に規定する計算書類及び事業報告並びにこれらの附属明細書をいう。）

三　前事業年度における社員の異動の状況を記載した書面及び当該事業年度の始めの社員名簿（一般社団・財団法人

法第31条に規定する社員名簿をいう。）の写し
④ 法第64条の2第2項の法務局又は地方法務局の長は，同項の規定により，協会に対し報告若しくは資料の提出を求め，又はその職員をして協会の業務及び財産の状況を検査させることができる。
⑤ 前項の規定により検査をする職員は，その身分を示す証明書を携帯し，関係人に提示しなければならない。

第48条の2 （協会に対する懲戒処分の通知）

法務局又は地方法務局の長は，法第65条において準用する法第43条第1項又は第2項の処分をしたときは，その旨を当該協会の社員が会員として所属する調査士会に通知しなければならない。

第49条 （準用）

第24条及び第25条の規定は協会の業務について，第40条の規定は協会に対する懲戒について，それぞれ準用する。この場合において，同条中「法務大臣（法第66条の2の規定により法第44条第1項及び第2項に規定する懲戒の手続に関する権限の委任を受けた法務局又は地方法務局の長を含む。次項及び第3項において同じ。）」とあり，及び「法務大臣」とあるのは「法務局又は地方法務局の長」と，「法第42条又は第43条第1項の規定による処分」とあるのは「法第65条において読み替えて準用する法第43条第1項の規定による処分」と読み替えるものとする。

附　則（略）

測量法（抄）

●昭和24年6月3日法律第188号●　　最終改正　令和6年6月19日法54号

第1章　総則

第1節／目的及び用語

第1条　（目的）
　この法律は，国若しくは公共団体が費用の全部若しくは一部を負担し，若しくは補助して実施する土地の測量又はこれらの測量の結果を利用する土地の測量について，その実施の基準及び実施に必要な権能を定め，測量の重複を除き，並びに測量の正確さを確保するとともに，測量業を営む者の登録の実施，業務の規制等により，測量業の適正な運営とその健全な発達を図り，もつて各種測量の調整及び測量制度の改善発達に資することを目的とする

第2条　（他の法律との関係）
　土地の測量は，他の法律に特別の定がある場合を除いて，この法律の定めるところによる。

第3条　（測量）
　この法律において「測量」とは，土地の測量をいい，地図の調製及び測量用写真の撮影を含むものとする。

第4条　（基本測量）
　この法律において「基本測量」とは，すべての測量の基礎となる測量で，国土地理院の行うものをいう。

第5条　（公共測量）
　この法律において「公共測量」とは，基本測量以外の測量で次に掲げるものをいい，建物に関する測量その他の局地的測量又は小縮尺図の調製その他の高度の精度を必要としない測量で政令で定めるものを除く。
一　その実施に要する費用の全部又は一部を国又は公共団体が負担し，又は補助して実施する測量
二　基本測量又は前号の測量の測量成果を使用して次に掲げる事業のために実施する測量で国土交通大臣が指定するもの
　イ　行政庁の許可，認可その他の処分を受けて行われる事業
　ロ　その実施に要する費用の全部又は一部について国又は公共団体の負担又は補助，貸付けその他の助成を受けて行われる事業

第6条　（基本測量及び公共測量以外の測量）
　この法律において「基本測量及び公共測量以外の測量」とは，基本測量又は公共測量の測量成果を使用して実施する基本測量及び公共測量以外の測量（建物に関する測量その他の局地的測量又は小縮尺図の調製その他の高度の精度を必要としない測量で政令で定めるものを除く。）をいう。

第7条　（測量計画機関）
　この法律において「測量計画機関」とは，前二条に規定する測量を計画する者をいう。測量計画機関が，自ら計画を実施する場合には，測量作業機関となることができる。

測量法（8条—13条）

第8条　（測量作業機関）
　この法律において「測量作業機関」とは，測量計画機関の指示又は委託を受けて測量作業を実施する者をいう。

第9条　（測量成果及び測量記録）
　この法律において「測量成果」とは，当該測量において最終の目的として得た結果をいい，「測量記録」とは，測量成果を得る過程において得た作業記録をいう。

第10条　（測量標）
①　この法律において「測量標」とは，永久標識，一時標識及び仮設標識をいい，これらは，左の各号に掲げる通りとする。
　一　永久標識　三角点標石，図根点標石，方位標石，水準点標石，磁気点標石，基線尺検定標石，基線標石及びこれらの標石の代りに設置する恒久的な標識（験潮儀及び験潮場を含む。）をいう。
　二　一時標識　測標及び標杭をいう。
　三　仮設標識　標旗及び仮杭をいう。
② 　前項に掲げる測量標の形状は，国土交通省令で定める。
③ 　基本測量の測量標には，基本測量の測量標であること及び国土地理院の名称を表示しなければならない。

第10条の2　（測量業）
　この法律において「測量業」とは，基本測量，公共測量又は基本測量及び公共測量以外の測量を請け負う営業をいう。

第10条の3　（測量業者）
　この法律において「測量業者」とは，第55条の5第1項の規定による登録を受けて測量業を営む者をいう。

第2節／測量の基準

第11条　（測量の基準）
① 　基本測量及び公共測量は，次に掲げる測量の基準に従つて行わなければならない。
　一　位置は，地理学的経緯度及び平均海面からの高さで表示する。ただし，場合により，直角座標及び平均海面からの高さ，極座標及び平均海面からの高さ又は地心直交座標で表示することができる。
　二　距離及び面積は，第3項に規定する回転楕円体の表面上の値で表示する。
　三　測量の原点は，日本経緯度原点及び日本水準原点とする。ただし，離島の測量その他特別の事情がある場合において，国土地理院の長の承認を得たときは，この限りでない。
　四　前号の日本経緯度原点及び日本水準原点の地点及び原点数値は，政令で定める。
② 　前項第1号の地理学的経緯度は，世界測地系に従つて測定しなければならない。
③ 　前項の「世界測地系」とは，地球を次に掲げる要件を満たす扁平な回転楕円体であると想定して行う地理学的経緯度の測定に関する測量の基準をいう。
　一　その長半径及び扁平率が，地理学的経緯度の測定に関する国際的な決定に基づき政令で定める値であるものであること。
　二　その中心が，地球の重心と一致するものであること。
　三　その短軸が，地球の自転軸と一致するものであること。

第2章　基本測量

第1節／計画及び実施

第12条　（長期計画）
　国土交通大臣は，基本測量に関する長期計画を定めなければならない。

第13条　（資料又は報告の要求）
　国土地理院の長は，関係行政機関又は

その他の者に対し，基本測量に関する資料又は報告の提出を求めることができる。

第14条　（実施の公示）
① 国土地理院の長は，基本測量を実施しようとするときは，あらかじめその地域，期間その他必要な事項を関係都道府県知事に通知しなければならない。
② 国土地理院の長は，基本測量の実施を終つたときは，その旨を関係都道府県知事に通知しなければならない。
③ 都道府県知事は，前二項の規定による通知を受けたときは，遅滞なく，これを公示しなければならない。

第15条　（土地の立入及び通知）
① 国土地理院の長又はその命を受けた者若しくは委任を受けた者は，基本測量を実施するために必要があるときは，国有，公有又は私有の土地に立ち入ることができる。
② 前項の規定により宅地又はかき，さく等で囲まれた土地に立ち入ろうとする者は，あらかじめその占有者に通知しなければならない。但し，占有者に対してあらかじめ通知することが困難であるときは，この限りでない。
③ 第1項に規定する者が，同項の規定により土地に立ち入る場合においては，その身分を示す証明書を携帯し，関係人の請求があつたときは，これを呈示しなければならない。
④ 前項に規定する証明書の様式は，国土交通省令で定める。

第16条　（障害物の除去）
国土地理院の長又はその命を受けた者若しくは委任を受けた者は，基本測量を実施するためにやむを得ない必要があるときは，あらかじめ所有者又は占有者の承諾を得て，障害となる植物又はかき，さく等を伐除することができる。

第17条
国土地理院の長又はその命を受けた者若しくは委任を受けた者は，山林原野又はこれに類する土地で基本測量を実施する場合において，あらかじめ所有者又は占有者の承諾を得ることが困難であり，且つ，植物又はかき，さく等の現状を著しく損傷しないときは，前条の規定にかかわらず，承諾を得ないで，これらを伐除することができる。この場合においては，遅滞なく，その旨を所有者又は占有者に通知しなければならない。

第18条　（土地等の一時使用）
国土地理院の長又はその命を受けた者若しくは委任を受けた者は，基本測量を実施する場合において，仮設標識を設置するために必要があるときは，あらかじめ占有者に通知して，土地，樹木，又は工作物を一時使用することができる。但し，占有者に対しあらかじめ通知することが困難であるときは，通知することを要しないものとする。

第19条　（土地の収用又は使用）
① 政府は，基本測量を実施するために，必要があるときは，土地，建物，樹木若しくは工作物を収用し，又は使用することができる。
② 前項の規定による収用又は使用に関しては，土地収用法（昭和26年法律第219号）を適用する。

第20条　（損失補償）
① 第16条から第18条までの規定による植物，垣若しくはさく等の伐除又は土地，樹木若しくは工作物の一時使用により，損失を受けた者がある場合においては，政府は，その損失を受けた者に対して，通常生ずべき損失を補償しなければならない。
② 前項の規定により補償を受けることが

できる者は、その補償金額に不服がある場合においては、政令で定めるところにより、その金額の通知を受けた日から1月以内に、土地収用法第94条第2項の規定による収用委員会の裁決を求めることができる。

第21条　（永久標識及び一時標識に関する通知）
① 国土地理院の長は、基本測量において永久標識又は一時標識を設置したときは、遅滞なく、その種類及び所在地その他国土交通省令で定める事項を関係都道府県知事に通知するとともに、これをインターネットの利用その他適切な方法により公表しなければならない。
② 都道府県知事は、前項の規定による通知を受けたときは、遅滞なく、その旨を関係市町村長（特別区の区長を含む。次項及び第37条第2項において同じ。）に通知しなければならない。
③ 市町村長は、基本測量の永久標識又は一時標識について、滅失、破損その他異状があることを発見したときは、遅滞なく、その旨を国土地理院の長に通知しなければならない。

第22条　（測量標の保全）
　何人も、国土地理院の長の承諾を得ないで、基本測量の測量標を移転し、汚損し、その他その効用を害する行為をしてはならない。

第23条　（永久標識及び一時標識の移転、撤去及び廃棄）
① 国土地理院の長は、基本測量の永久標識又は一時標識を移転し、撤去し、又は廃棄したときは、遅滞なく、その種類及び旧所在地その他国土交通省令で定める事項を関係都道府県知事及びその敷地の所有者又は占有者に通知するとともに、これをインターネットの利用その他適切な方法により公表しなければならない。
② 第21条第2項の規定は、前項の場合に準用する。

第24条　（測量標の移転の請求）
① 基本測量の永久標識又は一時標識の汚損その他その効用を害するおそれがある行為を当該永久標識若しくは一時標識の敷地又はその付近でしようとする者は、理由を記載した書面をもって、国土地理院の長に当該永久標識又は一時標識の移転を請求することができる。
② 前項の規定による請求（国又は都道府県が行うものを除く。）は、当該永久標識又は一時標識の所在地の都道府県知事を経由して行わなければならない。この場合において、都道府県知事は、当該請求に係る事項に関する意見を付して、国土地理院の長に送付するものとする。
③ 国土地理院の長は、第1項の規定による請求に理由があると認めるときは、当該永久標識又は一時標識を移転し、理由がないと認めるときは、その旨を移転を請求した者に通知しなければならない。
④ 前項の規定による永久標識又は一時標識の移転に要した費用は、移転を請求した者が負担しなければならない。

第25条
　国土地理院の長は、基本測量の仮設標識の移転の請求があつた場合において、その請求に理由があると認めたときは、当該仮設標識を移転しなければならない。

第26条　（測量標の使用）
　基本測量以外の測量を実施しようとする者は、国土地理院の長の承認を得て、基本測量の測量標を使用することができる。

第2節／測量成果

第27条　（測量成果の公表及び保管）
① 国土交通大臣は，基本測量の測量成果を得たときは，当該測量の種類，精度並びにその実施の時期及び地域その他必要と認める事項を官報で公告しなければならない。
② 国土交通大臣は，基本測量の測量成果のうち地図その他一般の利用に供することが必要と認められるものについては，これらを刊行し，又はこれらの内容である情報を電磁的方法（電子情報処理組織を使用する方法その他の情報通信の技術を利用する方法をいう。以下同じ。）であつて国土交通省令で定めるものにより不特定多数の者が提供を受けることができる状態に置く措置をとらなければならない。
③ 国土地理院の長は，基本測量の測量成果及び測量記録を保管し，国土交通省令で定めるところにより，これを一般の閲覧に供しなければならない。

第28条　（測量成果の公開）
① 基本測量の測量成果及び測量記録の謄本又は抄本の交付を受けようとする者は，国土交通省令で定めるところにより，国土地理院の長に申請をしなければならない。
② 前項の規定により謄本又は抄本の交付の申請をする者は，実費を勘案して政令で定める額の手数料を納めなければならない。

第29条　（測量成果の複製）
基本測量の測量成果のうち，地図その他の図表，成果表，写真又は成果を記録した文書（これらが電磁的記録（電子的方式，磁気的方式その他人の知覚によつては認識することができない方式で作られる記録であつて，電子計算機による情報処理の用に供されるものをいう。以下同じ。）をもつて作成されている場合における当該電磁的記録を含む。第43条において「図表等」という。）を測量の用に供し，刊行し，又は電磁的方法であつて国土交通省令で定めるものにより不特定多数の者が提供を受けることができる状態に置く措置をとるために複製しようとする者は，国土交通省令で定めるところにより，あらかじめ，国土地理院の長の承認を得なければならない。

第30条　（測量成果の使用）
① 基本測量の測量成果を使用して基本測量以外の測量を実施しようとする者は，国土交通省令で定めるところにより，あらかじめ，国土地理院の長の承認を得なければならない。
② 国土地理院の長は，前項の承認の申請があつた場合において，次の各号のいずれにも該当しないと認めるときは，その承認をしなければならない。
一　申請手続が法令に違反していること。
二　当該測量成果を使用することが当該測量の正確さを確保する上で適切でないこと。
③ 第1項の承認を得て測量を実施した者は，その実施により得られた測量成果に基本測量の測量成果を使用した旨を明示しなければならない。
④ 基本測量の測量成果を使用して刊行物（当該刊行物が電磁的記録をもつて作成されている場合における当該電磁的記録を含む。以下この項及び第44条第4項において同じ。）を刊行し，又は当該刊行物の内容である情報について電磁的方法であつて国土交通省令で定めるものにより不特定多数の者が提供を受けることができる状態に置く措置をとろうとする者は，当該刊行物にその旨を明示しなければならない。

第31条 （測量成果の修正）

国土地理院の長は，地かく，地ぼう又は地物の変動その他の事由により基本測量の測量成果が現況に適合しなくなつた場合においては，遅滞なく，その測量成果を修正しなければならない。

第3章 公共測量

第1節／計画及び実施

第32条 （公共測量の基準）

公共測量は，基本測量又は公共測量の測量成果に基いて実施しなければならない。

第33条 （作業規程）

① 測量計画機関は，公共測量を実施しようとするときは，当該公共測量に関し観測機械の種類，観測法，計算法その他国土交通省令で定める事項を定めた作業規程を定め，あらかじめ，国土交通大臣の承認を得なければならない。これを変更しようとするときも，同様とする。

② 公共測量は，前項の承認を得た作業規程に基づいて実施しなければならない。

第34条 （作業規程の準則）

国土交通大臣は，作業規程の準則を定めることができる。

第35条 （公共測量の調整）

国土交通大臣は，測量の正確さを確保し，又は測量の重複を除くためその他必要があると認めるときは，測量計画機関に対し，公共測量の計画若しくは実施について必要な勧告をし，又は測量計画機関から公共測量についての長期計画若しくは年度計画の報告を求めることができる。

第36条 （計画書についての助言）

測量計画機関は，公共測量を実施しようとするときは，あらかじめ，次に掲げる事項を記載した計画書を提出して，国土地理院の長の技術的助言を求めなければならない。その計画書を変更しようとするときも，同様とする。

一　目的，地域及び期間
二　精度及び方法

第37条 （公共測量の表示等）

① 公共測量を実施する者は，当該測量において設置する測量標に，公共測量の測量標であること及び測量計画機関の名称を表示しなければならない。

② 公共測量を実施する者は，関係市町村長に対して当該測量を実施するために必要な情報の提供を求めることができる。

③ 測量計画機関は，公共測量において永久標識を設置したときは，遅滞なく，その種類及び所在地その他国土交通省令で定める事項を国土地理院の長に通知しなければならない。

④ 測量計画機関は，自ら実施した公共測量の永久標識を移転し，撤去し，又は廃棄したときは，遅滞なく，その種類及び旧所在地その他国土交通省令で定める事項を国土地理院の長に通知しなければならない。

第38条 （国土地理院が実施する公共測量）

第33条，第35条，第36条並びに前条第3項及び第4項の規定は，国土地理院が実施する公共測量については，適用しない。

第39条 （基本測量に関する規定の準用）

第14条から第26条までの規定は，公共測量に準用する。この場合において，第14条から第18条まで，第21条第1項及び第23条中「国土地理院の長」とあり，並びに第19条及び第20条中「政府」とあるのは「測量計画機関」と，第21条第3項並びに第24条第1項及び第2項中「国土

地理院の長」とあるのは「当該永久標識又は一時標識を設置した測量計画機関」と、第22条及び第26条中「国土地理院の長」とあるのは「公共測量において測量標を設置した測量計画機関」と、第22条中「得ないで、」とあるのは「得ないで、当該」と、第24条第3項中「国土地理院の長」とあるのは「公共測量において永久標識又は一時標識を設置した測量計画機関」と、第25条中「国土地理院の長は、」とあるのは「公共測量において仮設標識を設置した測量計画機関は、当該」と、第26条中「基本測量以外の測量」とあるのは「測量」と、「得て、」とあるのは「得て、当該」と読み替えるものとする。

第2節／測量成果

第40条　（測量成果の提出）
① 測量計画機関は、公共測量の測量成果を得たときは、遅滞なく、その写を国土地理院の長に送付しなければならない。
② 国土地理院の長は、前項の場合において必要があると認めるときは、測量記録の写の送付を求めることができる。

第41条　（測量成果の審査）
① 国土地理院の長は、前条の規定により測量成果の写の送付を受けたときは、すみやかにこれを審査して、測量計画機関にその結果を通知しなければならない。
② 国土地理院の長は、前項の規定による審査の結果当該測量成果が充分な精度を有すると認める場合においては、測量の精度に関し意見を附して、その測量の種類、実施の時期及び地域並びに測量計画機関及び測量作業機関の名称を公表しなければならない。

第42条　（測量成果の写しの保管及び閲覧）
① 国土地理院の長は、第40条第1項の測量成果の写し及び同条第2項の測量記録の写しを保管し、国土交通省令で定めるところにより、これらを一般の閲覧に供しなければならない。
② 前項に規定する測量成果の写し及び測量記録の写しの謄本又は抄本の交付を受けようとする者は、国土交通省令で定めるところにより、国土地理院の長に申請をしなければならない。この場合においては、第28条第2項の規定を準用する。
③ 測量計画機関は、当該測量計画機関の作成に係る測量成果及び測量記録の保管並びに当該測量成果に係る次条又は第44条第1項の承認の申請の受理に関する事務を国土地理院の長に委託することができる。

第43条　（測量成果の複製）
公共測量の測量成果のうち図表等を測量の用に供し、刊行し、又は電磁的方法であつて国土交通省令で定めるものにより不特定多数の者が提供を受けることができる状態に置く措置をとるために複製しようとする者は、あらかじめ、当該測量成果を得た測量計画機関の承認を得なければならない。

第44条　（測量成果の使用）
① 公共測量の測量成果を使用して測量を実施しようとする者は、あらかじめ、当該測量成果を得た測量計画機関の承認を得なければならない。
② 測量計画機関は、前項の承認の申請があつた場合において、次の各号のいずれにも該当しないと認めるときは、その承認をしなければならない。
一　申請手続が法令に違反していること。
二　当該測量成果を使用することが測量の正確さを確保する上で適切でないこと。
③ 第1項の承認を得て測量を実施した者は、その実施により得られた測量成果に公共測量の測量成果を使用した旨を明示

しなければならない。
④ 公共測量の測量成果を使用して刊行物を刊行し、又は当該刊行物の内容である情報について電磁的方法であつて国土交通省令で定めるものにより不特定多数の者が提供を受けることができる状態に置く措置をとろうとする者は、当該刊行物にその旨を明示しなければならない。

第45条 （国土地理院が実施する公共測量の測量成果）
① 第27条第1項の規定は国土地理院が実施する公共測量の測量成果について、同条第3項及び第28条の規定は国土地理院が実施する公共測量の測量成果及び測量記録について準用する。この場合において、第27条第1項中「国土交通大臣」とあるのは「国土地理院の長」と、「官報で公告しなければ」とあるのは「インターネットの利用その他適切な方法により公表しなければ」と読み替えるものとする。
② 第40条から第42条までの規定は、国土地理院が実施する公共測量の測量成果及び測量記録については、適用しない。

【── **第4章 基本測量及び公共測量以外の測量** ──】

第46条 （届出等）
① 基本測量及び公共測量以外の測量を実施しようとする者は、あらかじめ、国土交通省令で定めるところにより、その旨を国土交通大臣に届け出なければならない。
② 国土交通大臣は、前項の規定による届出があつた場合において、測量の正確さを確保するため必要があると認めるときは、その届出をした者に対し、その届出に係る基本測量及び公共測量以外の測量の実施について必要な勧告をすることができる。
③ 国土交通大臣は、前項の規定により勧告をするに当たつては、当該届出に係る基本測量及び公共測量以外の測量の実施を妨げることとならないよう当該勧告の内容について特に配慮しなければならない。

第47条 （測量成果及び測量記録の提出等）
① 前条第1項の規定による届出のあつた測量で、国土交通大臣が公共性を有すると認めて指定するものについては、国土地理院の長は、当該測量の実施者に対して、当該測量の測量成果若しくは測量記録の閲覧又はこれらの写しの提出を求めることができる。この場合において、測量成果又は測量記録の写の提出を求めるときは、その写の作成に要する費用は、国の負担とする。
② 前項の測量の実施者は、正当な理由があるときは、同項の規定による測量成果若しくは測量記録の閲覧又はこれらの写しの提出を拒むことができる。

【── **第5章 測量士及び測量士補** ──】

第48条 （測量士及び測量士補）
① 技術者として基本測量又は公共測量に従事する者は、第49条の規定に従い登録された測量士又は測量士補でなければならない。
② 測量士は、測量に関する計画を作製し、又は実施する。
③ 測量士補は、測量士の作製した計画に従い測量に従事する。

第51条の3 （欠格条項）
　次の各号のいずれかに該当する者は、第50条第3号又は第4号の登録を受けることができない。
一　この法律又はこの法律に基づく命令に違反し、罰金以上の刑に処せられ、その執行を終わり、又は執行を受けることがなくなつた日から2年を経過しない者

二　第51条の15の規定により第50条第3号又は第4号の登録を取り消され，その取消しの日から2年を経過しない者
三　法人であつて，養成業務を行う役員のうちに前二号のいずれかに該当する者があるもの

第52条　（登録の消除）
国土地理院の長は，測量士又は測量士補の登録を受けた者が左の各号の1に該当する場合においては，その登録を消除しなければならない。
一　死亡したとき。
二　この法律の規定に違反し罰金以上の刑に処せられたとき。
三　測量士又は測量士補となる資格を有しないことが判明したとき。

附　則（抄）
（施行の期日）
① この法律は，公布の日から起算して90日を経過した日から施行する。
（陸地測量標条例等の廃止）
② 陸地測量標条例（明治23年法律第23号）及び陸地測量標条例施行細則（明治28年陸軍省令第17号）は，廃止する。
③ この法律施行前にした陸地測量標条例に違反する行為に対する罰則の適用については，なお，従前の例による。
（測量士及び測量士補に関する経過規定）
④ （略）
（この法律施行前の測量成果，測量記録及び測量標）
⑤ この法律施行前に陸地測量標条例に基いてした測量で，基本測量の範囲に属するものの測量成果，測量記録及び測量標は，この法律に基く基本測量の測量成果，測量記録及び測量標とみなす。
⑥ この法律施行前にした測量で，国土交通大臣が指定したものの測量成果，測量記録及び測量標は，公共測量の測量成果，測量記録及び測量標とみなす。この場合において第40条及び第41条第1項中「測量計画機関」とあるのは「当該測量を計画した者」と読み替えるものとする。
⑦ 国土交通大臣は，必要と認めるときは，前項の規定により，公共測量の測量成果若しくは測量記録とみなされたもの又はそれらの写しを国土地理院の長に送付させることができる。

測量法施行令（抄）

●昭和24年8月31日法律第322号●　最終改正　令和元年12月13日政令183号

【━━━━第1章　総則━━━━】

第1条　（局地的測量又は高度の精度を必要としない測量の範囲）

① 測量法（以下「法」という。）第5条及び法第6条に規定する政令で定める局地的測量又は高度の精度を必要としない測量は，次の各号に掲げるものとする。

一　建物に関する測量

二　100万分の1未満の小縮尺図の調製

三　横断面測量

四　前各号に掲げるものを除くほか，次に掲げる測量。ただし，既に実施された公共測量又は基本測量及び公共測量以外の測量に追加して，又は当該測量を修正するために行なわれる測量を除く。

　イ　三角網の面積が7平方キロメートル（北海道にあつては，10平方キロメートル）未満であり，かつ，基本測量又は公共測量によつて設けられた三角点又は図根点を2点以上使用しない三角測量

　ロ　路線の長さが6キロメートル（北海道にあつては，10キロメートル）未満であり，かつ，基本測量又は公共測量によつて設けられた三角点，図根点又は多角点を2点以上使用しない多角測量

　ハ　路線の長さが10キロメートル未満であり，かつ，基本測量又は公共測量によつて設けられた水準点を二点以上使用しない水準測量（縦断面測量を含む。以下この条において同じ。）

　ニ　面積が7平方キロメートル（北海道にあつては，10平方キロメートル）未満であり，かつ，基本測量又は公共測量によつて設けられた三角点，図根点，多角点又は水準点を二点以上使用しない地形測量又は平面測量

五　前各号に掲げるものを除くほか，誤差の許容限度（二以上の誤差の許容限度が定められる場合においては，そのすべての誤差の許容限度）が次に掲げる数値をこえる測量。ただし，既に実施された公共測量又は基本測量及び公共測量以外の測量に追加して，又は当該測量を修正するために行なわれる測量を除く。

　イ　三角測量にあつては，三角形の角の閉合差が90秒又は辺長の較差がその辺長の2千分の1

　ロ　多角測量にあつては，座標の閉合比が千分の1

　ハ　水準測量にあつては，閉合差が5センチメートルに路線の長さ（単位は，キロメートルとする。）の平方根を乗じたもの

　ニ　地形測量又は平面測量にあつては，図上における平面位置の誤差が2ミリメートル

② 三角測量，多角測量，水準測量，地形測量又は平面測量の二以上の測量が1の計画に基づいて行なわれる場合において，そのうちのいずれかが前項第4号及び第5号の測量に該当しないものであるときは，当該計画に係る測量は，同項の規定にかかわらず，同項第4号及び第5号の測量に該当しないものとする。

第2条　（日本経緯度原点及び日本水準原点）

① 法第11条第1項第4号に規定する日本経緯度原点の地点及び原点数値は，次のとおりとする。
一　地点　東京都港区麻布台2丁目18番1地内日本経緯度原点金属標の十字の交点
二　原点数値　次に掲げる値
　イ　経度　東経139度44分28秒8869
　ロ　緯度　北緯35度39分29秒1572
　ハ　原点方位角　32度20分46秒209（前号の地点において真北を基準として右回りに測定した茨城県つくば市北郷1番地内つくば超長基線電波干渉計観測点金属標の十字の交点の方位角）

② 法第11条第1項第4号に規定する日本水準原点の地点及び原点数値は，次のとおりとする。
一　地点　東京都千代田区永田町1丁目1番2地内水準点標石の水晶板の零分画線の中点
二　原点数値　東京湾平均海面上24.3900メートル

第3条　（長半径及び扁平率）

法第11条第3項第1号に規定する長半径及び扁平率の政令で定める値は，次のとおりとする。
一　長半径　637万8千百37メートル
二　扁平率　298・257222101分の1

附　則　（略）

平面直角座標系

●平成14年1月10日国土交通省告示第9号●　　最終改正　平成22年3月31日国土交通省告示289号

測量法（昭和24年法律第188号。以下「法」という。）第11条第1項第1号の規定を実施するため，直角座標で位置を表示する場合の平面直角座標系を次のように定める。

附　則

① この告示は，測量法及び水路業務法の一部を改正する法律（平成13年法律第53号）の施行の日（平成14年4月1日）から施行する。

② この告示の施行に伴い，昭和43年10月1日建設省告示第3059号（平面直角座標系）は，廃止する。

③ この告示の施行の際現に実施中の法第5条に規定する公共測量並びに法第6条に規定する基本測量及び公共測量以外の測量（法第47条の規定により指定されたものに限る。）については，なお従前の例による。

平面直角座標系

系番号	座標系原点の経緯度		適用区域
	経度（東経）	緯度（北緯）	
I	129度30分0秒0000	33度0分0秒0000	長崎県　鹿児島県のうち北方北緯32度南方北緯27度西方東経128度18分東方東経130度を境界線とする区域内（奄美群島は東経130度13分までを含む。）にあるすべての島，小島，環礁及び岩礁
II	131度0分0秒0000	33度0分0秒0000	福岡県　佐賀県　熊本県　大分県　宮崎県　鹿児島県（I系に規定する区域を除く。）
III	132度10分0秒0000	36度0分0秒0000	山口県　島根県　広島県
IV	133度30分0秒0000	33度0分0秒0000	香川県　愛媛県　徳島県　高知県
V	134度20分0秒0000	36度0分0秒0000	兵庫県　鳥取県　岡山県
VI	136度0分0秒0000	36度0分0秒0000	京都府　大阪府　福井県　滋賀県　三重県　奈良県　和歌山県
VII	137度10分0秒0000	36度0分0秒0000	石川県　富山県　岐阜県　愛知県
VIII	138度30分0秒0000	36度0分0秒0000	新潟県　長野県　山梨県　静岡県
IX	139度50分0秒0000	36度0分0秒0000	東京都（XIV系，XVIII系及びXIX系に規定する区域を除く。）福島県　栃木県　茨城県　埼玉県　千葉県　群馬県　神奈川県
X	140度50分0秒0000	40度0分0秒0000	青森県　秋田県　山形県　岩手県　宮城県
XI	140度15分0秒0000	44度0分0秒0000	小樽市　函館市　伊達市　北斗市　北海道後志総合振興局の所管区域　北海道胆振総合振興局の所管区域のうち豊浦町，壮瞥町及び洞爺湖町　北海道渡島総合振興局の所管区域　北海道檜山振興局の所管区域
XII	142度15分0秒0000	44度0分0秒0000	北海道（XI系及びXIII系に規定する区域を除く。）
XIII	144度15分0秒0000	44度0分0秒0000	北見市　帯広市　釧路市　網走市　根室市　北海道オホーツク総合振興局の所管区域のうち美幌町，津別町，斜里町，清里町，小清水町，訓子府町，置戸町，佐呂間町及び大空町　北海道十勝総合振興局の所管区域　北海道釧路総合振興局の所管区域　北海道根室振興局の所管区域
XIV	142度0分0秒0000	26度0分0秒0000	東京都のうち北緯28度から南であり，かつ東経140度30分から東であり東経143度から西である区域
XV	127度30分0秒0000	26度0分0秒0000	沖縄県のうち東経126度から東であり，かつ東経130度から西である区域
XVI	124度0分0秒0000	26度0分0秒0000	沖縄県のうち東経126度から西である区域
XVII	131度0分0秒0000	26度0分0秒0000	沖縄県のうち東経130度から東である区域
XVIII	136度0分0秒0000	20度0分0秒0000	東京都のうち北緯28度から南であり，かつ東経140度30分から西である区域
XIX	154度0分0秒0000	26度0分0秒0000	東京都のうち北緯28度から南であり，かつ東経143度から東である区域

備考
　座標系は，地点の座標値が次の条件に従ってガウスの等角投影法によって表示されるように設けるものとする。
1. 座標系のX軸は，座標系原点において子午線に一致する軸とし，真北に向う値を正とし，座標系のY軸は，座標系原点において座標系のX軸に直交する軸とし，真東に向う値を正とする。
2. 座標系のX軸上における縮尺係数は，0.9999とする。
3. 座標系原点の座標値は，次のとおりとする。
　　X＝0.000メートル　Y＝0.000メートル

◇税法関係◇

- ○登録免許税法（抄）
- ○登録免許税法施行令（抄）
- ○国税通則法（抄）
- ○地方税法（抄）
- ○印紙税法（抄）

登録免許税法（抄）

●昭和42年6月12日法律第35号●　　最終改正　令和6年5月29法40号

第1章　総則

第1条（趣旨）
　この法律は，登録免許税について，課税の範囲，納税義務者，課税標準，税率，納付及び還付の手続並びにその納税義務の適正な履行を確保するため必要な事項を定めるものとする。

第2条（課税の範囲）
　登録免許税は，別表第1に掲げる登記，登録，特許，免許，許可，認可，認定，指定及び技能証明（以下「登記等」という。）について課する。

第3条（納税義務者）
　登記等を受ける者は，この法律により登録免許税を納める義務がある。この場合において，当該登記等を受ける者が2人以上あるときは，これらの者は，連帯して登録免許税を納付する義務を負う。

第4条（公共法人等が受ける登記等の非課税）
① 国及び別表第2に掲げる者が自己のために受ける登記等については，登録免許税を課さない。
② 別表第3の第1欄に掲げる者が自己のために受けるそれぞれ同表の第3欄に掲げる登記等（同表の第4欄に財務省令で定める書類の添附があるものに限る旨の規定がある登記等にあつては，当該書類を添附して受けるものに限る。）については，登録免許税を課さない。

第5条（非課税登記等）
　次に掲げる登記等（第4号又は第5号に掲げる登記又は登録にあつては，当該登記等がこれらの号に掲げる登記又は登録に該当するものであることを証する財務省令で定める書類を添付して受けるものに限る。）については，登録免許税を課さない。
一　国又は別表第2に掲げる者がこれらの者以外の者に代位してする登記又は登録
二　登記機関（登記官又は登記以外の登記等をする官庁若しくは団体の長をいう。以下同じ。）が職権に基づいてする登記又は登録で政令で定めるもの
三　会社法（平成17年法律第86号）第2編第9章第2節（特別清算）の規定による株式会社の特別清算（同節の規定を同法第822条第3項（日本にある外国会社の財産についての清算）において準用する場合における同条第1項の規定による日本にある外国会社の財産についての清算を含む。）に関し裁判所の嘱託によりする登記又は登録
四　住居表示に関する法律（昭和37年法律第119号）第3条第1項及び第2項又は第4条（住居表示の実施手続等）の規定による住居表示の実施又は変更に伴う登記事項又は登録事項の変更の登記又は登録
五　行政区画，郡，区，市町村内の町若しくは字又はこれらの名称の変更（その変更に伴う地番の変更及び次号に規定する事業の施行に伴う地番の変更を含む。）に伴う登記事項又は登録事項

の変更の登記又は登録
六　土地改良法（昭和24年法律第195号）第2条第2項（定義）に規定する土地改良事業又は土地区画整理法（昭和29年法律第119号）第2条第1項（定義）に規定する土地区画整理事業の施行のため必要な土地又は建物に関する登記（政令で定めるものを除く。）
七　都市再開発法（昭和44年法律第38号）第2条第1号（定義）に規定する市街地再開発事業，大都市地域における住宅及び住宅地の供給の促進に関する特別措置法（昭和50年法律第67号）第2条第4号（定義）に規定する住宅街区整備事業又は密集市街地における防災街区の整備の促進に関する法律（平成9年法律第49号）第2条第5号（定義）に規定する防災街区整備事業の施行のため必要な土地又は建物（当該住宅街区整備事業に係る土地又は建物にあつては，大都市地域における宅地開発及び鉄道整備の一体的推進に関する特別措置法（平成元年法律第61号）第17条（大都市地域における住宅及び住宅地の供給の促進に関する特別措置法の特例）の規定により大都市地域における住宅及び住宅地の供給の促進に関する特別措置法第2条第1号に規定する大都市地域とみなされる区域内にある土地又は建物を除く。）に関する登記（政令で定めるものを除く。）
八　国土調査法（昭和26年法律第180号）第32条の2第1項（代位登記）の規定による土地に関する登記
九　入会林野等に係る権利関係の近代化の助長に関する法律（昭和41年法律第126号）第14条第2項（登記）（同法第23条第2項（旧慣使用林野整備の効果等）において準用する場合を含む。）の規定による土地に関する登記
十　墳墓地に関する登記
十一　滞納処分（その例による処分を含む。）に関してする登記又は登録（換価による権利の移転の登記又は登録を除くものとし，滞納処分の例により処分するものとされている担保に係る登記又は登録の抹消を含む。）
十二　登記機関の過誤による登記若しくは登録又はその抹消があつた場合の当該登記若しくは登録の抹消若しくは更正又は抹消した登記若しくは登録の回復の登記若しくは登録
十三　相続又は法人の合併若しくは分割に伴い相続人又は合併後存続する法人若しくは合併により設立する法人若しくは分割により設立する法人若しくは事業を承継する法人が，被相続人又は合併により消滅した法人若しくは分割をした法人の受けた別表第1第33号から第160号までに掲げる登録，特許，免許，許可，認可，認定又は指定を引き続いて受ける場合における当該登録，特許，免許，許可，認可，認定又は指定
十四　公益社団法人及び公益財団法人の認定等に関する法律（平成18年法律第49号）第9条第1項（名称等）又は第29条第5項（公益認定の取消し）の規定による一般社団法人若しくは一般財団法人又は公益社団法人若しくは公益財団法人の名称の変更の登記

第6条（外国公館等の非課税）

① 外国政府が当該外国の大使館，公使館又は領事館その他これらに準ずる施設（次項において「大使館等」という。）の敷地又は建物に関して受ける登記については，政令で定めるところにより，登録免許税を課さない。
② 前項の規定は，同項の外国が，その国において日本国の大使館等の敷地又は建物に関する登記若しくは登録又はこれらに準ずる行為について課する租税を免除する場合に限り，適用する。

第8条　（納税地）
① 登録免許税の納税地は，納税義務者が受ける登記等の事務をつかさどる登記所その他の官署又は団体（以下「登記官署等」という。）の所在地（第24条の2第1項に規定する財務省令で定める方法により登録免許税を納付する場合にあつては，政令で定める場所）とする。
② 第29条第1項若しくは第4項の規定により徴収すべき登録免許税又は国税通則法（昭和37年法律第66号）第56条第1項（還付）に規定する過誤納金に係る登録免許税の納税地は，前項の規定にかかわらず，納税義務者が次の各号に掲げる場合のいずれに該当するかに応じ当該各号に定める所とする。
　一　この法律の施行地（以下「国内」という。）に住所を有する個人である場合　その住所地
　二　国内に住所を有せず居所を有する個人である場合　その居所地
　三　国内に本店又は主たる事務所を有する法人である場合　その本店又は主たる事務所の所在地
　四　前三号に掲げる場合を除き，国内に事務所，営業所その他これらに準ずるものを有する者である場合　その事務所，営業所その他これらに準ずるものの所在地（これらが二以上ある場合には，政令で定める場所）
　五　前各号に掲げる場合以外の場合　政令で定める場所

【── 第2章　課税標準及び税率 ──】

第9条　（課税標準及び税率）
　登録免許税の課税標準及び税率は，この法律に別段の定めがある場合を除くほか，登記等の区分に応じ，別表第1の課税標準欄に掲げる金額又は数量及び同表の税率欄に掲げる割合又は金額による。

第10条　（不動産等の価額）
① 別表第一第1号，第2号又は第4号から第4号の3までに掲げる不動産，船舶，ダム使用権，公共施設等運営権又は樹木採取権の登記又は登録の場合における課税標準たる不動産，船舶，ダム使用権，公共施設等運営権又は樹木採取権（以下この項において「不動産等」という。）の価額は，当該登記又は登録の時における不動産等の価額による。この場合において，当該不動産等の上に所有権以外の権利その他処分の制限が存するときは，当該権利その他処分の制限がないものとした場合の価額による。
② 前項に規定する登記又は登録をする場合において，当該登記又は登録が別表第1第1号又は第2号に掲げる不動産又は船舶の所有権の持分の取得に係るものであるときは，当該不動産又は船舶の価額は，当該不動産又は船舶の同項の規定による価額に当該持分の割合を乗じて計算した金額による。
③ 前項の規定は，所有権以外の権利の持分の取得に係る登記又は登録についての課税標準の額の計算について準用する。

第15条　（課税標準の金額の端数計算）
　別表第1に掲げる登記又は登録に係る課税標準の金額を計算する場合において，その全額が千円に満たないときは，これを千円とする。

第20条　（政令への委任）
　この章に定めるもののほか，登録免許税の課税標準及び税額の計算に関し必要な事項は，政令で定める。

【── 第3章　納付及び還付 ──】

第1節／納付

第21条　（現金納付）
　登記等を受ける者は，この法律に別段

の定めがある場合を除き，当該登記等につき課されるべき登録免許税の額に相当する登録免許税を国に納付し，当該納付に係る領収証書を当該登記等の申請書（当該登記等を受ける者が当該登記等に係る登記官署等の使用に係る電子計算機（入出力装置を含む。以下同じ。）と当該登記等の申請又は嘱託をする者の使用に係る電子計算機とを電気通信回線で接続した電子情報処理組織（以下「電子情報処理組織」という。）を使用して当該登記等の申請を行う場合には，当該登記等に係る登記機関の定める書類。第26条及び第31条第2項を除き，以下同じ。）に貼り付けて当該登記等に係る登記官署等に提出しなければならない。

第22条　（印紙納付）

　登記等（第24条第1項に規定する免許等を除く。）を受ける者は，当該登記等につき課されるべき登録免許税の額が3万円以下である場合その他政令で定める場合には，当該登録免許税の額に相当する金額の印紙を当該登記等の申請書に貼り付けて登記官署等に提出することにより，国に納付することができる。

第23条　（嘱託登記等の場合の納付）

① 　官庁又は公署が別表第1第1号から第31号までに掲げる登記等を受ける者のために当該登記等を登記官署等に嘱託する場合には，当該登記等を受ける者は，当該登記等につき課されるべき登録免許税の額に相当する登録免許税を国に納付し，当該納付に係る領収証書を当該官庁又は公署に提出しなければならない。この場合において，当該官庁又は公署は，当該領収証書を当該登記等の嘱託書（当該官庁又は公署が電子情報処理組織を使用して当該登記等の嘱託を行う場合には，当該登記等に係る登記機関の定める書類。第25条及び第31条第3項において同じ。）に貼り付けて登記官署等に提出するものとする。

② 　前項の場合において，登録免許税の額が3万円以下であるときは，登記等を受ける者は，同項の規定にかかわらず，同項の嘱託する官庁又は公署に対し，当該登録免許税の額に相当する金額の印紙を提出して登録免許税を国に納付することができる。この場合において，当該官庁又は公署は，当該印紙を同項に規定する登記等の嘱託書に貼り付けて登記官署等に提出するものとする。

第24条の2　（電子情報処理組織を使用する方法等による納付の特例）

① 　登記等を受ける者又は次条第1項の規定による委託を受けた納付受託者（第24条の4第1項に規定する納付受託者をいう。次条において同じ。）は，当該登記等につき課されるべき登録免許税の額に相当する登録免許税又は当該委託を受けた登録免許税を，第21条から前条までの規定にかかわらず，電子情報処理組織を使用する方法その他の情報通信の技術を利用する方法であつて財務省令で定めるものにより国に納付することができる。ただし，登記機関が当該財務省令で定める方法による当該登録免許税の額の納付の事実を確認することができない場合として財務省令で定める場合は，この限りでない。

② 　免許等につき課されるべき登録免許税の額に相当する登録免許税を前項に規定する財務省令で定める方法により国に納付する場合には，当該免許等に係る登記機関は，当該免許等につき課されるべき登録免許税の納付の期限を定めなければならない。この場合には，その期限を当該免許等をする日から1月を経過する日後としてはならない。

第2節／還付

第31条 （過誤納金の還付等）

① 登記機関は，次の各号に掲げる場合のいずれかに該当する場合には，遅滞なく，当該各号に定める登録免許税の額その他政令で定める事項を登記等の申請をした者又は登記等を受けた者（これらの者が2人以上ある場合には，そのうち登記機関の選定した者）の当該登録免許税に係る第8条第2項の規定による納税地の所轄税務署長に通知しなければならない。

一　登録免許税を納付して登記等の申請をした者につき当該申請が却下された場合（第4項において準用する第3項の証明をする場合を除く。）　当該納付された登録免許税の額

二　登録免許税を納付して登記等の申請をした者につき当該申請の取下げがあつた場合（第3項の証明をする場合を除く。）　当該納付された登録免許税の額

三　過大に登録免許税を納付して登記等を受けた場合　当該過大に納付した登録免許税の額

② 登記等を受けた者は，当該登記等の申請書（当該登記等が官庁又は公署の嘱託による場合にあつては当該登記等の嘱託書とし，当該登記等が免許等である場合にあつては財務省令で定める書類とする。）に記載した登録免許税の課税標準又は税額の計算が国税に関する法律の規定に従つていなかつたこと又は当該計算に誤りがあつたことにより，登録免許税の過誤納があるときは，当該登記等を受けた日（当該登記等が免許等である場合において，当該免許等に係る第24条第1項又は第24条の2第2項（第24条の3第2項の規定により読み替えて適用する場合を含む。）に規定する期限が当該免許等をした日後であるときは，当該期限）から5年を経過する日までに，政令で定めるところにより，その旨を登記機関に申し出て，前項の通知をすべき旨の請求をすることができる。

③ 登記機関は，登記等を受ける者から登記等の申請の取下げにあわせて，当該登記等の申請書（当該登記等が第23条の官庁又は公署の嘱託による場合にあつては当該登記等の嘱託書とし，当該登記等が免許等である場合にあつては当該登記等に係る登記機関の定める書類とする。次項において同じ。）に貼り付けられた登録免許税の領収証書又は印紙で使用済みの旨の記載又は消印がされたものを当該登記官署等における登記等について当該取下げの日から1年以内に再使用したい旨の申出があつたときは，政令で定めるところにより，当該領収証書又は印紙につき再使用することができる証明をすることができる。この場合には，第5項の申出があつたときを除き，当該証明を受けた領収証書又は印紙に係る登録免許税は，還付しない。

④ 前項の規定は，登記機関が，登記等の却下に伴い当該登記等の申請書を当該申請者に返付する場合において，当該申請書に貼り付けられた登録免許税の領収証書又は印紙で使用済みの旨の記載又は消印がされたものを当該登記官署等における登記等について当該却下の日から1年以内に再使用させることを適当と認めるときについて準用する。

⑤ 第3項（前項において準用する場合を含む。）の証明を受けた者は，当該証明に係る領収証書又は印紙を再使用しないこととなつたときは，当該証明をした登記機関に対し，当該証明のあつた日から1年を経過した日までに，政令で定めるところにより，当該証明を無効とするとともに，当該領収証書で納付した登録免許税又は当該印紙の額に相当する登録免許税の還付を受けたい旨の申出をすることができる。この場合において，当該申出

があつたときは，当該申出を新たな登記等の申請の却下又は取下げとみなして第1項の規定を適用する。

⑥　第24条の2第1項に規定する財務省令で定める方法により登録免許税を納付した者が当該登録免許税の納付に係る登記等を受けることをやめる場合には，当該登録免許税を納付した者は，当該納付した日（第24条の3第1項の規定により当該登録免許税の納付の委託をした者にあつては，当該納付の委託をした日。次項において同じ。）から6月を経過する日までに，政令で定めるところによりその旨を登記機関に申し出て，当該登録免許税の額その他政令で定める事項を当該登録免許税を納付した者の当該登録免許税に係る第8条第2項の規定による納税地の所轄税務署長に対し通知をすべき旨の請求をすることができる。

⑦　第24条の2第1項に規定する財務省令で定める方法により登録免許税を納付した者が当該納付した日から6月を経過する日までに当該登録免許税の納付に係る登記等の申請をしなかつた場合には，前項の請求があつたものとみなす。

⑧　登録免許税の過誤納金に対する国税通則法第56条から第58条まで（還付・充当・還付加算金）の規定の適用については，次の各号に掲げる場合の区分に応じ，当該各号に定める日に納付があつたものとみなす。ただし，当該各号（第2号を除く。）に掲げる場合のいずれかに該当する場合の登録免許税に係る過誤納金のうち当該各号に定める日後に納付された登録免許税の額に相当する部分については，この限りでない。

一　登録免許税を納付して登記等の申請をした者につき当該申請を却下した場合（第4項において準用する第3項の証明をした場合を除く。）当該却下した日

二　第5項の申出があつた場合　当該申出があつた日

三　登録免許税を納付して登記等の申請をした者につき当該申請の取下げがあつた場合（第3項の証明をした場合を除く。）　当該取下げがあつた日

四　過大に登録免許税を納付して登記等を受けた場合　当該登記等を受けた日（当該登記等が免許等である場合において，当該免許等を受けた日が当該免許等に係る第27条第2号に定める期限前であるときは，当該期限）

五　第24条の2第1項に規定する財務省令で定める方法により登録免許税を納付した者が当該登録免許税の納付の基因となる登記等の申請をしなかつた場合　第6項の申出があつた日（同項の申出がなかつた場合には，前項に規定する6月を経過する日）

附　則　（略）

別表第1　課税範囲，課税標準及び税率の表（抄）

登記，登録，特許，免許，許可，認可，認定，指定又は技能証明の事項	課税標準	税率
1　不動産の登記（不動産の信託の登記を含む。） （注）この号において「不動産」とは，土地及び建物並びに立木に関する法律（明治42年法律第22号）第1条第1項（定義）に規定する立木をいう。		
㈠　所有権の保存の登記	不動産の価額	1,000分の4
㈡　所有権の移転の登記		
イ　相続又は法人の合併による移転の登記	不動産の価額	1,000分の4
ロ　共有物の分割による移転の登記	不動産の価額	1,000分の4
ハ　その他の原因による移転の登記	不動産の価額	1,000分の20
㈢　地上権，永小作権，賃借権又は採石権の設定，転貸又は移転の登記		
イ　設定又は転貸の登記	不動産の価額	1,000分の10
ロ　相続又は法人の合併による移転の登記	不動産の価額	1,000分の2
ハ　共有に係る権利の分割による移転の登記	不動産の価額	1,000分の2
ニ　その他の原因による移転の登記	不動産の価額	1,000分の10
㈢の二　配偶者居住権の設定の登記	不動産の価額	1,000分の2
㈣　地役権の設定の登記	承役地の不動産の個数	1個につき1,500円
㈤　先取特権の保存，質権若しくは抵当権の設定，強制競売，担保不動産競売（その例による競売を含む，以下単に「競売」という。），強制管理若しくは担保不動産収益執行に係る差押え，仮差押え，仮処分又は抵当付債権の差押えその他権利の処分の制限の登記	債権金額，極度金額又は不動産工事費用の予算金額	1,000分の4
㈥　先取特権，質権又は抵当権の移転の登記		
イ　相続又は法人の合併による移転の登記	債権金額又は極度金額	1,000分の1
ロ　その他の原因による移転の登記	債権金額又は極度金額	1,000分の2
㈦　根抵当権の一部譲渡又は法人の分割による移転の登記	一部譲渡又は分割後の共有者の数で極度金額を除して計算した金額	1,000分の2
㈧　抵当権の順位の変更の登記	抵当権の件数	1件につき1,000円
㈨　賃借権の先順位抵当権に優先する同意の登記	賃借権及び抵当権の件数	1件につき1,000円
㈩　信託の登記		
イ　所有権の信託の登記	不動産の価額	1,000分の4
ロ　先取特権，質権又は抵当権の信託の登記	債権金額又は極度金額	1,000分の2

ハ　その他の権利の信託の登記	不動産の価額	1,000分の2
(土)　相続財産の分離の登記		
イ　所有権の分離の登記	不動産の価額	1,000分の4
ロ　所有権以外の権利の分離の登記	不動産の価額	1,000分の2
(古)　仮登記		
イ　所有権の保存の仮登記又は保存の請求権の保全のための仮登記	不動産の価額	1,000分の2
ロ　所有権の移転の仮登記又は移転の請求権の保全のための仮登記		
(1)　相続又は法人の合併による移転の仮登記又は移転の請求権の保全のための仮登記	不動産の価額	1,000分の2
(2)　共有物の分割による移転の仮登記又は移転の請求権の保全のための仮登記	不動産の価額	1,000分の2
(3)　その他の原因による移転の仮登記又は移転の請求権の保全のための仮登記	不動産の価額	1,000分の10
ハ　地上権，永小作権，賃借権若しくは採石権の設定，転貸若しくは移転の仮登記又は設定，転貸若しくは移転の請求権の保全のための仮登記		
(1)　設定若しくは転貸の仮登記又は設定若しくは転貸の請求権の保全のための仮登記	不動産の価額	1,000分の5
(2)　相続又は法人の合併による移転の仮登記又は移転の請求権の保全のための仮登記	不動産の価額	1,000分の1
(3)　共有に係る権利の分割による移転の仮登記又は移転の請求権の保全のための仮登記	不動産の価額	1,000分の1
(4)　その他の原因による移転の仮登記又は移転の請求権の保全のための仮登記	不動産の価額	1,000分の5
ニ　配偶者居住権の設定の仮登記	不動産の価額	1,000分の1
ホ　信託の仮登記又は信託の設定の請求権の保全のための仮登記		
(1)　所有権の信託の仮登記又は信託の設定の請求権の保全のための仮登記	不動産の価額	1,000分の2
(2)　先取特権，質権若しくは抵当権の信託の仮登記又は信託の設定の請求権の保全のための仮登記	債権金額又は極度金額	1,000分の1
(3)　その他の権利の信託の仮登記又は信託の設定の請求権の保全のための仮登記	不動産の価額	1,000分の1
ヘ　相続財産の分離の仮登記又は移転の請求権の保全のための仮登記		

登録免許税法（別表1）

(1) 所有権の分離の仮登記又は移転の請求権の保全のための仮登記	不動産の価額	1,000分の2
(2) 所有権以外の権利の分離の仮登記又は移転の請求権の保全のための仮登記	不動産の価額	1,000分の1
ト　その他の仮登記	不動産の個数	1個につき1,000円
(土) 所有権の登記のある不動産の表示の変更の登記で次に掲げるもの		
イ　土地の分筆又は建物の分割若しくは区分による登記事項の変更の登記	分筆又は分割若しくは区分後の不動産の個数	1個につき1,000円
ロ　土地の合筆又は建物の合併による登記事項の変更の登記	合筆又は合併後の不動産の個数	1個につき1,000円
(古) 付記登記，抹消された登記の回復の登記又は登記事項の更正若しくは変更の登記（これらの登記のうち㈠から(土)までに掲げるもの及び土地又は建物の表示に関するものを除く。）	不動産の個数	1個につき1,000円
(古) 登記の抹消（土地又は建物の表題部の登記の抹消を除く。）	不動産の個数	1個につき1,000円
	（同一の申請書により20個を超える不動産について登記の抹消を受ける場合には，申請の件数1件につき2万円）	

32　人の資格の登録若しくは認定又は技能証明 （注）社会保険労務士法（昭和43年法律第89号）第14条の11の3第1項（紛争解決手続代理業務の付記）の規定により社会保険労務士の登録にする紛争解決手続代理業務試験に合格した旨の付記は，新たな当該登録とみなし，作業環境測定法（昭和50年法律第28号）第7条（登録）の第2種作業環境測定士の登録を受けている者が，同法第5条（作業環境測定士の資格）の規定により第1種作業環境測定士となる資格を有することとなつたことに伴い作業環境測定士登録証の書換えの申請をした場合における当該書換えは，新たな同法第7条の第1種作業環境測定士の登録とみなす。		
㈠　公認会計士又は外国公認会計士の登録		
イ　公認会計士法（昭和23年法律第103号）第17条（登録）の公認会計士の登録	登録件数	1件につき60,000円
ロ　公認会計士法第16条の2第1項（外国で資格を有する者の特例）の外国公認会計士の登録	登録件数	1件につき60,000円
㈡　行政書士法（昭和26年法律第4号）第6条第1項（登録）の行政書士の登録	登録件数	1件につき30,000円
（二の二）政治資金規正法（昭和23年法律第194号）第19条の18（登録）の登録政治資金監査人の登録	登録件数	1件につき15,000円
㈢　弁護士法（昭和24年法律第205号）第8条（弁護士の登録）の弁護士の登録	登録件数	1件につき60,000円

登録免許税法（別表１）

(四) 外国弁護士による法律事務の取扱い等に関する法律（昭和61年法律第66号）第25条第１項（登録）の外国法事務弁護士の登録	登録件数	１件につき60,000円
(五) 司法書士の登録又は認定		
イ　司法書士法（昭和25年法律第197号）第８条第１項（司法書士名簿の登録）の司法書士の登録	登録件数	１件につき30,000円
ロ　司法書士法第３条第２項第２号（簡裁訴訟代理等関係業務の認定）の認定	認定件数	１件につき5,000円
(六) 土地家屋調査士の登録又は認定		
イ　土地家屋調査士法（昭和25年法律第228号）第８条第１項（土地家屋調査士名簿の登録）の土地家屋調査士の登録	登録件数	１件につき30,000円
ロ　土地家屋調査士法第３条第２項第２号（民間紛争解決手続代理関係業務の認定）の認定	認定件数	１件につき5,000円
(七) 税理士法（昭和26年法律第237号）第18条（登録）の税理士の登録	登録件数	１件につき60,000円
(八) 技術士法（昭和58年法律第25号）第32条第１項又は第２項（登録）の技術士又は技術士補の登録		
イ　技術士の登録	登録件数	１件につき30,000円
ロ　技術士補の登録	登録件数	１件につき15,000円
(八の二)～(十) （略）		
(十一) 社会保険労務士法による社会保険労務士名簿にする登録		
イ　社会保険労務士法第14条の２第１項（登録）の社会保険労務士の登録	登録件数	１件につき30,000円
ロ　社会保険労務士法第２条第２項（社会保険労務士の業務）の紛争解決手続代理業務試験に合格した旨の付記	申請件数	１件につき5,000円
(十二)～(十七) （略）		
(十八) 不動産鑑定士の登録		
イ　不動産の鑑定評価に関する法律（昭和38年法律第152号）第15条（登録）の不動産鑑定士の登録	登録件数	１件につき60,000円
ロ　不動産の鑑定評価に関する法律第18条（変更の登録）の変更の登録	登録件数	１件につき1,000円
(十九) 建築士法（昭和25年法律第202号）第５条第１項（登録）の１級建築士の登録	登録件数	１件につき60,000円
(二十) （略）		
(二十一) マンションの管理の適正化の推進に関する法律（平成12年法律第149号）第30条第１項（登録）のマンション管理士の登録	登録件数	１件につき9,000円

(ヲ) 測量法（昭和24年法律第188号）第49条第1項（測量士及び測量士補の登録）の測量士又は測量士補の登録 　イ　測量士の登録 　ロ　測量士補の登録	 登録件数 登録件数	 1件につき30,000円 1件につき15,000円	
152　測量業者の登録又は測量士に係る登録養成施設の登録			
(一)　測量法第55条第1項（測量業者の登録）の測量業者の登録（更新の登録及び同法第49条第1項（測量士及び測量士補の登録）の測量士が受ける登録を除く。）	登録件数	1件につき90,000円	
(二)　測量法第50条第3号又は第4号（登録養成施設の登録）の登録（更新の登録を除く。）	登録件数	1件につき90,000円	

別表第2　非課税法人の表（第4条，第5条関係）

名　　称	根　　拠　　法
沖縄振興開発金融公庫	沖縄振興開発金融公庫法（昭和47年法律第31号）
港務局	港湾法
国立大学法人	国立大学法人法（平成15年法律第112号）
大学共同利用機関法人	国立大学法人法
地方公共団体	地方自治法（昭和22年法律第67号）
地方公共団体金融機構	地方公共団体金融機構法（平成19年法律第64号）
地方公共団体情報システム機構	地方公共団体情報システム機構法（平成25年法律第29号）
地方住宅供給公社	地方住宅供給公社法（昭和40年法律第124号）
地方道路公社	地方道路公社法（昭和45年法律第82号）
地方独立行政法人	地方独立行政法人法（平成15年法律第118号）
独立行政法人（その資本金の額又は出資の金額の全部が国又は地方公共団体の所有に属しているもののうち財務大臣が指定をしたものに限る。）	独立行政法人通則法（平成11年法律第103号）及び同法第1条第1項（目的等）に規定する個別法
土地開発公社	公有地の拡大の推進に関する法律（昭和47年法律第66号）
日本下水道事業団	日本下水道事業団法（昭和47年法律第41号）
日本司法支援センター	総合法律支援法（平成16年法律第74号）
日本中央競馬会	日本中央競馬会法（昭和29年法律第205号）
日本年金機構	日本年金機構（平成19年法律第109号）

登録免許税法施行令（抄）

●昭和42年6月26日政令第146号　　最終改正　令和6年3月30日政令144号

第1章　総則

第1条　（用語の定義）

この政令において「登記等」、「登記機関」又は「登記官署等」とは、それぞれ登録免許税法（以下「法」という。）第2条、第5条第2号又は第8条第1項に規定する登記等、登記機関又は登記官署等をいう。

第2条　（職権登記等の非課税）

法第5条第2号に規定する政令で定める登記又は登録は、法別表第1第1号から第32号までに掲げる登記又は登録で、当該登記又は登録を受ける者の申請（官庁又は公署の嘱託を含む。以下同じ。）に基づかないで登記機関が職権によりするもの（当該登録を受ける者の法令の規定に基づく出願、申請、裁定の請求その他の行為によつてした処分に伴い登記機関が職権によりするものを除く。）とする。

第3条　（土地区画整理事業の施行に係る土地等に関する登記で課税するものの範囲）

法第5条第6号に規定する政令で定める登記は、次に掲げる登記とする。

一　土地区画整理組合の参加組合員が土地区画整理法（昭和29年法律第119号）第104条第10項（換地処分の効果）の規定により取得する宅地に係る保存の登記

二　土地区画整理法第2条第1項（定義）に規定する土地区画整理事業の施行者（同法第3条第1項（土地区画整理事業の施行）の規定により宅地について所有権又は借地権を有する者の同意を得て土地区画整理事業を施行する者に限る。）が同法第104条第11項の規定により取得する保留地に係る保存の登記

三　土地区画整理法第2条第1項に規定する土地区画整理事業の施行者が行う同法第104条第11項（大都市地域における住宅及び住宅地の供給の促進に関する特別措置法（昭和50年法律第67号）第21条第2項（公営住宅等の用地）において準用する場合を含む。）の規定により取得された保留地の処分に係る登記

第4条　（市街地再開発事業等の施行に係る土地等に関する登記で課税するものの範囲）

法第5条第7号に規定する政令で定める登記は、次に掲げる登記とする。

一　市街地再開発組合の参加組合員又は都市再開発法（昭和44年法律第38号）第50条の3第1項第5号（規準）若しくは第52条第2項第5号（施行規程）（同法第58条第3項（施行規程）において準用する場合を含む。）に規定する特定事業参加者が取得する同法第2条第6号又は第7号（定義）に規定する施設建築物又は施設建築敷地に関する権利に係る登記、同条第1号に規定する市街地再開発事業の施行者（以下この号において「施行者」という。）が行うこれらの権利の処分に係る登記（同法第118条の11第1項（建築施設の部分による対償の給付）に規定する譲

受け予定者が，同項の規定により給付される建築施設の部分につき受けるものを除く。）及び施行者が行う同法第7条の11第2項（事業計画）に規定する個別利用区内の宅地に関する権利の処分に係る登記

二　住宅街区整備組合の参加組合員が取得する大都市地域における住宅及び住宅地の供給の促進に関する特別措置法第28条第4号又は第5号（定義）に規定する施設住宅又は施設住宅敷地に関する権利に係る登記及び同法第2条第4号（定義）に規定する住宅街区整備事業の施行者が行うこれらの権利の処分に係る登記

三　防災街区整備事業組合の参加組合員又は密集市街地における防災街区の整備の促進に関する法律（平成9年法律第49号）第166条第1項第5号（規準）若しくは第180条第2項第5号（施行規程）（同法第188条第3項（施行規程）において準用する場合を含む。）に規定する特定事業参加者が取得する同法第117条第5号又は第6号（定義）に規定する防災施設建築物又は防災施設建築敷地に関する権利に係る登記並びに同法第2条第5号（定義）に規定する防災街区整備事業の施行者が行うこれらの権利及び同法第124条第2項（事業計画）に規定する個別利用区内の宅地に関する権利の処分に係る登記

第6条　（特殊な場合の納税地）

①　法第8条第1項に規定する政令で定める場所は，麹町税務署の管轄区域内の場所とする。

②　法第8条第2項第4号に規定する政令で定める場所は，登記等の申請書（当該登記等が官庁又は公署の嘱託による場合には，当該登記等の嘱託書。次条において同じ。）に記載された当該登記等を受ける者の法施行地内にある事務所，営業所その他これらに準ずるものの所在地とする。

③　法第8条第2項第5号に規定する政令で定める場所は，その登記等に係る登記官署等の所在地とする。

第2章　課税標準及び税率

第9条　（共有物の分割による移転登記等の場合の課税標準）

①　共有物である土地の所有権の移転の登記において法第17条第1項又は別表第1第1号㈡ロ若しくは㈦ロ⑵の規定の適用がある場合におけるその共有物について有していた所有権の持分に応じた価額に対応する部分は，当該共有物の分割による所有権の持分の移転の登記に係る土地（以下この項において「対象土地」という。）につき当該登記（以下この項において「対象登記」という。）の直前に分筆による登記事項の変更の登記（以下この項において「分筆登記」という。）がされている場合であつて当該対象登記が当該分筆登記に係る他の土地の全部又は一部の所有権の持分の移転の登記（当該共有物の分割によるものに限る。以下この項において「他の持分移転登記」という。）と同時に申請されたときの当該対象土地の所有権の持分の移転に係る土地の価額のうち当該他の持分移転登記において減少する当該他の土地の所有権の持分の価額に応じた当該対象土地の持分の価額に対応する部分とする。

②　前項の規定は，共有物である建物の所有権又は共有に係る地上権，永小作権，賃借権若しくは採石権の分割の登記を行う場合について準用する。

第3章　納付及び還付

第28条　（現金納付の場合の収納機関の指定）

①　法務局又は地方法務局の長は，その指定する登記所においてつかさどる登記又は登録に係る登録免許税で法第21条又は

第23条第1項（これらの規定を法第35条第4項の規定により読み替えて適用する場合を含む。次項において同じ。）の規定により納付すべきものについて必要があると認める場合には，その収納機関（日本銀行及び国税の収納を行うその代理店をいう。以下この章において同じ。）を指定することができる。
② 前項の登記所において受ける登記又は登録に係る登録免許税で法第21条又は第23条第1項の規定により国に納付するものは，前項の規定により指定された収納機関に納付しなければならない。
③ 法務局又は地方法務局の長は，第1項の指定をしたときは，その旨並びに当該指定に係る収納機関の名称及び所在地を当該登記所に公示しなければならない。

第29条 （印紙納付ができる場合）

法第22条に規定する政令で定める場合は，次に掲げる場合とする。
一 登記所の近傍に収納機関が存在しないため当該登記所においてつかさどる登記又は登録に係る登録免許税を法第21条（法第35条第4項の規定により読み替えて適用する場合を含む。）の規定により納付することが困難であると法務局又は地方法務局の長が認めてその旨を当該登記所に公示した場合
二 登記等につき課されるべき登録免許税の額の3万円未満の端数の部分の登録免許税を納付する場合
三 前二号に掲げる場合のほか，印紙により登録免許税を納付することにつき特別の事情があると登記機関が認めた場合

第31条 （過誤納金の還付等）

① 法第31条第1項に規定する政令で定める事項は，次に掲げる事項とする。
一 納付した登録免許税の額が過誤納となつた理由が法第31条第1項各号に掲げる場合のいずれに該当するかの別及びその該当することとなつた日
二 過誤納となつた登録免許税の納付方法（法第21条，第23条第1項，第24条若しくは第26条第2項の規定により納付した登録免許税又は法第24条の2第1項に規定する財務省令で定める方法により納付した登録免許税については，その納付した収納機関の名称）
三 法第31条第1項の通知をする登記機関の官職及び氏名
四 当該登録免許税に係る登記官署等の名称及びその所在地
五 登記等の申請をした者又は登記等を受けた者の氏名又は名称及びこれらの登記等に係る登録免許税の法第8条第2項の規定による納税地
六 法第31条第2項に規定する請求又は同条第5項の申出に基づき同条第1項の通知をする場合には，当該請求又は申出があつた旨及び当該請求又は申出があつた日並びに次項第5号に掲げる事項
② 法第31条第2項の規定により同条第1項の通知をすべき旨の請求をしようとする者は，次に掲げる事項を記載した請求書を登記等を受けた登記機関に提出しなければならない。
一 法第31条第2項に規定する申請書に記載した登録免許税の課税標準及び税額
二 前号の課税標準及び税額の計算が国税に関する法律の規定に従つて計算されていなかつたこと又は当該計算に誤りがあつたことにより過大となつた登録免許税の課税標準及び税額
三 当該請求をする理由及び当該請求をするに至つた事情の詳細
四 前項第2号に掲げる事項（法第24条の3第1項の規定により納付の委託をした場合にあつては，その旨）及び前項第5号に掲げる事項

五　当該請求に係る登録免許税の還付のための支払を受けようとする銀行又は郵便局（簡易郵便局法（昭和24年法律第213号）第2条（定義）に規定する郵便窓口業務を行う日本郵便株式会社の営業所であつて郵政民営化法（平成17年法律第97号）第94条（定義）に規定する郵便貯金銀行を銀行法（昭和56年法律第59号）第2条第16項（定義等）に規定する所属銀行とする同条第14項に規定する銀行代理業の業務を行うものをいう。次項第5号において同じ。）の名称及び所在地
　六　その他参考となるべき事項
③　法第31条第6項の規定により同項の通知をすべき旨の請求をしようとする者は、次に掲げる事項を記載した請求書を同項の登記等に係る登記機関に提出しなければならない。
　一　法第24条の2第1項に規定する財務省令で定める方法により納付した登録免許税の税額
　二　当該請求をする理由及び当該請求をするに至つた事情の詳細
　三　当該登録免許税の納付に係る登記等を受けることをやめる者の氏名又は名称及び当該登記等に係る登録免許税の法第8条第2項の規定による納税地
　四　当該登録免許税を納付した収納機関の名称及び納付した日（法第24条の3第1項の規定により納付の委託をした場合にあつては、その納付の委託をした日）
　五　当該請求に係る登録免許税の還付のための支払を受けようとする銀行又は郵便局の名称及び所在地
　六　その他参考となるべき事項
④　法第31条第6項に規定する政令で定める事項は、次に掲げる事項とする。
　一　納付した登録免許税に係る登記等を受けることをやめる日及びその理由
　二　前項第3号に掲げる事項
　三　当該登録免許税を納付した収納機関の名称及び納付した日
　四　法第31条第6項の通知をする登記機関の官職及び氏名
　五　当該登録免許税に係る登記官署等の名称及びその所在地
　六　法第31条第6項に規定する請求（同条第7項の規定により請求があつたものとみなされる場合を含む。）があつた旨及び当該請求があつた日並びに前項第5号に掲げる事項

第32条　（使用済みの印紙等の再使用証明書等）
①　法第31条第3項の規定により登録免許税の領収証書又は印紙で使用済みの旨の記載又は消印がされたものにつき再使用することができる証明を受けようとする者は、登記等の申請の取下げの申出と同時に当該領収証書又は印紙を再使用したい旨を記載した書類を登記機関に提出しなければならない。
②　登記機関は、前項の書類の提出があつた場合には、登録免許税の領収証書又は印紙で使用済みの旨の記載又は消印がされたものにつき再使用することができる証明をしなければならない。ただし、当該領収証書又は印紙を再使用させることが適当でないと認める特別な事情がある場合は、この限りでない。
③　法第31条第5項の規定により登録免許税の還付を受けようとする者は、当該還付を受けたい旨及び次に掲げる事項を記載した申請書に前項に規定する証明がされた領収証書又は印紙を添付して当該証明をした登記機関に提出しなければならない。
　一　還付を受けようとする登録免許税の額
　二　前条第2項第4号及び第5号に掲げる事項
　三　その他参考となるべき事項

附　則 （略）

国税通則法（抄）

●昭和37年4月2日法律第66号●　　最終改正　令和6年6月7日法46号

第1章　総則

第1節／通則

第1条　（目的）
　この法律は，国税についての基本的な事項及び共通的な事項を定め，税法の体系的な構成を整備し，かつ，国税に関する法律関係を明確にするとともに，税務行政の公正な運営を図り，もつて国民の納税義務の適正かつ円滑な履行に資することを目的とする。

第3章　国税の納付及び徴収

第1節／国税の納付

第34条　（納付の手続）
① 国税を納付しようとする者は，その税額に相当する金銭に納付書（納税告知書の送達を受けた場合には，納税告知書）を添えて，これを日本銀行（国税の収納を行う代理店を含む。）又はその国税の収納を行う税務署の職員に納付しなければならない。ただし，証券をもつてする歳入納付に関する法律（大正5年法律第10号）の定めるところにより証券で納付すること又は財務省令で定めるところによりあらかじめ税務署長に届け出た場合に財務省令で定める方法により納付すること（自動車重量税（自動車重量税法（昭和46年法律第89号）第14条（税務署長による徴収）の規定により税務署長が徴収するものとされているものを除く。）又は登録免許税（登録免許税法（昭和42年法律第35号）第29条（税務署長による徴収）の規定により税務署長が徴収するものとされているものを除く。）の納付にあつては，自動車重量税法第10条の2（電子情報処理組織を使用する方法等による納付の特例）又は登録免許税法第24条の2（電子情報処理組織を使用する方法等による納付の特例）に規定する財務省令で定める方法により納付すること）を妨げない。

② 印紙で納付すべきものとされている国税は，前項の規定にかかわらず，国税に関する法律の定めるところにより，その税額に相当する印紙をはることにより納付するものとする。印紙で納付することができるものとされている国税を印紙で納付する場合も，また同様とする。

③ 物納の許可があつた国税は，第1項の規定にかかわらず，国税に関する法律の定めるところにより，物納をすることができる。

④ （略）

第8章　不服審査及び訴訟

第1節／不服審査

第1款／総則

第75条　（国税に関する処分についての不服申立て）
① 国税に関する法律に基づく処分で次の各号に掲げるものに不服がある者は，当該各号に定める不服申立てをすることができる。

一　税務署長，国税局長又は税関長がした処分（次項に規定する処分を除く。）

次に掲げる不服申立てのうちその処分に不服がある者の選択するいずれかの不服申立て
　イ　その処分をした税務署長、国税局長又は税関長に対する再調査の請求
　ロ　国税不服審判所長に対する審査請求
二　国税庁長官がした処分　国税庁長官に対する審査請求
三　国税庁、国税局、税務署及び税関以外の行政機関の長又はその職員がした処分　国税不服審判所長に対する審査請求
②〜⑥　（略）

第77条　（不服申立期間）

①　不服申立て（第75条第3項及び第4項（再調査の請求後にする審査請求）の規定による審査請求を除く。第3項において同じ。）は、処分があつたことを知つた日（処分に係る通知を受けた場合には、その受けた日）の翌日から起算して3月を経過したときは、することができない。ただし、正当な理由があるときは、この限りでない。
②　（略）
③　不服申立ては、処分があつた日の翌日から起算して1年を経過したときは、することができない。ただし、正当な理由があるときは、この限りでない。
④・⑤　（略）

第77条の2　（標準審理期間）

国税庁長官、国税不服審判所長、国税局長、税務署長又は税関長は、不服申立てがその事務所に到達してから当該不服申立てについての決定又は裁決をするまでに通常要すべき標準的な期間を定めるよう努めるとともに、これを定めたときは、その事務所における備付けその他の適当な方法により公にしておかなければならない。

第3款／審査請求

第95条の2　（口頭意見陳述）

①　審査請求人又は参加人の申立てがあつた場合には、担当審判官は、当該申立てをした者に口頭で審査請求に係る事件に関する意見を述べる機会を与えなければならない。
②　前項の規定による意見の陳述（次項及び第97条の4第2項第2号（審理手続の終結）において「口頭意見陳述」という。）に際し、前項の申立てをした者は、担当審判官の許可を得て、審査請求に係る事件に関し、原処分庁に対して、質問を発することができる。
③〜④　（略）

第96条　（証拠書類等の提出）

①　審査請求人又は参加人は、証拠書類又は証拠物を提出することができる。
②　原処分庁は、当該処分の理由となる事実を証する書類その他の物件を提出することができる。
③　（略）

第97条　（審理のための質問、検査等）

①　担当審判官は、審理を行うため必要があるときは、審理関係人の申立てにより、又は職権で、次に掲げる行為をすることができる。
一　審査請求人若しくは原処分庁（第4項において「審査請求人等」という。）又は関係人その他の参考人に質問すること。
二　前号に規定する者の帳簿書類その他の物件につき、その所有者、所持者若しくは保管者に対し、相当の期間を定めて、当該物件の提出を求め、又はこれらの者が提出した物件を留め置くこと。
三・四　（略）

② ～ ⑤ （略）

第97条の3 （審理関係人による物件の閲覧等）

① 審理関係人は、次条第1項又は第2項の規定により審理手続が終結するまでの間、担当審判官に対し、第96条第1項若しくは第2項（証拠書類等の提出）又は第97条第1項第2号（審理のための質問、検査等）の規定により提出された書類その他の物件の閲覧（電磁的記録にあつては、記録された事項を財務省令で定めるところにより表示したものの閲覧）又は当該書類の写し若しくは当該電磁的記録に記録された事項を記載した書面の交付を求めることができる。この場合において、担当審判官は、第三者の利益を害するおそれがあると認めるとき、その他正当な理由があるときでなければ、その閲覧又は交付を拒むことができない。

② ～ ⑤ （略）

第9章　雑則

第118条 （国税の課税標準の端数計算等）

① 国税（印紙税及び附帯税を除く。以下この条において同じ。）の課税標準（その税率の適用上課税標準から控除する金額があるときは、これを控除した金額。以下この条において同じ。）を計算する場合において、その額に千円未満の端数があるとき、又はその全額が千円未満であるときは、その端数金額又はその全額を切り捨てる。

② 政令で定める国税の課税標準については、前項の規定にかかわらず、その課税標準に1円未満の端数があるとき、又はその全額が1円未満であるときは、その端数金額又はその全額を切り捨てる。

③ 附帯税の額を計算する場合において、その計算の基礎となる税額に1万円未満の端数があるとき、又はその税額の全額が1万円未満であるときは、その端数金額又はその全額を切り捨てる。

第119条 （国税の確定金額の端数計算等）

① 国税（自動車重量税、印紙税及び附帯税を除く。以下この条において同じ。）の確定金額に100円未満の端数があるとき、又はその全額が100円未満であるときは、その端数金額又はその全額を切り捨てる。

② 政令で定める国税の確定金額については、前項の規定にかかわらず、その確定金額に1円未満の端数があるとき、又はその全額が1円未満であるときは、その端数金額又はその全額を切り捨てる。

③ 国税の確定金額を、二以上の納付の期限を定め、一定の金額に分割して納付することとされている場合において、その納付の期限ごとの分割金額に千円未満（前項に規定する国税に係るものについては、1円未満）の端数があるときは、その端数金額は、すべて最初の納付の期限に係る分割金額に合算するものとする。

④ 附帯税の確定金額に100円未満の端数があるとき、又はその全額が千円未満（加算税に係るものについては、5千円未満）であるときは、その端数金額又はその全額を切り捨てる。

附　則　（略）

地方税法（抄）

●昭和25年7月31日法律第226号●

最終改正　令和6年6月26日法65号

第3章　市町村の普通税

第2節／固定資産税

第1款／通則

第343条　（固定資産税の納税義務者等）

① 固定資産税は，固定資産の所有者（質権又は100年より永い存続期間の定めのある地上権の目的である土地については，その質権者又は地上権者とする。以下固定資産税について同様とする。）に課する。

② 前項の所有者とは，土地又は家屋については，登記簿又は土地補充課税台帳若しくは家屋補充課税台帳に所有者（区分所有に係る家屋については，当該家屋に係る建物の区分所有等に関する法律第2条第2項の区分所有者とする。以下固定資産税について同様とする。）として登記又は登録がされている者をいう。この場合において，所有者として登記又は登録がされている個人が賦課期日前に死亡しているとき，若しくは所有者として登記又は登録がされている法人が同日前に消滅しているとき，又は所有者として登記されている第348条第1項の者が同日前に所有者でなくなつているときは，同日において当該土地又は家屋を現に所有している者をいうものとする。

③ 第1項の所有者とは，償却資産については，償却資産課税台帳に所有者として登録されている者をいう。

④ 市町村は，固定資産の所有者の所在が震災，風水害，火災その他の事由により不明である場合には，その使用者を所有者とみなして，固定資産課税台帳に登録し，その者に固定資産税を課することができる。この場合において，当該市町村は，当該登録をしようとするときは，あらかじめ，その旨を当該使用者に通知しなければならない。

⑤ 市町村は，相当な努力が払われたと認められるものとして政令で定める方法により探索を行ってもなお固定資産の所有者の存在が不明である場合（前項に規定する場合を除く。）には，その使用者を所有者とみなして，固定資産課税台帳に登録し，その者に固定資産税を課することができる。この場合において，当該市町村は，当該登録をしようとするときは，あらかじめ，その旨を当該使用者に通知しなければならない。

⑥ 農地法第45条第1項若しくは農地法等の一部を改正する法律（平成21年法律第57号）附則第8条第1項の規定によりなお従前の例によることとされる同法第1条の規定による改正前の農地法第78条第1項の規定により農林水産大臣が管理する土地又は旧相続税法（昭和22年法律第87号）第52条，相続税法第41条若しくは第48条の2，所得税法の一部を改正する法律（昭和26年法律第63号）による改正前の所得税法第57条の4，戦時補償特別措置法（昭和21年法律第38号）第23条若しくは財産税法（昭和21年法律第52号）第56条の規定により国が収納した農地については，買収し，又は収納した日から国が当該土地又は農地を他人に売り渡し，その所有権が売渡しの相手方に移転する

日までの間はその使用者をもつて，その日後当該売渡しの相手方が登記簿に所有者として登記される日までの間はその売渡しの相手方をもつて，それぞれ第1項の所有者とみなす。

⑦　土地区画整理法による土地区画整理事業（農住組合法第8条第1項の規定により土地区画整理法の規定が適用される農住組合法第7条第1項第1号の事業及び密集市街地における防災街区の整備の促進に関する法律第46条第1項の規定により土地区画整理法の規定が適用される密集市街地における防災街区の整備の促進に関する法律第45条第1項第1号の事業並びに大都市地域における住宅及び住宅地の供給の促進に関する特別措置法による住宅街区整備事業を含む。以下この項において同じ。）又は土地改良法による土地改良事業の施行に係る土地については，法令若しくは規約等の定めるところにより仮換地，一時利用地その他の仮に使用し，若しくは収益することができる土地（以下この項，第349条の3の3第3項及び第381条第8項において「仮換地等」と総称する。）の指定があつた場合又は土地区画整理法による土地区画整理事業の施行者が同法第100条の2（農住組合法第8条第1項及び密集市街地における防災街区の整備の促進に関する法律第46条第1項において適用する場合並びに大都市地域における住宅及び住宅地の供給の促進に関する特別措置法第83条において準用する場合を含む。）の規定により管理する土地で当該施行者以外の者が仮に使用するもの（以下この項及び第381条第8項において「仮使用地」という。）がある場合には，当該仮換地等又は仮使用地について使用し，又は収益することができることとなつた日から換地処分の公告がある日又は換地計画の認可の公告がある日までの間は，仮換地等にあつては当該仮換地等に対応する従前の土地について登記簿又は土地補充課税台帳に所有者として登記又は登録がされている者をもつて，仮使用地にあつては土地区画整理法による土地区画整理事業の施行者以外の仮使用地の使用者をもつて，それぞれ当該仮換地等又は仮使用地に係る第1項の所有者とみなし，換地処分の公告があつた日又は換地計画の認可の公告があつた日から換地又は保留地を取得した者が登記簿に当該換地又は保留地に係る所有者として登記される日までの間は，当該換地又は保留地を取得した者をもつて当該換地又は保留地に係る同項の所有者とみなすことができる。

⑧　公有水面埋立法（大正10年法律第57号）第23条第1項の規定により使用する埋立地若しくは干拓地（以下この項において「埋立地等」という。）又は国が埋立て若しくは干拓により造成する埋立地等（同法第42条第2項の規定による通知前の埋立地等に限る。以下この項において同じ。）で工作物を設置し，その他土地を使用する場合と同様の状態で使用されているもの（埋立又は干拓に関する工事に関して使用されているものを除く。）については，これらの埋立地等をもつて土地とみなし，これらの埋立地等のうち，都道府県，市町村，特別区，これらの組合，財産区及び合併特例区（以下この項において「都道府県等」という。）以外の者が同法第23条第1項の規定により使用する埋立地等にあつては，当該埋立地等を使用する者をもつて当該埋立地等に係る第1項の所有者とみなし，都道府県等が同条第1項の規定により使用し，又は国が埋立て若しくは干拓により造成する埋立地等にあつては，都道府県等又は国が当該埋立地等を都道府県等又は国以外の者に使用させている場合に限り，当該埋立地等を使用する者（土地改良法第87条の2第1項の規定により国又は都道府県が行う同項第1号の事業により造成

された埋立地等を使用する者で政令で定めるものを除く。）をもつて当該埋立地等に係る第1項の所有者とみなし，これらの埋立地等が隣接する土地の所在する市町村をもつてこれらの埋立地等が所在する市町村とみなして固定資産税を課することができる。

⑨ 信託会社（金融機関の信託業務の兼営等に関する法律（昭和18年法律第43号）により同法第1条第1項に規定する信託業務を営む同項に規定する金融機関を含む。以下この項において同じ。）が信託の引受けをした償却資産で，その信託行為の定めるところにしたがい当該信託会社が他の者にこれを譲渡することを条件として当該他の者に賃貸しているものについては，当該償却資産が当該他の者の事業の用に供するものであるときは，当該他の者をもつて第1項の所有者とみなす。

⑩ 家屋の附帯設備（家屋のうち附帯設備に属する部分その他総務省令で定めるものを含む。）であつて，当該家屋の所有者以外の者がその事業の用に供するため取り付けたものであり，かつ，当該家屋に付合したことにより当該家屋の所有者が所有することとなつたもの（以下この項において「特定附帯設備」という。）については，当該取り付けた者の事業の用に供することができる資産である場合に限り，当該取り付けた者をもつて第1項の所有者とみなし，当該特定附帯設備のうち家屋に属する部分は家屋以外の資産とみなして固定資産税を課することができる。

第348条　（固定資産税の非課税の範囲）

① 市町村は，国並びに都道府県，市町村，特別区，これらの組合，財産区及び合併特例区に対しては，固定資産税を課することができない。
② 固定資産税は，次に掲げる固定資産に対しては課することができない。ただし，固定資産を有料で借り受けた者がこれを次に掲げる固定資産として使用する場合においては，当該固定資産の所有者に課することができる。
一　国並びに都道府県，市町村，特別区，これらの組合及び財産区が公用又は公共の用に供する固定資産
一の二　皇室経済法第7条に規定する皇位とともに伝わるべき由緒ある物である固定資産
二　独立行政法人水資源機構，土地改良区，土地改良区連合及び土地開発公社が直接その本来の事業の用に供する固定資産で政令で定めるもの
二の二～二の四　削除
二の五　鉄道事業法第7条第1項に規定する鉄道事業者又は軌道法（大正10年法律第76号）第4条に規定する軌道経営者が都市計画法（昭和43年法律第100号）第5条の規定により指定された都市計画区域のうち政令で定める市街地の区域又は政令で定める公共の用に供する飛行場の区域及びその周辺の区域のうち政令で定める区域において直接鉄道事業又は軌道経営の用に供するトンネルで政令で定めるもの
二の六　公共の危害防止のために設置された鉄道事業又は軌道経営の用に供する踏切道及び踏切保安装置
二の七　既設の鉄道（鉄道事業法第2条第6項に規定する専用鉄道を除く。）若しくは既設の軌道と道路とを立体交差させるために新たに建設された立体交差化施設で政令で定めるもの，公共の用に供する飛行場の滑走路の延長に伴い新たに建設された立体交差化施設又は道路の改築に伴い改良された既設の立体交差化施設で政令で定めるもののうち，線路設備，電路設備その他の構築物で政令で定めるもの
二の八　鉄道事業法第7条第1項に規定

する鉄道事業者又は軌道法第4条に規定する軌道経営者が都市計画法第7条第1項の規定により定められた市街化区域内において鉄道事業又は軌道経営の用に供する地下道又は跨線道路橋で，政令で定めるもの
三　宗教法人が専らその本来の用に供する宗教法人法第3条に規定する境内建物及び境内地（旧宗教法人令の規定による宗教法人のこれに相当する建物，工作物及び土地を含む。）
四　墓地
五　公共の用に供する道路，運河用地及び水道用地
六～四十五　（略）
③～⑤　（略）
⑥　市町村は，非課税独立行政法人が所有する固定資産（当該固定資産を所有する非課税独立行政法人以外の者が使用しているものその他の政令で定めるものを除く。），国立大学法人等が所有する固定資産（当該固定資産を所有する国立大学法人等以外の者が使用しているものを除く。）及び日本年金機構が所有する固定資産（日本年金機構以外の者が使用しているものを除く。）に対しては，固定資産税を課することができない。
⑦・⑧　（略）
⑨　市町村は，外国の政府が所有する次に掲げる施設の用に供する固定資産に対しては，固定資産税を課することができない。ただし，第3号に掲げる施設の用に供する固定資産については，外国が固定資産税に相当する税を当該外国において日本国の同号に掲げる施設の用に供する固定資産に対して課する場合においては，この限りでない。
一　大使館，公使館又は領事館
二　専ら大使館，公使館若しくは領事館の長又は大使館若しくは公使館の職員の居住の用に供する施設
三　専ら領事館の職員の居住の用に供する施設
⑩　市町村長は，当該年度の前年度分の固定資産税について第2項本文又は第4項から前項までの規定の適用を受けた固定資産で当該年度において新たに固定資産税を課することとなるものがある場合においては，第411条第1項の規定による固定資産の価格等の登録後遅滞なく，その旨を当該固定資産に対して課する固定資産税の納税義務者に通知するように努めなければならない。

第4款／固定資産課税台帳

第380条　（固定資産課税台帳等の備付け）
①　市町村は，固定資産の状況及び固定資産税の課税標準である固定資産の価格を明らかにするため，固定資産課税台帳を備えなければならない。
②　市町村は，総務省令で定めるところにより，前項の固定資産課税台帳の全部又は一部の備付けを電磁的記録（電子的方式，磁気的方式その他の人の知覚によつては認識することができない方式で作られる記録であつて，電子計算機による情報処理の用に供されるものをいう。以下本節において同じ。）の備付けをもつて行うことができる。
③　市町村は，第1項の固定資産課税台帳のほか，当該市町村の条例の定めるところによつて，地籍図，土地使用図，土壌分類図，家屋見取図，固定資産売買記録簿その他固定資産の評価に関して必要な資料を備えて逐次これを整えなければならない。

第381条　（固定資産課税台帳の登録事項）
①　市町村長は，土地課税台帳に，総務省令で定めるところにより，登記簿に登記されている土地について不動産登記法第27条第3号及び第34条第1項各号に掲げる登記事項，所有権，質権及び100年より長い存続期間の定めのある地上権の登

記名義人の住所及び氏名又は名称並びに当該土地の基準年度の価格又は比準価格（第343条第2項後段，第4項及び第5項の場合には，これらの規定により固定資産税を課されることとなる者の住所及び氏名又は名称並びにその基準年度の価格又は比準価格）を登録しなければならない。

② 市町村長は，土地補充課税台帳に，総務省令で定めるところにより，登記簿に登記されていない土地でこの法律の規定により固定資産税を課することができるものの所有者の住所及び氏名又は名称並びにその所在，地番，地目，地積及び基準年度の価格又は比準価格を登録しなければならない。

③ 市町村長は，家屋課税台帳に，総務省令で定めるところにより，登記簿に登記されている家屋について不動産登記法第27条第3号及び第44条第1項各号に掲げる登記事項，所有権の登記名義人の住所及び氏名又は名称並びに当該家屋の基準年度の価格又は比準価格（第343条第2項後段，第4項及び第5項の場合には，これらの規定により固定資産税を課されることとなる者の住所及び氏名又は名称並びにその基準年度の価格又は比準価格）を登録しなければならない。

④ 市町村長は，家屋補充課税台帳に，総務省令で定めるところにより，登記簿に登記されている家屋以外の家屋でこの法律の規定により固定資産税を課することができるものの所有者の住所及び氏名又は名称並びにその所在，家屋番号，種類，構造，床面積及び基準年度の価格又は比準価格を登録しなければならない。

⑤ 市町村長は，償却資産課税台帳に，総務省令で定めるところにより，償却資産の所有者（第343条第9項及び第10項の場合には，これらの規定により所有者とみなされる者とする。第383条並びに第742条第1項及び第3項において同じ。）の住所及び氏名又は名称並びにその所在，種類，数量及び価格を登録しなければならない。

⑥ 市町村長は，前各項に定めるもののほか，第349条の3，第349条の3の2又は第349条の3の4の規定の適用を受ける固定資産については当該固定資産の価格にこれらの規定に定める率を乗じて得た金額を，第349条の4又は第349条の5の規定の適用を受ける償却資産についてはこれらの規定により市町村が固定資産税の課税標準とすべき金額を固定資産課税台帳に登録しなければならない。

⑦ 市町村長は，登記簿に登記されるべき土地又は家屋が登記されていないため，又は地目その他登記されている事項が事実と相違するため課税上支障があると認める場合には，当該土地又は家屋の所在地を管轄する登記所にそのすべき登記又は登記されている事項の修正その他の措置をとるべきことを申し出ることができる。この場合において，当該登記所は，その申出を相当と認めるときは，遅滞なく，その申出に係る登記又は登記されている事項の修正その他の措置をとり，その申出を相当でないと認めるときは，遅滞なく，その旨を市町村長に通知しなければならない。

⑧ 市町村長は，第343条第7項の規定に基づいて仮換地等，仮使用地，保留地又は換地に係る同条第1項の所有者とみなされる者に対して固定資産税を課する場合において，総務省令で定めるところにより，当該仮換地等，仮使用地，保留地又は換地の所有者とみなされる者の住所，氏名又は名称並びにその所在，地目，地積及び基準年度の価格又は比準価格を別紙に登録して，これを当該仮換地等若しくは換地に対応する従前の土地又は仮使用地若しくは保留地が登録されている土地課税台帳又は土地補充課税台帳に添付しなければならない。この場合において，

当該従前の土地又は仮使用地若しくは保留地については，第1項及び第2項の規定にかかわらず，土地課税台帳又は土地補充課税台帳に基準年度の価格又は比準価格を登録することを要しないものとし，当該土地課税台帳又は土地補充課税台帳に添付した別紙は，この法律の規定の適用については，土地補充課税台帳とみなす。

⑨　市町村は，総務省令で定めるところにより，前項の別紙の作成を電磁的記録の作成をもつて行うことができる。

第5款／固定資産の評価及び価格の決定

第422条の3（土地又は家屋の基準年度の価格又は比準価格の登記所への通知）

　市町村長は，第410条第1項，第417条，第419条第2項又は第435条第2項の規定によつて，土地及び家屋の基準年度の価格又は比準価格を決定し，又は修正した場合においては，その基準年度の価格又は比準価格その他法務省令で定める事項を，遅滞なく，当該決定又は修正に係る土地又は家屋の所在地を管轄する登記所に通知しなければならない。

　　附　則（略）

印紙税法（抄）

●昭和42年5月31日法律第23号●　最終改正　令和3年6月16日法70号

第1章　総則

第1条　（趣旨）
　この法律は，印紙税の課税物件，納税義務者，課税標準，税率，納付及び申告の手続その他印紙税の納税義務の履行について必要な事項を定めるものとする。

第2条　（課税物件）
　別表第1の課税物件の欄に掲げる文書には，この法律により，印紙税を課する。

第3条　（納税義務者）
① 別表第1の課税物件の欄に掲げる文書のうち，第5条の規定により印紙税を課さないものとされる文書以外の文書（以下「課税文書」という。）の作成者は，その作成した課税文書につき，印紙税を納める義務がある。
② 一の課税文書を二以上の者が共同して作成した場合には，当該二以上の者は，その作成した課税文書につき，連帯して印紙税を納める義務がある。

第4条　（課税文書の作成とみなす場合等）
① 別表第1第3号に掲げる約束手形又は為替手形で手形金額の記載のないものにつき手形金額の補充がされた場合には，当該補充をした者が，当該補充をした時に，同号に掲げる約束手形又は為替手形を作成したものとみなす。
② 別表第1第18号から第20号までの課税文書を1年以上にわたり継続して使用する場合には，当該課税文書を作成した日から1年を経過した日以後最初の付込みをした時に，当該課税文書を新たに作成したものとみなす。
③ 一の文書（別表第1第3号から第6号まで，第9号及び第18号から第20号までに掲げる文書を除く。）に，同表第1号から第17号までの課税文書（同表第3号から第6号まで及び第9号の課税文書を除く。）により証されるべき事項の追記をした場合又は同表第18号若しくは第19号の課税文書として使用するための付込みをした場合には，当該追記又は付込みをした者が，当該追記又は付込みをした時に，当該追記又は付込みに係る事項を記載した課税文書を新たに作成したものとみなす。
④ 別表第1第19号又は第20号の課税文書（以下この項において「通帳等」という。）に次の各号に掲げる事項の付込みがされた場合において，当該付込みがされた事項に係る記載金額（同表の課税物件表の適用に関する通則4に規定する記載金額をいう。第9条第3項において同じ。）が当該各号に掲げる金額であるときは，当該付込みがされた事項に係る部分については，当該通帳等への付込みがなく，当該各号に規定する課税文書の作成があつたものとみなす。
一　別表第1第1号の課税文書により証されるべき事項　10万円を超える金額
二　別表第1第2号の課税文書により証されるべき事項　100万円を超える金額
三　別表第1第17号の課税文書（物件名の欄1に掲げる受取書に限る。）により証されるべき事項　100万円を超え

る金額
⑤　次条第2号に規定する者（以下この条において「国等」という。）と国等以外の者とが共同して作成した文書については，国等又は公証人法（明治41年法律第53号）に規定する公証人が保存するものは国等以外の者が作成したものとみなし，国等以外の者（公証人を除く。）が保存するものは国等が作成したものとみなす。
⑥　前項の規定は，次条第3号に規定する者とその他の者（国等を除く。）とが共同して作成した文書で同号に規定するものについて準用する。

第5条　（非課税文書）
　別表第1の課税物件の欄に掲げる文書のうち，次に掲げるものには，印紙税を課さない。
一　別表第1の非課税物件の欄に掲げる文書
二　国，地方公共団体又は別表第2に掲げる者が作成した文書
三　別表第3の上欄に掲げる文書で，同表の下欄に掲げる者が作成したもの

【──　第2章　課税標準及び税率　──】

第7条　（課税標準及び税率）
　印紙税の課税標準及び税率は，別表第1の各号の課税文書の区分に応じ，同表の課税標準及び税率の欄に定めるところによる。

【──　第3章　納付，申告及び還付等　──】

第8条　（印紙による納付等）
①　課税文書の作成者は，次条から第12条までの規定の適用を受ける場合を除き，当該課税文書に課されるべき印紙税に相当する金額の印紙（以下「相当印紙」という。）を，当該課税文書の作成の時までに，当該課税文書にはり付ける方法により，印紙税を納付しなければならない。
②　課税文書の作成者は，前項の規定により当該課税文書に印紙をはり付ける場合には，政令で定めるところにより，当該課税文書と印紙の彩紋とにかけ，判明に印紙を消さなければならない。

附　則　（略）

第二部 不動産登記法（表示）及び先例・判例等

不動産登記法（表示）・先例・判例等
境界確定に関する主要判例

不動産登記法

第1条（目的）

この法律は，不動産の表示及び不動産に関する権利を公示するための登記に関する制度について定めることにより，国民の権利の保全を図り，もって取引の安全と円滑に資することを目的とする。

❖【表示の登記】法27～58【権利の登記】法59～118

第2条（定義）

この法律において，次の各号に掲げる用語の意義は，それぞれ当該各号に定めるところによる。
一　不動産　土地又は建物をいう。
二　不動産の表示　不動産についての第27条第1号，第3号若しくは第4号，第34条第1項各号，第43条第1項，第44条第1項各号又は第58条第1項各号に規定する登記事項をいう。
三　表示に関する登記　不動産の表示に関する登記をいう。
四　権利に関する登記　不動産についての次条各号に掲げる権利に関する登記をいう。
五　登記記録　表示に関する登記又は権利に関する登記について，一筆の土地又は1個の建物ごとに第12条の規定により作成される電磁的記録（電子的方式，磁気的方式その他人の知覚によっては認識することができない方式で作られる記録であって，電子計算機による情報処理の用に供されるものをいう。以下同じ。）をいう。
六　登記事項　この法律の規定により登記記録として登記すべき事項をいう。
七　表題部　登記記録のうち，表示に関する登記が記録される部分をいう。
八　権利部　登記記録のうち，権利に関する登記が記録される部分をいう。
九　登記簿　登記記録が記録される帳簿であって，磁気ディスク（これに準ずる方法により一定の事項を確実に記録することができる物を含む。以下同じ。）をもって調製するものをいう。

❖【不動産】民86①【表示に関する登記】法27～58【権利に関する登記】法59～118【登記記録】法11～13【登記事項】法27，34，44，59【表題部】法12，30，38，49，51～53【権利部】法12【登記簿】法11，15，122，153，155，161【表題部所有者】法27，31～33【登記名義人】法62，64等【登記権利者】法60等【登記義務者】法60【登記識別情報】法21～23【変更の登記】法31，37，51，52，64，66【更正の登記】法31，33，38，53，64，66，67【地番】法14②，34①，35【地目】法34，37【地積】法34，37【表題登記】法36，47，48，49，75【家屋番号】法44①，45【区分建物】法46，48，54，55，73【附属建物】民87，法44①【抵当証券】法88①，94【定義】令2，規1

十　表題部所有者　所有権の登記がない不動産の登記記録の表題部に，所有者として記録されている者をいう。

十一　登記名義人　登記記録の権利部に，次条各号に掲げる権利について権利者として記録されている者をいう。

十二　登記権利者　権利に関する登記をすることにより，登記上，直接に利益を受ける者をいい，間接に利益を受ける者を除く。

十三　登記義務者　権利に関する登記をすることにより，登記上，直接に不利益を受ける登記名義人をいい，間接に不利益を受ける登記名義人を除く。

十四　登記識別情報　第22条本文の規定により登記名義人が登記を申請する場合において，当該登記名義人自らが当該登記を申請していることを確認するために用いられる符号その他の情報であって，登記名義人を識別することができるものをいう。

十五　変更の登記　登記事項に変更があった場合に当該登記事項を変更する登記をいう。

十六　更正の登記　登記事項に錯誤又は遺漏があった場合に当該登記事項を訂正する登記をいう。

十七　地番　第35条の規定により一筆の土地ごとに付す番号をいう。

十八　地目　土地の用途による分類であって，第34条第2項の法務省令で定めるものをいう。

十九　地積　一筆の土地の面積であって，第34条第2項の法務省令で定めるものをいう。

二十　表題登記　表示に関する登記のうち，当該不動産について表題部に最初にされる登記をいう。

二十一　家屋番号　第45条の規定により1個の建物ごとに付す番号をいう。

二十二　区分建物　1棟の建物の構造上区分された部分で独立して住居，店舗，事務所又は倉庫その他建物としての用途に供することができるものであって，建物の区分所有等に関する法律（昭和37年法律第69号。以下「区分所有法」という。）第2条第3項に規定する専有部分であるもの（区分所有法第4条第2項の規定により共用部分とされたものを含む。）をいう。

二十三　附属建物　表題登記がある建物に附属する建物であって，当該表題登記がある建物と一体のものとして1個の建物として登記されるものをいう。

二十四　抵当証券　抵当証券法（昭和6年法律第15号）第1条第1項に規定する抵当証券をいう。

不動産登記法（2条）

先例

【登記が可能な建物】
1 ✛登記することができる建物は，必ずしも完成した状態を要せず，床及び天井を備えていなくても，屋根及び周壁を有し，土地に定着し，その使用目的に適当な構成部分を具備すれば足りる。（昭和24・2・22民事甲240号回答）

【海面下の土地の所有権】
2 ✛春分及び秋分の満潮時において海面下に没する土地については，私人の所有権は認められない（昭和33・4・11民事三発203号通知）。
3 ✛1 土地が海面下に没するに至った経緯が，天災等によるものであり，かつ，その状態が一時的なのものである場合には，私人の所有権は消滅しない。
　2 干拓地の堤塘の一部を除去したため海水が流入し海面となったものについては，土地の所有権は認められない。
（昭和36・11・9民事甲2801号回答）

判例

【登記の対象となる不動産】
1 ❋北方領土地域内の不動産に係る表示の登記については，不動産の客観的現況を公示するという主たる機能が阻害されている状態にあるので，このような表示の登記を含む不動産登記は，不動産登記制度の重要な基礎である登記記録の正確性を十分に確保することができないことからいっても，本来，不登法が予定しないものであることは明らかである。したがって，上記不動産は，不登法に基づく登記の対象となる不動産に該当しないものと解さざるを得ない。（札幌高判平成11・1・26）
（本判決の判例を最判平成16・2・24認容）

【海面下の土地の所有権】
2 ❋海は，そのままの状態では，所有権の客体たる土地には当たらないが，国が一定範囲を区画し，他の海面から区別して排他的支配を可能にし，公用を廃止して，私人の所有に帰属させた場合には，その区画部分は，所有権の客体たる土地となる。（最判昭和61・12・16）

【登記が可能な建物】
3 ❋登記建物として取り扱われるためには，必ずしも完成したものであることを要せず，屋根，周壁を有し，土地に定着して1個の建造物としての存在であれば足り，床，天井のごときものが具備されていなくてもよい。（大判昭和10・10・1）
4 ❋登記時において，完全建築にいたらないまでも，客観的に建物としての形態を備えていたものと認められる以上，その建物登記は必ずしも無効なものではない。（大判昭和10・1・17）
5 ❋無効とする理由にはならない。（大判昭和10・7・24）
6 ❋木材を組み立てて地上に定着させ屋根を葺きあげただけではまだ法律上の建物とはいえず，建物の表題登記をすることはできない。（大判大正15・2・22）
7 ❋建築中の建物が，屋根及び周壁を有し，1個の建造物として存在するに至れば，まだ床・天井を備えていなくても，建物として表題の登記をすることができる。（大判大正15・2・22）
8 ❋1 民法第86条1項にいう土地の定着物とは，土地の構成部分ではないが，土地に附着せしめられ且つその土地に永続的に附着せしめられた状態において使用されることがその物の取引上の性質であるものをいうと解する。
　2 石油タンクは，土地の定着物ではなく，不動産ではない。
（最判昭和37・3・29）
9 ❋登記の対象となる建物は，定着性，構築性，外気分断性，用途性の4要件を具備していることを要する。（新潟地判昭和55・3・28）
10 ❋プレハブの飯場建物であっても，形体上・構造上は通常の建物と何ら変わりなく，堅牢性・耐久性もあり，人の居住に十分に耐えることができ，土地に相当期間付着され，使用される予定のもとに構築されたものであると認められるときは，土地の定着物，すなわち不動産と認めるのが相当である。（東京地判昭和47・12・1）

【区分建物】
11 ❋区分所有権を認めることができるのは，1棟の建物のうち区分された部分のみで独立の建物との経済上の効用を全うすることができる場合に限られ，その部分が，他の部分と併合するのでなければ建物の効用を有しないときは，区分所有権は認められない。（大判大正5・11・29）

【先行する登記名義人からする法2条5号を根拠とする後行登記の抹消登記請求（否定）】
12 ❋同一の建物に二重の表題の登記がされた場合において，先行の表題の登記の申請人ないしその登記に基づく所有権保存登記の名義人が，その地位に基づいて，後行の表題登記ないしその登記に基づく所有権の保存登記の抹消を求めることはできないと解するのが相当である。（最判平成3・7・18）

不動産登記法（3条）

第3条（登記することができる権利等）

登記は，不動産の表示又は不動産についての次に掲げる権利の保存等（保存，設定，移転，変更，処分の制限又は消滅をいう。次条第2項及び第105条第1号において同じ。）についてする。

一　所有権
二　地上権
三　永小作権
四　地役権
五　先取特権
六　質権
七　抵当権
八　賃借権
九　配偶者居住権
十　採石権（採石法（昭和25年法律第291号）に規定する採石権をいう。第50条，第70条第2項及び第82条において同じ。）

❖【不動産】民86①【表示の登記】法27～58【権利の登記】民177【設定の登記】法78～83・88・95【保存の登記】法74～76，85～87【移転の登記】法84・91【変更・更正の登記】法64，66，67【処分制限の登記】法111【消滅の登記】法59・69【所有権】民206【地上権】民265【永小作権】270【地役権】民280【不動産先取特権】民325【不動産質権】民356【抵当権】民369【不動産賃借権】民605【採石権】採4

関連法令
【民法】不動産及び動産（86），不動産に関する物権の変動の対抗要件（177）【採石法】定義（2）【地方自治法】市町村の廃置分合と境界変更（7）【地方自治法施行令】耕地整理等についての町字区域変更の効力（179条）

先例
【登記が不可能な権利】
1 ⇨入会権は，不動産登記法に規定されていないから，登記しうべき権利ではない。(明治34・4・15民刑434号回答)
2 ⇨法3条の「処分の制限」の登記とは，法律の規定による場合に限り，当事者の任意契約によるものを含まない。(明治36・6・29民刑108号回答)
3 ⇨家事審判規則133条の規定による処分禁止については，これを登記することはできない。(昭和23・10・4民事甲3018号回答)
4 ⇨一筆の土地の一部についての処分の制限の登記の嘱託は，受理すべきでない。(昭和27・9・19民事甲308号回答)

【時効による登記】
5 ⇨既登記の不動産の時効による所有権取得の登記は，移転の登記による。(明治44・6・22民事414号回答)

【所有権の放棄】
6 ⇨土地の一部が崩潰のおそれがある場合，その補修に多額の費用を要するからといって，所有者において当該土地所有権の放棄をすることは許されない。(昭和41・8・27民事甲1953号回答)
7 ⇨土地の所有権を放棄したものが単独でその旨の登記を申請することはできない。(昭和57・5・11民三3292号回答)

判例
【登記】
1 ※民法177条にいわゆる「不動産登記法その他の登記に関する法律の定めるところに従いその登記をする」とあるのは，登記簿に記録することを指示するものであって，登記官が登記申請を受理し，かつ登記済証を下付することをいうものではない。(大判大正7・4・15)
2 ※登記官が登記簿に所定の事項を記録することは，不動産上の権利を第三者に対抗するための要件であるが，新たに国民の権利義務を形成し，又はその範囲を明確にする性質を有するものではなく，行政事件訴訟の対象となる行政処分ではない。(東京高判昭和45・6・29)

【意思主義】
3 ※特定物の売買は，特約のない限り，意思表示により所有権の移転の効力を生ずる。(大判大正2・10・25)

【公信力】
4 ※不動産登記に強制的公信力を認めない我国においては，真実の物権変動がない限り，登記上の名義人は権利を取得することはない。(函館地判昭和8・6・14)

【形式的確定力】
5 ※不動産に関する既存の登記は，実体上その効力を有しないときでも形式上の効力は当然失われるものでなく，登記官は，ある不動産につき登記をするに当たり既存の登記があるにもかかわらず実体上その効力がないという理由でこれを無視することはできない（登記官が分筆の登記をするに当たり，地上権の設定の登記が存するときには，その登記の実体上の効力如何にかかわらず登記官は転写の手続をすべきである）。(大判大正7・12・3)

【推定力】
6 ※建物の登記記録上の所有者の記録は，反証のない限り，その記録が事実であると推定すべきである。(最判昭和33・6・24)

不動産登記法（4条）

7 ※登記の記録事項につき事実上の推定力を有する。（最判昭和46・6・29）

（借地権の対抗力）

【表題登記と借地権の対抗力】

8 ※借地権のある土地の上の建物についてなされるべき登記は、権利の登記に限られることなく、借地権者が自己を所有者と記録した表題登記のある建物を所有する場合も、また、建物保護法第1条にいう「登記シタル建物ヲ有スルトキ」に当たり、当該借地権は対抗力を有するものと解するのが相当である。（最判昭和50・2・13）

【所在地番に錯誤又は遺漏がある建物登記の借地権の対抗力】

9 ※錯誤又は遺漏により、建物所在の地番の表示において実際と多少相違していても、建物の種類・構造・床面積等の記載と相まって、その登記の表示全体において、当該建物の同一性を認識し得る場合には、当該借地権は対抗力を有するものと解するのが相当である。（最大判昭和40・3・17）

【登記記録上の所在地番及び床面積の表示が実際と異なる建物が借地借家法10条1項にいう「登記されている建物」に当たるとされた事例】

10 ※借地上の建物について、当初は所在地番が正しく登記されていたにもかかわらず、登記官が職権で表題部の変更の登記をするに際し地番の表示を誤った結果、所在地番の表示が実際の地番と相違することとなった場合には、建物の構造、床面積等他の記録とあいまって建物の同一性を認めることが困難であるような事情がない限り、更正がされる前であっても借地借家法10条1項の対抗力を否定すべき理由はない。（最判平成18・1・19）

【表題部の登記に記録されない土地につき対抗力を認めたもの】

11 ※建物保護ニ関スル法律1条にいう登記とは、いわゆる「表題部の登記」であっても、その所有者の明示されたものであればたりる。また、この「表題部の登記」において所在として借地の地番が記録されていなくても、当該土地の登記記録において分筆、合筆の登記が行われ、その経緯からみて建物が前記借地権に存するものと認められる場合には、その「表題部の登記」をもって借地権を対抗しうる。（福岡地裁小倉支部判昭和46・9・23）

【未成年の長男名義の場合】

12 ※土地賃借人は、該土地上に自己と氏を同じくしかつ同居する未成年の長男名義で保存登記をした建物を所有していても、その後該土地の所有権を取得した第三者に対し、「建物保護ニ関スル法律」第1条により、該土地の賃借権をもって対抗することができないものと解すべきである。（最判昭和41・4・27）

【妻名義の場合】

13 ※土地の賃借人は、借地上に妻名義で保存登記を経由した建物を所有していても、その後その土地の所有権を取得した第三者に対し、建物保護に関する法律1条により、その土地の賃借権をもって対抗することができない。（最判昭和47・6・22）

【子名義の場合】

14 ※土地賃借人が建物保護に関する法律1条によりその賃借権を第三者に対抗しうるためには、賃借人が借地上に自己名義で登記をした建物を所有していることが必要であり、自己の子名義で登記をした建物を所有していても、その賃借権を第三者に対抗し得ないものと解すべきである。（最判昭和50・11・28）

【転借人が転借地上に自己名義で所有権保存登記又は同移転登記を経由した建物を所有する場合】

15 ※転貸借も、賃貸借であることに変わりはないから、建物保護ニ関スル法律1条の適用があると解すべきである。したがって、賃貸人の黙示の承諾を得ている土地の転借人が転借地上に自己名義で所有権保存登記又は同移転登記を経由した建物の所有する場合は、賃貸人たる地位を承継した者に対し、対抗することができるというべきである。（東京高判昭和55・9・25）

【地上権者が借地権者でない養母名義で保存登記を経由した建物を所有する場合】

16 ※建物保護法1条により地上権者がその地上権を第三者に対抗しうるためには、その地上権者がその土地上に自己名義で所有権保存登記等を経由した建物を所有していることが必要であって、土地の借地権者でもなく、また、建物の所有者でもない亡養母名義の無効な所有権保存登記の存在をもって、対抗力を肯定することは許されない。これは、後日、相続した旨の登記をしても右判断を覆しうるものではない。（最判昭和58・4・14）

第4条（権利の順位）

① 同一の不動産について登記した権利の順位は、法令に別段の定めがある場合を除き、登記の前後による。
② 付記登記（権利に関する登記のうち、既にされた権利に関する登記についてする登記であって、当該既にされた権利に関する登記を変更し、若しくは更正し、又は所有権以

❖【別段の定め】民329・331・336・339・361・373・395【抵当権の順位の変更】法89【仮登記の順位】法106【受付番号】法19・20・59【登記の前後】規2【付記登記】規3

不動産登記法（5条—6条）

外の権利にあってはこれを移転し，若しくはこれを目的とする権利の保存等をするもので当該既にされた権利に関する登記と一体のものとして公示する必要があるものをいう。以下この項及び第66条において同じ。）の順位は主登記（付記登記の対象となる既にされた権利に関する登記をいう。以下この項において同じ。）の順位により，同一の主登記に係る付記登記の順位はその前後による。

第5条（登記がないことを主張することができない第三者）

① 詐欺又は強迫によって登記の申請を妨げた第三者は，その登記がないことを主張することができない。

② 他人のために登記を申請する義務を負う第三者は，その登記がないことを主張することができない。ただし，その登記の登記原因（登記の原因となる事実又は法律行為をいう。以下同じ。）が自己の登記の登記原因の後に生じたときは，この限りでない。

❖【第三者】民177【詐欺・強迫】民96

関連法令
【民法】不動産に関する物権の変動の対抗要件（177）

第6条（登記所）

① 登記の事務は，不動産の所在地を管轄する法務局若しくは地方法務局若しくはこれらの支局又はこれらの出張所（以下単に「登記所」という。）がつかさどる。

② 不動産が二以上の登記所の管轄区域にまたがる場合は，法務省令で定めるところにより，法務大臣又は法務局若しくは地方法務局の長が，当該不動産に関する登記の事務をつかさどる登記所を指定する。

③ 前項に規定する場合において，同項の指定がされるまでの間，登記の申請は，当該二以上の登記所のうち，一の登記所にすることができる。

❖【法務局・地方法務局・支局・出張所の管轄区域】法務局及び地方法務局の支局及び出張所設置規則【管轄登記所の指定】不動産の管轄登記所の指定に関する省令（昭50法務省令68）【管轄に属しないとき】法25①【管轄指定】準2【管轄転属】規32・33・40，準4・8・9・11・119・120【またがる場合】準5

関連法令
【不動産等の管轄登記所の指定に関する省令】不動産，工場財団及び農業用動産の管轄登記所の指定（1），鉱業財団等の管轄登記所の指定についての準用（2）【地方自治法】市町村の廃置分合と境界変更（7）【地方自治法施行令】耕地整理等についての町字区域変更の効力（179）

先例等
【所属未定地】
1 ✚公有水面埋立法による竣功認可あった埋立地は，地方自治法第7条の2第3項の規定による総務大臣の告示及び同法260条の都道府県知事の告示がなければ所在が確定せず，管轄登記所が定まらないので登記をすることができない。（昭和30・5・17民事甲第930号通達）

2 ✚所属未定の埋立地に建築された建物の表題の登記申請は，当該敷地の編入されるべき行政区画が地理的に特に明白なときであっても，受理することはできない。（昭和43・4・2民事甲723号回答）

【数個の管轄にまたがる不動産】
3 ✚主である建物が甲登記所に属し，附属建物が乙登記所の管轄に属する場合の建物の表題の登記は，甲登記所に申請することを要する。（登記研究432号129頁）

【建物の曳行移転と管轄登記所】
4 ✚甲登記所の管轄に属する主である建物と附属建物のうち主である建物のみを乙登記所の管轄区域に曳行移転した場合の管轄登記所は，乙登記所である。また，建物の所在の変更の登記の申請は，甲・乙いずれの登記所でもさしつかえない。（登記研究432号130頁）

第7条（事務の委任）

法務大臣は，一の登記所の管轄に属する事務を他の登記所に委任することができる。

❖【事務委任】登記事務委任規則
【事務委任による登記記録等の移送】準10

第8条（事務の停止）

法務大臣は，登記所においてその事務を停止しなければならない事由が生じたときは，期間を定めて，その停止を命ずることができる。

❖【業務停止の報告】準6

第9条（登記官）

登記所における事務は，登記官（登記所に勤務する法務事務官のうちから，法務局又は地方法務局の長が指定する者をいう。以下同じ。）が取り扱う。

❖【登記官の交替】準7

【関連法令】
【国家賠償法】(1)【行政事件訴訟法】被告適格等 (11)

第10条（登記官の除斥）

登記官又はその配偶者若しくは四親等内の親族（配偶者又は4親等内の親族であった者を含む。以下この条において同じ。）が登記の申請人であるときは，当該登記官は，当該登記をすることができない。登記官又はその配偶者若しくは4親等内の親族が申請人を代表して申請するときも，同様とする。

❖【4親等以内の親族】民725〜729

【関連法令】
【民法】親族の範囲 (725)，親等の計算 (726)，縁組による親族関係の発生 (727)，離婚等による姻族関係の終了 (728)，離縁による親族関係の終了 (729)

第11条（登記）

登記は，登記官が登記簿に登記事項を記録することによって行う。

❖【登記事項】法2・27・34・44・59【副登記記録】規9

第12条（登記記録の作成）

登記記録は，表題部及び権利部に区分して作成する。

❖【登記記録の編成】規4

先例等
【重複登記の処理】
1 同一建物について重複登記となったものについては，後になされた建物の登記については，重複登記を登記原因として職権で建物の表題の登記を抹消するのが相当である。（昭和37・10・4民事甲2820号通達）
2 重複登記がなされ，前の登記には，所有権の保存の登記がされ，後の登記には，所有権の移転の登記及び抵当権の設定の登記がされているときは，便宜，前の登記を職権で抹消するものとし，しかるざるときは，後の登記につき，「重複登記」を登記原因として，職権で土地（建物）の表題の登記を抹消すべきものとされる。（昭和39・2・21民事甲384号通達）
3 乙を債務者とする建物の仮差押の登記の嘱託に基づき登記官が職権をもって乙名義で建物の登記用紙を設けたところ，右建物についてはすでに甲名義で所有権の保存の登記がなされていたために重複登記を生じた場合には，登記官が職権で乙名義の建物の表題の登記を抹消して差し支えない。（昭和42・3・14民三発139号回答）

【登記名義人が同一人でない重複登記の処理】
4 登記名義人が同一人でない重複登記についても，職権をもって調査した結果，戸籍謄本により，後の登記の名義人が前の登記の名義人の相続人であることを確認しうる場合には，便宜，前の登記を職権で抹消することができる。（昭和46・3・26

不動産登記法（13条—14条）

民事甲1194号回答

【不存在を原因とする重複登記の処理】
5 ✛同一建物につき，甲名義の表題の登記（所有権保存登記済み）と乙名義の表題の登記（仮差押登記の嘱託による職権表題登記・職権所有権保存登記及び仮差押登記）とが相次いでなされている場合において，甲名義の登記における所在地番には建物は存在せず（右建物の正当な所在地番とは約130メートル離れている），乙名義の登記が現存する建物の所在・種類・構造床面積と一致している場合には，甲名義の表示登記につき，該当建物の不存在を原因として，職権でこれを抹消するのが相

当とされる。（昭和46・5・10民三発267号回答）

【表題部の欄外に「筆界未定地」の旨の記録がされた登記簿を磁気ディスクの登記記録へ移記する方法】
6 ✛表題部の欄外に，国土調査の成果に基づく「筆界未定」又は「現地確認不能地」の記載がされている登記簿を磁気ディスクの登記記録へ移記する場合には，便宜，地図番号欄に移記することとして差し支えない。（登記研究593号205頁）

〔判例〕
1 ※不動産登記簿は証書真否確認訴訟の対象になり得ない。（最判平成4・10・6）

第13条（登記記録の滅失と回復）

法務大臣は，登記記録の全部又は一部が滅失したときは，登記官に対し，一定の期間を定めて，当該登記記録の回復に必要な処分を命ずることができる。

❖【登記記録の滅失】規30，準24

第14条（地図等）

① 登記所には，地図及び建物所在図を備え付けるものとする。
② 前項の地図は，一筆又は二筆以上の土地ごとに作成し，各土地の区画を明確にし，地番を表示するものとする。
③ 第1項の建物所在図は，1個又は2個以上の建物ごとに作成し，各建物の位置及び家屋番号を表示するものとする。
④ 第1項の規定にかかわらず，登記所には，同項の規定により地図が備え付けられるまでの間，これに代えて，地図に準ずる図面を備え付けることができる。
⑤ 前項の地図に準ずる図面は，一筆又は二筆以上の土地ごとに土地の位置，形状及び地番を表示するものとする。
⑥ 第1項の地図及び建物所在図並びに第4項の地図に準ずる図面は，電磁的記録に記録することができる。

❖【地図等】規10〜16の2，準12〜16【地図等の副記録】規15の2

〔関連法令〕
【国土調査法】成果の認証（19），成果の写しの送付等（20）【国土調査法施行令】地図及び簿冊の様式（2）【土地改良登記令】申請情報等（5）【土地区画整理登記令】申請情報等（4）【新住宅市街地開発法等による不動産の登記に関する政令】造成宅地等の表題登記（6）【測量法】基本測量（4）【旧土地台帳法施行細則】地図（2）【国土調査法による不動産登記に関する政令】国土調査の成果に基づく登記（1），代位登記の登記識別情報（2）

〔先例等〕
【地震による地殻変動と筆界】
1 ✛地震による地殻の変動に伴い広範囲にわたって地表面が水平移動した場合には，土地の筆界も相対的に移動したものとして取り扱うものとする（なお，局部的な地表面の土砂の移動（崖崩れ等）の場合には，土地の筆界は移動しないものとする）。（平成7・3・29民三2859号回答）

【地図・建物所在図に準ずる図面】
2 ✛新住宅市街地開発法及び首都圏の近郊整備地帯及び都市開発区域の整備に関する法律による造成宅地等に関する土地全部についての所在図（又は建物全部の所在図）は，不動産登記法14条所定の地図（建物所在図）とすることができる。（昭和41・4・19民事甲941号回答）

【地籍図を地図として備え付けることを適当としない特別の事情】
3 ✛国土調査法第20条第1項の規定により送付された地籍図（以下「地籍図」という。）は，所定の登記が完了した後に特別の事情がない限り法第14条の地図として備え付けることとしたが，右の特別の事情とは，次に掲げる場合をいう。
　イ 地籍調査後，登記所に送付されるまでの間に異動が生じた土地につき，その異動に伴う地籍図の修正（その修正が不能の場合における筆界未定の処理を含む。）がされていない場合

ロ　地籍図の材質がポリエステル・フイルム又はアルミケント紙以外のものである場合
ハ　地籍図が地番区域内の極く一部の土地についてのみ存する場合その他同法第14条の地図として備え付けることを相当としない事情が存する場合
（昭和52・9・3民三第4474号通知）

【旧土地台帳附属地図の訂正手続】
4✤旧土地台帳附属地図に記載された土地の境界の表示に誤りがある場合は，所有者において，その誤りを証するに足りる資料を添えて，その訂正の申出をすることができる。この場合において，関係資料，他の利害関係人の証言や物証等から当該境界の表示が明らかに誤りであることを（登記官において）確認できるときは，必ずしも利害関係人全員の同意書の提供を要しない。（昭和52・12・7民三第5936号回答）

【分筆登記の誤りを地図訂正の方法で訂正することの可否】
5✤分筆後の一筆につき所有権移転登記を完了した後，分筆登記の際の分筆部分が誤りであることが発見された場合，地図訂正の申出に基づいて地図を訂正することはできない。（昭和43・6・8民事甲1653号回答）

【二線引畦畔の地図訂正の取扱い】
6✤二線引（無番地）畦畔は国有地として国土交通省所管の普通財産に属するものであるから，土地台帳付属地図上番地未設定の土地について，隣接地の所有者から錯誤を原因として境界線を抹消する地図訂正の申出があった場合，たとえ当該申出書に周囲の土地所有者の承諾書及び市区町村長等の所有権を証する書面の添付があっても，当該土地が国有地でないことの権限ある官庁の証明がない限り，当該申出は受理すべきではない。（昭和35・8・31民219東京法務局民事行政部長通達）

【同一敷地内で建物を曳行移転した場合の手続】
7✤建物を取り壊さずに同一敷地上の他の場所に移転した場合には，建物所在図の訂正の手続きに準じて取り扱い，登記記録の表題部には何らの記録を要しない。（昭和37・7・21民事甲2076号通達）

【地籍調査の成果の誤り処理】
8✤地籍調査の成果が登記所に送付された後，当該成果に係る誤りが発見された場合には，関係市町村から地方税法381条7項の規定に準じて修正を申し出ることができる。（昭和48・10・12民三第7688号回答）

【地図訂正について】
9✤国土調査法に基づく地籍調査の結果筆界未定として処理された土地について，地積測量図を添付して，当事者双方から地図訂正の申出があれば，受理して差し支えない。（登記研究273号74頁）
10✤地籍図の修正を要する原因が，地籍調査の誤りによるものである場合は，地籍調査の実施機関又は土地所有者からの申出によるべきであり，調査後の異動又は筆界未定の解消等その他の原因によるものである場合は，土地所有者からの申出によって修正すべきと考えます。（登記研究618号93頁「カウンター相談」）

【職権による地図等の訂正】
11✤筆界特定手続記録の送付を受けた管轄登記所の登記官は，次に掲げるすべての要件を満たす場合には，筆界特定により特定された筆界に基づき，対象土地の表題部所有者若しくは所有権の登記名義人又はこれらの相続人その他の一般承継人に対し，適宜の方法により，地図等の訂正の申出を促すものとし，その者が申出をしないときは，職権で法第14条第1項の地図又は準則第13条第1項の規定により備え付けられている図面（以下「地図等」という。）の訂正をするものとする。
　なお，地図等の訂正をする場合において，当該土地の登記記録の地積に錯誤があるときには，(1)の地積に関する更正の登記と併せてしなければならない。
ア　対象土地の全体を一筆の土地とみなした場合に当該一筆の土地の区画を構成することとなる筆界に係るすべての筆界点を筆界特定手続記録によって確認することができること。
イ　これらの各筆界点の座標値が，地図等に記録されている当該各筆界点に対応する点の座標値と規則第10条第4項の誤差の限度内で一致すること。（平成18・1・6民二第27号依命通知第3・一(2)）

【地図等の訂正の申出に対する却下決定と教示の要否】
12✤地図等の訂正の申出に対する不動産登記規則16条13項5号（地図に誤りがないとき）又は6号（申出に係る土地以外の土地の形状等を訂正すべきこととなるとき）の規定による却下の決定は行政処分性を有しないことから，却下の決定をする際には，取消訴訟の被告，出訴期間及び審査請求に関する事項を教示する必要はない。（平成17・6・23民二第1423号通知）

【旧土地台帳附属地図の裁判所への送付の可否】
13✤裁判所から旧土地台帳附属地図についての送付嘱託があった場合には，これに応ずることはできないが，便宜，当該地図の写しを作成，送付するのが相当である。（昭和39・7・28民事甲2692号回答）

【地図訂正申出書の裁判所への送付について】
14✤地図訂正申出書について裁判所から送付の嘱託があった場合は，応じて差し支えない。（登記研究554号134頁）

【同一敷地内で建物をえい行移転した場合の登記手続】
15✤建物所在図の備付けられていない地域において，既登記建物を同一敷地内の他の場所にえい行移転した場合には，建物図面の変更の申出によるべきである。なお，かかる場合には，登記記録の表題部には何らの手続きを要しない。（登記研究420号

不動産登記法（15条—16条）

122頁）
16✥土地改良事業を行う者は、その事業を行うため必要がある場合には、所有者に代わって土地の分割又は合併の手続ができるが、その前提として地図訂正をする必要がある場合には、所有者に代わって、地図訂正の申出をすることができる。（登記研究438号97頁）

【土地区画整理事業における換地計画に定められた従前の土地の区画及び地番が地図上明らかでない場合の地図訂正の要否】
17✥土地区画整理事業における換地計画に定められた従前の土地の区画及び地番が地図等において明らかでない場合であっても、当該従前の土地が当該土地区画整理事業の施行地区内に存するものである限り、換地処分による登記の申請又は嘱託の前提として地図等の訂正をすることを要しない。（登記研究783号139頁）

【地積更正登記の申請と地図訂正の申出】
18✥地積に関する更正の登記の申請と地図等の訂正の申出とが一の申請兼申出情報によってされた場合、便宜、これを受理して差し支えない。（登記研究696号150頁、277頁）

[判例]
【法14条1項の地図の備付けと「行政庁の処分」の該当性】
1※行政不服審査法1条にいう「行政庁の処分」とは、その行為により直接国民の権利義務を形成し又はその範囲を確定することが法律上認められているものをいうところ、本件地図備付けは、登記官が、登記された事実状態の把握を目的として行うものに過ぎず、それによって、本件土地の権利関係や境界に何ら法律的な変動を及ぼすものではないから、本件地図備付けが行政庁の処分にあたらないことは明らかというべきである。（広島地判平成6・11・24）

【登記官の地図訂正行為が「行政庁の処分」等に当らないとされた事例】
2※登記官による地図訂正行為は、それにより何ら土地所有者である当事者の権利関係、法律関係に影響を及ぼすような行為とはいえ、所有権や地図訂正手続に係る手続的権利を侵害するものともいえないから、行政事件訴訟法3条2項所定の取消訴訟の対象となる処分とは認められない。（広島高判平成20・5・15）

【地図訂正に係る利害関係人の一方がする相手方に対しての訂正申出の請求の可否】
3※旧土地台帳附属地図の訂正申出は、いわゆる双方申請主義の取扱いがなされているわけではないので、利害関係人の一方が相手方に対して登記請求権類似の請求権をもつものではない。（東京地判昭和49・2・13）

第15条（法務省令への委任）

この章に定めるもののほか、登記簿及び登記記録並びに地図、建物所在図及び地図に準ずる図面の記録方法その他の登記の事務に関し必要な事項は、法務省令で定める。

❖【地図等】規12〜16、準16【申請情報等の保存】規17〜31、準17〜26【土地所在図等の副記録】規27の3【土地所在図等の管理】規85〜88、準55〜58

[実例]
【国土調査の成果に基づく登記に伴う土地所在図等の処理】
1✥国土調査の成果に基づく登記をした場合に土地所在図及び地役権図面について「国土調査実施前提出」の記録をすることは差し支えない。（登記研究736号177頁）

第16条（当事者の申請又は嘱託による登記）

① 登記は、法令に別段の定めがある場合を除き、当事者の申請又は官庁若しくは公署の嘱託がなければ、することができない。
② 第2条第14号、第5条、第6条第3項、第10条及びこの章（この条、第27条、第28条、第32条、第34条、第35条、第41条、第43条から第46条まで、第51条第5項及び第6項、第53条第2項、第56条、第58条第1項及び第4項、第59条第1号、第3号から第6号まで及び第8号、第66条、第67条、第71条、第73条第1項第2号から第4号まで、第2項及び第3項、第76条から第76条の4まで、第76条の6、第

❖【登記の嘱託】令23、規192、準146

[関連法令]
【地方税法】固定資産課税台帳の登録事項（381）【地方自治法】（260条の2）

78条から第86条まで，第88条，第90条から第92条まで，第94条，第95条第1項，第96条，第97条，第98条第2項，第101条，第102条，第106条，第108条，第112条，第114条から第117条まで並びに第118条第2項，第5項及び第6項を除く。）の規定は，官庁又は公署の嘱託による登記の手続について準用する。

【先例等】
【胎児名義による登記】
1 ✛胎児は，相続による権利取得の登記能力を有し，申請行為については，未成年者の法定代理人の規定を類推適用し，その母が胎児に代わって相続登記を，「亡甲妻乙胎児」として申請する。（明治31・11・9民刑1406号回答）

【胎児を相続人とする相続による所有権の移転の登記手続の見直し】
2 ✛胎児を相続人とする相続による所有権の移転の登記の申請において，申請情報の内容とする申請人たる胎児の表示は「何某（母の氏名）胎児」とするものとする。（令和5・3・28民二第538号通達第3・2・⑴）

【被相続人が日本国籍を有しない者の胎児を認知していた場合の相続の登記について】
2の2 ✛日本国籍を有しない乙の胎児を共同相続人とする所有権移転の登記を申請する場合には，被相続人甲とのつながりを証する書面を添付し，申請書にはこの胎児を「乙胎児」と記載する。（登記研究591号213頁）

【法人格のない社団】
3 ✛法人格のない結社は，登記名義人として表示することはできない。（昭和23・6・21民事甲1897号回答）

【権利能力なき社団による申請】
4 ✛法人格なき社団の財産の登記をするについて，当該社団代表何某とすることは許されない。（昭和36・7・21民三発625号回答）

5 ✛法人格のない社団所有の不動産につき，その構成員のうち数名を代表者として，これら数名の共有名義としている場合において，そのうちの一人の名義とするための共有持分移転の登記をするには，他の者の生存のいかんを問わず，その登記原因を「委任の終了」とするのが相当とされる。（昭和41・4・18民事甲1126号回答）

6 ✛権利能力なき社団の旧代表者名義で所有権の登記がされている不動産につき，権利能力なき社団が第三者にその所有権を譲渡した場合には，いったん，権利能力なき社団の現在の代表者名義に所有権移転登記の手続をした上で，所有権移転登記の手続をすべきである。（平成2・3・28民三第1147号回答）

7 ✛地方自治法第260条の2第1項の認可を受けた「地縁による団体」を所有者又は登記権利者とする登記の申請書に添付すべきものとされる同団体の「住所証明書」及び「代表者の資格証明書」は，この通達の別紙様式による証明書とするものとし，認可を受ける前の「地縁による団体」の代表者から認可を受けた「地縁による団体」への所有権移転の登記の原因を「委任の終了」とし，その日付を市町村長の認可の日とするものとされる。（平成3・4・2民三第2245号回答）

8 ✛国有財産となるべき土地についての土地表示または所有権登記名義人の表示の変更登記および相続登記は，国において，代位嘱託することができる。（昭和8・10・18民事甲1589号回答）

【持分会社の代表者が法人である場合の申請人等】
9 ✛持分会社の業務を執行する社員が法人である場合には，当該法人は，当該業務を執行する社員の職務を行うべき者を選任しなければならないとされたので，申請人である持分会社の代表者が法人である場合には，申請情報の内容として，代表者である法人の商号又は名称に加えて，その職務を行うべき者の氏名が必要であり，また，添付情報として，代表者である法人の持分会社の代表者としての資格を証する情報に加えて，その職務を行うべき者の資格を証する情報が必要であり，さらに，印鑑に関する証明書を添付すべき場合には，その職務を行うべき者の印鑑に関する証明書を添付しなければならない。（平成18・3・29民二第755号通達4）

【遺贈による所有権移転登記の前提登記の申請人】
10 ✛遺贈による所有権移転の登記の前提としてする不動産の表題部の変更登記の申請人は遺言執行者又は遺贈者の相続人（全員又は一人）のいずれでもよく，また，受遺者も債権者代位により申請することができる。（登記研究145号44頁）

【遺言検認調書の謄本を遺言執行者の資格を証する書面とすることの可否】
11 ✛既に検認済み遺言書を関係者が紛失してしまった等で行方不明の場合には，申請書に添付すべき遺言執行者の資格証明書としては，家庭裁判所の遺言検認調書謄本をもって代用することができる。（平成7・6・1民三3102号回答）

【嘱託登記の嘱託者】
12 ✛官庁の登記嘱託は，庁名ではなく，代表者名ですべきである。（明治32・9・7民刑1647号民刑局長回答）

【道路敷又は河川敷として国が買収した場合】

13✛道路敷又は河川敷として国が買収した場合の登記名義人は，総理庁名義（現在は，国土交通省名義）を記録する。（昭和23・2・25民事甲81号通達）

【有限責任事業組合名義又は組合員である肩書を付した登記の可否】
14✛有限責任事業組合の組合財産について，有限責任事業組合名義の登記又は組合員である旨の肩書を付した登記をすることができない。（登記研究730号181頁）

【投資事業有限責任組合の財産である不動産の登記】
15✛投資事業有限責任組合の財産は，組合員の共有名義で登記をすべきであり，権利能力なき社団の財産のように代表者個人の名義で登記することもできない。（登記研究764号155頁）

【外国で設立された法人の登記名義（消極）】
16✛ノルウエー東洋福音教会は，仮に外国で設立された法人であるとしても，国，国の行政区画又は商事会社であるとは認められず，かつ，その他の外国法人としてその成立を認許する法律又は条約も存しないので，特に内国法人と認められない限り同教会は日本において私権を享有しないこととなるから（民法36条），同教会名義に不動産の所有権移転の登記を申請することはできないものと考える。（昭和26・9・7民事甲1782号民事局長回答）

【外国の行政区画の登記名義（積極）】
17✛外国の行政区画については，その本国において法人格を有する場合に限り不動産の所有権を取得することができる。（昭和元・12・27民事10417号民事局長回答）

【登記申請人と訴訟能力】
18✛登記申請人は，訴訟能力者たることを要しない。（明治33・4・16民刑530号回答）

【登記申請行為に於ける未成年者の行為能力について】
19✛未成年者であっても，意思能力がある限り，単独で登記申請をすることができ，かつ，代理人として登記の申請を代行しうる。（登記研究298号69頁）

【未成年者の登記申請能力】
20✛未成年者の登記申請能力については，具体的事案により判断すべきであるが，意思能力のある未成年者（年令18才）は，自己名義の所有権移転の登記について「錯誤」を登記原因とする抹消登記の申請（自己の印鑑証明書付）をすることができる。（登記研究363号165頁）（編注　印鑑登録は，15才以上の者が可能。）

判例

【権利能力のない社団による申請】
1※権利能力なき社団の資産たる不動産については，社団の代表者が，社団の構成員全員の受託者たる地位において，個人の名義で所有権の登記をすることができるにすぎず，社団を権利者とする登記をし，または社団の代表者である旨の肩書を付した代表者個人名義の登記をすることは，許されないものと解すべきである。なお，右不動産につき，登記簿上所有名義人となった代表者がその地位を失い，これに代わる新代表者が選任されたときは，新代表者は，旧代表者に対して，当該不動産につき自己の個人名義に所有権移転登記手続をすることを求めることができる。（最判昭和47・6・2）

【権利能力のない社団の要件及びその登記方法】
2※権利能力のない社団は，その実質的権利者である構成員全員の名において登記をすることができない結果，その代表者（個人）名義で登記するしかない。（最判昭和39・10・15）

【権利能力なき社団の資産たる不動産についての登記】
3※権利能力なき社団である入会団体において，代表者でない構成員を登記名義人とすることと定められている場合は，その者が登記手続の請求をすることができる。（最判平成6・5・31）

【商号を申請人の表示として記載することの可否】
4※自然人が商号を有する場合でも，その商号で，又はその商号を併記して，登記を受けることができない。（大判大正4・2・9）

【登記官の誤抹消の登記】
5※当事者の申請がないのに登記官が誤ってした抵当権の登記の抹消は無効であり，抵当権は，依然として第三者に対する対抗力を有する。（大判明治35・11・24）

【未成年者の登記】
6※未成年者が特別代理人によらないで自らした登記申請は，取り消すことができるものであるが，登記官がこれを受理し，その登記をした以上は，当該登記は，無効ではない。（大判昭和10・2・25）

【意思無能力者】
7※意思無能力者名義の申請に基づいてされた所有権移転の登記も，実体の権利関係に適合する以上，有効である。（福岡高判昭和27・11・29）

【取得時効の要件たる自主占有をしうべき年令】
8※15才位に達した者は特段の事情のない限り，不動産について，所有権の取得時効の要件である自主占有をすることができる。（編注　この判例は，15才以上の者に意思能力を認める。）（最判昭和41・10・7民集20巻8号1615頁）

第17条（代理権の不消滅）

登記の申請をする者の委任による代理人の権限は，次に掲

❖【代理権の消滅】民111①【期間の制限】令17【提供の省略】規36
【記名押印】令18，規49

不動産登記法（17条）

げる事由によっては，消滅しない。
一　本人の死亡
二　本人である法人の合併による消滅
三　本人である受託者の信託に関する任務の終了
四　法定代理人の死亡又はその代理権の消滅若しくは変更

先例等

【法人の代表者の代理権が消滅した場合の取扱い】

第2　登記申請代理権の不消滅に関する規定の新設

1 ⇔ 1　委任による登記申請代理権の不消滅に関する規定が新設されたが，委任者の法定代理人の代理権が消滅した場合もこれに該当し（法17条4号），この場合の法定代理人には法人の代表者も含まれる。したがって，規則36条1項1号又は2号に規定する場合において，申請書に添付された登記申請の代理権限を証する書面の作成名義人である法人の代表者が現在の代表者でないと認められるときであっても，次に掲げる場合には，これを適法な登記申請の代理権限を証する書面の添付があるものとして扱う。なお，その申請が令16条2項又は令18条2項の申請であるときは，当該代表者の印鑑証明書（作成後3か月以内のものに限る。）の提出があることを要する。
ア　登記申請の代理人が当該代表者の代表権限が消滅した旨及び当該代表者が代表権限を有していた時期を明らかにし，当該法人の登記簿でそのことを確認することができる場合
イ　当該代表者の代表権限を証する書面（作成後3か月以内のものに限る。）が申請書に添付されている場合

（平成5・7・30民三5320号通達第2・一）

【代理権の不消滅に関する規定が適用される場合の添付書類】

2 ⇔ 1　登記名義人が登記申請の委任をした後死亡した場合において，相続人がその委任を受けた代理人により当該委任に係る代理権限証書を添付して登記の申請をするとき
(1)　当該申請が令16条又は令18条2項の適用を受けるもの〈注〉である場合には，申請書に，相続を証する書面のほか，登記名義人の印鑑証明書（作成後3か月以内のものに限る。）の添付を要する。
(2)　（略）

2　登記申請の委任をした法人の代表者の代表権限が消滅した場合において，その委任を受けた代理人が当該委任に係る代理権限証書を添付して登記の申請をするとき
(1)　申請書に添付された登記申請の代理権限を証する書面の作成名義人である法人の代表者が現在の代表者でない場合には，当該代表者の代表権限を証する書面として申請書に添付する書面には，当該代表者が代表権限を有していたことを明らかにする当該法人の閉鎖登記簿謄本が含まれる。この場合において，閉鎖登記簿謄本は，作成後3か月を超えるものであっても差し支えない。
　なお，上記のような書面を添付して申請をするときは，その代理人において当該代表者の代表権限が消滅している旨を明らかにする必要がある。
(2)　（略）
(3)　基本通達第2の一のなお書〈注2〉については，当該代表者の印鑑について商業登記規則第9条の2の規定による処理がされた印鑑に係る記録が保存されているときであっても，印鑑証明書の提出を要する。
〈注〉　所有権の登記がある土地の合筆又は建物の合併の登記並びに所有権が登記のある建物の合体による表題の登記を代表者又は代理人によって申請する場合には，申請人又はその代表者は，当該代理人の権限を証する情報を記載した書面に押印した印鑑証明書を添付しなければならない。この印鑑証明書は，作成後3月以内のものでなければならない。

（平成6・1・14民三365号回答）

（代理人）

【代理人に包含される者】

3 ⇔ 商事会社の代表取締役は，旧不動産登記法35条1項5号の代理人に包含される。（明治33・3・7民刑260号回答）

【双方代理】

4 ⇔ 登記申請の代理人には，民法第108条本文の適用がない（申請当事者の一方が相手方の代理人となり，また同一人が申請当事者双方の代理人となることができる）。（大正14・9・18民事8559号回答）

【委任代理人が複数の場合】

5 ⇔ 委任状において，複数の代理人が選任されていることが明らかな場合には，特に共同代理の定めがされていない限り，右の代理人が各自単独で登記申請行為を代理しうるものとされる。（昭和40・8・31民事甲2476号回答）

（特別代理人）

【未成年者が連帯債務者である場合】

6 ⇔ 親権者甲が，未成年の子乙，丙を連帯債務者として，甲，乙，丙共有の不動産に対して抵当権を設定する場合には，民法第826条第2項の規定によ

不動産登記法（18条）

り特別代理人の選任を要する。（昭和33・12・25民三発1013号回答）

【代理権限証書】

7 ✥後見人が未成年者を代理して行った法律行為を登記原因とする登記の申請をする場合には、後見人であることを証する書面の添付を要する。（昭和22・6・23民事甲560号通達）

8 ✥公正証書の遺言と自筆証書の遺言とが相次いで行われ、家庭裁判所の審判により、同一人が右の2つの遺言の執行者に選任された場合、その遺贈の登記は、登記簿上遺贈者名義とされているものについては、受遺者と遺言執行者との共同申請によって行うものとされ、この場合の遺言執行者の資格を証する書面としては、審判書のほか遺言書を必要とする。（昭和44・10・16民事甲2204号回答）

9 ✥包括遺贈の遺言の遺言執行者は、包括遺贈者が生前に売却しその移転登記が未了である土地の所有権移転登記の申請の代理権限を当然に有するものではない。（昭和56・9・8民事三第5484号回答）

10 ✥遺言者の指定による遺言執行者の代理権限証書（資格証明書）としては（遺言書のほか）その遺言者の死亡を証する書面をも添付するのが相当である。（昭和59・1・10民三第150号回答）

11 ✥後見登記等に関する法律第10条の登記事項証明書において、任意後見人の代理権の範囲に財産の管理又は処分が含まれている場合には、その管理又は処分に係る不動産の登記申請についても代理権が及ぶことから、当該代理権の範囲に不動産の登記の対象となる物件が特定されていないときであっても、当該登記事項証明書を代理人の権限を証する書面として取り扱って差し支えない。（平成15・2・27民二第601号通知）

12 ✥成年後見人の選任の日から3月以内に申請される場合に限り、後見人の選任にかかる審判の正本又は謄本及びその審判の確定証明書をもって、成年後見人の代理権限を証する情報として取り扱うことができる。（登記研究740号159頁）

13 ✥相続財産管理人の代理権限証書として、相続財産管理人の選任の公告がされた官報をもってこれに代えることはできない。（登記研究582号185頁）

14 ✥委任契約に係る委任事務の範囲について、不動産の管理及び処分に関する代理権を付与することが明らかにされている委任契約書が公正証書により作成されているときは、これを登記の申請の代理人の代理権限を証する情報として取り扱って差し支えない。（登記研究741号145頁）

15 ✥特定の不動産を「相続人Aに相続させる」旨の遺言に基づくAのための相続を原因とする所有権の移転の登記の申請について、遺言執行者がAを代理して申請する場合は、代理権限を証する情報として、Aの委任状を添付する必要があり、遺言執行者を指定した遺言書をもってこれに代えることはできない。（登記研究722号175頁）

16 ✥持分会社甲の代表社員が法人乙であり、乙の職務執行者として丙が選任されている場合において、持分会社甲が登記の申請をする際に、申請情報と併せて提供すべき代表者の資格を証する情報は、持分会社甲に係る登記事項証明書又は代表者事項証明書（職務執行者丙の記載のあるもの）を提供すれば足りる。（登記研究728号243頁）

【法人の印鑑証明書を代表者の資格を証する情報として提供することの可否】

17 ✥書面申請において申請人である法人の印鑑に関する証明書（印鑑証明書）を当該法人の代表者の資格を証する情報として提供することは、従前どおり認められない。…特別清算開始の命令がされた株式会社における代表者の代表権の制限などに関し、印鑑証明書には表示されないものもあることから、印鑑証明書の提出により資格証明書として代用することはできないと考えられます。（登記研究711号189頁）

◆判例◆

【登記申請の代理人】

1 ❈登記申請の代理人は、登記申請却下処分の取消しを求める訴えの原告適格がない。（最判昭和63・9・8）

【代理権の効力】

2 ❈委任による代理権は、登記申請受理の時において存在していれば足り、登記実行完了の時までに委任の効力が消滅しても、登記の効力には何らの影響はない。（大判明治36・11・26）

【共同相続人である未成年者の子とその親権者との遺産分割協議（利益相反に当たらない事案）】

3 ❈共同相続人である未成年者の子とその親権者との間の遺産分割協議によって、遺産の全部が未成年の子に帰属した場合には、当該行為は利益相反行為に当たらないので、その相続登記の真正には特別代理人の選任を証すべき書面の添付を必要としない。（札幌高判昭和46・4・27）

【代理権限証書】

4 ❈代理権限授与証明書は、代理権限を証する書面には当らない。（最判昭和62・9・11）

✥【申請情報の提供】令3，規34【申請情報の提供】令4【添付情報の提供】令10, 15【電子申請】規41〜44【登記事項証明書に代わる情報の送信】令11【電子署名】令12

第18条（申請の方法）

登記の申請は、次に掲げる方法のいずれかにより、不動産を識別するために必要な事項、申請人の氏名又は名称、登記

の目的その他の登記の申請に必要な事項として政令で定める情報（以下「申請情報」という。）を登記所に提供してしなければならない。
一　法務省令で定めるところにより電子情報処理組織（登記所の使用に係る電子計算機（入出力装置を含む。以下この号において同じ。）と申請人又はその代理人の使用に係る電子計算機とを電気通信回線で接続した電子情報処理組織をいう。）を使用する方法
二　申請情報を記載した書面（法務省令で定めるところにより申請情報の全部又は一部を記録した磁気ディスクを含む。）を提出する方法

【表示に関する登記の添付情報の特則】令13【電子証明書の送信】令14【書面申請】規45〜53【記名押印等】令16，18，19

先例等
【改製不適合物件】
1✢いわゆる改製不適合物件は，オンライン申請の対象とはならない。（登記研究738号183頁）
【電子証明書】
2✢相続財産管理人が被相続人の氏名を相続財産法人とする登記名義人の氏名の変更の登記を電子申請するときに，申請情報と併せて提供すべき電子証明書は，不動産登記規則43条2項に掲げる電子証明書であり，当該管理人が家庭裁判所の許可を得たうえで売却を登記原因とする所有権の移転の登記を電子申請するときに申請情報と併せて提供すべき電子証明書は，同規則43条1項に掲げる電子証明書である。（登記研究732号159頁）

【建物引渡証明書に添付する印鑑証明書等の有効期限】
3✢建物の表題登記の申請情報に合わせて提供すべき所有権を証する書面としての建物引渡証明書に添付する印鑑証明書及び資格を証する書面は，その作成の日から3月以内のものであることを要しない。（登記研究420号122頁）

判例
【印鑑証明書の意味】
1❈印鑑証明書は，印鑑自体の同一性を確認することの他に，取引行為者自身の同一性ないし取引行為が行為者の真意に基づくものであることを確認する資料とされる。（名古屋高判昭和34・3・16）

第19条（受付）

①　登記官は，前条の規定により申請情報が登記所に提供されたときは，法務省令で定めるところにより，当該申請情報に係る登記の申請の受付をしなければならない。
②　同一の不動産に関し二以上の申請がされた場合において，その前後が明らかでないときは，これらの申請は，同時にされたものとみなす。
③　登記官は，申請の受付をしたときは，当該申請に受付番号を付さなければならない。この場合において，同一の不動産に関し同時に二以上の申請がされたとき（前項の規定により同時にされたものとみなされるときを含む。）は，同一の受付番号を付するものとする。

❖【申請の受付】規56，準31【受領書の交付の請求】規54【調査】規57

第20条（登記の順序）

登記官は，同一の不動産に関し権利に関する登記の申請が二以上あったときは，これらの登記を受付番号の順序に従ってしなければならない。

❖【登記の順序】規58

不動産登記法（21条）

判例

1 ※本条の趣旨は，登記官の登記事務取扱いに関する職務規定であると解するのが相当であるから，本条違反のみの理由でその登記の抹消登記手続を求めることはできない。（最判昭和51・4・8）

【表題の登記及び所有権保存の登記の連件申請と所有権の処分制限の登記の競合】

2 ※1 法20条は，同一不動産に関しては，その登記が不動産の表示に関するものと権利に関するものとを問わず，すべての登記について強行規定として適用される。

2 未登記不動産について，表題の登記の申請と同時にされた所有権の保存の登記の申請は本来却下すべきものである。しかし，所有権の保存の登記の申請を，その前提として同時に申請された同一不動産の表題登記がされたときに受け付けてその処理をする便宜的取扱いは，これを是認しても登記事務処理上許容し難い弊害を生ぜしめるものではないので，法の絶対的に容認し難いものと解する必要はない。
（最判昭和62・11・13）

第21条（登記識別情報の通知）

登記官は，その登記をすることによって申請人自らが登記名義人となる場合において，当該登記を完了したときは，法務省令で定めるところにより，速やかに，当該申請人に対し，当該登記に係る登記識別情報を通知しなければならない。ただし，当該申請人があらかじめ登記識別情報の通知を希望しない旨の申出をした場合その他の法務省令で定める場合は，この限りでない。

❖【登記の完了】法117【登記識別情報の安全確保】法151【法務省令の定め】規61～64【登記識別情報の通知】法117，準37，38【登記識別情報の失効の申出】規65，準39【登記識別情報に関する証明】令22，規68，準40【登記完了証】規181，182【申請人以外の者に対する通知】規183

先例等

【登記識別情報通知】

1 ✢被相続人名義への所有権の移転の登記が未了のまま被相続人が死亡したため，被相続人が登記名義人となる所有権の移転の登記を相続人が申請した場合，同登記が完了したときは，申請人である相続人に対し，登記識別情報を通知すべきである。（平成18・2・28民二第523号通知）

2 ✢不動産を複数人で購入した場合に，そのうちの一人が民法252条ただし書（現252条5項）の規定による保存行為として所有権の移転の登記をしたときは，登記識別情報は，その者にのみ通知される。（登記研究727号169頁）

【司法書士法人の使用人である司法書士が，登記識別情報の通知を受領する場合の取り扱いについて】

3 ✢司法書士法人の使用人である司法書士が登記識別情報の通知を受領するためには，復代理人として，登記識別情報の通知を受けるための特別の権限を与えられていなければならない。（登記研究801号147頁）

【登記識別情報の通知を受けるための特別の委任を受けた代理人がある場合における登記識別情報の通知の取扱いについて】

4 ✢登記識別情報の通知を受けるための特別の委任を受けた代理人がある場合であっても，（申請人本人が希望したときは，）登記名義人となる申請人本人に対して登記識別情報を通知することができる。（登記研究806号163頁）

【登記識別情報の再作成】

5 ✢登記識別情報の作成後，その登記識別情報を記載した登記識別情報通知書の通知を受けることができる者に交付する前に，通知書にはりつけられたシールがはがれた場合は，登記官は，再度，別の登記識別情報を作成した上，これを記載した登記識別情報通知書を作成することにより，登記識別情報を通知するものとする。（平成17・2・25民二457号通達第2・三・（2））

【登記識別情報の再作成の申出】

6 ✢登記識別情報を記載した書面の登記識別情報を記載した部分が見えないようにするシールの一部のはがれ方が不完全であることにより登記識別情報が読み取れない状態になった場合には，登記識別情報に係る登記の名義人又はその相続人その他の一般承継人からの申出に応じて，再作成した登記識別情報の通知をすることができる。（平成22・3・19民二460号通達）

7 ✢土地家屋調査士補助者が「補助者証」及び「特定事務指示書」を提示して登記識別情報の通知を受領することができる。（平成17・11・9民二第2598号通知）

【規則附則第16条の登記手続について】

8 ✢法附則第6条の指定を受けた登記手続について，申請人が法附則第7条の規定により登記済証を提出して登記の申請をしたときは，当該申請人である登記義務者（登記権利者及び登記権利者がない場合にあっては，申請人である登記名義人）に対

し，登記完了証に代えて，改正前の法60条第2項の規定による方法により作成した登記証を交付するものとする（規則附則16条。以下「附則16条の手続」という。）とされているが，登記義務者に対し，登記完了証を交付したときは，便宜，附則第16条の手続を省略して差し支えない。（平成18・5・25民二第1276号回答）

第22条（登記識別情報の提供）

登記権利者及び登記義務者が共同して権利に関する登記の申請をする場合その他登記名義人が政令で定める登記の申請をする場合には，申請人は，その申請情報と併せて登記義務者（政令で定める登記の申請にあっては，登記名義人。次条第1項，第2項及び第四項各号において同じ。）の登記識別情報を提供しなければならない。ただし，前条ただし書の規定により登記識別情報が通知されなかった場合その他の申請人が登記識別情報を提供することができないことにつき正当な理由がある場合は，この限りでない。

❖【登記識別情報】法二十四【政令で定める登記】令8【提供の方法】規66【提供の省略】規67【登記識別情報を提供することができない正当な理由】準42

先例等
【登記識別情報について】
1 ✚ 土地の合筆の登記がされた後，当該登記名義人が登記義務者として登記申請をする際には，合筆登記の際に通知された登記識別情報又は合筆前のすべての土地に関する登記識別情報（又は登記済証）のいずれかを提供すればよい。（昭和39・7・30民事甲2702号通達，平成19年5月版日司連Q&A）

2 ✚ 甲，乙共有から共有分割により甲の単有となった所有権の登記の登記識別情報は，甲，乙共有登記の登記識別情報と共有分割による登記の登記識別情報を併せたものである。（昭和39・2・19民事甲364号回答・通達）

3 ✚ 官公署の嘱託による合併（合筆）の登記については，登記識別情報の提供を必要としない。（昭和39・5・14民事甲1719号回答・通達）

4 ✚ 所有権の登記がなされている不動産の合筆又は合併の登記の申請と，当該不動産に関しその所有権の登記名義人の相続人のためにする相続登記の申請とを同時にする場合でも，合筆又は合併の登記の申請書には，合併前のいずれか1個の不動産の所有権の登記の登記識別情報及び申請人に関する印鑑証明書を提供すべきである。（昭和39・6・20民事甲2217号回答）

5 ✚ 甲所有名義の登記につき，錯誤を原因として，甲，乙各持分2分の1とする共有名義に更正の登記をした後において，各人が登記義務者として登記を申請する場合には，甲については当初の登記の登記識別情報，乙については右の更正登記の登記識別情報が，それぞれ各人の権利に関する登記識別情報となる。（昭和40・10・2民事甲2852号回答）

【附属建物の分割後の登記識別情報】
6 ✚ 法96条ただし書（現行規則128条2項）による附属建物分割後の建物については，所有権の登記の登記識別情報は存在しない。（昭和35・12・27民事甲3300号回答，登記研究363号166頁）

【登記済証を提供することができないことにつき正当な理由がある場合】
7 ✚ ア 登記済証が交付されなかった場合
　イ 登記済証が滅失し，又は紛失した場合
　ウ 法22条の登記義務者が登記済証を現に所持していない場合（平成17・2・25民二457号通達第1・三・(1)）

【登記識別情報を提供することができないことにつき正当な理由がある場合】
8 ✚ 法附則第6条の指定がされた後に法第22条ただし書きに規定する「登記識別情報を提供することができないにつき正当な理由がある場合は，準則42条1項各号に掲げる場合のほか，電子申請をする場合において，登記済証を所持しているときとする。（平成17・2・25民二457号通達第1・三・(2)）

9 ✚ 登記識別情報を記載した書面の登記識別情報を記載した部分が見えないようにするシールのはがれ方が不完全であることにより登記識別情報が読み取れない状態になったことにより，登記の申請の際に登記識別情報を提供することができなくなった場合には，準則42条1項1号の「登記識別情報が通知されなかった場合」に該当するものとし，法22条ただし書きの「登記識別情報を提供することができないことにつき正当な理由がある場合」として取り扱って差し支えない。（平成22・3・19民二第459号通知）

判例
【「登記済証が滅失したるとき」とは】
1 ❖〔旧〕不動産登記法44条にいわゆる「登記済証が

滅失したるとき」とは，登記済証が物質的に消滅したか，又は紛失のため一時所在の判明しないような場合をいうのであって，〔大審院昭和8・7・4決定〕原判示のような事情で，登記済証が売主より別個の売買に基づき第三者に交付せられ，それが現に第三者の手裡に存し売主はたやすくこれを取り戻すことができないと認められるような場合をも包含するものと解すべきではない。(最判昭和31・7・17民集10巻7号856頁)

第23条（事前通知等）

① 登記官は，申請人が前条に規定する申請をする場合において，同条ただし書の規定により登記識別情報を提供することができないときは，法務省令で定める方法により，同条に規定する登記義務者に対し，当該申請があった旨及び当該申請の内容が真実であると思料するときは法務省令で定める期間内に法務省令で定めるところによりその旨の申出をすべき旨を通知しなければならない。この場合において，登記官は，当該期間内にあっては，当該申出がない限り，当該申請に係る登記をすることができない。

② 登記官は，前項の登記の申請が所有権に関するものである場合において，同項の登記義務者の住所について変更の登記がされているときは，法務省令で定める場合を除き，同項の申請に基づいて登記をする前に，法務省令で定める方法により，同項の規定による通知のほか，当該登記義務者の登記記録上の前の住所にあてて，当該申請があった旨を通知しなければならない。

③ 前二項の規定は，登記官が第25条（第10号を除く。）の規定により申請を却下すべき場合には，適用しない。

④ 第1項の規定は，同項に規定する場合において，次の各号のいずれかに掲げるときは，適用しない。

一 当該申請が登記の申請の代理を業とすることができる代理人によってされた場合であって，登記官が当該代理人から法務省令で定めるところにより当該申請人が第1項の登記義務者であることを確認するために必要な情報の提供を受け，かつ，その内容を相当と認めるとき。

二 当該申請に係る申請情報（委任による代理人によって申請する場合にあっては，その権限を証する情報）を記載し，又は記録した書面又は電磁的記録について，公証人（公証人法（明治41年法律第53号）第8条の規定により公証人の職務を行う法務事務官を含む。）から当該申請人が第一項の登記義務者であることを確認するために必要な認証がされ，かつ，登記官がその内容を相当と認めるとき。

❖【事前通知】規70，準43・44・45・47【相続人等からの申出】準46【前の住所地への通知】規71，準48【資格者代理人による本人確認情報の提供】規72，準49

先例等
【事前通知の通知先】
1 ❖ 登記義務者が外国に住所を有している場合におけ る不動産登記法23条1項の事前通知は，権限を有する官署の作成した証書により申請に係る不動産の管理処分等一切の権限を授権されたことを証明

した代理人あてにすることができる。(昭和35・6・16民事甲1411号通達，登記研究692号211頁)

【事前通知における本人限定受取郵便の代人指定の可否について】

2 ✚本人限定受取郵便による事前通知については，当該通知を名宛人に代わって受け取ることができる者（代人）を指定して送付することはできない。（登記研究796号125頁）

【職印証明書】

3 ✚司法書士法人又は土地家屋調査士法人が代理人として不動産の登記の申請を行う場合において，当該申請において当該法人を代表する者が本人確認情報を提供するときは，主たる事務所の所在地を管轄する法務局（登記所）が発行する当該法人の印鑑証明書の添付を要し，司法書士法人又は土地家屋調査士法人の従たる事務所に所属する当該法人の代表者が本人確認情報を提供する場合においても同様とする。また，職印証明書について原本還付の請求があった場合には，これを認めることとする。（平成17・3・7民二第624号通知）

【職印証明書】

4 ✚司法書士法人に雇用されている司法書士（使用人である司法書士）が本人確認をした場合には，本人確認情報に当該司法書士の職印を押印し，司法書士会発行の職印証明書を添付するとともに，司法書士法人の代表者の記名押印と当該司法書士法人の印鑑証明書を併せて添付すれば，これを本人確認情報として提供することができる。（登記研究697号225頁）

【提供された登記識別情報が失効していた場合の取扱いについて】

5 ✚資格者が代理して登記の申請をした場合に，申請情報に添付して提供した登記識別情報が失効していたときは，本人確認情報を追完すれば足りる。なお，資格者代理人が作成した本人確認情報が追完されない場合は，事前通知の方法によることになる。（登記研究705号173頁）

【署名証明書を本人確認情報とすることはできない】

6 ✚海外に居住する日本人が登記識別情報の提供を要する登記の申請をする場合において，登記識別情報を提供することができないときであっても，日本領事の署名証明書をもって本人確認情報とすることはできない。（登記研究714号197頁）

【本人確認情報】

7 ✚登記義務者が破産会社である場合に破産管財人代理が選任されているときは，当該破産管財人代理と面談した結果をもって，法23条4項1号の資格者代理人による本人確認情報とすることができる。なお，破産管財人代理に面談した結果をもって本人確認情報とする場合には，当該破産管財人代理の選任について裁判所の許可があったことを証する書面の提供も要すると考えます。（登記研究735号159頁）

【事前通知に対する申出人を異にする場合】

8 ✚登記義務者である法人について破産法の規定に基づき選任された保全管理人から登記識別情報を提供することなく登記の申請がされ，当該保全管理人に対し，法23条1項の事前通知をした場合において，その後，当該法人について破産管財人が選任されたときは，当該破産管財人からその資格証明書及び印鑑証明書を提供して同項の申出をすることができる。（登記研究735号159頁）

【事前通知の省略可否】

9 ✚遺言執行者として指定されている司法書士が，遺言執行者である自身が申請の権限を有する登記義務者であることを証明するために本人確認情報を作成して申請情報と共に提供しても，事前通知は省略されない。（登記研究745号127頁）

第24条（登記官による本人確認）

❖【登記官による本人確認】規59，準33【本人確認調査の嘱託】準34【不正登記防止申出】準35

① 登記官は，登記の申請があった場合において，申請人となるべき者以外の者が申請していると疑うに足りる相当な理由があると認めるときは，次条の規定により当該申請を却下すべき場合を除き，申請人又はその代表者若しくは代理人に対し，出頭を求め，質問をし，又は文書の提示その他必要な情報の提供を求める方法により，当該申請人の申請の権限の有無を調査しなければならない。

② 登記官は，前項に規定する申請人又はその代表者若しくは代理人が遠隔の地に居住しているとき，その他相当と認めるときは，他の登記所の登記官に同項の調査を嘱託することができる。

第25条（申請の却下）

登記官は，次に掲げる場合には，理由を付した決定で，登記の申請を却下しなければならない。ただし，当該申請の不備が補正することができるものである場合において，登記官が定めた相当の期間内に，申請人がこれを補正したときは，この限りでない。

一　申請に係る不動産の所在地が当該申請を受けた登記所の管轄に属しないとき。

二　申請が登記事項（他の法令の規定により登記記録として登記すべき事項を含む。）以外の事項の登記を目的とするとき。

三　申請に係る登記が既に登記されているとき。

四　申請の権限を有しない者の申請によるとき。

五　申請情報又はその提供の方法がこの法律に基づく命令又はその他の法令の規定により定められた方式に適合しないとき。

六　申請情報の内容である不動産又は登記の目的である権利が登記記録と合致しないとき。

七　申請情報の内容である登記義務者（第65条，第77条，第89条第1項（同条第2項（第95条第2項において準用する場合を含む。）及び第95条第2項において準用する場合を含む。），第93条（第95条第2項において準用する場合を含む。）又は第110条前段の場合にあっては，登記名義人）の氏名若しくは名称又は住所が登記記録と合致しないとき。

八　申請情報の内容が第61条に規定する登記原因を証する情報の内容と合致しないとき。

九　第22条本文若しくは第61条の規定又はこの法律に基づく命令若しくはその他の法令の規定により申請情報と併せて提供しなければならないものとされている情報が提供されないとき。

十　第23条第1項に規定する期間内に同項の申出がないとき。

十一　表示に関する登記の申請に係る不動産の表示が第29条の規定による登記官の調査の結果と合致しないとき。

十二　登録免許税を納付しないとき。

十三　前各号に掲げる場合のほか，登記すべきものでないときとして政令で定めるとき。

❖【申請の却下】規38，準28【取下げ】規39，準29【補正】規60，準36【登記官による調査】法29【登録免許税】免31①・③〜⑤【登記すべきものでないとき】令20【審査請求】法156【取消訴訟等の提起に関する事項の教示】46①

先例・判例等

【登記官の審査権限（権利に関する登記）】

1❖登記官は，登記申請に対し単に形式上の審査権を有するにとどまり，申請内容が実体法上の権利関係と一致するかどうかの審査権限は有しない。（大判昭和15・4・5）

【表示に関する登記の審査】

2❖登記官は，表示に関する登記の申請については，実質的審査をしてその許否を決すべきであり，表示に関する登記手続を命じた確定判決は，右許否決定の妨げとなるものではない。（最判昭和62・7・9）

〈却下事由〉

〈1号〉

1✛所属未定地たる土地につきされた所有権保存の仮登記は，不動産登記法25条第1号に該当するものとして職権抹消すべきである。（昭和31・5・26民事甲1109号回答）

【昭和31・5・26民甲1109号回答の事件に関するもの】

3※仮登記当時は勿論，その職権抹消時においても登記所に管轄権がなかった土地について，その後管轄権が生じても右職権抹消を違法とすることはできない。（最判昭36・6・9）

4※いずれの都道府県の区域にも属しない土地につきされた登記の申請は，旧不動産登記法第49条1号により却下すべきである。（最判昭36・6・9）

〈5号〉

2✛所有者を同じくする甲・乙2個の建物の中間に増築を施し，かつ双方の建物の障壁を撤去して1棟の建物とした場合には，乙建物につき合棟を原因として滅失の登記をした後，甲建物につき増築及び合棟を原因として，床面積変更の申請があったときは，これを受理すべきでない。（昭和40・7・28民事甲1717号回答）

3✛1棟の建物に属する区分建物の一部について表題の登記の申請があったときは，その申請を法25条5号により却下するものとする。（昭和58・11・10民三第6400号通達第2，三）

4✛街区基準点の成果を管轄登記所に備え付けた後，街区基準点の整備が完了した地域内の土地について，地積測量図を添付した分筆の登記等の申請があった場合には，登記官は，登記所に備え付けられている街区基準点の成果に基づいて調査及び測量がされているかを確認し，街区基準点を利用することができるにもかかわらず，この街区基準点に基づかない地積測量図が作成されている場合には，基本三角点等に基づく測量ができない特段の事情がある場合（規則77条1項7号）に該当しないものとして，当該分筆の登記等の申請を却下することとして差し支えない。（平成18・8・15民二第1794号通知）

5✛相続財産管理人選任審判書の謄本は，不動産登記令17条第1項の規定により，作成後3月以内のものであることを要するが，作成後3月を経過した審判書の謄本と併せて，作成後3月以内の権限外行為許可審判書の謄本が添付されている場合は，適法な書面が添付されているものとして処理して差し支えない。（登記研究806号163頁）

〈6号〉

6✛合併制限に違背する合筆の登記がされている土地について，仮処分の記入登記の嘱託があった場合は，不動産登記法71条以下の規定により合筆登記を抹消した上，同法25条第6号の規定により当該仮処分の記入登記の嘱託を却下するのが相当である。（昭和54・6・8民三第3310号回答）

〈9号〉

7✛相続を原因とする所有権の移転登記申請について，検認を経ていない自筆証書である遺言書を，相続を証する情報として申請情報と併せて提供した場合，当該申請は不動産登記法25条9号の規定により却下するのが相当である。（平成7・12・4民三4343号回答）

5※検認手続を経た自筆遺言証書（検認手続の過程で，推定相続人の一人が本件遺言書の成立に疑義を述べている。）を提供した表題登記申請につき，所有権を証する情報の提供がないとして却下した登記官の処分は適法である。（東京地判平成12・11・30，登記インターネット3巻4号162ページ）

〈10号〉

8✛当該登記義務者に発した通知書の回答欄における登記義務者の押印が，登記申請書の押印と異なるときは，適式の申出とは認め難いため，法定期間の3週間（現2週間）を経過後において不動産登記法25条10号により却下すべきである。（昭和35・4・14民事甲914号通達）

〈11号〉

9✛地積訂正のための更正登記申請については，実地調査の結果，相隣地所有者相互の主張する境界線が異なるため，登記官において，その境界確認が困難な場合には，不動産登記法25条11号の規定による却下処分に附するものとされる。（昭和38・1・21民事甲129号回答）

10✛同一建物につき，別異の申請人から相前後して提出された表示の登記の重複申請は，登記官において，実地調査の結果，所有者の確認が不能であるときは，いずれも不動産登記法25条11号により却下すべきである。（昭和39・5・27民三発444号回答）

11✛分筆登記を行うにあたって，申請地と隣接地との境界を確認できない場合には，法25条11号により却下される。それは，代位による場合も同様である。（平成6・1・15民三265号回答）

6※未登記不動産について，表題の登記の申請と同時にされた所有権の保存の登記の申請は本来却下（法25条11号，9号）すべきものである。しかし，所有権の保存の登記の申請を，その前提として同時に申請された同一不動産の表題登記がされたときに受け付けてその処理をする便宜的取扱いは，これを是認しても登記事務処理上許容し難い弊害を生ぜしめるものではないので，法の絶対的に容認し難いものと解する必要はない。（最判昭62・11・13）

〈13号〉

7✛不動産登記法49条2号（現行法25条13号）の「事件カ登記スヘキモノニ非サルトキ」とは，主として，申請がその趣旨自体においてすでに法律上許

容できないことが明らかな場合をいう。（最判昭和42・5・25）

12✧一筆の土地の一部に対する処分制限の登記をすることはできない。（昭和27・9・19民事甲308号回答）

13✧建物の一部であつて独立した建物とみとめられないものについてされた建物の表題登記は、不動産登記令20条4号及び不動産登記法71条の規定に該当するので、当該建物の表題の登記は職権で抹消すべきである。（昭和37・10・12民事甲2956号回答）

【申請の取下】

14✧登記申請の欠缺が即日に補正されないときは、登記官は、その申請を却下すべきであるが、なるべく事前に、その旨を申請人に告知して、申請取下の機会を与えるものとする。（昭和29・9・16民事甲1928号通達）

15✧1 登記申請の取下は、必ず取下理由を記載した書面を提出して行うべきである。

2 申請代理人による登記申請の取下は、それが欠缺補正のためにする場合には、取下に関する委任状の添付を要しないが、その他の場合（申請の撤回）には、委任状を取下書に添付する（この場合、登記申請の委任状を転用することはできない。）。
（昭和29・12・25民事甲2637号通達）

16✧登記記録に記録を完了した後であっても、登記官の校合手続（決裁）が未了であるかぎり（登記官の識別番号を記録する前）、当該登記申請の取下げ（申請の撤回）をすることができる。（昭和38・1・11民事甲15号回答）

第26条（政令への委任）

この章に定めるもののほか、申請情報の提供の方法並びに申請情報と併せて提供することが必要な情報及びその提供の方法その他の登記申請の手続に関し必要な事項は、政令で定める。

❖【政令の定め】令3・4・7・9・11～14・16・19・20・21【申請情報】規34【一の申請情報によって申請することができる場合】規35【添付情報の省略】規37【原本の還付請求】規55【登録免許税を納付する場合における申請情報等】規189【電子申請における印紙等の納付】規124【使用済の記載等】規126【再使用証明】規129～131

先例等

【第三者の許可書等】

1✧被相続人が生前に売り渡した不動産につき、相続財産管理人において、買主とともに所有権移転の登記を申請する場合には、家庭裁判所の許可を要しない。（昭和32・8・26民事甲第1610号回答）

2✧代表取締役を同じくする株式会社相互間の売買による所有権移転登記の申請については、両株式会社の取締役会の承認を証する書面（取締役会議事録）を添付すべきものとされる。なお、右の取締役会議事録自体に署名者の捺印がない場合には、当該書面の末尾に、「右は議事録に相違ない」旨を記載して、署名取締役がこれに署名、捺印すべきものとされる（したがって、その者等の印鑑証明書の添付を必要とする。）。（昭和37・6・27民事甲1657号回答）

3✧1 地目が農地である土地につき所有権移転登記手続を命ずる判決に基づいて登記の申請をする場合において、その判決の理由中に農地法所定の許可がされていることの認定がされているときは、申請書に農地法所定の許可書を添付することを要しない。

2 右の場合において、判決の理由中に、当該土地が現に農地又は採草放牧地以外の土地であって、農地法第3条又は第5条の規定による権利移動の制限の対象ではない旨の認定がされているときは、所有権移転登記の申請に先立って地目変更の登記をすることを要する。
（平成6・1・17民三第373号回答）

【代位原因証明情報】

4✧代位原因を証する書面は、登記官が当事者間に債権の存在することが確認できれば足りるのであって、確定判決に限るものではなく、公正証書は勿論有効な私署証書でも差し支えない。（昭和23・9・21民事甲3010号通達）

5✧官公署が代位登記の嘱託をする場合における代位原因証明情報は、当該官公署による謄本である旨の認証がある場合には、原本を提出することを要しない。（昭和37・2・23民事甲325号通達、登記研究582号183頁、登記研究687号317頁）

6✧裁決手続開始の登記をする前提として、分筆を行うにあたり、登記簿上の地積と実測地積に差異があるときには、地積更正登記についても分筆登記と同様に、起業者が、裁決手続開始決定書の正本（添付図面を含む。）を代位原因を証する書面として添付し、代位により嘱託することができる。（昭和55・7・15民三第4085号回答）

7✧抵当権設定登記がある不動産の所有権登記名義人について相続が開始した後、当該抵当権の登記名義人が代位原因証書として当該抵当権の実行

としての競売の申し立てを受理した旨の証明書を添付の上，相続人に代位して相続登記の申請をすることができる。この場合の代位原因の表示は「年月日設定の抵当権の実行による競売」の振合いによるのが相当である。（昭和62・3・10民三第1024号回答）

8✥相続人が不分明の不動産について，相続財産管理人の選任手続をすることなく，当該不動産の被相続人の債権者が，競売申立受理証明を代位原因を証明する情報として，当該不動産の登記名義人の表示を相続財産法人名義に変更する代位の登記を申請することができる。（登記研究718号203頁）

【印鑑証明書等の有効期限について】

9✥平年の2月28日に作成された印鑑証明書を所有権移転登記の申請書に添付するときの有効期限は，5月31日である。（登記研究582号185頁）

【一の申請情報によってする登記の申請について】

10✥1　規則35条7号の規定に基づき，地積に関する更正の登記及び分筆の登記を一の申請情報によってするときは，分筆の登記において提供すべき地積測量図をもって，地積に関する更正の登記の申請において提供すべき地積測量図とすることができる。
　　2　登記の目的は，例えば，「地積更正，分筆の登記」，「建物床面積変更，建物分割の登記」とする。（平成18・4・3民二第799号依命通知）

【相続関係説明図】

11✥相続による権利の移転の登記等における添付書面の原本還付を請求する場合において，いわゆる相続関係説明図が提出されたときは，登記原因証明情報のうち，戸籍謄本又は抄本及び除籍謄本に限り，当該相続関係説明図をこれらの書面の謄本として取り扱って差し支えない。（平成17・2・25民二第457号通達第1・七）

【相続関係説明図の記載について】

12✥相続関係説明図には，当該相続に関係するすべての者を記載すべきである。相続関係説明図は，相続を証する書面中，当該相続による登記をなすにつき必要な事項及び関係者等を図により明らかにしたものでなければならない。したがって，離婚又は離縁した者であっても，当該相続に関係する者であれば，当然に記載する必要があるものと考える。（登記研究357号81頁，394号253頁）

【原本還付】

13✥復代理人が登記を申請する場合における申請書の原本還付の際の「原本に相違ない」旨の記載者は，代理人又は復代理人のいずれでも差し支えない。（登記研究535号176頁）

14✥不動産登記の手続を代理人に依頼してオンライン（特例方式）又は郵送により申請する場合に，添付書面の原本還付を申請人本人あてに当該原本を郵送することとして請求するときであっても，当該添付書面の謄本にする「原本に相違ない」旨の記載は，申請人本人又は代理人のどちらがしても差し支えない。（登記研究731号177頁）

15✥登記義務者である外国人の署名証明書（令16条）は，原本還付を受けることができない。（登記研究692号211頁）

16✥被相続人の同一性（登記記録上の所有者の住所と被相続人の本籍地が異なる場合）を証する書面の原本還付を請求する場合に，相続関係説明図を同書面の謄本とすることはできない。（登記研究694号227頁）

【土地改良区又は認可地縁団体の電子証明書について】

17✥土地改良区又は認可地縁団体が電子情報処理組織を使用する方法により不動産登記を申請する場合において，電子署名が行われている情報を送信するときに併せて送信すべき電子証明書は，登記規則第43条第1項本文に該当するときは代表者個人に係る同項第1号又は第3号に掲げる電子証明書で，それ以外のときは当該電子証明書又はこれに準ずる電子証明書として法務大臣の定めるもので，便宜差し支えない。（登記研究847号121頁）

【外国人の登記申請と国籍記載の要否】

18✥外国人においてする不動産登記の申請書には，その国籍を記載するのが相当であるが，登記簿にはその記載を要しない（国籍証明書等の添付を要しない）。（昭和23・9・16民事甲3008号回答）

【外国に居住する日本人が「本人の自署に相違ないこと」の日本の公証人の認証のある証明書を添付してする所有権移転の登記の申請の可否について】

19✥外国に居住する日本人が日本に一時帰国中に自己の不動産を売却する場合，印鑑証明書の添付に代えて，「本人の自署に相違ないこと」の日本の公証人の認証ある証明書を添付して所有権移転の登記を申請することができる。（登記研究669号209頁）

【取締役議事録に関する出席取締役の署名について】

20✥電話会議による方法による取締役会に関する議事録は，海外居住者等やむを得ない事情により署名できない取締役について，署名がなくても，出席取締役の過半数の署名があるとき，又はやむを得ない事情により署名できないことを証する書面が添付されているときは，有効な議事録として取り扱ってさしつかえない。（登記研究699号209頁，昭和28・10・2民甲1813号）

【相続財産管理人が法定相続情報一覧図の保管等の申出をする場合について】

21✥相続財産管理人が法定相続情報一覧図の保管等の申出をする場合は，申出書上の申出人の表示は，「亡○○○○相続財産」とし，代理人の表示は，相続財産管理人であることを記載する。また，法定相続情報一覧図上は，作成者を「亡○○○○相続財産管理人（申出人）」と記載する。（登記研究834号149頁）

不動産登記法（27条）

第27条（表示に関する登記の登記事項）

❖【表題部の登記】規89【所有権の登記なき不動産】法２十【不動産識別事項】令6，規90【登記の年月日】準66

　土地及び建物の表示に関する登記の登記事項は，次のとおりとする。
一　登記原因及びその日付
二　登記の年月日
三　所有権の登記がない不動産（共用部分（区分所有法第4条第2項に規定する共用部分をいう。以下同じ。）である旨の登記又は団地共用部分（区分所有法第67条第1項に規定する団地共用部分をいう。以下同じ。）である旨の登記がある建物を除く。）については，所有者の氏名又は名称及び住所並びに所有者が2人以上であるときはその所有者ごとの持分
四　前三号に掲げるもののほか，不動産を識別するために必要な事項として法務省令で定めるもの

【先例等】
【登記事項の記録】
1❖敷地権の目的である土地の所在，地番，地目又は地積の変更又は更正の登記をした場合において，1棟の建物の表題部の「敷地権の目的である土地の表示」欄の記録の変更の登記をするときは，最後に記録されている敷地権の目的である土地の表示の欄の次行に，変更に係る敷地権の目的である土地の符号並びに変更後の所在，地番，地目及び地積の全部を記録し，「登記の日付」欄に登記原因及びその日付を「年月日地番変更」のように記録した上，登記の年月日を記録して，従前の表示（ただし，符号を除く。）の全部を抹消するものとする。（昭和58・11・10民三第6400号通達第7，二・2）

2❖敷地権の目的である土地の分筆の登記をした場合において，「敷地権の目的である土地の表示」欄の記録の変更の登記をするときは，最後に記録されている敷地権の目的である土地の表示の欄の次行に，分筆後の各土地ごとに1行を用い，各土地の所在，地番，地目及び地積並びに土地の符号を記載し，「登記の日付」欄に登記原因及びその日付としてそれぞれ「年月日何番を分筆」のように記録した上，登記の年月日を記録して，従前の表示（ただし，符号を除く。）の全部を抹消するものとする。この場合における土地の符号は，分筆後の土地の一筆については従前の土地の符号と同一の符号を，その他の土地については新たに付した符号を用いるものとする。
（昭和58・11・10民三第6400号通達第7，二・3）

【登記原因及びその日付】
3❖一元化指定期日後，従来から存する土地で登記されていない土地の表示の登記申請書に，登記原因及びその日付が不明のため「登記原因及びその日付，年月日不詳」と記載されているものは，受理して差し支えないが，所問の場合の登記原因及び日付は，「不詳」と記載させるのが相当である。
（松江地方法務局管内登記官吏会同決議，登記研究185号58頁）

【所有者】
4❖不動産登記法74条1項1号の規定により，表題部に記録された所有者の相続人名義でされた所有権保存登記又は同条第2項の規定に基づく表題部に記録された所有者から直接譲渡を受けた者の名義でされた所有権保存登記を抹消する場合には，登記記録を閉鎖せずに存置し，表題部の所有者の記録を回復する。（昭和59・2・25民三第1085号通達）

【所有者の住所】
5❖印鑑証明書における住所の記載をもって登記権利者の住所を証明するものとして取り扱ってよい。
（昭和32・5・9民三発518号回答）

【判例】
【登記の効力】
1※借地上の建物について，当初は所在地番が正しく登記されていたにもかかわらず，登記官が職権で表題部の変更の登記をするに際し地番の表示を誤った結果，所在地番の表示が実際の地番と相違することとなった場合には，建物の構造，床面積等他の記録とあいまって建物の同一性を認めることが困難であるような事情がない限り，更正がされる前であっても借地借家法10条1項の対抗力を否定すべき理由はない。（最判平成18・1・19）

【表題部所有の登記の意義】
2※表題部所有者の登記は，民法177条の規定による所有権を対抗するための登記ではない。（東京地判昭和43・2・26）

【所有者の認定方法】

不動産登記法（28条）

3❖登記官は，所有権を証する書面の審査及び実地調査の結果に基づいて所有者についての判断を行うべきである。（長崎地判昭和62・8・7）【登記官がした土地登記簿の表題部に所有者を記録する行為が抗告訴訟の対象となる行政処分に当たるか（肯定）】	4❖登記官が不動産登記簿の表題部に所有者を記録する行為は，所有者と記載された特定の個人に法74条1項1号に基づき所有権保存登記申請をすることができる地位を与えるという法的効果を有するから，抗告訴訟の対象となる行政処分に当たると解するのが相当である。（最判平成9・3・11）

第28条（職権による表示に関する登記）◀

表示に関する登記は，登記官が，職権ですることができる。

❖【手続】規96

【関連法令】
【地方税法】固定資産課税台帳の登録事項（381）

【先例等】
【重複登記の処理】
1✚同一建物について重複登記となったものについては，後になされた建物の登記については，重複登記を登記原因として職権で建物の表題の登記を抹消するのが相当である。（昭37・10・4民事甲2820号通達）

2✚重複登記がなされ，前の登記には，所有権の保存の登記がされ，後の登記には，所有権の移転の登記及び抵当権の設定の登記がされているときは，便宜，前の登記を職権で抹消するものとし，しからざるときは，後の登記につき，「重複登記」を登記原因として，職権で土地（建物）の表題の登記を抹消すべきものとされる。（昭和39・2・21民事甲384号通達）

3✚乙を債務者とする建物の仮差押の登記の嘱託に基づき登記官が職権をもって乙名義で建物の登記用紙を設けたところ，右建物についてはすでに甲名義で所有権の保存の登記がなされていたために重複登記を生じた場合には，登記官が職権で乙名義の建物の表題の登記を抹消して差し支えない。（昭和42・3・14民三発139号回答）

【登記名義人が同一人でない重複登記の処理】
4✚登記名義人が同一人でない重複登記についても，職権をもって調査した結果，戸籍謄本により，後の登記の名義人が前の登記の名義人の相続人であることを確認しうる場合には，便宜，前の登記を職権で抹消することができる。（昭和46・3・26民事甲1194号回答）

【不存在を原因とする重複登記の処理】
5✚同一建物につき，甲名義の表題の登記（所有権保存登記済み）と乙名義の表題の登記（仮差押登記の嘱託による職権表題登記・職権所有権保存登記及び仮差押登記）とが相次いでなされている場合において，甲名義の登記における所在地番には建物は存在せず（右建物の正当な所在地番とは約130メートル離れている），乙名義の登記が現存する建物の所在・種類・構造・床面積と一致している場合には，甲名義の表題登記につき，該当建物の不存在を原因として，職権でこれを抹消するのが相当とされる。（昭和46・5・10民三発267号回答）

【1棟の建物の名称】
6✚1棟の建物の名称があるのにその登記がされていないときは，登記官は，職権でその名称を登記することができる。（昭和58・11・10民三第6400号通達第17，3）

【敷地権の表示に関する変更の登記】
7✚敷地権の目的である土地の表題部の変更若しくは更正の登記又は分筆の登記がされたことにより1棟の建物の表題部の「敷地権の目的である土地の表示」欄の記録事項に変更が生じたときは，登記官は，当該変更若しくは更正の登記又は分筆の登記に伴い，建物の表題部の変更の登記をするものとする。（昭和58・11・10民三第6400号通達第7，二・1）

【土地登記記録の表題部に記載された立木登記番号を職権で抹消することの可否】
8✚土地の登記記録の表題部に立木登記番号が記録されている土地の地目変更登記の申請に基づく実地調査によって立木が存在しないことが確認された場合であっても，職権で立木登記番号を抹消することはできない。（立木の滅失登記の申請によるべきであると考えます。）（登記研究570号173頁）

【職権による家屋番号の変更登記ができる場合】
9✚準則79条10号によれば，家屋番号は，敷地番の変更（又は更正）による建物の所在の変更（または更正）の登記をした場合にすべきものとされているが，敷地地番と異なった家屋番号が付されている建物について，敷地地番の変更（又は更正）がない場合においても，法28条の規定により，登記官は職権をもって，家屋番号の変更の登記をすることができる。（登記研究210号50頁）

【判例】
【表示に関する登記の職権主義の意義】
1❖建物の滅失の登記は，建物の表示に関する登記であって，登記官が職権をもって調査してすべき登記であり，現存する建物の所有者は，その建物の所在地上に以前存在していた旧建物の所有名義人に対し，旧建物の滅失登記を請求する利益はない。（最判昭和45・7・16）

不動産登記法（29条）

2 ※仮差押登記の嘱託登記に基づき表示の登記をした建物につき，その後登記官が実地調査を行った結果，建物の認定要件の用途性を欠いているとして，当該建物の表示の登記を職権で抹消した登記官の処分は適法である。（宇都宮地判平6・7・7）
3 ※表示に関する登記も，当事者の申請を基本とする。（岡山地判昭和57・1・25）

【不存在土地の職権抹消登記手続】
4 ※不登法は，土地が当初から不存在であったのに誤ってその表題の登記がなされた場合は，土地の滅失の登記手続に準じ，土地の表示を抹消し，登記記録を閉鎖する手続を，法28条，法29条，規則183条1項1号等に則って行うべきものと解するのが相当である。（東京高判昭和58・9・22）

【表題登記の抹消登記請求権（否定）】
5 ※不登法上，表題登記は所有名義人等に対し登記申請権を認めているとはいえ，元来が登記官の職権で行うよう定められており，登記法上申請権を認められていない者であっても，登記官に対して職権での発動を促すことにより，表題登記を行うことは可能というべきであるから，表題登記の存在により，当該表示に係る，不動産の所有権の行使が妨げられており，かつ表題登記の抹消が右職権の発動を促す方法によっては困難である等の特段の事情があれば格別，そうでない限り私人間において表題登記の抹消登記請求権を認める必要はない。（東京地判昭和60・7・26）
6 ※登記簿と土地台帳との一元化後においては，登記名義人を異にする二重登記がある場合には，後になされた登記は，職権で抹消されることになるとされた事例。（大阪地判昭和42・1・25）

第29条（登記官による調査）

① 登記官は，表示に関する登記について第18条の規定により申請があった場合及び前条の規定により職権で登記しようとする場合において，必要があると認めるときは，当該不動産の表示に関する事項を調査することができる。

② 登記官は，前項の調査をする場合において，必要があると認めるときは，日出から日没までの間に限り，当該不動産を検査し，又は当該不動産の所有者その他の関係者に対し，文書若しくは電磁的記録に記録された事項を法務省令で定める方法により表示したものの提示を求め，若しくは質問をすることができる。この場合において，登記官は，その身分を示す証明書を携帯し，関係者の請求があったときは，これを提示しなければならない。

❖【実地調査】規93～95，準60～65【実地調査拒否等に対する罰則】法162①②

関連法令
【実地調査拒否等に対する罰則】（法162）【地方税法】固定資産課税台帳の登録事項（381）

先例等
【実地調査権】
1 ⊕登記官は，敷地権の表示に関して登記をする場合において，必要があるときは，敷地権の存否，割合等について調査をすることができる。（昭和58・11・10民三6400号通達第1，三・4）
2 ⊕表題の登記のない建物について，処分制限の登記をするため建物の表題の登記をした場合，その登記後登記官は実地調査を要し，これを省略することは相当ではない。（登記研究216号72頁）

判例
【登記官の審査における注意義務】
1 ※登記官は土地の表示に関する登記申請の処理に当たっては，単に申請書の添付書類を調査するだけでは足りず，旧土地台帳附属地図を参照し，場合によっては現地調査するなどして，重複登記を防止する注意義務がある。（福岡地判昭和56・2・12）

【所有者の認定と登記官の実地調査権】
2 ※登記官は，書面審査の結果，所有権の帰属に合理的な疑いを抱く場合において，補充的な実地調査権を行使してその調査をし得るにすぎず，かつ，それ以上の調査をすべき義務はない。（東京地判平成6・12・19）

【添付されるべき所有権証明書と実地調査権】
3 ※実地調査は，申請書と添付書類の審査の結果これらに不備がない場合に，これを前提として，さらに，不動産の現状を登記簿に明確に公示するために，登記官が必要と認められるときに行われるもので，添付書類が調っていない場合には，登記官は実地調査をするまでもなく不登法25条11号により申請を却下しなければならないとするのが法の定めるところである。（大阪地判平成6・1・28）

【登記官の実地調査の要否】
4 ※登記官が不登法29条第1項に基づきいかなる場合に調査を行うかは，担当登記官の合理的な裁量に

委ねられているものと解される。不動産の表示に関する登記の申請書の添付書類により，不動産の現況を把握することができ，当該申請にかかる登記事項が右把握した不動産の現況に照らして十分正確であると認められる場合には，登記官が重ねて当該不動産の表示に関する事項について調査する必要はないというべきであるが，右申請書の添付書類等によって，不動産の現況を把握できないときは，当該不動産の表示に関する登記事項が不動産の現況に照らして正確なものとなるよう，進んで自ら調査を行う義務があるというべきである。(大阪地判平成2・2・19)

【実地調査を実施すべき時期】
5 ※登記官が，表示登記等の申請につき実地調査を実施する旨判断した場合に，これを実施すべき時期は登記官の全くの裁量に委ねられていると解することが相当でないことはいうまでもなく，当該登記所における処理すべき事件の数，その処理のための人的物的設備等の諸事情を勘案して客観的に合理的と認められる期間内に行うことを要すると解すべきである。(福岡地判昭和56・2・16)

【実地調査権の範囲】
6 ※不動産の表示に関する登記における登記官の実質的審査権は，必要な限度において過去の事実に及び得ることは明らかであり，調査の範囲が不動産の現在の客観的物理的性状に限られるとする原告

の主張は理由がない。(東京地判昭和57・3・29)

【所有者の認定と登記官の実地調査権】
7 ※1 登記官は，申請者の所有権の存否について実地調査権を行使し得ると解するのが相当である。
  2 登記官に実体法上の権利の存否に関する詳細な事実認定及び法律判断を常に義務として課したものではなく，書面審査の結果，所有権の帰属に疑問を抱く場合において，補充的に実地調査権を行使して調査をなし得るに過ぎない。(福岡高判平成元・10・25)(本判決の判例を最判平成5・3・11で容認)

【登記事務取扱上の先例，通達に示された法規の解釈と登記官の審査権の行使】
8 ※1 登記官の審査権限は，単に登記申請が手続法的要件を具備しているかどうかだけでなく，(権利の登記の)申請にあたって提出された書面により可能な限度で実体法上の事項についても審査することができる。
  2 先例，通達は，行政庁を拘束するにとどまり，国民一般はこれに拘束されるものではないから，実体法に関し先例，通達に示された解釈と異なる解釈をとることができ，そのいずれが正しい解釈であるかは，結局，裁判所によって具体的な法律上の争訟についての法の解釈，適用を通じて判定せらるべきものといわねばならない。(千葉地判昭和39・9・29)

第30条（一般承継人による申請）

表題部所有者又は所有権の登記名義人が表示に関する登記の申請人となることができる場合において，当該表題部所有者又は登記名義人について相続その他の一般承継があったときは，相続人その他の一般承継人は，当該表示に関する登記を申請することができる。

❖【表題部所有者】法2十【登記名義人】法2十一【申請情報】令3十【添付情報】令7①四

先例等
【相続証明書の添付】
1 ✙被相続人名義の不動産につき不動産の表示に関する登記を相続人から申請する場合には，申請書に相続を証する書面の添付を要する。(昭和38・1・24民事甲158号回答)

【共有不動産に関する登記の申請を共有者の一人からする場合の添付書類について】
2 ✙被相続人名義で登記されている不動産について共同相続人中の一人から各種の登記（分割・合併を除く）をする場合には，その申請者の戸籍抄本を提供すれば足り，共同相続人全員の戸籍等抄本の提供を要しない。(登記研究111号38頁)

【相続を証する書面】
3 ✙検察庁の事務官の証明に係る刑事裁判事件の判決書の内容の要旨及び判決が確定した旨が記載された書面は，民法891条の規定による相続欠格事由を証する書面として取り扱うことができる。(登記研究634号149頁)

第31条（表題部所有者の氏名等の変更の登記又は更正の登記）

表題部所有者の氏名若しくは名称又は住所についての変更の登記又は更正の登記は，表題部所有者以外の者は，申請することができない。

❖【表題部所有者】法2十【申請・添付情報】令別表1（行政区画の変更等）規92，準59

不動産登記法（32条）

先例等
【登記名義人の氏名等の更正登記申請書に添付すべき不在証明書について】
1 ✚登記名義人の氏名等の更正の登記の申請につき、申請人側において関係市町村からいわゆる不在証明書の交付を受けることができない場合には、登記官としては、当該登記名義人の戸籍の附票の謄本を添付させるものとし、これに当該登記名義人の登記記録上の住所に該当する記載のないことを確認した上で、当該登記申請を受理するものとされる（なお、右のいずれの書面も添付せず、他の書面によっても申請人と登記名義人との同一性を認めがたいときは、法25条9号の規定により当該登記申請を却下する。）。（昭和32・10・4民三第881号回答）

【登記名義人の住所の更正（又は変更）の登記の取扱方について】
2 ✚登記名義人の住所が（誤って）本籍地をもって表示されている場合は、現在の住所を証する書面（住民票の写し、戸籍附票の謄本）に記載されている本籍地と符合しているときは、申請書に、現在の住所を証する書面のみを添付して、当該登記が住民票における住所を定めた日より前になされたものであるときは、登記名義人の住所の変更の登記として申請するものとし、当該登記が住民票における住所を定めた日より後になされたものであるときは、登記名義人の住所の更正の登記として申請するものとされ、もし、本籍地の記載が符合しないときは、右書面のほか、本籍地の変更を証する戸籍（除籍）の謄本（抄本）を添付して、右と同様に登記名義人の住所の変更又は更正の登記として申請するものとする（なお、登記名義人の住所の変更の登記の申請書には、登記原因及びその日付として、住民票に記載の住所を定めた日の年月日を掲げ、その日の「住所移転」によるものである旨を記載する。）。（昭和32・10・4民三第882号回答）

【所有者等の氏名変更の原因】
3 ✚表題部に記載されている所有者又は登記名義人の氏名の変更による変更の登記の登記原因は、婚姻、離婚その他の原因のいかんを問わず「氏名変更」と記載する。（昭和54・9・4民四第4503号通知）

【登記名義人の住所が数次変更の場合】
4 ✚登記名義人の住所につき数回にわたつて変更を生じている場合には、1個の申請により、直ちに現在の住所に変更することができる（この場合には、申請書に登記原因及びその日付を併記して、数回分の住所の変更を証する書面を添付する。なお、同種の登記原因が数回分存するときは、その最後のもののみを記載する。）。（昭和33・3・22民事甲423号通達）

【行政区画の変更に伴う登記名義人等の住所の変更に係る登記事務の取り扱い】
5 ✚表示に関する登記では、表題部の所有者の住所の移転と行政区画の変更が行われた場合、みなし規定（規則92条）があるので、（区制施行に伴う）行政区画の変更に伴う表題部の所有者の住所の変更をする実益はない。本人が申請するのも便宜な取扱いである。したがって、住所移転後に区制変更がされているときは、登記原因及びその日付は、「年月日住所移転」のみで足りる。（平成22・11・1民二第2759号通知）

【会社法等の施行に伴い、特例有限会社となった不動産の登記名義人が、その商号を変更して通常の株式会社に移行した場合の登記事務の取扱いについて】
6 ✚会社法等の施行に伴い、特例有限会社となった不動産の登記名義人が、その商号を変更することにより通常の株式会社に移行した場合には、当該不動産について、商号変更を原因とする登記名義人の名称の変更の登記をすれば足りる。（平成18・3・29民二755号通達3参照、登記研究700号199頁）

【市区町村から行政証明書として発行された旧外国人登録原票の記載事項に関する証明を外国人の住所の変更を証する情報として取扱うことの可否について】
7 ✚市区町村から行政証明書として外国人登録法廃止後に発行された旧外国人登録原票の記載事項に関する書面に、外国人の住所の移転の履歴及びその移転日が記載されている場合は、当該書面を当該外国人の住所の変更を証する情報として取り扱って差し支えない。（登記研究779号124頁）

【登記名義人の表示変更（住所移転）登記申請をする場合における変更を証する書面】
8 ✚所有権の登記名義人の表示変更（住所移転）登記申請する場合に、住所の変更を証する書面に住民票の写しに代えて前住所地の住民票除票及び現在地の市町村長の発給する印鑑証明書を添付しても差し支えない。（登記研究375号80頁）

第32条（表題部所有者の変更等に関する登記手続）

表題部所有者又はその持分についての変更は、当該不動産について所有権の保存の登記をした後において、その所有権の移転の登記の手続をするのでなければ、登記することができない。

❖【表題部所有者】法2十【所有権の保存の登記】法74～76、規則157・158【申請添付情報】令別表28～30

第33条（表題部所有者の更正の登記等）

① 不動産の所有者と当該不動産の表題部所有者とが異なる場合においてする当該表題部所有者についての更正の登記は，当該不動産の所有者以外の者は，申請することができない。
② 前項の場合において，当該不動産の所有者は，当該表題部所有者の承諾があるときでなければ，申請することができない。
③ 不動産の表題部所有者である共有者の持分についての更正の登記は，当該共有者以外の者は，申請することができない。
④ 前項の更正の登記をする共有者は，当該更正の登記によってその持分を更正することとなる他の共有者の承諾があるときでなければ，申請することができない。

❖【表題部所有者】法2十【申請・添付情報】令別表2・3

先例等

【台帳土地所有者が判明しない土地の実体上の所有者が登記を受ける場合の取扱い】
1 ✛ 土地台帳土地所有者が判明しない未登記の土地について，登記官が台帳の所有者訂正申告（現行表題部所有者の更正登記）を相当と認めて所有者を訂正すれば，その者の名義で所有権保存登記をすることができる。（昭和26・11・20民甲2202号回答）

【表題部所有者の更正の登記の便宜的許容事例】
2 ✛ 表題部所有者欄に「大字○○総持」と記載されている墳墓につき，管轄市町村長作成の所有権証明書，部落民作成の財産管理規約及び代表者選出議事録を添付した，所有者を代表者個人に更正する登記の申請は，便宜受理して差し支えない。（昭和48・1・8民三218号回答）

【判決による所有権証明】
3 ✛ 1 不動産登記法第74条第1項第2号の規定により自己名義で所有権の保存登記を受けるために申請書に添付すべき判決（書）は，表題部に所有者として記載されている者全員を被告とするものでなければならない。
2 登記簿の一元化作業により旧土地台帳から移記した登記簿の表題部の所有者欄に，「甲外何名」と記載されているが，共同人名票が移管されなかった等の理由により「外何名」の氏名住所が明らかでない土地について，「甲」のみを被告とする所有権確認訴訟に勝訴した者から，当該訴訟の判決書を申請書に添付して不動産登記法第74条第1項第2号の規定による所有権の保存登記の申請があった場合には，当該判決の理由中において当該土地が登記簿の記載にかかわらず原告の所有に属することが証拠に基づいて認定されているときに限り，便宜，当該判決を同号にいう判決として取り扱って差し支えない。（平成10・3・20民三552号通知）

【誤った所有者名義でなされた表題登記の取扱い】
1 ※ 誤った所有者名義でなされた表題登記も，当該土地建物が実在する以上その抹消を請求することは許されず，所有者の更正手続を求める限度で認められる。（山口地判昭37・7・16）

【土地の所有者の更正の登記の所有権を証する書面】
2 ※ 1 土地について所有者の更正登記を申請する場合に添付すべき自己の所有権を証する書面については，土地の表題登記の申請に際して要求される申請人の「所有権ヲ証スル書面」に準じ，準則71条1項の規定するように，「公有水面埋立法22条の規定による竣功認可書，官公署の証明書その他申請人の所有権の取得を推認できる書面」である必要がある。（大阪地判平成6・1・28）

【添付情報】
4 ✛ 表題部所有者の更正の登記を申請する場合，その者の承諾証明情報に，申請人の所有である旨の記録があっても，これを所有権を証する情報に代えることはできない。（登記研究262号75頁）
5 ✛ 表題部に記載した所有者の持分の更正登記の申請書には，所有権証明書の提供を要しない。（登記研究390号91頁）
6 ✛ 所有者の更正・持分の更正の登記の申請（登記令別表2項添付情報欄）に必要な承諾証明情報に提供すべき印鑑証明書は，作成後3ヶ月以内のものに限らない。（登記研究416号129頁）
7 表題部所有者欄に「共有者甲他四名」と記載されている場合において，甲以外の共有者の持分を更

不動産登記法（34条）

正する場合には，その者の承諾書とともに所有権を証する書面を提供すべきである。（登記研究454号129頁）

8 ✝ 表題部に記載された所有者甲を，甲・乙の共有とする更正登記の申請書には，その所有権を証する書面を提供する必要がある。（登記研究490号146頁）

9 ✝ 表題部の所有者欄に「共同総代印」，「共有者甲他何名」と記録されている場合において，右表題部の所有者の更正の登記の申請する場合には，甲（又はその承継人）の承諾証明情報（印鑑証明書付き）及び真所有者の所有権証明情報を提供すべきである。（登記研究333号69頁）

10 ✝ 表題部に所有者として甲と記録されているが，真実は甲，乙の共有であるとする所有者の更正登記は，乙の所有権を証する書面及び甲の印鑑証明書を添付して，甲乙が共同して申請しても差し支えない。（登記研究519号187頁）

11 ✝ 表題部に記載された所有者の更正の登記の申請書には，所有者の住所を証する書面を添付するのが相当である。（登記研究423号123頁）

第34条（土地の表示に関する登記の登記事項）

① 土地の表示に関する登記の登記事項は，第27条各号に掲げるもののほか，次のとおりとする。

一　土地の所在する市，区，郡，町，村及び字
二　地番
三　地目
四　地積

② 前項第3号の地目及び同項第4号の地積に関し必要な事項は，法務省令で定める。

❖【登記記録の編成】規4①【地番】法35，規98，準67【地目】規99，準68・69【地積】規100，準70【申請情報】令3七

【関連法令】
【計量法】(10)【宗教法人法】境内建物及び境内地の定義(3)【公有水面埋立法】(1)，(24)【農地法】定義(2)【温泉法】定義(2)【森林法】定義(2)【墓地，埋葬等に関する法律】定義(2)【海岸法】定義(2)【砂防法】定義(2)【運河法】(12)【河川法】河川管理の原則等(2)，河川及び河川管理施設(3)，一級河川(4)，二級河川(5)，河川区域(6)，河川管理者(7)【港湾法】定義(2)，漁港に関する規定(3)【道路法】用語の定義(2)，道路の種類(3)【建築基準法】道路の定義(42)【自然公園法】定義(2)【都市公園法】定義(2)

【先例等】
【所在】
1 ✝ 住居表示の変更及び町又は字の区域及びその名称の変更の手続をする場合は，土地の所在の名称も変更されたものとみなす。（昭和37・12・25民事甲3717号回答）

2 ✝ 分筆されていない土地について，分筆後の予定地番をもって町区域変更の告示がされたが，その後に分筆登記がされたときは，告示の日に町区域が変更したものとして処理する。（昭和42・9・12民事甲2543回答）

【所在欄の記載】
3 ✝ 不動産の所在の表示には，地番区域でない字（小字）の記載も必要とされる。（昭和41・1・11民事甲229号回答）

【地目の認定】
4 ✝ 公有水面埋立法の規定により埋立てにつき免許を受け，海面の一部を区画しコンクリートによる養鰻場を築造した者は，同法第24条の竣功認可の日において当該構造物の地盤の所有権を取得するから，養鰻場の地目を「池沼」として土地の表示の登記をすることができる。（昭和36・2・17民三発173号通達）

5 ✝ 道路が循環路線でないもの（袋小路）であっても土地の現況及び利用目的が公衆用道路と認められる場合には，土地の地目は公衆用道路とすべきである。（昭和37・6・20民事甲1605号回答）

6 ✝ 発電用のダム貯水池用地の地目は，池沼として取扱うのが相当である。（昭和40・1・6民三発1034号通知）

7 ✝ 宗教法人において，納骨堂用地として農地転用許可を得た場合には，当該目的土地の地目は，境内地又は納骨堂敷地のいずれでもよい。（登記研究122号37頁）

8 ✝ 地目の定め方としては，「墓地」と「墳墓地」とは同意語として取扱われる。（登記研究189号74頁）

9 ✝ 準則68条15号の「水道線路に要する土地」とは，地表に設けられた水路の用地である。（登記研究

221号52頁）
10 ✛準則68条19号の田畝の読み方は、（でんぽ）であり、その意味は「田畔」又は「田畑」である。（編注：田畔、たぐろと読み、田のくろ、あぜを意味する。なお井溝は、せいこうと読む。）（登記研究221号52頁）
11 ✛梅林、竹林、はす池（注 後記登記研究にて修正される）、芝生の地目は、植物の栽培管理を目的とするものであれば「畑」として差し支えない。（登記研究223号66頁）
12 ✛野菜洗滌のため部落の共同洗場として使用している土地については、地目を「雑種地」とする。（登記研究228号66頁）
13 ✛はす池については、地目を「田」として取扱うものとされる。（登記研究232号72頁）
14 ✛山林・原野等の海岸線に近い急傾斜地に土砂崩れや地すべりを防止するために設けられた幅3メートル高さ15メートルの鉄筋コンクリートの擁壁を構築した場合に、その擁壁が占める土地の地目は「雑種地」とする。（登記研究422号103頁）
【地積】
15 ✛尺貫法の単位（面積については、1歩＝1坪、1畝＝30坪、1反（段）＝10畝、1町＝10反）により表示されている土地の地積又は建物の床面積について平方メートルに換算する場合には、1坪を121分の400平方メートルとする（昭和41・3・1民事甲279号通達）
16 ✛旧尺貫法の換算により平方メートルで記載されている土地の地目変更または分筆の際は、旧尺貫法を換算し、平方メートル以下2位まで求めて端数処理をするのが相当である。（昭和54・1・8民三第343号回答）
【一平方メートル未満である一筆の土地の地積の記載方法】
17 ✛一平方メートル未満である一筆の土地の地積の登記記録の表題部地積欄への記載は、例えば、「0.15」である。（登記研究401号160頁）

判例
【農地の意義】
1 ※農地法2条1項にいう農地とは、「耕作の目的に供される土地」をいうのであって、その土地が農地であるかどうかは、当該土地にいわゆる肥培管理がされているかどうかによって決定すべきものである。（最判昭和56・9・18）

第35条（地番）

登記所は、法務省令で定めるところにより、地番を付すべき区域（第39条第2項及び第41条第2号において「地番区域」という。）を定め、一筆の土地ごとに地番を付さなければならない。

❖【地番】規98、準67【地番区域】規97

先例等
【地番区域】
1 ✛規則97条の「これに準ずる地域」の例として、甲市乙町一丁目の乙町一丁目のようなものがある。（登記研究221号52頁）

【地番】
2 ✛市道（一筆の土地）の地番として、当該地番区域における零番を付すことは相当でない。（昭和35・7・29民事甲1896号回答）
3 ✛土地区画整理事業の施行区域内の市道は、地番区域ごとに100番と定め、その番号に1、2、3の支号を付して付番して差し支えない。（昭和36・7・21民事甲1750号回答）
4 ✛地番は正の整数を付すべきであり、零番を付することはできない。（昭和35・7・29民事甲1896号回答）
5 ✛土地分筆登記申請の際分筆前の土地の地番が所有者の本籍地番と同一であるので、本番には支号を付さないでほしい旨の申出があった場合、準則67条1項7号の「特別の事情があるとき」とみなして差し支えない。（登記研究194号73頁）
6 ✛準則67条1項8号のブロック（街区）地番とは、一つの街区（街路に囲まれた一ブロック）の土地共通の本番に、各筆ごとの支号を付した地番である。（登記研究221号52頁）
7 ✛隣接地の所有者間における調停調書に基づいて両土地の地番を付け替える更正登記をすることはできない。（平成4・12・10民三第6951号回答）
8 ✛分筆後の一筆の土地が国有地とされた場合において、なお、地番が付されているときは、分筆元地の再分筆による土地の地番には、右国有地の地番を除く他の地番を付するのが相当である。（登記研究118号47頁）
9 ✛地番の記録は、「何番地」でなく、「何番」とする。（登記研究122号35頁）

判例
【無番地の所有者】
1 ※元来、民有地は、土地台帳法等により有租地、免租地を問わず、堤防や道路であっても登記所及び市町村役場に備付けの土地台帳に登録され、字図に記載されているのであって、必ず双方共に地番が附されているが、官有地は土地台帳法の適用がないため、土地台帳には全然登録されず、地番も附されていないのが原則である。（福岡高裁宮崎

不動産登記法（36条）

支部判昭和31・3・26）

【既存登記と同一地番を附した登記の申請】
2 ※既存登記の土地と登記申請の土地とが同一であるか別異であるか、既存登記の土地が事実上存在するかどうかを問わず、既存登記が厳存する以上は、これと同一の地番を附した表示のもとに別個の登記をすることは許されない。（大判大正7・12・26）

【公簿上の権利の客体の錯誤と所有権取得の効力】
3 ※登記簿上の地番を誤った土地の売買によっては、所有権を取得しない。（大判昭和3・6・27）

【地番による土地の特定】
4 ※一筆の土地の登記の効力は、地番をもって表示される一定区域の部分の地所について生ずる。（長崎控訴年月日不詳）

【ある地番の一筆の土地の所有権移転登記の効力の及ぶ範囲】
5 ※ある地番の一筆の土地の所有権移転登記の効力の及ぶ範囲は、客観的に定っている境界線によって囲まれた地域の範囲に限られ、たとえ当該地番号の土地の売買に当り当事者が任意にその地番号の地域の範囲を越えて他の地番号の土地の一部を当該地番号の地域の範囲であると指示して売買しても、当該地番号の所有権移転登記の効力は、その範囲を越えた地域に及ぶものでない。（広島高判昭和23・7・21）

第36条（土地の表題登記の申請）

新たに生じた土地又は表題登記がない土地の所有権を取得した者は、その所有権の取得の日から1月以内に、表題登記を申請しなければならない。

❖【申請・添付情報】令別表4【土地所在図等の作成方式】規73・74【土地所在図等の作成単位等】規75【土地所在図の内容】規76【地積測量図の内容】規77、準50【土地所在図及び地積測量図の作成方法】準51【所有権を証する情報】準71

関連法令
【公有水面埋立法】（22）

【先例等】

【土地と公有水面との境界】
1 ✥干満の差がある海面に隣接する土地の境界線は、直接これに関する法令は存しないが、陸地と公有水面との境界は、潮の差がある水面にあっては、春分・秋分における満潮位を、その他の水流水面にあっては、高水位を標準として定める。（昭和31・11・10民事甲2612号回答）

【所属未定地】
2 ✥公有水面埋立法による竣功認可のあった埋立地は地方自治法第7条の2第3項の規定による総務大臣の告示及び同法260条の都道府県知事の告示がなければ所在が確定せず、管轄登記所が定まらないので登記をすることができない。（昭和30・5・17民事甲930号通達）

3 ✥所属未定の埋立地に建築された建物の表題の登記申請は、当該敷地の編入されるべき行政区画が地理的に特に明白なときであっても、受理することはできない。（昭和43・4・2民事甲723号回答）

【所属確定地】
4 ✥公有水面埋立法24条本文の規定により埋立地の所有権を取得した者は、当該埋立地が地方自治法260条の地番区域内（市町村の区域内の町若しくは字の区域）に所在する場合には、当該埋立地の所在地は確定しているものと解されるので、竣功認可の告示の日後は、土地の表題の登記を申請することができる。（昭和32・9・11民事甲1717号回答）

【国土交通省所管に係る普通財産の取得時効の取扱いについて】
5 ✥国土交通省所管に係る国有地（国有畦畔又は国有畦畔以外の普通財産）について時効取得を主張する者がある場合には、その者に必要書類を添付した申請書を提出させた上、国有財産時効確認連絡会（財務局管財部長及び法務局訟務部長が構成員となり、財務局に設置）に付議してその意見を求め、同連絡会において取得時効が完成していると認定されたときは、未登記の土地については直接その土地の表示の登記をさせるものとする。（昭和41・11・22民三1190号通知）

【表題の登記を共有者の一人から申請する場合の申請書の記載】
6 ✥表示に関する登記のうち、土地、建物の表題の登記を共有者の一人から申請する場合には、共有者全員の住所、氏名及びそれぞれの持分の記載を要する。（登記研究515号254頁）

【土地の表題登記の登記原因の記録】
7 ✥従来から存する土地で登記されていない土地の表題の登記申請書に記録する登記原因及びその日付が不明の場合には、「不詳」と記録するのが相当である。（松江地方法務局管内登記官吏会同決議（昭和37・8・18決議、登記研究185号58頁）

8 ✥払下げを受けた里道についてする土地の表題登記の登記原因及びその日付の記載は、「年月日国有財産払下」とはならない。なお、その登記原因及

不動産登記法（36条）

びその日付が判明しないときは，「不詳」と記録する。(登記研究397号83頁)

【所有権証明書】

9✚公有水面埋立地について，市町村長より土地の表題の登記の嘱託があったときは，所有権を証する書面が添付されていなくても受理できる。(登記研究223号66頁)

10✚公有水面埋立の竣功認可をA・Bの共有名義で受けている場合に，Bの承諾書（譲渡証明書）を添付して，A単独所有とする土地の表題の登記の申請は受理される。(登記研究436号103頁)

【住所証明書】

11✚土地または建物の表題の登記の申請書には，所有者の住所証明書の提供を要する。(昭和52・9・3民三第4472号通達第18)

12✚住所地の市町村長又は区長の証明にかかる印鑑証明書（住所として確認できるもの）をもって，旧不動産登記法施行細則第41条）の住所を証する書面としてさしつかえない。(昭和32・6・27民甲1220号回答)

13✚外国人であっても印鑑証明書を登記権利者の住所証明書にあてることができる。(昭和43・11・26大阪法務局市内出張所事務連絡協議会決議，登記研究314号64頁)

【図面の記名】

14✚地積測量図，土地所在図，建物図面，各階平面図に申請人が記名する場合において，申請人が多数で図面の申請人欄に記名することができないときは，図面の余白の適宜の個所に記名し，それが困難なときは，別紙に記名し，図面と合綴し契印する取扱いで差し支えない。(昭和37・10・8民事甲2885号通達)

15✚表示に関する登記の申請人が多数である場合において，添付された地積の測量図，土地の所在図等各種図面の申請人欄に記録する記名は「何某（申請書の筆頭の者）外何名」と記録する方法でもよい。(登記研究375号79頁)

16✚地積測量図・土地所在図又は建物図面・各階平面図の「申請人」欄には，申請人の氏名の記名のみで足りる（住所や持分の記録を要しない）。(登記研究427号103頁)

【土地所在図】

[規則76条の規定による土地の所在図の作成方法]

17✚規則76条の土地の所在図は，これに基づいて当該土地の所在の位置及び範囲を法14条の地図に記入するためのものであるから，地図の縮尺で作成したものを提出させるのが相当である。(登記研究166号52頁)

【土地所在図の縮尺】

18✚旧土地台帳附属地図（縮尺600分の1）が備え付けてある地域の土地の表題の登記申請書に添付すべき土地の所在図の縮尺は，原則として，500分の1により作成すべきである。(登記研究406号

92頁)

【地積測量図】

【地積測量図の作製と規格用紙の使用】

19✚地積の測量図を作製する場合において所定の縮尺に従い作図するとすれば，法定の規格の用紙に作製できないときには，縮尺を小さくし，規格の用紙を用いて作製するのが相当である。(昭和37・3・12民事甲671号通達)

【地積測量図の求積方法】

20✚地積測量図の各辺の長さをセンチメートルまで求め面積の計算をすればよい。(昭和41・12・21民事甲第3640号民事局長回答)

【地積測量図の作成】

21✚街区基準点の成果を管轄登記所に備え付けた後，街区基準点の整備が完了した地域内の土地について，地積測量図を添付してする分筆の登記等の申請があった場合には，登記官は，登記所に備え付けられている街区基準点の成果に基づいて調査及び測量がされているかを確認し，街区基準点を利用することができるにもかかわらず，この街区基準点に基づかない地積測量図が作成されている場合には，基本三角点等に基づく測量ができない特段の事情がある場合（規則77条1項7号）に該当しないものとして，当該分筆の登記等の申請を却下することとして差し支えない。(平成18・8・15民二第1794号通知)

22✚土地家屋調査士，土地家屋調査士法人又は公共嘱託登記土地家屋調査士協会が，公共基準点の整備されていない地域等において一筆地測量の与点として使用するための点（以下「登記基準点」という。）として設置し，維持管理されているものであって，日本土地家屋調査士会連合会が認定をした一定の要件を満たす登記基準点については，測量法上の公共基準点ではないものの，規則第10条第3項にいう「基本三角点等」に該当するものとして取り扱って差し支えない。(平成20・6・12民二第1670号通知)

23✚既に法務局に備え付けられている地積測量図中に表示されている引照点が，基本三角点等に基づいて測量されていたとしても，新たな地積測量図の作成にあたり，当該引照点を与点とした一筆地測量の成果による筆界点の座標値は，基本三角点等に基づく測量の成果とはならない。(登記研究729号179頁)

【国有畦畔の取得時効による表題登記申請における地積調査の成果の活用】

24✚国有畦畔の時効完成に伴う土地の表題の登記を申請する場合に限って，認証前の地積調査の成果（地籍図原図及び測量面積）を活用して差し支えない。(昭和46・4・28民事甲1453号通達)

【地籍調査における筆界基準杭の取扱い】

25✚土地の境界に筆界基準杭が存する場合には，これを規則77条1項8号に規定する境界標として，地

不動産登記法（36条）

籍調査における筆界基準杭であることを明らかにして地積測量図に記載するのを相当と考える。(昭和55・4・24民三2609号通知)

【地積測量図の作成者】
26❖地積測量図に作成者として署名押印すべき者は，その図面に表示された土地について実際に調査，測量した者である。(昭和61・9・29民三第7272号通知)

【地積測量図の作成年月日等】
27❖地積測量図等の作成の年月日は，現地において測量，調査をした日ではなく，当該図面を実際に作成した日である。(登記研究450号126頁)

28❖(1)　地積の測量図は，原則として250分の1の縮尺をもって作成する。
　(2)　土地の筆界に境界標があるときは，これを記録することを要する。この境界標は，永続性のある石杭又は金属標等の標識をいい，その記録は，境界標の存する地積測量図上の筆界点に符号を付し，適宜の箇所にその符号及び境界標の種類を記録してするものとする。
(昭和52・9・3民三第4472号通達第1，2)

（判例）

【寄州の附合の成否】
1❖河川の敷地は，公有地であって，その公用を廃止しない限りは私権の目的とならず，河川の敷地上に生じた寄州は官有地に帰属すべきものであって，寄州が民有地に接続し，附加したごとき形跡があっても，民法の附合の法則を適用すべきではない。(大判明治37・7・8)

【一時的に海面下に没した土地の所有権】
2❖土地が風浪等により一時的に水没しても，原状回復が可能な場合は，なお陸地である。(釜山地判大正3・12・3)

【海面下の土地の所有権】
3❖海面は行政上の処分により一定の区域を限り私人に権利を取得させることがあるが，海面のまま私人の所有をすることはできない。(大判大正4・12・28)

【海面として払い下げられた場合】
4❖明治4年8月大蔵省達第39号，いわゆる荒蕪不毛地払下規則により海面として払下げを受けた地所について民法の土地所有権が認められる。(最判昭和52・12・12)

【海面下の土地の所有権】
5❖1　「海」は，社会通念上，海水の表面が最高高潮面に達した時の水際線をもって陸地から区別されるところ，かかる「海」は，国が行政行為などにより一定範囲を区画することにより排他的支配を可能にしたうえで，その公用を廃止して私人の所有に帰属させる措置をとらない限り，所有権の客体たる土地に当たらない。
　2　私有の陸地が自然現象により海没した場合についても，人による支配利用が可能であり，か

つ，他の海面と区別しての認識が可能である限り，所有権の客体たる土地としての性格を失わないものと解するのが相当である。(最判昭和61・12・16)

【寄洲の所有権の帰属】
6❖海流の作用によって土砂が堆積して形成された海浜地（寄洲）は，接岸地に附合することなく国の所有に属するものと解すべきである。(山口地裁下関支部判昭和60・11・18)

【無願埋立地の時効取得（否定）】
7❖公有水面の埋立免許を受けないで違法に埋立工事を行って埋立地を造成した者が，当該埋立工事に係る埋立地につき占有を継続したとしても，その所有権を時効取得する余地はない。(那覇地判昭和55・1・22)

【公有水面の地盤と土砂の附合の成否】
8❖公有水面を埋め立てるため投入された土砂は公有水面埋立法24条の規定による竣功認可がされない限り，公有水面の地盤から独立した動産としての存在を失わない。(最判昭和57・6・17)

【排他的総括支配権】
9❖1　明治4年8月大蔵省達第39号「荒蕪不毛地払下ニ付一般ニ入札セシム」（荒蕪不毛地払下規則）による払下げの対象は，国がそれまで有していた払下地所に対する排他的総括支配権である。
　2　明治初年の法制に依れば海水の常時浸入する地所についても，これを払下げにより私人の取得し得る権利の対象としていたと解することができるから，大蔵省達第39号によってかかる地所の払下げを受けた私人は，これによってその地所に排他的総括支配権を取得する。
　3　明治初年に私人に払下げられた海水が常時浸入する地所を対象とする排他的総括支配権は，明治31年7月民法が施行されるとともに民法上の土地所有権に当然に移行したものというべきである。(最判昭和52・12・12)

【無番地とその意義】
10❖民有地にはすべて地番が付されてあるところから，無番地は国の所有であることを推認することができる。(新居浜簡判昭和46・2・10)

【公用財産及び公共用財産の時効取得】
11❖官公庁の建物等の公用財産や道路，公園，河川，海等の公共用財産は，国の公法的支配管理に服し，私権の目的となることができないから，原則として，時効取得の対象とはならない。しかし，国が公用廃止をした場合には，私権の目的となるから時効取得の対象となる。また，公共用財産が，長年の間事実上公の目的に供用されることなく放置され，実質的に公共用財産としての形態や機能を全く喪失している場合には，公用廃止の意思表示がなされていなくても，黙示的に公用が廃止されたものとして時効取得の対象となる。(最判昭

44・5・22）

【埋立工事が完成した後，竣功認可がされていない土地として私法上所有権の客体になる場合】
12※公有水面埋立法に基づく埋立の免許を受けて埋立工事が完成した後，竣功認可がされていない埋立地でも，長年にわたり当該埋立地が事実上公の目的に使用されることもなく放置され，公共用財産としての形態，機能を完全に喪失し，その上に他人の平穏かつ公然の占有が継続したがそのため実際上公の目的が害されることもなく，これを公共財産として維持すべき理由がなくなった場合は，もはや同項（公有水面埋立法35条1項）に定める原状回復義務の対象とならないと解すべきである。したがって，竣功未認可埋立地であっても，上記の場合には，当該埋立地は，もはや公有水面に復元されることもなく私法上所有権の客体となる土地として存続することが確定し，同時に黙示的に公用が廃止されたものとして，時効取得の対象となるべきである。（最判平成17・12・16）

【河川の流水敷であった土地の時効取得の可否】
13※河床が水路の変更によって河川流域としての特質を失っても，河川の所轄行政庁において河川法に定める河川区域変更の処分をなさない限り，私権の目的となることはできず，時効により所有権を取得することができない。（東京高判昭和31・2・13）

第37条（地目又は地積の変更の登記の申請）

① 地目又は地積について変更があったときは，表題部所有者又は所有権の登記名義人は，その変更があった日から1月以内に，当該地目又は地積に関する変更の登記を申請しなければならない。

② 地目又は地積について変更があった後に表題部所有者又は所有権の登記名義人となった者は，その者に係る表題部所有者についての更正の登記又は所有権の登記があった日から1月以内に，当該地目又は地積に関する変更の登記を申請しなければならない。

【申請・添付情報】令別表5・6 **【表題部の変更文は更正の登記】**規91，準73 **【行政区画の変更等】**規92，準59 **【地　目】**規99 **【地積】**規100

関連法令
【河川法】河川区域（6①）河川管理者（7），（9①），（10）

判例・先例等
【寄洲の附合の成否】
1※河川の敷地は，公有地であって，その公用を廃止しない限りは私権の目的とならず，河川の敷地上に生じた寄洲は官有地に帰属すべきものであって，寄洲が民有地に接続し，附加したごとき形跡があっても，民法上の附合の法則を適用すべきではない。（大判明治37・7・8）

【寄洲の所有権の帰属】
2※海流の作用によって土砂が堆積して形成された海浜地（寄洲）は，接岸地に附合することなく国の所有に属するものと解すべきである。（山口地裁下関支部判昭和60・11・18）

【公有水面の寄洲】
1※公有水面に存する寄洲に建築された家屋については，もともと寄洲はその附合した土地の一部である以上，当該土地の地番をもって右家屋の所在を表示すべきものとし，敷地の部分がいずれの土地に附合するものかが明らかでないときは，何番先としてその所在を表示すべきものとされる。（昭和36・6・6民三発459号回答）

【土地の移動】
2※地震による地殻の変動に伴い広範囲にわたって地表が水平移動した場合には，土地の筆界も相対的に移したものとして取り扱う。（平成7・3・29民三2859号回答）

【河川区域内の土地の地目】
3※河川区域内である旨の登記のある土地の地目は，現況によるべきである。（登記研究389号124頁）

【保安林の地目変更】
4※地目が「保安林」として登記されている土地については，保安林としての指定が解除されない限り，他の地目への変更の登記をすることはできない。（昭和51・12・25民三第6529号回答）

5※地目が保安林として登記されている土地の地目を他の地目に変更する地目変更登記は，森林法33条1項に定める保安林指定の解除の告示を掲載した県公報を添付して申請することができる。（登記研究461号117頁）

【土地区画整理区域内の土地の地目変更】
6※区画整理施行地域で，従前の土地が現況農地である場合において，仮換地に指定された土地の宅地造成が完了しても，その事実をもって従前の土地の地目変更の登記を申請することができない。（登記研究346号92頁）

7※土地区画整理事業区域内で仮換地が指定されている場合の地目変更の登記は，申請に係る土地がいわゆる重ね図等によって確認できるときは，

登記申請に係る従前地の現況により処理すべきである。(登記研究416号131頁)
8❖土地区画整理施行区域内の土地の地目変更の登記は、従前の土地及び仮換地の双方について同一地目に変更されている場合を除き、することができない。(登記研究438号96頁)
【利用上の墓地への地目変更と知事の許可書の要否】
9❖墓地としての許可のない墓地(人の遺骨を埋める土地として利用されている土地)について、山林から墓地への地目変更登記の申請には、知事の許可書の提供を要しない。(登記研究485号120頁)
【境内地への地目変更と所轄庁の許可書の提供の要否】
10❖境内地とする地目変更登記の申請には所轄庁の許可書の提供を要しない。(登記研究491号107頁)
【筆界未定地の一部についての地目変更登記の可否】
11❖国土調査法に基づく地積調査の結果、筆界未定として処理された土地の一部についての地目変更の登記は、筆界未定を解消の上、地目変更の登記をすべきである。(登記研究430号175頁)
【農地の地目変更】
12❖農地を農地以外のものにするための地目変更登記の処理に際し、申請人に対して農地法4条又は5条の許可書の添付又は呈示を求めることは差し支えないが、添付又は呈示をしないことを理由に、当該申請書を返却し、又は当該申請に基づく処理をしない取扱いをすることは相当でない。(昭和36・8・24民事甲1778号通達)
13❖農地法上の地目が農地である土地についての地目変更の登記申請の取扱い。
(昭和58・8・28民三第5402号通達、同日民三第5403号通知)
14❖地目が農地である土地につき所有権移転登記手続を命ずる判決に基づいて登記の申請をする場合において、その判決の理由中に、当該土地が現に農地又は採草放牧地以外の土地であって、農地法第3条又は第5条の規定による権利移動の制限の対象ではない旨の認定がされているときは、所有権移転登記の申請に先立って地目変更の登記をすることを要する。(平成6・1・17民三第373号回答)
【地目変更の時期】
15❖農地法4条の許可を受け農地に植林した場合、植林をしただけの状態では農地から山林に地目変更があったとは認められず、植林後数年を経て完全に根がつき永続的な山林と認められる状態となったときに地目変更があったものとみるべきであるから、植林後直ちに地目変更の登記の申請があっても、これを受理することはできない。(登記研究429号120頁)
【中間過程の地目の認定】
16❖土地を宅地に改廃する中間の過程で、単に盛土をし、又はブルドーザーによる地ならしをし、容易に農地に復旧できない状態がみられても、特定の

目的の用に供されていない土地については、たとえその時点において耕作を止めているとしても、利用目的を積極的に判断できない流動的な状態であり、未だ現地目が他の地目に転化したとは解せられず、その地目を雑種地とするは相当でない。(昭46・2・4民三第1040号回答)
【買主による売主の地目変更登記の請求の可否】
3※土地の売主が地目を変更した場合には、買主には、売主に対し、所有権移転登記とあわせ、これに先立って地目変更登記を求めることができる。(大阪高判昭和41・12・23)
【代位による地目変更】
17❖農地法第4条の許可を得て現況は山林であるが登記簿上の地目が農地である土地を市町村が買収した場合に、市町村は、代位により農地を山林とする地目変更の登記を申請することができる。(登記研究554号133頁)
【農地法第5条による地目変更登記の申請義務者】
18❖農地法第5条による地目変更登記申請は、実体上の所有権の移転があっても所有権の移転登記を受けていない譲受人がすることはできない。(登記研究462号115頁)
【地目変更の登記の再申請】
19❖第三者が所有者をかたって地目変更の登記を申請しその登記がされている場合に、第三者の申請によってされた登記が、当該土地の現況と合致しているときは、所有者が、いったん、地目変更の登記を抹消した上、改めて、自ら地目変更の登記の申請をすることができない。(登記研究396号106頁)
【地目の変更登記の申請手続について】
20❖地目の変更登記の申請をする場合において、申請人の住所が表題部所有者もしくは所有権の登記名義人の住所と異なるときは、当該申請情報と併せてその同一性を証する情報を提供すれば足り、必ずしも表題部所有者もしくは所有権の登記名義人の住所変更(更正)登記申請手続をする必要はない。(登記研究302号71頁)
21❖地目変更の登記は、土地の物理的状況を公示する事実の登記であり、申請義務が課せられ所定の期間内にすべきものとされていること、またそれにより直接権利関係に影響を及ぼすものではないので、右の申請者が申請適格者であることが書面上確認されればよく、したがって登記名義人の表示変更の登記まで求める必要はないものとするものと思われます。また、住所を証する書面(住民票等)をもって、登記簿上の住所との関係を明らかにするわけですから、住所を証する書面としても差し支えないものと考えます。(登記研究394号253頁)
【農地の地目変更登記と農地法の許可書の令7条1項5号ハの要否】
22❖農地の地目を変更して宅地とする場合には、農地

法4条による都道府県知事の許可を要するが，右許可書は令7条1項5号ハの許可を証する書面には該当せず，したがって，同号により添付することは要しないが，登記官の地目変更の調査の資料として許可書があれば提供するのが望ましい。（登記研究209号69頁）

【農地の地目変更の登記と農地法第4条の許可書の提供の要否】
23❖不動産の表示に関する登記については，令7条1項5号ハの規定が適用されないので，農地を農地以外の地目に変更する登記の申請にあっては，添付情報として農地法所定の許可書の提供がないことを理由として，当該申請を却下することはできない。（登記研究166号51頁）

【農地の地目変更登記の可否】
24❖登記簿上の地目が「畑」となっている土地について，農業委員会の「非農地」である旨の証明書が提供された場合であっても，地目の認定は，土地の現況等により定められる。（登記研究533号156頁）

【地目変更登記の申請情報の内容として記録すべき地積の表示】
25❖登記所に提供されている乙地の地積測量図に分筆元地である甲地の地積の表示が差引計算値として記録されている場合，甲地について，地目を畑から宅地に変更する地目変更の登記の申請情報の内容として当該差引計算値を記録して差し支えない。（登記研究398号96頁）

【地目変更登記申請書の記載方法】
26❖畑を宅地に地目変更し，地積の表示が567㎡から567.00㎡になる場合の原因及びその日付は，「②③年月日地目変更」と記載するのが相当である。（登記研究428号135頁）

【地目変更による登記原因の日付】
27❖地目変更による登記原因の日付は，事実上地目を変更した日である。（登記研究44号29頁）

【東日本大震災に伴う土地の境界復元作業に基づく地積に関する変更の登記における原因及びその日付欄の記録方法について】
28❖東日本大震災に伴う土地の境界復元作業において土地の登記記録に記録されている地積に変更が生じていることが確認された場合には，それぞれの土地について地積の変更が生ずることとなった原因を個別に特定することが困難な状況にあるので，この場合の登記原因及びその日付は，一律に「③平成23年3月11日変更」と登記記録の表題部の原因及びその日付欄に記録することとしてさしつかえない。（平成25・3・13民二第219号通知）

第38条（土地の表題部の更正の登記の申請）

❖【申請・添付情報】令別表5・6【土地の表題部の変更又は更正の登記】準73【土地所在図の訂正等】規88

第27条第1号，第2号若しくは第4号（同号にあっては，法務省令で定めるものに限る。）又は第34条第1項第1号，第3号若しくは第4号に掲げる登記事項に関する更正の登記は，表題部所有者又は所有権の登記名義人以外の者は，申請することができない。

先例等
【地積の更正登記の申請】
1❖地積の訂正のための更正登記の申請については，実地調査の結果，相隣地所有者相互の主張する境界線が異なるため，登記官において，その境界確認が困難な場合には，不動産登記法25条11号の規定による却下処分に付するものとされる。（昭和38・1・21民事甲129号回答）
2❖二筆に分割した土地の一筆のみについて地積訂正をすることは差し支えない。（登記研究244号68頁）
3❖前所有者当時に作成された境界査定協議書を添付して，当該土地の現所有者から，地積更正の登記がなされることは差し支えない。（登記研究376号89頁）

【地積更正登記についての登記上利害関係のある第三者の承諾の可否】
1※地積の更正登記は，土地の表示に関する登記であり，権利に関する登記ではないから，これについては不動産登記法66条の適用はない（利害関係人の承諾書を必要としない。）。（最判昭和46・2・23）

【地積更正登記の性質及び行政処分性】
2※1　地積更正登記は，登記簿の表題部に記載された地積が客観的に定まっている当該土地の地積と合致しない場合に，これを訂正するものであり，地積更正登記により当該土地の権利関係，形状，範囲等が変更されるものでなく，また隣接地との境界，隣接地の範囲等に変更が生ずるものではない。
2　地積更正登記は，抗告訴訟の対象となる処分に当たらない。
（大阪地判昭和54・11・12）

【隣接土地の一部を取り込んでした地積更正登記と取り込んだ部分の土地の所有権取得の対抗力】

3 ※実測した上，分筆した土地について隣接する分筆残地の縄延び部分を取り込んで地積更正の登記をしても，取り込んだ隣接地の一部の土地の所有権取得を第三者に対抗することはできない。(東京高判昭和48・3・29)

【いわゆる額縁分筆がされた後に，右分筆の隣接所有者の承諾書を添付してなされた地積更正登記の申請につき，実地調査の結果「隣接地との境界が一部確認できない」として右申請を却下した処分に違法がないとされた事例（要旨）】

4 ※ 1 境界争いがある隣接地に沿って帯状に分筆した後，右分筆の隣接所有者の承諾書を添付して地積更正登記の申請があった場合において，承諾書を交付した隣接所有者が，申請にかかる土地の所有者と利害相反するとも一概にいえないため，その承諾書が土地の境界を証明する資料としての証拠力に疑問をさしはさむ余地があるときは，分筆前の土地の境界を実地調査が必要であるとした登記官の判断は，十分に合理性があるということができる。
  2 いわゆる額縁分筆前の土地の境界が確認できないため，申請にかかる隣接地との境界が一部確認できないことを理由として，地積更正の登記の申請を却下した処分には，何らの違法もない。
(甲府地判昭和53・5・31)

【地積の更正後の再更正】
4 ✚ 地積の更正登記自体に誤りがあるときは，あらためて地積の更正の登記をすることができる。(昭和46・9・14民三発528号回答)

【地積更正の代位登記】
5 ✚ 起業者は，土地収用法第45条の2に定める登記をする前提として，裁決手続開始決定書の正本を代位原因証書として，代位による地積更正の登記の嘱託をすることができる。(昭和55・7・15民三第4085号回答)

6 ✚ 登記記録の地積が50平方メートルと記録されているが，実際の面積が100平方メートルある土地について，そのうち60平方メートルを買収した場合，代位による分筆の登記を嘱託する前提として，代位により地積更正の登記を嘱託することができる。また，右の土地について，40平方メートル買収した場合も同様である。(登記研究398号93頁)

【分筆した土地の一方についての地積の訂正】
7 ✚ 二筆に分筆した土地の一筆のみについて地積の訂正をすることは差し支えない。(登記研究244号68頁)

【地積更正登記の申請と隣地所有者の同意書】
8 ✚ 地積更正登記の申請書に隣地所有者の同意書を添付する場合には，登記申請時の隣地所有者の同意書を提供するのが相当である。(登記研究283号71頁)

【更正登記の申請書の登記原因日付の記載の要否】
9 ✚ 更正登記の申請書には，登記原因日付の記載を省略して差し支えない。(登記研究218号71頁)

【地積測量図の援用】
10 ✚ 地積の変更又は更正の登記と同時に分筆の登記を申請する場合の地積測量図は，便宜，分筆の登記の申請書に添付したものを地積の変更又は更正の登記の申請において援用して差し支えない。(昭和37・3・12民事甲671号通達，同旨，平成18・4・3民二第799号依命通知)

【職権による地積に関する更正の登記】
11 ✚ 筆界特定手続記録の送付を受けた管轄登記所の登記官は，筆界特定手続記録により，対象土地の筆界に係るすべての筆界点について，規則第77条第1項第7号に掲げる事項であって，規則第10条第4項の規定に適合するものを確認することができる場合（筆界の一部を法14条第1項の地図その他の登記所に備え付けられた図面により確認することができる場合を含む。）において，対象土地の登記記録の地籍に錯誤があると認められ，かつ，対象土地の表題部所有者若しくは所有権の登記名義人又はこれらの相続人その他の一般承継人に対し，適宜の方法により，地積に関する更正の登記の申請を促すものとし，その者が申請をしないときは，職権で対象土地について地積に関する更正の登記をするものとする。(平成18・1・6民二第27号通知第3・一・(1))

【地積測量図のつづり込み】
12 ✚ 筆界特定手続に基づき，職権で対象土地について地積に関する更正の登記又は地図等の訂正をしたときは，当該対象土地に係る規則第77条第1項各号に掲げる事項を記載した図面を同条第2項から第4項までの規定に従って作成し，当該図面を，便宜，土地図面つづり込み帳につづり込むものとする。この場合には，規則第85条第1項並びに準則第55条第1項及び第3項に規定する手続に準ずるものとする。
なお，更正前の地積測量図は，閉鎖しなければならない。(規則第85条第2項)
(平成18・1・6民二第27号通知第3・五)

【法14条地図作成作業に伴う登記における「原因及びその日付」欄の記録】
13 ✚ 法17条（現行14条）地図作成作業の実施に伴い登記簿の地積等に関する記録を変更又は更正する場合の「原因及びその日付」欄の記録については，次のとおりとする。
  1 地目を変更する場合「②平成〇〇年〇月〇日変更，地図作成」
  2 地積を更正する場合「③錯誤，地図作成」
  3 その他の場合も同様に取り扱う。
(平成16・3・15民二第731号通知)

不動産登記法（39条）

■第39条（分筆又は合筆の登記）

① 分筆又は合筆の登記は，表題部所有者又は所有権の登記名義人以外の者は，申請することができない。
② 登記官は，前項の申請がない場合であっても，一筆の土地の一部が別の地目となり，又は地番区域（地番区域でない字を含む。第41条第2号において同じ。）を異にするに至ったときは，職権で，その土地の分筆の登記をしなければならない。
③ 登記官は，第1項の申請がない場合であっても，第14条第1項の地図を作成するため必要があると認めるときは，第1項に規定する表題部所有者又は所有権の登記名義人の異議がないときに限り，職権で，分筆又は合筆の登記をすることができる。

❖【申請・添付情報】令別表8・9【分筆の登記】規78・101～108，準51①・72・74・76【合筆の登記】令8①一・②一，規106～108，準75・76【地役権図面】規79・80

先例等
【分筆登記の申請】
1 ❖土地数筆のうち一定面積を遺贈する旨の遺言があった場合，遺言執行者がする土地の分筆の登記の申請は受理できる。（昭和45・5・30民三発435号回答）
2 ❖受遺者において，遺贈を受けた土地の一部を相続人のために放棄することができる。この場合の手続きとしては，遺言執行者において，放棄に係る部分の分筆の登記を行い，その他の部分につき，遺贈の登記を申請するものとする。（昭和40・7・31民事甲1899号回答・通達）
3 ❖共同相続の登記後，当該土地を数筆に分筆し分筆後の土地をそれぞれ相続人らの一部の者の単有又は共有とする旨の遺産分割の調停が成立した場合において，右調停に基づく土地の分筆登記をなすにつき他の相続人らの協力が得られないときは当該土地の一部を相続することとなった者は右調停調書の正本又は謄本を代位原因証書とし協力を得られない者に代位して分筆登記の申請をすることができる。（平成2・4・24三第1528号回答）
4 ❖共有物分割の裁判又は訴訟上の和解によって共有物が分割された場合において，共有登記名義人の一部の者が分筆の登記の申請をしないときは，他の登記名義人が右の者に代位して分筆の登記の申請をすることができ，この場合において，共有物分割の確定判決又は和解調書の正本が，代位原因を証する書面となる。なお，分筆登記をするには，隣接する土地との境界の確認ができることが前提となる。（平成6・1・5民三第265号回答）
5の1 ❖被相続人名義の土地の分筆は，相続人から申請すべきものとされているが，相続人中，相続放棄者や初めから相続人とならない者の他，民法第903条第2項の特別受益者，遺産分割協議によって権利を取得しない相続人を除いて申請があった場合，受理してさしつかえない。（昭和43・10・28大阪法務局・表示登記事務打合会決議）
5の2 ❖分筆登記又は合筆の登記については，軽微変更（共有物に変更を加える行為であっても，その形状又は効用の著しい変更を伴わないもの）に該当し，分筆又は合筆の登記を申請しようとする土地の表題部所有者又は所有権の登記名義人（不登法39条第1項）の持分の価格に従い，その合計が過半数となる場合には，これらの者が登記申請人となって分筆又は合筆の登記を申請することができ，それ以外の共有者らが登記申請人となる必要はない（令和5・3・28民二第533号通達）。

【土地区画整理施行区域内の土地の分筆】
6 ❖土地区画整理の施行区域内において，測量によって分筆後の土地の地積を定めることができないときは，土地の分筆をすることができない。（昭和36・5・12民三発295号回答）
7 ❖1 土地区画整理事業により仮換地指定を受けている従前地の分筆登記については，当該事業施行者が工事着手前に測量を実施し，現地を復元することができる図面（実測図）を作成し，保管している場合において，これに基づいて作成された当該従前地の地積測量図を添付して申請がされたときは，これを受理することができる。ただし，地積測量図上の求積が登記簿上の地積と一致しない場合において，地積測量図上の求積に係る各筆の面積比が分筆登記の申請書に記載された分筆後の各筆の地積の比と一致しないときは，この限りでない。
2 従前地の地積測量図に，「本地積測量図は，事業施行者が保管している実測図（○○図）に基づいて作成されたものであることを確認した。」旨（注）の当該事業施行者による証明が

されているときは，1の要件を満たすものと取り扱って差し支えない。
（注）（○○図）としては，事業施行者が工事着手前に実施した測量に基づいて作成した図面の名称を記載する。
（平成16・2・23民二第492号通知）

【一部地目変更による分筆】
8✢土地の一部を道路敷とする土地の一部地目変更による分筆登記は1件で嘱託できる。（昭和38・1・28民事甲17号回答）

【一の申請情報による申請】
9✢同一の不動産について申請する二以上の登記が，不動産の表題部の登記事項に関する変更の登記又は更正の登記及び土地の分筆の登記若しくは合筆の登記又は建物の分割の登記，建物の区分の登記若しくは建物の合併の登記であるときは，一の申請情報によって申請をすることができるものとされた。（平成18・4・3民二第799号依命通知）

【代位による分筆登記】
10✢一筆の土地の一部に対する処分禁止の仮処分命令を得た者が，所有権の登記名義人に代位して，その部分を分割する分筆の登記を申請することができる。（昭和27・9・19民事甲308号回答）
11✢共有者の一部の者との間に成立した買収協議により，前記の一部の者を相手方とする仮登記仮処分命令を得たとしても，これによって共有土地の分筆登記を代位申請することは許されない。（昭和37・3・13民三発214号回答）
12✢農地法第5条の規定による許可前に，農地の一部を買受けた者において，代位による分筆登記の申請をする場合には，代位原因としては，「昭和何年何月何日売買の条件付所有権移転仮登記請求権」（年月日は売買契約の日付）と記載するのが相当である。（昭和42・10・12民三発471号回答）
13✢国土調査の際に境界に紛争があって筆界未定とされた土地の代位による分筆の登記は，紛争地と全く関係ない旨等が記録された所有者の証明情報を記載した書面あるいは立会人の作成した公正証書が提供され，かつ，登記官において現地を確認できるものである場合には，便宜することができる。（昭和47・2・4民三110号回答）

【分筆登記の抹消】
14✢抵当権の登記のある土地の分筆登記をした後（抵当権の登記転写済）において，その登記申請の錯誤を原因として，分割前の状態に戻すため，分筆登記の抹消を申請することができる。（昭和38・12・28民事甲3374号回答・通達）
15✢分筆の登記の対象である土地の範囲外の土地を実測し，当該部分を分筆地とした分筆の登記につき，分筆地の登記用紙につき，「分筆地不存在」を登記原因として土地の表示の登記を抹消し，分筆元地の登記用紙については，「分筆地不存在」を登記原因として分筆の登記の記載を抹消し，分筆前の

地積を回復する。（昭和53・3・14民三第1480号回答）

【分筆登記の誤りを地図訂正の方法で訂正することの可否】
16✢分筆後の一筆につき所有権移転登記を完了した後，分筆登記の際の分筆部分が誤りであることが発見された場合，地図訂正の申出に基づいて地図を訂正することはできない。（昭和43・6・8民事甲1653号回答）

【登録免許税法5条10号の取扱い】
17✢所有権の登記のある畑外墓地と表示されている土地について，申請により畑と墓地に分筆する場合は，墓地については非課税として畑一筆分の登録免許税を徴収する。（昭和42・10・2民事甲2680号回答）

【土地の合併の登記の課税標準】
18✢甲地を分筆してその一部を乙地に合併する場合の登記にあっては，不動産を2個として登録免許税を徴収する。なお，甲建物の一部を分割又は区分して乙建物に合併する登記についても，同様である。（昭和42・7・22民事甲第2121号通達）

【町界（字界）の変更による土地の分筆登記と登録免許税の可否】
19✢市町村内の町界若しくは字界の変更に伴い，所有権の登記のある土地の分筆の登記を所有権の登記名義人が申請する場合には，登録免許税法5条5号により登録免許税を免除して差し支えない。（昭和43・8・16民三第675号回答）

【国又は公共団体と私人とが共有する土地の分筆登記】
20✢国又は公共団体と私人とが共有する土地で，所有権の登記のあるものの分筆の登記については，登録免許税の納付を必要とする。（昭和44・10・3民三938号回答）

【地積の算出】
21✢1　畑2畝歩（登記簿上）を3つに分割しようとする場合（分割した2つの土地を実測）の地積の算出は次式によってする。
2畝歩－（29歩45勺（実測）＋15歩34勺（実測））＝15歩21勺
2　地積測量図には求積の方法の記載を要することになっているので積算の結果の歩未満の端数をも記載することを要する。
（昭和37・9・21民事甲2713号回答）
22✢不動産登記規則第100条により切捨てられた端数（但し実測したものについてのみ）が従前の地積の測量図により明らかな場合には，登記簿上の地積に当該端数を加えたものを分筆又は合筆後の地積算出の基礎とすることができる。（昭和41・10・5民三発953号回答）

【地積】
23✢旧尺貫法の換算により平方メートルで記載されている土地の地目変更または分筆の際は，旧尺貫法を換算し，平方メートル以下2位まで求めて端数

処理をするのが相当である。(昭和54・1・8民三第343号回答)。
24 削除
【登記識別情報について】
25✛土地の合筆の登記がされた後,当該登記名義人が登記義務者として登記申請をする際には,合筆登記の際に通知された登記識別情報又は合筆前のすべての土地に関する登記識別情報(又は登記済証)のいずれかを提供すればよい。(昭和39・7・30民事甲2702号通達。平成19年5月版日司連Q&A)
26✛甲所有名義の所有権登記を甲,乙の共有に更正登記した場合は,甲の所有権登記の登記識別情報は当初の甲単有の登記識別情報であり,乙の所有権登記の登記識別情報は甲,乙に更正登記をした登記識別情報である。(昭和40・10・2民事甲2852号回答)
27✛甲,乙共有から共有物分割により甲の単有となった所有権の登記の登記識別情報は,甲,乙共有登記の登記識別情報と共有物分割による登記の登記識別情報を併せたものである。(昭和39・2・19民事甲364号回答・通達)
【土地区画整理登記令3条2項等の登記識別情報】
28✛土地区画整理登記令3条2項及び土地改良登記令3条2項の規定によって交付された所有権の保存又は移転の登記識別情報は,不動産登記法上の登記義務者の権利に関する登記識別情報となる。(昭和34・4・2民事甲575号通達)
【地積測量図の作成】
29✛街区基準点の成果を管轄登記所に備え付けた後,街区基準点の整備が完了した地域内の土地について,地積測量図を添付してする分筆の登記等の申請があった場合には,登記官は登記所に備え付けられている街区基準点の成果に基づいて調査及び測量がされているかを確認し,街区基準点を利用することができるにもかかわらず,この街区基準点に基づかない地積測量図が作成されている場合には,基本三角点等に基づく測量ができない特段の事情がある場合(規則77条2項)に該当しないものとして,当該分筆の登記等の申請を却下することとして差し支えない。(平成18・8・15民二第1794号通知)
30✛土地家屋調査士,土地家屋調査士法人又は公共嘱託登記土地家屋調査士協会が,公共基準点の整備されていない地域等において一筆地測量の与点として使用するための点(以下「登記基準点」という。)として設置し,維持管理されているものであって,日本土地家屋調査士会連合会が認定をした一定の要件を満たす登記基準点については,測量法上の公共基準点ではないものの規則第10条第3項にいう「基本三角点等」に該当するものとして取り扱って差し支えない。(平成20・6・12民二第1670号通知)

【地積測量図の援用】
31✛地積の変更又は更正の登記と同時に分筆の登記を申請する場合の地積測量図は,便宜,分筆の登記の申請書に添付したものを地積の変更又は更正の登記の申請において援用して差し支えない。(昭和37・3・12民事甲671号通達,平成18・4・3民二第799号依命通知)
【地役権の登記がある土地の合筆登記】
32✛ 1 合筆の登記と連件で分筆登記を申請する場合は,合筆による地役権図面の添付を省略することはできない。(平成5年度全国首席登記官会同質疑応答第5・1・1)
 2 地役権の登記がある甲地を同一受付番号の地役権がある乙土地に合筆する場合,合筆前の甲地及び乙地の地役権の登記について登記原因,その日付,登記の目的及び受付番号が同一の場合は,申請書に地役権図面を添付することを要しない。(平成5年度全国首席登記官会同質疑応答第5・1・2)
 3 地籍調査において,地役権の登記がある土地につき合併があったものとして調査が行われた場合,その調査の成果(地役権図面は添付されていない。)に基づき合筆の登記をしても差し支えない。(平成5年度全国首席登記官会同質疑応答第5・4・11)
【地役権図面の表示等】
33✛合筆前の各土地の一部に,それぞれ受付年月日受付番号の異なる地役権設定の登記がある合筆後の地役権図面は,登記原因,その日付,登記の目的及び受付番号が異なる場合であっても地役権者が同一人であり,各地役権ごとの範囲を明らかにしたものであるときは,地役権図面は1枚で差し支えない。(平成5年度全国首席登記官会同質疑応答第5・2・3)
34✛合筆前の各土地の一部に,同一受付番号及び日付並びに登記原因によって設定された一目的とする地役権がある土地を合筆し,地役権の設定された範囲が隣接して合筆後の一区画に存続することとなる場合は,登記原因,その日付,登記の目的及び受付番号が同一の場合は,地役権図面において合筆前の土地の各地役権ごとの範囲を明らかにする必要はない。(平成5年度全国首席登記官会同質疑応答第5・2・4)
35✛承役地についてなす地役権の登記がある土地を合筆することにより,合筆後の土地の一部に地役権が存続するときも地役権の存続する部分を示す図面(地役権図面)を添付することとなるが,下図の場合,地役権の存する部分は求積を要することは当然であるが,イ~ロ,ト~チ(又はハ~ニ,ホ~ヘ)の辺長を記載すべきものと解する。(平成5年度全国首席登記官会同質疑応答第5・2・5)
36✛合筆前の一筆の土地(甲地)の全部に設定された

不動産登記法（39条）

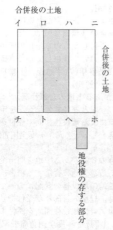

地役権が，合筆後の土地の一部に存続することとなるときに，地役権図面で甲地の面積を超えることとなる場合は，受理できない。（平成5年度全国首席登記官会同質疑応答第5・4・9）

37✛地役権設定の登記のある土地の合筆の場合，合筆後の地役権の範囲を明らかにした図面と既提出の地役権図面が齟齬するときは，原則として，地役権の範囲の更正を要する。（平成5年度全国首席登記官会同質疑応答第5・4・10）

【地役権図面の署名又は記名押印】

38✛地役権図面の署名又は記名押印は，地役権設定契約及び登記申請の権限の委任を受けた者が行ってもよい。（昭和44・12・18民事甲2731号回答）

【職権の分筆・合筆】

39✛第4
1　法第39条第3項に規定する「地図を作成するため必要があると認めるとき」とは，次に掲げる場合をいう。
　ア　分筆の登記については，土地の一部がみぞ，かき，さく，へい等で区画されている場合その他の場合で，明らかに土地の管理上分筆の登記を行うことが相当であると認められるとき。
　イ　合筆の登記については，二筆以上の土地の筆界を現地について確認することが困難な場合，それらの全部又は一部が著しく狭小である場合その他の場合で，明らかに土地の管理上合筆の登記を行うことが相当であると認められるとき。
2　この規定により分筆又は合筆の登記を行うには，登記簿の表題部に記載された所有者又は所有権の登記名義人に異議がないことを確認した上，土地の調査書その他適宜の書面にその旨及びその年月日を記載し，その者に署名又は記名押印させるものとする。なお，その後分筆又は合筆の登記を行うまでに表題部に記載された所有者又は所有権の登記名義人に変更があったと

きは，新登記名義人につき同様の手続をとるものとする。
3　この規定による合筆の登記は，2の手続の終了後に行うものとし，分筆の登記は，地図の備付けの時に行うものとする。
4　この規定による合筆の登記をしたときは，合併による所有権の登記の登記識別情報を作成することを要しない。
（平成5・7・30民三第5320号通達第4）

40✛1　分筆又は合筆する土地の一部に承役地についてする地役権の登記がある場合には，職権による分筆の登記をすることは相当でない。なお，合筆の登記については差し支えない。（平成5年全国主席登記官会同質疑応答第4・3・8）
2　登記簿上地目を異にしていても，現況地目が同一と認定できる場合は，登記簿の地目を職権で変更の上，合筆の登記をして差し支えない。（平成5年度全国主席登記官会同質疑応答第4・3・9）

【分筆の場合の登記手続】

41✛代位による分筆の登記の場合における各区の転写事項については，不動産登記法59条第7号の規定の適用がないので，代位原因等の記載を要しない。（昭和38・3・28民事甲914号通達）

42✛抵当権設定登記後，所有権移転の登記がなされている土地について分筆登記をする場合の所有権移転の登記事項の転写は，最終の所有権移転の登記のみを転写すれば足りる。（昭和40・4・14民事甲839号通達）

43✛登記名義人を同じくする賃借権等の目的となっている二筆の土地のうち一筆について分筆した場合には，分筆した土地の登記記録についてのみ「共にその権利の目的である」旨を記録すれば足りる。（昭和42・12・14民事甲3663号回答）

44✛分筆の登記等により登記事項を転写する場合において買戻期間が経過した買戻特約登記があるときでも，当該買戻特約の登記を転写すべきである。（昭和44・3・11民事甲407号回答）

45✛根抵当権設定仮登記のある土地の分筆又は建物の分割もしくは区分の登記を申請する場合において，分割後の数筆の土地又は分割もしくは区分後の数個の建物に仮登記根抵当権が存続するときであっても，共同担保目録を作成する必要がない。（昭和48・11・14民三第8526号回答）

46✛信託の登記がある建物の分割又は区分の登記をする場合には，登記官が職権で，信託目録と同一の情報を作成し，これを分割又は区分した建物の信託目録とする。（昭和42・6・19民事甲1927号回答）

［判例］

【分筆登記未了土地の一部の所有権取得（譲渡）の可否】

1※一筆の土地の一部は分筆登記手続前においても，

これを数個に区分して譲渡することができる。（大判大正13・10・7）

【一筆の土地の一部の売買】
2❖一筆の土地の一部でも，売買の目的とすることができる。（最判昭和30・6・24）

【事実上現物分割されている土地の共有者の権利義務】
3❖登記記録上共有名義の土地が事実上分割され，各自単独に分割地を所有する場合は，各共有者は現状に符合する分筆登記手続をすべき権利義務を有する。（大判大正4・10・22）

【共有物分割による登記】
4❖1個の不動産が数人の共有に属していた場合において，共有物分割の結果，各人がその一部ずつについて単独所有者となるときには，まず分筆の登記手続をした上で，権利の一部移転の登記手続をすべきである。（最判昭和42・8・25）

【仮処分債権者による代位登記】
5❖一筆の土地の一部につき処分禁止の仮処分命令を得た債権者は，当該命令正本を代位原因を証する情報として，債務者に代位してその部分の分筆の登記の申請をすることができる。（最判昭和28・4・16）

【分筆登記の効力】
6❖土地の分筆は登記簿上の土地の筆数を変更する登記法上の手続概念であり，その手続き上の処理とその際登記官の処分行為によって，土地の分割という実体上の土地の筆数とその範囲を変更する効果が生ずる。（東京地判昭和57・4・28，判例時報1059-87）

【土地の分筆の効果の発生時期】
7❖土地分筆の処分は，土地登記記録にその登記をしたときに分筆の効果が生ずるものであって，公図への分筆線及び地番の記入は，分筆そのものの効果には影響はない。（名古屋高判昭和49・5・21）

【隣接地との境界が確認できない土地の分筆登記の可否】
8❖1　土地の分筆の登記については，前提として一筆の土地が存在し，しかもその範囲が正確に把握されていること，及び分割される土地が一筆の土地の範囲内に存在していることが必要とされることから，分筆の登記にあっては，原則として分筆元地と隣接地との境界が明らかでなければならない。
　2　代位による分筆の登記は，登記権利者の名において登記義務者が行うべき登記を申請しうるものであるものの，その他の点については，登記申請に関する通則に従うべきものであるから，登記官において分筆元地の範囲ないし隣接地との境界の確認を要するという点においても，通常の分筆の登記の申請と異なるところはない。
（最判平成10・7・3認容）（原審大阪地判平成6・9・9）

【実体上の所有者でない登記名義人からなされた分筆の登記の抹消請求の可否】
9❖実体上の所有者でない登記名義人によって分筆登記がなされた場合，実体上の所有者は，当該登記の抹消を求めることができる。（東京高判昭和42・9・28）

【登記官の行う分筆登記は，行政事件訴訟法3条にいう「処分」に当たる】
10❖土地所有者の，自己の土地を何筆の土地として所有するか，複数の筆として所有するとしてそれぞれの筆をどの位置にどのような形で所有するかの自由は，法的保護に値するのみでなく，現行実定法上現に保護されている利益であり，登記官の行う分筆登記は，前記利益に直接影響を与えるものであるから，国民の法律義務に法律上の効果を及ぼすものとして，行政事件訴訟法3条にいう「処分」に当たると解するのが相当である。（松山地判昭和59・3・21）

【実例】

【分筆登記の可否について】
47✛不動産登記法上1平方メートルの100分の1未満の地積の土地を生じる分筆登記をする方法はない。（登記研究445号107頁）

【分筆後の土地の地積の表示に変更が生じない場合の抹消の要否について】
48✛分筆後の土地の地積の表示に変更が生じない場合であっても，当該地積の表示を抹消し，新たに地積の表示を記録するのが相当である。（登記研究568号182頁）

【筆界未定地の分筆】
49✛筆界未定地については，原則として分筆の登記をすることはできない。（登記研究459号97頁）

【不在者の財産管理人による登記の申請】
50✛不在者の財産管理人が土地の分筆又は合筆の登記を申請する場合には，家庭裁判所の許可を要しない。（登記研究516号195頁）

【相続人による分筆登記の申請について】
51✛亡甲の相続人乙，丙，丁がある場合に，A地をA_1，A_2に分筆し，A_1を乙，A_2を丙が相続する旨の遺産分割協議書を，相続を証する情報の一部として申請情報と併せて提供し，乙丙からA地の分筆登記の申請をすることができる。（登記研究229号71頁）

52✛被相続人名義の土地についてする分筆登記の申請は，民法第903条による特別受益証明書若しくは遺産分割協議書を提供して，当該土地を相続する特定の相続人のみからすることができる。（登記研究325号72頁）

53✛甲所有の土地AをA_1，A_2に分割し，A_1を乙に，A_2を丙に相続させる旨の公正証書による遺言がされた場合に，丙が分筆登記の申請を行わないときは，乙は遺言書を代位原因証書として丙に代位してA地の分筆の登記を申請することができる。

（登記研究546号151頁）

【遺産分割に基づく分筆登記の申請について】
54✢甲の相続人が乙丙丁の場合において、甲名義の土地をA_1、A_2に分割し、A_1を乙が相続する旨の遺産分割協議が整ったものの、A_2については協議が整わない場合に、乙が単独で分筆の登記の申請をすることはできない。なお、他の相続人に代位して申請することは可能であると考えます。（登記研究575号121頁）

【分筆登記の申請人】
55✢共有者の一人が死亡し、その相続の登記を経ていない土地について、相続を証する書面を添付して他の共有者と死亡者の相続人との共同で分筆の登記を申請することができる。（登記研究413号96頁）

【持分の記載の要否】
56✢共有名義の土地につき分筆の登記を申請する場合、当該申請書に共有者の持分の記載を要しない。（登記研究398号618頁）

【共有不動産についての表示の変更の登記申請】
57✢共有不動産についての表示の変更申請は、当該申請が土地又は建物の分割若しくは合併であるときは共有者全員から、その他の表示の変更については、共有者の一名からすればよい。（登記研究40号32頁）

【一部地目変更及び分筆登記の共有者の1人からの申請の可否】
58✢共有名義の一筆の土地について、土地の一部が別地目となった場合における「一部地目変更及び分筆」の登記は、法第39条第2項による登記官の職権登記の趣旨及び土地の具体的な分割方法も客観的に定まっているのであるから、共有者の1人から当該登記の申請ができる。（登記研究367号137頁）

【共有地の分筆登記】
59✢共有地を分筆する際、当該共有地の持分の合計が1にならない場合には、分筆登記の前提として、持分の更正の登記をすべきである。（登記研究482号179頁）

【分筆登記の一括申請】
60✢持分の異なる二筆以上の土地の分筆の登記の申請は、同一の申請書ですることができる。（登記研究495号119頁）

［地図と現況が相違する場合の分筆の登記］
61✢登記所備付の地図と現況が相違し、地図に誤りがある場合であれば、地図訂正の後に分筆登記の申請をすべきである。（登記研究373号87頁）

【信託の登記がされている土地の共有物分割】
62✢共有持分を目的とする信託の登記がされている二筆の土地について、受託者は、信託行為の定めに反しない限り、共有物分割をすることができる。この場合において、当該二筆の土地をそれぞれ受託者と他の共有者の単独所有とするときは、受託者の単独所有となる土地については、所有権の移転の登記及び信託の登記の申請を、他方の土地については、所有権の移転の登記及び信託の登記の抹消を申請しなければならない。（登記研究749号155頁）

【代位原因の存否について】
63✢一筆の土地全部についての売買契約がなされた場合、買主は当該土地の分筆登記を売主に代位してすることはできない。（登記研究222号64頁）

【共有者の一部の者に代位してする共有土地の分筆の登記の申請の受否】
64✢共有者の一部の者の持分を買収して債権者代位による分筆登記の嘱託をすることはできない。（登記研究469号141頁）

【分筆登記の代位原因証書】
65✢一筆の土地の一部を時効取得した者が、所有権移転登記請求権に基づいて債権者代位により分筆の登記を申請する場合には、代位原因を証する書面として、所有権移転登記を命ずる給付判決（移転する土地の位置・形状が図面で特定されたもの）を添付すべきであり、所有権確認判決を、代位原因を証する書面とすることはできない。（登記研究578号131頁）

【代位嘱託登記】
66✢地下水路を工作するために、地方公共団体（県、市、町、村等）が、土地の一部について所有者と地上権設定契約をしている場合には、当該部分について、地上権者として所有者に代位し分筆の登記の嘱託をすることができる。（登記研究353号116頁）

67✢所有者の住所に変更が生じている場合、土地の一部を地方公共団体が買収する場合、代位による分筆登記、名義人表示変更登記の順で嘱託する。（登記研究454号130頁）

【登記の嘱託】
68✢地方公共団体が道路用地として土地の一部を買収した場合、代位による一部地目変更登記の嘱託は受理できない。（登記研究445号109頁）

69✢一筆の土地を三筆に分筆し、うち一筆は売買により、他の一筆は寄付により地方公共団体が所有権を取得した場合、代位により分筆の登記を嘱託する場合、別件で嘱託するのが相当である。（登記研究454号132頁）

【分筆部分の特定】
70✢官公署が被買収者に代位して分筆の登記を嘱託する場合でも、代位原因証書においてその分筆する部分が客観的に特定されていることを要する。（登記研究241号62頁、263号63頁）

【根抵当権が設定されている土地が分筆されたが、その分筆が錯誤であった場合の取扱いについて】
71✢根抵当権が設定されている甲地を、甲地、乙地及び丙地に分筆するに際し、分筆後の乙地及び丙地については根抵当権を消滅させる旨の承諾情報を

提供して分筆の登記がなされた後に，丙地の分筆が錯誤であることを発見した場合でも，分筆錯誤を原因とする登記の申請はすることができない。(登記研究380号83頁)

【分筆登記の抹消と当該地積測量図の除却の要否】
72✥分筆錯誤による分筆登記の抹消をした場合は，登記所に提出された当該地積測量図を土地図面つづり込み帳より除却すべきである。(登記研究416号131頁)

【分筆登記の抹消登記の可否について】
73✥分筆の登記後にその一筆について所有権移転登記がなされている場合には，錯誤を原因として分筆の登記を抹消することはできない。(登記研究482号179頁)

【合筆錯誤を原因とする登記の可否】
74✥合筆登記の申請に錯誤があった場合においても，合筆後の所有権移転登記を経ている場合には，合筆錯誤による抹消の登記はできない。(登記研究491号107頁)

【代位嘱託で行った分筆登記の抹消方法について】
75✥官公署の代位によってされた分筆登記が誤っていた場合，当該分筆登記の抹消は代位嘱託によることはできず，所有者からの申請による。(登記研究526号193頁)

【住所の変更を証する情報を添付してなされた分筆登記の申請の受否】
76✥表題部所有者又は所有権の登記名義人の住所の変更を証する情報を提供して分筆の登記の申請があった場合，便宜受理して差し支えない。(登記研究581号146頁)

【代位による分筆】
77✥所有者の住所に変更が生じている土地について，代位による分筆登記は，変更を証する書面を添付して，変更後の住所を記載して嘱託することができる。(登記研究455号92頁)

【分筆の登記申請書等に記載する分筆後の土地の符号】
78✥分筆の登記の申請書及び地積測量図には分筆後の土地についてあらかじめ登記所から示された予定地番を記載する場合でも符号の記載を要する。(登記研究448号131頁)

【地役権図面の作成方法について】
79✥地役権図面については，登記所備付の地積測量図との整合性を有し，地役権設定の範囲が明確でその範囲の地積の測量の結果が図示されていることを要する。(登記研究451号123頁)

【一筆の土地の一部に地役権の登記のある土地の分筆登記の申請及び登記手続】
80✥一筆の土地の一部に承役地につきなす地役権の登記のある甲地を分筆してその一部を乙地とする分筆の登記を申請する場合において，分筆後の甲地の一部についてのみ地役権が存続し，登記されている地役権の範囲の表示に何ら変更がないときでも，地役権者の証明情報及び地役権図面の提供を要する。(登記研究390号89頁)

【一筆の土地の一部に地役権の登記のある土地の分筆の登記申請】
81✥不動産登記令別表8項・添付情報欄ロの規定による分筆の登記を申請する場合，要役地が申請する登記所を管轄する登記所以外の登記所であるときは，同令別表35項・添付情報欄の規定に準じ，申請情報と併せて地役権者が要役地の所有権の登記名義人であることを証する情報を提供すべきである。(登記研究401号161頁)

【工場財団の組成物件である土地の分筆と財団目録の変更】
82✥工場財団の組成物件である土地を分筆する場合，財団目録の変更は別途申請で行うべきで，分筆登記の申請情報を併せて変更後の財団目録を提供する必要はない。(登記研究348号89頁)

【工場財団の組成物件たる土地の分筆・合筆】
83✥工場財団の組成物件である土地については，分筆することはできるが，合筆することはできない。(登記研究243号279頁)

【不動産登記規則77条1項7号にいう「基本三角点等」と引照点について】
84✥既に法務局に備え付けられている地積測量図中に表示されている引照点が，基本三角点等に基づいて測量されていたとしても，新たに地積測量図の作成に当たり，当該引照点を与点とした一筆地測量の成果による筆界点の座標値は，基本三角点等に基づく測量の成果とはならない。(登記研究729号179頁)

【登記名義人の表示変更登記申請の要否】
85✥不動産の合筆又は合併の登記を申請する場合に，当該登記名義人の表示が変更(住所移転)しているときは，前提として登記名義人の表示変更登記をすべきである。(登記研究364号79頁)

【行政区画が変更された後に申請された合筆の登記において行う合併による所有権の登記における登記名義人の住所の記録】
86✥登記名義人の住所の表記について，行政区画の変更による変動が生じていることが登記官において明らかである場合には，合併による所有権の登記における登記名義人の住所として行政区画の変更後の住所を記録することができる。(登記研究840号139頁)

【登記名義人の住所の異なる二筆の土地の合併登記の可否】
87✥所有権の登記名義人は同一人であるが，その住所を異にする二筆の土地を，合併することはできない。(登記研究380号80頁)

【相続人からの合筆申請】
88✥相続人から相続証明書を提供して土地の合筆の登記を申請する場合，申請情報に記録すべき申請人の表示方法は，次の振り合いによるのが相当である。

不動産登記法（39条）

申請人　（被相続人何某）
　　　　右相続人　何郡市区何町村大字何何番地
　　　　　　　　　何某
（登記研究412号166頁）

【合筆登記の可否】
89✤死者名義の数筆の土地の合筆の登記を申請する場合に，登記簿上の住所が異なるものがあるときは，前提として登記名義人の表示変更の登記を要する。（登記研究423号127頁）

【土地の合併の登記】
90✤甲地の一部を乙地に，乙地の一部を甲地にそれぞれ合併する登記を一の申請情報ですることができる。（登記研究230号69頁）

【判決（和解調書を含む）中に「合筆登記のうえ所有権移転登記せよ」とある場合の登記事務の処理，代位原因を証する書面としての適否】
91✤主文に「甲は何番と何番の土地を合筆のうえ乙に所有権の移転登記せよ」と命じた判決（和解調書含む）がある場合には，当該判決に基づいて甲から所有権移転の登記をした後に合筆の登記を申請することができる。なお，一般的に合筆を命じる判決には代位登記を申請する場合の代位原因を証する書面となり得る。（登記研究370号71頁）

【分筆登記の地積測量図】
【地積測量図の作成方法】
92✤同一申請書をもって接続した数筆の土地を分筆する場合に作成する地積の測量図は，分割前の当該数筆について一用紙を用いて作成するのは相当ではない。（登記研究386号98頁）

【分属表示された地積測量図】
93✤分筆の登記を申請するに際し，地積測量図を数葉の用紙に分属して表示しなければならない場合に，地積の測量図の総括図として分筆前の土地の全体を表示する図面は，「土地所在図」又は「全図」と表示して差し支えない。（登記研究395号94頁）

【地積測量図に記載する境界標】
94✤地積の測量図に記載すべき境界標には，既設のもののみならず，分筆又は地積更正の登記をする際に新たに埋設されたものを含む。（登記研究396号104頁）

【合筆の登記の申請書に地積測量図を添付することの可否】
95✤合筆の登記の申請書には，合筆後の土地についての地積測量図を添付することはできない。（登記研究404号135頁）

【合筆登記をした場合の既提出地積測量図等の処理】
96✤図面（地積測量図・土地所在図）が提出されている土地について合筆登記をした場合には，これらの図面を土地図面綴込帳から除却するのは適当でない。（登記研究505号215頁）

【登記識別情報】
97✤国土調査法による不動産登記に関する政令2条2項，又は土地改良登記令3条2項等の規定により申請人から交付を受けた代位による所有権保存又は移転の登記の登記識別情報は，法22条の登記義務者の登記識別情報となり得る。（登記研究169号49頁）

98✤官公署が登記義務者として登記権利者甲のために所有権取得の登記を嘱託した場合の登記識別情報は，後日甲が登記義務者として登記を申請する場合の登記義務者の登記識別情報となり得る。（登記研究215号67頁）

99✤所有権の登記ある土地の合筆の登記を申請する場合に添付すべき所有権の登記の登記識別情報は，合併前のいずれか一筆の土地の全部の登記識別情報であることを要する。（登記研究378号173頁）

100✤合筆の登記の申請に，数回にわたり共有持分を取得して単有となった土地の所有権の登記の登記識別情報を提供する場合には，当該持分取得にかかるすべての登記識別情報の提供が必要である。（登記研究320号74頁）

101✤共同相続登記後に遺産分割協議による持分全部移転登記により単独所有者となった者の，登記義務者の登記識別情報とは，共同相続登記及び持分全部移転の各登記識別情報をいう。（登記研究488号147頁）

102✤A・B共有名義の不動産について，A単有名義に更正登記がされている場合，Aが登記義務者として登記を申請する場合の登記識別情報は，A・B共有名義の登記の際の登記識別情報及び更正登記の際の登記識別情報である。（登記研究379号94頁）

103✤区分建物移行作業によって一体化した建物の所有権移転登記の申請に提供すべき登記識別情報は，一体化後に所有権移転登記がされていない場合は，専有部分の所有権に関する登記識別情報及び敷地権たる権利についての登記識別情報の両方である。（登記研究478号122頁）

104✤国土調査の結果合筆された土地についての権利に関する登記識別情報は，合筆前の全筆の登記識別情報である。（昭和39・8・11民事甲2765号通達，登記研究441号117頁）

105✤国土調査の結果合筆登記された土地を分筆登記し，当該分筆後の土地につき所有権移転の登記申請をする場合に提供する登記義務者の登記識別情報は，合筆前の全筆の登記義務者の登記識別情報である。（登記研究522号158頁）

106✤土地改良法により従前の数個の土地に照応して1個の換地が交付された場合，その登記がされた場合には，従前の土地の1個の土地についての権利に関する登記の登記識別情報をもって当該換地についての登記識別情報とする扱いはできない。（登記研究203号63頁）

107✤土地改良法に基づく合併換地がなされた土地に

ついての権利に関する登記識別情報は，従前の土地全部の登記識別情報でもよい。(昭和39・8・11民事甲2765号通達，登記研究441号117頁)
108✤土地区画整理法に基づく，いわゆる合併換地がなされた土地についての権利に関する登記識別情報は，便宜，従前の土地全部の登記義務者の登記識別情報でよい。(登記研究360号93頁)
109✤相続財産の所有権移転登記の申請をする場合に，相続財産法人名義にした登記名義人表示変更登記の登記完了証を登記義務者の登記識別情報とすることはできない。(登記研究563号127頁)

【登録免許税】
110✤不動産の現況地目が墓地であるとして固定資産税が非課税とされていても，登記記録の地目が墓地でないときは，登録免許税法第5条第10号に規定する「墳墓地に関する登記」に当たらない。(登記研究820号125頁)

【同一の承役地地役権の登記のある土地を合筆した場合の地役権の登記の移記】
111✤同一の承役地地役権がある乙地及び丙地を甲地に合筆した場合には，甲地に順位1番で地役権の登記を移記し，合併前の乙地何番，丙地何番の登記を移記した旨を記録するのが相当である。(登記研究580号139頁)

【破産の登記及び破産廃止の登記がある土地の分筆転写又は移記】
112✤破産の登記及び破産廃止の登記がある土地について，転写又は移記をする場合には，破産の登記及び破産廃止の登記は転写又は移記を要しない。(登記研究593号205頁，登記研究429号123頁参照)

第40条（分筆に伴う権利の消滅の登記）

登記官は，所有権の登記以外の権利に関する登記がある土地について分筆の登記をする場合において，当該分筆の登記の申請情報と併せて当該権利に関する登記に係る権利の登記名義人（当該権利に関する登記が抵当権の登記である場合において，抵当証券が発行されているときは，当該抵当証券の所持人又は裏書人を含む。）が当該権利を分筆後のいずれかの土地について消滅させることを承諾したことを証する情報が提供されたとき（当該権利を目的とする第三者の権利に関する登記がある場合にあっては，当該第三者が承諾したことを証する情報が併せて提供されたときに限る。）は，法務省令で定めるところにより，当該承諾に係る土地について当該権利が消滅した旨を登記しなければならない。

❖【承諾を証する情報を記載した書面への記名押印等】令19【分筆に伴う権利の消滅の登記】規104

先例等

1✤競売申立の登記がなされている土地の分筆登記申請書に分割した土地についての競売申立権の消滅の承諾書の添付があっても競売申立権の消滅の登記はすべきでない。(昭和41・11・1民事甲1764号回答)

【「所有権以外ノ権利ノ登記名義人」の範囲】
2✤不動産登記法40条の所有権以外の権利の登記名義人には，仮差押，仮処分または競売申立の権利者は含まれない。(昭和41・11・8民事甲3258号回答)
3✤所有権移転請求権保全の仮登記名義人は，法40条に規定する所有権の登記以外の権利に関する登記に係る権利の登記名義人に含まれる。(登記研究152号50頁)
4✤法40条の規定にいう「所有権の登記以外の権利」には，法105条1号の規定により仮登記された所有権を含む。(登記研究193号70頁)

【地役権の抹消登記の利害関係人】
5✤地役権の設定登記前に要役地になされた抵当権，差押等の権利に関する登記又は所有権移転の仮登記の権利者は，地役権の抹消登記についての登記上の利害関係人とならない。(登記研究466号115頁)

【分筆した土地につきする抵当権の消滅承諾】
6✤抵当権者が被相続人となっている抵当権設定登記のある土地を分筆した際，分筆後の一筆の土地の抵当権につきする消滅承諾は，当該相続人全員（民法903条の2項の特別受益者も含まれる。）でしなければならない。(登記研究471号136頁)

【分筆登記と消滅承諾について】
7✤抵当権設定登記のある土地を分筆する際，抵当権者が不登法40条の規定による消滅の承諾をしたが，分筆登記をする前に当該抵当権が第三者に移転登記がなされた場合には，分筆登記申請情報と併せて提供すべき消滅承諾を証する情報は移転登記後の抵当権者が作成したものであることを要する。

不動産登記法（41条）

(登記研究481号133頁)
【分筆登記の際の抵当権者の消滅承諾について】
8 ╋抵当権設定の登記がされている土地を分筆する場合，不動産登記法40条による消滅承諾は，相続又は会社合併による抵当権移転の登記を省略（相続又は会社合併を証する情報を提供）して，合併後の抵当権者が証明することができる。(登記研究478号121頁)
【承諾人の印鑑証明書】
9 ╋登記上の利害関係人の承諾書または所有権以外の権利の登記名義人の承諾書を申請書に添付するときは，右承諾書に承諾人の印鑑証明書を添付することを要する。(昭和33・10・24民事甲2221号通達)
【分筆後のいずれかの土地について抵当権を消滅させることを承諾したことを証する情報が提供されたと

きにする当該抵当権が消滅した旨の付記登記の年月日について】
10 ╋抵当権の登記がある土地を分筆する場合において，当該抵当権を分筆後のいずれかの土地について消滅させることを承諾したことを証する情報が提供されたときにする当該抵当権が消滅した旨の付記登記の年月日は，分筆の登記の年月日を記録することが相当である。(登記研究807号177頁)
【許可，同意，承諾の意思表示をした第三者の資格審査】
11 ╋登記原因につき第三者の許可，同意または承諾を証する書面が添付されている場合において，登記官が必要であると認めたときは，その第三者の資格の有無を審査するために必要な書面を提出させることができる。(大正8・12・10民事5154局長回答)

第41条（合筆の登記の制限）

❖【合筆の登記の制限特例】規105

次に掲げる合筆の登記は，することができない。
一　相互に接続していない土地の合筆の登記
二　地目又は地番区域が相互に異なる土地の合筆の登記
三　表題部所有者又は所有権の登記名義人が相互に異なる土地の合筆の登記
四　表題部所有者又は所有権の登記名義人が相互に持分を異にする土地の合筆の登記
五　所有権の登記がない土地と所有権の登記がある土地との合筆の登記
六　所有権の登記以外の権利に関する登記がある土地（権利に関する登記であって，合筆後の土地の登記記録に登記することができるものとして法務省令で定めるものがある土地を除く。）の合筆の登記

先例等
【合筆登記の可否】
1 ╋数筆の共有地の共有者は各同一人であるが，持分の割合を異にする場合には，合筆登記をすることができない。(昭和33・10・9民事甲2116号回答)
2 ╋仮登記のされている不動産についても合併の登記をすることはできない。財団を組成する土地相互についても，合併の登記をすることができない。(昭和35・7・4民事甲1594号通達)
3 ╋持分の登記のされている土地と持分の登記のされていない土地との合筆の登記申請は受理されない。(昭和40・2・2民事甲第221号回答)
4 ╋和議認可のなされている土地の合筆の登記申請は受理すべきでない。(昭和41・11・5民事甲2572号回答)
5 ╋所有権以外の権利の登記のある甲地の一部を乙地に合筆する場合，申請情報と併せて，乙地に合筆

される部分についての権利の消滅の承諾情報が提供されている場合は，当該合筆登記の申請は受理してさしつかえない。(登記研究157号46頁)
6 ╋買戻特約の期間経過後，その登記が抹消されないまま第三者のために売買による所有権移転の登記がなされている土地について，合筆登記の申請は受理できない。(登記研究258号73頁)
7 ╋所有権の登記名義人は同一人であるが，その住所を異にする2筆の土地を，合併することはできない。(登記研究380号80頁)
8 ╋宗教法人の礼拝の用に供する建物の敷地である旨の登記のある土地の合筆の登記の申請は，することができない。(登記研究381号89頁)
9 ╋破産の登記及び破産終結の登記がある土地の合筆の登記の申請は受理できる。(登記研究429号123頁)
10 ╋破産法による否認の登記がされた抵当権設定登記

のある土地を合併することができる。（登記研究583号216頁，昭和62・3・20民三第1433号回答参考）

【合併登記の制限】
11♦工場財団の組成物件となっている土地と組成物件となっていない土地とを合併することはできない。（登記研究458号95頁）
12♦工場財団を組成する数筆の土地又は数個の建物は合併することができない。（登記研究452号115頁）

【根抵当権設定の仮登記のある土地の分筆後の合筆登記の可否】
13♦根抵当権設定の仮登記のなされている土地が数筆に分筆された後，当該土地の合筆登記の申請があった場合は，これを受理して差し支えない。（登記研究514号194頁）

【工場抵当権の目的土地と普通抵当権の目的土地との合筆登記申請の受否】
14♦普通抵当権の設定登記のある土地と，当該登記と登記原因及びその日付及び受付番号が同一の工場抵当権の設定登記のある土地との合筆登記申請は受理されない。（登記研究531号120頁）

【敷地権の目的である土地の分筆及び合筆の登記の可否】
15♦敷地権の目的である土地について，分筆の登記をすることはできるが，合筆の登記は許されない。（登記研究453号123頁）

【河川区域内の土地である登記がある土地の合筆】
16♦河川法が適用又は準用される河川の河川区域内の土地である旨の登記（不動産登記法43条1項）がある土地とその旨の登記がない土地との合筆の登記の申請は受理することができない。（登記研究636号145頁（カウンター相談））

【合併制限の特例】
17♦第19　担保権の登記のある土地又は建物の合併
一　合併制限の特例
　　1　数筆の土地又は数個の建物につき先取特権，質権又は抵当権（以下「担保権」という。）に関する登記がある場合において，それらの担保権の登記の登記原因，その日付，登記の目的及び受付番号が同一であるときは，それらの数筆の土地又は数個の建物は，合併をすることを妨げられない。（規則105・第131条）
　　2　合併の妨げとならない1の担保権に関する登記には，仮登記も含まれる。
　　3　合併をすべき数筆の土地又は数個の建物の一部についてのみ順位の変更等の処分の登記又は登記名義人の表示の変更，債権額の変更等の変更がされているときは，合併をすることができない。（昭和58・11・10民三第6400号通達第19，一・1・2・3）
18♦根抵当権設定の仮登記後，共同根抵当権設定の本登記（登記原因，その日付，登記の目的及び受付番号が同一）をした場合は，合併できない。（昭和58年度全国首席登記官会同質疑応答第一九，113）

【合併換地の従前の土地全部が同一工場財団に属している場合の換地処分登記の受否】
19♦従前の土地数筆に対し1個の換地が定められた場合において，従前の土地の全部が工場財団に属しているときでも，単一の財団に属する限り，便宜，換地処分の登記をすることが許される。この場合には，工場抵当法23条1項及び34条1項の規定による記載（工場財団に属した旨等の記載）は，換地の登記用紙に移記すべきものとされる。（昭和37・12・27民事甲3725号通達）

【敷地権である旨の登記等のある土地についての換地処分による登記の取扱いについて】
20♦土地区画整理法による換地処分の登記において，従前の土地のすべてについて，種類とその内容及び持分割合が同一である敷地権（ただし，地上権及び賃借権が敷地権であるときは，同日付で設定されている場合に限られる。）についての敷地権である旨の登記があるときは，便宜，一筆の土地として取扱って差し支えない。（平成6・12・21民三8670号通達）

【信託法の施行に伴う不動産登記事務の取扱いについて】
21♦2　合筆の登記の制限の特例
　　信託の登記がされている不動産について合筆の登記の申請がされた場合には，受理することができないとするのが登記実務の取扱いであったが（昭和48・8・30日付け民三第6677号回答），今般，新信託法の施行に伴い，規則第105条が改正され，「信託の登記であって，法第97条第1項各号に掲げる登記事項が同一のもの」である場合が追加され（規則第105条第3号），合筆の登記の制限が緩和された。（中略）なお，この場合，各筆の土地の所有権の全部が同一の信託に属する場合のほか，各筆の土地が共有されており，その共有持分が異なる複数の信託に属する場合も含まれることとされた。この場合には，合筆後の土地の登記記録の甲区には，各信託についての信託の登記をそれぞれ記録しなければならないこととされた。
　　3　建物の合併の登記の制限の特例
　　建物の場合についても，所有権等の登記以外の権利に関する登記がある建物の合併の登記が原則として禁止されているところ，上記2と同様に，規則第131条が改正され，「信託の登記であって，法第97条第1項各号に掲げる登記事項が同一のもの」である場合が追加され（規則第131条第2号），新たに合併の登記の制限が緩和された。
（平成19・9・28民二第2048号通達）

不動産登記法（42条）

【違法合併登記の事後処理】
22✤甲地及び乙地を丙地に合併する登記をした後，乙地に関し所有権以外の権利に関する登記の存することが当該閉鎖登記記録によって明らかとなったときは，登記官において，職権で，右の合筆の登記を抹消すべきものとされる。（合筆前の状態に回復する。）（昭和37・9・27民事三発811号回答）

【合筆があったものとして国土調査が行われた場合の単一の所有権の登記と合筆前の土地の一方につき所有権登記抹消の判決が確定した場合の取り扱い】
23✤AからBへの所有権移転の登記がある1番の土地と，CからBへの所有権移転の登記のある2番の土地とにつき合筆があったものとして国土調査が行われ，その成果に基づいて，登記官が職権で合筆の登記及び合併による単一の所有権の登記をした場合について，その合併前の2番の土地に関するB名義の所有権移転の登記につきその抹消登記手続を命ずる判決が確定したときは，その勝訴判決を得た原告Cは，まず代位により合筆の登記の抹消を申請し，その申請に基づいて，登記官が，単一の所有権の登記を抹消した上，旧2番の土地の登記を回復し（閉鎖した登記記録を回復し），その回復された登記記録におけるB名義の所有権移転登記につき，Cが前記判決に基づき（判決正本を提供して）その抹消の登記を申請するものとされる。（昭和53・12・20民三第6721号回答）

第42条（土地の滅失の登記の申請）

❖【申請・添付情報】令別表10
【土地の滅失の登記】規109・110

土地が滅失したときは，表題部所有者又は所有権の登記名義人は，その滅失の日から1月以内に，当該土地の滅失の登記を申請しなければならない。

先例等

【海面下に没した場合】
1✤春分又は秋分における満潮時において，土地の全部又は一部が海面下に没するものについては，土地台帳法上，滅失（又は一部滅失）として取り扱われる（本件は，旧台帳法当時のものだが，現行法のもとでも，滅失の登記の原因の一つとして取り扱われる。）。（昭和34・6・26民事甲1287号通達）

2✤海面下に没した土地は，海没するに至った経緯が天災などによるものであり，かつ，その状態が一時的なものである場合には，私人の所有権は滅失しない。（昭和36・11・9民事甲2801号回答）

3✤土地が常時海水の侵入を受けるに至ったときは，当該土地は滅失し，その現況において海面下に没するに至った土地は，当該土地が海面下に没するに至った経緯が天災によるものであり，かつ，その状態が一時的なものである場合には，私人の所有権は消滅しない。（昭和32・5・2民三発591号回答）

【不存在とされた土地】
4✤地籍調査の結果「不存在」とされた土地については，地籍図等で確認の上，関係登記記録を閉鎖する。（昭和43・8・28民事甲2748号回答）

【現地確認不能地とされた土地の表示抹消登記申請について】
5✤国土調査の結果，現地確認不能地とされた土地について，所有権の登記名義人は，土地の表題登記の抹消を申請することができる。（登記研究531号120頁）

【換地処分洩れの土地】
6✤換地処分洩れにより不存在の土地についてなす土地の滅失の登記は，土地が滅失した場合の手続に準じて処理する。（昭和26・8・29民事甲1746号通達）

【重複登記の処理】
7✤重複登記における登記の優劣は，所有名義を異にする場合でも，表示の登記の前後により決定されるので，登記官は，後になされた登記を重複登記を登記原因として職権で抹消するのが相当である。（昭和37・10・4民事甲2820号通達）

8✤前になされた登記には所有権の保存登記，後になされた登記には所有権移転登記・抵当権設定登記その他の権利の登記がなされている。かかる二重登記において所有権保存登記名義人が同一人の場合は，便宜上前の登記を抹消してよいが，異なる名義人の場合は後になされた表示の登記を抹消する。（昭和39・2・21民事甲384号通達）

判例

【一時的に海面下に没した土地の所有権】
1※土地が風浪等により一時的に水没しても，原状回復が可能な場合は，なお陸地である。（釜山地判大正3・12・3）

【海面としての土地の権利関係】
2※海面は行政上の処分により一定の区画をした場合は，その使用・埋立ての権利は認められるが，海面のまま私人の所有権は認められない。（大判大正4・12・28）

【河川（流水下）敷地となった土地の私権の帰趨（旧河川法下）】
3※ある土地が社会通念上河川の（流水下の）敷地と認められる状態になったときは，その土地に存し

た私権は消滅する。（大判昭和16・7・1）
【海面下の土地の所有権】
4 ※1 「海」は，社会通念上，海水の表面が最高高潮面に達した時の水際線をもって陸地から区別されるところ，かかる「海」は，国が行政行為などにより一定範囲を区画することにより排他的支配を可能にしたうえで，その公用を廃止して私人の所有に帰属させる措置をとらない限り，所有権の客体たる土地に当たらない。
 2 私有の陸地が自然現象により海没した場合についても，人による支配利用が可能であり，かつ，他の海面と区別しての認識が可能である限り所有権の客体たる土地としての性格を失わないものと解するのが相当である。
（最判昭和61・12・6）
【誤った所有者名義でなされた表題登記の取扱い】
5 ※誤った所有者名義でなされた表題登記は，当該土地建物が実在する以上その抹消を請求することは許されず，所有者の更正手続を求める限度で認められる。（山口地判昭和37・7・16）

第43条（河川区域内の土地の登記）

① 河川法（昭和39年法律第167号）第6条第1項（同法第100条第1項において準用する場合を含む。第1号において同じ。）の河川区域内の土地の表示に関する登記の登記事項は，第27条各号及び第34条第1項各号に掲げるもののほか，第1号に掲げる土地である旨及び第2号から第5号までに掲げる土地にあってはそれぞれその旨とする。
一 河川法第6条第1項の河川区域内の土地
二 河川法第6条第2項（同法第100条第1項において準用する場合を含む。）の高規格堤防特別区域内の土地
三 河川法第6条第3項（同法第100条第1項において準用する場合を含む。）の樹林帯区域内の土地
四 河川法第26条第4項（同法第100条第1項において準用する場合を含む。）の特定樹林帯区域内の土地
五 河川法第58条の2第2項（同法第100条第1項において準用する場合を含む。）の河川立体区域内の土地
② 土地の全部又は一部が前項第1号の河川区域内又は同項第2号の高規格堤防特別区域内，同項第3号の樹林帯区域内，同項第4号の特定樹林帯区域内若しくは同項第5号の河川立体区域内の土地となったときは，河川管理者は，遅滞なく，その旨の登記を登記所に嘱託しなければならない。
③ 土地の全部又は一部が第1項第1号の河川区域内又は同項第2号の高規格堤防特別区域内，同項第3号の樹林帯区域内，同項第4号の特定樹林帯区域内若しくは同項第5号の河川立体区域内の土地でなくなったときは，河川管理者は，遅滞なく，その旨の登記の抹消を登記所に嘱託しなければならない。
④ 土地の一部について前二項の規定により登記の嘱託をするときは，河川管理者は，当該土地の表題部所有者若しくは所有権の登記名義人又はこれらの者の相続人その他の一般承継人に代わって，当該土地の分筆の登記を登記所に嘱託することができる。

❖① 【河川区域】河川3・6①〜④・26④・58の2② 【河川管理者】河川7・9①・10 【土地の滅失の登記】令別表10 【地積に関する変更の登記】令別表11

【関連法令】
【河川法】河川及び河川管理施設(3)，河川区域(6)，一級河川の管理(9)，二級河川の管理(10)

⑤ 第1項各号の河川区域内の土地の全部が滅失したときは，河川管理者は，遅滞なく，当該土地の滅失の登記を登記所に嘱託しなければならない。
⑥ 第1項各号の河川区域内の土地の一部が滅失したときは，河川管理者は，遅滞なく，当該土地の地積に関する変更の登記を登記所に嘱託しなければならない。

先例等
【河川区域内の土地の登記】
1 ⊕旧河川法により河川区域に認定されたが登記の抹消がなされなかった土地については，現に右土地が滅失している場合には土地の滅失の登記を嘱託すべきであるが，そうでない場合には，河川区域内の土地である旨の登記を嘱託すべきである。なお，河川法施行法第4条の規定により，国に帰属したものと解される土地については，建設省名義の所有権移転の登記を嘱託することができる。(昭和44・4・5民三発425号回答)

【河川の流水下に没した場合】
2 ⊕河川区域内である旨の登記のある土地の地目は，現況によるべきであり，また，河川の流水下の土地となったときは，河川管理者からの嘱託により土地の滅失の登記をする。(登記研究389号124頁)

【河川区域内の土地となった場合の登記の記録】
3 ⊕土地が河川法による河川区域内の土地となった場合は，土地の表題部中登記原因及びその日付欄に「平成○年○月○日河川法による河川区域内の土地」の振合いにより記録され，従前の地目は抹消されない。(登記研究423号125頁)

【河川区域内の土地である旨の登記のある土地と登記申請書に記載すべき不動産の表示】
4 ⊕河川区域内の土地である旨の登記のある土地について登記の申請をする場合において，申請書に記載すべき不動産の表示として，河川区域内の土地である旨を付記すべきではない。(登記研究393号85頁)

第44条（建物の表示に関する登記の登記事項）

① 建物の表示に関する登記の登記事項は，第27条各号に掲げるもののほか，次のとおりとする。
一 建物の所在する市，区，郡，町，村，字及び土地の地番（区分建物である建物にあっては，当該建物が属する一棟の建物の所在する市，区，郡，町，村，字及び土地の地番）
二 家屋番号
三 建物の種類，構造及び床面積
四 建物の名称があるときは，その名称
五 附属建物があるときは，その所在する市，区，郡，町，村，字及び土地の地番（区分建物である附属建物にあっては，当該附属建物が属する一棟の建物の所在する市，区，郡，町，村，字及び土地の地番）並びに種類，構造及び床面積
六 建物が共用部分又は団地共用部分であるときは，その旨
七 建物又は附属建物が区分建物であるときは，当該建物又は附属建物が属する一棟の建物の構造及び床面積
八 建物又は附属建物が区分建物である場合であって，当該建物又は附属建物が属する一棟の建物の名称があるときは，その名称
九 建物又は附属建物が区分建物である場合において，当該区分建物について区分所有法第2条第6項に規定する敷地

❖①【申請情報】令3八【附属建物】法2二十三【区分建物】法2二十二【登記記録の編成】規4②③【建物】規111【建物の認定の基準】準77【建物の個数の基準】準78【附属建物の記録等】準89・92・93【共用部分】区分4②【団地共用部分】物区分67①【法務省令の定め】規113〜115【建物の種類・構造・床面積の定め方等】準80〜82

【関連法令】
【建物の区分所有等に関する法律】定義（2），分離処分の禁止（22），分離処分の無効の主張の制限（23），民法第255条の適用除外（24），規約事項（30），団地建物所有者の団体（65），団地共用部分（67）【医療法】病院，診療所（1条の5）【学校教育法】学校の範囲（1条）

利用権（登記されたものに限る。）であって，区分所有法第22条第1項本文（同条第3項において準用する場合を含む。）の規定により区分所有者の有する専有部分と分離して処分することができないもの（以下「敷地権」という。）があるときは，その敷地権
② 前項第3号，第5号及び第7号の建物の種類，構造及び床面積に関し必要な事項は，法務省令で定める。

先例等
【建物認定】
〈防空壕・焼建物〉
1 ✛ 防空壕は，建物として登記することができる。また，焼建物でも修復すれば使用可能な部分については，建物として登記することができる。（昭和24・2・22民事甲第240回答）
〈外壁の形状が観音像の構造物〉
2 ✛ 外壁が観音像の形態をしている構造物で，内部が店舗及び居住の用に供されているものは，家屋として取り扱ってよい。（昭和30・4・9民事甲694号回答）
〈家畜飼料用サイロ〉
3 ✛ 農業経営のために必要な家畜飼料貯蔵所（サイロ）は建物として登記することができる。（昭和35・4・15民事甲928号回答）
〈高速道路下の駐車場〉
4 ✛ 高架道路の路面下に設けられた地上2階，地下2階の耐火構造で200台以上の駐車能力を有する自動車駐車場は，建物として取り扱って差し支えない。（昭和35・4・30民事甲1054号回答）
〈キャノピー〉
5 ✛ ガソリンスタンドに付随し，給油の目的をもって駐車に利用するきのこ型の建造物は，建物として取り扱うことができない。（昭和36・9・12民事甲2208号回答）
〈ビニールハウス〉
6 ✛ 屋根及び壁の仕上げがビニール張りのいわゆるビニール・ハウスは，その基礎が布コンクリート，モルタル仕上げで，これに軽量鉄骨の柱部分が埋めこまれていても，建物として取り扱うことができない。（昭和36・11・16民事甲2868号回答）
7 ✛ 切花，そさい等の人工加温栽培のための温室類似のビニール・ハウスは，屋根及び壁の仕上げがビニール張りで，耐用年数が概ね1年とされるものである以上，建物として取り扱われるべきものではない。（昭和36・11・16民三発1023号回答）
〈セメント貯蔵サイロ〉
8 ✛ 鉄筋コンクリート造の床面積183平方メートル，階高22メートル余の構造を有する全閉構造のセメント貯蔵用サイロは，建物として取り扱われる。（昭和37・6・12民事甲1487号回答）
〈トレーラー式自動電話交換所〉
9 ✛ 鉄骨造鉄板葺平家建（外壁，床ともに鉄板張り）で，鋼製H形パイル（高さ25センチメートル）にボルトで締めつけ，コンクリート基礎上に据付けられた「農村集団自動電話交換所」（いわゆるトレーラー式自動電話交換所）の施設（高さ2.5メートル）は，建物として取扱われる。（昭和42・9・22民事甲2654号回答）
〈飼料原料用サイロ〉
10 ✛ 飼料用原料の貯蔵を目的とするサイロは，建物と認定して差し支えない。（昭和43・2・23民三発140号回答）
〈発泡スチロール製の建造物〉
11 ✛ 発泡ポリスチレン板（いわゆる発泡スチロール板）を主たる構成材料とし，接着剤とボルトで接合したドーム型の建造物は，建物として認定して差し支えない。（平成16・10・28民二第2980号回答）
〈ATMカプセル〉
12 ✛ 郵便局の敷地外に，ATM（現金自動預払機）を設置する場合に，当該ATMを保護するための建造物（以下「ATMカプセル」という。）は，主たる建物として登記の対象にならない。（平成19・4・13民二第894号回答）
（注）従属的附属建物として登記したいという意思に基づくものであれば，規模の大小を問題にすることなく，これを認めることができる。附属建物として，登記する場合における建物の種類は，例えば「機械室」とすることが考えられる。（登記研究717号71頁）
〈定着性のない簡易建造物〉
13 ✛ 容易に運搬し得る電車切符売場，建坪2合5寸程度の建物は，家屋として取り扱われない。（登記研究66号44頁）
【建物の個数】
14 ✛ 建物の個数の認定について（昭和43・3・28民事甲395号回答，昭和50・2・13民三第834号回答），（昭和52・10・5民三第5113号回答）重要先例集を参照。
15 ✛ 社宅として利用されている数棟の中高層の集団住宅をあわせて1個の建物として表示の登記をすることはできない。（登記研究275号75頁）
16 ✛ もっぱら木工作業場として使用されている乙建物（鉄骨造スレート葺2階建・事務所兼作業場・床

面積120㎡）を同一地番上に存する甲建物（木造瓦葺2階建・居宅・床面積150㎡）の付属建物とする登記申請は必ずしも甲及び乙建物の間に効用上の一体性が認め難いので、受理すべきでない。（登記研究357号82頁）

【所在の確定】
17🈯公有水面国営干拓地内に存する個人所有家屋については、当該土地の所在が確定（所属未定地の編入、画定等）した後でなければ、登記管轄が定まらないので家屋台帳に登録（＝登記）することは許されない。（昭和31・1・13民事甲43号回答）
18🈯公有水面埋立法により竣功認可のあった埋立地に関しては、地方自治法第7条第6項及び同法施行令第179条の規定による告示のあるまでは、いわゆる所属未定地として取り扱われる関係上、右の土地及びその上に存する家屋について家屋台帳に登録（＝登記）をすることができない。（昭和31・4・7民事甲755号回答）
19🈯所属未定地の埋立地に建築された建物は、当該敷地の編入されるべき行政区画が地理的に明白なときでも、登記することができない。（昭和43・4・2民事甲723号回答）

【所在欄の記録】
20🈯不動産の所在の表示は、地番区域でない字（小字）の記載も必要とされる。（昭和41・1・11民事甲229号回答）
21🈯不動産登記における土地または建物について、土地の番号を記載する場合、土地については「何番」と、建物については「何番地」と区別して用いる。（登記研究122号35頁）
22🈯建物の表示に関する登記を申請する場合において、当該建物の所在地番に例えば「五番弐」の如く支号が付されている場合には、申請書に「五番地弐」と記載するのが相当である。（登記研究321号71頁）
23🈯港湾施設としての永久的構築物たる桟橋上に存する家屋については、当該桟橋の接続地の地先所在として、家屋台帳に登録することができる。（昭和31・1・7民事甲755号回答）
24🈯桟橋等の上に存する建物の所在地番を登記簿に表示するには、最も近い土地の地番を用い表示（例－5番地2先）する。（登記研究342号78頁）
25🈯寄洲は、その附合した土地の一部であるから、公有水面の寄洲に建築された建物の所在は、当該土地の地番をもって表示すべきである。当該敷地の部分がいずれの土地に附合するものか明かでないときは、「何番地先」のように記載する。（昭和36・6・6民三発459号回答）
26🈯既登記の土地と所属未定地である埋立地にまたがって建築した家屋については、法律上の建物の所在は明らかであるから、登記すべきである。なお、建物の所在の表示は、既登記の敷地の地番と所属未定地を「何番地先」と併記し、後日所属未定地の部分が所属確定した場合に、所在変更の登記をなすべきものと考える。（登記研究122号38頁）
27🈯仮換地上に建築された建物の所在は、底地の地番を記載するのであり、この場合は、換地の予定地番をかっこ書きで併記する。（昭和43・2・14民事甲170号回答）
28🈯都市計画法による換地先に家屋新築の申告があった場合の所在地番の定め方は、現在の地番によるべきである。（登記研究44号32頁）
29🈯数筆の土地にまたがって建築された建物の所在地番については、全部の地番を記載するのが相当である。（登記研究96号43頁）
30🈯建物が数筆の土地の上に存し、その地番の本番が同一で支号が連続している場合には、当該建物の所在地番の記載は便宜略記して差し支えない。（登記研究362号84頁）
31🈯二筆の土地にまたがって存在する数階建ての建物の所在を記載する場合には、一階部分の床面積の多い部分の土地の地番を先に記載するのが相当である。（登記研究427号98頁）
32🈯建物登記簿の表題部の所在欄に記載する土地は、建物を特定するために必要な範囲を記載すれば足りる。区分建物では法定敷地とされる床面積に算入されないベランダ等の突出部分の直下の土地についても所在欄に記載することができる。（登記研究449号87頁、昭和59年度全国主席登記官会同における質疑応答第一・1・2）
33🈯里道（又は水路）にまたがって建物の所在地番を表示するには、最も近い土地の地番を用いて表示（例えば何番地先）とする。（登記研究451号124頁）
34🈯地下のみの建物の場合は、地下一階の存する部分の直上の土地が当該建物の敷地である。（登記研究583号7頁）

【種類】
35🈯通常のガソリンスタンド（給油所）の建物の種類としては、「給油所」とするのが相当であり、また、いわゆるレジノ鉄板（鉄板に着色亜鉛〈合成樹脂塗料〉を塗ったもの）を用いた屋根構造については、「亜鉛メッキ鋼板葺」と表示してよい。（昭和42・12・13民事三発696号回答）
36🈯野球場が、野球のみに利用されるのではなく、他の球技および各種のイベントにも利用する目的で設計建築されている場合であっても、当該建物の種類については、その主な用途が「野球場」と認められる場合には、そのように認定してさしつかえない。（平成5・12・3民三第7499号回答）
37🈯分譲業者からスケルトン状態（躯体等の工事を完了したもの。）の住戸を購入した場合の建物の種類は、「居宅（未内装）」とし、インフィル工事（住戸内の内装・設備工事）完成後に「居宅」に変更することができる。（平成14・10・18民二第2473号回答）

38🞤 地方の特定郵便局の局舎（個人有）の種類は、事務所である。（登記研究161号43頁）
39🞤 日本郵政公社（現日本郵便株式会社）の所有する現に郵便局として使用している建物の種類は、その規模の大小に関わらず「郵便局舎」と定めて差し支えない。（平成18・8・9民二1841号回答）
40🞤 棟割長屋型式の建物は不動産登記規則113条に規定する建物の種類の「共同住宅」に含まれる。（登記研究247号74頁）
41🞤 「モーテル」という建物の種類を定めることはできない。（登記研究284号77頁）
42🞤 建物の一部に車庫部分がある場合でも、建物の主たる用途が居宅と認定される以上、建物の種類は「居宅」と定めるのが相当である。（登記研究351号95頁）
43🞤 建物表題登記を申請するに際し、建物の種類が「居宅」のほか一部に「車庫」及び「倉庫」があっても、その「車庫等」が建物の主な用途に該当しない場合には、建物の種類は、「居宅」として表示する。（登記研究409号85頁）
44🞤 保育所・幼稚園の建物の種類は、保育所については、「保育所」とし、「幼稚園」については、「校舎」又は「園舎」として差し支えない。（登記研究438号97頁）
45🞤 家畜診療用のレントゲン室、手術室及び入院設備のある建物の種類は「店舗」が相当である。（登記研究441号116頁）
46🞤 肉牛のみを専用に飼育するための建物の種類は、「畜舎」とするのが相当である。（登記研究459号97頁）
47🞤 建物の種類の定めとして「雑居ビル」・「多目的ビル」は適当でない。（登記研究507号199頁）
48🞤 就学前の子どもに関する教育、保育等の総合的な提供の推進に関する法律第2条第6項に規定する認定こども園の用に供する建物について、建物の種類を「認定こども園」と定める事ができる。（登記研究810号213頁）
49🞤 水素専用の供給施設内にあり、水素を供給するために用いられる建物の種類は、エネルギー基本計画において呼称されている「水素ステーション」と定めるのが相当である。（登記研究831号171頁）

【構造】
49🞤 構成材料がワイヤーメッシュ組込み気泡コンクリート構法（いわゆるサーモコン）の建物については、その「構造」を「鉄筋コンクリート造」とする。（昭和39・8・29民事甲2893号回答）
50🞤 屋根が波型の硬質塩化ビニールによって構成されているものについては、単に「ビニール板葺」としてよい。（昭和40・1・25民三発93号回答）
51🞤 「ガラス繊維強化ポリエステル板」を用いた建物の屋根の種類は、「ビニール板葺」とするのが適当である。（昭和45・1・7民三発646号回答）

52🞤 傾斜地に建築した建物は、上階に出入口があっても、地表面にある最低階を1階とする。また、床面に高低差があっても、全体的にみて同一平面にあると認められるときは、当該床面を同一の階層として取り扱う。（昭和46・4・16民三発238号通知）
53🞤 1 建物が地下部分のみであって、出入口として地上に特別の階段室等が設けられていない場合の建物の構造の表示には、屋根の種類を表示することなく「鉄骨造地下1階建」とする。
2 地下建物への出入口として、地上に屋根及び周壁によって囲まれた専用の階段室が設けられている場合の建物の構造の表示は、「鉄骨造亜鉛メッキ鋼板葺地下1階付平家建」とする。（昭和55・11・18民三第6712号回答）
54🞤 屋根部分に膜を張り、これを室内の気圧を外気圧より高めることによって膨らませた構造物である恒久的空気膜構造の建物の屋根の種類は、「空気膜屋根」と表示する。（昭和60・8・8民三第4768号回答）
55🞤 発泡ポリスチレン板（いわゆる発泡スチロール板）を主たる構成材料とし、壁部分と屋根部分が一体となっており、その区切りが判然と区別しないドーム型状となっている建物の構造の記載は、屋根の材料及びその形状を表示することなく、「発泡ポリスチレン造平家建」とするのが相当である。（平成16・10・28民二第2980号回答）
56🞤 天井高が各々1米50糎以上ある中2階及び屋階はいずれも階数、床面積に算入する。（昭和27・12・15民事甲3600号通達）
57🞤 盛り立てして6尺以上高くなった道路際に家屋を建築し、道路より直接2階の部屋へ出入し、下部1階は普通の地面より出入りし、家屋内には階段の設備のない家屋も普通の家屋と同様道路より直接出入する部分を2階とすべきである。（登記研究86号41頁）
58🞤 ブロック建築の家屋を家屋台帳に登録（＝登記）する場合、その構造は、「コンクリートブロック造陸屋根2階建」の如く記載して差し支えない。（登記研究110号45頁）
59🞤 「厚型スレート」を用いた屋根についての建物の構造の表示は、「スレート葺」とする。（登記研究217号72頁）
60🞤 傾斜地の上と下に建築された、乙の居宅が渡廊下により接続して1棟の建物と認められる場合は、甲、乙及び渡廊下の部分は1階として取り扱い、「渡廊下付1階建居宅」と表示する。（登記研究389号121頁）
61🞤 1階の床面が地盤面から1.5メートル以上ある平家建の建物の階数による区分は「高床式平家建」とすることができる。（昭和63・3・24民三第1826号回答参照、登記研究518号115頁）
62🞤 建物の骨格部分が鉄骨造で外壁、床、屋根等に

ALC（軽量気泡コンクリート）が使用されている場合の構成材料による区分は，「鉄骨造」とするのが相当である。（登記研究445号107頁）

【床面積】

63✢鉄筋コンクリート造陸屋根構造で，中2階及び塔屋を有する建物にあっては，当該中2階及び塔屋（屋根）の用途に供する部分の天井高が各1.5メートル以上である相当規模のものであるかぎり，それらを階数に算入し，かつ床面積に算入すべきものとされる。（昭和37・12・15民甲3600号通達）

64✢区分所有にかかる中高層ビルディングのエレベーターの機械，高置水槽，冷却装置等を収容する塔屋は，独立して専有部分となし得る建物の部分と認められないので，建物の附属物である。したがって，1棟の建物の表題の登記においてその階数（床面積）を表示しないものとする。（昭和38・10・22民事甲2933号通達）

65✢ダスターシュートの部分が建物の内部と外部にまたがって存在する場合には，当該ダスターシュートの全部について各階の床面積に算入する。（昭和40・2・27民三発231号通達）

66✢区分建物にあって，内壁について柱状の凹凸が存する場合には，その平面図としては，本来の壁面によってかこまれた部分を示しこれによって床面積を算定すべきものとされる。（昭和40・2・27民三発232号回答）

67✢建物の種類，構造の表示方法及び床面積の定め方について日本土地家屋調査士会連合会と法務省民事局との間において，その具体的基準についての統一的見解につき一致をみるにいたり，その具体的基準が示された。（昭和46・4・16民三発238号通知）

68✢公共地下歩道部分であっても，地下1階の床面積に算入してよい場合がある（この場合において，周壁の存しない部分については，当該部分の建物の柱により区画されたものとして床面積を定める）。地下街建物の地下3階部分に「機械室」がある場合は，それを階数に算入してよい。（昭和51・12・24民三第6472号回答）

69✢野球場の開閉式の屋根開閉可能部分の下に当たる観客席及びフィールド部分の面積も床面積に算入すべきである。（平成5・12・3民三第7499号回答）

70✢軽量鉄骨造の建物の床面積の算定は，原則として昭和46・4・16民甲第1527号民事局長回答による鉄骨造の場合における算定方法に準じて取り扱って差し支えない。（登記研究386号95頁）

71✢建物の一部を車庫としている場合において，三方を壁により囲まれたものは建物の床面積に算入するが，二方のみ壁に囲まれたにすぎないものは建物の床面積に算入しない。（登記研究386号95頁）

72✢いわゆる吹抜け部分に階段がある場合，階段部分を上階の床面積に算入することはできないが，踊

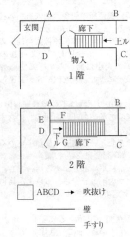

り場部分（2階の図面D，E，F，Gで囲まれた部分）については，算入することができる。（登記研究395号93頁）

73✢将来，エレベーター室として使用の予定のため，上階まで吹抜となっているが，現在，その設備が設置されていない場合には，エレベーター室予定部分は上階の床面積に算入されない。（登記研究415号118頁）

【柱又は壁が傾斜している家屋の床面積の定め方】

74✢柱又は壁が傾斜している家屋の床面積は，各階の床面の接着する壁その他の区画の中心線で囲まれた部分によって定める。（登記研究184号71頁）

【附属建物】

75✢附属建物は主である建物と敷地の接続しない（国道を隔てるような）場所に在るものでも同一の登記記録に登記することができる。（明治32・8・1民刑1361号回答）

76✢集団的賃貸倉庫の1棟につき附属建物としての新築の登記の申請があっても，登記官において調査の結果，当該新築建物が既登記建物と効用上一体的な関係にないと認められるときは（右申請を受理するのは相当でなく），既登記建物とは別個独立の1個の建物として登記すべきものとされる。（昭和52・10・5民三第5113号回答）

77✢主たる建物と隔たった土地（水路・国道等）に存在する建物でも，客観的に効用上一体として利用される状態にある場合であれば，附属建物として登記することができる。（登記研究375号80頁）

78✢附属建物のある建物の表題の登記及び附属建物の新築の登記の申請書には，附属建物の符号を算用数字を用いて記載するのが相当である。なお既に使用した数字は再使用しないものとする。（昭和37・6・11民事甲1559号通達）

79✢主たる建物と附属建物との新築年月日が異なる場合に建物の表題の登記の申請があったときには，

不動産登記法（44条）

「附属建物の表示」欄中「原因及びその日付」に附属建物の新築年月日が記載される。（登記研究422号104頁）

【1棟の建物】

80✚建築構造上は独立して建築するA，B建物を接続し，外観上1棟であるものについて，建物の内部を遮断するものがシャッターに過ぎず，又は2階・3階部分は電車のホームで両者にシャッターがないものは，それぞれ別棟の建物として取り扱うのは相当でない。（昭和43・3・28民事甲395号回答）

81✚地上外観は10棟であるが，地下部分が構造上及び利用上一体となっているものは1棟とし，単に連絡通路で接続している構造上別個の建物は別棟とし，3棟の建物とするのが相当である。（昭和45・3・24民三第267号回答）

82✚独立の用途のある，A，B両建物が屋根及び周壁を有する連絡通路で接続しており，A，B両建物との接続部分に障壁がない場合であっても，A，Bはそれぞれ1個の建物と認定すべきである。なおこの場合の連絡通路は，A，B建物の所有者が同一の場合には，所有者の意思によりいずれかの建物の，所有者が異なる場合には実際に費用を負担した者の所有にかかる建物の床面積に算入する。（昭和49年度全国登記課長会同における協議問題，登記研究325号25頁・26頁）

83✚夜間閉鎖される公共地下歩道部分を含めて地下街全部を1個独立の建物として登記することができる。（昭和51・12・24民三6472号回答）

【区分建物】
〈構造上の独立性〉

84✚既存の建物と新築建物の接続部分が木製の扉で区切られている場合，当該新築建物は構造上の独立性を有しているとするのが相当である。（昭和41・12・7民事甲第3317号回答）

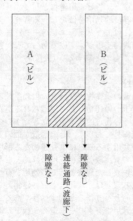

（注）A，B両建物には，主従の関係はない。

85✚店舗と店舗，店舗と道路との間がシャッターで仕切られている場合は，各店舗は区分所有権の目的となる。（昭和42・9・25民事甲2454号回答）

〈利用上の独立性〉

86✚建物の出入り口から公道に通ずる部分が一部他人の所有の土地であっても，この部分が物理的に通行の用に供し得る状態であれば，通行の権原の有無にかかわらず区分建物たり得る利用上の独立性がある。（昭和54・5・19民三第3086号回答）

〈認定されない事例〉

87✚3階建建物で，入口は1階の正面にあるのみで道路に面し全部開放されており，1階から3階に通ずる階段には手すりと踏段のみで障壁はなく，1階及び2階は小売商品販売の店舗，3階は事務所になっている建物については，各階の部分をそれぞれ区分所有権の目的とすることはできない。（昭和38・9・28民事甲2659号回答・通達）

区分建物の先例等は，法48条を参照すること。

〈共用部分〉

88✚1　数棟の分譲住宅の附属施設としての集会所は，当該分譲住宅の譲受人（区分所有者）全員の設定に係る規約によって，共用部分とすることができる。

2　数棟の分譲住宅の附属施設としての屋外配水管が地中の1点で接合し，1箇の排水本管となって1箇の浄化槽に連結されている場合は，排水本管に至るまでの各棟の屋外配水管のみが，それぞれの棟の区分所有者の共用部分とされる。

3　分譲前に，公団が単独で当該分譲住宅のすべての専有部分の区分所有者として設定した規約は，無効とされる。

4　当初複数の区分所有者の設定に係る規約は，後の売買により区分所有者が単数（1人）となったときは，消滅するものと解される。

5　公団が譲渡契約により譲受人の共用部分の持分を定めるについて，建物の区分所有等に関する法律第10条所定の持分と異なる定めをする場合には，規約によるべきである。

（昭和41・8・2民事甲1927号回答）

89✚1　内部に各専有部分を集中管理する消防設備・警報装置等の恒常的共用設備が設けられ，常時来訪者・配達物などの処理に当たる受付者の常駐する構造を有するものは，法定共用部分として取り扱われる。

2　管理人が，「居宅」として使用し，併せて管理事務を行っているにすぎない場合は，法定共用部分とは認められない（ただし，区分所有者全員の合意によって規約共用部分とすることができる）。

3　1の恒常的共用設備が設けられている限り，そこに管理人居室が一体として併設されていても，法定共用部分として取り扱ってよい

不動産登記法（44条）

が、居住室と共用設備室とが構造上分別されている場合は、法定共用部分とは認められない。
（昭和50・1・13民三発147号通達）

【敷地権】
90✚敷地権とは、土地の登記簿に記載された所有権、地上権又は賃借権であって建物又は附属建物と分離して処分することができないものをいう。（昭和58・11・10民三第6400号通達第1，三・1）

【一体性の原則の可否】
91✚棟割長屋型の専有部分のうち一を甲・他の一を乙の所有とし、その敷地を甲が単独で所有する場合には、区分所有法22条の規定の適用はない。
（登記研究483号157頁）

【1棟の建物の名称】
92✚1　建物又は附属建物が1棟の建物を区分したものである場合において、1棟の建物の名称があるときは、表題部にその名称を登記することを要する。
2　1の1棟の建物の名称には「RA1号」又は「ひばりが丘1号館」のような符号のほか、例えば「霞が関マンション」のような名称も含むものとする。
3　1棟の建物の名称は、1棟の建物の表題部中「建物の名称」欄に記録する。
（昭和58・11・10民三第6400号通達第17，1・2・4）

【区分建物の建物番号と家屋番号】
93✚区分建物の「建物の番号RA1号」等の番号は、建物所有者が付した建物の番号であって、家屋番号とは別異のものである。（登記研究235号69頁）

【団地共用部分】
94✚一団地内の附属施設たる建物（区分建物であるが非区分建物であるかを問わない。）は、規約により、団地共用部分とすることができる。
この場合においては、団地共用部分である旨の登記をしなければこれをもって第三者に対抗することができない。
（昭和58・11・10民三第6400号通達第18，1）

（判例）
【登記の対象となる建物】
1※登記建物として取り扱われるためには、必ずしも完成したものであることを要せず、屋根、周壁を有し、土地に定着して1個の建造物としての存在であれば足り、床、天井のごときものが具備されていなくてもよい。（大判昭和10・10・1）
2※ある構造物がその所在する土地とは独立に登記の対象となる建物というるためには、(1)土地に定着していること（定着性）、(2)材料を使用して人工的に構築されたものであること（構築性）、(3)屋根及び周壁等により外気を分断しうる構造を有していること（外気分断性）、(4)屋根及び周壁等の外部構造によって区画された内部の空間には一

定の用途に供することの可能な生活空間（人や貨物の滞留が可能な場所）が形成されていること（用途性）の4つの要件を具備していることを要すると解するのが相当である。(新潟地判昭和55・3・28)

【定着性】
3※1　民法86条1項にいう土地の定着物とは、土地の構成部分ではないが、土地に附着せしめられ且つその土地に永続的に附着せしめられた状態において使用されることがその物の取引上の性質であるものをいうと解する。
2　石油タンクは、土地の定着物ではなく、不動産ではない。
（最判昭和37・3・29）
4※プレハブの飯場建物でも、形体上・構造上は通常の建物と何ら変わりなく、堅牢性・耐久性もあり、人の居住に十分耐えることができ、現に宿舎として利用しており、土地に相当期間継続的に附着され、使用される予定のもとに構築されたものであると認められるときは、土地の定着物すなわち不動産と認めるのが相当である。（東京地判昭和47・12・1）

【用途性】
5※1　建物というためには、その目的とする用途に供し得る状態にあることを要する。
2　仮差押登記の嘱託登記に基づき表示の登記をした建物を、その後、登記官が実地調査を行った結果、建物の認定要件の用途性を欠いているとして、当該建物の表示の登記を職権によって抹消した登記官の処分は適法である。
（宇都宮地判平成6・7・7）
6※7階建のいわゆる貸ビルの建築において、屋根および周壁またはこれに類するものが、土地に定着して備わり、各階に通ずる階段が設けられ、人が内部に常時出入できる程度の規模にまで工事が完成するなど、貸ビル用建物としての目的に応じた最低の経済的効用をはたしうる程度に工事が進んだ場合には、たとえ、エレベーターまたは冷暖房などの設備工事が未完成であっても、独立の不動産となるものと解する。（大阪高判昭和52・9・20）

【外気分断性】
7※1　土地の工作物が登記その他の手続において法律上1つの建物として認められる為には、必ずしもその物理的構造が独立した1つの建物として完備しておらず、その構造が他の工作物の構造を共用することにより建物たる形態を備える場合でも、取引及び利用の目的となり、社会観念上独立した建物としての効用を有すると認められる限りは、法律上1個の建物として所有権の目的となり得ると解すべきである。
2　鉄道用コンクリート造高架線下にあって、取引又は利用上独立の建物としての効用を有する

工作物は，法律上1個の建物として所有権の目的となり得ると解するべきである。（大判昭和12・5・4，同旨東京高判昭和39・5・11）
8※煉瓦塀を土台，支柱兼用として利用した建造物は，建物と認められる。（大分地判昭和34・9・11）

【建物の個数】
9※建物の個数を定めるには，単にその物理的構造のみでなく，取引または利用の目的物としての諸般の状況によって判断すべきである。（大判昭和7・6・9）
10※一般に，建物に加えられた築造が従前の建物と一体となって全体として1個の建物を構成するか，あるいは，築造部分が従前の建物とは別個独立の建物となるかは，単に建物の物理的構造のみからこれを決すべきではなく，取引又は利用の対象として観察した建物の状況もまた勘案しなければならない。（最判昭和39・1・30）

【附属建物】
11※主である建物の常用に供するためこれに附属せしめた建物は，独立の建物として登記されていても，従物である。（大判昭和6・7・10）
12※土蔵は主である建物に従属し，それのみが独立して所有権の目的とはなりえない。（東京高判昭和11・6・30）
13※登記された車庫が住居の附属物であるというその経済的用途からして，また事実上土地の擁壁としての役割を果たし，土地の崩落と建物の倒壊を防いでいる機能からみて，地上建物の従物であるとともに，土地の一部となっていると認められる。したがって，土地及び建物に設定された抵当権の効力は車庫にも及び，その実行による競売手続によって土地及び建物の所有権を取得した被控訴人（原告）は，車庫の所有権をも取得したものと解される。競売手続において車庫が件外建物とされていても，右実体法上の効果の発生を妨げるものではない。（東京高判平成12・11・7）

【区分建物】
14※区分所有権が成立するためには，1棟の建物中区分された部分だけで独立の建物と同様の経済上の効用を全うする場合に限るものであって，各部分が他の部分と併合するのでなければ建物の効用がないときは，各部分の区分所有権は認められない。（大判大正5・11・29）
15※建物の区分所有等に関する法律1条にいう構造上他の部分と区分された建物部分は，建物の構成部分である隔壁・階層等により独立した物的支配に適する程度に他の部分と遮断され，その範囲が明確であることをもって足り，必ずしも周囲全てが完全に遮断されていることを要しないものと解するのが相当であり，このような構造を有し，かつ，それ自体として独立の建物としての用途に供することができるような外形を有する建物部分は，そのうちの一部に他の区分所有者らの共用に供される設備が設置され，このような共用設備の設置場所としての意味ないし機能を一部帯有しているようなものであっても，右の共用設備が当該建物部分の小部分を占めるにとどまり，その余の部分をもって独立の建物の場合と実質的に異なるところのない態様の排他的使用に供することができ，かつ，他の区分所有者らによる右共用設備の利用，管理によって右の排他的使用に格別の制限ないし障害を生ずることがなく，反面，かかる使用によって共用設備の保存及び他の区分所有者らによる利用に影響を及ぼすこともない場合には，なお建物の区分所有等に関する法律にいう建物の専有部分として区分所有権の目的となりうるものと解するのが相当である。（最判昭和56・6・18）

【共用部分】
16※共用部分である管理事務室とこれに隣接する管理人室があるマンションにおいて，その管理人室に構造上の独立性があるとしても，当該マンションの規模が比較的大きく，区分所有者の居住生活を円滑にし，その環境保全を図るため，その業務に当たる管理人を常駐させ，管理業務の遂行に当たらせる必要があり，前記管理事務室のみでは，管理人を常駐させてその業務を適切かつ円滑に遂行させることが困難である場合には，両者は機能的に分離することができず，上記管理人室は，利用上の独立性がなく，建物の区分所有等に関する法律にいう専有部分に当たらない。（最判平成5・2・12）

〈その他〉
【表示に錯誤・遺漏がある場合】
17※借地上の建物についてなされた登記が，錯誤または遺漏により，建物の所在地番の表示において，「79番」を「80番」としていても，建物の種類・構造・床面積等の記載と相まち，その登記の表示全体において，当該建物の同一性を認識できるような場合には，建物保護ニ関スル法律第1条にいう「登記シタル建物ヲ有スル」場合に当たる。（最大判昭和40・3・17）

【虚偽の所有権証明書により登記された建物の登記の効力】
18※現に登記簿上の表示と符合する建物が存在し，現在の所有者の意思に基づきその名義で所有権保存登記がなされたものである以上，所有権保存登記をなすにつき，内容虚偽の建築証明書が添付されたということだけで，当該所有権保存登記を無効と解すべきではない。（山口簡判昭和38・11・20）

【建物の同一性が認められなかった事例】
19※「2丁目41番の5」に存在する建物につき，その敷地地番を「1丁目41番の5」と表示してなされた所有権の登記は，付近に類似の地番が多数存在し，また，表示された地番のあたり一帯に同種同

等の建物が多数存在する状況のもとでは，建物の同一性が認められず，無効の登記というべきである。（大阪高判昭和28・3・31）

■第45条（家屋番号）

登記所は，法務省令で定めるところにより，1個の建物ごとに家屋番号を付さなければならない。

❖【家屋番号】法2二十一【法務省令の定め】規112・116【家屋番号の定め方】準79

実例
【建物の家屋番号の定め方】
1❖準則79条2号に規定する「一筆の土地の上に2個以上の建物が存する場合」の「建物」は，既登記，未登記を問わない。（登記研究396号104頁）

2❖数筆の土地にまたがって建築された1棟の建物を縦断的に区分した建物の家屋番号は，1棟の建物の床面積の多い部分の土地の地番に支号を付する方法によるのが相当である。（登記研究418号101頁）

■第46条（敷地権である旨の登記）

登記官は，表示に関する登記のうち，区分建物に関する敷地権について表題部に最初に登記をするときは，当該敷地権の目的である土地の登記記録について，職権で，当該登記記録中の所有権，地上権その他の権利が敷地権である旨の登記をしなければならない。

❖【敷地権である旨の登記】規118・119

先例
【敷地権である旨の登記】
1❖1　建物について敷地権を登記したときは，敷地権の目的である土地の登記記録相当区に，主登記により，敷地権である旨の登記をすることを要する。（法46条，規則3条）
　　2　敷地権である旨の登記は，土地の登記記録の権利部の相当区に，何権利が敷地権である旨，当該敷地権の登記をした建物を表示するに足るべき事項並びに登記の年月日を記録してするものとする。（法46条，規則119条）
この場合において，何権利が敷地権である旨の記載は，「所有権敷地権」「共有者全員持分全部敷地権」のように記録するものとし，また敷地権の登記をした建物を表示するに足りるべき事項の記載は，1棟の建物の所在の市，区，郡，町，村，字及び地番，1棟の建物の名称（第17参照）並びに区分建物の家屋番号を記録してするものとする。ただし，1棟の建物の名称がないときは，1棟の建物の構造及び床面積を記録することを要し，また区分建物の全部につき敷地権があるときは，各区分建物の家屋番号の記録を要しないものとする。（昭和58・11・10民三6400号通達第4，一・1・2）

【他の登記所への通知】
2❖1　敷地権の目的である土地が他の登記所の管轄に属する場合において，敷地権の登記をしたときは，遅滞なく，その登記所に第4・一により記載すべき事項を通知することを要する。（規則119条2項）
　　　この場合の通知は，附録第1号の様式による通知書により行うものとする。
　　2　1の通知を受けた登記所は，受付手続をした上，遅滞なく，敷地権の目的である土地の登記記録の相当区に，通知を受けた事項を記録し，受付の年月日及び受付番号を記録するものとする。
（昭和58・11・10民三第6400号通達第4，三・1・2）

【敷地権である旨の登記】
3❖第5・二により敷地権の登記をしたときは，第4に準じて敷地権の目的である土地の登記記録の相当区に敷地権である旨の登記をすることを要する。（昭和58・11・10民三第6400号通達第5，三）

【登記の抹消】
4❖1　建物について一般の先取特権，質権又は抵当権に関する登記がされている場合において，その登記が敷地権についてされている登記と登記原因，その日付，登記の目的及び受付番号が同一であるときは，敷地権についてされているこれらの登記を抹消することを要する。（昭和58・11・10民三第6400号通達第5，五）

判例
【敷地権である旨の登記の抹消請求権の可否】
1※敷地権である旨の登記の抹消は登記官が職権で行うものであるから，抹消請求権は認められない。

(神戸地判平成4・10・6)

第47条（建物の表題登記の申請）

① 新築した建物又は区分建物以外の表題登記がない建物の所有権を取得した者は，その所有権の取得の日から1月以内に，表題登記を申請しなければならない。
② 区分建物である建物を新築した場合において，その所有者について相続その他の一般承継があったときは，相続人その他の一般承継人も，被承継人を表題部所有者とする当該建物についての表題登記を申請することができる。

❖【表題登記】法2二十二・48【区分建物】法2二十二【表題部所有者】法2二十【申請・添付情報】令別表12【登記記録の編成】規40①【建物図面・各階平面図】規81～83，準52～54【建物の再築等】準83・85【所有権証明情報】準87【所有権保存登記】法74～76

先例等
(建物の表題登記)
【建物の認定等】法44条の先例等を参照
【他人の土地へ無断で建築した建物の表題の登記の可否】
1 他人の土地に無断で建築した家屋の建物の表題登記の申請がなされたとき，登記官において，実地調査の結果に基づき，申請事実を確認できる場合は，建築の表題登記をなすべきである。(昭和36・3・25民甲735号回答)
【不動産の表題の登記申請について】
2 ✚ 建物の表題登記の申請をしないまま，長期間を経過した建物を他人に売渡した場合でも，「所有権の取得を証する書面」を添付して建物の表題の登記申請があった場合は，受理して差し支えない。(登記研究218号73頁)
【死亡した者を所有者とした建物表題登記の効力】
3 ✚ 委任者の死亡したことを知らずに代理人からなされた建物の表題登記申請に基づく，死亡者を所有者とする登記であっても，そのことをもって当該登記が無効であるとはいえない。(登記研究363号166頁)
【死亡者を所有者とする表題登記の可否】
4 ✚ 建物を新築した者が，当該建物の表題登記を申請しないまま死亡した場合には，その者の相続人から相続人を所有者とする表題の登記を申請すべきであり，死亡者を所有者とするのは相当でない。(登記研究365号77頁)
【筆界未定地上の建物の表題登記について】
5 ✚ 地図上筆界未定の処理がされている土地の上の建物の表題登記は，地図訂正の申出をして筆界線が記入されなくてもすることができる。(登記研究389号122頁)
【建物の個数について】
6 ✚ 社宅として利用されている数棟の中高層の集団住宅をあわせて1個の建物として表示の登記をすることはできない。(登記研究275号75頁)
【隔地に所在する建物と附属性】

7 ✚ 附属建物は主である建物と敷地の接続しない（国道を隔てるような）場所に在るものでも同一の登記記録に登記することができる。(明治32・8・1民刑1361号回答)
【ATMカプセル】
8 ✚ 郵便局の敷地外に，ATM（現金自動預払機）を設置する場合に，当該ATMを保護するための建造物（以下「ATMカプセル」という。）は，主たる建物として登記の対象にならない。(平成19・4・13民二第894号回答)
（注）従属的附属建物として登記したいという意思に基づくものであれば，規模の大小を問題にすることなく，これを認めることができる。附属建物として，登記する場合における建物の種類は，例えば「機械室」とすることが考えられる。(登記研究717号71頁)
【建物の表題登記と所有権保存登記を連件で申請することの可否について】
9 ✚ 建物表題登記の申請と当該建物についての所有権保存登記の申請は，即日に表題登記がされる場合以外は却下することができる。(登記研究536号175頁)
【申請情報の内容】
10 ✚ 1 建物又は附属建物につき敷地権がある場合において，建物の表題登記を申請するときは，敷地権の目的となる土地の所在する市，区，郡，町，村及び字並びに当該土地の地番，地目及び地積，敷地権の種類及び割合，当該土地の符号を申請情報の内容としなければならない（令別表第12項・申請情報欄イ・(1)，(2)，規則第34条第1項第5号）。
この場合において，主たる建物及び附属建物が共に区分建物であるときは，主たる建物に係る敷地権と附属建物に係る敷地権とを区別して記録するものとする。
2 1の申請においては，敷地権の登記原因及びその日付をも申請情報の内容としなければならない（令別表第12項・申請情報欄イ・(3)）。

不動産登記法（47条）

この場合の登記原因の日付は，建物の所有者が建物の新築，建物の区分等により区分建物が生じた日前から建物の敷地につき登記した所有権，地上権又は賃借権を有していたときはその区分建物が生じた日であり，また区分建物が生じた後にその建物の敷地につき登記した所有権，地上権又は賃借権を取得したときはその取得の登記の日である。
（昭和58・11・10民三第6400号通達第2，四）

11❖附属建物のある建物の表題の登記及び附属建物の新築の登記の申請書には，附属建物の符号を算用数字を用いて記載するのが相当である。なお既に使用した数字は再使用しないものとする。（昭和37・6・11民事甲第1559号通達）

12❖建物の表題登記申請書に記載する建物新築の日付は，現実に建築が完了した日が相当である。（登記研究348号89頁）

13❖国又は県から払下げを受けた建物の表題の登記申請書に記載すべき登記原因の日付は，建物の建築年月日を記載すべきである。なお，建築年月日が不明のときは，「年月日不詳」と記載して差し支えない。（登記研究175号67頁）

【主たる建物の新築年月日が附属建物の新築年月日より後である場合と原因及びその日付欄の記載】

14❖「主たる建物と附属建物の新築年月日が異なる場合」とは，主たる建物の新築年月日が附属建物の新築年月日より後である場合を含む。（登記研究286号77頁）

15❖主たる建物と附属建物との新築年月日とが異なる場合において建物表題登記の申請があったときには，「表題部（附属建物の表示）」の「原因及びその日付」に附属建物の新築年月日が記録される。（登記研究422号104頁）

【添付情報】
〈敷地権に関する証明情報〉

16❖1 敷地権の目的である土地が規約敷地であるとき，又は敷地権の割合が規約割合によるものであるときは，その規約を設定したことを証する情報を添付情報として提供しなければならない（令別表第12項・添付情報欄へ・(1)，(2)）。また，敷地権の目的である土地が他の登記所の管轄区域内にあるときは，その土地の登記事項証明書を提供しなければならない（令別表第12項・添付情報欄へ・(3)）。

2 区分所有者が法定敷地につき登記された所有権，地上権又は賃借権を有する場合において，これらの権利が敷地権でないものとして建物の表題登記を申請するときは，これらの権利が敷地権ではない事由を証する情報（分離処分可能規約を設定したことを証する情報等）を提供しなければならない（令別表第12項・添付情報欄ホ）。

3 登記された土地の所有権，地上権又は賃借権の一部が敷地権でない場合（第1の二の4参照）は，その一部が敷地権とはならない事由を証する情報（分離処分可能規約を設定したことを証する情報）を提供しなければならない。

4 1から3までの場合の「規約を設定したことを証する情報」を書面で提出するときは，規約を設定した公正証書（区分所有法第32条参照）の謄本，規約の設定を決議した集会の議事録（同法第42条参照）又は区分所有者全員の合意により規約を設定した合意書（同法第45条第2項参照）とする。ただし，議事録又は合意書には，公証人の認証がある場合を除き，議事録又は合意書に署名押印した者の印鑑証明書を添付するものとする。
（昭和58・11・10民三第6400号通達第2，五）

【公正証書による規約の改正方法】

17❖公正証書によって作成された敷地利用権に関する規約を改正するには，専有部分の全部を同一人が所有している場合は，公正証書によって作成することを要するが，他に一人でも区分所有者が出現した場合は，区分所有法31条の規約変更の手続きによってしなければならない。（昭和58年度法務局・地方法務局首席登記官会同協議問題に対する本省回答）

〈所有権証明情報〉

18❖敷地所有者の証明した建物の所有権証明書を添付する場合において，敷地所有者が共有のときは，その全員の証明を要せず，共有者の一部の者の証明でも差し支えない。（昭和37・10・8民事甲2885号通達）

19❖未登記建物について，仮登記仮処分命令の正本を代位原因証書として被申請人名義の建物表示登記を代位申請する場合には，当該仮登記仮処分命令の正本をもって所有権を証する書面を兼ねさせることができる。（昭和55・1・17民三第565号回答）

20❖公務員共済組合が建物の表示登記を申請する場合には，所有権を証する書面を添付することを要する。（登記研究325号72頁）

21❖建物の表題登記の所有権証明書として建物建築工事請負契約書を添付する場合において，注文主と請負会社間に商法第265条の適用がある場合には，他の添付書面によって所得権が確認される場合を除き，取締役会議事録を添付するのが相当である。（登記研究330号78頁）

22❖建物の表題登記申請において，遺産分割協議書は所有権を証する書面の1つとなる。（登記研究362号82頁）

23❖区分所有建物の建築確認通知書に建築主甲のみ記載されている場合でも，甲・乙の共同事業により建築され甲及び乙が各専有部分を別々に原始取得している場合は，原則として建築確認通知書の建築主の変更手続をしたうえ表題の登記を申請すべきものと考えるが，原始取得者が確認

— 1028 —

できる場合は，その旨の証明書を添付して，甲・乙を所有者とする区分建物の表題の登記を申請することができる。（登記研究443号93頁）

24✣建物の表題の登記の申請の際に提出する建築請負人の引渡証明書又は敷地所有者の承諾書等に添付する印鑑証明書については，原本還付の請求が認められる。（登記研究414号77頁）

25✣建物の表題登記の申請書に添付すべき所有権を証する書面としての建物引渡証明書に添付する印鑑証明書及び資格を証する書面は，その作成の日から3か月以内のものであることを要しない。（登記研究420号122頁）

【地方職員共済組合が建物の表題登記を申請する際の添付書面】

26✣地方職員共済組合が建物の表題登記を申請するに当たって，所有権を証する書面の添付を省略することはできない。（登記研究530号147頁）

27✣同一の登記所に対し同時に同一所在の建物の滅失及び建物表題の登記を申請する場合において，各申請書に添付する取壊工事完了証明書及び建物新築工事完了証明書の証明者が同一であるときの当該証明者の印鑑証明書及び資格証明書は，いずれかの申請書についてのみ添付して，これを他方の申請書の添付書面に添付する印鑑証明書等として援用することができる。（登記研究540号170頁）

【住所証明情報】

28✣住所地の市町村長又は区長の証明にかかる印鑑証明書（住所として確認できるもの）をもって，住所を証する書面としてさしつかえない。（昭和32・6・27民甲第1220号回答）

29✣添付書類欄に「住所証明書」の記載の要否について　会社等が，土地または建物の表題の登記申請をする場合に，申請する登記所が会社等の法人の登記をした登記所と同一であって，法務大臣の指定した登記所以外の登記所であるときは，住所証明書の添付を要しないが，その場合には添付書類の記載箇所に，「住所証明書省略」の旨の記載をするのが相当である。（登記研究376号87頁）

【添付図面】

30✣区分所有の建物の表示に関する登記の申請書には，当該区分建物の属する1棟の建物の各階の平面図を添付することを要しない。（昭和39・8・7民事甲2728号回答）

31✣(1)　建物図面及び各階平面図をともに提供するときは，原則として規則別記第2号様式により1枚の用紙を用いて作成することとなったが，この場合においては，用紙の右半面を建物図面，左半面を各階平面図の用紙として用いるものとする。
(2)　建物図面・各階平面図の双方又はそのいずれか一方が，規則74条3項の別記第2号様式によって作成しがたい場合は，それぞれ各別に別記第2号様式により作成することを要する。

(3)　建物図面又は各階平面図のいずれか作成する場合は，規則74条3項の別記第2号様式について，文字を消除して修正し，建物図面又は各階平面図の用紙として用いることは差し支えない。

(4)　各階平面図は，原則として250分の1の縮尺をもって作成する。
（昭和52・9・3民三第4472号通達）

32✣規則82条に規定する建物の図面に記載する敷地の境界からの距離は，敷地の境界から当該建物の側壁（外壁側）までの距離を表示すべきである。（登記研究364号79頁）

33✣区分建物の建物図面の作成に当たり，準則第52条第2項及び第3項によって1棟の建物内における当該区分建物の位置関係を明確にする場合の1棟の建物からの距離の算定は，1棟の建物の壁心から当該区分建物の内壁までの距離によるべきである。（参考規115参照）（登記研究386号95頁）

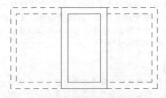

A案→外壁から内壁まで
B案→壁心から内壁まで

34✣建物が地下のみに存在する場合の建物図面に表示する図形は，1階の形状については，不動産登記事務取扱手続準則第52条第1項により朱書し，地下2階に存する当該区分建物については実線により表示する。（登記研究386号96頁）

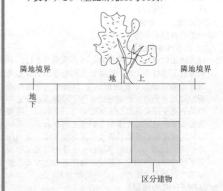

35✣附属建物が地下のみの建物である場合の建物の図面の作成方法は，地下1階の形状を朱書すべきである。（登記研究416号130頁）

36✣建物図面は，建物の壁又は柱の中心の真しん間の寸法により作図する。（登記研究421号107頁）

37✣建物の表題登記の申請書に添付すべき建物図面に

ついて，底地が広大である場合には適宜の縮尺により作成すべきであって，底地の記載の一部を省略する取扱いは認められない。
　なお，この場合は，全体図のほか，当該建物部分のみを拡大図示した別図を作成しても差し支えない。
（登記研究474号141頁）

38中建物表題登記の申請書に添付すべき建物図面について，当該申請に係る建物の外に同一敷地内に建物が存在する場合，その図面は作成する必要はない。（登記研究486号133頁）

【建物の図面及び各階の平面図の作成方法】
39中建物図面の上に各階平面図を重ねて記載する取り扱いはできない。（登記研究184号69頁）

【表題の登記のない建物の処分の制限の登記嘱託書に添付する図面】
40中表題の登記のない建物について処分の制限の登記を裁判所が嘱託する場合に添付する建物の図面及び各階平面図には，作成者の署名または記名押印を要するが，嘱託者の記名押印は要しない。（登記研究216号72頁）

判例
【申請権】
1※未登記の建物につきその所有権を承継取得した者でも，移転登記をせず直ちに保存登記（現，表題の登記）をすることができる。（大判大正8・2・6）
2※建物を建築した者が未登記のままその建物を他に譲渡したときも自己名義の保存登記申請権（現，表題の登記）を失わない。（大判昭和17・12・18）

【建築準備中の建物】
3※建築準備中の建物についてなされた登記は無効である。（大判昭和3・7・3）

【登記の対象となる建物】
　法44条の判例を参照。

【登記されるべき家屋】
4※地方税法にいう「登記されるべき家屋」とは，不動産登記法47条1項（建物新築の場合における所有者の表示登記申請義務）及び164条（登記申請懈怠に対する過料）の規定により，建物表示登記の申請義務を課せられた家屋であり，それは一連の新築工事が完了した家屋をいうと解される。
　固定資産税の性質目的及び地方税法の規定の仕方からすれば，新築の家屋は，一連の新築工事が完了した時に，固定資産税の課税客体となると解するのが相当である。（最判昭和59・12・7）

（建物の所有権の帰属）
【請負人が材料を提供した場合には，建物を引き渡すことにより注文者に所有権が移転し，土地と建物とは附合しないとされた事例】
5※請負人が材料を提供して注文者の土地に建物を築造したる場合は，当事者間に別段の意思表示なき限りは，請負人が建物を注文者に引き渡した時に所有権が移転する。
　この理は，請負人の注文者に対する報酬請求権は当該建物の引渡しにより発生し，また建物の危険負担責任も引渡しにより注文者に帰属すること，および建物は土地に附合しない我国の法制に照らして考えれば是認することができる。（大判大正3・12・26）

【請負人の材料により建物を建築した場合は，その材料は民法242条の規定に基づき土地に附合したものではなく，請負人により注文者に建物を引き渡すことにより所有権が移転するとされた事例】
6※請負人が自己の材料を用いて建物を建築する請負契約をしたときは，その材料が土地に附合（民法242条）して注文者の所有となるものではなく，請負人から注文者に対して建物を引き渡すことによって初めて所有権が移転する。（大判大正4・5・24）

【下請負人が材料を提供した場合には，下請負人が所有権を原始的に取得するとされた事例】
7※建築建物の材料を下請負人が提供した場合に，当該建物の原始的所有権は下請負人が取得する。したがって，下請負人が元請負人に建物を引き渡さない間は，建物の所有権は下請負人に帰属している。（大判大正4・10・22）

【請負代金支払いの金融を得るために，建物完成前に注文者に所有権を帰属させる特約をした場合には，建物の引渡前に注文者に所有権が帰属するとされた事例】
8※請負契約において，請負人が材料の全部を供して建物を築造した場合には，建物の所有権は引渡しにより注文者に帰属するのを通則とするが，当事者は請負代金の支払いに充てる金融を図るため，建物の完成前に所有権を注文者に帰属させる特約をすることができる。この場合においては，建物の所有権はその引渡以前に注文者に移転する。（大判大正5・12・13）

【注文者が建物建築工事の完了前に請負代金全額を支払ったことにより，注文者に所有権が原始的に帰属するとされた事例】
9※家屋建築の請負契約において，注文者が工事前に請負代金を完済したときは，特別の事情がない限り，この家屋の所有権は工事完了と同時に注文者に帰属させるという暗黙の合意があったものと推認するのが相当である。（大判昭和18・7・20）

【建築工事が中止されたA請負人が自ら材料を提供して築造した建前に，B請負人が続行工事をして建物を完成させた場合において，続行工事をしたB請負人と注文者との間に所有権帰属の特約があったことにより，注文者に所有権が原始的に帰属されるとされた事例】
10※建築中の未だ独立の不動産に至らない建前に，第三者が材料を供して工事を施し独立の不動産たる建物に仕上げた場合，建物の価格が原材料のそ

れよりも相当程度増加するような場合には，この建物の所有権の帰属は，民法243条の規定（附合）によるのではなく，民法246条2項の規定（加工）に基づいて決定する。

そして，加工の規定によって建物の所有権を取得した者（前記の第三者たる工事続行請負人）と注文者との間に，注文者が所有権を取得する旨の特約がある場合には，この特約の結果，本件建物の所有権は注文者に帰属する。

（最判昭和54・1・25）

【注文者が工事代金の半額以上を棟上げのときまでに支払い，残代金を工事の進行に応じて支払ってきた場合に，特約がなくても注文者に所有権が原始的に帰属するとされた事例】

11※注文者が全工事代金の半額以上を棟上げのときまでに支払い，なお，工事の進行に応じ，残代金の支払いをしてきた場合には，特段の事情がない限り，建物の所有権は引渡しを待つまでもなく，完成と同時に原始的に注文者に帰属する。（最判昭和44・9・12）

【注文者と下請負人との間に格別の合意があるなど特別の事情がない限り，注文者と元請負人との間に，出来形部分の所有権は注文者に帰属する旨の約定がある場合には，一括下請人が材料を提供して出来形部分を築造したとしても，その出来形部分の所有権は注文者に帰属するとされた事例】

12※1　建物建築工事請負契約において，注文者と元請負人との間に，契約が中途で解除された際の出来形部分の所有権は注文者に帰属する旨の約定がある場合に，当該契約が中途で解除されたときは，元請負人から一括して当該工事を請け負った下請負人が自ら材料を提供して出来形部分を築造したとしても，注文者と下請負人との間に格別の合意があるなど特段の事情のない限り，出来形部分の所有権は注文者に帰属する。

（注）「出来形部分」とは，工事施工が完了した部分のこと。

2　未登記不動産について，表示の登記の申請と同時にされた所有権の保存の登記の申請は本来却下すべきものである。しかし，所有権の保存の登記の申請を，その前提として同時に申請された同一不動産の表示登記がされたときに受け付けてその処理をする便宜的取扱いは，これを是認しても登記事務処理上許容し難い弊害を生ぜしめるものではないので，法の絶対的に容認し難いものと解する必要はない。

（最判昭和62・11・13）

【請負代金支払いのための手形交付（不渡りとなった）の機会に，建築確認通知書の交付があったことにより，建物の所有権が注文者に帰属したものと認められた事例】

13※請負人の材料の全部を提供して建築した建物の所有権は，建物引渡しの時に請負人から注文者に移転するのが原則である。しかし，これと異なる特約が許されないものではなく，明示または黙示の合意により，引渡しおよび請負代金完済の前においても，建物の完成と同時に注文者が建物所有権を取得するものと認めることは，なんら妨げられるものではない。

6戸の分譲住宅のうち3戸の引渡しが完了し，また請負代金全額の支払いのために手形の交付を受け（のちに不渡りとなった），その支払能力に疑いを抱いていなかったこと，また手形交付の機会に注文者に建築確認通知書を交付したことなどの事実関係のもとにおいては，その確認通知書交付にあたり，建物の完成と同時に注文者に建物の所有権を帰属させる旨の合意がなされたものと認められ，したがって，本件建物は完成と同時に注文者の所有に帰したものと認めることができる。

（最判昭和46・3・5）

【敷地所有者の証明書】

14※建物の表題登記及び所有権保存登記申請に敷地の正当な使用権原を証する情報の提供を要しない。

（大阪地判昭和58・10・21）

【虚偽の所有権証明情報により登記された建物の登記の効力】

15※現に登記記録上の表示と符合する建物が存在し，現在の所有者の意思に基づきその名義で所有権保存登記がなされたものである以上，所有権保存登記をなすにつき，内容虚偽の建築証明書が添付されたということだけで，当該所有権保存登記を無効と解すべきではない。（山口簡判昭38・11・20）

【敷地所有者の敷地利用の承諾証明情報の提供なくしてなされた建物の表題登記に基づいてされた所有権保存の登記の効力】

16※昭和35年以前に，「家屋台帳事務取扱要領」第71条所定の要求を満たしていない家屋の登録申請を受理し，家屋台帳に登録した場合でも，その受理ないし登録には，その取消し又は無効に値する瑕疵があるとはいえない。また，当該家屋台帳への登録に基づいてなされた家屋所有権の保存登記等は，法25条13項には該当しない。（注，家屋台帳への登録は，建物表題の登記と読み替える。）（最判昭和41・5・20）

第48条（区分建物についての建物の表題登記の申請方法）

① 区分建物が属する一棟の建物が新築された場合又は表題

❖【区分建物】法2二十二，区分法【表題登記】法2二十【登記記録の編成】規4③，規別表3

不動産登記法（48条）

登記がない建物に接続して区分建物が新築されて一棟の建物となった場合における当該区分建物についての表題登記の申請は，当該新築された一棟の建物又は当該区分建物が属することとなった一棟の建物に属する他の区分建物についての表題登記の申請と併せてしなければならない。

② 前項の場合において，当該区分建物の所有者は，他の区分建物の所有者に代わって，当該他の区分建物についての表題登記を申請することができる。

③ 表題登記がある建物（区分建物を除く。）に接続して区分建物が新築された場合における当該区分建物についての表題登記の申請は，当該表題登記がある建物についての表題部の変更の登記の申請と併せてしなければならない。

④ 前項の場合において，当該区分建物の所有者は，当該表題登記がある建物の表題部所有者若しくは所有権の登記名義人又はこれらの者の相続人その他の一般承継人に代わって，当該表題登記がある建物についての表題部の変更の登記を申請することができる。

先例等
【区分建物の認定】
[区分所有]

1 ✚ 区分所有権は，一棟の建物についての縦断的区分の場合と横断的区分の場合とを問わず，所有者の意思によって定まる。（大正14・5・27民事5014号司法次官回答）

2 ✚ 既存の建物とこれに接続する新築建物との間の当該接続部分に木製の扉が設けられている場合には，それぞれ構造上の独立性があるものとして，新築部分は区分所有の建物として取り扱って差し支えない。（昭和41・12・7民事甲3317号回答）

3 ✚ 1 Ａ建物とＢ建物とがシャッターで仕切られ，Ｃ建物とＢ建物が，ガラスドアで仕切られている地下通路で連絡していて，いずれも店舗である場合，上記ＡＢＣの各建物は，区分所有権の目的となる。

 2 ビル内の地下において1方又は2方を壁とし，2方又は3方をシャッターで仕切った各店舗は，区分所有権の目的となる。
（昭和42・9・25民事甲2454号回答）

4 ✚ 建物の出入口から公道へ通ずる部分が一部他人所有の土地であっても，この部分が物理的に通行の用に供し得る状態であれば，通行の権原の有無にかかわらず区分建物たり得る利用上の独立性がある。（昭和54・5・19民三第3086号回答）

5 ✚ 区分所有にかかる中高層ビルディングのエレベーターの機械，高置水槽，冷却装置等を収容する塔屋は，独立して専有部分となり得る建物の部分と認められないので，建物の附属物である。したがって，1棟の建物の表題の登記においてその階数（床面積）を表示しないものとする。（昭和38・10・22民事甲2933号通達）

6 ✚ 分譲マンションの管理受付室の内部に各専有部分を集中管理する消防設備，警報装置等の恒常的共用設備が設けられ，常時来訪者，配達物などの処理ができる受付者の常駐する構造を有している場合には，管理受付室は法定共用部分と解するのが相当である。管理人の居宅を構造上の独立もなく管理受付室に利用し，共用設備もない場合は法定共用部分と認められないので，各区分所有者の合意がある場合に限り規約共用部分とするのが妥当な取扱いである。（昭和50・1・13民三第147号回答）

7 ✚ 1棟の建物において他の専有部分を通らなければ出入りができない部分は，契約によって当該他の専有部分の内部を通行することができる場合であっても，区分建物として取り扱うことはできない。（登記研究631号233頁）

【一括申請】

8 ✚ 1 区分建物の表題の登記の申請は，敷地権の有無にかかわらず，その所有権を原始的に取得した者（以下「原始取得者」という。）から，新築後1か月内にその1棟の建物に属する他の区分建物の全部の表題の登記の申請と共にすることを要する。

 2 1の申請は，1棟の建物に属する区分建物の全部につき同一の申請書で申請することを要する。ただし，1棟の建物に属する区分建物の全部についてその申請がされれば，各別の申請書

によっても差し支えない。
4　区分建物でない建物（以下「非区分建物」という。）に接続して建物を新築したことにより区分建物が生じた場合における当該新築に係る区分建物の表題の登記の申請は、他の建物についての区分建物への変更の登記の申請と共にすることを要する。
（昭和58・11・10民三第6400号通達第2、一・1・2・4）

【数個の区分建物からなる一棟の建物を新築し、これらの区分建物を別棟の既登記の区分建物の附属建物とする登記手続について】
9✦数個の区分建物からなる一棟の建物を新築し、これらの区分建物を別棟の既登記の区分建物の附属建物とする附属建物の新築の登記（建物の表題部の変更の登記）は、不動産登記法93条の2第1項（現行法48条1項）の規定にかかわらず、各別にすることができる。ただし、新築した一棟の建物の一部の区分建物について、附属建物とする建物の表題部の変更の登記をした後、残りの一部の区分建物について、区分建物の新築による建物の表示の登記をするときは、残りの区分建物について同項の規定により一括して申請しなければならない。（登記研究683号195頁）
10✦1棟の建物に属する区分建物の全部につき同時に表題の登記を嘱託する場合には、1棟の建物の表示は、（総括的に）1個掲げれば足りる。（昭和40・1・27民事甲119号通達）

【代位による申請】
11✦1　区分建物の所有者は、1棟の建物に属する他の区分建物の所有者に代位して、その他の区分建物の表題の登記を申請することができる（法48条第2項）。また一の4の場合においては、新築に係る区分建物の所有者は、他の建物の登記記録の表題部に記載された所有者又は所有権の登記名義人又はこれらの者の相続人その他の一般承継人に代位してその建物の表題部の変更の登記を申請することができる（同条第4項、なお、第七の一の2参照）。
2　1により代位登記を申請するときは、申請書に、代位原因として、（法48条第2項又は第4項）による代位たる旨を記載することを要し、また代位原因を証する書面として、代位者が同一の1棟の建物に属する区分建物の所有権を取得したことを証する書面を提供することを要す（法第59条第7号）。この場合の代位原因を証する書面は、他の申請書に添付した所有権を証する書面（登記令別表12項・添付情報欄ハ参照）を援用して差し支えない。
3　1の申請により登記をしたときは、表題部に記載した所有者又は所有権の登記名義人又はこれらの者の相続人その他の一般承継人にその登記をした旨を通知することを要する。

（昭和58・11・10民三第6400号通達第2、二・1・2・3）
1※代位権の代位行使は認められる。（最判昭和39・4・17）

【転得者からの申請】
12✦1　区分建物の所有権の原始取得者からその所有権を取得した者（以下「転得者」という。）は、区分建物の表題の登記の申請をすることができない（法47条第1項）。ただし、原始取得者がその申請をしないときは、転得者は、原始取得者に代位してその申請をすることができる（民法第423条）。
2　区分建物の表題の登記をする前に原始取得者が死亡したときは、その相続人その他の一般承継人から、原始取得者を表題部所有者とする区分建物の表題の登記を申請することができる。
（昭和58・11・10民三第6400号通達第2、3・一・二）

【敷地権の登記原因の日付】
13✦土地の所有者がその土地上に区分建物を新築した場合、敷地権の登記原因の日付は、原則として新築の日である。なお、実体上発生した敷地権の割合が規約により変更された場合には、規約公正証書の作成の日である。（登記研究521号173頁）

〔判例〕

【区分所有権の成立の要件】
2※区分所有権が成立するためには、1棟の建物中区分された部分だけで独立の建物と同様の経済上の効用を全うする場合に限るものであって、各部分が他の部分と併合するのでなければ建物の効用がないときは、各部分の区分所有権は認められない。（大判大正5・11・29）

【襖・障子等にて区分したものの区分所有の成否】
3※建物の一部が区分所有権の客体たり得るがためには、ある程度の独立性を有し、その他取引上1個の権利の客体として認めるに適する性状を具備し、又これを認めることが取引の実際に適合するもの（例えば、いわゆる棟割長屋の各戸が障壁その他により他の部分と判然区別せられ、しかも所有権の内容たる物的支配に適するがごとき）、たらざるべからずもの（襖、障子等にて区別したもの）は、区分所有の対象たり得ない。（大判昭和21・2・22）

【建物の区分所有権の成否】
4※区分所有権の認められる場合は、各区分された部分が、それぞれ独立している場合であっても、ある部分だけからいえば、一面独立の効用を営むことができるようであっても、他面、その部分が他の部分に従属しているという関係にある場合は、結局、その部分は、他の部分と併合しなければ建物としての効用なく、まだ完全に独立の効用を営むことができるといえず、区分所有権の対象とな

不動産登記法（48条）

らない。（福岡高判昭和28・8・19）

【構造上の独立性が否定された事例】

5 ※既存建物の棟木に接続した棟木のもとに新たに建築された部分は、既存建物との境界に障子が存在するのみでは、それ自体、区分所有権の対象とはならない。（東京高判昭和31・12・19）

【利用上の独立性が認められ、区分所有権が認められた事例】

6 ※2階には、便所および炊事場がない場合でも、裏にある出入口を利用すれば2階にあがる階段を利用することができ、2階と階下を区分しても、事実上も法律上も紛らわしいことを生ずるおそれがない場合には、階下だけを区分して譲渡した行為は有効である。（東京高判昭和34・6・11）

【共用設備が設置されている車庫の区分所有権の成否】

7 ※建物の区分所有等に関する法律1条にいう構造上他の部分と区分された建物の部分とは、建物の構成部分である隔壁・階層等により独立した物的支配に適する程度に他の部分と遮断され、その範囲が明確であることをもって足り、必ずしも周囲全てが完全に遮断されていることを要しないものと解するのが相当であり、このような構造を有し、かつ、それ自体として独立の建物としての用途に供することができるような外形を有する建物部分は、そのうちの一部に他の区分所有者らの共用に供される設備が設置され、このような共用設備の設置場所としての意味ないし機能を一部帯有しているようなものであっても、右の共用設備が当該建物部分の小部分を占めるにとどまり、その余の部分をもって独立の建物の場合と実質的に異なるところのない態様の排他的使用に供することができ、かつ、他の区分所有者らによる右共用設備の利用、管理によって右の排他的使用に格別の制限ないし障害を生ずることがなく、反面、かかる使用によって共用設備の保存及び他の区分所有者らによる利用に影響を及ぼすこともない場合には、なお建物の区分所有等に関する法律にいう建物の専有部分として区分所有権の目的となりうるものと解するのが相当である。（最判昭和56・6・18）

【利用上の独立性が認められず、区分所有権が否定された事例】

8 ※建物の賃借人が建物の賃貸人兼所有者の承諾を得て賃借建物である平家の上に2階部分を増築した場合において、その2階部分から外部への出入りが賃借建物内の部屋の中にある梯子段を使用するよりほかないときは、その2階部分につき独立の登記がされていても、その2階部分は、区分所有権の対象たる部分には当たらない。（最判昭和44・7・25）

【区分所有者全員のために使用されるべき機械装置が固定された建物の部分の区分所有権の成否】

9 ※高層分譲住宅各区に給水するための揚水機械装置等が設置格納されている建物部分は、構造上の共用部分であり区分所有権の目的とはならない。（東京高判昭和46・4・28）

【区分所有の対象たるビルの屋上の所有関係】

10 ※一般にビルディングの屋上は、その建物の屋根としてその外観を維持し、若しくは共用施設としての昇降機機械室、冷房用貯水槽（ペントハウス）等を設置するために必要な部分、すなわち「建物の基本的構成部分」と解すべきであり、したがって、屋上は、法律上の共用部分と推認される。（東京地判昭和42・12・16）

【利用上の独立性が認められ、区分所有権が認められた事例】

11 ※各階とも居室のほか、厨房、浴室、便所、洗面所を備えている3階建の建物で、1階から3階まで通ずる内階段があるが、2階には、内階段とは別に独立した外階段があり、外部から直接出入することができる入口が設けられており、2階から1階に通じる内階段の2階部分にはドアが取り付けられていて両部分を遮断することができるようになっており、3階への出入りは2階から内階段を利用するほかない場合には、2階部分及び3階部分は、1階部分に対して利用上の独立性があると認められ、区分所有権の対象となりうる。（東京地判昭和54・1・30）

【物置について区分所有権が認められた事例】

12 ※従前の建物の一部が増築されて区分所有登記がされた物置（不整形で、面積が狭く、給排水設備等も設けられていなくても、その余の専有部分や共用部分、外部と完全に遮断された構造になっていて、現に専有部分の賃貸人に賃貸されて利用されているところ、もう一方の部屋の賃貸人に賃貸したり、本件建物の残りの専有部分と合わせて利用することも可能であることなどからすると、本件建物部分は、構造上及び利用上の独立性を有しているものと認めるのが相当である。（東京地裁平成21・1・26）

【共用設備が設置されている車庫の区分所有権の成否】

13 ※構造上他の建物部分と区分され、それ自体として独立の建物としての用途に供することができる外形を有する車庫内に、天井には排水管が取り付けられ、床下にはし尿浄化槽と受水槽があり、床面には地下に通ずるマンホールおよび排水ポンプの故障に備えるための手動ポンプが設置されていて、上記浄化槽の点検、清掃、故障修理に備えるための手動ポンプが設置されていて、上記浄化槽等の点検、清掃、故障修理のため専門業者がその車庫に立ち入って作業をすることが予定されている場合でも、当該共用設備の利用管理によって上記車庫の排他的使用に格別の制限ないし障害を生じない限り、その車庫は、建物の区分所有等に関する法律にいう専有部分に当たらないとはいえない。（最判昭和56・7・17）

【管理人室・車庫が法定共用部分にあたらないとされ

14❖鉄筋コンクリート造陸屋根7階建マンション（区分建物30個）の1階に設けられた管理人室（41.75㎡）及び車庫（210.50㎡）が，いずれも構造上他の部分と区分されているし，区分所有者全員の共用に供されることが不可欠なものといえないといったような事情のもとでは，その管理人室・車庫は，構造上の共用部分とは認められない。（東京地裁昭和51・10・1）

[構造上の独立性がある管理人室について，管理事務室と機能的に分離するのが困難であるとして利用上の独立性を認めなかった事例]
15❖共用部分である管理事務室とこれに隣接する管理人室があるマンションにおいて，その管理人室に構造上の独立性があるとしても，当該マンションの規模が比較的大きく，区分所有者の居住生活を円滑にし，その環境保全を図るため，その業務に当たる管理人を常駐させ，管理業務の遂行に当たらせる必要があり，前記管理事務室のみでは，管理人を常駐させてその業務を適切かつ円滑に遂行させることが困難である場合には，両室は機能的に分離することができず，上記管理人室は，利用上の独立性がなく，建物の区分所有等に関する法律にいう専有部分に当たらない。（最判平成5・2・12）

[構造上及び利用上の独立性を失った区分所有権]
16❖各戸の所有者を異にする1棟2戸建ての建物の境界をなしていた隔壁（土壁の一部）が除去されて構造上の独立性が失われ，また，内部の改造工事が行われて1戸の住宅として使用される状態を呈していて利用上の独立性を失ったときは，各戸の区分所有権は，解消するものと解すべきである。（名古屋高判昭和44・12・25）

[建物の区分所有権者と敷地使用権]
17❖階上，階下にわたる横断的な区分によって生じた区分所有権が是認されるからといって，当然に，その敷地の使用権が発生するものではない。（東京地判昭和31・5・18）

第49条（合体による登記等の申請）

❖【合体による登記等】令5①・8①二・②二，規120【申請・添付情報】令別表13

① 二以上の建物が合体して1個の建物となった場合において，次の各号に掲げるときは，それぞれ当該各号に定める者は，当該合体の日から1月以内に，合体後の建物についての建物の表題登記及び合体前の建物についての建物の表題部の登記の抹消（以下「合体による登記等」と総称する。）を申請しなければならない。この場合において，第2号に掲げる場合にあっては当該表題登記がない建物の所有者，第4号に掲げる場合にあっては当該表題登記がある建物（所有権の登記がある建物を除く。以下この条において同じ。）の表題部所有者，第6号に掲げる場合にあっては当該表題登記がない建物の所有者及び当該表題登記がある建物の表題部所有者をそれぞれ当該合体後の建物の登記名義人とする所有権の登記を併せて申請しなければならない。

一　合体前の二以上の建物が表題登記がない建物及び表題登記がある建物のみであるとき。当該表題登記がない建物の所有者又は当該表題登記がある建物の表題部所有者

二　合体前の二以上の建物が表題登記がない建物及び所有権の登記がある建物のみであるとき。当該表題登記がない建物の所有者又は当該所有権の登記がある建物の所有権の登記名義人

三　合体前の二以上の建物がいずれも表題登記がある建物であるとき。当該建物の表題部所有者

四　合体前の二以上の建物が表題登記がある建物及び所有権の登記がある建物のみであるとき。当該表題登記がある建

物の表題部所有者又は当該所有権の登記がある建物の所有権の登記名義人
五　合体前の二以上の建物がいずれも所有権の登記がある建物であるとき。当該建物の所有権の登記名義人
六　合体前の三以上の建物が表題登記がない建物，表題登記がある建物及び所有権の登記がある建物のみであるとき。当該表題登記がない建物の所有者，当該表題登記がある建物の表題部所有者又は当該所有権の登記がある建物の所有権の登記名義人

② 第47条並びに前条第1項及び第2項の規定は，二以上の建物が合体して1個の建物となった場合において合体前の建物がいずれも表題登記がない建物であるときの当該建物についての表題登記の申請について準用する。この場合において，第47条第1項中「新築した建物又は区分建物以外の表題登記がない建物の所有権を取得した者」とあるのは「いずれも表題登記がない二以上の建物が合体して1個の建物となった場合における当該合体後の建物についての合体時の所有者又は当該合体後の建物が区分建物以外の表題登記がない建物である場合において当該合体時の所有者から所有権を取得した者」と，同条第2項中「区分建物である建物を新築した場合」とあり，及び前条第1項中「区分建物が属する1棟の建物が新築された場合又は表題登記がない建物に接続して区分建物が新築されて1棟の建物となった場合」とあるのは「いずれも表題登記がない二以上の建物が合体して1個の区分建物となった場合」と，同項中「当該新築された一棟の建物又は当該区分建物が属することとなった一棟の建物」とあるのは「当該合体後の区分建物が属する一棟の建物」と読み替えるものとする。

③ 第1項第1号，第2号又は第6号に掲げる場合において，当該二以上の建物（同号に掲げる場合にあっては，当該三以上の建物）が合体して1個の建物となった後当該合体前の表題登記がない建物の所有者から当該合体後の建物について合体前の表題登記がない建物の所有権に相当する持分を取得した者は，その持分の取得の日から1月以内に，合体による登記等を申請しなければならない。

④ 第1項各号に掲げる場合において，当該二以上の建物（同項第6号に掲げる場合にあっては，当該三以上の建物）が合体して1個の建物となった後に合体前の表題登記がある建物の表題部所有者又は合体前の所有権の登記がある建物の所有権の登記名義人となった者は，その者に係る表題部所有者についての更正の登記又は所有権の登記があった日から1月以内に，合体による登記等を申請しなければな

らない。

先例等
【建物の合体】
1 ✥ 建物の合体とは，数個の建物が，増築等の工事により構造上1個の建物となることをいう。その数個の建物が1棟の建物を区分した建物（以下「区分建物」という。）であって，これらが隔壁除去等の工事によりその区分性を失った場合も，これに含まれる。(平成5・7・30民三第5320号通達第6・一)

【登記の申請】
2 ✥ (1) 建物の合体があった場合における登記の申請は，合体前の建物が表題登記のないものであるときはその所有者から，合体前の建物につき表題登記のみがされているときは表題部所有者から，合体前の建物につき所有権の登記がされているときは所有権の登記名義人から，建物の合体の日から1月以内に，合体後の建物についての建物の表題登記及び合体前の建物についての建物の表題部の登記の抹消（以下「合体による登記等」と総称する。）を，一の申請情報で申請しなければならない（法第49条第1項前段，令第5条第1項前段）。この登記の申請は，合体前の建物の所有者等が異なる場合には，そのいずれかの者からすることもできる。

(2) 表題登記がない建物が合体した後，合体後の建物について合体前の表題登記がない建物の所有権に相当する持分を取得した者は，その持分の取得の日から1月以内に，合体による登記等を申請しなければならない（法第49条第3項）。また，表題登記がある建物又は所有権の登記がある建物が合体した後，合体前の建物について表題部所有者又は所有権の登記名義人となった者は，表題部所有者の更正の登記又は所有権の登記があった日から1月以内に，合体による登記等を申請しなければならない。(法第49条第4項)

(3) 合体による登記等を申請する場合において，合体前の建物が表題登記がない建物と所有権の登記がある建物であるときは，表題登記がない建物の所有者を合体後の建物の登記名義人とする所有権の登記の申請を，合体による登記等と同一の申請情報でしなければならない。合体前の建物が表題登記がある建物と所有権の登記がある建物であるときも，表題登記がある建物の表題部所有者を合体後の建物の登記名義人とする所有権の登記の申請を，同様の方法でしなければならない。(法第49条第1項後段，令第5条第1項後段)
この場合の所有権の登記の申請に当たって納付すべき登録免許税の額は，合体後の建物の価額に，表題登記がない建物の所有者又は表題部所有者が合体後の建物につき有することとなる持分の割合を乗じて計算した金額を課税標準として，これに1,000分の4の税率を乗じて得た金額である。(登録免許税法第10条第1項，第2項，別表第1の一(1)参照)

(4) 合体前の建物がいずれも表題登記がない建物であるときは，(1)から(3)までの申請ではなく，法第47条に規定する建物の表題登記を申請することになる。(法第49条第2項)
(平成5・7・30民三第5320号通達第6・二)

【申請情報の内容】
3 ✥ 3 申請情報の内容
(1) 2(1)の登記の申請情報の内容として，合体前の各建物の表示及び合体後の建物の表示を記録するとともに，登記原因及びその日付を記録することを要する（令第3条第5号，第8号）。この場合の登記原因の記録は，合体前の建物の表題部の登記の抹消においては「何番と合体」と，合体後の建物の表題登記においては「何番，何番を合体」とするものとする。

(2) 合体前の各建物の所有者が異なるときは，それぞれの所有者が合体後の建物について有することとなる持分を申請情報の内容として記録することを要する（令第3条第9号）。
また，合体前の各建物の所有者が同一である場合であっても，合体前の建物につき所有権の登記以外の所有権に関する登記又は先取特権，質権若しくは抵当権に関する登記（以下「抵当権等に関する登記」という。）があって，その登記が合体後の建物につき存続することとなるものであるとき（以下「存続登記」という。）は，その登記の目的，申請の受付年月日及び受付番号，登記原因及びその日付並びに登記名義人がいずれも同一であるときを除き，合体後の建物につきその登記に係る権利の目的を明らかにするため，所有者が同一でないものとみなした場合の持分を記録しなければならない（令別表第13項・申請情報欄ニ）。この場合における持分の記録は，申請人の表示に符号を付し，「持分3分の2甲某〔あ〕，3分の1甲某〔い〕」のようにするものとする。

(3) 合体前の建物について所有権の登記があるときは，当該所有権の登記がある建物の家屋番号並びに当該所有権の登記の申請の受付の年月日及び受付番号，順位事項並びに登記名義人の氏名又は名称を，記録しなければならない。(令別表第13項・申請情報欄ロ)

(4) 存続登記があるときは，合体前の建物の家屋番号，存続登記の目的，申請の受付の年月日及び受付番号，順位事項並びに登記名義人の氏名又は名称，存続登記の目的となる権利を記録し

不動産登記法（49条）

なければならない（令別表第13項・申請情報欄ハ）。この場合における存続登記の目的となる権利の記録は、合体後の建物を基準として、「甲某持分」のようにし、(2)後段の場合においては、「甲某〔あ〕持分」のようにするものとする。
（平成5・7・30民三第5320号通達第6・三）

【添付情報】
4✝(1)　合体による登記等の申請を所有権の登記名義人がする場合には、その所有権の登記名義人の登記識別情報を添付情報として提供しなければならない。この場合において、その申請人が複数の合体前の建物の所有権の登記名義人であるときは、そのいずれか1個の建物の所有権の登記名義人の登記識別情報を提供すれば足りる。
（法第22条、令第8条第1項第2号、第2項第2号）
(3)　合体前の建物について所有権の登記がある場合において、その登記名義人が合体による登記等を書面で申請するときは、その者の印鑑証明書を添付することを要する。（令第16条第2項、第18条第2項、規則第47条第3項イ(6)、第48条第1項第5号、第49条第2項第4号）
(4)　合体前の各建物の所有者が異なる場合には、所有権を証する情報として、合体前の各建物の所有者が合体後の建物について有することとなる持分の割合を証する情報を添付情報として提供しなければならない（令別表第13項・添付情報欄ハ）。この情報が合体前の各建物の所有者の作成に係る証明書である場合には、(3)により印鑑証明書を添付する登記名義人以外の作成者の印鑑証明書をこれに添付することを要するものとする。なお、合体前の各建物の所有者全員が申請人である場合には、その申請書が持分の割合を証する書面を兼ねるので、申請書に印鑑証明書の添付があることをもって足りる。
(5)　合体後の建物の持分について存続登記と同一の登記をするときは当該存続登記に係る権利の登記名義人が当該登記を承諾したことを証する当該登記名義人が作成した情報又は当該登記名義人に対抗することができる裁判があったことを証する情報を、添付情報として、提供しなければならない。（令別表第13項・添付情報欄ト）
　この場合において、存続登記に係る権利が抵当証券の発行されている抵当権であるときは、当該抵当証券の所持人若しくは裏書人が当該存続登記と同一の登記を承諾したことを証するこれらの者が作成した情報又はこれらの者に対抗することができる裁判があったことを証する情報及び当該抵当証券を提供しなければならない。
（令別表第13項・添付情報欄チ）
(6)　合体前の建物についてされた抵当権等に関する登記が存続登記ではないときは、当該登記名

義人（当該権利が抵当権である場合において、抵当証券が発行されているときは、当該抵当証券の所持人又は裏書人を含む。）が合体後の建物について当該権利を消滅させることを承諾したことを証する情報又は当該登記名義人に対抗することができる裁判があったことを証する情報を提供しなければならない（法第50条、規則第120条第5項第1号）。この場合において、この権利を目的とする第三者の権利に関する登記があるときは、当該第三者が承諾したことを証する情報又は当該第三者に対抗することができる裁判があったことを証する情報を提供しなければならない（規則第120条第5項第2号）。また、消滅に係る権利が抵当証券の発行されている抵当権であるときは、当該抵当証券を提供しなければならない。（規則第120条第5項第3号）
(8)　合体後の建物が区分建物であって、合体後の建物に敷地権が存する場合でも、合体前の各建物の敷地権の割合を合算したものが合体後の建物の敷地権の割合とされているときは、令別表第13項・添付情報欄ヘ(1)から(3)までに規定する情報の提供を要しない。また、合体後の建物が区分建物であって、その所有者がその建物の所在する土地につき登記された所有権、地上権又は賃借権を有するにもかかわらず、合体後の建物に敷地権がない場合においても、合体前の建物がいずれも敷地権を登記したものでないときは、令別表第13項・添付情報欄ホに規定する情報の提供を要しない。
（平成5・7・30民三第5320号通達第6・四）

【合体による建物の表題登記】
5✝(1)　合体による建物の表題登記をする場合に、合体前の各建物のいずれにも所有権の登記があるとき、又は法第49条第1項後段の規定により併せて所有権の登記の申請があるときは、合体後の建物の登記記録の表題部に表題部所有者に関する登記事項を記録することを要しない（規則第120条第1項）。この場合においては、合体後の建物の登記記録の甲区に、合体による所有権の登記をする旨、所有権の登記名義人の氏名又は名称及び住所並びに登記名義人が2人以上であるときは当該所有権の登記名義人ごとの持分、登記の年月日を記録しなければならない（規則第120条第2項）。この場合において、法第49条第1項後段の規定による申請に基づいて所有権の登記をするときは、申請の受付の年月日及び受付番号をも記録しなければならない（規則第120条第3項）。
(2)　合体前の建物について存続登記があるときは、その登記の登記記録から、その登記に係る権利の順序に従って、合体後の建物の登記記録の権利部の相当区に、存続登記を移記し、その末尾に規則第120条第4項の規定により、

家屋番号何番の順位何番の登記を移記した旨及びその登記の年月日を記録するものとする（規則第120条第4項）。この場合において，合体後の建物の持分について存続登記と同一の登記をするときの登記の目的の記録は，当該持分を目的とするものとして引き直し，「何某持分抵当権設定」のようにするものとする。

合体前の建物についての担保権の登記に係る共同担保目録については，規則第170条第2項から第4項までの規定により所要の手続をするものとする。

合体後の建物の持分について存続登記と同一の登記をする権利が抵当権であって，その抵当権の登記に係る抵当証券が添付情報として提供されているときは，当該抵当証券における目的である建物の表示その他の記載事項につき所要の変更をするものとする（抵当証券法第19条参照）。

(3) (2)により移記すべき登記が処分の制限の登記その他の現に効力を有する所有権の登記以外の所有権に関する登記で，申請情報の内容として記録された所有権の登記より先順位のものであるときは，(1)によってする合体による所有権の登記に先立ちその登記に係る権利の順序に従って，その登記を移記するものとする。この場合において，処分の制限の登記等の移記に伴って移記すべき登記の移記については，その末尾に処分の制限の登記等のため家屋番号何番の順位何番の登記を移記した旨及びその年月日を記録するものとする。

この場合における移記する登記についての登記の目的及び権利の記録は，合体後の建物につき所有権の登記名義人が有することとなる持分であって，その登記に係るものの割合に引き直し，「何某持分（合体前建物所有権）処分禁止仮処分」及び「持分3分の1何某」のようにするものとする。

(4) 四(6)の情報を提供してされた登記の申請に基づき，法第50条の規定により合体前の建物について抵当権等の権利が消滅した旨の登記は付記登記によってするものとし，登記の目的の記録は「何番抵当権抹消」と，登記原因の記録は「消滅承諾」とし，その付記の年月日を記録するものとする（規則第120条第6項）。この場合において，消滅した権利に関する登記は抹消しないものとする。

(5) 合体前の建物についての賃借権の登記は，合体後の建物の登記記録に移記することを要しない。

(6) 合体前の建物に敷地権の登記がされている場合において，合体後の建物に敷地権の登記をしないときは，規則第124条に規定する所要の登記をすることを要する。（規則第120条第7項，昭和58年11月10日付け民三第6400号本職通達第6の3から8まで参照）

(7) 合体後の建物に敷地権の登記がある場合であっても，その敷地権の割合が合体前の建物のすべての敷地権の割合を合算したものであるときは，規則第119条の規定により敷地権の目的である土地の登記記録の権利部の相当区に敷地権である旨の登記をすることを要しない（規則第120条第8項）。

（平成5・7・30民三第5320号通達第6・五）

【合体前の建物の表題部の登記の抹消】

6✪合体前の建物の表題部の登記の抹消をする場合には，登記原因及びその日付並びに登記の年月日の記録は，原則として合体前の建物の登記記録の表題部の該当欄の次行にするものとし，合体前の建物の表題部の登記事項を抹消した上，その登記記録を閉鎖しなければならない（規則第120条第9項，規則第144条第1項）。（平成5・7・30民三第5320号通達第6・六）

【附属建物の合体に係る登記】

7✪第6の一から九までの手続は，2個以上の建物が合体した場合に関するものであって（法第49条第1項参照），主たる建物と附属建物とが合体した場合又は附属建物と附属建物とが合体した場合には，適用がない。この場合には，準則第95条の手続をするものとする。(平成5・7・30民三第5320号通達第6・十)

（その他）

【共有持分の保存登記の可否】

8✪共有者の1人が自己の持分のみについて保存登記をすることはできない。(明治32・8・8民刑1311号回答)

【不動産の一部の賃借権登記の可否】

9✪不動産の一部について賃借権設定の登記をするには，その部分に関し分割又は区分の登記をすることを要する。(昭和30・5・21民事甲972号通達)

【共有持分に対する賃借権設定の仮登記の可否】

10✪共有持分に対する賃借権設定の仮登記の申請をすることはできない。(昭和48・10・13民三7694号回答)

【合体後の建物の表題登記の申請の添付情報とする根抵当権者の承諾書の要否について】

11✪（要旨）甲建物（A及びBの共有）と乙建物（A及びCの共有）が合体により1棟となったために合体による建物の表題部の登記の抹消の申請をする場合において，両建物に同一の受付番号の共同根抵当権設定の登記がされているときであっても，添付情報として，根抵当権者の承諾証明情報を提供すべきである。(登記研究586号187頁)

【非区分建物について区分建物の登記がされている場合の取扱い】

12✪当初は区分建物であったが，障壁が除去されて区分所有とは認められない状態となった場合は，申請又は職権により，「区分所有の消滅」を登記原

因として，建物の滅失の登記をするものとし，さらに右の障壁除去の結果の建物については［区分建物の合体］を登記原因として，建物の表題の登記をするものとされる。なお，本来区分所有建物でないものが然るものとして登記されている場合には，申請又は職権により，「錯誤」を原因として，当該建物の滅失の登記をする。(昭和38・9・28民事甲2658号通達)

【司法書士と土地家屋調査士の業務範囲に関する合意事項】

13✛1　土地家屋調査士は，当事者の依頼により，不動産登記法49条第1項柱書後段の規定により合体による建物の表示の登記及び合体前の建物の表示の登記の抹消を申請する場合において，同項後段の規定による所有権の登記をも併せて申請すべきときは，同項後段の規定による登記の申請手続をもすることができる。
　2　司法書士は，土地家屋調査士とともにする場合であれば，当事者の嘱託を受けて，1の申請手続（不動産登記法49条第1項柱書後段の規定による登記に係る部分）をすることができる。
(平成5・9・29民三第6361号通達)

(判例)

【建物区分所有の解消と共有関係の成立】

1※各戸の所有者を異にする1棟2戸建の家屋について各戸が構造上の独立性と利用上の独立性を失ったときは，各戸に対する区分所有権は消滅し，各戸の所有者は，1棟の家屋を共有するに至るものと解すべきである。(名古屋高判昭和44・12・25)

【合体前の建物に設定された抵当権と合体後の建物への追及力】

2※互いに主従の関係にない甲乙2棟の建物が工事により1棟の丙建物となった場合，甲建物又は乙建物に設定されていた抵当権は，丙建物のうちの甲建物又は乙建物の価格に応じた持分を目的とするものとして存続する。(最判平成6・1・25)

【相隣接する2棟の建物間の隔壁除去と両建物の独立性の喪失】

3※相隣接する甲建物及び乙建物のそれぞれの2階部分の隔壁のうち幅1.8メートルの部分を除去し，そこに建具をはめ込み，両建物の2階部分の高低差0.95メートルを階段で補い，その部分を通行可能にしたという事実があっても，それだけで，既に所有権及び抵当権に関する登記がされて取引の対象となる甲建物及び乙建物は，一般取引の通念に照らし，未だその独立性を失ったものと判断す

ることは違法である。(最判昭和50・5・17)

【隣接する2個の建物の隔壁を除去した場合の既存建物の同一性・独立性の判断】

4※隣接する甲，乙2個の建物の隔壁の一部を除去し，外観上1個の建物の形状を呈する合体工事をなしたとしても，乙建物に建物としての独立性が認められず，甲建物の附属建物としてのみ存在する場合には，上記合体工事により乙建物は甲建物に附合したとみるべきであって，同建物自体の独立性・同一性は失われないから，同建物についてした右合棟を原因とする登記官の建物滅失登記処分は，違法である。(東京地判昭和60・9・25)

【2棟の建物の間の接続工事により一方の建物が他の建物を通る以外に出口がなくなった場合の合棟による登記の適否】

5※独立の2階建の甲，乙建物の1階部分について接続工事を施し，障壁を除去し一体化するとともに，2階部分についてその障壁の一部を除去し扉を設置した上，甲建物の隣地に新築建物を建築し，同建物と甲建物とを接続するため増築工事を行い，接続部分の障壁を全部除去した工事の結果，甲建物は乙建物や新築建物を通る以外に出入口がなくなったという事実により出来あがった丙建物の構造等を総合考慮すると，甲乙各建物は，いずれも丙建物の一部として丙建物に一体化されたものであって，しかも，区分所有権の対象となり得る構造上及び利用上の独立性も有しないとみるべきであるから，いずれも権利の客体となり得る独立性を失い法律上滅失したものというべきである。
　したがって，建物の合棟を原因としてされた建物表示登記抹消が適法とされる。
(鹿児島地判昭和61・12・23)

【区分建物の隔壁が除去されて1個の建物となった後に増築されても建物の同一性は保持され，既存登記は物理的変更後の建物を公示しているものとしてその効力を有するとされた事例】

6※4個の区分建物の隔壁が除去されて構造上，利用上1個の区分建物となり，さらに増築等の物理的変動が加えられても，その過程で既存建物が物理的に滅失することなく，同一性を保持して持続している場合は，既存登記による建物の表示は増築等による物理的変更後の既存建物を公示するものとして，なおその効力を有するものと解するのが相当である。(東京地判平成6・9・20，最判平成10・7・16認諾)

第50条（合体に伴う権利の消滅の登記）

❖【合体による登記】規120⑤〜⑨

登記官は，所有権等（所有権，地上権，永小作権，地役権及び採石権をいう。以下この款及び第118条第5項において同じ。）の登記以外の権利に関する登記がある建物について合体

による登記等をする場合において，当該合体による登記等の申請情報と併せて当該権利に関する登記に係る権利の登記名義人（当該権利に関する登記が抵当権の登記である場合において，抵当証券が発行されているときは，当該抵当証券の所持人又は裏書人を含む。）が合体後の建物について当該権利を消滅させることについて承諾したことを証する情報が提供されたとき（当該権利を目的とする第三者の権利に関する登記がある場合にあっては，当該第三者が承諾したことを証する情報が併せて提供されたときに限る。）は，法務省令で定めるところにより，当該権利が消滅した旨を登記しなければならない。

先例

1 ✢合体前の建物についてされた抵当権等に関する登記が存続登記ではないときは，その登記名義人（当該権利が抵当権である場合において，抵当証券が発行されているときは，当該抵当証券の所持人又は裏書人を含む。）が合体後の建物について当該権利を消滅させることを承諾したことを証する情報又は当該登記名義人に対抗することができる裁判があったことを証する情報を提供しなければならない（法第50条，規則第120条第5項第1号）。この場合において，この権利を目的とする第三者の権利に関する登記があるときは，当該第三者が承諾したことを証する情報又は当該第三者に対抗することができる裁判があったことを証する情報を提供しなければならない（規則第120条第5項第2号）。また，消滅に係る権利が抵当証券の発行されている抵当権であるときは，当該抵当証券を提供しなければならない（規則第120条第5項第3号）。
（平成5・7・30民三第5320号通達第6・四・(6)）

第51条（建物の表題部の変更の登記）

❖【表題部の変更の登記】令別表14・15，規121～124・126，準84・93・94

① 第44条第1項各号（第2号及び第6号を除く。）に掲げる登記事項について変更があったときは，表題部所有者又は所有権の登記名義人（共用部分である旨の登記又は団地共用部分である旨の登記がある建物の場合にあっては，所有者）は，当該変更があった日から1月以内に，当該登記事項に関する変更の登記を申請しなければならない。

② 前項の登記事項について変更があった後に表題部所有者又は所有権の登記名義人となった者は，その者に係る表題部所有者についての更正の登記又は所有権の登記があった日から1月以内に，当該登記事項に関する変更の登記を申請しなければならない。

③ 第1項の登記事項について変更があった後に共用部分である旨の登記又は団地共用部分である旨の登記があったときは，所有者（前二項の規定により登記を申請しなければならない者を除く。）は，共用部分である旨の登記又は団地共用部分である旨の登記がされた日から1月以内に，当該登記事項に関する変更の登記を申請しなければならない。

④ 共用部分である旨の登記又は団地共用部分である旨の登記がある建物について，第1項の登記事項について変更があった後に所有権を取得した者（前項の規定により登記を

不動産登記法（51条）

申請しなければならない者を除く。）は，その所有権の取得の日から1月以内に，当該登記事項に関する変更の登記を申請しなければならない。

⑤　建物が区分建物である場合において，第44条第1項第1号（区分建物である建物に係るものに限る。）又は第7号から第9号までに掲げる登記事項（同号に掲げる登記事項にあっては，法務省令で定めるものに限る。次項及び第53条第2項において同じ。）に関する変更の登記は，当該登記に係る区分建物と同じ一棟の建物に属する他の区分建物についてされた変更の登記としての効力を有する。

⑥　前項の場合において，同項に規定する登記事項に関する変更の登記がされたときは，登記官は，職権で，当該一棟の建物に属する他の区分建物について，当該登記事項に関する変更の登記をしなければならない。

先例等

【敷地の分筆による建物所在変更登記の登記原因】
1✛建物の所在地番変更登記申請情報に記録する登記原因の記録は，具体的事由，たとえば「年月日分筆」の振り合いによるのが相当である。（昭和43・11・26大阪法務局市内出張所事務連絡協議会決議）

【同一敷地内の所在変更の取扱い】
2✛建物を同一敷地上の他の場所に曳行移動した場合には建物所在図の訂正の手続に準じて取扱うものとする。（昭和37・7・21民事甲2076号通達）

3✛建物所在図の備え付けられていない地域において，既登記建物を同一敷地内の他の場所にえい行移転した場合には，建物図面の変更の申出によるべきである。なお，かかる場合には，登記記録の表題部には何らの手続を要しない。（登記研究420号122頁）

【建物の種類の変更の登記について】
4✛種類を「居宅・倉庫」として登記された非区分建物の増築により，倉庫の床面積が居宅の床面積を超えた場合であっても，床面積の変更登記のみを申請すれば足り，種類の変更の登記を申請する必要はない。（登記研究585号181頁）

【建物の種類を「認定こども園」と定めることの可否について】
5✛建物の種類を「認定こども園」と定める事ができる。なお，建物の種類を「幼稚園舎」等から「認定こども園」に変更する場合の変更年月日は，「認定子ども園」（編注，就学前の子どもに関する教育，保育等の総合的な提供の推進に関する法律第2条第6項参照）としての認定等がされた日とするのが相当であると考えます。（登記研究810号213頁）

【建物の一部取壊し及び増築により床面積に変更がない場合】
6✛建物の東側の部屋を取り壊し，南側に同規模の部屋を増築，再現したような場合，床面積に変更はないが，「年月日一部取壊し」及び「年月日増築」を登記原因として，変更後の建物図面を提供して，床面積の変更登記をするべきである。（登記研究618号71頁）

【既登記の建物について一部取毀，贈与，増築があった場合の登記申請手続】
7✛既登記の甲名義の建物について一部取毀後その登記をしないまま乙に贈与し，乙が増築した場合の登記の申請手続は，甲から乙に対し贈与による所有権移転の登記の申請及び，乙が一部取毀後に増築したものである旨の所有権証明書を添付して，乙から一部取毀及び増築による建物の表題部の変更の登記申請をすることができる。（登記研究389号123頁）

【既登記建物を数次にわたって増改築した結果，既登記建物部分が存在しなくなった場合の表示の登記】
8✛既登記建物の一部を取り壊して増築したが，その変更の登記をしないまま一定期間利用し，さらに右増築部分を残して既登記建物の部分の全部を取り壊して新たに増築を行った場合には，中間の変動過程を省略して，直接，現在の建物に表題部の変更の登記をすることができる。（登記研究533号153頁）

【主である建物（既登記）を取り壊し，附属建物（既登記）に接して建てられた場合の登記手続】
9✛主である建物（既登記）建物を取り壊し，附属建物（既登記）に接して建てられた場合の登記手続は主たる建物滅失，附属建物を主たる建物とする変更及び増築の登記の申請による。（登記研究403号77頁）

【建物の表題部の変更の登記について】

10✤ 甲建物が物置のみの場合において，居宅を附属建物とする建物の表題部の変更の登記はすることができない。この場合は，居宅を乙建物とする表示の登記をなし，次いで甲建物を乙建物の附属建物とする合併登記によるべきである。(昭和36・9・9民事甲2188号認可，同旨登記研究217号71頁)

【登記の目的の記録について】
11✤ 主である建物の滅失及び附属建物の一部が滅失した旨の登記の申請情報に記録する登記の目的は，個々具体的に記録しても，「建物表題部変更登記」と記録しても差し支えない。(登記研究373号85頁)

【床面積の増加による表題部変更の登記の申請情報と併せて提供する所有権証明情報の要否】
12✤ 増築又は表題部更正による床面積の増加の登記の申請では，当該増加部分が既存建物と構造上一体をなし，区分できないものである場合でも，所有権を証する情報の提供を要する。(昭和37・10・18民事甲3018号回答)

【建物の増築と所有権の帰属について】
13✤ A所有の建物に，Bが増築した場合に（その増築部分は，区分建物としての独立性を有しない。），当該増築後の建物をA・Bの共有とするには，所有権一部移転の登記によるべきである。(登記研究540号170頁)

【表題部変更の登記の受否について】
14✤ 所有権の移転の登記を受ける前，既に増築により床面積が変更されていた建物につき，増築部分について現所有者を所有者とする所有権証明情報を添付して，現所有者からその旨を登記の申請があった場合，受理できる。(登記研究380号79頁)

【遺贈による登記の前提としての不動産の表題部変更登記の申請人について】
15✤ 遺贈による登記の前提としての不動産の表題部変更の登記は，遺言執行者において申請ができる。(登記研究58号31頁)

【抵当権実行のための抵当不動産についての変更・更正登記の代位申請】
16✤ 債務者甲が債務者乙所有の不動産に対し抵当権設定登記をしたのち，その抵当権を実行しようとしたが，不動産の表題部に変更又は更正すべき事項がある場合には，甲はその変更又は更正の登記を代位申請することができる。(大正4・11・6民一701号回答)

【代位原因証書の添付省略】
17✤ 既登記抵当権者が，その抵当物件の所有者に代位してなす不動産の表示変更等の登記申請書には，添付書類欄に「代位原因を証する書面は昭和年月日受付第何号をもって本物件に抵当権設定登記済につき添付省略」と記載して，その代位原因を証する書面の添付を省略して差し支えない。(昭和35・9・30民事甲第2480号回答)

【不動産表示の変更が数回にわたってされている場合の登記手続の簡易化】
18✤ 不動産の表示の変更（分合及び附属建物の新築を除く。）が数回にわたってなされている場合，一個の申請により，直ちに現状に変更の登記をすることができる。なお，この登記の申請書には，登記原因及びその日付を併記するのが相当である。ただし，同種の登記原因（例えば，地目変更又は増築）が数個存するときは，便宜その最後のもののみを記載してさしつかえない。(昭和32・3・22民事甲423号通達)

【建物の構造変更及び増築が数回にわたってされている場合の原因日付】
19✤ 建物の構造変更及び増築が数回わたってされている場合には，当初から現在に至るまでの変更の原因及びその日付を併記すべきである。(登記研究451号123頁)

【附属建物の新築】
20✤ 附属建物新築の登記は，すべて建物の表題部の変更の登記として取扱う。(明治32・8・8民刑1311号回答)

【附属建物の新築の登記がされた場合の抵当権設定登記の効力】
21✤ 抵当権の目的とされ，その設定登記がされている建物につき附属建物新築の登記が行われた場合には，抵当権の効力は，当然にその附属建物にも及ぶ。(昭和25・12・14民事甲3176号通達)

【増築及び附属建物の新築の取扱い】
22✤ 既存の建物に工作を加え床面積を増加した場合は，既存の建物の床面積増加の変更の登記を，建物と建物とを結ぶための渡廊下等を建築した場合は，その建築部分を附属建物として変更の登記をする。(昭和36・1・6民三1276号通知)

【主である建物の新築年月日以前に建築された建物を附属建物とすることの可否】
23✤ 居宅の所有権保存の登記をした後に，当該建物の附属建物として主である建物の新築年月日以前に建築された未登記の建物を附属建物とする表題部の変更の登記の申請をすることができる。(なお，建物の表題の登記及び建物の合併の登記の方式によっても申請することができる。)(登記研究586号187頁)

【附属建物新築の登記の登記原因の記載方法】
24✤ 二棟以上の附属建物の新築の登記の申請が同一の申請書でなされた場合においても，表題部の「原因及びその日付」欄の記載は申請に係るすべての附属建物についてすることを要する。(登記研究288号75頁)

【建物図面の要否】
25✤ 昭和29年に登記された建物について所在地番に変更，更正があった場合の建物の表題部の変更の登記の申請書にも建物図面の添付を要する。(登記研究454号133頁)

不動産登記法（51条）

26✚敷地の分筆又は合筆による建物の所在地番の変更の登記の申請書には，建物図面を添付することを要する。〈登記研究553号134頁〉

【附属建物の符号の再利用】
27✚附属建物の符号の再利用に当たって，既に滅失の登記のされている附属建物の符号を再利用することは相当でない（登記研究394号255頁）

【床面積の変更登記申請情報に提供すべき各階平面図】
28✚建物図面及び各階平面図が登記所に提出されている建物につき，床面積の変更登記申請情報に提供すべき各階平面図は，床面積に変更のない階を含めてすべての階を図示する。（登記研究434号144頁）

【附属建物の新築及び滅失による表題部の変更の登記において，添付する図面等の取扱い】
29✚1　附属建物の新築を申請する場合に，提供すべき各階平面図は，新築にかかる附属建物のみのもので差し支えない。
　　2　附属建物の滅失による表題部の変更の登記を申請する場合には，建物図面及び各階平面図の提供を省略して差し支えない。
（昭和37・10・1民事甲2802号通達）

30✚附属建物の新築の登記を申請する場合，添付情報とすべき建物図面には，当該新築附属建物のみならず既登記の主たる建物及び他の附属建物をも表示すべきである。（登記研究396号104頁）

【2棟の建物を合体して1棟の建物とした場合の登記事務の取扱い】
31✚2棟の建物の中間に増築を行なって，1棟の建物となし，その中間部分に接する障壁を除去した場合には，従前のいずれか一方につき「合体」を原因として，滅失の登記，他の一方につき「増築及び合体」を原因として床面積変更の登記をすることは，手続上許されない（注，双方の建物について，滅失の登記をして，しかる後，建物の合体を原因として，合体後の建物につき，あらためて表示の登記をすべきものとされる）。（昭和40・7・28事甲1717号回答）

【附属建物の合体に係る登記】
32✚主たる建物と附属建物とが合体した場合又は附属建物と附属建物とが合体した場合には，法49条1項は適用がない。この場合には，準則95条の手続をするものとする。（平成5・7・30民三第5320号通達第6・十）

【建物増築附属建物合体登記申請書の添付書類】
33✚建物増築附属建物合体登記の申請には，増築部分についての所有権を証する書面の提供を要するが，所有権の登記ある建物であっても登記済証・印鑑証明書の提供を要しない。（登記研究247号74頁）

【一個の建物が二個の建物となった場合の登記】
34✚一個（一棟）の建物の中間を取り壊し二個の建物とした場合には，床面積変更の登記及び建物の分割の登記をすることができるが，建物の滅失の登記をすべきでない。（登記研究213号67頁）

【区分建物となった旨の表題部の変更登記の登記原因】
35✚既登記の甲建物に増築をなし，その増築部分を区分建物（乙建物）とした場合には，甲建物の所有者から区分建物となった旨の表題部の変更登記を申請する場合の登記原因としては，「区分建物増築」と記載する。（昭和39・5・16民事甲1761号通達）

【建物の増築と所有権の帰属】
36✚A所有の建物を，Bがその権原により増築した場合は，その増築部分が区分建物としての独立性を有しない場合には，当該増築後の建物をA・B共有名義に登記することはできない。（登記研究467号103頁）

37✚A所有の建物に，Bが増築した場合に（その増築部分は，区分建物としての独立性を有しない。）当該増築後の建物をA・Bの共有とするには，所有権一部移転の登記によるべきである。（登記研究540号170頁）

【所有権の更正登記の受否】
38✚A所有建物にBが増築をし，これがA所有建物に附合した場合，このことを理由にA・B共有名義とする所有権の更正登記をすることはできない。（登記研究532号128頁）

【区分された1棟の建物の表題部の変更登記の取扱い】
39✚区分された建物の1棟の建物の表題部の変更又は更正の登記を，その1棟の建物に属する未登記の専有部分の所有者が既登記の専有部分の所有者に代位して申請することはできないが，その専有部分の表題の登記申請書に，1棟の建物の現在の表示をも記載する。この場合は，登記官が職権で変更等の登記をする。（昭和40・4・21民事甲836号回答）

【敷地権の登記をする場合】
〈登記申請手続〉
40✚建物の表題の登記がされた後に敷地権が生じたとき（敷地権が追加的に生じた場合を含む。）は，その建物の表題部所有者又は所有権の登記名義人は，建物の表題部の変更の登記を申請することを要する（法51条第1項）。この場合においては，申請書に当該敷地権の記載をすることを要するが（登記令別表15項・申請情報欄），その記載については，第2の4の1段段に準ずるものとする。（昭和58・11・10民三第6400号通達第5，一・1）

〈敷地権の登記〉
41✚一の1の場合における建物の表題部の変更の登記においては，第3に準じて敷地権を登記することを要する。この場合には，敷地権の登記原因及びその日付として「年月日敷地権」のように記載するものとする。（昭和58・11・10民三第6400号通達第5，二・1）

【敷地権の登記を抹消する場合】

—1044—

42✤建物につき敷地権として登記をした権利が敷地権でない権利となったとき，又はその権利が消滅したときは，建物の表題部所有者又は所有権の登記名義人は，建物の表題部の変更の登記を申請することを要する。（昭和58・11・10民三第6400号通達第6，一・1）

【敷地権に関する変更の登記】

43✤1　敷地権の目的である土地の表題部の変更若しくは更正の登記又は分筆の登記がされたことにより1棟の建物の表題部の「敷地権の目的である土地の表示」欄の記録事項に変更が生じたときは，登記官は，当該変更若しくは更正の登記又は分筆の登記に伴い，2から4までにより建物の表題部の変更の登記をするものとする。

2　敷地権の目的である土地の所在，地番，地目又は地積の変更又は更正の登記をした場合において，1棟の建物の表題部の「敷地権の目的である土地の表示」欄の記録の変更の登記をするときは，最後に記録されている敷地権の目的である土地の表示の欄の次行に，変更に係る敷地権の目的である土地の符号並びに変更後の所在，地番，地目及び地積の全部を記録し，「登記の日付」欄に登記原因及びその日付を「年月日地番変更」のように記録した上，登記の年月日を記録して，従前の表示（ただし，符号を除く。）の全部を抹消するものとする。

3　敷地権の目的である土地の分筆の登記をした場合において，「敷地権の目的である土地の表示」欄の記録の変更の登記をするときは，最後に記録されている敷地権の目的である土地の表示の欄の次行に，分筆後の各土地ごとに1行を用い，各土地の所在，地番，地目及び地積並びに土地の符号を記録し，「登記の日付」欄に登記原因及びその日付としてそれぞれ「年月日何番を分筆」のように記録した上，登記の年月日を記録して，従前の表示（ただし，符号を除く。）の全部を抹消するものとする。

この場合における土地の符号は，分筆後の土地の一筆については従前の土地の符号と同一の符号を，その他の土地については新たに付した符号を用いるものとする。

（昭和58・11・10民三第6400号通達第7，二・1～3）

【敷地権の目的である土地の分筆に伴い敷地権の表示の変更の登記をする場合の原因日付について】

44✤敷地権の目的である土地の分筆の登記により分筆後の土地に区分建物が存しなくなったためみなし規約敷地となった場合において，当該区分建物の「敷地権の表示」欄の記載の変更の登記をするときの原因日付は，分割前の敷地権発生の日を記載すべきである。（登記研究583号215頁）

【昭和58年度全国首席登記官会同における質疑応答】
〈質疑〉

45✤第六・56　敷地権が生ずる前に抵当権が設定されている土地について，執行裁判所の競売による売却許可決定により買受人に所有権が移転した。
　　この場合における敷地権の登記を抹消する建物表題部変更登記申請時に，法51条1項に規定する者からなされないときは，買受人から代位して申請することができるものと考えるがどうか。
〈回答〉
　意見のとおり。

〈質疑〉
46✤第六・58　敷地権の消滅による表題部の変更の登記は，敷地権の消滅の登記を経た上でなければすることができないか。
〈回答〉
　できない。

〈質疑〉
47✤第六・61　「非敷地権」とは敷地権が敷地権でない権利となった場合で規約敷地と定めた規約の廃止，分離処分可能規約の設定をいい，「敷地権消滅」とは，地上権の消滅，賃借権の消滅であると解してよいか。
　なお，建物の滅失の場合は，敷地権の表示欄に原因及びその日付を記録しなくてよいか。
〈回答〉
　本文，なお書ともに意見のとおり。

【昭和59年度全国首席登記官会同における質疑応答】
〈質疑〉
48✤第五・22　登記した賃借権が敷地権となっている土地の所有権を賃借権者が取得したのち，解除を原因として賃借権を抹消し，所有権を敷地権とする場合の敷地権発生の日は，賃借権を解除した日と解して差し支えないか。
〈回答〉
　意見のとおり。

〈質疑〉
49✤第七・25　敷地権の目的である土地を分筆して，国土交通省が道路として買収するには，分筆した土地につき分離処分可能規約を設定し，区分建物の表題部変更の登記（敷地権の抹消）をしなければならないが，同区分建物表題部変更の登記を建設省（国土交通省）は代位によりすることができると考えるがどうか。
〈回答〉
　意見のとおり。
　なお，代位原因証明情報は，分離処分可能規約付きの売買契約を証する情報である。

　判例

【建物の増築部分の独立性の有無】
1※建物の増築部分は，別個建物としての独立性を有しない。かりに，増築部分が独立建物と同一の経

済上の効用を有するとしても、既設部分が経済上の独立性を失う場合は、増築部分をもって独立の建物とすることはできない。本来独立建物としての適格性のないものは、登記によって適格性を具有するいわれはない。(最判昭31・10・9)

【増築された2階部分の区分性を否定した事例】
2※建物の賃借人が賃貸人兼所有者の承諾を得て賃借建物の上に2階部分を増築した場合において、右2階部分から外部への出入りにつき賃借建物内の6畳間の中にある梯子段を使用するしか方法がないときは、右2階部分につき独立の登記がされていても、その2階部分は、区分所有権の対象たる部分にはあたらない。(最判昭44・7・25)

【賃借人が承諾を得て建物に改造工事を加えた場合の所有権の帰属】
3※賃借人が賃貸建物の一部を所有者の承諾を得て改築(増築)した場合において、賃借人の材料を使用し、その費用をもって築造したものとしても、改築部分の洗場は権原によって附属させたものではなく、浴場の構成部分として、他の部分と不可分の一体をなし、独立して使用することはできないのであるから、建物全体が賃貸人たる建物所有者の所有に帰属する。(大判大5・11・29)

【構造の変更による建物の表示の変更の登記】
4※既登記建物の構造に変更を生じ登記簿上の表示が現況と符合しなくなったときは、現況と符合させるために変更登記を申請すべきである。(大判大6・10・11)

【建物えい行移転と登記能力】
5※建物を同番地内のある箇所より他の箇所に曳行し、その内部の構造に少しばかりの変更を加えたるに止まり、全然これを取毀したものでもなく、また別個の建物たるべき改築を施したるものでないときは、その建物は前後を通じて土地に定着するものにして、一時ある地点と分離したるがため、その本質たる不動産性を喪うものではない。(大判大7・2・27民録24-373)。

【一部取壊し・曳行移転による建物の同一性の有無と登記】
6※建物の一部を取り壊し、曳家によって他の土地に移動させても、建物は同一性を失わないので、その建物の滅失の登記をすべきではなく、所在、地番及び床面積の変更の登記をすれば足りる。(大判昭12・6・30)

【曳行移転・改造と建物の同一性】
7※既存建物の位置を四、五間移動させ、その内部の間取り他に相当大規模な改造を加えても、建物の同一性を失わない。(大阪高判昭29・3・25)

8※既登記の建物を曳行移転・改造しても、建物の同一性を失わない。(最判昭31・7・20)

【建物の増築による附合の基準】
9※建物の増築部分が独立の建物と同一の経済上の効力を全うし得る場合以外に、附合を生ずる。その判断に当たっては、社会通念上の経済利用の独立性の有無を基準とすべきである。(最判昭35・10・4)

【建物の増改築と建物の同一性】
10※一般に建物がその同一性を失うのは、既存建物の全部又はその大部分を取り壊して新たな建築をなした場合であって、単に朽廃した建物部分をあらたなる材料で補強しあるいは取替え、若しくは多少の増築をなしたのみではその同一性を変ずるものではないと解する。(奈良地判昭38・7・24)

【既存の建物に加えられた築造部分の一体性の判断基準】
11※一般に、建物に加えられた築造が従前の建物と一体となって全体として一個の建物を構成するか、あるいは、建造部分が従前の建物とは別個独立の建物となるかは、単に建物の物理的構造のみからこれを決すべきではなく、取引または利用の対象として観察した建物の状況もまた勘案しなければならない。(最判昭39・1・30)

【増築部分の独立性を判断する基準】
12※既存建物に増築が行われた場合、当該増築部分が独立した別個の建物になっているか否かは社会通念に従って判定すべきものとされるが、この判定は、既存建物と増築部分の全体としての基本的構成、その接着状況等につき客観的に観察したところを標準とすべきものであり、これ等を利用するものの主観的な使用状況についての見解を標準とすべきものではない。(仙台高判昭39・11・30)

【建物の増改築と建物の同一性】
13※旧建物は、その相当部分が取り壊されても、既存の建物が改造工事の過程で社会通念上独立した建物としての機能を失わず、新たな建物の主である部分を構成している限り、増築部分は既存の建物に付合(民法242条)したものとみなされ、建物としての同一性が認められる。(最判昭44・3・25)

【建物の同一性の有無の判断】
14※建物につき改造が施され、物理的変化が生じた場合、新旧の建物の同一性が失われたか否かは、新旧の建物の材料、構造、規模等の異同に基づき社会観念に照らして判断すべきであり、建物の物理的変化の程度によっては、新旧の建物の同一性が失われることもあり得る。(最判昭50・7・14)

【数次の改築工事と建物の同一性の判断】
15※建物について数次の改築工事が行われた場合に、建物としての同一性の有無は工事ごとにそれにより生じた物理的変化の程度によって連鎖的に判断すべきものであるから、右各工事の結果、最終的に建物全体が更新されたからといって、右各工事を包括的にとらえて旧建物が滅失したとし、新建物との同一性を否定することは相当でない。(東京地判昭55・11・13)

【民法242条（不動産の付合）ただし書の規定の趣旨】
16❖増築部分が取引上既存建物と別個の所有権の対象となり得べきものであるからといって，ただそれだけの理由によって既存建物所有者が付合による増築部分の所有権を取得するのを妨げるものではない。蓋し，民法242条ただし書は付合物が取引上独立性を有する場合においても，権原によって付属せしめられた場合に限り，これを付属せしめた者に付合物に対する所有権を保留せしめる趣旨と解すべきであるからである。（最判昭和28・1・23）

【抵当権設定後に登記された附属建物と抵当権の効力の追及】
17❖同一登記用紙に記載された附属建物は，主たる建物と一体をなし1個の建物とみなされるので，主たる建物に設定された抵当権の効力は，設定行為に別段の定めがない限り，原則として，抵当権設定後に附属された建物に及ぶ。（大判昭和9・3・8）

【敷地権である旨の登記の抹消請求権の可否】
18❖敷地権たる旨の登記の抹消は登記官が職権で行うものであるから，抹消請求権は認められない。（神戸地判平成4・10・6）

■第52条（区分建物となったことによる建物の表題部の変更の登記）

① 表題登記がある建物（区分建物を除く。）に接続して区分建物が新築されて一棟の建物となったことにより当該表題登記がある建物が区分建物になった場合における当該表題登記がある建物についての表題部の変更の登記の申請は，当該新築に係る区分建物についての表題登記の申請と併せてしなければならない。
② 前項の場合において，当該表題登記がある建物の表題部所有者又は所有権の登記名義人は，当該新築に係る区分建物の所有者に代わって，当該新築に係る区分建物についての表題登記を申請することができる。
③ いずれも表題登記がある二以上の建物（区分建物を除く。）が増築その他の工事により相互に接続して区分建物になった場合における当該表題登記がある二以上の建物についての表題部の変更の登記の申請は，一括してしなければならない。
④ 前項の場合において，当該表題登記がある二以上の建物のうち，表題登記がある一の建物の表題部所有者又は所有権の登記名義人は，表題登記がある他の建物の表題部所有者若しくは所有権の登記名義人又はこれらの者の相続人その他の一般承継人に代わって，当該表題登記がある他の建物について表題部の変更の登記を申請することができる。

❖【建物が区分建物となった場合の登記等】規140

先例
【区分への登記用紙の移記等】
1❖既登記の甲建物に区分所有権の目的たる乙建物を増築した場合には，乙建物について区分建物の表示の登記をしたうえ甲建物の登記を不動産登記規則140条第2項の規定により新登記記録に移記する。甲建物の所有者から区分建物となった旨の表題部の変更の登記を申請する場合の登記原因は「区分建物増築」と記載する。（昭和39・5・16民事甲1761号通達）

【増築区分等による建物の表題部の変更の登記】
2❖1 非区分建物に接続して区分建物が新築されて1棟の建物となったことによる建物の表題部の変更の登記の申請は，新築に係る区分建物についての表題登記の申請と併せてしなければならない（法第52条第1項）。また，表題登記がある二以上の非区分建物が，増築等により相互に接続して区分建物になった場合における各建物の表題部の変更の登記の申請は，一括してしなければならない。（法第52条第3項）

不動産登記法（53条）

この場合の併せて又は一括してする申請については，第2の一の3に準じて取り扱うものとする。

2　1の場合においては，非区分建物の表題部所有権の登記名義人は，新築に係る他の建物の所有者に代位して建物の表題登記を申請することができる（法第52条第2項）し，他の建物の表題部所有者若しくは所有権の登記名義人又はこれらの者の相続人その他の一般承継人に代位して建物の表題部の変更の登記を申請することができる。（法第52条第4項）

この場合の代位登記については，第2の二の2及び3に準じて取り扱うものとする。
（昭和58・11・10民三第6400号通達第7，一・1・2）

【実例】
【敷地権の抹消をしたときの抵当権設定の登記の「建物のみに関する」旨の付記の抹消の要否】
3 ✤区分建物の表題部の変更の登記により敷地権の抹消をしたときは，当該建物にされている抵当権設定の登記の「建物のみに関する」旨の付記を抹消

すべきである。（登記研究581号145頁）

（判例）
【既存の建物に加えられた築造部分の一体性の判断基準】
1 ※一般に，建物に加えられた築造が従前の建物と一体となって全体として1個の建物を構成するか，あるいは，建造部分が従前の建物とは別個独立の建物となるかは，単に建物の物理的構造のみからこれを決すべきではなく，取引または利用の対象として観察した建物の状況もまた勘案しなければならない。（最判昭和39・1・30）

【増築部分の独立性を判断する基準】
2 ※既存建物に増築が行われた場合，当該増築部分が独立した別個の建物になっているか否かは社会通念に従って判定すべきものとされるが，この判定は，既存建物と増築部分の全体としての基本的構造，その接着状況等につき客観的に観察したところを標準とすべきものであり，これ等を利用するものの主観的な使用状況についての見解を標準とすべきものではない。（仙台高判昭和39・11・30）

■第53条（建物の表題部の更正の登記）

❖【表題部の更正の登記】規126
【申請・添付情報】令別表14・15

① 第27条第1号，第2号若しくは第4号（同号にあっては，法務省令で定めるものに限る。）又は第44条第1項各号（第2号及び第6号を除く。）に掲げる登記事項に関する更正の登記は，表題部所有者又は所有権の登記名義人（共用部分である旨の登記又は団地共用部分である旨の登記がある建物の場合にあっては，所有者）以外の者は，申請することができない。

② 第51条第5項及び第6項の規定は，建物が区分建物である場合における同条第5項に規定する登記事項に関する表題部の更正の登記について準用する。

先例等
【誤って1棟の建物として登記された区分所有の目的である建物の登記について】
1 ✤区分建物の各専有部分につき，誤って各1棟の建物として登記がなされている場合は，申請又は職権により，区分建物でないものが区分建物になった場合の表題部の更正の登記の手続に準じて行うものとされる。（昭和39・9・12民事甲3027号回答）

【建物の所在の大字名を誤ってした保存登記の更正登記の可否】
2 ✤建物の保存の登記の申請の際の錯誤により，その所在する大字名が間違ってされた登記が存在するところ，正しい大字名を表示して裁判所から仮差押えの登記の嘱託があり，当該建物は未登記と解

して職権により保存登記の上仮差押登記をした場合，先にされた錯誤の表示による保存登記は，申請により抹消すべきであり，建物の表題部の更正の登記はすることができない。（昭和31・8・2民事甲1666号回答）

【地番区域を異にする建物の所在及び地番の訂正】
3 ✤既登記建物が地番区域を異にする所在，地番で表示されている場合，その表示の所在，地番の土地が実在の所在，地番の隣接地に当たる等の事情にあるときは，便宜，これを実在の所在，地番に更正することができる。（昭和43・9・26民事甲3083号回答）

【先取特権の保存の登記のされた建物の所在地番の更正の登記の可否】
4 ✤地番区域内に実在しない地番を表示してした不動

産工事の先取特権保存の登記のあるものにつき，実在の所在，地番を表示して未登記不動産として裁判所の処分制限の登記の嘱託があり，その結果，当該先取特権の登記のされた登記記録とは別個に登記記録が設けられた場合において，当該先取特権の登記について，所在地番を更正する登記申請は，受理すべきでない。(昭和45・4・21民事甲1757号回答)

【所有権保存登記の前提としての建物の所在の更正登記の要否】

5✛建物の所在地番の表示がされていない建物につき，所有権保存登記を申請する場合，その前提として，所在地番を表示する建物の所在の更正の登記を必要とする。(登記研究456号127頁)

【建物の表示の更正の登記の要否】

6✛建物の種類又は構造の表示が遺漏している登記簿について権利に関する登記を申請する場合には，その前提として，建物の表題部の更正の登記を申請することを要する。(登記研究428号138頁)

【床面積の増加と所有権を証する書面の添付の要否】

7✛建物の床面積増加による更正登記の申請書には，申請人の所有権を証する書面の添付を要する。(登記研究182号172頁)

【抵当権設定の登記がされている建物の所在の更正の登記の申請と抵当権者の承諾証明情報の添付の要否】

8✛抵当権設定の登記がされている建物の所在の更正の登記の申請は，当該抵当権者の承諾証明情報の添付の有無にかかわらず，更正の登記の前後における建物の同一性が認められる限り，できる。(登記研究380号81頁)

【建物の表題部の更正の登記】
〈敷地権を登記する場合〉

9✛1　敷地権があるのにその登記をしないで建物の表題登記がされている場合において，表題部所有者又は所有権の登記名義人が建物の表題部の更正の登記を申請するときは，敷地権の目的となる土地の所在する市，区，郡，町，村及び字並びに当該土地の地番，地目及び地積，敷地権の種類及び割合，敷地権の登記原因及びその日付，当該土地の符号を申請情報の内容としなければならない(令別表第15項・申請情報欄イ，ロ，ハ，規則第34条第1項第5号)。この場合の添付情報については，令別表第15項・添付情報欄イ，ニ，ホ・(1)，(2)の規定が適用される。

2　1の場合における建物の表題部の更正の登記においては，第5の二に準じて敷地権を登記しなければならない。ただし，区分建物の表題部の「敷地権の表示」欄の「原因及びその日付」欄には，「錯誤　年月日敷地権」のように記録するものとする。(昭和58・11・10民三第6400号通達第8，一・1・2)

〈敷地権の登記を抹消する場合〉

10✛1　敷地権として登記した権利が敷地権でなかったことによる建物の表題部の更正の登記の申請手続については，第6の一の2から6までに準じて取り扱うものとする。

2　1による建物の表題部の更正の登記においては，第6の二に準じて敷地権の登記を抹消しなければならない。ただし，区分建物の表題部の「敷地権の表示」欄の当該敷地権の表示の「原因及びその日付」欄には，「錯誤」と記録するものとする。(昭和58・11・10民三第6400号通達第8，二・1・2)

〈その他の場合〉

11✛1棟の建物の表題部の「敷地権の目的である土地の表示」欄の記録事項に錯誤があったことによる建物の表題部の更正の登記をするときは，登記原因を「登記の日付」欄に「錯誤」と記録するほか，第7の二の2に準じて取り扱うものとする。(昭和58・11・10民三第6400号通達第8，三)

【昭和58年度全国首席登記官会同における質疑応答】
〈質疑〉

12✛第五・55　敷地権の割合を床面積割で算出したが，後日，床面積の更正があったときは，敷地権の割合を更正すべき場合に該当するか。床面積が変更した場合はどうか。

〈回答〉
前段　意見のとおり
後段　更正すべき場合に該当しない。

【昭和59年度全国首席登記官会同における質疑応答】
〈質疑〉

13✛第八・29　敷地権の割合を誤って表題登記をした場合(保存登記は未了)において，規約証明情報及び登記申請情報の記録がいずれも誤っている場合には，更正後の規約証明情報を提供して申請者から敷地権の更正登記の申請をすることはできないか。

前記の場合において，冒頭省略の保存登記及び抵当権の登記がされた後の更正登記の申請手続について

(1)規約証明情報の記録は正しいが，登記申請情報の記録が誤っている場合，所有者全員の敷地権の更正の登記申請により処理できないか。

(2)規約証明情報及び登記申請情報の記録が誤っている場合，更正後の規約証明情報を提供して申請者から敷地権の更正登記の申請をすることができないか。

〈回答〉
前段　原則として表題部の更正手続によることはできない。
後段　いずれも権利の更正に当たるので，表題部の更正手続によることはできない。

〈質疑〉

14✛第八・30　敷地権の割合を，専有部分の床面積を

不動産登記法（53条）

基礎として定めてある場合においても，専有部分1個のみの床面積の変更又は更正の登記は受理せざるを得ないものとされている。
　しかし，他の専有部分の敷地権の割合への影響もあり，かつ公示上も好ましくないと考えるが，申請方式，添付情報の面で対応策を考える必要はないか。
〈回答〉
　後発的に床面積が変更しても敷地権の割合には影響はないが，当初から床面積の表示が誤っていた場合は，理論的には意見のとおりと考えられるので，床面積を基礎とする場合でも，規約を設定することが望ましい。

【登記原因及びその日付の更正の登記】
15✚不動産の表示に関する登記の登記原因及びその日付に錯誤又は遺漏がある場合には，不動産の表題の登記の更正の登記に準じ更正の登記をすることができる。（昭和36・7・20民事甲1722号回答）

【誤った床面積の割合によって敷地権の割合が登記されている場合の建物の表示の更正の登記の登記手続について】
16✚（平成8・3・18民三第563号通達参照）

(判例)

【事実と符合しない建物の登記の効力】
1※登記の内容が真実と多少相違しても，当該建物と認め得るときは有効であり，更正登記をすることができるが，甚だしく相違するときは更正登記をしても効力を有しない。（大判昭和6・12・22）

【更正登記が許容される否かの判断基準】
2※更正前の登記と更正後の登記との間に同一性が失われる場合には，更正の登記は許されない。（最判昭和50・10・29）（後掲名古屋高判昭和49・7・19の上告審判決）
3※不動産の表示の更正の登記は，登記に錯誤又は脱漏があるすべての場合に許されるものではなく，更正前の登記と更正後の登記を比較してみて，表示された不動産の同一性に変更がないと認められる場合にのみ許される。（名古屋地判昭和47・2・8）

【所在地番に錯誤又は遺漏がある建物登記の借地権の対抗力】
4※錯誤又は遺漏により，建物所在の地番の表示において実際と多少相違していても，建物の種類・構造・床面積等の記載と相まって，その登記の表示全体において，当該建物の同一性を認識し得る場合には，当該借地権は対抗力を有するものと解するのが相当である。（最大判昭和40・3・17）

【建物の同一性が認められなかった事例】
5※1　「2丁目41番の5」に存在する建物につき，その敷地地番を「1丁目41番の5」と表示してなされた所有権の登記は，付近に類似の地番が多数存在し，また，表示された地番のあたり一帯に同種同等の建物が多数存在する状況のもとでは，建物の同一性が認められず，無効の登記というべきである。
2　建物の表題部更正の登記が許されるのは，更正登記の前後を比較して建物の同一性が認められる場合に限られ，建物の登記の内容に実在の建物と著しく相違するところがあるときは，後日更正登記をしても，その登記は無効である。（大阪高判昭和28・3・31）

【敷地地番が誤っている場合の登記の効力と更正登記の可否】
6※1　不動産の表示に関する登記は，現況に精密に反映していなければその登記はすべて無効になると解すべきではなく，その表示に錯誤又は遺漏がある場合にも，その表示自体によって客観的に当該不動産を特定し得る限り，その登記は有効である。
2　所在地番は，当該建物を特定するについて不可欠な要素というべきであるから，その誤りが一見して明瞭であるような場合を除いては，実在の建物の所在とは異なる所在地番を表示してなされた登記は無効である。
3　建物の実在の所在地番から約150ないし180メートル離れた地番を所在地番としてなされた建物の登記は無効であり，その所在地番を更正したものとしても，右更正登記の前後において表示された建物には，客観的に同一性を認めることはできないから，右更正登記も無効である。（横浜地判昭和46・10・21）

【建物の表題部更正登記が許される場合】
7※建物の同一性が認められない程度に錯誤遺漏が重大な場合に，その表題部更正登記が許されるのは，他に同一建物について別個の保存登記が存しない場合，その他第三者に不測の損害を被らせるおそれのない場合に限られる。（津地判昭和38・12・12）

【建物の所在地番の更正登記の許容基準，地番が架空である場合の登記の可否】
8※1　元来登記されている建物の所在の表示は，建物の種類，構造，床面積とともに建物を特定するための資料となるものであるが，特に所在の表示の資料としての価値は重要であり，換言すれば所在地番によって示された敷地の上に当該建物が存在しないときは，その建物の登記はすべて無効であるといっても差し支えないほどである。このことは，近時の大都会におけるように同一規格の建物が軒を連ねて密集している状況においては，甲の建物を乙の建物から区別する基準はただその所在地番のみである（逆にいえば，所在地番を変更することによりまったく別個の建物を表示することになる。）ということに照らしても是認されるところである。しかしながら，全国的には，いまだに，判例に示すように，「建物の所在地番の表示が実際と多少

相違し軽微な誤りといえるものが存在していても，建物の種類，構造，床面積等の記載と相まちその登記の表示全体において当該建物の同一性を認識しうる」（最大判昭和40・3・17）場合も存するのであるが，このような場合において，建物所在の地番に誤りがあるにもかかわらず当該建物に同一性が認められるとして地番の更正を許すには，更正の前後における各地番の表示する場所が極めて近接していることを必要とするといわなくてはならない。したがって，たとえ連続した地番であっても遠く離れている場合には，同一性が認められず，更正は許されないことになるし，所属の字を異にした地番であってもこれが隣り合わせに存在しているような場合には更正が許されるということになるであろう。そして，更正の前後における各地番の表示する場所がどのくらい離隔していればもはや更正が許されなくなるかは，具体的場合により登記官の判断にまつ外はない。

2　建物（ホテル）を新築しようとする場合において，その不動産工事の先取特権保存の登記を申請するにあたり，申請書に掲げるべき「建物ヲ新築スベキ郡，市，区，町村，字，地番」の表示を「字蔵王1番地1」とすべきを，誤って「字蔵王51番地1」と，記載したため（同字には，1番から14番までの地番しかない），その不実の所在地番をもって登記が行われたような場合には，その登記が架空の所在地番をもってされた無効の登記である以上，もはや当事者において登記の所在地番の更正登記をすることは，許されない。（名古屋高判昭和49・7・19）

【専有部分として表題登記及び所有権保存登記された建物部分の全部又は一部が法定共用部分に当たる場合の登記の是正方法】

9※専有部分としての表題の登記及び所有権保存登記された建物の1個の全部が法定共用部分である場合，表題登記の抹消は，通常，登記官に対し職権の発動を促すことにより実現可能であるから，保存登記の抹消のほかに表題登記の抹消を命ずる必要はない。建物部分の一部が法定共用部分にあたる場合は，実体の齟齬する限度において表題登記を更正するのが相当である。（東京地判平成元・10・19）

第54条（建物の分割，区分又は合併の登記）

① 次に掲げる登記は，表題部所有者又は所有権の登記名義人以外の者は，申請することができない。

一　建物の分割の登記（表題登記がある建物の附属建物を当該表題登記がある建物の登記記録から分割して登記記録上別の一個の建物とする登記をいう。以下同じ。）

二　建物の区分の登記（表題登記がある建物又は附属建物の部分であって区分建物に該当するものを登記記録上区分建物とする登記をいう。以下同じ。）

三　建物の合併の登記（表題登記がある建物を登記記録上他の表題登記がある建物の附属建物とする登記又は表題登記がある区分建物を登記記録上これと接続する他の区分建物である表題登記がある建物若しくは附属建物に合併して1個の建物とする登記をいう。以下同じ。）

② 共用部分である旨の登記又は団地共用部分である旨の登記がある建物についての建物の分割の登記又は建物の区分の登記は，所有者以外の者は，申請することができない。

③ 第40条の規定は，所有権等の登記以外の権利に関する登記がある建物についての建物の分割の登記又は建物の区分の登記をするときについて準用する。

❖【建物の分割の登記】規84・127・128・135・136・139，準96・100【建物の区分の登記】規84・129・130・137・138，準97，【建物の合併の登記】令8①三・②三，規132～139，準98～100【共用部分である旨の登記がある建物の分割】規142【申請・添付情報】令別表16【一の申請情報】規35

先例等
【不動産の一部の賃借権登記】

1 ※不動産の一部について賃借権の設定登記を申請するには，その部分に関し分割または区分による登記をした後でなければ，することができない。（昭和30・5・21民事甲972号通達）

【建物の一部が二重登記となっている場合の処理について】
2 ✤区分建物の一部につき表題登記及び甲名義に保存登記をした後，誤ってその建物につき1個の建物として表題登記及び乙名義に保存登記がなされた場合は，後になされた登記記録について重複部分と，その他の部分に区分の登記をしたうえ二重登記を原因として重複部分の表題部の登記を職権で抹消する。(昭和40・3・23民事甲623号通達)

【附属建物を真正なる所有権名義とするための登記手続】
3 ✤甲所有の建物が乙名義で乙所有の工場の附属建物として所有権保存登記がされている場合には，甲は，乙に対し上記附属建物について所有権の登記の抹消を請求し，その勝訴の判決に基づいて，主である建物（工場）から当該附属建物を分割し，所有権の登記を抹消すべきである。(昭和41・12・13民事甲3400号回答)

【間貸のための区分の登記の可否】
4 ✤間貸について賃借権設定登記をする前提として，1棟の建物の区分の登記をすることはできない。(登記研究152号50頁)

【遺言執行者からする区分の登記】
5 ✤非区分建物として登記されている1棟の建物のうち，物理的構造において区分建物の専有部分としての要件を備えている部分を遺贈する旨の遺言があった場合には，所有権の移転の登記の前提として，遺言執行者から建物の区分の登記を申請することができる。(登記研究670号209頁)

【管轄登記所を異にする建物分割・合併について】
6 ✤A建物の附属建物Bを分割し，それを管轄登記所を異にするC建物に合併する建物の分割・合併の登記は，1件で申請することはできない。(登記研究415号118頁)

(登記申請手続)
【区分建物の分割の登記の申請書の記載事項】
7 ✤敷地権の表示を登記した甲区分建物から同一の一棟の建物に属する敷地権の表示を登記した附属建物を分割して乙区分建物とする登記の申請書には，敷地権の表示を記載することを要する。(登記研究535号176頁)

【建物の合併又は分割に伴う建物の所在の変更の取扱い】
8 ✤所在の異なる建物を合併し又は所在の併記されている建物を分割する登記をする際には，現在の所在地番を記載し，所在変更の旨の記録を要しない。(昭和31・2・27民事甲398号回答)

【敷地権の登記原因の日付】
9 ✤非区分建物を区分した場合，敷地権の表示の登記原因の日付は，区分した建物を第三者に売却した日又は区分の登記を申請した日のいずれか早い日である。(登記研究522号159頁)

【非区分建物の区分の登記】
10 ✤1 非区分建物の区分の登記の申請については，第2の四及び5の手続に準じて取り扱うものとする（令別表第16項・申請情報欄・添付情報欄）。
  2 非区分建物の区分により敷地権が生じた場合における敷地権の登記については，第3に準じて取り扱うものとする。
(昭和58・11・10民三第6400号通達第9，一・1・2)

【区分建物の再区分の登記】
11 ✤敷地権を登記した建物の区分（再区分）の登記を申請するときは，区分後の各建物に係る敷地権の目的となる土地の所在する市，区，郡，町，村及び字並びに当該土地の地番，地目及び地積，敷地権の種類及び割合，敷地権の登記原因及びその日付，当該土地の符号を申請情報の内容とすることを要し（令別表第16項・申請情報欄ロ・(1)～(3)，規則第34条第1項第5号），また規約割合を定めた規約があるときは，その規約を設定したことを証する情報を添付情報として提供しなければならない（令別表第16項・添付情報欄ハ・(2)）。(昭和58・11・10民三第6400号通達第9，二)

【区分建物の合併の登記】
12 ✤1 敷地権を登記した建物の合併の登記を申請する場合において，合併後の建物について敷地権があるときは，その敷地権の目的となる土地の所在する市，区，郡，町，村及び字並びに当該土地の地番，地目及び地積，敷地権の種類及び割合，敷地権の登記原因及びその日付，当該土地の符号を申請情報の内容としなければならない（令別表第16項・申請情報欄ロ・(1)～(3)，規則第34条第1項第5号）。(昭和58・11・10民三第6400号通達第10，一)

【1棟の建物の各階平面図の提供の要否】
13 ✤区分建物（専有部分）の登記の申請情報には，その区分建物に関する各階平面図の提供を要するが，その区分建物の属する1棟の建物の各階平面図の提供を要しない。(昭和39・8・7民事甲2728号回答)

【職権による信託目録の作成】
14 ✤信託の登記ある建物を分割又は区分の登記をする場合は，登記官が職権で，信託目録と同一の情報を作成し，これを分割又は区分後の建物の信託目録とする。(昭和42・6・19民事甲1927号回答)

判例
【区分された部分を登記前の所有権移転の可否】
1 ※1棟の建物であっても，所有者がこれを区分したときは，その区分登記前であってもその区分された部分の所有権を移転することができる。(大判昭和4・2・15)

【建物の合併の登記】
2 ※実体法上数個の建物であっても，登記手続上は，

1個の建物として適法に合併登記手続をすることができる。(最判昭和44・11・13)

【主たる建物の登記のみが無効である場合の登記手続】

3 ※主たる建物の登記部分のみが無効である場合は、主たる建物と附属建物とを分割する登記手続を履(ふ)んだ上で、主たる建物のみの所有権保存登記の抹消を許すべきである。(最判昭和38・5・31)

【構造上・利用上の独立性のある建物の部分に賃借権が設定されたがその登記は建物全部についてされている場合とその登記の是正方法】

4 ※1棟の建物のうち構造上及び利用上の独立性のある建物部分に賃借権が設定されたが、賃借権設定登記は建物全部についてされている場合には、本件事実関係のもとにおいては、まず、右登記の抹消(更正)登記手続請求を認容すべき範囲が存するものというべきである。

けだし、右登記は右建物部分に関する限り有効であるから、甲は、右登記全部の抹消登記手続を請求することは許されないが、右1棟の建物を右建物部分と残余の部分とに区分する登記を経た上、残余の部分のみについて乙の賃借権設定登記の抹消登記手続をすることができるからである。(最判平成7・1・19)

第55条（特定登記）

❖【特定登記に係る権利の消滅の登記】規125

① 登記官は、敷地権付き区分建物（区分建物に関する敷地権の登記がある建物をいう。第73条第1項及び第3項、第74条第2項並びに第76条第1項において同じ。）のうち特定登記（所有権等の登記以外の権利に関する登記であって、第73条第1項の規定により敷地権についてされた登記としての効力を有するものをいう。以下この条において同じ。）があるものについて、第44条第1項第9号の敷地利用権が区分所有者の有する専有部分と分離して処分することができるものとなったことにより敷地権の変更の登記をする場合において、当該変更の登記の申請情報と併せて特定登記に係る権利の登記名義人（当該特定登記が抵当権の登記である場合において、抵当証券が発行されているときは、当該抵当証券の所持人又は裏書人を含む。）が当該変更の登記後の当該建物又は当該敷地権の目的であった土地について当該特定登記に係る権利を消滅させることを承諾したことを証する情報が提供されたとき（当該特定登記に係る権利を目的とする第三者の権利に関する登記がある場合にあっては、当該第三者が承諾したことを証する情報が併せて提供されたときに限る。）は、法務省令で定めるところにより、当該承諾に係る建物又は土地について当該特定登記に係る権利が消滅した旨を登記しなければならない。

② 前項の規定は、特定登記がある建物について敷地権の不存在を原因とする表題部の更正の登記について準用する。この場合において、同項中「第44条第1項第9号の敷地利用権が区分所有者の有する専有部分と分離して処分することができるものとなったことにより敷地権の変更の登記」とあるのは「敷地権の不存在を原因とする表題部の更正の登記」と、「当該変更の登記」とあるのは「当該更正の登記」と読み替えるものとする。

③ 第1項の規定は、特定登記がある建物の合体又は合併に

より当該建物が敷地権のない建物となる場合における合体による登記等又は建物の合併の登記について準用する。この場合において，同項中「第44条第1項第9号の敷地利用権が区分所有者の有する専有部分と分離して処分することができるものとなったことにより敷地権の変更の登記」とあるのは「当該建物の合体又は合併により当該建物が敷地権のない建物となる場合における合体による登記等又は建物の合併の登記」と，「当該変更の登記」とあるのは「当該合体による登記等又は当該建物の合併の登記」と読み替えるものとする。
④　第1項の規定は，特定登記がある建物の滅失の登記について準用する。この場合において，同項中「第44条第1項第9号の敷地利用権が区分所有者の有する専有部分と分離して処分することができるものとなったことにより敷地権の変更の登記」とあるのは「建物の滅失の登記」と，「当該変更の登記」とあるのは「当該建物の滅失の登記」と，「当該建物又は当該敷地権の目的であった土地」とあるのは「当該敷地権の目的であった土地」と，「当該承諾に係る建物又は土地」とあるのは「当該土地」と読み替えるものとする。

【先例】
【敷地権である旨の登記の抹消】
1❖二の1又は3の手続をしたときは，当該敷地権の目的である土地についてした敷地権である旨の登記を抹消しなければならない。（規則第124条第1項）
　　この場合には，何番の登記を敷地権の変更の登記により抹消する旨及び登記の年月日を記録して，敷地権である旨の登記を抹消するものとする。（昭和58・11・10民三第6400号通達第6，三）
【権利及び権利者の記録】
2❖三により敷地権である旨の登記を抹消したとき（敷地権が消滅したことによる場合を除く。）は，三の土地の登記記録の権利部の相当区に，建物の登記記録に基づき，敷地権であった権利及びその権利者を記録しなければならない。（規則第124条第2項）
　　この場合の権利及び権利者の記録は，敷地権が所有権であるときは主登記により，敷地権が地上権又は賃借権であるときは当該地上権又は賃借権の各設定登記の付記登記によりするものとし，敷地権であった権利，その権利の登記名義人の氏名又は名称及び住所並びに登記名義人が2人以上であるときは当該権利の登記名義人ごとの持分を記録し，敷地権である旨の登記を抹消したことにより登記をする旨及び登記の年月日を記録しなければならない。（昭和58・11・10民三第6400号通達第6，四）
【担保権の登記にする付記】
3❖一の1により合筆又は合併をする場合には，合筆又は合併後の土地又は建物の担保権の登記に，その登記が合筆後の土地又は合併後の建物の全部に関する旨を付記登記によって記録しなければならない。（規則第107条第5項，第108条第3項，第134条第1項，第139条）
　　この場合には，「何番登記は合筆後の土地（又は合併後の建物）の全部に関する」のように記録し，登記の年月日を記録するものとする。（昭和58・11・10民三第6400号通達第19，二）
【登記手続】
4❖3　敷地権を登記した建物が合併により非区分建物となった場合において，規則第133条3項の登記をしたときは，第6の三から八までの手続に準じて所要の手続をしなければならない。（規則第134条第3項で準用する規則第124条）（昭和58・11・10民三第6400号通達第10，三）

第56条（建物の合併の登記の制限）

❖【特例】規131【合併の禁止】準

次に掲げる建物の合併の登記は，することができない。

一　共用部分である旨の登記又は団地共用部分である旨の登記がある建物の合併の登記
二　表題部所有者又は所有権の登記名義人が相互に異なる建物の合併の登記
三　表題部所有者又は所有権の登記名義人が相互に持分を異にする建物の合併の登記
四　所有権の登記がない建物と所有権の登記がある建物との建物の合併の登記
五　所有権等の登記以外の権利に関する登記がある建物（権利に関する登記であって，合併後の建物の登記記録に登記することができるものとして法務省令で定めるものがある建物を除く。）の建物の合併の登記

先例等
【合筆又は合併制限の緩和】
1🈯1　数筆の土地又は数個の建物につき担保権に関する登記がある場合であっても，それらの担保権の登記の目的，申請の受付年月日及び受付番号，登記原因及びその日付が同一であるときは，それらの数筆の土地の合筆又は数個の建物の合併は，することを妨げられない。(法第41条第6号，規則第105条第2号，法第56条第5号，規則第131条1号)
　　2　合筆又は合併の妨げとならない1の担保権に関する登記には，仮登記も含まれる。
　　3　合筆をすべき数筆の土地又は合併をすべき数個の建物の一部についてのみ順位の変更等の処分の登記又は登記名義人の氏名若しくは名称又は住所の変更，債権額の変更等の変更の登記がされているときは，合筆又は合併をすることができない。
(昭和58・11・10民三第6400号通達第19，一)
【合併登記の取扱い】
2🈯①　所有権仮登記のなされている建物についても，合併の登記をすることができない。

②　共同抵当権の目的たる建物相互又は財団を組成する建物相互の合併の登記もすることができない。
(昭和35・7・4民事甲第1594号民事局長通達)
【信託の登記のある建物の合併の可否】
3🈯信託法による信託の登記がある建物の建物の合併の登記は，することができない。(昭和48・8・30民三6677号回答)
【信託法の施行に伴う不動産登記事務の取扱いについて】
4🈯(平成19・9・28民二第2048号通達)
【効用上の一体性がない事例】
5🈯もっぱら木工作業場として使用されている乙建物（鉄骨造スレートぶき2階建・事務所兼作業場・床面積120㎡）を同一地番上に存する甲建物（木造かわらぶき2階建・居宅・床面積150㎡）の附属建物とする登記申請は受理できない。(登記研究357号82頁)
【合併登記の制限】
6🈯合併禁止の規定に反する合併登記の申請は，令20条3号の規定によって却下すべきである。(昭和35・3・31民甲712号通達)

第57条（建物の滅失の登記の申請）

　建物が滅失したときは，表題部所有者又は所有権の登記名義人（共用部分である旨の登記又は団地共用部分である旨の登記がある建物の場合にあっては，所有者）は，その滅失の日から1月以内に，当該建物の滅失の登記を申請しなければならない。

❖【区分建物の登記記録の閉鎖】規117【登記手続】規144・145，準101【主たる建物の滅失による表題部の変更の登記】準102

先例等
【架空建物の登記記録の処理】
1🈯所有権保存登記がある架空の建物の登記は，建物の滅失に準じ建物の表題の登記を錯誤を登記原因として抹消する。(昭和36・9・2民事甲2163号回答)
【建物の表題登記の抹消を相当とする事例（所在地番の不符合）】

2 ✛ 建物が所在地番につき更正が認められないほど（約130m離れている。）の著しい誤謬がある場合は，当該建物の表題登記は，原因を不存在として職権で抹消する。（昭和46・5・21民事三発267号回答）

【換地上に移築した建物の同一性】
3 ✛ 土地区画整理により，従前の土地上の建物を解体して換地上に移築した場合には，その建物の同一性は失われ，従前の建物の上に設定された抵当権は消滅する。（昭和33・4・10民事甲769号回答，登記研究306号71頁）

【売買契約解除を原因とする建物の表題部の登記の抹消について】
4 ✛ 未登記建物につき譲渡を受けた新所有者からの表題登記後に，契約解除を原因としてその表題部の登記の抹消の申請をすることはできない。（登記研究381号87頁）

【重複登記の処理】
5 ✛ 同一建物につき，甲を所有名義とする登記記録と乙を所有名義とする登記記録とが重複して設けられ，前者について強制競売申立記入登記がされている場合において，甲を登記義務者とする競落登記の嘱託があったときは，その嘱託を受理し，乙名義の登記については，職権でその表示の登記を抹消するのを相当とする。（昭和37・10・4民事甲2820号通達）

【非区分建物に区分建物の登記がなされている場合の取扱い】
6 ✛ 1棟の建物全部につき同時に建築し，これを数人の所有者毎に区分建物として表示の登記がなされているが，当初から構造上の独立性がなく，区分が認められない建物であるのに誤ってこれが登記をした場合には，申請又は職権により「錯誤」を登記原因として滅失の登記をする。（昭和38・9・28民事甲2658号通達）

【所有者を異にする数個の区分建物の属する1棟の建物が滅失した場合】
7 ✛ 所有者を異にする数個の区分建物の属する1棟の建物が滅失した場合の区分建物の滅失の登記は，区分建物所有者の1人から1棟の建物の滅失の登記を申請するのみで足りる。（昭和38・8・1民三発426号通知）

【共有不動産の滅失の登記を申請する場合の申請人】
8 ✛ 共有の不動産の滅失登記を申請する場合の申請人は，必ずしも共有者全員である必要がない。（登記研究386号99頁）

【所有権移転登記前に建物が消滅した場合】
9 ✛ 建物買受け後その登記前に該建物が焼失した場合には，所有権移転の登記をすることなく，現在の登記名義人から滅失の登記を申請することができる。（大正9・4・21民事1211号回答）

【建物の滅失登記錯誤による回復登記申請について】
10 ✛ 建物図面及び各階平面図の提出されていない建物について誤って滅失の登記をしたため，その登記記録を滅失登記錯誤により回復する登記の申請書には，建物図面及び各階平面図の添付を要しない。（登記研究416号129頁）

【建物の表題の登記と旧建物の滅失登記の要否】
11 ✛ 旧建物を取り壊して，同一の敷地番内に建物を新築した場合，新築建物の表題の登記の前提として必ず旧建物の滅失の登記をしなければならないものではない。（登記研究222号65頁，昭和35・4・7民事甲850号通達参照）

【建物滅失の登記の場合における所有者住所変更登記の省略方法】
12 ✛ 建物滅失の登記を申請する場合，所有者の住所が変更して登記記録と符合しない場合でも，その変更又は更正を証する情報を提供すれば，直接，滅失の登記をすることができる。（登記研究13号28頁）

【建物の滅失の登記の申請人】
13 ✛ 被相続人の死亡前に滅失した被相続人名義に所有権の登記がされている建物の滅失の登記の申請は，相続人中の1人からすることができる。（昭和43・12・23民事三発第1075号民事局第三課長回答）

14 ✛ 被相続人名義の建物が相続開始後滅失した場合，相続人は相続登記をしなくても相続証明情報を提供して滅失登記を申請することができる。（登記研究531号119頁）

15 ✛ 数次にわたって相続が開始した場合において，各相続登記が未了である建物の滅失の登記は，最終の相続人のうちの1人から申請することができる。（登記研究538号172頁）

【破産の登記がある建物の滅失登記の申請人について】
16 ✛ 建物の滅失登記の申請は，当該建物について破産の登記がされている場合であっても，登記名義人たる破産者から申請することができる。（登記研究606号199頁）

【仮処分の登記がなされている建物の滅失の登記】
17 ✛ 仮処分登記のある建物が滅失した場合には，仮処分権利者の承諾書の提供を要せずして，その滅失の登記をすることができる。（登記研究70号48頁）

【建物滅失登記申請と印鑑の提出】
18 ✛ 建物滅失の登記申請には，申請人の印鑑証明書の提出を要しない。（登記研究92号41頁）

【建物の滅失登記の申請について】
19 ✛ 相続人のうちの1人が，被相続人名義の建物の滅失登記の申請をする際の相続を証する書面として添付すべき戸籍の謄抄本等は，その申請人が相続人であることのみを証するもののみで足りる。（登記研究481号134頁）

【信託の登記のある不動産が滅失した場合の信託目録の処理について】
20 ✛ 信託の登記のある不動産について，滅失の登記の申請がされた場合，電子化された信託目録には特

段の記録は要しない。
　また，電子化されていない信託目録がある場合において，信託目録の予備欄に滅失の旨及び滅失の年月日を記載し，登記官が押印した上で，抹消信託目録つづり込み帳に編てつする必要がある。
（登記研究764号155頁）

判例

【建物滅失の意味】
1※建物の「滅失」とは，建物が物理的に壊滅して社会通念上建物としての存在を失うことであり，その壊滅の原因及び目的を問わない。（最判昭和62・7・9）

【建物の滅失の登記の意義】
2※一登記用紙中のある建物のみが滅失した場合は，変更登記をすべきである。（大判大正15・7・6）

【建物の滅失の判決の判断基準】
3※家屋が火災によって滅失したか否かは，その家屋の使用目的となっている主要な部分が滅失し，その使用目的を達することができぬ程度に達したか否かによって，これを決定すべきである。（大阪地判昭和29・2・15）

【建物の一部取壊し後の残存物に補修工事をした場合の旧建物との同一性】
4※1　建物保護法第1条第2項（現行借地借家法10条1項）にいわゆる建物の滅失とは，建物が壊滅して建物の存在がなくなることをいうのであるが，建物としての存在がなくなったかどうかは単に物理的な観点からのみでなく，社会的，経済的観点からも考えなければならず，結局社会通念上によって決するほかはない。本件のように旧建物を取り壊してその一部を残存させ，その残存物に補修工事を施したような場合には，その残存物の補修工事を施せば建物として使用可能か否か及びもし使用可能とすればそれが旧建物と同一性を有するか否かがその判定基準となると考える。
　2　一部取壊し後の残存物に補修工事を施せば建物として使用可能であり，改修費も新築の場合よりはるかに低額であるというのであるから，補修を受けた建物は旧建物と同一性を有するものと解するのが相当である。したがって，旧建物は滅失したとはいえない。
（東京地判昭和40・6・3）

【取り壊された旧建物の残存部分であるプレハブ製の構築物（サンルーム）】
5※本件残存部分の建物性について
　ある構築物が不動産登記法上の建物であるといえるためには，①屋根及び周壁又はこれに類するものを有すること，②土地に定着していること，③その目的とする用途に供し得る状態にあることを要するものと解されているが（規則111条），不動産登記制度が不動産の取引の安全と円滑を図る

ための制度であることにかんがみ，ある構築物が土地に定着しているかどうかは，それが単に物理的に土地に固着しているかどうかによって判断すべきものではなく，それがある一定の土地の上に付着され，特別の事情のない限りそこから動かさないで永続的に使用され，そのようなものとして取引の対象とされるものであるかどうかによって判断すべきであり，そのような意味における永続性の有無は，その構築物の利用目的に着目して判断することが必要である。
　このように本件残存部分は，旧建物の取壊し結果，従来の利用目的に供することができなくなった上，その時点で特定の再利用に供する目的も定まっていなかったのであるから，これにより建物としての利用に供するという目的を失ったものというべきである。そうすると，本件残存部分は，これにより，ある一定の土地の上に付着され，そこから動かさないで永続的に使用され，そのようなものとして取引の対象とされるものであるという性質を失い，ある構築物が土地の定着物であるといえるために必要とされる前示の意味における永続性を欠くことになった結果，建物性を失ったものというべきである。
（東京高判平成10・9・28）

【鉄筋コンクリート造建物の焼残部分が建物と認められた事例】
6※鉄筋コンクリート造りの建物が，火災で，いわゆる焼ビルになっても，建物が滅失したとはいえない。（東京高判昭和29・2・26）

【構造上及び利用上の独立性を失った区分所有権】
7※各戸の所有者を異にする1棟2戸建ての建物の境界をなしていた隔壁（土壁の一部）が除去されて構造上の独立性が失われ，また，内部の改造工事が行われて一戸の住宅として使用される状態を呈していて利用上の独立性を失ったときは，各戸の区分所有権は，解消するものと解すべきである。（名古屋高判昭和44・12・25）

【土地区画整理事業における建物の解体移転の登記の取扱い】
8※土地区画整理法77条に基づき従前地上の建物を仮換地上に移築するため解体した場合において，その移築後の建物が従前の建物の解体材料の大部分を用い，規模・構造もほとんど同一であるとしても，その解体は不動産登記法93条ノ11第1項（現行法57条）にいう建物の滅失に当たる。（最判昭和62・7・9）

【登記の流用】
9※滅失の登記をその跡地に新築された建物の所有権保存登記に流用することは，許されない。（最判昭和40・5・4）

【建物滅失登記の申請と抵当権者の同意の要否】
10※建物の滅失の登記の申請については，現行法上，登記簿上の所有権以外の権利者の承諾書等を必要

とすべき規定はなく，かかる権利者において前記登記申請に同意すべき義務もないと解すべきである。(大阪高判昭和36・10・18)

【建物の滅失登記請求権（否定）】
11※建物の滅失登記は，建物の表示に関する登記であって，登記官が職権をもって調査してすべき登記であり，現存する建物の所有者は，その建物の敷地上に以前存在していた旧建物の所有名義人に対し，旧建物の滅失登記を請求する利益はない。(最判昭和45・7・16)

【根抵当権の建物の滅失登記等の抹消登記請求権（肯定）】
12※登記された甲建物について，滅失の事実がないのにその旨の登記がされた結果，同建物に設定されていた根抵当権が登記簿上公示されないこととなり，同建物に別の乙建物として表示の登記及び所有権保存登記がされている場合には，根抵当権者は，根抵当権に基づく妨害排除請求として，乙建物の所有名義人に対し，乙建物の表示登記及び所有権保存登記の抹消登記手続を，甲建物の所有名義人であった者に対し，甲建物の滅失登記の抹消登記手続をそれぞれ請求することができる。(最判平成6・5・12)

【建物滅失登記請求権（肯定）】
13※新建物が未登記であって，新旧建物の同一性及び新旧建物とその敷地たる土地の所有権について争いがあり，旧建物の所有名義人が滅失登記手続を履行せず，また，その滅失登記に同意しないときは，新建物の所有者であってその敷地たる土地の真正な所有者は，その妨害排除請求権に基づき，旧建物の所有者に対し旧建物の滅失登記を申請すべきことを訴求する利益がある。(大阪高判昭和55・12・5)

【滅失建物の滅失登記請求権（肯定）】
14※滅失登記は，建物の表示に関する登記であるから，登記官が職権で調査してなすべきであるが，滅失した旧建物と同一の敷地上の新建物の所有者は，旧建物の所有者に対し，滅失登記申請手続を訴求することができる。(福島地判昭和46・3・11)

第58条（共用部分である旨の登記等）

① 共用部分である旨の登記又は団地共用部分である旨の登記に係る建物の表示に関する登記の登記事項は，第27条各号（第3号を除く。）及び第44条第1項各号（第6号を除く。）に掲げるもののほか，次のとおりとする。
一 共用部分である旨の登記にあっては，当該共用部分である建物が当該建物の属する一棟の建物以外の一棟の建物に属する建物の区分所有者の共用に供されるものであるときは，その旨
二 団地共用部分である旨の登記にあっては，当該団地共用部分を共用すべき者の所有する建物（当該建物が区分建物であるときは，当該建物が属する一棟の建物）
② 共用部分である旨の登記又は団地共用部分である旨の登記は，当該共用部分である旨の登記又は団地共用部分である旨の登記をする建物の表題部所有者又は所有権の登記名義人以外の者は，申請することができない。
③ 共用部分である旨の登記又は団地共用部分である旨の登記は，当該共用部分又は団地共用部分である建物に所有権等の登記以外の権利に関する登記があるときは，当該権利に関する登記に係る権利の登記名義人（当該権利に関する登記が抵当権の登記である場合において，抵当証券が発行されているときは，当該抵当証券の所持人又は裏書人を含む。）の承諾があるとき（当該権利を目的とする第三者の権利に関する登記がある場合にあっては，当該第三者の承諾

❖【共用部分】建物区分4②，令別表17・18【団地共用部分】建物区分67，令別表19【登記の記録方法等】規141，準103【変更・更正の登記】令別表20【共用部分の規約の廃止】建物区分30，31【団地共用部分たる旨の規約の廃止】建物区分66【建物の表題登記】令別表21，規143

関連法令
【建物の区分所有等に関する法律】共用部分（4），団地共用部分（67）

不動産登記法（58条）

④　登記官は，共用部分である旨の登記又は団地共用部分である旨の登記をするときは，職権で，当該建物について表題部所有者の登記又は権利に関する登記を抹消しなければならない。
⑤　第1項各号に掲げる登記事項についての変更の登記又は更正の登記は，当該共用部分である旨の登記又は団地共用部分である旨の登記がある建物の所有者以外の者は，申請することができない。
⑥　共用部分である旨の登記又は団地共用部分である旨の登記がある建物について共用部分である旨又は団地共用部分である旨を定めた規約を廃止した場合には，当該建物の所有者は，当該規約の廃止の日から1月以内に，当該建物の表題登記を申請しなければならない。
⑦　前項の規約を廃止した後に当該建物の所有権を取得した者は，その所有権の取得の日から1月以内に，当該建物の表題登記を申請しなければならない。

【先例等】
【区分所有の建物に関する疑義について】
1✚1　市街地施設付住宅と呼ばれる中高層ビルヂングにおいて，住宅部分，施設部分にそれぞれ専用の階段室があり，その両部分が構造上区分されている場合，それぞれが専用の階段室ある1個の専有部分である。
2　当該中高層ビルヂングにおいて，住宅部分の中廊下が住宅，施設基本の階段室に接続していて，その間に扉またはシヤッターが存する場合，上記中廊下および住宅部分は一体として専有部分であるが，そのようなものが存しない場合には上記中廊下および階段室は一体として構造上の共用部分である。
3　当該中高層ビルヂングの地下に存する機械室は，たとえ住宅部分または施設部分（専有部分）の専用に供させるものであっても，構造上，利用上の独立性がない場合には，それぞれの専有部分に含まれない。
4　当該中高層ビルヂングにおいて構造上エレベーター機械，高置水槽，冷却装置等を収容する塔屋は，1棟の建物の表題登記においてその階数（床面積）を表示しないものとする。
（昭和38・10・22民事甲2933号通達）

【公団分譲住宅の共用部分の認定等】
2✚1　数棟の分譲住宅の附属施設としての集会所は，当該分譲住宅の譲受人（区分所有者）全員の設定に係る規約によって，共用部分とすることができる。
2　数棟の分譲住宅の附属施設としての屋外排水管が地中の一点で接合し，1箇の排水本管となって1箇の浄化槽に連結されている場合は，排水本管にいたるまでの各棟の屋外排水管のみが，それぞれの棟の区分所有者の共用部分とされる。
3　分譲前に，公団が単独で当該分譲住宅の総ての専有部分の区分所有者として設定した規約は，無効とされる。（現在は，区分法32条の規定により，公正証書によって規約を設定することができる。）
4　当初複数の区分所有者の設定に係る規約は，後の売買により区分所有者が単数（1人）となったときは，消滅するものと解される。
5　公団が譲渡契約により譲受人の共用部分の持分を定めるについて，建物の区分所有等に関する法律11条1項所定の持分と異なる定めをする場合には，規約によるべきものとされる。
（3の編注参照）
（昭和41・8・2民事甲1927号回答）

【マンションの管理受付室等の登記の取扱い】
3✚1　内部に各専有部分を集中管理できる設備等（いわゆる「共用設備」）がある管理受付室は，法定共用部分とする。
2　共用設備を設置しないまま管理人の居宅の一部を管理受付室として利用している場合には，各区分所有者の合意があるときに限り，規約共用部分とする。
3　上記1の管理受付室と上記2の管理人居宅が一体として利用されている場合には，その構造等から判断して，主である部分が上記1の形態

— 1059 —

と認められるときは法定共用部分とし，上記2の形態と認められるときは，各区分所有者の合意があるときに限り，規約共用部分とする。
（昭和50・1・13民三第147号回答）

【団地共用部分に関する登記】

4 ✢ 1　一団地内の附属施設たる建物（区分建物であるか非区分建物であるかを問わない。）は，規約により，団地共用部分とすることができる。（区分所有法第67条第1項前段）
　　　この場合においては，団地共用部分である旨の登記をしなければ，これをもって第三者に対抗することができない（同項後段）。
　　2　団地共用部分である旨の登記の申請及び団地共用部分である旨の登記においては，団地共用部分を共用すべき者の所有する建物が非区分建物であるときは，その所在及び家屋番号を，その建物が区分建物であるときはその建物が属する1棟の建物の所在及びその1棟の建物の名称（その名称がないときは，構造及び床面積）を記録しなければならない（令別表第19項・申請情報欄，ロ，法第58条第1項，準則第103条第2項）。
　　3　2のほか，団地共用部分である旨の登記に関する申請手続及び登記手続は，共用部分である旨の登記に関する手続に準ずる（法第58条第2項ないし7項，規則第141条ないし第143条）。
（昭和58・11・10民三第6400号通達第18）

【数棟の区分建物の所有者全員の共通の規約共用部分の記録方法】

5 ✢ 数棟の区分建物の所有者全員が，ある1棟に属する区分建物を共用部分とする旨の規約を設定して，その登記をする場合には，当該共用部分が他の登記用紙に登記した建物（別棟）の区分所有者の共用すべきものである旨の記録としては，1棟の建物の所在及びその建物の番号を用い当該1棟の建物に属する区分建物の所有者全員の共用部分である旨を明らかにすればよい。なお，この場合には，その規約共用部分と同一の棟に属する区分建物の所有者についても，同様の記録をする。（昭和46・10・12民三第668号回答）

【区分所有者全員のために使用されるべき機械装置が固定された建物の部分の区分所有権の成否】

1 ※ 高層分譲住宅各戸に給水するための揚水機械装置等が設置格納されている建物部分は，構造上の共用部分であり区分所有権の目的とはならない。（東京高判昭和46・4・28）

【区分所有の対象たるビルの屋上の所有関係】

2 ※ 一般にビルディングの屋上は，その建物の屋根としてその外観を維持し，若しくは共用施設としての昇降機械室，冷房用貯水槽（ベントハウス）等を設置するために必要な部分，すなわち「建物の基本的構成部分」と解すべきであり，したがって屋上は，法律上の共用部分と推認される。（東京地判昭和42・12・16）

【共用設備が設置されている車庫の区分所有権の成否】

3 ※ 建物の区分所有等に関する法律1条にいう構造上他の部分と区分された建物部分とは，建物の構成部分である隔壁・階層等から独立した物的支配に適する程度に他の部分と遮断され，その範囲が明確であることをもって足り，必ずしも周囲全てが完全に遮断されていることを要しないものと解するのが相当であり，このような構造を有し，かつ，それ自体として独立の建物としての用途に供することができるような外形を有する建物部分は，そのうちの一部に他の区分所有者らの共用に供される設備が設置され，このような共用設備の設置場所としての意味ないし機能を一部帯有しているようなものであっても，右の共用設備が当該建物部分の小部分を占めるにとどまり，その余の部分をもって独立の建物の場合と実質的に異なるところのない態様の排他的使用に供することができ，かつ，他の区分所有者らによる右共用設備の利用，管理によって右の排他的使用に格別の制限ないし障害を生ずることがなく，反面，かかる使用によって共用設備の保存及び他の区分所有者らによる利用に影響を及ぼすこともない場合には，なお建物の区分所有等に関する法律にいう建物の専有部分として区分所有権の目的となりうるものと解するのが相当である。（最判昭56・6・18）

【構造上の独立性がある管理人室について，管理事務室と機能的に分離するのが困難であるとして利用上の独立性を認めなかった事例】

4 ※ 共用部分である管理事務室とこれに隣接する管理人室があるマンションにおいて，その管理人室に構造上の独立性があるとしても，当該マンションの規模が比較的大きく，区分所有者の居住生活を円滑にし，その環境保全を図るため，その業務に当たる管理人を常駐させ，管理業務の遂行に当たらせる必要があり，前記管理事務室のみでは，管理人を常駐させてその業務を適切かつ円滑に遂行させることが困難である場合には，両室は機能的に分離することができず，上記管理人室は，利用上の独立性がなく，建物の区分所有等に関する法律にいう専有部分に当たらない。（最判平成5・2・12）

【管理人室・車庫が法定共用部分にあたらないとされた事例】

5 ※ 鉄筋コンクリート造陸屋根7階建マンション（区分建物30個）の1階に設けられた管理人室（41.75 m^2）及び車庫（210.50 m^2）が，いずれも構造上他の部分と区分されているし，区分所有者全員の共用に供されることが不可欠なものといえないといったような事情のもとでは，その管理人室・車庫は，構造上の共用部分とは認められない。（東京地判昭和51・10・1）

【マンションのエレベーターが2階以上の区分所有者

らの一部共用部分ではないとされた事例】
6 ※エレベーター並びに給排水設備及びその配管は規約で共用部分と定められており、また、本件建物の構造や右設備の性質等に鑑みても、一部共用部分であるとは認めることはできない。確かに、1階の区分所有者である被告が本件建物のエレベーターを使用する頻度は2階以上の区分所有者のそれに比較して極めて少ないことが推認されはするが、屋上の利用等のため使用する可能性が全くないとは言えず、また、給排水設備及びその配管についても、1階部分及び2階以上の部分とも本件建物と一体となった設備であり、その維持や補修に際しては本件建物の共用部分にも影響を及ぼすこと等に鑑みると、いずれも一部共用部分ということはできない。(東京地判平成5・3・30)

【マンションの規約共用部分を取得した者が背信的悪意者であるとされて専有部分としての登記をもって管理組合に対抗することができないとされた事例】

7 ※参加人は、本件洗濯室及び本件倉庫が本件マンションの区分所有者の共用に供されている現状を認識しながら、あえてこれを低価格な競売手続きにより買い受け、本件洗濯室及び本件倉庫について共用部分である旨の登記がないことを奇貨として、時を移さず登記を「洗濯場」「倉庫」から「居宅事務所」・「事務所」に変更するなどして控訴人による共用部分の主張を封ずる手立てを講じたものであり、これらの一連の事実関係からすると、参加人は、控訴人に対し、規約共用部分について登記がないことを主張することを許されない背信的悪意の第三者というべきである。(東京高判平成21・8・6)

【共用部分である旨の登記の申請人】
6 ✚ 法58条の規定による共用部分たる旨の登記の申請人は、所有者又は所有権の登記名義人が数人いる場合は、共有者の1人から申請することができる。(登記研究416号129頁)

第59条（権利に関する登記の登記事項）

権利に関する登記の登記事項は、次のとおりとする。
一　登記の目的
二　申請の受付の年月日及び受付番号
三　登記原因及びその日付
四　登記に係る権利の権利者の氏名又は名称及び住所並びに登記名義人が2人以上であるときは当該権利の登記名義人ごとの持分
五　登記の目的である権利の消滅に関する定めがあるときは、その定め
六　共有物分割禁止の定め（共有物若しくは所有権以外の財産権について民法（明治29年法律第89号）第256条第1項ただし書（同法第264条において準用する場合を含む。）若しくは第908条第2項の規定により分割をしない旨の契約をした場合若しくは同条第1項の規定により被相続人が遺言で共有物若しくは所有権以外の財産権について分割を禁止した場合における共有物若しくは所有権以外の財産権の分割を禁止する定め又は同条第4項の規定により家庭裁判所が遺産である共有物若しくは所有権以外の財産権についてした分割を禁止する審判をいう。第65条において同じ。）があるときは、その定め
七　民法第423条その他の法令の規定により他人に代わって登記を申請した者（以下「代位者」という。）があるときは、当該代位者の氏名又は名称及び住所並びに代位原因
八　第2号に掲げるもののほか、権利の順位を明らかにするために必要な事項として法務省令で定めるもの

❖【権利の消滅に関する事項】民127②・135②【持分】民250・264【共有物の分割禁止】民256①・908・907,法65【債権者代位】民423【代位者の氏名又は名称・住所・代位原因】令3四・7①三【権利の順位を明らかにするために必要な事項】令3四・7①三【権利部の登記】規146【権利の順位を明らかにするために必要な事項】令2八【順位番号】規1一・147・148【申請情報】令3十一【添付情報】令7①五

先例等
【代位による登記】
1 ※売買の目的不動産がさらに転売され、いずれも登記未了であるときは、転得者は、さきの売買の売主に対し、買主に代位してその登記手続を請求することができる。(大判明治43・7・6)
【代位原因】
1 ⊕抵当権設定の登記がある不動産の所有権登記名義人について相続が開始した場合、当該抵当権の登記名義人は、代位原因証書として当該抵当権の実行としての競売の申立を受理した旨の証明書を添付して、相続人に代位して相続登記の申請をすることができる。この場合、代位原因の表示は「年月日設定の抵当権の実行による競売」の振合による。(昭和62・3・10民三第1024号回答)
【代位原因の記録】
2 ⊕表題部に関する登記については、不動産登記法59条7号の規定の適用がないので、代位原因等の記録を要しない。(昭和38・3・28民事甲914号通達)
【代位登記の効力】
2 ※相続人の債権者において代位権を行使して行った共同相続の登記は、共同相続人間の遺産分割の協議の結果によりその影響を受けるものではない。(東京高判昭和33・8・9)

第60条（共同申請）

権利に関する登記の申請は、法令に別段の定めがある場合を除き、登記権利者及び登記義務者が共同してしなければならない。

❖【登記権利者】法２十二【登記義務者】法２十三【別段の定め】法63・64・69・70①②・77・93・98③・107・110・67②・71

先例等
【地上権及び賃借権の存続期間の法定更新に係る変更登記の申請について】
1 ⊕地上権等が区分建物の敷地利用権である場合の地上権等の存続期間の法定更新による変更の登記申請は、（民法第252条ただし書の保存行為に該当すると考えられ、）地上権設定者全員とともに、地上権等の準共有者の一部の者から、当該申請をすることができる。(平成27・1・19民二57号通知)

第61条（登記原因証明情報の提供）

権利に関する登記を申請する場合には、申請人は、法令に別段の定めがある場合を除き、その申請情報と併せて登記原因を証する情報を提供しなければならない。

❖【添付情報】令７①五ロ・７③

先例等
【支配人登記がされていない支店長等が登記原因証明情報の作成名義人となることの可否について】
1 ⊕登記原因証明情報の作成名義人となる法人の代表者に代わるべき者には、支配人登記がされていない支店長等も含まれる。(登記研究688号265頁)
【相続の放棄があったことを証する情報として、相続放棄などの申述の有無についての照会に対する家庭裁判所からの回答書等が添付された場合の取扱いについて】
2 ⊕相続を原因とする所有権の移転の登記の申請において、相続放棄申述受理証明書と同等の内容が記載された「相続放棄等の申述有無についての照会に対する家庭裁判所からの回答書」や「相続放棄申述受理通知書」を、登記原因を証する情報の一部とすることができる。(登記研究808号147頁)
【登記原因証明情報】
3 ⊕遺言書は、遺贈登記の登記原因証書とならない。(昭和34・9・9民事甲1995号回答)

判例
1 ※登記原因を証する書面に当事者の押印がなくても、一応登記原因を証するに足ると認められる以上、登記原因証書としての適格を失うものではない。(大判大正9・11・24)
2 ※甲・乙が土地及び建物を共同相続した場合において、甲・乙が共同して、遺産分割により甲が土地を取得する代償として建物を乙に譲渡する旨を記した登記原因証明情報を提供してする建物に係る所有権移転登記の申請は、甲の代償金支払義務を前提としてその支払に代えて行われるとされておらず、かつ、建物の譲渡自体について乙から甲に反対給付が行われるとされていないときは、遺産取得の代償として建物を無償で譲渡することを内容とするものとして、登記原因証明情報において登記原因となる法律行為が特定されており、受理することができる。(最判平成20・12・11)

第62条（一般承継人による申請）

登記権利者，登記義務者又は登記名義人が権利に関する登記の申請人となることができる場合において，当該登記権利者，登記義務者又は登記名義人について相続その他の一般承継があったときは，相続人その他の一般承継人は，当該権利に関する登記を申請することができる。

❖【一般承継人】（相続人）民896（包括受遺者）民990（会社）会社法750①・752①・754①・756①【添付情報】令7五

【関連法令】
【民法】相続人の欠格事由（891），推定相続人の廃除（892），遺言による推定相続人の廃除（893）【戸籍法】戸籍の編製（6）

先例等
【登記申請義務】
1 ✚相続を放棄した者は，被相続人の生前売り渡しにかかる不動産について，所有権移転の登記義務を承継するものではない。その登記の申請義務は負わない。（昭和34・9・15民事甲2067号民事局長回答）
2 民法938条によって相続人のある者が，相続の放棄をした場合，登記申請義務は相続人全員（相続を放棄した者を除く。）が負うべきものであるから，したがって，遺産分割によって登記申請義務を一部の相続人に負わせることはできない。（昭和34・9・15民事甲2067号民事局長回答）
3 ✚登記義務者の相続人は，民法903条の特別受益者であっても，登記申請義務を承継する。（登記研究265号70頁）

【相続登記の抹消】
4 被相続人の生前売買による登記の未了の不動産につき，遺産分割により共同相続人の一人のために相続登記がされている場合には，買受人のための所有権移転の登記は，共同相続人全員がこれに協力して申請すべきであり，この場合には，右の相続登記は，錯誤を原因として抹消すべきものとされる（もっとも，相続登記をした相続人から右の買受人のための登記を申請することができるが，この場合には，相続登記を抹消するまでもない）。（昭和37・3・8民事甲638号回答）

【相続証明書の添付】
5 ✚判決に基づく所有権移転の登記の前提として，代位により相続の登記を申請するに当たり，相続を証する書面たる除籍簿の一部が戦災消失している場合において，当該確定判決の理由中において相続人は当該相続人らのみである旨の認定がされているときは，相続人全員の「他に相続人はない」旨の証明書（印鑑証明書付き）に代えて，当該確定判決の正本の写しを相続を証する書面として取り扱って差し支えない。なお，原告たる申請人の「一切の責任を持つ」旨の上申書をもって他に相続人がない旨の証明書に代える取扱いはできない。（平成11・6・22民事三第1259号回答）

【出生前の胎児の遺産分割その他の処分行為】
6 ✚胎児が出生する前においては，未成年者の法定代理の規定が類推適用されるが，一方において，胎児が出生する前においては相続関係が未確定の状態にあるので，胎児のための遺産分割その他の処分行為は，できない。（昭和29・6・15民事甲1188号回答）

1 ※被相続人が不動産を他人に譲渡し登記未了の間に相続が開始し，相続人が当該不動産につき相続登記を了した場合には，譲受人は相続人に対し譲渡の登記手続を請求しうる。（大判大正15・4・30）
2 ※仲裁判断の理由中で，旧相手方が登記義務者の相続人である旨の判示をしていても，旧不動産登記法42条の書面としての適格性は認められない。（最判平成元・7・14）

第63条（判決による登記等）

① 第60条，第65条又は第89条第1項（同条第2項（第95条第2項において準用する場合を含む。）及び第95条第2項において準用する場合を含む。）の規定にかかわらず，これらの規定により申請を共同してしなければならない者の一方に登記手続をすべきことを命ずる確定判決による登記は，当該申請を共同してしなければならない者の他方が単独で申請することができる。
② 相続又は法人の合併による権利の移転の登記は，登記権

❖【判決による登記】民執173，民訴267・275，家審15・24①・25③・令7①五【相続による登記】法62，令別表22

【関連法令】
【添付情報】令7①五口【申請情報等】令別表22【判決及びこれに準ずるもの】民訴267，275，仲裁45，民執24・174民調16～18【相続による登記】民896～899，958の3【合併による権利移転の登記】会社921・922

不動産登記法（63条）

利者が単独で申請することができる。
③ 遺贈（相続人に対する遺贈に限る。）による所有権の移転の登記は，第60条の規定にかかわらず，登記権利者が単独で申請することができる。

先例等

【判決による登記手続】
1 ※旧不動産登記法27条（現行63条）にいう「判決」は，登記手続の給付を命ずる判決をいい，確認判決を含まない。（大判明治44・12・22）

【和解調書に基づく登記】
1 ✛和解調書に基づく登記は，判決による登記に準じて取り扱われる（登記権利者単独で申請することができる）。（明治33・1・17回答）
2 ※同要旨（大判昭和9・11・26）

【仲裁判断に基づく登記】
2 ✛仲裁判断に基づく登記を申請する場合には，執行判決を要する。（昭和29・5・8民事甲938号回答）

【不動産登記法63条の適否】
3 ✛地積の更正の登記は，不動産登記法63条の「判決による登記」の申請によってすることはできない。（昭和58・10・6民三第5919号回答）

【胎児が相続人である場合】
4 ✛胎児を相続人とする相続登記をすることができるが，この場合の名義表示は，「亡何某妻何某胎児」とする（もし，胎児が死体で生まれたときは他の相続人より登記の抹消を申請することができる）。（明治31・10・19民刑1406号回答）

【胎児を相続人とする相続による所有権の移転の登記手続の見直し】
4の2 ✛胎児を相続人とする相続による所有権の移転の登記の申請において，申請情報の内容とする申請人たる胎児の表示は「何某（母の氏名）胎児」とするものとする。（令和5・3・28民二第538号通達第3．2．(1)）

【法定相続分での相続登記がされた場合における登記手続の簡略化】
4の3 ✛(1) 法定相続分での相続登記（民法第900条及び第901条の規定により算定した相続分に応じてされた相続による所有権の移転の登記をいう。以下同じ。）がされている場合において，次に掲げる登記をするときは，所有権の更正の登記によることができるものとした上で，登記権利者が単独で申請することができるものとする。
　一　遺産の分割の協議又は審判若しくは調停による所有権の取得に関する登記
　二　他の相続人の相続の放棄による所有権の取得に関する登記
　三　特定財産承継遺言による所有権の取得に関する登記
　四　相続人が受遺者である遺贈による所有権の取得に関する登記
(2) (1)の所有権の更正の登記の申請において，申請情報の内容とする登記原因及びその日付は，次の振り合いによるものとする。
　ア　(1)一の場合
　　　「年月日【遺産分割の協議若しくは調停の成立した年月日又はその審判の確定した年月日】遺産分割」
　イ　(1)二の場合
　　　「年月日【相続の放棄の申述が受理された年月日】相続放棄」
　ウ　(1)三の場合
　　　「年月日【特定財産承継遺言の効力の生じた年月日】特定財産承継遺言」
　エ　(1)四の場合
　　　「年月日【遺贈の効力の生じた年月日】遺贈」
（令和5・3・28民二第538号通達第3・1）

【数次の相続登記が未了である場合】
5 ✛数次にわたって相続が開始し，各相続登記が未了である場合においては，最終相続人名義に直接登記することができるが，この場合には，申請書に登記原因およびその日付として，各相続に関するものを連記し，添付情報としてその各相続を証する情報を提供する。（明治32・3・7民刑回答）

【遺産分割と登記】
6 ✛甲・乙の法定相続分による相続登記がなされないうちに，甲の所有とする旨の遺産分割の協議が調った場合において，その旨の登記は，相続開始の事実及び相続人の範囲を示す情報のほか，甲・乙が作成する遺産分割協議書を添付情報として，甲が単独で申請することができる。（昭和19・10・19民事甲692号通達）

【相続させる旨の遺言と登記】
3 ※特定の不動産を特定の相続人に相続させる旨の遺言がある場合において，相続が開始して遺言が効力を生じたときに，その相続人は，単独で，その旨の所有権移転登記を申請することができる。（最判平成7・1・24）

【相続させる旨の遺言と分割方法の協議について】
7 ✛共同相続人中の2名に相続させ，分割の方法はその2名の協議で決める旨の遺言がある場合，遺言書及び当該2名の相続人による遺産分割協議書を添付情報とする相続登記の申請はすることができない。（登記研究565号141頁）

【受遺者が遺言者よりも先に死亡した場合の遺言の効力・登記手続】

8 ✢ 遺言者が，その者の法定相続人中の1人であるAに対し，「甲不動産をAに相続させる」旨の遺言をして死亡したが，すでにAが遺言者よりも先に死亡している場合には，Aの直系卑属A'がいる場合でも，遺言書中にAが先に死亡した場合にはAに代わってA'に相続させる旨の文言がない限り，民法994条1項を類推適用して，甲不動産は，遺言者の法定相続人全員に相続されると解するのが相当であり，その相続の登記をなすべきである。(昭和62・6・30民三第3411号回答)

4 ❀ 「相続させる」旨の遺言は，当該遺言により遺産を相続させるものとされた推定相続人が遺言者の死亡以前に死亡した場合には，当該「相続させる」旨の遺言に係る条項と遺言者の他の記載との関係，遺言書作成当事の事情及び遺言者の置かれていた状況などから，遺言者が，上記の場合には，当該推定相続人の代襲者その他の者に遺産を相続させる旨の意思を有していたとみるべき特段の事情のない限り，その効力を生ずることはないと解するのが相当である。(最判平成23・2・22)

【遺言執行者の権限と登記手続】

5 ❀ 遺言の執行について遺言執行者が指定され，又は選任された場合において，遺言執行者が遺言の執行に必要な一切の行為をする権利義務を有し，相続人は遺言の執行を妨げる行為をすることができないから，特定の不動産の遺贈を受けた者が遺言の執行として目的不動産の所有権移転登記を求める訴訟において被告としての適格を有する者は，遺言執行者に限られ，相続人は被告適格を有しない。(最判昭和43・5・31)

【遺言執行者からする登記申請の可否】

9 ✢ 特定の不動産を「相続人Aに相続させる」旨の遺言に基づくAのための相続を原因とする所有権移転の登記申請は，遺言執行者からはすることができない。(登記研究523号140頁)

【特定の不動産を特定の相続人に相続させる旨の遺言がされた場合において，当該不動産につき当該相続人以外の者への所有権移転登記が経由されているときの遺言執行者の職務権限について】

10 ✢ 特定の不動産を特定の相続人に相続させる旨の遺言がされた場合において，他の相続人により相続開始後に当該不動産について被相続人からの所有権移転登記が経由されるなど，遺言の実現が妨害される事態が生じているときは，遺言執行者は，当該登記の抹消登記手続を求める訴えを提起することができ，これを認容する判決の正本を登記申請書に添付して当該抹消の登記を申請することができる。(登記研究672号117頁，参考最判平成11・12・16)

【家庭裁判所の許可】

11 ✢ 不在者の財産管理人は，家庭裁判所の許可を得て，遺産分割の協議に参加することができる。(昭和39・8・7民三発597号回答)

【相続人の中に破産者がいる場合の相続の登記の申請における相続を証する情報の取扱いについて】

12 ✢ 1　相続人の1人が相続開始後に破産手続開始決定を受けた後，相続財産について他の相続人から遺産の分割に関する処分の調停又は審判が申し立てられ，破産者である相続人は当事者とならず，その破産管財人が当事者となって調停が成立し，又は審判がされた場合，その相続を原因とする所有権の移転の登記の申請には，相続を証する情報として，戸籍謄本等の一般的な相続を証する情報のほか，当該調停又は審判に係る調停調書又は審判書の正本の提供があれば足りる。

　2　相続人の1人が相続開始後に破産手続開始決定を受けた後，破産者である相続人は当事者として参加せず，その破産管財人が破産法(平成16年法律第750号)第78条第2項の規定に基づく裁判所の許可を得て，遺産の分割の協議に当事者として参加していた場合について，その遺産の分割の協議の結果に基づく相続を原因とする所有権の移転の登記の申請には，相続を証する情報として，戸籍謄本，遺産分割協議書(共同相続人(破産者である相続人を除く。)のほか，破産管財人の署名押印がされているもの)等の一般的な相続を証する情報のほか，当該裁判所の許可があったことを証する書面の提供があれば足りる。
(平成22・8・24民二第2078号通知)

【相続除外者の証明書等】

13 ✢ 2名以上の遺産相続人ある場合において，他の者が遺産相続を放棄したため，その内の1名から遺産相続による所有権取得の登記を申請するときは，他の相続人の裁判所への相続放棄の申述を証する書面を添付する。(大正6・6・18民事1055号回答)

14 ✢ 共同相続人中のある者が婚姻，養子縁組等のためまたは生計の資本として相続分の価格を超える財産の贈与を受けている場合には，相続分がない旨の同人の証明書を添付して他の相続人から遺産の相続登記の申請をすることができる。(昭和28・8・1民事甲1348号回答)

15 ✢ 共同相続人中の1人につき相続分がないことの証明書を添付して他の者から相続登記を申請する場合には，右の証明書における当該特別受益者の押印に関し，その印鑑証明書の添付を必要とする。(昭和30・4・23民事甲742号通達)

16 ✢ 共同相続人中の相続欠格者であることを証する書面としては，当該欠格者において作成した書面(当該欠格者の印鑑証明書付)又は確定判決の謄本のいずれでもよい。(昭和33・1・10民事甲4号通達)

17 ✢ 共同相続人となるべき乙が，被相続人甲から相続

分を超えて生前贈与を受け，乙が甲より先に死亡した場合は，乙の代襲相続人丙が作成した「乙は甲から特別受益を受けている」旨の証明書を添付して，丙を除く他の相続人から相続登記の申請をすることができる。（昭和49・1・8民三第242号回答）

【除籍等が滅失等している場合の相続登記について】
18✤相続による所有権の移転の登記（以下「相続登記」という。）の申請において，相続を証する市町村長が職務上作成した情報（不動産登記令（平成16年政令第379号）別表の22の項添付情報欄）である除籍又は改製原戸籍（以下「除籍等」という。）の一部が滅失等していることにより，その謄本を提供することができないときは，戸籍及び残存する除籍等の謄本のほか，滅失等により「除籍等の謄本を交付することができない」旨の市町村長の証明書及び「他に相続人はない」旨の相続人全員による証明書（印鑑証明書添付）の提供を要する取扱いとされています（昭和44年3月3日付民事甲第373号当職回答参照）。

しかしながら，上記回答が発出されてから50年近くが経過し，「他に相続人はない」旨の相続人全員による証明書を提供することが困難な事案が増加していることなどに鑑み，本日以降は，戸籍及び残存する除籍等の謄本に加え，除籍等（明治5年式戸籍（壬申戸籍）を除く。）の滅失等により「除籍等の謄本を交付することができない」旨の市町村長の証明書が提供されていれば，相続登記をして差し支えないものとしますので，この旨貴管下登記官に周知方お取り計らい願います。

なお，この通達に抵触する従前の取扱いは，この通達により変更したものと了知願います。（平成28・3・11民二219号通達）

【被相続人の同一性を証する情報として住民票の写し等が提供された場合における相続による所有権の移転の登記の可否について】
19✤被相続人の（住所の）同一性を証する情報として，次のいずれかの情報を提供した場合，不在籍証明書及び不在住証明書など他の証明情報を提供する必要はない。
1．登記記録上の住所が本籍に記載された戸籍謄本
2．本籍及び登記記録上の住所が記載された住民票の写し
3．登記記録上の住所が記載された戸籍の附票の写し
4．被相続人名義の所有権に関する登記済証（平成29・3・23民二174号回答）

【相続関係説明図の添付による原本還付】
20✤相続を証する書面のうち，特別受益者の証明書及び遺産分割協議書を除き，戸籍（除籍）の謄本（抄本）のみについて，その原本の還付の取扱いをする場合には，いわゆる相続関係説明図において，戸籍（除籍）の謄本（抄本）の還付の旨を特記するものとされる。（昭和40・12・17民事甲第3464号回答）

【相続証明書の有効期限】
21✤相続を証する書面の一部として提出すべき除籍謄本については，有効期間の制限はない。（登記研究49・50・51号28頁）

【相続登記申請の委任状の物件の記載について】
22✤相続登記申請の委任状の物件表示を「亡何某相続財産全部」や「何番外何筆」と記載することはできない。（登記研究647号183頁）

第64条（登記名義人の氏名等の変更の登記又は更正の登記等）

① 登記名義人の氏名若しくは名称又は住所についての変更の登記又は更正の登記は，登記名義人が単独で申請することができる。

② 抵当証券が発行されている場合における債務者の氏名若しくは名称又は住所についての変更の登記又は更正の登記は，債務者が単独で申請することができる。

❖【登記名義人の氏名等についての変更・更正の登記】令別表23
【債務者の氏名等についての変更・更正の登記】令別表24

先例等
【氏名変更による登記原因】
1✤表題部に記載されている所有者又は登記名義人の氏名の変更による変更の登記の登記原因は，婚姻，離婚その他の原因のいかんを問わず「氏名変更」と記載する。（昭和54・9・4民三第4503号通知）

【外国人に係る登記名義人の表示変更について】
2✤日本に住所を有する外国人の通称名が変更した場合には，「年月日氏名変更」を原因とする登記名義人表示変更の登記を申請することができる。（登記研究582号185頁）

【登記名義人表示が数回にわたって変更している場合】
3✤登記名義人表示につき数回にわたって変更を生じている場合には，1個の申請により，直ちに現在の表示に変更することができる（この場合には，申請書に登記原因及びその日付を併記して，数回分の変更を証する書面を添付する。なお，同種の登記原因が数回分存するときは，その最後のもの

のみを記載する）。（昭和33・3・22民事甲423号通達）

【住居表示の実施による変更】

4 ✚登記名義人の表示につき，住所移転と住居表示の実施とによる変更結果を一括して，その変更の登記を申請することができる。なお，右の変更の最終結果が住居表示の実施によるものであるときは，登録免許税は免除される。（昭和40・10・11民事甲2915号回答）

【呼称変更による変更】

5 ✚登記名義人の表示（住所）についての屋敷番から地番への呼称変更による変更の登記は，登記官の職権によって行うことは許されない。（昭和43・4・11民事甲887号回答・通達）

【地番の変更に伴う登記名義人表示変更登記の登記原因の記載】

6 ✚土地の分筆の登記により登記名義人の住所の地番が変更した場合の登記名義人の住所変更の登記の登記原因は，「年月日地番変更」と記載するのが適切である。（登記研究561号151頁）

【抵当権の登記の抹消と抵当権者の表示変更の登記の省略】

7 ✚抵当権の登記の抹消を申請する場合において，抵当権者の表示に変更を生じているときは，その表示の変更を証する書面を添付すれば，その抵当権の登記名義人の表示変更の登記の申請を省略して，直ちに当該抵当権の登記の抹消を申請することができる。（昭和31・9・20民事甲2202号通達）

【抵当権（根抵当権）の抹消とその登記義務者の表示変更の登記の省略】

8 ✚抵当権（根抵当権）等の所有権以外の権利の登記の抹消を申請する場合において，当該権利の登記名義人の表示に変更を生じたが，その名義人表示の変更の登記が未了のため，申請書に記載すべき登記義務者の表示が登記簿上の表示と符合しないときは，その表示変更の事実を証する書面を添付すれば，当該権利の登記名義人が個人又は一般の会社等の法人である場合でも，その名義人表示の変更の登記を省略してもよい。このことは，登記名義人の表示の更正の登記をなすべき場合においても，同様である。（昭和31・10・17民事甲2370号通達）

【現地確認不能地の登記名義人表示変更登記について】

9 ✚国土調査法に基づく地積調査で，長狭物内の土地であるため「現地確認不能」と処理された土地であっても，地籍簿に地図番号の記載があるときは，国土調査法の成果に基づく登記名義人の表示変更の登記を行うことができる。（登記研究649号203頁）

【相続財産法人名義の登記の方法】

10 ✚相続人のあることが明らかでない場合の相続財産法人名義にするときは，付記登記（登記名義人表示変更登記）によって行うものとされる。（昭和10・1・14民事甲39号民事局通牒第1項）

【相続財産法人名義にする登記と添付書類】

11 ✚相続財産法人名義にする登記を申請する場合において，相続財産管理人選任書の記載によって，その選任が相続人不存在の場合におけるものであることと死亡者の死亡年月日が明らかでないときは，前記の事項を証する書面として戸籍（除籍）の謄本若しくは抄本の添付を要するが，前記の事項が明らかであるときは，当該選任書を添付すれば足りる。（昭和39・2・28民事甲422号通達）

▍実例

【相続人が不分明の不動産について，相続財産管理人を選任することなく，当該不動産の被相続人の債権者が，競売申立受理証明を代位原因を証明する情報として，当該不動産の登記名義人の表示を相続財産法人に変更する代位登記の申請の可否】

12 ✚相続人が不分明の不動産について，相続財産管理人の選任手続を経ることなく，当該不動産の被相続人の債権者が，競売申立受理証明を代位原因を証明する情報として，当該不動産の登記名義人の表示を相続財産法人に変更する代位登記の申請をすることができる。（登記研究718号203頁）

第65条（共有物分割禁止の定めの登記）

共有物分割禁止の定めに係る権利の変更の登記の申請は，当該権利の共有者であるすべての登記名義人が共同してしなければならない。

❖【申請情報】令31一・二【登記識別情報を提供しなければならない登記等】令8①四

第66条（権利の変更の登記又は更正の登記）

権利の変更の登記又は更正の登記は，登記上の利害関係を有する第三者（権利の変更の登記又は更正の登記につき利害関係を有する抵当証券の所持人又は裏書人を含む。以下この

❖【権利の変更の登記又は更正の登記】令別表25，規150

条において同じ。）の承諾がある場合及び当該第三者がない場合に限り，付記登記によってすることができる。

> **判例**
> 【無効登記にされた更正登記の効力】
> 1 ※登記の内容が事実として著しく相違している無効な登記に，後日更正登記をしても効力を有しない。（大判昭和4・4・6）

第67条（登記の更正）

❖【登記の更正】規151【職権による登記の更正】準104・105【通知の方法】規188【許可書が到達した場合の処理】準106

① 登記官は，権利に関する登記に錯誤又は遺漏があることを発見したときは，遅滞なく，その旨を登記権利者及び登記義務者（登記権利者及び登記義務者がない場合にあっては，登記名義人。第3項及び第71条第1項において同じ。）に通知しなければならない。ただし，登記権利者，登記義務者又は登記名義人がそれぞれ2人以上あるときは，その1人に対し通知すれば足りる。
② 登記官は，前項の場合において，登記の錯誤又は遺漏が登記官の過誤によるものであるときは，遅滞なく，当該登記官を監督する法務局又は地方法務局の長の許可を得て，登記の更正をしなければならない。ただし，登記上の利害関係を有する第三者（当該登記の更正につき利害関係を有する抵当証券の所持人又は裏書人を含む。以下この項において同じ。）がある場合にあっては，当該第三者の承諾があるときに限る。
③ 登記官が前項の登記の更正をしたときは，その旨を登記権利者及び登記義務者に通知しなければならない。この場合においては，第1項ただし書の規定を準用する。
④ 第1項及び前項の通知は，代位者にもしなければならない。この場合においては，第1項ただし書の規定を準用する。

第68条（登記の抹消）

❖【登記の抹消】規152・170【添付情報】令別表26

権利に関する登記の抹消は，登記上の利害関係を有する第三者（当該登記の抹消につき利害関係を有する抵当証券の所持人又は裏書人を含む。以下この条において同じ。）がある場合には，当該第三者の承諾があるときに限り，申請することができる。

> **判例**
> 【建物の滅失登記における利害関係人の承諾書の要否】
> 1 ※建物の滅失登記の申請をなすにつき，登記簿上の所有権以外の権利者の承諾書は不要である。また，建物の滅失登記の申請については，法68条は適用されない。（大阪高判昭和36・10・18）

第69条（死亡又は解散による登記の抹消）

権利が人の死亡又は法人の解散によって消滅する旨が登記されている場合において，当該権利がその死亡又は解散によって消滅したときは，第60条の規定にかかわらず，登記権利者は，単独で当該権利に係る権利に関する登記の抹消を申請することができる。

❖【申請情報】令3十一ニ【添付情報】令別表26【権利の消滅に関する定めの登記】規149【解説】一般法人148・202

第69条の2（買戻しの特約に関する登記の抹消）

買戻しの特約に関する登記がされている場合において，契約の日から10年を経過したときは，第60条の規定にかかわらず，登記権利者は，単独で当該登記の抹消を申請することができる。

第70条（除権決定による登記の抹消等）

① 登記権利者は，共同して登記の抹消の申請をすべき者の所在が知れないためその者と共同して権利に関する登記の抹消を申請することができないときは，非訟事件手続法（平成23年法律第51号）第99条に規定する公示催告の申立てをすることができる。

② 前項の登記が地上権，永小作権，質権，賃借権若しくは採石権に関する登記又は買戻しの特約に関する登記であり，かつ，登記された存続期間又は買戻しの期間が満了している場合において，相当の調査が行われたと認められるものとして法務省令で定める方法により調査を行ってもなお共同して登記の抹消の申請をすべき者の所在が判明しないときは，その者の所在が知れないものとみなして，同項の規定を適用する。

③ 前二項の場合において，非訟事件手続法第106条第1項に規定する除権決定があったときは，第60条の規定にかかわらず，当該登記権利者は，単独で第1項の登記の抹消を申請することができる。

④ 第1項に規定する場合において，登記権利者が先取特権，質権又は抵当権の被担保債権が消滅したことを証する情報として政令で定めるものを提供したときは，第60条の規定にかかわらず，当該登記権利者は，単独でそれらの権利に関する登記の抹消を申請することができる。同項に規定する場合において，被担保債権の弁済期から20年を経過し，かつ，その期間を経過した後に当該被担保債権，その利息及び債務不履行により生じた損害の全額に相当する金銭が

❖【公示催告】非訟141〜155【除権決定】非訟148【弁済期】民412【利息】民404【損害】民419【添付情報】令別表26

供託されたときも，同様とする。

先例
【所在が知れない登記義務者の意義】
1 ◆本条の所在が知れない登記義務者は法人を含み，法人である登記義務者の所在が知れないときは，その法人を記録する登記記録が存在しない上に閉鎖登記簿が廃棄済であるため法人の存在を確認することができない場合などをいう。(昭和63・7・1民三第3456通達)

【添付すべき情報】
2 ◆登記義務者の所在が知れないことを証する情報は，登記義務者が登記記録上の住所に居住していないことを市町村長や民生委員が証する情報，登記記録上の住所にあてた被担保債権の受領を催告する信書便が不到達であったことを証する情報，さらに登記義務者の所在を調査した警察官作成の情報などが例である。(昭和63・7・1民三第3499通知)

▎第70条の2（解散した法人の担保権に関する登記の抹消）◀

　登記権利者は，共同して登記の抹消の申請をすべき法人が解散し，前条第2項に規定する方法により調査を行ってもなおその法人の清算人の所在が判明しないためその法人と共同して先取特権，質権又は抵当権に関する登記の抹消を申請することができない場合において，被担保債権の弁済期から30年を経過し，かつ，その法人の解散の日から30年を経過したときは，第60条の規定にかかわらず，単独で当該登記の抹消を申請することができる。

▎第71条（職権による登記の抹消）◀

① 　登記官は，権利に関する登記を完了した後に当該登記が第25条第1号から第3号まで又は第13号に該当することを発見したときは，登記権利者及び登記義務者並びに登記上の利害関係を有する第三者に対し，1月以内の期間を定め，当該登記の抹消について異議のある者がその期間内に書面で異議を述べないときは，当該登記を抹消する旨を通知しなければならない。
② 　登記官は，通知を受けるべき者の住所又は居所が知れないときは，法務省令で定めるところにより，前項の通知に代えて，通知をすべき内容を公告しなければならない。
③ 　登記官は，第1項の異議を述べた者がある場合において，当該異議に理由がないと認めるときは決定で当該異議を却下し，当該異議に理由があると認めるときは決定でその旨を宣言し，かつ，当該異議を述べた者に通知しなければならない。
④ 　登記官は，第1項の異議を述べた者がないとき，又は前項の規定により当該異議を却下したときは，職権で，第1項に規定する登記を抹消しなければならない。

❖【職権による登記の抹消】規153【抹消の手続】準107・110【公告の方法・内容】規154，準108【利害関係人の異議に対する決定】準109【職権による登記の抹消における通知】規185

第72条（抹消された登記の回復）

抹消された登記（権利に関する登記に限る。）の回復は、登記上の利害関係を有する第三者（当該登記の回復につき利害関係を有する抵当証券の所持人又は裏書人を含む。以下この条において同じ。）がある場合には、当該第三者の承諾があるときに限り、申請することができる。

❖【回復登記手続】抵当証券23
【抹消された登記の回復】規155
【申請・添付情報】令別表27

> 判例
> 【対抗力】
> 1 ※登記の対抗力は、登記名義人が不知の間に登記が不適法に抹消されたとしても、失われることはない。（最判昭和36・6・16民集15・6・1592）

第73条（敷地権付き区分建物に関する登記等）

① 敷地権付き区分建物についての所有権又は担保権（一般の先取特権、質権又は抵当権をいう。以下この条において同じ。）に係る権利に関する登記は、第46条の規定により敷地権である旨の登記をした土地の敷地権についてされた登記としての効力を有する。ただし、次に掲げる登記は、この限りでない。

一 敷地権付き区分建物についての所有権又は担保権に係る権利に関する登記であって、区分建物に関する敷地権の登記をする前に登記されたもの（担保権に係る権利に関する登記にあっては、当該登記の目的等（登記の目的、申請の受付の年月日及び受付番号並びに登記原因及びその日付をいう。以下この号において同じ。）が当該敷地権となった土地の権利についてされた担保権に係る権利に関する登記の目的等と同一であるものを除く。）

二 敷地権付き区分建物についての所有権に係る仮登記であって、区分建物に関する敷地権の登記をした後に登記されたものであり、かつ、その登記原因が当該建物の当該敷地権が生ずる前に生じたもの

三 敷地権付き区分建物についての質権又は抵当権に係る権利に関する登記であって、区分建物に関する敷地権の登記をした後に登記されたものであり、かつ、その登記原因が当該建物の当該敷地権が生ずる前に生じたもの

四 敷地権付き区分建物についての所有権又は質権若しくは抵当権に係る権利に関する登記であって、区分建物に関する敷地権の登記をした後に登記されたものであり、かつ、その登記原因が当該建物の当該敷地権が生じた後に生じたもの（区分所有法第22条第1項本文（同条第3項において準用する場合を含む。）の規定により区分所有者の有する専有部分とその専有部分に係る敷地利用権とを分離して処分

❖【申請情報】令3十一へ【登記の前後】規2②【敷地権】建物区分1⑤⑥・5・22【敷地権の登記がある建物の権利に関する登記】規156

することができない場合（以下この条において「分離処分禁止の場合」という。）を除く。）
② 第46条の規定により敷地権である旨の登記をした土地には，敷地権の移転の登記又は敷地権を目的とする担保権に係る権利に関する登記をすることができない。ただし，当該土地が敷地権の目的となった後にその登記原因が生じたもの（分離処分禁止の場合を除く。）又は敷地権についての仮登記若しくは質権若しくは抵当権に係る権利に関する登記であって当該土地が敷地権の目的となる前にその登記原因が生じたものは，この限りでない。
③ 敷地権付き区分建物には，当該建物のみの所有権の移転を登記原因とする所有権の登記又は当該建物のみを目的とする担保権に係る権利に関する登記をすることができない。ただし，当該建物の敷地権が生じた後にその登記原因が生じたもの（分離処分禁止の場合を除く。）又は当該建物のみの所有権についての仮登記若しくは当該建物のみを目的とする質権若しくは抵当権に係る権利に関する登記であって当該建物の敷地権が生ずる前にその登記原因が生じたものは，この限りでない。

先例

【所有権に関する登記の制限】

1✢1　土地の所有権が敷地である場合において，敷地権である旨の登記をしたときは，土地の登記記録には所有権の移転の登記はすることができない。（法第73条第2項本文）

2　敷地権を登記した建物の登記記録には，建物のみを目的とする所有権の移転を登記原因とする所有権の登記（法第74条第2項による所有権の保存の登記を含む。）はすることができない。（法第73条第3項本文）

3　1又は2にかかわらず，敷地権が生じた日前の日を登記原因の日とする土地のみ又は建物のみの所有権に関する仮登記（法第105条第1号又は第2号のいずれに該当するものであるかを問わない。）はすることができる。（法第73条第2項ただし書，第3項ただし書）

この場合において，敷地権が生じた日と仮登記の登記原因の日との前後は，区分建物の表題部の「敷地権の表示」欄の「原因及びその日付」欄（敷地権が非区分建物の附属建物に係るものであるときは，「附属建物の表示」欄の「原因及びその日付」欄）に記録された日と，申請情報の内容とされている仮登記の登記原因の日付とにより判定するものとする。

（昭和58・11・10民三第6400号通達第14，一・1

〜3）

【建物のみに関する旨の付記】

2✢1　敷地権を登記した建物につき所有権の登記以外の所有権に関する登記（所有権に関する仮登記，買戻しの特約の登記，差押えの登記等）があるときは，その登記に，建物のみに関する旨を付記登記によって記録しなければならない。（規則第123条第1項本文）

その建物につき特定担保権（一般の先取特権，質権又は抵当権をいう。以下同じ。）に関する登記があるときも同様である（同項本文）。ただし，特定担保権に関する登記であった，その登記の目的等（登記の目的，申請の受付の年月日及び受付番号並びに登記原因及びその日付をいう。以下同じ。）が，その敷地権についてされた特定担保権に関する登記の目的等と同一であるときは，この限りではない。（同項ただし書，五の1，第十五の四の2後段参照）

2　1の建物のみに関する旨を記録するときは，「何番登記は建物のみに関する」のように記録し，登記の年月日を記録するものとする。

3　建物についてされた特別の先取特権又は賃借権に関する登記には，建物のみに関する旨を記録することを要しない。

（昭和58・11・10民三第6400号通達第5，四）

第73条の2（所有権の登記の登記事項）

① 所有権の登記の登記事項は，第59条各号に掲げるもののほか，次のとおりとする。
　一　所有権の登記名義人が法人であるときは，会社法人等番号（商業登記法（昭和38年法律第125号）第7条（他の法令において準用する場合を含む。）に規定する会社法人等番号をいう。）その他の特定の法人を識別するために必要な事項として法務省令で定めるもの
　二　所有権の登記名義人が国内に住所を有しないときは，その国内における連絡先となる者の氏名又は名称及び住所その他の国内における連絡先に関する事項として法務省令で定めるもの
② 前項各号に掲げる登記事項についての登記に関し必要な事項は，法務省令で定める。

第74条（所有権の保存の登記）

① 所有権の保存の登記は，次に掲げる者以外の者は，申請することができない。
　一　表題部所有者又はその相続人その他の一般承継人
　二　所有権を有することが確定判決によって確認された者
　三　収用（土地収用法（昭和26年法律第219号）その他の法律の規定による収用をいう。第118条第1項及び第3項から第5項までにおいて同じ。）によって所有権を取得した者
② 区分建物にあっては，表題部所有者から所有権を取得した者も，前項の登記を申請することができる。この場合において，当該建物が敷地権付き区分建物であるときは，当該敷地権の登記名義人の承諾を得なければならない。

❖【判決及びこれに準ずるもの】民訴267・275の2，仲裁13，家審15・24①・25③【表題部所有者の氏名等の抹消】規158【申請・添付情報】令別表28・29

先例等

【所有権の登記がない土地の登記記録の表題部の所有者欄に氏名のみが記録されている場合の所有権の保存の登記の可否】

1 ⊕登記簿と土地台帳の一元化作業により旧土地台帳から移記され，その登記記録の表題部の所有者欄に氏名が記録されている土地（地目：原野。以下本件土地という。）について，表題部所有者に不在者財産管理人が選任され，当該不在者財産管理人と河川工事の起業者（国）との間で売買契約が成立した場合において，当該起業者から当該表題部所有者を登記名義人とする所有権の登記の嘱託情報（所有権の登記名義人となる者の住所の記載はない。）と所有権の移転の登記の嘱託情報とを，その登記の前後を明らかにして同時に提供するとともに，その代位原因を証する情報（同令第7条第1項第3号）の一部として，不在者財産管理人の選任の審判書（本件土地の表題部所有者の氏名と不在者の氏名とが同一であるものに限る）。及び当該不在者財産管理人の権限外行為許可の審判書（物件目録に本件土地が記載されているものに限る。）が提供されたときは，所有権の保存の登記の嘱託情報に所有権の登記名義人の住所を証する情報の提供がなくとも，便宜，当該嘱託に基づく登記をすることができる。また，本嘱託に基づく所有権の保存の登記について，提供された審判書における不在者の最後の住所が明確になっていないときは，不動産登記法第59条第4号の規定にかかわらず，所有権の登記名義人の住所を登記することを要しない。（平成30・7・24民二279号通知）

【被相続人名義の保存登記】

不動産登記法（74条）

2 ✚被相続人が生前において売却した未登記の不動産については，買受人名義の登記の前提として，相続人において被相続人名義に所有権保存の登記をすることができる。（昭和32・10・18民事甲1953号通達）

【共有者の一部の者からの保存登記】

3 ✚共有者中の一部の者の申請によって共有地全部について保存登記をする場合には，共有者全員を登記する。したがって，他の共有者は，各自の持分につきあらためて保存登記を申請する必要はない。（明治33・10・2民刑1413号回答）

4 ✚表題部所有者が共有の場合，共有者の1人が自己の持分のみについて，所有権の保存の登記を申請することはできない。（明治32・8・8民刑1311号回答）

【数次相続による所有権の保存の登記】

5 ✚表題部所有者に数次に相続があった場合には，現在の相続人は直接自己名義での所有権の保存の登記を申請することができる。（昭和30・12・16民事甲2670号通達）

【判決に基づく保存登記】

6 ✚登記簿の表題部に権利能力なき社団の旧代表者が所有者として記載されている場合，その相続人を被告とする所有権確認の判決に基づき，所有権保存の登記申請をすることができる。（平成2・3・28民事三第1147号回答）

1 ※本条1項2号にいう判決は，所有権確認の判決のみならず，未登記不動産の売主たる被告に対し登記すべき旨を命ずる給付判決をも包含する。（大判大正15・6・23）

【代位による保存登記】

2 ※買主は，売主に代位して所有権保存の登記の申請をなしうる。（大判大正5・2・2）

【転得者からの保存登記】

7 ✚債権者は，債務者の相続人である法定代理人のいない未成年者に代位して，相続による所有権移転の登記を申請することができる。（昭和14・12・11民事甲1359号回答）

8 ✚区分建物の所有権の保存の登記は，表題部所有者（原始取得者）から直接所有権を取得した者も申請することができる（法第74条第2項）。

この場合においては，法第74条第2項の規定により登記を申請する旨を申請情報の内容としなければならない（令別表第29項・申請情報欄）。また，建物が敷地権のない区分建物であるときは，申請人が表題部所有者から直接所有権を取得したことを証する当該所有者又はその相続人その他の一般承継人が作成した情報を，建物が敷地権のある区分建物であるときは，登記原因を証する情報及び敷地権の登記名義人の承諾を証するその登記名義人が作成した情報を，それぞれ添付情報として提供しなければならない。（令別表第29項・添付情報欄イ，ロ）（昭和58・11・10民事三第6400号通達第12，一・1）

【分割会社が建物の表題部に所有者として記載されている場合の所有権の登記手続きについて】

9 ✚分割会社が建物の表題部に所有者として記載されている場合の承継会社又は新設会社の所有権の登記手続きについては，いったん分割会社名義に所有権保存の登記をした上で，会社分割を登記原因とする承継会社等への所有権移転登記をすべきである。（登記研究659号175頁）

【その他】

10 ✚新築建物について売買が行なわれ，その買受人名義で当該建物の表示の登記がされている場合において，右の売買が買戻特約付であるときは，その所有権保存の登記と同時に，売主のための買戻特約の登記を申請することができる。（昭和38・8・29民事甲2540号通達）

【判決による所有権保存登記の取扱いについて】

11 ✚旧不登法100条1項2号（現74条1項2号）の規定により自己名義で所有権保存の登記を受けるために申請書に添付すべき判決は，表題部に所有者として記載されている者の全員を被告とするものでなければならない。

また，登記簿の一元化作業により旧土地台帳から移記された登記簿の表題部の所有者欄に「A外何名」との記載があるが，共同人名簿が保管されなかった等の理由により「外何名」の住所氏名が明らかでない土地について，Aのみを被告とする所有権確認訴訟で勝訴した者が，当該訴訟の判決書を申請書に添付して不登法74条1項2号の規定により所有権保存の登記を申請する場合，その判決の理由中において当該土地が登記簿の記載にかかわらず原告の所有に属することが証拠に基づいて認定されているときは，便宜，その判決を同号の判決として取り扱うことができる。

（平成10・3・20民三第552号通知，登記研究615号211頁）

12 ✚無籍地ないし国有脱落地について，判決により自己の所有権を証する者は，自己名義又は代位により国名義の所有権保存の登記をすることができる。（昭和55・11・25民事三第6757号回答）

13 ✚表題部所有者欄に「共有惣代甲外何名」と記載されている土地は，平成10年3月20日民三第552号民事局第三課長通知にいう，いわゆる記名共有地には当たらず，当該土地について，権利能力なき社団の代表者としてではなく，甲個人を被告とする所有権確認訴訟の勝訴判決を添付して，不動産登記法100条1項2号（現行法74条1項2号）に基づく所有権保存登記をすることはできない。（登記研究651号279頁，登記研究763号115頁～120頁）

14 ✚表題部所有者として「共有惣代A」と記載されている土地（以下「本件土地」という。）につき，A個人の法定相続人を被告とする所有権確認訴

訟において勝訴判決を得た者から，当該判決書を申請書に添付して，不動産登記法第74条第1項第2号に基づく所有権保存登記の申請（以下「本件申請」という。）がされた。しかし，本件土地は，平成10年3月20日付け法務省民三第552号民事局第三課長通知にいう，いわゆる記名共有地には当たらず，本件土地について，権利能力なき社団の代表者ではなく，A個人の法定相続人を被告とする本件判決書を添付して所有権保存登記の申請をすることはできないため，法第25条第4号及び第9号により本件申請を却下するのが相当と考える。（令和5・9・27民二977号通達）

【いわゆる記名共有地に係る判決による所有権の保存の登記】

15✛登記記録の表題部の所有者欄に「甲外何名」と記載されているいわゆる記名共有地について，表題部所有者の1人である甲の相続人全員のみを被告とする所有権確認訴訟が提起され，その判決理由中において，表題部所有者の記載内容にかかわらず，当該土地が原告の所有に属することが証拠に基づいて認定されているときは，被告である相続人の一部が口頭弁論の期日に出頭していなかったとしても，その確定判決を判決書の正本を添付して，不動産登記法第74条第1項第2号の規定に基づく所有権の保存の登記をすることができる。（登記研究793号143頁）

【表題部所有者欄に「大字何々村」と記録されている場合の保存登記申請について】

16✛表題部所有者欄に「大字何々村」と記録されている場合には，その実体が例えば，
1　財産区である場合には，市町村長の嘱託により財産区名義に保存登記ができる。
2　財産区の財産整理により市町村に帰属している場合には，市町村長の嘱託区名義に保存登記を得た後当該市町村に所有権移転登記をする。
3　町内会部落会の所有であって昭和22年政令15号2条の規定によりそれが市町村に帰属した場合には，市町村の嘱託により市町村名義に保存登記ができる。
4　旧町村制施行以前からの行政区画である場合には，市町村長の嘱託により市町村名義に保存登記ができる。
5　部落民の共有である場合には，それらの者のために所有者の更正をなし，その後それらの者から保存登記の申請ができる。
（登記研究279号73頁）

【表題部に「総代何某」と記録されている場合の総代の相続人名義でする所有権保存登記の可否】

17✛表題部に「総代（惣代）何某」と記録されている場合の所有権保存登記はその者の相続人名義で申請することはできない。（登記研究445号108頁）

【建築準備中になされた建築物の登記の効力】

3✧建築準備中の建物についてなされた所有権登記は，無効である。（大判昭和3・7・3）

【建築中の建物を目的とする登記の効力】

4✧建築中で，まだ完成していない建物を目的として所有権の保存の登記又は抵当権設定の登記をすることはできず，たとえ登記をしても無効である。（大判昭和6・9・16）

【登記の流用】

5✧滅失建物の登記をその跡地に新築された建物の所有権保存登記に流用することは，許されない。（最判昭和40・5・4）

【真実の所在と異なる所在地番を表示してなされた建物保存登記の効力】

6✧所在地番は，当該建物を特定するについて不可欠な要素であるというべきであるから，その誤りが一見して明瞭であるような場合を除いては，実在の建物の所在とは異なる所在地番を表示してなされた登記は，無効である。（横浜地判昭和46・10・21）

【区分所有権と保存登記】

7✧経済上独立の効用なき家屋の一部についてされた保存登記は，別個の所有権の成立を認められない。（大分地判昭和25・2・14）

第75条（表題登記がない不動産についてする所有権の保存の登記）

登記官は，前条第1項第2号又は第3号に掲げる者の申請に基づいて表題登記がない不動産について所有権の保存の登記をするときは，当該不動産に関する不動産の表示のうち法務省令で定めるものを登記しなければならない。

❖【法務省令で定めるもの】規157
【処分制限の登記における通知】規184【申請・添付情報】令別表21・22

第76条（所有権の保存の登記の登記事項等）

① 所有権の保存の登記においては，第59条第3号の規定にかかわらず，登記原因及びその日付を登記することを要し

❖【処分制限の登記】民執48・111・118等，民　保47③⑤・52①・53等
【表題登記がない不動産についてする所有権の保存の登記】規157③

ない。ただし，敷地権付き区分建物について第74条第2項の規定により所有権の保存の登記をする場合は，この限りでない。
② 登記官は，所有権の登記がない不動産について嘱託により所有権の処分の制限の登記をするときは，職権で，所有権の保存の登記をしなければならない。
③ 前条の規定は，表題登記がない不動産について嘱託により所有権の処分の制限の登記をする場合について準用する。

先例
【処分制限の登記の嘱託】
1❖処分制限の登記の嘱託により，登記官が職権で行なった所有権保存の登記については，その後，錯誤を原因として処分制限登記の抹消の嘱託がされ，その抹消登記をしたときでも，登記官において，職権でこれを抹消することはできない。（昭和38・4・10民事甲966号通達）

判例
【仮処分決定に基づく裁判所の嘱託】
1※未登記不動産譲渡後，仮処分決定に基づく裁判所の嘱託により譲渡人のためにされた職権保存登記も，一般の保存登記と同一の効力を有する。（最判昭和31・5・25）

第76条の2（相続等による所有権の移転の登記の申請）

① 所有権の登記名義人について相続の開始があったときは，当該相続により所有権を取得した者は，自己のために相続の開始があったことを知り，かつ，当該所有権を取得したことを知った日から3年以内に，所有権の移転の登記を申請しなければならない。遺贈（相続人に対する遺贈に限る。）により所有権を取得した者も，同様とする。
② 前項前段の規定による登記（民法第900条及び第901条の規定により算定した相続分に応じてされたものに限る。次条第4項において同じ。）がされた後に遺産の分割があったときは，当該遺産の分割によって当該相続分を超えて所有権を取得した者は，当該遺産の分割の日から3年以内に，所有権の移転の登記を申請しなければならない。
③ 前二項の規定は，代位者その他の者の申請又は嘱託により，当該各項の規定による登記がされた場合には，適用しない。

第76条の3（相続人である旨の申出等）

① 前条第1項の規定により所有権の移転の登記を申請する義務を負う者は，法務省令で定めるところにより，登記官に対し，所有権の登記名義人について相続が開始した旨及び自らが当該所有権の登記名義人の相続人である旨を申し出ることができる。
② 前条第1項に規定する期間内に前項の規定による申出をした者は，同条第1項に規定する所有権の取得（当該申出の前にされた遺産の分割によるものを除く。）に係る所有権

の移転の登記を申請する義務を履行したものとみなす。
③ 登記官は，第1項の規定による申出があったときは，職権で，その旨並びに当該申出をした者の氏名及び住所その他法務省令で定める事項を所有権の登記に付記することができる。
④ 第1項の規定による申出をした者は，その後の遺産の分割によって所有権を取得したとき（前条第1項前段の規定による登記がされた後に当該遺産の分割によって所有権を取得したときを除く。）は，当該遺産の分割の日から3年以内に，所有権の移転の登記を申請しなければならない。
⑤ 前項の規定は，代位者その他の者の申請又は嘱託により，同項の規定による登記がされた場合には，適用しない。
⑥ 第1項の規定による申出の手続及び第3項の規定による登記に関し必要な事項は，法務省令で定める。

第77条（所有権の登記の抹消）

所有権の登記の抹消は，所有権の移転の登記がない場合に限り，所有権の登記名義人が単独で申請することができる。

❖【登記識別情報を提供しなければならない登記】令8①五

先例等
【所有権保存登記の抹消の申請】
1 ⊕ 所有権保存の抹消登記は共同申請ではないものの，法63条1項に準じて，真正な所有者が確定判決により単独で申請をすることができる。（昭和28・10・14民事甲1869号通達）
【所有権保存の登記の抹消の登記手続】
2 ⊕ 所有権保存の登記を錯誤により抹消した場合には，その登記記録の全部を閉鎖する。（昭和36・9・2民事甲第2163号回答）
【区分建物の所有権の保存登記を抹消したときの登記記録の処理】
3 ⊕ 敷地権の表示のない区分建物の専有部分について，表題部に記載された所有者の名義でなされた所有権の保存の登記を抹消したときは，抹消に係る専有部分の登記記録を閉鎖する。（登記研究555号143頁）
【所有権の保存の登記を抹消した場合の登記記録の処理】
4 ⊕ 法74条1項1号の規定による表題部に記録された所有者の相続人名義でされた所有権保存登記又は同条2項及び新住宅市街地開発法による不動産登記に関する政令9条2項の規定等により，表題部所有者から直接譲渡を受けたものの名義でされた所有権保存の登記を錯誤により抹消する場合において，所有権保存の登記が抹消されても登記官において原始的な所有者を確認できるときは，（所有権保存の登記の抹消にかかる不動産が現存する限り）登記記録を閉鎖せず，表題部所有者の記録を回復する。（昭和59・2・25民三第1084号回答）

第78条（地上権の登記の登記事項）

地上権の登記の登記事項は，第59条各号に掲げるもののほか，次のとおりとする。
一 地上権設定の目的
二 地代又はその支払時期の定めがあるときは，その定め
三 存続期間又は借地借家法（平成3年法律第90号）第22条第1項前段若しくは第23条第1項若しくは大規模な災害の被災地における借地借家に関する特別措置法（平成25年法律第61号）第7条第1項の定めがあるときは，その定め

❖【地上権】民265〜269の2，借地借家1【設定の目的】民265【区分地上権の設定】民269の2【地代】民266【定期借地権】借地借家22【事業用借地権】借地借家23【申請・添付情報】令別表33

不動産登記法（79条）

四　地上権設定の目的が借地借家法第23条第1項又は第2項に規定する建物の所有であるときは，その旨
五　民法第269条の2第1項前段に規定する地上権の設定にあっては，その目的である地下又は空間の上下の範囲及び同項後段の定めがあるときはその定め

先例等
【重複の可否】
1 ✚登記上地上権の存続期間の経過していることが明らかな場合でも，その登記が存する以上，重ねて新たに地上権を設定し，その登記をすることはできない。（昭和37・5・4民事甲1262号回答）
1 ※地上権設定の登記が既に存する場合には，同一土地についての二重の地上権設定の登記の申請は，旧不動産登記法第49条第2号の規定により却下される。（大判明治39・10・31）

【区分地上権の設定】
2 ✚1　土地の「地下又ハ空間ノ上下ノ範囲」を定めてその部分を目的とする地上権（いわゆる区分地上権）の設定の登記における「地上権ノ目的タル地下又ハ空間ノ上下ノ範囲」の記載としては，平均海面（または地表の特定の地点を含む水平面）を基準として，上下の範囲を明らかにする方法等による（たとえば，「範囲東京湾平均海面の上百メートルから上参拾メートルの間」，「範囲標高百メートルから上参拾メートルの間」または「範囲土地の東南隅の地点を含む水平面を基準として下弐拾メートルから下参拾メートルの間」等のごとし）。
　2　右の範囲を明らかにするための図面は必要ない。
　3　民法第269条ノ2第1項後段の定めとしては，土地の処分（または使用）の全面的禁止は含まれないが，その使用を制限する内容が明確でなければならない。
　4　既に使用または収益をする権利及びこれらの権利を目的とする権利が存する場合でも，区分地上権を設定し得るが，この場合の登記の申請書には，右の権利を有する者の承諾書を添付すべきである。
　5　通常の地上権について，当事者の契約により，あらためて上下の範囲を定めて，これを区分地上権に変更することができるが，この場合において，当該地上権を目的とする抵当権又は処分制限の登記等が存するときは，これらの登記名義人は，登記上利害の関係を有する第三者に該当する。
　6　区分地上権の設定の登記においては，その範囲を特記する（また，民法第269条ノ2第1項後段の定めがある場合は，その使用制限の具体的内容を特約として掲げる）。
　7　通常の地上権を区分地上権に変更した場合の登記の記載としては，区分地上権の範囲を掲げて，変更内容を明らかにする。
（昭和41・11・14民事甲1907号回答）
3 ✚階層的区分建物の特定階層を区分所有の目的として，民法269条の2第1項に規定する区分地上権を設定することはできない。（昭和48・12・24民三9230号民事局長回答）

【地上権設定の可否】
4 ✚ゴルフ場所有を目的として地上権を設定し，その登記を申請することができる。（昭和47・9・19民事三発第447号回答）
5 ✚スキー場所有を目的とする地上権設定の登記の申請をすることができる。（昭和58・8・17民事三第4814号回答）
2 ※地上権については，法定，約定のいかんを問わず，土地所有者は設定の登記義務を負う。（大判明治39・2・7）

第79条（永小作権の登記の登記事項）

永小作権の登記の登記事項は，第59条各号に掲げるもののほか，次のとおりとする。
一　小作料
二　存続期間又は小作料の支払時期の定めがあるときは，その定め
三　民法第272条ただし書の定めがあるときは，その定め
四　前二号に規定するもののほか，永小作人の権利又は義務に関する定めがあるときは，その定め

❖【永小作権】民270～279【小作料】民270【存続期間】民278【権利義務の特約】民272ただし書・273・277【申請・添付情報】令別表34

第80条（地役権の登記の登記事項等）

❖【地役権の登記】規159【地役権図面の番号の記録】規160【申請・添付情報】令6②五・令別表35〜37

① 承役地（民法第285条第1項に規定する承役地をいう。以下この条において同じ。）についてする地役権の登記の登記事項は、第59条各号に掲げるもののほか、次のとおりとする。
一 要役地（民法第281条第1項に規定する要役地をいう。以下この条において同じ。）
二 地役権設定の目的及び範囲
三 民法第281条第1項ただし書若しくは第285条第1項ただし書の別段の定め又は同法第286条の定めがあるときは、その定め
② 前項の登記においては、第59条第4号の規定にかかわらず、地役権者の氏名又は名称及び住所を登記することを要しない。
③ 要役地に所有権の登記がないときは、承役地に地役権の設定の登記をすることができない。
④ 登記官は、承役地に地役権の設定の登記をしたときは、要役地について、職権で、法務省令で定める事項を登記しなければならない。

実例
【地役権設定登記について】
1 ✛ 承役地の一部を地役権の目的とする地役権設定の登記の申請書に、承役地の面積を超える面積を地役権の範囲として記載することは相当ではない。（登記研究579号169頁）

先例
【所有権登記が存しない土地の地役権設定登記の可否】
2 ✛ 地役権設定登記は、承役地はもちろん、要役地についても所有権の登記がされていなければ、申請することができない。（昭和35・3・31民事甲712号通達）

【要役地の地上権者の主体】
3 ✛ 要役地の地上権者は、その権利の存続期間の範囲内において、地役権の主体となることができる。（昭和36・9・15民事甲2324号回答）

【地役権設定登記の可否】
4 ✛ 地役権の移転については、その登記をすることができない。（昭和35・3・31民事甲712号通達）
5 ✛ 同一の土地（その一部たる同一部分）を承役地として、別異の土地所有者のために重ねて数個の地役権を設定し、その登記をすることができる。（昭和38・2・12民事甲390号回答）
6 ✛ 登記された賃借権の登記名義人（賃借人）は、当該賃借権の目的たる土地を要役地として、地役権の設定を受け、その登記をすることができる。（昭和39・7・31民事甲2700号回答）
7 ✛ 設定の目的を「日照の確保のため高さ何メートル以上の工作物を設置しない」とする地役権設定の登記は、受理できる。（昭和54・5・9民事三発2863号回答）
8 ✛ 洪水時に一時的に流量を調整するため、流水を滞留させる堤防周辺の土地（遊水池）を承役地とし、堤防の越流堤（遊水池に水を流すため本堤の一部を低くした部分）に係る土地を要役地として、地役権を設定することができる。この場合の地役権設定の目的は「1，越流堤の設置に起因する浸水及び冠水の認容、2，遊水池の機能の保全の妨げとなる工作物の設置その他の行為の禁止」とする。（昭和54・11・16民事三第5776号回答）
9 ✛ 同一の承役地を目的として、重複して地役権の設定の登記を申請することができる。（昭和43・12・27民事甲3671号回答）

【地役権図面の署名捺印】
10 ✛ 地役権図面の署名又は記名押印は、地役権設定契約締結および登記申請の権限の委任を受けた者が行なってもよい。（昭和44・12・15民事甲2731号回答）

実例
【賃借権の仮登記権利者を地役権者とする地役権設定の登記の可否】
11 ✛ 賃借権の仮登記権利者を地役権者とする地役権の設定登記をすることはできない。（登記研究603号135頁）

第81条（賃借権の登記等の登記事項）

賃借権の登記又は賃借物の転貸の登記の登記事項は，第59条各号に掲げるもののほか，次のとおりとする。
一　賃料
二　存続期間又は賃料の支払時期の定めがあるときは，その定め
三　賃借権の譲渡又は賃借物の転貸を許す旨の定めがあるときは，その定め
四　敷金があるときは，その旨
五　賃貸人が財産の処分につき行為能力の制限を受けた者又は財産の処分の権限を有しない者であるときは，その旨
六　土地の賃借権設定の目的が建物の所有であるときは，その旨
七　前号に規定する場合において建物が借地借家法第23条第1項又は第2項に規定する建物であるときは，その旨
八　借地借家法第22条第1項前段，第23条第1項，第38条第1項前段若しくは第39条第1項，高齢者の居住の安定確保に関する法律（平成13年法律第26号）第52条第1項又は大規模な災害の被災地における借地借家に関する特別措置法第7条第1項の定めがあるときは，その定め

❖【賃借権】民601〜631，借地借家1【転貸】民612【存続期間】民602〜604，借地借家3〜9・26〜30【処分の能力・権限のない者】民602【定期借地権】借地借家22【賃貸人不在期間の建物賃貸借】借地借家38【事業用借地権】借地借家23【譲渡】民612，借地借家19〜21・36，借家7ノ2【申請・添付情報】令別表38〜40

【先例等】
【賃借権設定登記の可否】
1 ⊕共有持分に対する賃借権設定の仮登記申請は受理できない。（昭和48・10・13民事三発7694号回答）
2 ⊕共有持分に対する賃借権設定の登記をすることはできない。（登記研究376号87頁）
3 ⊕借地借家法24条2項の規定より公正証書によって同条1項に規定する借地権（賃借権）を設定する契約がされたが，その旨の登記がされないまま土地の所有権の移転の登記がされている場合において，同契約に基づく賃借権の設定について，賃借権者を登記権利者，土地の所有権の登記名義人を登記義務者とし，前所有者との間における契約の日を登記原因の日付（登記原因証明情報は，借地借家法24条2項の公正証書）とする賃借権の設定の登記は，受理して差し支えない。（平成17・7・28民二第1690号通知）
4 ⊕賃借権登記のある不動産について，重ねて賃借権を設定し，その登記をすることができる。（昭和30・5・21民事甲972号通達）

【自己借地権】
5 ⊕借地権の設定の登記については，登記義務者が同時に登記権利者となる場合でも，他に登記権利者があるときは，その申請を受理することができる。（平成4・7・7民三3930号通達第3）

【判例】
【その他】
1 ※不動産の賃借人は，賃貸借の登記をすることの特約がない場合には，特別の規定がないかぎり，賃貸人に対し，賃借権設定の本登記請求権はもちろん，その仮登記をすべき権利をも有しない。（大判大正10・7・11）
2 ※建物所有を目的とする土地賃貸借において，賃借権の譲渡，賃借物の転貸を許容する旨の特約があり，かつ，その賃借権の設定および右特約について登記がされているときは，賃貸人が右賃借権の消滅を第三者に対抗するためには，民法177条の規定の類推適用により，その旨の登記をしなければならない。（最判昭和43・10・31）

第81条の2（配偶者居住権の登記の登記事項）

配偶者居住権の登記の登記事項は，第59条各号に掲げるも

のほか，次のとおりとする。
一　存続期間
二　第三者に居住建物（民法第1028条第1項に規定する居住建物をいう。）の使用又は収益をさせることを許す旨の定めがあるときは，その定め

第82条（採石権の登記の登記事項）

採石権の登記の登記事項は，第59条各号に掲げるもののほか，次のとおりとする。
一　存続期間
二　採石権の内容又は採石料若しくはその支払時期の定めがあるときは，その定め

❖【採石権】採石1～4【存続期間】採石5・6・19①三・31【採石権の内容等】採石4①②・7【処分制限の登記】採石12～14【決定に基づく登記】採石31【申請・添付情報】令別表41

第83条（担保権の登記の登記事項）

① 先取特権，質権若しくは転質又は抵当権の登記の登記事項は，第59条各号に掲げるもののほか，次のとおりとする。
一　債権額（一定の金額を目的としない債権については，その価額）
二　債務者の氏名又は名称及び住所
三　所有権以外の権利を目的とするときは，その目的となる権利
四　二以上の不動産に関する権利を目的とするときは，当該二以上の不動産及び当該権利
五　外国通貨で第1号の債権額を指定した債権を担保する質権若しくは転質又は抵当権の登記にあっては，本邦通貨で表示した担保限度額
② 登記官は，前項第四号に掲げる事項を明らかにするため，法務省令で定めるところにより，共同担保目録を作成することができる。

❖【共同担保目録】規166・167，準113・114

第84条（債権の一部譲渡による担保権の移転の登記等の登記事項）

債権の一部について譲渡又は代位弁済がされた場合における先取特権，質権若しくは転質又は抵当権の移転の登記の登記事項は，第59条各号に掲げるもののほか，当該譲渡又は代位弁済の目的である債権の額とする。

❖【申請・添付情報】令別表45・48・57

第85条（不動産工事の先取特権の保存の登記）

不動産工事の先取特権の保存の登記においては，第83条第

❖【先取特権】民306～341【工事費用の予算額】民338①【不動産工事先取特権保存登記の特則】法86

1項第1号の債権額として工事費用の予算額を登記事項とする。　【申請・添付情報】令6②六〜8・別表42

> **先例等**
> 【不動産工事の先取特権保存の登記】
> 1 ✚建物増築による不動産工事の先取特権の保存の登記においては、登記記録の表題部に、予定される増築後の表示を掲げるものとされるが、なお、右の記録と増築の登記をする場合の取扱いについては、法86条3項、87条2項の規定に準じて行うものとされる。（昭和42・8・23民三666号回答）
> 2 ✚宅地造成による不動産工事の先取特権保存の登記はすることができる。

この場合、不動産登記令別表43・ロの準用ないし類推適用はない。（昭和56・1・26民三第656号回答）
1 ※工事着手後になされた不動産工事の先取特権の保存の登記は、その効力を有しない。（大判大正6・2・9）
【不動産売買の先取特権保存の登記】
3 ✚民法第340条による不動産売買の先取特権保存の登記は、売買の登記と同時に申請すべきである。（昭和29・9・21民事甲1931号通達）

第86条（建物を新築する場合の不動産工事の先取特権の保存の登記）

❖【建物を新築する場合の不動産工事の先取特権の保存の登記】規161【申請・添付情報】令6・別表43・44

① 建物を新築する場合における不動産工事の先取特権の保存の登記については、当該建物の所有者となるべき者を登記義務者とみなす。この場合においては、第22条本文の規定は、適用しない。
② 前項の登記の登記事項は、第59条各号及び第83条第1項各号（第3号を除く。）に掲げるもののほか、次のとおりとする。
一　新築する建物並びに当該建物の種類、構造及び床面積は設計書による旨
二　登記義務者の氏名又は名称及び住所
③ 前項第1号の規定は、所有権の登記がある建物の附属建物を新築する場合における不動産工事の先取特権の保存の登記について準用する。

第87条（建物の建築が完了した場合の登記）

❖【建物の建築が完了した場合の登記】規162

① 前条第1項の登記をした場合において、建物の建築が完了したときは、当該建物の所有者は、遅滞なく、所有権の保存の登記を申請しなければならない。
② 前条第3項の登記をした場合において、附属建物の建築が完了したときは、当該附属建物が属する建物の所有権の登記名義人は、遅滞なく、当該附属建物の新築による建物の表題部の変更の登記を申請しなければならない。

> **判例**
> 【不動産工事の先取特権登記の登記記録と別の登記記録にされた所有権保存登記の効力】
> 1 ※建物を新築するにあたり、不動産工事の先取特権の登記をし、その建物の建築が終ったときは、その登記記録に所有権の登記をすべきものであり、別の登記記録に所有権登記をすることは法の許容せざる所であって、別異の登記記録にその所有権登記をしたときは該登記は不適法であって無効の登記となる。（大判昭和2・6・10）

第88条（抵当権の登記の登記事項）

① 抵当権（根抵当権（民法第398条の2第1項の規定による抵当権をいう。以下同じ。）を除く。）の登記の登記事項は，第59条各号及び第83条第1項各号に掲げるもののほか，次のとおりとする。
一 利息に関する定めがあるときは，その定め
二 民法第375条第2項に規定する損害の賠償額の定めがあるときは，その定め
三 債権に付した条件があるときは，その条件
四 民法第370条ただし書の別段の定めがあるときは，その定め
五 抵当証券発行の定めがあるときは，その定め
六 前号の定めがある場合において元本又は利息の弁済期又は支払場所の定めがあるときは，その定め

② 根抵当権の登記の登記事項は，第59条各号及び第83条第1項各号（第1号を除く。）に掲げるもののほか，次のとおりとする。
一 担保すべき債権の範囲及び極度額
二 民法第370条ただし書の別段の定めがあるときは，その定め
三 担保すべき元本の確定すべき期日の定めがあるときは，その定め
四 民法第398条の14第1項ただし書の定めがあるときは，その定め

❖① 【抵当権】民369～398【利息・損害賠償】民374【条件付債権】民127・129【抵当権設定の登記】令別表55
② 【根抵当権】民398の2～398の22【被担保債権の範囲】民398の2【極度額】民398の2①・398の3①【元本確定期日】民398の6【根抵当権の設定の登記】令別表56【根抵当権の分割譲渡の登記】規165【共同根抵当の記載】民369の16【共同担保の根抵当権の分割譲渡の登記】規169

先例
【抵当権設定登記の可否】
1✙土地の一部について抵当権設定の登記をすることはできない（注，実体上は設定しうる）。（明治31・12・22民刑2080号回答）
2✙抵当権の目的とされ，その設定登記がされている建物につき附属建物新築の登記が行なわれた場合には，抵当権の効力は，当然にその附属建物にも及ぶ。（昭和25・12・14民事甲3176号通達）
3✙同一債権の担保として数個の不動産上に設定された共同抵当権であることが登記原因証書により明らかな場合でも，その一部の不動産のみについて，抵当権設定登記を申請することができる。（昭和30・4・30民事甲835号通達）
4✙所有権（共有持分）の一部（未分のもの）を目的とする抵当権設定の登記をすることはできない。（昭和35・6・1民事甲1340号通達）
5✙債権者を異にする数個の債権を一括担保するために1個の抵当権を設定しその登記（の申請）をすることはできない。（昭和35・12・27民事甲3280号通達）
6✙建築年月日前の日付で締結された建物抵当権設定契約であることが登記簿の記載によって明らかな場合でも，右契約を登記原因とする抵当権設定登記の申請は，受理すべきものとされる。（昭和39・4・6民事甲1291号回答）
7✙同一不動産につき，同一人が数回にわたって（各別の登記により）持分取得の登記を経由している場合は，その登記に係るそれぞれの持分（共有持分の一部）につき，抵当権を設定してその登記の申請をすることができる（この場合の登記の目的は，「何某持分一部（順位何番で登記した持分）の抵当権設定」とする。（昭和58・4・4民事三第2251号回答）

判例
【登記の流用】
1❖消滅した抵当権の登記を他の抵当権の登記として流用する旨の合意は，無効である。（大判昭和6・8・7）

第89条（抵当権の順位の変更の登記等）

① 抵当権の順位の変更の登記の申請は，順位を変更する当該抵当権の登記名義人が共同してしなければならない。
② 前項の規定は，民法第398条の14第1項ただし書の定めがある場合の当該定めの登記の申請について準用する。

❖【抵当権の順位の変更】民373【順位の変更の登記】令8①六，規164【根抵当権の共有】民398の13・398の14【不動産工事の先取特権】民325二・327・338・339【先取特権保存登記の申請】法85

第90条（抵当権の処分の登記）

第83条及び第88条の規定は，民法第376条第1項の規定により抵当権を他の債権のための担保とし，又は抵当権を譲渡し，若しくは放棄する場合の登記について準用する。

❖【抵当権の処分】民375①【根抵当権の処分】民398の11①【抵当権の処分の登記】令別表58，規163

第91条（共同抵当の代位の登記）

① 民法第393条の規定による代位の登記の登記事項は，第59条各号に掲げるもののほか，先順位の抵当権者が弁済を受けた不動産に関する権利，当該不動産の代価及び当該弁済を受けた額とする。
② 第83条及び第88条の規定は，前項の登記について準用する。

❖【代位】民392・398の7①【共同抵当の代位の登記】令別表59

第92条（根抵当権当事者の相続に関する合意の登記の制限）

民法第398条の8第1項又は第2項の合意の登記は，当該相続による根抵当権の移転又は債務者の変更の登記をした後でなければ，することができない。

第93条（根抵当権の元本の確定の登記）

民法第398条の19第2項又は第398条の20第1項第3号若しくは第4号の規定により根抵当権の担保すべき元本が確定した場合の登記は，第60条の規定にかかわらず，当該根抵当権の登記名義人が単独で申請することができる。ただし，同項第3号又は第4号の規定により根抵当権の担保すべき元本が確定した場合における申請は，当該根抵当権又はこれを目的とする権利の取得の登記の申請と併せてしなければならない。

❖【根抵当権の元本の確定の登記】令別表61～63

第94条（抵当証券に関する登記）

① 登記官は，抵当証券を交付したときは，職権で，抵当証券交付の登記をしなければならない。

❖① 【別段の定め】民329・331・336・339・361・373・395【抵当権の順位の変更】法89【抵当証券交付の登記】規171

② 抵当証券法第1条第2項の申請があった場合において，同法第5条第2項の嘱託を受けた登記所の登記官が抵当証券を作成したときは，当該登記官は，職権で，抵当証券作成の登記をしなければならない。
③ 前項の場合において，同項の申請を受けた登記所の登記官は，抵当証券を交付したときは抵当証券交付の登記を，同項の申請を却下したときは抵当証券作成の登記の抹消を同項の登記所に嘱託しなければならない。
④ 第2項の規定による抵当証券作成の登記をした不動産について，前項の規定による嘱託により抵当証券交付の登記をしたときは，当該抵当証券交付の登記は，当該抵当証券作成の登記をした時にさかのぼってその効力を生ずる。

② 【仮登記の順位】法106【受付番号】法19・20・59【抵当証券の交付】抵当証券1～23【抵当証券作成・交付の登記】規172【抵当証券交付の登記の抹消】規173

先例
【抵当証券の交付申請】
1 ※転抵当権について抵当証券の交付を申請することはできない。(平成元・8・8民事三第2913号回答)

【その他】
2 ※買戻し特約の登記のある不動産を目的とする抵当権についての抵当証券交付申請は，抵当証券法2条4号を類推適用し，同法5条1項4号により却下する。(平成元・11・15民三第4777号依命回答)

第95条（質権の登記等の登記事項）

① 質権又は転質の登記の登記事項は，第59条各号及び第83条第1項各号に掲げるもののほか，次のとおりとする。
一 存続期間の定めがあるときは，その定め
二 利息に関する定めがあるときは，その定め
三 違約金又は賠償額の定めがあるときは，その定め
四 債権に付した条件があるときは，その条件
五 民法第346条ただし書の別段の定めがあるときは，その定め
六 民法第359条の規定によりその設定行為について別段の定め（同法第356条又は第357条に規定するものに限る。）があるときは，その定め
七 民法第361条において準用する同法第370条ただし書の別段の定めがあるときは，その定め
② 第88条第2項及び第89条から第93条までの規定は，質権について準用する。この場合において，第90条及び第91条第2項中「第88条」とあるのは，「第95条第1項又は同条第2項において準用する第88条第2項」と読み替えるものとする。

❖【不動産質】民342・356～361【転質】民348【存続期間】民360【利息等】民346・358・359・361・371【条件付債権】民127・129【質権の設定・転質の登記】令別表46

判例
【引渡前の質権設定登記】
1 ※質権の目的たる不動産の引渡し前に質権設定登記がなされた場合，登記後に不動産の引渡しがなされても，その登記はさかのぼって有効とはならない。(大判明治42・11・8)

第96条(買戻しの特約の登記の登記事項)

買戻しの特約の登記の登記事項は,第59条各号に掲げるもののほか,買主が支払った代金(民法第579条の別段の合意をした場合にあっては,その合意により定めた金額)及び契約の費用並びに買戻しの期間の定めがあるときはその定めとする。

❖【買戻の特約】民579〜585【買戻しの特約の登記】令別表64【買戻しの特約の登記の抹消】規174

先例
【買戻権の行使による買戻権の登記】
1 ⊕買戻権の行使による買戻の登記は,所有権移転の登記による。(大正1・9・30民事444号回答)
判例
【買戻の特約の登記】
1 ※売買登記後に行なった買戻の特約は,登記することができない。(大判明治33・10・5)
2 ※1 買戻権は,売買と同時に買戻の特約の登記をするのでなければ,これをもって第三者に対抗することができない。

2 売買の登記と同時でない買戻特約の登記の申請は,法25条第2号に該当するものとして,却下すべきである。(大決大正7・4・30)
【買戻権の行使による買戻権の登記】
3 ※買主が買戻特約の登記のある不動産を第三者に転売して登記を経由した場合は,最初の売主は転得者に対して買戻権を行使すべきである。(最判昭和36・5・30)
4 ※法3条の「権利ノ移転」を広義に解し,買戻しがあった場合においても,所有権移転登記をすべきである。(大判大正5・4・11)

第97条(信託の登記の登記事項)

① 信託の登記の登記事項は,第59条各号に掲げるもののほか,次のとおりとする。
一 委託者,受託者及び受益者の氏名又は名称及び住所
二 受益者の指定に関する条件又は受益者を定める方法の定めがあるときは,その定め
三 信託管理人があるときは,その氏名又は名称及び住所
四 受益者代理人があるときは,その氏名又は名称及び住所
五 信託法(平成18年法律第108号)第185条第3項に規定する受益証券発行信託であるときは,その旨
六 信託法第258条第1項に規定する受益者の定めのない信託であるときは,その旨
七 公益信託ニ関スル法律(大正11年法律第62号)第1条に規定する公益信託であるときは,その旨
八 信託の目的
九 信託財産の管理方法
十 信託の終了の事由
十一 その他の信託の条項
② 前項第2号から第6号までに掲げる事項のいずれかを登記したときは,同項第1号の受益者(同項第4号に掲げる事項を登記した場合にあっては,当該受益者代理人が代理する受益者に限る。)の氏名又は名称及び住所を登記することを要しない。
③ 登記官は,第1項各号に掲げる事項を明らかにするた

❖【信託目録】規176,準115

め，法務省令で定めるところにより，信託目録を作成することができる。

第98条（信託の登記の申請方法等）

① 信託の登記の申請は，当該信託に係る権利の保存，設定，移転又は変更の登記の申請と同時にしなければならない。
② 信託の登記は，受託者が単独で申請することができる。
③ 信託法第3条第3号に掲げる方法によってされた信託による権利の変更の登記は，受託者が単独で申請することができる。

❖【信託の登記】信託14，規175【一の申請情報による登記の申請】令5②【申請・添付情報】令別表65【信託】信託1・2【受託者・受任者】信託1④・⑤【信託財産】信託14～25・34・48

第99条（代位による信託の登記の申請）

受益者又は委託者は，受託者に代わって信託の登記を申請することができる。

❖【受益者】信託⑥・⑦【委任者】信託2④【受託者】信託2⑤【信託の登記】信託14①

第100条（受託者の変更による登記等）

① 受託者の任務が死亡，後見開始若しくは保佐開始の審判，破産手続開始の決定，法人の合併以外の理由による解散又は裁判所若しくは主務官庁（その権限の委任を受けた国に所属する行政庁及びその権限に属する事務を処理する都道府県の執行機関を含む。第102条第2項において同じ。）の解任命令により終了し，新たに受託者が選任されたときは，信託財産に属する不動産についてする受託者の変更による権利の移転の登記は，第60条の規定にかかわらず，新たに選任された当該受託者が単独で申請することができる。
② 受託者が2人以上ある場合において，そのうち少なくとも1人の受託者の任務が前項に規定する事由により終了したときは，信託財産に属する不動産についてする当該受託者の任務の終了による権利の変更の登記は，第60条の規定にかかわらず，他の受託者が単独で申請することができる。

❖【受託者の変更】信託56～62【信託に関する権利義務の承継等】信託75①・②【受託者の変更等の特則】信託86【主務官庁】公益信託8，公益社団3・4【受益者の更迭による権利の移転の登記】令別表66・67

第101条（職権による信託の変更の登記）

登記官は，信託財産に属する不動産について次に掲げる登記をするときは，職権で，信託の変更の登記をしなければならない。
一 信託法第75条第1項又は第2項の規定による権利の移転の登記
二 信託法第86条第4項本文の規定による権利の変更の登記

❖【受託者の変更】信託56～62【信託に関する権利義務の承継等】信託75①・②【受託者の変更等の特則】信託86【主務官庁】公益信託8，公益社団3・4【受託者の更迭による権利の移転の登記】令別表66・67

三　受託者である登記名義人の氏名若しくは名称又は住所についての変更の登記又は更正の登記

第102条（嘱託による信託の変更の登記）

❖【信託管理人の選任・解任】信託123・128

① 裁判所書記官は、受託者の解任の裁判があったとき、信託管理人若しくは受益者代理人の選任若しくは解任の裁判があったとき、又は信託の変更を命ずる裁判があったときは、職権で、遅滞なく、信託の変更の登記を登記所に嘱託しなければならない。
② 主務官庁は、受託者を解任したとき、信託管理人若しくは受益者代理人を選任し、若しくは解任したとき、又は信託の変更を命じたときは、遅滞なく、信託の変更の登記を登記所に嘱託しなければならない。

第103条（信託の変更の登記の申請）

❖【信託目録の記録の変更】規176④

① 前二条に規定するもののほか、第97条第1項各号に掲げる登記事項について変更があったときは、受託者は、遅滞なく、信託の変更の登記を申請しなければならない。
② 第99条の規定は、前項の信託の変更の登記の申請について準用する。

第104条（信託の登記の抹消）

❖【信託財産】信託14〜25・34・48〜53【信託の終了】信託163【信託の登記の抹消】規175②・③【一の申請情報による登記の申請】令5③〜⑤

① 信託財産に属する不動産に関する権利が移転、変更又は消滅により信託財産に属しないこととなった場合における信託の登記の抹消の申請は、当該権利の移転の登記若しくは変更の登記又は当該権利の登記の抹消の申請と同時にしなければならない。
② 信託の登記の抹消は、受託者が単独で申請することができる。

第104条の2（権利の変更の登記等の特則）

① 信託の併合又は分割により不動産に関する権利が一の信託の信託財産に属する財産から他の信託の信託財産に属する財産となった場合における当該権利に係る当該一の信託についての信託の登記の抹消及び当該他の信託についての信託の登記の申請は、信託の併合又は分割による権利の変更の登記の申請と同時にしなければならない。信託の併合又は分割以外の事由により不動産に関する権利が一の信託

の信託財産に属する財産から受託者を同一とする他の信託の信託財産に属する財産となった場合も，同様とする。
② 信託財産に属する不動産についてする次の表の上欄に掲げる場合における権利の変更の登記（第98条第3項の登記を除く。）については，同表の中欄に掲げる者を登記権利者とし，同表の下欄に掲げる者を登記義務者とする。この場合において，受益者（信託管理人がある場合にあっては，信託管理人。以下この項において同じ。）については，第22条本文の規定は，適用しない。

1　不動産に関する権利が固有財産に属する財産から信託財産に属する財産となった場合	受益者	受託者
2　不動産に関する権利が信託財産に属する財産から固有財産に属する財産となった場合	受託者	受益者
3　不動産に関する権利が一の信託の信託財産に属する財産から他の信託の信託財産に属する財産となった場合	当該他の信託の受益者及び受託者	当該一の信託の受益者及び受託者

第105条　（仮登記）

❖【法務省で定める情報】規178

仮登記は，次に掲げる場合にすることができる。
一　第3条各号に掲げる権利について保存等があった場合において，当該保存等に係る登記の申請をするために登記所に対し提供しなければならない情報であって，第25条第9号の申請情報と併せて提供しなければならないものとされているもののうち法務省令で定めるものを提供することができないとき。
二　第3条各号に掲げる権利の設定，移転，変更又は消滅に関して請求権（始期付き又は停止条件付きのものその他将来確定することが見込まれるものを含む。）を保全しようとするとき。

先例等
【各種の条件付の仮登録】
1✛農地法所定の許可を条件とする売買による所有権移転の仮登記は申請することができる。（昭和37・1・6民事甲3288号回答）
2✛登記義務者の権利に関する登記識別情報を提供不能の場合は，手続上の条件が具備しないものとして，仮登記を申請することができる。（昭和35・4・7民事甲788号通達）
1※所有権移転請求権保全の仮登記に基づいて本登記をすれば，条件成就による所有権移転の時に遡って目的不動産の所有権取得の効果を第三者に対抗できる。（最判昭31・6・28）

【第三者の許可等を証する書面について】
3✛仮登記の申請については，その登記原因につき第三者の許可，同意または承諾を要する場合でも，

右の許可等を証する書面の添付を要しない。(昭和39・3・3民事甲291号通達)
【その他】
4 ⊕仮登記をしてある同一物件について重ねて仮登記をすることができる。(明治33・2・2民刑局長回答)
5 ⊕法105条1号の仮登記によつてされた権利の移転にあつては、主登記をもつてする仮登記によるものとし、同法105条2号の仮登記によつて保全された権利移転請求権の移転にあつては、右仮登記の附記登記によるものとする。なお、右の権利移転請求権の移転請求権保全の場合にあつては、右仮登記の附記としての仮登記によるものとする。(昭和36・12・27民事甲1600号通達)
2 ※売買予約による所有権移転を求めるべき権利を保全するための仮登記は、することができる。(大判大正4・4・5)
3 ※仮登記は、本登記のように不動産に関する物権の得喪変更を第三者に対抗しうる効力を有するものではない。(大判大正4・7・6)

第106条（仮登記に基づく本登記の順位）

仮登記に基づいて本登記（仮登記がされた後、これと同一の不動産についてされる同一の権利についての権利に関する登記であって、当該不動産に係る登記記録に当該仮登記に基づく登記であることが記録されているものをいう。以下同じ。）をした場合は、当該本登記の順位は、当該仮登記の順位による。

第107条（仮登記の申請方法）

① 仮登記は、仮登記の登記義務者の承諾があるとき及び次条に規定する仮登記を命ずる処分があるときは、第60条の規定にかかわらず、当該仮登記の登記権利者が単独で申請することができる。
② 仮登記の登記権利者及び登記義務者が共同して仮登記を申請する場合については、第22条本文の規定は、適用しない。

❖【仮登記及び本登記の方法】規179【仮登記の登記義務者がある場合における仮登記】令別表68

第108条（仮登記を命ずる処分）

① 裁判所は、仮登記の登記権利者の申立てにより、仮登記を命ずる処分をすることができる。
② 前項の申立てをするときは、仮登記の原因となる事実を疎明しなければならない。
③ 第1項の申立てに係る事件は、不動産の所在地を管轄する地方裁判所の管轄に専属する。
④ 第1項の申立てを却下した決定に対しては、即時抗告をすることができる。
⑤ 非訟事件手続法第5条から第14条まで、第16条から第18条まで、第19条第2項及び第3項、第22条、第23条並びに第25条から第32条までの規定は、前項の即時抗告について準用する。

❖【添付情報】令7①五【疎明】民訴188【即時抗告】非訟20〜25、民訴332・334

先例
【未登記不動産の仮登記仮処分命令の可否】
1 ❖所有権の登記のない不動産については，仮処分命令による登記の申請をすることができない。
（昭和35・9・7民事甲2221回答）

第109条（仮登記に基づく本登記）

① 所有権に関する仮登記に基づく本登記は，登記上の利害関係を有する第三者（本登記につき利害関係を有する抵当証券の所持人又は裏書人を含む。以下この条において同じ。）がある場合には，当該第三者の承諾があるときに限り，申請することができる。
② 登記官は，前項の規定による申請に基づいて登記をするときは，職権で，同項の第三者の権利に関する登記を抹消しなければならない。

❖【仮登記に基づく本登記】令別表69，規179・180

第110条（仮登記の抹消）

仮登記の抹消は，第60条の規定にかかわらず，仮登記の登記名義人が単独で申請することができる。仮登記の登記名義人の承諾がある場合における当該仮登記の登記上の利害関係人も，同様とする。

❖【仮登記の抹消】令8①八・別表70，準116

第111条（仮処分の登記に後れる登記の抹消）

① 所有権について民事保全法（平成元年法律第91号）第53条第1項の規定による処分禁止の登記（同条第2項に規定する保全仮登記（以下「保全仮登記」という。）とともにしたものを除く。以下この条において同じ。）がされた後，当該処分禁止の登記に係る仮処分の債権者が当該仮処分の債務者を登記義務者とする所有権の登記（仮登記を除く。）を申請する場合においては，当該債権者は，当該処分禁止の登記に後れる登記の抹消を単独で申請することができる。
② 前項の規定は，所有権以外の権利について民事保全法第53条第1項の規定による処分禁止の登記がされた後，当該処分禁止の登記に係る仮処分の債権者が当該仮処分の債務者を登記義務者とする当該権利の移転又は消滅に関し登記（仮登記を除く。）を申請する場合について準用する。
③ 登記官は，第1項（前項において準用する場合を含む。）の申請に基づいて当該処分禁止の登記に後れる登記を抹消するときは，職権で，当該処分禁止の登記も抹消しなければならない。

❖【仮処分の登記に後れる登記の抹消】民保58①・②，令別表71【保全仮登記】民保53②【本登記】民保58③・60，法55【処分禁止の登記】民保53①

不動産登記法（112条—116条）

第112条（保全仮登記に基づく本登記の順位）

保全仮登記に基づいて本登記をした場合は，当該本登記の順位は，当該保全仮登記の順位による。

第113条（保全仮登記に係る仮処分の登記に後れる登記の抹消）

不動産の使用又は収益をする権利について保全仮登記がされた後，当該保全仮登記に係る仮処分の債権者が本登記を申請する場合においては，当該債権者は，所有権以外の不動産の使用若しくは収益をする権利又は当該権利を目的とする権利に関する登記であって当該保全仮登記とともにした処分禁止の登記に後れるものの抹消を単独で申請することができる。

❖【保全仮登記】民保53②【本登記】民保58③・60，法55【仮処分の登記に後れる登記の抹消】民保58④，令別表72

第114条（処分禁止の登記の抹消）

登記官は，保全仮登記に基づく本登記をするときは，職権で，当該保全仮登記とともにした処分禁止の登記を抹消しなければならない。

❖【処分禁止の仮登記】民保53①

第115条（公売処分による登記）

官庁又は公署は，公売処分をした場合において，登記権利者の請求があったときは，遅滞なく，次に掲げる事項を登記所に嘱託しなければならない。
一　公売処分による権利の移転の登記
二　公売処分により消滅した権利の登記の抹消
三　滞納処分に関する差押えの登記の抹消

❖【権利移転の登記】国税徴収121【公売により消滅する権利】国税徴収124・125，国税徴収令46

第116条（官庁又は公署の嘱託による登記）

① 国又は地方公共団体が登記権利者となって権利に関する登記をするときは，官庁又は公署は，遅滞なく，登記義務者の承諾を得て，当該登記を登記所に嘱託しなければならない。
② 国又は地方公共団体が登記義務者となる権利に関する登記について登記権利者の請求があったときは，官庁又は公署は，遅滞なく，当該登記を登記所に嘱託しなければならない。

❖【登録免許税】登税法23【収用】土地収用法101【裁決不失効証明】土地収用法100【起業者】土地収用法8①【収用による権利の消滅・差押等の失効】土地収用法101①【裁決手続開始の登記】土地収用法45の2【国又は地方公共団体が登記権利者となる権利に関する登記】令別表73

先例

1 ✚官庁または公署が登記権利者として，権利に関する登記を嘱託するときは，登記義務者の承諾を証する情報を提供することを要し（不登令別表73添付情報欄ロ）。この承諾を証する情報には，作成者が記名押印した印鑑証明書を添付しなければならない。この印鑑証明書は，承諾書の成立の真正を担保するものであるから，作成後3か月以内のものであることを要しない。（昭和31・11・2民事甲第2530号通達）

第117条（官庁又は公署の嘱託による登記の登記識別情報）

① 登記官は，官庁又は公署が登記権利者（登記をすることによって登記名義人となる者に限る。以下この条において同じ。）のためにした登記の嘱託に基づいて登記を完了したときは，速やかに，当該登記権利者のために登記識別情報を当該官庁又は公署に通知しなければならない。

② 前項の規定により登記識別情報の通知を受けた官庁又は公署は，遅滞なく，これを同項の登記権利者に通知しなければならない。

❖【官公庁又は公署の嘱託による登記の登記識別情報の通知方法】規63の2

第118条（収用による登記）

① 不動産の収用による所有権の移転の登記は，第60条の規定にかかわらず，起業者が単独で申請することができる。

② 国又は地方公共団体が起業者であるときは，官庁又は公署は，遅滞なく，前項の登記を登記所に嘱託しなければならない。

③ 前二項の規定は，不動産に関する所有権以外の権利の収用による権利の消滅の登記について準用する。

④ 土地の収用による権利の移転の登記を申請する場合には，当該収用により消滅した権利又は失効した差押え，仮差押え若しくは仮処分に関する登記を指定しなければならない。この場合において，権利の移転の登記をするときは，登記官は，職権で，当該指定に係る登記を抹消しなければならない。

⑤ 登記官は，建物の収用による所有権の移転の登記をするときは，職権で，当該建物を目的とする所有権等の登記以外の権利に関する登記を抹消しなければならない。第3項の登記をする場合において同項の権利を目的とする権利に関する登記についても，同様とする。

⑥ 登記官は，第一項の登記をするときは，職権で，裁決手続開始の登記を抹消しなければならない。

❖【収用による所有権移転の登記】令別表74【所有権以外の権利の収用】土地収用101①

第119条（登記事項証明書の交付等）

① 何人も，登記官に対し，手数料を納付して，登記記録に記録されている事項の全部又は一部を証明した書面（以下「登記事項証明書」という。）の交付を請求することができる。

② 何人も，登記官に対し，手数料を納付して，登記記録に記録されている事項の概要を記載した書面の交付を請求す

❖【電気通信回線による登記情報の提供】電気通信回線による登記情報の提供に関する法律【手数料】登記手数料令【登記事項証明書等の種類・記載事項】規196【登記事項証明書等の交付の請求】規193～195，準132【登記事項証明書等の作成・交付】規197・198，準133・136～138【登記事項証明書の受領の方法】規297条の2

③ 前二項の手数料の額は，物価の状況，登記事項証明書の交付に要する実費その他一切の事情を考慮して政令で定める。
④ 第1項及び第2項の手数料の納付は，収入印紙をもってしなければならない。ただし，法務省令で定める方法で登記事項証明書の交付を請求するときは，法務省令で定めるところにより，現金をもってすることができる。
⑤ 第1項の交付の請求は，法務省令で定める場合を除き，請求に係る不動産の所在地を管轄する登記所以外の登記所の登記官に対してもすることができる。
⑥ 登記官は，第1項及び第2項の規定にかかわらず，登記記録に記録されている者（自然人であるものに限る。）の住所が明らかにされることにより，人の生命若しくは身体に危害を及ぼすおそれがある場合又はこれに準ずる程度に心身に有害な影響を及ぼすおそれがあるものとして法務省令で定める場合において，その者からの申出があったときは，法務省令で定めるところにより，第1項及び第2項に規定する各書面に当該住所に代わるものとして法務省令で定める事項を記載しなければならない。

【関連法令】
【電気通信回線による登記情報の提供に関する法律】電気通信回線による登記情報の提供【登記手数料令】謄抄本等の手数料（2），証明の手数料（7），免除（19）【登録免許税法】共同担保の登記等の場合の課税標準及び税率（13）

先例等
【交付請求ができない場合】
1✚ある不動産が未登記であることの証明書の交付を請求することは許されない。（明治32・11・21民刑第2009号民刑局長回答）
2✚共同担保目録のみの抄本交付の請求をすることはできない。（登記研究544号105頁）

【管轄以外の登記事項証明書の認証文】
3✚不登法第119条5項の規定による請求に基づいて交付する登記事項証明書の認証文には，同項の甲登記所の表示を「（何法務局何出張所管轄）」の振り合いで付記するものとする。（平成12・10・3民事三第2253号通達）

第120条（地図の写しの交付等）

① 何人も，登記官に対し，手数料を納付して，地図，建物所在図又は地図に準ずる図面（以下この条において「地図等」という。）の全部又は一部の写し（地図等が電磁的記録に記録されているときは，当該記録された情報の内容を証明した書面）の交付を請求することができる。
② 何人も，登記官に対し，手数料を納付して，地図等（地図等が電磁的記録に記録されているときは，当該記録された情報の内容を法務省令で定める方法により表示したもの）の閲覧を請求することができる。
③ 前条第3項から第5項までの規定は，地図等について準用する。

❖【地図等の写し等の作成・交付】規200，準134

【関連法令】
【電気通信回線による登記情報の提供に関する法律】電気通信回線による登記情報の提供【登記手数料令】謄抄本等の手数料（2），閲覧の手数料（5），免除（19）

先例等
【筆界未定の処理がされている地図の写しの請求】
1 ✚法14条地図として備付けられている地籍図に筆界未定の処理がされている土地の地図の写しは，請求することができない。(登記研究389号122頁)

【閲覧の要件】
2 ✚旧登記簿および地図の閲覧にあたって，筆写に代えて，マイクロフイルムに撮影することが許される。(昭和40・3・11民事三発第238号民事局第三課長回答)

3 ✚旧登記簿及び地図等の閲覧に際して，携帯用複写機を使用することはできない。(登記研究482号181頁)

【閲覧手数料】
4 ✚一筆の土地が数枚の地図に分属表示されている場合の地図の閲覧手数料は，分属表示されている地図の枚数にかかわらず，一筆につき100円（現行450円）として取り扱って差し支えない。(昭和55・3・17民三第1554号通達)

第121条（登記簿の附属書類の写しの交付等）

① 何人も，登記官に対し，手数料を納付して，登記簿の附属書類（電磁的記録を含む。以下同じ。）のうち政令で定める図面の全部又は一部の写し（これらの図面が電磁的記録に記録されているときは，当該記録された情報の内容を証明した書面）の交付を請求することができる。

② 何人も，登記官に対し，手数料を納付して，登記簿の附属書類のうち前項の図面（電磁的記録にあっては，記録された情報の内容を法務省令で定める方法により表示したもの。次項において同じ。）の閲覧を請求することができる。

③ 何人も，正当な理由があるときは，登記官に対し，法務省令で定めるところにより，手数料を納付して，登記簿の附属書類（第1項の図面を除き，電磁的記録にあっては，記録された情報の内容を法務省令で定める方法により表示したもの。次項において同じ。）の全部又は一部（その正当な理由があると認められる部分に限る。）の閲覧を請求することができる。

④ 前項の規定にかかわらず，登記を申請した者は，登記官に対し，法務省令で定めるところにより，手数料を納付して，自己を申請人とする登記記録に係る登記簿の附属書類の閲覧を請求することができる。

⑤ 第119条第3項から第5項までの規定は，登記簿の附属書類について準用する。

❖【政令で定める図面】令21【図面の写しの作成・交付】規201，準135【閲覧の方法】規202，準139【手数料】登記手数料令2④・5②，規則203

関連法令
【電気通信回線による登記情報の提供に関する法律】電気通信回線による登記情報の提供【登記手数料令】謄抄本等の手数料（2），閲覧の手数料（5），免除（19）

先例
【閲覧の要件】
1 ✚登記簿の閲覧が1日で終了せず，数日にわたる場合でも，その申請の範囲内であれば，毎日，申請書を提出する必要はない。(明治33・6・8民刑827号回答)

【閲覧申請書の還付】
2 ✚閲覧の目的である地積測量図又は建物図面が備え付けられていない場合であっても，その閲覧申請書は還付すべきでない。(登記研究524号170頁)

3 ✚閲覧の目的である不動産が未登記であった場合でも，その閲覧申請書の還付を請求することはできない。(明治34・10・8民刑1062号回答)

【閲覧手数料】
4 ✚地積測量図の閲覧については，同一申請事件に係るものと認められない限り，別事件に関するものとして各別の手数料を必要とする（地積測量図一葉をもって一事件とする一率の取扱いは相当でない）。登記記録と併せて同時に閲覧する場合も，各別の手数料を必要とする。(昭和43・10・21民

事甲3189号回答)
5 ✚登記簿の閲覧申請に係る不動産が未登記であった場合において，閲覧手数料の還付請求があったときは，これに応ずることができる。(平成6・1・31民事三第715号通達)
【図面の写しの交付手数料】
6 ✚地積測量図，建物図面その他の図面の写しの交付の請求があった場合に，請求された図面が提出されていないときには，手数料を還付することになる。(平成13・2・16民二第484号通知，質疑事項集第1・四・問19)
7 ✚承役地についてする地役権の登記のある土地について，分割後の土地の一部について地役権が存続する場合の分筆の登記の添付情報として提供された地役権図面と地積測量図の双方の写しの交付請求があった場合，一件として手数料を徴することになる。(平成13・2・16民二第484号通知，質疑事項集第1・四・問21)
実例
【国土調査の成果として送付された地籍簿に基づく登記が完了した後の地籍簿の閲覧】
8 ✚国土調査の成果として送付された地籍簿に基づき登記が完了した後は，同地籍簿の閲覧の申請ができる。(登記研究581号145頁)
【乙号申請書の閲覧について】
9 ✚乙号申請書は，不動産登記法121条2項にいう登記簿の附属書類とは認められない。(登記研究591号213頁)
【閲覧の対象】
10 ✚職権による表示に関する登記及び地図その他の図面の訂正に関係する書類(規則23条)は，登記簿の附属書類(法121条)に該当するものと考えられますので，法121条2項の規定に基づく閲覧の対象となる。(登記研究700号199頁)
11 ✚書面申請により，地積測量図等を書面又は磁気ディスクに記録して提供された場合に，規則20条2項等の規定により電磁的記録に記録して保管したときは，これらの書面は他の申請書の添付書類と同様に登記簿の附属書類となり，法121条2項(現行3項)の「前項の図面以外のもの」にあたるので，利害関係人は閲覧請求することができるが，利害関係がある理由を証する書面の提示が必要である。(登記研究728号239頁)
12 ✚登記所備付け地図作成作業において作成された土地調査書は，不動産登記法の規定に基づく閲覧の対象となる。(登記研究706号213頁)

第122条（法務省令への委任）

❖【法務省令の定め】規203〜205

　この法律に定めるもののほか，登記簿，地図，建物所在図及び地図に準ずる図面並びに登記簿の附属書類（第154条及び第155条において「登記簿等」という。）の公開に関し必要な事項は，法務省令で定める。

第123条（定義）

❖【定義】規206

　この章において，次の各号に掲げる用語の意義は，それぞれ当該各号に定めるところによる。
一　筆界　表題登記がある一筆の土地（以下単に「一筆の土地」という。）とこれに隣接する他の土地（表題登記がない土地を含む。以下同じ。）との間において，当該1筆の土地が登記された時にその境を構成するものとされた二以上の点及びこれらを結ぶ直線をいう。
二　筆界特定　一筆の土地及びこれに隣接する他の土地について，この章の定めるところにより，筆界の現地における位置を特定すること（その位置を特定することができないときは，その位置の範囲を特定すること）をいう。
三　対象土地　筆界特定の対象となる筆界で相互に隣接する一筆の土地及び他の土地をいう。
四　関係土地　対象土地以外の土地（表題登記がない土地を

含む。）であって，筆界特定の対象となる筆界上の点を含む他の筆界で対象土地の一方又は双方と接するものをいう。
五　所有権登記名義人等　所有権の登記がある一筆の土地にあっては所有権の登記名義人，所有権の登記がない一筆の土地にあっては表題部所有者，表題登記がない土地にあっては所有者をいい，所有権の登記名義人又は表題部所有者の相続人その他の一般承継人を含む。

先例
【当該一筆の土地が登記された時】
1 ✚「当該一筆の土地が登記された時」とは，分筆又は合筆の登記がされた土地については，最後の分筆又は合筆の登記がされた時をいい，分筆又は合筆の登記がされていない土地については，当該土地が登記簿に最初に記録された時をいう。（平成17・12・6民二第2760号通達1（以下，「施行通達」という。））

【筆界特定】
2 ✚「筆界特定」とは，一の筆界の現地における位置を特定することをいい，その位置を特定することができないときは，その位置の範囲を特定することを含む。（法第123条第2号）（平成17・12・6民二第2760号通達2）

【対象土地】
3 ✚「対象土地」とは，筆界特定の対象となる筆界で相互に隣接する一筆の土地及び他の土地をいう（法123条3号）。「他の土地」には，表題登記がない土地を含む。筆界特定の申請があった場合において，筆界特定申請情報の内容及び地図又は地図に準ずる図面によれば申請に係る一筆の土地と他の土地とが相互に隣接しており，かつ，現地における土地の配列及び区画又は形状がおおむね地図又は地図に準ずる図面の表示と一致していると認められるときは，当該各土地を対象土地として取り扱って差し支えない。ただし，この場合においても，事実の調査の結果，当該土地が相互に隣接する土地とは認められないときは，当該申請は，法132条1項2号により却下する。（平成17・12・6民二第2760号通達3）

【関係土地】
4 ✚筆界特定の申請があった場合において，筆界特定申請情報の内容及び地図又は地図に準ずる図面によれば筆界特定の対象となる筆界上の点を含む他の筆界で対象土地と接しており，かつ，現地における土地の配列及び区画又は形状がおおむね地図又は地図に準ずる図面の表示と一致していると認められる土地は，関係土地として取り扱って差し支えない。（平成17・12・6民二第2760号通達4）

【所得権登記名義人等】
5 ✚所有権に関する仮登記の登記名義人は，所有権登記名義人等には含まれない。（平成17・12・6民二第2760号通達5）

【筆界特定申請情報等】
6 ✚「筆界特定申請情報」とは，法第131条第2項第1号から第4号まで及び規則第207条第2項各号に掲げる事項並びに同条第3項各号に掲げる事項に係る情報（法第131条第4項において準用する法第18条）をいい，「筆界特定申請書」とは，筆界特定申請情報を記載した書面（法第131条第4項において準用する法第18条第2号の磁気ディスクを含む。）をいう（規則第206条第3号）。筆界特定申請情報のうち，法第131条第2項第1号から第4号まで及び規則第207条第2項各号に掲げる事項に係る情報が明らかにされていない申請は，法第132条第1項第3号により却下する。
　これに対し，規則第207条第3項各号に掲げる事項に係る情報については，これが筆界特定申請情報の内容として提供されていないときでも，そのことのみをもって申請を却下することはできない。（平成17・12・6民二第2760号通達17）

【筆界特定添付情報等】
7 ✚「筆界特定添付情報」とは，規則第209条第1項各号に掲げる情報をいい（規則第206条第4号），「筆界特定添付書面」とは，筆界特定添付情報を記載した書面（筆界特定添付情報を記録した磁気ディスクを含む。）をいう（同条第5号）。筆界特定添付情報の提供がない申請は，申請人の申請の権限を確認することができないので，法第132条第1項第2号により却下する。（平成17・12・6民二第2760号通達18）

実例
8 ✚筆界特定手続上「筆界」として取り扱われるべきものは，不動産登記法第123条第1号に規定するものにほかならず，表題登記のない土地同士の境界線は同号に規定する「筆界」には該当しない。（登記研究763号171頁）

第124条（筆界特定の事務）

① 筆界特定の事務は，対象土地の所在地を管轄する法務局又は地方法務局がつかさどる。
② 第6条第2項及び第3項の規定は，筆界特定の事務について準用する。この場合において，同条第2項中「不動産」とあるのは「対象土地」と，「登記所」とあるのは「法務局又は地方法務局」と，「法務局若しくは地方法務局」とあるのは「法務局」と，同条第3項中「登記所」とあるのは「法務局又は地方法務局」と読み替えるものとする。

先例
【対象土地が二以上の法務局又は地方法務局の管轄にまたがる場合】
1 対象土地が二以上の法務局又は地方法務局の管轄区域にまたがる場合は，不動産の管轄登記所等の指定に関する省令（以下「管轄省令」という。）3条の規定により，当該二以上の法務局又は地方法務局が同一の法務局管内にあるときは当該法務局の長が，その他のときは法務大臣が，それぞれ当該対象土地に関する筆界特定の事務をつかさどる法務局又は地方法務局を指定することになる。（法124条2項において準用する法6条2項，管轄省令3条）
　これらの場合においては，指定がされるまでの間，筆界特定の申請は，当該二以上の法務局又は地方法務局のうち，いずれか一方の法務局又は地方法務局にすることができる。（法124条2項において準用する法6条3項）
（平成17・12・6民二第2760号通達59）

第125条（筆界特定登記官）

筆界特定は，筆界特定登記官（登記官のうちから，法務局又は地方法務局の長が指定する者をいう。以下同じ。）が行う。

第126条（筆界特定登記官の除斥）

筆界特定登記官が次の各号のいずれかに該当する者であるときは，当該筆界特定登記官は，対象土地について筆界特定を行うことができない。
一　対象土地又は関係土地のうちいずれかの土地の所有権の登記名義人（仮登記の登記名義人を含む。以下この号において同じ。），表題部所有者若しくは所有者又は所有権以外の権利の登記名義人若しくは当該権利を有する者
二　前号に掲げる者の配偶者又は4親等内の親族（配偶者又は4親等内の親族であった者を含む。次号において同じ。）
三　第1号に掲げる者の代理人若しくは代表者（代理人又は代表者であった者を含む。）又はその配偶者若しくは4親等内の親族

第127条（筆界調査委員）

① 法務局及び地方法務局に，筆界特定について必要な事実

の調査を行い，筆界特定登記官に意見を提出させるため，筆界調査委員若干人を置く。
② 筆界調査委員は，前項の職務を行うのに必要な専門的知識及び経験を有する者のうちから，法務局又は地方法務局の長が任命する。
③ 筆界調査委員の任期は，2年とする。
④ 筆界調査委員は，再任されることができる。
⑤ 筆界調査委員は，非常勤とする。

第128条（筆界調査委員の欠格事由）

① 次の各号のいずれかに該当する者は，筆界調査委員となることができない。
一 禁錮以上の刑に処せられ，その執行を終わり，又はその執行を受けることがなくなった日から5年を経過しない者
二 弁護士法（昭和24年法律第205号），司法書士法（昭和25年法律第197号）又は土地家屋調査士法（昭和25年法律第228号）の規定による懲戒処分により，弁護士会からの除名又は司法書士若しくは土地家屋調査士の業務の禁止の処分を受けた者でこれらの処分を受けた日から3年を経過しないもの
三 公務員で懲戒免職の処分を受け，その処分の日から3年を経過しない者
② 筆界調査委員が前項各号のいずれかに該当するに至ったときは，当然失職する。

第129条（筆界調査委員の解任）

法務局又は地方法務局の長は，筆界調査委員が次の各号のいずれかに該当するときは，その筆界調査委員を解任することができる。
一 心身の故障のため職務の執行に堪えないと認められるとき。
二 職務上の義務違反その他筆界調査委員たるに適しない非行があると認められるとき。

第130条（標準処理期間）

法務局又は地方法務局の長は，筆界特定の申請がされてから筆界特定登記官が筆界特定をするまでに通常要すべき標準的な期間を定め，法務局又は地方法務局における備付けその他の適当な方法により公にしておかなければならない。

第131条（筆界特定の申請）

① 土地の所有権登記名義人等は，筆界特定登記官に対し，当該土地とこれに隣接する他の土地との筆界について，筆界特定の申請をすることができる。

② 地方公共団体は，その区域内の対象土地の所有権登記名義人等のうちいずれかの者の同意を得たときは，筆界特定登記官に対し，当該対象土地の筆界（第14条第1項の地図に表示されないものに限る。）について，筆界特定の申請をすることができる。

③ 筆界特定の申請は，次に掲げる事項を明らかにしてしなければならない。
一　申請の趣旨
二　筆界特定の申請人の氏名又は名称及び住所
三　対象土地に係る第34条第1項第1号及び第2号に掲げる事項（表題登記がない土地にあっては，同項第1号に掲げる事項）
四　対象土地について筆界特定を必要とする理由
五　前各号に掲げるもののほか，法務省令で定める事項

④ 筆界特定の申請人は，政令で定めるところにより，手数料を納付しなければならない。

⑤ 第18条の規定は，筆界特定の申請について準用する。この場合において，同条中「不動産を識別するために必要な事項，申請人の氏名又は名称，登記の目的その他の登記の申請に必要な事項として政令で定める情報（以下「申請情報」という。）」とあるのは「第131条第3項各号に掲げる事項に係る情報（第2号，第132条第1項第4号及び第150条において「筆界特定申請情報」という。）」と，「登記所」とあるのは「法務局又は地方法務局」と，同条第2号中「申請情報」とあるのは「筆界特定申請情報」と読み替えるものとする。

❖【筆界特定申請情報】規則207【一の申請情報による複数の申請】規208【筆界特定添付情報】規209【筆界特定電子申請の方法】規210【筆界特定書面申請の方法等】規211【筆界特定申請書等の送付方法】規212【筆界特定添付書の原本の還付請求】規213【筆界特定の申請の受付】規214【管轄区域がまたがる場合の移送等】規215

【関連法令】
【司法書士法】業務（3）【土地家屋調査士法】業務（3）業務の範囲（29）【登記手数料令】（8）【筆界特定申請手数料規則】（1）

先例
【申請権者】
1⊕1　一筆の土地の一部の所有権を取得した者も，当該土地を対象土地の一つとする筆界特定の申請をすることができる（規則207条2項4号参照）。一筆の土地の一部の所有権を取得した原因は問わない。例えば，一筆の土地の一部を時効取得した者，一筆の土地の一部の所有権を売買その他の原因により承継取得した者のいずれも一筆の土地の一部の所有権を取得した者として申請をすることができる。また，申請人が所有権を取得した土地の部分が筆界特定の対象となる筆界に接していることを要しない。

2　所有権登記名義人等の申請の権限は，自己が所有権登記名義人である土地（一筆の土地の一部の所有権を取得した者については，当該一筆の土地）とこれに隣接する他の土地との間の筆界について認められる（法123条2号参照）。したがって，申請に係る二つの土地が現地において相互に隣接していると認められない申請は，法132条1項2号により却下する。

3　一筆の土地の所有権の登記名義人若しくは表題部所有者が2人以上であるとき又は表題登記がない土地が共有であるときは，当該各所有権

の登記名義人若しくは表題部所有者又は共有者のうちの1人は，単独で筆界特定の申請をすることができる。この場合には，当該一筆の土地又は当該表題登記がない土地の申請人以外の所有権の登記名義人，表題部所有者又は共有者は，関係人となる。（法133条1項参照）
（平成17・12・6民二第2760号通達14・15・16）

【申請の趣旨】
2 ✛法131条2項1号の「申請の趣旨」とは，筆界特定登記官に対し対象土地の筆界の特定を求める旨の申請人の明確な意思の表示をいう。したがって，申請の趣旨が，筆界以外の占有界や所有権界の特定を求めるものや，筆界を新たに形成することを求めるものは，適法なものとはいえない。
　申請の趣旨が明らかでない申請又は不適法な申請の趣旨を内容とする申請は，法132条1項3号又は5号により却下する。（平成17・12・6民二第2760号通達19）

【申請人が表題登記がない土地の所有者である場合】
3 ✛申請人が表題登記がない土地の所有者であるときは，筆界特定添付情報として，当該申請人が当該土地の所有権を有することを証する情報が提供されることを要する。（規則209条1項4号）。
　この場合における所有権を有することを証する情報の意義は，令別表の4の項添付情報欄ハに掲げるものと同様である。
　また，国又は地方公共団体の所有する土地において，官庁又は公署が筆界特定の申請人となる場合には，所有権を有することを証する情報の提供を便宜省略して差し支えない。
（平成17・12・6民二第2760号通達22）

【申請人が一筆の土地の一部の所有権を取得した者である場合】
4 ✛申請人が一筆の土地の一部の所有権を取得した者であるときは，その旨が筆界特定申請情報の内容として提供されることを要する（規則207条2項4号）。この場合には，筆界特定添付情報として，当該申請人が当該一筆の土地の一部について所有権を取得したことを証する情報が提供されることを要する。（規則209条1項5号）
　一筆の土地の一部の所有権を取得したことを証する情報といえるためには，申請人の自己証明では足りず，例えば，確定判決の判決書の正本若しくは謄本その他の公文書によることを要し，又は，当該一筆の土地の所有権の登記名義人が作成した当該申請人が当該一筆の土地の一部の所有権を取得したことを認めることを内容とする情報であって，当該所有権の登記名義人の印鑑証明書が添付されたものであることを要する。また，一筆の土地の一部の所有権を取得したことを証する情報において申請人が所有権を取得した土地の部分が具体的に明示されていることを要する。
（平成17・12・6民二第2760号通達24）

【資格者代理人】
5 ✛業として筆界特定の手続についての代理をすることができる者は，弁護士，土地家屋調査士又は簡裁訴訟代理等関係業務をすることにつき認定を受けた司法書士（司法書士法第3条2項参照。）である。（平成17・12・6民二第2760号通達27）

【対象土地について筆界特定を必要とする理由】
6 ✛法131条2項4号の「対象土地について筆界特定を必要とする理由」とは，筆界特定の申請に至る経緯その他の具体的な事情をいう（規則207条1項）。例えば，工作物等の設置の際，隣接地所有者と筆界の位置につき意見の対立が生じたことや，隣接地所有者による筆界の確認や立会いへの協力が得られないこと等の具体的な事情がこれに該当する。（平成17・12・6民二第2760号通達30）

【申請人等の主張】
7 ✛規則207条3項5号及び6号の規定により筆界特定申請情報の内容となる申請人又は対象土地の所有権登記名義人等であって申請人以外のものが対象土地の筆界として主張する特定の線は，図面を利用する等の方法により具体的に明示されることになる（同条4項）。ただし，これらの線が筆界特定申請情報の内容として提供されていない場合でも，申請を却下することはできない。（平成17・12・6民二第2760号通達32）

【筆界確定訴訟に関する情報】
8 ✛規則207条3項7号の「事件を特定するに足りる事項」とは，筆界確定訴訟の係属裁判所，事件番号，当事者の表示等をいう。（平成17・12・6民二第2760号通達33）

【筆界特定添付情報の表示】
9 ✛規則207条3項8号の「筆界特定添付情報の表示」については，例えば，資格証明書，代理権限証書等筆界特定添付情報として筆界特定申請情報と併せて提供される情報の標題が示されていれば足りる。（平成17・12・6民二第2760号通達34）

【現地の状況等を明示する図面等】
10 ✛規則第207条第4項の図面とは，測量図に限られない。また，既存の図面類を利用して作成されたものであっても差し支えない。（平成17・12・6民二第2760号通達36）

【一の申請情報による二以上の申請】
11 ✛筆界特定の申請は，特定の対象となる筆界ごとに一の筆界特定申請情報によってするのが原則であるが，対象土地の一を共通にする二以上の筆界特定の申請を一の筆界特定申請情報によってすることもできる（規則第208条）。この場合の申請手数料は，各筆界ごとに申請手数料を算出した合計額となる。また，同一の土地に係る二以上の筆界特定の申請が一の手続においてされたときは，当該二以上の筆界特定の申請は，手数料の算出については，一の筆界特定の申請とみなされる（登記手数料令第4条の3（現行8条）第2項）ので，こ

の場合には，一の筆界特定の申請の手数料額のみが納付されれば足りる。（平成17・12・6民二第2760号通達41）

【署名又は記名押印】
12✚申請人又はその代表者若しくは代理人は，申請書に署名し，又は記名押印しなければならない（規則211条2項）。また，委任による代理人によって筆界特定の申請をする場合には，申請人又はその代表者は，委任状に署名し，又は記名押印しなければならない（同条4項）。これらの場合においては，申請書又は委任状に申請人の印鑑証明書を添付する必要はない。（平成17・12・6民二第2760号通達45）

【磁気ディスク申請】
13✚法務大臣が告示により指定した法務局又は地方法務局においては，筆界特定申請情報の全部又は一部を記録した磁気ディスクを提出する方法による申請をすることができる（規則211条6項，51条1項及び2項）。また，いずれの法務局又は地方法務局においても，筆界特定添付情報を記録した磁気ディスクを筆界特定添付書面として提出することが可能である。（平成17・12・6民二第2760号通達46）

【申請人又は関係人に変動があった場合の措置】
14✚筆界特定の申請がされた後，筆界特定の手続が終了するときは，申請人の相続人その他の一般承継人が申請人の地位を承継したものとして，筆界特定の手続を進めて差し支えない。

筆界特定の申請がされた後，筆界特定の手続が終了する前に申請人が対象土地の所有権登記名義人等でなくなった場合（一般承継の場合を除く。以下「特定承継があった場合」という。）には，当該申請は，法132条1項2号により却下する。

この場合において，申請人がその所有権登記名義人等である対象土地について新たに所有権登記名義人等となった者（当該申請人が所有権登記名義人であるときは当該申請人の登記された所有権の全部又は一部を登記記録上取得した者，当該申請人が表題部所有者であるときは当該表題部所有者又はその持分についての更正の登記により表題部所有者となった者，当該対象土地が表題登記がない土地であるときは当該申請人から所有権の全部又は一部を取得した者に限る。以下「特定承継人」という。）から，別記6号様式による申出書（以下「地位承継申出書」という。）による申出があったときは，特定承継人が筆界特定の地位を承継するものとして，筆界特定の手続を進めて差し支えない。

申請人の地位の承継があった場合において，既に当該承継に係る申請人に係る意見聴取等の期日が開かれていたときも，改めて意見取得等の期日を開くことを要しない。

筆界特定の申請がされた後，筆界特定の手続が終了する前に新たに対象土地又は関係土地の所有権登記名義人等となった者（申請人の一般承継人及び申請人の特定承継人であって申請人の地位を承継したものを除く。）は，以後，関係人として取り扱うものとする。

（平成17・12・6民二第2760号通達49・50・52）

実例
【表題登記のある土地と海との境の特定を求める筆界特定の申請の可否について】
15✚表題登記がある土地と海との境の特定を求める筆界特定の申請は，国が海の一定範囲を区画してこれを私人の所有に帰属させたことがない限り，することができない。（登記研究789号125頁）
16✚相続財産の管理人・不在者財産管理人は法定代理人として，筆界特定の申請をすることができる。（登記研究716号207頁）
17✚譲渡担保権設定者からの筆界特定の申請は，することができない。（登記研究715号219頁）
18✚筆界特定申請における復代理人の代理権は，代理人の死亡により消滅し，申請人側の行為を要する手続については，新たな授権がない限り，当該復代理人が行うことはできない。

なお，当該復代理人の行為を要しない手続（筆界調査委員による意見の提出，筆界特定登記官による筆界特定等）については，申請人本人が生存し，事件が係属している以上，代理権の消滅のみを理由として中断されることはない。
（登記研究762号153頁）

第132条（申請の却下）

❖【補正】規216【申請の却下】規244【申請の取下げ】規245

① 筆界特定登記官は，次に掲げる場合には，理由を付した決定で，筆界特定の申請を却下しなければならない。ただし，当該申請の不備が補正することができるものである場合において，筆界特定登記官が定めた相当の期間内に，筆界特定の申請人がこれを補正したときは，この限りでない。
一 対象土地の所在地が当該申請を受けた法務局又は地方法務局の管轄に属しないとき。

二　申請の権限を有しない者の申請によるとき。
三　申請が前条第3項の規定に違反するとき。
四　筆界特定申請情報の提供の方法がこの法律に基づく命令の規定により定められた方式に適合しないとき。
五　申請が対象土地の所有権の境界の特定その他筆界特定以外の事項を目的とするものと認められるとき。
六　対象土地の筆界について，既に民事訴訟の手続により筆界の確定を求める訴えに係る判決（訴えを不適法として却下したものを除く。第148条において同じ。）が確定しているとき。
七　対象土地の筆界について，既に筆界特定登記官による筆界特定がされているとき。ただし，対象土地について更に筆界特定をする特段の必要があると認められる場合を除く。
八　手数料を納付しないとき。
九　第146条第5項の規定により予納を命じた場合においてその予納がないとき。
②　前項の規定による筆界特定の申請の却下は，登記官の処分とみなす。

【先例】
【対象土地について更に筆界特定をする特段の必要があると認められる場合】
1 ✚法132条1項7号ただし書の「対象土地について更に筆界特定をする特段の必要があると認められる場合」とは，過去に行われた筆界特定について，例えば，以下に掲げる事由があることが明らかな場合をいう。また，既にされた筆界特定の結論が誤っていたことが明らかになった場合も，同号ただし書に該当する。
(1)　除斥事由がある筆界特定登記官又は筆界調査委員が筆界特定の手続に関与したこと。
(2)　申請人が申請の権限を有していなかったこと。
(3)　刑事上罰すべき他人の行為により意見の提出を妨げられたこと。
(4)　代理人が代理行為を行うのに必要な授権を欠いたこと。
(5)　筆界特定の資料となった文書その他の物件が偽造又は変造されたものであったこと。
(6)　申請人，関係人又は参考人の虚偽の陳述が筆界特定の資料となったこと。
（平成17・12・6民二第2760号通達64）

【却下の手続】
2 ✚筆界特定の申請を却下するときは，決定書を作成し，申請人にこれを交付するものとする（規則244条1項）。交付は，決定書を送付する方法によってすることができる（同条2項）。この場合において，申請人が2人以上あるときは，申請人ごとに決定書を交付するものとする。ただし，代理人又は申請人のために通知を受領する権限を有する者があるときは，当該代理人又は申請人のために通知を受領する権限を有する者に交付すれば足りる。

3 ✚規則244条2項の規定により送付した決定書が所在不明等を理由として返送されたときは，申請人の氏名又は名称及び決定書をいつでも申請人に交付する旨を法務局又は地方法務局の掲示場に2週間掲示するものとする。
　なお，返送された決定書は，筆界特定手続記録につづり込むものとする。
（平成17・12・6民二第2760号通達68・72）

【却下又は取り下げの場合における申請手数料の還付】
4 ✚法133条1項の規定による公告又は通知がされる前に，筆界特定の申請が取り下げられ，又は却下された場合には，筆界特定の申請人の請求により，納付された手数料の額から納付すべき手数料の額の2分の1の額を控除した金額の金銭を還付しなければならない（登記手数料令8条3項）。この場合には，適宜の様式の還付請求書を提出させるものとする。
　一の手数料に係る筆界特定の申請人が2人以上ある場合には，当該各申請人は，還付されるべき金額の全額につき還付請求をすることができる（同条4項）。その場合，1名に対して還付がされたときは，全員の還付請求権が消滅する。還付請求は，請求をすることができる事由が生じた日から5年以内にしなければならない（同条5項）。
（平成17・12・6民二第2760号通達83）

【判例】

不動産登記法(133条—134条)

【筆界(境界)確定の訴】
1 ※境界確定を求める訴えは,公簿上特定の地番により表示される甲乙両地が相隣接する場合において,その境界が事実上不明なため争いがあるときに,裁判によって新たにその境界を定めることを求める訴えである。(最判平成7・3・7)

第133条(筆界特定の申請の通知)

❖【公告及び通知の方法】規217

① 筆界特定の申請があったときは,筆界特定登記官は,遅滞なく,法務省令で定めるところにより,その旨を公告し,かつ,その旨を次に掲げる者(以下「関係人」という。)に通知しなければならない。ただし,前条第1項の規定により当該申請を却下すべき場合は,この限りでない。
一 対象土地の所有権登記名義人等であって筆界特定の申請人以外のもの
二 関係土地の所有権登記名義人等
② 前項本文の場合において,関係人の所在が判明しないときは,同項本文の規定による通知を,関係人の氏名又は名称,通知をすべき事項及び当該事項を記載した書面をいつでも関係人に交付する旨を対象土地の所在地を管轄する法務局又は地方法務局の掲示場に掲示することによって行うことができる。この場合においては,掲示を始めた日から2週間を経過したときに,当該通知が関係人に到達したものとみなす。

第134条(筆界調査委員の指定等)

① 法務局又は地方法務局の長は,前条第1項本文の規定による公告及び通知がされたときは,対象土地の筆界特定のために必要な事実の調査を行うべき筆界調査委員を指定しなければならない。
② 次の各号のいずれかに該当する者は,前項の筆界調査委員に指定することができない。
一 対象土地又は関係土地のうちいずれかの土地の所有権の登記名義人(仮登記の登記名義人を含む。以下この号において同じ。),表題部所有者若しくは所有者又は所有権以外の権利の登記名義人若しくは当該権利を有する者
二 前号に掲げる者の配偶者又は4親等内の親族(配偶者又は四親等内の親族であった者を含む。次号において同じ。)
三 第1号に掲げる者の代理人若しくは代表者(代理人又は代表者であった者を含む。)又はその配偶者若しくは4親等内の親族
③ 第1項の規定による指定を受けた筆界調査委員が数人あるときは,共同してその職務を行う。ただし,筆界特定登記官の許可を得て,それぞれ単独にその職務を行い,又は

— 1104 —

職務を分掌することができる。
④　法務局又は地方法務局の長は，その職員に，筆界調査委員による事実の調査を補助させることができる。

第135条（筆界調査委員による事実の調査）

① 筆界調査委員は，前条第1項の規定による指定を受けたときは，対象土地又は関係土地その他の土地の測量又は実地調査をすること，筆界特定の申請人若しくは関係人又はその他の者からその知っている事実を聴取し又は資料の提出を求めることその他対象土地の筆界特定のために必要な事実の調査をすることができる。
② 筆界調査委員は，前項の事実の調査に当たっては，筆界特定が対象土地の所有権の境界の特定を目的とするものでないことに留意しなければならない。

❖【筆界調査委員の調査の報告】規229

先例
【進行計画】施行通達84
【事前準備調査】施行通達86〜89
【論点整理等】施行通達90参照

第136条（測量及び実地調査）

① 筆界調査委員は，対象土地の測量又は実地調査を行うときは，あらかじめ，その旨並びにその日時及び場所を筆界特定の申請人及び関係人に通知して，これに立ち会う機会を与えなければならない。
② 第133条第2項の規定は，前項の規定による通知について準用する。

第137条（立入調査）

① 法務局又は地方法務局の長は，筆界調査委員が対象土地又は関係土地その他の土地の測量又は実地調査を行う場合において，必要があると認めるときは，その必要の限度において，筆界調査委員又は第134条第4項の職員（以下この条において「筆界調査委員等」という。）に，他人の土地に立ち入らせることができる。
② 法務局又は地方法務局の長は，前項の規定により筆界調査委員等を他人の土地に立ち入らせようとするときは，あらかじめ，その旨並びにその日時及び場所を当該土地の占有者に通知しなければならない。
③ 第1項の規定により宅地又は垣，さく等で囲まれた他人の占有する土地に立ち入ろうとする場合には，その立ち入ろうとする者は，立入りの際，あらかじめ，その旨を当該

関連法令
【不動産登記法】検査の妨害等の罪（162）

— 1105 —

土地の占有者に告げなければならない。
④ 日出前及び日没後においては，土地の占有者の承諾があった場合を除き，前項に規定する土地に立ち入ってはならない。
⑤ 土地の占有者は，正当な理由がない限り，第1項の規定による立入りを拒み，又は妨げてはならない。
⑥ 第1項の規定による立入りをする場合には，筆界調査委員等は，その身分を示す証明書を携帯し，関係者の請求があったときは，これを提示しなければならない。
⑦ 国は，第1項の規定による立入りによって損失を受けた者があるときは，その損失を受けた者に対して，通常生ずべき損失を補償しなければならない。

第138条（関係行政機関等に対する協力依頼）

❖【罰則】法162③

法務局又は地方法務局の長は，筆界特定のため必要があると認めるときは，関係行政機関の長，関係地方公共団体の長又は関係のある公私の団体に対し，資料の提出その他必要な協力を求めることができる。

先例
【対象土地の特定調査】施行通達91〜98

【立入りの手続】施行通達99〜102参照

第139条（意見又は資料の提出）

❖【意見又は資料の提出】規218【情報通信の技術を利用する方法】規219【書面の提出方法】規220【資料の還付請求】規221【代理人等】規243

① 筆界特定の申請があったときは，筆界特定の申請人及び関係人は，筆界特定登記官に対し，対象土地の筆界について，意見又は資料を提出することができる。この場合において，筆界特定登記官が意見又は資料を提出すべき相当の期間を定めたときは，その期間内にこれを提出しなければならない。
② 前項の規定による意見又は資料の提出は，電磁的方法（電子情報処理組織を使用する方法その他の情報通信の技術を利用する方法であって法務省令で定めるものをいう。）により行うことができる。

先例等
【意見又は資料の取扱い】
1 ✛平成17・12・6民二第2760号通達103〜108
【代理人選任の届出等】
2 ✛筆界特定の申請がされた後，申請人又は関係人が代理人を選任した場合（当該代理人が支配人その他の法令の規定により筆界特定の手続において行為をすることができる法人の代理人である場合であって，当該申請を受けた法務局又は地方法務局が，当該法人についての当該代理人の登記を受けた登記所であり，かつ，特定登記所に該当しないときを除く。）における当該代理人の権限は，委任状その他の代理権限証明情報が記載された書面の提出により確認するものとする。（規則第243条第2項）

また，関係人が法人である場合において，当該関係人が筆界特定の手続において意見の提出その他の行為をするときは，当該法人の代表者の資格

を証する情報が提供されることを要する（同条第1項）。ただし、法務局又は地方法務局が当該法人の登記を受けた登記所であり、かつ、特定登記所に該当しない場合及び支配人その他の法令の規定により筆界特定の手続において行為をすることができる法人の代理人が当該法人を代理して筆界特定の手続において行為をする場合は、この限りでない。
（平成17・12・6民二第2760号通達28）
3 筆界特定申請における復代理人の代理権は、代理人の死亡により消滅し、申請人側の行為を要する手続については、新たな援権がない限り、当該復代理人が行うことはできない。
なお、当該復代理人の行為を要しない手続（筆界調査委員による意見の提出、筆界特定登記官による筆界特定等）については、申請人本人が生存し、事件が係属している以上、代理権の消滅のみを理由として中断されることはない。
（登記研究762号153頁）

第140条（意見聴取等の期日）

❖【意見聴取等の期日の場所】規222【意見聴取等の期日の通知】規223【意見聴取等の期日における筆界特定登記官の権限】規224【意見聴取等の期日における資料の提出】規225【意見聴取等の期日の調書】規226

① 筆界特定の申請があったときは、筆界特定登記官は、第133条第1項本文の規定による公告をした時から筆界特定をするまでの間に、筆界特定の申請人及び関係人に対し、あらかじめ期日及び場所を通知して、対象土地の筆界について、意見を述べ、又は資料（電磁的記録を含む。）を提出する機会を与えなければならない。
② 筆界特定登記官は、前項の期日において、適当と認める者に、参考人としてその知っている事実を陳述させることができる。
③ 筆界調査委員は、第1項の期日に立ち会うものとする。この場合において、筆界調査委員は、筆界特定登記官の許可を得て、筆界特定の申請人若しくは関係人又は参考人に対し質問を発することができる。
④ 筆界特定登記官は、第1項の期日の経過を記載した調書を作成し、当該調書において当該期日における筆界特定の申請人若しくは関係人又は参考人の陳述の要旨を明らかにしておかなければならない。
⑤ 前項の調書は、電磁的記録をもって作成することができる。
⑥ 第133条第2項の規定は、第1項の規定による通知について準用する。

第141条（調書等の閲覧）

❖【調書等の閲覧】規227・228

① 筆界特定の申請人及び関係人は、第133条第1項本文の規定による公告があった時から第144条第1項の規定により筆界特定の申請人に対する通知がされるまでの間、筆界特定登記官に対し、当該筆界特定の手続において作成された調書及び提出された資料（電磁的記録にあっては、記録された情報の内容を法務省令で定める方法により表示したもの）の閲覧を請求することができる。この場合において、

筆界特定登記官は，第三者の利益を害するおそれがあるときその他正当な理由があるときでなければ，その閲覧を拒むことができない。
② 筆界特定登記官は，前項の閲覧について，日時及び場所を指定することができる。

実例
【筆界特定の手続に係る意見聴取等の期日における申請人等の陳述を調書の記録に代えてビデオテープ等の媒体に記録している場合における当該陳述部分の期日調書の閲覧の方法】
1 ⇨筆界特定の手続に係る意見聴取等の期日における申請人等の陳述をビデオテープ等の媒体に記録し，これをもって調書の記録に代えている場合において，当該意見聴取等の期日の調書について不動産登記法第141条第1項に基づき閲覧の請求がされたときは，当該陳述部分の期日調書の閲覧は，音声等再生機器等により再生する方法による。（登記研究846号121頁）

第142条（筆界調査委員の意見の提出）

❖【筆界調査委員の意見の提出の方式】規230

筆界調査委員は，第140条第1項の期日の後，対象土地の筆界特定のために必要な事実の調査を終了したときは，遅滞なく，筆界特定登記官に対し，対象土地の筆界特定についての意見を提出しなければならない。

先例
【筆界調査委員の意見の提出の方式】
1 ⇨法142条の規定による筆界調査委員の意見の提出は，別記16号様式による書面（以下「意見書」という。）により行うものとする。意見書は，意見及びその理由を明らかにし，筆界調査委員が署名し，又は記名押印するものとする。二以上の筆界調査委員の意見が一致する場合には，当該二以上の筆界調査委員は，連名で1通の意見書を作成して差し支えない。（平成17・12・6民二第2760号通達122）

【意見書に添付する図面】
2 ⇨右の意見書においては，図面及び基本三角点等に基づく測量の成果による座標値（基本三角点等に基づく測量ができない特別の事情がある場合にあっては，近傍の恒久的な地物に基づく測量の成果による座標値）により，筆界特定の対象となる筆界に係る筆界点と認められる各点（筆界の位置の範囲を特定するときは，その範囲を構成する各点。以下同じ。）の位置を明らかにするものとする。意見書に添付する図面（以下「意見書図面」という。）は，原則として，法143条2項の図面（以下「筆界特定図面」という。）に準ずる様式で作成し，筆界特定の対象となる筆界に係る筆界点の位置のほか，必要に応じ，対象土地の区画又は形状，工作物及び囲障の位置その他の現地における筆界の位置を特定するために参考となる事項を記録するものとする。

なお，現況等把握調査における測量の結果を利用して意見書図面を作成し，又は申請人その他の者が提出した図面若しくは既存の測量図等を利用して意見書図面を作成することにより，意見の内容を明らかにすることができるときは，これらの測量の結果又は図面を利用して意見書図面を作成して差し支えない。（平成17・12・6民二第2760号通達123）

第143条（筆界特定）

❖【筆界特定書の記録事項等】規231【筆界特定書の更正】規246

① 筆界特定登記官は，前条の規定により筆界調査委員の意見が提出されたときは，その意見を踏まえ，登記記録，地図又は地図に準ずる図面及び登記簿の附属書類の内容，対象土地及び関係土地の地形，地目，面積及び形状並びに工作物，囲障又は境界標の有無その他の状況及びこれらの設置の経緯その他の事情を総合的に考慮して，対象土地の筆界特定をし，その結論及び理由の要旨を記載した筆界特定書を作成しなければならない。

② 筆界特定書においては，図面及び図面上の点の現地における位置を示す方法として法務省令で定めるものにより，筆界特定の内容を表示しなければならない。
③ 筆界特定書は，電磁的記録をもって作成することができる。

先例
【筆界特定書の記載等】
1 ✤法143条1項及び規則231条1項4号の筆界特定書の理由の要旨は，筆界調査委員の意見書を引用する方法によって明らかにして差し支えない。この場合には，引用する筆界調査委員の意見書の写しを筆界特定書の末尾に添付し，理由の要旨欄には「平成何年何月何日付け筆界調査委員○○作成に係る別紙意見書「理由」欄記載のとおりであるからこれをここに引用する。」，「次のとおり付け加えるほか，平成何年何月何日付け筆界調査委員○○作成に係る別紙意見書「理由」欄記載のとおりであるからこれをここに引用する。」等と記載するものとする。（平成17・12・6民二第2760号通達124)

【筆界特定図面】
2 ✤筆界特定図面は，規則231条4項各号に掲げる事項を記録して作成し，かつ，筆界特定の対象となる筆界に係る筆界点の位置のほか，必要に応じ，対象土地の区画又は形状，工作物及び囲障の位置その他の現地における筆界の位置を特定するために参考となる事項を記録するものとする。（平成17・12・6民二第2760号通達125)

【更正書の送付】
3 ✤筆界特定書を更正した旨の公告及び通知をした後，更正書は，別記24号様式による送付書を添えて管轄登記所に送付するものとする。（平成17・12・6民二第2760号通達135)

第144条（筆界特定の通知等）

❖**【筆界特定の公告及び通知】**規232

① 筆界特定登記官は，筆界特定をしたときは，遅滞なく，筆界特定の申請人に対し，筆界特定書の写しを交付する方法（筆界特定書が電磁的記録をもって作成されているときは，法務省令で定める方法）により当該筆界特定書の内容を通知するとともに，法務省令で定めるところにより，筆界特定をした旨を公告し，かつ，関係人に通知しなければならない。
② 第133条第2項の規定は，前項の規定による通知について準用する。

先例
【境界標の設置】
1 ✤筆界特定をしたときは，申請人及び関係人に対し，永続性のある境界標を設置する意義及びその重要性について，適宜の方法により説明するものとする。（平成17・12・6民二第2760号通達129)

【公告又は通知】
2 ✤筆界特定の手続において，公告又は通知を要するのは，次の場合である。
  (1) 筆界特定の申請がされた旨の公告及び関係人に対する通知（法第133条第1項）
  (2) 筆界特定の申請を却下した旨の公告及び関係人に対する通知（規則第244条第4項及び第5項）
  (3) 筆界特定の申請が取り下げられた旨の公告及び関係人に対する通知（規則第245条第4項及び第5項）
  (4) 対象土地の測量又は実地調査のための申請人及び関係人に対する通知（法第136条第1項）
  (5) 立入調査のための占有者に対する通知（法第137条第2項）
  (6) 意見聴取等の期日のための申請人及び関係人に対する通知（法第140条第1項）
  (7) 筆界特定をした旨の公告並びに申請人及び関係人に対する通知（法第144条第1項）
  (8) 筆界特定書を更正した旨の公告並びに申請人及び関係人に対する通知（規則第246条第2項）（平成17・12・6民二第2760号通達136)

【公告の方法】
3 ✤公告は，法務局若しくは地方法務局の掲示場その他公衆の見やすい場所に掲示して行う方法又は法務局若しくは地方法務局のホームページに掲載する方法のいずれかの方法をとっても差し支えないが，対象土地を管轄する登記所の掲示場その他公

不動産登記法（145条）

衆の見やすい場所においても，同様の掲示をするものとする。（平成17・12・6民二第2760号通達137）

【通知の方法】
4 ✥ 1　通知は，原則として，登記記録に記録された住所に対し行うものとする。ただし，筆界特定申請情報の内容として提供された情報その他の情報から，登記記録上の住所以外の場所に通知することが相当と認められる場合は，この限りでない。また，申請人又は関係人が通知先を届け出たときは，通知は，当該通知先に対しするものとする。
　2　申請人又は関係人に代理人があるときは，通知は，代理人（代理人が2人以上あるときは，そのうちの1人）に対してすれば足りる。申請人又は関係人が2人以上ある場合において，代理人がないときは，申請人又は関係人に対し，その全員又は一部の者のために通知を受ける者を指定する意向の有無を確認するものとする。申請人又は関係人が，その全員又は一部の者のために通知を受ける者を指定したときは，当該指定をした者に係る通知は，当該指定を受けた者に対してすれば足りる。
（平成17・12・6民二第2760号通達138・139）

【関係人を特定することができない場合の通知】
5 ✥ 関係人に対する通知をすべき場合において，登記記録その他の入手可能な資料から関係人又はその通知先を特定することができないときは，法133条2項（法136条2項，法140条6項及び法144条2項その他の規定において準用する場合も含む。）の方法によって通知をして差し支えない。
（平成17・12・6民二第2760号通達141）

第145条（筆界特定手続記録の保管）

❖【筆界特定手続記録の送付】規233【登記記録への記録】規234【筆界特定手続記録の保存期間】規235【準用】規236【筆界確定訴訟の確定判決があった場合の取扱い】規237

　前条第1項の規定により筆界特定の申請人に対する通知がされた場合における筆界特定の手続の記録（以下「筆界特定手続記録」という。）は，対象土地の所在地を管轄する登記所において保管する。

先例
【対象土地が二以上の法務局又は地方法務局の管轄区域にまたがる場合】
1 ✥ 対象土地が二以上の法務局又は地方法務局の管轄区域にまたがる場合には，法務大臣又は法務局の長が指定した法務局又は地方法務局の管轄区域内にある管轄登記所には，別記19号様式による送付書を添えて筆界特定手続記録を送付し，他の法務局又は地方法務局内にある管轄登記所には，別記20号様式による送付書を添えて筆界特定書及び令21条2項に規定する図面の写しを送付するものとする。（規則第233条第2項）（平成17・12・6民二第2760号通達132）

【対象土地が二以上の登記所の管轄区域にまたがる場合】
2 ✥ 対象土地が二以上の登記所の管轄区域にまたがる場合（対象土地が二以上の法務局又は地方法務局の管轄区域にまたがる場合を除く。）は，法務局又は地方法務局の長が指定する管轄登記所に別記19号様式による送付書を添えて筆界特定手続記録を送付し，他の管轄登記所には別記20号様式による送付書を添えて筆界特定書及び令21条2項に規定する図面の写しを送付するものとする。（規則233条第3項）（平成17・12・6民二第2760号通達133）

【筆界特定登記官の意見の伝達】
3 ✥ 筆界特定を行った筆界特定登記官は，筆界特定手続記録を管轄登記所に送付する場合において，対象土地について筆界特定に伴い地積に関する更正の登記又は地図等の訂正をすることが相当と認めるときは，管轄登記所の登記官に，その旨の意見を伝えるものとする。この場合の意見の伝達は，書面，電話その他の適宜の方法によって差し支えない。（平成18・1・6民二第27号通知第1）

【登記記録への記録】
4 ✥ 規則234条の規定による筆界特定がされた旨の記録は，対象土地の登記記録の地図番号欄（規則別表一参照）に「平成○年○月○日筆界特定（手続番号平成○年第○○号）」とする。ただし，規則233条2項の規定により筆界特定書の写しの送付を受けた登記所にあっては，「平成○年○月○日筆界特定（手続番号△△平成○年第○○号）」（「△△」には，法務局又は地方法務局名を略記する。）とするものとする。（平成17・12・6民二第2760号通達162）

【分筆及び合筆の場合の登記記録の処理】
5 ✥ 甲土地から乙土地を分筆する分筆の登記をする場合において，甲土地の登記記録に筆界特定がされた旨の記録があるときは，これを乙土地の登記記録に転写するものとする。甲土地を乙土地に合筆する合筆の登記をする場合において，甲土地の登記記録に筆界特定がされた旨の記録があるときは，これを乙土地の登記記録に移記するものとする。（平成17・12・6民二第2760号通達163）

【筆界確定訴訟の記録】
6 ✥ 申請人又は関係人その他の者から筆界特定に係る

筆界について筆界確定訴訟の確定判決の正本又は謄本の提出があったときは、規則237条の規定により筆界特定書に確定判決があったことを明らかにするものとする。この場合には、筆界特定書の1枚目の用紙の表面の余白に確定日、判決をした裁判所及び事件番号を記載するものとする。提出された確定判決の正本又は謄本は、筆界特定書とともに保存するものとする。（平成17・12・6民二第2760号通達164）

【筆界特定手続記録の受領及び調査】

7 ✢筆界特定手続記録は、筆界特定の手続の終了後、遅滞なく、管轄登記所に送付され（規則第233条第1項）、管轄登記所において、所要の受領の手続をするものとされた。（施行通達155）

この場合には、管轄登記所の登記官は、当該筆界特定手続記録の受領の手続後、速やかに、第1の筆界特定登記官の意見及び筆界特定手続記録の内容を踏まえ、対象土地につき、地積に関する更正の登記又は地図等の訂正を職権ですることが可能かどうかを調査しなければならない。
（平成18・1・6民二第27号通知第2）

【筆界特定手続きによる職権登記】

8 ✢筆界特定手続に基づき、職権で対象土地について地積に関する更正の登記又は地図等の訂正をしたときは、当該対象土地に係る規則第77条第1項各号に掲げる事項を記載した図面を同条第2項から第4項までの規定に従って作成し、当該図面を、便宜、土地図面つづり込み帳につづり込みものとする。この場合には、規則第85条第1項並びに準則第55条第1項及び第3項に規定する手続に準ずるものとする。なお、更正前の地積測量図は、閉鎖しなければならない。（平成18・1・6民二第27号通知第3・5）

第146条（手続費用の負担等）

❖【手続費用】規242

① 筆界特定の手続における測量に要する費用その他の法務省令で定める費用（以下この条において「手続費用」という。）は、筆界特定の申請人の負担とする。
② 筆界特定の申請人が2人ある場合において、その1人が対象土地の一方の土地の所有権登記名義人等であり、他の1人が他方の土地の所有権登記名義人等であるときは、各筆界特定の申請人は、等しい割合で手続費用を負担する。
③ 筆界特定の申請人が2人以上ある場合において、その全員が対象土地の一方の土地の所有権登記名義人等であるときは、各筆界特定の申請人は、その持分（所有権の登記がある一筆の土地にあっては第59条第4号の持分、所有権の登記がない一筆の土地にあっては第27条第3号の持分。次項において同じ。）の割合に応じて手続費用を負担する。
④ 筆界特定の申請人が3人以上ある場合において、その1人又は2人以上が対象土地の一方の土地の所有権登記名義人等であり、他の1人又は2人以上が他方の土地の所有権登記名義人等であるときは、対象土地のいずれかの土地の1人の所有権登記名義人等である筆界特定の申請人は、手続費用の2分の1に相当する額を負担し、対象土地のいずれかの土地の2人以上の所有権登記名義人等である各筆界特定の申請人は、手続費用の2分の1に相当する額についてその持分の割合に応じてこれを負担する。
⑤ 筆界特定登記官は、筆界特定の申請人に手続費用の概算額を予納させなければならない。

先例

【測量の実施者等】

1 ✚特定調査における測量は，原則として，申請人が負担する手続費用（法146条1項）によって行うものとする。この場合において，測量を行う者は，筆界に関する測量を行うのに必要な専門的知見及び技術を有する者（筆界調査委員を含む。）であって筆界特定登記官が相当と認める者である（規則第242条参照）。（平成17・12・6民二第2760号通達94）

【予納金】

2 ✚1 筆界特定登記官は，法146条1項により申請人の負担とされる手続費用の概算額を，申請人に予納させなければならない（法第146条第5項）。予納の告知は，適宜の方法で行うものとする。この場合において，申請人が2人以上あるときは，そのうちの1人に告知すれば足りる。また，代理人又は申請人のために通知を受領する権限を有する者があるときは，当該代理人又は申請人のために通知を受領する権限を有する者に告知すれば足りる。（平成17・12・6民二第2760号通達146）

2 1により予納の告知をした日から相当期間を経ても予納がないときは，納付期限を定めて予納命令を発するものとする。納付期限は，適宜定めて差し支えない。当該納付期限までに予納がないときは，筆界特定の申請は，法132条1項9号の規定により却下する。（同通達147）

3 予納命令は，別記44号様式の予納命令書を作成し，申請人に交付して行うものとする。交付は，予納命令書を送付する方法によってすることができる。この場合において，申請人が2人以上あるときは，申請人ごとに予納命令書を交付するものとするが，代理人又は申請人のために通知を受領する権限を有する者があるときは，当該代理人又は申請人のために通知を受領する権限を有する者に交付すれば足りる。（同通達148）

第147条（筆界確定訴訟における釈明処分の特則）

筆界特定がされた場合において，当該筆界特定に係る筆界について民事訴訟の手続により筆界の確定を求める訴えが提起されたときは，裁判所は，当該訴えに係る訴訟において，訴訟関係を明瞭にするため，登記官に対し，当該筆界特定に係る筆界特定手続記録の送付を嘱託することができる。民事訴訟の手続により筆界の確定を求める訴えが提起された後，当該訴えに係る筆界について筆界特定がされたときも，同様とする。

第148条（筆界確定訴訟の判決との関係）

❖【筆界確定訴訟の確定判決があった場合の取扱い】規237

筆界特定がされた場合において，当該筆界特定に係る筆界について民事訴訟の手続により筆界の確定を求める訴えに係る判決が確定したときは，当該筆界特定は，当該判決と抵触する範囲において，その効力を失う。

第149条（筆界特定書等の写しの交付等）

❖【筆界特定書つづり込み帳】規27の2【筆界特定書等の写しの交付の請求情報等】規238【筆界特定書等の写しの交付の請求方法等】規239【筆界特定書等の写しの作成及び交付】規240【準用】規241

① 何人も，登記官に対し，手数料を納付して，筆界特定手続記録のうち筆界特定書又は政令で定める図面の全部又は一部（以下この条及び第154条において「筆界特定書等」という。）の写し（筆界特定書等が電磁的記録をもって作成されているときは，当該記録された情報の内容を証明した書面）の交付を請求することができる。

② 何人も，登記官に対し，手数料を納付して，筆界特定手続記録（電磁的記録にあっては，記録された情報の内容を法務省令で定める方法により表示したもの）の閲覧を請求することができる。ただし，筆界特定書等以外のものについては，請求人が利害関係を有する部分に限る。
③ 第119条第3項及び第4項の規定は，前二項の手数料について準用する。

先例
【政令で定める図面の意義】
1✠法149条1項の政令で定める図面とは，筆界調査委員が作成した測量図その他の筆界特定の手続において測量又は実地調査に基づいて作成された図面（筆界特定図面を除く。）をいい，申請人又は関係人等が提出した図面は含まない。（令21条2項）（平成17・12・6民二第2760号通達158）

【政令で定める図面の写しの作成方法】
2✠筆界特定の手続において測量又は実施調査に基づいて作成された図面の全部又は一部の写し（政令で定める図面が電磁的記録に記録されているときは，当該記録された情報の内容を証明した書面）は，原則として日本工業規格A列三番の適宜の紙質の用紙を使用して作成するものとする。（平成17・12・6民二第2760号通達159）

■第150条（法務省令への委任）

この章に定めるもののほか，筆界特定申請情報の提供の方法，筆界特定手続記録の公開その他の筆界特定の手続に関し必要な事項は，法務省令で定める。

❖【手数料の納付方法】規203【送付に要する費用の納付方法】規204【電子情報処理組織による登記事項証明書の交付の請求等の手数料の納付方法】規205【手数料を徴収しない場合】準140

■第151条（情報の提供の求め）

登記官は，職権による登記をし，又は第14条第1項の地図を作成するために必要な限度で，関係地方公共団体の長その他の者に対し，その対象となる不動産の所有者等（所有権が帰属し，又は帰属していた自然人又は法人（法人でない社団又は財団を含む。）をいう。）に関する情報の提供を求めることができる。

■第152条（登記識別情報の安全確保）

① 登記官は，その取り扱う登記識別情報の漏えい，滅失又はき損の防止その他の登記識別情報の安全管理のために必要かつ適切な措置を講じなければならない。
② 登記官その他の不動産登記の事務に従事する法務局若しくは地方法務局若しくはこれらの支局又はこれらの出張所に勤務する法務事務官又はその職にあった者は，その事務に関して知り得た登記識別情報の作成又は管理に関する秘密を漏らしてはならない。

❖【登記識別情報を記載した書面の廃棄】規69【登記識別情報の管理】準41

第153条（行政手続法の適用除外）

登記官の処分については，行政手続法（平成5年法律第88号）第2章及び第3章の規定は，適用しない。

第154条（行政機関の保有する情報の公開に関する法律の適用除外）

登記簿等及び筆界特定書等については，行政機関の保有する情報の公開に関する法律（平成11年法律第42号）の規定は，適用しない。

第155条（個人情報の保護に関する法律の適用除外）

登記簿等に記録されている保有個人情報（個人情報の保護に関する法律（平成15年法律第57号）第60条第1項に規定する保有個人情報をいう。）については，同法第5章第4節の規定は，適用しない。

第156条（審査請求）

❖【審査請求の受理】準則141等

① 登記官の処分に不服がある者又は登記官の不作為に係る処分を申請した者は，当該登記官を監督する法務局又は地方法務局の長に審査請求をすることができる。
② 審査請求は，登記官を経由してしなければならない。

先例
【行政事件訴訟法46条1項の規定による教示】
1 ✚地図等の訂正の申出に対する不動産登記規則16条13項5号（地図に誤りがないとき）又は6号（申出に係る土地以外の土地の形状等を訂正すべきこととなるとき）の規定による却下の決定は行政処分性を有しないことから，却下の決定をする際には，取消訴訟の被告及び出訴期間等に関する事項を教示する必要はない。（平成17・6・23民二第1423号通知）
2 ✚登記の申請又は地図等の訂正の申出を却下する場合において，当該却下が行政処分性を有しないものであるときは，取消訴訟ができる旨の教示を要しないだけでなく，審査請求をすることができる旨の教示を要しない。なお，行政処分性を有しない却下の決定に対して，審査請求された場合には，不適法な審査請求として却下することとし，その裁決書には当該裁決に係る取消訴訟ができる旨の教示もする必要がない。（平成18・1・18民二第101号通知）

判例
【異議申立により登記の抹消を求めることができる場合】
1 ※登記官が嘱託により不動産登記法第49条第2号（現行法25条第2号及び13号）に該当すべき事項を登記した場合においては，その登記につき正当の利害関係を有する者は，不動産登記法第152条（現行法156条）以下の規定により，異議の申立をして，その登記の抹消を求めることができる。（大判大正15・10・19）
【異議申立により抹消を求めることが許されない場合】
2 ※不動産登記法第49条1号または2号（現行法25条第1号又は第2号若しくは第13号）以外の各号に該当する申請が受理されて，登記が完了したときは，不動産登記法第152条（現行法156条）の異議の方法によって抹消を求めることは許されない。（最判昭和38・2・19）
【不適式な申請に基づく登記と異議申立】
3 ※登記申請書に必要な書面の添付を欠き，本来不動産登記法25条9号により却下されるべきものであっても，登記官がその申請を受理して登記を完了した以上，不動産登記法旧第156条の異議申立の方法によってその抹消を求めることは許されない。（最判昭和37・3・16）

【代理人の却下処分の取消しを求める当事者（原告）適格】
4※代理人には，却下処分の取消しを求める訴訟の原告適格はない。（最判昭和63・9・8）

【抗告訴訟の対象となる「処分」】
5※抗告訴訟の対象となる「処分」とは，行政庁が公権力の発動として行う行為であって，これにより直接国民の権利義務を形成し又はその範囲を確定することが法律上認められているものをいう。（最判昭和39・10・29）

【法14条1項所定の地図の備付けと「行政庁の処分」の該当性】
6※地図備付けは，登記官が，登記された土地についての事実状態の把握を目的として行うものに過ぎず，土地の権利関係や境界に何ら法律的な変動を及ぼすものではないから，行政不服審査法1条にいう行政庁の処分にあたらないので，その取消しを求める審査請求を却下した裁決は，適法である。（広島地判平成6・11・24）

【登記官が表題部所有者を記録する行為と抗告訴訟の対象】
7※登記官が登記簿の表題部に所有者を記録する行為は，所有者と記録された特定の個人に法74条1項1号に基づき所有権保存登記申請をすることができる地位を与えるという法的効果を有するから，抗告訴訟の対象となる行政処分に当たる。（最判平成9・3・11）

【登記官の地図訂正行為は取消訴訟の対象となる行政庁の処分に当たらないとされた事例】
8※登記官による地図訂正行為は，それにより何ら土地所有者である当事者の権利関係，法律関係に影響を及ぼすような行為とはいえず，所有権や地図訂正手続に係る手続的権利を侵害するものともいえないから，行政事件訴訟法3条2項所定の取消訴訟の対象となる処分とは認められない。（広島高判平成20・5・15）

【地目変更登記申請の却下処分の行政処分性】
9※1 　登記簿上に表示された土地の地目は，その記載と関係なく当該土地の客観的現況によって決すべきものであるから，登記簿上の地目の表示は，これにより直接国民の権利・義務を形成し，その範囲を明確にする性質を有するものではなく，地目変更登記申請却下処分は，抗告訴訟の対象となる行政処分に当たらない。
2　法37条により土地の所有者に地目又は地積変更登記の申請義務を賦課したのは，不動産の表示に関する登記について職権主義を賦与されている登記官が，登記簿上すべての土地の現況を職権によってとらえることが実際上不可能に近いことから，その所有者に申請義務を賦課し，登記官の職権発動を容易ならしめるためのものであり，土地所有者に上記の登記の申請権を賦与したものではない。（福岡高判昭和55・10・20）

【地目更正登記処分の行政処分性】
10※土地の地目は登記簿上の地目の記載とは関係なく，当該土地の客観的現況によって決すべきものであるから，登記簿上の地目の表示はこれにより直接国民の権利・義務を形成し，その範囲を明確にする性質を有するものではなく，地目更正登記処分は，抗告訴訟の対象となる行政処分に当たらない。（名古屋高判昭和57・7・13）

【甲地の所有者が隣接する乙地についてされた地積更正登記の取消しを求める訴えの利益の有無】
11※甲地の所有者は，隣接地乙地についてなされた地積更正登記の取消しを求める訴えの利益を有しない。（最判昭和54・3・15）

【地積更正登記の行政処分性】
12※地積更正登記は客観的に存在する土地の範囲を前提とし，これに従って地積の表示を訂正するにすぎないので，行政処分に当たらない。（千葉地判昭和52・12・21）

【登記官の行う分筆は行政訴訟法3条にいう「処分」に当たるとされた事例】
13※土地所有者の自己の土地を何筆の土地として所有するか，複数の筆として所有するとしてそれぞれの筆をどの位置にどのような形で所有するかの自由は，法的保護に値するのみでなく，現行実定法上現に保護されている利益であり，登記官の行う分筆登記は，前記利益に直接影響を与えるものであるから，国民の権利義務に法律上の効果を及ぼすものとして，行政事件訴訟法3条にいう「処分」に当たると解するのが相当である。（松山地判昭和59・3・21）

【合体による滅失登記の審査請求の対象の可否】
14※合体による建物滅失の登記は，当該建物につき生じていた権利に関する登記の効力を全面的に消滅させるものであるから，審査請求の対象となる。（最判昭和50・5・27）

【建物所在地番変更及び建物床面積変更の各登記申請を却下した登記官の決定に処分性が肯定された事例】
15※1　本件却下決定①（建物所在地番変更の登記申請に対する却下決定）について
「建物の所在地番が変更されると，それによって，同建物の底地の所有者との関係で土地利用権の存否や性質，土地や建物に設定された担保権の効力の及ぶ範囲等が問題となるなど国民の権利義務に一定の影響を与えるということができるから，上記変更登記は行政処分性を有すると認めることができ，その登記申請を却下した決定も同様であるというべきである。」
2　本件却下決定③（建物床面積変更の登記申請に対する却下決定）について
「Xは，本件建物も本件A建物に本件B建物が増築されたものであるとして，本件建物床面積変更の登記を申請したのに対して，本件登記官

は本件建物は，本件A建物が増築されたのではなく，本件A建物とこれと別個の本件B建物とが合体したものであるから，合体登記が相当であるとして上記登記申請を却下したものである。そして，増築とするか合体とするかによって，両建物の所有権の帰属の原因，時期等や本件B建物に設定された根抵当権の効力や対抗力が左右されるものであるから，本件建物床面積変更の登記は国民の権利義務に一定の影響を与えるということかでき，したがって，行政処分性を有すると認めることができ，その登記申請を却下した行為についても同様であるというべきである。」

3 **本件却下決定⑤（附属建物床面積更正の登記申請に対する却下決定）について**

「本件登記申請⑤は，本件A建物の附属建物として登記されていた符号3の建物の床面積が従前は19.83m²とされていたものを錯誤を原因として27.20m²更正することを求めるもの（中略）であって，これによって所有権や担保権等の権利や義務に対して何らかの法的効果が生じると認めることはできない。そうだとすると，これを却下した行為についても行政処分性を有すると認めることはできない。」

（広島高判平成20・10・29）

【建物の床面積の変更の登記の行政処分性】

16※建物の床面積の変更の登記は，抗告訴訟の対象となる行政処分に当たらない。（名古屋地判昭和56・11・16）

【筆界の特定は抗告訴訟の対象となる行政処分に当たらないとされた事例】

17※不動産登記法125条に基づき筆界特定登記官が行う筆界の特定につき，同法は，不服を申し立てる手続の定めはなく，同法148条は，筆界特定がされた場合において，当該筆界特定に係る筆界について民事訴訟の手続により筆界の確定を定める訴えに係る判決が確定したときは，当該筆界特定は，当該判決と抵触する範囲において，その効力を失うと定められており，筆界につき裁判で争う場合には筆界確定訴訟によるべきであるというのが法の建前といえること，また，筆界は，表題登記がある一筆の土地とこれに隣接する他の土地との間において，当該一筆の土地が登記された時にその境を構成するものとされた二以上の点及びこれを結ぶ直線であり（同法123条1号），土地の所有権の範囲を画するものではなく，筆界特定は当該一筆の土地の所有者又はその隣接土地の所有者の所有権に変動を与えるものではないことからすると，筆界特定登記官による筆界特定は個人の権利ないし法律上の利益に直接の影響を及ぼす法的効果を有するものであるとは認められないから，行政庁による公権力の行使とはいえず，抗告訴訟の対象となる行政処分に当たらない。（金沢地判平成21・3・23）

第157条（審査請求事件の処理）

① 登記官は，処分についての審査請求を理由があると認め，又は審査請求に係る不作為に係る処分をすべきものと認めるときは，相当の処分をしなければならない。

② 登記官は，前項に規定する場合を除き，審査請求の日から3日以内に，意見を付して事件を前条第1項の法務局又は地方法務局の長に送付しなければならない。この場合において，当該法務局又は地方法務局の長は，当該意見を行政不服審査法（平成26年法律第68号）第11条第2項に規定する審理員に送付するものとする。

③ 前条第1項の法務局又は地方法務局の長は，処分についての審査請求を理由があると認め，又は審査請求に係る不作為に係る処分をすべきものと認めるときは，登記官に相当の処分を命じ，その旨を審査請求人のほか登記上の利害関係人に通知しなければならない。

④ 前条第1項の法務局又は地方法務局の長は，前項の処分を命ずる前に登記官に仮登記を命ずることができる。

⑤ 前条第1項の法務局又は地方法務局の長は，審査請求に係る不作為に係る処分についての申請を却下すべきものと認めるときは，登記官に当該申請を却下する処分を命じなければならない。

⑥ 前条第1項の審査請求に関する行政不服審査法の規定の適用については，同法第29条第5項中「処分庁等」とあるのは「審査庁」と，「弁明書の提出」とあるのは「不動産登記法（平成16年法律第123号）第157条第2項に規定する意見の送付」と，同法第30条第1項中「弁明書」とあるのは「不動産登記法第157条第2項の意見」とする。

第158条（行政不服審査法の適用除外）

行政不服審査法第13条，第15条第6項，第18条，第21条，第25条第2項から第7項まで，第29条第1項から第4項まで，第31条，第37条，第45条 第3項，第46条，第47条，第49条第3項（審査請求に係る不作為が違法又は不当である旨の宣言に係る部分を除く。）から第5項まで及び第52条の規定は，第156条第1項の審査請求については，適用しない

先例
【審査請求期間】
1 ◆申請情報等の保存期間を過ぎた後であっても，審査請求をすることができる。（昭和37・12・18民事甲3604号回答）

第159条（秘密を漏らした罪）

第151条第2項の規定に違反して登記識別情報の作成又は管理に関する秘密を漏らした者は，2年以下の懲役又は100万円以下の罰金に処する。

第160条（虚偽の登記名義人確認情報を提供した罪）

第23条第4項第1号（第16条第2項において準用する場合を含む。）の規定による情報の提供をする場合において，虚偽の情報を提供したときは，当該違反行為をした者は，2年以下の懲役又は50万円以下の罰金に処する。

第161条（不正に登記識別情報を取得等した罪）

① 登記簿に不実の記録をさせることとなる登記の申請又は嘱託の用に供する目的で，登記識別情報を取得した者は，2年以下の懲役又は50万円以下の罰金に処する。情を知って，その情報を提供した者も，同様とする。
② 不正に取得された登記識別情報を，前項の目的で保管した者も，同項と同様とする。

第162条（検査の妨害等の罪）

次の各号のいずれかに該当する場合には，当該違反行為をした者は，30万円以下の罰金に処する。
一 第29条第2項（第16条第2項において準用する場合を含む。次号において同じ。）の規定による検査を拒み，妨げ，又は忌避したとき
二 第29条第2項の規定による文書若しくは電磁的記録に記

録された事項を法務省令で定める方法により表示したものの提示をせず，若しくは虚偽の文書若しくは電磁的記録に記録された事項を法務省令で定める方法により表示したものを提示し，又は質問に対し陳述をせず，若しくは虚偽の陳述をしたとき
三　第137条第5項の規定に違反して，同条第1項の規定による立入りを拒み，又は妨げたとき

第163条（両罰規定）

法人の代表者又は法人若しくは人の代理人，使用人その他の従業者が，その法人又は人の業務に関し，第160条又は前条の違反行為をしたときは，行為者を罰するほか，その法人又は人に対しても，各本条の罰金刑を科する。

第164条（過料）

第36条，第37条第1項若しくは第2項，第42条，第47条第1項（第49条第2項において準用する場合を含む。），第49条第1項，第3項若しくは第4項，第51条第1項から第4項まで，第57条，第58条第6項若しくは第7項，第76条の2第1項若しくは第2項又は第76条の3第4項の規定による申請をすべき義務がある者が正当な理由がないのにその申請を怠ったときは，10万円以下の過料に処する。

境界確定に関する主要判例

境界確定訴訟における申立事項

① 境界確定の訴えにおいては，裁判所は，当事者の主張する境界線に拘束されることなく，自ら正当なりと認める所に従い境界線を定めることができる。(大判大正12・6・2)

② 境界確定の訴にあっては，当事者間の相接する所有地相互の境界が不明ないし争あることの主張がなされれば十分であって，原告において特定の境界線の存在を主張をする必要はない。(最判昭和41・5・20)

境界確定の訴えが提起できる場合

③ 相隣接する土地の境界が不明であるときは，右境界が主観的に不明であると客観的に不明であるとにかかわらず，右土地の所有者は，境界確定の訴を提起し，裁判所の判決を得て，右境界の不明に起因する紛争の解決を図ることができる。(最判昭和43・5・23)

境界確定訴訟と当事者適格

④ 相隣接する係争土地につき処分権能を有しない者は，土地境界確定の訴えの当事者となり得ないと解するのが相当である。(最判昭和57・7・15)

⑤ 境界確定の訴において，当事者が相隣地の所有者であることについて争いがない以上，たとえ被告が口頭弁論終結前その所有地を他に譲渡し移転登記を了したとしても，裁判所が当事者についての要件に欠けるところはなしとして判決しても違法ではない。(最判昭和31・2・7)

⑥ 争いのある境界によって隣接する土地の所有者は，境界確定の訴につき，当事者適格を有する。(最判昭和47・6・29)

⑦ 隣接する甲乙両地の各所有者間の境界確定訴訟において，甲地のうち右境界の一部に接続する部分につき乙地の所有者の時効取得が認められても，甲地の所有者は，右境界部分についても境界を求めることができる。(最判昭和58・10・18)

相隣接しない土地についての境界確定訴訟

⑧ 公簿上隣接する二筆の土地の中間に第三者所有の土地がある場合は、土地所有名義人は、境界確定訴訟の当事者適格は認められない。(最判昭和59・2・16)

⑨ 甲地のうち、乙地との境界の全部に接続する部分を乙地所有者Aが、残部分をBがそれぞれ譲り受けた場合において、甲乙両地の境界に争いがあり、これを確定することによって初めてA及びBがそれぞれ取得した土地の範囲の特定が可能になるという事実関係の下においては、A及びBは、甲乙両地の境界確定の訴えの当事者適格を有する。(最判平成11・2・26)

⑩ 公簿上特定の地番により表示される甲乙両地が相隣接する場合に、甲地のうち境界の全部に接続する部分を乙地の所有者が時効取得したとしても、甲乙両地の各所有者は、境界に争いがある隣地土地の所有者同士という関係にあることは変わりはなく、境界確定の訴えの当事者適格を失わない。(最判平成7・3・7)

一筆の土地の固有の境界と合意

⑪ 1 相隣者との間で境界を定めた事実があっても、これによって、その一筆の土地の固有の境界自体は、変動するものではない。
2 境界の合意が存在したことは、単に客観的境界の判定のための一資料として意義を有する。(最判昭和31・12・28)

土地の境界と当事者の合意の性格

⑫ 土地の地番と地番との境界は、公法上のものであって関係当事者の合意で左右することのできない性質のものであり、和解又は調停をすることができない。しかしながら、当事者間に争いがある場合に双方の土地所有権の限界について合意することは何ら差し支えないと考えられる。(盛岡地裁一関支判昭和40・7・14)

境界についての合意の効力

⑬ 甲番地の土地の所有者Aと隣地の乙番地の土地の所有者Bとが右両土地の境界線を合意した場合、特別の事情のない限り、右合意は右境界線をもって各所有土地の所有権の限界線と定めたものであり、合意による境界線と真実の境界線とが合致しないときは、両境界線にはさまれた土地の所有権を一方から他方へ譲渡する合意をしたものと解するのが相当である。(大阪高判昭和57・2・9)

相隣者間の合意による境界確定の可否

⑭ 相隣者間に境界についての合意が成立したことのみによって，境界を確定することは許されない。（最判昭和42・12・26）

取得時効と土地の境界

⑮ 土地の一部を時効によって取得したとしても，各土地の境界が移動するものではなく，取得時効の成否は，境界確定の訴えにおける境界確定とは関係がない。（最判昭和43・2・22）

訴えの提起と時効中断の効力

⑯ 一般に，所有者を異にするする相隣接地の一方の所有者甲が，境界を越えて占有している隣接地の一部につき所有権の時効取得を主張している場合において，右隣接地の所有者乙が甲に対して右時効完成前に境界確定訴訟を提起していたときは，右訴えの提起により，右占有部分に関する所有権の取得時効は中断するものと解されるが，右境界確定訴訟と併合審理されている，乙の土地所有権に基づく甲に対する右占有部分の明渡請求が棄却されたときは，右占有部分については所有権に関する取得時効中断の効力は結果的に生じない。（最判平成元・3・28）

訴の変更と時効中断の効力

⑰ 係争地域が自己の所有に属することの主張は前後変わることなく，ただ単に請求を境界確定から所有権確認に変更したにすぎない場合は，境界確定の訴提起によって生じた時効中断の効力には影響がない。（最判昭和38・1・18）

共有地における境界確定の当事者

⑱ 土地の境界は，土地の所有権と密接な関係を有するものであり，かつ，隣接する土地の所有者全員について合一に確定すべきものであるから，境界の確定を求める訴えは，隣接する土地の一方又は双方が数名の共有に属する場合には，共有者全員が共同してのみ訴え又は訴えられることを要する固有必要的共同訴訟と解するのが相当である。（最判昭和46・12・9）

共有者の一部が境界確定の訴えの提起に同調しない場合の訴え提起の方法

⑲ 1 共有者のうちに境界確定訴訟を提起することに同調しないものがいるときには、その余の共有者は、隣接する土地の所有者と共に非同調者を被告として訴えを提起することができる。
2 隣地の所有者が共有者のうちの原告となっている者のみを相手方として上訴した場合には、この上訴の提起は、民事訴訟法47条4項を類推し、同法40条2項の準用により、共有者のうちの被告となっている者に対しても効力を生じ、この者は、被上訴人としての地位に立つ。
3 共有者が原告と被告に別れることになった場合でも、境界は右の訴えに関与した当事者全員の間で合一に確定されるものであるから、本件土地と上告人所有地との境界を確定する旨を一つの主文で表示すれば足りる。(最判平成11・11・9)

境界確定の中間確認の訴

⑳ 所有権に基づく土地明渡請求訴訟に関連して求められた境界確定の中間確認の訴は、係争土地部分の所有権の確認と異なり、元の訴訟の先決関係に立つ法律関係にあたるものと解することはできない。(最判昭和57・12・2)

境界確定訴訟の判断基準

㉑ 境界確定ノ訴ニ於テ客観的ニハ存スルニ相違無キト共ニ主観的ニハ知ルニ由無キ境界ヲ発見スルコトモ亦裁判所トシテ之ヲ辞スヘキニ非ス則チ之ヲ如何ニセハ可ナラム他無シ之ヲ常識ニ訴ヘ最モ妥当ナリト認メラルルトコロニ遵ヒテ境界ヲ見出スコト即是ノミ是故ニ所有権ノ境界コソ判明セサレ両地所有者ノ各自占有セル地域ハ則チ截然タル一線ヲ以テ区分セラレアルトキハ此ノ線ヲ以テ所有地ノ境界ト為スヲ要ス何者占有者ハ反証無キ限リ之ヲ所有者ト認ムヘキヲ以テナリ其ノ占有ノ境界サヘ之ヲ知ルコト能ハサルトキハ争アル地域ヲ平分シテ境界ヲ定ムルノ外無キハ之ヲ領スルニ難カラス但以上ノ如ク或ハ占有ノ境界ニ依リ或ハ平分ノ方法ニ依ルトキハ或確定セル事情ト抵触スルモノアル場合ニ於テハ此ノ事情ヲ参酌シ以テ適宜ノ措置ヲ講スヘキヤ固ヨリ論無シ。(大判昭和11・3・10)

㉒ 土地境界確定の訴においては、裁判所は、常に合理的な理由づけのもとに境界を確定しなければならない。(東京高判昭和39・11・26)

㉓ 境界確定の訴においては、裁判所はまず客観的に存在している境界線を発見することに努力し、それが不明な場合は、係争地域の占有状況、隣接両地の公簿面積と実測面積との関係、公図その他の地図、境界標識等を証拠によって確定し、それらの事実を総合して判断し合理的な理由のもとに境界線を確定すべきものである。(東京高判昭和48・

8・30)

公図の証明力

㉔ 公図は，境界が直線であるか否か，あるいはいかなる線でどの方向に画されるかというような地形的なものは比較的正確なものということができるから，境界確定にあたって重要な資料と考えられる。(東京地判昭和49・6・24)

㉕ 土地の現況その他境界の確定に当って実際上重視される客観的な資料がいろいろ存在する場合に，たまたま一方の主張する境界線の形状が公図上の境界線の形状により類似するというだけで，他の資料を一切無視して直ちに一方の主張を正当とみなすことは，到底妥当といい難い。(水戸地判昭和39・3・30)

境界確定訴訟の性質

㉖ 被上告人の上告人に対する本件訴えは，当事者相互の相隣接する各所有土地間の境界に争いがあるため，その境界を現地に即し具体的に定める創設的判決を求める，いわゆる境界確定であって，所論B地区が被上告人の所有に属することの確認を求める所有権確認の訴えではなく，相隣者間の土地所有権の範囲の確認を目的とする訴えでもないことは，明らかである。(最判昭和41・5・20)

境界確定訴訟の効力

㉗ 境界確定判決により確定された境界は，形成的効力を有し，その形成力は対世的効力を生じて第三者に対しても及ぶ。(東京高判昭和59・8・8)

境界確定訴訟と不利益変更禁止原則

㉘ 境界確定訴訟にあっては，裁判所は当事者の主張に覊束されることなく，自らその正当と認めるところに従って，境界線を定むべきものであり，いわゆる不利益変更禁止の原則の適用はないものと解するのが相当である。(最判昭和38・10・15)

境界確定訴訟の主文表示

㉙ 土地境界確定の訴においては，判決主文において，特定の隣接地番の土地相互の境界を表示すれば足るのであって，所有権確認の請求が含まれない限り，右土地の所有者が誰であるかを主文に表示することを要するものではない。(最判昭和37・10・30)

㉚ 判決主文に表示された境界線の基点が，判決理由および添付図面と対照しても，現地のいずれの地点にあたるかを確定しえないときは，当事者間ではその基点の位置につき争いがなかったとしても，主文不明確の違法を免れない。(最判昭和35・6・14)

境界確定の訴の訴訟費用の負担

㉛ 境界確定の訴えにおいて，訴訟費用を常に必ず原告に負担させることなく，民事訴訟法に定める訴訟費用の負担の原則に従って，実質的にみて敗訴者に負担させることが，憲法に違反しているとはいえない。(東京高判昭和39・9・15)

境界確定訴訟と調停に代わる決定

㉜ 境界確定訴訟の本案部で「調停に代わる決定」をして紛争解決を図った事例（大阪地判平成13・3・30）

界標設置についての承諾

㉝ 土地所有権が隣地との境界線上に界標を設置するには隣地所有権の承諾を要する。(岡山地判昭和35・8・23)

かつて経界標石が埋没されていた場合と界標設置に関する協力義務の内容

㉞ かつて経界標石が埋没されていた場合は，特段の事情のない限り，従前のと同様の経界標石を埋没すべきである。(東京地判昭和39・3・17)

真正な境界標を毀損したのでなくても境界毀損罪が成立するとされた事例

㉟ 町道の敷地の一部に設置された石垣が，町道と隣接地との間の真正な境界を確定するために設けられたものではないとしても，40数年の長きに亘り，町道の所有者，管理者たる町当局も放置し，隣接地所有者もこれを境界と信じており，世人も境界標として承認してきた以上，これを削りとって境界を認識不能にすることは器物損壊罪と同時に境界毀損罪にあたる。(東京高判昭和41・7・19)

境界毀損罪における境界毀損の意義

㊱ 境界毀損罪が成立するためには，境界を認識することができなくなるという結果の発生することを要し，未だ境界が不明にならない場合には，器物毀損罪が成立するとしても，境界毀損罪は成立しない。（最判昭和43・6・28）

境界についての合意の効力

㊲ 地籍調査に際して境界の合意があれば，地籍調査等の効力としてではなく，その合意の効力として所有権移転の効果が生じることがあるとされた事例

本件合意は，亡尊徳と被控訴人熊本県らとの間で，甲地と本件管路敷との境界線を確定したものであって，右合意当事者の意思としては，合意による境界線と真実の境界線とが異なるときには，両境界線にはさまれた土地の所有権を一方から他方へ譲渡することを意図していたものと解することができる。そして，本件合意前，本件拡幅道路，ひいては本件管路敷の南側約1.5メートル幅の部分は甲地の一部であったと推認される（本件西側線の方は，乙地も本件里道より高かったから，本件拡幅において乙地が削られた可能性もあるから，右幅員より若干せまくなる。）から，本件合意による境界線と本件里道との間には甲地がはさまっていたことになり，この甲地の所有権が被控訴人熊本県らに譲渡されたものと認められる（したがって，本件合意に被控訴人国が関与していなかったとしても，その効力に影響はない。）。

これに対し，控訴人らは，地籍調査の地籍簿・地籍図は当該土地の権利者である国民の法律上の地位ないし具体的権利関係に直接影響を及ぼすものではないから，本件地籍調査の過程で行われた本件合意によっては，具体的権利関係に直接影響を及ぼす境界の確定はできないと主張する。確かに，地籍調査それ自体及びこれに基づいて作成された地籍簿・地籍図は，土地の現状をあるがままに調査・把握してこれを記録するのであるから，境界を形成したり確定する効力を有しない。しかし，地籍調査に際して境界の合意があれば，地籍調査等の効力としてではなく，右合意の効力として所有権移転の効果が生じることもあるのであって，本件合意が本件地籍調査の過程で行われたからといって，右効力を否定することはできない。（福岡高判平成11・2・25）

国有財産法の境界確定協議の性質

㊳ 境界確定協議は，境界査定が行政処分であるのと異なり，国と隣接地所有者との間において，国有地と隣接民有地の所有権の範囲を確定するためにされた私法上の契約であり，その性質は，和解契約ないし和解類似の無名契約と解される。（大阪高判昭和60・3・29）

境界確定協議の性質と行政処分

㊴　1　境界確定協議は，国と隣接地所有者との間において国有地と隣接民有地との所有権の範囲を定める契約というべきである。
　2　国有財産法31条の3に基づく国有地と隣接地との境界確定は，行政事件訴訟法3条2項にいう「行政庁の処分その他公権力の行使に当たる行為」に該当しない。
（東京地判昭和56・3・30）

旧国有林野法に基づく境界査定処分の効力

㊵　旧国有林野法に基づく境界査定処分は，ただ単に国有林野と隣接地との境界を調査するだけでなく，国が行政権の作用により一方的に国有林野とそれ以外の土地との境界を査定決定する行政処分であり，処分がなされると，当該処分が取り消され若しくは無効である場合を除き，国有林野との境界は処分内容どおり確定され，これにより国の所有に属する地域が決定される。（東京地判昭和53・8・17）

官林境界踏査内規（明治23年農商務省訓令丙林371号）に基づく官林境界査定処分の性質

㊶　官林境界査定処分は，単に隣接する官民有林の境界を調査確定するにとどまらず，官有林の区域を決定することにあることから，行政処分の性質を有し，これが確定するときは，仮に官有林に編入された区域内に民有林が存在していたとしても，その所有権は消滅する。（高知地判昭和56・12・17）

二重譲渡された境界線上の囲障の所有権

㊷　境界線上に設けられたブロックべいを甲乙両名に二重譲渡した場合，そのブロックべいは，甲乙の共有となる。（東京地判昭和50・1・24）

換地処分後の土地の境界を特定する図面

㊸　換地処分がなされた土地の換地相互の境界は，換地図（換地確定図）によって明らかになると解すべきである。（大阪高判昭和51・10・15）

第三部 重要先例集

不動産表示登記関係先例

- ❖ 1 表示登記
- ❖ 2 法令改正

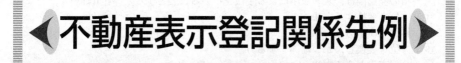

◆ 1 表示登記 ◆

▨不動産の表示に関する登記事務の取扱い（抄）

昭和52・12・7民事三第5941号民事局第三課長依命通知

1 コンクリート基礎，コンクリート基盤又はコンクリート側壁等に刻印をもって筆界点を明確に表示しているものは，不動産登記規則第77条第1項9号（以下「規則という」。）の規定による標識として取り扱う。
2 規則第77条第1項第9号の規定により境界標を記録するには，昭和52年9月3日法務省民三第四,474号民事局第三課長依命通知（以下「依命通知」という。）第2の五(3)に掲げられた例示によるほか，別紙㈠の例(1)又は例(2)によることができる。
3 規則第77条第2項の規定による恒久的地物は，依命通知第2の五(2)に掲げられたもののほか，左記に例示したものでよい。
　A類　申請にかかる土地以外の公共用地又は民有地に存する境界標識でその材質が堅固であつて，かつ容易に移動し得ないように埋設されているもの。
　B類　次のような構築物のうち，その材質が，鉄，石又は鉄筋入りコンクリートのように堅固にして設置状態に永続性があり，かつ基準とする点の位置が特定できるもの。
　　　鉄道用鉄塔，トンネル又は地下道の出入口，マンホール，防波堤，水門，ビルデイング，石段，電柱類，記念碑，ポスト，煙突，給水塔，石油又はガスタンク，サイロ，灯台
4 （略）
5 規則第10条第4項及び同第77条第5項の規定による地域の区分は，おおむね次の標準による。
　1．市街地地域
　　　別紙㈡の1及び2のような地域
　2．村落，農耕地域
　　　別紙㈡の3及び4のような地域
　3．山林，原野地域
　　　別紙㈡の5及び6のような地域
6 地積の測量図及び建物図面等を作成する場合において，所定の縮尺では用紙の右半面に作図することができない場合については，おおむね次の方法（例図は別紙㈢）によつて作製する。
　なお，広大な一筆の土地を分割する場合等，特殊な場合については，昭和39年10月2

日民事甲第3191号民事局長通達により取り扱う。
㈠ 地積の測量図は，次の順序による手法を用いることとする。（例図は略）
　(1)　方位を変換する方法
　(2)　縮図をする方法
　(3)　方位を変換し，かつ縮図をする方法
　(4)　分属表示とする方法
　　（分属した部分にはそれぞれ方位を記載し，かつ分属した各部分が方位を異にし若しくは別葉にわたる場合又は3以上に分属する場合は，原則として全図を作成する。）
　　㈜　分割した土地（求積した部分）と残地（求積しない部分）との分割線で分属する方法
　　㈹　㈜以外の分割線で分属する方法
　　㈺　分割線及び分割線以外の屈曲点を結ぶ線で分属する方法
　　㈢　分属後の各部分の方位を異にする方法
　(5)　残地部分（求積しない部分）が中央部分にかかるものについて，便宜従来どおりの記載をする方法
　(6)　(4)の㈹と(5)を併用する方法
㈡　建物の図面は，次の順序による手法を用い，なるべく分属表示をしないこととする。（必要に応じて部分的に拡大する。）（例図は略）
　(1)　方位を変換する方法
　(2)　縮図とする方法
　(3)　方位を変換し，かつ縮図とする方法
　(4)　敷地のみが中央部分にかかるものについて，便宜従来どおりの記載をする方法
㈢　各階の平面図は，縮図の方法を用いなるべく分属表示をしないこととする。（必要に応じて部分的に拡大する。）

◪適宜の縮尺にもより難い地積測量図等の作成方法

昭和39・10・2民事甲3191号民事局長回答・通達

〔要旨〕
1 広大な土地（一筆）を分割する場合において分割後の土地の全部又は一部が図面上僅少となるとき（又は長狭な土地について地積測量図を作成する場合）には，その地積測量図としては，分筆する数筆の土地（又は長狭な土地の一部）について数葉の用紙を用い，その総括図として法定の図面用紙を用い，適宜の縮尺により「土地所在図」（方位，隣地の地番を記入）を作成し，かつ地積測量図に附した用紙の符号（例えば，8／9のごとく，地積測量図各葉の関係部分の土地の所在，位置を明らかにするためのもの）を記載する。
2 広大な土地（一筆）の僅少な一部を分割する場合においては，その地積測量図としては，分筆する部分のみを拡大図示（縮尺適宜）し，かつ法定の図面用紙を用い，分筆線のみを記入した「土地所在図」（方位，隣地の地番を記入）を作成する。
3 広大な土地（一筆）の僅少な一部に存する建物について建物図面を作成するには，法定規格の図面用紙を用い，適宜の縮尺によって作成するものとされるが，なおその位置，形状を図示し難いものについては，その位置のみを記入し，その用紙の余白適宜の箇所にこれを拡大図示（縮尺適宜）して，その位置，形状等を明らかにするが，その方位は同一とする。

1 土　地

◪登記基準点を不動産登記規則第10条3項に規定する「基本三角点等」として取り扱うことについて

平成20・6・12民二第1670号民事局第二課長依命通知

　土地家屋調査士，土地家屋調査士法人又は公共嘱託登記土地家屋調査士協会が，公共基準点の整備されていない地域等において一筆地測量の与点として使用するための点（以下「登記基準点」という。）として設置し，維持管理されているものであって，日本土地家屋調査士会連合会が認定をした一定の要件を満たす登記基準点については，測量法上の公共基準点ではないものの，規則第10条第3項にいう「基本三角点等」に該当するものとして取り扱って差し支えない。

◪地籍調査における筆界標示杭の一部に「筆界基準杭」としてコンクリート杭等を設置すること等について

昭和55・4・24民三第2609号通知

〔要旨〕
　昭和55年以降の地籍調査においては，筆界標示抗の一部に「筆界基準杭」として永続性のあるコンクリート杭等を設置するものとし，併せてこれを地籍図上に表示するものとする。
　なお，土地の筆界に「筆界基準杭」が存する場合には，これを規則第77条1項9号に規定する「境界標」として，地籍調査における「筆界基準杭」であることを明らかにして地積測量図に記載するのを相当とする。

◪地図の備え付けのない土地についての登記事務の取扱いについて

昭和41・2・1全調連総第60号全国土地家屋調査士会連合会会長回答

1　地図の備え付けがない地域について初めて土地の地積の更正，分筆又は合筆の登記を申請する場合には，申請書に地積更正，分筆又は合筆後の土地の方位，縮尺，形状，隣接地の地番を記載した土地の所在図並びに隣接地の所有者の同意書又は同意書を添付できないときはその理由を記載した書面を添付させるものとする。
2　前項の土地の所在図を作成する場合には，土地の存する位置を明らかにするため，当該土地から概ね100メートル以内の地点に，土地の位置を特定するに足りる恒久的目標物，例えば道路，河川，橋梁，鉄塔，軌道等又は地目を異にする土地が存するときはその支距離を記載させるものとする。
3　一定の地域を集団的に整地して，住宅地として分譲等をする場合において，その所有権移転の登記を申請する場合には，事前に整地前の土地の全部についての土地の区画図面（地域内の土地の所有者全員の同意書又は同意書を添付できないときはその理由を記

載した書面を添付する。）及び整地後の土地の区画図面を提出させるようつとめて関係業者と連絡を図ること。
4　土地の所在図及び土地の区画図面は，一定の地区ごとに整理し，二重登記等を防止するに役立てるものとする。
5　前項より整理された土地の所在図に図示されている土地に隣接する周囲の土地に関して，第1項の登記の申請があった場合には，登記官は，申請書に添付された土地の所在図に基づき前項の土地の所在図に当該申請にかかる土地の地形及び地番を図示するものとする。

◤旧土地台帳附属地図のない地区における表示登記事務処理について

昭和47・3・18民三第135号民事局第三課長回答

(図根点配置図)
1　国家基準点にもとづく新座標系数値を基礎とした図根点配置図（縮尺3,000分の1）を庁内に掲示し，関係者の周知をはかる。
2　図根点配置図には図郭線（座標値による200m×250m）を記入して，図上分画された各ブロックに任意の図郭番号を付す。
(判定図)
3　図根点配置図の写しに法務局で保管中の分筆測量図，土地所在図などにもとづいて判定できる筆界線を記載した判定図を作成してこれを備える。
(申請書の添付書類)
4　申請書に土地所在図（地積更正，分筆，合筆後の土地の方位，形状，隣接地の地番を記載），隣接地の土地所有者の同意書，同意書を添付できないときはその理由を記載した書面を添付させる。
5　土地所在図は縮尺500分の1に作成し，土地の存する位置を明らかにするため，各筆界点に新座標系数値を記載せしめるほか，判定図の図郭線（記入可能のもの）とブロック番号を記載する。
6　地積測量図には，各筆界点の座標値を記載せしめる。
(処　理)
7　登記官は，土地所在図と判定図，ならびに保管中の隣接土地所在図を照合して，筆界重複の有無などを点検する。
8　登記官は，事前調査後現地にのぞみ筆界を確認する。
9　登記官は，事件処理後土地所在図にもとづいて判定図に確定筆界を記載して順次判定図を整備するとともに，すでに提出済（保管中）の隣接土地所在図と当該土地所在図の双方に各隣接土地の地形および地番を記載して，土地所在図を当該申請書から外し一括別途保管する。
10　一筆地測量の際設けた図根点は，所有者の承諾を得て永久標識を埋設し，各筆界点に埋設した永久標識（確定した各筆界点には，永久標識（コンクリート杭など）の埋設方をしようようする）とともに図根点配置図に記載して，成果として利用する。

地目変更

■登記簿上の地目が農地である土地について農地以外の地目への地目の変更の登記申請があつた場合の取扱い

昭和56・8・28民事三第5402号民事局長通達

1 標記の登記申請に係る事件の処理は，次の手続に従つて行うものとする。
　一　登記官は，申請書に次の各号に掲げる書面のいずれかが添付されている場合を除き，関係農業委員会に対し，標記の登記申請に係る土地（以下「対象土地」という。）についての農地法第4条若しくは第5条の許可（同法第4条又は第5条の届出を含む。）又は同法第73条の許可（転用を目的とする権利の設定又は移転に係るものに限る。）（以下「転用許可」という。）の有無，対象土地の現況その他の農地の転用に関する事実について照会するものとする。
　　(1)　農地に該当しない旨の都道府県知事又は農業委員会の証明書
　　(2)　転用許可があつたことを証する書面
　二　登記官は，一の照会をしたときは，農業委員会の回答（農業委員会事務局長の報告を含む。以下同じ。）を受けるまでの間，標記の申請に係る事件の処理を留保するものとする。ただし，一の照会後2週間を経過したときは，この限りでない。
　三　対象土地について農地法第83条の2の規定により対象土地を農地の状態に回復させるべき旨の命令（以下「原状回復命令」という。）が発せられる見込みである旨の農業委員会の回答があつた場合には，農業委員会又は同会事務局長から原状回復命令が発せられた旨又は原状回復命令が発せられる見込みがなくなつた旨の通知がされるまでの間，標記の登記申請に係る事件の処理を更に留保するものとする。ただし，農業委員会の右回答後2週間を経過したときは，この限りでない。
　四　対象土地の現況が農地である旨の農業委員会の回答があつた場合において，対象土地の地目の認定に疑義を生じたときは，登記官は，法務局又は地方法務局の長に内議するものとする。
2 登記官が対象土地について地目の変更の認定をするときは，次の基準による。
　一　対象土地を宅地に造成するための工事が既に完了している場合であつても，対象土地が現に建物の敷地（その維持若しくは効用を果たすために必要な土地を含む。）に供されているとき又は近い将来それに供されることが確実に見込まれるときでなければ，宅地への地目の変更があつたものとは認定しない。
　二　対象土地が埋立て，盛土，削土等により現状のままでは耕作の目的に供するのに適しない状況になつている場合であつても，対象土地が現に特定の利用目的に供されているとき，又は近い将来特定の利用目的に供されることが確実に見込まれるときでなければ，雑種地への地目の変更があつたものとは認定しない。ただし，対象土地を将来再び耕作の目的に供することがほとんど不可能であると認められるときは，この限りでない。
　三　対象土地の形質が変更され，その現状が農地以外の状態にあると認められる場合であつても，原状回復命令が発せられているときは，いまだ地目の変更があつたものとは認定しない。

3 申請人，申請代理人等の供述以外に確実な資料がないのに，地目の変更の日付を安易に申請どおりに認定する取扱いはしないものとする。

登記簿上の地目が農地である土地について農地以外の地目への地目の変更の登記申請があつた場合の取扱い（抄）

昭和56・8・28民事三第5403号民事局第三課長依命通知

1 登記官から農業委員会への照会は，これを端緒として違反転用の防止・是正の措置を講ずることができるようにするとともに，農業委員会から地目変更の有無の認定資料を得るために行うものとされる。
2 （略）
3 農業委員会の総会または農地部会はおおむね月1回程度開催されるため，所定の期間内に回答しえないときは，農業委員会の事務局長から登記官に調査結果が報告されるが，この場合は，農業委員会の回答があつた場合と同様に取扱うものとする。
4 照会後2週間以内に回答がないときは，登記官は，実地調査の上（対象土地の客観的状況に応じて），申請を受理するか，または却下してよい。
5 原状回復命令が発せられる見込みである旨の農業委員会の回答後2週間以内に原状回復命令が発せられたか否かについての通知がないときも，前掲4の手続をするものとされる。
6 対象土地の地目の認定に疑義を生じたときの法務局（地方法務局）の長への内議は，農地行政の運営との調和を図りつつ，管内の登記行政の統一的運営を確保するためにするものである。
7 宅地造成のための工事が完了している場合において，(1)建物の基礎工事が完了しているとき，(2)建物の建築について建築基準法6条1項の確認がされているとき，(3)都市計画法29条の規定による開発行為についての知事の許可がされているとき，(4)同法43条1項の規定による建物建築についての知事の許可がされているとき，のいずれかに該当するときは，登記官は，対象土地が近い将来建物の敷地等に供されることが確実に見込まれるものと認定してよい。
8 対象土地が現に特定の利用目的に供されておらず，またその将来の利用目的を確実に認定することもできない場合であつても，諸般の事情からその土地が将来再び耕作の目的に供することがほとんど不可能であると認められるときは，登記官は，雑種地への地目変更があつたものと認定してよい。
9 原状回復命令が発せられている場合であつても，原状回復がされないまま長期間が経過し，その命令受領者がこれに従う見込みがなく，また行政庁が行政代執行をする見込みもないと認められるときは登記官は，前掲4と同様の手続をしてよい。
10 地目の変更の日付につき確実な認定資料が得られないときは，その登記原因およびその日付としては，「年月日不詳」，「昭和何年月日不詳」等としてよい（このことは，農地以外の土地の地目変更においても同様である）。

登記簿上の地目が農地である土地について農地以外の地目への地目の変更の登記申請があった場合の取扱いについて

平成31・3・29民二第267号第二課長通知

　標記については，昭和56年8月28日付け法務省民三第5402号民事局長通達及び同日付け法務省民三第5403号当職依命通知（以下「昭和56年当職依命通知」という。）によることとされているところ，今般，建築条件付売買予定地に係る農地転用許可及び転用事実の証明の取扱いについて，本日付け30農振第4002号農林水産省農村振興局長通知及び同日付け30農振第4003号農林水産省農村振興局農村政策部農村計画課長通知（以下，併せて「農林水産省通知等」という。）が発出されたことを踏まえ，これらに伴う地目の変更の登記に関する取扱いについては，昭和56年当職依命通知のほか，本依命通知によることとしますので，貴管下登記官に周知方お取り計らい願います。
　なお，本依命通知による取扱いについては，農林水産省と協議済みであることを申し添えます。

記

1　建築条件付売買予定地の農地転用について
　　住宅の用に供される土地の造成のみを目的とする農地転用については，当該土地を最終的に住宅の用に供することが確実と認められないことから，原則としてこれを認めないこととされている（農地法施行規則（昭和27年農林省令第79号）第47条第5号及び第57条第5号）。
　　ただし，農林水産省通知等では，建築条件付売買予定地（自己の所有する宅地造成後の土地を売買するに当たり，土地購入者との間において自己又は自己の指定する建設業者（建設業法（昭和24年法律第100号）第3条第1項の許可を受けて建設業を営む者をいう。以下同じ。）との間に，当該土地に建設する住宅について，一定期間内に建築請負契約が成立することを条件として売買が予定される土地をいう。）であって，次の(1)から(3)までの要件を全て満たすことが確実と認められ，農地転用許可がされた土地については，これを特定建築条件付売買予定地ということとされ，当該土地に係る農地転用許可があったことを証する書面（以下「転用許可書」という。）においては，転用事由として，特定建築条件付売買予定地である旨が明記される取扱いとされた。
(1)　当該土地について，農地転用事業者と土地購入者とが売買契約を締結し，当該農地転用事業者又は当該農地転用事業者が指定する建設業者（建設業者が複数の場合を含む。(2)において同じ。）と土地購入者とが，当該土地に建設する住宅について，一定期間（おおむね3月以内）に建築請負契約を締結することを約すること。
(2)　(1)の農地転用事業者又は当該農地転用事業者が指定する建設業者と土地購入者とが，(1)の一定期間内に建築請負契約を締結しなかった場合には，当該土地を対象とした契約が解除されることが当事者間の契約書において規定されていること。
(3)　農地転用事業者は，農地転用許可に係る当該土地の全てを販売することができないと判断したときは，販売することができなかった残余の土地に自ら住宅を建設すること。
　　また，特定建築条件付売買予定地に係る地目の変更の登記申請のために，転用事実の証明に係る申請があった場合には，農業委員会は，当該土地に付された転用許可の

要件の履行状況を含む転用事実の証明を行うものとされた。
2 特定建築条件付売買予定地に係る地目の認定について
　特定建築条件付売買予定地に係る地目の変更の登記申請において，特定建築条件付売買予定地である旨の記載がされている転用許可書が添付され，これに加えて転用事実の証明がされた書面が添付された場合における当該地目の認定に当たっては，当該証明は，転用許可の要件の履行状況が確認された上で発行されるものであることから，昭和56年当職依命通知の記2の7の対象土地が近い将来建物の敷地等に供されることが確実に見込まれるものと判断することができ，当該特定建築条件付売買予定地の地目が農地から宅地へと変更されたものと認定して，差し支えない。

◢農作物栽培高度化施設の用に供される土地の地目等の登記事務の取扱いについて

平成30・11・16　民二第614号民事第二課長依命通知

　農業経営基盤強化促進法等の一部を改正する法律（平成30年法律第23号。以下「改正法」という。）の施行に伴う登記事務の取扱いについては，本日付け法務省民二第613号民事局長通達（以下「通達」という。）が発出されましたが，通達の運用に当たっては，下記の点に留意するよう，貴管下登記官に周知方お取り計らい願います。

記

第1　不動産登記事務に関連する農地法の一部を改正する法律の概要
　1　農作物栽培高度化施設
　　改正法による改正後の農地法（昭和27年法律第229号。以下「改正農地法」という。）において，農作物栽培高度化施設とは，農作物の栽培の用に供する施設であって農作物の栽培の効率化又は高度化を図るためのもののうち周辺の農地に係る営農条件に支障を生ずるおそれがないものとして，農林水産省令（平成30年農林水産省令第73号による改正後の農地法施行規則（昭和27年農林水産省令第79号）。以下「省令」という。）で定めるものをいうとされている（第43条第2項）。
　　また，省令においては，当該施設が専ら農作物の栽培の用に供されるものであること，周辺の農地の営農条件に著しい支障を生じないよう当該施設に必要な措置等が講じられていること等がその要件とされている（第88条の3）。
　　おって，当該施設を設置する場合には，農業委員会に届け出るものとされている（改正農地法第43条第1項）。
　2　農作物栽培高度化施設の用に供される農地について
　　改正農地法第43条第1項の規定による農地については，当該施設に設置された農作物栽培高度化施設内において行われる農作物の栽培を耕作に該当するものとみなして，同法の規定が適用されるため第4条又は第5条の規定による農地の転用に該当しないものとされた。
　　したがって，当該農地は，引き続き，農地法上の農地として取り扱われることとなる。
第2　改正法の施行に伴う不動産登記事務の取扱いについて

1 農作物栽培高度化施設に係る建物の種類の認定について
　通達においては，改正農地法の施行後において，農作物栽培高度化施設に係る不登法第47条第1項の規定による建物の表題登記の申請がされた場合には，不登法第44条第1項第3号に規定する建物の種類を農作物栽培高度化施設とするものとされた。
　これは，改正農地法第43条第1項に規定する農地に設置された建物の種類を農作物栽培高度化施設とすることで，当該土地が同項の規定が適用される農地であることを明らかにする趣旨であるところ，当該施設に係る建物の表題登記の申請に係る処理は，次の手続に従って行うものとする。
(1) 登記官は，当該登記の申請に係る添付情報として，農業委員会が発行する改正農地法第43条第1項に規定する届出に係る受理通知書が提供されている場合を除き，当該農業委員会に対し，当該登記の申請に係る建物について，別紙様式又はこれに準ずる様式によって当該届出の有無を確認するものとする。
(2) 登記官は，上記(1)の照会をしたときは，当該農業委員会の回答を受けるまでの間，当該登記の申請の処理を留保するものとする。ただし，上記(1)の照会から2週間を経過した場合には，この限りでない。
(3) 当該農業委員会から，当該届出がない旨の回答があった場合又は上記(2)の期間を経過してもなお当該農業委員会の回答がない場合には，当該建物に係る建物の種類については，農作物栽培高度化施設としないものとする。この場合における当該建物の種類については，不登法第29条の規定による実地調査並びに不登規則第113条及び準則第80条の各規定に基づき，適切に定めるものとする。
　なお，この場合において，当該建物の敷地及びその維持又は効用を果たす土地の地目が田又は畑であるときは，準則第63条の規定に基づき，登記官は，宅地への地目の変更の登記の申請をするよう，当該敷地の表題部所有者又は所有権の登記名義人に対し，催告するものとする。
2 農作物栽培高度化施設に係る敷地等の地目の認定について
　登記記録上の地目が田又は畑（以下「農地」という。）である土地について，当該土地の地目が農地以外の地目に変更されたときは，不登法第37条第1項の規定により，当該土地の表題部所有者又は所有権の登記名義人は，当該土地の地目の変更の登記を申請しなければならないこととされている。
　他方，通達において，改正農地法第43条第1項の規定による農地については，上記第1の2のとおり，引き続き，農地法上の農地として取り扱われることとなるため，農作物栽培高度化施設の底面とするため当該農地の全面をコンクリートその他これに類するもので覆い，当該農作物栽培高度化施設の敷地及びその維持又は効用を果たす土地になった場合であっても，当該土地の地目については，何らの変更も要しないこととし，当該土地について不登法第37条の規定を適用しないこととされた。
　なお，改正農地法第43条第1項の規定による農地は，改正法の施行前から農地法上の農地であったものに限られることから，改正法の施行前から農地法上の農地でなかった土地については，同行の規定は適用されない。

分筆

◪土地区画整理事業施行地区内の土地の分筆登記の取扱いについて

平成16・2・23民二第492号通知

1　土地区画整理事業により仮換地指定を受けている従前地の分筆登記については，当該事業施行者が工事着手前に測量を実施し，現地を復元することができる図面（実測図）を作成し，保管している場合において，これに基づいて作成された当該従前地の地積測量図を添付して申請がされたときは，これを受理することができる。ただし，地積測量図上の求積が登記簿上の地積と一致しない場合において，地積測量図上の求積に係る各筆の面積比が分筆登記の申請書に記載された分筆後の各筆の地積の比と一致しないときは，この限りでない。

2　従前地の地積測量図に，「本地積測量図は，事業施行者が保管している実測図（○○図）に基づいて作成されたものである事を確認した。」旨（注）の当該事業施行者による証明がされているときは，一の要件を満たすものと取り扱って差し支えない。

（注）「○○図」としては，事業施行者が工事着手前に実施した測量に基づいて作成した図面の名称を記載する。

◪分筆の登記の申請において提供する地積測量図の取扱いについて

平成17・3・4日調連発第373号通知

1　本取扱いの趣旨

　　分筆の登記を申請する場合において提供する分筆後の土地の地積測量図については，新不動産登記法（以下「法」という。）の施行後においても，1筆の土地ごとに作成しなければならない（不動産登記規則（以下「規則」という。）第75条第1項）ことは従前のとおりであるが（旧不動産登記法第81条ノ2第2項），分筆前の土地が広大な土地であって，分筆後の土地の一方がわずかであるなど特別の事情があるときに限り，分筆後の土地のうち1筆の土地について規則第77条第1項第5号（地積を除く。）から第8号まで，及び第2項に掲げる事項を記録することを便宜省略して差し支えないとされた（不動産登記事務取扱手続準則（平成17年2月25日付け法務省民二第456号民事局長通達。以下「準則」という。）第72条第2項）。

　　分筆の登記の申請において，特別の事情がある場合を除き，分筆後の土地のすべての土地について地積の求積方法等を明らかにする趣旨は，地図（法第14条第1項）の精度及び正確性を維持するとともに，地籍の明確化を図り，もって，登記された土地の区画の正確性を確保するためには，分筆後の土地のすべてについて地積の求積方法，筆界点間の距離及び筆界点の座標値を明らかにすることが必要不可欠であるとする基本的な考え方によるものである。

2　特別の事情

　　準則第72条第2項の規定は，分筆の登記の申請において提供する地積測量図は，本

来，分筆後の土地のすべてについて地積の求積方法等を明らかにすべきであるが，極めて例外的に，特別の事情があるときに限り，分筆後の土地のうちの1筆について明らかにすることを要しない取扱いを明らかにしたものである。この「特別の事情があるとき」を例示すると，おおむね次のとおりである。
(1) 分筆前の土地が広大であり，分筆後の土地の一方がわずかであるとき。
(2) 地図（法第14条第1項）が備え付けられている場合であって，分筆前の地積と分筆後の地積の差が誤差の限度内であるとき。
(3) 座標値が記録されている地積測量図など既存の資料により，分筆前の地積と分筆後の地積の差が誤差の限度内であるとき。
(4) 道路買収などの公共事業に基づく登記の嘱託が大量一括にされ，かつ，分筆前の地積と分筆後の地積の差が誤差の限度内であるとき。

なお，上記の場合のほか，登記官において分筆前の土地の筆界が確認できる場合であって，かつ，①分筆後の土地の一方が公有地に接し，境界確定協議や境界明示に長期間を要するとき，②隣接地の土地の所有者等が正当な理由なく筆界確認のための立会いを拒否しているとき又は③隣接地所有者等が行方不明で筆界確認のための立会いができないときについても，特別の事情があると認められる場合があることも考えられる。これらの場合には，これらの事情（上記②の場合は，立会い拒否が正当な理由に基づかないことを認めるに足りる具体的事情）を規則第93条に規定する調査に関する報告において明らかにする必要がある。

3 分筆の登記を申請する場合において，分筆前の地積と分筆後の地積の差が，分筆前の地積を基準にして規則第77条第4項（現第5項）の規定による地積測量図の誤差の限度を超えるときには，併せて地積の更正の登記の申請をする必要があるが，このときの地積の更正の登記の申請には，分筆の登記の申請をする場合において提供する地積測量図を援用することができることは，従前の取扱いのとおりである。

▱建物の区分所有等に関する法律の適用がある建物の敷地の分筆の登記の取扱いについて

平成29・3・23民二第171号民事第2課長通知

（通知） 標記について，別紙甲号のとおり東京法務局民事行政部長から当職宛てに照会があり，別紙乙号のとおり回答しましたので，この旨貴管下登記官に周知方お取り計らい願います。

別紙甲号（年月日省略）

法務省民事局民事第二課長　殿

東京法務局民事行政部長

建物の区分所有等に関する法律の適用がある建物の敷地の分筆の登記の取扱いについて（照会）

建物の区分所有等に関する法律の適用がある一棟の建物（専有部分が60ある敷地権付き区分建物であり，各専有部分の区分所有者はそれぞれ1名である。）の敷地（区分所有者全員の共有に属するもの）について，東京都から分筆の登記の嘱託がされました。

当該分筆の登記の嘱託は，分離処分可能規約を設定した上で，敷地の一部（建物が所

在しない部分）について東京都と売買契約を締結した59名を被代位者として代位によりされたものです。

　法第21条において準用する法第17条の規定によれば，建物の敷地の変更は，区分所有者及び議決権の各4分の3以上の多数による集会の決議で決するとされており，当該分筆の登記の嘱託の前提となる区画決定行為は，建物の敷地の変更に当たるものと解されるところ，当該分筆の登記の嘱託においては，被代位者及び当該被代位者の有する議決権の割合も4分の3以上であるほか，代位原因を証する情報として，売買契約書並びに当該区画決定行為及び分離処分可能規約の設定に係る決議が記載された管理組合臨時総会議事録（当該議事録には，地積測量図が添付され，敷地のどの部分について区画決定をし，分離処分を可能としたのかが明らかにされている。）が添付されており，当該決議がされていることも明らかであることから，当該分筆の登記の嘱託を受理して差し支えないと考えますが，共有者の一部の者に代位してする共有土地の分筆の登記の申請を受理すべきではないとする昭和37年3月13日付民事三発第214号民事局第三課長電報回答もあり，いささか疑義がありますので照会します。

　また，当該分筆の登記に伴い，上記59名を被代位者として代位により区分建物の表題部（敷地権の目的である土地の表示欄及び敷地権の表示欄）の変更の登記の嘱託もされているところ，被代位者とされていない1名が所有する区分建物については，昭和58年11月10日付法務省民三第6400号民事局長通達記第七の二により登記官が当該変更の登記をして差し支えないと考えますので，併せて照会します。

　　　　　　　　　　　　　　　　　　　　　　　別紙乙号（年月日等省略）

（回答）　いずれも貴見のとおり取り扱われて差し支えありません。

2 建　物

建物認定例

■塔屋，中2階が階層，床面積に算入される事例

昭和37・12・15民事甲第3600号民事局長通達

(照会)　別紙(1)のとおり照会がありましたので，別紙(2)のように回答してさしつかえないかお伺いいたします。

(別紙(1))

　当会支部会員より別紙のとおり疑義について照会がありましたが，まちまちな見解よりして解釈の相違を表すことは会員の指導上考慮を要するので，法務省民事局と打ち合せの上しかるべく御教示をお願いします。

(別紙)

1．別紙のような建物について従前は

構　　造　鉄筋コンクリート造陸屋根屋階（又は塔屋1階等）付3階建
種　　類　何何

床面積　　　　　　㎡
　　　1階　　400.00
　　　中2階　100.00
　　　2階　　400.00
　　　3階　　400.00
　　　屋根（又は塔屋1階）50.00

の如く表示しておりましたところ，一部登記所において屋階（塔屋1階等）は床面積及び構造に含まない。
　中2階は1つの階層とみなすと言う取扱いをするように承っております。
　（尤も屋階は実質的に事務所等に使用して居る場所は，1階層とする旨ですが）
　従って右取扱いとすれば，屋階の一部を事務所に使用して居ることを考慮すれば

構　　造　鉄筋コンクリート造5階建
種　　類　何何

床面積　　　　　　㎡
　　　1階　400.00
　　　2階　100.00
　　　3階　400.00
　　　4階　400.00
　　　5階　 50.00

の如くなるものと思います。
　然し，申請人（所有者）の意思，建築基準法上の階数，並びに建物の形成等を考察いた

しますと，従前の取扱いの方が適当のようにも思われますので，前記取扱いはいずれが正しいのか御回答を御願いします。

なお，塔屋を総て床面積に含まないと解すると，固定資産税関係評価床面積とも相当の相違を来たすものと思います。

別紙

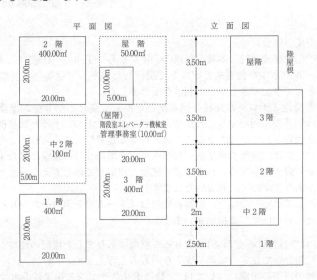

(別紙(2))

中2階及び屋階の用途に供する部分の天井高が各々1.50m以上であるから階数に算入し，かつ床面積に算入すべきであり，従つて構造及び床面積は鉄筋コンクリート造陸屋根5階建

1階　400㎡00
2階　100㎡00
3階　400㎡00
4階　400㎡00
5階　50㎡00

と表示するが相当と考える。

(回答) 貴見により回答されてさしつかえないものと考える。

◪発泡ポリスチレン板（いわゆる発泡スチロール板）を主である構成材料とし，接着剤とボルトで接合したドーム型の建造物の建物認定について

平成16・10・28・民二第2980号第二課長回答

（別紙）
建物認定について（照会）

　今般，○○○○○株式会社（本社○○県○○市）から，工場で一体成型により製造された発泡スチロールパネルを接着剤とボルトで接合したドーム型建造物（別紙資料のとおり）が，建物として登記できるかとの相談を受けました。

　相談のあった発泡スチロール建材を接着剤とボルトで接合したドーム型建造物は，店舗，ホテル又は別荘等に利用することが予定されており，かつ，土地とは基礎コンクリートで建造物ごと固定されていることから土地に対する定着性も認められ，また，同建造物の建築材料については，建築基準法施行令第36条第2項第3号の規定に適合する評価を受けていることから耐久性も認められるので，建物と認定して差し支えないと考えますが，いささか疑義がありますので，照会いたします。

　なお，建物として認定した場合，建物の構造は「ドーム型発泡スチロール板造平家建」として差し支えないか併せてご指示願います。

（回答）本年9月9日付け不登第684号をもって照会のありました標記の件については，貴見のとおり建物として認定して差し支えないものと考えます。

　　なお，建物の構造の記載については，「発泡ポリスチレン造平家建」とするのが相当と考えます。

個数の認定

◪建物の個数の認定について

昭和43・3・28民事甲第395号民事局長回答

（照会）別紙(1)の所有関係のある敷地に別紙(2)（鳥瞰図），別紙(3)（縦断面図）の建物（店舗，事務所，駐車場等を含む駅ビル）を建築して図示のようにA建物及びB建物（B建物は区分建物）をそれぞれ別棟の2個の建物として表題登記の申請があつた場合，受理してさしつかえないものと考えますが，不動産登記事務取扱手続準則第78条との関係でいささか疑義もありますので，至急何分の御指示を仰ぎたく照会します。

なお，参考として2，3の事項をつけ加えると次のとおりです。
1　外観上（外装）は全体として1棟の建物の観を呈することとなるが，柱等構造上は両部分独立のものとして建築する。
2　2，3階については，A，B両建物を貫いて鉄道がはいるが，その他の階については，A，B両建物の境界にシャッターを設備して断しうる状態とする。
3　所有者の意思は，特に，敷地の関係を考慮して，A，B両建物に分ち，B建物についてのみ甲，乙の区分所有とすることにある。
4　本件建物は建築主において目下設計の段階で，数年後に登記申請がなされる予定のものであるが，本件表題登記の可否によつて早急に設計図を確定したい意向である。なお，敷地の（1階部分）の面積がA建物が16,000㎡，B建物が約3,500㎡，総床面積がA建物が約152,000㎡，B建物が35,500㎡となる予定である。

（回答）照会のあった標記の件については，A，B両建物をそれぞれ別棟の建物として取り扱うことは相当でないと考える。

別紙(1)

別紙(2)

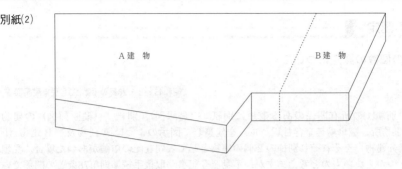

別紙(3)

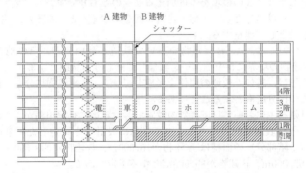

(注) 1．2階3階部分はB建物及びA建物の一部を貫通して電車のホームとする。
   2．A建物は甲の所有，B建物は区分建物として斜線部分を乙の所有とし，その他を甲の所有とする。

建物の個数の認定について

昭和52・10・5 民事三第5113号民事局第三課長回答

（照会）　集団的賃貸倉庫の1棟（別図参照）について附属建物新築の登記申請があり，調査の結果，当該建物は，既登記建物と効用上一体的な関係がないと認められるので，上記既登記建物とは別に，1個の建物として登記すべきものと考えますが，本件のように集団的に建築され，同一の目的に供される数棟の建物は，所有者の意思に反しない限り，附属建物として登記すべきものとする反対意見もあり，いささか疑義がありますので，至急何分の御指示をお願いします。

（参考）
1　本問の集団的賃貸倉庫は，臨海埋立地における流通団地の倉庫施設の賃貸を目的として建築されたものである。
2　各棟の建物は，それぞれ内部に賃借会社の事務所を有し，屋上又は建物の側面に会社名を表示しており，各棟間には，利用上の関係はない。
3　1棟の建物の規模・構造は，鉄筋コンクリート造5ないし6階建，延床面積約13,000㎡ないし15,000㎡である。
4　既登記倉庫の所有権保存登記の登録免許税額は，276万円である。

（回答）　照会のあった標記の件については，所問の数棟の建物が，貴見のとおりそれぞれ独立の1個の建物として登記すべきものと考えます。

別図

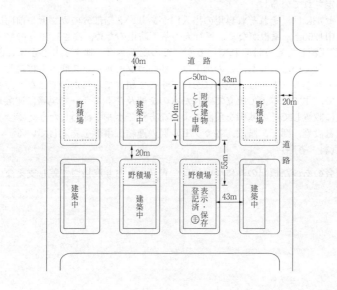

◪建物の個数の認定について

昭和50・2・13民事三第834号民事局第三課長回答

（照会）　下記のようなカプセルハウス群（1階部分13個，2階部分13個）について，これを1個の建物とする表題の登記の申請は，受理すべきでないと考えますが，これを構成する2階建の各カプセルハウスを，1個の建物とする建物の表題の登記の申請があつた場合には，受理して差し支えないものと考えますが，いささか疑義がありますので何分の御指示を賜りたく，写真及び資料をそえてご照会します。

記

1　カプセルハウス（以下カプセルという。）群を構成する各カプセルは，いずれも，間口3.00m，奥行き7.20m，高さ2.50mの鋼鉄製箱型カプセルであり，バス，トイレ，配電施設及び上下水道が完備されている。

2　カプセルの1階部分は，鋼鉄柱8本を基脚として，基礎石（30cm×30—60cm）にボトル締めにより固定されている。1階部分の上には，同型のカプセルが積み重ねられてありこれが2階部分となつているが，その基脚8本は，1階のカプセルと，熔接により，その屋根部分に固定されている。
　　なお，1階部分と2階部分との間には，25cmの間隙がある。

3　上記のような2階建のカプセルが各40cmの間隙をおき，13個横に並んでいるが，中間のカプセルは，その基脚を隣接するカプセルと同一の基礎石にボルト締めによつて固定されている。なお，相隣接するカプセルは，屋根の部分において，太さ3cmの鉄材4本で連結固定されている。

4　各カプセルには，それぞれ専用の出入口があり，2階部分のカプセル前面には，鉄製の廊下（巾1.50m，屋根がなく，通行人の落下防止のため，高さ1.00mの格子状手摺がある。）が連続してもうけられているが，この廊下へは，地上より2か所において，階段で接続されている。なお，この廊下は，他のカプセルハウス群へも接続している。

5　以上のようなカプセルは，現場においてすべて組立てられたのではなく，個々のカプセルとして，すでに本土で組立てられたものを船及びトレラーで現場に運搬し，これを基礎石上に設置してその基脚を前記のような方法でボルト締めしたうえで，上下水道の配管，配電設備，廊下，階段，各カプセル間の連結工事等を施工している。
（写真及び資料　省略）

（回答）　照会のあつた標記の件については，貴見のとおり取扱つて差し支えないものと考える。

種類，構造，床面積

建物の種類，構造の表示および床面積の定め方

昭和46・4・16民事三発第238号民事局第三課長依命通知

（照会） 建物の種類，構造および床面積については，左記により取り扱いたいと思いますが，さしつかえないかお伺いします。
　　　なお，さしつかえない場合は，登記官に対し周知方ご依頼いたします。
記
建物の種類，構造および床面積の取り扱いについて
＜目　次＞

1．建物の種類の表示について
2．建物の構造の表示について
3．建物の床面積の定め方について
　(1) 木造の場合
　(2) 鉄骨造の場合
　　① 柱の外側が被覆されている場合
　　② 柱の両側が被覆されている場合
　　③ 柱の外側に壁がある場合
　　④ 壁のない場合
　(3) 鉄筋コンクリート造の場合
　　① 壁構造の場合
　　② 壁がない場合
　　③ 各階の壁厚が異なる場合
　(4) 建物の一部に凹凸がある場合
　　① 建物の一部に凹の部分がある場合
　　② 玄関・車寄せの場合
　　③ ベランダ等の場合
　(5) 不動産登記事務取扱手続準則第82条各号の場合
　　① 第1号の場合
　　② 第2号の場合
　　③ 第3号の場合
　　④ 第7号の場合
　　⑤ 第8号の場合
　　⑥ 第9号の場合
　　⑦ 第10号の場合
　　⑧ 第11号の場合
　(6) その他の場合
　　① 吹抜がある場合
　　② 2棟の建物に共同の樋が設けられている場合
　(7) 区分建物の場合

①　不動産登記規則第115条の場合
　　②　1棟の建物を区分した建物の内側に凹凸がある場合
　　③　1階と2階を区分した建物

1．建物の種類の表示について
　　建物の主たる用途が2以上の場合は，その種類を次のように表示する。
　　　　居宅・店舗
　　　　店舗・事務所・共同住宅
2．建物の構造の表示について
　(1)　建物の主たる部分の構成材料が異なる場合は，その構造を次のように表示する。
　　　　　　木・土蔵造
　　　　　　鉄筋コンクリート・鉄骨造
　(2)　屋根の主たる部分の構成材料が異なる場合は，次のように表示する。
　　　　　　瓦・亜鉛メッキ鋼板葺
　(3)　渡廊下付の1棟の建物は次のように表示する。
　　　　　　木造瓦葺　渡廊下付　2階建旅館
　(4)　傾斜地に建築された建物の甲，乙の部分（図参照）が接続していて1棟の建物と認められる場合には，甲，乙および階段室の部分を第2階として取り扱う。

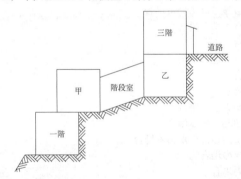

3．建物の床面積の定め方について
　　凡例
　　　　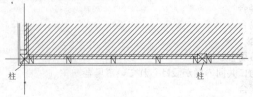 床面積として算入する部分を示す。
　　　　―・―　壁その他，区画の中心線を示す。
　　床面積の算出については，次のように取り扱う。
　(1)　木造の場合
　　　　壁の厚さ，または形状にかかわらず柱の中心線で囲まれた部分の水平投影面積による。

(2) 鉄骨造の場合
　① 柱の外側が被覆されている場合は，柱の外面を結ぶ線で囲まれた部分の水平投影面積により床面積を算出する。

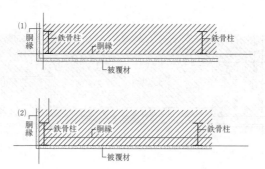

　② 柱の両側が被覆されている場合は，柱の中心線で囲まれた部分の水平投影面積による。

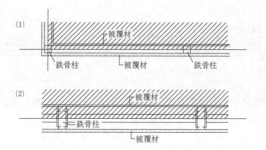

　③ 柱の外側に壁がある場合は，壁の中心線で囲まれた部分の水平投影面積による。

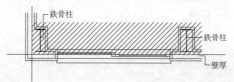

　④ 壁がない場合で床面積を算出すべきときは，柱の中心線で囲まれた部分の水平投影面積による。

(3) 鉄筋コンクリート造の場合
　（鉄筋コンクリート造及びコンクリートブロック造の場合を含む）
　① 壁構造の場合は壁（又はサッシ）の中心線で囲まれた部分の水平投影面積による。

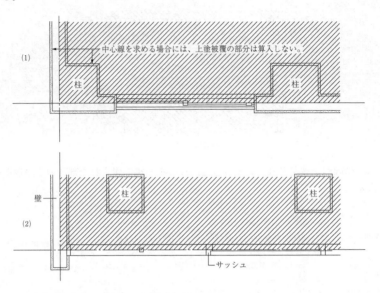

　② 壁がない場合で床面積を算出すべきときは，柱の中心線で囲まれた部分の水平投影面積による。

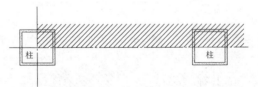

③ 壁構造の場合で，各階の壁の厚さが異なるときは，各階ごとに壁の中心線で囲まれた部分の水平投影面積による。

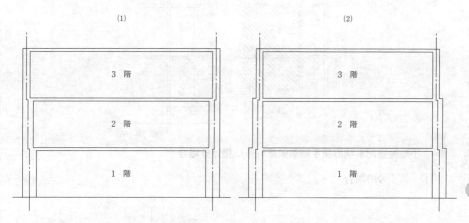

(4) 建物の一部に凹凸がある場合
  ① 建物の一部に凹の部分がある場合

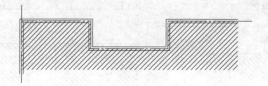

  ② 玄関・車寄せ等の場合

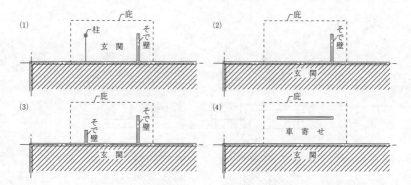

③ ベランダ等の場合

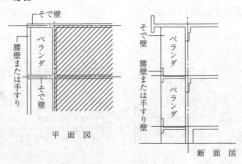

(5) 不動産登記事務取扱手続準則第82条に掲げる場合

① 第1号の場合

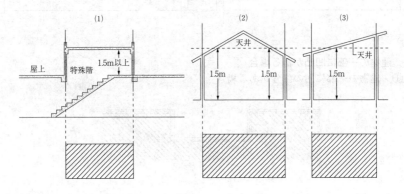

② 第2号の場合

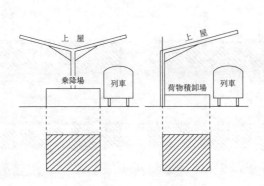

③ 第3号の場合

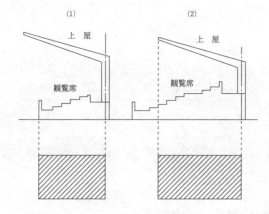

④ 第7号の場合

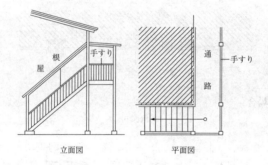

⑤ 第8号の場合

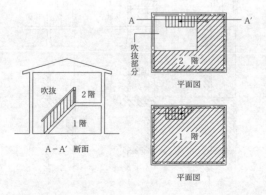

⑥ 第9号の場合

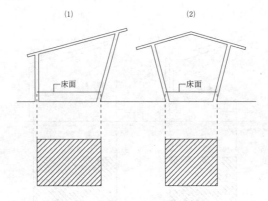

⑦ 第10号の場合（準ずる場合を含む）

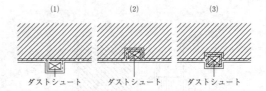

⑧ 第11号の場合

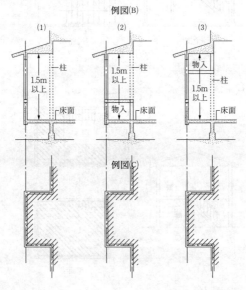

(6) その他の場合
　① 吹抜の部分がある場合

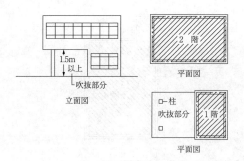

　② 2棟の建物に共用の樋が設けられている場合

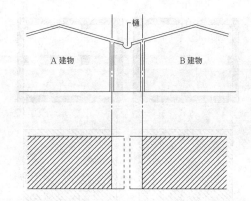

(7) 区分建物の場合
　① 不動産登記規則第115条の場合
　　　1棟の建物の床面積は柱または，壁の中心線で囲まれた部分の水平投影面積による。

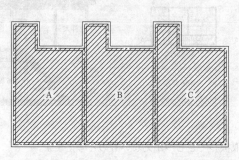

1棟の建物を区分した各建物の床面積は，内壁で囲まれた部分の水平投影面積による。

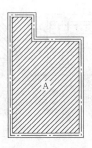

② 区分した建物の内壁に凹凸がある場合

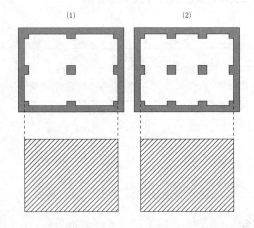

③ 1階と2階を区分した場合

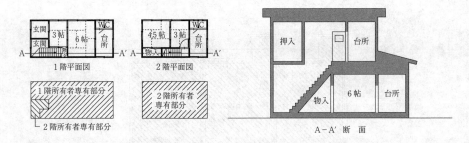

（回答）　貴見により取扱ってさしつかえないものと考えます。

■プレハブ工法により設置された地下室の建物の認定等について

昭和55・11・18民三第6712号民事局第三課長回答（昭和54年12月17日名古屋法務局民事行政部長照会）

　土地の有効利用と建築工期の短縮を図るため、土地を掘削し、その場に特別の基礎工事を施工することなく、既成のスチールパネルを順次ボルトで締結していく乾式プレハブ工法によって設置された例図(A)(B)及び(C)に示した地下室（構造等は別図のとおり。）は、居室、収納庫等に利用されており、かつ、土地に対する定着性が認められるので、左記のとおり取り扱って差し支えないものと考えますが、いささか疑義がありますので、何分の御回示をお願いします。

記

1　例図(A)及び(B)の地下室は、いずれも建物と認定できる。
2　例図(A)の建物の構造は、屋根の種類を表示せずに「鉄骨造地下1階建」とする。
3　例図(B)の建物の構造は、「鉄骨造亜鉛メッキ鋼板葺地下1階付平家建」とする。

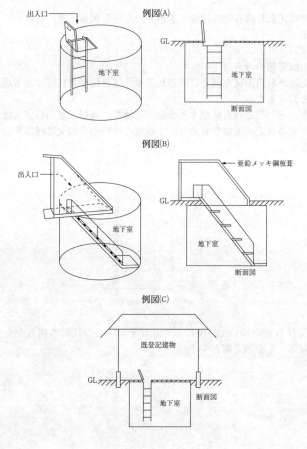

4　例図(C)のとおり既登記建物の地下に地下室が設置された場合は，既登記建物の増築及び構造変更として取扱う。
（注　参考資料添付）（省略）
（回答）客年12月17日付け不登第796号をもって照会のあった標記の件については，いずれも貴見のとおりと考えます。

建物の表題登記の取扱いについて

昭和63・3・24民事三第1826号民事局第三課長回答

　西日本旅客鉄道株式会社が所有する建物（鉄道事業遂行の為の施設として建築されたもので特異な名称を付した建物が多く，種類・構造の認定，床面積の算定等において通常の建物登記にみられない特異性を有している。）についてする建物の表題登記は，この回答で示された種類・構造等の認定事例集（案）に従って取扱うものとする。

（別紙）
西日本旅客鉄道株式会社所有物の種類・構造等の認定事例集（案）（抄）
第3　建物の床面積
　1，2　（省略）
　3　床面積の測定線の考え方
　不動産登記事務取扱手続準則及び昭和46年4月16日民甲第1527号民事局長通達によるほか，次のとおりとする。
　(1)　鉄骨造，その他これらに類する構造の建物で，外壁厚さの判定又は外壁厚さの中心線の位置の判定の困難なものは，主構造の柱の中心線又は縁端を外壁厚さの中心線とみなす。

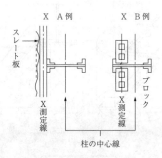

〈備考〉　A例及びB例の場合で，壁の厚さ及びその中心の位置の明らかなものは，壁の厚さの中心線X—Xを測定線とする。

(2) 壁の中心線をもって測定する場合に，壁厚が異なる場合の測定線は
　① $h_1 \geqq h_2$の時　　X—X を測定線とする。
　② $h_1 < h_2$の時　　Y—Y を測定線とする。

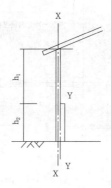

(3) 一部に壁又はこれに代わる柱のない部分の測定線は，その部分の両端にある壁又は柱の測定線の末端（柱の中心線を測定線とする場合は柱の中心を，外壁厚さの中心線を測定線とする場合は壁の中心線の終端をいう。）を結んだ線をもって測定線とする。

　　（注）　図で例示すれば，次のとおりである。

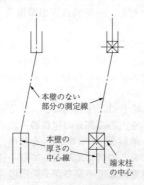

(4) 外がシャッター構造の場合
　① 開口部にシャッターがある場合の測定線
　　シャッターの中心線
　② 窓，ドアー等の内外部にシャッターがある場合の測定線
　　シャッターの中心線を測定線としない。

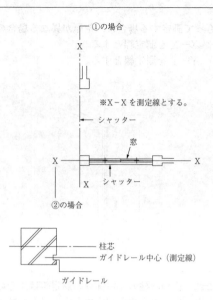

第5　建物の構造
1　主要構造部の構成材料が複数の組成材の場合，構造の表示は概ねその3分の1以上を占める組成材を併記して差し支えない。
2　主要構造部が鉄骨造の場合，外壁にALC（軽量気泡コンクリート）を使用していても「鉄骨造」とする。ただし，主要構造部が壁構造の場合は，「鉄骨鉄筋コンクリート造」と表示する。
3　屋根の種類が2種類以上で葺かれている場合の認定基準は，
　①　床面積に算入しない部分の屋根については表示の対象としない。
　②　床面積に算入する部分の屋根面積の30％未満の種類の屋根については表示の対象としない。
　③　屋根が3種類以上ある場合は，床面積に算入する部分の屋根面積を種類数で除して，おおむね平均値以上を占める部分の屋根のみ表示する。
4　地上階と地階の区別は，地盤面（注(1)参照）を基準とし，床面が地盤面より上にある階層は地上階とし，下にある階層は地階として取り扱う。この場合，床面が地盤面下にある階層で床面から地盤面までの高さがその階の天井までの高さの3分の1以上あるときは，当該階層は地下階（注(2)参照）として取り扱う。

注(1) 「地盤面」とは，建物が周囲の地面と接する位置の平均の高さにおける水平面をいう。この場合，その接する位置の高低差が3mをこえる場合は，その高低差3mごとの平均の高さにおける水平面をいう。

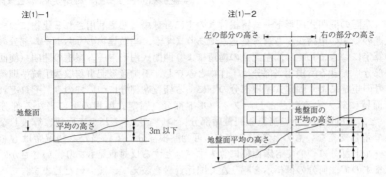

注(2) 「地階」とは，床が地盤面下にある階で，床面から地盤面までの高さがその階の天井の高さの$\frac{1}{3}$以上のものをいう。

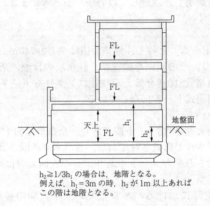

$h_2 \geq 1/3 h_1$ の場合は，地階となる。
例えば，$h_1 = 3m$の時，h_2が1m以上あればこの階は地階となる。

5 床上げされた建物で1階の床面が地盤面（ホーム）から1.5m以上ある場合「高床式平家建」と表示する。

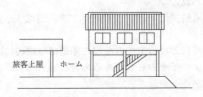

■開閉式の屋根を有する野球場の床面積の算定方法について

平成 5・12・3 民事三第7499号民事局第三課長回答

（照会）　左記の開閉式円形ドーム屋根付きの主に野球場として利用される建物につき，近く表題の登記の申請がなされる見込みでありますが，当該建物のうちドーム部分の床面積の算定につきましては，左記２の構造により開閉式円形ドーム屋根の開閉（旋回移動する部分）できる屋根相当部分は工作物とみなし，不動産登記事務取扱手続準則第82条第３号の規定により固定式屋根部分の下にある観覧席部分についてのみ，それぞれ各階の床面積に算入することとし，フィールド部分（固定式屋根の下に当たる部分も含む。）と，可動屋根の下に当たる観覧席部分については，これを床面積に算入しない取扱いで差し支えないものと考えますが，可動屋根部分の下に当たる観覧席はもちろんフィールド部分についても床面積に算入すべきとする反対意見もあり，いささか疑義がありますので，何分の御指示を賜りたく関係資料を添えて，照会いたします。

　なお，本件建物の種類につきましては，左記３のとおり多目的に利用されますが，フィールド等は野球を主にした施工がされており不動産登記事務取扱手続準則第80条第１項の規定により「野球場」と認定してはいかがかと考えますので，併せて御指示下さるようお願いいたします。

記

1　本件建物は，「福岡ドーム」と称し，建築面積は７万2,740㎡，そのフィールドの面積は約１万3,500㎡であり，その周囲を観覧席，駐車場のほか，楽屋，控室，野球スポーツ関連施設，観客用諸施設216室を備える鉄骨コンクリート造７階建の円形の建物で囲われ，その屋根は，開閉式ドームになっている。

2　屋根部分の構造について
　(1)　開閉式屋根は，最大直径213メートルであり，全重量は約１万2,000トンの扇型をした３枚の鉄骨構造パネルで構成されており，各パネルの厚さは４メートルで，その面積は３枚の合計で約５万平方メートルあり，その表面素材は厚さ0.3㎜のチタン板が使用されている。

　　なお，台風や地震時におけるパネル相互の上下方向の接触，衝突を防止するため，３枚の屋根パネル頂部には，制震ダンパーが設けられている。また，各パネルとも安定性を高めるためパネルの下両端を左右に鷹の翼のように広げた構造となつている。

　(2)　３枚のパネルは，上段，中段，下段の３層に分かれており，重量は，上段が4,200トン中段が4,000トン下段が3,800トンである。下段のパネルが固定屋根で，ドーム型屋根の開閉は，上段のパネルと中段のパネルの２枚が左右にそれぞれ120度旋回移動することによって行われる。

　(3)　屋根の開閉に要する時間は，全開，全閉ともに20分を要し，全開時の開放率は約60％である。

　(4)　野球試合等の開催時におけるドーム屋根の開閉は原則的に開時の状態を通常とし，雨天時とイベントによつてその必要がある場合に閉じた状態にするというのがドーム球場所有者の考えである。

3　施設の利用について

本件野球場は，野球のみに利用されることなく，他の球技及び各種のイベントにも利用する目的で設計建築されたもので，その設備もなされている。すなわち，フィールドの両翼の可動席（野球時の観客席）を移動することにより，フィールドの形を野球場からフットボール競技場用に容易に切り替えることができ，かつ，フィールドにトラックを特設するなどして，各種イベントの会場として使用できるのみなく，日本最大級のコンサートホールにも利用でき，これら以外にも広いスペースを必要とするあらゆる催物の会場としても利用でき，全天候型の特質を生かし，日程を気象条件に左右されることなく実施されるよう設備が整備されている。なお，本件野球場は，店舗等も併設され，特に1階，2階部分は駐車場であり，多岐にわたつての種類を兼ね備えている。

4　関係書類（省略）

（回答）　本年8月25日付け不登第251号をもつて照会のあつた標記の件については，開閉式屋根の開閉可能部分の下に当たる観客席及びフィールド部分の面積も床面積に算入すべきものと考えます。なお，当該建物の種類については，その主たる用途が「野球場」と認められる場合には，そのように認定して差し支えないものと考えます。

スケルトン・インフィル分譲住宅等に係る登記上の取扱いについて

平成14・10・18民二第2474号第二課長依命通知

別紙
　一部にスケルトン状態を含む区分建物の表示登記の申請に関して，建物の種類を以下のとおり取り扱うこととすることについて。
1　インフィルが完成している住戸については，従来の種類の基準に従って「居宅」とする。
2　インフィルが未完成の住戸であっても，建物自体の構造，他の住戸部分等の現況及び次に掲げる添付書面等によりスケルトン状態の住戸であることが証されているものについては「居宅（未内装）」とする。

添付書面
ア　建築確認申請書及び同通知書
　スケルトン状態を含む区分建物の用途の記載があるもの
イ　仮使用承認申請書
　インフィルが完了している住戸についての仮使用承認申請書ではあるが，スケルトン状態の住戸についてもその用途の記載があるもの
ウ　仮使用承認通知書
　スケルトン状態以外の住戸の部分について，仮使用することを承認した旨の記載があるもの
エ　工事完了引渡証明書
　スケルトン状態の住戸（専用部分）の記載があるもの

3　登録免許税の課税標準額
　建物の種類が，インフィル工事完成前の「居宅（未内装）」として登記されている建

物であって，固定資産課税台帳に登録された価格のない建物について所有権の保存・移転等の登記を申請する場合の登録免許税の課税標準は，建物の種類を「倉庫」とする建物の例により認定した不動産の価格とする。
4 　租税特別措置法の適用
　住宅用家屋の取得にかかる税制上の特別措置の適用については，住宅用家屋の取得と居住の用に供した事が要件とされているため，登記簿上の建物の種類を「居宅（未内装）」からインフィル工事完成後に「居宅」に変更し，所有権の保存・移転の登記申請をすることによりはじめて，税制上の特別措置が受けられることとなる。

（回答）　平成14年9月18日付け国住生第121号をもって照会のあった標記の件については，貴見のとおり取り扱われて差し支えないものと考えます。

3　区分建物

区分建物の認定

■建物の区分所有の認定の可否及び床面積の定め方について

昭和38・9・28民事甲第2659号民事局長通達

（照会）　下記の如き状況にある建物の2階以上は，独立して店舗又は事務所の用に供するものとは言えないので，1階部分と2階以上の部分とを区分して区分所有権の目的とすることはできないと考えますがいかがでしょうか。

　　右（上記）の建物を区分所有の目的とすることができるとすれば，構造上の共用部分は1階から2階に通ずる階段部分のみでしょうか。また，階段の床面積は2階の専有部分の床面積には算入しないが，階段下は構造上1階で使用できるので1階の専有部分の床面積に算入する取扱いでさしつかえないでしょうか。

記

1　3階建の建物であつて，入口は，1階正面のみで道路に面して巾約12mが全部開放されている。
2　1階から2階に通ずる階段は1階の中央位置に，2階から3階に通ずる階段は右階段の降り口附近の位置にあり，その巾各約1・3m，簡単な手すりと露出した階段のみで障壁はない。
　　なお，右階段は入口の方向から昇る直線階段である。
3　1階入口から階段昇り口迄には構造上通路の如き外形的に区別された部分は何等存しない。入口から階段昇り口迄の距離は約7mである。
4　2階及び3階から建物外部に通ずる施設は右階段の外存しない。
5　現在1階及び2階は各々小売商品販売の店舗，3階は事務所である。
　　なお，各階段下も商品陳列その他営業用施設に利用されている。

（回答）　問合せのあつた標記の件については，次のように考える。

記

前段　貴見のとおり。
後段　いずれも右（上記）により了承されたい。

■区分所有の建物に関する疑義について

昭和38・10・22民事甲第2933号民事局長通達

（要旨）
1　中高層ビルディングである市街地施設付住宅において，住宅部分，施設部分にそれぞれ専用の階段室があり，その両部分が構造上区分されている場合，それぞれが専用の階段室ある1個の専有部分である。
2　当該中高層ビルディングにおいて，住宅部分の中廊下が住宅，施設基本の階段室に接

続していて，その間に扉またはシャッターが存する場合，上記中廊下および住宅部分は一体として専有部分であるが，そのようなものが存しない場合には上記中廊下および階段室は一体として構造上の共用部分である。
3 　当該中高層ビルディングの地下に存する機械室は，たとえ住宅部分または施設部分（専有部分）の専用に供させるものであっても，構造上，利用上の独立性がない場合には，それぞれの専有部分に含まれない。
4 　当該中高層ビルディングにおいて構造上エレベーター機械，高置水槽，冷却装置等を収容する塔屋は，1棟の建物の表題登記においてその階数（床面積）を表示しないものとする。

　標記の件について，別紙甲号のとおり日本住宅公団副総裁から照会があり，別紙乙号のとおり回答したから，この旨貴管轄下登記官吏に周知方しかるべく取り計らわれたい。

別紙甲号

区分所有ノ建物ニ関スル疑義ニツイテ

　日本住宅公団（以下甲トイウ。）ハ，市街地ニオイテ，上部ニ賃貸住宅，下部ニ事務所，店舗等ノ施設ヲ有スル中高層ビルディング（市街地施設付住宅ト呼称スル。）ヲ建設シ，上部ノ賃貸住宅ハ甲ガ所有シ，下部ノ施設ヲ他（以下乙トイウ。）ニ譲渡シテ，1棟ノ建物ヲ区分所有スルコトトシテオリマスガ，左記ノヨウナ諸設例ノ場合ニオケル建物ノ各部分ノ法律的取扱ニツイテ，ソレゾレ左記ノヨウニ解シテヨロシイカ，御意見ヲオ伺イシマス。

記

1 　専門階段ガアル場合ノ専有部分

　（設例）

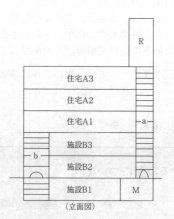

（立面図）

（注）　(イ)　aハ，住宅専用ノ階段室デアリ，aト施設トノ間ハ壁，扉又ハシャッターニヨリ区分サレテイル。
　　　(ロ)　bハ，施設専用ノ階段室デアル。
　　　(ハ)　Mハ，住宅専用又ハ住宅・施設共用ノ機械室デアル（3参照）。
　　　(ニ)　Rハ，塔屋デアル（4参照）。

（取扱）
1　A1，A2，A3及ビaハ，一体トシテ甲ノ専有部分（1個ノ建物）トスルコトガデキル。マタ，Mガ甲所有ノモノデアルトキハ，A1，A2，A3，a及ビMニツイテモ同様トスル。コレラノ場合，1個ノ建物トシテノ表示ノ登記ニオイテハ，aノウチ1階及ビ2階ノ部分ハ階級（従ツテ床面積）ニ算入シナイモノトスル。
2　B1，B2，B3及ビbハ，一体トシテ乙ノ専有部分（1個ノ建物）トスルコトガデキル。

2　共用階段ガアル場合ノ専有部分

（設例）

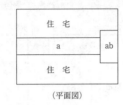

（平面図）

注　(イ)　aハ，住宅専用ノ中廊下デアル。
　　(ロ)　abハ，住宅・施設共用ノ階段室デアル。

（取扱）
1　aトabトノ間ガ扉又ハシャッターニヨリ区分サレテイルトキハ，住宅及ビaハ，一体トシテ甲ノ専有部分（1個ノ建物）トスルコトガデキル。
2　aトabトノ間ニ何ラ障壁ガナク，又ハ衝立程度ノモノシカナイトキハ，a及ビabハ，一体トシテ構造上ノ共有部分デアル。

3　機械室

（設例）

注　(イ)　機械室ハ，構造上給排水ポンプ，変圧器，冷暖房機械等ヲ収容スルビルディングノ管理上必要不可欠ノモノデアル。
　　(ロ)　Maハ，住宅専用，Mbハ施設専用，Mabハ住宅・施設共用ノ機械室デアル。
　　(ハ)　bハ，施設専用階段室，abハ住宅・施設共用ノ階段室及ビ廊下デアル。

(取扱)

図1,図2及び図3ノイズレノ場合ニオイテモ
1 Mbハ,乙ノ専有部分ニ含マレル。
2 Mabハ,構造上ノ共用部分デアル。
2 Maハ,1棟ノ建物ヲ表示スル登記ニオイテハ,ソノ床面積ニ算入スルモノトスルガ,甲ノ専用部分ヲ表示スル登記ニオイテハ,登記シナイモノトスル。

4 塔　　屋

(設例)

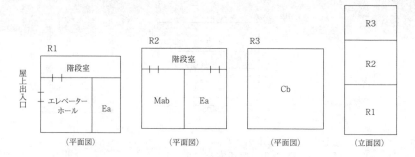

（注）
（イ）コノ場合ノ塔屋ハ,構造上エレベーターノ機械,高置水槽,冷却装置等ヲ収容スルビルディングノ管理上必要不可欠ノモノデアル。
（ロ）Eaハ,住宅専用ノエレベーター室デアル。
（ハ）Eaハ,住宅専用ノエレベーター捲上機械室デアル。
（ニ）Mabハ,住宅・施設共用ノ高置水槽室デアル。
（ホ）Cbハ,施設専用ノクーリング・タワー（冷却装置室）デアル。

(取扱)

コノ場合ノ塔屋ハ,独立シテ専有部分トナシ得ル建物ノ部分トハ認メラレナイノデ,建物ノ附属物デアル。従ッテ,1棟ノ建物ヲ表示スル登記ニオイテモ,マタ専有部分ヲ表示スル登記ニオイテモ,ソノ階数（従ッテ床面積）ニ表示シナイモノトスル。

以　上

別紙乙号

昭和38年9月21日付33—155をもって照会のあった標記の件については,貴見のとおり取り扱ってさしつかえないものと考えます。

◾区分建物認定上の疑義について

昭和41・12・7民事甲第3317号民事局長回答

（照会）　最近，親の所有名義の古い建物を一部取毀し，残存部分（別添図面の斜線部分）に接続して，その子が公庫等から融資を受けて建物を新築したうえ接続部分を木製のドアで仕切り，右（後記）新築建物について子の所有名義をもつて区分建物表題の登記を申請する事例が多くみられるところ，これは，子が親の面倒をみる（残存建物には親が居住）ための便宜と，公庫等が融資を受けた子に対して抵当権を設定するための新築建物について子の所有名義をもつて所有権保存登記を求めることから生ずるものと考えられます。

　ところで，右（後記）のごとき建物については，当職は，接続部分を木製のドアで仕切つただけでは構造上独立しているものとは認められず，したがつて，区分建物とは認められないものとして取り扱つて参りましたが，新築建物と旧来の建物とは，外観上一見してその区別が明確であり，かつ，申請人が，公庫等から速やかに保存登記を完了するよう求められて困惑している事情もありますので，なお，従前のとおり取り扱うべきものか，いささか疑義を生じましたので，何分の御指示を願います。

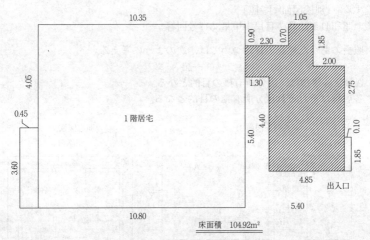

（回答）　問合せのあつた標記の件については，扉で他の部分と区切られている場合は，構造上の独立性を有する建物として取り扱つてさしつかえないものと考える。

区分建物の認定について

昭和42・9・25民事甲第2454号民事局長回答

（照会）下記の建物は「建物の区分所有等に関する法律」（昭和37年法律第69号）の趣旨に反し，区分建物と認定するのは相当でないものと思料しますが，最近特に土地，建物の高度利用を必要とする社会情勢からして，所有者より区分建物として認定方の要望が一般的に強く，かつ，その可否につき，いささか疑義もありますので，何分のご指示を賜りたくお伺いします。

1　店舗として使用しているA建物（鉄筋コンクリート造り以下同じ）に，B建物と接続して新築し，接続部分は鉄のシャッターで仕切り開店中はシャッターをあげて営業し，閉店後はおろす。又C建物はB建物より，ややはなして新築し，地下に通路を設けB，C両建物間をむすんでいる。〔別添図面(1)参照〕

　　ただし，A，B建物の屋根は同一であるが，C建物の屋根は別である。又所有者はA，B，C，各相違する。

2　ビル内地下に，別添図面(2)のとおり一方，又は，二方を壁とし，二方又は三方を鉄のシャッターで仕切った店舗で，営業中はシャッターをあげ，閉店後はおろす。各所有者は相違する。〔別添図面(2)参照〕

　　参照　昭和41年12月7日民事甲第3317号回答

（回答）照会のあつた標記の件については，次のように考える。

記

1項　A,B,C各建物は，区分所有権の目的となる。
2項　各店舗はそれぞれ区分所有権の目的となる。

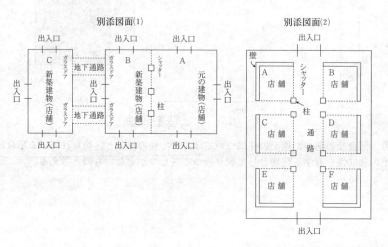

◼保持区分所有建物の認定について

昭和45・3・24民事三第267号民事局第三課長回答

（照会）　現在大阪市の中心部船場地区において，高架道路（大阪市高架道路，阪神高速道路）の路下占用の許可を受けて，高架下に幾筋もの道路を挟んで別添見取図のとおり巾42m，延長930mに及ぶ鉄筋コンクリート造一部鉄骨鉄筋コンクリート造地下2階（一部地下3階）地上2～4階のビル（店舗，事務所，駐車場，機械設備室等）が建築されている。このビルは，上空通路及び地下構築物（御堂筋下は大阪市交通局の軌道施設，堺筋下はビルの施設）で連絡しており，また，設備面では，ビル内の各部分の電気，給排水，冷暖房，空気調節その他各種設備の操作，計測，電話の交換処理，火災感知等はすべて中央監視室から中央制御方式によつて行なわれることになつているほか，エレベーター，エスカレーター，通路，機械室等の共用部分にしてもビルの所有者全員に対して，共有持分権を与える旨の規約が作成されている。

　次に，このビルの敷地は，前記のとおりすべて高架下の道路敷であつて，道路法上の占用権が認められるが，占用を許可する場合，所有者個々人に対して場所を特定して許可することは不可能で，ビルを1個の占用物件としてその敷地全部について所有者全員を対象とするグループ占用の形をとることにしている。一方このビルの柱，はり等は，道路の支柱を兼ねており，構造上ビルと道路は全く一体的に建設されている。従つて，ビルの維持保全は道路の管理と不即不離の関係にたつているのである。

　なお，区分分譲の売価については，1号館から10号館までの全部を1棟としてこれに要した用地買収費と建築工事費の総額のほかにビルの全共用部分に対する利用価値をも含めて単価が割り出されており，各分譲部分はすべて全ビルの一部としての資産価値を有しているのである。この場合1号館から10号館までの全部を含めてこれを1棟の建物としてその各部分を区分所有の目的とする取扱いをしてさしつかえないと考えますが，いささか疑義があるので，何分のご回示をお願いします。

（添附書類）船場センタービル見取図
実地調査書（抄）
2．調査の結果
⑴　1，2，3号館及び4，5，6，7，8，9号館の接続関係
　㈱　地表部分はいずれも公衆用道路であつて相互の接続関係はない。
　㈹　地上2階部分と3階部分は巾約3mの連絡通路2本をもつて接続されている。
　㈧　地上4階部分にはクーリングタワーの施設が設けられていて接続しているが人の通行は予定されていない。
　㈡　地下1階部分と2階部分は店舗，荷さばき場，駐車場の施設が設けられていて完全に接続している状態にある。
　　したがつて，1，2，3号館と4，5，6，7，8，9号館をそれぞれ1棟と認めることには格別の問題はないものと認められた。
⑵　3号館と4号館との接続関係
　㈱　地表部分は堺筋と呼ばれる巾約40メートルの公衆用道路であり，地上2，3，4階部分においても両館を接続する連絡通路等の施設はなく，したがつて，地上部分においては，両館は全く別個の建物と認められた。

(ロ) 地下1階部分においても両館を接続する施設はなく、地下2階の部分は地下鉄堺筋線に分断されている。

(ハ) 両館を接続する施設としては、両館の地下2階部分から地下鉄堺筋線の下すなわち地下3階部分を通つて連絡する巾約10mの通路が存するのみである。

したがつて、両館を接続するものは地下3階部分を通ずる連絡通路1本ということになり、3号館と4号館が1棟の建物と認められる程度に接続しているものとは認めがたい。

(3) 9号館と10号館との接続関係

(イ) 地表部分は御堂筋と呼ばれる巾約50メートルの公衆用道路であり、地上2階部分に連絡通路等の施設もなく、地上部分においては両館は全く別個の建物と認められた。

(ロ) 地下1階部分には両館を接続する施設はなく、地下2階の部分は地下鉄御堂筋線に分断されている。

(ハ) 両館を接続する施設としては、地下鉄御堂筋線の上すなわち地下1階部分を通つて、両館の地下2階の部分に通ずる巾約5メートルの連絡通路2本があるのみであるが、この通路は地下鉄乗降客の連絡通路として設けられているものであり、当該建物の部分ではない。したがつて、9号館及び10号館は物理的に全く接続していないものというべく、両館は構造上別個の建物とみるほかはないものと認められた。

以上のとおりであつて、1、2、3号館、4、5、6、7、8、9号館、10号館がそれぞれ1棟の建物であるものと認めるのが相当であり、結局本件建物は3棟の建物として処理するのが妥当と認められた。

(回答) 当局局長あて問合せのあつた標記の件については、1号館から3号館までを1棟、4号館から9号館までを1棟、10号館を1棟とし、計3棟の建物として取り扱うのが相当であると考えます。

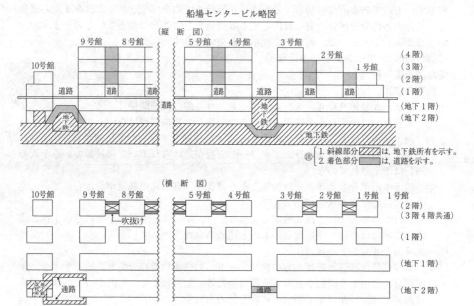

船場センタービル略図

■区分建物の認定について

昭和54・5・19民事三第3086号民事局長回答

(照会) 下記事案の建物を区分建物と認定することの当否に関し，当局管内酒田支局長から別紙のとおり照会があり，これにつき小職は，A建物の玄関から公道に通ずる通路の幅員が僅か60cm程度であつても，通常の通行に供しえられ，かつ，隣地所有者との間で隣地の利用通行について賃貸借契約を締結する等してその通行が確保されている事情があれば，A建物は区分建物たりうる利用上の独立性を有するものと考えますが，賃貸借契約等による他人の通行承諾のいかんにより区分建物となるかどうかが左右されることについて，いささか疑義がありますので，至急何分の御指示を御願いいたしたく御伺いします。

記

1．事案の要旨
　1　本件区分建物は，外観上は，鉄骨3階建の1棟の建物となつているが，これを，1階部分のうち公道に面した店舗部分（以下「甲建物」と称する。）と，1階のその余の部分（2階に通ずる階段室及び玄関）並びに2，3階の居宅部分（以下「乙建物」と称する。）とに区分したいとするものである。
　2　甲建物と乙建物とは，構造上，コンクリートブロック及びスチールドア乙種防火戸で仕切り，甲・乙建物には各別に出入口が設けられてある（参照　平面図及び側面図）。
　3　ちなみに，乙建物は個人所有に，甲建物はその家族を構成員とする法人所有にする予定といわれている。
　4　ところで，本件建物の所在地は，昭和51年10月大火後の焼跡地であり，上記甲・乙建物は，市の土地区画整理事業による減歩後その敷地（個人所有）一杯に建てたため，本件建物と隣接する鉄骨3階建の建物との間の空地の巾は，筆界の境界から各30cm計60cm存するに過ぎず，乙建物の玄関から公道に出る通路は，右巾約60cmの空地を通路として通行する以外他に通路はない。
2．添付書類（省略）
　（別紙）
　　標記のことについて，別紙甲号のとおり，山形県土地家屋調査士会酒田支部長から照会があり，当職は，照会事案の建物は「建物の区分所有等に関する法律」（昭和37年法律第69号）及び「区分建物登記事務取扱要領」（昭和47年9月14日登第446号山形地方法務局長通達）の趣旨に反しないものと認め，区分建物として認定して差し支えないものと思料しますが，その認定について，いささか疑義もありますので何分の御指示を賜りたくお伺いいたします。
　（別紙甲号）
　　下記の建物は「建物の区分所有等に関する法律」（昭和37年法律第69号）の趣旨に反し，区分建物と認定するのは相当でないもの（昭和50・9・17専門職等事務研修会協議）思料しますが，酒田市都市計画火災復興土地区画整理事業地域の特に過小な宅地で土地・建物を有効利用を必要とする点からして，所有者より区分建物として認定の要望

— 1175 —

が一般的に強く，かつ，その可否につき，いささか疑義もありますので，何分のご指示を賜りたくお伺いします。

「注」A建物（居宅）（a個人名義）B建物（店舗）（a個人又はa個人の妻名義等で経営する会社名義など。）は構造上の独立性はあるが，利用上A建物は隣家との間（巾60cm）を通るか，店舗部分を通らなければ建物の外部に出られない。

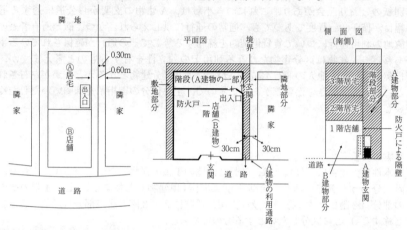

（回答）　照会のあつた標記の件については，A建物の出入口から公道へ通ずる部分が，通行の用に供しうる状態であると判断できる場合には，この部分についての通行の権原の有無を問わず，A建物は，利用上の独立性を有するものとして取り扱つて差し支えないものと考える。なお，この場合には，A・B両建物は区分所有権の目的となる。

◢いわゆる分譲マンションの管理受付室の登記について

昭和50・1・13民三第147号民事局長通達（昭和49年8月20日日本土地家屋調査士会連合会会長照会）

今日，多数の区分所有者の所有する分譲マンションでは，管理受付室（又は管理人室，管理事務室，以下同じ）は，玄関ホール脇に位置し，共用財産の維持保全と区分所有者共通の生活関係の円滑化のため不可欠のものとして設けられているのが通常であります。

右の管理受付室といわれる形態はいくつかありますが，それらのうち典型的と思われるものを別図(イ)～(ニ)に掲げました。

そこで，これらの管理受付室を登記する場合には左記による取扱いが妥当と思われますが，差迫った事案でありますので，関係当局の御回示を得，折返し至急御回報下さるようお願い申し上げます。

記

1. (イ)図の管理受付室は，内部に各専有部分を集中管理する消防設備，警報装置等の恒常的共用設備が設けられ，常時来訪者，配達物などの処理ができる，受付者の常駐する構造を有しております。この構造形態においては，電気室，機械室と同じように法定共用部分と解して扱うのが妥当と思われます。
2. (ロ)図の管理受付室は，管理人が居宅として使用し併せて管理事務を行なっている場合

表示登記／区分建物

ですが，前項の管理受付室の構造をとらず共用設備もありません。したがって，この場合は法定共用部分とは認められないので，各区分所有者間の合意がある場合に限って，規約共用部分として扱うのが妥当と思われます。

3．㈦図及び㈣図の管理受付室は第1項の管理受付室と同様の構造を有し，かつ管理人居室と一体をなしている場合でありますが，㈦図については法定共用部分とし，又㈣図については規約共用部分として取扱うのが妥当と思われます。

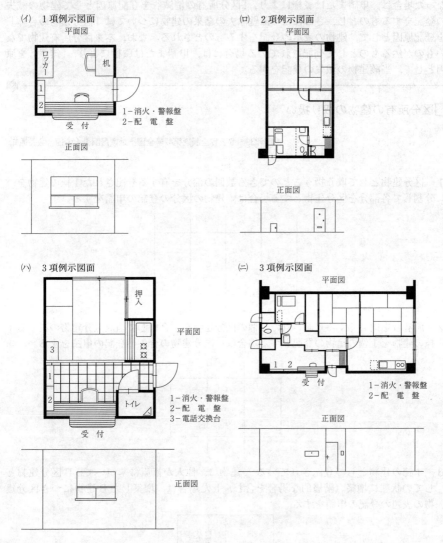

（回答）　照会のあった標記については，貴見のとおりと考えます。

◪区分建物でない建物について区分建物の登記がなされている場合の取扱いについて

昭和38・9・28民事甲第2658号民事局長通達

　当初は区分所有建物であったが，障壁が除去されて区分所有とは認められない状態となった場合は，申請または職権により，「区分所有の消滅」を登記原因として建物の滅失の登記をするものとし，さらにこの障壁除去の結果の建物については「区分建物の合体」を登記原因として，建物の表示の登記をするものとされる。なお，本来区分所有建物でないものが然るものとして登記されている場合には，申請または職権により，「錯誤」を原因として，当該建物の滅失の登記をする。

◪区分所有の建物の取り扱い

昭和39・5・12全調連第42号全国土地家屋調査士会連合会長通知

記

1　区分建物として取り扱うことのできる数個の部分を有する登記された1棟の建物を，分割して各部分を区分建物とする場合は，建物の区分の登記の申請をする。

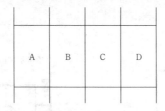

2　所有者を同じくする登記された数個の区分建物を，合併して当該区分建物の属する1棟の建物を1個の建物の登記とする場合は，区分建物の合併の登記の申請をする。

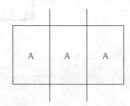

3　1棟の建物として登記されているA建物に，他人が権原に基づいて，B区分建物としての状態に増築（階層的な場合を含む）した場合は，増築したB建物につき区分建物の表題の登記の申請をする。

4　区分建物として登記されている建物の接続する部分の一部を取り除いたため，各区分建物が独立した1棟の建物となつた場合は，区分建物の表題部の変更の登記の申請をする。

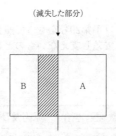
（減失した部分）
B　A

5　1棟の建物に属する数個の区分建物のうちの或る区分建物の接続する部分の一部を取り除いたため，数個の専有部分の存する1棟の建物と，通常の1棟の建物とに分かれた場合は，A，Bについては，1棟の建物の表題部の変更の登記の申請をし，Cについては区分建物の表題部の変更の登記の申請をする。

6　（省略）

誤った床面積によって敷地権の割合が登記されている場合の建物の表題部の更正（敷地権の割合の更正）の登記手続について

平成8・3・18民三第563号民事局長通達

（通達）　標記について，別紙甲号のとおり神戸地方法務局長から照会があり，別紙乙号のとおり回答したので，この旨貴管下登記官に周知方取り計らい願います。

（別紙甲号）　区分建物の各専有部分に係る敷地利用権の割合は専有部分の床面積の割合によることとされていたにもかかわらず，その算定の誤りにより敷地権の割合の表示が誤って登記されたため，区分建物の所有権の登記名義人が，区分建物の他の専有部分の所有権，抵当権等の登記名義人を相手方として，敷地権の割合の表示の更正登記手続及びこの登記をするについての承諾を命ずる判決を得た場合に，その所有権の登記名義人が当該判決を申請書に添付してする区分建物の表示の更正（敷地権の更正）の登記申請については，権利の更正の登記手続に準じ，便宜，下記の要領でこれを認めることとして差し支えないかお伺いします。

記

1　敷地権の割合が増加する専有部分に係る所有権の登記名義人及びその割合が減少する専有部分に係る所有権の登記名義人の全員が申請人となって申請することを要するものとする。この場合に，敷地権の割合が減少する専有部分については，その所有権の登記名義人の印鑑証明書（不動産登記令19条2項）及び登記上利害の関係を有する第三者の承諾書又はこれらの者に対抗することのできる裁判の謄本を申請書に添付することを要するものとする。なお，申請人となるべき者に対して登記手続を命ずる判決を得た者は，その者に代位して申請をすることができる。

2　敷地権の割合の更正の登記には，登記の日付欄に申請書受付の年月日及び受付番号をも記載するものとする。
3　申請書は，30年間保存するものとする。
4　記載例は，次のとおりとする。

(別紙乙号)　平成8年1月25日付け不第29号をもって照会のあった標記の件については，いずれも貴見のとおり取り扱って差し支えないものと考えます。

〔敷地権の割合が増加する建物〕
　(専有部分の表題部)

敷地権の表示	①土地の符号	②敷地権の種類	③敷地権の割合	原因及びその日付	登記の日付
	1	所有権	壱○○分の壱○	平成何年何月何日　敷地権	平成何年何月何日㊞
	1	所有権	壱○壱分の壱壱	③錯誤	平成何年何月何日(平成何年何月何日受付第何号)㊞

(注)　所有権に関する登記がない場合には，登記の日付欄の括弧書きは要しない。

〔敷地権の割合が減少する建物〕
　(専有部分の表題部)

敷地権の表示	①土地の符号	②敷地権の種類	③敷地権の割合	原因及びその日付	登記の日付
	1	所有権	壱○○分の壱○	平成何年何月何日　敷地権	平成何年何月何日㊞
	1	所有権	壱○壱分の壱○	③錯誤	平成何年何月何日(平成何年何月何日受付第何号)㊞

(注)　所有権に関する登記がない場合には，登記の日付欄の括弧書きは要しない。

4 添付書類

代理権限証書

◪ 登記申請の代理権限が消滅していない場合の申請書の添付情報等

平成6・1・14民三第365号民事局第三課長回答

〔要旨〕

登記申請代理権の不消滅に関する法17条の規定が適用される場合の申請書の添付情報等については，次のとおり取り扱って差し支えない。

1 登記名義人が登記申請の委任をした後死亡した場合において，相続人がその委任を受けた代理人により当該委任に係る代理権限証書を提供して登記の申請をするとき
  (1) 当該申請が令16条2項又は18条2項の適用を受けるものである場合は，申請書に，相続を証する書面のほか，登記名義人の印鑑証明書（作成後3か月以内のものに限る。）の提供を要する。
  (2) 当該申請が死亡した登記名義人を登記義務者として表示する事前通知の手続きをとるものである場合は，登記申請人である相続人全員あてに法23条第1項の通知をし，その全員から申出があったときは，申請を受理することができる。
2 登記申請の委任をした法人代表者の代表権限が消滅した場合において，その委任を受けた代理人が当該委任に係る代理権限証書を提供して登記の申請をするとき
  (1) 申請書に提供された登記申請の代理権限を証する書面の作成名義人である法人の代表者が現在の代表者でない場合における代表権限を証する書面には，閉鎖登記簿謄本（作成後3か月を超えるものであっても差し支えない。）が含まれる。
     なお，前記のような書面を添付して申請をするときは，当該代表者の代表権限が消滅している旨を明らかにする必要がある。
  (2) 当該代表者が代表権限を有していた時期を当該法人の登記簿で確認することができる場合の「当該法人の登記簿」については，登記記録に閉鎖した役員欄の記録が残っているときには，この閉鎖した役員欄の記録を含むものとして取り扱う。
  (3) 登記の申請が令16条2項又は18条2項の申請である場合においては，当該代表者の印鑑について商業登記規則9条ノ2の規定による処理がされた印鑑紙が保存されているときであっても，印鑑証明書の提出を要する。

◆ 2 法令改正 ◆

■行政機関の保有する情報の公開に関する法律の施行に伴う不動産登記事務の取扱いについて（抄）

平成13・2・16民二第445号民事局長通達

（編注）各書面に関する記述は，書面申請の場合を前提としている。

第1 土地所在図等の写しの交付制度
1 写しの交付の対象となる図面
　(1) 法第121条第1項に規定する「政令で定める図面」は，次のアからオに掲げる図面である（令第21条第1項）。また，カからサまでの図面についても，その写しの交付を請求することができる。
　　ア　土地所在図（令第2条第2号）
　　イ　地積測量図（令第2条第3号）
　　ウ　地役権図面（令第2条第4号）
　　エ　建物図面（令第2条第5号）
　　オ　各階平面図（令第2条第6号）
　　カ　立木図面（立木登記規則（平成17年法務省令第26号）第10条，第35条）
　　キ　工場の図面（工場抵当登記規則（平成17年法務省令第23号）第22条，第41条）
　　ク　観光施設の図面（観光施設財団抵当登記規則（昭和43年法務省令第50号）第3条）
　　ケ　鉱業財団に属する工作物の配置を記録した図面（鉱業抵当登記規則（平成17年法務省令第24号）第5条，第1条）
　　コ　漁場の図面及び漁業財団に属する工作物の配置を記録した図面（漁業財団抵当登記規則（平成17年法務省令第25号）第10条，第1条）
　　サ　港湾運送事業財団に属する工作物の配置を記録した図面（港湾運送事業抵当登記規則（昭和26年法務府令第131号）第2条，第1条）
　(2) 準則第58条の規定により土地図面つづり込み帳等から除却した図面も登記簿又は閉鎖登記簿の附属書類として，法第121条第1項の規定の適用を受ける。
2 写しの交付の請求方法
　(1) 登記簿の附属書類のうち，土地所在図等（規則第1条第7号参照）の写しの交付の請求は，請求する図面の不動産所在事項等の所要の事項を内容とする情報（以下「請求情報」という。）を提供して行うものとされた（規則第193条第1項）。
　(2) 請求情報に記録された地番の土地又は家屋番号の建物について複数の土地所在図等が存在する場合には，原則として請求時点の当該土地又は建物の登記記録の記録に相応する土地所在図等の写しの交付の請求があったものとして取り扱って差し支えない。
　(3) (2)の場合において，請求時点の土地又は建物の登記記録の記録に相応する土地所在図等以外の図面の写しの交付を請求するときは，当該図面に記録された地番等の

全部又は登記完了年月日等を請求情報に記録して，請求する図面を特定するものとする。
3　（略）
4　手数料
(1)　土地所在図等の全部又は一部の写しの交付についての手数料は，一事件に関する図面につき500円（現行450円）とされた（手数料令第2条第4項）。
(2)　手数料令第2条第4項にいう「一事件」とは，同一の登記申請事件をいう。したがって，同一の登記申請事件について数枚にわたる土地所在図等が提出されている場合又は種類を異にする図面が提出されている場合における写しの交付についての手数料は500円（現行450円）である。
(3)　令第4条ただし書の規定により数個の不動産について，一の申請情報で申請された場合において，添付情報として提供された土地所在図等については，1個の不動産ごとに一事件として手数料を徴収するものとする。
(4)　法第48条第1項等の規定により一括して申請された区分建物に関する登記の添付情報として提供された建物図面及び各階平面図については，1個の専有部分ごとに一事件として手数料を徴収するものとする。
5　土地所在図等の特定の明確化を図るための措置等
(1)　土地所在図等が数枚にわたる場合の記載
　ア　一の登記の申請について，規則第74条第3項に規定する用紙により土地所在図又は地積測量図を作成する場合において，用紙が数枚にわたるときは，土地所在図又は地積測量図の余白の適宜の箇所にその総枚数及び当該用紙が何枚目の用紙である旨を記載するものとする（準則第51条第5項）。建物図面又は各階平面図を作成するときも同様である（準則第54条第3項）。
　イ　アの総枚数及び当該用紙が何枚目の用紙である旨の記載は，当該図面の余白に「1／2」「2／2」のように記載して行うものとする（昭和39年10月2日付け民事甲第3191号本職通達参照）。
(2)　土地所在図等への登記完了年月日の記録
　ア　土地所在図及び地積測量図並びに建物図面及び各階平面図については，当該図面が添付情報として提供された申請に係る登記が実行された後に，登記の完了の年月日を記録した上で，土地図面つづり込み帳又は建物図面つづり込み帳につづり込むものとされた（規則第85条第1項，準則第55条第1項，第2項）。
　イ　アの登記の完了の年月日の記録は，「平成何年何月何日登記」等の例により行うものとする。
(3)　国土調査実施後の地積測量図の処理
　　　国土調査の成果に基づく登記が完了した場合には，当該国土調査の実施地区内に存在する土地については，国土調査の成果に基づく登記をしたか否かにかかわらず，その前に提出された地積測量図の適宜の箇所に「国土調査実施前提出」と記録するものとされた（準則第57条）。

第2　地図に準ずる図面の写しの交付制度
1　写しの交付の対象となる図面
(1)　法第120条第1項の規定により写しの交付の対象となる地図に準ずる図面には，

規則第12条第4項の規定により閉鎖された地図に準ずる図面も含まれる。
　なお，これと同様に，規則第12条第1項の規定により閉鎖された地図及び規則第12条第4項の規定により閉鎖された建物所在図も，法第120条第1項の規定により写しの交付の対象となる図面に含まれる。
　(2)　平成5年10月1日の地図に準ずる図面の制度の創設前に閉鎖された図面であっても，同年7月30日付け法務省民三第5320号本職通達（以下「平成5年通達」という。）の記の第1の一の(1)の要件に該当するものは，法第120条第1項の規定により写しの交付の対象となる閉鎖された地図に準ずる図面として取り扱う。
2　写しの交付の請求方法
　地図に準ずる図面の写しの交付の請求は，請求する図面の不動産所在事項等の所要の事項を内容とする請求情報を提供して行うものとされた（規則第193条第1項）。
3　(略)
4　手数料
　地図に準ずる図面の写しの交付についての手数料は，一筆の土地につき500円とされた（手数料令第2条第3項）。したがって，交付の請求を受けた筆を単位として手数料を徴収する。

第3　地図等の閲覧制限の撤廃
1　地図，地図に準ずる図面，建物所在図若しくは土地所在図等の閲覧については，利害関係を有する部分に限るとする制限が撤廃された（法第120条第2項，121条第2項）。
2　土地所在図等以外の登記簿の附属書類の閲覧については，従前どおり，利害関係を有する部分に限って認められる（法第121条第2項）。ここでいう土地所在図等以外の登記簿の附属書類とは，登記の申請書及びその添付書面である委任状，印鑑証明書等（職権による不動産の表示に関する登記に関する書類で土地所在図等以外のものを含む。）をいう。

第4　登記簿等についての行政機関の保有する情報の公開に関する法律の適用除外
1　登記簿等（閉鎖登記簿を含む。）及び筆界特定書等については，行政機関の保有する情報の公開に関する法律の規定の適用が除外された（法第154条）。
2　法第154条に規定する「登記簿」には，土地及び建物の登記簿のほか，次に掲げる登記簿が含まれる。
　　ア　法154条の規定の適用を受けるもの
　　　　立木登記簿，工場財団登記簿，道路交通財団登記簿，観光財団登記簿，鉱業財団登記簿，漁業財団登記簿，港湾運送事業財団登記簿
　　イ　法154条の規定が準用されるもの
　　　　船舶登記簿，建設機械登記簿，農業用動産抵当登記簿

第5　不動産登記法に基づく写しの交付の対象とならない図面等
1　写しの交付の対象とならない図面等
　(1)　非備付図面
　　　平成5年通達の記の第1の一の(2)の規定に基づき地図に準ずる図面として備え付

けないこととされた図面については，法第120条第1項の規定は適用されない。
(2) 建物所在図に準ずる図面
（※廃止）
(3) 旧土地台帳及び家屋台帳
登記所に保管されている旧土地台帳及び家屋台帳については，法第119条第1項の規定は適用されない。
2 便宜的に閲覧に供していた図面等の取扱い
(1) 不動産登記法の規定による公開の対象とならない図面等で従来から便宜的に閲覧に供していたものについては，従来どおりの取扱いをして差し支えない。
(2) 旧土地台帳及び旧家屋台帳の公開については，従来どおりの取扱い（昭和36年3月2日付け民事甲第534号本職通達）をして差し支えない。
(3) 上記(1)及び(2)の図面等についても，行政機関の保有する情報の公開に関する法律の規定に基づく開示請求があった場合には，同法所定の手続により公開することになる。

第6 押印の見直しに関する改正
1 （略）
2 書面である土地所在図，地積測量図，建物図面及び各階平面図については，申請人が記名するとともに，作成者が「署名又は記名押印」すれば足りる（規則第74条第2項）。また，書面である地役権図面については，申請人の氏名又は名称を記録し，地役権者が「署名又は記名押印」すれば足りる（規則第79条第1項，第4項）
3・4 （略）

建物の区分所有等に関する法律の規定による規約設定公正証書について

昭和58・10・21民一第6085号通達

標記について別紙甲号のとおり日本公証人連合会会長から照会があり，別紙乙号のとおり回答したので通知する。
　おって，この旨を貴管下公証人及び公証事務を取り扱う法務事務官に周知方取り計らわれたい。

（別紙甲号）
　来る昭和59年1月1日から施行される建物の区分所有等に関する法律及び不動産登記法の一部を改正する法律（昭和58年法律第51号）によりますと，建物の区分所有等に関する法律は，一定の場合には公正証書により規約を設定することができる旨定めております。
　当会で検討致しました結果，右の公正証書は，建物の区分所有等に関する法律第32条の場合には別紙(1)（その別案を含む。）或いは(2)の，同法第67条第2項の場合は別紙(3)の各文例によるのが相当であるとの結論を得ました。
　同法施行後右のように取りはからって差支えないかどうかについて貴職の御意見を伺い度く申請に及びます。なお，別紙(1)の別案の別表の内訳欄は，当事者の便宜と記載の誤りをできる限り避けるため（すなわち，桁数が多く多角文字で記載するとかえつて明確を欠く場合が生ずるので），この場合に限り算用数字で記載しても差支えない取り扱いに致し度いと考えておりますが，この点についても併せて御意見を承り度いと存じます。

（別　紙）
1　第32条関係

　　　　規約設定公正証書

　本公証人は建物の区分所有等に関する法律第32条の規約の設定者株式会社○○建設の嘱託によりこの証書を作成する。
　第1条　嘱託人は建築中の左記建物の完成後最初に当該建物の専有部分の全部（百弐拾弐個）を所有する。

　　　　　　　　　　　　　記

　　所在　甲市乙町3丁目壱番地
　　構造　鉄筋コンクリート造陸屋根地下1階付9階建
　　床面積　1階　　1236.74平方メートル
　　　　　　2階　　1296.59平方メートル
　　　　　　3階　　1447.35平方メートル
　　　　　　4階　　1447.35平方メートル
　　　　　　5階　　1447.35平方メートル
　　　　　　6階　　1447.35平方メートル
　　　　　　7階　　1447.35平方メートル
　　　　　　8階　　1447.35平方メートル
　　　　　　9階　　 935.50平方メートル
　　　　　地下1階　1492.74平方メートル
　　1棟の建物の名称　霞が関マンション1号館
　　新築（完成予定）年月日　昭和何年何月何日

第2条　嘱託人は左記1及び2の各土地の所有権並びに左記3の土地の賃借権を有する。

記

1　甲市乙町3丁目1番　　宅地　　2067.75平方メートル
2　甲市乙町3丁目3番1　宅地　　330.05平方メートル
3　甲市乙町3丁目4番1　雑種地　552平方メートル

第3条　前条記1の土地（法定敷地）のほか，記2及び3の土地を第1条の建物に係る建物の敷地（規約敷地）と定める。

第4条　左記各建物を区分所有者全員の共用に供すべき共用部分（規約共用部分）と定める。

記

1　第1条の建物中1階管理人室　別添図面(1)（省略）斜線の部分
2　第1条の建物中9階集会室　別添図面(2)（省略）斜線の部分
3　甲市乙町3丁目3番地1　集会所　木造スレート葺2階建　床面積1階105.04平方メートル，2階50.00平方メートル　家屋番号3番1の建物

第5条　第1条の建物の各専有部分に係る第2条記1，2及び3の各土地についての敷地利用権の割合は各100分の1と定める。

又は

第5条　第1条の建物の各専有部分に係る第2条記1，2及び3の各土地についての敷地利用権の割合は別表に定めるところによるものとする。

第6条　第2条記1及び2の各土地の所有権の各3分の2並びに同条記3の土地の賃借権の3分の2は第1条の建物の各専有部分と分離して処分することができるものとする。

2　第32条関係（分離処分可能規約のみの規約）

規約設定公正証書

本公証人は建物の区分所有等に関する法律第32条の規約の設定者甲野一郎の嘱託によりこの証書を作成する。

第1条　嘱託人は左記建物の専有部分の全部（2個）を所有する。

記

所在　甲市乙町35番地
構造　木造スレート葺2階建
床面積　1階　126.56平方メートル
　　　　2階　 76.80平方メートル
新築年月日　昭和何年何月何日

第2条　嘱託人は左記土地の所有権を有する。

記

甲市乙町35番　宅地　205.56平方メートル

第3条　第1条の建物の各専有部分と前条の土地の所有権とは分離して処分することができるものとする。

3　第67条第2項関係

団地規約設定公正証書

本公証人は建物の区分所有等に関する法律第67条第2項の規約の設定者株式会社○○建設の嘱託によりこの証書を作成する。

第1条　嘱託人は一団地内に左記1，4及び5の各建物を所有し，建築中の左記2及び3の各建物の完成後当該各建物を所有する。
記

1　甲市乙町1丁目3番地1
　　鉄筋コンクリート造陸屋根6階建
　　　床面積　1階　348.89平方メートル
　　　　　　　2階　447.50平方メートル
　　　　　　　3階　447.50平方メートル
　　　　　　　4階　447.50平方メートル
　　　　　　　5階　447.50平方メートル
　　　　　　　6階　447.50平方メートル
　　　建物の番号　ひばりが丘1号館
　　新築年月日　昭和何年何月何日
2　同所同番地
　　鉄筋コンクリート造陸屋根6階建
　　　床面積　1階　480.54平方メートル
　　　　　　　2階　480.54平方メートル
　　　　　　　3階　480.54平方メートル
　　　　　　　4階　480.54平方メートル
　　　　　　　5階　480.54平方メートル
　　　　　　　6階　480.54平方メートル
　　　建物の番号　ひばりが丘2号館
　　完成予定年月日　昭和何年何月何日
3　同所同番地
　　鉄筋コンクリート造陸屋根6階建
　　　床面積　1階　480.54平方メートル
　　　　　　　2階　480.54平方メートル
　　　　　　　3階　480.54平方メートル
　　　　　　　4階　480.54平方メートル
　　　　　　　5階　480.54平方メートル
　　　　　　　6階　480.54平方メートル
　　　建物の番号　ひばりが丘3号館
　　完成予定年月日　昭和何年何月何日
4　甲市乙町1丁目3番地2
　　集会所　鉄骨造ストレート葺2階建　床面積1階305.60平方メートル2階84.33平方メートル　家屋番号3番2
5　甲市乙町1丁目3番地3
　　店舗・居宅　木造瓦葺2階建　床面積1階140.50平方メートル2階80.37平方メートル　家屋番号3番3の1
第2条　左記建物及び専有部分を団地建物所有者全員の共用に供すべき共用部分（団地共用部分）を定める。

記
1　第1条記1の建物中1階部分管理人室　別添図面(1)（省略）斜線の部分
2　第1条記4の建物

(別表) 第5条の2の関係

住戸番号	敷地利用権の割合							
	第2条 記1,2の土地（分母30,000に対する分子）	第2条記3の土地（分母360に対する分子）						
101	68	1	302	85	1	508	93	1
102	84	1	303	85	1	509	84	1
103	84	1	304	85	1	510	84	1
104	84	1	305	84	1	511	84	1
105	84	1	306	84	1	512	84	1
106	84	1	307	93	1	513	84	1
107	93	1	308	93	1	514	68	1
108	93	1	309	84	1	601	68	1
109	84	1	310	84	1	602	84	1
110	84	1	311	84	1	603	84	1
111	84	1	312	84	1	604	84	1
112	84	1	313	84	1	605	84	1
113	84	1	314	68	1	（中		略）
114	68	1	401	68	1	807	93	1
管理人室	0	0	402	84	1	808	93	1
201	68	1	403	84	1	809	84	1
202	84	1	404	84	1	810	84	1
203	84	1	405	84	1	811	84	1
204	84	1	406	84	1	812	84	1
205	84	1	407	93	1	813	84	1
206	84	1	408	93	1	814	68	1
207	93	1	409	84	1	901	68	1
208	93	1	410	84	1	902	90	1
209	84	1	411	84	1	903	90	1
210	84	1	412	84	1	904	90	1
211	84	1	413	84	1	905	90	1
212	84	1	414	68	1	906	90	1
213	84	1	501	68	1	907	93	1
214	68	1	502	84	1	908	93	1
301	68	1	503	84	1	集会室	0	0
			504	84	1	合計	30,000分の10,000	360分の120
			505	84	1			
			506	84	1			
			507	93	1			

住戸番号は別添住戸番号配置図（省略）によるものとする。

(別紙乙号)

本年10月14日付け書面をもつて照会のあつた標記の件については，貴見のとおり取り扱つて差し支えないものと考えます。

重要先例集

◪建物の区分所有等に関する法律及び不動産登記法の一部改正に伴う登記事務の取扱いについて

昭和58・11・10民三第6400号民事局長通達

〈目　次〉
第1　敷地権
　　一　建物の敷地
　　二　敷地利用権
　　三　敷地権
第2　建物の表題登記
　　一　一括申請
　　二　代位による申請
　　三　転得者からの申請
　　四　申請情報の内容
　　五　添付情報
第3　敷地権の登記
　　一　1棟の建物の表題部の記録
　　二　区分建物の表題部の記録
　　三　非区分建物の附属建物に係る敷地権の記録
第4　敷地権である旨の登記
　　一　敷地権である旨の登記
　　二　共同人名票の処理（廃止）
　　三　他の登記所への通知
第5　建物の表題部の変更の登記（その1──敷地権を登記する場合）
　　一　登記申請手続
　　二　敷地権の登記
　　三　敷地権である旨の登記
　　四　建物のみに関する旨の付記
　　五　登記の抹消
第6　建物の表題部の変更の登記（その2──敷地権の登記を抹消する場合）
　　一　登記申請手続
　　二　敷地権の登記の抹消
　　三　敷地権である旨の登記の抹消
　　四　権利及び権利者の記録
　　五　登記の転写
　　六　新権利部への転写及び移記
　　七　共同担保目録の処理
　　八　他の登記所への通知
第7　建物の表題部の変更の登記（その3──その他の場合）
　　一　増築区分等による建物の表題部の変更の登記
　　二　敷地権に関する変更の登記

第8 建物の表題部の更正の登記
　一　敷地権を登記する場合
　二　敷地権の登記を抹消する場合
　三　その他の場合
第9 建物の区分の登記
　一　非区分建物の区分の登記
　二　区分建物の再区分の登記
第10 区分建物の合併の登記
第11 区分建物の滅失の登記
第12 区分建物の所有権保存の登記の特則
　一　転得者からの所有権の保存の登記の申請
　二　区分建物が敷地権を登記したものである場合
　三　区分建物が敷地権を登記したものでない場合
第13 表題の登記のない区分建物の所有権保存又は処分の制限の登記
　一　登記の申請又は嘱託の手続
　二　登記手続
　三　他の区分建物の表題登記の一括申請
第14 敷地権の登記及び敷地権である旨の登記がある場合の登記の制限
　一　所有権に関する登記の制限
　二　担保権の登記の制限
第15 敷地権を登記した建物を目的とする権利に関する登記
　一　登記申請手続
　二　登録免許税の取扱い
　三　登記手続
　四　登記の効力
第16 敷地権を登記した建物の表示の記録方法
第17 １棟の建物の名称
第18 団地共用部分に関する登記
第19 担保権の登記のある土地の合筆又は建物の合併
　一　合筆又は合併制限の緩和
　二　担保権の登記にする付記
　三　共同担保目録の処理

第1　敷地権
　一　建物の敷地
　　1　建物の敷地とは，建物が所在する土地（以下「法定敷地」という。）及び区分所有者が建物及び法定敷地と一体として管理又は使用する庭，通路，その他の土地で規約により建物の敷地とされた土地（以下「規約敷地」という。）をいう（区分所有法第2条第5項）。
　　2　庭，通路，広場，駐車場，テニスコート，附属施設の敷地等，建物及び法定敷地と一体として管理又は使用する土地は，法定敷地と必ずしも隣接していなくても，規約敷地とすることができる。また，他の建物の法定敷地又は規約敷地となってい

る土地を規約敷地とすることも妨げない。
　3　規約敷地と定められた土地は，その土地を建物及び法定敷地と一体として管理又は使用をすることが不可能であると認めるべき特段の事情がない限り，規約敷地として取り扱って差し支えない。
二　敷地利用権
　1　専有部分とその専有部分に係る敷地利用権とは，原則として，分離して処分することができない（区分所有法第22条第1項本文，第3項）。
　2　1の場合において，区分所有者が1人で数個の専有部分を所有するときは，各専有部分と分離して処分することができない敷地利用権の割合は，規約により定めた割合があるときはその割合（以下「規約割合」という。）により，規約割合がないときは各専有部分の床面積の割合による（区分所有法第22条第2項，第3項）。
　3　専有部分とその専有部分に係る敷地利用権とは，これを分離して処分することができる旨の規約（以下「分離処分可能規約」という。）があるときは，1にかかわらず，分離して処分することができる（区分所有法第22条第1項ただし書，第3項）。
　4　敷地利用権の一部（持分の一部）についてのみ専有部分と分離して処分することができる旨の分離処分可能規約も設定することができる。
　5　最初に建物の専有部分の全部を所有する者は，単独で，規約敷地を定める規約，規約割合を定める規約及び分離処分可能規約を設定することができる。ただし，この場合の規約の設定は，公正証書によってしなければならない（区分所有法第32条）。
　6　建物の敷地が数筆あって，数人の区分所有者がそれらの敷地をそれぞれ単独に所有する場合（タウンハウス，棟割長屋型建物の敷地等にみられるいわゆる分有の場合）については，区分所有法第22条の規定は適用されない。
三　敷地権
　1　敷地権とは，土地の登記簿に登記された所有権，地上権又は賃借権であつて建物又は附属建物と分離して処分することができないものをいう（法第44条第1項9号）。
　2　敷地権は，建物の表題部の登記事項の1に属し（法第44条第1項第9号参照），建物の表題登記において登記されるほか，建物の表題部の変更若しくは更正の登記又は建物の区分の登記の手続によって登記されることもある（第5の2，第8の一の2，第9の一の2参照）。
　3　1棟の建物を区分した建物（以下「区分建物」という。）の所有者，表題部所有者又は所有権の登記名義人が建物の敷地の所有権，地上権又は賃借権の登記名義人であるとき（分有の場合を除く。二の6参照）は，これらの権利を敷地権として認定して差し支えない。ただし，分離処分可能規約の設定を証する情報その他これらの権利が敷地権でないことを証する書面（令別表第12項・添付情報欄ホ）が添付情報として提供されたときはこの限りでない。
　4　登記官は，敷地権に関して登記をする場合において，必要があるときは，敷地権の存否，割合等について調査をすることができる（法第29条）。

第2 建物の表題登記
一 一括申請
1 区分建物の表題登記の申請は，敷地権の有無にかかわらず，その所有権を原始的に取得した者（以下「原始取得者」という。）から，新築の日より1月以内に，その1棟の建物に属する他の区分建物の全部の表題登記の申請と併せてしなければならない（法第47条第1項，第48条第1項）。
2 1の申請は，1棟の建物に属する区分建物の全部につき一の申請情報で申請しなければならない。ただし，1棟の建物に属する区分建物の全部についてその申請がされれば，各別の申請情報によっても差し支えない。
3 1棟の建物に属する区分建物の一部について表題登記の申請があつたときは，その申請を法第25条第5号により却下するものとする。ただし，この場合においても，直ちにその申請を却下することなく，当該申請人又はその1棟の建物に属する他の区分建物の所有者に，表題登記又は代位による表示の登記（二参照）の申請を催告するものとする。
4 区分建物でない建物（以下「非区分建物」という。）に接続して建物を新築したことにより区分建物が生じた場合における当該新築に係る区分建物の表題登記の申請は，他の建物についてする非区分建物の区分建物への変更の登記の申請と併せてしなければならない（法第48条第3項）。
　　この場合の併せてする申請については，3に準じて取り扱うものとする。

二 代位による申請
1 区分建物の所有者は，1棟の建物に属する他の区分建物の所有者に代位して，その他の区分建物の表題登記を申請することができる（法第48条第2項）。また，一の4の場合においては，新築に係る区分建物の所有者は，表題登記がある他の建物の表題部所有者若しくは所有権の登記名義人又はこれらの者の相続人その他の一般承継人に代位して，その建物の表題部の変更の登記を申請することができる（同条第4項，なお，第7の一の2参照）。
2 1により代位登記を申請するときは，代位原因として，法第48条第2項（又は第4項）による代位である旨を申請情報の内容としなければならず（令第3条第4号），また代位原因を証する情報として，代位者が同一の1棟の建物に属する区分建物の所有権を取得したことを証する情報を提供しなければならない（令第7条第1項第3号）。この場合の代位原因を証する情報は，他の申請において提供した所有権を証する情報（令別表第12項・添付情報欄ハ）を援用して差し支えない（規則第37条第1項）。
3 1の申請により登記をしたときは，表題部所有者若しくは所有権の登記名義人又はこれらの者の相続人その他の一般承継人に，その登記が完了した旨を通知しなければならない（規則第183条第1項第2号）。

三 転得者からの申請
1 区分建物の所有権の原始取得者からその所有権を取得した者（以下「転得者」という。）は，区分建物の表題登記の申請をすることができない（法第47条第1項）。ただし，原始取得者がその申請をしないときは，転得者は，原始取得者に代位してその申請をすることができる（民法第423条）。
2 区分建物の表題登記をする前に原始取得者について相続その他の一般承継があっ

たときは，その相続人その他の一般承継人から，原始取得者（被承継人）を表題部所有者とする区分建物の表題登記を申請することができる（法第47条第2項）。

四　申請情報の内容

1　建物又は附属建物につき敷地権がある場合において，建物の表題登記を申請するときは，敷地権の目的となる土地の所在する市，区，郡，町，村及び字並びに当該土地の地番，地目及び地積，敷地権の種類及び割合，当該土地の符号を申請情報の内容としなければならない（令別表第12項・申請情報欄イ・(1)，(2)，規則第34条第1項第5号）。

この場合において，主たる建物及び附属建物が共に区分建物であるときは，主たる建物に係る敷地権と附属建物に係る敷地権とを区別して記録するものとする。

2　1の申請においては，敷地権の登記原因及びその日付も申請情報の内容としなければならない（令別表第12項・申請情報欄イ・(3)）。

この場合の登記原因の日付は，建物の所有者が建物の新築，建物の区分等により区分建物が生じた日前から建物の敷地につき登記した所有権，地上権又は賃借権を有していたときはその区分建物が生じた日であり，また区分建物が生じた後にその建物の敷地につき登記した所有権，地上権又は賃借権を取得したときはその取得の登記の日である。

五　添付情報

1　敷地権の目的である土地が規約敷地であるとき，又は敷地権の割合が規約割合によるものであるときは，その規約を設定したことを証する情報を添付情報として提供しなければならず（令別表第12項・添付情報欄ヘ・(1)，(2)），また，敷地権の目的である土地が他の登記所の管轄区域内にあるときは，その土地の登記事項証明書を提供しなければならない（令別表第12項・添付情報欄ヘ・(3)）。

2　区分所有者が法定敷地につき登記された所有権，地上権又は賃借権を有する場合において，これらの権利が敷地権でないものとして建物の表題登記を申請するときは，これらの権利が敷地権ではない事由を証する情報（分離処分可能規約を設定したことを証する情報等）を提供しなければならない（令別表第12項・添付情報欄ホ）。

3　登記された土地の所有権，地上権又は賃借権の一部が敷地権でない場合（第1の二の4参照）は，その一部が敷地権とはならない事由を証する情報（分離処分可能規約を設定したことを証する情報）を提供しなければならない。

4　1から3までの場合の「規約を設定したことを証する情報」を書面で提出するときは，規約を設定した公正証書（区分所有法第32条参照）の謄本，規約の設定を決議した集会の議事録（同法第42条参照）又は区分所有者全員の合意により規約を設定した合意書（同法第45条第2項参照）とする。ただし，議事録又は合意書には，公証人の認証がある場合を除き，議事録又は合意書に署名押印した者の印鑑証明書を添付するものとする。

第3　敷地権の登記

一　1棟の建物の表題部の記録

1　区分建物又はその附属建物につき初めて敷地権を登記するときは，区分建物である建物の登記記録の1棟の建物の表題部の「敷地権の目的である土地の表示」欄

に，敷地権の目的である土地の符号，所在及び地番，地目並びに地積を記録するものとする（規則第4条第3項，規則別表3，規則第118条第1号イ～ニ）。

2　1の場合には，「敷地権の目的である土地の表示」欄の第1行から，敷地権の目的である土地一筆ごとに1行を用い，「所在及び地番」，地目及び地積の各欄に，敷地権の目的である土地の所在及び地番，地目並びに地積を記録し，「土地の符号」欄に土地の符号を「1」「2」「3」のように記録した上，「登記の日付」欄に登記の年月日を記録するものとする。

二　区分建物の表題部の記録

1　敷地権を登記するとき（3の場合を除く。）は，1による記録をするほか，区分建物である建物の登記記録の区分建物の表題部の「敷地権の表示」欄に，敷地権の目的である土地の符号，敷地権の種類及び割合並びに登記原因及びその日付を記録するものとする（規則第4条第3項，規則別表3，規則第118条柱書，第2号，第3号）。

2　1の場合には，「敷地権の表示」欄の第1行から，各敷地権ごとに1行を用い，「土地の符号」欄には1棟の建物の表題部の「敷地権の目的である土地の表示」欄に記録された土地の符号を記録し，「敷地権の種類」欄には所有権，地上権又は賃借権の別を，また「敷地権の割合」欄には敷地権の割合を「100分の3」のようにそれぞれ記録し，「原因及びその日付」欄には敷地権に係る登記の登記原因及びその日付を「年月日敷地権」のように記録した上，「登記の日付」欄に登記の年月日を記録するものとする。ただし，敷地権の目的である土地が数筆ある場合において，敷地権の種類及び割合並びに登記原因及びその日付が同一であるときは，土地の符号を「1・2」のように記録した上，1行にまとめて記録して差し支えない。

3　2の場合において，敷地権が附属建物に係るものであるときは，「原因及びその日付」欄に，附属建物に係る敷地権である旨をも記録しなければならない（規則第4条第3項，規則別表3）。

三　非区分建物の附属建物に係る敷地権の表示の記録

1　主たる建物が非区分建物である場合においては，附属建物に係る敷地権の記録は，「附属建物の表示」欄の「構造」欄に，敷地権の目的である土地の所在，地番，地目及び地積並びに敷地権の種類及び割合を記録してするものとする（規則第4条第2項，規則別表2）。

2　1の場合においては，「附属建物の表示」欄の「原因及びその日付」欄に敷地権の登記原因及びその日付として「年月日敷地権」のように記録するものとする。

第4　敷地権である旨の登記

一　敷地権である旨の登記

1　建物について敷地権を登記したときは，敷地権の目的である土地の登記記録の相当区に主登記により，敷地権である旨の登記をしなければならない（法第46条，規則第3条参照）。

2　敷地権である旨の登記は，土地の登記記録の権利部の相当区に，何権利が敷地権である旨，当該敷地権の登記をした区分建物が属する1棟の建物の所在する市，区，郡，町，村，字及び土地の地番，当該敷地権の登記をした区分建物が属する1棟の建物の構造及び床面積又は当該1棟の建物の名称，当該敷地権が1棟の建物に

属する一部の建物についての敷地権であるときは，当該一部の建物の家屋番号，登記の年月日を記録しなければならない（規則第119条第1項各号）。
　　　この場合において，何権利が敷地権である旨の記録は，「所有権敷地権」「共有者全員持分全部敷地権」のように記録するものとする。
二　共同人名票の処理
　　　（※廃止）
三　他の登記所への通知
　1　敷地権の目的である土地が他の登記所の管轄区域内にある場合において，敷地権を登記したときは，遅滞なく，その登記所に1により記録すべき事項を通知しなければならない（規則第119条第2項）。
　　　この場合の通知は，附録第1号の様式による通知書により行うものとする。
　2　1の通知を受けた登記所の登記官は，受付手続をした上，遅滞なく，敷地権の目的である土地の登記記録の相当区に，通知を受けた事項を記録し，受付の年月日及び受付番号を記録するものとする（規則第119条第3項）。
　3　2の場合において，通知に係る土地について，通知書に記録された敷地権である所有権，地上権又は賃借権の移転又は抹消の登記がされたことその他の事由により敷地権である旨の登記をすることができないときは，遅滞なく，通知を発した登記所にその旨を適宜の書面で通知し，1の通知書を，処理不能として，当該書面の写しと共に申請書類つづり込み帳につづり込むものとする。
　4　3の通知を受けた登記所は，遅滞なく，区分建物である建物の登記記録の1棟の建物の表題部の「敷地権の目的である土地の表示」欄及び区分建物の表題部の「敷地権の表示」欄に記録した事項を，第6の二又は第8の二の2に準じて抹消するものとする。

第5　建物の表題部の変更の登記（その1――敷地権を登記する場合）
一　登記申請手続
　1　建物の表題登記がされた後に敷地権が生じたとき（敷地権が追加的に生じた場合を含む。）は，その建物の表題部所有者又は所有権の登記名義人は，建物の表題部の変更の登記を申請しなければならない（法第51条第1項）。この場合においては，当該敷地権の内容を申請情報の内容としなければならないが（令別表第15項・申請情報欄，規則第34条第1項第5号），その記録については，第2の四の1に準ずるものとする。
　2　1の場合において，敷地権が規約敷地を定める規約の設定により生じたものであるときは，その規約を設定したことを証する情報を，添付情報として提供しなければならない（令別表第15項・添付情報欄イ）。
　3　1の場合において，敷地権が分離処分可能規約の廃止その他の事由により生じたものであるときは，申請情報と併せて，分離処分可能規約を廃止したことを証する情報その他その事由を証する情報を提供しなければならない（令別表第15項・添付情報欄ニ）。
　4　1の登記を申請する場合において，規約割合が定められているときはその規約を設定したことを証する情報を，また敷地権の目的である土地が他の登記所の管轄区域内にあるときは，その土地の登記事項証明書を提供しなければならない（令別表

第15項・添付情報欄ホ・(1)，(2))。
 5 2及び4の「規約を設定したことを証する情報」又は3の「規約を廃止したことを証する情報」については，第2の五の4に準じて取り扱うものとする。
 二 敷地権の登記
 　一の1の場合における建物の表題部の変更の登記においては，第3に準じて敷地権を登記しなければならない。この場合においては，敷地権の登記原因及びその日付として「年月日敷地権」のように記録するものとする。
 三 敷地権である旨の登記
 　二により敷地権を登記したときは，第4に準じて敷地権の目的である土地の登記記録の相当区に敷地権である旨の登記をしなければならない（法第46条，規則第119条第1項）。
 四 建物のみに関する旨の付記
 1 敷地権を登記した建物につき所有権の登記以外の所有権に関する登記（所有権に関する仮登記，買戻しの特約の登記，差押えの登記等）があるときは，その登記に，建物のみに関する旨を付記登記によって記録しなければならない（規則第123条第1項本文）。
 　その建物につき特定担保権（一般の先取特権，質権又は抵当権をいう。以下同じ。）に関する登記があるときも同様である（同項本文）。ただし，特定担保権に関する登記であって，その登記の目的等（登記の目的，申請の受付の年月日及び受付番号並びに登記原因及びその日付をいう。以下同じ。）が，その敷地権についてされた特定担保権に関する登記の目的等と同一であるときは，この限りではない（同項ただし書，五の1，第15の四の2後段参照）。
 2 1の建物のみに関する旨を記録するときは，「何番登記は建物のみに関する」のように記録し，登記の年月日を記録するものとする。
 3 建物についてされた特別の先取特権又は賃借権に関する登記には，建物のみに関する旨を記録することを要しない。
 五 登記の抹消
 1 建物について特定担保権に関する登記がされている場合において，その登記の目的等が，敷地権についてされている特定担保権に関する登記の登記の目的等と同一であるときは，敷地権についてされた特定担保権に関する登記を抹消をしなければならない（規則第123条第2項前段）。
 2 1により登記の抹消をするときは，敷地権の目的である土地の登記記録の権利部の相当区に，何番の登記を規則第123条第2項の規定により抹消をする旨及び登記の年月日を記録しなければならない（同項後段）。
 3 1の登記に関する共同担保目録には何らの措置をすることを要しない。

第6 建物の表題部の変更の登記（その2――敷地権の登記を抹消する場合）
 一 登記申請手続
 1 建物につき敷地権として登記した権利が敷地権でない権利となったとき，又はその権利が消滅したときは，建物の表題部所有者又は所有権の登記名義人は，建物の表題部の変更の登記を申請しなければならない（法第51条第1項）。
 2 規約敷地を定めた規約を廃止したことにより敷地権が敷地権でない権利となった

ときは，その規約を廃止したことを証する情報を添付情報として提供しなければならない（令別表第15項・添付情報欄ロ）。
3　分離処分可能規約の設定により敷地権が敷地権でない権利となったときは，その規約を設定したことを証する情報を添付情報として提供しなければならない（令別表第15項・添付情報欄ハ）。
4　2の「規約を廃止したことを証する情報」及び3の「規約を設定したことを証する情報」については，第2の五の4に準じて取り扱うものとする。
5　2及び3以外の事由により敷地権が敷地権でない権利となったとき（例えば，収用裁決により起業者に所有権を移転したとき，執行裁判所の売却の許可により買受人に所有権が移転したとき等）は，その事由を証する情報を添付情報として提供しなければならない（令別表第15項・添付情報欄ハ）。
6　（※廃止）
二　敷地権の登記の抹消
1　区分建物又はその附属建物に係る敷地権が敷地権でない権利となった場合又はその権利が消滅した場合における建物の表題部の変更の登記においては，区分建物の表題部の「敷地権の表示」欄の「原因及びその日付」欄に「年月日非敷地権」又は「年月日敷地権消滅」のように記録し，「登記の日付」欄に登記の年月日を記録して，当該敷地権の記録を抹消するものとする。
2　1棟の建物の表題部の「敷地権の目的である土地の表示」欄に記録した土地を目的とする敷地権の登記を全部抹消したときは，同欄の当該土地の「登記の日付」欄に「年月日敷地権表示登記全部抹消」のように記録し，登記の年月日を記録して，当該土地の記録を抹消するものとする。
3　非区分建物の附属建物に係る敷地権が敷地権でない権利となった場合又はその権利が消滅した場合における建物の表題部の変更の登記の手続は，準則第94条の規定による。
三　敷地権である旨の登記の抹消
　　二の1又は3の手続をしたときは，当該敷地権の目的である土地についてした敷地権である旨の登記を抹消しなければならない（規則第124条第1項）。
　　この場合には，何番の登記を敷地権の変更の登記により抹消する旨及び登記の年月日を記録して，敷地権である旨の登記を抹消するものとする。
四　権利及び権利者の記録
　　三により敷地権である旨の登記を抹消したとき（敷地権が消滅したことによる場合を除く。）は，三の土地の登記記録の権利部の相当区に，建物の登記記録に基づき，敷地権であった権利及びその権利者を記録しなければならない（規則第124条第2項）。
　　この場合の権利及び権利者の記録は，敷地権が所有権であるときは主登記により，敷地権が地上権又は賃借権であるときは当該地上権又は賃借権の各設定登記の付記登記によりするものとし，敷地権であった権利，その権利の登記名義人の氏名又は名称及び住所並びに登記名義人が2人以上であるときは当該権利の登記名義人ごとの持分を記録し，敷地権である旨の登記を抹消したことにより登記をする旨及び登記の年月日を記録しなければならない。
五　登記の転写
1　四の手続をすべき場合において，建物につき特定登記（法第55条第1項に規定す

る特定登記をいう。以下同じ）があるときは，その登記を土地の登記記録の権利部の相当区に転写しなければならない（規則第124条第3項）。

　この場合においては，転写した登記の末尾に規則第124条第3項の規定により家屋番号何番の建物の登記記録から転写した旨及びその年月日を記録するものとする（規則第124条第5項）。

2　1の場合には，法第55条第1項及び規則第125条の規定が適用される。

六　新権利部への転写及び移記

1　五により登記を転写すべき場合において，土地の登記記録の権利部の相当区にその転写すべき登記に後れる登記（法第73条第1項，規則第2条第2項参照）があるときは，新たにその土地の登記記録を作成し，権利の順序に従って，区分建物の登記記録から登記を転写し，かつ，従前の登記記録の権利部の相当区にされていた登記を移記しなければならない（規則第124条第4項前段）。

　この場合においては，転写し，又は移記した登記の末尾に規則第124条第4項の規定により転写し，又は移記した旨及び登記の年月日を記録するものとする（規則第124条第5項）。

2　1により移記をしたときは，従前の登記記録の表題部及び権利部の相当区に規則第124条第4項の規定により登記を移記した旨及びその年月日を記録し，従前の登記記録を閉鎖しなければならない（規則第124条第4項後段）。

3　（※廃止）

七　共同担保目録の処理

1　（※廃止）

2　（※廃止）

3　登記官は，五の1により転写すべき登記が，一般の先取特権，質権又は抵当権の登記であるときは，共同担保目録を作成しなければならない（規則第124条第6項）。ただし，転写すべき登記に係る権利について既に共同担保目録が作成されているときは，この手続に代えて，共同担保目録に記録された従前の敷地権付き区分建物を目的とする権利を抹消し，敷地権の消滅後の建物及び土地を目的とする権利を記録しなければならない（規則第124条第7項）。

八　他の登記所への通知

1　二の1の登記をした場合において，敷地権の目的である土地が他の登記所の管轄区域内にあるときは，その登記所に，遅滞なく，その登記をした旨並びに四及び五により記録し，又は転写すべき事項を通知しなければならない（規則第124条第8項）。

　この通知は，附録第2号の様式による通知書により，区分建物の登記事項証明書を添付してするものとする。

2　1の通知を受けた登記所は，受付の手続をした上，遅滞なく，三から六までの手続をするものとする（規則第124条第9項）。

第7　建物の表題部の変更の登記（その3――その他の場合）

一　増築区分等による建物の表題部の変更の登記

1　非区分建物に接続して区分建物が新築されて1棟の建物となったことによる建物の表題部の変更の登記の申請は，新築に係る区分建物についての表題登記の申請と併せてしなければならない（法第52条第1項）。また，表題登記がある二以上の非

区分建物が，増築等により相互に接続して区分建物になった場合における各建物の表題部の変更の登記の申請は，一括してしなければならない（法第52条第3項）。

　この場合の併せて又は一括してする申請については，第2の一の3に準じて取り扱うものとする。

2　1の場合においては，非区分建物の表題部所有者又は所有権の登記名義人は，新築に係る他の建物の所有者に代位して建物の表題登記を申請することができる（法第52条第2項）し，他の建物の表題部所有者若しくは所有権の登記名義人又はこれらの者の相続人その他の一般承継人に代位して建物の表題部の変更の登記を申請することができる（法52条第4項）。

　この場合の代位登記については，第2の二の2及び3に準じて取り扱うものとする。

二　敷地権に関する変更の登記

1　敷地権の目的である土地の表題部の変更若しくは更正の登記又は分筆の登記がされたことにより1棟の建物の表題部の「敷地権の目的である土地の表示」欄の記録事項に変更が生じたときは，登記官は，当該変更若しくは更正の登記又は分筆の登記に伴い，2から4までにより建物の表題部の変更の登記をするものとする。

2　敷地権の目的である土地の所在，地番，地目又は地積の変更又は更正の登記をした場合において，1棟の建物の表題部の「敷地権の目的である土地の表示」欄の記録の変更の登記をするときは，最後に記録されている敷地権の目的である土地の表示の欄の次行に，変更に係る敷地権の目的である土地の符号並びに変更後の所在，地番，地目及び地積の全部を記録し，「登記の日付」欄に登記原因及びその日付を「年月日地番変更」のように記録した上，登記の年月日を記録して，従前の表示（ただし，符号を除く。）の全部を抹消するものとする。

3　敷地権の目的である土地の分筆の登記をした場合において，「敷地権の目的である土地の表示」欄の記録の変更の登記をするときは，最後に記録されている敷地権の目的である土地の表示の欄の次行に，分筆後の各土地ごとに1行を用い，各土地の所在，地番，地目及び地積並びに土地の符号を記録し，「登記の日付」欄に登記原因及びその日付としてそれぞれ「年月日何番を分筆」のように記録した上，登記の年月日を記録して，従前の表示（ただし，符号を除く。）の全部を抹消するものとする。

　この場合における土地の符号は，分筆後の土地の一筆については従前の土地の符号と同一の符号を，その他の土地については新たに付した符号を用いるものとする。

4　3の登記をした場合においては，区分建物の表題部の「敷地権の表示」欄の最後に記録されている敷地権の表示の欄の次行に，分筆後の土地（従前の土地の符号を用いたものを除く。）の符号，その土地を目的とする敷地権の種類及び割合並びに敷地権の登記原因及びその日付を記録し，登記の年月日を記録するものとする。

5　1の場合において，敷地権を登記した建物が他の登記所の管轄区域内にあるときは，登記官は，遅滞なく，その登記所に適宜の書面により敷地権の目的である土地及びその土地に係る変更事項を通知するものとする。

6　5の通知を受けた登記所は，遅滞なく，2から4までによる建物の表題部の変更の登記をするものとする。

第8　建物の表題部の更正の登記

一　敷地権を登記する場合
　1　敷地権があるのにその登記をしないで建物の表題登記がされている場合において，表題部所有者又は所有権の登記名義人が建物の表題部の更正の登記を申請するときは，敷地権の目的となる土地の所在する市，区，郡，町，村及び字並びに当該土地の地番，地目及び地積，敷地権の種類及び割合，敷地権の登記原因及びその日付，当該土地の符号を申請情報の内容としなければならない（令別表第15項・申請情報欄イ，ロ，ハ，規則第34条第1項第5号）。この場合の添付情報については，令別表第15項・添付情報欄イ，ニ，ホ・(1)，(2)の規定が適用される。
　2　1の場合における建物の表題部の更正の登記においては，第5の二に準じて敷地権を登記しなければならない。ただし，区分建物の表題部の「敷地権の表示」欄の「原因及びその日付」欄には，「錯誤　年月日敷地権」のように記録するものとする。
　3　1の場合における建物の表題部の更正の登記に伴う登記手続については，2によるほか，第5の三から五までに準じて取り扱うものとする（法第46条，規則第119条，第123条）。
二　敷地権の登記を抹消する場合
　1　敷地権として登記した権利が敷地権でなかったことによる建物の表題部の更正の登記の申請手続については，第6の一の2から6までに準じて取り扱うものとする。
　2　1による建物の表題部の更正の登記においては，第6の二に準じて敷地権の登記を抹消しなければならない。ただし，区分建物の表題部の「敷地権の表示」欄の当該敷地権の表示の「原因及びその日付」欄には，「錯誤」と記録するものとする。
　3　2により敷地権の登記を抹消したときは，土地の登記記録の権利部の相当区に敷地権の更正の登記により敷地権を抹消する旨及びその年月日を記録し，同区の敷地権である旨の登記を抹消しなければならない（規則第126条第1項）。
　4　3の手続をした場合において，建物につき法第73条第1項本文の規定により敷地権の移転の登記としての効力を有する登記があるときは，その登記の全部（ただし，抹消された登記を除く。）を土地の登記記録の権利部の相当区に転写し（規則第126条第2項），転写した登記の末尾に，規則第126条第2項の規定により転写した旨及び登記の年月日を記録するものとする（規則第126条第3項，124条第5項）。
　　この場合において，敷地権が地上権又は賃借権の持分であるときは，建物についてされた登記が当該持分の移転の付記登記たる効力を有するものとして転写するものとする。
　5　登記の転写，移記等
　　3の手続をしたときは，4によるほか，第6の5から8までに準じて所要の手続をするものとする（規則第126条第3項，第124条第3項から第9項）。
三　その他の場合
　1棟の建物の表題部の「敷地権の目的である土地の表示」欄の記録事項に錯誤があったことによる建物の表題部の更正の登記をするときは，登記原因を「登記の日付」欄に「錯誤」と記録するほか，第7の二の2に準じて取り扱うものとする。

第9　建物の区分の登記
一　非区分建物の区分の登記
　1　非区分建物の区分の登記の申請については，第2の四及び五の手続に準じて取り

扱うものとする（令別表第16項・申請情報欄・添付情報欄）。
  2　非区分建物の区分により敷地権が生じた場合における敷地権の登記については，第3に準じて取り扱うものとする。
  3　2により敷地権を登記したときは，第5の三から五までに準じて，敷地権である旨の登記，建物のみに関する旨の記録及び登記の抹消の手続をするものとする（法第46条，規則第119条，規則130条で準用する規則第123条）。
 二　区分建物の再区分の登記
　　敷地権を登記した建物の区分（再区分）の登記を申請するときは，区分後の各建物に係る敷地権の目的となる土地の所在する市，区，郡，町，村及び字並びに当該土地の地番，地目及び地積，敷地権の種類及び割合，敷地権の登記原因及びその日付，当該土地の符号を申請情報の内容とすることを要し（令別表第16項・申請情報欄ロ・(1)～(3)，規則第34条第1項第5号），また規約割合を定めた規約があるときは，その規約を設定したことを証する情報を添付情報として提供しなければならない（令別表第16項・添付情報欄ハ・(2)）。
　　この場合の敷地権の記録については第2の四に，また規約を設定したことを証する情報については第2の五の4に準じて取り扱うものとする。

第10　区分建物の合併の登記
  1　敷地権を登記した建物の合併の登記を申請する場合において，合併後の建物について敷地権があるときは，その敷地権の目的となる土地の所在する市，区，郡，町，村及び字並びに当該土地の地番，地目及び地積，敷地権の種類及び割合，敷地権の登記原因及びその日付，当該土地の符号を申請情報の内容としなければならない（令別表第16項・申請情報欄ロ・(1)～(3)，規則第34条第1項第5号）。
　　この場合の申請情報の内容については，第2の四に準じて取り扱うものとする。
  2　（※廃止）
  3　敷地権を登記した建物が合併により非区分建物となった場合において，規則第133条3項の登記をしたときは，第6の三から八までの手続に準じて所要の手続をしなければならない（規則第134条第3項で準用する規則第124条）。

第11　区分建物の滅失の登記
  1　（※廃止）
  2　敷地権を登記した建物の滅失の登記をする場合において，敷地権の目的である土地が二筆以上あるときは，登記官は，既に共同担保目録が作成されているときを除き，共同担保目録を作成しなければならない（規則第145条第2項で準用する規則第124条第6項・第7項）。
  3　敷地権を登記した建物の滅失の登記をするときは，第6の三から八までに準じて所要の手続をしなければならない（規則第145条第1項で準用する第124条第1項～第5項，第8項，第9項）。

第12　区分建物の所有権の保存の登記の特則
 一　転得者からの所有権の保存の登記の申請
  1　区分建物の所有権の保存の登記は，表題部所有者（原始取得者）から直接所有権

を取得した者も申請することができる（法第74条第2項）。
　　この場合においては，法第74条第2項の規定により登記を申請する旨を申請情報の内容としなければならない（令別表第29項・申請情報欄）。また，建物が敷地権のない区分建物であるときは，申請人が表題部所有者から直接所有権を取得したことを証する当該所有者又はその相続人その他の一般承継人が作成した情報を，建物が敷地権のある区分建物であるときは，登記原因を証する情報及び敷地権の登記名義人の承諾を証するその登記名義人が作成した情報を，それぞれ添付情報として提供しなければならない（令別表第29項・添付情報欄イ，ロ）。
　2　1の情報が書面で作成されているときは，作成者の印鑑証明書を添付するものとし（令第19条第2項），作成者が法定代理人その他一定の資格を有する者であるときは，その資格を証する情報をも提供するものとする。
二　区分建物が敷地権を登記したものである場合
　1　区分建物が敷地権を登記したものであるときは，敷地権の目的となる土地の所在する市，区，郡，町，村及び字並びに当該土地の地番，地目及び地積，敷地権の種類及び割合，敷地権の登記原因及びその日付，当該土地の符号を申請情報の内容としなければならない（令第3条第6号かっこ書，第11号ヘ，規則第34条第1項第5号）。
　2　1の申請において，その登記原因について第三者の許可，同意又は承諾を要するときは，第三者が許可し，同意し，又は承諾したことを証する情報を提供しなければならないが（令第7条第1項第5号ハ），敷地権の登記名義人の登記識別情報（又は登記済証）を提供することを要しない（法第22条参照）。
　3　一の1の登記原因を証する情報は，区分建物の所有権及び敷地権が同一の原因により移転したことを証する情報であることを要する。
　4　1の申請により所有権の保存の登記をするときは，登記原因及びその日付をも記録しなければならない（法第59条第3号，第76条第1項）。
三　区分建物が敷地権を登記したものでない場合
　　区分建物が敷地権を登記したものでないときは，登記原因及びその日付を申請情報の内容とすることを要せず（令第3条第6号かっこ書），また，登記原因を証する情報を提供することを要しない（令第7条第3項第1号）。

第13　表題の登記のない区分建物の所有権の保存又は処分の制限の登記
一　登記の申請又は嘱託の手続
　1　表題の登記がされていない区分建物につき敷地権がある場合において，判決又は収用により所有権の保存の登記を申請するとき及び所有権の処分の制限の登記を嘱託するときは，敷地権の目的となる土地の所在する市，区，郡，町，村及び字並びに当該土地の地番，地目及び地積，敷地権の種類及び割合，敷地権の登記原因及びその日付，当該土地の符号を，申請情報又は嘱託情報の内容としなければならない（令別表第28項・申請情報欄ロ，令別表第32項・申請情報欄イ～ハ，規則第34条第1項第5号）。
　2　1の場合において，敷地権の目的である土地に規約敷地があるときはその規約を設定したことを証する情報を，敷地権につき規約割合が定められているときはその規約を設定したことを証する情報を，敷地権の目的である土地が他の登記所の管轄

区域内にあるときはその土地の登記事項証明書を，区分所有者の登記した所有権，地上権又は賃借権が敷地権でないときはその事由を証する情報を，それぞれ添付情報として提供しなければならない（令別表第28項・添付情報欄ト，チ・(1)～(3)，令別表第32項・添付情報欄ハ，ニ・(1)～(3)）。

これらの添付情報については，第2の五に準じて取り扱うものとする。
二　登記手続
1　一の申請又は嘱託があった場合において，所有権の保存の登記をするときは，登記記録の表題部に申請情報又は嘱託情報の内容として掲げられた建物の表示に関する登記事項を記録しなければならない（法第75条，第76条第3項，規則第157条第1項）。
2　1により敷地権を登記したときは，第4により敷地権の目的である土地の登記記録の権利部の相当区に，敷地権である旨の登記をしなければならない（法第46条）。
三　他の区分建物の表題登記の一括申請
1　法第48条の規定（一括申請）は，法第74条第1項第2号又は第3号の規定による申請及び法第76条第3項の嘱託には適用されない。
2　二により表題登記をした区分建物以外の区分建物の表題登記については，法第48条の規定が適用される。

第14　敷地権の登記及び敷地権である旨の登記がある場合の登記の制限
一　所有権に関する登記の制限
1　土地の所有権が敷地権である場合において，敷地権である旨の登記をしたときは，土地の登記記録には所有権の移転の登記はすることができない（法第73条第2項本文）。
2　敷地権を登記した建物の登記記録には，建物のみを目的とする所有権の移転を登記原因とする所有権の登記（法第74条第2項による所有権の保存の登記を含む。）はすることができない（法第73条第3項本文）。
3　1又は2にかかわらず，敷地権が生じた日前の日を登記原因の日とする土地のみ又は建物のみの所有権に関する仮登記（法第105条第1号又は第2号のいずれに該当するものであるかを問わない。）はすることができる（法第73条第2項ただし書，第3項ただし書）。

この場合において，敷地権が生じた日と仮登記の登記原因の日との前後は，区分建物の表題部の「敷地権の表示」欄の「原因及びその日付」欄（敷地権が非区分建物の附属建物に係るものであるときは，「附属建物の表示」欄の「原因及びその日付」欄）に記録された日と，申請情報の内容とされている仮登記の登記原因の日付とにより判定するものとする。
4　3の仮登記に基づく本登記をするための実体法上の要件が具備されたときは，敷地権が敷地権でない権利となったことによる建物の表題部の変更が生じたことになる。したがって，この場合の本登記は，建物の表題部の変更の登記手続により敷地権の登記及び敷地権である旨の登記を抹消した後にすべきこととなる。
5　処分禁止の仮処分の登記及び敷地権が生ずる前に設定された質権又は抵当権の実行による差押えの登記は，土地の所有権のみ又は建物の所有権のみを目的とするものでもすることができる（法第73条第2項ただし書，第3項ただし書）。

6　地上権又は賃借権が敷地権である場合については，1から5までに準じて取り扱うものとする（法第73条第2項）。
 二　担保権の登記の制限
　1　敷地権である旨の登記のある土地の登記記録には，敷地権を目的とする担保権（一般の先取特権，質権又は抵当権をいう。以下，同じ。）に関する登記はすることができない（法第73条第2項本文）。
　2　敷地権を登記した建物の登記記録には，建物のみを目的とする担保権に関する登記はすることができない（法第73条第3項本文）。
　3　1又は2にかかわらず，敷地権が生じた日前の日を登記原因の日とする質権又は抵当権に関する登記は，土地又は建物のみを目的とするものであっても，することができる（法第73条第2項ただし書，第3項ただし書）。
　　　この場合における登記原因の日の前後の判定については，一の3に準じて取り扱うものとする。
　4　特別の先取特権の保存の登記，区分地上権の設定の登記，賃借権の設定の登記，所有権以外の権利を目的とする処分禁止の仮処分の登記等は，土地のみ又は建物のみを目的とするものであってもすることができる。

第15　敷地権を登記した建物を目的とする権利に関する登記
 一　登記申請手続
　1　敷地権を登記した建物の所有権に関する登記又は一般の先取特権，質権若しくは抵当権に関する登記を申請するとき（5の場合を除く。）は，申請情報の内容として，敷地権の内容を記録しなければならない（令第3条第11号へ）。この場合の敷地権の内容は，敷地権の目的である土地の所在，地番，地目及び地積並びに敷地権の種類及び割合を記録してするものとする。
　2　1の登記の添付情報とする登記原因を証する情報は，建物と敷地権である土地の権利とについて同一の処分がされたことが記録されているものであることを要する。
　3　1の登記を申請するときは，登記義務者の登記識別情報として，建物を目的とする登記識別情報で敷地権の記録があるもの（建物を目的とする権利に関する登記識別情報が敷地権の記録のないものであるときは，その登記識別情報及び敷地権である権利に関する登記識別情報）を添付情報として提供しなければならない。
　4　（※廃止）
　5　敷地権を登記した建物について所有権に関する登記又は質権若しくは抵当権に関する登記を申請する場合において，その登記の申請が建物のみについてするものであるとき（第14の一の3，二の3参照）は，1にかかわらず，敷地権の内容を，申請情報の内容とすることを要しない（令第3条第11号へかっこ書）。
 二　登録免許税の取扱い
　1　敷地権を登記した建物について登記をする場合において，その登記が法第73条第1項本文の規定により敷地権についてされた登記としての効力を有するものであるときは，申請人が敷地権についての登記を受けるものであるから，その登記に係る登録免許税を徴収するものとする。
　2　1の登記が法第74条第2項の規定による所有権の保存の登記であるときは，区分建物の所有権の保存の登記と敷地権の移転の登記についての登録免許税を徴収する

こととなる。
　　3　1の登記が不動産の個数を課税標準とするものであるときは，敷地権を登記した建物の個数及び敷地権の目的である土地の個数による。
　　4　1の登記が不動産の価額を課税標準とするものであるときは，課税標準の金額として敷地権の目的である土地の価額に敷地権の割合を乗じて計算した金額をも申請情報の内容としなければならない（規則第189条第1項後段）。
三　登記手続
　　一の5の申請により登記をするときは，その登記に，付記する方法により建物のみに関する旨を記録しなければならない（規則第156条）。
　　この場合の付記をするときは，「何番登記は建物のみに関する」のように記録し，登記の年月日を記録するものとする。
四　登記の効力
　　1　敷地権を登記した後に建物についてされた所有権に関する登記は，敷地権についてされた登記としての効力を有する（法第73条第1項本文）。
　　　　この場合の「敷地権についてされた登記としての効力を有する」とは，例えば区分建物についてされた所有権の移転の登記又は法第74条第2項の規定による所有権の保存の登記にあっては，区分建物の表題部の「敷地権の表示」欄に敷地権として登記した権利の移転の登記としての効力を有することを意味する。
　　2　敷地権を登記した後に建物についてされた担保権に関する登記は，敷地権についてされた登記としての効力を有する（法第73条第1項本文）。
　　　　敷地権を登記する前にされた担保権に関する登記で，建物のみに関する旨の付記がないもの（第5の四及び五参照）も同様である（法第73条第1項第1号かっこ書）。
　　3　建物についてされた登記で，敷地権についてされた登記としての効力を有するものと敷地権の目的である土地の登記記録の権利部にされた登記との前後は，受付番号の前後による（規則第2条第2項）。

第16　敷地権を登記した建物の表示の記録方法

1　共同担保目録の「担保の目的である権利の表示」欄に敷地権を登記した建物に関する権利を記録するときは，敷地権の表示をも記録するものとする。
2　準則第43条等の規定による通知書，準則第63条第2項の規定による催告書及び準則第104条の規定による具申書又は許可書に不動産の表示として区分建物を記録すべき場合において，その区分建物が敷地権を登記したものであるときは，敷地権の表示をも記録するものとする。

第17　1棟の建物の名称

1　建物又は附属建物が1棟の建物を区分したものである場合において，1棟の建物の名称があるときは，表題部にその名称を記録しなければならない（法第44条第1項第8号）。
2　1の1棟の建物の名称には，「RA1号」又は「ひばりが丘1号館」のような符号のほか，例えば「霞が関マンション」のような名称も含むものとする。
3　1棟の建物の名称があるのにその登記がされていないときは，登記官は，職権でそ

の名称を登記することができる（法第28条）。
4　1棟の建物の名称は，1棟の建物の表題部中「建物の名称」欄に記録する（規則第4条第3項，別表第3）。
5　区分建物の表示に関する登記（建物の表題登記を除く。）又は区分建物を目的とする権利に関する登記を申請する場合において，1棟の建物の名称を申請情報の内容としたときは，1棟の建物の構造及び床面積を申請情報の内容とすることを要しない（令第3条第8号へかっこ書）。
　登記原因を証する情報，代理権限を証する情報等の記録についても，同様に取り扱って差し支えない。

第18　団地共用部分に関する登記
1　一団地内の附属施設たる建物（区分建物であるか非区分建物であるかを問わない。）は，規約により，団地共用部分とすることができる（区分所有法第67条第1項前段）。
　この場合においては，団地共用部分たる旨の登記をしなければこれをもって第三者に対抗することができない（同項後段）。
2　団地共用部分である旨の登記の申請書及び団地共用部分である旨の登記においては，団地共用部分を共用すべき者の所有する建物が非区分建物であるときは，その所在及び家屋番号を，その建物が区分建物であるときはその建物が属する1棟の建物の所在及びその1棟の建物の名称（その名称がないときは，構造及び床面積）を記録しなければならない（令別表第19項・申請情報欄イ，ロ，法第58条第1項，準則第103条第2項）。
3　2のほか，団地共用部分である旨の登記に関する申請手続及び登記手続は，共用部分である旨の登記に関する手続に準ずる（法第58条2項ないし7項，規則第141条ないし第143条）。

第19　担保権の登記のある土地の合筆又は建物の合併
一　合筆又は合併制限の緩和
1　数筆の土地又は数個の建物につき担保権に関する登記がある場合であっても，それらの担保権の登記の目的，申請の受付年月日及び受付番号，登記原因及びその日付が同一であるときは，それらの数筆の土地の合筆又は数個の建物の合併は，することを妨げられない（法第41条第6号，規則第105条第2号，法第56条第5号，規則第131条1号）。
2　合筆又は合併の妨げとならない1の担保権に関する登記には，仮登記も含まれる。
3　合筆をすべき数筆の土地又は合併をすべき数個の建物の一部についてのみ順位の変更等の処分の登記又は登記名義人の氏名若しくは名称又は住所の変更，債権額の変更等の変更の登記がされているときは，合筆又は合併をすることができない。
二　担保権の登記にする付記
　1の一により合筆又は合併をする場合には，合筆又は合併後の土地又は建物の担保権の登記に，その登記が合筆後の土地又は合併後の建物の全部に関する旨を付記登記によって記録しなければならない（規則第107条第6項，第108条第3項，第134条第1項，第139条）。

この場合には,「何番登記は合筆後の土地(又は合併後の建物)の全部に関する」のように記録し,登記の年月日を記録するものとする。
三 共同担保目録の処理
合筆前又は合併前の担保権の登記に係る共同担保目録については,規則第170条第2項ないし第4項及び第168条第5項の規定により所要の手続をするものとする。

第20 既存の区分建物等に関する経過措置
(以下省略)

◪不動産登記法等の一部改正に伴う登記事務の取扱いについて

平成5・7・30民事三第5320号民事局長通達

第1 地図に準ずる図面の閲覧制度
 一 地図に準ずる図面の備え付け
  (1) 地図に準ずる図面として備え付ける図面
    次に掲げる図面その他の図面で地図保存簿に記載されて登記所に保管されているもののうち、地図として備え付けられていないものは、後記(2)に該当するものを除き、法第14条第4項に規定する地図に準ずる図面として備え付けるものとする（準則第13条第1項、規則第10条第5項、第6項参照）。
    ア 旧土地台帳法施行細則第2条の地図
    イ 国土調査法第20条第1項の規定により送付された地籍図並びに土地改良登記令第5条第2項第3号、土地区画整理登記令第4条第2項第3号及び新住宅市街地開発法等による不動産登記に関する政令第6条第2項の土地の全部についての所在図その他これらに準ずる図面（準則第13条参照。以下「地籍図等」という。）
  (2) 地図に準ずる図面として備え付けない図面
    (1)の図面であっても、次に掲げるものは、地図に準ずる図面としての要件を欠き、又は地図に準ずる図面として備え付けることを適当としない特別の事情があるものとして扱う。
    ア 現地の占有状況等と図面上の表示とが大幅にかい離している地域（いわゆる地図混乱地域）の図面であることが明らかであるため、現に便宜的閲覧にも供していないもの、又は現に便宜的閲覧に供しているが、地図混乱地域に関するものであることを図面に表示しているもの
    イ 破損若しくは汚損が著しく、又は破損若しくは滅失のおそれがある等の理由で、現に便宜的閲覧にも供していないもの
    ウ その他閲覧に供することが相当でない事由が存するため、現に便宜的閲覧にも供していないもの
  (3) 地図に準ずる図面の備付手続
    ア 地図保存簿等への記載
      地図に準ずる図面としての備付けに当たっては、図面に番号を付し、地図保存簿に当該番号等所要の事項を記載することを要するが（二(1)ア参照）、既に図面に番号が付され、地図保存簿に当該番号等所要の事項が記載されている場合には、特段の措置をとることを要しない。
    イ 地図に準ずる図面の備付けの報告
      地図に準ずる図面の備付けに当たっては、準則附録第12号様式による報告書により報告することを要するが（二(1)イ参照）、当面は、登記所ごとにその総枚数のみを報告することをもって足りるものとする。
      なお、報告を受けた監督法務局又は地方法務局の長は、これを本職あて報告するものとする。
 二 地図に準ずる図面の備付け
  (1) 地図に準ずる図面の備付け等

ア　地図保存簿等への記載
　　　登記所に送付されたが，地図として備え付けないこととされた地籍図等（規則第10条第5項ただし書，第6項参照）で，地図に準ずる図面として備え付けるものには，番号を付し，地図保存簿の「地図の番号」欄に当該番号を，「備付年月日」欄に，法第14条第4項の地図に準ずる図面である旨を記載する等，所要の事項を記載するものとする（準則第18条第11号，別記第24号様式）。
　　イ　地図に準ずる図面の備付けの報告
　　　地図に準ずる図面の備付けに当たっては，準則別記第12号様式による報告書により報告するものとする（準則第14条第4号）。
　(2)　地図に準ずる図面の取扱い
　　　地図に準ずる図面について滅失した場合又は滅失するおそれがある場合の報告及び意見の申述，事変を避けるため登記所外へ持出した場合の報告，管轄転属による移送，閲覧の請求手続，閲覧の方法，手数料の納付方法並びに閲覧請求書の受付は，地図についての取扱いと同様である（規則第30条，第31条，32条，193条1項，第202条，第203条，準則第132条）。
　　　なお，地図に準ずる図面を再製する場合には，規則第30条第3項の規定による手続をとることを要する（昭和44年4月1日付け民事甲第481号法務大臣訓令及び同日付け民事甲第483号本職依命通達）。この場合には，再製後の図面の中央下部欄外に「法務大臣の命により再製　年月日」と記載し，従前の図面の余白に「法務大臣の命により再製閉鎖　年月日」と記載し，登記官が押印した上，地図保存簿への記載をする等所要の手続をとるものとする（規則第12条第4項）。
三　非備付図面の取扱い
　(1)　一(2)の図面及び登記所に送付されたが地図又は地図に準ずる図面のいずれとしても備え付けられなかった地籍図等については，番号を付すとともに当該図面の余白に非備付図面である旨の記載をし，地図保存簿の「地図の番号」欄に当該番号を，「備考」欄に非備付図面である旨を記載するものとする。ただし，番号の付与及び地図保存簿への番号の記載に関しては，既に図面に番号が付され，地図保存簿に当該番号が記載されている場合には，特段の措置をとることを要しない。
　(2)　(1)の図面を保管するに当たっての報告については，一(3)イに準じて取り扱うものとする。
　(3)　(1)の図面の閲覧については，従来の便宜的に閲覧に供していない図面についての扱いと同様とする。

第2　登記申請代理権の不消滅に関する規定の新設
　一　（※廃止）
　二　省略

第3　保証書制度の改善
　（※廃止）

第4　地図作製の際の職権による分筆又は合筆の登記手続
　一　法第39条第3項に規定する「地図を作成するため必要があると認めるとき」とは，

次に掲げる場合をいう。
　　ア　分筆の登記については，土地の一部がみぞ，かき，さく，へい等で区画されている場合その他の場合で，明らかに土地の管理上分筆の登記を行うことが相当であると認められるとき。
　　イ　合筆の登記については，二筆以上の土地の筆界を現地について確認することが困難な場合，それらの全部又は一部が著しく狭小である場合その他の場合で，明らかに土地の管理上合筆の登記を行うことが相当であると認められるとき。
　二　この規定により分筆又は合筆の登記を行うには，登記記録の表題部所有者又は所有権の登記名義人に異議がないことを確認した上，土地の調査書その他適宜の書面にその旨及びその年月日を記載し，その者に署名又は記名押印させるものとする。
　　　なお，その後分筆又は合筆の登記を行うまでに表題部所有者又は所有権の登記名義人に変更があったときは，新登記名義人につき同様の手続をとるものとする。
　三　この規定による合筆の登記は，二の手続の終了後に行うものとし，分筆の登記は，地図の備付けの時に行うものとする。
　四　この規定による合筆の登記をしたときは，合併による所有権の登記の登記識別情報を通知することを要しない。

第5　地役権の登記がある土地の合筆手続
　一　合筆の登記
　　(1)　甲土地を乙土地に合筆する場合において，甲土地の登記記録に承役地についてする地役権の登記があるときは，乙土地の登記記録の乙区に，甲土地の登記記録からその地役権の登記を移記し，移記した地役権の登記に，その地役権設定の範囲及び地役権図面の番号を記録しなければならない（規則第107条第2項，第86条第1項）。
　　(2)　（※廃止）
　二　合併の登記
　　(1)　承役地についてする地役権の登記がある甲土地の一部を分筆して，これを乙土地に合筆する場合において，地役権設定の範囲が合筆後の乙地の一部であるときも，一(1)と同様の手続をする（規則第108条第3項）。
　　(2)　（※廃止）（※規則第102条1項の共に権利の目的である旨の記録は，地役権には適用がない。）
　三　省略

第6　建物が合体した場合の登記手続の新設
　一　建物の合体
　　　建物の合体とは，数個の建物が，増築等の工事により構造上1個の建物となることをいう。その数個の建物が1棟の建物を区分した建物（以下「区分建物」という。）であって，これらが隔壁除去等の工事によりその区分性を失った場合も，これに含まれる。
　二　登記の申請
　　(1)　建物の合体があった場合における登記の申請は，合体前の建物が表題登記のないものであるときはその所有者から，合体前の建物につき表題登記のみがされているときは表題部所有者から，合体前の建物につき所有権の登記がされているときは所

有権の登記名義人から，建物の合体の日から1月以内に，合体後の建物についての建物の表題登記及び合体前の建物についての建物の表題部の登記の抹消（以下「合体による登記等」と総称する。）を，一の申請情報で申請しなければならない（法第49条第1項前段，令第5条第1項前段）。この登記の申請は，合体前の建物の所有者等が異なる場合には，そのいずれかの者からすることもできる。

(2) 表題登記がない建物が合体した後，合体後の建物について合体前の表題登記がない建物の所有権に相当する持分を取得した者は，その持分の取得の日から1月以内に，合体による登記等を申請しなければならない（法第49条第3項）。また，表題登記がある建物又は所有権の登記がある建物が合体した後，合体前の建物について表題部所有者又は所有権の登記名義人となった者は，表題部所有者の更正の登記又は所有権の登記があった日から1月以内に，合体による登記等を申請しなければならない（法第49条第4項）。

(3) 合体による登記等を申請する場合において，合体前の建物が表題登記がない建物と所有権の登記がある建物であるときは，表題登記がない建物の所有者を合体後の建物の登記名義人とする所有権の登記の申請を，合体による登記等と同一の申請情報でしなければならない。合体前の建物が表題登記がある建物と所有権の登記がある建物であるときも，表題登記がある建物の表題部所有者を合体後の建物の登記名義人とする所有権の登記の申請を，同様の方法でしなければならない（法第49条第1項後段，令第5条第1項後段）。

（※なお書は，廃止）

この場合の所有権の登記の申請に当たって納付すべき登録免許税の額は，合体後の建物の価額に，表題登記がない建物の所有者又は表題部所有者が合体後の建物につき有することとなる持分の割合を乗じて計算した金額を課税標準として，これに1,000分の4の税率を乗じて得た金額である（登録免許税法第10条第1項，第2項，別表第1の1(1)参照）。

(4) 合体前の建物がいずれも表題登記がない建物であるときは，(1)から(3)までの申請ではなく，法第47条に規定する建物の表題登記を申請することになる（法第49条第2項）。

三 申請情報の内容

(1) 二(1)の登記の申請情報の内容として，合体前の各建物の表示及び合体後の建物の表示を記録するとともに，登記原因及びその日付を記録することを要する（令第3条第6号，第8号）。この場合の登記原因の記録は，合体前の建物の表題部の登記の抹消においては「何番と合体」と，合体後の建物の表題登記においては「何番，何番を合体」とするものとする。

(2) 合体前の各建物の所有者が異なるときは，それぞれの所有者が合体後の建物について有することとなる持分を申請情報の内容として記録することを要する（令第3条第9号）。

また，合体前の各建物の所有者が同一である場合であっても，合体前の建物につき所有権の登記以外の所有権に関する登記又は先取特権，質権若しくは抵当権に関する登記（以下「抵当権等に関する登記」という。）があって，その登記が合体後の建物につき存続することとなるものであるとき（以下「存続登記」という。）は，その登記の目的，申請の受付年月日及び受付番号，登記原因及びその日付並び

に登記名義人がいずれもが同一であるときを除き，合体後の建物につきその登記に係る権利の目的を明らかにするため，所有者が同一でないものとみなした場合の持分を記録しなければならない（令別表第13項・申請情報欄ニ）。この場合における持分の記録は，申請人の表示に符号を付し，「持分3分の2甲某〔あ〕，3分の1甲某〔い〕」のようにするものとする

(3) 合体前の建物について所有権の登記があるときは，当該所有権の登記がある建物の家屋番号並びに当該所有権の登記の申請の受付の年月日及び受付番号，順位事項並びに登記名義人の氏名又は名称を，記録しなければならない（令別表第13項・申請情報欄ロ）。

(4) 存続登記があるときは，合体前の建物の家屋番号，存続登記の目的，申請の受付の年月日及び受付番号，順位事項並びに登記名義人の氏名又は名称，存続登記の目的となる権利を記録しなければならない（令別表第13項・申請情報欄ハ）。この場合における存続登記の目的となる権利の記録は，合体後の建物を基準として，「甲某持分」のようにし，(2)後段の場合においては，「甲某〔あ〕持分」のようにするものとする。

四 添付情報
(1) 合体による登記等の申請を所有権の登記名義人がする場合には，その所有権の登記名義人の登記識別情報を添付情報として提供しなければならない。この場合において，その申請人が複数の合体前の建物の所有権の登記名義人であるときは，そのいずれか1個の建物の所有権の登記名義人の登記識別情報を提供すれば足りる（法第22条，令第8条第1項第2号，第2項第2号）。

(2) （※以下廃止）

(3) 合体前の建物について所有権の登記がある場合において，その登記名義人が合体による登記等を書面で申請するときは，その者の印鑑証明書を申請書に添付することを要する（令第16条第2項，第18条第2項，規則第47条第3号イ(6)，第48条第1項第5号，第49条第2項第4号）。

(4) 合体前の各建物の所有者が異なる場合には，所有権を証する情報として，合体前の各建物の所有者が合体後の建物について有することとなる持分の割合を証する情報を添付情報として提供しなければならない（令別表第13項・添付情報欄ハ）。この情報が合体前の各建物の所有者の作成に係る証明書である場合には，(3)により印鑑証明書を添付する登記名義人以外の作成者の印鑑証明書をこれに添付することを要するものとする。なお，合体前の各建物の所有者全員が申請人である場合には，その申請書が持分の割合を証する書面を兼ねるので，申請書に印鑑証明書の添付があることをもって足りる。

(5) 合体後の建物の持分について存続登記と同一の登記をするときは，当該存続登記に係る権利の登記名義人が当該登記を承諾したことを証する当該登記名義人が作成した情報又は当該登記名義人に対抗することができる裁判があったことを証する情報を，添付情報として，提供しなければならない（令別表第13項・添付情報欄ト）。
この場合において，存続登記に係る権利が抵当証券の発行されている抵当権であるときは，当該抵当証券の所持人若しくは裏書人が当該存続登記と同一の登記を承諾したことを証するこれらの者が作成した情報又はこれらの者に対抗することができる裁判があったことを証する情報及び当該抵当証券を提供しなければならない

（令別表第13項・添付情報欄チ）。
(6) 合体前の建物についてされた抵当権等に関する登記が存続登記ではないときは，その登記名義人（当該権利が抵当権である場合において，抵当証券が発行されているときは，当該抵当証券の所持人又は裏書人を含む。）が合体後の建物について当該権利を消滅させることを承諾したことを証する情報又は当該登記名義人に対抗することができる裁判があったことを証する情報を提供しなければならない（法第50条，規則第120条第5項第1号）。この場合において，この権利を目的とする第三者の権利に関する登記があるときは，当該第三者が承諾したことを証する情報又は当該第三者に対抗することができる裁判があったことを証する情報を提供しなければならない（規則第120条第5項第2号）。また，消滅に係る権利が抵当証券の発行されている抵当権であるときは，当該抵当証券を提供しなければならない（規則第120条第5項第3号）。
(7) （※廃止）
(8) 合体後の建物が区分建物であって，その建物に敷地権が存する場合でも，合体前の各建物の敷地権の割合を合算したものが合体後の建物の敷地権の割合とされているときは，令別表第13項・添付情報欄ヘ(1)から(3)までに規定する情報の提供を要しない。また，合体後の建物が区分建物であって，その所有者がその建物の所在する土地につき登記された所有権，地上権又は賃借権を有するにもかかわらず，合体後の建物に敷地権がない場合においても，合体前の建物がいずれも敷地権の表示を登記したものでないときは，令別表第13項・添付情報欄ホに規定する情報の提供を要しない。

五　合体後の建物の表題登記
(1) 合体後の建物について表題登記をする場合に，合体前の各建物のいずれにも所有権の登記があるとき，又は法第49条第1項後段の規定により併せて所有権の登記の申請があるときは，合体後の建物の登記記録の表題部に表題部所有者に関する登記事項を記録することを要しない（規則第120条第1項）。この場合においては，合体後の建物の登記記録の甲区に，合体による所有権の登記をする旨，所有権の登記名義人の氏名又は名称及び住所並びに登記名義人が2人以上であるときは当該所有権の登記名義人ごとの持分，登記の年月日を記録しなければならない（規則第120条第2項）。この場合において，法第49条第1項後段の規定による申請に基づいて所有権の登記をするときは，申請の受付の年月日及び受付番号をも記録しなければならない（規則第120条第3項）。
(2) 合体前の建物について存続登記があるときは，合体前の建物の登記記録から，その登記に係る権利の順序に従って，合体後の建物の登記記録の権利部の相当区に，存続登記を移記し，その末尾に規則第120条第4項の規定により，家屋番号何番の順位何番の登記を移記した旨及びその登記の年月日を記録するものとする（規則第120条第4項）。この場合において，合体後の建物の持分について存続登記と同一の登記をするときの登記の目的の記録は，当該持分を目的とするものとして引き直し，「何某持分抵当権設定」のようにするものとする。
　　合体前の建物についての担保権の登記に係る共同担保目録については，規則第170条第2項から第4項までの規定により所要の手続をするものとする。
　　合体後の建物の持分について存続登記と同一の登記をする権利が抵当権であっ

て，その抵当権の登記に係る抵当証券が添付情報として提供されているときは，当該抵当証券における目的である建物の表示その他の記載事項につき所要の変更をするものとする（抵当証券法第19条参照）。
(3) (2)により移記すべき登記が処分の制限の登記その他の現に効力を有する所有権の登記以外の所有権に関する登記で，申請情報の内容として記録された所有権の登記より先順位のものであるときは，(1)によってする合体による所有権の登記に先立ちその登記に係る権利の順序に従って，その登記を移記するものとする。この場合においては，処分の制限の登記等の移記に伴って移記すべき登記の移記については，その末尾に処分の制限の登記等の移記のため家屋番号何番の順位何番の登記を移記した旨及びその年月日を記録するものとする。

この場合における移記する登記についての登記の目的及び権利の記録は，合体後の建物につき所有権の登記名義人が有することとなる持分であって，その登記に係るものの割合に引き直し，「何某持分（合体前建物所有権）処分禁止仮処分」及び「持分3分の1何某」のようにするものとする。
(4) 四(6)の情報を提供してされた登記の申請に基づき，法第50条の規定により合体前の建物について抵当権等の権利が消滅した旨の登記は付記登記によってするものとし，登記の目的の記録は「何番抵当権抹消」と，登記原因の記録は「消滅承諾」とし，その付記の年月日を記録するものとする（規則第120条第6項）。この場合においては，消滅した権利に関する登記は抹消しないものとする。
(5) 合体前の建物についての賃借権の登記は，合体後の建物の登記記録に移記することを要しない。
(6) 合体前の建物に敷地権の表示が登記されている場合において，合体後の建物に敷地権の登記をしないときは，規則第124条に規定する所要の登記をすることを要する（規則第120条第7項。昭和58年11月10日付け民三第6400号本職通達第6の3から8まで参照）。
(7) 合体後の建物に敷地権の登記がある場合であっても，その敷地権の割合が合体前の建物のすべての敷地権の割合を合算したものであるときは，規則119条の規定により敷地権の目的である土地の登記記録の権利部の相当区に敷地権である旨の登記をすることを要しない（規則第120条第8項）。

六 合体前の建物の表題部の登記の抹消
合体前の建物の表題部の登記の抹消をする場合には，登記原因及びその日付並びに登記の年月日の記録は，原則として合体前の建物の登記記録の表題部の該当欄の次行にするものとし，合体前の建物の表題部の登記事項を抹消した上，その登記記録を閉鎖しなければならない（規則第120条第9項，規則第144条第1項）。

七 登記済証の作成等
(1)～(3) （※廃止）

八 裁判所への通知
合体前の建物にされた民事執行法の規定による差押えの登記を合体後の建物の登記記録に移記したときは，その旨を執行裁判所に別紙様式により通知するものとする。

九 申請書類の保存期間
合体による登記等の申請情報及び添付情報（建物図面及び各階平面図を除く。）は，申請書受付の日から30年間保存することを要する（規則第28条第9号）。

十　附属建物の合体に係る登記
　　上記一から九までの手続は，2個以上の建物が合体した場合に関するものであって（法第49条第1項参照），主たる建物と附属建物とが合体した場合又は附属建物と附属建物とが合体した場合には，適用がない。この場合には，準則第95条の手続をするものとする。
十一　経過措置等
　　以下省略

◪不動産登記法の施行に伴う登記事務の取扱いについて

平成17・2・25民二第457号通達

　不動産登記法（平成16年法律第123号。以下「法」という。），不動産登記令（平成16年政令第379号。以下「令」という。）及び不動産登記規則（平成17年法務省令第18号。以下「規則」という。）が本年3月7日から施行されることとなり，本日付け法務省民二第456号当職通達「不動産登記事務取扱手続準則の改正について」（以下この通達による改正後の不動産登記事務取扱手続準則を「準則」といい，改正前の不動産登記事務取扱手続準則を「旧準則」という。）を発したところですが，これらに伴う登記事務の取扱いについては，下記に留意し，事務処理に遺憾のないよう，貴管下登記官に周知方取り計らい願います。

記

第1　法の施行に伴う登記事務の取扱い
　一　登記官による本人確認
　　(1)　登記官は，登記の申請があった場合において，申請人となるべき者以外の者が申請していると疑うに足りる相当な理由があると認めるときは，申請人の申請の権限の有無についての調査（以下「本人確認調査」という。）を行わなければならないとされた（法第24条第1項）。
　　(2)　本人確認調査は，当該申請が法第25条の規定により却下すべき場合以外の場合であって，次に掲げるときは，申請人となるべき者以外の者が申請していると疑うに足りる相当な理由があると認めるときに該当するものとして，行うこととされた（法第24条第1項，準則第33条）。
　　　ア　捜査機関その他の官庁又は公署から，不正事件が発生するおそれがある旨の通報があったとき。
　　　イ　不正登記防止申出に基づき，準則第35条第7項の措置を執った場合において，当該不正登記防止申出に係る登記の申請があったとき（当該不正登記防止申出の日から3月以内に申請があった場合に限る。）。
　　　ウ　同一の申請人に係る他の不正事件が発覚しているとき。
　　　エ　前の住所地への通知をした場合において，登記の完了前に，当該通知に係る登記の申請について異議の申出があったとき。
　　　オ　登記官が，登記識別情報の誤りを原因とする補正又は取下げ若しくは却下が複数回されていたことを知ったとき。
　　　カ　登記官が，申請情報の内容となった登記識別情報を提供することができない理由が事実と異なることを知ったとき。
　　　キ　前各号に掲げる場合のほか登記官が職務上知り得た事実により，申請人となるべき者に成りすました者が申請していることを疑うに足りる客観的かつ合理的な理由があると認められるとき。
　　(3)　本人確認調査を行う場合において，その登記の申請が資格者代理人によってされているときは，原則として，まず，当該資格者代理人に対し必要な情報の提供を求めるものとされた（準則第33条第2項）ので，この資格者代理人に対する調査によ

り，申請人となるべき者の申請であると認められたときは，本人に対して調査を行う必要はない。
(4) 登記官は，本人確認調査を行ったときは，準則第33条第3項で定める様式の調書（以下「本人確認調書」という。）を作成し，これを申請書（電子申請にあっては，第2の一(2)の電子申請管理用紙）と共に保管するものとされた（規則第59条第1項，準則第33条第3項，第4項）。
(5) 本人確認調査は，申請人となるべき者以外の者が申請していると疑う契機となった事由等に応じ，適切な方法により調査をすることを要する。したがって，疑いの程度又は当該契機となった事由に応じて，電話等による事情の聴取又は資料の提出等により当該申請人の申請の権限の有無を確認することができる場合には，本人の出頭を求める必要はない。
(6) 本人確認調査は，当該申請人の申請の権限の有無についての調査であって，申請人となるべき者が申請しているかどうかを確認するためのものであり，申請人の申請意思の有無は本人確認調査の対象ではない。
(7) 本人確認調査において申請人等から文書等の提示を受けた場合において，提示をした者の了解を得ることができたときは，その文書の写しを本人確認調書に添付するものとし，了解を得ることができなかったときには，文書の種類，証明書番号その他の文書を特定することができる番号等の文書の主要な内容を本人確認調書に記録するものとされた（準則第33条第5項）。

本人確認調書には，このほか，当該申請人から聴取した内容など，登記官が当該申請人の申請の権限の有無を確認することができた事由を明らかする事項を記載するものとする。
(8) 登記官は，出頭を求める申請人等が遠隔の地に居住しているとき，その他相当と認めるときは，他の登記所の登記官に本人確認調査を嘱託することができるとされた（法第24条第2項）。

この嘱託は，遠隔の地に居住しているとき又は申請人の勤務の都合等を理由に他の出張所に出頭したい旨の申出があり，その理由が相当と認められるとき（例えば，申請人の長期出張や病気による入院等が考えられる。）に行うものとされた（準則第34条第1項）。

この嘱託は，嘱託書のほか，登記事項証明書及び申請書の写し並びに委任状，印鑑証明書等の本人確認調査に必要な添付書面の写しを送付してすることとされた（同条第2項）。

嘱託を受けた登記所の登記官がする本人確認調査の内容は，申請を受けた登記所の登記官がする本人確認調査と同様であり，調査後は，本人確認調書を作成する（規則第59条第1項後段）。

嘱託を受けた登記所の登記官が本人確認調査を終了したときは，本人確認調書を嘱託書と共に嘱託した登記所に送付するものとされた（準則第34条第3項）。

なお，嘱託した登記所から嘱託書と共に送付された登記事項証明書並びに申請書及び添付書面の写しは，適宜，廃棄して差し支えない。

二　不正登記防止申出の取扱い
(1) 登記官の本人確認調査の契機とするため，不正登記防止申出の取扱いが定められた（準則第35条）。申出を受ける場合は，申出人に，当該申出があったことのみに

より申出に係る登記の申請を却下するものではないこと等不正登記防止申出の取扱いの趣旨を十分に説明することを要する。
(2) 不正登記防止申出があった場合には，当該申出人が申出に係る登記の登記名義人本人であることのほか，当該申出人が申出をするにいたった経緯及び申出が必要となった理由に対応する措置を採っていることを確認しなければならないとされた（準則第35条第4項）。

この措置とは，印章又は印鑑証明書の盗難を理由とする場合には警察等の捜査機関に被害届を提出したこと，第三者が不正に印鑑証明書の交付を受けたことを理由とする場合には交付をした市町村長に当該印鑑証明書を無効とする手続を依頼したこと，本人の知らない間に当該不動産の取引がされている等の情報を得たことによる場合には警察等の捜査機関又は関係機関への防犯の相談又は告発等がこれに当たる。

申し出の内容が緊急を要するものである場合には，あらかじめこれらの措置を採っていないときであっても，申出を受け付けて差し支えない。この場合には，直ちに，当該措置を採ることを求めるものとする。

三　登記義務者の権利に関する登記済証の取扱い
(1) 法附則第6条の指定（以下「第6条指定」という。）がされるまでの間において，法附則第6条第3項の規定により読み替えて適用される法第22条ただし書に規定する「登記済証を提出することができないことにつき正当な理由がある場合」は，次に掲げる場合とする。
　ア　改正前の不動産登記法（以下「旧法」という。）第60条第1項若しくは第61条の規定により還付され，若しくは交付された登記済証（法附則第8条の規定によりなお従前の例によることとされた登記の申請について旧法第60条第1項又は第61条の規定により還付され，又は交付された登記済証を含む。）又は法附則第6条第3項の規定により読み替えて適用される法第21条若しくは第117条第2項の規定により交付された登記済証（以下「登記済証」と総称する。）が交付されなかった場合
　イ　登記済証が滅失し，又は紛失した場合
　ウ　法第22条の登記義務者が登記済証を現に所持していない場合
(2) 第6条指定がされた後に法第22条ただし書に規定する「登記識別情報を提供することができないことにつき正当な理由がある場合」は，準則第42条第1項各号に掲げる場合のほか，電子申請をする場合において，登記済証を所持しているときとする。
(3) 登記義務者の権利に関する登記済証とする旧法第60条第2項の規定により登記済の手続がされた保証書については，第6条指定がされるまでの間，従来の取扱い（昭和39年5月13日付け民事甲第1717号当職通達）と同様とする。

四　登記権利者に交付する登記済証の取扱い
(1) 第6条指定がされるまでの間において，規則附則第15条第3項の規定により登記権利者に交付する登記済証は，同条第2項の書面に旧法第60条第1項及び旧準則第70条から第74条までの規定により作成するものとする。

なお，申請人が規則第55条第1項本文の規定により登記原因を証する情報を記載した書面の原本還付を求めた場合において，当該書面が同項ただし書の書面に該当

しないときは，申出により当該登記原因を証する情報を記載した書面を規則附則第15条第2項に規定する書面と兼ねることができるものとし，当該登記原因を証する情報を記載した書面により登記済証を作成して差し支えない。
　(2)　申請人があらかじめ登記済証の交付を希望しない旨の申出をしたとき又は規則附則第15条第2項に規定する書面を提出しなかったときは，登記済証を作成することを要しないとされた（同条第4項第1号，第4号）。
五　登記義務者に還付する登記済証等の取扱い
　(1)　第6条指定がされるまでの間において，登記済証（4の登記済証を除く。）の作成は，なお従前の例によるとされている（規則附則第15条第6項前段）ので，規則附則第15条第2項の規定により提出された書面又は登記義務者の登記済証を利用して旧法第60条第2項及び旧準則第70条から第74条までの規定により作成した登記済証を交付すれば足り，登記完了証を交付することを要しない。
　(2)　法附則第6条第3項の規定により読み替えて適用される法第22条の規定により提出すべき登記済証を提出しないで申請があった場合において，登記義務者に還付する登記済証の作成のために規則附則第15条第2項の書面の提出があったときは，同書面を旧法第60条第2項に規定する保証書とみなして（規則附則第15条第6項後段），登記義務者に還付する登記済証を作成するものとする。
六　受領証の取扱い
　受領証（規則第54条参照）を交付した申請であっても，登記済証の交付の際に当該受領証を返還させることを要しない。
七　原本還付の取扱い
　相続による権利の移転の登記等における添付書面の原本の還付を請求する場合において，いわゆる相続関係説明図が提出されたときは，登記原因証明情報のうち，戸籍謄本または抄本及び除籍謄本に限り，当該相続関係説明図をこれらの書面の謄本として取り扱って差し支えない。
八　事前通知の通知番号等
　事前通知書には，通知番号等を記載するとされた（規則第70条第2項）。
　当該通知番号等は，事前通知書に記載するほか，準則別記第20号様式の各種通知簿に記載された通知番号等を部外者に知られないように管理しなければならない。
九　資格者代理人による本人確認情報の提供
　規則第72条第1項第3号の書類の内容を明らかにするには，同条第2項に掲げる書類の写しを添付する方法又は写しと同じ程度に当該書面の内容を特定することができる具体的な事項を本人確認情報の内容とする方法によりするものとする。
十　申請書等についての公証人の認証
　申請人が正当な理由により登記識別情報を提供することができない場合において，申請書等について公証人から当該申請人が法第23条第1項の登記義務者であることを確認するために必要な認証がされ，登記官がその内容を相当と認めるときは，事前通知を省略することができることとされた（法第23条第4項第2号）。
　なお，この取扱いの対象となる認証をすることができる者には，公証人法（明治41年法律第53号）の適用を受ける公証人のほか，同法第8条の規定により公証人の職務を行う事ができる法務事務官も含まれる。
　(1)　申請書等について次に掲げる公証人の認証文が付されている場合には，法第23条

第4項第2号の本人確認をするために必要な認証としてその内容を相当と認めるものとする。

ア　公証人法第36条第4号に掲げる事項を記載する場合
「嘱託人何某は，本公証人の面前で，本証書に署名押印（記名押印）した。
　本職は，右嘱託人の氏名を知り，面識がある。よって，これを認証する。」
又は
「嘱託人何某は，本公証人の面前で，本証書に署名押印（記名押印）したことを自認する旨陳述した。
　本職は，右嘱託人の氏名を知り，面識がある。よって，これを認証する。」

イ　公証人法第36条第6号に掲げる事項を記載する場合
(ｱ)　印鑑及び印鑑証明書により本人を確認している場合の例
「嘱託人何某は，本公証人の面前で，本証書に署名押印（記名押印）した。
　本職は，印鑑及びこれに係る印鑑証明書の提出により右嘱託人の人違いでないことを証明させた。
　よって，これを認証する。」
又は
「嘱託人何某は，本公証人の面前で，本証書に署名押印（記名押印）したことを自認する旨陳述した。
　本職は，印鑑及びこれに係る印鑑証明書の提出により右嘱託人の人違いでないことを証明させた。
　よって，これを認証する。」
(ｲ)　運転免許証により本人を確認している場合の例
「嘱託人何某は，本公証人の面前で，本証書に署名押印（記名押印）した。
　本職は，運転免許証の提示により右嘱託人の人違いでないことを証明させた。
　よって，これを認証する。」
又は
「嘱託人何某は，本公証人の面前で，本証書に署名押印（記名押印）したことを自認する旨陳述した。
　本職は，運転免許証の提示により右嘱託人の人違いでないことを証明させた。
　よって，これを認証する。」

(2)　申請書等についてされた公証人の認証が，委任による代理人により嘱託された申請書等についての認証であるときは，法第23条第4項第2号に規定する「登記官が本人確認をするために必要な認証としてその内容を相当と認めるとき」に当たらないものとする。

(3)　申請書等についてされた公証人の認証が，急迫な場合で人違いでないことを証明させずにした認証（公証人法第36条第8号参照）であるときは，証書を作成した後3日以内に上記(1)の基準に適合する認証がされたもの（公証人法第60条において準用する第28条第3項）に限り，相当なものとして取り扱って差し支えない。

十一　地図等に関する取扱い
(1)　電磁的記録に記録された地図等
ア　適用時期
(ｱ)　地図管理システムに登録されている地図又は地図に準ずる図面について，法

第14条第6項の規定による電磁的記録に記録された地図又は地図に準ずる図面（以下「電子地図」という。）とする取扱いは，平成17年3月7日以後（以下「施行日後」という。），速やかに開始するものとする。
(ｲ) 電子地図の取扱いを開始する際には，開始の日，電子地図の閲覧方法等について，登記所の適宜の箇所に掲示するなどの方法により周知を図るものとする。
イ 従前の地図又は地図に準ずる図面の閉鎖手続 地図又は地図に準ずる図面を電磁的記録に記録したときには，従前の地図又は地図に準ずる図面を閉鎖するものとされた（規則第12条第1項，第4項）。この場合の閉鎖の日付は，電子地図としての取扱いを開始した日とするものとする。
ウ 地図管理システムに登録された電子地図の閉鎖
地図管理システムに登録された電子地図を閉鎖する場合には，規則第12条第2項の規定にかかわらず，登記官の識別番号の記録を要しない。
エ 電子地図の副記録
地図管理システムに登録されている電子地図については，毎日の業務終了後に同システムの電子地図に記録されている情報と同一の情報を磁気テープに記録させ，これを副記録とするものとする。
オ 地図管理システムに登録された電子地図の閲覧
地図管理システムに登録された電子地図の閲覧は，閲覧用に印刷したもの（電子地図の一部をA3版の用紙に出力した認証文のないもの）によって行うものとする。
なお，請求人が地図又は地図に準ずる図面の平面直角座標系の番号又は記号，図郭線及びその座標値，精度区分等の情報の閲覧を希望する場合は，便宜，地図又は地図に準ずる図面の内容の全部を出力したもの（以下「補完図」という。）及び閉鎖した地図又は地図に準ずる図面を併せて閲覧に供して差し支えない。補完図は，電子地図としての取扱いを開始する前日までに，地図管理システムに登録されていた地図又は地図に準ずる図面と同一の情報の内容を出力したものを使用するものとする。補完図については，電子地図の記録事項に異動修正があったときであっても，再度，修正したものを出力することを要しない。
(2) 地図等の訂正
ア 地図又は地図に準ずる図面の訂正
地図又は地図に準ずる図面に表示された土地の区画（地図に準ずる図面にあっては，土地の位置又は形状。イの(ｲ)及びエにおいて同じ。）又は地番に誤りがあるときは，当該土地の表題部所有者若しくは所有権の登記名義人又はこれらの相続人その他の一般承継人（申出に係る地図等が表題登記のみがされている土地に係るときは表題部所有者，所有権の登記がある土地に係るときは所有権の登記名義人，これらの者に相続その他一般承継を生じているときはこれらの相続人その他の一般承継人となる。）は，その訂正の申出をすることができるとされた（規則第16条第1項。以下「地図訂正等申出」という。）。
従前の取扱いによる地図又は地図に準ずる図面の訂正の申出手続は，登記官の職権の発動を促すものであり，その申出の要件，必要な添付書面，申出に対する対応方法等は定められていなかったが，規則に地図訂正等申出の手続を設けるこ

とにより，この申出をすることができる者の範囲，申出情報と併せて提供すべき情報，申出の却下事由等を定め，却下事由がない場合に限り，訂正をしなければならないことを明らかにしたものである。なお，地図訂正等申出は，職権による地図等の訂正手続を否定したものではない。

　これらの申出権が認められる者以外の者からの申出については，地図訂正等申出の趣旨であるか否かを確認し，地図訂正等申出の趣旨である場合は，これを却下するものとし（同条第13項第2号），そうでない場合は，これを職権の発動を促す申出があったものとして取り扱って差し支えない（同条第15項参照）。

イ　地図訂正等申出

(ｱ)　地図訂正等申出は，表題部所有者若しくは所有権の登記名義人又は相続人その他の一般承継人が2人以上である場合には，そのうちの1人からすることができる。

(ｲ)　地図訂正等申出に係る表題部所有者若しくは所有権の登記名義人の氏名若しくは名称又は住所が登記簿に記録されている氏名又は名称及び住所と異なる場合において，地図訂正申出情報と併せて当該表題部所有者又は所有権の登記名義人の氏名若しくは名称又は住所についての変更又は錯誤若しくは遺漏があったことを証する市町村長，登記官その他の公務員が職務上作成した情報（公務員が職務上作成した情報がない場合にあっては，これに変わるべき情報）が提供されたときは，規則第16条第13項第2号の規定により当該地図訂正等申出を却下することを要しない。

(ｳ)　地図又は地図に準ずる図面に表示された土地の区画に誤りがあることによる地図訂正等申出の際に添付された地積測量図（規則第16条第5項第2号）に記録された地積が登記記録上の地積と異なる場合には，地図訂正等申出は，地積に関する更正の登記の申請と併せてしなければならないとされた（同条第3項）。ただし，当該地積の差が，規則第77条第5項において準用する第10条第4項の規定による地積測量図の誤差の限度内であるときは，当該申出は，地積に関する更正の登記の申請と併せてすることを要しない。

(ｴ)　地図訂正等申出をする場合において，地図又は地図に準ずる図面に表示された土地の区画若しくは位置若しくは形状又は地番の誤りが登記所に備え付けられている土地所在図，地積測量図又は閉鎖された地図若しくは地図に準ずる図面により確認できる場合には，その図面を特定する情報を提供すれば，規則第16条第5項第1号の誤りがあることを証する情報の提供があったものと認めて差し支えない。

ウ　地図訂正等申出の調査

(ｱ)　地図訂正等申出に係る事項の調査に当たっては，地番の訂正を除き，実地調査をしなければならない。ただし，登記所備付けの資料等により訂正する事由が明らかである場合は，この限りでない。

(ｲ)　地図訂正等申出に係る事項の調査をした結果，規則第16条第13項各号に掲げる事由に該当する場合は，当該地図訂正等申出を却下しなければならない。

エ　地図訂正等申出情報の記録事項

　地図訂正等申出に係る訂正の内容（規則第16条第3項第5号）の記録方法は，次のとおりとする。

(ア) 地図又は地図に準ずる図面に表示された土地の区画に誤りがあることを理由とする場合において，土地所在図又は地積測量図（規則第16条第5項第2号）を添付するときは，「別紙土地所在図のとおり」又は「別紙地積測量図のとおり」のように記録して差し支えない。

(イ) 地図又は地図に準ずる図面に表示された地番に誤りがあることを理由とするときは，「地図上の地番の表示「5番1」を「5番2」に，「5番2」を「5番1」に訂正」のように記録するものとする。

オ 職権による地図等の訂正

職権による地図，地図に準ずる図面又は建物所在図の訂正（規則第16条第15項）の手続は，職権による表示に関する登記についての手続に準ずるものとする（規則第96条並びに準則第16条第1項第1号後段，同条第2項第1号，第60条及び第65条参照）。

カ 地図管理システムに登録されている電子地図の訂正票

地図管理システムに登録されている電子地図の訂正を行った場合においては，準則第16条第1項第7号の規定にかかわらず，訂正票を作成し，適宜，別途保管するものとする。

キ 施行日前に提出された申出の取扱い

平成17年3月6日以前（以下「施行日前」という。）に提出された地図等の訂正の申出については，なお従前の例による。

(3) 新住宅市街地登記令の土地の全部についての所在図の取扱い

不動産登記法及び不動産登記法の施行に伴う関係法律の整備に伴う関係政令の整備に関する政令（平成17年政令第24号）による改正後の新住宅市街地開発法等による不動産登記に関する政令（昭和40年政令第330号。以下「新住市街地登記令」という。）第6条第3項（同令第11条において首都圏の近郊整備地帯及び都市開発区域の整備に関する法律（昭和33年法律第98号）第30条の2の登記について準用する場合を含む。第3の5において同じ。）の規定により新住市街地登記令第6条第2項の土地の全部についての所在図は，新たに国土調査法（昭和26年法律第180号）第19条第5項の規定による指定を受けた地図でなければならないとされた。

十二 土地所在図の訂正等

(1) 土地所在図の訂正等

土地所在図，地積測量図，建物図面又は各階平面図に誤りがあるときは，表題部所有者若しくは所有権の登記名義人又はこれらの相続人その他の一般承継人（申出に係る地図等が表題登記のみがされている土地に係るときは表題部所有者，所有権の登記がある土地に係るときは所有権の登記名義人，これらの者に相続その他一般承継を生じているときはこれらの相続人その他一般承継人となる。）は，その訂正の申出をすることができるとされた（規則第88条第1項。以下「土地所在図訂正等申出」という。）。

この場合の土地所在図訂正等申出ができる事項は規則に定める土地所在図，地積測量図，建物図面又は各階平面図の内容（規則第76条から第79条まで及び第82条から第84条まで）のすべてである。

(2) 土地所在図訂正等申出

ア 土地所在図訂正等申出は，申出に係る表題部所有者若しくは所有権の登記名義

人又は相続人その他の一般承継人が2人以上ある場合には，そのうちの1人からすることができる。
　　イ　土地所在図訂正等申出に係る表題部所有者若しくは所有権の登記名義人の氏名若しくは名称又は住所が登記簿に記録されている氏名又は名称及び住所と異なる場合において，土地所在図訂正等申出に係る申出情報と合わせて当該表題部所有者又は所有権の登記名義人の氏名若しくは名称又は住所についての変更又は錯誤若しくは遺漏があったことを証する市町村長，登記官その他の公務員が職務上作成した情報（公務員が職務上作成した情報がない場合にあっては，これに代わるべき情報）が提供されたときは，規則第88条第3項において準用する第16条第13項第2号の規定により当該土地所在図訂正等申出を却下することを要しない。
　　ウ　土地所在図，地積測量図，建物図面又は各階平面図の誤りがこれらの図面を添付情報とする更正の登記の申請によって訂正する事ができるものである場合には，土地所在図訂正等申出をすることはできないとされた（規則第88条第1項ただし書）。
　(3)　土地所在図訂正等申出の調査
　　ア　申出に係る事項の調査をした結果，申出に係る事項に却下すべき理由がないときは，土地所在図の訂正等をしなければならない（規則第88条第3項において準用する規則第16条第12項及び第13項）。
　　イ　土地所在図訂正等申出に係る事項の調査に当たっては，地番又は家屋番号の訂正を除き，実地調査をしなければならない。ただし，登記所備付けの資料等により訂正する事由が明らかである場合は，この限りでない。
　(4)　土地所在図の訂正等の申出情報の記録事項
　　土地所在図の訂正等の申出情報に記録する事項のうち，申出に係る訂正の内容（規則第88条第3項において準用する規則第16条第3項第5号）については，「別添土地所在図のとおり」，「別添地積測量図のとおり」，「別添建物図面のとおり」又は「別添各階平面図のとおり」のように記録して差し支えない。
十三　表示に関する登記の添付情報の特則
　(1)　表示に関する登記を電子申請によりする場合において，当該申請の添付情報（申請人又はその代表者若しくは代理人が作成したもの及び土地所在図等を除く。）が書面に記載されているときは，当該書面に記載された情報を電磁的記録に記録したものを添付情報とすることができ，この場合において，当該電磁的記録は，当該電磁的記録を作成した者による電子署名が行われているものでなければならないとされた（令第13条第1項）。この場合には，登記官が定めた相当の期間内に，登記官に当該書面の原本を提示しなければならないとされた（同条第2項）。
　(2)　令第13条第1項の「当該書面に記載された情報を電磁的記録に記録したもの」としては，当該書面のうち令で定められた添付情報として必要な部分のみを記録したもので差し支えない。
　(3)　「当該書面の提示」は，登記所に持参若しくは郵送の方法により提出し，又は実地調査の際に登記官に提示することのいずれによることもできる。
　(4)　令第13条第2項の「相当の期間」は，実地調査を実施するまでの期間を目安とする。
　(5)　書面に記載された情報を電磁的記録に記録したものを添付情報とする電子申請が

された場合において，相当の期間内に当該書面の提示があったときは，その書面と添付情報とを照合確認した後，添付情報の内容を印刷した書面に登記官が原本確認の旨を記載して登記官印を押印し，第2の一(2)の電子申請管理用紙と共に保存しなければならない。
(6) 相当の期間内に当該書面の提示がされないときは，必要な情報の提供がないものとして，法第25条第9号の規定により申請を却下するものとする。

十四 要役地の分筆の取扱い
(1) 分筆後の土地の一部について地役権を消滅させることを証する情報
登記官は，要役地についてする地役権の登記がある土地について分筆の登記をする場合において，当該分筆登記の申請情報と併せて当該地役権を分筆後のいずれかの土地について消滅させることを証する地役権者が作成した情報が提供されたときは，当該土地について当該地役権が消滅した旨を登記しなければならないものとされた（規則第104条第6項）。

当該地役権者が作成した情報を記載した書面には，当該地役権者が記名押印し，これに当該地役権者の印鑑証明書を添付することを要する（当該消滅させることを証する情報を電子申請によって提供する場合には，当該情報に電子署名を行い，電子証明書と併せて提供することを要する。）。
(2) 分筆後の土地の地番の定め方
(1)の場合において，分筆後の土地の地番を定めるときは，地役権を消滅させない分筆後の土地について，分筆前の土地の番号を用いるものとする。この場合において，分筆前の土地に支号がないときは，分筆した土地について支号を設けない地番を存するものとすることができるとされた（準則第67条第1項第5号）。

十五 前の登記に関する登記事項証明書
前の登記に関する登記済証は，準則第112条に規定する登記事項証明書として取り扱って差し支えない。

十六 共同担保目録に係る事務の取扱い
規則附則第9条第1項本文の規定によりなお従前の例によるとされた共同担保目録に記録すべき情報の提供方法について，同項ただし書の規定により共同担保目録1通が添付書面として提出された場合において，前の登記に係る他の登記所が規則附則第9条の共担未指定登記所であるときは，適宜，提出された共同担保目録の写しを作成して，当該他の登記所に対する規則第168条第5項の通知に添付するものとする。規則附則第9条第2項の場合についても，同様とする。

第2 第6条指定を受けた登記事務の取扱い
一 電子申請の受付後の処理
(1) 電子申請については，申請情報等が登記所に到達した時（登記所に申請情報等が到達するのは，登記所の開庁日の午前8時30分から午後5時までに限られる。）に自動的に受付番号が付され，不動産所在事項の記録がされる。
(2) 登記官は，電子申請の受付を受付用端末装置で確認した場合は，当該申請に関する調査票と共に，申請情報，添付情報及び電子署名の検証結果を書面に印刷するとともに，別記第1号様式の申請受付の年月日及び受付番号等が記載された書面（以下「電子申請管理用紙」という。準則第32条第3項参照。）を印刷し，これらの書

面を登記完了まで一括して管理するものとする。

なお，電子署名については，申請情報に付された電子署名のほか，添付情報に付された電子署名についても自動的に電子署名の検証及び電子証明書の有効性の確認が行われ，その結果が印刷されるが，登録免許税の納付情報については，調査用端末装置により，納付の事実を確認した上，印刷する必要がある。

二 審査の方法
(1) 電子申請についての審査は，一の(2)で印刷した書面を用いて行うほか，登記識別情報は，調査用端末装置において照合し，その結果を印刷して，一の(2)で印刷した書面とともに管理するものとする。
(2) 書面申請において，登記識別情報を提供する場合には，登記識別情報を記載した書面を封筒等に入れて封をし，当該封筒に登記識別情報を提供する申請人の氏名又は名称及び登記の目的を記載し，「登記識別情報在中」のように記載して，申請書に添付して提出することとされた（規則第66条第１項第２号，第２項，第３項）。

登記識別情報を記載した書面としては，登記識別情報通知書若しくはその写し，電子情報処理組織を使用して送信された通知情報を印刷した書面又は登記識別情報が記載された適宜の用紙等がこれに当たる。

登記識別情報のみが記載された書面が提出された場合には，当該書面に申請の受付番号を記載するなど，当該書面がいずれの申請に関するものであるかを明らかにしておくものとする。

なお，当該書面が封筒に入れずに提出された場合であっても，却下事由には当たらず，補正させることを要しない。
(3) 登記識別情報を記載した書面が提出された場合の審査については，申請人から提出された登記識別情報を調査用端末装置に入力して，正しい登記識別情報との照合を行い，その結果を印刷して，申請書とともに申請書類つづり込み帳につづり込むものとする（準則第41条第２項）。
(4) 登記所の職員は，登記識別情報を記載した書面が提出された場合には，当該書面が部外者の目に触れることのないように厳重に管理し（準則第41条第１項），当該申請に基づく登記を完了したときは，当該書面をシュレッダー等を利用して細断した上で，廃棄しなければならない（規則第69条，準則第41条第３項参照）。

このため，登記識別情報を記載した書面を審査する際又は登記識別情報を調査用端末装置に入力する際には，その途中で席を離れることのないようにし，これらの審査又は調査が終了したときは，当該書面を提出の際に入れられていた封筒に戻すなど，細心の注意を払うものとする。
(5) 電子署名及び電子証明書の有効性等の審査の基準は，次のとおりとする。
　ア　情報の改ざんがある場合等
　　電子署名の検証の結果，当該電子署名がされた情報が改ざんされていることが検知された場合及び電子証明書の有効性確認の結果，電子証明書自体が偽造されたものであって該当する認証局が発行したものではない場合（電子証明書が存在しない場合）には，電子署名が行われていないものとして取り扱う。
　イ　規則第43条第１項本文の場合
　　規則第43条第１項本文の規定により必要とされる電子証明書の有効性については，申請の受付時を基準として判断するものとする。すなわち，電子証明書の有

効性を確認した結果,申請の受付時において,当該電子証明書が有効期限の経過その他の事由により失効し,又はその有効性の確認に対する回答が保留となっていたことが確認された場合には,電子署名が行われていないものとして取り扱う。
　　ウ　規則第43条第1項本文以外の場合
　　　　イ以外の場合に必要とされる電子証明書の有効性については,原則として電子署名が付された時を基準として判断するものとする。すなわち,電子証明書の有効性を確認した結果,電子署名が付されたとされる時点(この時点は,電子署名の検証によって判明する。)において,当該電子証明書が有効期限の経過その他の事由により失効し,又はその有効性の確認に対する回答が保留となっていたことが確認された場合には,電子署名が行われていないものとして取り扱う。そのため,調査の際に登記官が電子証明書の有効性確認を行った時点では電子証明書が失効等している場合であっても,差し支えない。電子証明書によっては,過去のある時点における有効性の確認ができない場合があるが,そのような場合には,当該電子署名が付された時点において既に当該電子証明書が失効等していたことが積極的に推認されるときを除き,当該電子署名は有効にされたものとして取り扱って差し支えない。
　　エ　却下事由
　　　　申請情報に電子署名が行われていないときの却下事由は法第25条第5号,委任による代理人の権限を証する情報等の添付情報に電子署名が行われていないときの却下事由は同条第9号によるものとする。
　(6)　登記官は,申請の補正期限内に申請人から補正情報と併せて提供された電子証明書が,検証の結果,既に失効している場合であっても,当該電子証明書が申請情報と併せて提供された電子証明書と同一のものであって,当該補正の内容が電子証明書の失効に関するものでないときは,当該補正情報と併せて提供された電子証明書を有効なものとして取り扱って差し支えない。
三　登記識別情報の再作成
　　次に掲げる場合には,登記識別情報を再作成するものとする。
　(1)　登記情報システムにおける登記識別情報の発行の処理において,作成と指示すべきところ,誤って不作成と指示して処理が完了した場合
　(2)　登記識別情報通知書を作成した後,当該登記識別情報を通知すべき者に当該登記識別情報通知書を交付する前に,通知書にはり付けられたシールがはがれた場合
　　　なお,いったん登記識別情報を通知すべき者に登記識別情報を通知した後には,再作成することはできない。
四　電子申請の補正の方法
　(1)　補正の告知
　　　　登記官は,準則第36条第1項の規定により補正コメントを法務省オンライン申請システムに掲示する措置を採ったときは,当該補正コメントが法務省オンライン申請システムに到達したことを確認して,補正コメントの履歴を印刷した上,これを一の(2)で印刷した書面と共に管理するものとする。
　　　　なお,申請人が法務省オンライン申請システムのユーザー登録において電子メールのアドレスを登録していた場合において,補正コメントが法務省オンライン申請システムに掲示されたときは,当該アドレスにあてて,申請内容に不備があるため

補正の手続を促す旨及び当該補正コメントの参照を促す旨の電子メールが送信される。
(2) 補正があった場合の処理
　補正情報が提供された場合は，当該情報を印刷した上，調査するが，その方法は，申請情報等の調査と同様である。また，一の(2)で印刷した書面に補正があったことを記載し，補正情報を印刷した書面を一の(2)で印刷した書面と共に管理するものとする。
　なお，電子申請の補正については，書面によりすることはできない。ただし，登録免許税の不足額の納付は，登録免許税法（昭和42年法律第35号。以下「税法」という。）第24条の2第3項及び第33条第4項の規定により読み替えて適用する税法第21条又は第22条の登記機関の定める書類（以下「登録免許税納付用紙」という。）を用いて納付することができる。

五　電子申請の却下
　電子申請を却下する場合には，調査未了の補正情報又は取下情報がないことを確認しなければならない。

六　電子申請の取下げ
(1) 電子申請の取下げの処理は，取下書一覧の画面に表示される事件から，取下げの対象とする事件を選択して行うものとする。
　この場合には，送信された取下情報を印刷した上，一の(2)で印刷した書面と共に管理するものとする。また，送信された取下情報の審査の方法は，申請情報等と同様である。
(2) 取下情報に不備があるときは，補正の告知に準じて，連絡コメントを作成し，不備のない取下情報等の送信を求めるものとする。
　登記官は，連絡コメントを法務省オンライン申請システムに掲示する措置を採ったときは，当該連絡コメントが法務省オンライン申請システムに到達したことを確認して，連絡コメントの履歴を印刷した上，これを一の(2)で印刷した書面と共に管理するものとする。
　なお，申請人に連絡コメントが掲示された旨の電子メールが送信されることについても，補正の場合と同様である。

七　却下又は取下げとなった場合の登記識別情報通知書の還付
　登記官は却下又は取下げがあった登記の申請に添付された登記識別情報通知書を準則第41条第3項の規定により申請人に還付する場合は，当該申請の申請書又は取下書に登記識別情報通知書を還付した旨を記載するものとする。

八　申請書等に記録すべき事項の処理
(1) 電子申請に基づく登記をする場合において共同担保目録を作成するときは，電子申請管理用紙に共同担保目録の記号及び目録番号を記載するものとする。
(2) 電子申請の却下，又は取下げの場合は，電子申請管理用紙に却下した旨又は取下げられた旨を記載し，登記官印を押印するものとする。この場合において，登録免許税を還付したときは，準則第128条第2項の手続を電子申請管理用紙に行うものとする。
(3) 電子申請の処理においては，(1)及び(2)のほか，書面申請において登記官が申請書に記載すべき事項を電子申請管理用紙に記載するものとする。

九　電子申請において送信された情報等の処理
　(1)　電子申請に基づいて登記を完了したときは，電子申請管理用紙及び登録免許税納付用紙は，申請の受付番号の順序に従って申請書類つづり込み帳につづり込むものとする。電子申請を却下した場合についても，同様とする。
　(2)　電子申請に基づいて登記を完了したときは，一の(2)で印刷した書面（電子申請管理用紙を除く。）は，申請の受付番号の順序に従って適宜のつづり込み帳につづり込んで，当分の間，保管するものとする。ただし，(1)の書面と共に申請書類つづり込み帳につづり込むことも差し支えない。
　(3)　電子申請の取下げがあった場合は，電子申請管理用紙および登録免許税納付用紙は，登記完了後，当該申請の受付番号の順序に従って申請書類つづり込み帳につづり込むものとする。ただし，登録免許税納付用紙については，登録免許税の再使用の請求があったときは，この限りでない。
　(4)　電子申請の取下げがあった場合は，一の(2)で印刷した書面（電子申請管理用紙は除く。）は，適宜廃棄して差し支えない。
　(5)　法第121条第2項の規定による電磁的記録に記録された登記簿の附属書類（土地所在図面等を除く。）の閲覧の請求があった場合には，(2)により保管している書面を，規則第202条第2項の規定により当該電磁的記録に記録された情報の内容を書面に出力して表示したものとして，取り扱って差し支えない。

第3　（略）

☑土地家屋調査士等が電子申請の方法により表示に関する登記の申請又は嘱託をする場合における添付情報の原本提示の省略に係る取扱いについて

令和元・10・7民二第187号第二課長通知

　電子情報処理組織を使用する方法（以下「電子申請の方法」という。）により表示に関する登記の申請又は嘱託をする場合において，添付情報が書面に記載されているときは，当該書面に記載された情報を電磁的記録に記録したものを添付情報とすることができ（不動産登記令（平成16年政令第379号。以下「令」という。）第13条第1項），この場合において，当該申請人は，登記官が定めた相当の期間内に登記官に当該書面を提示しなければならない（同条第2項）とされているところです。
　この規定は，書面をスキャナにより読み取って作成した電磁的記録を添付情報とすることを許容した上で，登記官が当該書面の提示を求めた場合において，当該登記官が定めた相当の期間内に当該書面の提示がされないときは，当該電磁的記録を添付情報とすることができない旨を定めたものと解され，同条第2項に基づき，登記官が，申請人に対し，当該書面について相当の期間を定めて提示を求めるかどうかは，登記官の裁量に委ねられているものと考えられます。
　従って，表示に関する登記の申請の代理を業とする土地家屋調査士，土地家屋調査士法人又は公共嘱託登記土地家屋調査士協会（以下「土地家屋調査士等」という。）が，代理人として電子申請の方法により表示に関する登記の申請又は嘱託をする場合において，同条第1項の規定に基づき添付情報が提供されたときは，原則として，添付情報の基となっ

た書面の提示を求めない取扱いとすることによって，電子申請手続の利用の促進を図ることができるものと考えられます。
　そこで，今般，下記のとおり取り扱うこととしましたので，貴管下登記官への周知方よろしくお取り計らい願います。

記

1　添付情報の原本提示の省略の取扱い
　　土地家屋調査士等が代理人として電子申請の方法により表示に関する登記の申請又は嘱託をする場合において，令第13条第1項に基づき添付情報が提供されたときは，原則として，添付情報の基となった書面の提示を求めない取扱い（以下「調査士報告方式」という。）を行うものとする。
2　調査士報告方式の要件
　　以下の要件全てを満たす場合を調査士報告方式の対象とする。
⑴　令第13条第1項の要件を満たした添付情報を提供した電子申請の方法による申請又は嘱託であること。
　　なお，令第13条第1項の「申請人又はその代表者若しくは代理人が作成したもの」とは，代理人による申請の場合にあっては当該代理人が作成したもののみが該当するものと解されることから，同項に基づき，当該代理人が委任状等をスキャナにより読み取って作成した電磁的記録に，当該代理人の電子署名を付したものも添付情報として取り扱うことができるものとする。
⑵　土地家屋調査士等が登記の申請又は嘱託を代理し，不動産登記規則（平成17年法務省令第18号。以下「規則」という。）第93条ただし書に規定する報告が提供され，当該報告の平成28年1月8日付け法務省民二第5号当職依命通知別紙甲号様式第9号，第10-1号及び様式第10-2号中「補足・特記事項」欄又はこれに準ずる事項欄に，「添付した電磁的記録については，当職において添付情報が記載された書面を確認した上で，当該書面をスキャナにより読み取って作成した電磁的記録である。」旨が記録されていること。
⑶　別紙記載の添付情報を提供する申請又は嘱託ではないこと。
⑷　（略）
⑸　提供された電磁的記録が不鮮明でないこと。
　　土地家屋調査士等において，書面をスキャナにより読み取って作成する電磁的記録はPDF形式とし，その解像度は，300dpiを目安として作成するものとする。
　　なお，書面は原寸のままスキャナにより読み取ることとし，拡大又は縮小して読み取ることは認めないものとする。
3　登録免許税の納付の取扱い
　　調査士報告方式における登録免許税の納付方法は，電子納付によるものとする。（以下，略）
4　登記識別情報の提供及び通知並びに登記完了証の交付の方法
⑴　登記識別情報の提供
　　規則第66条第1項第1号に定める方法によるものとする。
⑵　登記識別情報の通知
　　規則第63条第1項柱書の法務大臣が定める場合又は規則第63条の2第1項の規定に基づき登記識別情報の通知をする場合を除き，規則第63条第1項第1号に定める方法

によるものとする。

　なお，当該法務大臣の定めにおいては，調査士報告方式により申請を行った場合には，送付の方法による登記識別情報を記載した書面の交付は行わず，当該書面を登記所において交付する方法のみによるものとされた（令和元年10月7日付け法務省民二第189号当職依命通知）。
(3) 登記完了証の交付
　　規則第182条第1項第1号に定める方法によるものとする。
5 運用上の留意事項
(1) 受付　（略）
(2) 調査　（略）
(3) 登記完了後の処理
　　調査士報告方式を行った申請又は嘱託に係る登記を完了したときにおいて，申請書類つづり込み帳には，申請等書類をつづり込むものとする。
　　当該申請又は嘱託に係る書類の閲覧の請求があった場合には，申請書類つづり込み帳につづり込ませた申請等書類を閲覧させることをもって，規則第202条第2項に定める方法によったものとして取り扱う。

（別紙）

登記の目的	添付情報
表題部所有者についての更正の登記	表題部所有者の承諾を証する情報（不動産登記令別表2の項添付情報欄ハ）
表題部所有者である共有者の持分についての更正の登記	持分を更正することとなる他の共有者の承諾を証する情報（不動産登記令別表3の項添付情報欄）
分筆の登記 （所有権の登記以外の権利に関する登記がある土地を分筆する場合において，当該権利を分筆後のいずれかの土地について消滅させる場合）	当該権利の登記名義人が当該権利を分筆後のいずれかの土地について消滅させることを承諾したことを証する情報（不動産登記法第40条，不動産登記令第7条第1項第5号ハ）
分筆の登記 （地役権の登記がある承役地を分筆する場合において，地役権設定の範囲が分筆後の土地の一部であるとき）	当該地役権設定の範囲を証する情報（不動産登記令別表8の項添付情報欄ロ）
合筆の登記 （地役権の登記がある承役地を合筆する場合において，地役権設定の範囲が合筆後の土地の一部であるとき）	当該地役権設定の範囲を証する情報（不動産登記令別表9の項添付情報欄）
合体による登記等 （所有権等の登記以外の権利に関する登記がある建物を合体等する場合において，当該権利を合体後の建物について消滅させるとき）	当該権利の登記名義人が当該権利を合体後の建物について消滅させることを承諾したことを証する情報（不動産登記法第50条，不動産登記令第7条第1項第5号ハ）
建物の分割の登記又は建物の区分の登記 （所有権の登記以外の権利に関する登記がある建物を分割又は区分する場合において，当該権利を分割又は区分後のいずれかの建物について消滅させるとき）	当該権利の登記名義人が当該権利を分割又は区分後のいずれかの建物について消滅させることを承諾したことを証する情報（不動産登記法第54条第3項において準用する同法第40条，不動産登記令第7条第1項第5号ハ）

敷地権の変更の登記 (特定登記がある敷地権付き区分建物について分離処分可能となった場合において，当該特定登記に係る権利を当該変更後の建物又は当該敷地権の目的であった土地について消滅させるとき)	当該特定登記に係る権利の登記名義人が当該権利を当該変更後の建物又は当該敷地権の目的であった土地について消滅させることを承諾したことを証する情報（不動産登記法第55条第1項，不動産登記令第7条第1項第5号ハ）
敷地権の不存在を原因とする表題部の更正の登記 (特定登記がある敷地権付き区分建物について敷地権を不存在とする場合において，当該特定登記に係る権利を当該更正後の建物又は当該敷地権の目的であった土地について消滅させるとき)	当該特定登記に係る権利の登記名義人が当該権利を当該更正後の建物又は当該敷地権の目的であった土地について消滅させることを承諾したことを証する情報（不動産登記法第55条第2項において準用する同条第1項，不動産登記令第7条第1項第5号ハ）
合体による登記等又は建物の合併の登記 (特定登記がある建物の合体又は合併により敷地権のない建物となる場合において，当該特定登記に係る権利を当該合体又は合併後の建物又は当該敷地権の目的であった土地について消滅させるとき)	当該特定登記に係る権利の登記名義人が当該権利を当該合体又は合併後の建物又は当該敷地権の目的であった土地について消滅させることを承諾したことを証する情報（不動産登記法第55条第3項において準用する同条第1項，不動産登記令第7条第1項第5号ハ）
建物の滅失の登記 (特定登記がある建物の滅失により敷地権がなくなる場合において，当該特定登記に係る権利を当該敷地権の目的であった土地について消滅させるとき)	当該特定登記に係る権利の登記名義人が当該敷地権の目的であった土地について消滅させることを承諾したことを証する情報（不動産登記法第55条第4項において準用する同条第1項，不動産登記令第7条第1項第5号ハ）
合体による登記等 (合体後の建物の持分について存続登記等と同一の登記をする場合)	当該存続登記等に係る権利の登記名義人が当該承諾したことを証する情報（不動産登記令別表13の項添付情報欄ト及びチ）
共用部分又は団地共用部分である旨の登記 (所有権以外の権利に関する登記がある場合)	当該権利の登記名義人の承諾を証する情報及び当該権利を目的とする第三者の権利に関する登記がある場合における当該第三者の承諾を証する情報（不動産登記令別表18及び19の項添付情報欄ロ及びハ）

◪測量法及び水路業務法の一部を改正する法律の施行に伴う不動産登記事務処理実施細目（抄）

平成15・12・9民二第3641号第二課長通知

第1 地積測量図の取扱いに関する基本的考え方

　測量法及び水路業務法の一部を改正する法律（平成13年法律第53号。以下「改正法」という。）が平成14年4月1日から施行されたことに伴い，基本三角点等（不動産登記規則（以下「規則」という。）第10条第3項の基本三角点等をいう。以下同じ。）の公共座標値を用いて地積測量図を作成する場合の取扱いについては，原則として，次のとおりとする。

　一　公共座標値を用いて地積測量図を作成する場合の協力依頼
　　(1)　基本三角点等の成果の管理者又は国土地理院（以下「管理者等」という。）が改

正法による改正後の測量法（昭和24年法律第188号）第11条第3項の世界測地系（以下「世界測地系」という。）による基本三角点等の座標値を新成果として公開している場合には，申請人又はその代理人（以下「申請人等」という。）に対し，当該基本三角点等の座標値に基づいて測量するよう協力を求めるものとする。
  (2) 管理者等が従来の日本測地系（以下「旧測地系」という。）による基本三角点等の座標値を成果として公開しており，かつ，筆界点の近傍に当該基本三角点等がある場合であっても，他に世界測地系による新設の基本三角点等の座標値が新成果として公開されているときは，申請人等に対し，当該新設の基本三角点等の座標値に基づいて測量するよう協力を求めるものとする。
  (3) 管理者等が旧測地系による基本三角点等の座標値を成果として公開している場合において，当該座標値に基づいて測量するとき（(2)の場合を除く。）は，申請人等に対し，国土地理院が作成した座標変換プログラムTKY2JGD（以下「TKY2JGD」という。）を用いて，筆界点又は与点である基本三角点等の座標値の座標変換を行うよう協力を求めるものとする。
 二　地積測量図への測地系等の記載の協力依頼
  申請人等に対し，地積測量図の適宜の箇所に，次に掲げる表記をするよう協力を求めるものとする。
  (1) 与点の基本三角点等の座標値が旧測地系である場合には，「旧測地系」である旨の表記
  (2) 与点の基本三角点等の座標値が世界測地系である場合には，「世界測地系」である旨の表記
  (3) 筆界点の座標値が「TKY2JGD」を用いて座標変換された世界測地系である場合には，「世界測地系」である旨の表記，変換パラメータ・バージョンの表記（例えば「世界測地系（Par Ver.2.0.6）」等を併記する。また，与点については，旧測地系の座標値と世界測地系の座標値を併記する。）

第2　調査処理上の留意点
 二　調査の基本原則
  (1) 世界測地系への移行に伴う一般的な取扱いについて
  　一般に，旧測地系による筆界点の座標値を「TKY2JGD」を用いて世界測地系に変換した際に生じる誤差については，変換誤差がないものとみなして取り扱って差し支えない。
  　したがって，旧測地系から世界測地系に移行しても，土地の相対的位置関係，各筆界点間の距離及び地積に影響を与えないものとして取り扱うことになる。
  (2) 筆界の位置誤差の判定方法について
  　公共座標値を用いて作成され，提出された地積測量図（以下「提出測量図」という。）における筆界点の位置誤差については，登記所に備え付けられている地積測量図（隣接土地の地積測量図を含む。以下「備付測量図」という。）及び測量により得られた筆界点座標値を登記所において保管している地図（以下「数値地図」といい，備付測量図と併せて「数値地図等」という。）の筆界点を基準として，提出測量図上の筆界点と数値地図等上の筆界点とは同一の与点から測量されたものとみなして，次のアからウまでに掲げる方法によって，規則第77条第5項に規定する誤

— 1234 —

差の限度内であるか否かを判定するものとする。
　　ア　提出測量図及び備付測量図が，いずれも旧測地系による座標値を用いて作成されたものであるときは，これらの対応する筆界点座標値をそのまま照合して判定する。
　　イ　提出測量図及び数値地図等のいずれか一方が旧測地系による座標値を用いて作成されたものであり，他方が世界測地系による座標値（「TKY2JGD」で座標変換された世界測地系による座標値を含む。ウにおいて同じ。）を用いて作成されたものであるときは，旧測地系により作成されたものの筆界点座標値を「TKY2JGD」で座標変換した上で，世界測地系による筆界点座標値と照合して判定する。
　　ウ　提出測量図及び数値地図等がいずれも世界測地系による座標値を用いて作成されたものであるときは，これらの対応する筆界点座標値をそのまま照合して判定する。
　(3)　筆界点間の距離（以下「辺長」という。）の公差及び地積測定の公差の判定方法
　　数値地図等上の辺長及び地積を基準として，準則第77条第5項に規定する誤差の限度内であるか否かを判定する。
　(4)　判定における注意事項
　　(2)及び(3)の判定において，数値地図等上の値を基準とすることが相当でないと認められる場合（例えば，当該土地に関する備付測量図が，任意座標系に基づき作成されたものであり，辺長を用いて当該地図に記入されている場合など）には，辺長及び地積について準則第77条第5項に規定する誤差の限度内であるか否かの判定のみを行うこととして差し支えない。
三　提出測量図の与点とした基本三角点等について改測又は改算（以下「改測等」という。）がされている場合等の判定方法
　(1)　与点とした基本三角点等について改測等がされている場合
　　ア　基本三角点等の改測等は，旧測地系による基本三角点等の座標値を「TKY2JGD」で座標変換するだけでは問題がある地域について行われるので，改正法施行後においては，地積測量図の与点とした基本三角点等について改測等が行われている場合（イの場合を除く。）において，数値地図等が旧測地系による座標値又は「TKY2JGD」で座標変換された世界測地系による座標値を用いて作成されたものであるときは，二の(3)の判定のみを行うこととして差し支えない。
　　イ　アの場合において，改測等がされた基本三角点等の座標値が新成果として国土地理院によって公開されているときは，地積測量図上の筆界点座標値から，国土地理院地方測量部から入手した基本三角点等の成果の変化量（後記「成果の変化量の算式」参照。以下「成果の変化量」という。）を控除した上で，控除後の値と「TKY2JGD」で座標変換された数値地図等上の対応する筆界点座標値とを照合し，準則第77条第5項に規定する誤差の限度内であるか否かを判定する。ただし，成果の変化量を入手できないときは，二の(3)の判定のみを行うこととして差し支えない。

> ― 成果の変化量の算式 ―
> 成果の変化量（dz）＝
> 「改測等された基本三角点等の座標値」－
> 「基本三角点等の座標値を「TKY2JGD」で座標変換した値」

(2) 提出測量図が，いわゆる「3パラメータ」地域内の土地に係るものであって，「「TKY2JGD」の地域ごとの変換パラメータ」で座標変換した当該地域外の基本三角点等を与点としている場合

　提出測量図上の筆界点座標値から，その与点とした基本三角点等の旧測地系による座標値と当該座標値を「「TKY2JGD」の地域ごとの変換パラメータ」で座標変換した値との差（以下「与点の変換量」という。後記「与点の変換量の算式」参照。）を控除することによって，提出測量図上の筆界点座標値をいったん旧測地系に戻し，更に当該座標値について「3パラメータ」で座標変換した上で，数値地図等上の対応する筆界点座標値と照合し，規則第77条第5項に規定する誤差の限度内であるか否かを判定する。また，二の(3)の判定を伴うものとする。
※「3パラメータ」の詳細については，「TKY2JGD」のヘルプの用語集を参照されたい。

> ― 与点の変換量の算式 ―
> 与点の変換量（dz）＝
> 与点の座標値を「TKY2JGD」の地域ごとの変換パラメータで変換した世界測地系による座標値－与点の旧測地系による座標値

(3) 提出測量図が，数値地図等と異なる変換パラメータ・ファイルのバージョンの「TKY2JGD」で座標変換されている場合

　提出測量図上の筆界点座標値を，当該座標値に変換するときに用いたバージョンの「TKY2JGD」によっていったん旧測地系による座標値に逆変換し，改めて，当該座標値を数値地図等の座標値を数値地図等の座標値変換に用いたものと同一のバージョンの「TKY2JGD」で座標値変換した上で，数値地図等上の対応する筆界点座標値と照合し，規則第77条第5項に規定する誤差の限度内であるか否かを判定する。また，二の(3)の判定を行うものとする。

(4) 判定における注意事項

　(1)から(3)までの判定において，数値地図等上の値を基準とすることが相当でないと認めるときは，辺長及び地積について規則第77条第5項に規定する誤差の限度内であるか否かの判定のみを行うこととして差し支えない。

四　数値地図以外の地図又は地図に準ずる図面と照合する場合の判定方法

　原則として，二及び三に準じて判定を行うものとする。ただし，当該取扱いが相当でないと認める場合は，現地調査の結果を踏まえて判定を行うものとする。

◾都市再生街区基本調査による街区基準点の活用について

平成18・8・15民二第1794号民事第二課長通知

　平成15年6月に内閣の都市再生本部から示された「民活と各省連携による地籍整備の推進」（以下「平成地籍整備」という。）の方針に基づき，都市再生街区基本調査が平成16年度から実施されてきたところであり，その成果として，標記の街区基準点が設置されたところです。

　今般，国土交通省土地・水資源局国土調査課長から，別添のとおり街区基準点の成果に係る情報の提供がありましたが，その取扱いについては下記のとおりとすることとしましたので，貴管下登記官に対し，その旨周知するとともに，同成果の活用方につき配意願います。

　なお，街区基準点の活用については，日本土地家屋調査士会連合会に通知済みであることを申し添えます。

記

1　街区基準点の整備
(1)　整備の内容

　　平成地籍整備の方針に基づいて実施される基礎的調査として，同方針に基づく後続事業（地籍調査素図の作成，地籍調査の実施等）における測量の基準となる基準点の整備を行うものである。

　　街区基準点の整備における成果は，次のとおりである。

設置点名称	相当する公共基準点	備考
街区三角点	2級相当公共基準点	500mおきに設置
街区多角点	3級相当公共基準点	200mおきに設置
補助点	4級相当公共基準点	新点間の距離の制限なし

(2)　整備の主体

　　街区基準点の整備は，国土交通省が実施するものとされている。ただし，整備後の街区基準点の維持及び管理については，市区町が行うものとされている。

(3)　街区基準点の成果の公開

　　整備された街区基準点に関する街区基準点網図，街区基準点成果表及び点の記（以下これらを総称して「街区基準点の成果」という。）については，市区町において公開されることが予定されている。

2　街区基準点の成果の活用

　街区基準点は，平成地籍整備に係る都市再生街区基本調査の後続事業において活用することが予定されているものであるが，適正な維持及び管理がされているものであるから，平成地籍整備以外の調査及び測量に活用することも可能である。

　特に，街区基準点が整備された地域においては，分筆の登記や地積に関する登記等（以下「分筆の登記等」という。）に伴って登記所に提供される地積測量図を作成するた

めの測量の基準として利用することが可能である。
　そこで，登記所においても，街区基準点及び街区基準点の成果の活用を図るため，次の施策を実施するものとする。
(1) 街区基準点の成果の登記所への送付
　　法務省に送付された街区基準点の成果は，速やかに，法務局又は地方法務局を経由して，各管轄登記所に送付する。
　　なお，街区基準点の成果は，電磁的記録に記録された情報をもって送付する。
(2) 登記所における街区基準点の成果の備付け及び公開等
　　街区基準点の成果の送付を受けた登記所においては，登記所にあるパソコンを用いてその成果を出力する。
　　出力した街区基準点の成果は，バインダーに編てつする等して，登記所内の適宜の場所に備え付け，これを一般に公開する。
　　なお，街区基準点の成果の公開方法は，紙による閲覧のみとし，その写しの交付又は電子媒体での提供は行わないものとする。
(3) 街区基準点の成果の周知及び活用
　　街区基準点の成果の送付を受けた各法務局又は地方法務局は，その管轄区域に設立された土地家屋調査士会（支部を含む。）を通じて，会員である土地家屋調査士に対し，街区基準点の成果の送付を受けた旨並びに同成果の管轄登記所への備付け及び公開について周知を図るとともに，分筆の登記等の申請に伴い提供される地積測量図を作成するための調査及び測量をする際には，管轄登記所に備え付けられた街区基準点の成果を利用するよう通知する。
(4) 分筆の登記等の申請があった場合の取扱い
　　街区基準点の成果を管轄登記所に備え付けた後，街区基準点の整備が完了した地域内の土地について，地積測量図を添付してする分筆の登記等の申請があった場合には，登記官は，登記所に備え付けられている街区基準点の成果に基づいて調査及び測量がされているかを確認し，街区基準点を利用することができるにもかかわらず，この街区基準点に基づかない地積測量図が作成されている場合には，基本三角点等に基づく測量ができない特段の事情がある場合（不動産登記規則第77条第2項）に該当しないものとして，当該分筆の登記等の申請を却下することとして差し支えない（不動産登記法第25条第9号）。

◩民活と各省連携による地籍整備の推進の今後の方向性について

平成19・7・19民二第1459号通知

（通知） 平成15年6月に開催された都市再生本部の会合において示された，「民活と各省連携による地籍整備の推進」（以下「地籍整備の推進」という。）の方針においては，都市再生のための施策を強力に進める前提として，民間等が作成した測量成果（地積測量図等）を活用し，法務省と国土交通省とが協力して，全国の都市部の登記所備付地図の整備を強力に推進することとされているところ，この方針に基づき，平成16年度から18年度にかけて都市再生街区基本調査が実施され，平成19年度からは，その成果が国土交通省から当局を経由して管轄登記所に送付される予定です。

ついては，この成果の活用等に関する今後の方向性を別紙のとおりとしたので，この旨貴管下登記官に周知方お取り計らい願います。

なお，この通知を発出するに当たっては，国土交通省と協議済みであることを申し添えます。

（別紙）
民活と各省連携による地籍整備の推進の今後の方向性について

第1 背景事情

政府においては，都市再生特別措置法（平成14年法律第22号）に基づき，これまで都市再生のための様々な施策を打ち出しているところであるが，これらの施策を実現するためには，土地等に関する権利関係の調整が不可欠であり，さらに，登記がされた不動産を現地において特定するための不動産登記法（平成16年法律第123号。以下「法」という。）第14条第1項に規定する地図（以下「法14条地図」という。）が登記所に備え付けられている必要がある。しかし，都市部では，このような法14条地図が十分に整備されておらず，そのことが，都市再生のための施策の推進を阻害する要因の一つとなっている。

このような情勢を踏まえ，平成15年6月に開催された都市再生本部の会合において，都市再生のための施策を強力に進める前提として，民間等が作成した測量成果（地積測量図等）を活用しつつ，法務省と国土交通省とが連携して，全国の都市部の登記所備付地図の整備を強力に推進するという「民活と各省連携による地籍整備の推進」の方針（以下「地籍整備の推進の方針」という。）が示された。

地籍整備の推進の方針では，「都市再生の円滑な推進には，土地の境界，面積等の地籍を整備することが不可欠であることにかんがみ，国において，全国の都市部における登記所備付地図の整備事業を強力に推進する。」として，地籍整備の推進に必要な測量の基礎となる街区基準点の整備，街区の角（街区点）の座標調査及び法第14条第4項に規定する地図に準ずる図面（以下「地図に準ずる図面」という。）の分類作業である基礎的調査の実施後，地図に準ずる図面を，現況とおおむね一致する地域，一定程度一致する地域又は大きく異なる地域に分類し，それぞれの地域区分に従った地図整備を実施するものとされている。

第2　都市再生街区基本調査

地籍整備の推進の方針における作業のうち，その基礎的調査として，都市再生街区基本調査が，平成16年度から平成18年度にかけて，同方針において示された作業の内容に沿って実施されている。その具体的な内容については，次のとおりである。

1　街区基準点の整備（平成16年度から平成18年度まで）

　　国土交通省は，後続事業となる地籍調査等を行うために必要とされる測量の基礎となる街区基準点（2～3級基準点相当）の設置を行い，その成果を基準点網図，基準点成果表及び点の記として取りまとめた（以下これらを「基準点成果」と総称する。）。この作業自体は，国土交通省によって実施されたが，街区基準点の維持及び管理については，今後，原則として市区町等において行われる予定である。

2　街区点の調査（平成16年度から平成18年度まで）

　　国土交通省は，街区基準点を基礎として，街区点を測量し（注），これらの位置座標のデータファイル（街区点の属性情報を含む。）を作成した。

　(注)　測量の対象とされた街区点は，既存の境界標があるときはその境界標を，境界標がないときは道路に接している建造物等の地物を現地において把握したものであり，街区基準点を用いて当該街区点の位置が測量されている。都市再生街区基本調査における街区点は，官民境界を調査したものではあるが，官民境界確定協議によって確認されたもの以外は，占有界や現認された地物に基づいた点の調査にすぎず，厳密に見た場合には筆界点とは異なることもある。

3　地図に準ずる図面の数値化（平成16年度及び平成17年度）

　　都市再生街区基本調査は，2の街区点の調査の成果に，数値化された地図に準ずる図面の成果を重ね合わせて，現況と地図に準ずる図面とのかい離状況を把握することが主な目的であるため，その前提として，次の作業が実施された（平成16年7月29日付け法務省民二第2140号民事第二課長通知）。

(1)　地図に準ずる図面のうち数値化がされていないものについては，その写しが国土交通省に送付され，国土交通省によって数値化作業が実施された。また，既に地図管理システムに登録済みの地図に準ずる図面については，登録済みのデータを複製したものが国土交通省に送付された。

　　なお，国土交通省によって数値化された地図に準ずる図面のデータは，登記所に送付され，地図管理システムに登録された。

(2)　(1)の数値化作業に当たって，地図整備作業を必要とするものについては，法務局が実施している従来の地図整備作業に加え，国土交通省の事業として地図整備作業が実施された。

第3　街区基準点の活用（平成18年8月15日民二第1794号民事第二課長通知）

街区基準点は，地籍整備の推進のための後続作業に用いられるものであるが，街区基準点が設置された地域において，分筆の登記や地積に関する更正の登記等の申請に伴い登記所に提出される地積測量図を作成する場合には，原則として，測量の基礎として当該街区基準点を用いることとされた。

1　街区基準点の基準点成果の登記所への送付

　　街区基準点の設置が完了した地域にあっては，国土交通省の準備が調った地域から順次，国土交通省から法務省にその基準点成果が送付され，当該基準点成果は，各法

務局又は地方法務局を経由して，各登記所に送付される。
  2　基準点成果の周知及び活用
　　各法務局又は地方法務局は，各土地家屋調査士会を通じて会員である土地家屋調査士に対し，基準点成果の送付を受けた旨並びに基準点成果の管轄登記所への備付け及び公開について周知を図るとともに，分筆の登記等の申請に伴う地積測量図を作成するための調査及び測量における街区基準点の利用を求めることとされた。
　　日本土地家屋調査士会連合会に対しては，各土地家屋調査士会を通じて各会員に対し，土地家屋調査士会主催の会合や研修会において，この基準点成果に基づいた調査及び測量の実施について指導するよう依頼する旨の通知がされた（平成18年8月15日民二第1795号民事第二課長通知）。
  3　街区基準点の利用方法等
　(1)　基準点成果の送付を受けた登記所においては，これを登記所内に備え付け，一般に公開するものとする。この場合の公開方法は，紙による閲覧のみとし，その写しの交付又は電子媒体での提供は行わないものとする。
　(2)　管轄登記所に基準点成果を備え付けた後，街区基準点の整備が完了した地域内の土地について，分筆の登記等の申請をする場合には，基準点成果に基づいて，調査及び測量を実施するものとする。
　(3)　管轄登記所に基準点成果を備え付けた地域内の土地について，分筆の登記等，地積測量図の提出を要する登記の申請があった場合には，登記官は，登記所に備え付けられている基準点成果に基づいて調査及び測量がされているかを確認し，街区基準点を利用することができるにもかかわらず，この街区基準点に基づかない地積測量図が作成されている場合には，基本三角点等に基づく測量ができない特段の事情がある場合（不動産登記規則（平成17年，法務省令第18号）第77条第2項）に該当しないものとして，当該分筆の登記等の申請を却下することとして差し支えない（法第25条第9号）。

第4　都市再生街区基本調査の成果の取扱い
  1　都市再生街区基本調査の成果
　　第2の1の基準点成果，同2の街区点の調査結果及びその他都市再生街区基本調査の調査結果をまとめた都市再生街区基本調査の成果は，電磁的記録に記録され，平成19年度から関係行政機関に送付される予定であるが，登記所に送付される都市再生街区基本調査の成果（以下「街区成果データ」という。）の中には，地図に準ずる図面を一定の手法を用いて街区点に合わせた処理結果の図面データ及び当該街区点とその街区点に相当する地図に準ずる図面上の点の座標値の差違を街区単位で取りまとめた残差表のデータ（以下「残差表」という。）が含まれる。
  2　都市再生街区基本調査の成果の活用
　　街区成果データは，国土交通省から法務省に送付され，法務省において上記1の残差表の値に基づいて街区成果データを公図と現況がおおむね一致する地域，一定程度一致する地域及び大きく異なる地域の3種類に分類するものとする。
　　各登記所には，おおむね一致する地域及び大きく異なる地域に該当する地域の地図番号のリストを送付する予定である。
　　このうち，おおむね一致する地域に分類されたものについては，その地域内の特定

の土地について，国土交通省から送付された成果による測定結果の地積と，登記記録に記録された地積との差が公差外になるなど特段の事情がない限り，従前の地図に準ずる図面を閉鎖し，都市再生街区基本調査の成果に基づき国土交通省が新たに作成した図面を法14条地図とするものとする。この図面については，各登記所への送付に先立って，あらかじめ法務省を経由して各局に対象となる地域のリストが送付されることになっている。

　また，一定程度一致する地域に分類されたものについては，原則として，従前の地図に準ずる図面を閉鎖し，街区成果データを活用し，地図に準ずる図面に公共座標値を与えるなどの手法を用いて，新たな地図に準ずる図面を備えるものとする。

第5　都市再生街区基本調査の成果を用いた地図に準ずる図面の整備後における地図整備
 1　おおむね一致する地域の地図に準ずる図面の取扱い
　　おおむね一致する地域に分類されたものの，特段の事情があるとして，都市再生街区基本調査の成果に基づき国土交通省が新たに作成した図面を法14条地図として備えることができなかった地域については，地図整備事業の一環として，法14条地図として備え付けることができなかった原因を調査し，必要に応じて実地調査を実施するなどして，地図訂正又は地積の更正を行い，当該図面を法14条地図として備えるための方策を検討するものとする。
 2　新たに提供される地積測量図の地図に準ずる図面への反映
　　街区成果データに基づき公共座標値が与えられた地図に準ずる図面が備え付けられた地域について，分筆の登記や地積に関する登記等の申請がされ，当該申請情報と共に提供された地積測量図が都市再生街区基本調査の成果である街区基準点を用いた測量の成果に基づき作成されたものである場合には，原則として地図情報システムに登録された地図に準ずる図面（公共座標値が与えられたもの）に当該地積測量図の数値情報（筆界点座標値）を反映させるものとする。この反映の方法は，地図情報システムを用いて地図に準ずる図面上の申請の対象土地の座標値を地積測量図上の座標値に置き換える方法によるものとする。
 3　一定の地積測量図が地図に準ずる図面に反映された場合における地図整備の方策
　　2の作業によって一定の地積測量図が地図に準ずる図面に反映されたときは，当該地図に準ずる図面に係る情報を市区町に提供することなどにより，地籍調査の推進を図るための積極的な協力を行うほか，市区町による地籍調査の実施が困難な地域については，法務局自らが現地の筆界確認及び測量（補完調査）を実施する等して，法14条地図の整備を図るための方策を検討するものとする。
 4　土地活用促進調査等の成果の活用
　　平成19年度以降，特定の地域では，国土交通省において，最小単位の街区で現存する境界標示物等や現存する図面等から導かれる境界の推定線に関する情報の調査がされ，この調査に続いて，地籍調査事業の一種である官民境界等先行調査により官民境界の立会調査を推進していくことが予定されている（これらの調査を，「土地活用促進調査等」という。）。土地活用促進調査等の成果は，これを，前記第4，2の取扱いにより公共座標値が付与され高度化された地図に準ずる図面に反映させることにより，当該地図に準ずる図面を更に活用することができる可能性があるため，当該調査の結果を踏まえ，今後，その成果の活用について検討することとする。

また，大きく異なる地域にあっては，土地活用促進調査等の成果に，分筆の登記の申請等に伴って新たに提供された地積測量図の情報を反映させるとともに，土地活用促進調査等の実施以前から既に登記所に備え付けられていた地積測量図の情報をも反映させ，地図に準ずる図面とすることも検討する。
　なお，一定程度一致する地域のうち例外的に都市再生街区基本調査の成果を地図に準ずる図面に反映しなかった地域についても，同様とする。

5　都市再生街区基本調査の成果を用いて法14条地図又は地図に準ずる図面の整備を図った後の維持管理及び公開
(1)　公共座標を有する地図等には，その座標値が測量成果によるものと図上測定によるものの2種類があるので，システムを用いた事務処理及び座標値の公開に当たっては，混乱を招くことのないように，座標値の種別を明示するなどの方法を検討する。
(2)　おおむね一致する地域について都市再生街区基本調査の成果に基づく法14条地図を備え付けた場合
　　おおむね一致する地域について都市再生街区基本調査の成果に基づく法14条地図を備え付けた場合において，①当該地図につき測量成果があるときは，それらの筆界点の座標値は測量成果によるものとして取り扱い，一方，②測量成果がない場合には，図上で読み取った座標値によるものとして取り扱うのが相当である。
　　①の法14条地図には，地図に関する情報として街区基準点の測量成果（座標値等）が記録されているので，これを公開した上で，当該情報を用いて作成された地積測量図に基づいて分筆の登記等に伴う異動修正を行うこととする。この場合，修正後の筆界点座標値の公開に当たっては，測量成果であることが明示されている必要がある。
　　②の法14条地図については，その座標値は図上測定に基づくものであることを明示して公開をすることが相当であるが，分筆の登記等に伴う異動修正においては，できる限り，都市再生街区基本調査の成果である街区基準点に基づく測量の成果により作成された地積測量図に記録された土地の筆界点座標値に置き換える必要があり，その場合には，各筆界点座標につき置き換えられた旨を明示する措置を講ずることとする。
(3)　都市再生街区基本調査の成果を用いて地図に準ずる図面の整備を図った場合
　　筆界点座標値の公開については，都市再生街区基本調査の成果を用いて備え付けられた法14条地図を除き，消極にならざるを得ない。しかし，その一方で，近年のGISの流れをみると，地図等を単なる図形としてのイメージ情報により公開するだけでは，国民のニーズへの対応が十分ではないことから，地図に準ずる図面の公開に当たっては，図上測定に基づく機械座標であることを明記して，筆界点座標値を公開することについて検討する。
　　また，分筆の登記等に伴う異動修正については，街区成果データの精度に応じたランク付けを行い，精度の高いものは，地積測量図により異動修正を行い，そうでないものについては，従来の方法である地積測量図に基づいた案分比例等によって行うことを検討する。

重要先例集

◼地図情報システムに登録された地図等に係る登記事務の取扱いについて(通達)

平成18・9・20法務省民二第2212号通達

(**通達**) 不動産登記法(平成16年法律第123号。以下「法」という。),不動産登記令(平成16年政令第379号。以下「令」という。)。不動産登記規則(平成17年法務省令第18号。以下「規則」という。)及び不動産登記事務取扱手続準則(平成17年2月25日付け法務省民二第456号民事局長通達。以下「準則」という。)が平成17年3月7日から施行され,法第14条第1項の地図及び同条第4項の地図に準ずる図面(以下「地図等」という。)は電磁的記録に記録して取り扱うことができるものとされた(同条第6項)ところですが,平成18年度からその電磁的記録に記録された地図等を処理する地図情報システムの全国展開が開始されることとなりました。

ついては,これに伴う登記事務の取扱いについて,下記の点に留意するよう,貴管下登記官に周知方取り計らい願います。

記

第1 地図情報システムによる登記事務の取扱いの開始
一 電子地図の取扱い
(1) 取扱いの開始

登記官は,ポリエステルフィルム,アルミケント紙及び和紙で作成された地図等(以下「紙地図」という。)を電磁的記録に記録した上で地図情報システムに登録したときは,当該登録した地図等を法第14条第6項の規定による電磁的記録に記録された地図等(以下「電子地図」という。)として取り扱うものとする。

(2) 周知

地図情報システムによる電子地図の取扱いを開始する際には,開始の日,登記事務の取扱い等について,登記所の掲示場その他の登記所内の公衆の見易い場所への掲示や法務局のホームページでの公開などの方法により,周知を図るものとする。

二 従前の地図等の閉鎖
(1) 地図管理システムに登録された地図について電子地図の取扱いを開始している場合

ア 既に地図管理システムに登録された地図等について電子地図の取扱いを開始している場合(平成17年2月25日付け法務省民二第457号民事局長通達第1の11の(1))において,電子地図を地図情報システムに移行したときは,地図管理システムにおいて閉鎖の処理を要しない。

イ 地図管理システムによる電子地図の取扱いを開始した後,地図情報システムによる取扱いの開始の日までの間に閉鎖された電子地図があるときは,当該閉鎖された電子地図を地図管理システムにおいて出力しておくものとする。

(2) 地図管理システムに登録された地図について電子地図の取扱いを開始していない場合

ア 地図情報システムによる電子地図の取扱いを開始したときは,従前の紙地図を閉鎖する(規則第12条第1項,第4項)。この場合の閉鎖の日付は,地図情報システムによる電子地図の取扱いを開始した日とする。

イ　紙地図を閉鎖するときは，当該紙地図等の適宜の余白に「平成何年何月何日電子地図の取扱い開始による閉鎖」と記録し，登記官印を押印する（規則第12条第2項，第4項）。

第2　電子地図に係る登記事務の処理
　一　受付
　(1)　地図等の変更の必要がある登記の申請等があった場合
　　　地図等の変更の必要がある登記（分筆又は合筆等の登記）の申請がされた場合又はその登記を職権でする場合には，登記情報システムの端末装置を用いて登記申請の受付又は立件の処理を行う際に，地図等の変更がある旨を併せて記録する。
　(2)　電子地図のみの処理を行う事件の立件をする場合
　　ア　規則第16条第1項の規定による地図等の訂正の申出がされた場合又は同条第15項の規定により地図等の訂正を職権でする場合には，登記情報システムにおいて立件番号を発番の上，地図情報システムの端末装置を用いて，当該立件番号，立件年月日及び事件の種別並びに不動産所在事項を記録する。
　　イ　登記情報システムにおいては，「物件不要」の処理を行い，調査完了の指示をするものとする。
　　ウ　職権表示登記等事件簿には，立件情報一覧を出力したものを併せてつづり込むものとする。
　二　調査
　(1)　調査工程の開始
　　　一の(1)の事件について登記情報システムにおいて申請の調査が完了したとき又は一の(2)の事件の立件の処理をしたときは，地図情報システムにおいて電子地図の処理につき「調査待」である旨が表示されるので，電子地図の処理に係る調査を行う。
　(2)　土地所在図等の調査
　　ア　地図等及び既存の図面との照合
　　　　調査に当たっては，申請又は申出に係る土地の電子地図及び当該土地につき既に登記所に提供されている土地所在図，地積測量図又は地役権図面（以下「土地所在図等」という。）であって地図情報システムに登録されたものがあるときは，その図面を画面に表示し，又は帳票に出力し，申請又は申出の添付情報として提供された土地所在図等と照合する。
　　イ　公差判定
　　　　申請又は申出の添付情報として提供された地積測量図に記録された地積，辺長及び筆界点が許容誤差の範囲内にあるかを調査するときは，地図情報システムにおける公差判定の機能を活用して行う。
　(3)　土地所在図等の整理
　　ア　申請又は申出の添付情報として提供された土地所在図等については，電子地図の調査を行う際に地図情報システムに仮登録するものとする。この場合において，既に地図情報システムに登録されている土地所在図等で閉鎖するものがあるときは，併せて閉鎖の処理を行うものとする。
　　イ　土地所在図等の仮登録は，法務大臣の定める方式に従い作成された土地所在図等（規則第73条第1項）が送信され，又は電磁的記録に記録して提供されている

ときは，システム上で取得をする方法により，書面により作成された図面（規則第74条第1項）が提出されているときは，イメージスキャナで読み込む方法により行う。
三　記入
(1) 分筆登記に伴う処理
　ア　分筆線等の記入
　　分筆登記に伴う分筆線等の記入の処理においては，申請又は申出の添付情報として提供された地積測量図に基づき，分筆後の土地に関する情報（筆界点，結線情報及び地番）を地図情報システムに記録する。
　　電子地図への記入は，地図情報システムに登録されている地図等の分類及び種類，座標値の種別，作成年月日並びに申請又は申出の添付情報として提供された地積測量図の記録内容等に応じて，原則として，以下の方法により行う。
　(ｱ)　電子地図が，法第14条第1項の地図であって，当該土地に係る「座標値の種別」（数値情報化した際の手法を表すものであり，測量成果（数値データ）そのものを用いた場合と図上測定（イメージデータのデジタル化）によった場合とがある。）が「測量成果」である場合
　　①　地積測量図に，規則第77条第1項第8号に規定する基本三角点等に基づく筆界点座標値（以下「公共座標値」という。）が記録されているとき。
　　　当該座標値を入力する方法，（以下「座標値入力」という。）
　　②　地積測量図に，同号括弧書に規定する近傍の恒久的な地物に基づく筆界点の座標値（以下「任意座標値」という。）が記録されているとき。
　　　既存の筆界点からの辺長を入力する方法（以下「辺長入力」という。）
　(ｲ)　電子地図が，法第14条第1項の地図であって，当該土地に係る「座標値の種別」が「図上測定」である場合
　　①　地積測量図に公共座標値が記録されているとき。
　　　座標値入力又は辺長入力
　　②　地積測量図に任意座標値が記録されているとき。
　　　辺長入力又は地積測量図上の辺長を入力して，それを自動的に地図上の辺長に応じて按分する方法（以下「按分入力」という。）
　(ｳ)　電子地図が，法第14条第4項の地図に準ずる図面であって，地図の種類が地籍図，土地改良所在図又は土地区画整理所在図（以下「地籍図等」という。）である場合
　　辺長入力又は按分入力
　(ｴ)　電子地図が，法第14条第4項の地図に準ずる図面であって，地図の種類が地籍図等でない場合
　　按分入力又は地図情報システムに記録した地積測量図又は地形図のイメージデータを貼り付けてマウスにより入力する方法（以下「イメージ入力」という。）
　イ　筆界点の位置の調整
　　座標値入力及びイメージ入力においては，以下の調整方法から適宜のものを選択する。ただし，入力された筆界点をそのまま記入対象の筆界点とするときは「補正なし」とする。

　　　　(ア)　線上補正
　　　　　既存の地図から，入力された筆界点の座標値に最も近い公差範囲内の筆界線上の点を検索し，記入対象の筆界点とする方法
　　　　(イ)　点上補正
　　　　　既存の地図から，入力された筆界点の座標値に最も近い公差範囲内の筆界点を検索し，記入対象の筆界点とする方法
　　　　(ウ)　新点補正
　　　　　座標値入力により入力した筆界点が既存の地図上の筆界線の公差範囲内である場合，新規に入力した点を当該筆界線上の筆界点として調整する方法
　　　ウ　筆属性情報の入力
　　　　分筆後の各土地の属性情報（地番等）の登録を行う。
　　　　この場合には，精度区分及び座標値種別は，分筆前の情報を変更することを要しない。
　(2)　合筆登記に伴う処理
　　　合筆登記に伴う処理においては，筆界線及び合併する地番を削除し，合筆後の地番を記録する。
　(3)　地図訂正に伴う処理
　　　筆界線又は地番の訂正は，分筆又は合筆の登記に準じて行う。
　　　地図訂正を行った場合には，訂正票の作成を要しない（準則第16条第1項第7号括弧書）。
　四　校合
　(1)　電子地図の校合
　　　ア　地図情報システムを用いた電子地図の校合は，登記情報システムによる登記記録の校合を行った後に行う。
　　　イ　電子地図の校合は，地図情報システムを用いて登記官の識別番号を記録することによって行う。
　　　ウ　校合においては，地図情報システムで登記官の権限の確認を行った上で，作業結果を表示させ確認し，登記年月日を登録する。
　(2)　図面
　　　ア　電子地図の校合により，二の(3)において仮登録を行った土地所在図等を登録図面として確定する。
　　　イ　申請又は申出の添付情報として書面で提出された土地所在図等については，当該図面上の適宜の箇所に地図情報システムに入力済みである旨を明示した上で，申請情報又は申出情報と共に申請書類つづり込み帳又は職権表示登記等書類つづり込み帳につづり込む。

第3　地役権の登記の事務の処理

　承役地についてする地役権の設定の登記又は地役権の変更の登記若しくは更正の登記の申請において，申請の添付情報として地役権図面が提供されたときは，当該地役権図面を地図情報システムに登録する。この場合において，既に地図情報システムに登録された地役権図面であって閉鎖するものがあるときは，併せて閉鎖の処理を行うものとする。

登記官は，登記情報システムにおいて校合をするときは，地役権図面の整理につき確認した後に行うものとする。

第4 新たな電子地図の備付け等

地図情報システムによる取扱いを開始した後，新たな電子地図を備え付け，従前の電子地図を閉鎖する場合には，地図情報システムにおいて電子地図の差替えの処理を行う。

第5 証明書等
一 電子地図の証明書の交付等
 (1) 証明書の作成及び交付
　　地図情報システムに登録された電子地図（閉鎖されたものを含む。以下同じ。）の内容を証明した書面（以下「電子地図の証明書」という。）の交付の請求（法第120条第1項括弧書）があった場合には，地図情報システムを用いて電子地図の証明書を作成し，これを交付する。
 (2) 電子地図の閲覧
　　地図情報システムに登録された電子地図の閲覧の請求（法第120条第2項括弧書）があった場合には，請求された地番に係る電子地図の内容を閲覧用に出力した書面（閲覧用地図）によって行う。
二 土地所在図等の証明書の交付等
　地図情報システムに登録された土地所在図等の内容を証明した書面（以下「図面の証明書」という。）の交付の請求（法第121条第1項括弧書）があった場合には，地図情報システムを用いて図面の証明書を作成し，これを交付する。
　地図情報システムに登録された土地所在図等の閲覧の請求（法第121条第2項括弧書）があった場合には，土地所在図等の内容を出力した書面（閲覧用図面）によって行う。
　なお，地図情報システムに登録されていない土地所在図等の証明書の交付又は閲覧の取扱いについては，従来どおりとする。

◪東日本大震災に伴う地殻変動により停止されていた基準点測量成果の再測量後の成果が公表されたことに伴う地積測量図の作成等における留意点について（通知）

平成23・11・17民二第2775号依命通知

　国土交通省国土地理院（以下「地理院」という。）は，本年3月11日に発生した標記震災の影響に伴い，東北地方及びその周辺で地殻変動が大きかった東日本の各地の基準点測量成果（電子基準点，三角点，水準点）の公表を停止していましたが，当該基準点の再測量が完了したとして，本年10月31日，その成果を公表しました（電子基準点の成果については，本年5月31日から公表）。

　その成果の公表に伴い，分筆の登記等に伴って登記所に提出される地積測量図の作成等に係る留意点を下記のとおりとしますので，この旨，貴管下登記官に周知願います。

記

1　基準点測量成果の公表が停止されていたが，再測量の成果の公表がされた地域
　　東京都，神奈川県，埼玉県，千葉県，茨城県，栃木県，群馬県，山梨県，長野県，新潟県，岐阜県，福井県，石川県，富山県，宮城県，福島県，山形県，岩手県，秋田県及び青森県

2　基準点の再測量の成果の公表がされた地域において提出される地積測量図の取扱い
(1)　本年10月31日より後の測量に基づき作成された地積測量図
　　近傍に基本三角点等があり，当該基本三角点等が再測量又は地理院の示す方式による座標変換（以下「パラメータ変換」という。）がされたものである場合は，原則として，その基本三角点等を基に筆界点の測量をしなければならない。
　　したがって，近傍の基本三角点等が再測量又はパラメータ変換がされていれば，地積測量図に，当該基本三角点等の座標値が，再測量又はパラメータ変換がされたものであることの記録（使用する基本三角点等の点名の横に記載）を求めるものとする。
　　また，近傍の基本三角点等が再測量又はパラメータ変換がされていない場合であっても，原則として当該基本三角点等を基に測量を行い，当該基本三角点等の情報を地積測量図に記録し，点名の横に再測量又はパラメータが変換されていない旨を併せて記録することを求めることとする。この場合の筆界点座標値は，任意座標として取り扱うものとする。

(2)　本年3月11日から10月31日までの間の測量に基づき作成された地積測量図
　　再測量又はパラメータ変換がされていない近傍の基本三角点等を基に測量されたものについては，原則として，本年10月31日に公表された基準点の再測量の成果を基に当該基本三角点等の座標値を改算し，筆界点座標値も修正し，さらに当該基本三角点等の点名の横に再測量又はパラメータを変換した旨を地積測量図に記録することを求めることとする。

(3)　本年3月11日より前の測量に基づき作成された地積測量図
　　基準点測量成果の公表が停止されてから約8か月を経過したことから，本年3月11日より前に測量した成果に基づいて作成された地積測量図が今後提出されることは少ないものと見込まれるが，このような地積測量図については，本年3月18日付け法務省民二第695号法務省民事局民事第二課長通知の3のとおり，震災後に相対的な位置関

係に異動が生じていないか点検がされた結果が,不動産登記規則(平成17年法務省令第18号)第93条ただし書に規定する土地家屋調査士又は土地家屋調査士法人が作成した不動産に係る調査に関する報告(これと同等の官公署等が作成する調査報告を含む。)に記録されていることを確認し,調査を行うものとする。点検がされていない場合は,点検を求めるものとする。

また,道路関係事業等の公共事業に関する測量について,本年3月11日より前の測量成果に基づいて作成された地積測量図の取扱いは,嘱託をした国又は地方公共団体等と別途協議するものとする。

(4) その他

今後,基本三角点等は,その管理者により,順次,再測量又はパラメータ変換がされていくこととなると思われるが,予算等の関係から,作業が遅れるおそれがある。

基本三角点等について,その管理者が再測量又はパラメータ変換を行っていない場合に,申請代理人である土地家屋調査士が自らパラメータ変換を行い,それを地積測量図に記録したときは,管理者がパラメータ変換を行ったものに準じた取扱いとすることとし,地積測量図の基本三角点等の点名の横にその旨の記録を求めるものとする。

なお,基本三角点等について,移動量が少なく,本年3月11日以降も引き続き測量成果の公表がされているものについては,従前どおりの取扱いとし,本通知を考慮する必要はない。

3 地図情報システムへの筆界点座標値の入力

地積測量図に記録された筆界点座標値が任意座標として取り扱われる場合を除き,再測量又はパラメータ変換された基本三角点等に基づき測量された筆界点座標値は,公共座標と同程度の精度があるものであるが,地図情報システムに登録されている登記所備付地図の筆界点座標値がパラメータ変換されていないため,誤差が大きく,座標値入力による分筆の処理が困難となることが想定される。このような場合には,現在のところ,他に採るべき対応策がないため,辺長入力等により,処理を行うものとする。

なお,地図情報システムにおける地図の筆界点座標値のパラメータ変換に係る機能は,本年度末を目途に開発される予定である。その後,各登記所の端末において,地図の筆界点座標値のパラメータ変換が可能となるが,詳細については,追って連絡するものとする。

平成23・3・18民二第695号依命通知(抄)

2 基準点測量成果の公表が停止された地域において提出される地積測量図の取扱い

基準点測量成果の公表が停止された地域において提出される地積測量図に記録された筆界点の座標値は,「近傍に基本三角点等が存しない場合その他の基本三角点等に基づく測量ができない特別の事情がある場合」(不動産登記規則(平成17年法務省令第18号。以下「規則」という。)第77条第2項)に該当するものとして,近傍の恒久的地物に基づく測量の成果として取り扱うものとする。

したがって,地積測量図に記録された筆界点の座標値が既設の基本三角点等に基づいて実施された場合であっても,同座標値は,任意座標値として取り扱われることになる。

ただし,地積測量図に記録された筆界点の座標値が既設の基本三角点等に基づいて測量された成果であるときは,申請人又はその代理人に対し,その旨を地積測量

図に記録することを求めるものとする。
3　地震前の測量成果による筆界点の座標値の取扱い
　提出された地積測量図に記録された筆界点の座標値が地震前の測量成果に基づくものである場合には，地震後に，その成果について，点検が行われ，その点検結果において相対的位置に変動がない（公差の範囲内）と確認されたときは，その旨が，規則第93条ただし書に規定する土地家屋調査士又は土地家屋調査士法人が作成した不動産に係る調査に関する報告（これと同等の官公署等が作成する調査報告を含む。）に記録されていることが必要である。

国土交通省の事業における用地実測図の登記所備付地図としての備付けについて

平成24・4・4民二第904号民事第二課長通知

(通知)（中略）国土交通省の実施する事業において，事業の用地を取得するために実施する測量の成果については，国土調査法所定の手続に従って審査をし，同法第19条第5項の規定に基づき国土調査の成果と同等以上の精度又は正確さを有することが認証された図面（以下「用地実測図」といいます。）を登記所に送付し，特別な事情のある場合を除き，これを不動産登記法（平成16年法律第123号）第14条第1項に規定する地図として備え付けることとし，地図整備の一層の促進を図ることとしました。
　つきましては，下記のとおり取り扱われたく，貴管下登記官に周知方お取り計らい願います。

記

1　対象となる用地実測図
　平成24年度以降に作成される用地実測図とする。
　なお，国土交通省が用地実測図を送付するのは，登記所備付地図が備え付けられていない地区（地図に準ずる図面が備え付けられているかどうかを問わない。）となる。
2　作業の流れ
　(1)　管轄登記所への事前相談
　　用地実測図作成に係る事業が開始される前に，各地方整備局の担当者が管轄登記所に情報を提供するので，当該登記所において，当該地方整備局との間で打合せを行う。
　(2)　管轄登記所における登記情報及び地図情報の収集
　　用地実測図作成に係る事業に必要な土地について，各地方整備局の担当者が登記事項要約書，地図証明書等の請求を行う。
　(3)　地方整備局における事業用地の調査及び測量
　　各地方整備局において，国土交通省の定める手順に従い，事業用地の調査及び測量を行う。
　(4)　国土調査法に基づく手続
　　各地方整備局は，国土調査法第19条第5項の規定に基づき，事業用地の調査及び測量の成果について，認証の申請を行う。認証がされた場合には，当該図面は，管轄登記所に送付される。
　　なお，送付される図面は，紙及び電子データ（SIMA形式）である。

(5) 送付を受けた場合の登記所における処理

　　登記所は，国土調査法第19条第5項の規定に基づく認証を受けた用地実測図の送付を受けた場合には，紙の図面によって異動データの有無等を確認した上，電子データを地図情報システムに登録可能なデータに変換（地籍図と同様に，業者に委託して変換する。）し，地図情報システムに登録する。

▲地方自治体等が実施する事業における用地実測図等の登記所備付地図としての備え付けについて

平成25・3・13民二第220号民事第二課長通知

　国土交通省が実施する用地測量の成果として登記所に送付される用地実測図の取扱いについては，「国土交通省の事業における用地実測図の登記所備付地図としての備付けについて」（平成24年4月4日付け法務省民二第904号法務省民事局民事第二課長通知。以下「平成24年通知」という。）によりお知らせしているところですが，今般，地方自治体等の事業における用地実測図等であって，国土調査法（昭和26年法律第180号）第19条第5項の指定を受けたものについても，同法第20条第1項の規定による登記所への送付の対象とすることとし，下記のとおり取扱われたく，貴管下登記官への周知方お取り計らい願います。

記

1　国土調査法第20条第1項に基づく登記所への送付の対象となる用地実測図等

　　平成25年度以降に作成される用地実測図等について，国土調査法第19条第5項の規定に基づく指定がされた場合には，同法第20条第1項の規定に基づき，指定申請調査簿及び用地実測図等の写しが管轄登記所に送付される。

　　なお，送付される図面は，書面により作成されたもののほか，電磁的記録に記録されたもの（地籍フォーマット2000形式又はSiMA形式）も，送付される。

2　作業の流れ

　　平成24年通知の記2の取扱い中，「地方整備局」とあるのは，「地方自治体等」と読み替えるほか，当該取扱いに準じて取り扱うものとする。

■民間事業者等が実施する事業により作成された実測図等の登記所備付け地図としての備付について

平成26・3・12民二第195号民事第二課長通知

　今般，民間事業者等の事業において作成された測量成果であって，国土調査法第19条第5項の指定を受け，同法第20条第1項の規定による登記所への送付されるもの（以下「実測図」という。）の取扱いについて，下記のとおり取り扱われたく，貴管下登記官への周知方お取り計らい願います。

記

1　対象となる実測図等
　　平成26年以降に作成される実測図等とする。
　　なお，国土交通省が実測図等を送付するのは，登記所備付地図が備付けられていない地区（地図に準ずる図面が備付けられているかどうかを問わない。）となる。
2　作業の流れ
　　平成24年通知（編注，平成24年4月4日民二第904号民事第二課長通知）及び平成25年通知（編注，平成25年3月13日民二第220号民事第二課長通知）における作業の流れと異なり，実測図等は，当該事業に関する土地の分筆等の登記がされた後に送付されることとなるところ，その具体的な作業の流れは，次のとおりとなる。
(1)　管轄登記所への事前相談
　　実測図等の作成に係る事業が開始される前に，民間事業者等の担当者から管轄登記所に対し，実測図等の作成に関する情報が提供されるので，登記所の職員は，当該実測図等を登記所に備え付けるための事前相談を受ける。
(2)　登記の申請
　　当該事業に関する土地の分筆等の登記の申請を受け，当該申請が適法であれば，登記官は，当該登記を完了する。
(3)　国土調査法に基づく手続
　　民間事業者等は，国土調査法第19条第5項の規定に基づき，当該事業の調査及び測量の成果について，認証の申請を行う，認証がされた場合には，同法第20条第1項の規定に基づき，国土交通省から，実測図等の写しのほか，不動産登記の全部事項証明書（国土調査法第19条第5項の指定の申請に当たって，全部事項証明書の添付がない場合には登記完了証の写し）及び地積測量図の写しが管轄登記所に送付される。
　　なお，国土交通省から管轄登記所に送付される図面は書面で調整されたものであり，電子データ（地図XML形式，地籍フォーマット2000形式又はSIMA形式）について，民間事業者等から直接提供されることとなる。
(4)　送付を受けた後の登記所における処理
　　登記所は，実測図等の送付を受けたときは，当該実測図等と登記簿及び地図に準ずる図面との対査によって移動データの有無等を含めた検証を行い，当該電子データを地図情報システムに登録した上で，当該対象地域の既存の地図に準ずる図面を閉鎖処理する。

◢都市部官民境界基本調査による基準点の測量成果の活用について

平成25・1・31民二第59号民事第二課長通知

（通知）都市部における地籍整備の促進を図るために実施される都市部官民境界基本調査作業規程準則（平成2年総理府令第42号）第1条に規定する都市部官民境界基本調査（以下「本調査」という。）による基準点の測量成果の活用について，国土交通省土地・建設産業局地籍整備課長から，別添1のとおり依頼がありました。

そこで，本調査による基準点の測量成果の取扱いについては，下記のとおりとすることとしましたので，貴管下登記官にその旨を周知するとともに，同成果の活用について配意願います。

記

1　基準点の整備

　本調査は，国土調査法（昭和26年法律第180号）第2条第2項の規定による地籍調査の基礎とするために行う調査及び測量であり，その際に，次に掲げる分類のとおり，基準点が設置される。

　なお，本調査による基準点の維持及び管理については，地方自治体が行うこととされており，当該基準点に係る網図，成果表及び点の記については，当該地方自治体において公開されることになる。

(1)　都市部官民境界基本調査三角点

　　2級相当公共基準点（約500メートルおきに設置）

(2)　都市部官民境界基本調査多角点

　　3級相当公共基準点（約50メートルおきに設置）

(3)　都市部官民境界基本調査細部点

　　4級相当公共基準点（新点間の距離の制限はない）

2　基準点の測量成果の活用

(1)　基準点の測量成果の登記所への送付

　　登記所において本調査による基準点の測量成果を公開するための資料として，国土交通省土地・建設産業局地籍整備課から，当課に対し，当該基準点に係る網図，成果表，点の記及び本調査を実施した範囲を示した図面が送付されるので，当課において，これらの資料が送付された後，速やかに，法務局又は地方法務局を経由して，当該資料を各登記所に送付する。

　　なお，本調査による基準点の測量成果は，電磁的記録（PDFファイル）に記録されたもののほか，当該電磁的記録の内容を書面に印刷したものも送付する。

(2)　基準点の測量成果の公開

　　本調査による基準点の測量成果が送付された登記所は，事務室内の適宜の場所に書面に印刷された当該基準点の測量成果を備え付け，一般に公開するものとする。

　　なお，本調査による基準点の測量成果の取扱いについては，上記によるもののほか，「都市再生街区基本調査による街区基準点の活用について」（平成18年8月15日付け法務省民二第1794号当職通知）の記の2と同様に取り扱うこととする。

◼東北地方太平洋沖地震の被災沿岸地域における浸水部分に係る分筆の登記の嘱託の取扱いについて

平成25・2・19民二第97号民事第二課長通知

（**通知**）標記について，別紙甲号のとおり盛岡地方法務局長から当職宛て照会があり，別紙乙号のとおり回答しましたので，この旨貴管下登記官への周知方お取り計らい願います。

（**別紙甲号**）東北地方太平洋沖地震に伴い土地が浸水したことにより広範囲において境界標等の筆界を表示する工作物等が喪失している場合には，東日本大震災に伴い公表された座標値補正パラメータによる筆界点等の座標値補正を行った不動産登記法（平成16年法律第123号）第14条第1項に規定する地図（以下「地図」という。）が有する現地復元能力により，筆界の復元を図ることが期待されますが，当該地震に伴い，土地に不規則な移動が生じているときには，これを考慮する必要があることから，被災沿岸地域における浸水部分に係る分筆の登記の嘱託については，下記のとおり取り扱うこととして差し支えないと考えますが，いささか疑義がありますので，照会します。

記

1　分筆の登記の前提となる地図の修正
　(1)　被災沿岸地域の水際部分において確認することができる任意の街区点等について，登記官が検査測量を行った上，非浸水部分を対象とする街区単位修正作業及び土地の境界復元作業の必要性を検討することとする。
　　　なお，被災沿岸地域の浸水部分に隣接する非浸水部分において，街区点等を確認することができない場合には，街区単位修正等の作業をすることは要しないこととする。
　(2)　(1)により検討した結果，街区単位修正等の作業を実施する必要があると認められる場合には，当該作業を実施した上，被災沿岸地域の浸水部分と隣接する非浸水部分の街区の地図との間で不整合が生じないように，街区単位修正等の作業により浸水部分の地図の筆界点等の座標値を補正する。この場合には，当該隣接する非浸水部分の街区における補正量等に基づき，当該地図の筆界点等の座標値を補正する方法により行うこととする（具体的な手法は，個別具体的に判断することが必要となる。）。
　　　なお，登記記録上の地積と補正後の筆界点の座標値から算出される地積が，地積測定の公差の範囲内となるよう，当該地図の筆界点等の座標値を補正することとする。

2　実地調査の要否
　　用地実測の成果や用地計画図を地図に重ね合わせることによって作成された地積測量図が分筆の登記の嘱託情報と共に提供された場合には，当該地積測量図と当該地図との間に不整合が生じない限り，当該分筆の登記について実地調査をすることを要しないこととする。

（**別紙乙号**）本月5日付け不登第81号をもって照会のありました標記の取扱いについては，貴局意見のとおり取り扱って差し支えありません。

■不動産登記法等の一部を改正する法律の施行に伴う筆界特定手続に関する事務の取扱いについて（通達）（抄）

平成17・12・6民二第2760号民事局長通達

第1　筆界等
（筆界）
 1　筆界特定の手続における「筆界」とは，表題登記がある一筆の土地（以下単に「一筆の土地」という。）とこれに隣接する他の土地（表題登記がない土地を含む。）との間において，当該一筆の土地が登記された時にその境を構成するものとされた二以上の点及びこれらを結ぶ直線をいう（法第123条第1号）。「当該一筆の土地が登記された時」とは，分筆又は合筆の登記がされた土地については，最後の分筆又は合筆の登記がされた時をいい，分筆又は合筆の登記がされていない土地については，当該土地が登記簿に最初に記録された時をいう。

（筆界特定）
 2　「筆界特定」とは，一の筆界の現地における位置を特定することをいい，その位置を特定することができないときは，その位置の範囲を特定することを含む（法第123条第2号）。

（対象土地）
 3　「対象土地」とは，筆界特定の対象となる筆界で相互に隣接する一筆の土地及び他の土地をいう（法第123条第3号）。「他の土地」には，表題登記がない土地を含む。筆界特定の申請があった場合において，筆界特定申請情報の内容及び地図又は地図に準ずる図面によれば申請に係る一筆の土地と他の土地とが相互に隣接しており，かつ，現地における土地の配列及び区画又は形状がおおむね地図又は地図に準ずる図面の表示と一致していると認められるときは，当該各土地を対象土地として取り扱って差し支えない。ただし，この場合においても，事実の調査の結果，当該各土地が相互に隣接する土地とは認められないときは，当該申請は，法第132条第1項第2号により却下する（15参照）。

（関係土地）
 4　「関係土地」とは，対象土地以外の土地（表題登記がない土地を含む。）であって，筆界特定の対象となる筆界上の点を含む他の筆界で対象土地の一方又は双方と接するものをいう（法第123条第4号）。筆界特定の申請があった場合において，筆界特定申請情報の内容及び地図又は地図に準ずる図面によれば筆界特定の対象となる筆界上の点を含む他の筆界で対象土地と接しており，かつ，現地における土地の配列及び区画又は形状がおおむね地図又は地図に準ずる図面の表示と一致していると認められる土地は，関係土地として取り扱って差し支えない。

（所有権登記名義人等）
 5　「所有権登記名義人等」とは，所有権の登記がある一筆の土地にあっては所有権の登記名義人又はその相続人その他の一般承継人を，所有権の登記がない一筆の土地にあっては表題部所有者又はその相続人その他の一般承継人，表題登記のない土地にあっては所有者をそれぞれいう（法第123条第5号）。所有権に関する仮登記の登記名義人は，所有権登記名義人等には含まれない。

(関係人)
6 「関係人」とは，対象土地の所有権登記名義人等であって筆界特定の申請人以外のもの及び関係土地の所有権登記名義人等をいう（法第133条第1項）。

第3 筆界特定の申請手続
(A) 申請権者
(申請権者)
14 筆界特定の申請をすることができる者は，土地の所有権登記名義人等である（法第131条第1項）。その他，一筆の土地の一部の所有権を取得した者も，当該土地を対象土地の一つとする筆界特定の申請をすることができる（規則第207条第2項第4号参照）。一筆の土地の一部の所有権を取得した原因は問わない。例えば，一筆の土地の一部を時効取得した者，一筆の土地の一部の所有権を売買その他の原因により承継取得した者のいずれも一筆の土地の一部の所有権を取得した者として申請をすることができる。また，申請人が所有権を取得した土地の部分が筆界特定の対象となる筆界に接していることを要しない。

申請の権限を有しない者がした申請は，法第132条第1項第2号により却下する。

15 所有権登記名義人等の申請の権限は，自己が所有権登記名義人等である土地（一筆の土地の一部の所有権を取得した者については，当該一筆の土地）とこれに隣接する他の土地との間の筆界について認められる（法第123条第2号参照）。したがって，申請に係る2つの土地が現地において相互に隣接していると認められない申請は，法第132条第1項第2号により却下する。

16 一筆の土地の所有権の登記名義人若しくは表題部所有者が2人以上あるとき又は表題登記がない土地が共有であるときは，当該各所有権の登記名義人若しくは表題部所有者又は共有者の1人は，単独で筆界特定の申請をすることができる。この場合には，当該一筆の土地又は当該表題登記がない土地の申請人以外の所有権の登記名義人，表題部所有者又は共有者は，関係人となる（法第133条第1項参照）。

(B) 筆界特定申請情報及び筆界特定添付情報
(筆界特定申請情報等)
17 「筆界特定申請情報」とは，法第131条第3項第1号から第4号まで及び規則第207条第2項各号に掲げる事項並びに同条第3項各号に掲げる事項に係る情報（法第131条第5項において準用する法第18条）をいい，「筆界特定申請書」とは，筆界特定申請情報を記載した書面（法第131条第5項において準用する法第18条第2号の磁気ディスクを含む。）をいう（規則第206条第3号）。筆界特定申請情報のうち，法第131条第3項第1号から第4号まで及び規則第207条第2項各号に掲げる事項に係る情報が明らかにされていない申請は，法第132条第1項第3号により却下する。

これに対し，規則第207条第3項各号に掲げる事項に係る情報については，これが筆界特定申請情報の内容として提供されていないときでも，そのことのみをもって申請を却下することはできない。

(筆界特定添付情報等)
18 「筆界特定添付情報」とは，規則第209条第1項各号に掲げる情報をいい（規則第206条第4号），「筆界特定添付書面」とは，筆界特定添付情報を記載した書面（筆界特定添付情報を記録した磁気ディスクを含む。）をいう（同条第5号）。筆界特定添付情報

の提供がない申請は，申請人の申請の権限を確認することができないので，法第132条第1項第2号により却下する。

(申請の趣旨)
19　法第131条第3項第1号の「申請の趣旨」とは，筆界特定登記官に対し対象土地の筆界の特定を求める旨の申請人の明確な意思の表示をいう。したがって，申請の趣旨が，筆界以外の占有界や所有権界の特定を求めるものや，筆界を新たに形成することを求めるものは，適法なものとはいえない。申請の趣旨が明らかでない申請又は不適法な申請の趣旨を内容とする申請は，法第132条第1項第3号又は第5号により却下する。

20　申請人の意思は，申請の趣旨の記載のみから判断すべきものではなく，筆界特定以外の事項を目的とするものと解される申請は，法第132条第1項第5号により却下する。例えば，筆界特定申請情報として提供された申請の趣旨において，形式上，筆界の特定を求めているとしても，筆界特定を必要とする理由（30参照）によれば，筆界とは無関係に所有権界の特定を求めていると判断するほかない場合には，筆界特定以外の事項を目的とするものと認めるべきである。申請が筆界特定以外の事項を目的とするものと疑われるときは，申請人に対し，適宜の方法でその真意を確認するものとする。

(筆界特定の申請人の氏名等)
21　法第131条第3項第2号の「筆界特定の申請人の氏名又は名称及び住所」とは，申請人の現在の氏名又は名称及び住所をいう。

　　申請人が所有権の登記名義人又は表題部所有者である場合において，筆界特定申請情報中の申請人の氏名若しくは名称又は住所が登記記録と合致しないときは，筆界特定添付情報として，所有権の登記名義人又は表題部所有者の氏名若しくは名称又は住所についての変更又は錯誤若しくは遺漏があったことを証する市町村長，登記官その他の公務員が職務上作成した情報（公務員が職務上作成した情報がない場合にあっては，これに代わるべき情報）が提供されることを要する（規則第209条第1項第6号）。

　　氏名若しくは名称又は住所についての変更又は錯誤若しくは遺漏があったことを証する情報の意義は，令別表の1の項又は23の項の各添付情報欄に掲げるものと同様であり，例えば，戸籍の附票，住民票等がこれに該当する。

(申請人が表題登記がない土地の所有者である場合)
22　申請人が表題登記がない土地の所有者であるときは，筆界特定添付情報として，当該申請人が当該土地の所有権を有することを証する情報が提供されることを要する（規則第209条第1項第4号）。

　　この場合における所有権を有することを証する情報の意義は，令別表の4の項添付情報欄ハに掲げるものと同様である。

　　また，国又は地方公共団体の所有する土地について，官庁又は公署が筆界特定の申請人となる場合には，所有権を有することを証する情報の提供を便宜省略して差し支えない。

(申請人が所有権の登記名義人等の一般承継人である場合)
23　申請人が所有権の登記名義人又は表題部所有者の相続人その他の一般承継人であるときは，その旨並びに所有権の登記名義人又は表題部所有者の氏名又は名称及び住所が筆界特定申請情報の内容として提供されることを要する（規則第207条第2項第3

号)。この場合には，筆界特定添付情報として，相続その他の一般承継があったことを証する市町村長，登記官その他の公務員が職務上作成した情報（公務員が職務上作成した情報がない場合にあっては，これに代わるべき情報）が提供されることを要する（規則第209条第1項第3号）。

この情報の意義は，令第7条第1項第5号イに掲げる情報と同様である。

また，この場合において，筆界特定申請情報中の所有権の登記名義人又は表題部所有者の氏名若しくは名称又は住所が登記記録と合致しないときは，当該所有権の登記名義人又は表題部所有者の氏名若しくは名称又は住所についての変更又は錯誤若しくは遺漏があったことを証する市町村長，登記官その他の公務員が職務上作成した情報（公務員が職務上作成した情報がない場合にあっては，これに代わるべき情報）が提供されることを要する（規則第209条第1項第6号）。

(申請人が一筆の土地の一部の所有権を取得した者である場合)

24 申請人が一筆の土地の一部の所有権を取得した者であるときは，その旨が筆界特定申請情報の内容として提供されることを要する（規則第207条第2項第4号）。この場合には，筆界特定添付情報として，当該申請人が当該一筆の土地の一部について所有権を取得したことを証する情報が提供されることを要する（規則第209条第1項第5号）。

一筆の土地の一部の所有権を取得したことを証する情報といえるためには，申請人の自己証明では足りず，例えば，確定判決の判決書の正本若しくは謄本その他の公文書によることを要し，又は，当該一筆の土地の所有権の登記名義人が作成した当該申請人が当該一筆の土地の一部の所有権を取得したことを認めることを内容とする情報であって，当該所有権の登記名義人の印鑑証明書が添付されたものであることを要する。また，一筆の土地の一部の所有権を取得したことを証する情報において申請人が所有権を取得した土地の部分が具体的に明示されていることを要する。

(申請人が法人である場合)

25 申請人が法人であるときは，その代表者の氏名が筆界特定申請情報の内容として提供されることを要する（規則第207条第2項第1号）。この場合には，筆界特定添付情報として，当該法人の代表者の資格を証する情報が提供されることを要するが，筆界特定の申請を受ける法務局又は地方法務局が当該法人の登記を受けた登記所であり，かつ，特定登記所（規則第36条第1項及び第2項の規定により法務大臣が指定した登記所をいう。以下同じ。）に該当しない場合及び支配人その他の法令の規定により筆界特定の申請をすることができる法人の代理人が，当該法人を代理して筆界特定の申請をする場合には，当該情報の提供を要しない（規則第209条第1項第2号）。

筆界特定書面申請（44参照）において筆界特定添付書面として提出される同号に掲げる情報を記載した書面のうち，市町村長，登記官その他の公務員が職務上作成したものは，官庁又は公署が筆界特定の申請をする場合を除き，作成後3か月以内のものでなければならない（規則第211条第2項）。

(代理人によって筆界特定の申請をする場合)

26 代理人によって筆界特定の申請をするときは，当該代理人の氏名又は名称及び住所並びに代理人が法人であるときはその代表者の氏名が筆界特定申請情報の内容として提供されることを要する（規則第207条第2項第2号）。この場合には，筆界特定添付情報として，当該代理人の権限を証する情報が提供されることを要するが，当該代理

人が支配人その他の法令の規定により筆界特定の申請をすることができる法人の代理人であるときは，当該情報の提供を要しない（規則第209条第1項第2号）。

筆界特定書面申請において筆界特定添付書面として提出される同号に掲げる情報を記載した書面のうち，市町村長，登記官その他の公務員が職務上作成したものは，官庁又は公署が筆界特定の申請をする場合を除き，作成後3か月以内のものでなければならない（規則第211条第2項）。

(資格者代理人)

27　業として筆界特定の手続についての代理をすることができる者は，弁護士，土地家屋調査士又は簡裁訴訟代理等関係業務をすることにつき認定を受けた司法書士（司法書士法（昭和25年法律第197号）第3条第2項参照。以下「認定司法書士」という。）である。認定司法書士が代理することができる筆界特定の手続は，同条第1項第8号の規定により，対象土地の価額の合計額の2分の1に司法書士法施行規則（昭和53年法務省令第55号）第1条の2第2項の割合（100分の5）を乗じて得た額が，裁判所法（昭和22年法律第59号）第33条第1項第1号に定める額（140万円）を超えない筆界特定の手続に限られる。

(代理人選任の届出)

28　筆界特定の申請がされた後，申請人又は関係人が代理人を選任した場合（当該代理人が支配人その他の法令の規定により筆界特定の手続において行為をすることができる法人の代理人であるときを除く。）における当該代理人の権限は，委任状その他の代理権限証明情報が記載された書面の提出により確認するものとする（規則第243条第3項）。

また，関係人が法人である場合において，当該関係人が筆界特定の手続において意見の提出その他の行為をするときは，当該法人の代表者の資格を証する情報が提供されることを要する（同条第1項）。ただし，支配人その他の法令の規定により筆界特定の手続において行為をすることができる法人の代理人が当該法人を代理して筆界特定の手続において行為をする場合は，この限りでない。

(対象土地の不動産所在事項等)

29　対象土地の不動産番号が筆界特定申請情報の内容として提供されているときは，対象土地に係る法第34条第1項第1号及び第2号に掲げる事項（法第131条第3項第3号）が明らかにされているものと取り扱って差し支えない。

表題登記がない土地については，筆界特定申請情報の内容として地番の提供は不要であるが，当該土地を特定するに足りる事項が筆界特定申請情報の内容として提供されることを要する（規則第207条第2項第6号）。表題登記がない土地を特定するに足りる事項は，例えば，「何番地先」等といった土地の表示のほか，図面を利用する等の方法により具体的に明示された現地の状況により確認することとなる（同条第4項）。

対象土地の所在が明らかにされていない申請は，法第132条第1項第3号により却下する。

なお，関係土地に係る不動産所在事項又は不動産番号については，規則第207条第3項第2号の規定により筆界特定申請情報の内容となる。

(対象土地について筆界特定を必要とする理由)

30　法第131条第3項第4号の「対象土地について筆界特定を必要とする理由」とは，

筆界特定の申請に至る経緯その他の具体的な事情をいう(規則第207条第1項)。例えば,工作物等の設置の際,隣接地所有者と筆界の位置につき意見の対立が生じたことや,隣接地所有者による筆界の確認や立会いへの協力が得られないこと等の具体的な事情がこれに該当する。筆界特定を必要とする理由が明らかでない申請は,法第132条第1項第3号により却下する。

(工作物,囲障又は境界標の有無その他の対象土地の状況)
31　規則第207条第2項第7号の規定により筆界特定申請情報の内容となる工作物,囲障又は境界標の有無その他の対象土地の状況は,図面を利用する等の方法により具体的に明示された現地の状況により確認することとなる(同条第4項)。対象土地の状況が明示されていない申請は,法第132条第1項第3号により却下する。

なお,関係土地に係る工作物,囲障又は境界標の有無その他の状況は,規則第207条第3項第4号の規定により筆界特定申請情報の内容となる。

(申請人等の主張)
32　規則第207条第3項第5号及び第6号の規定により筆界特定申請情報の内容となる申請人又は対象土地の所有権登記名義人等であって申請人以外のものが対象土地の筆界として主張する特定の線は,図面を利用する等の方法により具体的に明示されることになる(同条第4項)。ただし,これらの線が筆界特定申請情報の内容として提供されていない場合でも,申請を却下することはできない。

(筆界確定訴訟に関する情報)
33　規則第207条第3項第7号の「事件を特定するに足りる事項」とは,筆界確定訴訟の係属裁判所,事件番号,当事者の表示等をいう。なお,申請に係る筆界について既に筆界確定訴訟の判決が確定しているときは,その申請を法第132条第1項第6号により却下する。

申請に係る筆界について既に筆界確定訴訟の判決が確定したことがないことについては,筆界特定の手続において,申請人及び関係人に対し,適宜の方法で確認するものとし,いずれの者からもその旨の情報提供がなく,確定判決の存在が明らかでないときは,申請に係る筆界について筆界確定訴訟の確定判決がないものとして,手続を進めて差し支えない。

(筆界特定添付情報の表示)
34　規則第207条第3項第8号の「筆界特定添付情報の表示」については,例えば,資格証明書,代理権限証書等筆界特定添付情報として筆界特定申請情報と併せて提供される情報の標題が示されていれば足りる。

(筆界特定の申請と同時に提出する意見又は資料の表示)
35　申請人が筆界特定の申請と同時に法第139条第1項の規定により意見又は資料を提出する場合において,筆界特定申請情報と併せて規則第218条第1項各号及び第2項各号に掲げる事項を明らかにした情報が書面又は電磁的記録により提供されているときは,規則第207条第3項第9号の意見又は資料の表示がされているものと取り扱って差し支えない。

(現地の状況等を明示する図面等)
36　規則第207条第4項の図面とは,測量図に限られない。また,既存の図面類を利用して作成されたものであっても差し支えない。

(C)　筆界特定の申請の方法

（申請手数料の納付）
37　筆界特定の申請をするときは，手数料を納付しなければならない（法第131条第4項）。

　筆界特定電子申請（42参照）の手数料の納付方法は，登記手数料令（昭和24年政令第140号）第4条の3第1項（現行第8条第1項）の規定による手数料の額に相当する現金を筆界特定登記官から得た納付情報により国に納付する方法によるほか，当該手数料の額に相当する収入印紙を筆界特定登記官の定める書類にはり付けて提出する方法によることができる（筆界特定申請手数料規則（平成17年法務省令第105号）第2条第1項及び第3項）。

　筆界特定書面申請をするときは，当該手数料の額に相当する収入印紙を筆界特定申請書（以下「申請書」という。）にはり付けて提出する方法（筆界特定申請情報の全部を記録した磁気ディスクを提出する方法により筆界特定書面申請をするとき（46参照）は，当該手数料の額に相当する収入印紙を筆界特定登記官の定める書類にはり付けて提出する方法）のみが認められる（同条第1項本文及び第2項）。

　手数料の納付がない申請は，法第132条第1項第8号により却下する。

38　申請時に納付された手数料の額が納付すべき手数料の額に満たない場合には，申請人が不足額を追納しない意思を明らかにしているときを除き，手数料の納付がないことを理由として申請を却下することなく，納付すべき手数料の額を通知して補正の機会を与えるものとする。

　例えば，申請人が，申請時において，一方の対象土地の価額の2分の1に相当する額に100分の5を乗じた額を仮に納付したときは，筆界特定登記官において対象土地の価額を調査して算出した手数料額を通知し，後日不足額を追納させる方法によって差し支えない。

（過大納付の場合の申請手数料の還付）
39　申請手数料が過大に納付された場合には，過大に納付された手数料の額に相当する金額の金銭を還付することを要する。申請人が還付を請求する場合には，適宜の様式の還付請求書を提出させるものとする。一の手数料に係る筆界特定の申請人が2人以上ある場合には，当該各申請人は，過大に納付された額の全額につき還付請求をすることができる。

（対象土地の価額）
40　申請手数料の算定の基礎となる「対象土地の価額」とは，地方税法（昭和25年法律第226号）第341条第9号に掲げる固定資産課税台帳（以下「課税台帳」という。）に登録された価格のある土地については，筆界特定申請手数料規則第1条第1項に規定する方法により算定した価額をいう。課税台帳に登録された価格のない土地については，筆界特定の申請の日において当該土地に類似する土地で課税台帳に登録された価格のあるものの同項各号に掲げる当該申請の日の区分に応じ当該各号に掲げる金額を基礎として認定した価額による。

　また，この場合において，対象土地の一方が表題登記がない土地（課税台帳に登録された価格のある土地を除く。）であるときは，その面積は，便宜，他方の土地の面積と等しいものとして取り扱うものとする。ただし，当該表題登記がない土地につき，現地の使用状況又は自然の地形等により対象土地となるべき範囲を特定することができる場合には，当該範囲の面積を当該表題登記がない土地の面積として取り扱っ

ても差し支えない。
(一の申請情報による2以上の申請)
　41　筆界特定の申請は，特定の対象となる筆界ごとに一の筆界特定申請情報によってするのが原則であるが，対象土地の一を共通にする二以上の筆界特定の申請を一の筆界特定申請情報によってすることもできる（規則第208条）。この場合の申請手数料は，各筆界ごとに申請手数料を算出した合計額となる。また，同一の筆界に係る二以上の筆界特定の申請が一の手続においてされたときは，当該二以上の筆界特定の申請は，手数料の算出については，一の筆界特定の申請とみなされる（登記手数料令第8条第2項）ので，この場合には，一の筆界特定の申請の手数料額のみが納付されれば足りる。
(筆界特定電子申請)
　42　筆界特定電子申請とは，法第131条第5項において準用する法第18条第1号の規定による電子情報処理組織を使用する方法による筆界特定の申請をいう（規則第206条第1号）。筆界特定電子申請により筆界特定の申請をするときは，筆界特定申請情報及び筆界特定添付情報を併せて送信するのが原則であるが，筆界特定添付情報の送信に代えて，法務局又は地方法務局に筆界特定添付書面を提出することもできる（規則第210条第1項）。この場合には，筆界特定添付書面を法務局又は地方法務局に提出する旨を筆界特定申請情報の内容とすることを要する（同条第2項）。
　　なお，筆界特定電子申請は，改正法附則第2条の規定による指定がされた法務局又は地方法務局の筆界特定の手続について可能となる。したがって，指定がされるまでの間は，筆界特定書面申請のみが認められる（整備省令第5条第1項）。
　43　筆界特定電子申請の場合において必要な電子署名及び電子証明書については，不動産登記の電子申請と同様である（規則第210条第3項及び第4項，第211条第5項及び第6項）。
(筆界特定書面申請)
　44　「筆界特定書面申請」とは，法第131条第5項において準用する法第18条第2号の規定により申請書を法務局又は地方法務局に提出する方法による筆界特定の申請をいう（規則第206条第2号）。筆界特定書面申請をするときは，申請書に筆界特定添付書面を添付して提出することを要し（規則第211条第1項），この場合には，筆界特定添付書面を別送することは認められない。なお，筆界特定書面申請をする場合には，申請書及び筆界特定添付書面を送付する方法（書留郵便又は信書便事業者による信書便の役務であって当該信書便事業者において引受け及び配達の記録を行うものによる。）によることもできる（規則第212条）。
(記名)
　45　委任による代理人によって筆界特定の申請をする場合には，申請人又はその代表者は，委任状に記名しなければならない（同条第3項）。これらの場合においては，申請書又は委任状に申請人の印鑑証明書を添付する必要はない。
(磁気ディスク申請)
　46　法務大臣が告示により指定した法務局又は地方法務局においては，筆界特定申請情報の全部又は一部を記録した磁気ディスクを提出する方法による申請をすることができる（規則第211条第6項，第51条第1項及び第2項）。また，いずれの法務局又は地方法務局においても，筆界特定添付情報を記録した磁気ディスクを筆界特定添付書面

として提出することが可能である。これらの磁気ディスクが規則第211条第5項において準用する令第12条第1項及び第2項並びに令第14条、規則第211条第6項において準用する規則第51条及び第52条に規定する要件を満たしていないときは、筆界特定の申請は、法第132条第1項第4号により却下する。

(管轄登記所経由の筆界特定書面申請)
47 筆界特定書面申請は、対象土地の所在地を管轄する登記所（以下「管轄登記所」という。）を経由してすることができる（規則第211条第9項）。この場合における管轄登記所における事務は、後記第11のとおりである。

(筆界特定添付書面の原本還付)
48 申請人は、規則第213条第1項の規定により筆界特定添付書面（磁気ディスクを除く。）の原本の還付を請求することができる。同条第3項前段の調査完了後とは、筆界特定の申請の却下事由の有無を審査するために筆界特定添付書面の原本を留め置く必要がなくなった段階をいう。同項後段の原本還付の旨の記載は、準則第30条の例による。

(D) 申請人又は関係人の変動があった場合の措置
(申請人に一般承継があった場合)
49 筆界特定の申請がされた後、筆界特定の手続が終了する前に申請人が死亡したとき又は合併により消滅したときは、申請人の相続人その他の一般承継人が申請人の地位を承継したものとして、筆界特定の手続を進めて差し支えない。

(申請人に特定承継があった場合)
50 筆界特定の申請がされた後、筆界特定の手続が終了する前に申請人が対象土地の所有権登記名義人等でなくなった場合（49の一般承継の場合を除く。以下「特定承継があった場合」という。）には、当該申請は、法第132条第1項第2号により却下する。
　この場合において、申請人がその所有権登記名義人等である対象土地について新たに所有権登記名義人等となった者（当該申請人が所有権登記名義人であるときは当該申請人の登記された所有権の全部又は一部を登記記録上取得した者、当該申請人が表題部所有者であるときは当該表題部所有者又はその持分についての更正の登記により表題部所有者となった者、当該対象土地が表題登記がない土地であるときは当該申請人から所有権の全部又は一部を取得した者に限る。以下「特定承継人」という。）から、別記第6号様式による申出書（以下「地位承継申出書という。」）による申出があったときは、特定承継人が筆界特定の申請人の地位を承継するものとして、筆界特定の手続を進めて差し支えない。
　申請人の地位の承継があった場合において、既に当該承継に係る申請人に係る意見聴取等の期日が開かれていたときも、改めて意見聴取等の期日を開くことを要しない。

51 特定承継があった場合において、特定承継人から地位承継申出書による申出がないときは、当該特定承継人が申請人の地位を承継しない意思を明らかにしているときを除き、当該特定承継に係る申請を直ちに却下（50参照）することなく、相当期間を定めて地位承継申出書を提出する機会を与えるものとする。

(関係人の承継)
52 筆界特定の申請がされた後、筆界特定の手続が終了する前に新たに対象土地又は関係土地の所有権登記名義人等となった者（申請人の一般承継人及び申請人の特定承継人であって申請人の地位を承継したものを除く。）は、以後、関係人として取り扱う

ものとする。
(承継を証する情報)
53　対象土地又は関係土地について一般承継があった場合において，当該一般承継を原因とする所有権の移転の登記がされていないときは，相続人その他の一般承継人に対し，規則第209条第1項第3号に掲げる情報の提供を求め，一般承継があった事実を確認するものとする。また，表題登記がない対象土地又は関係土地について特定承継があった場合には，特定承継人に対し，同項第4号に掲げる情報の提供を求め，特定承継があった事実を確認するものとする。

第4　受付等
(A)　受付事務
(受付)
54　規則第214条第1項の規定による筆界特定の申請の受付は，筆界特定受付等記録簿に申請の受付の年月日，手続番号，対象土地の不動産所在事項及び不動産番号がある土地については不動産番号を記録することによって行う。規則第211条第7項（現行第9項）の規定により管轄登記所を経由して筆界特定書面申請がされた場合における申請の受付の年月日は，管轄登記所に申請書が提出された日とする。
(手続番号)
55　規則第214条第2項の手続番号は，一の筆界ごとに付すものとする。したがって，規則第208条の規定により一の筆界特定申請情報によって対象土地の一を共通にする二以上の筆界特定の申請がされたとき（41参照）は，当該申請に係る筆界特定の目的となっている筆界の数だけ手続番号を付することを要する。また，一の筆界について二以上の筆界特定の申請が時を異にしてされたときは，それぞれの申請に別の手続番号を付するものとする。
　　手続番号は，1年ごとに更新し，「平成○年第○○号」などと表示するものとする。
(申請書への記載)
56　筆界特定書面申請の受付においては，受付の手続をした申請書の1枚目の用紙の余白に，準則別記第46号様式の印版を押印の上，申請の受付の年月日及び手続番号を記載するものとする。
(収入印紙の消印)
57　筆界特定書面申請の申請書を受領したときは，直ちに，これにはり付けられた収入印紙を再使用を防止することができる消印器により消印するものとする。筆界特定電子申請において，収入印紙により手数料が納付された場合も同様とする。
(管轄登記所への通知等)
58　筆界特定の申請の受付をした場合には，管轄登記所に，当該対象土地について筆界特定の受付をした旨及び申請の内容並びに申請の受付の年月日及び手続番号を，別記第7号様式又はこれに準ずる様式の通知書により通知するものとする。
(B)　対象土地が二以上の法務局又は地方法務局の管轄区域にまたがる場合
(筆界特定の事務をつかさどる法務局又は地方法務局の指定)
59　対象土地が二以上の法務局又は地方法務局の管轄区域にまたがる場合には，不動産の管轄登記所等の指定に関する省令（昭和50年法務省令第68号。以下「管轄省令」という。）第3条の規定により，当該二以上の法務局又は地方法務局が同一の法務局管

内にあるときは当該法務局の長が，その他のときは法務大臣が，それぞれ当該対象土地に関する筆界特定の事務をつかさどる法務局又は地方法務局を指定することになる（法第124条第2項において準用する法第6条第2項，管轄省令第3条）。これらの場合においては，指定がされるまでの間，筆界特定の申請は，当該二以上の法務局又は地方法務局のうち，いずれか一方の法務局又は地方法務局にすることができる（法第124条第2項において準用する法第6条第3項）。

（指定の手続）

60　59により筆界特定の申請を受け付けた法務局又は地方法務局（以下「受付局」という。）は，対象土地を管轄する他の法務局又は地方法務局と協議の上，管轄省令第3条前段の場合にあっては別記第8号様式，同条後段の場合にあっては別記第9号様式による指定請求書により，それぞれ法務局の長又は法務大臣に請求するものとする。これらの場合において，法務局の長が同条前段の指定をするときは，別記第10号様式による指定書によるものとする。

（移送）

61　法第124条第2項において準用する法第6条第2項の規定により受付局と異なる法務局又は地方法務局が指定されたときは，受付局の筆界特定登記官は，当該指定がされた他の法務局又は地方法務局に当該申請に係る手続を移送するものとする。移送をしたときは，受付局の筆界特定登記官は，申請人に対し，その旨を通知するものとする（規則第215条において準用する規則第40条第1項及び第2項）。

62　規則第215条において準用する規則第40条第1項の規定による移送は，別記第11号様式による移送書により，配達証明付書留郵便又はこれに準ずる確実な方法によって行うものとする。移送をした法務局又は地方法務局の筆界特定登記官は，筆界特定受付等記録簿の終了原因欄に「年月日○○（地方）法務局に移送」と記録するものとする。移送を受けた法務局又は地方法務局の筆界特定登記官は，受付をし，筆界特定受付等記録簿の備考欄に「年月日○○（地方）法務局から移送」と記録するものとする。

（C）　却下事由の調査及び補正等

（却下事由の調査）

63　筆界特定申請の受付をしたときは，遅滞なく，法第132条第1項各号（第9号を除く。）に掲げる却下事由の有無を調査するものとする。

（既に筆界特定がされている場合）

64　法務局又は地方法務局の筆界特定受付等記録簿又は対象土地の登記記録等から，申請に係る筆界について，既に筆界特定がされていることが判明したときは，筆界特定の申請は，法第132条第1項第7号本文により却下する。なお，同号ただし書の「対象土地について更に筆界特定をする特段の必要があると認められる場合」とは，過去に行われた筆界特定について，例えば，以下に掲げる事由があることが明らかな場合をいう。また，既にされた筆界特定の結論が誤っていたことが明らかになった場合も，同号ただし書に該当する。

(1)　除斥事由がある筆界特定登記官又は筆界調査委員が筆界特定の手続に関与したこと。

(2)　申請人が申請の権限を有していなかったこと。

(3)　刑事上罰すべき他人の行為により意見の提出を妨げられたこと。

(4)　代理人が代理行為を行うのに必要な授権を欠いたこと。

(5) 筆界特定の資料となった文書その他の物件が偽造又は変造されたものであったこと。
　(6) 申請人，関係人又は参考人の虚偽の陳述が筆界特定の資料となったこと。
(補正)
　65　筆界特定の申請の不備が補正することができるものである場合において，補正を認める相当な期間（以下「補正期間」という。）を定めたときは，当該期間内は，当該補正すべき事項に係る不備を理由に当該申請を却下することはできない（規則第216条）。また，筆界特定申請情報の内容として，規則第207条第3項各号に掲げる事項に関する情報が提供されていないときは，これを理由に申請を却下することはできないが，適宜，申請人に対し，当該情報の提供についての協力を求め，事案の内容の把握に努めるものとする。
　66　補正期間を申請人に告知するときは，電話その他の適宜の方法により行うものとする。その他補正の方法については，準則第36条の例による。
(筆界特定の申請がされた旨の通知)
　67　筆界特定の申請に却下事由がないと認められるときは，筆界特定の申請がされた旨を公告し，かつ，その旨を関係人に通知しなければならない（法第133条第1項）。
　(D)　却下
(却下の手続)
　68　筆界特定の申請を却下するときは，決定書を作成し，申請人にこれを交付するものとする（規則第244条第1項）。交付は，決定書を送付する方法によってすることができる（同条第2項）。この場合において，申請人が2人以上あるときは，申請人ごとに決定書を交付するものとする。ただし，代理人又は申請人のために通知を受領する権限を有する者（139参照）があるときは，当該代理人又は申請人のために通知を受領する権限を有する者に交付すれば足りる。
(却下した旨の公告及び通知)
　69　法第133条第1項の規定による公告をした後に筆界特定の申請を却下したときはその旨の公告を，同項の規定による通知をした後に筆界特定の申請を却下したときは当該通知に係る関係人に対するその旨の通知を，それぞれすることを要する（規則第244条第4項及び第5項）。
(却下決定書)
　70　決定書は，申請人に交付するもののほか，筆界特定手続記録につづり込むものを1通作成するものとする。
　71　決定書は，別記第12号様式によるものとし，筆界特定手続記録につづり込む決定書の原本の欄外には決定告知の年月日を記載して登記官印を押印するものとする。決定書に記載すべき決定告知の年月日は，申請を却下した旨の公告をした日又は申請人に決定書を交付し，若しくは発送した日のうち最も早い日とする。
　72　規則第244条第2項の規定により送付した決定書が所在不明等を理由として返送されたときは，申請人の氏名又は名称及び決定書をいつでも申請人に交付する旨を法務局又は地方法務局の掲示場に2週間掲示するものとする。
　なお，返送された決定書は，筆界特定手続記録につづり込むものとする。
(筆界特定受付等記録簿への記録)
　73　筆界特定の申請の全部を却下するときは，当該申請に係る手続番号に対応する筆界

特定受付等記録簿の終了原因欄に「却下」と記録するものとする。規則第208条の規定により一の筆界特定申請情報によって対象土地の一を共通にする二以上の筆界特定の申請がされた場合（41参照）において，その一の申請を却下するときは，当該申請に係る手続番号に対応する筆界特定受付等記録簿の終了原因欄に「却下」と記録するものとする。

74　二以上の申請人が一の筆界について共同して申請した場合において，一部の申請人に係る申請を却下するときは，当該申請に係る手続番号に対応する筆界特定受付等記録簿の終了原因欄に「一部却下」と記録するものとする。

(筆界特定添付書面の還付)

75　筆界特定の申請を却下したときは，筆界特定添付書面を還付するものとする（規則第244条第3項）。筆界特定添付書面の還付の手続については，準則第28条第6項及び第7項の例による。

(E)　取下げ

(取下げの手続)

76　筆界特定書面申請の取下げは申請を取り下げる旨の情報を記載した書面（以下「取下書」という。）を提出する方法により，筆界特定電子申請の取下げは電子情報処理組織を使用して申請を取り下げる旨の情報を提供する方法により，それぞれ行う（規則第245条第1項）。

77　筆界特定の申請の取下げは，法第144条第1項の規定により申請人に対する通知を発送した後は，することができない（規則第245条第2項）。

(取下げがあった旨の公告及び通知)

78　法第133条第1項の規定による公告をした後に筆界特定の申請の取下げがあったときはその旨の公告を，同項の規定による通知をした後に筆界特定の申請の取下げがあったときは当該通知に係る関係人に対するその旨の通知を，それぞれすることを要する（規則第245条第4項及び第5項）。

(筆界特定受付等記録簿への記録)

79　筆界特定の申請の取下げがあったときは，当該申請に係る手続番号に対応する筆界特定受付等記録簿の終了原因欄に「取下げ」と記録するものとする。規則第208条の規定により一の筆界特定申請情報によって対象土地の一を共通にする二以上の筆界特定の申請がされた場合（41参照）において，その一の申請について取下げがあったときは，当該申請に係る手続番号に対応する筆界特定受付等記録簿の終了原因欄に「取下げ」と記録するものとする。

80　二以上の申請人が一の筆界について共同して申請した場合において，一部の申請人に係る申請の取下げがあったときは，当該申請に係る手続番号に対応する筆界特定受付等記録簿の終了原因欄に「一部取下げ」と記録するものとする。

(筆界特定添付書面の還付)

81　筆界特定の申請の取下げがあったときは，筆界特定添付書面を還付するものとする（規則第245条第3項）。なお，筆界特定書面申請において，申請の取下げがあった場合にも，申請書を還付することは要しない。その他筆界特定添付書面の還付の手続については，準則第28条第6項及び第7項の例による。

(取下書等の保管)

82　筆界特定の申請の取下げがあったときは，取下書（電子情報処理組織を使用する方法により申請の取下げがあったときは，申請を取り下げる旨の情報の内容を書面に出力したもの）を筆界特定手続記録につづり込むものとする。
　(F)　却下又は取下げの場合の申請手数料の還付
（却下又は取下げの場合における申請手数料の還付）
83　法第133条第１項の規定による公告又は通知がされる前に，筆界特定の申請が取り下げられ，又は却下された場合には，筆界特定の申請人の請求により，納付された手数料の額から納付すべき手数料の額の２分の１の額を控除した金額の金銭を還付しなければならない（登記手数料令第４条の３第３項（現行第８条第３項））。この場合には，適宜の様式の還付請求書を提出させるものとする。
　　一の手数料に係る筆界特定の申請人が２人以上ある場合には，当該各申請人は，還付されるべき金額の全額につき還付請求をすることができる（同条第４項）。その場合，１名に対して還付がされたときは，全員の還付請求権が消滅する。還付請求は，請求をすることができる事由が生じた日から５年以内にしなければならない（同条第５項）。

第５　調査及び資料収集等
　(A)　進行計画等
（進行計画）
84　筆界特定の申請がされた場合において，直ちに申請を却下すべき事由がないと認められるときは，筆界特定の手続の進行計画を策定するものとする。進行計画においては，法第130条の規定により定めた標準処理期間を考慮して，事前準備調査を完了する時期，申請人及び関係人に立ち会う機会を与えて対象土地について測量又は実地調査を行う時期，意見聴取等の期日を開催する時期，筆界調査委員が意見書を提出する時期，筆界特定を行う時期等について，手続進行の目標を設定するものとする。
（申請人等の表示）
85　筆界特定の手続に関する各種の記録（筆界調査委員の意見書及び筆界特定書を含む。）を作成する場合において，筆界特定登記官，筆界調査委員並びに申請人，関係人及びその代理人等に係る表示をするときは，便宜，Ａ，Ｂ，甲，乙等の符号を用いて差し支えない。
　(B)　事前準備調査
（事前準備調査の概要）
86　事前準備調査においては，原則として，法第134条第４項の職員が，筆界調査委員による事実の調査を円滑に実施することを目的として，資料の収集のほか，必要に応じ，調査図素図の作成，現況等把握調査及び論点整理等を行うものとする。
（資料の収集）
87　対象土地の調査を適確に行うための資料として，例えば，次のような資料を収集するほか，筆界調査委員の指示に従い，必要な資料を収集するものとする。
　⑴　管轄登記所に備え付け又は保管している登記記録，地図又は地図に準ずる図面，各種図面，旧土地台帳等
　⑵　官庁又は公署に保管されている道路台帳，道路台帳附属図面，都市計画図，国土基本図，航空写真等

(3)　民間分譲業者が保管している宅地開発に係る図面及び関係帳簿，対象土地若しくは関係土地の所有者又はそれらの前所有者等が現に保管している図面や測量図
(調査図素図の作成)
　88　調査図素図の作成は，法第14条第1項に規定する地図又は同条第4項に規定する地図に準ずる図面の写しに，収集された資料から得られた情報のうち，筆界特定の手続を進める上で参考となる情報（例えば，対象土地及び関係土地の登記記録上の地積，地目，登記名義人の氏名及び分筆経緯等）を適宜の方式で表示して行うものとする。ただし，土地所在図，地積測量図その他申請人等から提供された図面を利用して調査図素図を作成しても差し支えない。
(現況等把握調査)
　89　現況等把握調査は，次の要領により，対象土地及びその周辺の土地の現況その他筆界特定について参考となる情報を把握することを目的として行うものとする。
　(1)　調査方法
　　ア　現地の測量又は実地調査を行う。
　　イ　都道府県や市町村等の担当職員の立会いの下，道路や水路等との官民境界について確認を得て街区情報の確定を行う。
　　ウ　アの測量は，規則第10条第3項の規定による基本三角点等に基づくものである必要はなく，近傍の恒久的な地物に基づいて実施して差し支えない
　　　　また，申請人又は関係人その他の者から測量図の提供があった場合において，現地と照合し，現況等把握調査における測量結果に代わるものと認められるときその他現況を把握することが可能な図面が存するときは，アの測量を要しない。
　　エ　実地調査に当たっては，対象土地及び関係土地その他周囲の土地の所有者又は占有者等から適宜筆界特定に当たり参考となる事情（各自が主張する筆界の位置，紛争に至る経緯，対象土地の過去から現在に至るまでの使用状況）を聴取し，その内容を適宜の方法で記録する。また，現況において判明している境界標等に基づく調査結果を取りまとめた上で，整理を行う
　(2)　現況等把握調査の結果の記録
　　　現況等把握調査の結果としては，筆界点の座標値のほか，工作物の位置その他の筆界特定をするために参考となる事項を記録する。この場合の縮尺については，規則第77条第4項に準ずる。ただし，申請人等から提出のあった測量図等を用いる場合には，この限りでない。
　(3)　測量結果の調整等
　　　必要に応じ，調査図素図上において，既存の地積測量図等と現況等把握調査で得られた街区情報との照合及び点検を行う。
　(C)　論点整理等
(論点整理)
　90　事前準備調査の結果によって得られた申請人又は関係人その他の者から聴取した主張等を踏まえ，筆界に関する論点の整理を行うものとする。また，現況等把握調査の結果作成した測量図その他の現況を示す図面に申請人等が主張する筆界の位置を適宜の方法で表示する等して，その争点を明確にするよう努めるものとする。
　(D)　対象土地の特定調査
(特定調査)

91 筆界調査委員が対象土地に係る筆界を特定するための調査（以下「特定調査」という。）を行うに当たっては，事前準備調査の結果及び論点整理の結果を踏まえ，法第136条第1項の規定に従って，申請人及び関係人に対し立ち会う機会を与えた上で，対象土地の測量又は実地調査を行い，筆界点となる可能性のある点の位置を現地において確認し，記録するものとする。

（特定調査における測量）
92 対象土地について測量を実施する場合には，申請人及び関係人に通知をして立ち会う機会を与えなければならない（法第136条第1項）。
　(1) 筆界を示す要素に関する測量
　　　対象土地に関する筆界を示す要素に関する測量を実施する。この測量においては，事前準備調査の結果及び論点整理の結果に照らし，筆界特定の対象となる筆界に係る筆界点となる可能性のある点のすべてについて，その位置を測定するものとする。この場合には，原則として，規則第10条第3項の規定による基本三角点等に基づいて測量を実施する。
　(2) 復元測量
　　　必要があると認める場合には，既存の地積測量図，申請人等が提出した測量図等に基づいて推定される筆界点について，現地において復元測量を行う。

（申請人又は関係人の立会い）
93 申請人又は関係人が特定調査に立ち会った場合において，これらの者が主張する筆界点及び筆界の位置があるときは，これを現地において確認するものとする。また，必要に応じ，申請人又は関係人に対し，推定された筆界点について説明を行い，筆界の位置に関する認識の一致の有無について確認するものとする。

（測量の実施者等）
94 特定調査における測量は，原則として，申請人が負担する手続費用（法第146条第1項）によって行うものとする。この場合において，測量を行う者は，筆界に関する測量を行うのに必要な専門的知見及び技術を有する者（筆界調査委員を含む。）であって筆界特定登記官が相当と認める者である（規則第242条参照）。

（報酬及び費用）
95 筆界特定登記官の命を受けて測量を実施する者（以下「測量実施者」という。）に支給すべき相当な報酬及び費用の額については，別に定める測量報酬及び費用に関する標準規程を踏まえ，一定の基準を定め，これに従って算出するものとする。

（測量の内容）
96 測量を実施させるに当たっては，筆界調査委員の意見を踏まえて細目を定め，その内容を明らかにして行うものとする。

（測量の委託）
97 測量を実施させるときは，96の細目を明らかにした適宜の様式による測量指図書を2通作成し，測量実施者に署名又は記名押印をさせた上で，その1通を測量実施者に交付し，他の1通を，筆界特定手続記録につづり込むものとする。

（特定調査の記録）
98 特定調査における測量の結果の記録は，規則第231条第4項各号に掲げる事項を記録して作成するものとする。この場合の測量図の縮尺については同条第6項において準用する規則第77条第4項に準ずるものとする。その他，申請人及び関係人の立会い

の有無及び申請人及び関係人その他の者から聴取した意見又は事情を適宜の方法で記録するものとする。
　(E)　立入りの手続
(立入調査)
　99　土地の測量又は実地調査を行う場合において，筆界調査委員又は法第134条第4項の職員が他人の土地に立ち入るときは，法務局又は地方法務局の長は，あらかじめ，その旨並びにその日時及び場所を当該土地の占有者に通知しなければならない（法第137条第2項）。ただし，当該占有者が立入りについて同意しているとき又は占有者が不明であるときは，通知を要しない。
(通知の方法)
　100　法第137条第2項の通知は，文書又は口頭のいずれの方法によっても差し支えない。この通知には，同項に規定する事項のほか，立入りを行う者の職氏名及び実施する測量又は実地調査の概要を併せて示さなければならない。
(立入りの手続)
　101　土地が宅地又は垣，さく等で囲まれている場合において，事実の調査等のために立ち入ろうとする場合には，立入りの際，あらかじめ，その旨を当該土地の占有者に告げなければならない（法第137条第3項）。この場合の手続は，測量又は実地調査を実施する際に，口頭で当該土地の占有者に告げることで足りる。
　　なお，宅地以外の土地であって，垣やさく等で囲まれた土地の部分以外に立ち入るときは，占有者に告げることを要しない。また，日出前又は日没後においては，土地の占有者の承諾があった場合を除き，宅地又は垣，さく等で囲まれている土地に立ち入ってはならない（同条第4項）。
(筆界調査委員等の身分証明書)
　102　法第137条第6項の規定により筆界調査委員等が携帯すべき身分証明書は，別記第13号様式による。
　(F)　意見又は資料の取扱い
(資料の収集)
　103　筆界特定に必要な事実の調査において資料の提出を受けたときは，当該資料の写し又は当該資料の概要を写真その他適宜の方法により明らかにした記録を作成し，当該資料を速やかに返還するものとする。
(調査の報告)
　104　筆界特定に必要な事実の調査をしたときは，別記第14号様式又はこれに準ずる様式による調査票に所要の事項を記載し，適宜の時期に筆界特定登記官に提出するものとする。この場合において，103により作成した写し又は記録があるときは，当該写し又は記録を添付するものとする。
(意見又は資料の提出があった旨の通知)
　105　法第139条第1項又は第140条第1項の規定により申請人又は関係人から意見又は資料の提出があった場合には，原則として，その旨を対象土地の所有権登記名義人等（当該意見又は資料を提出した者を除く。）に適宜の方法により通知するものとする。
(意見又は資料の保存)
　106　筆界特定に必要な事実の調査において収集し，又は申請人若しくは関係人から提出を受けた意見又は資料は，144の分類に従い，それぞれ該当する目録に適宜の番号

を付して記録するものとする。
(資料の還付)
　107　規則第221条第2項（規則第225条において準用する場合を含む。）の規定により資料の還付をする場合には，当該資料に係る目録の備考欄に原本還付の旨の記録をするほか，必要に応じ，当該資料の写し又は当該資料の概要を写真その他適宜の方法により明らかにした記録を作成し，当該写し又は記録を筆界特定手続記録の一部とするものとする。
　108　資料につき提出者が還付を要しない旨の申出をしたときは，当該資料に係る目録の備考欄に還付不要の旨の記録をするものとする。

第6　意見聴取等の期日
(意見聴取等の期日を開く時期)
　109　意見聴取等の期日の日時を定めるに当たっては，申請人又は関係人が意見陳述又は資料の提出のための準備に要する期間等を勘案するものとする。
(意見聴取等の期日の場所)
　110　意見聴取等の期日を開く場所を定めるに当たっては，申請人，関係人等の便宜，意見を聴取するに当たって現場での指示を要するか否か等を勘案し，法務局又は地方法務局の庁舎，対象土地の所在地を管轄する登記所の庁舎，現地等適切な場所を選定するものとする。
(意見聴取等の期日の通知等)
　111　法第140条第1項の通知は，当該期日に係る申請人及び関係人に対し行う。なお，同一の日時に二以上の申請人及び関係人に係る期日を同時に開くことを妨げない。
　112　法第140条第1項の通知をしたときは，期日前にその意見の概要を書面で提出するよう促すものとする。
(意見聴取等の期日における筆界特定登記官の権限)
　113　筆界特定登記官は，二以上の申請人及び関係人に係る意見聴取等の期日を同時に開いた場合において，手続を行うのに支障を生ずるおそれがないと認められるときは，当該期日において，申請人若しくは関係人又はその代理人に対し，他の申請人又は関係人に質問することを許すことができる。
(意見聴取等の期日の傍聴)
　114　規則第224条第3項の適当と認める者とは，例えば，次に掲げる者であって，その傍聴によって手続を行うのに支障を生ずるおそれがないと認められるものをいう。
　⑴　申請人又は関係人の親族若しくは同居者又はこれらに準ずる者
　⑵　⑴以外の者であって，その者が傍聴することについて期日に出席した申請人及び関係人がいずれも異議を述べなかったもの
(意見聴取等の期日における参考人の事実の陳述)
　115　筆界特定登記官は，意見聴取等の期日において，適当と認める者に，参考人としてその知っている事実を陳述させることができる（法第140条第2項）。例えば，対象土地の所有権登記名義人等であった者や，対象土地周辺の宅地開発を行った者，鑑定人（植生，地質等について筆界特定登記官の命を受けて鑑定を行った者）等が参考人となりうる。
(意見聴取等の期日における資料の提出)

116 意見聴取等の期日において資料が提出されたときは、筆界特定登記官は、当該資料に資料番号を付し、当該資料番号及び当該資料が提出された旨を調書に記録するものとする。この場合の資料の取扱いについては、106から108までに準ずる。

（意見聴取等の期日の調書の作成方法）
117 意見聴取等の期日の調書は、別記第15号様式により、期日ごとに作成するものとする。二以上の申請人又は関係人に係る意見聴取等の期日を同時に開いた場合にも、1通の調書を作成すれば足りる。

（意見聴取等の期日の調書の記載方法）
118 意見聴取等の期日の調書の記録は、次のとおりとする。
 (1) 日時欄には、開かれた期日の年月日及び開始時刻を記録する。
 (2) 場所欄には、意見聴取等の期日が開かれた場所を、住所等によって特定する。法務局若しくは地方法務局若しくはその支局又はその出張所の庁舎等、名称によって当該場所を特定することができるときは、その名称を記録すれば足りる。
 (3) 手続の要領欄には、申請人又は関係人が述べた意見の概要、提出された資料の表示、参考人の陳述内容、筆界特定登記官が申請人若しくは関係人又はその代理人に発言を許した場合における発言内容、その他意見聴取の期日において行われた手続の内容を記録する。
 (4) 意見を陳述した申請人又は関係人が事前に意見の概要を書面で提出していた場合には、
  ア 当該書面が申請人又は関係人が陳述した意見の全部の概要として適切であるときは、当該書面を筆界特定手続記録につづり込むとともに、調書の手続の要領欄に、例えば、「○○は、○年○月○日付け○○作成に係る○○と題する書面記載のとおり意見を述べた。」等と記録する。
  イ 当該書面が申請人又は関係人が陳述した意見の一部の概要として適切であるときは、当該書面を筆界特定手続記録につづり込むとともに、調書の手続の要領欄に「○○は、下記のとおり付け加えるほか、○年○月○日付け○○作成に係る○○と題する書面記載のとおり意見を述べた。」等と記録し、申請人又は関係人の意見中当該書面に記載されていない事項の要領を記録する。
 (5) その他欄には、規則第226条第1項第6号の「その他筆界特定登記官が必要と認める事項」として、例えば、秩序を維持するために退去させた者がある場合にはその旨を記録する等、筆界特定登記官が特に調書に記録する必要があると認める事項を記録する。

（ビデオテープ等をもって調書の一部とする場合）
119 意見聴取等の期日における申請人、関係人又は参考人の陳述は、ビデオテープ等の媒体に記録し、調書の記録に代えることができる（規則第226条第2項）。この場合には、原則として、一の手続において行われる同一の意見聴取等の期日ごとにそれぞれ別の媒体を使用し、当該媒体のラベルに「手続番号」「期日」「申請人、関係人又は参考人の氏名」を記載して、筆界特定手続記録につづり込むものとする。

（調書への書類等の添付）
120 意見聴取等の期日の調書においては、書面その他筆界特定登記官において適当と認めるものを引用し、筆界特定手続記録に添付して調書の一部とすることができる（規則第226条第3項）。申請人等が意見聴取等の期日において陳述すべき意見内容を

書面にして提出した場合における当該書面,申請人等が意見陳述に際し陳述内容を明確にするために図面等を作成した場合における当該図面等が引用の対象となる。書面その他のものを調書に引用した場合は,当該引用したものを当該調書に添付するものとする。

第7 筆界特定
（筆界調査委員の筆界特定登記官への調査結果の報告）
121 規則第229条の規定による筆界調査委員の報告は,別記第14号様式の書面その他適宜の方法によって行うものとする。

（筆界調査委員の意見の提出の方式）
122 法第142条の規定による筆界調査委員の意見の提出は,別記第16号様式による書面（以下「意見書」という。）により行うものとする。意見書には,意見及びその理由を明らかにし,筆界調査委員が署名し,又は記名押印するものとする。二以上の筆界調査委員の意見が一致する場合には,当該二以上の筆界調査委員は,連名で1通の意見書を作成して差し支えない。

（意見書に添付する図面）
123 122の意見書においては,図面及び基本三角点等に基づく測量の成果による座標値（基本三角点等に基づく測量ができない特別の事情がある場合にあっては,近傍の恒久的な地物に基づく測量の成果による座標値）により,筆界特定の対象となる筆界に係る筆界点と認められる各点（筆界の位置の範囲を特定するときは,その範囲を構成する各点。以下同じ。）の位置を明らかにするものとする。意見書に添付する図面（以下「意見書図面」という。）は,原則として,法第143条第2項の図面（以下「筆界特定図面」という。）に準ずる様式で作成し,筆界特定の対象となる筆界に係る筆界点の位置のほか,必要に応じ,対象土地の区画又は形状,工作物及び囲障の位置その他の現地における筆界の位置を特定するために参考となる事項を記録するものとする。

　なお,現況等把握調査における測量の結果を利用して意見書図面を作成し,又は申請人その他の者が提出した図面若しくは既存の測量図等を利用して意見書図面を作成することにより,意見の内容を明らかにすることができるときは,これらの測量の結果又は図面を利用して意見書図面を作成して差し支えない。

（筆界特定書の記載等）
124 筆界特定書は,別記第17号様式の書面その他適宜の方法により作成するものとし,規則第231条第1項各号に掲げる事項を記載の上,筆界特定登記官が職氏名を記載し,職印を押印することを要する（同条第2項）。

　法第143条第1項及び規則第231条第1項第4号の筆界特定書の理由の要旨は,筆界調査委員の意見書を引用する方法によって明らかにして差し支えない。この場合には,引用する筆界調査委員の意見書の写しを筆界特定書の末尾に添付し,理由の要旨欄には「平成何年何月何日付け筆界調査委員○○作成に係る別紙意見書「理由」欄記載のとおりであるからこれをここに引用する。」,「次のとおり付け加えるほか,平成何年何月何日付け筆界調査委員○○作成に係る別紙意見書「理由」欄記載のとおりであるからこれをここに引用する。」等と記載するものとする。

（筆界特定図面）

125　筆界特定図面は，別記第18号様式により，規則第231条第4項各号に掲げる事項を記録して作成し，かつ，筆界特定の対象となる筆界に係る筆界点の位置のほか，必要に応じ，対象土地の区画又は形状，工作物及び囲障の位置その他の現地における筆界の位置を特定するために参考となる事項を記録するものとする。

126　筆界特定図面は，意見書図面若しくは申請人その他の者が提出した図面等を利用して作成することができる。

（筆界特定がされたときの措置）

127　筆界特定をしたときは，筆界特定受付等記録簿の終了事由欄に「筆界特定」と記録し，終了年月日欄に筆界特定の年月日を記録するものとする。筆界特定の年月日は，筆界特定をした旨の公告をした日又は申請人に筆界特定書の写しを交付し，若しくは発送した日のうち，最も早い日とする。

（筆界特定をした旨の公告及び通知）

128　筆界特定をしたときは，遅滞なく，筆界特定の申請人に対し，筆界特定書の写し（筆界特定書が電磁的記録によって作成されているときは，筆界特定書の内容を証明した書面）を交付する方法により，当該筆界特定書の内容を通知するとともに，筆界特定をした旨を公告し，かつ，関係人に通知しなければならない（法第144条第1項，規則第232条第2項）。

（境界標の設置）

129　筆界特定をしたときは，申請人及び関係人に対し，永続性のある境界標を設置する意義及びその重要性について，適宜の方法により説明するものとする。

（申請人に交付する筆界特定書の写しの作成）

130　法第144条第1項の規定により申請人に交付する筆界特定書の写しを作成するときは，筆界特定書の写しである旨の認証文を付した上で，作成の年月日及び職氏名を記載し，職印を押印しなければならない（規則第232条第1項）。この場合における筆界特定書の写しに付す認証文は，「これは筆界特定書の写しである。」とする。

（筆界特定手続記録の整理及び送付）

131　法第144条第1項の公告及び通知をした後，144により筆界特定手続記録を整理して編てつし，各丁に通し枚数を記載の上，別記第19号様式による送付書を添えて管轄登記所に送付する。

（対象土地が二以上の法務局又は地方法務局の管轄区域にまたがる場合）

132　対象土地が二以上の法務局又は地方法務局の管轄区域にまたがる場合には，法務大臣又は法務局の長が指定した法務局又は地方法務局（59参照）の管轄区域内にある管轄登記所には，別記第19号様式による送付書を添えて筆界特定手続記録を送付し，他の法務局又は地方法務局内にある管轄登記所には，別記第20号様式による送付書を添えて筆界特定書及び令第21条第2項に規定する図面の写しを送付するものとする（規則第233条第2項）。

（対象土地が二以上の登記所の管轄区域にまたがる場合）

133　対象土地が二以上の登記所の管轄区域にまたがる場合（対象土地が二以上の法務局又は地方法務局の管轄区域にまたがる場合を除く。）は，法務局又は地方法務局の長が指定する管轄登記所に別記第19号様式による送付書を添えて筆界特定手続記録を送付し，他方の管轄登記所には別記第20号様式による送付書を添えて筆界特定書及び令第21条第2項に規定する図面の写しを送付するものとする（規則第233条第3項）。

(筆界特定書の更正)
134　規則第246条第1項の規定による筆界特定書の更正は，筆界特定書に誤記その他これに類する明白な表現上の誤りがあった場合に，別記第21号様式の更正書によってするものとする。筆界特定書の更正の許可の申出は，別記第22号様式又はこれに準ずる様式による申出書によってするものとし，申出についての許可又は不許可は，別記第23号様式又はこれに準ずる様式によってするものとする。筆界特定書を更正したときは，申請人に対し，更正書の写しを送付する方法で通知するとともに，更正した旨を公告し，かつ，関係人に通知しなければならない（規則第246条第2項）。

(更正書の送付)
135　筆界特定書を更正した旨の公告及び通知をした後，更正書は，別記第24号様式による送付書を添えて管轄登記所（132又は133の場合にあっては，各管轄登記所）に送付するものとする。

第8　公告及び通知
(公告又は通知)
136　筆界特定の手続において，公告又は通知を要するのは，次の場合である。
　(1)　筆界特定の申請がされた旨の公告及び関係人に対する通知（法第133条第1項）
　(2)　筆界特定の申請を却下した旨の公告及び関係人に対する通知（規則第244条第4項及び第5項）
　(3)　筆界特定の申請が取り下げられた旨の公告及び関係人に対する通知（規則第245条第4項及び第5項）
　(4)　対象土地の測量又は実地調査のための申請人及び関係人に対する通知（法第136条第1項）
　(5)　立入調査のための占有者に対する通知（法第137条第2項）
　(6)　意見聴取等の期日のための申請人及び関係人に対する通知（法第140条第1項）
　(7)　筆界特定をした旨の公告並びに申請人及び関係人に対する通知（法第144条第1項）
　(8)　筆界特定書を更正した旨の公告並びに申請人及び関係人に対する通知（規則第246条第2項）

(公告の方法)
137　公告は，法務局若しくは地方法務局の掲示場その他公衆の見やすい場所に掲示して行う方法又は法務局若しくは地方法務局のホームページに掲載する方法のいずれの方法をとっても差し支えないが，対象土地を管轄する登記所の掲示場その他公衆の見やすい場所においても，同様の掲示をするものとする。公告の様式は，次のとおりとする。
　(1)　筆界特定の申請がされた旨の公告（法第133条第1項，規則第217条第1項）別記第25号様式
　(2)　筆界特定の申請を却下した旨の公告（規則244条第4項，規則第217条第1項）別記第26号様式
　(3)　筆界特定の申請が取り下げられた旨の公告（規則第245条第4項，規則第217条第1項）別記第27号様式
　(4)　筆界特定をした旨の公告（法第144条第1項，規則第232条第5項，規則第217条

第1項）別記第28号様式
(5) 筆界特定書を更正した旨の公告（規則第246条第2項，規則第217条第1項）別記第29号様式

(通知の方法)
138 通知は，原則として，登記記録に記録された住所に対し行うものとする。ただし，筆界特定申請情報の内容として提供された情報その他の情報から，登記記録上の住所以外の場所に通知することが相当と認められる場合は，この限りでない。また，申請人又は関係人が通知先を届け出たときは，通知は，当該通知先に対しするものとする。この場合の通知先届出書は，別記第30号様式による。

139 申請人又は関係人に代理人があるときは，通知は，代理人（代理人が2人以上あるときは，そのうちの1人）に対してすれば足りる。申請人又は関係人が2人以上ある場合において，代理人がないときは，申請人又は関係人に対し，その全員又は一部の者のために通知を受ける者を指定する意向の有無を確認するものとする。申請人又は関係人が，その全員又は一部の者のために通知を受ける者を指定したときは，当該指定をした者に係る通知は，当該指定を受けた者に対してすれば足りる。この場合の指定書は，別記第31号様式による。

(通知書の様式)
140 通知は，郵便，信書便その他適宜の方法により行う（規則第217条第2項（第223条第2項，第232条第5項，第244条第5項，第245条第5項及び第246条第2項において準用する場合を含む。））が，次に掲げる通知については，原則として，書面により行うものとし，通知書の様式は，次のとおりとする。
(1) 筆界特定の申請がされた旨の関係人に対する通知（法第133条第1項，規則第217条第2項）別記第32号様式
(2) 筆界特定の申請を却下した旨の関係人に対する通知（規則244条第5項，規則第217条第2項）別記第33号様式
(3) 筆界特定の申請が取り下げられた旨の関係人に対する通知（規則第245条第5項，規則第217条第2項）別記第34号様式
(4) 筆界特定をした旨の申請人に対する通知（法第144条第1項前段，規則第232条第1項から第4項まで）別記第35号様式
(5) 筆界特定をした旨の関係人に対する通知（法第144条第1項後段，規則第232条第5項，規則第217条第2項）別記第36号様式
(6) 筆界特定書を更正した場合の申請人に対する通知（規則第246条第2項，規則第217条第2項）別記第37号様式
(7) 筆界特定書を更正した場合の関係人に対する通知（規則第246条第2項，規則第217条第2項）別記第38号様式

(関係人を特定することができない場合の通知)
141 関係人に対する通知をすべき場合において，登記記録その他の入手可能な資料から関係人又はその通知先を特定することができないときは，法第133条第2項（法第136条第2項，法第140条第6項及び法第144条第2項その他の規定において準用する場合も含む。）の方法によって通知をして差し支えない。

(公告又は通知の記録)
142 公告又は通知の記録は，一手続ごとに，公告の年月日，通知を受ける者及び通知

の年月日を別記第39号様式の公告・通知管理票に記録する等の方法により作成するものとする。なお、その際に付した通知番号は、通知書に記載するものとする。

第9　筆界特定手続記録
(筆界特定手続記録の単位)
143　筆界特定手続記録は、1件ごとに筆界特定手続に関する書類をつづり込んで作成するものとする。規則第208条の規定により一の筆界特定申請情報によって対象土地の一を共通にする二以上の筆界特定の申請がされた場合（41参照）又は同一の筆界に係る二以上の筆界特定の申請がされた場合には、1件の筆界特定手続として筆界特定手続記録を編成するものとする。

(筆界特定手続記録の編成)
144　筆界特定手続記録には、別記第40号様式による表紙を付し、別に定める保管金受払票及び142の公告・通知管理票を付した上、次のとおり3分類に分けて編成するものとする。なお、分冊にすることを妨げない。
(1) 第1分類
　　本分類には、手続の進行に関する次のような書類をつづり込むものとする。
　　ア　申請書
　　イ　意見聴取等の期日の調書
　　ウ　筆界調査委員意見書
　　エ　筆界特定書若しくはその写し又は却下決定書若しくは取下書
(2) 第2分類
　　本分類には、調査及び資料に関する次のような書類をつづり込むものとする。この場合には、別記第41号様式による申請人提出意見等目録、別記第42号様式による関係人提出意見等目録及び別記第43号様式による職権収集資料等目録又はこれらに準ずる適宜の様式の目録を、それぞれウ、エ及びオの最初につづり込むものとする。
　　ア　筆界調査委員が作成した報告書
　　イ　筆界特定手続において測量又は実地調査に基づいて作成された図面
　　ウ　申請人提出意見・資料・図面
　　エ　関係人提出意見・資料・図面
　　オ　イウエ以外の意見・資料・図面
(3) 第3分類
　　本分類には、第1分類及び第2分類以外の次のような書類をつづり込むものとする。
　　ア　委任状
　　イ　資格証明書
　　ウ　相続を証する書面
　　エ　承継申出書
　　オ　予納金関係書類

(筆界特定手続記録の送付方法)
145　規則第233条第1項に規定する場合その他の場合において、筆界特定手続記録を送付するときは、筆界特定手続記録が紛失し、又は汚損しないように注意して、送付しなければならない。

第10 予納金等
（予納の告知）
146　筆界特定登記官は，法第146条第1項により申請人の負担とされる手続費用の概算額を，申請人に予納させなければならない（法第146条第5項）。予納の告知は，適宜の方法で行うものとする。この場合において，申請人が2人以上あるときは，そのうちの1人に告知すれば足りる。また，代理人又は申請人のために通知を受領する権限を有する者（139参照）があるときは，当該代理人又は申請人のために通知を受領する権限を有する者に告知すれば足りる。

（予納命令）
147　146により予納の告知をした日から相当期間を経ても予納がないときは，納付期限を定めて予納命令を発するものとする。納付期限は，適宜定めて差し支えない。当該納付期限までに予納がないときは，筆界特定の申請は，法第132条第1項第9号の規定により却下する。

（予納命令書）
148　予納命令は，別記第44号様式の予納命令書を作成し，申請人に交付して行うものとする。交付は，予納命令書を送付する方法によってすることができる。この場合において，申請人が2人以上あるときは，申請人ごとに予納命令書を交付するものとするが，代理人又は申請人のために通知を受領する権限を有する者（139参照）があるときは，当該代理人又は申請人のために通知を受領する権限を有する者に交付すれば足りる。

（保管金の取扱い）
149　手続費用として予納される現金（保管金）の受入・払渡等の取扱いについては，別に定められる筆界特定手続に係る保管金の取扱いに関する法務大臣訓令及び法務省大臣官房会計課長・当職通達の定めるところによる。

第11 管轄登記所における事務
　(A)　受付等
（経由申請）
150　規則第211条第7項の規定により管轄登記所に筆界特定の申請書が提出されたときは，次の手続を行うものとする。
　(1)　筆界特定登記官に対し，申請書が提出された日付及び当該申請に係る対象土地の不動産所在事項を連絡し，当該申請に係る筆界特定の手続に付すべき手続番号を照会する。
　(2)　筆界特定関係簿の該当欄に手続番号，申請の受付の年月日（54参照）及び不動産所在事項その他所要の事項を記録する。
　(3)　当該申請に係る申請書にはり付けられた収入印紙を消印する。
　(4)　筆界特定登記官に対し，当該申請書及び添付書面並びに法第139条第1項の規定による意見又は資料であって申請と同時に提出されたものがあるとき（規則第207条第3項第9号参照）はその資料を送付する。

（筆界特定関係簿への記録）
151　対象土地の所在地を管轄する法務局又は地方法務局に筆界特定の申請がされた場合において，管轄登記所に対し，その旨の通知（58参照）がされたときは，筆界特定

関係簿の該当欄に手続番号，申請の受付の年月日及び不動産所在事項その他所要の事項を記録するものとする。
（資料の送付等）
152　管轄登記所の登記官において，筆界特定関係簿に150又は151による記録をしたときは，以下に掲げる資料を別記第45号様式の送付書により筆界特定登記官に送付するほか，課税台帳（40参照）に登録された対象土地の価格を調査し，筆界特定登記官に通知するものとする。
　(1)　対象土地及び関係土地の登記事項証明書及び閉鎖登記簿の謄本
　(2)　対象土地及び関係土地に係る地図又は地図に準ずる図面（既に閉鎖されたものを含む。）の写し（認証文は不要である。）。申請に係る筆界の特定に必要と思料される範囲で差し支えない。
　(3)　対象土地又は関係土地の地積測量図（既に閉鎖されたものを含む。）の写し（認証文は不要である。）
　(4)　その他申請に係る筆界の特定に資すると思われるもの
（筆界特定申請の明示）
153　筆界特定関係簿に記録された筆界特定の手続に係る対象土地及び関係土地については，便宜，立件の手続を採り，職権表示登記等事件簿（規則第18条第6号）に立件番号，立件の年月日，当該筆界特定の手続の手続番号その他筆界特定の申請があった旨を明示するために適宜の記載をするものとする。
　　なお，法附則第3条の規定による指定を受けていない事務に係る登記簿については，対象土地及び関係土地の各登記用紙に，筆界特定の申請があった旨を明示するために適宜の措置を採るものとする。
　　筆界特定の申請の却下又は取下げがあったときは，明示のための措置は終了させる。
（異動情報の通知）
154　筆界特定関係簿に記録された筆界特定の手続に係る対象土地及び関係土地の表題部所有者又は所有権の登記名義人に登記記録上異動が生じたときは，筆界特定登記官に対し，その旨及び異動に係る情報を通知するものとする。対象土地又は関係土地につき表示に関する登記（表題部所有者に関する登記を除く。）の申請又は地図訂正の申出があったときも同様とする。
　(B)　筆界特定手続記録の保存及び公開
（筆界特定手続記録の受領）
155　筆界特定登記官から管轄登記所に送付された筆界特定手続記録を受領したときは，当該筆界特定手続記録を別記第19号様式の送付書（131から133まで参照）と照合して編てつされた書類の標目及び総丁数等を点検し，別記第46号様式による受領書を筆界特定登記官に交付し，又は送付するほか，筆界特定関係簿の該当欄に，記録受領の年月日及び手続終了事由を記録するとともに，筆界特定手続記録の表紙の余白に「年月日受領」と記載するものとする。
（筆界特定手続記録の保存方法）
156　受領した筆界特定手続記録のうち，筆界特定書については，その写しを一部作成し，原本を筆界特定書つづり込み帳（規則第18条第13号参照）につづり込み，別記第5号様式の目録に必要事項を記載し，写しを筆界特定手続記録の第1分類につづり込むとともに，筆界特定関係簿の該当欄に筆界特定書つづり込み帳番号を記録するもの

とする。
（筆界特定書等の写しの受領）
　157　132又は133により送付された筆界特定書等の写しを受領した登記所にあっては，筆界特定関係簿に155と同様の記録をするほか，送付を受けた筆界特定書の写しについて156と同様の措置を講ずるものとする。なお，管轄登記所において作成した筆界特定書の写しについては，送付を受けた政令で定める図面の写しとともに，別記第40号様式の表紙を付して編てつする。

（政令で定める図面の意義）
　158　法第149条第1項の政令で定める図面とは，筆界調査委員が作成した測量図その他の筆界特定の手続において測量又は実地調査に基づいて作成された図面（筆界特定図面を除く。）をいい，申請人又は関係人等が提出した図面は含まない（令第21条第2項）。

（政令で定める図面の写しの作成方法）
　159　筆界特定の手続において測量又は実地調査に基づいて作成された図面の全部又は一部の写し（政令で定める図面が電磁的記録に記録されているときは，当該記録された情報の内容を証明した書面）は，原則として日本産業規格Ａ列3番の適宜の紙質の用紙を使用して作成するものとする。

（認証文）
　160　次の各号に掲げる筆界特定書等の写し等には，当該各号に定める認証文を付する。
　⑴　筆界特定書（電磁的記録に記録されているものを除く。）の写し　「これは筆界特定書の写しである。」
　⑵　電磁的記録に記録されている筆界特定書の内容を証明した書面　「これは筆界特定書に記録されている内容を証明した書面である。」
　⑶　政令で定める図面（電磁的記録に記録されているものを除く。）の全部又は一部の写し　「これは筆界特定手続において測量又は実地調査に基づいて作成された図面の写しである。」
　⑷　電磁的記録に記録されている政令で定める図面の内容を証明した書面　「これは筆界特定手続において測量又は実地調査に基づいて作成された図面に記録されている内容を証明した書面である。」

（その他の取扱い）
　161　159及び160のほか，筆界特定書等の写しの交付等の取扱いについては，準則第132条，第133条，第137条，第138条及び第139条の例による。
　（Ｃ）　登記記録等への記録
（登記記録への記録）
　162　規則第234条の規定による筆界特定がされた旨の記録は，対象土地の登記記録の地図番号欄（規則別表１参照）に「平成○年○月○日筆界特定（手続番号平成○年第○○号）」とする。ただし，規則第233条第２項の規定により筆界特定書等の写しの送付を受けた登記所にあっては，「平成○年○月○日筆界特定（手続番号△△平成○年第○○号）」（「△△」には，法務局又は地方法務局名を略記する。）とするものとする。

（分筆及び合筆の場合の登記記録の処理）
　163　甲土地から乙土地を分筆する分筆の登記をする場合において，甲土地の登記記録に筆界特定がされた旨の記録があるときは，これを乙土地の登記記録に転写するもの

とする。甲土地を乙土地に合筆する合筆の登記をする場合において，甲土地の登記記録に筆界特定がされた旨の記録があるときは，これを乙土地の登記記録に移記するものとする。
（筆界確定訴訟の記載）
　164　申請人又は関係人その他の者から筆界特定に係る筆界について筆界確定訴訟の確定判決の正本又は謄本の提出があったときは，規則第237条の規定により筆界特定書に確定判決があったことを明らかにするものとする。この場合には，筆界特定書の1枚目の用紙の表面の余白に確定日，判決をした裁判所及び事件番号を記載するものとする。提出された確定判決の正本又は謄本は，筆界特定書とともに保存するものとする。
（筆界特定書の更正があった場合）
　165　135により送付を受けた更正書の取扱いは，156の例によるものとするほか，法第149条第1項の規定による筆界特定書の写しを交付する場合には，筆界特定書の一部として取り扱うものとする。この場合の認証文は，160(1)と同様である。

別表第1号～第46号，別紙目録（略）

■筆界特定がされた場合における登記事務の取扱いについて（依命通知）

平成18・1・6民二第27号依命通知

第1　筆界特定登記官の意見の伝達
　筆界特定を行った筆界特定登記官は，筆界特定手続記録を管轄登記所に送付する場合において，対象土地について筆界特定に伴い地積に関する更正の登記又は地図等の訂正をすることが相当と認めるときは，管轄登記所の登記官に，その旨の意見を伝えるものとする。この場合の意見の伝達は，書面，電話その他の適宜の方法によって差し支えない。

第2　筆界特定手続記録の受領及び調査
　筆界特定手続記録は，筆界特定の手続の終了後，遅滞なく，管轄登記所に送付され（規則第233条第1項），管轄登記所において，所要の受領の手続をするものとされた（施行通達155）。
　この場合には，管轄登記所の登記官は，当該筆界特定手続記録の受領の手続後，速やかに，第1の筆界特定登記官の意見及び筆界特定手続記録の内容を踏まえ，対象土地につき，地積に関する更正の登記又は地図等の訂正を職権ですることが可能かどうかを調査しなければならない。

第3　職権による登記及び地図訂正
　一　職権での登記又は地図訂正をすべき場合
　　(1)　地積に関する更正の登記
　　　　管轄登記所の登記官は，筆界特定手続記録により，対象土地の筆界に係るすべての筆界点について，規則第77条第1項第8号に掲げる事項であって，規則第10条第4項の規定に適合するものを確認することができる場合（筆界の一部を法第14条第1項の地図その他の登記所に備え付けられた図面により確認することができる場合を含む。）において，対象土地の登記記録の地積に錯誤があると認められ，かつ，対象土地の表題部所有者若しくは所有権の登記名義人又はこれらの相続人その他の一般承継人に対し，適宜の方法により，地積に関する更正の登記の申請を促すものとし，その者が申請をしないときは，職権で対象土地について地積に関する更正の登記をするものとする。
　　(2)　地図等の訂正
　　　　管轄登記所の登記官は，次に掲げるすべての要件を満たす場合には，筆界特定により特定された筆界に基づき，対象土地の表題部所有者若しくは所有権の登記名義人又はこれらの相続人その他の一般承継人に対し，適宜の方法により，地図等の訂正の申出を促すものとし，その者が申出をしないときは，職権で法第14条第1項の地図又は準則第13条第1項の規定により備え付けられた図面（以下「地図等」という。）の訂正をするものとする。
　　　　なお，地図等の訂正をする場合において，当該土地の登記記録の地積に錯誤があるときには，(1)の地積に関する更正の登記と併せてしなければならない。
　　　ア　対象土地の全体を一筆の土地とみなした場合に当該一筆の土地の区画を構成す

ることとなる筆界に係るすべての筆界点を筆界特定手続記録によって確認することができること。
　イ　これらの各筆界点の座標値が，地図等に記録されている当該各筆界点に対応する点の座標値と規則第10条第4項の誤差の限度内で一致すること。
二　立件
　管轄登記所の登記官は，筆界特定手続記録の内容を調査した結果，職権で地積に関する更正の登記又は地図等の訂正をすることが相当であると認めた場合には，規則第96条の規定による立件の手続を行うものとする。
三　筆界特定関係簿への記載
　管轄登記所の登記官は，二の立件をした場合には，筆界特定関係簿中当該筆界特定の手続に係る項の備考欄に立件の年月日及び番号並びに登記の目的又は事件の種別を記載するものとする。
四　登記記録への記録
　一の(1)に基づいて地積に関する更正の登記をする場合の記録例は，別紙のとおりとする。
五　地積測量図のつづり込み
　一に基づき，職権で対象土地について地積に関する更正の登記又は地図等の訂正をしたときは，当該対象土地に係る規則第77条第1項各号に掲げる事項を記載した図面を同条第2項から第4項までの規定に従って作成し，当該図面を，便宜，土地図面つづり込み帳につづり込むものとする。この場合には，規則第85条第1項並びに準則第55条第1項及び第3項に規定する手続に準ずるものとする。
　なお，更正前の地積測量図は，閉鎖しなければならない（規則第85条第2項）

〈別紙〉
登記記録例

【表題部】（土地の表示）			調製	余白	地図番号	A－12 平成○年○月○日 筆界特定（手続番号 平成○年第○○号）
【不動産番号】	1234567890123					
【所在】	甲市乙町二丁目			余白		
【①地番】	【②地目】	【③地　積】㎡		【原因及びその日付】		【登記の日付】
5番	宅地	694	21	余白		余白
	余白	701	69	③錯誤，筆界特定		平成18年5月31日

■一の申請情報によってする登記の申請について（依命通知）

平成18・4・3民二第799号依命通知

1 同一の不動産について申請する二以上の登記が，不動産の表題部の登記事項に関する変更の登記又は更正の登記及び土地の分筆の登記若しくは合筆の登記又は建物の分割の登記，建物の区分の登記若しくは建物の合併の登記であるときは，一の申請情報によって申請をすることができるものとされた（規則第35条第7号）。
2 規則第35条第7号の規定に基づき，地積に関する更正の登記及び分筆の登記を一の申請情報によってするときは，分筆の登記の申請において提供すべき地積測量図をもって，地積に関する更正の登記の申請において提供すべき地積測量図とすることができる。
3 1の登記の申請情報における登記の目的は，例えば，「地積更正，分筆の登記」，「建物床面積変更，建物分割の登記」とする。
4 1の登記の記録例は，別紙のとおりとする。

〈別紙〉
登記記録例（一の申請情報によって地積に関する更正の登記及び分筆の登記をする場合）

（甲地）

【表題部】（土地の表示）				調製	余白	地図番号	余白
【不動産番号】		1234567890123					
【所在】		甲市乙町二丁目		余白			
【①地番】	【②地目】	【③地積】	㎡	【原因及びその日付】		【登記の日付】	
<u>5番</u>	宅地	<u>694</u>	<u>21</u>	余白		余白	
5番1	余白	430	02	③錯誤 ①③5番1，5番2に分筆		平成17年1月13日	

（乙地）

【表題部】（土地の表示）				調製	余白	地図番号	余白
【不動産番号】		1234567890123					
【所在】		甲市乙町二丁目		余白			
【①地番】	【②地目】	【③地積】	㎡	【原因及びその日付】		【登記の日付】	
5番2	宅地	297	52	5番から分筆		平成17年1月13日	

◼信託法等の施行に伴う不動産登記事務の取扱いについて（通達）（抄）

平成19・9・28民二第2048号通達

2　合筆の登記の制限の特例

　信託の登記がされている不動産について合筆の登記の申請がされた場合には，受理することができないとするのが登記実務の取扱いであったが（昭和48年8月30日付け民事三第6677号民事局長回答），今般，新信託法の施行に伴い，規則第105条が改正され，「信託の登記であって，法第97条第1項各号に掲げる登記事項が同一のもの」である場合が追加され（規則第105条第3号），合筆の登記の制限が緩和された。併せて，合筆の登記における権利部の記録方法に変更が加えられ，合筆後の土地の登記記録の権利部の相当区に当該信託の登記を記録することとされた（規則第107条第1項第4号）。なお，この場合，各筆の土地の所有権の全部が同一の信託に属する場合のほか，各筆の土地が共有されており，その共有持分が異なる複数の信託に属する場合も含まれることとされた。この場合には，合筆後の土地の登記記録の甲区には，各信託についての信託の登記をそれぞれ記録しなければならないこととされた。

3　建物の合併の登記の制限の特例

　建物の場合についても，所有権等の登記以外の権利に関する登記がある建物の合併の登記が原則として禁止されているところ，上記2と同様に，規則第131条が改正され，「信託の登記であって，法第97条第1項各号に掲げる登記事項が同一のもの」である場合が追加され（規則第131条第2号），新たに合併の登記の制限が緩和された。この場合の建物の合併の登記における権利部の記録方法についても，上記2の場合と同様である（規則第134条第1項において準用する第107条第1項）。

◢オンライン申請についての利用促進のための登記事務（電子申請における添付情報の提供方法の特例，登記識別情報の通知，電子申請における登記識別情報の提供及び受領の方法，送付の方法による添付書面の原本の還付，資格者代理人による登記識別情報に関する証明の代理請求）の取扱いについて（通達）

平成20・1・11民二第57号通達

記

第1　電子申請における添付情報の提供方法の特例
一　添付情報の提供方法の特例
(1)　電子申請をする場合において，添付情報（登記識別情報を除く。）が書面に記載されているときは，第10条及び第12条第2項の規定にかかわらず，当分の間，当該添付情報の提供は，当該書面（以下「添付書面」という。）を登記所に提出する方法によりすることができることとされた（令附則第5条第1項）。
(2)　(1)により添付書面を登記所に提出する方法（以下「特例方式」という。）は，当該添付書面の登記所への持参及び送付のいずれの方法によることもできる。いずれの場合も，当該添付書面を提出するときは，別記第13号様式による用紙に必要事項を記載したものを当該書面に添付しなければならないこととされた（規則附則第21条第3項）。
(3)　特例方式により添付書面を提出するときは，その旨をも申請情報の内容とすることとされ（令附則第5条第2項），各添付情報につき添付書面を提出する方法によるか否かの別をも申請情報の内容とすることとされた（規則附則第21条第1項）。
(4)　特例方式により提出された添付書面については，書面申請における添付書面の規定である令第17条から第19条までの必要な事項につき準用することとされた（令附則第5条第3項）。
(5)　特例方式により登記原因を証する情報を記載した書面を提出するときは，申請情報と併せて当該書面に記載された情報を記録した電磁的記録を送信しなければならないこととされ，また，この電磁的記録については作成者の電子署名は不要とすることとされた（令附則第5条第4項）。この電磁的記録は，法務大臣の定めるところにより当該書面に記載されている事項をスキャナで読み取って提供しなければならないこととされ（規則附則第22条第1項及び第3項），また，登記原因の内容を明らかにする部分について記録すれば足りることとされた（規則附則第22条第2項）。
なお，登記名義人の氏名若しくは名称又は住所についての変更の登記又は更正の登記については，登記原因を証する情報を記録した電磁的記録を申請情報と併せて送信することを要しないこととされた（同項）。
(6)　(5)の登記原因の内容を明らかにする部分とは，例えば，売買契約の場合には，次の内容の記載がすべて含まれているものでなければならないものとする。
ア　契約当事者の記載

イ　対象不動産の記載
　　ウ　売買契約の年月日の記載
　　エ　売買契約締結の事実が分かる記載
(7)　特例方式により添付書面を提出するときは，申請の受付の日から2日以内に当該添付書面を登記所に提出するものとすることとされた（規則附則第21条第2項）。
　　　この期間の計算については，初日は算入せず（民法（明治29年法律第89号）第140条），かつ，期限が日曜，土曜，祝日等の行政機関の休日に当たるときは，その翌日が期限となる（行政機関の休日に関する法律（昭和63年法律第91号）第2条）。
(8)　特例方式により添付書面を送付する方法により提出するときは，書留郵便等によることとされ（規則附則第21条第4項），当該添付書面を入れた封筒の表面に添付書面が在中する旨を明記することとされた（規則附則第21条第5項）。
(9)　特例方式により提出された添付書面については，書面申請における添付書面と同様に，規則第19条から第22条までの規定に従い，規則第18条第2号から第5号までに掲げる帳簿につづり込んで保存するものとすることとされた（規則附則第23条）。
(10)　特例方式により提出された添付書面については，規則第38条第3項及び第39条第3項の規定が準用されることとされた（規則附則第24条第1項）。これにより，申請の却下又は申請の取下げがあったときは，特例方式により提出された添付書面は，原則として還付するものとすることとされた。
(11)　特例方式により提出された添付書面については，規則第45条，第49条，第50条及び第55条の必要な事項について準用することとされた（規則附則第24条第2項）。これにより，特例方式により提出された添付書面について，原本の還付請求ができることとされた。
(12)　特例方式により提出された添付書面については，規則第60条第2項の必要な事項について読替えの上，適用されることとされた（規則附則第24条第3項）。これにより，特例方式により登記所に提出した添付書面を補正し，又は補正に係る添付書面を登記所に提出する方法によって補正ができることとされた（同項）。
(13)　電子申請の場合における法第23条第1項に規定する申出は，特例方式により委任状が書面を提出する方法により提出されたときは，当分の間，規則第70条第1項の書面に通知に係る申請の内容が真実である旨を記載し，これに記名し，委任状に押印したものと同一の印を用いて押印した上，登記所に提出する方法によることができることとされた（規則附則第25条）。
　　　なお，この取扱いは，代理人による申請で，委任状が書面を提出する方法により提出された場合に限ってすることができるものであり，これ以外のときは，原則どおり，規則第70条第5項第1号の規定により，申請の内容が真実である旨の情報に電子署名を行った上で，登記所に送信する方法によらなければならないこととなる。
(14)　特例方式により添付書面が送付の方法により提出されたときは，当該添付書面が到着した旨を記録したコメント通知を法務省オンライン申請システムに掲示する措置を採るものとする。なお，添付書面が登記所への持参の方法により提出されたときは，この措置を採る必要はないものとする。
二　特例方式の受付後の書面の管理
(1)　特例方式による添付書面の提出に際し，これと併せて提出された規則別記第13号様式の書面については，施行通達第2の一の(2)で印刷した書面と共に登記の完了ま

で管理し，登記を完了したときは，施行通達第2の九の(1)により，電子申請管理用紙及び登録免許税納付用紙と共に申請書類つづり込み帳につづり込むものとする。
(2) 特例方式により登記原因を証する情報を記載した書面が提出された場合には，申請情報と併せて送信された登記原因を証する情報の電磁的記録（令附則第5条第4項）を印刷した書面は，施行通達第2の九の(2)により申請情報等を印刷した書面（電子申請管理用紙を除く。）と共に，適宜のつづり込み帳につづり込んで，当分の間，保管するものとする。

三 特例方式により添付書面が提出される場合における審査の方法
(1) 表示に関する登記の審査など，添付書面が登記所に到達する前であっても添付書面の到着を待たずに処理を進めることが可能な事務については，その事務処理を進めて差し支えないものとする。
(2) 特例方式により送信された申請情報の補正については，準則第36条第1項及び施行通達第2の4の方法によりするものとする。
(3) 特例方式により送信された添付情報及び書面で提出された添付書面の補正については，準則第36条第1項及び施行通達第2の4の方法によるほか，準則第36条第2項の方法によることもできるものとする。
(4) 添付書面が2日以内に提出されない場合であっても，申請人等に状況を確認するなどした上で，相当と認めるときは，一定の期間を法第25条柱書の補正期間と定めて提出期限を猶予することができるものとする。
なお，登記義務者が異なるときなど，当該申請の不備を補正させることが相当でないときは，2日間の経過を待たずに却下することができるものとする。
(5) 添付書面が送付の方法により提出された場合には，その送付の方法が規則附則第21条第4項による方法によらなかったときであっても，申請の却下事由には当たらないものとする。
(6) 添付書面が提出された場合には，その添付書面の提出に際して，規則別記第13号様式による書面の添付がないときであっても，申請の却下事由には当たらないものとする。
(7) 申請情報と併せて送信するべき登記原因を証する情報を記録した電磁的記録の提供がないときは，法第25条第5号の規定により申請を却下するものとする。
(8) 特例方式により提出された登記原因を証する情報を記載した書面の内容が，申請情報と併せて送信された登記原因を証する情報を記録した電磁的記録の内容と相違するときは，法第25条第5号の規定により申請を却下するものとする。

四 却下の方法
特例方式により添付書面を提出する場合において，当該電子申請を却下するときは，施行通達第2の5の取扱いと同様にするものとする。

五 取下げの方法
特例方式により添付書面を提出する場合において，当該電子申請を取り下げるときは，施行通達第2の6の取扱いと同様にするものとする。

第2 登記識別情報の通知

一 登記識別情報の通知（申請の場合）
(1) 登記識別情報通知書を一定の場所にあてて送付することを求めることができるこ

ととされ，この場合，送付先の別等を申請情報の内容とすることとされた（規則第63条第3項）。
　なお，規則第62条第2項の登記識別情報を受けるための特別の委任を受けた代理人にあっては，当該代理人を送付先として申し出ることができる。
(2)　登記識別情報通知書の送付については，申請人等の区分及び送付先により，それぞれ本人限定受取郵便又は書留郵便等の方法によることとされた（規則第63条第4項及び第5項）。
(3)　送付の方法による登記識別情報通知書の交付を求めるときは，申請書と併せて（特例方式により添付書面の提出をするときは規則別記第13号様式と併せて，特例方式によらずに電子申請をするときは別途送付して），送付に要する費用（本人限定受取郵便又は書留郵便等に関する料金）を郵便切手等で提出しなければならないこととされ，また，速達に係る料金に相当する郵便切手等の提出があったときは，その取扱いによることとされた（規則第63条第6項から第8項まで，規則附則第24条第4項）。
二　登記識別情報の通知（嘱託の場合）
(1)　官庁又は公署が登記権利者のために登記の嘱託をしたときは，官庁又は公署の申出により，送付の方法により登記識別情報通知書の交付を求めることができるが，この場合，送付を求めるときはその旨及び送付先の住所を嘱託情報の内容とすることとされた（規則第63条の2第1項）。
(2)　登記識別情報通知書の送付については，書留郵便，普通郵便等の方法によることとされた（規則第63条の2第2項）。
(3)　送付の方法により登記識別情報通知書の交付を求めるときは，嘱託書と併せて，送付に要する費用（書留郵便等に関する料金）を郵便切手等で提出しなければならないこととされ，また，速達に係る料金に相当する郵便切手等の提出があったときは，その取扱いによることとされた（規則第63条の2第3項）。
三　登記識別情報の通知の方法
(1)　電子申請の場合であっても，規則第63条第1項柱書の法務大臣の定める方法として，当面，登記識別情報通知書の交付を申し出ることができることとされた。
(2)　規則第63条第3項又は第63条の2第1項の規定による登記識別情報通知書の送付は，電子申請又は書面申請のいずれの場合も申し出ることができる。
(3)　規則第63条第3項又は第63条の2第1項の規定により送付の方法による登記識別情報通知書の交付の求めがあった場合には，規則第63条第3項又は第63条の2第1項の送付先（申請情報又は嘱託情報に基づき定まる送付先である。）に送付するものとする。この場合，登記識別情報通知書交付簿に登記識別情報通知書を送付した旨を記載するものとする。
(4)　規則第63条第3項又は第63条の2第1項の規定により送付の方法による登記識別情報通知書の交付の求めがあった場合において，送付に要する費用の納付がないとき又は不足するときは，申請人又は代理人に対して送付に要する費用の納付を求めるものとする。
(5)　規則第63条第3項又は第63条の2第1項の規定により送付の方法による登記識別情報通知書の交付の求めがあった場合において，登記識別情報通知書を送付したにもかかわらず，受取人不明等により当該登記識別情報通知書が返戻されたときは，

当該登記識別情報通知書は，規則第64条第1項第3号の規定により登記識別情報の通知を要しなくなるまでの間，厳重に管理しなければならないものとする。
　　　この場合，当該期間が経過するまでに登記識別情報通知書の交付の求めがあったときは，当該登記識別情報通知書を交付して差し支えない。
(6) 特例方式によらずに電子申請がされた場合において，登記識別情報通知書を交付するときは，受付番号を確認の上，身分証明書等の文書の提示を求める方法により，登記識別情報を交付することができる者であるか否かを細心の注意を払って確認し，交付するものとする。この場合，交付を受ける者に登記識別情報通知書交付簿に署名及び押印をさせ，その者の了解を得て，当該文書の写しを作成し，登記識別情報通知書交付簿に添付するものとする。ただし，了解を得ることができない場合にあっては，文書の種類，証明書の番号その他文書を特定することができる番号等の文書の主要な記載内容を登記識別情報通知書交付簿に記載するものとする。
(7) 特例方式により添付書面が提出された場合において，その添付書面の提出に際し，規則別記第13号様式による書面の添付がないときは，登記識別情報通知書の交付については，(6)と同様の方法により交付するものとする。
　　　なお，添付書面の提出に際し，規則別記第13号様式による書面の提供がなかったときは，その後その提供があったとしても，当該書面に押印されている印をもって確認したものとして登記識別情報通知書を交付することはできない。

第3　電子申請における登記識別情報の提供及び受領の方法
(1) 代理人として，電子申請をする者が申請人から登記識別情報を知ることを特に許されている場合は，登記識別情報の提供及び受領に係る登記識別情報提供様式，登記識別情報通知用特定ファイル届出様式及び登記識別情報取得申請書ファイル（以下「当該ファイル等」という。）には申請人本人の電子署名が不要とされ，当該ファイル等には代理人の電子署名がされていれば足りることとされた。
(2) (1)の方法により登記識別情報を提供するときは，代理人の権限を証する情報に「登記識別情報の暗号化に関する一切の権限」の委任条項が必要であるとされた。
(3) (1)の方法により登記識別情報を受領するときは，代理人の権限を証する情報に「登記識別情報の復号に関する一切の権限」の委任条項が必要であるとされた。
(4) 登記識別情報通知用特定ファイル届出様式及び登記識別情報取得申請書ファイルに申請人の電子署名がなく，代理人の電子署名しかなかったにもかかわらず，代理人の権限を証する情報に「登記識別情報の復号に関する一切の権限」の委任条項が含まれなかったときは，規則第63条第1項第1号の規定により登記識別情報を通知することができない。

第4　送付の方法による添付書面の原本の還付
(1) 規則第55条第1項の規定による原本の還付は，申請人の申出により，添付書面の原本を送付する方法によることとされ，この場合，送付先の住所を申し出ることとされた（規則第55条第6項）。
(2) 規則第55条第6項の規定により添付書面の原本を送付する方法による還付の求めがあった場合には，当該添付書面の原本を，同項の送付先（申請人が申し出た住所）に送付するものとする。この場合，添付書面の原本を送付した旨を，申請書又は電子申

請管理用紙の適宜の箇所に記載するものとする。
(3) 添付書面の原本の送付については，書留郵便等の方法によることとされた（規則第55条第7項）。
(4) 送付する方法による添付書面の原本の還付を求めるときは，送付に要する費用（書留郵便等に関する料金）を郵便切手等で提出しなければならないこととされた（規則第55条第8項）。

第5 資格者代理人による登記識別情報に関する証明の代理請求
一 資格者代理人による登記識別情報に関する証明の代理請求
(1) 登記識別情報に関する証明について，資格者代理人が代理人となって請求する場合にあっては，令第7条第1項第1号に規定する法人が請求人であるときの代表者の権限を証する情報，同項第2号に規定する代理人の代理権限を証する情報（代理人が法人である場合における当該法人の代表者の資格に関する情報を除く。），規則第68条第5項に規定する変更証明情報及び同条第6項に規定する相続その他一般承継があったことを証する情報の提供が不要とされた（同条第7項，第14項及び第15項）。この場合，当該資格者代理人が登記の申請の代理を業とすることができる者であることを証する情報を併せて提供しなければならないこととされ（同条第14項），また，同条第5項及び第6項に規定する情報を提供しないときは，その旨及びその情報の表示を請求情報の内容としなければならないこととされた（同条第1項第6号）。
(2) 規則第68条第14項の資格者代理人であることを証する情報は，次に掲げるものとする。
　ア 日本司法書士会連合会又は日本土地家屋調査士会連合会が発行した電子証明書
　イ 当該資格者代理人が所属する司法書士会，土地家屋調査士会又は弁護士会が発行した職印に関する証明書
　ウ 電子認証登記所が発行した電子証明書
　エ 登記所が発行した印鑑証明書
(3) (2)のイ及びエの証明書は，発行後3月以内のものであることを要する。
二 資格者代理人による登記識別情報に関する証明の代理請求の方法等
　資格者代理人による登記識別情報に関する証明の代理請求について，資格者代理人の補助者が使者として請求書を提出するとき又は証明書を受領するときは，原則として，当該補助者の補助者証及び特定事務指示書の提示は不要である。

■オンラインにより請求された登記事項証明書等の登記所窓口での交付及び登記完了証の記載内容の改正について（通達）

平成23・3・25民二第767号通達

記

第1　証明書の交付の請求に関する登記事務の取扱い
1　請求情報を電子情報処理組織を使用して提供する方法により次の(1)から(3)までの証明書等（以下「証明書」という。）の交付の請求をする場合には，送付の方法により交付を受けることができるほか，登記所で交付を受けることができることとされた（規則第194条第3項前段，第200条第4項及び第201条第4項）。
　(1)　登記事項証明書
　(2)　電磁的記録に記録された地図等の情報の内容を証明した書面
　(3)　電磁的記録に記録された土地所在図等の情報の内容を証明した書面
2　1の方法により証明書の交付を請求する場合において，証明書を登記所で受領しようとするときは，その旨を請求情報の内容としなければならないこととされた（規則第194条第3項後段，第200条第4項及び第201条第4項）。
3　1の方法により証明書の交付を請求した者が当該証明書を登記所で受領するときは，法務大臣が定める次の情報を当該登記所に提供しなければならないこととされた（規則第197条の2，第200条第4項及び第201条第4項）。
　(1)　証明書を受け取る者の氏名及び住所
　(2)　申請番号
　(3)　証明書の合計の請求通数
4　請求者が証明書を登記所で受領する旨を請求情報とした場合において，当該証明書を受領しないため交付することができないまま1月を経過したときは，請求書の余白に「交付不能」と記載し，当該証明書を適宜廃棄して差し支えない（準則第133条第7号）。

第2　登記完了証に関する登記事務の取扱い
1　登記完了証の記録内容及びその様式
　(1)　登記完了証は，次の事項を記録して作成することとされた（規則第181条第2項）。
　　ア　申請の受付の年月日及び受付番号
　　イ　規則第147条第2項の符号
　　ウ　不動産番号
　　エ　法第34条第1項各号及び第44条第1項各号（第6号及び第9号を除く。）に掲げる事項
　　オ　共同担保目録の記号及び目録番号（新たに共同担保目録を作成したとき及び共同担保目録に記載された事項を変更若しくは更正し，又は抹消する記号を記録したときに限る。）
　　カ　法第27条第2号の登記の年月日
　　キ　申請情報（電子申請の場合にあっては，規則第34条第1項第1号に規定する情報及び第36条第4項に規定する住民票コードを除き，書面申請の場合にあって

は，登記の目的に限る。）
(2) 電子申請と書面申請の登記完了証の様式が，それぞれ定められた（規則第181条第2項，別記第6号）。
(3) 書面申請（権利に関する登記）の登記完了証に記録する登記の目的は，登記完了証の「不動産」欄の最初に表示されている不動産の登記記録に記録されたものを記録することとされた（規則別記第6号）。

2 登記が完了した旨の通知の方法等
(1) 登記完了証の交付の方法について，規則第182条第1項各号に掲げる区分のほか，「法務大臣が別に定める場合」が追加された。
(2) (1)の法務大臣が別に定める場合として，電子申請の場合であっても，当分の間，登記完了証を書面により交付することを申し出ることができることとされた。また，登記権利者及び登記義務者が共同して申請する登記が完了した場合に交付される登記完了証も書面によることとされた。
(3) 送付の方法により登記完了証の交付を求めることができることとされ，その場合には，申請人は，その旨及び送付先の住所を申請情報の内容としなければならないこととされた（規則第182条第2項）。
 なお，電子申請又は書面申請のいずれの場合でも，送付の方法による登記完了証の交付を求めることができる。
(4) 送付の方法により登記完了証を交付する場合には，書留郵便又は信書便の役務であって信書便事業者において引受け及び配達の記録を行うものにより送付することとされた（規則第182条第3項，第55条第7項）。
(5) 送付の方法により登記完了証を交付する場合において，送付に要する費用の納付がないとき，又は不足しているときは，申請人又は代理人に対し，その費用の納付を求めるものとする。
(6) 送付の方法による登記完了証の交付の求めがあった場合において，登記完了証を送付したにもかかわらず，受取人不明等により当該登記完了証が返戻されたときは，規則第182条の2第1項第2号の規定により登記が完了した旨の通知を要しなくなるまでの間，当該登記完了証を保管するものとする。この場合において，当該期間が経過するまでに登記完了証の交付の求めがあったときは，当該登記完了証を交付して差し支えない。

3 登記が完了した旨の通知を要しない場合等の明確化
(1) 次の場合には，登記が完了した旨の通知を要しないこととされ，その登記に係る登記完了証を廃棄することができることとされた（規則第182条の2）。
 ア 規則第182条第1項第1号に規定する方法により登記完了証を交付する場合において，登記完了証の交付を受けるべき者が，登記官の使用に係る電子計算機に備えられたファイルに登記完了証が記録され，電子情報処理組織を使用して送信することが可能となった時から30日を経過しても，自己の使用に係る電子計算機に備えられたファイルに登記完了証を記録しないとき。
 イ 規則第182条第1項第2号に規定する方法により登記完了証を交付する場合において，登記完了証の交付を受けるべき者が，登記の完了の時から3月を経過しても，登記完了証を受領しないとき。
(2) 規則第182条第1項柱書きの規定により書面で作成した登記完了証の交付による

登記が完了した旨の通知を要しないこととなる要件は，(1)イと同じとし，登記が完了した旨の通知を要しなくなった場合には，その登記に係る登記完了証は，適宜廃棄して差し支えない。
(3) 登記完了証を廃棄する場合には，規則第29条の規定は，適用しないこととされた（規則第182条の2第2項）。また，この改正に併せて，登記名義人に通知し，又は提供された登記識別情報についても，次の場合には，規則第29条の規定は，適用しないこととされた（規則第64条第4項及び第69条第2項）。
なお，登記完了証を廃棄する場合には，登記識別情報通知書交付簿にその旨を記録しなければならない（準則第118条の2）。
　ア　規則第64条第3項の規定により同条第1項第2号に規定する登記識別情報又は同項第3号に規定する登記識別情報を記載した書面を廃棄する場合
　イ　規則第69条第1項の規定により登記識別情報を記載した書面を廃棄する場合

第3　受付帳に関する取扱い
1　受付帳の調製
(1) 受付帳は，不動産登記の申請，登記識別情報の失効の申出及び登記識別情報に関する証明について，それぞれ調製することとされた（規則第18条の2第1項）。
(2) 受付帳は，書面により調製する必要がある場合を除き，磁気ディスクその他の電磁的記録に記録して調製することとされた（同条第2項）。
2　登記識別情報に関する証明の請求に係る受付帳に記録された情報の保存期間
登記識別情報に関する証明の請求に係る受付帳に記録された情報の保存期間は，受付の年の翌年から1年間とされた（規則第28条第8号）。

◪法人番号制度創設に伴う会社法人等番号による不動産登記事務等の取扱いについて

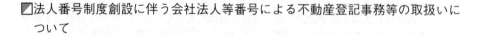
平成27・10・23民二第512号通達

不動産登記令等の一部を改正する政令（平成27年政令第262号。以下「改正政令」という。）及び不動産登記規則等の一部を改正する省令（平成27年法務省令第43号。以下「改正省令」という。）が本年11月2日から施行されることとなりましたが，これらに伴う不動産登記事務等の取扱いについては，下記の点に留意し，事務処理に遺憾のないよう，貴管下登記官に周知方お取り計らい願います。
なお，本通達中，「不登法」とあるのは不動産登記法（平成16年法律第123号）を，「不登令」とあるのは改正政令による改正後の不動産登記令（平成16年政令第379号）を，「不登規則」とあるのは改正省令による改正後の不動産登記規則（平成17年法務省令第18号）を，「旧不登規則」とあるのは改正省令による改正前の不動産登記規則をいいます。また，その他の政令及び省令については，いずれも改正政令及び改正省令による改正後のものをいいます。

記

1　改正の趣旨
行政手続における特定の個人を識別するための番号の利用等に関する法律の施行に伴う

関係法律の整備等に関する法律（平成25年法律第28号）による改正後の商業登記法（昭和38年法律第125号）第7条の規定により，商業登記簿には会社法人等番号を記録することとされた。この会社法人等番号を基礎とし，特定の法人を識別する機能を有する法人番号制度が創設されたことにより，申請，届出その他の手続を行う国民が手続の簡素化による負担の軽減や利便性の向上を得られるようにするための基盤が整備された。

そこで，この法人番号の基礎となる会社法人等番号を利用して，不動産登記等の申請における申請人の負担の軽減等を図ることとし，改正政令においては，申請人が会社法人等番号を有する法人であるときに提供すべき添付情報を，当該法人の代表者の資格を証する情報から当該法人の会社法人等番号に変更するものとされ（不登令第7条第1項第1号イ），改正省令においては，法人である代理人の代表者の資格を証する情報等についても，会社法人等番号に代替することができることとされるなどの所要の整備がされた。

2 不動産登記に関する登記手続
(1) 申請人が法人である場合における添付情報の取扱い
　ア 不登令第7条第1項第1号イの規定により会社法人等番号が提供された場合の取扱い
　　(ア) 会社法人等番号の提供
　　　　申請人が会社法人等番号を有する法人である場合には，当該法人の会社法人等番号を提供しなければならないとされた（不登令第7条第1項第1号イ）。
　　　　申請人の会社法人等番号を提供するときは，不登令第3条第1号の「申請人の名称」に続けて記録して差し支えない。
　　(イ) 会社法人等番号が提供された場合の取扱い
　　　　不登令第7条第1項第1号イの規定により会社法人等番号が提供された場合には，申請人である法人の登記記録について調査を行うものとする。
　　　　この場合において，不動産登記の申請の受付時に，当該法人について，商業登記その他法人登記の処理がされているときは，当該法人の登記記録についての調査は，当該法人の法人登記の完了後に行うものとする。
　イ 不登規則第36条第1項各号の規定により登記事項証明書が提供された場合の取扱い
　　(ア) 登記事項証明書の提供
　　　　申請人が会社法人等番号を有する法人である場合であっても，当該法人の代表者の資格を証する登記事項証明書又は支配人等の権限を証する登記事項証明書を提供したときは，会社法人等番号の提供を要しないとされた（不登令第7条第1項第1号及び不登規則第36条第1項各号）。また，この登記事項証明書はその作成後1月（※改正により3月）以内のものでなければならないとされた（同条第2項）。
　　(イ) 登記事項証明書が提供された場合の取扱い
　　　　不登規則第36条第1項各号の規定により，上記(ア)の登記事項証明書が提供された場合には，当該登記事項証明書により当該法人の代表者の資格又は支配人等の権限について調査を行うものとする。
(2) 法人である代理人の代理権限証明情報の取扱い
　ア 法人である代理人によって登記の申請をする場合において，当該代理人の会社法

人等番号を提供したときは，当該代理人の代表者の資格を証する情報の提供に代えることができるとされた（不登規則第37条の２）。
　　イ　この会社法人等番号の提供は上記(1)ア(ｱ)に準ずるものとし，会社法人等番号が提供された場合の取扱いは上記(1)ア(ｲ)と同様である。
　(3)　住所（変更）証明情報の取扱い
　　ア　登記名義人となる者等の住所を証する情報（以下「住所証明情報」という。）を提供しなければならない場合において，その申請情報と併せて会社法人等番号を提供したときは，当該住所証明情報を提供することを要しないとされた（不登令第９条及び不登規則第36条第４項）。
　　イ　この会社法人等番号の提供は，住所について変更又は錯誤若しくは遺漏があったことを証する情報（以下「住所変更証明情報」という。）の提供に代替することができる（不登令第９条）が，当該会社法人等番号は当該住所についての変更又は錯誤若しくは遺漏があったことを確認することができるものに限られる（不登規則第36条第４項ただし書）。
　　ウ　住所証明情報又は住所変更証明情報の提供に代替する会社法人等番号の提供は上記(1)ア(ｱ)に準ずるものとし，会社法人等番号が提供された場合の取扱いは上記(1)ア(ｲ)と同様である。
　(4)　その他会社法人等番号の提供により代替することができる添付情報の取扱い
　　ア　法人の合併による承継又は法人の名称変更等を証する情報の取扱い
　　　法人の承継を証する情報（不登令第７条第１項第４号及び第５号イ並びに別表の22の項添付情報欄等）又は法人の名称変更等を証する情報（不登令別表の23の項添付情報欄等）の提供を要する場合において，当該法人の会社法人等番号を提供したときは，これらの情報の提供に代えることができるものとする。
　　　また，同一登記所（申請を受ける登記所が申請人である法人の登記を受けた登記所と同一であり，法務大臣が指定した登記所以外のものである場合（旧不登規則第36条第１項第１号）をいう。以下同じ。）における当該法人の承継又は変更を証する情報の提供の省略を定めた昭和38年12月17日付け民事甲第3237号当職通達は廃止する。
　　イ　第三者の許可等を証する情報の取扱い
　　　登記原因について第三者が許可等したことを証する情報を提供しなければならない（不登令第７条第１項第５号ハ）場合において，登記官が必要であると認めたときは，当該第三者の代表者の資格を証する情報を提供させることができるものとされている（大正８年12月10日民事第5154号当職回答）ところ，当該第三者の会社法人等番号を提供したときは，その代表者の資格を証する情報の提供に代えることができるものとする。
　　ウ　その他の情報の取扱い
　　　会社の分割による権利の移転の登記の申請をする場合において提供すべき新設会社又は吸収分割承継会社の登記事項証明書（平成18年３月29日付け法務省民二第755号当職通達）など，登記原因証明情報の一部として登記事項証明書の提供が必要とされている場合においても，これらの会社の会社法人等番号を提供したときは，登記事項証明書の提供に代えることができるものとする。
　　エ　会社法人等番号の取扱い

　　　　上記アからウまでの場合における会社法人等番号の取扱いについては，上記(3)イ
　　　及びウと同様である。
　　　　また，電子申請（不登規則第1条第3号）の申請人がその者の商業登記規則（昭
　　　和39年法務省令第23号）第33条の8第2項（他の法令において準用する場合を含
　　　む。）に規定する電子証明書を提供したときは，当該電子証明書の提供をもって，
　　　当該申請人の会社法人等番号の提供に代えることができるとされた（不登規則第44
　　　条第2項）ところ，上記アからウまでの場合においても，当該電子証明書の提供を
　　　もって会社法人等番号の提供に代えることができるものとする。
　(5)　登記申請の代理権が消滅していない場合の添付情報の取扱い
　　ア　登記の申請をする者の委任による代理人の権限は，法定代理人の死亡又はその代
　　　理権の消滅若しくは変更によっては消滅せず（不登法第17条第4号），この法定代
　　　理人には法人の代表者も含まれるものとされている（平成5年7月30日付け法務省
　　　民三第5320号当職通達（以下「平成5年通達」という。）の記第2の1）ところ，
　　　当該代表者が死亡等した場合であっても，当該法人が会社法人等番号を有する法人
　　　であるときは，当該法人の会社法人等番号を提供しなければならない（不登令第7
　　　条第1項第1号イ）。この場合には，申請情報に当該代表者の代表権が消滅した旨
　　　を明らかにしなければならないものとし，当該会社法人等番号によって当該代表者
　　　の資格を確認することができないときは，その資格を確認することができる登記事
　　　項証明書を提供しなければならないものとする。
　　イ　また，同一登記所における法人の代表者の資格を証する情報の取扱いを定めた平
　　　成5年通達の記第2の1は廃止する。
　　ウ　上記アの場合における会社法人等番号の取扱いについては，上記(1)と同様である。
　(6)　地図等の訂正の申出等の手続における添付情報の取扱い
　　　　地図等の訂正の申出（不登規則第16条），登記識別情報の失効の申出（不登規則第
　　　65条），登記識別情報に関する証明の請求（不登規則第68条）及び土地所在図等の訂
　　　正の申出（不登規則第88条）の手続における会社法人等番号の取扱いについては，上
　　　記(1)，(2)及び(4)と同様である。

3　不動産登記簿の附属書類の閲覧の請求手続
　(1)　請求人が法人であるときにおける提示書面の取扱い
　　　　請求人が法人であるときは，当該法人の代表者の資格を証する書面を提示しなけれ
　　　ばならないところ，当該法人の会社法人等番号をも請求情報の内容としたときは，こ
　　　の限りでないとされた（不登規則第193条第5項）。
　(2)　代理人によって請求するときにおける提示書面の取扱い
　　　　代理人によって請求するときは，当該代理人の権限を証する書面を提示しなければ
　　　ならないところ，支配人等が法人を代理して請求する場合において，当該法人の会社
　　　法人等番号をも請求情報の内容としたときは，この限りでないとされた（不登規則第
　　　193条第6項）。
　　　　また，法人である代理人によって請求する場合において，当該代理人の会社法人等
　　　番号をも請求情報の内容としたときは，当該代理人の代表者の資格を証する書面を提
　　　示することを要しないものとされた（不登規則第193条第7項）。
　(3)　会社法人等番号が請求情報の内容とされた場合の取扱い

会社法人等番号が請求情報の内容とされた閲覧の請求の受付時に，請求人又は法人である代理人について，商業登記その他法人登記の処理がされているときは，閲覧の請求に応ずることはできないこととなる。

4 筆界特定の手続
(1) 筆界特定の申請における添付情報の取扱い
　筆界特定の申請（不登規則第209条）における会社法人等番号の取扱いについては，上記2(1)，(2)及び(4)と同様である。
(2) 調書等の閲覧等の請求における提示書面の取扱い
　調書等の閲覧の請求（不登規則第227条）及び筆界特定書等以外の筆界特定手続記録の閲覧の請求（不登規則第238条）における会社法人等番号の取扱いについては，上記3と同様である。
(3) 関係人が法人である場合等における添付情報の取扱い
　①関係人が法人である場合に提供すべき情報（不登規則第243条第1項及び第2項）及び②筆界特定の申請の後に申請人又は関係人が代理人を選任したときに提供すべき情報（同条第3項及び第4項）については，提供する登記事項証明書に期間の制限がないことを除いて，①にあっては上記2(1)に準ずるものとし，②にあっては上記2(2)イと同様である。

5 不動産登記以外の手続（省略）

法定相続証明情報制度の創設に伴う事務の取扱いについて

平成29・4・17民二第292号民事局長通達
平成30・3・29民二第166号一部改正
令和2・10・22民二第783号一部改正
令和3・3・29民二第655号一部改正

第1 改正の趣旨

相続登記が未了のまま放置されることは，いわゆる所有者不明土地問題や空き家問題を生じさせる大きな要因の一つであるとされ，平成28年6月に閣議決定された「経済財政運営と改革の基本方針2016」において相続登記の促進に取り組むとともに，同年6月に閣議決定された「日本再興戦略2016」及び「ニッポン一億総活躍プラン」において相続登記の促進のための制度を検討することとされた。これを受け，相続人の相続手続における手続的な負担軽減と新たな制度を利用する相続人に相続登記の直接的な促しの契機を創出することにより，今後生じる相続に係る相続登記について，これが未了のまま放置されることを抑止し，相続登記を促進するため，不動産登記規則を改正し，法定相続情報証明制度を創設したものである。

第2 改正省令の施行に伴う事務の取扱い
1 法定相続情報一覧図つづり込み帳及びその保存期間
(1) 登記所には，法定相続情報一覧図つづり込み帳を備えることとされた（規則第18

条第35号)。また，法定相続情報一覧図つづり込み帳には，法定相続情報一覧図及びその保管の申出に関する書類をつづり込むこととされた（規則第27条の6)。法定相続情報一覧図を適正に保管するためには，法定相続情報一覧図つづり込み帳を備える必要がある。この法定相続情報一覧図つづり込み帳につづり込む書類としては，法定相続情報一覧図のほか，申出書，申出書に記載されている申出人の氏名及び住所と同一の氏名及び住所が記載されている市町村長その他公務員が職務上作成した証明書（当該申出人が原本と相違ない旨を記載した謄本を含む。）及び代理人の権限を証する書面が該当する。

(2) 法定相続情報一覧図つづり込み帳の保存期間は，作成の年の翌年から5年間とされた（規則第28条の2第6号)。

そのため，保存期間を経過した場合には，他の帳簿と同様に廃棄をすることとなる。

2 不動産登記の申請等における添付情報の取扱い

登記名義人等の相続人が登記の申請をする場合において，法定相続情報一覧図の写し（以下「一覧図の写し」という。）を提供したときは，その一覧図の写しの提供をもって，相続があったことを証する市町村長その他の公務員が職務上作成した情報の提供に代えることができるとされた（規則第37条の3)。

この取扱いにより，登記の申請やその他の不動産登記法令上の手続において，一覧図の写しの提供を相続があったことを証する市町村長その他の公務員が職務上作成した情報の提供に代えることができることとなるところ，具体的な申請・手続は主に次のものが該当する。

(1) 一般承継人による表示に関する登記の申請（法第30条）
(2) 区分建物の表題登記の申請（法第47条第2項）
(3) 一般承継人による権利に関する登記の申請（法第62条）
(4) 相続による権利の移転の登記（法第63条第2項）
(5) 権利の変更等の登記（債務者の相続）（法第66条）
(6) 所有権の保存の登記（法第74条第1項第1号）
(7) 筆界特定の申請（法第131条第1項）
(8) 地図等の訂正（規則第16条第1項）
(9) 登記識別情報の失効の申出（規則第65条第1項）
(10) 登記識別情報に関する証明（規則第68条第1項）
(11) 土地所在図の訂正等（規則第88条第1項）
(12) 不正登記防止申出（準則第35条）
(13) 事前通知に係る相続人からの申出（準則第46条）

なお，申請人から添付した一覧図の写しの原本還付の請求があった場合は，規則第55条の規定により原本を還付することができる。この場合に，いわゆる相続関係説明図が提出されたときは，当該相続関係説明図を一覧図の写しの謄本として取り扱い，一覧図の写しについては還付することとして差し支えない。

おって，一覧図の写しは飽くまで相続があったことを証する市町村長その他の公務員が職務上作成した情報を代替するものであり，遺産分割協議書や相続放棄申述受理証明書等までをも代替するものではない。

また，規則第37条の3の規定により，相続があったことを証する市町村長その他の

公務員が職務上作成した情報の提供に代えて一覧図の写しが提供された場合であって，規則第247条第4項の規定により当該写しに相続人の住所が記載されているときは，登記官は，当該写しをもって，当該相続人の住所を証する市町村長，登記官その他の公務員が職務上作成した情報として取り扱って差し支えない。

3 法定相続情報一覧図
(1) 登記名義人等について相続が開始した場合において，その相続に起因する登記その他の手続のために必要があるときは，その相続人（規則第247条第3項第2号に掲げる書面の記載により確認することができる者に限る。以下本通達において同じ。）又は当該相続人の地位を相続により承継した者は，法定相続情報一覧図の保管及び一覧図の写しの交付を申し出ることができるとされた（規則第247条第1項）。

その他の手続とは，その手続の過程において相続人を確認するために規則第247条第3項第2号及び同項第4号に掲げる書面（以下「戸除籍謄抄本」という。）の提出が求められるものをいい，例えば筆界特定の申請や地図等の訂正の申出のみならず，金融機関における預貯金の払戻し手続等も想定している。

また，当該相続人の地位を相続により承継した者とは，いわゆる数次相続が生じている場合の相続人が該当する。

(2) 法定相続情報一覧図の保管及び一覧図の写しの交付の申出は，被相続人の本籍地若しくは最後の住所地，申出人の住所地又は被相続人を表題部所有者若しくは所有権の登記名義人とする不動産の所在地を管轄する登記所の登記官に対してすることができるとされた（規則第247条第1項）。

これらの登記所は，申出人の利便性も考慮して申出先登記所の選択肢を示したものである。

登記官は，専ら申出書に記載された情報や添付書面に基づき，これらの登記所のいずれかに該当することを確認することで足りる。

なお，法定相続情報一覧図の保管及び一覧図の写しの交付の申出は，これらの登記所に出頭してするほか，送付の方法によってすることもできる。

(3) 法定相続情報一覧図には，被相続人に関しては，その氏名，生年月日，最後の住所及び死亡の年月日を，相続人に関しては，相続開始の時における同順位の相続人の氏名，生年月日及び被相続人との続柄を記載することとされた（規則第247条第1項第1号及び第2号）。

また，法定相続情報一覧図には，作成の年月日を記載し，申出人が記名するとともに，法定相続情報一覧図を作成した申出人又はその代理人が記名することとされた（規則第247条第3項第1号）。

法定相続情報一覧図の作成にあっては，次の事項を踏まえる必要がある。
ア 被相続人と相続人とを線で結ぶなどし，被相続人を起点として相続人との関係性が一見して明瞭な図による記載とする。ただし，被相続人及び相続人を単に列挙する記載としても差し支えない。
イ 被相続人の氏名には「被相続人」と併記する。
ウ 被相続人との続柄の表記については，戸籍に記載される続柄を記載することとする。
したがって，被相続人の配偶者であれば「夫」や「妻」，子であれば「長男」，「長女」，「養子」などとする。ただし，続柄の記載は，飽くまで被相続人との続

柄である必要があることから，戸籍に記載される続柄では表記することができない場合，例えば被相続人の兄弟姉妹が相続人である場合は「姉」や「弟」とし，代襲相続がある場合であって被相続人の孫が代襲相続人となる場合は「孫」とする。

　なお，申出人の任意により，被相続人の配偶者が相続人である場合にその続柄を「配偶者」としたり，同じく子である場合に「子」とすることでも差し支えない。

エ　申出人が相続人として記載される場合，法定相続情報一覧図への申出人の記名は，当該相続人の氏名に「申出人」と併記することに代えて差し支えない。

オ　法定相続情報一覧図の作成をした申出人又は代理人の記名には，住所を併記する。なお，作成者が戸籍法（昭和22年法律第224号）第10条の２第３項に掲げる者である場合は，住所については事務所所在地とし，併せてその資格の名称をも記載する。

カ　相続人の住所を記載する場合は，当該相続人の氏名に当該住所を併記する。

キ　推定相続人の廃除がある場合，その廃除された推定相続人の氏名，生年月日及び被相続人との続柄の記載は要しない。

ク　代襲相続がある場合，代襲した相続人の氏名に「代襲者」と併記する。この場合，被相続人と代襲者の間に被代襲者がいることを表すこととなるが，その表記は例えば「被代襲者（何年何月何日死亡）」とすることで足りる。

ケ　法定相続情報一覧図は，日本工業規格Ａ列４番の丈夫な用紙をもって作成し，記載に関しては明瞭に判読することができるものとする。

コ　相続手続での利便性を高める観点から，被相続人の最後の住所に並べて，最後の本籍も記載することを推奨する。

　なお，後記５（２）のとおり，被相続人の最後の住所を証する書面の添付を要しない場合には，被相続人の最後の住所の記載に代えて被相続人の最後の本籍を記載する必要があることに留意する。

(4)　なお，法定相続情報一覧図には，相続開始の時における同順位の相続人の氏名等が記載される。したがって，数次相続が生じている場合は，被相続人一人につき一つの申出書及び法定相続情報一覧図が提供及び添付されることとなる。

4　法定相続情報一覧図の保管及び一覧図の写しの交付の申出

(1)　法定相続情報一覧図の保管及び一覧図の写しの交付の申出は，規則第247条第２項各号に掲げる事項を記載した申出書を提供してしなければならないとされた（規則第247条第２項）。

　この申出書は，別記第１号様式又はこれに準ずる様式によるものとする。

(2)　申出書には，申出人の氏名，住所，連絡先及び被相続人との続柄を記載することとされた（規則第247条第２項第１号）。

(3)　法定相続情報一覧図の保管及び一覧図の写しの交付の申出を代理人によってする場合は当該代理人の氏名又は名称，住所及び連絡先並びに代理人が法人であるときはその代表者の氏名を記載することとされた。また，申出人の法定代理人又はその委任による代理人にあってはその親族若しくは戸籍法第10条の２第３項に掲げる者に限るとされた（規則第247条第２項第２号）。

　戸籍法第10条の２第３項に掲げる者とは，具体的には，弁護士，司法書士，土地

家屋調査士，税理士，社会保険労務士，弁理士，海事代理士及び行政書士である（各士業法の規定を根拠に設立される法人を含む。）。
(4) 申出書には，利用目的及び交付を求める通数を記載することとされた（規則第247条第2項第3号，第4号）。

　登記官は，申出書に記載された利用目的が相続手続に係るものであり，その提出先が推認できることを確認するものとする。また，その利用目的に鑑みて交付を求める通数が合理的な範囲内であることも確認するものとする。
(5) 申出書には，被相続人を表題部所有者又は所有権の登記名義人とする不動産があるときは，不動産所在事項又は不動産番号を記載することとされた（規則第247条第2項第5号）。

　被相続人を表題部所有者又は所有権の登記名義人とする不動産が複数ある場合には，そのうちの任意の一つを記載することで足りるが，被相続人を表題部所有者又は所有権の登記名義人とする不動産の所在地を管轄する登記所に申出をする場合には，当該登記所の管轄区域内の不動産所在事項又は不動産番号を記載する必要がある。
(6) 申出書には，申出の年月日を記載することとされた（規則第247条第2項第6号）。
(7) 申出書には，送付の方法により一覧図の写しの交付及び規則第247条第6項の規定による書面の返却を求めるときは，その旨を記載することとされた（規則第247条第2項第7号）。

5　添付書面について

　申出書には，申出人又はその代理人が記名するとともに，前記3に示す法定相続情報一覧図をはじめ，規則第247条第3項各号に掲げる書面を添付しなければならないとされた。
(1) 申出書には，被相続人（代襲相続がある場合には，被代襲者を含む。）の出生時から死亡時までの戸籍及び除かれた戸籍の謄本又は全部事項証明書を添付することとされた。また，規則第247条第1項第2号の相続人の戸籍の謄本，抄本又は記載事項証明書を添付することとされた（規則第247条第3項第2号，第4号）。

　除籍又は改製原戸籍の一部が滅失等していることにより，その謄本が添付されない場合は，当該謄本に代えて，「除籍等の謄本を交付することができない旨」の市町村長の証明書を添付することで差し支えない。

　これに対し，例えば被相続人が日本国籍を有しないなど戸除籍謄抄本の全部又は一部を添付することができない場合は，登記官は，法定相続情報一覧図の保管及び一覧図の写しの交付をすることができない。
(2) 申出書には，被相続人の最後の住所を証する書面を添付することとされた（規則第247条第3項第3号）。

　被相続人の最後の住所を証する書面とは，被相続人に係る住民票の除票や戸籍の附票が当たる。

　これらの書面が市町村において廃棄されているため発行されないときは，申出書への添付を要しない。この場合は，申出書及び法定相続情報一覧図には，被相続人の最後の住所の記載に代えて被相続人の最後の本籍を記載するものとする。
(3) 申出人が相続人の地位を相続により承継した者であるときは，これを証する書面を添付することとされた（規則第247条第3項第5号）。

この書面には，当該申出人の戸籍の謄抄本又は記載事項証明書が該当するが，規則第247条第3項第2号及び第4号の書面により申出人が相続人の地位を相続により承継したことを確認することができるときは，添付を要しない。
(4) 申出書には，申出書に記載されている申出人の氏名及び住所と同一の氏名及び住所が記載されている市町村長その他の公務員が職務上作成した証明書（当該申出人が原本と相違がない旨を記載した謄本を含む。）を添付することとされた（規則第247条第3項第6号）。
　　　当該証明書には，例えば住民票記載事項証明書や運転免許証の写し（申出人が原本と相違がない旨を記載したもの。なお，この場合には，申出人の記名を要する。）が該当するところ，登記官はこれらの書面によって申出人の本人確認を行うものとする。
(5) 代理人によって申出をするときは，代理人の権限を証する書面を添付することとされた（規則第247条第3項第7号）。
　　ア　法定代理人の場合，代理人の権限を証する書面は，法定代理人それぞれの類型に応じ，次に掲げるものが該当する。
　　　(ｱ)　親権者又は未成年後見人
　　　　　申出人たる未成年者に係る戸籍の謄抄本又は記載事項証明書
　　　(ｲ)　成年後見人又は代理権付与の審判のある保佐人・補助人
　　　　　申出人たる成年被後見人又は被保佐人・被補助人に係る後見登記等ファイルの登記事項証明書（被保佐人・被補助人については，代理権目録付きのもの）
　　　(ｳ)　不在者財産管理人・相続財産清算人
　　　　　申出人たる各管理人の選任に係る審判書
　　イ　委任による代理人の場合，代理人の権限を証する書面は，委任状に加え，委任による代理人それぞれの類型に応じ，次に掲げるものが該当する。
　　　(ｱ)　親族
　　　　　申出人との親族関係が分かる戸籍の謄抄本又は記載事項証明書
　　　(ｲ)　戸籍法第10条の2第3項に掲げられる者
　　　　　資格者代理人団体所定の身分証明書の写し等
　　　　　なお，代理人が各士業法の規定を根拠に設立される法人の場合は，当該法人の登記事項証明書
　　ウ　代理人の権限を証する書面について，原本の添付に加えて，代理人が原本と相違がない旨を記載し，記名をした謄本が添付された場合は，登記官は，それらの内容が同一であることを確認した上，原本を返却するものとする。
6　法定相続情報一覧図への相続人の住所の記載について
　　法定相続情報一覧図に相続人の住所を記載したときは，申出書にその住所を証する書面を添付しなければならないとされた（規則第247条第4項）。
　　相続人の住所は，法定相続情報一覧図の任意的記載事項である。したがって，相続人の住所の記載がない場合は，相続人の住所を証する書面の添付は要しない。
7　一覧図の写しの交付等
　　登記官は，申出人から提供された申出書の添付書面によって法定相続情報の内容を確認し，その内容と法定相続情報一覧図に記載された法定相続情報の内容とが合致していることを確認したときは，一覧図の写しを交付することとされた（規則第247条

第5項前段)。

また，一覧図の写しには，申出に係る登記所に保管された一覧図の写しである旨の認証文を付した上で，作成の年月日及び職氏名を記載し，職印を押印することとされた（規則第247条第5項後段)。

(1) 法定相続情報の内容の確認について

登記官は，法定相続情報一覧図の保管及び一覧図の写しの交付の申出があったときは，速やかに，法定相続情報一覧図の内容を確認するものとする。

(2) 申出の内容に不備がある場合の取扱い

ア　添付された法定相続情報一覧図の記載に，その他の添付書面から確認した法定相続情報の内容と合致していないなどの誤りや遺漏がある場合，登記官は，申出人又は代理人にその内容を伝え，速やかに当該法定相続情報一覧図の誤り等を訂正させ，清書された正しい法定相続情報一覧図の添付を求めるものとする。提供された申出書に誤りがある場合についても，同様とする。

イ　添付書面が不足している場合，登記官は，申出人又は代理人に不足している添付書面を伝え，一定の補完期間を設けてその添付を求めるものとする。

ウ　上記ア又はイに係る不備の補完がされない場合は、次のとおり取り扱うものとする。

(ア)　申出人又は代理人に対し，申出書及び添付書面を返戻する旨を通知するとともに，窓口において返戻を受ける場合はそのための出頭又は送付によって返戻を受ける場合は必要な費用の納付を求める。

(イ)　上記(ア)の求めに応じない場合は，申出があった日から起算して3か月を経過したのち，当該申出書及び添付書面を廃棄して差し支えない。

(3) 法定相続情報一覧図の保存について

登記官は，申出人から提供された申出書の添付書面によって確認した法定相続情報の内容と，法定相続情報一覧図に記載された法定相続情報の内容とが合致していることを確認したときは，一覧図の写しの作成のため，次の方法により法定相続情報一覧図を保存するものとする。

ア　法定相続情報番号の採番

登記官は，登記所ごとの法定相続情報番号を採番し，申出書の所定の欄に記入するものとする。

イ　法定相続情報一覧図の保存

(ア)　登記官は，添付された法定相続情報一覧図をスキャナを用いて読み取ることにより電磁的記録に記録して保存するものとする。

(イ)　上記アで採番した法定相続情報番号，申出年月日，被相続人の氏名，生年月日，最後の住所（最後の住所を証する書面を添付することができない場合は，最後の本籍）及び死亡の年月日を電磁的記録に記録するものとする。

(ウ)　上記(イ)に際し，被相続人の氏名に誤字俗字が用いられている場合は，これを正字等（原則として通用字体）に引き直して電磁的記録に記録する。

(4) 一覧図の写しの作成

ア　用紙

一覧図の写しは，偽造防止措置が施された専用紙を用いて作成する。

イ　認証文及びその他の付記事項

(ア) 一覧図の写しに付記する認証文は，次のとおりとする。
「これは，平成〇年〇月〇日に申出のあった当局保管に係る法定相続情報一覧図の写しである。」
なお，上記(2)アにより正しい法定相続情報一覧図を補完させた場合は，その補完がされた日を申出があった日とみなすものとする。
同様に，上記(2)イにより不足している添付書面を補完させた場合は，当該添付書面の発行がいつであるかにかかわらず，不足している添付書面が補完された日を申出があった日とみなすものとする。

(イ) 一覧図の写しに登記官が記載する職氏名は，次のとおりとする。
「何法務局（何地方法務局）何支局（何出張所）登記官何某」

(ウ) 一覧図の写しには，次の注意事項を付記するものとする。
「本書面は，提出された戸除籍謄本等の記載に基づくものである。
相続放棄に関しては，本書面に記載されない。また，被相続人の死亡に起因する相続手続及び年金等手続以外に利用することはできない。」

(5) 一覧図の写しの交付及び添付書面の返却

登記官は，一覧図の写しを交付するときは，規則第247条第3項第2号から第5号まで及び同条第4項に規定する添付書面を返却することとされた（規則第247条第6項）。この一覧図の写しの交付及び添付書面の返却は，次により取り扱うものとする。

ア　登記所窓口における交付等の取扱い

窓口において一覧図の写しの交付及び添付書面の返却をするときは，その交付及び返却を受ける者から，運転免許証その他申出書に記載されている申出人又は代理人の氏名及び住所と同一の氏名及び住所が記載されている市町村長その他の公務員が職務上作成した証明書の提示を受けることで，一覧図の写しの交付及び添付書面の返却をすることができる者であることを確認し，その上で申出書の「受取」欄へ一覧図の写し等を受領した旨を記載させることとする。

なお，代理人が戸籍法第10条の2第3項に掲げられる者である場合は，提示を受ける書面は資格者代理人団体所定の身分証明書等で代替して差し支えない。

ただし，上記にかかわらず，その他の措置を講じさせることにより一覧図の写しの交付及び添付書面の返却をすることができる者であることを確認することができる場合は，その措置によることができる。

イ　送付による交付等の取扱い

一覧図の写しの交付及び添付書面の返却は，送付の方法によりすることができるとされた（規則第248条）。この方法によるときは，申出書に記載された当該申出人又は代理人の住所に宛てて送付するものとする。この場合には，申出書の所定の欄に一覧図の写し及び添付書面を送付した旨を記載するものとする。

ウ　一覧図の写し又は添付書面を申出人又は代理人が受け取らない場合は，申出があった日から起算して3か月を経過したのち，廃棄して差し支えない。

8　一覧図の写しの再交付

規則第247条各項の規定（同条第3項第1号から第5号まで及び第4項を除く）は，法定相続情報一覧図の保管及び一覧図の写しの交付の申出をした者がその申出に係る登記所の登記官に対し一覧図の写しの再交付の申出をする場合について準用する

こととされた（規則第247条第7項）。
(1) 再交付申出書
再交付申出書は，別記第2号様式又はこれに準ずる様式による申出書（以下「再交付申出書」という。）によってするものとする。
(2) 再交付申出書の添付書面
再交付申出書には，次に掲げる書面の添付を要する（規則第247条第7項において準用する同条第3項第6号及び第7号）。
ア 再交付申出書に記載されている申出人の氏名及び住所と同一の氏名及び住所が記載されている市町村長その他の公務員が職務上作成した証明書（当該申出人が原本と相違がない旨を記載し，記名をした謄本を含む。）
なお，当初の申出において提供された申出書に記載されている申出人の氏名又は住所と再交付申出書に記載された再交付申出人の氏名又は住所とが異なる場合は，その変更経緯が明らかとなる書面の添付を要する。
イ 代理人によって申出をするときは，第2の5(5)に示す代理人の権限を証する書面
(3) 再交付の申出をすることができる者の確認
登記官は，一覧図の写しの再交付の申出があったときは，上記(2)の書面と当初の申出において提供された申出書に記載された申出人の表示とを確認し，その者が一覧図の写しの再交付の申出をすることができる者であることを確認するものとする。
9 法定相続情報に変更が生じたとして再度の申出があった場合
法定相続情報一覧図つづり込み帳の保存期間中に戸籍の記載に変更があり，当初の申出において確認した法定相続情報に変更が生じたため，その申出人が規則第247条各項の規定により再度法定相続情報一覧図の保管及び一覧図の写しの交付の申出をしたときは，登記官はこれに応じて差し支えない。この場合に，登記官は，それ以降当初の申出に係る一覧図の写しを交付してはならない。
なお，この場合の変更とは，例えば，被相続人の死亡後に子の認知があった場合，被相続人の死亡時に胎児であった者が生まれた場合，法定相続情報一覧図の保管及び一覧図の写しの交付の申出後に廃除があった場合などが該当する。

◪行政不服審査法等の施行に伴う不動産登記事務の取扱いについて

平成28・3・24民二第269号民事局長通達

〔通達〕

行政不服審査法（平成26年法律第68号。以下「行審法」という。），行政不服審査法の施行に伴う関係法律の整備等に関する法律（平成26年法律第69号。以下「整備法」という。），行政不服審査法施行令（平成27年政令第391号。以下「施行令」という。）及び行政不服審査法及び行政不服審査法の施行に伴う関係法律の整備等に関する法律の施行に伴う関係政令の整備に関する政令（平成27年政令第392号。以下「整備令」という。）が本年4月1日から施行されることとなり，本日付け法務省民二第268号当職通達「不動産登記事務取扱手続準則の一部改正について」（以下「改正準則」という。）を発出したところですが，これらに伴う不動産登記事務の取扱いについては，下記の点に留意し，事務処理に遺

憾のないよう，貴管下登記官に周知方取り計らい願います。
　なお，本通達中，「不登法」とあるのは整備法による改正後の不動産登記法（平成16年法律第123号）を，「国税通則法」とあるのは整備法による改正後の国税通則法（昭和37年法律第66号）を，「不登令」とあるのは整備令による改正後の不動産登記令（平成16年政令第379号）を，「準則」とあるのは改正準則による改正後の不動産登記事務取扱手続準則（平成17年2月25日付け法務省民二第456号当職通達）をそれぞれいいます。

記

1　本通達の趣旨
　本通達は，登記官の処分に不服がある者又は登記官の不作為に係る処分を申請した者からの審査請求に関し，行審法において審理員による審理手続が導入されたこと等に伴い，不登法，国税通則法，不登令及び準則の一部が改正されたため，審査請求の手続の取扱い等について，留意すべき事項を明らかにしたものである。

2　審査請求の変更内容
(1)　審査請求事件の手続
　ア　登記官の処分に不服がある者又は登記官の不作為に係る処分を申請した者は，当該登記官を監督する法務局又は地方法務局の長（以下「監督法務局長等」という。）に，登記官を経由して，審査請求をすることができるとされ（不登法第156条第1項，第2項），登記官の不作為が審査請求の対象となることが明示された。

　イ　審査請求人から審査請求がされた場合において，登記官は，処分についての審査請求を理由があると認め，又は審査請求に係る不作為に係る処分をすべきものと認めるときは，相当の処分をしなければならないとされ，審査請求に係る不作為に係る処分をすべきものと認めるときも相当の処分をしなければならないことが明示された（不登法第157条第1項）。

　ウ　登記官は，上記イの場合を除き，審査請求の日から3日以内に，審査請求書の正本並びに不登法第157条第2項の意見を記載した書面（以下「意見書」という。）の正本及び当該意見を送付すべき審査請求人の数に審理員の数を加えた数に相当する通数の副本を監督法務局長等に送付しなければならないとされた（不登法第157条第2項前段，不登令第23条，第24条第1項，準則第143条第1項）。

　エ　審査請求書の記載事項に不備がある場合及び必要な書面が添付されない場合において，審査請求人が監督法務局長等が定めた期間内に不備を補正しないときは，監督法務局長等は，審理員による審理手続を経ないで，行審法第45条第1項又は第49条第1項の規定に基づき，裁決で，当該審査請求を却下することができるとされた（行審法第24条第1項）。
　　また，審査請求が不適法であって補正することができないことが明らかなときも，同様とされた（同条第2項）。具体的には，審査請求に係る処分の取消し又は変更を求める法律上の利益がないことが明らかなときや審査請求をすることができない処分又は不作為（審査請求をすることができる旨の教示を要しないもの）について審査請求をしたときなどである。

　オ　事件の送付を受けた監督法務局長等は，意見書の副本を審理員に送付するものとされた（不登法第157条第2項後段，不登令第24条第2項，準則第143条第4項）。
　　なお，意見書の正本は，監督法務局長等において保管することとなる。

(2)　審理員による審理手続

ア 審理員は，監督法務局長等から意見書の送付があったときは，その副本を審査請求人に送付しなければならないとされた（不登法第157条第6項において読み替えて適用する行審法第29条第5項，不登令第25条において読み替えて適用する施行令第6条第3項）。

イ 審査請求人は，上記アにより送付された意見書に記載された事項に対する反論を記載した書面（以下「反論書」という。）を提出することができるが，この場合において，審理員が，反論書を提出すべき相当の期間を定めたときは，その期間内にこれを提出しなければならないとされた（不登法第157条第6項において読み替えて適用する行審法第30条第1項）。

審理員は，審査請求人から反論書の提出があったときは，これを登記官に送付しなければならないとされた（行審法第30条第3項）。

ウ 審理員は，審理手続を終結したときは，遅滞なく，監督法務局長等がすべき裁決に関する意見書（以下「審理員意見書」という。）を作成しなければならないとされ（行審法第42条第1項），審理員は，審理員意見書を作成したときは，速やかに，これを事件記録とともに，監督法務局長等に提出しなければならないとされた（同条第2項）。

(3) 審理手続の終結後の手続

ア 監督法務局長等は，審理員意見書が提出されたときは，遅滞なく，裁決をしなければならないとされた（行審法第44条）。

イ 監督法務局長等は，処分についての審査請求を理由があると認め，又は審査請求に係る不作為に係る処分をすべきものと認めるときは，登記官に相当の処分を命じ，その旨を審査請求人のほか登記上の利害関係人に通知しなければならないとされた（不登法第157条第3項）。

ウ 監督法務局長等は，審査請求に係る不作為に係る処分についての申請を却下すべきものと認めるときは，登記官に当該申請を却下する処分を命じなければならないとされた（不登法第157条第5項）。

エ 裁決書には，審理員意見書を添付しなければならないとされ（行審法第50条第2項），監督法務局長等が審査請求につき裁決をしたときは，裁決書の謄本及び審理員意見書の写しを審査請求人及び登記官に交付するものとされた（準則第145条第1項）。

オ 監督法務局長等は，裁決をしたときは，提出人本人が返還しないことに同意した場合を除き，速やかに，審理員に提出された証拠書類若しくは証拠物又は書類その他の物件及び審理員の提出要求に応じて提出された書類その他の物件（以下「証拠書類」という。）をその提出人に返還しなければならないとされた（行審法第53条）。したがって，証拠書類等は返還するまでの間，適正に保管する必要がある。

3 国税通則法の適用がある審査請求の変更内容

国税通則法の適用がある審査請求（国税通則法第75条第1項第3号）の変更内容は，次のとおりである。

(1) 審査請求期間

登録免許税法（昭和42年法律第35号）第26条第1項の規定による登記官がする課税標準及び税額の認定並びに同法第31条第2項の規定による還付通知請求を拒否する処分についても，国税に関する法律に基づく処分であるため，審査請求をすることがで

きる期間は，処分があったことを知った日の翌日から起算して3月を経過するまでとされた（国税通則法第77条第1項）。
(2) 登記官に対する質問
　口頭意見陳述の申立てをした者は，担当審判官の許可を得て，審査請求に係る事件に関し，登記官に対して，質問を発することができるとされた（国税通則法第95条の2第2項）。
(3) 物件の閲覧等
　登記官は，審理手続が終結するまでの間，担当審判官に対し，国税通則法第96条第1項若しくは第2項（証拠書類等の提出）又は国税通則法第97条第1項第2号（審理のための質問，検査等）の規定により提出された書類その他の物件の閲覧（電磁的記録にあっては，記録された事項を財務省令で定めるところにより表示したものの閲覧）又は当該書類の写し若しくは当該電磁的記録に記録された事項を記載した書面の交付を求めることができるとされた（国税通則法第97条の3第1項）。
4　経過措置
　登記官の処分又は不作為についての審査請求であって，行審法及び整備法の施行前にされた登記官の処分又は行審法及び整備法の施行前にされた申請に係る登記官の不作為に係るものについては，なお従前の例によるとされた（行審法附則第3条，整備法附則第5条）。

民法等の一部を改正する法律の施行に伴う不動産登記事務の取扱いについて

令和5・3・28民二第533号民事局長通達

　民法等の一部を改正する法律（令和3年法律第24号。以下「改正法」という。）の施行に伴う不動産登記事務の取扱い（民法改正関係。令和5年4月1日施行）については，下記の点に留意するよう，貴管下登記官に周知方お取り計らい願います。
（中略）
　本通達に抵触する従前の取扱いは，この通達により変更したものとします。

記

第1　共有に関する規律の見直し
1　共有物の軽微変更
(1) 共有者が共有物に変更を加える行為であっても，その形状又は効用の著しい変更を伴わないもの（以下「軽微変更」という。）については，各共有者の持分の価格に従い，その過半数で決することとされた（改正民法第251条第1項，第252条第1項）。
(2) 分筆又は合筆の登記については，前記(1)の軽微変更に該当し，分筆又は合筆の登記を申請しようとする土地の表題部所有者又は所有権の登記名義人（不登法第39条第1項）の持分の価格に従い，その合計が過半数となる場合には，これらの者が登記申請人となって分筆又は合筆の登記を申請することができ，それ以外の共有者らが登記申請人となる必要はない（改正民法第252条の2第1項に規定する共有物の管理者が代理人となって登記申請をする場合については，後記5のとおり。）。
(3) 登記官は，登記申請人となった共有者らの有する持分の価格に従った合計が過半数であることを登記記録で確認することになる。

(4) 所有権の登記がある土地の合筆の登記申請時に提供を要する登記識別情報（不登令第8条第2項第1号）は，登記申請人に係るもののみで足りる。
(5) 登記官は登記の完了後，登記申請人にならなかった共有者全員に対し，不登規則第183条第1項第1号に基づき登記が完了した旨を通知するものとする（同条第2項の規定にかかわらず，登記申請人にならなかった共有者全員に通知するものとする。）。
(6) 区分所有法の適用がある建物の敷地（以下「区分所有敷地」という。）の分筆の登記についても，上記と同様に取り扱うものとする（区分所有法第25条第1項に規定する管理者が代理人となって登記申請をする場合については，後記5のとおり。）。

2 所在等不明共有者がいる場合の共有物の変更
(1) 共有者が他の共有者を知ることができず，又はその所在を知ることができないときは，裁判所は，共有者の請求により，当該他の共有者（以下「所在等不明共有者」という。）以外の他の共有者の同意を得て共有物に変更を加えることができる旨の裁判をすることができることとされた（改正民法第251条第2項）。
(2) 前記(1)の裁判に基づいて共有物に変更が加えられ，これに基づいて当該共有物の変更に係る登記の申請をする場合，具体的には，後記3(1)アからエまでに掲げる期間を超える賃借権その他の使用及び収益を目的とする権利（以下「長期の賃借権等」という。）を設定し，当該長期の賃借権等の設定の登記（賃借権その他の使用及び収益を目的とする権利の設定の登記としては，地上権の設定の登記，永小作権の設定の登記，地役権の設定の登記，賃借権の設定の登記及び採石権の設定の登記がある。以下同じ。）を申請する場合には，改正民法第251条第2項の趣旨から，所在等不明共有者以外の共有者全員が登記申請人となり（所在等不明共有者は登記申請人とはならないが，登記義務者としてその氏名又は名称及び住所を申請情報の内容とする必要がある。），確定裁判に係る裁判書の謄本及び請求を行った共有者が所在等不明共有者以外の他の共有者全員の同意を得て共有物（不動産）に長期の賃借権等を設定したこと（所在等不明共有者以外の共有者全員が契約当事者になる場合と，その一部が契約当事者になる場合がある。）を証する情報が，登記原因を証する情報（以下「登記原因証明情報」という。）となる。
(3) 登記官は，登記の完了後，所在等不明共有者に対して登記が完了した旨を通知することを要しない。

3 共有物の管理（短期の賃借権等の設定）
(1) 共有者が，共有物に次のアからエまでに掲げる賃借権その他の使用及び収益を目的とする権利であって，次のアからエまでに掲げる期間を超えないもの（以下「短期の賃借権等」という。）を設定することについては，共有物の管理に関する事項の規律に基づいて各共有者の持分の価格に従い，その過半数で決することとされた（改正民法第252条第4項）。
　　ア　樹木の栽植又は伐採を目的とする山林の賃借権等　10年
　　イ　アに掲げる賃借権等以外の土地の賃借権等　5年
　　ウ　建物の賃借権等　3年
　　エ　動産の賃借権等　6か月
(2) 前記(1)の過半数で決するところにより短期の賃借権等が設定され（当該過半数による決定を行った共有者全員が契約当事者になる場合と，その一部が契約当事者になる場合がある。），これに基づいて当該短期の賃借権等の設定の登記を申請する場合には，

改正民法第252条第4項の趣旨から，各共有者の持分の価格に従い，その過半数を有する共有者らが登記申請人となれば足りる（当該共有者ら以外の共有者らは，登記申請人とはならないが，登記義務者としてその氏名又は名称及び住所を申請情報の内容とする必要がある。）。また，当該過半数で決するところにより短期の賃借権等が設定されたことを証する情報が登記原因証明情報となる。この場合には，登記官は，登記申請人となった共有者らの有する持分の価格に従った合計が過半数であることを登記記録で確認することになる。
(3) 登記官は，登記の完了後，登記申請人にならなかった共有者全員に対し，不登規則第183条第1項第2号の場合に準じて登記が完了した旨を通知するものとする（同条第2項の規定にかかわらず，登記申請人にならなかった共有者全員に通知するものとする。）。

4 所在等不明共有者等がいる場合の共有物の管理
(1) 裁判所は，①共有者が他の共有者を知ることができず，又はその所在を知ることができないとき，②共有者が他の共有者に対し相当の期間を定めて共有物の管理に関する事項を決することについて賛否を明らかにすべき旨を催告した場合において，当該他の共有者がその期間内に賛否を明らかにしないときは，当該①又は②の他の共有者（以下この項において「所在等不明共有者等」という。）以外の共有者の請求により，当該所在等不明共有者等以外の共有者の持分の価格に従い，その過半数で共有物の管理に関する事項を決することができる旨の裁判をすることができることとされた（改正民法第252条第2項）。
(2) 前記(1)の裁判に基づいて所在等不明共有者等以外の共有者の持分の価格に従い，その過半数で決するところにより短期の賃借権等が設定され（当該過半数による決定を行った共有者全員が契約当事者になる場合と，その一部が契約当事者になる場合がある。），これに基づいて当該短期の賃借権等の設定の登記を申請する場合には，改正民法第252条第2項の趣旨から，所在等不明共有者等以外の共有者のうち，各共有者の持分の価格に従い，その過半数を有する共有者らが登記申請人となれば足り（当該共有者ら以外の共有者らは登記申請人にはならない。），確定裁判に係る裁判書の謄本及び所在等不明共有者等以外の共有者の持分の価格に従い，その過半数で決するところにより短期の賃借権等が設定されたことを証する情報が，登記原因証明情報となる。この場合には，登記官は，登記申請人となった共有者らの有する持分の価格に従った合計が過半数であることを登記記録で確認することになる

なお，登記申請人とはならなかった共有者らについても，登記義務者としてその氏名又は名称及び住所を申請情報の内容とする必要がある。
(3) 登記官は，登記の完了後，所在等不明共有者に対して登記が完了した旨を通知することを要しないが，所在等不明共有者以外で登記申請人にならなかった共有者全員に対し，不登規則第183条第1項第2号の場合に準じて登記が完了した旨を通知するものとする（同条第2項の規定にかかわらず，所在等不明共有者以外で登記申請人にならなかった共有者全員に通知するものとする。）。

5 共有物の管理者等
(1) 共有物の管理者の選任等
　　共有物の管理者の選任及び解任は，共有物の管理に関する事項として，各共有者の持分の価格に従い，その過半数で決することとされた（改正民法第252条第1項）。選

任された共有物の管理者は，共有物の管理に関する行為をすることができるが，共有物に変更（軽微変更を除く。以下同じ。）を加えることについては，共有者の全員の同意を得なければならないこととされた（改正民法第252条の2第1項）。

また，共有物の管理者が共有者を知ることができず，又はその所在を知ることができないときは，裁判所は，共有物の管理者の請求により，当該所在等不明共有者以外の共有者の同意を得て共有物に変更を加えることができる旨の裁判をすることができることとされた（同条第2項）。

(2) 分筆又は合筆の登記

ア　共有物の管理者が共有物について分筆又は合筆の登記を申請する場合には，管理者を選任した共有者らが登記申請人となり，それ以外の共有者らは登記申請人となる必要はない。当該共有物の管理者が分筆又は合筆の登記の申請をする場合には，管理者を選任した共有者らの代理人として行うものと解される。この場合には，法定の要件（改正民法第252条第1項）を満たしていることを担保するため，共有持分の価格を合算して過半数となる表題部所有者又は所有権の登記名義人が登記申請人となることを要する。

イ　前記(1)の過半数による決定により共有物の管理者を選任したことを証する情報が，代理人の権限を証する情報となる（これとは別に登記申請について代理権を授与したことを証する情報の提供は要しない。）。この場合には，登記官は，登記申請人となった共有者らの有する持分の価格に従った合計が過半数であることを登記記録で確認することになる。

なお，分筆の登記を申請する場合には，代理人の権限を証する情報に印鑑証明書の添付は不要であるが，共有物の管理者を選任した共有者らの押印を要し，合筆の登記を申請する場合には，共有物の管理者を選任した共有者らの押印及び作成後3か月以内の印鑑証明書の添付（電子申請の場合にあっては電子署名及び不登規則第43条第1項各号に規定する電子証明書の提供。以下同じ。）を要する。

ウ　登記官による登記が完了した旨の通知については，前記1（5）と同様に取り扱うものとする。

(3)　区分所有敷地の分筆の登記

ア　区分所有法第39条第1項及び第17条第1項に基づき，集会において，区分所有敷地の分筆の登記申請行為を区分所有法第25条第1項所定の管理者に行わせることについて区分所有者及び議決権の各過半数（規約に別段の定めがある場合には，その定めによる割合。以下同じ。）による決議がされた場合において，当該管理者が当該決議に基づいて区分所有敷地の分筆を申請する場合には，当該集会決議を行った区分所有者らが登記申請人となり，それ以外の区分所有者らは登記申請人となる必要はない。当該管理者は，当該集会決議を行った区分所有者らの代理人となると解される。この場合には，法定の要件（区分所有法第39条第1項及び第17条第1項）を満たしていることを担保するため，区分所有者及び議決権の各過半数の者（表題部所有者又は所有権の登記名義人）が登記申請人となることを要する。

イ　一筆の土地のどの部分を分割するかという区画決定行為及び区分所有敷地の分筆の登記申請行為を管理者に行わせることについて決定された旨の内容が明らかにされた集会決議の議事録が，代理人の権限を証する情報となる（これとは別に登記申請について代理権を授与したことを証する情報の提供は要しない。）。この場合には，

登記官は、区分所有者及び議決権の各過半数の者が登記申請人となっていることを登記記録で確認することになる。

なお、集会決議の議事録は、区分所有法第42条第3項により議長及び集会に出席した区分所有者の2人の署名を要するとされているが、登記申請に当たってはその印鑑証明書の添付は不要である。

おって、集会決議の議事録が電磁的記録で作成されている場合において、書面申請の方法により登記申請をするときは、不登令第15条に規定する磁気ディスク（不登規則第52条第1項に規定する電子署名を含む。）及び同条第2項所定の電子証明書の提供を要する。

ウ　登記官による登記が完了した旨の通知については、前記1(5)と同様に取り扱うものとする。

(4)　短期の賃借権等の設定

ア　共有物の管理者が、共有物について短期の賃借権等を設定し（管理者自らが契約当事者になる場合と、共有者の全部又はその一部が契約当事者になり、管理者がこれらの者から委任を受けて契約を締結する場合がある。）、当該短期の賃借権等の設定の登記を申請する場合には、管理者を選任した共有者らが登記申請人となり（それ以外の共有者らは、登記申請人とはならないが、登記義務者としてその氏名又は名称及び住所を申請情報の内容とする必要がある。）。当該共有物の管理者は、管理者を選任した共有者らの代理人となって申請をすることになると解される。

イ　過半数による決定により共有物の管理者を選任したことを証する情報が、代理人の権限を証する情報（共有物の管理者を選任した共有者らの押印及び作成後3か月以内の印鑑証明書の添付がされたもの）となる（これとは別に登記申請について代理権を授与したことを証する情報の提供は要しない。）。この場合には、登記官は、登記申請人となった共有者らの有する持分の価格に従った合計が過半数であることを登記記録で確認することになる。

ウ　登記官は、登記申請人にならなかった共有者全員に対し、不登規則第183条第1項第2号の場合に準じて登記が完了した旨を通知するものとする（同条第2項の規定にかかわらず、登記申請人にならなかった共有者全員に通知するものとする。）。

(5)　長期の賃借権等の設定

共有物の管理者が共有物について長期の賃借権等を設定し（管理者自らが契約当事者になる場合と、共有者の全部又はその一部が契約当事者になり、管理者がこれらの者から委任を受けて契約を締結する場合がある。）、当該長期の賃借権等の設定の登記を申請する場合には、共有者全員が登記申請人となり、管理者がその代理人となって申請をすることになる。この場合には、上記(4)の代理人の権限を証する情報として挙げたものに加えて、各共有者が共有物について長期の賃借権等を設定したことに同意したことを証する情報（作成者の押印及び作成後3か月以内の印鑑証明書の添付がされたもの）が代理人の権限を証する情報として必要となる（不登令第18条）。

(6)　所在等不明共有者以外の共有者らの同意を得て共有物に変更を加えることができる旨の裁判があった場合における不動産登記の取扱い

共有物の管理者の請求により前記(1)の所在等不明共有者以外の共有者らの同意を得て共有物に変更を加えることができる旨の裁判があった場合における不動産登記の取扱いは、前記(5)及び所在等不明共有者がいる場合の共有物の変更（前記2）における

取扱いと基本的に同様であるが，当該裁判に関する確定裁判に係る裁判書の謄本は，過半数による決定により共有物の管理者を選任したことを証する情報を兼ねることができる。

6 裁判による共有物の分割

裁判所は，次に掲げる方法により，共有物の分割を命ずることができることとされた（改正民法第258条第2項）。

一 共有物の現物を分割する方法
二 共有者に債務を負担させて，他の共有者の持分の全部又は一部を取得させる方法

裁判所は，共有物の分割の裁判において，当事者に対して，金銭の支払，物の引渡し，登記義務の履行その他の給付を命ずることができることとされた（改正民法第258条第4項）。

なお，共有物の分割の裁判に係る従前の不動産登記事務の取扱いに変更はない。

7 所在等不明共有者の持分の取得

(1) 不動産が数人の共有に属する場合において，共有者が他の共有者を知ることができず，又はその所在を知ることができないときは，裁判所は，共有者の請求により，その共有者に，当該所在等不明共有者の持分を取得させる旨の裁判をすることができることとされた（改正民法第262条の2第1項前段）。この場合において，請求をした共有者が2人以上あるときは，請求をした各共有者に，所在等不明共有者の持分を，請求した各共有者の持分の割合で按分してそれぞれ取得させることとされた（同項後段）。この規定は，不動産の使用又は収益をする権利（所有権を除く。）が数人の共有に属する場合について準用することとされた（同条第5項）。

(2) 前記(1)の請求をした共有者に所在等不明共有者の持分を取得させる裁判があり，当該裁判に基づいて当該持分の移転の登記の申請がされた場合には，当該持分を取得した共有者は，当該所在等不明共有者の代理人となると解される。また，確定裁判に係る裁判書の謄本が代理人の権限を証する情報及び登記原因証明情報となる。この場合において，登記原因は「年月日民法第262条の2の裁判」と記載し，登記原因の日付は当該裁判が確定した日（当該裁判がされた日ではない。）とする。

なお，登記識別情報を提供することを要しない。

おって，所在等不明共有者が死亡していることは判明したが，戸除籍の廃棄等により，その相続人のあることが明らかでない場合には，当該持分の移転の登記の前提として，当該死亡した所有権の登記名義人の氏名変更の登記（相続財産法人名義への変更登記）をする必要がある。この登記の申請は，所在等不明共有者の相続財産法人が登記申請人となり，当該持分を取得した共有者が，その代理人となって行うことになる。この場合には，当該持分が相続財産法人に帰属する旨が記載された確定裁判に係る裁判書の謄本が代理人の権限を証する情報及び登記名義人の氏名変更を証する情報となる。

8 所在等不明共有者の持分の譲渡

(1) 不動産が数人の共有に属する場合において，共有者が他の共有者を知ることができず，又はその所在を知ることができないときは，裁判所は，共有者の請求により，その共有者に，当該所在等不明共有者以外の共有者の全員が特定の者に対してその有する持分の全部を譲渡することを停止条件として所在等不明共有者の持分を当該特定の者に譲渡する権限を付与する旨の裁判をすることができることとされた（改正民法第

262条の3第1項)。この規定は,不動産の使用又は収益をする権利(所有権を除く。)が数人の共有に属する場合について準用することとされた(同条第4項)。また,所在等不明共有者の持分を譲渡する権限の付与の裁判の効力が生じた後2か月以内にその裁判により付与された権限に基づく所在等不明共有者の持分の譲渡の効力が生じないときは,その裁判は,その効力を失うこととされた。ただし,この期間は,裁判所において伸長することができることとされた(改正非訟法第88条第3項)。

(2) 前記(1)の裁判があり,当該裁判に基づいて所在等不明共有者の持分全部の移転の登記の申請がされた場合には,請求を行った共有者は,所在等不明共有者の代理人となると解され,確定裁判に係る裁判書の謄本が代理人の権限を証する情報となる。

また,所在等不明共有者の持分全部の移転の登記の登記原因の日付は,当該裁判が効力を有する期間内である必要があるため,登記官は,当該登記原因の日付が当該裁判の確定後(当該裁判をした日を基準とするのではない。)2か月以内(裁判所による期間の伸長があったことを証する情報が提供された場合には,当該伸長された期間内)であるかを確認しなければならない。これらの期間内でない登記原因の日付による登記の申請は,不登法第25条第13号及び不登令第20条第8号の規定により却下しなければならない。これに対し,所在等不明共有者の持分全部の移転の登記の申請を上記期間内にする必要はない。

なお,登記識別情報の提供をすることを要しない。

これに対し,対象不動産が農地である場合には,農地法(昭和27年法律第229号)所定の許可を証する書面の添付を要することは,従前のとおりである。また,所在等不明共有者が死亡していることは判明したが,戸除籍の廃棄等により,その相続人のあることが明らかでない場合には,当該持分全部の移転の登記の前提として,当該死亡した所有権の登記名義人の氏名変更の登記(相続財産法人名義への変更登記)をする必要がある。この申請は,所在等不明共有者の相続財産法人が登記申請人となり,請求を行った共有者がその代理人となって行うことになる。この場合には,当該持分が相続財産法人に帰属する旨が記載された確定裁判に係る裁判書の謄本が代理人の権限を証する情報及び登記名義人の氏名変更を証する情報となる。

第2 所有者不明土地管理命令又は所有者不明建物管理命令 (省略)

第3 管理不全土地管理命令又は管理不全建物管理命令 (省略)

▰民法等の一部を改正する法律の施行に伴う不動産登記事務の取扱いについて（登記簿の附属書類の閲覧関係）

令和5・3・28民二第537号民事局長通達

　民法等の一部を改正する法律（令和3年法律第24号。以下「改正法」という。）の施行に伴う不動産登記事務の取扱い（登記簿の附属書類の閲覧関係。令和5年4月1日施行）については，下記の点に留意するよう，貴管下登記官に周知方お取り計らい願います。

記

1　本通達の趣旨

　本通達は，登記簿の付属書類の閲覧に関する見直しを内容とする改正法の施行に伴い，その取扱いにおいて留意すべき事項を明らかにしたものである。

2　登記簿の付属書類の閲覧に関する規律の見直し

　⑴　何人も，正当な理由があるときは，登記官に対し，法務省令で定めるところにより，手数料を納付して，登記簿の付属書類（不動産登記令（平成16年政令第379号）第21条第1項に規定する図面を除き，電磁的記録にあっては，記録された情報の内容を法務省令で定める方法により表示したもの。以下同じ。）の全部又は一部（その正当な理由があると認められる部分に限る。）の閲覧を請求することができることとされた（改正不登法第121条第3項）。

　　　この場合には，閲覧しようとする部分及び当該部分を閲覧する正当な理由を請求情報の内容とするとともに（改正不登規則第193条第2項第4号），当該正当な理由を証する書面を提示しなければならないこととされた。また，登記官から求めがあったときは，当該書面又はその写しを登記官に提出しなければならないこととされた（同条第3項）。

　⑵　前記⑴にかかわらず，登記を申請した者は，登記官に対し，法務省令で定めるところにより，手数料を納付して，自己を申請人とする登記記録に係る登記簿の附属書類の閲覧を請求することができることとされた（改正不登法第121条第4項）。

　　　この場合には，閲覧しようとする附属書類が自己を申請人とする登記記録に係る登記簿の附属書類である旨を請求情報の内容とするとともに（改正不登規則第193条第2項第5号），当該閲覧をしようとする附属書類が自己を申請人とする登記記録に係る登記簿の附属書類である旨を証する書面を提示しなければならないこととされ，また，登記官から求めがあったときは，当該書面又はその写しを登記官に提出しなければならないこととされた（同条第4項）。

　⑶　（省略）

3　自己を申請人とする登記記録に係る登記簿の附属書類の閲覧（前記2⑵関係）

　改正不登規則第193条第4項に規定する「閲覧をしようとする附属書類が自己を申請人とする登記記録に係る登記簿の附属書類である旨を証する書面」の具体的内容及びその確認方法は，以下のとおりとする（以下，後記⑴から⑶までの方法による本人確認等を「本人確認書類による本人確認等」という。）。

　なお，改正不登規則第193条第4項後段により，登記官は請求人に対して書面又は写しの提出を求めることができるが，登記官がこれを求めるのは，後記⑵若しくは⑶の場合又はこれに準じて特に必要があると認められる場合とする。

(1) 請求人又はその代表者若しくは代理人（委任による代理人を除く。以下単に「請求人」という。）が閲覧する場合

請求人の次に掲げる書面（以下「本人確認書類」という。）のいずれかの提示を求めることとする。

また，登記官において，窓口に来庁した者の本人確認を実施するとともに提示された書面と請求に係る登記記録や登記簿の附属書類（以下「登記記録等」という。）とを照合し，自己を申請人とする登記記録に係る登記簿の附属書類の閲覧かどうかを確認することとする。

ア 運転免許証（道路交通法（昭和35年法律第105号）第92条第１項に規定する運転免許証をいう。），運転経歴証明書（道路交通法第104条の４第５項（同法第105条第２項において準用する場合を含む。）に規定する運転経歴証明書をいう。），個人番号カード（行政手続における特定の個人を識別するための番号の利用等に関する法律（平成25年法律第27号）第２条第７項に規定する個人番号カードをいう。），旅券等（出入国管理及び難民認定法（昭和26年政令第319号）第２条第５号に規定する旅券及び同条第６号に規定する乗員手帳をいう。ただし，当該請求人の氏名及び生年月日の記載があるものに限る。），在留カード（同法第19条の３に規定する在留カードをいう。）又は特別永住者証明書（日本国との平和条約に基づき日本の国籍を離脱した者等の出入国管理に関する特例法（平成３年法律第71号）第７条に規定する特別永住者証明書をいう。）のうちいずれか１以上。なお，国家公務員又は地方公務員がその職務上の必要により登記簿の附属書類の閲覧を請求する場合には，国家公務員又は地方公務員の身分証明書（写真が添付されたものに限る。）のみで足りることとする。

イ 国民健康保険，健康保険，船員保険，後期高齢者医療若しくは介護保険の被保険者証，健康保険日雇特例被保険者手帳，国家公務員共済組合若しくは地方公務員共済組合の組合員証，私立学校教職員共済制度の加入者証，基礎年金番号通知書（国民年金法施行規則（昭和35年厚生省令第12号）第１条第１項に規定する基礎年金番号通知書をいう。），児童扶養手当証書，特別児童扶養手当証書，母子健康手帳，身体障害者手帳，精神障害者保健福祉手帳，療育手帳又は戦傷病者手帳であって，当該請求人の氏名，住所及び生年月日の記載があるもののうちいずれか２以上。

ウ イに掲げる書類のうちいずれか１以上及び官公庁から発行され，又は発給された書類その他これに準ずるものであって，当該請求人の氏名，住所及び生年月日の記載があるもののうちいずれか１以上。

(2) 委任による代理人が閲覧する場合

代理人の権限を証する書面（改正不登規則第193条第６項）及び委任による代理人の本人確認書類の提示を求めることとする。また，当該代理人の本人確認書類についてはその写しを，当該代理人の権限を証する書面については原本又はその写しの提出を求めることとし，提出を受けた書面は，請求書と併せてつづり込み，保存することとする（以下で書類又はその写しの提出を求める場合についても同じ。）。

なお，弁護士，司法書士又は土地家屋調査士については，これら資格者の職務上の身分を証する写真付きの証明書（当該資格者が所属する単位会等が発行するもの）が提示された場合には，委任による代理人の本人確認書類として，当該証明書で足りることとする。

おって，代理人の権限を証する書面に記載すべき委任事項は，「訴訟に関する一切の件」といった一般的なものでは足りず，特定の附属書類の閲覧についての個別具体的な委任を内容とすることを要する。

また，登記官において，来庁した者の本人確認を実施するとともに，提示された代理人の権限を証する書面の記載内容と登記記録等とを照合し，自己を申請人とする登記記録に係る登記簿の附属書類の閲覧の代理であるかどうかを確認することとする。
(3) 被害者等の現住所の閲覧制限措置がされている場合（省略）

4 前記3以外の場合における登記簿の附属書類の閲覧（前記2(1)関係）

前記3以外の場合における登記簿の附属書類の閲覧の請求は，正当な理由がある場合に，正当な理由があると認められる部分に限って，することができる。したがって，閲覧の請求をする場合には，閲覧しようとする部分及び当該部分を閲覧する正当な理由を請求情報の内容とするとともに，正当な理由を証する書面を提示しなければならない。

この「正当な理由がある」とは，請求人において登記簿の附属書類を閲覧することに理由があり，かつ，その理由に正当性があることをいう。具体的には，登記簿の附属書類中の個々の書類に含まれる情報の内容，重要度なども考慮しつつ，その閲覧が認められる程度の正当性があるかどうかを個別に判断することになる。

なお，改正不登規則第193条第3項後段により，登記官は請求人に対して書面又は写しの提出を求めることができるが，登記官がこれを求めるのは，後記(1)イ，(3)ア若しくはエの場合又はこれに準じて特に必要があると認められる場合とする。

(1) 一般に「正当な理由がある」と認められる場合

ア 登記簿の附属書類のうち請求人が作成した書類の閲覧を請求する場合には，「正当な理由がある」と認められる。

この場合の正当な理由を証する書面の内容及び本人確認等の方法は，前記3(1)又は(2)の場合に準ずることとする。

ただし，同一文書について複数の作成名義人が存在する場合には，他の作成名義人の署名や押印等に係る部分については，別途「正当な理由がある」かどうかを判断する必要がある。

イ 自己を申請人とする登記記録に係る登記簿の附属書類を請求人が閲覧することを申請人が承諾した場合には，「正当な理由がある」と認められる。

この場合の正当な理由を証する書面として，自己を申請人とする登記記録に係る登記簿の附属書類を請求人が閲覧することを承諾したことを内容とする当該申請人作成に係る承諾書（以下単に「承諾書」という。）の提示及びその原本又はその写しの提出を求めることとする。

なお，承諾書に記載される承諾に係る附属書類の内容及び範囲は，具体的に特定されている必要がある。

また，登記官は，承諾書の提示を受けた際に，本人確認書類による本人確認等を行うこととし，閲覧する請求人又は委任による代理人については，本人確認書類の提示及び提出を求めることとする。

おって，登記官において，提示された承諾書の記載内容と登記記録等とを照合し，自己を申請人とする登記記録に係る登記簿の附属書類の閲覧について承諾があったかどうかを確認することとする。

(2) 一般に「正当な理由がある」とは認められない場合

ア 他の法令等により交付等に係る手続が規定されている場合
　　所有者の探索や相続人の調査等を理由として附属書類である戸籍関係書類や住民票の写し等の閲覧を請求する場合など，閲覧しようとする附属書類の交付等に係る手続が他の法令等に規定されており，その手続に基づいて交付を受けることができる場合には，原則として「正当な理由がある」とは認められない。
　　ただし，附属書類の閲覧以外に他にこれらの書類内容を確認する適切な手段がない場合（例えば，戸籍や住民票の除票が保存期間の経過等により廃棄されている場合）や官庁若しくは公署又はこれらから委託を受けた者が公益目的で所有者探索や相続人調査を行うために附属書類の閲覧を求める場合には，例外的に「正当な理由がある」と認められる。これらの場合には，戸籍や住民票の廃棄の事実等を証する書面又は官庁等若しくはこれらから委託を受けた者であることを証する書面の提示が必要となる。また，印鑑に関する証明書については，作成当時の登録に係る印影を確認することが閲覧の理由である場合には，他の手続により現在の登録に係る印影についての証明書の交付を受けることが可能であるとしても，それにより「正当な理由」を否定することとはしない。
イ 被害者等の現住所の閲覧制限措置がされている場合
　　被害者等の現住所の閲覧制限措置がされている場合には，当該現住所が記載された部分については，当該被害者等が請求人となる場合を除き，「正当な理由がある」とは認められない。

(3) 前記(1)及び(2)以外の場合（閲覧を請求する理由の類型と「正当な理由があるか」の判断）

ア 附属書類の真正性を確認するために当該附属書類の閲覧を請求する場合
　(ｱ) 「正当な理由がある」場合
　　　特定の附属書類の真正性が争点となる訴訟（その準備行為を含む。）のために閲覧が必要である場合には，「正当な理由がある」と認められる。この場合には，当該争点と明らかに関係がないと認められる附属書類を除き，原則として「正当な理由がある」と認められる。
　(ｲ) 正当な理由を証する書面
　　　特定の附属書類の真正性が争われていること及びその経緯等が記載された訴状等の訴訟資料やその案又は陳述書とする。ただし，記載された内容が具体性を有するものに限る。
　(ｳ) 正当な理由を証する書面の提出
　　　登記官は，提示を受けた前記（イ）の正当な理由を証する書面又はその写しの提出を求めることとする。
　(ｴ) 請求人の本人確認
　　　登記官は，正当な理由を証する書面の提示を受けた際に，本人確認書類による本人確認等を行うこととする。

イ 相続人が相続に関する登記簿の附属書類（遺産分割協議書や遺言書など）の閲覧を請求する場合
　(ｱ) 「正当な理由がある」場合
　　　相続人が被相続人の相続に関する経緯等を確認するために当該相続に関する附属書類（遺産分割協議書や遺言書など）の閲覧を請求する場合には，紛争が具体

的に生じていなくても,「正当な理由がある」と認められる。
　　　　この場合には,遺産分割協議書や遺言書のほか,これらに添付された印鑑証明書についても「正当な理由がある」と認められる。
　　(イ)　正当な理由を証する書面
　　　　請求人が閲覧を求める附属書類に関する相続に係る当事者であることを証する書面(戸籍関係書類及び本人確認書類)とする。
　　(ウ)　請求人の本人確認
　　　　登記官は,正当な理由を証する書面の提示を受けた際に,本人確認書類による本人確認等を行うこととする。
　ウ　隣地の所有権の登記名義人等が附属書類の閲覧を請求する場合
　　(ア)　「正当な理由がある」場合
　　　　隣地その他の閲覧しようとする附属書類に係る土地についての筆界がその筆界に影響を及ぼすと認められる土地の所有権の登記名義人等(不登法第123条第5項に規定する所有権の登記名義人等をいう。以下「隣地の所有権の登記名義人等」という。)が筆界確認の経緯等を確認するために筆界確認情報,不登規則第93条ただし書に規定する調査報告書や登記所備付地図作成作業の成果品である土地調査書の閲覧を請求する場合には,紛争が具体的に生じていなくても,「正当な理由がある」と認められる。
　　　　この場合には,筆界確認の経緯に関する資料である筆界確認情報,不登規則第93条ただし書に規定する調査報告書及び登記所備付地図作成作業の成果品である土地調査書のほか,これらに添付された請求人の印鑑証明書についても「正当な理由がある」と認められる。
　　(イ)　正当な理由を証する書面
　　　　請求人が隣地等の所有権の登記名義人等であることを証する書面とする。
　　(ウ)　請求人の本人確認
　　　　登記官は,正当な理由を証する書面の提示を受けた際に,本人確認書類による本人確認等を行うこととする。
　エ　前記アからウまで以外に関する民事上の紛争に係る訴訟(その準備行為を含む。)のために附属書類の閲覧を請求する場合
　　(ア)　「正当な理由がある」場合及び正当な理由を証する書面
　　　　正当な理由を証する書面として民事上の紛争に係る訴訟(その準備行為を含む。)のために特定の附属書類の閲覧が必要であることを証する訴状等の訴訟資料やその案又は陳述書(いずれも,その記載内容が具体性を有するものに限る。)の提示を求めることとし,その内容及び請求情報とされた正当な理由の内容や対象となる附属書類に含まれる情報の内容,重要度などを踏まえて当該附属書類を閲覧する必要性が認められる場合には,「正当な理由がある」と認められる。
　　　　この場合には,閲覧する必要性が認められる範囲に限り附属書類を閲覧する「正当な理由がある」と認められる。
　　(イ)　正当な理由を証する書面の提出
　　　　登記官は,提示を受けた前記(ア)の正当な理由を証する書面又はその写しの提出を求めることとする。

(ｳ)　請求人の本人確認
　　　登記官は，正当な理由を証する書面の提示を受けた際に，本人確認書類による本人確認等を行うこととする。
　オ　不動産の取得希望者が当該不動産の従前の取引経過等を確認するために附属書類の閲覧を請求する場合
　　この目的のみでは，「正当な理由がある」とは認められない。
　　ただし，当該自己を申請人とする登記記録に係る登記簿の附属書類の申請人からの承諾書がある場合には，承諾に係る附属書類については，「正当な理由がある」と認められる。この場合の取扱いは，前記(1)イのとおりである。
　カ　前記アからオまで以外の理由により附属書類の閲覧を請求する場合
　　前記アからオまでを参考に，「正当な理由がある」と認められるかを個別具体的に判断する。「正当な理由がある」と認められる場合に閲覧を認める附属書類の範囲，正当な理由を証する書面の内容，本人確認の方法及び正当な理由を証する書面の提出の要否等についても，同様である。

◪公共嘱託登記司法書士協会等に係る不動産登記事務の取扱い

　　　　　　　　　　　　　　　　昭和60・9・2民三第5431号依命通知

　公共嘱託登記司法書士協会又は公共嘱託登記土地家屋調査士協会が官庁公署等を代理して登記の嘱託又は申請をする場合の取扱手続は，本件依命通知の定めるところによる。
　公共嘱託登記司法書士協会又は公共嘱託登記土地家屋調査士協会（以下「協会」という。）が官公署等を代理して不動産登記の嘱託又は申請をする場合における不動産登記事務の取扱いについては，下記の点に留意するよう貴管下登記官に周知方取り計らわれたく通知します。

　　　　　　　　　　　　　　記
1　代理人の表示
　嘱託書又は申請書における代理人の表示（不動産登記法36条1項3号（現行令3条3号））としては，協会の事務所及び名称並びに代表者の氏名を記載する。押印は，登記所に届け出ている印鑑（商業登記法20条1項）を用いることを要しない。
2　代理権限証書
　嘱託書又は申請書には，協会の代理権限を証する書面（不動産登記法35条1項5号（現行令7条1項2号）として，官公署等の協会に対する委任状及び協会の代表者の資格を証する書面（協会の登記簿謄本等）を添付する。
3　社員の権限
　協会の社員は，協会から嘱託又は依頼を受けて嘱託書又は申請書を作成した者であっても，官公署等の授権に基づき協会から復代理人として選任されない限り，登記所への出頭（不動産登記法26条1項（廃止））等官公署等の代理人としての権限を行使することはできない。

> **参考**
> 土地家屋調査士及び土地家屋調査士法人に対する懲戒処分の考え方（処分基準等）
>
> 法務省民事局

　土地家屋調査士法（昭和25年法律第228号。以下「法」という。）第42条又は第43条第1項の規定に基づき土地家屋調査士又は土地家屋調査士法人（以下「土地家屋調査士等」という。）に対して懲戒処分を行う場合の基準及び法第46条の規定に基づく懲戒処分の公告については，次のとおりとする。

第1　総則
　1　法務大臣による懲戒処分
　　　法務大臣による土地家屋調査士等に対する懲戒処分は，不動産の表示に関する登記及び土地の筆界を明らかにする業務の専門家として，不動産に関する権利の明確化に寄与し，もって国民生活の安定と向上に資することを使命とする土地家屋調査士等の業務の適正を保持するために行われるものであり，この基準に基づいて公正に行う。
　2　懲戒事由
　　(1)　土地家屋調査士等が法又は法に基づく命令に違反したときは，法務大臣は，当該土地家屋調査士等に対し，懲戒処分をすることができる（法第42条，第43条第1項）。
　　(2)　土地家屋調査士会及び日本土地家屋調査士会連合会の会則は自治規範であるが，土地家屋調査士等はその所属する土地家屋調査士会及び日本土地家屋調査士会連合会の会則を守らなければならない（法第24条，第41条において準用する第24条）ことから，別表の違反行為の欄に掲げるものに該当する会則違反については，特に懲戒処分による必要性が認められるものとして，法違反（会則遵守義務違反）を理由として懲戒処分をするものとする。
　　(3)　土地家屋調査士等は，常に品位を保持しなければならない（法第2条，第41条において準用する第2条）ことから，土地家屋調査士等の行った行為がその業務に関連しない場合であっても，その行為が土地家屋調査士等の品位を害した場合には，法違反を理由として懲戒処分をすることができる。
　3　懲戒処分の種類
　　(1)　土地家屋調査士に対する懲戒処分（法第42条）
　　　　ア　戒告
　　　　イ　2年以内の業務の停止
　　　　ウ　業務の禁止
　　(2)　土地家屋調査士法人に対する懲戒処分（法第43条第1項）
　　　　ア　戒告
　　　　イ　2年以内の業務の全部又は一部の停止
　　　　ウ　解散

第2　処分基準
　1　違反事実の認定
　　　懲戒処分は，客観的資料等により認定することができる違反事実を対象となる事実とし，当該違反事実，考慮要素及び情状等による加重又は軽減の理由を明らかにして行う。

2　懲戒処分の量定

　　土地家屋調査士等が行った行為が別表の違反行為の欄に掲げるものに該当するときは，同表の懲戒処分の量定の欄に掲げる処分を基準とした上で，考慮要素の欄に掲げる事項等を考慮した上で量定を決定し，懲戒処分を行う。ただし，土地家屋調査士法人に対して懲戒処分を行う場合には，同表の懲戒処分の量定の欄中「2年以内の業務の停止」とあるのは「2年以内の業務の全部又は一部の停止」と，「1年以内の業務の停止」とあるのは「1年以内の業務の全部又は一部の停止」と，「業務の禁止」とあるのは「解散」と読み替えるものとする。

3　情状等による加重及び軽減

　(1)　土地家屋調査士等が行った行為が別表の違反行為の欄に掲げるものに該当する場合において，土地家屋調査士等が行った行為の態様が極めて悪質であること，又はその行為の回数が多数であること等の特段の情状等が認められるときは，同表の懲戒処分の量定の欄に掲げる処分より重い懲戒処分を行うことができる。

　(2)　土地家屋調査士等が行った行為が別表の違反行為の欄に掲げるものに該当する場合において，当該対象行為の態様，当該対象行為をするに至った過程において酌むべき事情の内容，発生した経済的損失等の程度及びその回復の内容，既に受けた社会的な制裁等の内容，所属する土地家屋調査士会による自治的処分の内容その他の一切の事情を勘案して懲戒処分の量定を軽減することが相当である情状等が認められるときは，同表の懲戒処分の量定の欄に掲げる処分より軽い懲戒処分を行うことができる。

　(3)　土地家屋調査士等の行った行為が別表の違反行為の欄に掲げるものに該当する場合において，(2)に掲げる事情を勘案して懲戒処分を行わないことが相当であると認められるとき（特段の事情のない限り同表の懲戒処分の量定の欄に掲げる処分に戒告が含まれているときに限る。）は，懲戒処分を行わないことができる。

　(4)　土地家屋調査士等に懲戒処分歴があることは懲戒処分を加重する情状とすることができ，土地家屋調査士等に懲戒処分歴がないことは懲戒処分を軽減する情状とすることができる。

　(5)　別表の違反事実の欄に該当する行為が複数ある場合における懲戒処分の量定は，それぞれの違反行為について同表の懲戒処分の量定の欄に掲げる処分が最も重いものを基準としつつ，複数の違反行為全体を勘案し，必要に応じてこれを加重するものとする。

　(6)　土地家屋調査士等が行った行為が法又は法に基づく命令に違反する場合において，別表の違反行為の欄に掲げるもののいずれにも該当しないときは，同欄に掲げる違反行為のうち当該行為に最も類似するものに準ずるなどの方法により当該行為に対する懲戒処分を行うものとする。

　(7)　土地家屋調査士法人における特則

　　　土地家屋調査士法人における量定の判断に当たっては，(1)から(6)までに加え，当該法人の内部規律及び内部管理等を勘案する。

4　業務停止の期間

　　土地家屋調査士等の業務の停止期間は，年，月，週を単位とする。

第3　公告

　　法第46条に基づく公告をする場合は，土地家屋調査士等の個々の懲戒処分について，懲

戒処分を受けた者の氏名又は名称,所属する土地家屋調査士会の名称,登録番号及び事務所の所在地並びに処分の年月日及び処分の量定を公表するものとする。

別表（第1の2(2),第2の2,3関係）

番号	違反行為		懲戒処分の量定
1	公文書偽造又は私文書偽造等	刑法（明治40年法律第45号）第155条,第157条,第158条,第159条,第161条又は第161条の2の規定に該当するもの	2年以内の業務の停止又は業務の禁止
2	名義貸し又は他人による教務の取扱い	自己の名義において,故意に他人に業務を行わせたもの	
3	業務停止期間中の業務行為	故意に,業務停止期間中に業務を行ったもの	
4	報酬又は費用の不正請求	故意に,報酬の不正請求又は費用の架空請求や水増し請求をしたもの	
5	虚偽の登記名義人確認情報提供で実害が生じたもの（故意）	不動産登記法（平成16年法律第123号）第23条第4項第1号の規定による情報の提供を行う場合において,故意に虚偽の情報を提供し,かつ,不実の登記,経済的損失等の実害が生じたもの	
6	虚偽の登記名義人確認情報提供で実害が生じたもの（注意義務違反）	不動産登記法第23条第4項第1号の規定による情報の提供を行う場合において,相当な注意を怠って虚偽の情報を提供し,かつ,不実の登記,経済的損失等の実害が生じたもの	戒告又は2年以内の業務の停止
7	現地確認義務違反又は筆界確認義務違反	不動産の表示に関する登記の申請をする場合において,現地確認又は筆界確認を怠ったもの	
8	職務上請求用紙の不正使用等	不正な目的で戸籍謄本等職務上請求用紙を使用したもの又は戸籍謄本等職務上請求用紙を用いて取得した戸籍謄本等を不正な目的で使用したもの	
9	不当誘致行為	故意に,不当な手段を用いて業務の誘致を行ったもの	
10	受任事件の放置	受任した事件を正当な理由なく故意に履行しないもの	
11	秘密保持義務違反（故意）	故意に,業務上取り扱った事件について知ることのできた秘密を正当な事由なく他に漏らしたもの	
12	本人確認義務違反又は依頼者等の意思確認義務違反で実害が生じたもの	本表に別に定めるもののほか,故意に又は相当の注意を怠って本人確認等の義務に違反し,かつ,不実の登記等,経済的損失等の実害が生じたもの	戒告又は1年以内の業務の停止
13	虚偽の登記名義人確認情報提供で実害は生じていないもの（故意）	不動産登記法第23条第4項第1号の規定による情報の提供を行う場合において,故意に虚偽の情報を提供したが,不実の登記,経済的損失等の実害が生じなかったもの	

14	職務上請求用紙の管理懈怠等	戸籍謄本等職務上請求用紙若しくは戸籍謄本等職務上請求用紙を用いて取得した戸籍謄本等の管理を怠り，又はその使用方法を誤り，実害が生じたもの	
15	調査拒否	正当な事由なく土地家屋調査士法施行規則（昭和54年法務省令第53号）第40条第1項又は第2項の調査を拒んだもの	
16	補助者の監督責任	補助者の監督を怠り，本表の違反行為に該当し，又はこれに準ずる行為をしたもの	
17	預り金等の管理懈怠等	依頼者又は依頼者のための預等り金を他の金銭と区別せずに保管するなどその管理を怠り，経済的損失等の実害が生じたもの	
18	秘密保持義務違反（注意義務違反）	相当な注意を怠り，業務上取り扱った事件について知ることのできた秘密を他に漏らしたもの	
19	受任拒否	正当な事由なく依頼された事件の受任を拒否したもの（民間紛争解決手続代理関係業務に関するものを除く。）のうち，悪質なもの	戒告
20	その他会則に違反する行為	本表の違反行為に該当しない土地家屋調査会の会則の不遵守であって，土地家屋調査士会による自治的処分を複数回受けた場合，実害が生じた場合等悪質なもの	
21	業務外行為	業務外の違反行為で刑事罰の対象となる行為に該当するもの	戒告，2年以内の業務の停止又は業務の禁止

第四部 資料編

- 申請書様式〔筆界特定申請書〕
- 筆界点間距離及び地積測定の早見表(抄)
- 事項索引
- 先例等索引
- 判例索引

●申請書様式●

〈筆界特定申請書〉

筆界特定申請書

平成18年○月○日*1

○○法務局*2　筆界特定登記官　殿

申請の趣旨*3

後記1記載の甲地と乙地との筆界について，筆界の特定を定める。

申請人及び代理人の表示

申請人*4　　　　Ｐ市□□町一丁目2番3号　　甲野　太郎

申請人代理人*5　○○市○○町○丁目○番○号
　　　　　　　　○○○○○*6　　法　務　春　子　㊞*7
　　　　　　　　電　話　　000－0000－000*8
　　　　　　　　ＦＡＸ　　000－0000－000

筆界特定添付書面等の表示*9
　□資格証明書　　■代理権限証書　　□相続証明書
　□継承証明書　　□所有権（一部）取得証明書
　□氏名変更（更正）証明書　　　□住所変更（更正）証明書
　■固定資産評価証明書*10　　　　■現地案内図
　■手数料計算書　□その他（　　　　　　　　　　）

1　対象土地及び対象土地に係る所有権登記名義人等の表示*11

甲地

　　不動産番号　　１２３４５○○○○○○○○
　　所　　　在　　Ｐ市△△町一丁目
　　地　　　番　　○番の2
　　地　　　目　　宅地
　　地　　　積　　○○．○○平米
　　所有権登記名義人等　　Ｐ市□□町一丁目○番6号　　　　　申請人　甲　野　太　郎
　　価　　　格　　金○○○○○円

乙地

　　不動産番号　　２３４５６○○○○○○○○
　　所　　　在　　Ｐ市△△町一丁目
　　地　　　番　　○番の3
　　地　　　目　　宅地
　　地　　　積　　○○．○○平米
　　所有権登記名義人等　　Ｐ市□□町四丁目○番3号　　　　　関係人　乙　山　一　郎
　　　　　　　　　　　　　　　　　　　　　　　　　　　　　（電話111－1111－111）
　　価　　　格　　金○○○○○円

2 関係土地及び関係土地に係る所有権登記名義人等の表示*12
関係土地1
不動産番号　　　　（略） 　　所　　　在　　　　（略） 　　地　　　番　　　　（略） 　　地　　　目　　　　（略） 　　地　　　積　　　　（略） 　　所有権登記名義人等　　　（略）
関係土地2
所　　　在　　　P市△△町○番地先（別紙図面中斜線で示した部分）*13 　　所有権登記名義人等　　　（略）
3　筆界特定を必要とする理由*14
(1)　申請人は，甲地の所有権の登記名義人であり，甲地を自宅の敷地及び庭として利用している。 　　　乙山一郎（以下「乙山」という。）は，乙地の所有権の登記名義人であり，乙地を貸駐車場として利用している。 (2)　乙地は，別紙図面（略）記載のとおり，甲地の西側隣接地であり，甲地と乙地との間にはフェンス（以下「本件フェンス」という。）が設置されている。 (3)　申請人は，平成17年8月ころ，甲地の一部を分筆して売却することを計画し，筆界の確認や測量を含む分筆手続一切を□□土地家屋調査士（以下「□□調査士」という。）に依頼した。 (4)　□□調査士は，甲地と乙地との筆界（以下「本件筆界」という。）について，乙山に立会確認を依頼し，平成17年9月20日，申請人及び乙山の立会のもと，本件筆界の確認が行われた。 　　　申請人及び□□調査士は，本件フェンスのある位置（別紙図面のア点とイ点とを結んだ直線）が本件筆界であることの確認を求めたが，乙山は，本件フェンスから東側約30センチメートルの位置に本件フェンスに平行して存在するコンクリート基礎（別紙図面中のウ点とエ点を結んだ直線上にある。）が筆界の位置を示すものであると主張して筆界確認書への押印を拒否した。 (5)　その後，申請人又は□□調査士が何度か乙山宅を訪問し，筆界の問題について話し合ったが，乙山は譲らず，乙山の主張を認めない限り，筆界確認書には絶対に押印しないと言っている。 　　　このままでは，甲地の分筆ができず，当初の計画であった土地の売却も不可能となってしまう。そこで，本件筆界について，筆界特定の申請に及んだ次第である。 (6)　なお，本件筆界以外の甲地の筆界については，各隣接地の所有者との間で確認済みである。
4　対象土地及び関係土地の状況*15
別紙図面のとおり。

5	申請人が筆界として主張する線及びその根拠*16

(1) 申請人は，本件筆界は，甲地と乙地との間に設置されたフェンスの位置（別紙図面のア点とイ点を結んだ直線）にあると主張する。その理由は，以下のとおりである。
(2) （以下略）

6	関係人の主張*17

　乙山は，フェンスの東側30センチメートルの位置に存在するコンクリート基礎（別紙図面中のウ点とエ点を結んだ直線）が本件筆界の位置を示すものであると主張している。

7	筆界確定訴訟の有無*18

■　無
□　係属中（　　　　　　裁判所　事件番号　平成　　年（　）　　　　号
　　　　　　当事者の表示　原告　　　　　被告　　　　　　　　　　）

8	申請情報と併せて提供する意見又は資料*19

資料等説明書記載のとおり。

手数料印紙はり付け欄（収入印紙をはってください。）

手数料額　△△△△円*20

申請手数料仮納付額*21

金　　　　円也（手数料額の通知があり次第，不足額を追加納付する。）

　　　　　　　　　　　　　　　　　　　○○○○○*22　法　務　春　子　職印*23

（代理権限証書，固定資産評価証明書，現地案内図，手数料計算書，別紙図面，資料説明書は，いずれも省略。）

申請書様式

* 1 筆界特定の申請年月日の表示（不動産登記規則（平成17年法務省令第18号。以下「規則」という。）第207条第3項第10号）である。
* 2 筆界特定の申請をする法務局等の表示（規則第207条第3項第11号）である。
* 3 申請の趣旨は，必要的筆界特定申請情報（筆界特定申請情報の内容として提供されないときは，申請の却下事由となる情報をいう。以下同じ。）である（不動産登記法（平成16年法律第123号。以下「法」という。）第131条第3項第1号）。申請の趣旨においては，申請人が，対象土地の筆界について筆界の特定を求めていることを明らかにする。
* 4 申請人の氏名又は名称及び住所は，必要的筆界特定申請情報である（法第131条第3項第2号）。
　なお，申請人が対象土地の所有権の登記名義人又は表題部所有者の相続人その他の一般承継人であるときは，その旨及び所有権の登記名義人又は表題部所有者の氏名又は名称及び住所が，申請人が一筆の土地の一部の所有権を取得した者である場合には，その旨が，それぞれ必要的筆界特定申請情報である（規則第207条第2項第3号及び第4号）。
* 5 申請人の代理人の氏名又は名称及び住所は，必要的筆界特定申請情報である（規則第207条第2項第2号）。
* 6 代理人が資格者代理人である場合におけるその資格は，筆界特定申請情報ではないが，資格を記載することが望ましい。
* 7 筆界特定申請書には，申請人又は代理人が署名し，又は記名押印しなければならない（規則第211条第2項）。（廃止）
* 8 申請人又は代理人の連絡先は，任意的筆界特定申請情報（筆界特定申請情報の内容として提供することとされている情報のうち，必要的筆界特定申請情報でないものをいう。以下同じ。）である（規則第207条第3項第1号）。連絡先としては，電話番号のほか，例えば，FAX番号が考えられる。
* 9 筆界特定添付情報があるときは，その表示を筆界特定申請情報の内容とすることとされている（規則第207条第3項第8号）。記載例では，提出するものにチェックする方式により，添付情報を表示することとしている。
* 10 固定資産評価証明書，現地案内図，手数料計算書は，法令上添付が要求されている筆界特定添付情報ではないが，手続の円滑な進行の観点から，できるだけ申請人が提供することが望ましい。
* 11 対象土地の所在及び地番は，必要的筆界特定申請情報である（法第131条第3項第3号，規則第207条第2項第5号）。所在及び地番に代えて不動産番号を明らかにしてもよい（記載例では双方を記載しているが，一方でもよい。「不動産登記法等の一部を改正する法律の施行に伴う筆界特定手続に関する事務の取扱いについて」（平成17年12月6日付け法務省民二第2760号民事局長通達）29）。地目及び地積は，必要的筆界特定申請情報ではないが，筆界特定登記官にとって参考となる情報として記載例に掲げている。
　また，関係人の表示は，任意的筆界特定申請情報である（規則第207条第3項第3号）。記載例では，いずれの関係人がいずれの対象土地の所有権登記名義人等であるかを示すため，対象土地と当該対象土地に係る関係人とを併せて表示している。
* 12 関係土地及び関係人の表示は，任意的筆界特定申請情報である（規則第207条第3項第2号及び第3号）。記載例では，いずれの関係人がいずれの関係土地の所有権登記名義人等であるかを示すため，関係土地と当該関係土地に係る関係人とを併せて表示している。
　なお，筆界特定申請書に関係土地として表示された土地以外の土地であっても，筆界特定登記官が，関係土地となる可能性があるとして，手続上，関係土地と扱うことがあり得る。
* 13 関係土地が表題登記がない土地であるときは，当該関係土地を特定するに足りる事項が任意的筆界特定申請情報である（規則第207条第3項第2号）。図面を利用する方法等によって関係土地を特定することが考えられる（同条第4項）。
* 14 対象土地について筆界特定を必要とする理由（法第131条第3項第4号）とは，筆界特定の申請に至る経緯その他の具体的な事情をいい，必要的筆界特定申請情報である。筆界特定登記官が事案を早期に把握することが早期解決につながることからすると，できるだけ詳細な記載が望ましい。
* 15 対象土地の状況は必要的筆界特定申請情報であり，関係土地の状況は任意的筆界特定申請情報であ

資料編

　　　る（規則第207条第2項第7号，第3項第4号）。これらの事項を筆界特定申請情報の内容とするに当たっては，図面を利用する等の方法により具体的に明示することとされている（同条第4項）。
＊16　筆界についての申請人の主張及びその根拠は，任意的筆界特定申請情報である（規則第207条第3項第5号）。
＊17　対象土地の所有権登記名義人等である関係人の筆界についての主張は，任意的筆界特定申請情報である（規則第207条第3項第6号）。
＊18　申請に係る筆界について筆界確定訴訟が係属している旨及び当該訴訟を特定するに足りる事項は任意的筆界特定申請情報である（規則第207条第3項第7号）。筆界確定訴訟が係属しているときは係属中の欄にチェックし，係属裁判所，事件番号，当事者を記載することとなる。
　　　筆界確定訴訟が係属していないときは，その旨を明らかにする必要はないが，記載例では，筆界特定登記官に対する情報提供として，筆界確定訴訟が係属していない旨を明らかにしている。
＊19　筆界特定の申請とともに意見又は資料を提出するときは，その表示は，任意的筆界特定申請情報である（規則第207条第3項第9号）。これを筆界特定申請情報の内容とするには，資料提出書を提出し，これを引用すれば足りる。
＊20　申請手数料の額は，筆界特定申請情報とされていないが，記載例では，参考となる情報として記載している。申請人が申請手数料の正確な額を算出できないときは，申請時には，申請手数料欄を空欄にしておき，後記21のとおりに手数料の一部を仮に納付し，不足額を納付するときに，申請手数料額を書き込むことが考えられる。
＊21　申請人が申請手数料の正確な額を算出することができないときは，申請に当たり，差し当たり，申請手数料の一部を仮に納付し，筆界特定登記官から手数料額の通知がされた後，不足額を納付することが考えられる。このような運用をする場合には，手数料をいくら納付する意思があるかを明らかにするため，仮納付額を記載するとともに，不足額がある場合には不足額を納付する意思があることを明らかにしておくのが相当である。
＊22　代理人が資格者代理人である場合におけるその資格は，筆界特定申請情報ではないが，資格を記載することが望ましい。
＊23　司法書士又は土地家屋調査士が代理人として申請書を作成したときは，職印を押印しなければならない（司法書士法施行規則第28条第1項，土地家屋調査士法施行規則第26条第1項）。

●筆界点間距離及び地積測定の公差早見表（抄）●

(1) 筆界点間距離の公差早見表 （1m〜38m）

S (筆界点間距離) m	甲1 数値法 mm	甲2 数値法 mm	甲2 (A級) 1/500 cm	甲3 (B級) 1/250 cm	甲3 (B級) 1/500 cm	甲3 (A級) 1/1000 cm	甲3 数値法 mm	Z1 (B級) 1/500 cm	Z1 (B級) 1/1000 cm	Z1 (A級) 1/2500 cm	Z1 数値法 mm	Z2 (B級) 1/1000 cm	Z2 (B級) 1/2500 cm	Z2 (A級) 1/5000 cm	Z2 数値法 mm	Z3 (B級) 2500 cm	Z3 (B級) 1/5000 cm
1	23	50	15	17	25	30	170	32	47	67	320	62	107	132	640	139	214
2	24	54	15	18	25	30	186	33	48	68	348	64	109	134	697	144	219
3	25	57	15	18	26	31	199	34	49	69	371	67	112	137	742	149	224
4	26	60	16	19	27	32	210	36	51	71	390	69	114	139	780	153	228
5	26	62	16	19	27	32	219	36	51	71	406	70	115	140	813	156	231
6	27	64	16	20	27	32	227	37	52	72	421	72	117	142	842	159	234
7	27	66	16	20	28	33	235	38	53	73	435	73	118	143	870	162	237
8	28	68	16	21	28	33	243	39	54	74	447	74	119	144	895	164	239
9	29	70	17	21	29	34	250	40	55	75	460	76	121	146	920	167	242
10	29	71	17	21	29	34	256	40	55	75	471	77	122	147	942	169	244
11	29	73	17	22	29	34	262	41	56	76	482	78	123	148	964	171	246
12	30	74	17	22	29	34	268	41	56	76	492	79	124	149	984	173	248
13	30	76	17	22	30	35	274	42	57	77	502	80	125	150	1004	175	250
14	31	77	17	22	30	35	279	42	57	77	511	81	126	151	1023	177	252
15	31	78	17	23	30	35	284	43	58	78	521	82	127	152	1042	179	254
16	32	80	18	23	31	36	290	44	59	79	530	83	128	153	1060	181	256
17	32	81	18	23	31	36	294	44	59	79	538	83	128	153	1077	182	257
18	33	82	18	23	31	36	299	44	59	79	546	84	129	154	1093	184	259
19	33	83	18	24	31	36	304	45	60	80	555	85	130	155	1110	186	261
20	33	84	18	24	31	36	308	45	60	80	563	86	131	156	1126	187	262
22	34	86	18	24	32	37	317	46	61	81	578	87	132	157	1156	190	265
24	34	88	18	25	32	37	325	47	62	82	592	89	134	159	1185	193	268
26	35	90	19	25	33	38	333	48	63	83	606	90	135	160	1213	196	271
28	35	92	19	26	33	38	341	49	64	84	620	92	137	162	1240	199	274
30	36	94	19	26	33	38	349	49	64	84	633	93	138	163	1266	201	276
32	37	96	19	26	34	39	356	50	65	85	645	94	139	164	1291	204	279
34	37	98	19	27	34	39	363	51	66	86	658	95	140	165	1316	206	281
36	38	100	20	27	35	40	370	52	67	87	670	97	142	167	1340	209	284
38	38	101	20	27	35	40	376	52	67	87	681	98	143	168	1363	211	286

資料編

表(1)—② (40m～300m)

S (筆界点間距離) m	甲1 数値法 mm	甲2 数値法 mm	甲2 (A級) 1/500 cm	甲3 (B級) 1/250 cm	甲3 (B級) 1/500 cm	甲3 (A級) 1/1000 cm	甲3 数値法 mm	Z1 (B級) 1/500 cm	Z1 (B級) 1/1000 cm	Z1 (A級) 1/2500 cm	Z1 数値法 mm	Z2 (B級) 1/1000 cm	Z2 (B級) 1/2500 cm	Z2 (A級) 1/5000 cm	Z2 数値法 mm	Z3 (B級) 1/2500 cm	Z3 (B級) 1/5000 cm
40	38	103	20	28	35	40	206	53	68	88	382	99	144	169	1385	213	288
45	40	107	20	28	36	41	214	54	69	89	398	101	146	171	1439	218	293
50	41	110	21	29	37	42	221	56	71	91	412	104	149	174	1489	223	298
55	42	114	21	30	37	42	228	57	72	92	426	106	151	176	1538	228	303
60	43	117	21	30	38	43	234	58	73	93	439	109	154	179	1584	233	308
65	44	120	22	31	39	44	241	60	75	95	452	111	156	181	1628	237	312
70	45	123	22	32	39	44	247	61	76	96	464	113	158	183	1671	242	317
75	45	126	22	32	40	45	253	62	77	97	476	115	160	185	1712	246	321
80	46	129	22	33	40	45	258	63	78	98	487	117	162	187	1752	250	325
85	47	132	23	33	41	46	264	64	79	99	498	119	164	189	1790	254	329
90	48	134	23	34	41	46	269	65	80	100	509	121	166	191	1828	257	332
95	49	137	23	34	42	47	274	66	81	101	519	123	168	193	1864	261	336
100	50	140	24	35	43	48	280	68	83	103	530	125	170	195	1900	265	340
110	51	144	24	36	43	48	289	69	84	104	549	128	173	198	1968	271	346
120	52	149	24	37	44	49	299	71	86	106	568	131	176	201	2033	278	353
130	54	154	25	38	45	50	308	73	88	108	586	134	179	204	2096	284	359
140	55	158	25	39	46	51	316	75	90	110	603	137	182	207	2156	290	365
150	56	162	26	39	47	52	324	76	91	111	619	140	185	210	2214	296	371
160	57	166	26	40	48	53	332	78	93	113	635	143	188	213	2270	302	377
170	59	170	27	41	49	54	340	80	95	115	651	146	191	216	2325	307	382
180	60	174	27	42	49	54	348	81	96	116	666	148	193	218	2378	312	387
190	61	177	27	43	50	55	355	83	98	118	681	151	196	221	2429	317	392
200	62	181	28	43	51	56	362	84	99	119	695	153	198	223	2479	322	397
220	64	188	28	45	52	57	376	87	102	122	723	158	203	228	2576	332	407
240	66	194	29	46	53	58	389	89	104	124	749	163	208	233	2668	341	416
260	68	201	30	47	55	60	402	92	107	127	774	167	212	237	2757	350	425
280	70	207	30	48	56	61	414	94	109	129	799	172	217	242	2842	359	434
300	71	213	31	50	57	62	426	97	112	132	822	176	221	246	2924	367	442

(2) 地積測定の公差早見表

(1 m²～40m²)

精度区分 地積(m²)	甲 1 m²	甲 2 m²	甲 3 m²	乙 1 m²	乙 2 m²	乙 3 m²
1	0.03	0.06	0.12	0.14	0.32	0.64
2	0.04	0.09	0.18	0.21	0.47	0.94
3	0.05	0.11	0.22	0.26	0.59	1.19
4	0.06	0.13	0.26	0.31	0.70	1.40
5	0.07	0.15	0.29	0.36	0.79	1.59
6	0.07	0.16	0.32	0.40	0.88	1.76
7	0.08	0.18	0.35	0.44	0.96	1.93
8	0.08	0.19	0.38	0.47	1.04	2.08
9	0.09	0.20	0.40	0.51	1.11	2.23
10	0.10	0.21	0.43	0.54	1.18	2.37
11	0.10	0.23	0.45	0.57	1.25	2.50
12	0.11	0.24	0.48	0.60	1.32	2.63
13	0.11	0.25	0.50	0.63	1.38	2.76
14	0.12	0.26	0.52	0.66	1.44	2.88
15	0.12	0.27	0.54	0.69	1.50	3.00
16	0.12	0.28	0.56	0.72	1.56	3.12
17	0.13	0.29	0.58	0.75	1.62	3.23
18	0.13	0.30	0.60	0.77	1.67	3.34
19	0.14	0.31	0.62	0.80	1.73	3.45
20	0.14	0.32	0.64	0.83	1.78	3.56
21	0.14	0.33	0.65	0.85	1.83	3.66
22	0.15	0.34	0.67	0.88	1.88	3.77
23	0.15	0.34	0.69	0.90	1.93	3.87
24	0.16	0.35	0.71	0.92	1.98	3.97
25	0.16	0.36	0.72	0.95	2.03	4.07
26	0.16	0.37	0.74	0.97	2.08	4.16
27	0.17	0.38	0.76	0.99	2.13	4.26
28	0.17	0.39	0.77	1.02	2.17	4.35
29	0.17	0.39	0.79	1.04	2.22	4.44
30	0.18	0.40	0.80	1.06	2.27	4.53
31	0.18	0.41	0.82	1.08	2.31	4.62
32	0.18	0.42	0.83	1.10	2.36	4.71
33	0.18	0.42	0.85	1.13	2.40	4.80
34	0.19	0.43	0.86	1.15	2.44	4.89
35	0.19	0.44	0.88	1.17	2.49	4.97
36	0.19	0.45	0.89	1.19	2.53	5.06
37	0.20	0.45	0.91	1.21	2.57	5.14
38	0.20	0.46	0.92	1.23	2.61	5.22
39	0.20	0.47	0.94	1.25	2.65	5.31
40	0.21	0.48	0.95	1.27	2.69	5.39

(41m²～110m²)

精度区分 地積(m²)	甲 1 m²	甲 2 m²	甲 3 m²	乙 1 m²	乙 2 m²	乙 3 m²
41	0.21	0.48	0.96	1.29	2.73	5.47
42	0.21	0.49	0.98	1.31	2.78	5.55
43	0.21	0.50	0.99	1.33	2.81	5.63
44	0.22	0.50	1.01	1.35	2.85	5.71
45	0.22	0.51	1.02	1.37	2.89	5.79
46	0.22	0.52	1.03	1.38	2.93	5.86
47	0.23	0.52	1.04	1.40	2.97	5.94
48	0.23	0.53	1.06	1.42	3.01	6.02
49	0.23	0.54	1.07	1.44	3.05	6.09
50	0.23	0.54	1.08	1.46	3.08	6.17
52	0.24	0.55	1.11	1.50	3.16	6.32
54	0.24	0.57	1.13	1.53	3.23	6.46
56	0.25	0.58	1.16	1.57	3.30	6.61
58	0.25	0.59	1.18	1.60	3.38	6.75
60	0.26	0.60	1.21	1.64	3.45	6.89
62	0.26	0.61	1.23	1.67	3.52	7.03
64	0.27	0.63	1.25	1.71	3.58	7.17
66	0.27	0.64	1.28	1.74	3.65	7.30
68	0.28	0.65	1.30	1.77	3.72	7.44
70	0.28	0.66	1.32	1.80	3.79	7.57
72	0.29	0.67	1.34	1.84	3.85	7.70
74	0.29	0.68	1.36	1.87	3.92	7.83
76	0.30	0.69	1.39	1.90	3.98	7.96
78	0.30	0.70	1.41	1.93	4.05	8.09
80	0.30	0.71	1.43	1.96	4.11	8.22
82	0.31	0.73	1.45	2.00	4.17	8.34
84	0.31	0.74	1.47	2.03	4.23	8.47
86	0.32	0.75	1.49	2.06	4.30	8.59
88	0.32	0.76	1.51	2.09	4.36	8.71
90	0.32	0.77	1.53	2.12	4.42	8.83
92	0.33	0.78	1.55	2.15	4.48	8.95
94	0.33	0.79	1.57	2.18	4.54	9.07
96	0.34	0.80	1.59	2.21	4.60	9.19
98	0.34	0.81	1.61	2.24	4.66	9.31
100	0.34	0.82	1.63	2.26	4.71	9.43
102	0.35	0.83	1.65	2.29	4.77	9.54
104	0.35	0.84	1.67	2.32	4.83	9.66
106	0.36	0.85	1.69	2.35	4.89	9.77
108	0.36	0.85	1.71	2.38	4.94	9.89
110	0.36	0.86	1.73	2.41	5.00	10.00

公差早見表

($112m^2 \sim 190m^2$)

精度区分 地積 (m^2)	甲 1 m^2	甲 2 m^2	甲 3 m^2	乙 1 m^2	乙 2 m^2	乙 3 m^2
112	0.37	0.87	1.75	2.44	5.06	10.11
114	0.37	0.88	1.77	2.46	5.11	10.22
116	0.38	0.89	1.78	2.49	5.17	10.33
118	0.38	0.90	1.80	2.52	5.22	10.44
120	0.38	0.91	1.82	2.55	5.28	10.55
122	0.39	0.92	1.84	2.57	5.33	10.66
124	0.39	0.93	1.86	2.60	5.39	10.77
126	0.39	0.94	1.87	2.63	5.44	10.88
128	0.40	0.95	1.89	2.65	5.49	10.98
130	0.40	0.96	1.91	2.68	5.55	11.09
132	0.40	0.96	1.93	2.71	5.60	11.20
134	0.41	0.97	1.95	2.73	5.65	11.30
136	0.41	0.98	1.96	2.76	5.70	11.41
138	0.41	0.99	1.98	2.79	5.76	11.51
140	0.42	1.00	2.00	2.81	5.81	11.61
142	0.42	1.01	2.01	2.84	5.86	11.72
144	0.42	1.02	2.03	2.86	5.91	11.82
146	0.43	1.02	2.05	2.89	5.96	11.92
148	0.43	1.03	2.07	2.91	6.01	12.02
150	0.43	1.04	2.08	2.94	6.06	12.12
152	0.44	1.05	2.10	2.96	6.11	12.22
154	0.44	1.06	2.12	2.99	6.16	12.33
156	0.44	1.07	2.13	3.01	6.21	12.42
158	0.45	1.07	2.15	3.04	6.26	12.52
160	0.45	1.08	2.16	3.06	6.31	12.62
162	0.45	1.09	2.18	3.09	6.36	12.72
164	0.46	1.10	2.20	3.11	6.41	12.82
166	0.46	1.11	2.21	3.14	6.46	12.92
168	0.46	1.11	2.23	3.16	6.51	13.01
170	0.47	1.12	2.25	3.19	6.56	13.11
172	0.47	1.13	2.26	3.21	6.60	13.21
174	0.47	1.14	2.28	3.24	6.65	13.30
176	0.48	1.15	2.29	3.26	6.70	13.40
178	0.48	1.15	2.31	3.28	6.75	13.49
180	0.48	1.16	2.32	3.31	6.79	13.59
182	0.49	1.17	2.34	3.33	6.84	13.68
184	0.49	1.18	2.36	3.35	6.89	13.78
186	0.49	1.19	2.37	3.38	6.94	13.87
188	0.50	1.19	2.39	3.40	6.98	13.96
190	0.50	1.20	2.40	3.43	7.03	14.06

資料編

($192m^2$～$375m^2$)

地積 (m^2) \ 精度区分	甲 1 m^2	甲 2 m^2	甲 3 m^2	乙 1 m^2	乙 2 m^2	乙 3 m^2
192	0.50	1.21	2.42	3.45	7.07	14.15
194	0.50	1.22	2.43	3.47	7.12	14.24
196	0.51	1.22	2.45	3.50	7.17	14.33
198	0.51	1.23	2.46	3.52	7.21	14.43
200	0.51	1.24	2.48	3.54	7.26	14.52
205	0.52	1.26	2.52	3.60	7.37	14.74
210	0.53	1.28	2.55	3.66	7.48	14.97
215	0.54	1.29	2.59	3.71	7.60	15.19
220	0.54	1.31	2.63	3.77	7.71	15.41
225	0.55	1.33	2.66	3.82	7.82	15.63
230	0.56	1.35	2.70	3.88	7.93	15.85
235	0.56	1.37	2.73	3.93	8.03	16.07
240	0.57	1.38	2.77	3.99	8.14	16.28
245	0.58	1.40	2.80	4.04	8.25	16.50
250	0.58	1.42	2.84	4.10	8.35	16.71
255	0.59	1.44	2.87	4.15	8.46	16.92
260	0.60	1.45	2.91	4.20	8.56	17.13
265	0.60	1.47	2.94	4.26	8.67	17.33
270	0.61	1.49	2.98	4.31	8.77	17.54
275	0.62	1.50	3.01	4.36	8.87	17.75
280	0.62	1.52	3.04	4.41	8.97	17.95
285	0.63	1.54	3.08	4.46	9.08	18.15
290	0.64	1.55	3.11	4.51	9.18	18.35
295	0.64	1.57	3.14	4.56	9.28	18.55
300	0.65	1.59	3.17	4.62	9.38	18.75
305	0.66	1.60	3.21	4.67	9.47	18.95
310	0.66	1.62	3.24	4.72	9.57	19.15
315	0.67	1.64	3.27	4.77	9.67	19.34
320	0.67	1.65	3.30	4.82	9.77	19.54
325	0.68	1.67	3.33	4.86	9.87	19.73
330	0.69	1.68	3.37	4.91	9.96	19.92
335	0.69	1.70	3.40	4.96	10.06	20.11
340	0.70	1.71	3.43	5.01	10.15	20.30
345	0.70	1.73	3.46	5.06	10.25	20.49
350	0.71	1.74	3.49	5.11	10.34	20.68
355	0.72	1.76	3.52	5.16	10.44	20.87
360	0.72	1.78	3.55	5.20	10.53	21.06
365	0.73	1.79	3.58	5.25	10.62	21.24
370	0.73	1.81	3.61	5.30	10.71	21.43
375	0.74	1.82	3.64	5.35	10.81	21.61

公差早見表

(380m²～650m²)

精度区分 地積 (m²)	甲 1 m²	甲 2 m²	甲 3 m²	乙 1 m²	乙 2 m²	乙 3 m²
380	0.75	1.84	3.67	5.39	10.90	21.80
385	0.75	1.85	3.70	5.44	10.99	21.98
390	0.76	1.87	3.73	5.49	11.08	22.16
395	0.76	1.88	3.76	5.53	11.17	22.34
400	0.77	1.89	3.79	5.58	11.26	22.52
405	0.77	1.91	3.82	5.62	11.35	22.70
410	0.78	1.92	3.85	5.67	11.44	22.88
415	0.79	1.94	3.88	5.72	11.53	23.06
420	0.79	1.95	3.90	5.76	11.62	23.24
425	0.80	1.97	3.93	5.81	11.71	23.41
430	0.80	1.98	3.96	5.85	11.79	23.59
435	0.81	2.00	3.99	5.90	11.88	23.76
440	0.81	2.01	4.02	5.94	11.97	23.94
445	0.82	2.02	4.05	5.99	12.06	24.11
450	0.82	2.04	4.08	6.03	12.14	24.28
455	0.83	2.05	4.10	6.07	12.23	24.46
460	0.83	2.07	4.13	6.12	12.31	24.63
465	0.84	2.08	4.16	6.16	12.40	24.80
470	0.84	2.09	4.19	6.21	12.49	24.97
475	0.85	2.11	4.21	6.25	12.57	25.14
480	0.86	2.12	4.24	6.29	12.66	25.31
485	0.86	2.13	4.27	6.34	12.74	25.48
490	0.87	2.15	4.30	6.38	12.82	25.65
495	0.87	2.16	4.32	6.42	12.91	25.82
500	0.88	2.18	4.35	6.47	12.99	25.98
510	0.89	2.20	4.40	6.55	13.16	26.32
520	0.90	2.23	4.46	6.64	13.32	26.65
530	0.91	2.26	4.51	6.72	13.49	26.98
540	0.92	2.28	4.56	6.80	13.65	27.30
550	0.93	2.31	4.62	6.89	13.81	27.63
560	0.94	2.33	4.67	6.97	13.97	27.95
570	0.95	2.36	4.72	7.05	14.13	28.27
580	0.96	2.39	4.77	7.14	14.29	28.59
590	0.97	2.41	4.82	7.22	14.45	28.90
600	0.98	2.44	4.87	7.30	14.61	29.22
610	0.99	2.46	4.92	7.38	14.77	29.53
620	1.00	2.49	4.97	7.46	14.92	29.84
630	1.00	2.51	5.02	7.54	15.08	30.15
640	1.01	2.54	5.07	7.62	15.23	30.46
650	1.02	2.56	5.12	7.70	15.38	30.77

●事項索引●

い

移記又は転写		規則5条
一の申請情報による登記の申請（強制）	合体による登記等の申請と所有権の保存の登記の申請	法49条1項後段 令5条1項
一の申請情報によって申請できる場合		令4条但書 規則35条
一括申請（建物表題登記の申請方法）	①区分建物の新築 ②法定代位による表題登記 ③既登記の建物に区分建物新築 ④代位による建物の表題部の変更	①法48条1項 ②法48条2項 ③法48条3項 ④法48条4項
一般承継人による申請	①相続人（その他一般承継人）による ②区分建物の特則 ③申請情報の内容（相続人である旨）④添付情報（相続証明情報）	①法30条 ②法47条2項 ③令3条10号 ④令7条1項4号
一不動産一登記記録	区分建物ごとに一登記記録	法2条5号 法12条
一部却下		準28条4項
一部地目変更による分筆	①職権による分筆 ②共有者の一人からの分筆	①法39条2項 ②民法252条5項 法37条1項
一部取下げ		準29条4項2号
一棟の建物の名称	①建物の表示に関する登記の登記事項 ②申請情報	①法44条1項8号 ②令3条8号ト
囲繞地通行権		民法210条
委任状への記名押印		令18条1項
委任状への記名押印等の特例		規則49条
印鑑に関する証明書	①申請情報を記載した書面 ②代理権限を証する情報を記載した書面 ③承諾を証する情報を記載した書面	①令16条2項 規則48条 ②令18条2項 規則49条2項 ③令19条2項

う

受付	申請の受付	法19条 規則56条 準31条
受付帳		規則18条の2
受付番号		法19条3項
写しの交付請求ができる図面		法121条1項 法149条1項 令21条

え

えい行移転	①不動産の所在事項の変更 ②他の登記所の管轄区域に跨る場合 ③他の登記所の管轄区域への曳行移転	①法51条1項 ②準5条 管轄の肯定 ③準4条 管轄の移動
閲覧の請求		法121条2項 規則193条2項～6項
閲覧の方法		規則202条 規則139条
援用（添付情報の省略）		規則37条

事項索引 か

解体移転		準85条1項
会社法人等番号	①定義 ②添付情報 ③提供を要しない場合 ④法人である代理人 ⑤住所証明情報の省略（電子証明書）	①商登7条 ②令7条1項1号イ ③規則36条1項 ④規則37条の2 ⑤規則44条2項
家屋番号	①定義 ②登記事項 ③家屋番号の付番 ④家屋番号の定め方 ⑤申請情報の内容 ⑥区分建物の家屋番号	①法2条21号 ②法44条1項2号 ③法45条 ④規則112条1項 準79条 ⑤令3条8号ロ ⑥規則116条
各階平面図	①定義 ②各階平面図の作成方式 ③各階平面図の作成単位 ④各階平面図の内容 ⑤各階平面図の作成方法 ⑥総枚数	①令2条6号 ②規則73条・74条 ③規則81条 ④規則83条 ⑤準53条・54条 ⑥準54条2項 法105条
河川管理者から嘱託する場合の嘱託条項	①土地の滅失の登記の嘱託 ②土地の一部減失（地積の変更に関する）の登記の嘱託	①令別表10項・申請情報欄 ②令別表11項・申請情報欄イ
河川区域内の土地の登記	①河川区域内等の土地である旨の登記 ②河川区域内等の土地の嘱託 ③河川区域内等の土地でなくなったときの嘱託 ④土地の一部についてが河川区域内の土地等となったときの代位による分筆の登記の嘱託 ⑤河川区域内等の土地の滅失の登記の嘱託 ⑥河川区域内等の土地の一部滅失の登記嘱託	①法43条1項 ②法43条2項 ③法43条3項 ④法43条4項 ⑤法43条5項 令別表10項 ⑥法43条6項 令別表11項
仮換地	①仮換地の指定 ②仮換地指定の効果 ③使用収益の停止	①土地区画整理法98条 ②土地区画整理法99条 ③土地区画整理法100条
仮登記		法105条
仮登記を命ずる処分（旧仮登記仮処分命令）	①仮登記の申請 ②添付情報（仮登記を命ずる処分の決定書の正本）	①法107条1項 ②法108条 令7条1項5号・ロ・(2)
仮登記に基づく本登記の順位		法106条
仮登記の申請方法		法107条
過料		法164条
管轄区域	①管轄をまたがる場合の表題登記の申請 ②他の登記所の管轄区域にまたがる場合 ③他の登記所の管轄区域への曳行移転	①法6条3項 ②準5条 ③準4条 管轄登記所の変更
管轄転属	①管轄転属による登記記録等の移送 ②転属による共同担保目録等の移送 ③管轄転属による地番等の変更	①規則32条 準8条 ②規則33条 準9条2項 ③準9条1項
管轄登記所	①登記所 ②登記所の指定 ③指定権者 ④またがる場合の申請 ⑤他の登記所が管轄登記所に指定された場合の移送	①法6条1項 ②法6条2項 ③登記所の指定に関する省令1条 ④法6条3項 ⑤規則40条
関係土地	定義	法123条4号
官公署	①代表者の資格を証する情報 ②代理権限を証する情報 ③印鑑証明書	①提供不要 令7条2項 ②期間制限なし 令17条2項 ③提供不要・期間制限なし 令18条4項
換地	①換地 ②換地処分 ③換地処分の効果 ④換地処分に伴う登記等	①土地区画整理法89条 ②土地区画整理法103条 ③土地区画整理法104条 ④土地区画整理法107条

換地処分後の土地の全部についての所在図		規則10条6項
官庁又は公署の嘱託による登記		法116条
官庁又は公署の嘱託（官庁又は公署が登記権利者のためにした登記の嘱託）による登記の登記識別情報	①官庁又は公署への通知 ②登記権利者への通知	①法117条1項 ②法117条2項
管理組合法人		建物の区分所有等に関する法律47条
管理者	①権限 ②管理所有	①建物の区分所有等に関する法律26条 ②同法27条
合体に伴う権利の消滅の登記		法50条
合体による登記等の申請	①合体による登記等の申請 ②合体前の各建物が未登記であるとき ③読み替え規定 ④承継取得者による申請 ⑤合体に伴う権利の消滅の登記 ⑥一の申請情報による登記の申請 ⑦登記識別情報の提供 ⑧申請情報・添付情報	①法49条 ②法49条2項前段・法47条 ③法49条2項後段 ④法49条3項・4項 ⑤法50条 規則120条5～9項 ⑥令5条1項 ⑦令8条1項2号 ⑧令別表13項
合体による登記等の登記手続		規則120条
合体による変更の登記	①主である建物と附属建物の合体による登記 ②合体による変更の登記の記録方法	①法51条1項 ②準95条
合筆の登記	①合筆の登記の申請人 ②地図作成の職権による合筆の登記 ③登記識別情報の提供 ④申請情報・添付情報 ⑤地役権図面の内容・作成方式 ⑥合筆の表題部の記録方法 ⑦合筆の権利部の記録方法 ⑧分合筆の登記	①法39条1項 ②法39条3項 ③令8条1項1号・同項2号 ④令別表9項 ⑤規則79条 規則80条 ⑥規則106条 準75条 ⑦規則107条 ⑧規則108条 準76条
合筆の登記の制限		法41条
合筆の登記の制限の特例		規則105条
合併の禁止		準86条
合併の登記	①合併の登記の申請人 ②共用部分の合併の登記（禁止） ③登記識別情報の提供 ④申請情報・添付情報 ⑤附属合併の表題部の記録方法 ⑥区分合併の表題部の記録方法 ⑦合併の登記の権利部の記録方法 ⑧分割・附属合併の表題部の記録方法 ⑨分割・区分合併の表題部の記録方法 ⑩区分・附属合併の表題部の記録方法 ⑪区分・区分合併の表題部の記録方法 ⑫分割・附属合併の登記等の権利部の記録方法	①法54条1項 ②法54条2項 ③令8条1項3号 令8条2項3号 ④令別表16項 ⑤規則132条 準98条 ⑥規則133条 準99条 ⑦規則134条 ⑧規則135条 準100条 ⑨規則136条 ⑩規則137条 ⑪規則138条 ⑫規則139条
合併の登記の制限		法56条
合併の登記の制限の特例		規則131条
合併の登記の態様	①分割の登記・附属合併の登記 ②分割及び区分合併の登記 ③区分及び附属合併の登記 ④区分及び区分合併の登記	①規則135条 ②規則136条 ③規則137条 ④規則138条

き

項目	内容	条文
期間制限	①申請人の印鑑証明書 ②代表者の資格を証する情報・代理人の権限を証する情報で市町村長等が職務上作成したもの ③代理権限証書へ押印の印鑑証明書	①令16条3項 ②令17条1項 ③令18条3項
記名押印	①申請情報を記載した書面 ②代理権限証明情報を記載した書面 ③承諾を証する情報を記載した書面 ④地図訂正申出書 ⑤筆界特定書面 ⑥図面の記名押印（作成者）⑦地役権図面	①令16条1項 規則47条 ②令18条1項 規則49条1項 ③令19条1項 規則50条1項 ④規則16条10項 ⑤規則211条2項・4項 ⑥規則74条2項 ⑦規則79条4項
規約による建物の敷地		区分法5条
却下事由	①管轄に属しないとき ②登記事項以外の事項の登記を目的とするとき ③既に登記されているとき ④申請の権限を有しない者の申請 ⑤申請情報又は提供の方法が方式に適合しない ⑥申請情報の内容の不動産と登記記録が合致しない ⑦添付情報を提供しないとき ⑧事前通知期間の経過 ⑨登記官の実地調査と合致しないとき ⑩登録免許税の不納付 ⑪登記すべきものでないとき	①法25条1号 ②法25条2号 ③法25条3号 ④法25条4号 ⑤法25条5号 ⑥法25条6号 ⑦法25条9号 ⑧法25条10号 ⑨法25条11号 ⑩法25条12号 ⑪法25条13号 令20条
却下事由（登記すべきものでないとき）	①不動産以外のもの ②権利能力なし ③合併制限等の違反 ④不動産の一部についての登記 ⑤未登記の権利を目的とするもの ⑥同時受付における矛盾 ⑦矛盾する権利登記 ⑧法令上の無効	①令20条1号 ②令20条2号 ③令20条3号 ④令20条4号 ⑤令20条5号 ⑥令20条6号 ⑦令20条7号 ⑧令20条8号
却下手続	①申請の却下 ②一部却下 ③却下決定書 ④添付書面の還付	①規則38条 準28条 ②準28条4項 ③規則38条1項・2項 ④規則38条3項
旧氏の併記		規則158条の34
旧氏併記の終了		規則158条の36
共同担保目録の作成	共同担保目録の作成 共同担保目録の記録事項 追加共同担保の登記	法83条2項 規則166条 規則167条 規則168条
共有持分	①所有者が2名以上であるときは、その持分（登記事項）②申請情報 表題登記の申請をする場合に、所有者が二名以上あるとき ③申請情報 合体後の存続登記がある建物の登記名義人のみなし持分	①法27条3号 ②令3条9号 ③令別表13項・申請情報欄二
共用部分	①定義 ②法定共用部分 ③規約共用部分	①区分法2条4項 ②区分法4条1項 ③区分法4条2項
共用部分である旨の規約の廃止等による建物表題の登記	①申請人・申請義務 ②転得者・申請義務 ③申請情報・添付情報 ④登記手続	①法58条6項 ②法58条7項 ③令別表21項 ④規則143条 準103条4項
共用部分である旨の登記における記録方法		準103条
（団地）共用部分である旨の登記	①（団地）共用部分たる旨の登記 ②申請権者 ③所有権登記以外の権利の登記名義人の承諾等 ④登記官による職権抹消登記 ⑤申請情報・添付情報	①法58条1項 準103条1項 ②法58条2項 ③法58条3項 ④法58条4項 規則141条 準103条3項 ⑤令別表18項・19項

事項索引 きく

項目	内容	条文
（団地）共用部分である旨の登記事項の変更または更正の登記の申請	①申請権者 ②申請情報・添付情報	①法58条5項 ②令別表20項
共用部分である旨の登記ある建物の表題部の変更の登記	①申請義務 ②申請情報・添付情報 ③一棟の建物の所在，構造，床面積及び敷地権の変更の登記の効力・職権の登記	①法51条1項・3項・4項 ②令別表14項 ③法51条5項・6項 規則122条1項
共用部分である旨の登記ある建物の表題部の更正の登記	①申請人 ②申請情報・添付情報 ③一棟の建物の所在，構造，床面積及び敷地権の更正の登記の効力・職権	①法53条1項 ②令別表14項 ③法53条2項 規則122条2項
共用部分である旨の登記ある建物の分割・区分の登記	①申請人 ②申請情報・添付情報 ③分割等の登記手続	①法54条2項 ②令別表16項 ③規則142条
共用部分である旨の登記ある建物の滅失の登記	①申請義務 ②申請情報・添付情報 ④敷地権付き区分建物の滅失の登記	①法57条 ②令別表17項 ③規則144条 ④規則145条
虚偽の登記名義人確認情報を提供した罪		法160条
記録の廃棄		規則29条
行政区画の変更等		規則92条 規則16条の2
行政手続法の適用除外		法153条
行政機関の保有する情報の公開に関する法律の適用除外		法154条
行政不服審査法の適用除外		法158条

く

項目	内容	条文
区分合併以外の原因により区分建物である建物が区分建物でない建物になったときの登記等		規則140条4項
区分合併の登記における表題部の記録方法		規則133条
区分建物	定義	法2条22号 区分法2条3項
区分建物となったことによる建物の表題部の変更の登記	①普通・区分建物一括申請 ②代位による表題の登記 ③普通・普通一括申請 ④代位による表題部の変更の登記	①法52条1項 規則140条 ②法52条2項 ③法52条3項 規則140条 ④法52条4項
区分建物についての建物の表題登記の申請方法（一括申請）	①区分建物の新築 ②法定代位による表題登記 ③既登記の建物に区分建物新築 ④代位による建物の表題部の変更	①法48条1項 ②法48条2項 ③法48条3項 ④法48条4項
区分建物の家屋番号		規則116条
区分建物の登記記録の閉鎖		規則117条
区分建物の表題の登記	①原始取得者による申請 ②一括申請 ③代位による申請 ④一般承継人による申請 ⑤申請情報 ⑥添付情報	①法47条1項 ②法48条1項・3項 ③法48条2項・4項 ④法47条2項 ⑤令別表12項・申請情報欄 ⑥令別表12項・添付情報欄

項目	内容	参照条文
区分建物の表題部の更正の登記	①申請人 ②他の建物についての登記事項の更正登記の効力 ③法53条2項で準用する法51条5項の法務省令で定める登記事項 ④職権による更正登記	①法53条1項 ②法53条2項 法51条5項 規則122条2項 ③規則122条2項 ④法51条6項
区分建物の表題部の変更の登記	①所有者の申請義務 ②取得者の申請義務 ③共用部分である旨の登記がされた場合 ④共用部分の取得者の申請義務 ⑤表題部の変更の登記の効力 ⑥法51条5項の法務省令で定める登記事項 ⑦職権でする登記事項に関する変更の登記	①法51条1項 ②法51条2項 ③法51条3項 ④法51条4項 ⑤法51条5項 ⑥規則122条1項 ⑦法51条6項

け

項目	内容	参照条文
契印等		規則46条
検査の妨害等の罪	①実地調査 検査の拒否・妨害・忌避 ②虚偽文書の提示等・虚偽の陳述等 ③筆界特定の立入拒否・妨害	①法162条1号 ②法162条2号 ③法162条3号
権利に関する登記	不動産についての法3条各号に掲げる権利に関する登記をいう	法2条4号
権利の消滅		法40条 法54条3項 規則104条1項
権利の消滅の登記手続	①分筆 ②分合筆 ③分割 ④区分 ⑤再区分 ⑥分割・附属合併 ⑦分割・区分合併 ⑧区分・附属合併 ⑨区分・区分合併	①規則104条2項・3項 ②規則108条3項 ③規則128条1項 ④規則130条1項 ⑤規則130条2項 ⑥規則135条 規則139条 ⑦規則136条,規則139条 ⑧規則137条 規則139条 ⑨規則138条 規則139条
権利の順位	①登記の前後 ②付記登記	①法4条1項 ②法4条2項
権利部		法2条8号
原本還付	①原本還付請求 ②原本還付の旨の記載	①規則55条 ②規則55条2項 準30条
原本還付 請求不能の場合	①申請人の印鑑証明書 ②代理人の印鑑証明書 ③承諾証明情報の印鑑証明書 ④申請のためにのみ作成された委任状その他の書面	①令16条2項 ②令18条2項 ③令19条2項 ④規則55条1項但書

こ

項目	内容	参照条文
公示用住所管理ファイル		規則202条の2
公示用住所管理ファイルへの記録		規則202条の12
公示用住所の変更		規則202条の16
工場財団	個別的処分禁止	工場抵当法29条
更正の登記	定義	法2条16号
国土調査の成果に基づく登記に伴う地積測量図の処理		準57条
国内連絡先事項		規則156条の5
個人情報の保護に関する法律の適用除外		法155条

事項索引 し

し

資格者代理人であることを証する情報	①資格者代理人であることを証する情報 ②証明書の有効期限	①規則72条3項 準49条2項 ②準49条3項
資格者代理人による本人確認情報の提供	①本人確認情報の提供 ②本人確認情報で明らかにする事項 ③資格者代理人が本人を確認する方法 ④申請人の氏名を知り，かつ面識があるとき ⑤本人確認情報の内容が相当と認めることができないとき ⑥虚偽の登記名義人確認情報を提供した罪	①法23条4項1号 ②規則72条1項 ③規則72条2項 ④準49条1項 ⑤準49条4項 ⑥法160条 法163条
敷地権付き区分建物	定義	法55条1項
敷地権付き区分建物に関する登記等	①区分建物にされた登記の効力 ②敷地権である旨の登記をした土地の登記の制限 ③敷地権付き区分建物の登記の制限	①法73条1項 ②法73条2項 ③法73条3項
敷地権付き区分建物の滅失の登記		規則145条
敷地権である旨の登記	（職権）	法46条 規則119条
敷地権の登記	①定義 ②表題部にする敷地権の記録方法	①法44条1項9号 ②規則118条
敷地権の登記をする場合の登記		規則123条
（建物の表題部の変更の登記等により）敷地権の登記をする場合の登記		規則123条
敷地権の登記の抹消		規則124条
敷地権の不存在による更正の登記		規則126条
支配人	支配人の代理権	会社法11条1項
支配人等	①支配人等 ②登記の申請のときの代理権限を証する情報 ③法務省令で定める場合 ④登記事項証明書 ⑤閲覧の請求	①商法21条、会社法11条1項等 ②令7条1項2号 ③規則36条3項 ④規則36条1項2号・2項 ⑤規則193条5項
住民票コード	①住所証明情報の省略 ②法務省令で定める情報	①令9条 ②規則36条4項
取得時効		民法162条
使用収益	①使用収益権の目的となる土地 ②使用収益の停止	①土地区画整理法99条1項 ②同法100条
承諾を証する情報を記載した書面への記名押印等	①記名押印 ②印鑑証明書（期間制限なし）③印鑑証明書の添付を要しない場合	①令19条1項 ②令19条2項 ③規則50条2項 規則48条1項1号～3号
承諾書への記名押印等の特例		規則50条
（代表者）資格証明情報	①代表者の資格を証する情報の提供 ②期間制限 ③資格証明情報の省略	①令7条1項1号 ②令17条1項 ③規則36条1項
嘱託情報	定義	令2条7号
嘱託登記	①嘱託登記 ②代表者資格証明情報（不適用）③代理権限証明情報（不適用）④印鑑証明書（不適用）⑤資格証明情報の期間制限（不適用）⑥承諾書の印鑑証明書（不適用）	①法16条2項 令26条 規則129条 準則146条 ②令7条1項 ③令7条2項 ④令16条4項 令18条4項 ⑤令17条2項 ⑥令19条2項
嘱託登記の特例	①印鑑証明書の添付の不適用 ②代表者の資格を証する情報を記載した書面の有効期限	①令16条4項 令18条4項 令19条2項 ②令17条2項 ③規

事項索引 し

	（不適用）③登記識別情報の不通知（希望した場合を除く。）④所有権証明情報の省略	則64条1項4号　④準71条2項　準87条3項
所在………………………	①建物の所在の登記事項　②所在の記録方法	①法42条1項1号　②準88条
書面申請…………………	①定義　②添付情報の提供方法　③申請書への記名押印等　④承諾書への記名押印等　⑤申請書等の送付方法　⑥申請書等の文字　⑦契印等　⑧申請情報を記録した磁気ディスク　⑨添付情報を記録した磁気ディスク	①規則1条4号　法18条2号　②令15条　③令16条　規則47条　規則48条　④令19条　規則50条　⑤規則53条　⑥規則45条　⑦規則46条　⑧⑨規則52条
所有権の保存の登記……	①表題部所有者又は一般承継人　②所有権確認の確定判決を受けた者　③収用によって所有権を取得した者　④区分建物の表題部所有者から所有権を取得した者	①法74条1項1号　②法74条1項2号　③法74条1項3号　④法74条2項
所有権保存の登記の登記事項等………………………		法76条
所有権を証する情報……	土地	令別表2項・添付情報欄イ　令別表4項・添付情報欄ハ　準71条
所有権を証する情報……	建物	令別表2項・添付情報欄イ　令別表12項・添付情報欄ハ　令別表13項・添付情報欄ハ　令別表14項・添付情報ロ(2)　令別表21項・添付情報欄ロ　準87条1項・3項
所有者を証する情報……	（団地）共用部分たる旨の登記のある建物	令別表14項・添付情報欄ニ　令別表16項・添付情報欄ロ　令別表17項・添付情報欄　令別表20項・添付情報欄ロ　準87条2項
住所証明情報の提供の省略………………………	①住所を証する情報の提供省略　②住民票コード・会社法人等番号　③電子証明書の提供	①令9条　②規則36条4項　規則44条1項
職権登記…………………	①職権による表示に関する登記　②職権による表示に関する登記の手続　③実地調査　④職権による分筆又は合筆の登記　⑤建物の分割による所有権の登記　⑥職権による一棟の建物に属する区分建物の登記事項に関する変更の登記　⑦地番区域の変更　⑧登記が完了した旨の通知	①法28条　②規則96条　準65条　③法29条　④法39条2項　⑤規則128条　⑥法51条6項　⑦準59条　⑧規183条1項1号・同条3項
職権表示登記等書類つづり込み帳…………………		規則23条
実地調査…………………	①登記官による調査　②実地調査（実施方法）　③実地調査上の注意　④電磁的記録事項の提示方法　⑤実地調査書　⑥申請の催告　⑦実地調査の代行　⑧実地調査書等の処理　⑨検査の妨害等の罪	①法29条1項　②法29条2項　規則93条　準60条　③準61条　④規則94条　⑤規則95条　準62条　⑥準63条　⑦準64条　⑧準65条　⑨法162条・163条
処分の制限の登記における通知………………………		規則184条
審査請求…………………		法156条
審査請求事件の処理……		法157条
申請書……………………	①定義　②申請書等の送付方法　③補正	①規則1条5号　②規則53条　③規則60条　法25条但書
申請書等の文字…………		規則45条

事項索引 し

項目	内容	条文
申請書に記名押印を要しない場合		規則47条
申請書に印鑑証明の添付を要しない場合		規則48条
申請書に添付することができる磁気ディスク		規則52条
申請書等の処理		準32条
申請書類つづり込み帳		規則19条 準19条
申請情報		法18条
申請情報等の保存	電子申請及び書面申請による申請情報・添付情報その他の登記簿の付属書類の保存	規則17条1項・2項
申請情報の内容（必要的内容）	①申請人の氏名及び住所 ②法人が申請人であるとき ③代理人によって申請するとき ④他人に代わって申請するとき ⑤登記の目的 ⑥登記原因及びその日付 ⑦土地の所在等 ⑧建物の所在等 ⑨表題部所有者となる者ごとの持分 ⑩申請人が一般承継人である旨 ⑪登記識別情報を提供できない理由 ⑫登記の目的による申請情報各別	①令3条1号 ②令3条2号 ③令3条3号 ④令3条4号 ⑤令3条5号 ⑥令3条6号 ⑦令3条7号 ⑧令3条8号 ⑨令3条9号 ⑩令3条10号 ⑪令3条12号 法22条但書 ⑫令3条13号 令別表各項
申請情報の内容（任意的内容）	①申請人又は代理人の電話番号その他の連絡先 ②分筆後の各土地の符号 ③分割後又は区分後の各建物の符号 ④附属建物があるときは，主である建物及び附属建物の別並びに112条2項の符号 ⑤敷地権付き区分建物であるときは，118条1号イの符号 ⑥添付情報の表示 ⑦申請の年月日 ⑧登記所の表示 ⑨登記識別情報の通知を要しない旨 ⑩登録免許税の額	①規則34条1項1号 ②規則34条1項2号 規則78条 ③規則34条1項3号 規則84条 ④規則34条1項4号 ⑤規則34条1項5号 ⑥規則34条1項6号 ⑦規則34条1項7号 ⑧規則34条1項8号 ⑨規則64条2項 法21条但書 ⑩規則189号1項
申請情報の一部の省略	不動産識別事項を申請情報の内容としたとき	令6条 法27条4号 規則34条2項
申請情報の一部の省略	一棟の建物の名称	令3条8号へ
申請情報の作成及び提供	①申請情報の作成及び提供の原則 ②登記の目的並びに登記原因及びその日付が同一の場合 ③一の申請情報による登記の申請が強制される場合（合体） ④一の申請情報によって申請することができる場合 ⑤併せて申請しなければならない場合（一括申請）	①令4条本文 ②令4条但書 ③令5条1項 ④規則35条 ⑤法48条1項・3項 法52条1項・3項
申請情報を記載した書面への記名押印等	①記名押印 ②印鑑証明書 ③印鑑証明書（期間制限） ④官庁又は公署が嘱託する場合 ⑤磁気ディスクの場合	①令16条1項 ②令16条2項 ③令16条3項 ④令16条4項 ⑤令16条5項
申請情報を記録した磁気ディスク		規則51条
申請人以外の者に対する通知		規則183条
申請の受付	①申請の受付 ②同時受付 ③受付番号 ④受領証の交付請求 ⑤調査	①法19条1項 規則56条 準31条 準則32条 ②法19条2項 ③法19条3項 ④規則54条 ⑤規則57条
申請の方法	①電子申請（電子申請の項参照） ②書面申請（書面申請の項参照）	
申請の却下		法25条 規則38条 準28条

事項索引 し〜そ

申請の催告		準63条
申請の取下げ		規則39条 準則29条
信託目録	分筆又は分割若しくは区分の登記をする場合の信託目録	規則176条2項
事前通知	①事前通知 ②事前通知の方法 ③事前通知の再発送 ④申出の方法 ⑤申出の方法（電子申請） ⑥申出の期間 ⑦相続人等からの申出 ⑧前の住所地への通知 ⑨前の住所地への通知不要の場合 ⑩却下事由と不適用 ⑪本人確認情報 ⑫事前通知書の保管	①法23条1項 ②規70条1項〜3項 準43・44条 ③準45条 ④規則70条5項2号 ⑤規則70条5項1号・6項・7項 ⑥規則70条8項 ⑦準46条 ⑧法23条2項 規71条1項 準48条 ⑨規則71条2項 ⑩法23条3項 ⑪法23条4項 規則72条 準49条 ⑫準47条
事務の委任	①事務の委任 ②事務の委任による登記記録等の移送	①法7条 ②準10条
事務の停止	①事務の停止 ②事務の停止の報告等	①法8条 ②準6条
受領証の交付の請求		規則54条
順位事項	①権利の順位を明らかにする事項 ②法務省令で定める事項	①法59条8号 ②令2条8号
順位番号		法147条1項 規則1条1号

す

図面の整理	①図面の整理 ②表題部の変更の登記又は更正の登記に伴う図面の処理	①準55条 ②準56条

せ

請求書類つづり込み帳		規則27条
世界測地系	定義	測量法11条3項
専有部分	定義	区分法2条3項 法2条22号

そ

相続人	①表題部所有者等の一般承継人による申請 ②相続人その他の一般承継人である旨の表示 ③一般承継証明情報（相続証明情報） ④区分建物の所有者に相続その他の一般承継があったとき ⑤法47条2項の規定による申請 被承継人の氏名又は名称及び一般承継人である旨（申請情報）	①法30条 ②令3条10号 ③令7条1項4号 ④法47条2項 ⑤令別表12項・申請情報欄ロ
相続人等からの申出		準46条
相続人申出等情報		規則158条の3
相続人申出等の作成及び提供		規則158条の5
相続人申出等の方法		規則158条の4
相続人申出等添付情報		規則158条の6
相続人申出等添付情報の省略等		規則158条の7
相続人電子申出の方法		規則158条の8
相続人電子申出において相続人申出等添付書面を提出する場合についての特例等		規則158条の9
相続人書面申出の方法		規則158条の10

事項索引 そた

相続人申出書等の送付方法………………………	規則158条の11
相続人申出等添付書面の原本の還付請求	規則158条の13
相続人申出等の受付…………………………………	規則158条の14
相続人申出等の却下…………………………………	規則158条の16
相続人申出等の取下げ………………………………	規則158条の17
相続人申告登記等の完了通知……………………	規則158条の18
相続人申出において明らかにすべき事項等	規則158条の19
相続人申出における相続人申出等添付情報の省略	規則158条の20
相続人申告事項………………………………………	規則158条の23
相続人申告事項の変更又は更正の申出	規則158条の24
相続人申告事項の変更又は更正の申出における相続人申出等添付情報の省略	規則158条の25
相続人申告事項の変更の登記又は相続人申告事項の更正の登記	規則158条の26
相続人申告事項の更正………………………………	規則158条の27
相続人申告登記の抹消の申出……………………	規則158条の28
相続人申告登記の抹消……………………………	規則158条の29
相続人申告登記の準用……………………………	規則158条の37
送付の方法により登記識別情報を記載した書面の交付を求める場合	規則63条3項～9項
送付の方法による添付書面の原本の還付	規則55条6項～8項
測量の基準……………………………………………	測量法11条

た

代替措置……………………………………………	規則202条の13
代替措置が講じられていない登記事項証明書の交付の請求	規則202条の14
代替措置等申出………………………………………	規則202条の4
代替措置等申出添付書面の還付…………………	規則202条の9
代替措置等申出の却下……………………………	規則202条の7
代替措置における公示用住所……………………	規則202条の10
代替措置の要件……………………………………	規則202条の3
代替措置申出………………………………………	規則202条の11
代替措置申出の撤回………………………………	規則202条の15
代替措置等申出の取下げ…………………………	規則202条の8
代替措置等申出書写しつづり込み帳	規則27条の3
対象土地……………………………………………	法123条3号
建物………………………………建物の認定の基準	規則111条 準77条
建物が区分建物となった場合の登記等	規則140条1項～3項
建物の一部取壊し及び増築………………………	準84条
建物の移転…………………………………………	準85条

事項索引 た

項目	内容	条文
建物の個数の基準		準78条
建物の構造	①建物の構造 ②建物の構造の定め方等 ③区分建物の構造の記録方法	①規則114条 ②準81条 ③準90条
建物の再築		準83条
建物の種類	①建物の種類 ②建物の種類の定め方	①規則113条 ②準80条
建物の敷地	法定敷地・規約敷地	区分法2条5項
建物の表示に関する登記の登記事項		法44条
建物の表題登記の申請	①申請人・申請義務 ②区分建物の相続人その他一般承継人 ③申請情報 ④添付情報	①法47条1項 ②法47条2項 ③令3条8号 令別表12項・申請情報欄 ④令別表12項・添付情報欄
建物の表題部の更正の登記	①申請人 ②区分建物の表題部の更正の登記の効力 ③申請情報・添付情報 ④敷地権の存在若しくは不存在を原因とする更正の登記の申請情報等	①法53条1項 ②法53条2項 ③令別表14項 ④令別表15項
建物の表題部の変更の登記	①所有者の申請義務 ②取得者の申請義務 ③変更登記未了で共用部分の登記 ④共用部分の取得者の申請義務 ⑤申請情報等	①法51条1項 ②法51条2項 ③法51条3項 ④法51条4項 ⑤令別表14項
建物の合併の禁止		準86条
建物の合併の登記	①定義 ②申請人 ③申請情報 ④添付情報	①法54条1項3号 ②法54条1項本文 ③令別表16項・申請情報欄 ④令別表16項・添付情報欄
建物の合併の登記手続	①附属合併の登記における表題部の記録方法 ②区分合併の登記における表題部の記録方法 ③建物の合併の登記における権利部の記録方法	①規則132条 準98条 ②規則133条 準99条 ③規則134条
建物の合併の登記の制限		法56条
建物の合併の登記の制限の特例		規則131条
建物の区分の登記	①定義 ②申請人 ③（団地）共用部分の申請人 ④区分に伴う権利消滅の登記 ⑤申請情報 ⑥添付情報	①法54条1項2号 ②法54条1項本文 ③法54条2項 ④法54条3項 法40条 ⑤令別表16項・申請情報欄 ⑥令別表16項・添付情報欄
建物の区分の登記手続	①建物の区分の登記における表題部の記録方法 ②建物の区分の登記における権利部の記録方法	①規則129条 準97条 ②規則130条
建物の区分・区分合併の登記手続	①建物の区分・区分合併の登記における表題部の記録方法 ②建物の区分・区分合併の登記における権利部の記録方法	①規則138条 ②規則139条
建物の区分・附属合併の登記手続	①建物の区分・附属合併の登記における表題部の記録方法 ②建物の区分・附属合併の登記における権利部の記録方法	①規則137条 ②規則139条
建物の分割の登記の場合の建物図面等		規則84条 規則34条1項3号
建物の分割・区分合併の登記手続	①建物の分割・区分合併の登記における表題部の記録方法 ②建物の分割・附属合併の登記における権利部の記録方法	①規則136条 ②規則139条
建物の分割，区分又は合併の	①申請人 ②（団地）共用部分である旨の登記	①法54条1項1号 ②法54条

— 1353 —

事項索引 た

登記		ある建物についての登記の申請　③消滅承諾	2項　③法54条3項　法40条
建物の分割の登記………………	①定義　②申請人　（団地）共用部分の申請人　④分割に伴う権利消滅の登記　⑤申請情報　⑥添付情報	①法54条1項1号　②法54条1項本文　③法54条2項　④法54条3項　法40条　⑤令別表16項・申請情報欄　⑥令別表16項・添付情報欄
建物の分割の登記手続………………	①建物の分割の登記における表題部の記録方法　②建物の分割の登記における権利部の記録方法　③分割による所有権の登記	①規則127条　準96条　②規則128条1項　③規則128条2項
建物の分割・附属合併の登記……　手続	①建物の分割・附属合併の登記における表題部の記録方法　②建物の分割・附属合併の登記における権利部の記録方法	①規則135条　準100条　②規則139条
建物の認定………………	①建物　②建物の認定基準	①規則111条　準77条
建物の床面積………………	①建物の床面積　②床面積の定め方　③床面積の記録方法	①規則115条　②準82条　③準91条
建物の名称………………	①登記事項　②申請情報	①法44条4号　②令3条8号ニ
建物の滅失の登記の申請………	①申請人・申請義務	①法57条1項
建物の滅失の登記………………		規則144条　準101条
建物の全部についての所在図……		規則11条2項
建物所在図………………	①作成　②備付　③建物所在図の記録事項　④電磁的記録　⑤建物所在図の番号　⑥建物所在図の副記録　⑦縮尺	①規則11条1項　準15条1項　②法14条1項　規則11条2項　③法14条3項　規則14条　④法14条6項　準15条1項　⑤規則15条　⑥規則15条の2　⑦準15条2項
建物所在図の訂正の申出………	職権による訂正	規定なし
建物図面………………	①定義　②作成方式（電子申請）　③作成方式（書面申請）　④作成単位　⑤建物図面の内容　⑥建物図面の作成方法　⑦建物の分割の登記の場合の建物図面等　⑧建物図面の訂正の申出	①令2条5号　②規則73条　③規則74条　④規則81条　⑤規則82条　⑥準52条　準54条　⑦規則84条　⑧規則88条
建物図面つづり込み帳………		規則22条
建物図面及び各階平面図の作成単位		規則81条
他の登記所の管轄区域への建物のえい行移転の場合		準則4条
他の登記所の管轄区域にまたがる場合の管轄登記所		準則5条
建物を新築する場合の不動産工事の先取特権の保存の登記		法86条　規則161条
建物の建築が完了した場合の登記		法87条　規則162条
代位登記………………	①債権者代位権　②申請情報の内容（代位者，他人の表示及び代位原因の表示）　③添付情報の内容（代位原因を証する情報）	①民法423条　②令3条4号　③令7条1項3号
代位原因を証する情報………		令7条1項3号
第三者………………	登記がないことを主張することができない第三者	法5条
代表者資格証明情報………	会社法人等番号を有する法人　①会社法人等番号　②登記事項証明書を提供	①令7条1項1号イ　②規則36条1項1号、規則36条2項

— 1354 —

事項索引 たち

	した場合の期間制限 ③閲覧の請求	③規則193条4項
	会社法人等番号を有する法人以外の法人 ①代表者の資格を証する情報 ②代理権を証する書面の期間制限等	①令7条1項1号 ロ ③令17条1項
代理人の権限を証する情報を記載した書面への記名押印等	①記名押印 ②印鑑証明書 ③期間制限	①令18条1項 ②令18条2項 ③令18条3項
代理権の不消滅	①本人の死亡 ②本人である法人の合併による消滅 ③受託者の信託の任務の終了 ④法定代理人の死亡・代理権消滅等	①法17条1号 ②法17条2号 ③法17条3号 ④法17条4号
代理権限証明情報	①代理人の権限を証する情報の提供 ②期間制限	①令7条1項2号 ②令17条1項

ち

地役権の登記の登記事項等		法80条 規則159条
地役権図面	①定義 ②地役権図面の内容 ③地役権図面の作成方式 ④地役権図面の管理 ⑤地役権図面の閉鎖	①令2条4号 ②規則79条 ③規則80条 ④規則86条 ⑤規則87条
地役権図面番号の記録		規則160条
地役権図面つづり込み帳		規則21条
地縁団体		地方自治法260条の2
地図	①地図の備付 ②地図の作成 ③地図の記録事項 ④地図の番号 ⑤地図の副記録	①法14条1項 ②規則10条 準12条1項 ③規則13条 ④規則15条 ⑤規則15条の2
地図等	①定義 ②地図等の備え付け ③地図等の副記録 ④地図の写しの交付 ⑤地図等の訂正 ⑥行政区画の変更等 ⑦地図等の変更の方法等 ⑧地図等の閉鎖	①規則1条2号 ②法14条 ③規則15条の2 ④法120条 ⑤規則16条 ⑥規則16条の2 ⑦準16条 ⑧規則12条
地図等の写し等の作成及び交付		規則200条 準134条
地図等の閲覧		法120条2項
地図等の訂正	①対象図面及び申出権者 ②手続条件 ③申出情報 ④申出の方法 ⑤添付情報 ⑥申出情報の作成方法及び添付情報 ⑦資格証明情報の省略等 ⑧電子申出の添付情報の提供方法等 ⑨申出書の作成方法、契印、送付方法及び原本還付の手続 ⑩登記官の応答義務 ⑪却下事由 ⑫申出の却下及び取下げの手続 ⑬職権による地図等の訂正	①規則16条1項 ②規則16条2項 ③規則16条3項 ④規則16条4項 ⑤規則16条5項 ⑥規則16条6項 ⑦規則16条7項 ⑧規則16条8項・9項・10項 ⑨規則16条11項 ⑩規則16条12項 ⑪規則16条13項 ⑫規則16条14項 ⑬規則16条15項
地図に準ずる図面	①備付 ②表示事項 ③電磁的記録	①法14条4項 準則13条 ②法14条5項
地図の写しの交付等		法120条
地積	①定義 ②地積の定め方	①法2条19号 法34条2項 ②規則100条 準則70条
地籍図		地図としての備付 規則10条5項
地積測量図	①定義 ②地積測量図の作成方式(電子申請) ③同上(書面申請) ④地積測量図の作成単位 ⑤地積測量図の内容 ⑥分筆の登記の場合の地積の測量図 ⑦国土調査の成果に基づく登記に伴う地積測量図の処理	①令2条3号 ②規則73条 ③規則74条 ④規則75条 ⑤規則77条 ⑥規則78条 ⑦準則57条

— 1355 —

事項索引 ちて

地積測量図における筆界点の記録方法		準50条
地積測量図の内容	①記録事項 ②近傍の恒久的な地物に基づく測量の成果による筆界点の座標値 ③境界標の表示方法 ④縮尺 ⑤誤差の限度	①規則77条1項 ②規則77条2項 ③規則77条3項 ④規則77条4項 ⑤規則77条5項
地番	定義	法2条17号 法35条
地番区域		規則97条
地番区域の変更		準59条
地番の定め方		準67条
地目	定義	法2条18号 法34条1項3号 規則99条 準68条
地目の認定		準69条
地目又は地積の変更の登記の申請	①申請人・申請義務（所有者・取得者）②申請情報・添付情報 ③表題部の変更・更正の登記 ④地目 ⑤地目の認定 ⑥地積	①法37条1項・2項 ②令別表5項・6項 ③規則91条 ④規則99条 準68条 ⑤準69条 ⑥準70条
調査		規則57条
帳簿		規則18条

て

抵当証券	①定義 ②分筆 ③合体 ④建物の分割・区分 ⑤特定登記 ⑥（団地）共用部分	①法2条24号 ②法40条 規則104条1項3号 規則108条3項 ③法50条 令別表13項・添付情報欄チ ④法54条3項 ⑤法55条1項 規則125条1項3号 規則125条3項 ⑥法58条3項 令別表18項・添付情報欄二 令別表19項・添付情報欄二
抵当証券に関する登記		法94条 規則171～173条
添付書面		規則1条6号 令15条
添付書面の原本の還付請求		規則55条 準30条
添付情報	①定義 ②通則	①令2条1号 ②令7条
添付情報の提供方法	①電子申請 ②書面申請	①令10条 ②令15条
添付情報の一部の省略		令9条
添付情報の省略		規則37条
電子署名		令12条 規則42条
電子証明書		規則43条
電子証明書の送信		令14条
電子情報処理組織による登記事項証明書の交付の請求等の手数料の納付方法		規則205条
電子申請	①定義 ②電子申請の方法 ③添付情報の提供方法 ④登記事項証明書に代わる情報の送信 ⑤表示に関する登記の添付情報の特則 ⑥電子署名 ⑦電子証明書の送信 ⑧住所証明情報の省略	①規則1条3号 ②法18条1号 規則41条 ③令10条 ④令11条 ⑤令13条 ⑥令12条 規則42条 ⑦令14条 ⑧規則44条
電子申請における添付情報の提供方法の特例		令附則5条 規則附則21条～24条
電磁的記録の閲覧の方法		法121条2項 規則202条2項

と

項目	内容	条文
登記		法11条
登記官		法9条
登記官による調査	①表示に関する登記に関する事項の調査 ②実地調査	①法29条1項 ②法29条2項
登記官による本人確認	①登記官による本人確認 ②他の登記所の登記官に対する本人確認の調査の嘱託 ③不正登記防止申出	①法24条1項 規則59条1項 準33条 ②法24条2項 準34条 ③準35条
登記官の交替		準7条
登記官の除斥		法10条
登記官の識別番号		規則7条
登記完了証	①登記完了証 ②登記完了証の交付の方法 ③申請人以外の者に対する通知	①規則181条 ②規則182条 ③規則183条
登記が完了した旨の通知を要しない場合		規則182条の2
登記記録	定義	法2条5号
登記記録等の持出し	①持出禁止 ②裁判所の命令又は嘱託による送付 ③事変を避けるための持ち出しの報告	①規則31条1項 ②規則31条2項 ③規則31条3項
登記記録の作成		法12条
登記記録の閉鎖		規則8条
登記記録の編成		規則4条
登記記録の滅失と回復		法13条
登記記録の滅失の報告	①登記官の調査結果の報告 ②法務大臣への報告 ③登記記録等の滅失のおそれがあるとき	①規則30条1項 ②規則30条2項 ③規則30条3項 準24条
登記義務者	定義	法2条13号
登記権利者	定義	法2条12号
登記識別情報	定義	法2条14号
登記識別情報失効申出書類つづり込み帳		規則26条
登記識別情報に関する証明	①登記識別情報に関する証明 ②証明の請求 ③手数料 ④納付	①規則68条 準40条 ②令22条1項 ③令22条2項 法119条3項 ④令22条3項 法119条4項 規則203条2項・205条3項
登記識別情報の安全確保	①登記識別情報の安全確保 ②秘密を漏らした罪 ③不正に登記識別情報を取得等した罪	①法152条 規則69条 準41条 ②法159条 ③法161条
登記識別情報の失効	①登記識別情報の失効の申出	規則65条 準39条
登記識別情報の通知	①登記識別情報の通知 ②登記識別情報の定め方 ③登記識別情報の通知の相手方 ④登記識別情報の通知の方法 ⑤登記識別情報の通知を要しない場合 ⑥官庁又は公署の嘱託による登記の登記識別情報	①法21条 準37条 ②規則61条 ③規則62条 ④規則63条・63条の2 ⑤規則64条 ⑥法117条 規則63条の2
登記識別情報の通知を希望しない場合		法21条 規則64条2項
登記識別情報の提供	①登記識別情報の提供 ②提供しなければならない登記等 ③提供の方法 ④提供の省略 ⑤登記識別情報を提供できない正当な理由 ⑥提供できない理由の記載（申請情報の内容）⑦提供できない理由がない場合の補正	①法22条 令8条 ③規則66条 ④規則67条 ⑤準42条 ⑥令3条12号 ⑦準42条2項

事項索引 と

登記識別情報を記載した書面の廃棄	規則69条
登記識別情報を提供することができない正当な理由	準42条
登記申請義務の懈怠（過料）	法164条
登記事項……………定義	法2条6号
登記事項証明書等の交付の請求の方法等	規則194条
登記事項証明書等の送付に要する費用の納付方法	規則204条
登記事項証明書等の認証文	準136条
登記事項証明書に代わる情報の送信	令11条
登記事項証明書の交付等	法119条
登記事項証明書の交付の請求情報等	規則193条
登記事項証明書の作成及び交付	規則197条
登記事項証明書の種類等	規則196条
登記事項証明書の受領の方法	規則197条の2
登記事項要約書の交付請求	法119条2項
登記事項要約書の作成	規則198条
登記事務処理の順序	法20条 規則58条
登記所……①管轄 ②登記所の指定 ③指定前の申請	①法6条
登記すべきものでないとき	法25条13号 令20条
登記することができる権利等	法3条
登記がないことを主張することができない第三者	法5条
登記手数料の納付方法	規則203条
登記手数料を徴収しない場合	準140条
登記の嘱託	令26条 規則192条
登記の順序	法20条 規則58条
登記の前後	規則2条
登記簿……定義	法2条9号
登記簿等を持ち出した場合	準25条
登記簿の附属書類（政令で定める図面）の写しの交付等	法121条1項
登記簿の附属書類の閲覧請求	法121条2項
登記名義人……定義	法2条11号
登記名義人が登記識別情報を提供しなければならない登記等	令8条
当事者申請主義	法16条1項
当事者の申請又は嘱託による登記	法16条
登録免許税……①納付する場合の申請情報等 ②印紙等による納付 ③再使用証明	①規則189条 ②準124条 ③準130条
特定登記……①定義 ②敷地権であった権利が敷地権でなくなったことによる敷地権の変更の登記 ③敷地権として登記された権利が当初から敷地権でなかったことによる表題部の更正の登記 ④特定登記がある建物の合体又は合併により	①法55条1項 ②法55条1項 規則125条1項～3項 ③法55条2項 規則125条4項 ④法55条3項 規則125条4項 ⑤法55条4項 規則125条4項

	当該建物が敷地権のない建物となる場合 ⑤ 特定登記がある建物が滅失した場合	
特定登記に係る権利の消滅の登記		規則125条
特例方式による電子申請		令附則5条1項
土地所在図	①定義 ②作成方式（電子申請）③作成方式（書面申請）④作成単位 ⑤土地所在図の内容 ⑥土地所在図の管理及び閉鎖等 ⑦土地所在図の訂正等	①令2条2号 ②規則73条 ③規則74条 ④規則75条 ⑤規則76条 ⑥規則85条 ⑦規則88条
土地所在図及び地積測量図の作成方法		準51条
土地所在図等		令2条2号
土地所在図等の写し等の作成及び交付		規則201条
土地所在図等の除却		準則58条
土地所在図等の訂正の申出	①申出人 ②申出ができない場合 ③添付図面 ④地図訂正の手続の準用	①規則88条1項 ②規則88条1項 ③規則88条2項 ④規則88条3項
土地所在図等の副記録		規則27条の5
土地所在図の管理及び閉鎖等	①登記の完了年月日の記録（用紙）②図面の閉鎖 ③閉鎖手続き ④電磁的記録による保存	①規則85条1項 ②規則85条2項 ③規則85条3項 ④規則85条4項
土地図面つづり込み帳	①書面つづり込み ②電磁的記録に（変換）保存 ③申請書類つづり込み帳につづり込み	①規則20条1項 ②規則20条2項 ③規則20条3項
土地の表示に関する登記の登記事項	所在・地番・地目・地積	法34条
土地の表題登記の申請	①申請人・申請義務 ②申請情報・添付情報 ③所有権を証する情報 ④土地所在図・地積測量図の作成方式（電子申請・書面申請）⑤土地所在図・地積測量図の作成方法 ⑥土地所在図・地積測量図の作成単位 ⑦土地所在図の内容 ⑧地積測量図の内容 ⑨筆界点の記録方法	①法36条 ②令3条7号・令別表4項 ③準71条 ④規則73条・74条 ⑤準51条2項～5項 ⑥規則75条 ⑦規則76条 ⑧規則77条 ⑨準50条
土地の表題部の更正の登記の申請	①申請人 ②地目又は地積の更正の登記の申請情報・添付情報 ③地目及び地積の更正を除く登記の申請情報	①法38条 ②令別表5項・6項 ③令別表7項
土地の表題部の変更の登記又は更正の登記に伴う図面の処理		準56条
土地の表題部の変更の登記又は更正の登記の記録		準73条
土地の滅失の登記		規則109条 規則110条
土地の滅失の登記の申請	申請人・申請義務	法42条

ひ

筆界確定訴訟における釈明処分の特則		法147条
筆界確定訴訟の判決との関係		法148条
筆界調査委員	①員数 ②任命 ③任期・再任・非常勤	①法127条1項 ②法127条2項 ③法127条3項・4項・5項

事項索引 ひ

項目	内容	条文
筆界調査委員による事実の調査	①必要な事実の調査 ②留意事項	①法135条1項 ②法135条2項
筆界調査委員による測量及び実地調査	①申請人及び関係人に対する立ち会う機会の付与 ②通知義務	①法136条1項 ②法136条2項
筆界調査委員の解任事由	①心身の故障で職務執行不能 ②職務上の義務違反・非行	①法129条1号 ②法129条2号
筆界調査委員の欠格事由	①禁錮以上の受刑等 ②土地家屋調査士等の業務禁止等 ③公務員の懲戒免職等 ④筆界調査委員の失職	①法128条1項1号 ②法128条1項2号 ③法128条1項3号 ④法128条2項
筆界調査委員の指定等	①（地方）法務局長の指定 ②欠格事由 ③共同・分掌 ④職員による補助	①法134条1項 ②法134条2項 ③法134条3項 ④法134条4項
筆界特定	定義	法123条2号
筆界特定	①筆界特定登記官による筆界特定書の作成 ②筆界特定書の記録事項等 ③図面による筆界特定の内容の表示 ④電磁的記録 ⑤筆界特定書の更正	①法143条1項 ②規則231条 ③法143条2項 ④法143条3項，規則231条5項 ⑤規則246条
筆界調査委員の意見の提出	①意見の提出報告 ②意見提出の方式	①法142条 規則229条 ②規則230条
筆界特定書つづり込み帳		規則27条の2
筆界特定書面申請の方法等		規則211条
筆界特定書等の写し	①筆界特定書等の写しの交付請求 ②写しの交付の請求情報等 ③写しの交付の請求方法等 ④写しの作成及び交付 ⑤準用 ⑥手数料	①法149条1項 ②規則238条 ③規則239条 ④規則240条 ⑤規則241条 ⑥法149条3項
筆界特定書等の閲覧	①閲覧請求 ②準用 ③手数料	①法149条2項 ②規則241条 ③法149条3項
筆界特定申請の標準処理期間		法130条
筆界特定申請書	①定義 ②申請書等の送付方法	①規則206条3号 ②規則212条
筆界特定申請情報	①申請情報の必要的内容 ②申請情報の任意的内容	①法131条2項，規則207条1項・2項・4項 ②規則207条3項
筆界特定手続記録の保管	①筆界特定手続記録の保管 ②筆界特定手続記録の送付 ③登記記録への記録 ④筆界特定記録の保存期間 ⑤準用 ⑥筆界確定訴訟の確定判決があった場合の取扱い	①法145条 ②規則233条 ③規則234条 ④規則235条 ⑤規則236条 ⑥規則237条
筆界特定添付情報	①定義 ②添付情報の内容	①規則206条4号 ②規則209条
筆界特定添付書面	①定義 ②筆界特定添付書面の原本の還付請求	①規則206条5項 ②規則213条1項
筆界特定電子申請の方法		規則210条
筆界特定登記官		法125条
筆界特定登記官の除斥	①対象土地・関係土地の所有権の登記名義人等 ②配偶者 ③代理人等	①法126条1号 ②法126条2号 ③126条3号
筆界特定の事務		法124条
筆界特定の申請	①申請人 ②所有権の登記名義人等 定義 ③申請情報 ④一の申請情報による複数の申請 ⑤手数料の納付 ⑥申請方法等 ⑦筆界特定の申請の受付 ⑧管轄区域がまたがる場合の移送等 ⑨代理人	①法131条1項 ②法123条5号 ③法131条2項，規則207条 ④規則208条 ⑤法131条4項 ⑥131条5項 ⑦規則214条 ⑧規則215条 ⑨規則243条

事項索引 ひ

筆界特定の申請の却下	①却下事由 ②登記官の処分 ③補正 ④申請の却下 ⑤申請の取下げ	①法132条1項 ②法132条2項 ③法132条1項但書，規則216条 ④規則244条 ⑤規則245条
筆界特定の申請の通知	①公告・通知 ②掲示	①法133条1項，規則217条
筆界特定の通知等	①筆界特定の公告及び通知 ②通知方法	①法144条1項，規則232条 ②法144条2項
筆界特定の手続における測量に要する費用等（手続費用）の負担		法146条，規則242条
筆界特定　意見又は資料の提出	①意見又は資料の提出 ②提出方法　イ　情報通信技術を利用する方法　ロ　書面の提出方法 ③資料の還付請求	①法139条1項 規則218条 ②イ 規則219条 ロ 規則220条 ③規則221条
筆界特定　意見聴取等の期日	①意見を述べ又は資料を提出する機会の付与 ②参考人の陳述 ③調査委員の質問権 ④調書の作成 ⑤電磁的記録 ⑥通知方法	①法140条1項 ②法140条2項 ③法140条3項 ④法140条4項 ⑤法140条5項 ⑥法140条6項
筆界特定　意見聴取等の期日	①意見聴取等の期日の場所 ②意見聴取等の期日の通知 ③意見聴取等の期日における筆界特定登記官の権限 ④意見聴取等の期日における資料の提出 ⑤意見聴取等の期日の調書	①規則222条 ②規則223条 ③規則224条 ④規則225条 ⑤規則226条
筆界特定　関係行政機関等に対する協力依頼		法138条
筆界特定　関係土地	定義	法123条4号
筆界特定　所有権登記名義人等	定義	法123条5号
筆界特定　対象土地	定義	法123条3号
筆界特定　立入調査	①立入権 ②立入通知義務 ③告知義務 ④日出前及び日没後 ⑤受忍義務 ⑥身分証明書の提示 ⑦損失補償	①法137条1項 ②法137条2項 ③法137条3項 ④法137条4項 ⑤法137条5項 ⑥法137条6項 ⑦法137条7項
筆界特定　調書等の閲覧	①調書等の閲覧 ②閲覧請求 ③閲覧方法	①規則227条 ②法141条1項 ③法141条2項，規則228条
秘密を漏らした罪		法159条
表示に関する登記		法2条3号
表示に関する登記の登記事項（通則）	①登記原因及びその日付 ②登記の年月日 ③所有権の登記がない場合，所有者の氏名・住所・持分 ④不動産識別事項（不動産番号）	①法27条1号 ②法27条2号 準66条 ③法27条3号 ④法27条4号 令6条 規則90条
表示に関する登記の添付情報の特則		令13条
表題登記		法2条20号
表題登記がない不動産についてする所有権の保存の登記	所有権確認の確定判決を受けた者又は収用によって所有権を取得した者の申請に基づく	法75条 規則157条
表題部		法2条7号
表題部所有者	①所有権の登記のない不動産について所有者として記録されている者 ②氏名又は名称及び住所，所有者が二人以上であるときは持分	①法2条10号 ②法27条3号
表題部所有者の更正登記		法33条1項・2項 令別表2項

表題部所有者の氏名等の変更……①申請人 ②申請情報等 ③行政区画の変更等の登記又は更正の登記	①法31条 ②令別表1項 ③規則92条 準59条
表題部所有者の氏名等の抹消	規則158条
表題部所有者の変更等に関する登記手続	法32条
表題部所有者の持分の更正登記	法33条3項・4項 令別表3項
表題部にする敷地権の記録方法	規則118条
表題部の登記	規則89条
表題部の変更の登記又は更正の登記	規則91条
表題部の変更の登記又は更正の登記に伴う図面の処理	準56条

ふ

付記登記	法4条2項 規則3条
副登記記録	規則9条
不正登記防止申出	準則35条
不正に登記識別情報を取得等した罪	法161条
附属合併の登記における表題部の記録方法	規則132条
附属建物……定義	法2条23号
附属建物の原因及びその日付の記録	準93条
附属建物の所在	令3条8号ホ
附属建物の新築の登記	規則121条
附属建物の表題部の記録方法	準89条
附属建物の符号	規則122条2項
附属建物の変更登記の記録方法等	準94条
附属建物の略記の禁止	準92条
附属建物がある主たる建物の滅失による表題部の変更の登記の記録方法	準102条
附属建物がある建物の滅失の登記の記録方法	準101条
不動産	法2条1号
不動産工事の先取特権の保存の登記	法85条 民法338条
不動産識別事項	法27条4号
不動産所在事項	規則1条9号
不動産の表示……表示の登記事項	法2条2号 法27条1号・3号・4号 法34条1項各号 法43条1項 法44条1項各号 法58条1項各号
不動産番号	規則1条8号 規則90条
分合筆の登記……①分合筆の登記 ②分合筆の記録方法	①規則108条 ②準則76条

事項索引 ふ〜ほ

項目	内容	条文
分筆に伴う権利の消滅の登記		法40条 規則104条
分筆の登記	①分筆の登記の申請人 ②職権による分筆の登記 ③地図作成に必要があるときの分筆 ④分筆の登記の申請（許容誤差等） ⑤申請情報・添付情報 ⑥分筆に伴う権利の消滅の登記 ⑦地役権登記のある土地の分筆	①法39条1項 ②法39条2項 ③法39条3項 ④準72条 ⑤令別表8項 ⑥法40条 規則104条1項 ⑦令別表8項・添付情報欄ロ
分筆の登記手続	①分筆の登記における表題部の記録方法 ②分筆の登記おける権利部の記録方法 ③地役権の登記がある土地の分筆の登記 ④分筆に伴う権利の消滅の登記 ⑤分筆の登記の記録方法	①規則101条 ②規則102条 ③規則103条 ④法40条 規則104条 ⑤準74条
分筆の登記の場合の地積測量図（符号）		規則78条 規則34条1項2号 準51条1項
分筆又は合筆の登記		法39条

へ

項目	内容	条文
変更の登記		法2条15号

ほ

項目	内容	条文
法人である代理人	①代理人が法人であるときは，その代表者の氏名（申請情報） ②登記の申請をする場合の代理人の会社法人等番号の提供 ③登記識別情報の失効の申出 ④登記識別情報に関する証明の請求 ⑤閲覧の請求	①令3条3号 ②規則37条の2 ③規則65条7項 ④規則68条8項 ⑤規則193条6項
法人識別事項		規則156条の2
法定相続情報一覧図つづり込み帳	①つづり込み帳 ②つづり込み帳の保存期間	①規則18条35号，規則27条の6 ②規則28条の2第6号
法定相続情報一覧図の保管及び写しの交付の申出	①保管及び交付の申出 ②申出書の記載事項 ③添付書面	①規則247条1項 ②規則247条2項 ③規則247条3項
法定相続情報一覧図への相続人の住所の記載		規則247条4項
法定相続情報一覧図の交付及び添付書面の返却	①一覧図の写しの交付 ②添付書面の返却 ③送付による交付等	①規則247条5項 ②規則247条6項 ③規則248条
法定相続情報一覧図の写しの再交付		規則247条7項
法定相続情報一覧図の写しの提供による添付情報の取扱い		
補正	①申請の補正 ②補正期限の連絡 ③補正の方法 ④補正の対象 ⑤補正の却下	①法25条但書 ②準36条1項・2項 ③準36条3項 ④準36条4項 ⑤規則60条1項 準36条5項
保存期間		規則28条
本人確認情報	①本人確認情報の提供 ②本人確認情報で明らかにする事項 ③資格者代理人が本人を確認する方法 ④申請人の氏名を知り，かつ面識があるときとは ⑤本人確認情報の内容が相当と認めることができないとき ⑥虚偽の登記名義人確認情報を提供した罪	①法23条4項1号 ②規則72条1項 ③規則72条2項 ④準49条1項 ⑤準49条4項 ⑥法160条 法163条

ま

前の住所地への通知……………………………………… 規則71条

み

みなし持分………………………………………………… 令別表13項・申請情報欄ニ

も

申出によらない相続人申告登録の抹消 ………………… 規則158条の30
申出立件事件簿等………………………………………… 規則27条の2
目的………………………………………………………… 法1条
持出禁止…………………………………………………… 規則31条 準25条
持分………………………………………………………… 令3条9号

ゆ

有効証明請求情報………………………………………… 規則68条1項
郵送による申請…………………………………………… 規則53条

よ

要役地の分筆の登記……………①要役地地役権消滅証明書 ②分筆後の地番 | ①規則104条6項 ②準67条1項5号

り

両罰規定…………………………………………………… 法163条

ろ

ローマ字氏名の併記……………………………………… 規則158条の31

先例等索引

（（重○○）は重要先例集の収録頁数）

≪不動産登記法≫

明治31・10・19民刑1406号回答	63条4
明治31・11・9民刑1406号回答	16条1
明治31・12・22民刑2080号回答	88条1
明治32・3・7民刑回答	63条5
明治32・8・1民刑1361号回答	44条75・47条7
明治32・8・8民刑1311号回答	49条8・51条20・74条4
明治32・9・7民刑1647号民刑局長回答	16条12
明治32・11・21民刑第2009号民刑局長回答	119条1
明治33・1・17回答	63条1
明治33・2・2民刑局長回答	105条4
明治33・3・7民刑260号回答	17条3
明治33・4・16民刑530号回答	16条18
明治33・6・8民刑827号回答	121条1
明治33・10・2民刑1413号回答	74条3
明治34・4・15民刑434号回答	3条1
明治34・10・8民刑1062号回答	121条3
明治36・6・29民刑108号回答	3条2
明治44・6・22民事414号回答	3条5
大正1・9・30民事444号回答	96条1
大正4・11・6民一第701号回答	51条16
大正6・6・18民1055号回答	63条13
大正8・12・10民事5154号回答	40条11
大正9・4・21民事1211号回答	57条9
大正14・5・27民事5014号司法次官回答	48条1
大正14・9・18民事8559号回答	17条4
昭和元・12・27民事10417号民事局長回答	16条17
昭和8・10・18民事甲1589号回答	16条8
昭和10・1・14民事甲39号民事局通牒第1項	64条10
昭和14・12・11民事甲1359号回答	74条7
昭和19・10・19民事甲692号通達	63条6
昭和22・6・23民事甲560号通達	17条7
昭和23・2・25民事甲81号通達	16条13
昭和23・6・21民事甲1897号回答	16条1
昭和23・9・16民事甲3008号回答	26条18
昭和23・9・21民事甲3010号通達	26条4
昭和23・10・4民事甲3018号回答	3条4
昭和24・2・22民事甲240号回答	2条1・44条1
昭和25・12・14民事甲3176号通達	51条21・88条2
昭和26・8・29民事甲1746号通達	42条6
昭和26・9・7民事甲1782号民事局長回答	16条16
昭和26・11・20民甲2202号回答	33条1
昭和27・9・19民事甲308号回答	3条4・25条12・39条10
昭和27・12・15民事甲3600号通達	44条56
昭和28・8・1民事甲1348号回答	63条14
昭和28・10・2民事甲1813号	26条20
昭和28・10・14民事甲1869号	77条1
昭和29・5・8民事甲938号回答	63条2
昭和29・6・15民事甲1188号回答	62条6
昭和29・9・16民事甲1928号通達	25条14
昭和29・9・21民事甲1931号通達	85条3
昭和29・12・25民事甲2637号通達	25条15
昭和30・4・9民事甲694号回答	44条2
昭和30・4・23民事甲742号通達	63条15
昭和30・4・30民事甲835号通達	88条3
昭和30・5・17民事甲930号通達	6条1・36条2
昭和30・5・21民事甲972号通達	49条9・54条1・81条4
昭和30・12・16民事甲2670号通達	74条5
昭和31・1・7民事甲755号回答	44条23
昭和31・1・13民事甲43号回答	44条17
昭和31・2・27民事甲398号回答	54条8
昭和31・4・7民事甲755号回答	44条18
昭和31・5・26民事甲1109号回答	25条1
昭和31・8・2民事甲1666号回答	53条2
昭和31・9・20民事甲2202号通達	64条7
昭和31・10・17民事甲2370号回答	64条8
昭和31・11・2民事甲第2530号通達	116条1
昭和31・11・10民事甲2612号回答	36条1
昭和32・3・22民事甲423号通達	51条18
昭和32・5・2民三発591号回答	42条2
昭和32・5・9民三発518号回答	27条5
昭和32・6・27民事甲1220号回答	36条12・47条28
昭和32・8・26民事甲第1610号回答	26条1
昭和32・9・11民事甲1717号回答	36条4
昭和32・10・4民三発881号回答	31条1
昭和32・10・4民三発882号回答	31条2
昭和32・10・18民事甲1953号回答	74条2
昭和33・1・10民事甲4号通達	63条16
昭和33・3・22民事甲423号通達	31条4・64条3
昭和33・4・10民事甲769号回答	57条5
昭和33・4・11民事三発203号通知	2条2
昭和33・5・1民事甲第893号通達	116条2
昭和33・10・9民事甲2116号回答	41条1
昭和33・10・24民事甲2221号回答	40条9
昭和33・12・25民三発1013号通達	17条6
昭和34・4・2民事甲575号通達	39条28
昭和34・6・26民事甲1287号通達	42条1
昭和34・9・9民事甲1995号回答	61条3
昭和34・9・15民事甲第2067号民事局長回答	62条1・2

昭和35・3・31民甲712号通達 …………56条6・80条2・4	昭和37・10・4民事甲2820号通達
昭和35・4・7民事甲788号通達 ……………………105条2	………………………12条1・28条1・42条7・57条5
昭和35・4・7民事甲850号通達 ………………………57条11	昭和37・10・8民事甲2885号通達 ………36条14・47条18
昭和35・4・14民事甲914号通達 ………………………25条8	昭和37・10・12民事甲2956号回答 ………………25条13
昭和35・4・15民事甲928号回答 ………………………44条3	昭和37・10・18民事甲3018号回答 ………………51条12
昭和35・4・30民事甲1054号回答 ………………………44条4	昭和37・12・15民事甲3600号民事局長通達
昭和35・6・1民事甲1340号通達 ………………………88条4	……………………………………44条63（重1142）
昭和35・6・16民事甲1411号回答 ………………………23条1	昭和37・12・18民事甲3604号回答 ………………158条1
昭和35・7・4民事甲1594号通達 ……………41条2・56条2	昭和37・12・25民事甲3717号回答 ………………34条1
昭和35・7・21民事甲1896号回答 ………………35条2・4	昭和37・12・27民事甲3725号回答 ………………41条19
昭和35・8・31登219東京法務局民事行政部長通達	昭和38・1・11民事甲15号回答 …………………25条16
…………………………………………………………14条6	昭和38・1・21民事甲129号回答 …………25条9・38条1
昭和35・9・7民事甲2221回答 …………………………108条1	昭和38・1・24民事甲158号回答 …………………30条1
昭和35・9・30民事甲2480号回答 ………………………51条17	昭和38・1・28民事甲17号回答 ……………………39条8
昭和35・12・27民事甲3300号回答 ………………………22条6	昭和38・2・12民事甲390号回答 …………………80条5
昭和35・12・27民事甲3280号通達 ………………………88条5	昭和38・3・28民事甲914号通達 …………39条41・59条2
昭和36・1・6民三1276号通知 ……………………51条22	昭和38・4・10民事甲966号通達 …………………76条1
昭和36・2・17民三発173号通達 …………………………34条4	昭和38・8・1民三発426号通知 …………………57条7
昭和36・3・25民甲735号回答 ……………………………47条1	昭和38・8・29民事甲2540号通達 …………………74条10
昭和36・5・12民三発295号回答 …………………………39条6	昭和38・9・28民事甲2658号通達
昭和36・6・6民三発459号回答 ………………37条1・44条25	…………………………………49条12・57条6（重1178）
昭和36・7・20民事甲1722号回答 ………………………53条15	昭和38・9・28民事甲2659号回答・通達
昭和36・7・21民三発625号回答 …………………………16条4	……………………………………44条87（重1167）
昭和36・7・21民事甲1750号回答 ………………………35条3	昭和38・10・22民事甲2933号民事局長通達
昭和36・8・24民甲1778号通達 …………………………37条12	…………………………44条64・48条5・58条1（重1167）
昭和36・9・2民事甲2163号回答 …………57条1・77条2	昭和38・12・28民事甲3374号回答・通達 ………39条14
昭和36・9・9民事甲2188号認可 ………………………51条10	昭和39・2・19民事甲364号回答・通達 …22条2・39条27
昭和36・9・12民事甲2208号回答 ………………………44条5	昭和39・2・21民事甲384号回答 …12条2・28条2・42条8
昭和36・9・15民事甲2324号回答 ………………………80条3	昭和39・2・28民事甲422号回答 …………………64条9
昭和36・11・9民事甲2801号回答 ……………2条3・42条2	昭和39・3・3民事甲291号回答 …………………105条3
昭和36・11・16民事甲2868号回答 ………………………44条6	昭和39・4・6民事甲1291号回答 …………………88条6
昭和36・11・16民三発1023号回答 ………………………44条7	昭和39・5・12全調連第42号全国土地家屋調査士会連合
昭和36・12・27民事甲1600号通達 ………………………105条5	会長通知 ………………………………………（重1178）
昭和37・1・6民事甲3288号回答 ………………………105条1	昭和39・5・14民事甲1719号回答・通達 …………22条3
昭和37・2・23民事甲325号回答 ………………………26条5	昭和39・5・16民事甲1761号通達 ………51条35・52条1
昭和37・3・8民事甲638号回答 ………………………62条4	昭和39・5・27民三発444号回答 …………………25条10
昭和37・3・12民事甲671号通達	昭和39・6・2民事甲2217号回答 …………………22条4
………………………36条19・38条10・39条31	昭和39・7・28民事甲2692号回答 …………………14条13
昭和37・3・13民三発214号回答 …………………………39条11	昭和39・7・30民事甲2702号通達 ………39条24・25
昭和37・5・4民事甲1262号回答 ………………………78条1	昭和39・7・30民事甲2702号通達，平成19年5月版日司
昭和37・6・11民事甲第1559号通達 ……44条78・47条11	連Q&A …………………………………………22条1
昭和37・6・12民事甲1487号回答 ………………………44条8	昭和39・7・31民事甲2700号回答 …………………80条6
昭和37・6・20民事甲1605号回答 ………………………34条5	昭和39・8・7民事甲2728号回答 …………47条30・54条13
昭和37・6・27民事甲1657号回答 ………………………26条2	昭和39・8・7民三発597号回答 …………………63条11
昭和37・7・21民事甲2076号通達 …………14条7・51条2	昭和39・8・11民事甲2765号回答 …………39条104・107
松江地方法務局管内登記官吏会同決議（昭和37・8・18	昭和39・8・29民事甲2893号回答 …………………44条49
決議） ……………………………………………36条7	昭和39・9・12民事甲3027号回答 …………………53条1
昭和37・9・21民事甲2713号回答 …………………39条21	昭和39・10・2民事甲3191号民事局長回答・通達
昭和37・9・27民三発811号回答 …………………41条22	……………………………………………………（重1131）
昭和37・10・1民事甲2802号通達 ………………51条29	昭和40・1・6民三発1034号通知 …………………34条6

先例等索引〔不動産登記法＊昭40〜昭51〕

昭和40・1・25民三発93号回答 ……………………44条50
昭和40・1・27民事甲119号通達 ……………………48条10
昭和40・2・2民事甲221号回答 ………………………41条3
昭和40・2・27民三発231号通達 ……………………44条65
昭和40・2・27民三発232号回答 ……………………44条66
昭和40・3・11民事三発238号民事局第三課長回答
…………………………………………………………120条2
昭和40・3・23民事甲623号通達 ……………………54条2
昭和40・4・14民事甲839号通達 ……………………39条42
昭和40・4・21民事甲836号回答 ……………………51条39
昭和40・7・28民事甲1717号回答 ……………25条2・51条31
昭和40・7・31民事甲1899号回答・通達 ……………39条2
昭和40・8・31民事甲2476号回答 ……………………17条5
昭和40・10・2民事甲2852号回答 …………22条5・39条26
昭和40・10・11民事甲2915号回答 ……………………64条4
昭和40・12・17民事甲3464号回答 ……………………63条20
昭和41・1・11民事甲229号回答 …………34条3・44条20
昭和41・2・1全調連総第60号全国土地家屋調査士会連
合会会長回答……………………………………（重1132）
昭和41・3・1民事甲279号通達 ………………………34条15
昭和41・4・18民事甲1126号回答 ……………………16条5
昭和41・4・19民事甲941号回答 ………………………14条2
昭和41・8・2民事甲1927号回答 …………44条88・58条2
昭和41・8・27民事甲1953号回答 ………………………3条6
昭和41・10・5民三発953号回答 ……………………39条22
昭和41・11・1民事甲1764号回答 ……………………40条1
昭和41・11・5民事甲2572号回答 ……………………41条4
昭和41・11・8民事甲3258号回答 ……………………40条2
昭和41・11・14民事甲1907号回答 ……………………78条2
昭和41・11・22民三1190号通知 ………………………36条5
昭和41・12・7民事甲3317号民事局長回答
…………………………………………44条84・48条2（重1171）
昭和41・12・13民事甲3400号回答 ……………………54条3
昭和41・12・21民事甲3640号民事局長回答 …………36条20
昭和42・3・14民三発139号回答 …………12条3・28条3
昭和42・6・19民事甲1927号回答 …………39条46・54条14
昭和42・7・22民事甲2121号通達 ……………………39条18
昭和42・8・23民三666号回答 …………………………85条1
昭和42・9・12民事甲2543回答 ………………………34条2
昭和42・9・22民事甲2654号回答 ……………………44条9
昭和42・9・25民事甲2454号回答
…………………………………………44条85・48条3（重1172）
昭和42・10・2民事甲2680号回答 ……………………39条17
昭和42・10・12民三発471号回答 ……………………39条12
昭和42・12・13民三発696号回答 ……………………44条35
昭和42・12・14民事甲3663号回答 ……………………39条43
昭和43・2・14民事甲170号回答 ………………………44条27
昭和43・2・23民三発140号回答 ……………………44条10
昭和43・3・28民事甲395号回答 ………44条14・80（重1145）
昭和43・4・2民事甲723号回答 … 6条2・36条3・44条19

昭和43・4・11民事甲887号回答・通達 ………………64条5
昭和43・6・8民事甲1653号回答 ……………14条5・39条16
昭和43・8・16民三発675号回答 ……………………39条19
昭和43・8・28民事甲2748号回答 ……………………42条4
昭和43・9・26民事甲3083号回答 ……………………53条2
昭和43・10・21民事甲3189号回答 …………………121条4
昭和43・10・28大阪法務局・表示登記事務打合会決議
……………………………………………………39条5の1
昭和43・11・26大阪法務局市内出張所事務連絡協議会決
議 ……………………………………………36条13・51条1
昭和43・12・23民事三発第1075号局事局第三課長回答
……………………………………………………………57条13
昭和43・12・27民事甲3671号回答 ……………………80条9
昭和44・3・11民事甲407号回答 ……………………39条44
昭和44・4・5民三発425号回答 ………………………43条1
昭和44・10・3民三938号回答 ………………………39条20
昭和44・10・16民事甲2204号回答 ……………………17条8
昭和44・12・15民事甲2731号回答 ……………………80条10
昭和44・12・18民事甲2731号回答 ……………………39条38
昭和45・1・7民三発646号回答 ……………………44条51
昭和45・3・24民三第267号回答 ………44条81（重1173）
昭和45・4・21民事甲1757号回答 ……………………53条2
昭和45・5・30民三発435号回答 ………………………39条1
昭和46・2・4民三第1040号回答 ……………………37条16
昭和46・3・26民事甲1194号回答 …………12条4・28条4
昭和46・4・16民三発第238号依命通知
……………………………………44条52・67（重1149）
昭和46・4・28民事甲1453号通達 ……………………36条24
昭和46・5・10民三発267号回答 …………12条5・28条5
昭和46・5・21民三発267号回答 ……………………57条1
昭和46・9・14民三発528号回答 ………………………38条4
昭和46・10・12民三第668号回答 ……………………58条5
昭和47・2・4民三110号回答 …………………………39条13
昭和47・3・18民三第135号民事局第三課長回答
………………………………………………………（重1133）
昭和47・9・19民事三発第447号回答 ………………78条4
昭和48・1・8民三第218号回答 ………………………33条2
昭和48・8・30民三6677号回答 ………………………56条3
昭和48・10・12民三第7688号回答 ……………………14条8
昭和48・10・13民事三発7694号回答 ＊49条10・81条1
昭和48・11・14民三第8526号回答 ……………………39条45
昭和48・12・24民三第9230号民事局長回答 …………78条3
昭和49・1・8民三第242号回答 ………………………63条17
昭和49年度全国登記課長会同における協議問題
……………………………………………………………44条82
昭和50・1・13民三第147号通達
……………………………………44条89・58条3（重1176）
昭和50・1・13民三第147号回答 ……………48条6・58条3
昭和50・2・13民三第834号回答 ………44条14（重1148）
昭和51・12・24民三第6472号回答 …………44条68・83

先例等索引〔不動産登記法＊昭51～昭59〕

昭和51・12・25民三第6529号回答 ……………………37条4
昭和52・9・3民三第4472号通達 …………………47条31
昭和52・9・3民三第4472号通達第1，2 ………36条28
昭和52・9・3民三第4472号通達第18 …………36条11
昭和52・9・3民三第4474号通知 …………………14条3
昭和52・10・5民三第5113号回答 …44条14・76（重1147）
昭和52・12・7民事三第5941号民事局第三課長依命通知
　……………………………………………………（重1129）
昭和52・12・7民三第5936号回答 …………………14条4
昭和53・3・14民三第1480号回答 ………………39条15
昭和53・12・20民三第6721号回答 ………………41条23
昭和54・1・8民三第343号回答 ……34条16・39条23
昭和54・5・9民事三発2863号回答 ………………80条7
昭和54・5・19民三第3086号回答
　…………………………………44条86・48条4（重1175）
昭和54・6・8民三第3310号回答 …………………25条6
昭和54・9・4民三第4503号通知 ……31条3・64条1
昭和54・11・16民事三第5776号回答 ……………80条8
昭和55・1・17民三第565号回答 …………………47条19
昭和55・3・17民三第1554号通達 ………………120条4
昭和55・4・24民三2609号通知 ……36条25（重1132）
昭和55・7・15民三第4085号回答 ……26条6・38条5
昭和55・11・18民三第6712号回答 ……44条53（重1159）
昭和55・11・25民事三第6757号回答 ……………74条12
昭和56・1・26民三第656号回答 …………………85条2
昭和56・8・28民事三第5402号民事局長通達…（重1134）
昭和56・8・28民事三第5403号民事局第三課長依命通知
　……………………………………………………（重1135）
昭和56・9・8民事三第5484号回答 ………………17条9
昭和57・5・11民三3292号回答 ……………………3条7
昭和58・4・4民事三第2251号回答 ………………88条7
昭和58・8・17民事三第4814号回答 ……………78条5
昭和58・8・28民三第5402号通達 ………………37条13
昭和58・8・28民三第5403号通知 ………………37条13
昭和58・10・6民三第5919号回答 …………………63条3
昭和58・10・21民一第6085号通達 ……………（重1186）
昭和58・11・10民三第6400号民事局長通達……（重1190）
昭和58・11・10民三第6400号通達第1，三・1 …44条90
昭和58・11・10民三第6400号通達第1，三・4 …29条1
昭和58・11・10民三第6400号通達第2，一・1・2・4
　………………………………………………………48条8
昭和58・11・10民三第6400号通達第2，二・1・2・3
　………………………………………………………48条11
昭和58・11・10民三第6400号通達第2，3・一・二
　………………………………………………………48条12
昭和58・11・10民三第6400号通達第2，三 ……25条3
昭和58・11・10民三第6400号通達第2，四 ……47条10
昭和58・11・10民三第6400号通達第2，五 ……47条16
昭和58・11・10民三第6400号通達第4，一・1・2 46条1
昭和58・11・10民三第6400号通達第4，三・1・2 46条2
昭和58・11・10民三第6400号通達第5，一・1 …51条40
昭和58・11・10民三第6400号通達第5，二・1 …51条41
昭和58・11・10民三第6400号通達第5，三 ………46条3
昭和58・11・10民三第6400号通達第5，四 ………73条2
昭和58・11・10民三第6400号通達第5，五 ………46条4
昭和58・11・10民三第6400号通達第6，一・1 …51条42
昭和58・11・10民三第6400号通達第6，三 ………55条1
昭和58・11・10民三第6400号通達第6，四 ………55条2
昭和58・11・10民三第6400号通達第7，一・1・2
　………………………………………………………52条2
昭和58・11・10民三第6400号通達第7，二・1 …28条7
昭和58・11・10民三第6400号通達第7，二・1～3
　………………………………………………………51条43
昭和58・11・10民三第6400号通達第7，二・2 …27条1
昭和58・11・10民三第6400号通達第7，二・3 …27条2
昭和58・11・10民三第6400号通達第8，一・1・2
　………………………………………………………53条9
昭和58・11・10民三第6400号通達第8，二・1・2
　………………………………………………………53条10
昭和58・11・10民三第6400号通達第8，三 ……53条11
昭和58・11・10民三第6400号通達第9，一・1・2
　………………………………………………………54条10
昭和58・11・10民三第6400号通達第9，二 ……54条11
昭和58・11・10民三第6400号通達第10，一 ……54条12
昭和58・11・10民三第6400号通達第10，三 ……55条4
昭和58・11・10民三第6400号通達第12，一・1 …74条8
昭和58・11・10民三第6400号通達第14，一・1～3
　………………………………………………………73条1
昭和58・11・10民三第6400号通達第17，1・2・4
　………………………………………………………44条92
昭和58・11・10民三第6400号通達第17，3 ……28条6
昭和58・11・10民三第6400号通達第18 …………58条4
昭和58・11・10民三第6400号通達第18，1 ……44条94
昭和58・11・10民三第6400号通達第19，一 ……56条1
昭和58・11・10民三第6400号通達第19，一・1・2・3
　………………………………………………………41条17
昭和58・11・10民三第6400号通達第19，二 ……55条3
昭和58年度法務局・地方法務局首席登記官合同協議問題に対する本省回答 ……………………………47条17
昭和58年度全国首席登記官会同における質疑応答第五・55 ……………………………………………53条12
昭和58年度全国首席登記官会同における質疑応答第六・56 ……………………………………………51条45
昭和58年度全国首席登記官会同における質疑応答第六・58 ……………………………………………51条46
昭和58年度全国首席登記官会同における質疑応答第六・61 ……………………………………………51条47
昭和58年度全国首席登記官会同における質疑応答第一九・113 …………………………………………41条18
昭和59年度全国首席登記官会同における質疑応答第

七・25	51条49
昭和59年度全国首席登記官会同における質疑応答第八・29	53条13
昭和59年度全国首席登記官会同における質疑応答第八・30	53条14
昭和59・1・10民三第150号回答	17条10
昭和59・2・25民三第1084号回答	77条4
昭和59・2・25民三第1085号通達	27条4
昭和59年度全国首席登記官会同における質疑応答第一・2	44条32
昭和59年度全国首席登記官会同における質疑応答第五・22	51条48
昭和60・8・8民三第4768号回答	44条54
昭和60・9・2民三第5431号依命通知 (重1323)	
昭和61・9・29民三第7272号通知	36条26
昭和62・3・10民三第1024号回答	26条7・59条1
昭和62・3・20民三第1433号回答	41条10
昭和62・6・30民三第3411号回答	63条8
昭和63・3・24民三第1826号回答 44条61 (重1160)	
昭和63・7・1民三第3456号通達	70条1
昭和63・7・1民三第3499号通知	70条2
平成元・8・8民事三第2913号回答	94条1
平成元・11・15民三第4777号依命回答	94条2
平成2・3・28民三第1147号回答	16条6・74条6
平成2・4・24民三第1528号回答	39条3
平成3・4・2民三第2245号回答	16条7
平成4・7・7民3930号通達第3	81条5
平成4・12・10民三第6951号回答	35条7
平成5・7・30民事三第5320号民事局長通達 (重1209)	
平成5・7・30民三第5320号通達第4	39条39
平成5・7・30民三5320号通達第2・一	17条1
平成5・7・30民三第5320号通達第6・一	49条1
平成5・7・30民三第5320号通達第6・二	49条2
平成5・7・30民三第5320号通達第6・三	49条3
平成5・7・30民三第5320号通達第6・四	49条4
平成5・7・30民三第5320号通達第6・四・(6)	50条1
平成5・7・30民三第5320号通達第6・五	49条5
平成5・7・30民三第5320号通達第6・六	49条6
平成5・7・30民三第5320号通達第6・十	49条7・51条32
平成5・9・29民三第6361号通達	49条13
平成5・12・3民三第7499号回答 44条36・69 (重1164)	
平成5年度全国首席登記官会同質疑応答第4・3・8	39条40
平成5年度全国首席登記官会同質疑応答第4・3・9	39条40
平成5年度全国首席登記官会同質疑応答第5・1・1	39条32
平成5年度全国首席登記官会同質疑応答第5・1・2	39条32
平成5年度全国首席登記官会同質疑応答第5・2・3	39条33
平成5年度全国首席登記官会同質疑応答第5・2・4	39条34
平成5年度全国首席登記官会同質疑応答第5・2・5	39条35
平成5年度全国首席登記官会同質疑応答第5・4・9	39条36
平成5年度全国首席登記官会同質疑応答第5・4・10	39条37
平成5年度全国首席登記官会同質疑応答第5・4・11	39条32
平成6・1・5民三第265号回答	39条4
平成6・1・14民三第365号回答 17条2 (重1181)	
平成6・1・15民三265号回答	25条11
平成6・1・17民三第373号回答	26条3・37条14
平成6・1・31民事三第715号通達	121条5
平成6・12・21民三第8670号通達	41条20
平成7・3・29民三第2859号回答	14条1・37条2
平成7・6・1民三第3102号回答	16条11
平成7・12・4民三第4343号回答	25条7
平成8・3・18民三第563号通達 53条16 (重1179)	
平成10・3・20民三552号通知	33条3・74条11
平成11・6・22民事三第1259号回答	62条5
平成12・10・3民事三第2253号通達	119条3
平成13・2・16民二第445号民事局長通達 (重1182)	
平成13・2・16民二第484号通知、質疑事項集第1・四・問19	121条6
平成13・2・16民二第484号通知、質疑事項集第1・四・問21	121条7
平成14・10・18民二第2473号回答	44条37
平成14・10・18民二第2474号第二課長依命通知 (重1165)	
平成15・2・27民二第601号通知	17条11
平成15・12・9民二第3641号第二課長通知 (重1233)	
平成16・2・23民二第492号通知 39条7 (重1139)	
平成16・3・15民二第731号通知	38条13
平成16・10・28民二第2980号通知 44条11・55 (重1144)	
平成17・2・25民二第457号通達 (重1217)	
平成17・2・25民二第457号通達第1・三(1)	22条7
平成17・2・25民二第457号通達第1・三(2)	22条8
平成17・2・25民二第457号通達第1・七	26条11
平成17・2・25民二第457号通達第2・三(2)	21条5
平成17・3・4日調連発第373号通知 (重1139)	
平成17・3・7民二第624号通知	23条3
平成17・6・23民二第1423号通知 14条12・156条1	
平成17・7・28民二第1690号通知	81条3
平成17・11・9民二第2598号通知	21条7
平成17・12・6民二第2760号通達1 123条1 (重1256)	
平成17・12・6民二第2760号通達2 123条2 (重1256)	

| 平成17・12・6民二第2760号通達3 …123条3（重1256）
| 平成17・12・6民二第2760号通達4 …123条4（重1256）
| 平成17・12・6民二第2760号通達5 …123条5（重1256）
| 平成17・12・6民二第2760号通達14・15・16
|　　　　　　　　　　　　　　…131条1（重1257）
| 平成17・12・6民二第2760号通達17 …123条6（重1257）
| 平成17・12・6民二第2760号通達18 …123条7（重1257）
| 平成17・12・6民二第2760号通達19 …131条2（重1258）
| 平成17・12・6民二第2760号通達22 …131条3（重1258）
| 平成17・12・6民二第2760号通達24 …131条4（重1259）
| 平成17・12・6民二第2760号通達27 …131条5（重1260）
| 平成17・12・6民二第2760号通達28 …139条2（重1260）
| 平成17・12・6民二第2760号通達30 …131条6（重1260）
| 平成17・12・6民二第2760号通達32 …131条7（重1261）
| 平成17・12・6民二第2760号通達33 …131条8（重1261）
| 平成17・12・6民二第2760号通達34 …131条9（重1261）
| 平成17・12・6民二第2760号通達36 …131条10（重1261）
| 平成17・12・6民二第2760号通達41 …131条11（重1263）
| 平成17・12・6民二第2760号通達45 …131条12（重1263）
| 平成17・12・6民二第2760号通達46 …131条13（重1263）
| 平成17・12・6民二第2760号通達49・50・52
|　　　　　　　　　　　　　　…131条14（重1264）
| 平成17・12・6民二第2760号通達59 …124条1（重1265）
| 平成17・12・6民二第2760号通達64 …132条1（重1266）
| 平成17・12・6民二第2760号通達68・72
|　　　　　　　　　　　　…132条2・3（重1267）
| 平成17・12・6民二第2760号通達83 …132条4（重1269）
| 平成17・12・6民二第2760号通達84 …135条（重1269）
| 平成17・12・6民二第2760号通達86〜89
|　　　　　　　　　　　135条（重1269・1270）
| 平成17・12・6民二第2760号通達90 …135条（重1270）
| 平成17・12・6民二第2760号通達91〜98
|　　　　　　　　　　　　　　…138条（重1271）
| 平成17・12・6民二第2760号通達94 …146条1（重1271）
| 平成17・12・6民二第2760号通達99〜102
|　　　　　　　　　　　　　　…138条（重1272）
| 平成17・12・6民二第2760号通達103〜108
|　　　　　　　　　　　　139条1（重1272・1273）
| 平成17・12・6民二第2760号通達122 …142条1（重1275）
| 平成17・12・6民二第2760号通達123 …142条2（重1275）
| 平成17・12・6民二第2760号通達124 …143条1（重1275）
| 平成17・12・6民二第2760号通達125 …143条2（重1276）
| 平成17・12・6民二第2760号通達129 …144条1（重1276）
| 平成17・12・6民二第2760号通達132 …145条1（重1276）
| 平成17・12・6民二第2760号通達133 …145条2（重1276）
| 平成17・12・6民二第2760号通達135 …143条3（重1277）
| 平成17・12・6民二第2760号通達136 …144条2（重1277）
| 平成17・12・6民二第2760号通達137 …144条3（重1277）
| 平成17・12・6民二第2760号達138・139 144条4（重1278）
| 平成17・12・6民二第2760号通達141 …144条5（重1278）

平成17・12・6民二第2760号通達146 …146条2（重1280）
平成17・12・6民二第2760号通達147 …146条2（重1280）
平成17・12・6民二第2760号通達148 …146条2（重1280）
平成17・12・6民二第2760号通達158 …149条1（重1282）
平成17・12・6民二第2760号通達159 …149条2（重1282）
平成17・12・6民二第2760号通達162 …145条4（重1282）
平成17・12・6民二第2760号通達163 …145条5（重1282）
平成17・12・6民二第2760号通達164 …145条6（重1283）
平成18・1・6民二第27号依命通知 ……（重1284）
平成18・1・6民二第27号通知第1 ……145条3
平成18・1・6民二第27号通知第2 ……145条7
平成18・1・6民二第27号通知第3・一・（1） …38条11
平成18・1・6民二第27号依命通知第3・一・（2）
　　　　　　　　　　　　　　　　……14条11
平成18・1・6民二第27号通知第3・五
　　　　　　　　　　　……38条12・145条8
平成18・1・18民二第101号通知 ……156条2
平成18・2・28民二第523号通知 ……21条1
平成18・3・29民二第755号通達3 ……31条6
平成18・3・29民二第755号通達4 ……16条9
平成18・4・3民二第799号依命通知
　　　　……26条10・38条10・39条9・31（重1286）
平成18・5・25民二第1276号回答 ……21条8
平成18・8・9民二第1841号回答 ……44条39
平成18・8・15民二第1794号通知
　　　　　　……25条4・36条21・39条29（重1237）
平成18・9・20民二第2212号通達……（重1244）
平成19・4・13民二第894号回答 ……44条12・47条8
平成19年5月版日司連Q&A……22条1・39条25
平成19・7・19民二第1459号通知……（重1239）
平成19・9・28民二第2048号通達
　　　　　　　　　……41条21・56条4（重1287）
平成20・1・11民二第57号通達 ……（重1288）
平成20・6・12民二第1670号民事局第二課長依命通知
　　　　　　　　……36条22・39条30（重1132）
平成22・3・19民二第459号通知 ……22条9
平成22・3・19民二第460号通達 ……21条6
平成22・8・24民二第2078号通知 ……63条12
平成22・11・1民二第2759号通達 ……31条5
平成23・3・18民二第695号依命通知（抄）……（重1250）
平成23・3・25民二第767号通達 ……（重1294）
平成23・11・17民二第2775依命通知 ……（重1249）
平成24・4・4民二第904号民事第二課長通知
　　　　　　　　　　　　　　　　……（重1251）
平成25・1・31民二第59号民事第二課長通知 ……（重1254）
平成25・2・19民二第97号民事第二課長通知 ……（重1255）
平成25・3・13民二第219号通知 ……37条28
平成25・3・13民二第220号民事第二課長通知（重1252）
平成26・3・12民二第195号民事第二課長通知（重1253）
平成27・1・19民二第57号通知 ……60条1

平成27・10・23民二第512号通達 ……………（重1296）	
平成28・3・11民二第219号通知 ………………63条18	
平成28・3・24民二第269号民事局長通達 ……（重1308）	
平成29・3・23民二第171号通知……………（重1140）	
平成29・3・23民二第174号回答 ………………63条19	
平成29・4・17民二第292号民事局長通達 …（重1300）	
平成30・3・29民二第166号一部改正………（重1300）	
平成30・7・24民二第279号通知 ………………74条1	
平成30・11・16民二第614号民事第二課長依命通知 ……………………………………………（重1137）	
平成31・3・29民二第267号通知…………（重1136）	
令和元・10・7民二第187号通知…………（重1230）	
令和2・10・22民二第783号一部改正 ……（重1300）	
令和3・3・29民二第655号一部改正………（重1300）	
令和5・3・28民二第533号通達 ……………………………39条5の2（重1311）	
令和5・3・28民二第537号民事局長通達 …（重1318）	
令和5・3・28民二第538号通達第3 ……………………16条2・63条の4の2・63条4の3	
令和5・9・27民二第977号通達 ………………74条14	

―登記研究―

登記研究13号28頁	……………………57条12
登記研究40号32頁	……………………39条57
登記研究44号29頁	……………………37条27
登記研究44号32頁	……………………44条28
登記研究49号28頁	……………………63条21
登記研究50号28頁	……………………63条21
登記研究51号28頁	……………………63条21
登記研究58号31頁	……………………51条15
登記研究66号44頁	……………………44条13
登記研究70号48頁	……………………57条17
登記研究86号41頁	……………………44条57
登記研究92号41頁	……………………57条18
登記研究96号43頁	……………………44条29
登記研究110号45頁	……………………44条58
登記研究111号38頁	………………………30条2
登記研究118号47頁	………………………35条8
登記研究122号35頁	……………35条9・44条21
登記研究122号37頁	………………………34条7
登記研究122号38頁	……………………44条26
登記研究145号44頁	……………………16条10
登記研究152号50頁	……………40条3・54条4
登記研究157号46頁	………………………41条5
登記研究161号43頁	……………………44条38
登記研究166号51頁	……………………37条23
登記研究166号52頁	……………………36条17
登記研究169号49頁	……………………39条97
登記研究175号67頁	……………………47条13
登記研究182号172頁	………………………53条7
登記研究184号69頁	……………………47条39
登記研究184号71頁	……………………44条74
登記研究185号58頁	……………27条3・36条7
登記研究189号74頁	………………………34条8
登記研究193号70頁	………………………40条4
登記研究194号73頁	………………………35条5
登記研究203号63頁	……………………39条106
登記研究209号69頁	……………………37条22
登記研究210号50頁	………………………28条9
登記研究213号67頁	……………………51条34
登記研究215号67頁	……………………39条98
登記研究216号72頁	……………29条2・47条40
登記研究217号71頁	……………………51条10
登記研究217号72頁	……………………44条59
登記研究218号71頁	………………………38条9
登記研究218号73頁	………………………47条2
登記研究221号52頁	……………34条9・10・35条1・6
登記研究222号64頁	……………………39条63
登記研究222号65頁	……………………57条11
登記研究223号66頁	……………34条11・36条9

登記研究228号66頁	34条12	登記研究376号87頁	47条29・81条2
登記研究229号71頁	39条51	登記研究376号89頁	38条3
登記研究230号69頁	39条90	登記研究378号173頁	39条99
登記研究232号72頁	34条13	登記研究379号94頁	39条102
登記研究235号69頁	44条93	登記研究380号79頁	51条14
登記研究241号67頁	39条70	登記研究380号80頁	39条87・41条7
登記研究243号279頁	39条83	登記研究380号81頁	53条8
登記研究244号68頁	38条2・7	登記研究380号83頁	39条71
登記研究247号74頁	44条40・51条33	登記研究381号87頁	57条4
登記研究258号73頁	41条6	登記研究381号89頁	41条8
登記研究262号75頁	33条4	登記研究386号95頁	44条70・71・47条33
登記研究263号63頁	39条70	登記研究386号96頁	47条34
登記研究265号70頁	62条3	登記研究386号98頁	39条92
登記研究273号74頁	14条9	登記研究386号99頁	57条8
登記研究275号75頁	44条15・47条6	登記研究389号121頁	44条60
登記研究279号73頁	74条16	登記研究389号122頁	47条5・120条1
登記研究283号71頁	38条8	登記研究389号123頁	51条7
登記研究284号77頁	44条41	登記研究389号124頁	37条3・43条2
登記研究286号77頁	47条14	登記研究390号89頁	39条80
登記研究288号75頁	51条24	登記研究390号91頁	33条5
登記研究298号69頁	16条19	登記研究393号85頁	43条4
登記研究302号71頁	37条20	登記研究394号253頁	26条12・37条21
登記研究306号71頁	57条3	登記研究394号255頁	51条27
登記研究314号64頁	36条13	登記研究395号93頁	44条72
登記研究320号74頁	39条100	登記研究395号94頁	39条93
登記研究321号71頁	44条22	登記研究396号104頁	39条94・45条1・51条30
登記研究325号25頁・26頁	44条82	登記研究396号106頁	37条19
登記研究325号72頁	39条52・47条20	登記研究397号83頁	36条8
登記研究330号78頁	47条21	登記研究398号93頁	38条6
登記研究333号69頁	33条9	登記研究398号96頁	37条25
登記研究342号78頁	44条24	登記研究398号618頁	39条56
登記研究346号92頁	37条6	登記研究401号160頁	34条17
登記研究348号89頁	39条82・47条12	登記研究401号161頁	39条81
登記研究351号95頁	44条42	登記研究403号77頁	51条9
登記研究353号116頁	39条66	登記研究404号135頁	39条95
登記研究357号81頁	26条12	登記研究406号92頁	36条18
登記研究357号82頁	44条16・56条5	登記研究409号85頁	44条43
登記研究360号93頁	39条108	登記研究412号166頁	39条88
登記研究362号82頁	47条22	登記研究413号96頁	39条55
登記研究362号84頁	44条30	登記研究414号77頁	47条24
登記研究363号165頁	16条20	登記研究415号118頁	44条73・54条6
登記研究363号166頁	22条6・47条3	登記研究416号129頁	33条6・57条10・58条6
登記研究364号79頁	39条85・47条32	登記研究416号130頁	47条35
登記研究365号77頁	47条4	登記研究416号131頁	37条7・39条72
登記研究367号137頁	39条58	登記研究418号101頁	45条2
登記研究370号71頁	39条91	登記研究420号122頁	14条15・18条3・47条25・51条3
登記研究373号85頁	51条11	登記研究421号107頁	47条36
登記研究373号87頁	39条61	登記研究422号103頁	34条14
登記研究375号79頁	36条15	登記研究422号104頁	44条79・47条15
登記研究375号80頁	31条8・44条77	登記研究423号123頁	33条11

登記研究423号125頁	43条3	登記研究485号120頁	37条9
登記研究423号127頁	39条89	登記研究486号133頁	47条38
登記研究427号98頁	44条31	登記研究488号147頁	39条101
登記研究427号103頁	36条16	登記研究490号146頁	33条8
登記研究428号135頁	37条26	登記研究491号107頁	37条10・39条74
登記研究428号138頁	53条6	登記研究495号119頁	39条60
登記研究429号120頁	37条15	登記研究505号215頁	39条96
登記研究429号123頁	39条112・41条9	登記研究507号199頁	44条47
登記研究430号175頁	37条11	登記研究514号194頁	41条13
登記研究432号129頁	6条3	登記研究515号254頁	36条6
登記研究432号130頁	6条4	登記研究516号195頁	39条50
登記研究434号144頁	51条28	登記研究518号115頁	44条61
登記研究436号103頁	36条10	登記研究519号187頁	33条10
登記研究438号96頁	37条8	登記研究521号173頁	48条13
登記研究438号97頁	14条16・44条44	登記研究522号158頁	39条105
登記研究441号116頁	44条45	登記研究522号159頁	54条9
登記研究441号117頁	39条104・107	登記研究523号140頁	63条9
登記研究443号93頁	47条23	登記研究524号170頁	121条2
登記研究445号107頁	39条47・44条62	登記研究526号193頁	39条75
登記研究445号108頁	74条17	登記研究530号147頁	47条26
登記研究445号109頁	39条68	登記研究531号119頁	57条14
登記研究448号131頁	39条78	登記研究531号120頁	41条14・42条5
登記研究449号87頁	44条32	登記研究532号128頁	51条38
登記研究450号126頁	36条27	登記研究533号153頁	51条8
登記研究451号123頁	39条79・51条19	登記研究533号156頁	37条24
登記研究451号124頁	44条33	登記研究535号176頁	26条13・54条7
登記研究452号115頁	41条12	登記研究536号175頁	47条9
登記研究453号123頁	41条15	登記研究538号172頁	57条15
登記研究454号129頁	33条7	登記研究540号170頁	47条27・51条13・37
登記研究454号130頁	39条67	登記研究544号105頁	119条2
登記研究454号132頁	39条69	登記研究546号151頁	39条53
登記研究454号133頁	51条25	登記研究553号134頁	51条26
登記研究455号92頁	39条77	登記研究554号133頁	37条17
登記研究456号127頁	53条5	登記研究554号134頁	14条14
登記研究458号95頁	41条11	登記研究555号143頁	77条3
登記研究459号97頁	39条49・44条46	登記研究561号151頁	64条6
登記研究461号117頁	37条5	登記研究563号127頁	39条109
登記研究462号115頁	37条18	登記研究565号141頁	63条7
登記研究466号115頁	40条5	登記研究568号182頁	39条48
登記研究467号103頁	51条36	登記研究570号173頁	28条8
登記研究469号141頁	39条64	登記研究575号121頁	39条54
登記研究471号136頁	40条6	登記研究578号131頁	39条65
登記研究474号141頁	47条37	登記研究579号169頁	80条1
登記研究478号121頁	40条8	登記研究580号139頁	39条111
登記研究478号122頁	39条103	登記研究581号145頁	52条3・121条8
登記研究481号133頁	40条7	登記研究581号146頁	39条76
登記研究481号134頁	57条19	登記研究582号183頁	26条5
登記研究482号179頁	39条59・73	登記研究582号185頁	17条13・26条9・64条2
登記研究482号181頁	120条3	登記研究583号7頁	44条34
登記研究483号157頁	44条91	登記研究583号215頁	51条44

登記研究583号216頁	41条10
登記研究585号181頁	51条4
登記研究586号187頁	49条11・51条23
登記研究591号213頁	16条2の2・121条9
登記研究593号205頁	12条6・39条112
登記研究603号135頁	80条11
登記研究606号199頁	57条16
登記研究615号211頁	74条11
登記研究618号71頁	51条6
登記研究618号93頁	14条10
登記研究629号215頁	23条1・26条15
登記研究631号233頁	48条7
登記研究634号149頁	30条3
登記研究636号145頁	41条16
登記研究647号183頁	63条22
登記研究649号203頁	64条9
登記研究651号279頁	74条13
登記研究659号175頁	74条9
登記研究669号209頁	26条19
登記研究670号209頁	54条5
登記研究672号117頁	63条10
登記研究683号195頁	48条9
登記研究687号317頁	26条5
登記研究688号265頁	61条1
登記研究692号211頁	23条1・26条15
登記研究694号227頁	26条16
登記研究696号150頁，277頁	14条18
登記研究697号225頁	23条4
登記研究699号209頁	26条20
登記研究700号199頁	31条6・121条10
登記研究705号173頁	23条5
登記研究706号213頁	121条12
登記研究711号189頁	17条17
登記研究714号197頁	23条6
登記研究715号219頁	131条17
登記研究716号207頁	131条16
登記研究717号71頁	44条12・47条8
登記研究718号203頁	26条8・64条12
登記研究722号175頁	17条15
登記研究727号169頁	21条2
登記研究728号239頁	121条11
登記研究728号243頁	17条16
登記研究729号179頁	36条23・39条84
登記研究730号181頁	16条14
登記研究731号177頁	26条14
登記研究732号159頁	18条2
登記研究735号159頁	23条7・8
登記研究736号177頁	15条1
登記研究738号183頁	18条1
登記研究740号159頁	17条12
登記研究741号145頁	17条14
登記研究745号127頁	23条9
登記研究749号155頁	39条62
登記研究762号153頁	131条18・139条3
登記研究763号115～120頁	74条13
登記研究763号171頁	123条8
登記研究764号155頁	16条15・57条20
登記研究779号124頁	31条7
登記研究783号139頁	14条17
登記研究789号125頁	131条15
登記研究793号143頁	74条15
登記研究796号125頁	23条2
登記研究801号147頁	21条3
登記研究806号163頁	21条4・25条5
登記研究807号177頁	40条10
登記研究808号147頁	61条2
登記研究810号213頁	44条48・51条5
登記研究820号125頁	39条110
登記研究831号171頁	44条49
登記研究834号149頁	26条21
登記研究840号139頁	39条86
登記研究846号121頁	141条1
登記研究847号121頁	26条17

≪不動産登記令≫

- 明治32・10・23民刑1895号回答 …………………… 20条1
- 昭和23・6・21民事甲1897号回答 …………………… 20条2
- 昭和27・9・1民事甲308号回答 ……………………… 20条4
- 昭和30・4・11民事甲693号通達 ……………………… 20条6
- 昭和30・10・15民事甲2216号回答 …………………… 20条8
- 昭和35・5・18民事甲1132号通達 ……………………… 20条9
- 昭和35・6・1民事甲1340号回答 ……………………… 20条5
- 昭和36・7・1民事甲1571号回答 ……………………… 20条12
- 昭和37・3・26民事甲844号通達 ……………………… 20条10
- 昭和37・5・4民事甲1262号回答 ……………………… 20条7
- 昭和37・10・12民事甲2956号回答 …………………… 20条3
- 昭和38・8・2民事三発528号回答 …………………… 20条13
- 昭和40・7・28民事甲1717号回答 …………………… 20条14
- 昭和43・2・9民事三発34号回答 ……………………… 20条11

≪土地家屋調査士法≫

- 昭和25・8・18民事2306号通達 ………………………… 3条2
- 昭和25・8・21民事甲第2303号民事局長回答 …… 68条1
- 昭和25・10・13民事甲第2799号民事局長回答 …… 5条1
- 昭和26・4・5民事甲第709号民事局長回答 ……… 9条1
- 昭和26・9・11民事甲178号回答 ……………………… 5条4
- 昭和26・10・13民事甲第1994号民事局長回答 …… 5条2
- 昭和27・6・30民事甲906号回答 ……………………… 5条4
- 昭和29・5・14民事甲第978号民事局長回答 ……… 9条2
- 昭和32・5・30民事甲第1042号民事局長回答 …… 20条1
- 昭和33・7・28民事甲第1525号民事局長心得回答
  ………………………………………………………… 68条2
- 昭和34・12・26民事甲第2986号回答 ……… 3条1・68条3
- 昭和35・4・2民事甲第786号民事局長回答 ……… 9条3
- 昭和35・8・29民事甲第2087号民事局長回答 …20条10
- 昭和36・8・4民事甲第1983号民事局長回答・通達
  ………………………………………………………… 6条1
- 昭和36・10・6民甲第2477号通達 …………………… 51条1
- 昭和37・12・6民事甲第3558号民事局長通達 …… 21条1
- 昭和39・12・5民事甲第3906号民事局長通達 …… 20条4
- 昭和40・3・26民事甲第644号民事局長通達 …… 20条2
- 昭和40・10・14民事甲第2910号民事局長通達 … 20条3
- 昭和43・5・14民事甲第1655号民事局長回答
  ……………………………………………………… 5条3・10条1
- 昭和45・2・18民事甲第577号民事局長回答 …… 20条5
- 昭和45・4・23民事甲第1758号民事局長通達 …… 49条1
- 昭和47・1・6民事三発第8号民事局第三課長回答
  ………………………………………………………… 68条4
- 昭和48・11・22民事三第8639号民事局第三課長回答
  ………………………………………………………… 20条6
- 昭和51・4・7民三2492号回答 ………………………… 3条3
- 昭和53・3・20民事三第1677号依命回答 …………… 3条4
- 昭和54・12・26民事三第6380号民事局第三課長依命通知
  ………………………………………………………… 6条2
- 昭和57・9・27民事三第6010号民事局長回答
  ……………………………………………………… 3条5・68条5
- 昭和59・3・30民三第1758号民事局長通達 ……… 9条9
- 平成5・9・29民事三第6361号通達 …………………… 3条6
- 平成17・11・9民二第2598号通知 …………………… 20条8
- 平成24・1・19民商137号民事局商事課長回答 … 34条1
- 令和3・4・30民事二第763号依命通知 ……………… 3条7

―登記研究―

登記研究366号88頁 …………………………20条7
登記研究420号123頁 …………………………68条6
登記研究530号147頁 ………………………… 6条3
登記研究703号231頁 …………………………20条11
登記研究748号155頁 …………………………20条12
登記研究765号159頁 …………………………63条1
登記研究771号179頁 …………………………34条2
登記研究776号149頁 …………………………63条2

判例索引

《民法》

判例	条項
大判明治32・3・25	90条12
大判明治33・2・26	175条1
大判明治33・5・7	96条3
大判明治35・10・14	192条12
大判明治36・11・16	268条2
大判明治37・3・2	177条52
大判明治37・4・5	349条1
大判明治37・12・13	265条1
大判明治38・5・11	3条の2
大判明治38・6・7	177条41
大判明治38・9・19	884条2
大判明治38・9・22	388条14
大判明治39・2・16	388条14
大判明治39・11・21	423条3・4
大判明治40・3・1	177条55
大連判明治41・3・17	177条56
大判明治41・5・11	388条24
東京控判明治41・6・16	210条3
大判明治41・9・25	258条5
大連判明治41・12・15	177条13
大判明治42・11・8	361条1
大判明治43・1・25	145条17
大判明治43・5・24	177条53
大判明治43・7・6	423条10
大判明治43・7・6	423の71
大判明治43・10・10	550条2
大判明治43・10・31	127条1
大判明治43・12・9	541条7
大判明治44・4・7	187条1
大判明治44・4・26	268条1
大判明治44・4・28	106条1
大判明治44・6・6	94条24
大判明治44・11・14	560条1
大判明治45・3・23	415条2
大判大正2・7・5	304条4
大判大正3・3・16	94条16
大判大正3・7・4	313条1
大判大正3・7・9	94条17
大判大正3・12・25	550条4
大判大正3・12・26	632条3
大判大正4・1・16	1004条2
大連判大正4・1・26	414条4
大判大正4・3・10	399条1
大判大正4・3・24	135条1
大判大正4・4・7	108条1
大判大正4・4・27	178条3
大判大正4・5・20	192条11
大判大正4・7・1	388条1
大判大正4・7・3	968条7
大判大正4・7・10	94条8
大判大正4・7・13	145条12
大判大正4・9・15	375条1
大判大正4・9・21	427条1
大判大正4・10・16	646条1
大決大正4・10・23	369条6
大判大正4・12・1	412条1
大判大正4・12・8	177条62
大判大正5・1・21	92条2
大判大正5・4・1	177条47
大判大正5・5・31	370条7
大決大正5・6・1	968条4・1004条1
大判大正5・6・12	266条1
大判大正5・6・28	370条8
大判大正5・9・5	364条2
大判大正5・9・12	177条68
大判大正5・9・20	86条9・178条5
大判大正5・9・29	91条3
大判大正5・11・11	177条69
大判大正5・12・13	177条70
大判大正5・12・25	146条3
大判大正5・12・25	345条1
大判大正6・2・9	338条1
大判大正6・2・10	175条2
大判大正6・2・24	95条1
大判大正6・2・28	703条2
大判大正6・7・10	541条6
大判大正6・7・21	99条2
大判大正6・7・26	333条2
大判大正6・9・18	696条1
大判大正6・9・20	96条6
大判大正6・10・3	342条1
大判大正6・11・5	552条1
大判大正6・11・8	95条8
大判大正6・11・8	187条2
大決大正7・1・18	360条1
大判大正7・3・19	430条2
大判大正7・4・13	166条9・545条1
大判大正7・4・18	1004条1
大判大正7・4・19	252条6
大判大正7・5・10	90条14

大判大正 7・7・10	697条2	大判大正12・2・23	252条7
大判大正 7・8・27	416条1	大連判大正12・4・7	372条1
大判大正 7・10・3	95条2	大判大正12・6・11	125条1
大判大正 7・12・6	370条9	大連判大正12・7・7	177条42
大連判大正 8・3・15	370条10	大連判大正12・12・14	388条6
大判大正 8・5・31	249条6	大判大正13・2・29	556条1
大判大正 8・7・4	145条3	大判大正13・5・19	249条8
大判大正 8・7・9	91条3	大判大正13・5・22	200条2
大判大正 8・9・15	545条2	大判大正13・9・24	575条1
大判大正 8・12・26	108条1	大連判大正13・10・7	86条5
大判大正 9・2・19	177条63	大判大正13・12・25	146条4
大判大正 9・3・29	347条1	大判大正14・1・20	189条1
大判大正 9・4・27	99条3	大判大正14・4・14	268条2
大判大正 9・5・5	178条6	大判大正14・4・28	298条6
大判大正 9・5・5	388条15	大判大正14・6・9	239条1
大判大正 9・5・8	273条1	大連判大正14・7・8	177条38
大判大正 9・5・25	144条2	大連決大正14・7・14	348条1
大判大正 9・5・28	90条13	大判大正14・11・9	96条7
大判大正 9・6・5	99条1	大判大正15・2・22	86条7
大民連判大正 9・6・26	263条6	大連判大正15・4・8	392条8
大判大正 9・6・29	375条2	大連判大正15・5・22	416条3
大判大正 9・7・16	289条1	大判大正15・7・20	536条2
大判大正 9・11・27	166条6	大決大正15・8・3	915条3
大判大正 9・12・17	921条3	大判大正15・10・26	394条1
大判大正10・3・18	252条4・7・428条1	大判大正15・12・9	554条3
大判大正10・4・12	177条54	大判昭和 2・2・2	541条4
大判大正10・4・14	177条59	大判昭和 2・2・25	536条2
大判大正10・5・17	176条6・545条4	大決昭和 2・4・2	383条1
大判大正10・6・2	92条1	大判昭和 2・5・20	192条13
大判大正10・6・7	95条9	大判昭和 2・6・14	242条6
大判大正10・6・13	252条5	大判昭和 2・7・4	446条5
大判大正10・6・21	557条4	大判昭和 2・12・17	550条1
大判大正10・7・8	193条2	大判昭和 3・2・22	1004条3
大判大正10・7・11	605条4	大判昭和 3・8・1	369条10
大判大正10・7・18	252条6	大判昭和 3・10・30	533条5
大決大正10・7・25	414条5	大判昭和 3・12・17	249条8
大判大正10・8・10	86条1	大判昭和 4・1・25	90条13
大判大正10・11・9	533条4	大判昭和 4・1・30	179条1
大判大正10・11・24	482条1	大判昭和 4・1・30	392条6
大判大正10・11・28	265条1	大判昭和 4・2・20	96条5・177条7
大判大正10・12・6	106条1	大判昭和 4・3・30	415条8
大判大正10・12・23	295条15・298条9	大判昭和 4・5・3	109条5
大判大正11・2・25	94条24	大判昭和 4・6・19	415条3
大判大正11・3・25	177条54	大判昭和 4・12・16	423条の72
大判大正11・6・3	310条1	大判昭和 5・4・26	921条2
大判大正11・6・17	364条5	大判昭和 5・5・10	192条14
大判大正11・8・21	295条5	大判昭和 5・7・2	166条7
大判大正11・11・24	398条1	大判昭和 5・9・23	393条1
大判大正11・11・24	430条2・544条1	大決昭和 5・9・30	414条1
大判大正11・11・25	541条1	大決昭和 5・10・23	414条6
大判大正11・11・27	200条1	大判昭和 5・12・18	370条1

大判昭和 5・12・27	369条12	大判昭和10・12・24	145条1
大判昭和 6・ 2・27	369条7	大判昭和11・ 1・14	177条43・369条9
大判昭和 6・ 3・31	177条21	大判昭和11・ 1・21	263条7
大判昭和 6・ 6・ 4	448条2	大判昭和11・ 2・25	364条3
大判昭和 6・ 6・ 9	138条1	大判昭和11・ 4・13	369条11
大判昭和 6・ 7・22	177条64	大判昭和11・ 4・24	270条1
大判昭和 6・ 8・ 7	369条8	大判昭和11・ 6・11	369条12
大判昭和 6・10・21	369条1	大判昭和11・ 7・14	392条7
大判昭和 6・10・24	94条17	大判昭和11・ 8・10	557条2
大判昭和 6・10・29	388条2	東京地判昭和11・10・21	137条1
大判昭和 7・ 4・20	370条6	大判昭和11・12・ 9	392条10
大判昭和 7・ 5・18	192条1・12	大判昭和12・ 2・ 9	94条11
大判昭和 7・ 5・27	369条5・11	大判昭和12・ 3・10	280条1
大判昭和 7・ 6・ 1	376条2	大決昭和12・ 6・30	145条18
大判昭和 7・ 6・ 2	922条2	大判昭和12・ 6・30	715条9
大決昭和 7・ 8・29	376条1	大判昭和12・ 8・10	94条5
大判昭和 7・10・ 6	721条1	大判昭和12・ 9・17	166条10
大判昭和 7・10・26	121条の2 1・449条1	大判昭和13・ 2・ 7	32条1
大判昭和 7・10・29	90条14	大判昭和13・ 3・ 1	533条2
大判昭和 7・11・29	392条11	大判昭和13・ 3・30	90条2・15
大判昭和 8・ 1・31	21条1	大判昭和13・ 4・22	556条2
大判昭和 8・ 2・13	192条10	大判昭和13・ 6・ 7	210条4
大判昭和 8・ 3・18	179条2	大判昭和13・ 9・28	178条7
大判昭和 8・ 6・16	94条13	大判昭和13・12・17	94条12
大判昭和 8・ 6・20	177条65	大判昭和13・12・17	298条5
大決昭和 8・ 8・18	177条39・369条4	大判昭和13・12・26	200条6
大判昭和 8・11・ 7	369条8	大判昭和14・ 3・31	177条60
大判昭和 8・12・11	612条4	大判昭和14・ 4・28	295条9
大判昭和 9・ 1・30	446条6	大判昭和14・ 7・ 7	177条8
大判昭和 9・ 3・ 7	613条4	大判昭和14・ 7・19	280条2
大判昭和 9・ 3・10	375条3	大判昭和14・ 7・26	388条16
大判昭和 9・ 3・29	448条1	大判昭和14・10・26	121条の23
大判昭和 9・ 5・ 1	90条1	大判昭和14・12・19	388条3
大判昭和 9・ 5・ 1	177条14	大判昭和14・12・21	922条3
大判昭和 9・ 6・ 2	184条1	大判昭和15・ 3・15	423条8
大判昭和 9・ 6・30	295条6	大判昭和15・ 6・26	268条3
大判昭和 9・ 9・15	136条1	大判昭和15・ 9・18	175条5
大判昭和 9・10・19	198条1	大判昭和15・ 9・28	375条4
大判昭和 9・10・23	295条10	大判昭和15・11・26	396条5
大判昭和 9・10・30	177条61	大判昭和16・ 3・ 4	177条48
大判昭和 9・12・28	177条60	大判昭和16・ 8・14	268条4
大判昭和10・ 4・23	392条9	大判昭和16・ 8・30	94条1
大判昭和10・ 4・25	414条3	大判昭和16・ 9・20	550条5
大判昭和10・ 5・13	298条5	大判昭和17・ 2・24	242条7
大判昭和10・ 8・10	388条26	大判昭和17・ 4・24	260条1
大判昭和10・10・ 1	86条2・8	大連判昭和17・ 5・20	110条14
大判昭和10・10・ 5	1条11	大判昭和17・ 8・ 6	697条3
大判昭和10・11・14	177条7	大判昭和17・ 9・30	96条1・177条3
大判昭和10・11・29	896条5	大判昭和18・ 2・18	295条7
大決昭和10・12・16	414条2	大判昭和18・12・22	423条10
大判昭和10・12・18	922条4	大判昭和19・10・24	90条16

大判昭和19・12・6 …………………………… 1条14	最判昭和32・1・22 …………………………… 416条2
大連判昭和19・12・22 ……………………… 110条16	最判昭和32・2・15 …………………………… 180条2
最判昭和23・12・23 ……………………………… 93条1	最判昭和32・3・8 …………………………… 506条1
東京高判昭和24・7・14 …………………… 298条7	最判昭和32・5・21 …………………………… 554条3
最判昭和25・10・26 …………………………… 561条3	最判昭和32・5・30 …………………………… 177条50
最判昭和25・12・19 …………………………… 177条19	最大判昭和32・6・5 ………………………… 493条2
最判昭和26・2・13 …………………………… 697条4	最判昭和32・6・7 …………………………… 177条11
最判昭和26・11・27 …………………………… 192条4	最判昭和32・7・5 ……………………………… 1条3
最判昭和27・1・29 …………………………… 110条9	最判昭和32・9・13 …………………………… 263条9
最判昭和27・2・19 …………………………… 180条1	最判昭和32・9・19 …………………………… 177条12
最判昭和27・4・25 …………………………… 616条1	最判昭和32・9・19 …………………………… 415条4
最判昭和28・1・23 …………………………… 242条8	最判昭和32・11・14 ……………………………… 33条2
最判昭和28・4・24 ………………………… 180条4・5	最判昭和32・11・29 …………………………… 110条17
最判昭和28・6・16 ………………………… 533条1・6	最判昭和32・12・19 ……………………………… 95条4
東京高判昭和28・9・21 …………………… 352条1	最判昭和32・12・27 …………………………… 192条8
最判昭和28・9・25 …………………………… 612条1	最判昭和33・1・17 …………………………… 299条1
最判昭和28・12・3 …………………………… 110条10	最判昭和33・2・14 …………………………… 283条1
最判昭和28・12・28 …………………………… 110条9	最判昭和33・3・13 …………………………… 295条8
最判昭和29・1・14 …………………………… 295条4	最判昭和33・5・9 …………………………… 369条13
最判昭和29・1・21 …………………………… 557条5	最判昭和33・6・6 …………………………… 295条8
最判昭和29・2・12 ……………………………… 95条3	最判昭和33・6・14 …………………………… 545条5
最判昭和29・2・12 …………………………… 540条2	最判昭和33・6・20 …………………………… 176条1
最判昭和29・4・8 …………………………… 899条3	最判昭和33・7・1 ……………………………… 96条4
最判昭和29・7・22 …………………………… 295条4	最判昭和33・7・22 …………………………… 668条1
最判昭和29・7・27 …………………………… 533条3	最判昭和33・7・29 …………………………… 177条66
最判昭和29・8・20 ……………………………… 94条20	最判昭和33・8・28 …………………………… 177条38
最判昭和29・8・24 ……………………………… 91条4	最判昭和33・10・14 …………………………… 177条15
最判昭和29・8・31 …………………………… 178条4	最判昭和34・1・8 …………………………… 177条34
最判昭和29・10・7 …………………………… 612条9	最判昭和34・1・8 …………………………… 200条4
最大判昭和29・10・20 ………………………… 22条1	最判昭和34・2・5 …………………………… 110条6
最判昭和29・12・21 …………………………… 541条4	最判昭和34・2・12 …………………………… 177条20
最判昭和29・12・23 …………………………… 388条11	最判昭和34・4・9 …………………………… 177条45
最判昭和29・12・24 …………………………… 919条1	最判昭和34・6・19 ……………………… 436条1・899条1
熊本地判昭和30・1・11 …………………… 906条2	最判昭和34・7・24 …………………………… 110条4
最判昭和30・3・4 …………………………… 298条1	最判昭和34・8・7 …………………………… 177条57
最判昭和30・5・31 ……………………… 898条2・907条4	東京地判昭和34・8・19 ……………………… 1条15
最判昭和30・6・2 …………………………… 178条1	最判昭和34・8・28 …………………………… 178条2
最判昭和30・6・24 …………………………… 86条3・6	最判昭和34・9・3 …………………………… 295条1
最判昭和30・7・5 …………………………… 177条33	最判昭和34・9・17 …………………………… 415条5
最判昭和30・7・15 …………………………… 369条12	最判昭和34・9・22 …………………………… 545条3
最判昭和30・10・7 ……………………………… 90条3	最判昭和34・11・26 …………………………… 254条1
最判昭和30・11・22 …………………………… 1条18	最判昭和34・12・18 …………………………… 273条2
最判昭和30・12・26 …………………………… 283条1	最判昭和35・2・2 ……………………………… 94条26
最判昭和30・12・26 …………………………… 882条1	最判昭和35・2・11 …………………………… 192条7
最判昭和31・4・24 …………………………… 177条67	最判昭和35・2・19 …………………………… 110条1
最判昭和31・5・10 …………………………… 252条2	最判昭和35・3・1 …………………………… 242条2
最判昭和31・5・18 ……………………………… 91条4	最判昭和35・3・18 ……………………………… 91条1
最判昭和31・6・19 …………………………… 242条1	最判昭和35・3・22 …………………………… 176条2
最判昭和31・7・20 …………………………… 177条44	最判昭和35・4・7 …………………………… 180条3
東京高判昭和31・9・29 …………………… 364条6	最判昭和35・4・12 …………………………… 593条1
最判昭和31・12・2 …………………………… 541条5	最判昭和35・4・21 …………………………… 177条35

最判昭和35・4・21	415条1	最判昭和39・2・4	715条1
最判昭和35・4・26	579条1	最判昭和39・2・13	177条17
最判昭和35・5・19	134条1	最判昭和39・2・25	252条1
最判昭和35・6・9	110条5	最判昭和39・2・27	884条4
最判昭和35・6・23	613条8	最判昭和39・3・6	177条40
最判昭和35・6・24	176条3	最判昭和39・4・2	110条2
最判昭和35・7・27	144条1・162条5	最判昭和39・4・17	423条5
東京高判昭和35・7・27	345条2	最判昭和39・5・23	109条4
最判昭和35・10・18	110条11	最判昭和39・7・28	616条2
最判昭和35・10・21	109条1	最判昭和39・10・15	33条3
最判昭和35・11・1	166条8	最判昭和39・12・18	446条4
最判昭和35・11・24	556条3	最判昭和40・2・23	86条6
最判昭和35・11・29	177条4	最判昭和40・3・4	202条1
最判昭和36・2・10	388条8・23	最判昭和40・3・9	1条12
最判昭和36・3・24	213条4	最大判昭和40・3・17	605条2
最判昭和36・4・20	97条2	最判昭和40・3・26	550条1
最判昭和36・4・27	90条17・177条22	最判昭和40・5・4	370条2
最判昭和36・4・28	177条51	最判昭和40・5・20	263条1
最判昭和36・5・4	177条58	東京家審昭和40・5・20	907条7
最判昭和36・5・30	581条1・583条1	最判昭和40・5・27	95条6
最判昭和36・6・11	263条8	最判昭和40・6・18	113条2
最判昭和36・6・22	968条3	最大判昭和40・7・14	347条2
最判昭和36・7・20	177条1	最判昭和40・7・15	298条4
最判昭和36・10・10	604条1	最判昭和40・9・21	177条36
最判昭和36・11・24	177条49	最判昭和40・9・21	446条2
最判昭和36・11・30	697条1	最判昭和40・10・7	364条3
最判昭和36・12・12	110条8	最判昭和40・10・12	423条3
最判昭和36・12・21	613条5	最判昭和40・11・19	176条4
最判昭和37・2・1	613条9	最大判昭和40・11・24	557条1
最判昭和37・3・15	210条1	最判昭和40・11・30	715条2
最判昭和37・3・29	613条2	最判昭和40・12・7	197条1
最判昭和37・4・20	113条1	最判昭和40・12・17	612条5
最判昭和37・5・18	187条4	最判昭和40・12・21	520条1
最判昭和37・8・10	116条1	最判昭和41・1・21	557条3
最判昭和37・9・4	388条5	最判昭和41・1・27	612条6
最判昭和37・9・4	412条2	最判昭和41・3・3	249条5
最判昭和37・10・30	213条1	最判昭和41・3・22	541条2
最判昭和37・11・9	896条1	最大判昭和41・4・20	146条1
最判昭和37・12・25	601条2	最判昭和41・4・21	616条3
最判昭和38・2・22	177条5	最判昭和41・4・22	109条2
最判昭和38・4・23	423条の2 2	最大判昭和41・4・27	605条3
最判昭和38・5・24	605条1	最判昭和41・5・19	249条6
最判昭和38・5・31	242条5	最判昭和41・6・9	192条5
最判昭和38・5・31	298条8	最判昭和41・11・22	177条2・37
最判昭和38・5・31	670条1	最判昭和41・11・25	263条2
最判昭和38・9・27	541条8	最判昭和41・12・22	94条26
最判昭和38・10・29	242条3	最判昭和41・12・23	422条の2 1
最判昭和38・12・13	162条4	最判昭和42・1・20	177条6・939条1
最判昭和39・1・23	90条18	最判昭和42・2・21	601条1
最判昭和39・1・23	130条3	最判昭和42・4・27	192条15
最判昭和39・1・24	206条1	最判昭和42・4・27	921条1

最判昭和42・5・30	715条8	
最判昭和42・6・22	617条3	
最判昭和42・6・23	166条1	
最判昭和42・6・29	94条10	
最判昭和42・6・30	715条7	
最判昭和42・7・21	162条1	
最判昭和42・7・21	177条9	
最判昭和42・8・25	256条1	
最判昭和42・8・25	428条2	
最判昭和42・10・27	145条4	
最判昭和42・10・31	94条19	
最判昭和42・11・2	715条6	
最判昭和42・11・10	109条3	
最判昭和42・12・26	223条1	
大阪家昭和43・1・17	990条1	
最判昭和43・1・25	606条1	
最判昭和43・2・23	541条9	
最判昭和43・3・8	108条2	
最判昭和43・4・4	249条7	
最判昭和43・6・13	242条9	
最判昭和43・7・9	95条7	
最判昭和43・8・2	177条24	
最判昭和43・9・20	651条2	
最判昭和43・9・26	145条11・423条1	
最判昭和43・10・8	163条1・3	
最判昭和43・10・17	94条6	
最判昭和43・11・15	177条26	
最判昭和43・11・19	177条18	
最判昭和43・11・21	295条2・11	
最判昭和43・11・21	616条4	
最判昭和43・12・20	969条1	
最判昭和44・1・16	177条27	
最判昭和44・2・13	21条2	
最判昭和44・2・14	388条4	
最判昭和44・2・27	33条1	
最判昭和44・3・28	370条3	
最判昭和44・4・18	388条7	
最判昭和44・4・25	177条28	
最判昭和44・5・1	492条1	
最判昭和44・5・2	177条71	
最判昭和44・5・27	94条2・18	
最判昭和44・6・24	423条の2 1	
最判昭和44・6・26	1012条4	
最判昭和44・7・3	392条1	
最判昭和44・7・15	145条13	
最判昭和44・7・25	112条1	
最判昭和44・7・25	242条4	
最判昭和44・9・2	308条1	
最判昭和44・9・12	632条4	
最判昭和44・10・30	187条5	
最判昭和44・11・4	33条4	
最判昭和44・11・4	264条1
最判昭和44・11・13	213条5
最判昭和44・12・2	203条1
最判昭和44・12・18	110条12
最判昭和44・12・18	162条2
最判昭和44・12・19	110条13
東京高判昭和45・3・17	884条3
最判昭和45・3・27	348条2
最判昭和45・5・21	146条2
最判昭和45・6・18	185条4
最判昭和45・7・16	372条11
最判昭和45・7・24	94条21
最判昭和45・7・28	110条15
最判昭和45・8・20	493条2
最判昭和45・9・22	94条22
最判昭和45・10・22	130条1
最判昭和45・10・29	185条4
最判昭和45・11・19	94条7
最判昭和45・12・4	192条3
最判昭和45・12・15	109条6
最判昭和45・12・24	110条18
最判昭和46・1・26	899条の2 1・909条1
最判昭和46・2・19	608条1
最判昭和46・3・5	632条1
最判昭和46・6・3	110条3
最判昭和46・6・18	177条23・258条3
最判昭和46・7・16	295条13
最判昭和46・9・21	424条4
最判昭和46・10・7	252条8
最判昭和46・10・14	179条3
最判昭和46・10・21	310条2
最判昭和46・11・5	162条3
最判昭和46・11・16	242条10
最判昭和46・11・16	985条1
最判昭和46・11・25	617条1
最判昭和46・11・26	163条4
最判昭和46・11・30	185条1
最判昭和46・12・21	388条12
最判昭和47・2・18	113条7
最判昭和47・3・9	560条2
最判昭和47・3・17	976条1
最判昭和47・4・7	388条17
最判昭和47・4・14	210条2
最判昭和47・5・25	554条1
最判昭和47・6・2	33条5
最判昭和47・9・7	308条2
最判昭和47・9・7	533条1
最判昭和47・9・8	185条3
最判昭和47・11・2	388条21・30・31
最判昭和47・11・9	936条1
最判昭和47・11・16	295条3・12

最判昭和47・11・21	101条1・192条6・16
最判昭和47・11・28	541条10
最判昭和48・3・13	263条3
最判昭和48・6・28	94条11
最判昭和48・6・29	896条2
最判昭和48・7・3	113条3
最判昭和48・7・17	196条1
最判昭和48・9・18	388条9
最判昭和48・10・4	398条の3 1
最判昭和48・10・9	33条6
最判昭和48・11・22	446条3
最判昭和48・12・14	145条5
最判昭和49・3・19	177条16
最判昭和49・4・26	985条2
最判昭和49・7・18	176条5
最大判昭和49・9・4	561条1
最判昭和49・9・20	424条5
最判昭和49・9・26	96条2
最判昭和49・12・23	119条1
最判昭和49・12・24	369条9
最判昭和50・2・20	616条5
最判昭和50・3・6	423条2
最判昭和50・4・25	94条14
最判昭和50・4・25	576条1
最判昭和50・6・27	121条の2 2
最判昭和50・8・6	398条の2 1
最判昭和50・10・24	959条1
最判昭和50・11・7	907条5
最判昭和50・12・25	561条2
最判昭和51・2・27	388条30・31
最判昭和51・3・18	1043条1
最判昭和51・4・9	106条2
最判昭和51・5・25	1条13
東京高判昭和51・5・27	667条1
最判昭和51・6・15	540条1
最判昭和51・6・17	295条14
最判昭和51・6・25	110条7
最判昭和51・7・1	915条2
最判昭和51・7・8	715条3
最判昭和51・9・7	249条1・5
最判昭和51・10・8	388条18
最判昭和51・12・2	185条5
最判昭和51・12・24	162条7
最判昭和52・2・22	536条1
最判昭和52・3・3	185条5
最判昭和52・3・11	370条2
長野地判昭和52・3・30	90条5
最判昭和52・9・19	898条4
最判昭和52・10・11	388条27
東京高決昭和52・10・25	896条6
最判昭和52・11・21	968条10
最判昭和53・2・17	553条1
最判昭和53・3・6	187条3
東京地昭和53・5・29	1条4
最判昭和53・7・4	392条2
最判昭和53・7・10	644条1
最判昭和53・7・13	905条1
最判昭和53・9・29	388条9
最大昭和53・12・20	884条1
最判昭和54・1・25	246条1
最判昭和54・2・22	906条1
最判昭和54・3・23	910条1
最判昭和54・5・31	968条5
最判昭和54・12・14	116条2
最判昭和55・1・24	424条1
最判昭和55・7・11	423条9
最判昭和55・9・11	94条3
最判昭和55・12・4	974条1
最判昭和56・1・19	651条1
最判昭和56・3・19	200条3
最判昭和56・3・20	266条2
最判昭和56・3・24	90条4
最判昭和56・4・28	94条4
最判昭和56・6・16	166条2
最判昭和56・9・11	975条1
最判昭和56・12・18	968条8
最判昭和57・3・12	369条2
最判昭和57・3・30	200条5
最判昭和57・4・30	554条2
最判昭和57・6・8	94条15
最判昭和57・7・1	263条4
最判昭和57・9・7	192条9
最判昭和57・10・19	140条1
最判昭和58・1・20	619条1
最判昭和58・3・24	186条1
最判昭和58・6・30	364条1
最判昭和58・7・5	177条10・545条6
最判昭和58・10・6	423条6
最判昭和59・2・2	304条1
最判昭和59・4・20	193条1
最判昭和59・4・27	915条1
最判昭和59・9・18	1条5
東京高判昭和59・9・25	907条3
最判昭和59・12・13	601条3
最判昭和60・3・28	186条2
最判昭和60・5・23	392条3
最判昭和60・7・19	304条2
最判昭和60・11・26	145条14
最判昭和61・3・17	145条2
最判昭和61・5・29	90条6
最判昭和61・9・4	90条19
最判昭和61・11・20	90条7・8

最判昭和61・11・20	364条4	最判平成5・1・19	1006条1
最判昭和61・12・16	86条4	最判平成5・1・21	113条5
最判昭和62・2・20	91条2	最判平成5・3・30	304条5
最判昭和62・3・3	896条3	東京高判平成5・8・30	968条11
最判昭和62・3・24	613条6	最判平成5・10・19	632条2
最判昭和62・4・2	304条5	最判平成5・10・19	968条1
最大判昭和62・4・22	258条1	最判平成5・12・17	213条3
最判昭和62・4・24	192条2・17	最判平成6・1・25	247条1・370条5
最判昭和62・6・5	163条1	最判平成6・2・22	166条4
最判昭和62・7・7	117条1	最判平成6・4・7	251条2
最判昭和62・9・4	258条4・907条6	最判平成6・4・19	112条2
最判昭和62・10・8	166条3	最判平成6・5・12	369条14
東京高判昭和62・10・8	897条1	最判平成6・5・31	130条2
最判昭和62・11・10	333条1・2	最判平成6・5・31	263条5
最判昭和63・3・1	113条4	最判平成6・6・24	968条2
最判昭和63・5・20	249条4	最判平成6・7・18	613条3
最判昭和63・6・21	916条1	最判平成6・9・13	113条8
札幌地判昭和63・6・28	1条6	最判平成6・10・25	619条2
最判昭和63・7・1	474条1・715条4	最判平成6・12・16	283条2
神戸地判伊丹支判昭和63・12・26	1条16	最判平成6・12・20	388条13
最判平成元・2・9	909条3	最判平成7・1・24	1012条1
最判平成元・2・9	907条1	最判平成7・7・18	282条1
最判平成元・2・16	968条6	最判平成7・9・5	166条11
最判平成元・9・14	95条5	最判平成7・9・19	703条2
最判平成元・9・19	234条1	最判平成7・11・10	379条1
最判平成元・10・27	372条2	最判平成7・12・15	186条3
最判平成元・11・24	958条の2 1	最判平成8・10・14	612条2
最判平成元・12・14	90条9	最判平成8・10・29	177条25
最判平成元・12・22	187条6	最判平成8・10・31	258条2
最判平成2・1・22	388条10	最判平成8・11・12	185条2
最判平成2・2・20	1条1	最判平成8・11・12	541条3
最判平成2・4・19	370条4	最判平成8・12・17	593条2・898条1
最判平成2・6・5	145条15	最判平成9・1・20	398条の2 3
最判平成2・9・27	907条2	最判平成9・1・28	891条1
最判平成2・10・18	896条7	最判平成9・2・14	388条28
最判平成2・11・20	213条2	最判平成9・2・25	613条1
最判平成2・12・18	351条1	最判平成9・3・25	896条4
最判平成3・3・22	617条2	最判平成9・6・5	379条2
最判平成3・4・19	908条1	最判平成9・6・5	388条29
最判平成3・7・16	296条1	最判平成9・7・1	1条17・540条3
京都地判平成3・10・1	1条7	最判平成9・7・3	298条2
最判平成3・10・1	388条19	最判平成9・7・15	412条3
最判平成3・10・25	715条5	最判平成9・7・17	612条5
東京高決平成3・12・24	904条の2 1	最判平成9・9・4	90条10
最判平成4・3・19	145条6	最判平成9・9・12	951条1
最判平成4・4・7	388条22	最判平成9・11・13	446条7
最判平成4・4・10	899条2	最判平成9・11・13	1025条1
最判平成4・9・22	653条2	最判平成9・12・18	209条1
最判平成4・11・6	392条4	最判平成9・12・18	333条3
東京高決平成4・12・11	892条1	最判平成10・1・30	372条10
最判平成5・1・19	398条の2 2	最判平成10・2・13	177条29

最判平成10・2・13	922条1	最判平成16・7・6	898条3
最判平成10・2・26	249条3	最判平成16・7・13	108条3
最判平成10・2・27	1012条2	最判平成16・7・13	163条2
最判平成10・3・24	251条1	最決平成16・10・29	903条2
最判平成10・3・26	372条3	最判平成17・2・22	304条6
最判平成10・4・24	166条8・16	最判平成17・3・10	369条15
最判平成10・6・11	97条1	最判平成17・3・10	612条7
最判平成10・6・22	145条7	最判平成17・3・29	280条3
最判平成10・7・3	388条28	最判平成17・4・26	33条8
最判平成10・7・17	113条6	最判平成17・7・22	968条9・969条2
最判平成10・12・18	177条30	最判平成17・9・8	909条2
最決平成10・12・18	304条3	最判平成17・9・16	1条8
最判平成11・1・21	929条1	最決平成17・10・11	903条3
最判平成11・2・26	145条8	最判平成17・12・16	162条8
最決平成11・4・16	366条1	最判平成18・1・17	177条32
最判平成11・4・23	388条20	最判平成18・2・21	180条6
最判平成11・6・11	424条2	最判平成18・2・23	94条23
最判平成11・7・13	210条5	最判平成18・3・16	210条6
最判平成11・10・21	145条9	最判平成18・3・28	721条2
最判平成11・11・9	448条3	最判平成18・11・27	90条20
最大判平成11・11・24	369条3・423条11	最判平成19・4・24	166条13
最判平成11・11・30	372条4	最判平成19・7・5	398条の2 4
最判平成11・12・16	1012条3	最判平成19・7・6	388条25
最判平成12・2・24	903条1	最判平成20・2・28	166条14
最判平成12・3・9	424条3	最判平成20・10・3	22条2
最判平成12・4・7	249条9	最判平成20・12・10	91条5
最判平成12・4・7	362条1	最判平成21・1・22	898条5
最決平成12・4・14	372条5	最判平成21・3・6	166条15
最判平成12・6・27	194条1	最判平成21・3・10	369条16
最判平成12・10・20	33条7	最判平成21・3・24	427条2・1043条2
最判平成13・3・13	372条6	最判平成21・4・17	653条2
最判平成13・3・27	1条2	最判平成21・4・28	160条1
最判平成13・7・10	145条10	最判平成21・6・2	91条6
最判平成13・10・25	372条7	最判平成21・6・4	91条7
最判平成13・10・26	162条4	最判平成21・7・3	371条1
最判平成13・11・22	423条7	最判平成21・9・11	1条9
最判平成13・11・27	556条4	最判平成21・11・27	612条8
最判平成14・1・22	338条2	最判平成21・12・10	907条8
最判平成14・3・12	372条8	最判平成22・4・8	91条8
最判平成14・3・28	372条9	最判平成22・6・4	369条17
最判平成14・3・28	613条7	最判平成22・6・17	415条6
最判平成14・10・15	221条1	最判平成22・7・20	127条2
最判平成14・10・22	392条5	最判平成22・9・9	1条10・415条7
最判平成15・3・14	145条16・166条5	最判平成22・10・14	127条3
最判平成15・3・14	446条1	最判平成23・6・3	239条2
最判平成15・4・11	263条10	最判平成24・3・16	177条46・397条1
最判平成15・4・18	90条11	最判平成25・2・26	177条31
最判平成15・6・13	94条9	最大判平成25・9・4	900条1
最判平成15・7・11	252条3	最判平成27・11・20	1024条1
最判平成15・7・18	136条2	最判平成28・2・26	412条4・910条2
最判平成15・12・11	166条12	最判平成28・3・1	714条1・2

最判平成28・6・3 …………………………968条12	最判平成29・11・28 …………………………941条1
最大判平成28・12・19 …………427条3・898条6	最判平成30・4・17 …………………………395条1
最判平成29・1・31 …………………………802条1	最判令和元・8・9 …………………………916条2
最判平成29・4・6 …………………………899条4	最判令和元・8・27 …………………………910条3
最判平成29・7・24 …………………………90条21	

≪不動産登記法≫

判例	条文
大判明治33・10・5	96条1
大判明治35・11・24	16条5
大判明治36・11・26	17条2
大判明治37・7・8	36条1・37条1
大判明治39・2・7	78条2
大判明治39・10・31	78条1
大判明治42・11・8	95条1
大判明治43・7・6	59条1
大判明治44・12・22	63条1
大判大正2・10・25	3条3
釜山地判大正3・12・3	36条2・42条1
大判大正3・12・26	47条5
大判大正4・2・9	16条4
大判大正4・4・5	105条2
大判大正4・5・24	47条6
大判大正4・7・6	105条3
大判大正4・10・22	39条3
大判大正4・10・22	47条7
大判大正4・12・28	36条3・42条2
大判大正5・2・2	74条2
大判大正5・4・11	96条4
大判大正5・11・29	2条11・44条14・48条2
大判大正5・11・29	51条3
大判大正5・12・13	47条8
大判大正6・2・9	85条1
大判大正6・10・11	51条4
大判大正7・2・27	51条5
大判大正7・4・15	3条1
大決大正7・4・30	96条2
大判大正7・12・3	3条5
大判大正7・12・26	35条2
大判大正8・2・6	47条1
大判大正8・5・15	157条1
大判大正9・11・24	61条1
大判大正10・7・11	81条1
大判大正13・10・7	39条1
大判大正15・2・22	2条6・7
大判大正15・4・30	62条1
大判大正15・6・23	74条1
大判大正15・7・6	57条2
大判大正15・10・19	156条1
大判昭和2・6・10	87条1
大判昭和3・6・27	35条3
大判昭和3・7・3	47条3・74条3
大判昭和4・2・15	54条1
大判昭和4・4・6	66条1
大判昭和6・7・10	44条11
大判昭和6・8・7	88条1
大判昭和6・9・16	74条2
大判昭和6・12・22	53条1
大判昭和7・6・9	44条9
函館地昭和8・6・14	3条4
大判昭和9・3・8	51条17
大判昭和9・11・26	63条2
大判昭和10・1・17	2条4
大判昭和10・2・25	16条6
大判昭和10・7・24	2条5
大判昭和10・10・1	2条3・44条1
東京高判昭和11・6・30	44条12
大判昭和12・5・4	44条7
大判昭和12・6・30	51条6
大判昭和15・4・5	25条1
大判昭和16・7・1	42条1
大判昭和17・12・18	47条2
大判昭和18・7・20	47条9
大判昭和21・2・22	48条3
広島高判昭和23・7・21	35条5
大分地判昭和25・2・14	74条7
福岡高判昭和27・11・29	16条7
最判昭和28・1・23	51条16
大阪高判昭和28・3・31	44条19・53条5
最判昭和28・4・16	39条5
福岡高判昭和28・8・19	48条4
大阪地判昭和29・2・15	57条3
東京高判昭和29・2・26	57条6
大阪判昭和29・3・25	51条7
最判昭和30・6・24	39条2
東京高判昭和31・2・13	36条13
東京地判昭和31・5・18	48条17
福岡高裁宮崎支部判昭和31・3・26	35条1
最判昭和31・5・25	76条1
最判昭和31・6・28	105条1
最判昭和31・7・17	22条1
最判昭和31・7・20	51条8
最判昭和31・10・9	51条1
東京高判昭和31・12・19	48条5
最判昭和33・6・24	3条6
東京高判昭和33・8・9	59条2
名古屋高判昭和34・3・16	18条1
東京高判昭和34・6・11	48条6
大分地判昭和34・9・11	44条8
最判昭和35・10・4	51条9
最判昭和36・5・30	96条3
最判昭和36・6・9	25条3・4
最判昭和36・6・16	72条1
大阪高判昭和36・10・18	57条10・68条1
最判昭和37・3・16	156条1
最判昭和37・3・29	2条8・44条3
山口地判昭和37・7・16	33条1・42条5
最判昭和38・2・19	156条2

| 最判昭38・5・31 …………………54条3
| 奈良地判昭38・7・24 ………………51条10
| 山口簡判昭38・11・20 …………44条18・47条15
| 津地判昭38・12・12 ………………53条7
| 最判昭39・1・30 ………44条10・51条11・52条1
| 東京高判昭39・5・11 ………………44条7
| 千葉地判昭39・9・29 ………………29条8
| 最判昭39・10・15 …………………16条2
| 最判昭39・10・29 ……………………156条5
| 仙台高判昭39・11・30 …………51条12・52条2
| 最大判昭40・3・17 ……3条9・44条17・53条4
| 最判昭40・5・4 ……………57条9・74条5
| 東京地判昭40・6・3 ………………57条4
| 最判昭41・4・27 ……………………3条12
| 最判昭41・5・20 ……………………47条16
| 最判昭41・10・7 ……………………16条8
| 大阪高判昭41・12・23 ………………37条3
| 大阪地判昭42・1・25 ………………28条6
| 最判昭42・5・25 ……………………25条7
| 最判昭42・8・25 ……………………39条4
| 東京高判昭42・9・28 ………………39条9
| 東京地判昭42・12・16 …………48条10・58条2
| 東京地判昭43・2・26 ………………27条2
| 最判昭43・5・31 ……………………63条5
| 最判昭43・10・31 ……………………81条2
| 最判昭44・3・25 ……………………51条13
| 最判昭44・5・22 ……………………36条11
| 最判昭44・7・25 ……………48条8・51条2
| 最判昭44・9・12 ……………………47条11
| 最判昭44・11・13 ……………………54条2
| 名古屋高判昭和44・12・25
| ……………48条16・49条1・57条7
| 東京高判昭45・6・29 ………………3条2
| 最判昭45・7・16 ……………28条1・57条11
| 新居浜簡判昭46・2・10 ………………36条10
| 最判昭46・2・23 ……………………38条1
| 最判昭46・3・5 ……………………47条13
| 福島地判昭46・3・11 ………………57条14
| 札幌高判昭46・4・27 ………………17条3
| 東京地判昭46・4・28 ……………48条9・58条1
| 最判昭46・6・29 ……………………3条7
| 福岡地裁小倉支部判昭和46・9・23
| …………………3条11
| 横浜地判昭46・10・21 …………53条6・74条6
| 名古屋地判昭47・2・8 ………………53条3
| 最判昭47・6・2 ……………………16条1
| 最判昭47・6・22 ……………………3条13
| 東京地判昭47・12・1 ……………2条10・44条4
| 東京高判昭48・3・29 ………………38条3
| 東京地判昭49・2・13 ………………14条3
| 名古屋高判昭49・5・21 ……………39条7

| 名古屋高判昭和49・7・19 ……………53条2・8
| 最判昭50・2・13 ……………………3条8
| 最判昭50・5・17 ……………………49条3
| 最判昭50・5・27 ……………………156条14
| 最判昭50・7・14 ……………………51条14
| 最判昭50・10・29 ……………………53条2
| 最判昭50・11・28 ……………………3条14
| 最判昭51・4・8 ……………………20条1
| 東京地判昭51・10・1 ……………48条14・58条5
| 大阪高判昭52・9・20 ………………44条6
| 最判昭52・12・12 …………………36条4・9
| 千葉地判昭52・12・21 ………………156条12
| 甲府地判昭53・5・31 ………………38条4
| 最判昭54・1・25 ……………………47条10
| 東京地判昭54・1・30 ………………48条11
| 最判昭54・3・15 ……………………156条11
| 大阪地判昭54・11・12 ………………38条2
| 那覇地判昭55・1・22 ………………36条7
| 新潟地判昭55・3・28 ……………2条9・44条2
| 東京高判昭55・9・25 ………………3条15
| 福岡高判昭55・10・20 ………………156条9
| 東京地判昭55・11・13 ………………51条15
| 大阪地判昭55・12・5 ………………57条13
| 福岡地判昭56・2・12 ………………29条1
| 福岡地判昭56・2・16 ………………29条5
| 最判昭56・6・18 …………44条15・48条7・58条3
| 最判昭56・7・17 ……………………48条13
| 最判昭56・9・18 ……………………34条1
| 名古屋地判昭56・11・16 ……………156条16
| 岡山地判昭57・1・25 ………………28条2
| 東京地判昭57・3・29 ………………29条6
| 東京地判昭57・4・28 ………………39条6
| 最判昭57・6・17 ……………………36条8
| 名古屋高判昭57・7・13 ……………156条10
| 最判昭58・4・14 ……………………3条16
| 東京高判昭58・9・22 ………………28条4
| 大阪地判昭58・10・21 ………………47条14
| 松山地判昭59・3・21 ……………39条10・156条13
| 最判昭59・12・7 ……………………47条4
| 東京地判昭60・7・26 ………………28条5
| 東京地判昭60・9・25 ………………49条4
| 山口地裁下関支部判昭和60・11・18
| …………………36条6・37条2
| 最判昭61・12・6 ……………………42条4
| 最判昭61・12・16 ……………2条2・36条5
| 鹿児島地判昭61・12・23 ……………49条5
| 最判昭62・7・9 ……………………25条2
| 最判昭62・7・9 ……………………57条1・8
| 長崎地判昭62・8・7 ………………27条5
| 最判昭62・9・11 ……………………17条4
| 最判昭62・11・13 …………20条2・25条6・47条12

最判昭和63・9・8	17条1・156条4
最判平成元・7・14	62条2
東京地判平成元・10・19	53条9
福岡高判平成元・10・25	29条7
大阪地判平成2・2・19	29条4
最判平成3・7・18	2条12
最判平成4・10・6	12条1
神戸地判平成4・10・6	46条1・51条18
最判平成5・2・12	44条16・48条15・58条4
最判平成5・3・11	29条7
東京地判平成5・3・30	58条6
最判平成6・1・25	49条2
大阪地判平成6・1・28	29条3・33条2
最判平成6・5・12	57条12
最判平成6・5・31	16条3
宇都宮地判平成6・7・7	28条2・44条5
大阪地判平成6・9・9	39条8
東京地判平成6・9・20	49条6
広島地判平成6・11・24	14条1・156条6
東京地判平成6・12・19	29条2
最判平成7・1・19	54条4
最判平成7・1・24	63条3
最判平成7・3・7	132条1
最判平成9・3・11	27条4・156条7
最判平成10・7・3	39条8
最判平成10・7・16	49条6
東京高判平成10・9・28	57条5
札幌高判平成11・1・26	2条1
最判平成11・12・16	63条10
東京高判平成12・11・7	44条13
東京地判平成12・11・30	25条5
最判平成16・2・24	2条1
最判平成17・12・16	36条12
最判平成18・1・19	3条10・27条1
広島高判平成20・5・15	14条2・156条8
広島高判平成20・10・29	156条15
最判平成20・12・11	61条2
東京地判平成21・1・26	48条12
金沢地判平成21・3・23	156条17
東京高判平成21・8・6	58条7
最判平成23・2・22	63条4

≪不動産登記令≫

大判明治39・10・31	20条1
大決大正3・8・3	20条2
大決大正7・4・30	20条3

≪境界確定に関する主要判例≫

　　　　　　　　　　　　　頁数／番号

大判大正12・6・2 ……………………1119／①
大判昭和11・3・10……………………1122／㉑
最判昭和31・2・7 ……………………1119／⑤
最判昭和31・12・28 …………………1120／⑪
最判昭和35・6・14 ……………………1124／㉚
岡山地判昭和35・8・23………………1124／㉝
最判昭和37・10・30 …………………1123／㉙
最判昭和38・1・18 ……………………1121／⑰
最判昭和38・10・15 …………………1123／㉘
東京地判昭和39・3・17………………1124／㉞
水戸地判昭和39・3・30………………1123／㉕
東京高判昭和39・9・15………………1124／㉛
東京高判昭和39・11・26 ……………1122／㉒
盛岡地裁一関支判昭和40・7・14……1120／⑫
最判昭和41・5・20 ……………1119／②1123／㉖
東京高判昭和41・7・19………………1124／㉟
最判昭和42・12・26 …………………1121／⑭
最判昭和43・2・22 ……………………1121／⑮
最判昭和43・5・23 ……………………1119／③
最判昭和43・6・28 ……………………1125／㊱
最判昭和46・12・9 ……………………1121／⑱
最判昭和47・6・29 ……………………1119／⑥
東京高判昭和48・8・30………………1122／㉓
東京地判昭和49・6・24………………1123／㉔
東京地判昭和50・1・24………………1126／㊷
大阪高判昭和51・10・15 ……………1126／㊸
東京地判昭和53・8・17………………1126／㊵
東京地判昭和56・3・30………………1126／㊴
高知地判昭和56・12・17 ……………1126／㊶
大阪高判昭和57・2・9 ………………1120／⑬
最判昭和57・7・15 ……………………1119／④
最判昭和57・12・2 ……………………1122／⑳
最判昭和58・10・18 …………………1119／⑦
最判昭和59・2・16 ……………………1120／⑧
東京高判昭和59・8・8 ………………1123／㉗
大阪高判昭和60・3・29………………1125／㊳
最判平成元・3・28 ……………………1121／⑯
最判平成7・3・7 ………………………1120／⑩
福岡高判平成11・2・25………………1125／㊲
最判平成11・2・26 ……………………1120／⑨
最判平成11・11・9 ……………………1122／⑲
大阪地判平成13・3・30………………1124／㉜

【本書に関するお問合せについて】

　本書の正誤に関するご質問は，書面にて下記の送付先まで郵送もしくはFAXでご送付ください。なお，その際にはご質問される方のお名前，ご住所，ご連絡先電話番号（ご自宅／携帯電話等），FAX番号を必ず明記してください。

　また，お電話でのご質問および正誤のお問合せ以外の書籍に関する解説につきましてはお受けいたしかねます。あらかじめご了承くださいますようお願い申し上げます。

【ご送付先】

〒162-0845　東京都新宿区市谷本村町3-22　ナカバビル1階
東京法経学院　「令和7年版土地家屋調査士六法」編集係宛
FAX：03-3266-8018

令和7年版　土地家屋調査士六法

2012年3月30日	初版発行（旧書名 調査士受験必携六法）	
2016年11月25日	平成29年版（改題版）発行	
2017年12月7日	平成30年版発行	
2018年12月10日	2019年版発行	
令和元年12月10日	令和2年版発行	
令和2年12月10日	令和3年版発行	
令和3年12月10日	令和4年版発行	
令和4年12月24日	令和5年版発行	
令和5年12月28日	令和6年版発行	
令和7年1月11日	令和7年版発行	

編　者　　東京法経学院 編集部
発行者　　立　石　寿　純
発行所　　東京法経学院
　〒162-0845
　東京都新宿区市谷本村町3-22
　ナカバビル1F
　電　話　（03）6228-1164（代表）
　ＦＡＸ　（03）3266-8018（営業）
　郵便振替口座　00120-6-22176

版権所有
乱丁・落丁の場合は，お取り替えいたします。

印刷・製本／亜細亜印刷
ISBN978-4-8089-0128-8